SOMMARIO

CONTENTS

SOMMAIRE

INH

CW00422360

- **Carta schematica della rete autostradale italiana** .... pag. 2
- Schematic plan of the Italian motorway network
- Carte schématique du réscau autoroutier italien
- Schematische Karte des italienischen Autobahnnetzes
- Mapa esquemático de la red de autopistas italiana

- **Guida completa delle aree di servizio sulla rete autostradale** pag. 3-15
- Complete guide to service areas in the motorway network
- Guide complet des aires de service du réseau autoroutier
- Vollständiger Führer der Tankstellen und Raststätten an den Autobahnnen
- Guía completa de las áreas de servicio en la red de autopistas

- **Profili autostradali, tangenziali delle principali città, trafori nelle Alpi** pag. 16-35
- Highways, main city by-passes, alpine tunnels
- Cartes des autoroutes, des boulevards périphériques des villes principales et des tunnels alpins
- Autobahnen, Umfahrungsstraßen der größeren Städte, Alpentunnel
- Trazados de las autopistas, de las circunvalaciones, de las ciudades más importantes, túneles en los Alpes

- **Distanze chilometriche fra le principali città** pag. 35
- Distances in Km between main towns
- Distances en Km entre les villes principales
- Entfernung zwischen den wichtigsten Städten in Km
- Distancias en km entre las ciudades más importantes

- **Quadro d'unione delle tavole cartografiche** pag. 36-39
- Key to map tables
- Tableau d'assemblage de la cartographie
- Zusammenhangskarte der Straßenkarten
- Llave de las tablas cartográficas del mapa

- **Segni convenzionali** pag. 40
- Conventional signs
- Légende
- Konventionelle Zeichen
- Signos convencionales

- **Tavole cartografiche** pag. 1 136
- Road maps
- Cartes routières
- Straßenkarten
- Tablas cartográficas

- **Piante di città capoluogo di provincia con vie di accesso, attraversamenti, principali edifici e monumenti** pag. 137-171
- City plans of the chief provincial towns with approach avenues, crossing roads and main public buildings and monuments
- Plans de ville de chefs-lieux de province avec voies d'acces, traversées et principaux édifices et monuments
- Stadtpläne der Provinzhauptstädte mit Zufahrtsstraßen, Ortsdurchfahrten und den wichtigsten öffentlichen Gebäuden und Sehenswürdigkeiten
- Planos de las capitales de provincia con las carreteras de acceso, las calles que las atraviesan y los principales edificios públicos y monumentos

- **C.A.P., indice delle località contenute nell'atlante** pag. 172-248
- Z.I.P. codes, index of places contained in the atlas
- Indicatifs postaux, index des localités contenues dans l'atlas
- Postleitzahl, verzeichnis der im Atlas enthalten Ortchaften
- Código postal, indice de las localidades contenido en el atlas

Atlante stradale d'Italia

Realizzato dal servizio cartografico della Litografia Artistica Cartografica S.r.l.
Direzione, amministrazione e produzione : Via del Romito, 11/13r - 50134 Firenze
Tel. 055/483557 (4 linee r. a.) - Fax 055/483690 - E-mail: info@lac-cartografia.it
www.lac-cartografia.it

Stampa, fotolito e impaginazione elettronica: L.A.C. S.r.l. Firenze

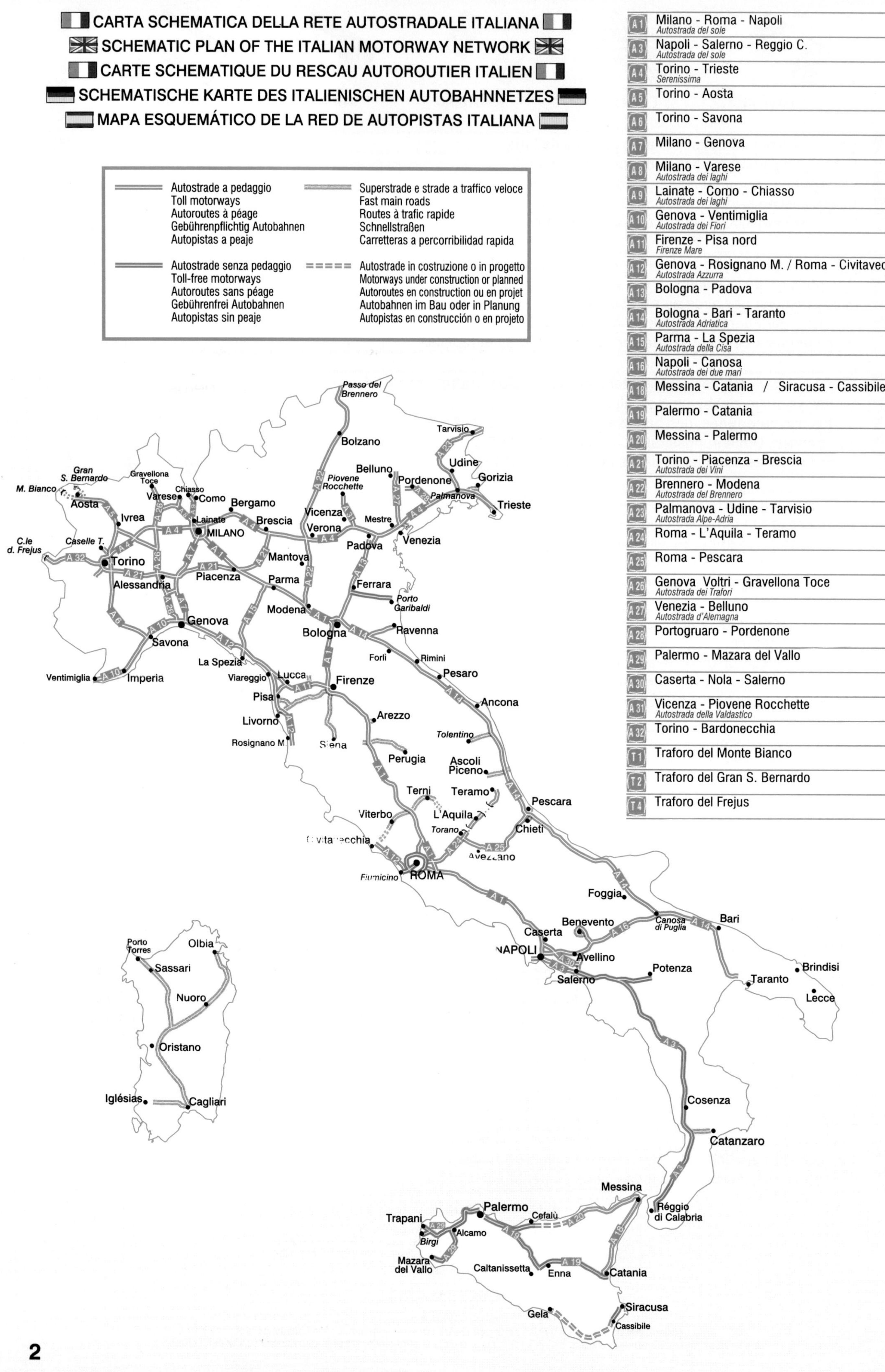

CARTA SCHEMATICA DELLA RETE AUTOSTRADALE ITALIANA
SCHEMATIC PLAN OF THE ITALIAN MOTORWAY NETWORK
CARTE SCHEMATIQUE DU RESCAU AUTOROUTIER ITALIEN
SCHEMATISCHE KARTE DES ITALIENISCHEN AUTOBAHNNETZES
MAPA ESQUEMÁTICO DE LA RED DE AUTOPISTAS ITALIANA

Autostrade a pedaggio
Toll motorways
Autoroutes à péage
Gebührenpflichtig Autobahnen
Autopistas a peaje

Autostrade senza pedaggio
Toll-free motorways
Autoroutes sans péage
Gebührenfrei Autobahnen
Autopistas sin peaje

Superstrade e strade a traffico veloce
Fast main roads
Routes à trafic rapide
Schnellstraßen
Carreteras a percorribilidad rapida

Autostrade in costruzione o in progetto
Motorways under construction or planned
Autoroutes en construction ou en projet
Autobahnen im Bau oder in Planung
Autopistas en construcción o en projeto

A1	Milano - Roma - Napoli *Autostrada del sole*
A3	Napoli - Salerno - Reggio C. *Autostrada del sole*
A4	Torino - Trieste *Serenissima*
A5	Torino - Aosta
A6	Torino - Savona
A7	Milano - Genova
A8	Milano - Varese *Autostrada dei laghi*
A9	Lainate - Como - Chiasso *Autostrada dei laghi*
A10	Genova - Ventimiglia *Autostrada dei Fiori*
A11	Firenze - Pisa nord *Firenze Mare*
A12	Genova - Rosignano M. / Roma - Civitavecchia *Autostrada Azzurra*
A13	Bologna - Padova
A14	Bologna - Bari - Taranto *Autostrada Adriatica*
A15	Parma - La Spezia *Autostrada della Cisa*
A16	Napoli - Canosa *Autostrada dei due mari*
A18	Messina - Catania / Siracusa - Cassibile
A19	Palermo - Catania
A20	Messina - Palermo
A21	Torino - Piacenza - Brescia *Autostrada dei Vini*
A22	Brennero - Modena *Autostrada del Brennero*
A23	Palmanova - Udine - Tarvisio *Autostrada Alpe-Adria*
A24	Roma - L'Aquila - Teramo
A25	Roma - Pescara
A26	Genova Voltri - Gravellona Toce *Autostrada dei Trafori*
A27	Venezia - Belluno *Autostrada d'Alemagna*
A28	Portogruaro - Pordenone
A29	Palermo - Mazara del Vallo
A30	Caserta - Nola - Salerno
A31	Vicenza - Piovene Rocchette *Autostrada della Valdastico*
A32	Torino - Bardonecchia
T1	Traforo del Monte Bianco
T2	Traforo del Gran S. Bernardo
T4	Traforo del Frejus

2

CHIAMATE D'EMERGENZA

EMERGENCY PHONE NUMBERS

APPELS D'URGENCE

WICHTIGE TELEFONNUMMERN

LLAMADAS DE EMERGENCIA

113	112	115
Polizia pronto intervento	Carabinieri pronto intervento	Vigili del fuoco
Police emergency	Carabinieri emergency	Fire brigade
Police urgence	Gendarmes service d'urgence	Pompiers
Nothilfe-Polizei	Karabiniere Überfalldienst	Feuerwehr
Emergencias Policía	Emergencias Carabineros	Bomberos

118	116	06 4477
Emergenza sanitaria	Soccorso stradale A.C.I.	Percorribilità strade e autostrade A.C.I.
Medical emergency	A.C.I. road service rescue	A.C.I. road and motorway conditions
Medecin d'urgence	Secours routier A.C.I.	Viabilité des routes et autoroutes A.C.I.
Medizinischer Notruf	Pannendienst A.C.I.	Befahrbarkeit der Straßen und der Autobahnen A.C.I.
Emergencia sanitaria	Asistencia en la carretera A.C.I.	Viabilidad en las carreteras y autopistas A.C.I.

LEGENDA
KEY TO SYMBOLS
LEGENDE
ZEICHENERKLÄRUNG
LEYENDA

Carburante	G.P.L.	Officina	Bar	Ristorante
Fuel	gpl	Garage	Bar	Restaurant
Carburant		Garage	Café	Restaurant
Treibstoff		Werkstatt	Imbißstube	Restaurant
Gasolina		Taller	Bar	Restaurante

Motel	Bancomat	Servizi per disabili	Area per bambini	Fax
	Cash dispenser	Facilities for the disabled	Nursery	Fax
	Guichet automatique	Services pour deshables	Zone pour les enfants	Télécopieur
	Geldautomat	Behinderten-service	Kinderspielplatz	Fax
	Cajero automático	Servicios para inválidos	Area para los niños	Fax

3

AUTOSTRADA	Km	NOME		Carburante	gpl	Officina	Bar	Ristorante	Hotel	BANCOMAT	Disabili	Nursery	FAX	SERVIZI VARI
A1 MILANO NAPOLI	0+000	S. DONATO	EST	Agip			ALEMAGNA	●	●		●			
			OVEST	Agip			ALEMAGNA				●			
	15+100	S. ZENONE	EST	Esso	●		AUTOGRILL				●	●	●	
			OVEST	Agip	●	●	AUTOGRILL	●		●	●		●	
	43+600	SOMAGLIA	EST	Shell			AUTOGRILL	●		●	●	●	●	
			OVEST	ERG			AUTOGRILL	●		●	●		●	
	73+400	ARDA	EST	ip	●		AUTOGRILL	●			●	●	●	🚐
			OVEST	Esso	●		AUTOGRILL	●		●	●	●	●	*i*
	114+100	SAN MARTINO	EST	Agip	●	●	AUTOGRILL	●			●	●	●	
			OVEST	ip	●	●	ALEMAGNA	●		●	●		●	
	156+500	SECCHIA	EST	Agip	●		ALEMAGNA	●	●	●	●	●	●	*i*
			OVEST	Esso	●		AUTOGRILL	●			●	●	●	● $
	198+900	CANTAGALLO	EST	Agip			Motta	●			●		●	$
			OVEST	Agip			Motta	●		●	●		●	*i*
	242+600	RONCOBILACCIO	EST	Q8	●		AUTOGRILL	●			●		●	
			OVEST	FINA			AUTOGRILL	●			●	●		
	255+400	AGLIO	EST	FINA			AUTOGRILL	●			●		●	
			OVEST	Q8			AUTOGRILL	●			●		●	*i*
	279+800	BISENZIO	EST	Agip			ALEMAGNA				●	●	●	
			OVEST	ip			ALEMAGNA							
	280+000	FIRENZE NORD	NORD	Agip		●	ALEMAGNA	●	●	●	●		●	*i*
	305+600	CHIANTI	EST	ERG			AUTOGRILL	●		●	●	●	●	*i*
			OVEST	Esso			AUTOGRILL	●		●	●	●	●	
	321+500	REGGELLO	EST	Agip			ALEMAGNA	●			●		●	
			OVEST	Agip		●	ALEMAGNA	●			●		●	
	362+400	BADIA AL PINO	EST	FINA	●		Motta	●			●		●	
			OVEST	ERG		●	AUTOGRILL	●		●	●		●	
	378+700	LUCIGNANO	EST	Agip	●	●	RistorAgip	●		●	●	●	●	
			OVEST	Shell			Restop	●			●		●	
	395+000	MONTEPULCIANO	EST	Esso			AUTOGRILL	●	●	●	●		●	
			OVEST	ip	●	●	AUTOGRILL	●	●	●	●		●	
	427+800	FABRO	EST	api	●		Motta	●		●	●		●	
			OVEST	Agip	●		ALEMAGNA	●			●		●	
	464+700	TEVERE	EST	ip			AUTOGRILL	●			●		●	
			OVEST	Q8	●		AUTOGRILL	●	●	●	●		●	*i*
	481+100	GIOVE	EST	Q8		●	AUTOGRILL				●		●	
			OVEST	Esso	●		AUTOGRILL	●			●		●	🚐
	509+100	FLAMINIA	EST	Agip		●	ALEMAGNA	●			●	●	●	
			OVEST	Agip	●	●	ALEMAGNA				●		●	

AUTOSTRADA	Km	NOME		⛽ Carburante	gpl	🔧	☕ Bar	🍴	🛏	BANCOMAT	♿	👶	FAX	SERVIZI VARI
A1 MILANO NAPOLI	535+600	MASCHERONE	EST	Esso			AUTOGRILL	●				●		●	
			OVEST	ip	●		AUTOGRILL	●				●		●	
	566+100	PRENESTINA	EST	Agip	●		AUTOGRILL	●				●		●	
			OVEST	Agip	●		AUTOGRILL	●				●	●		
	611+300	LA MACCHIA	EST	Shell			AUTOGRILL	●				●		●	
			OVEST	Esso			AUTOGRILL	●	●			●	●		
	659+900	CASILINA	EST	Agip	●	●	ALEMAGNA	●				●		●	
			OVEST	ip			AUTOGRILL	●				●	●		
	708+600	TEANO	EST	Q8			AUTOGRILL	●				●	●	●	
			OVEST	Agip	●	●	ALEMAGNA					●		●	*i*
	737+500	S. NICOLA	EST	ip		●	AUTOGRILL	●				●	●	●	
			OVEST	ERG		●	ALEMAGNA	●				●		●	
A1 dir FIANO ROMA S.CESAREO	4+000	FERONIA	EST	Esso	●		AUTOGRILL	●		●		●	●	●	
			OVEST	ip	●		AUTOGRILL	●	●	●		●	●	●	*i* $
	20+700	SALARIA	EST	Agip			ALEMAGNA					●		●	
			OVEST	Agip			ALEMAGNA					●		●	
	18+100	TUSCOLANA	EST	Agip								●		●	
			OVEST	Agip			ALEMAGNA					●		●	
	13+400	FRASCATI	EST	Esso			AUTOGRILL	●				●	●	●	
			OVEST	Q8			AUTOGRILL	●				●	●		
A3 NAPOLI REGGIO C.	21+200	TORRE ANNUNZIATA	EST	Esso			AUTOGRILL	●	●			●	●		
			OVEST	Esso			AUTOGRILL					●			
	40+100	ALFATERNA	EST	Esso			AUTOGRILL					●			
			OVEST	Esso			AUTOGRILL					●			
	59+000	SALERNO	EST	Agip		●	ALEMAGNA					●			
			OVEST	Agip		●	ALEMAGNA					●			
	94+000	CAMPAGNA	EST	api		●	Motta	●							
			OVEST	Q8		●	AUTOGRILL					●			
	143+000	SALA CONSILINA	EST	Agip		●	AUTOGRILL					●			
			OVEST	Agip			AUTOGRILL					●			
	198+000	GALDO-LAURIA	EST	Esso			●					●			
			OVEST	Esso			●					●			
	245+000	FRASCINETO	EST	Q8		●	ALEMAGNA					●			
			OVEST	ip			AUTOGRILL					●			
	278+000	TARSIA	EST	Agip			AUTOGRILL	●				●			
			OVEST	Agip			ALEMAGNA					●			
	306+000	COSENZA	EST	Agip	●		ALEMAGNA					●			
			OVEST	ip			●					●			
	326+000	ROGLIANO	EST	ip			AUTOGRILL					●			
			OVEST	Agip		●	ALEMAGNA					●			

AUTOSTRADA	Km	NOME		⛽	gpl	🔧	☕	🍴	🛏	BANCOMAT	♿	👶	FAX	SERVIZI VARI
A3 NAPOLI REGGIO C.	369+000	LAMEZIA-S.EUFEMIA	EST	Agip		●	ALEMAGNA				●			
			OVEST	Esso			●				●			
	392+000	PIZZO	EST	Agip			RistorAgip				●			
	441+000	ROSARNO	EST	Esso			●				●			
			OVEST	Agip		●	ALEMAGNA	●			●			
	482+000	VILLA S. GIOVANNI	EST	Agip		●	ALEMAGNA				●			
			OVEST	Agip		●	ALEMAGNA				●			
A4 TORINO TRIESTE	3+000	SETTIMO TORINESE	NORD	Agip		●	ALEMAGNA	●	●		●		●	
			SUD	Agip			ALEMAGNA				●		●	
	32+000	CIGLIANO	NORD	IP			AUTOGRILL				●			
			SUD	Esso			AUTOGRILL				●			
	64+000	VILLARBOIT	NORD	Agip	●		Motta	●			●			
			SUD	Agip	●	●	AUTOGRILL	●			●	●	●	
	89+000	NOVARA	NORD	Shell	●		AUTOGRILL	●			●	●	●	
			SUD	Q8			AUTOGRILL	●		●	●	●	●	
	123+000	PERO	NORD	Q8			AUTOGRILL				●		●	
			SUD	IP			AUTOGRILL				●		●	
	134+000	LAMBRO	NORD	Agip			●				●		●	
			SUD	Esso			AUTOGRILL				●		●	●
	148+000	BRIANZA	NORD	Agip	●	●	AUTOGRILL			●	●		●	● punto blu
			SUD	Agip	●		AUTOGRILL				●		●	
	166+000	BREMBO	NORD	Esso			AUTOGRILL	●		●	●	●	●	
			SUD	Q8			AUTOGRILL	●		●	●	●	●	
	197+000	SEBINO	NORD	IP			AUTOGRILL				●		●	
			SUD	Esso			AUTOGRILL	●			●		●	
	214+000	VALTROMPIA	NORD	Agip	●		AUTOGRILL			●	●		●	
			SUD	Shell api			AUTOGRILL				●		●	
	227+000	SAN GIACOMO	NORD	Esso			AUTOGRILL	●			●		●	
			SUD	Agip	●	●	Restop				●		●	
	245+000	MONTE ALTO	NORD	ERG	●		AUTOGRILL	●		●	●		●	
			SUD	ERG			AUTOGRILL	●		●	●		●	
	272+000	MONTE BALDO	NORD	Agip			Restop	●	●		●	●	●	$
			SUD	IP			BAULI	●		●	●	●	●	*i* $
	302+000	SCALIGERA	NORD	IP	●		AUTOGRILL	●		●	●	●		
			SUD	Esso	●		AUTOGRILL	●		●	●	●		
	325+000	VILLA MOROSINI	NORD	Agip			ALEMAGNA				●		●	
	337+000	TESINA	SUD	Agip		●	ALEMAGNA	●			●		●	

AUTOSTRADA	Km	NOME		⛽ (carburante)	gpl	🔧	☕ (bar)	🍴	🛏	BANCOMAT	♿	🍄	FAX	SERVIZI VARI
A4 TORINO TRIESTE	355+000	LIMENELLA	NORD	Q8	●	●	AUTOGRILL	●		●	●	●	●	
			SUD	Esso			AUTOGRILL				●	●	●	
	373+000	ARINO	NORD	Agip	●		ALEMAGNA	●			●		●	
			SUD	Agip	●		ALEMAGNA				●		●	*i*
	386+000	MARGHERA	NORD	Agip	●		ALEMAGNA				●		●	
			SUD	Agip	●	●	ALEMAGNA	●	●		●		●	*i*
	393+000	BAZZERA	NORD	Shell	●		●	●			●	●	●	*i* $
			SUD	Agip	●		ALEMAGNA				●		●	
	426+000	CALSTORTA	NORD	Agip			ALEMAGNA				●		●	
			SUD	Shell	●		Restop	●	●		●	●	●	
	451+000	FRATTA	NORD	ip	●		AUTOGRILL	●			●	●	●	
			SUD	Esso	●		AUTOGRILL	●	●		●	●	●	
	481+000	GONARS	NORD	Agip	●		Restop	●	●		●	●	●	*i* $
			SUD	ip	●		AUTOGRILL	●	●		●	●	●	*i* $
	514+000	DUINO	NORD	Agip		●	ALEMAGNA				●		●	$
			SUD	Agip			ALEMAGNA	●	●		●	●	●	*i* $
A4/A5 IVREA SANTHIÁ	13+400	VIVERONE	NORD	ip	●		AUTOGRILL				●		●	
			SUD	ip	●		AUTOGRILL				●		●	
A5 TORINO AOSTA	2+500	SETTIMO TORINESE	EST	Agip		●	ALEMAGNA	●	●		●		●	
	35+000	SCARMAGNO	EST	ip	●		AUTOGRILL				●			
			OVEST	Esso		●	PAVESI				●			
	83+000	ST. VINCENT-CHÂTILLON	EST	Agip			FELETTI OTTOZ				●		●	*i*
			OVEST	Agip			AUTOGRILL				●		●	*i*
	105+000	AUTOPORTO-POLLEIN	OVEST	Agip			OTTOZ	●	●	●	●	●	●	$
A6 TORINO SAVONA	11+000	RIO DEI COCCHI	EST	ip			●				●			
			OVEST	Esso			AUTOGRILL				●			
	30+000	RIO COLORÈ	EST	Shell	●		Restop	●			●		●	
			OVEST	Shell	●		●				●		●	
	48+000	RIO GHIDONE	EST	Agip			ALEMAGNA				●			
			OVEST	Q8	●		Motta				●			
	63+00.	MONDOVÌ	EST	Esso	●		AUTOGRILL				●			
			OVEST	ip			AUTOGRILL				●			
	84+000	PRIERO	EST	Shell			●				●		●	*i*
			OVEST	Esso	●		●				●			
	103+000	CA' LIDORA	OVEST	Agip			AUTOGRILL				●		●	
	108+000	CARCARE	EST	ip			●				●			🚐

7

AUTOSTRADA	Km	NOME		⛽	gpl	🔧	☕	🍴	🛏	BANCOMAT	♿	👶	FAX	SERVIZI VARI
A7 MILANO GENOVA	0+400	CANTALUPA	EST	api	●	●	AUTOGRILL							
			OVEST	ip		●	AUTOGRILL	●	●		●		●	
	33+000	DORNO	EST	Esso	●		AUTOGRILL	●			●	●	●	camper
			OVEST	Shell	●		AUTOGRILL	●			●	●		
	53+700	CASTELNUOVO SCRIVIA	EST	Agip	●		ALEMAGNA				●		●	
			OVEST	ERG	●	●	ALEMAGNA				●		●	
	80+000	BETTOLE- NOVI LIGURE	EST	FINA	●	●	AUTOGRILL	●			●		●	
			OVEST	ip	●	●	AUTOGRILL				●			
	92+500	VALLE SCRIVIA	EST	Agip		●	ALEMAGNA				●		●	
			OVEST	Agip			ALEMAGNA				●		●	
	106+100	GIOVI	EST	ip									●	
			OVEST	Esso		●	●				●	●	●	
	116+600	CAMPORA	EST	Esso			AUTOGRILL				●		●	
	133+600	LA LANTERNA	EST	Agip									●	
A8 VARESE MILANO	7+000	BRUGHIERA	EST	Q8			AUTOGRILL				●		●	
			OVEST	Esso			AUTOGRILL						●	
	41+000	VILLORESI	EST	Esso			AUTOGRILL				●		●	
			OVEST	ip	●		AUTOGRILL	●			●	●	●	
A8 dir GATTICO GALLARATE	16+000	VERBANO	EST	ip			AUTOGRILL						●	
			OVEST	Agip	●		AUTOGRILL				●			
A9 LAINATE CHIASSO	15+000	LARIO	EST	Agip			AUTOGRILL				●		●	i
			OVEST	Q8			AUTOGRILL				●	●	●	i
A10 GENOVA VENTIMIGLIA	26+000	PIANI D'INVREA	NORD	Esso			AUTOGRILL				●		●	
			SUD	ip			AUTOGRILL	●			●			
	42+000	S. CRISTOFORO	NORD	Agip									●	
			SUD	Agip									●	
	45+500	AURELIA	SUD	Agip			RistorAgip	●			●		●	
	55+700	BORSANA	SUD	ip			●				●	●	●	camper
	77+000	CERIALE	NORD	Shell Esso			AUTOGRILL				●		●	i $ camper
			SUD	Agip			RistorAgip	●			●	●	●	i $ camper
	95+000	RINOVO	NORD	Agip			●				●	●	●	camper
	97+700	VALLE CHIAPPA	SUD	Esso			AUTOGRILL				●		●	
	120+300	CONIOLI	SUD	Agip			AUTOGRILL				●		●	

AUTOSTRADA	Km	NOME		⛽	gpl	🔧	☕	🍴	🛏	BANCOMAT	♿	🛵	FAX	SERVIZI VARI
A10 GENOVA VENTIMIGLIA	123+100	CASTELLARO	NORD	Agip				AUTOGRILL			●	●		
	143+500	BORDIGHERA	NORD	ip				AUTOGRILL			●			
			SUD	Agip				AUTOGRILL			●			*i* $
	152+000	VENTIMIGLIA-AUTOPORTO	NORD	ip			●						●	*i*
A11 FIRENZE PISA NORD	3+000	PERETOLA	NORD	Agip	●			AUTOGRILL			●	●	●	
			SUD	Agip				AUTOGRILL			●		●	*i*
	35+500	SERRAVALLE PISTOIESE	NORD	Esso				AUTOGRILL	●	●	●	●	●	
			SUD	Shell	●			AUTOGRILL	●	●	●	●	●	
	79+000	MIGLIARINO	NORD	Agip				ALEMAGNA			●		●	
			SUD	Agip				ALEMAGNA			●		●	
A11-12 VIAREGGIO LUCCA	5+289	MONTE DI QUIESA	NORD	ip	●			AUTOGRILL			●		●	🚐
A12 GENOVA ROSIGNANO	14+500	S. ILARIO	NORD	Agip				ALEMAGNA			●		●	
			SUD	Q8				AUTOGRILL			●		●	
	48+800	RIVIERA	NORD	ip				AUTOGRILL			●		●	
			SUD	Agip				ALEMAGNA			●		●	
	76+781	BRUGNATO	EST	Shell	●			AUTOGRILL	●		●		●	
			OVEST	Esso				AUTOGRILL			●		●	
	96+508	MAGRA	EST	Esso	●			AUTOGRILL	●	●	●		●	
			OVEST	ip	●			AUTOGRILL			●		●	
	134+243	VERSILIA	EST	Agip				ALEMAGNA			●		●	
			OVEST	Agip				ALEMAGNA			●		●	
	163+512	CASTAGNOLO	EST	Q8				ALEMAGNA			●		●	
			OVEST	Esso				AUTOGRILL			●		●	🚐
	196+075	SAVALANO	OVEST	ip	●	●		AUTOGRILL	●		●		●	*i* 🚐
	200+075	FINE	EST	Esso	●	●		AUTOGRILL	●		●		●	🚐
A12 ROMA CIVITAVECCHIA	8+600	ARRONE	EST	Agip	●			ALEMAGNA			●			
			OVEST	ip				ALEMAGNA			●			
	39+200	TIRRENO	EST	Tamoil	●			AUTOGRILL			●		●	
			OVEST	Q8	●			AUTOGRILL			●			
	59+500	TOLFA	EST	Fina api			●				●			
			OVEST	Agip				ALEMAGNA			●		●	
A13 PADOVA BOLOGNA	19+000	S. PELAGIO	OVEST	Agip	●			ALEMAGNA			●		●	● punto blu
			EST	Shell			●	Restop			●	●	●	
	52+000	ADIGE	OVEST	Q8	●			AUTOGRILL			●		●	
			EST	Esso	●			AUTOGRILL			●		●	

AUTOSTRADA	Km	NOME		Carburante	gpl	Officina	Bar	Ristorante	Hotel	BANCOMAT	Disabili	Nursery	FAX	SERVIZI VARI
A13 PADOVA BOLOGNA	69+000	PO	OVEST	api ERG	●		AUTOGRILL	●		●	●		●	
			EST	Q8	●		AUTOGRILL	●			●		●	
	106+000	CASTEL BENTIVOGLIO	OVEST	Esso	●		AUTOGRILL	●			●		●	
			EST	Agip	●		ALEMAGNA			○	●		●	
A 14 BOLOGNA BARI TARANTO	2+300	LA PIOPPA	EST	Agip	●	●	AUTOGRILL	●			●	●	●	
			OVEST	Agip	●		RistorAgip	●			●	●	●	
	37+500	SILLARO	EST	api	●		Motta	●			●		●	
			OVEST	Agip	●	●	AUTOGRILL	●		●	●	●	●	
	59+500	SANTERNO	EST	Shell	●		Ristop						●	
			OVEST	ip	●		Ristop	●			●		●	
	89+500	BEVANO	EST	Agip	●	●	AUTOGRILL	●			●		●	
			OVEST	Esso api	●		AUTOGRILL	●			●		●	
	111+300	RUBICONE	EST	Esso	●		AUTOGRILL						●	
			OVEST	ERG		●	●				●		●	
	133+500	MONTEFELTRO	EST	TAMOIL	●		AUTOGRILL	●			●		●	
			OVEST	Agip		●	ALEMAGNA	●			●		●	
	158+900	FOGLIA	EST	Agip			ALEMAGNA				●		●	
			OVEST	FINA	●		AUTOGRILL			●	●			
	186+200	METAURO	EST	Esso	●		AUTOGRILL				●		●	
			OVEST	Q8	●		AUTOGRILL	●		●	●		●	
	208+700	ESINO	EST	Agip			ALEMAGNA				●		●	
			OVEST	ERG Esso			AUTOGRILL				●	●	●	
	239+000	CONERO	EST	ip	●		AUTOGRILL	●		●	●	●	●	
			OVEST	Agip			ALEMAGNA				●		●	
	263+900	CHIENTI	EST	FINA	●		AUTOGRILL			●	●			
			OVEST	api	●		Motta	●		●	●	●		
	290+800	PICENO	EST	Agip	●		ALEMAGNA			●	●		●	
			OVEST	Shell	●		Ristop				●	●	●	
	323+600	TORTORETO	EST	Shell	●		●	●			●		●	
			OVEST	Agip			ALEMAGNA				●		●	
	340+300	VOMANO	EST	ERG			Motta			●	●		●	
			OVEST	Agip	●		Motta			●	●		●	
	363+100	TORRE CERRANO	EST	Agip			ALEMAGNA				●		●	
			OVEST	Esso	●		AUTOGRILL	●		●	●	●	●	
	393+900	ALENTO	EST	Esso			Ristop	●			●	●	●	
			OVEST	Agip		●	ALEMAGNA			●	●		●	(camper)
	428+800	SANGRO	EST	Q8	●		●			●	●	●	●	
			OVEST	Q8	●		AUTOGRILL	●			●	●		
	458+600	TRIGNO	EST	Q8			●				●		●	
			OVEST	ip	●		●			●	●		●	

AUTOSTRADA	AREA DI SERVIZIO			⛽	gpl	🔨	☕	🍴	🛏	BANCOMAT	♿	🛍	FAX	SERVIZI VARI
	Km	NOME												
A 14 BOLOGNA BARI TARANTO	473+600	RIOVIVO	EST	Agip			ALEMAGNA				●			
			OVEST	Agip			ALEMAGNA				●			
	493+500	TORRE FANTINE	EST	Agip			Motta			●	●		●	
			OVEST	Agip			●				●		●	
	517+500	SAN TRIFONE	EST	IP			AUTOGRILL				●			
			OVEST	Esso			●				●		●	
	542+200	GARGANO	EST	Esso			AUTOGRILL				●		●	
	559+600	DAUNIA	EST	Agip			ALEMAGNA				●		●	
			OVEST	Agip			ALEMAGNA				●		●	
	587+300	LE SALINE	EST	Esso			AUTOGRILL				●		●	
			OVEST	Q8	●		●			●	●		●	
	620+400	CANNE DELLA BATTAGLIA	EST	ERG	●		●			●	●	●	●	
			OVEST	Agip	●		ALEMAGNA				●		●	
	644+400	DOLMEN DI BISCEGLIE	EST	IP			AUTOGRILL				●		●	
			OVEST	IP			AUTOGRILL	●		●	●		●	
	671+400	MURGE	EST	Agip			AUTOGRILL	●		●	●		●	
			OVEST	Esso			AUTOGRILL				●		●	
	697+600	LE FONTI	EST	Q8			●				●		●	
A 14 RACCORDO DI RAVENNA	19+900	SANT'EUFEMIA	NORD	IP	●		AUTOGRILL				●		●	
			SUD	IP							●		●	
A 15 PARMA LA SPEZIA	14+000	MEDESANO	EST	Esso	●		AUTOGRILL	●		●	●	●	●	
			OVEST	Agip	●		AUTOGRILL	●		●	●		●	
	54+000	TUGO	EST	Agip			ALEMAGNA			●	●		●	
			OVEST	Agip			ALEMAGNA			●	●		●	
	65+000	MONTAIO	EST	ERG			●	●		●	●		●	
			OVEST	IP	●		AUTOGRILL			●	●		●	
	80+000	SAN BENEDETTO	EST	Agip	●		AUTOGRILL			●	●		●	
			OVEST	Shell	●		AUTOGRILL			●			●	
	106+000	MELARA	EST	Agip			ALEMAGNA				●	●	●	
A 16 NAPOLI CANOSA	4+500	VESUVIO	NORD	Agip	●		ALEMAGNA				●		●	
			SUD	Shell	●		AUTOGRILL						●	
	44+200	IRPINIA	NORD	Agip			AUTOGRILL				●		●	
			SUD	Agip	●		Ristop	●			●	●	●	
	77+300	MIRABELLA	NORD	Esso			AUTOGRILL				●			
			SUD	Q8	gpl		AUTOGRILL	●	●		●		●	
	106+500	CALAGGIO	NORD	IP			AUTOGRILL				●		●	
			SUD	FINA	●		AUTOGRILL				●		●	

AUTOSTRADA	Km	NOME		Carburante	gpl	🔨	bar	🍴	🛏	BANCOMAT	♿	👶	FAX	SERVIZI VARI
A 16 NAPOLI CANOSA	137+600	TORRE ALEMANNA	NORD	Agip		●	ALEMAGNA				●		●	
			SUD	Esso			AUTOGRILL				●		●	
	153+100	OFANTO	NORD	Esso			AUTOGRILL	●			●		●	
			SUD	ip			AUTOGRILL				●		●	
A 18 MESSINA CATANIA	0+000	TREMESTIERI	OVEST	Esso	●	●	AUTOGRILL	●			●	●	●	*i* 🚌
	26+400	S. TERESA DI RIVA	EST	Q8	●		AUTOGRILL						●	
			OVEST	ip			ALEMAGNA				●		●	
	42+250	CALATABIANO	EST	ip							●		●	
			OVEST	Q8			●				●		●	
	71+250	ACI S. ANTONIO	EST	Agip			ALEMAGNA				●		●	
			OVEST	Agip			AUTOGRILL				●		●	
A 19 PALERMO CATANIA	32+000	CARACOLI	NORD	Agip	●		ALEMAGNA				●			
			SUD	Agip	●		ALEMAGNA				●			
	55+000	SCILLATO	SUD	api	●		●				●			
	127+000	SACCHITELLO	NORD	ip	●		AUTOGRILL				●			
			SUD	ip	●		AUTOGRILL				●			
	192+000	GELSO BIANCO	NORD	Shell	●	●	●		●		●			
			SUD	Shell	●	●	●				●			
A 20 MESSINA PALERMO	1+500	TREMESTIERI	OVEST	Agip	●	●	AUTOGRILL	●			●	●	●	*i*
	22+000	DIVIETO	NORD	Agip			●				●		●	🚐
			SUD	Esso			AUTOGRILL				●		●	
	40+000	OLIVARELLA	SUD	Q8	●		Motta				●			🚐
	60+600	TINDARI	NORD	Q8			ALEMAGNA				●		●	🚐
			SUD	Agip	●		ALEMAGNA				●		●	🚐
	109+000	ACQUEDOLCI	SUD	Esso	●		AUTOGRILL				●		●	
A 21 TORINO PIACENZA BRESCIA	13+000	VILLANOVA D'ASTI	NORD	ip	●		●				●			
			SUD	Agip	●		ALEMAGNA				●		●	
	48+100	CROCETTA	NORD	Q8	●		ALEMAGNA				●		●	
			SUD	Esso	●		AUTOGRILL				●		●	🚐
	91+00	TORTONA	NORD	Agip	●		ALEMAGNA				●		●	
			SUD	Agip	●		AUTOGRILL	●			●	●	●	
	130+200	STRADELLA	NORD	Agip	●	●	ALEMAGNA				●		●	
			SUD	ip	●		AUTOGRILL	●			●	●	●	
	168+300	NURE	NORD	Agip	●	●	●			●	●	●	●	
			SUD	Agip	●		ALEMAGNA				●	●	●	

AUTOSTRADA	Km	NOME		⛽	gpl	🔨	☕	🍴	🛏	BANCOMAT	♿	👶	FAX	SERVIZI VARI
A21 TORINO PIACENZA BRESCIA	194+000	CREMONA	OVEST	Agip	●		ALEMAGNA	●	●		●		●	
			EST	Tamoil	●		AUTOGRILL	●			●	●	●	
	230+400	GHEDI	EST	Agip			ALEMAGNA				●		●	
			OVEST	Agip			ALEMAGNA				●		●	
A22 BRENNERO MODENA	16+000	SADOBRE *AUTOPORTO*	OVEST	Agip			●	●	●		●		●	🚐 $
	20+000	TRENS	EST	Agip			ALEMAGNA				●		●	
			OVEST	Agip			ALEMAGNA				●		●	$
	41+800	PLOSE	EST	Q8			●	●			●		●	
			OVEST	Shell			●	●			●		●	
	63+500	ISARCO	EST	Agip			ALEMAGNA				●		●	
	68+800	SCILIAR	OVEST	Esso			AUTOGRILL				●		●	
	99+600	LAIMBURG	EST	Esso			AUTOGRILL	●			●	●	●	
			OVEST	Agip			ALEMAGNA				●		●	
	128+700	PAGANELLA	EST	Agip	●		ALEMAGNA				●		●	
			OVEST	Agip			AUTOGRILL				●		●	
	158+900	NOGAREDO	EST	ERG			AUTOGRILL				●		●	
			OVEST	Agip			ALEMAGNA				●		●	
	187+000	ADIGE	EST	IP	●		AUTOGRILL				●		●	
			OVEST	IP	●		AUTOGRILL	●			●	●	●	
	207+600	GARDA	EST	Agip			RistorAgip	●			●		●	
			OVEST	Agip			RistorAgip	●			●		●	
	240+400	POVEGLIANO	EST	api	●		Motta				●		●	🚐
			OVEST	Shell	●		Ristop	●			●		●	
	267+500	PO	EST	Esso			AUTOGRILL	●			●	●	●	
			OVEST	ERG			AUTOGRILL	●			●		●	
	308+500	CAMPOGALLIANO	EST	IP	●		AUTOGRILL				●		●	
			OVEST	Agip	●		RistorAgip	●			●		●	
A23 PALMANOVA UDINE TARVISIO	14+400	ZUGLIANO	EST	Q8	●		Motta				●		●	
			OVEST	Agip	●		ALEMAGNA				●		●	
	37+200	LEDRA	EST	Agip			ALEMAGNA				●		●	
			OVEST	Esso			●				●		●	*i* 🚐
	67+600	CAMPIOLO	OVEST	Q8			AUTOGRILL	●			●	●	●	*i* 🚐
	97+800	FELLA	EST	IP			AUTOGRILL				●		●	
A24 ROMA L'AQUILA TERAMO	1+000	TIBURTINA	SUD	Q8			●				●			
	6+600	LA RUSTICA	NORD	Q8			●				●		●	

AUTOSTRADA	Km	NOME		⛽	gpl	🔧	☕	🍴	🛏	BANCOMAT	♿	👶	FAX	SERVIZI VARI
A24 ROMA L'AQUILA TERAMO	000	COLLE TASSO	NORD	Agip			AUTOGRILL				●	●	●	
			SUD	Agip			ALEMAGNA				●			
	+7+700	CIVITA	NORD	Esso	●		AUTOGRILL				●	●	●	*i*
			SUD	IP			AUTOGRILL	●	●		●	●	●	
	99+100	VALLE ATERNO	OVEST	Agip	●		AUTOGRILL		●		●		●	
			EST	Q8	●		●				●		●	
A25 ROMA PESCARA [Tratto Torano-Pescara]	174+800	BRECCIAROLA	NORD	Q8	●		●	●		●	●		●	
			SUD	Q8	●		●			●	●		●	
	81+600	MONTE VELINO	NORD	Agip	●		ALEMAGNA			●	●			
			SUD	api	●		●				●			
A26 GENOVA VOLTRI GRAVELLONA TOCE	6+800	TURCHINO	EST	Agip			AUTOGRILL	●			●		●	
			OVEST	Agip			AUTOGRILL	●			●		●	
	25+500	STURA	EST	Q8			AUTOGRILL	●		●	●		●	
			OVEST	Esso			AUTOGRILL	●		●	●		●	
	51+300	BORMIDA	EST	IP	●		●				●		●	
			OVEST	Agip			ALEMAGNA				●		●	
	83+100	MONFERRATO	EST	Agip			●				●		●	
	108+000	SESIA	EST	FINA	●		AUTOGRILL				●		●	
			OVEST	IP	●		AUTOGRILL	●			●		●	
	154+800	AGOGNA	EST	Esso	●		AUTOGRILL				●		●	
			OVEST	Agip	●		AUTOGRILL				●		●	
A 26-A7 BRETELLA	9+700	MARENGO	NORD	IP			●	●			●		●	
			SUD	Shell	●		Restop	●			●		●	
A 26 dir. STROPPIANA SANTHIA	1+700	CAVOUR	OVEST	FINA	●		●	●			●			
	29+300	LE RISAIE	OVEST	api	●		●				●			
A27 VENEZIA BELLUNO	27+700	PIAVE	EST	Q8			ALEMAGNA				●		●	
			OVEST	Agip	●		ALEMAGNA				●		●	
	50+600	CERVADA	EST	Agip	●		●				●			
	81+100	PONTE NELLE ALPI	OVEST	Agip			●				●	●		🚐
A28 PORTOGRUARO PORDENONE	1+500	GRUARO	EST	Q8	●		AUTOGRILL				●		●	
			OVEST	Q8	●		AUTOGRILL				●		●	
	29+300	PORCIA-BRUGNERA	EST	Agip	●		●				●	●	●	
			OVEST	IP	●		●	●			●		●	
A 30 CASERTA SALERNO	16+400	TRE PONTI	EST	api	●		●				●		●	
			OVEST	Q8	●		●				●		●	
	33+400	ANGIOINA	EST	Esso	●		●				●			
			OVEST	IP			●	●			●			
A31 VICENZA PIOVENE R.	10+000	POSTUMIA	NORD	Agip			●				●			
			SUD	IP	●		●				●			
A32 TORINO BARDONECCHIA	35+000	AREA AUTOPORTO	EST (ovest)				●	●			●		●	

AUTOSTRADA	AREA DI SERVIZIO Km	NOME		⛽	gpl	🔧	☕	🍴	🛏	BANCOMAT	♿	👶	FAX	SERVIZI VARI
	55+000	GRAN BOSCO SALBERTRAND	EST	FINA	●		AUTOGRILL	●					●	ACI 🚌 $
			OVEST	Esso	●		●				●		●	ACI 🚌 $

TANGENZIALI

AUTOSTRADA	Km	NOME		⛽	gpl	🔧	☕	🍴	🛏	BANCOMAT	♿	👶	FAX	SERVIZI VARI
TANGENZIALE DI TORINO (dir: per Pinerolo)	4+500	BEINASCO	NORD	ip	●	●	●				●			
			SUD	Agip	●		Restop				●		●	
TANGENZIALE DI TORINO	1+800	RIVOLI	NORD	ip			●				●		●	
			SUD	Agip			●				●		●	
	4+400	BAUDUCCHI	OVEST	ip			●				●		●	
			EST	ip			●				●			
	10+100	NICHELINO	NORD	Agip			Restop	●			●		●	
			SUD	Agip			Restop	●			●		●	
	16+500	STURA	NORD	Agip			●				●		●	
			SUD	Agip			●				●		●	
TANGENZIALE OVEST DI MILANO	1+200	RHO	OVEST	Agip			ALEMAGNA						●	
	11+900	MUGGIANO	EST	Agip			ALEMAGNA						●	
			OVEST	Agip		●	ALEMAGNA						●	i
	18+700	ASSAGO	OVEST	Agip		●	AUTOGRILL	●	●		●		●	
	24+500	ROZZANO	EST	Agip	●		ALEMAGNA				●		●	
	29+400	S. GIULIANO	EST	Agip			ALEMAGNA						●	
			OVEST	Agip	●		ALEMAGNA						●	
TANGENZIALE EST DI MILANO	9+700	CASCINA GOBBA	EST	Agip			AUTOGRILL						●	
			OVEST	Agip			●						●	
	15+300	COLOGNO M.	EST	Agip			ALEMAGNA				●		●	
	19+000	CARUGATE	EST	Agip			ALEMAGNA						●	
			OVEST	Agip			ALEMAGNA						●	
	28+500	VIMERCATE	OVEST	Agip			●						●	
TANGENZIALE DI NAPOLI	3+500	ANTICA CAMPANA	NORD	Q8	●		●				●			
			SUD	Esso			●			●				
	8+000	ASTRONI	NORD	Agip			ALEMAGNA				●		●	
			SUD	Agip			ALEMAGNA				●			
	16+100	SCUDILLO	NORD	Esso			●			●				
			SUD	api			●							
	19+800	DUGANELLA	NORD	Agip			●				●			

TRAFORI

AUTOSTRADA	Km	NOME		⛽	gpl	🔧	☕	🍴	🛏	BANCOMAT	♿	👶	FAX	SERVIZI VARI
FREJUS		FREJUS	NORD	Agip			●				●		●	$
			SUD	ip			●				●		●	$
MONTE BIANCO		MONTE BIANCO	EST				AUTOGRILL				●			ACI $
			OVEST				AUTOGRILL	●			●			ACI $ i
GRAN S. BERNARDO		ST. RHEMY	EST	Agip		●	RistorAgip	●						i $
			OVEST	Agip		●	RistorAgip	●						i $

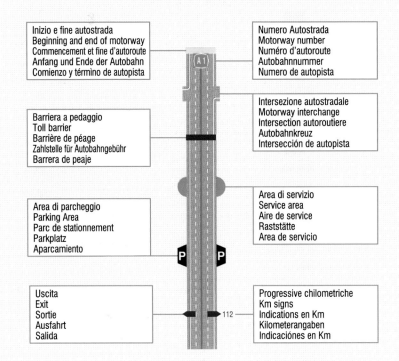

Inizio e fine autostrada
Beginning and end of motorway
Commencement et fine d'autoroute
Anfang und Ende der Autobahn
Comienzo y término de autopista

Numero Autostrada
Motorway number
Numéro d'autoroute
Autobahnnummer
Numero de autopista

Barriera a pedaggio
Toll barrier
Barrière de péage
Zahlstelle für Autobahngebühr
Barrera de peaje

Intersezione autostradale
Motorway interchange
Intersection autoroutiere
Autobahnkreuz
Intersección de autopista

Area di parcheggio
Parking Area
Parc de stationnement
Parkplatz
Aparcamiento

Area di servizio
Service area
Aire de service
Raststätte
Area de servicio

Uscita
Exit
Sortie
Ausfahrt
Salida

Progressive chilometriche
Km signs
Indications en Km
Kilometerangaben
Indaciónes en Km

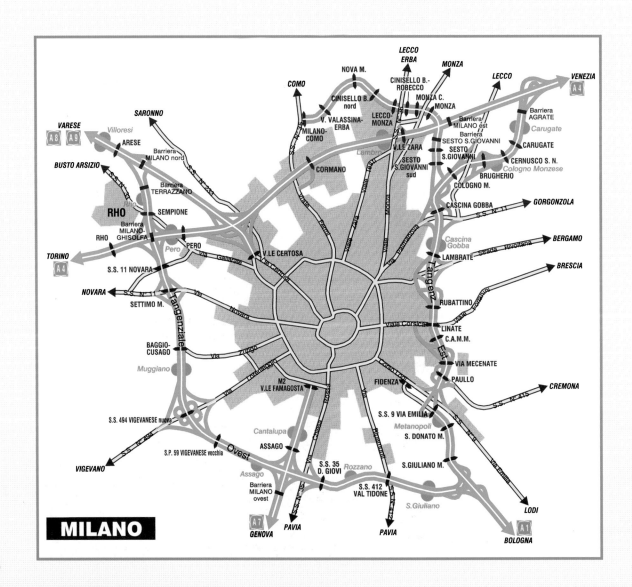

MILANO

MILANO - NAPOLI
A 1

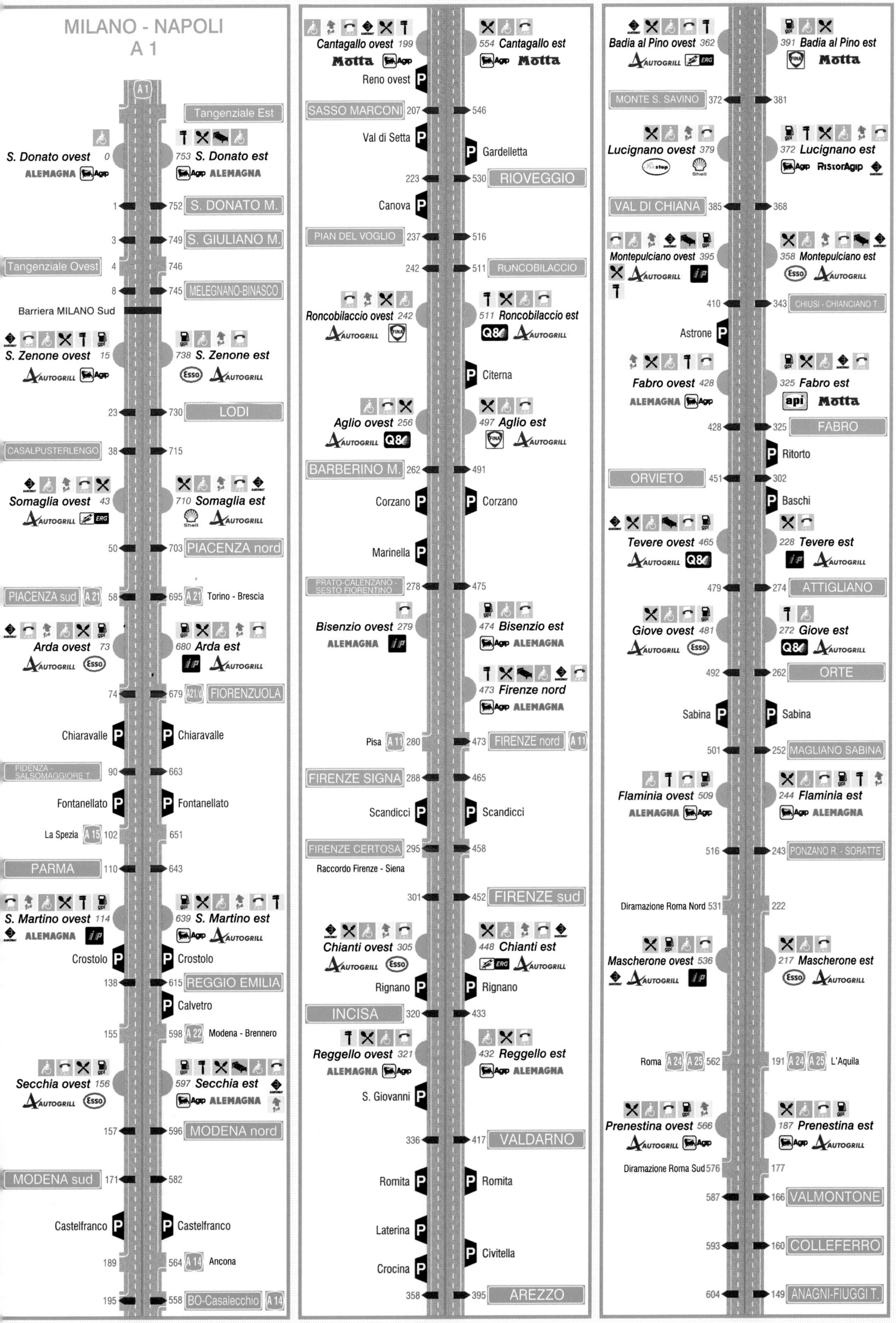

A1
Tangenziale Est
S. Donato ovest 0
ALEMAGNA Agip
753 S. Donato est
Agip ALEMAGNA
1 752 S. DONATO M.
3 749 S. GIULIANO M.
Tangenziale Ovest 4 746
8 745 MELEGNANO-BINASCO
Barriera MILANO Sud
S. Zenone ovest 15
AUTOGRILL Agip
738 S. Zenone est
Esso AUTOGRILL
23 730 LODI
CASALPUSTERLENGO 38 715
Somaglia ovest 43
AUTOGRILL ERG
710 Somaglia est
Shell AUTOGRILL
50 703 PIACENZA nord
PIACENZA sud A21 58 695 A21 Torino - Brescia
Arda ovest 73
AUTOGRILL Esso
680 Arda est
ip AUTOGRILL
74 679 A21/d FIORENZUOLA
Chiaravalle P
P Chiaravalle
FIDENZA - SALSOMAGGIORE T. 90 663
Fontanellato P
P Fontanellato
La Spezia A15 102 651
PARMA 110 643
S. Martino ovest 114
ALEMAGNA ip
639 S. Martino est
Agip AUTOGRILL
Crostolo P
P Crostolo
138 615 REGGIO EMILIA
P Calvetro
155 598 A22 Modena - Brennero
Secchia ovest 156
AUTOGRILL Esso
597 Secchia est
Agip ALEMAGNA
157 596 MODENA nord
MODENA sud 171 582
Castelfranco P
P Castelfranco
189 564 A14 Ancona
195 558 BO-Casalecchio A14
Cantagallo ovest 199
Motta Agip
554 Cantagallo est
Agip Motta
Reno ovest P
SASSO MARCONI 207 546
Val di Setta P
P Gardelletta
223 530 RIOVEGGIO
Canova P
PIAN DEL VOGLIO 237 516
242 511 RONCOBILACCIO
Roncobilaccio ovest 242
AUTOGRILL FINA
511 Roncobilaccio est
Q8 AUTOGRILL
P Citerna
Aglio ovest 256
AUTOGRILL Q8
497 Aglio est
FINA AUTOGRILL
BARBERINO M. 262 491
Corzano P
P Corzano
Marinella P
PRATO-CALENZANO - SESTO FIORENTINO 278 475
Bisenzio ovest 279
ALEMAGNA ip
474 Bisenzio est
Agip ALEMAGNA
473 Firenze nord
Agip ALEMAGNA
Pisa A11 280 473 FIRENZE nord A11
FIRENZE SIGNA 288 465
Scandicci P
P Scandicci
FIRENZE CERTOSA 295 458
Raccordo Firenze - Siena
301 452 FIRENZE sud
Chianti ovest 305
AUTOGRILL Esso
448 Chianti est
ERG AUTOGRILL
Rignano P
P Rignano
INCISA 320 433
Reggello ovest 321
ALEMAGNA Agip
432 Reggello est
Agip ALEMAGNA
S. Giovanni P
336 417 VALDARNO
Romita P
P Romita
Laterina P
P Civitella
Crocina P
358 395 AREZZO
Badia al Pino ovest 362
AUTOGRILL ERG
391 Badia al Pino est
FINA Motta
MONTE S. SAVINO 372 381
Lucignano ovest 379
Restop Shell
372 Lucignano est
Agip RistorAgip
VAL DI CHIANA 385 368
Montepulciano ovest 395
AUTOGRILL ip
358 Montepulciano est
Esso AUTOGRILL
410 343 CHIUSI - CHIANCIANO T.
Astrone P
Fabro ovest 428
ALEMAGNA Agip
325 Fabro est
api Motta
428 325 FABRO
P Ritorto
ORVIETO 451 302
P Baschi
Tevere ovest 465
AUTOGRILL Q8
228 Tevere est
ip AUTOGRILL
479 274 ATTIGLIANO
Giove ovest 481
AUTOGRILL Esso
272 Giove est
Q8 AUTOGRILL
492 262 ORTE
Sabina P
P Sabina
501 252 MAGLIANO SABINA
Flaminia ovest 509
ALEMAGNA Agip
244 Flaminia est
Agip ALEMAGNA
516 243 PONZANO R. - SORATTE
Diramazione Roma Nord 531 222
Mascherone ovest 536
AUTOGRILL ip
217 Mascherone est
Esso AUTOGRILL
Roma A24 A25 562 191 A24 A25 L'Aquila
Prenestina ovest 566
AUTOGRILL Agip
187 Prenestina est
Agip AUTOGRILL
Diramazione Roma Sud 576 177
587 166 VALMONTONE
593 160 COLLEFERRO
604 149 ANAGNI-FIUGGI T.

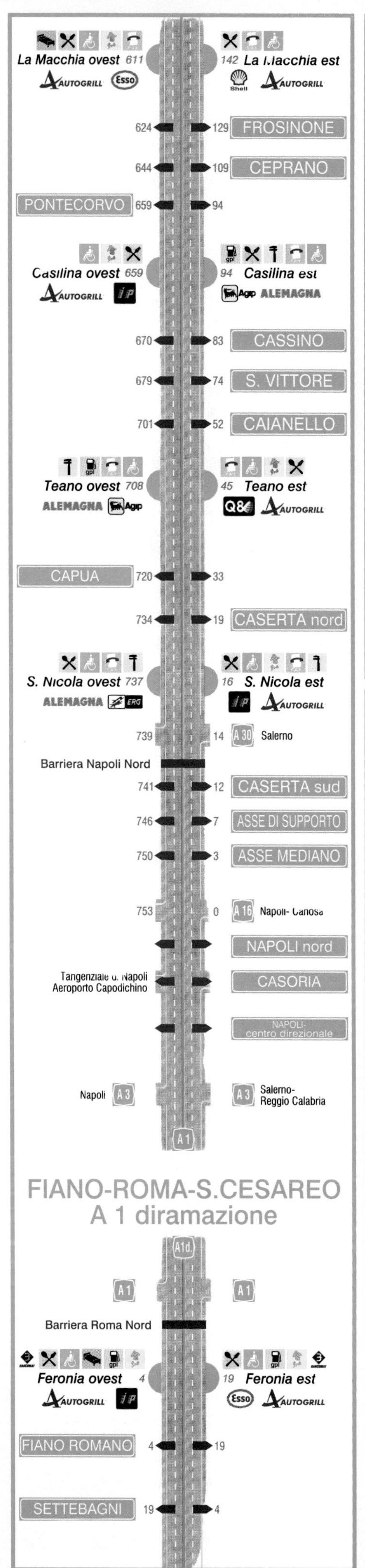

La Macchia ovest 611   142 **La Macchia est**
AUTOGRILL Esso   Shell AUTOGRILL

624 — 129 FROSINONE
644 — 109 CEPRANO
PONTECORVO 659 — 94

Casilina ovest 659   94 **Casilina est**
AUTOGRILL ip   Agip ALEMAGNA

670 — 83 CASSINO
679 — 74 S. VITTORE
701 — 52 CAIANELLO

Teano ovest 708   45 **Teano est**
ALEMAGNA Agip   Q8 AUTOGRILL

CAPUA 720 — 33
734 — 19 CASERTA nord

S. Nicola ovest 737   16 **S. Nicola est**
ALEMAGNA ERG   ip AUTOGRILL

739 — 14 A30 Salerno
Barriera Napoli Nord
741 — 12 CASERTA sud
746 — 7 ASSE DI SUPPORTO
750 — 3 ASSE MEDIANO
753 — 0 A16 Napoli- Canosa
NAPOLI nord
Tangenziale di Napoli Aeroporto Capodichino — CASORIA
NAPOLI-centro direzionale
Napoli A3   A3 Salerno-Reggio Calabria
A1

FIANO-ROMA-S.CESAREO
A 1 diramazione

A1d.
A1   A1
Barriera Roma Nord

Feronia ovest 4   19 **Feronia est**
AUTOGRILL ip   Esso AUTOGRILL

FIANO ROMANO 4 — 19
SETTEBAGNI 19 — 4

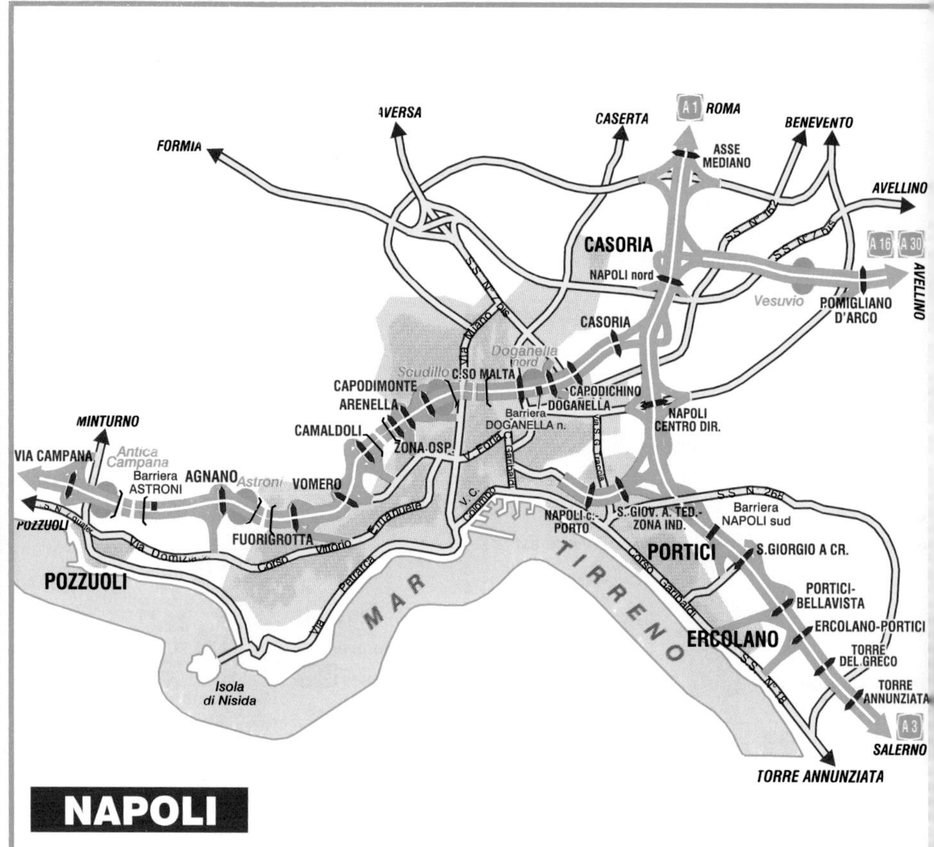

NAPOLI

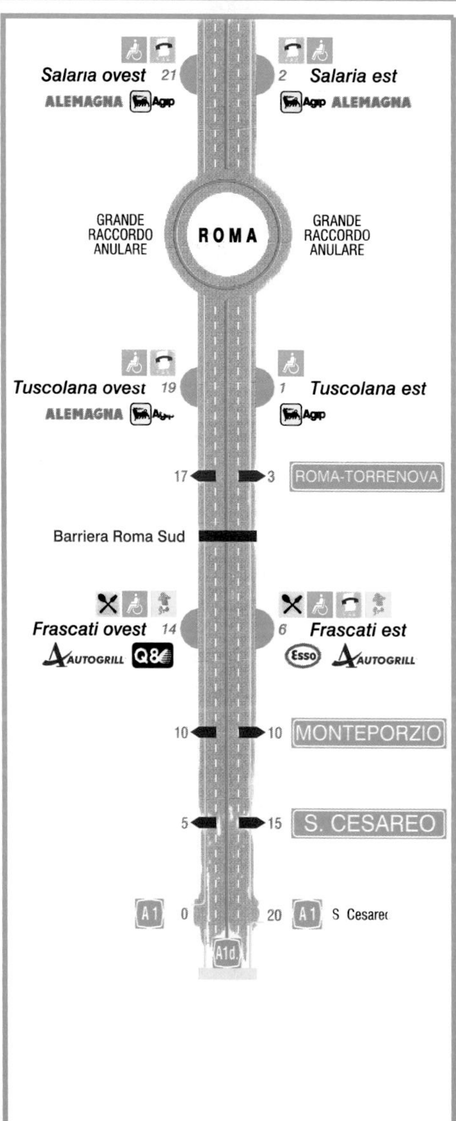

Salaria ovest 21   2 **Salaria est**
ALEMAGNA Agip   Agip ALEMAGNA

GRANDE RACCORDO ANULARE   **ROMA**   GRANDE RACCORDO ANULARE

Tuscolana ovest 19   1 **Tuscolana est**
ALEMAGNA Agip   Agip

17 — 3 ROMA-TORRENOVA
Barriera Roma Sud

Frascati ovest 14   6 **Frascati est**
AUTOGRILL Q8   Esso AUTOGRILL

10 — 10 MONTEPORZIO
5 — 15 S. CESAREO
A1 0   20 A1 S Cesareo
A1d.

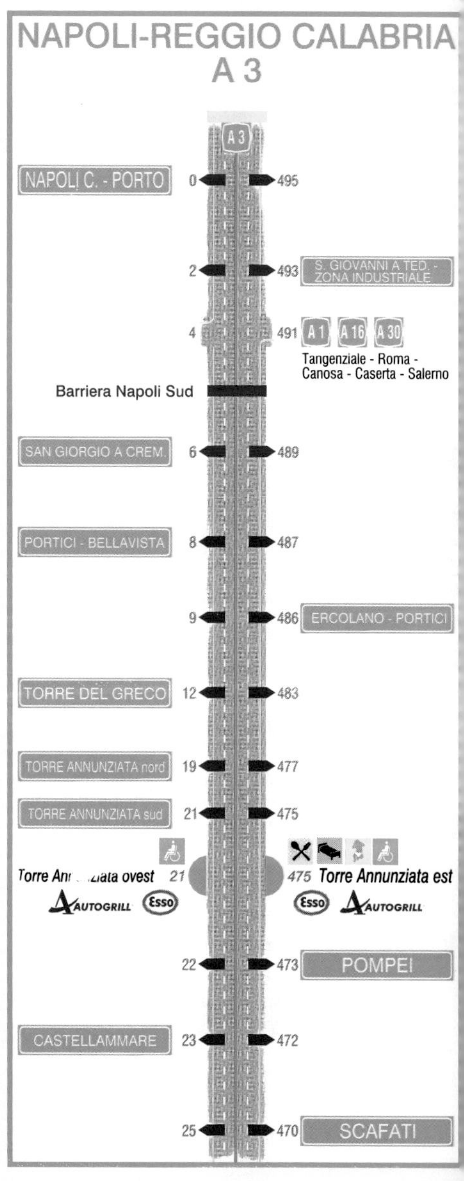

NAPOLI-REGGIO CALABRIA
A 3

A3
NAPOLI C. - PORTO 0 — 495
2 — 493 S. GIOVANNI A TED. - ZONA INDUSTRIALE
4 — 491 A1 A16 A30 Tangenziale - Roma - Canosa - Caserta - Salerno
Barriera Napoli Sud
SAN GIORGIO A CREM. 6 — 489
PORTICI - BELLAVISTA 8 — 487
9 — 486 ERCOLANO - PORTICI
TORRE DEL GRECO 12 — 483
TORRE ANNUNZIATA nord 19 — 477
TORRE ANNUNZIATA sud 21 — 475

Torre Annunziata ovest 21   475 **Torre Annunziata est**
AUTOGRILL Esso   Esso AUTOGRILL

22 — 473 POMPEI
CASTELLAMMARE 23 — 472
25 — 470 SCAFATI

18

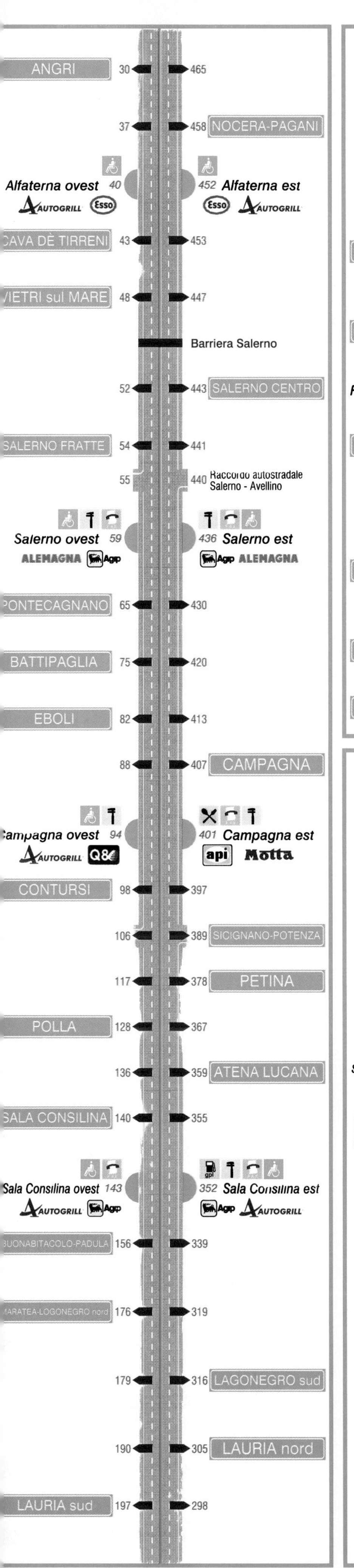

ANGRI	30	465
	37	458 NOCERA-PAGANI
Alfaterna ovest 40		452 Alfaterna est
CAVA DE TIRRENI	43	453
VIETRI sul MARE	48	447
		Barriera Salerno
	52	443 SALERNO CENTRO
SALERNO FRATTE	54	441
	55	440 Raccordo autostradale Salerno - Avellino
Salerno ovest 59		436 Salerno est
PONTECAGNANO	65	430
BATTIPAGLIA	75	420
EBOLI	82	413
	88	407 CAMPAGNA
Campagna ovest 94		401 Campagna est
CONTURSI	98	397
	106	389 SICIGNANO-POTENZA
	117	378 PETINA
POLLA	128	367
	136	359 ATENA LUCANA
SALA CONSILINA	140	355
Sala Consilina ovest 143		352 Sala Consilina est
BUONABITACOLO-PADULA	156	339
MARATEA-LOGONEGRO nord	176	319
	179	316 LAGONEGRO sud
	190	305 LAURIA nord
LAURIA sud	197	298

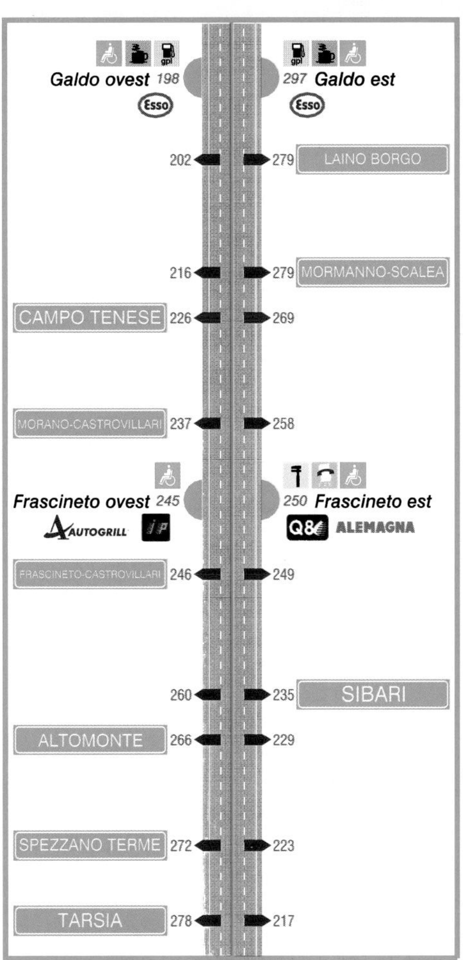

Galdo ovest 198		297 Galdo est
	202	279 LAINO BORGO
	216	279 MORMANNO-SCALEA
CAMPO TENESE	226	269
MORANO-CASTROVILLARI	237	258
Frascineto ovest 245		250 Frascineto est
FRASCINETO-CASTROVILLARI	246	249
	260	235 SIBARI
ALTOMONTE	266	229
SPEZZANO TERME	272	223
TARSIA	278	217

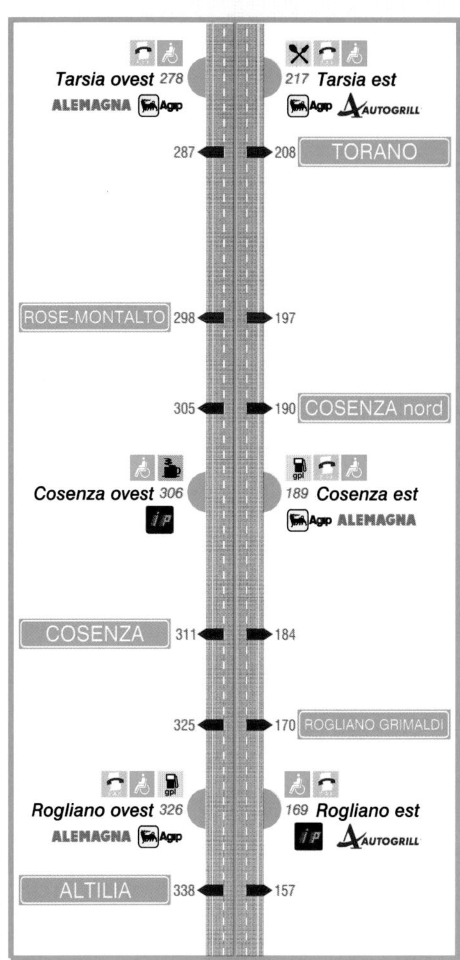

Tarsia ovest 278		217 Tarsia est
	287	208 TORANO
ROSE-MONTALTO	298	197
	305	190 COSENZA nord
Cosenza ovest 306		189 Cosenza est
COSENZA	311	184
	325	170 ROGLIANO GRIMALDI
Rogliano ovest 326		169 Rogliano est
ALTILIA	338	157

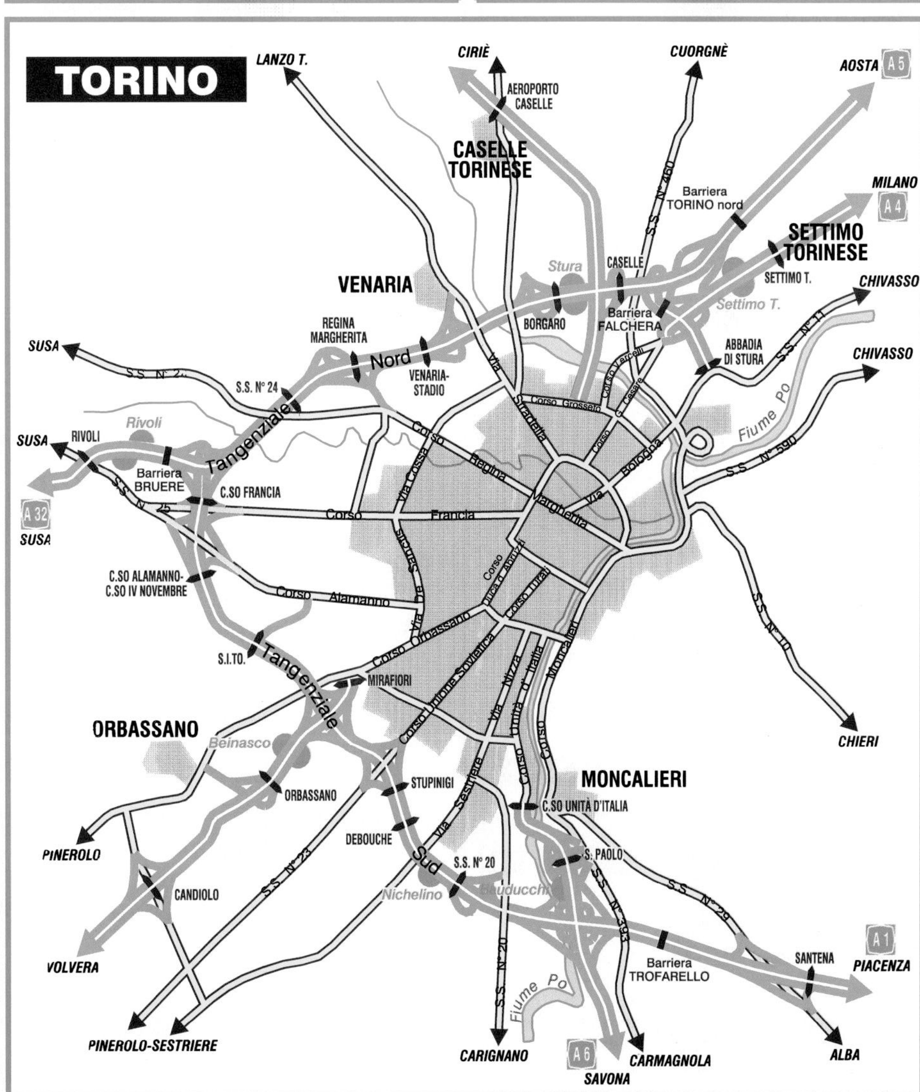

TORINO

19

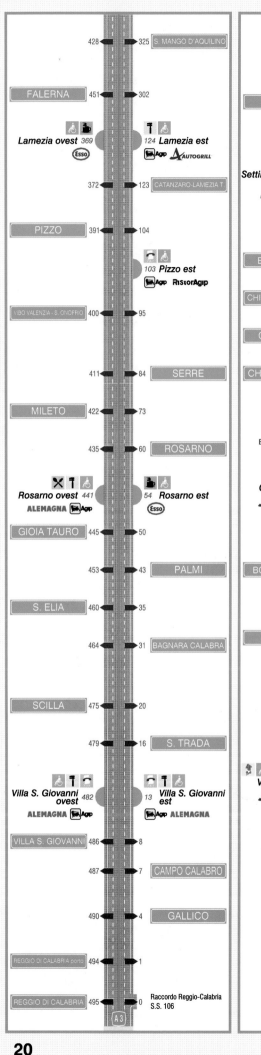

Uscita / Area	km	km	Uscita / Area
	428	325	S. MANGO D'AQUILINO
FALERNA	451	302	
Lamezia ovest (Esso)	369	124	*Lamezia est* (Agip, Autogrill)
	372	123	CATANZARO-LAMEZIA T.
PIZZO	391	104	
		103	*Pizzo est* (Agip, RistorAgip)
VIBO VALENZIA - S. ONOFRIO	400	95	
	411	84	SERRE
MILETO	422	73	
	435	60	ROSARNO
Rosarno ovest (Alemagna, Agip)	441	54	*Rosarno est* (Esso)
GIOIA TAURO	445	50	
	453	43	PALMI
S. ELIA	460	35	
	464	31	BAGNARA CALABRA
SCILLA	475	20	
	479	16	S. TRADA
Villa S. Giovanni ovest (Alemagna, Agip)	482	13	*Villa S. Giovanni est* (Agip, Alemagna)
VILLA S. GIOVANNI	486	8	
	487	7	CAMPO CALABRO
	490	4	GALLICO
REGGIO DI CALABRIA porto	494	1	
REGGIO DI CALABRIA	495	0	Raccordo Reggio-Calabria S.S. 106

A 3

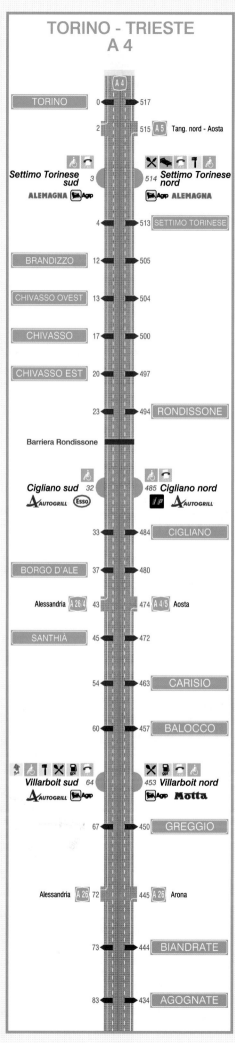

TORINO - TRIESTE
A 4

Uscita / Area	km	km	Uscita / Area
TORINO	0	517	
	2	515	A 5 Tang. nord - Aosta
Settimo Torinese sud (Alemagna, Agip)	3	514	*Settimo Torinese nord* (Agip, Alemagna)
	4	513	SETTIMO TORINESE
BRANDIZZO	12	505	
CHIVASSO OVEST	13	504	
CHIVASSO	17	500	
CHIVASSO EST	20	497	
	23	494	RONDISSONE
Barriera Rondissone			
Cigliano sud (Autogrill, Esso)	32	485	*Cigliano nord* (IP, Autogrill)
	33	484	CIGLIANO
BORGO D'ALE	37	480	
Alessandria A 26/4	43	474	A 4/5 Aosta
SANTHIÀ	45	472	
	54	463	CARISIO
	60	457	BALOCCO
Villarboit sud (Autogrill, Agip)	64	453	*Villarboit nord* (Agip, Motta)
	67	450	GREGGIO
Alessandria A 26	72	445	A 26 Arona
	73	444	BIANDRATE
	83	434	AGOGNATE

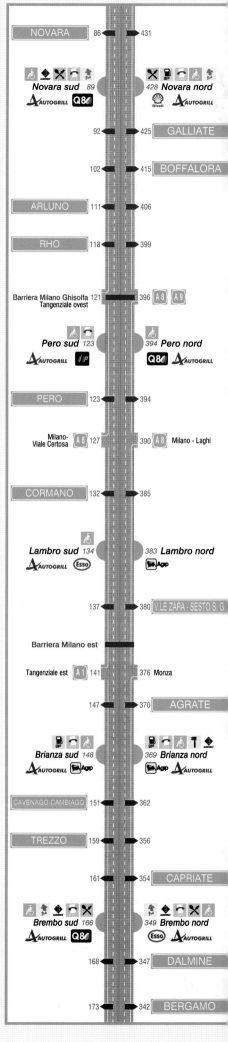

Uscita / Area	km	km	Uscita / Area
NOVARA	86	431	
Novara sud (Autogrill, Q8)	89	428	*Novara nord* (Shell, Autogrill)
	92	425	GALLIATE
	102	415	BOFFALORA
ARLUNO	111	406	
RHO	118	399	
Barriera Milano Ghisolfa Tangenziale ovest	121	396	A 8 A 9
Pero sud (Autogrill, IP)	123	394	*Pero nord* (Q8, Autogrill)
PERO	123	394	
Milano-Viale Certosa A 8	127	390	A 8 Milano - Laghi
CORMANO	132	385	
Lambro sud (Autogrill, Esso)	134	383	*Lambro nord* (Agip)
	137	380	V.LE ZARA - SESTO S. G.
Barriera Milano est			
Tangenziale est A 1	141	376	Monza
	147	370	AGRATE
Brianza sud (Autogrill, Agip)	148	369	*Brianza nord* (Agip, Autogrill)
CAVENAGO-CAMBIAGO	151	362	
TREZZO	159	356	
	161	354	CAPRIATE
Brembo sud (Autogrill, Q8)	166	349	*Brembo nord* (Esso, Autogrill)
	168	347	DALMINE
	173	342	BERGAMO

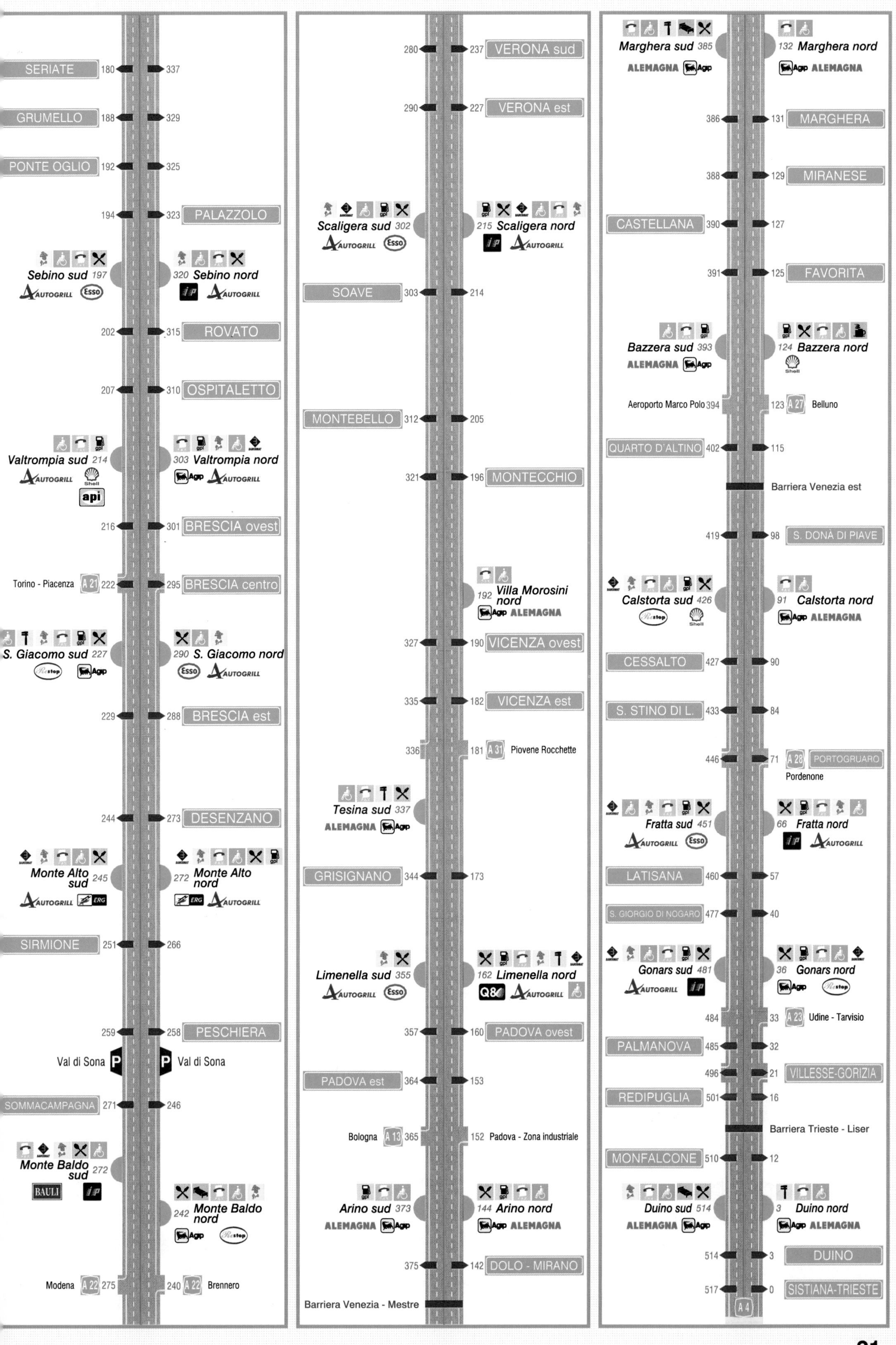

SERIATE 180 / 337
GRUMELLO 188 / 329
PONTE OGLIO 192 / 325
194 PALAZZOLO 323

Sebino sud 197 / 320 Sebino nord

202 ROVATO 315

207 OSPITALETTO 310

Valtrompia sud 214 / 303 Valtrompia nord

216 BRESCIA ovest 301

Torino - Piacenza A 21 222 / 295 BRESCIA centro

S. Giacomo sud 227 / 290 S. Giacomo nord

229 BRESCIA est 288

244 DESENZANO 273

Monte Alto sud 245 / 272 Monte Alto nord

SIRMIONE 251 / 266

259 PESCHIERA 258

Val di Sona P / P Val di Sona

SOMMACAMPAGNA 271 / 246

Monte Baldo sud 272
BAULI
242 Monte Baldo nord

Modena A 22 275 / 240 A 22 Brennero

---

280 / 237 VERONA sud
290 / 227 VERONA est

Scaligera sud 302 / 215 Scaligera nord

SOAVE 303 / 214

MONTEBELLO 312 / 205

321 / 196 MONTECCHIO

192 Villa Morosini nord

327 / 190 VICENZA ovest

335 / 182 VICENZA est

336 / 181 A 31 Piovene Rocchette

Tesina sud 337
ALEMAGNA

GRISIGNANO 344 / 173

Limenella sud 355 / 162 Limenella nord

357 / 160 PADOVA ovest

PADOVA est 364 / 153

Bologna A 13 365 / 152 Padova - Zona industriale

Arino sud 373 / 144 Arino nord
ALEMAGNA / ALEMAGNA

375 / 142 DOLO - MIRANO

Barriera Venezia - Mestre

Marghera sud 385 / 132 Marghera nord
ALEMAGNA / ALEMAGNA

386 / 131 MARGHERA
388 / 129 MIRANESE

CASTELLANA 390 / 127
391 / 125 FAVORITA

Bazzera sud 393 / 124 Bazzera nord
ALEMAGNA / Shell

Aeroporto Marco Polo 394 / 123 A 27 Belluno

QUARTO D'ALTINO 402 / 115

Barriera Venezia est

419 / 98 S. DONA DI PIAVE

Calstorta sud 426 / 91 Calstorta nord
Restop / Shell / ALEMAGNA

CESSALTO 427 / 90

S. STINO DI L. 433 / 84

446 / 71 A 28 PORTOGRUARO
Pordenone

Fratta sud 451 / 66 Fratta nord
AUTOGRILL Esso / IP AUTOGRILL

LATISANA 460 / 57

S. GIORGIO DI NOGARO 477 / 40

Gonars sud 481 / 36 Gonars nord
AUTOGRILL IP / Restop

484 / 33 A 23 Udine - Tarvisio

PALMANOVA 485 / 32

496 / 21 VILLESSE-GORIZIA

REDIPUGLIA 501 / 16

Barriera Trieste - Lisert

MONFALCONE 510 / 12

Duino sud 514 / 3 Duino nord
ALEMAGNA / ALEMAGNA

514 / 3 DUINO

517 / 0 SISTIANA-TRIESTE

A 4

21

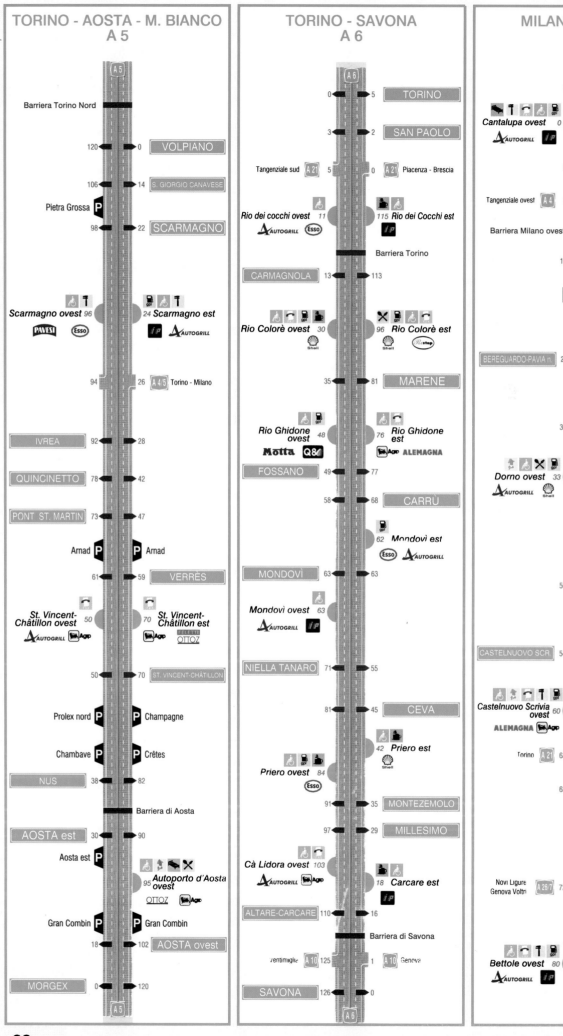

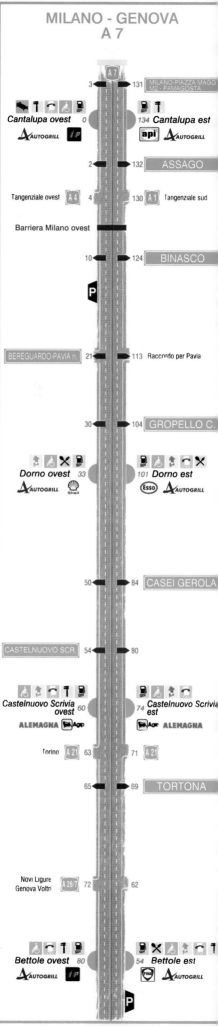

TORINO - AOSTA - M. BIANCO
A 5

A 5

Barriera Torino Nord

120 — 0 — VOLPIANO

106 — 14 — S. GIORGIO CANAVESE

Pietra Grossa P

98 — 22 — SCARMAGNO

Scarmagno ovest 96 — 24 *Scarmagno est*
PAVESI Esso — IP AUTOGRILL

94 — 26 — A 4/5 Torino - Milano

92 — 28 — IVREA

78 — 42 — QUINCINETTO

73 — 47 — PONT ST. MARTIN

Arnad P — P Arnad

61 — 59 — VERRÈS

St. Vincent-Châtillon ovest 50 — 70 *St. Vincent-Châtillon est*
AUTOGRILL AGIP — AGIP FELETTI OTTOZ

50 — 70 — ST. VINCENT-CHÂTILLON

Prolex nord P — P Champagne

Chambave P — P Crêtes

38 — 82 — NUS

Barriera di Aosta

30 — 90 — AOSTA est

Aosta est P

Autoporto d'Aosta ovest 95
OTTOZ AGIP

Gran Combin P — P Gran Combin

18 — 102 — AOSTA ovest

0 — 120 — MORGEX

A 5

TORINO - SAVONA
A 6

A 6

0 — 5 — TORINO

3 — 2 — SAN PAOLO

Tangenziale sud A 21 5 — 0 — A 21 Piacenza - Brescia

Rio dei cocchi ovest 11 — 115 *Rio dei Cocchi est*
AUTOGRILL Esso — IP

Barriera Torino

CARMAGNOLA 13 — 113

Rio Colorè ovest 30 — 96 *Rio Colorè est*
Shell — Shell Restop

35 — 81 — MARENE

Rio Ghidone ovest 48 — 76 *Rio Ghidone est*
Motta Q8 — AGIP ALEMAGNA

FOSSANO 49 — 77

58 — 68 — CARRÙ

62 *Mondovì est*
Esso AUTOGRILL

MONDOVÌ 63 — 63

Mondovì ovest 63
AUTOGRILL IP

NIELLA TANARO 71 — 55

81 — 45 — CEVA

42 *Priero est*
Shell

Priero ovest 84
Esso

91 — 35 — MONTEZEMOLO

97 — 29 — MILLESIMO

Cà Lidora ovest 103
AUTOGRILL AGIP — 18 *Carcare est*
IP

ALTARE-CARCARE 110 — 16

Barriera di Savona

Ventimiglia A 10 125 — 1 — A 10 Genova

SAVONA 126 — 0

A 6

MILANO - GENOVA
A 7

A 7

3 — 131 — MILANO-PIAZZA MAGG M2 - FAMAGOSTA

Cantalupa ovest 0 — 134 *Cantalupa est*
api AUTOGRILL

2 — 132 — ASSAGO

Tangenziale ovest A 4 4 — 130 A 1 Tangenziale sud

Barriera Milano ovest

10 — 124 — BINASCO

P

BEREGUARDO-PAVIA n. 21 — 113 Raccordo per Pavia

30 — 104 — GROPELLO C.

Dorno ovest 33 — 101 *Dorno est*
AUTOGRILL Shell — Esso AUTOGRILL

50 — 84 — CASEI GEROLA

CASTELNUOVO SCR. 54 — 80

Castelnuovo Scrivia ovest 60 — 74 *Castelnuovo Scrivia est*
ALEMAGNA AGIP — AGIP ALEMAGNA

Torino A 21 63 — 71 A 21

65 — 69 — TORTONA

Novi Ligure Genova Voltri A 26/7 72 — 62

Bettole ovest 80 — 54 *Bettole est*
AUTOGRILL IP — TIN AUTOGRILL

P

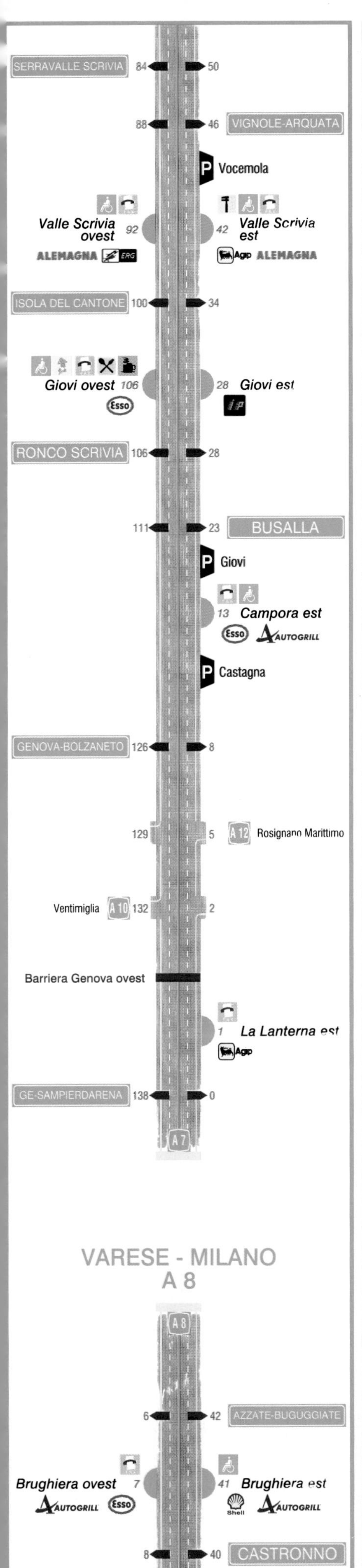

SERRAVALLE SCRIVIA 84 | 50

88 | 46 VIGNOLE-ARQUATA

P Vocemola

Valle Scrivia ovest 92 | 42 Valle Scrivia est

ALEMAGNA ERG | AGIP ALEMAGNA

ISOLA DEL CANTONE 100 | 34

Giovi ovest 106 | 28 Giovi est

Esso | ip

RONCO SCRIVIA 106 | 28

111 | 23 BUSALLA

P Giovi

13 Campora est

Esso AUTOGRILL

P Castagna

GENOVA-BOLZANETO 126 | 8

129 | 5 A12 Rosignano Marittimo

Ventimiglia A10 132 | 2

Barriera Genova ovest

1 La Lanterna est

AGIP

GE-SAMPIERDARENA 138 | 0

A7

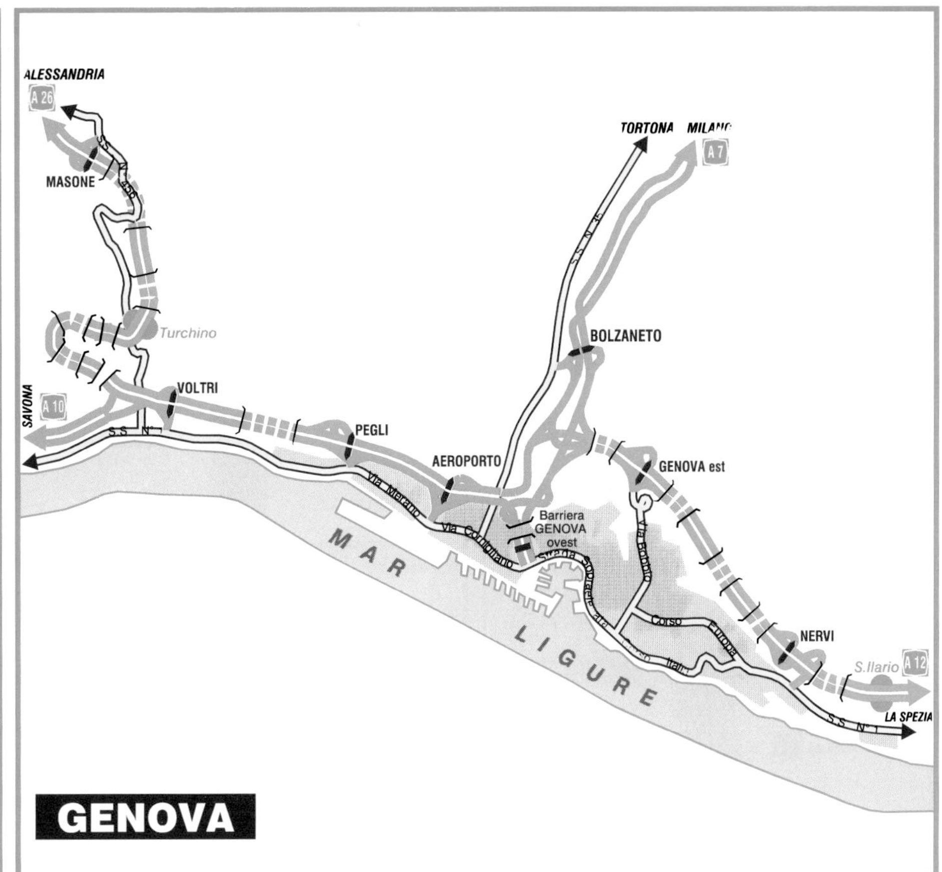

ALESSANDRIA
A26
MASONE
Turchino
SAVONA A10
VOLTRI
S.S.N.
PEGLI
AEROPORTO
Via Merano
Via Cornigliano
Barriera GENOVA ovest
BOLZANETO
TORTONA MILANO
A7
GENOVA est
Corso
NERVI
S.Ilario A12
LA SPEZIA
S.S.N.

M A R   L I G U R E

GENOVA

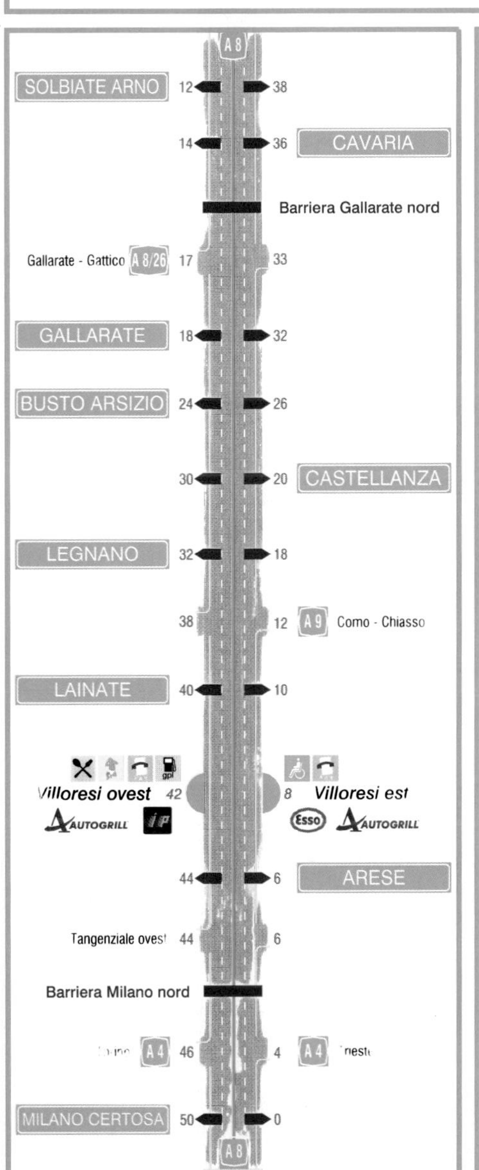

SOLBIATE ARNO 12 | 38

14 | 36 CAVARIA

Barriera Gallarate nord

Gallarate - Gattico A8/26 17 | 33

GALLARATE 18 | 32

BUSTO ARSIZIO 24 | 26

30 | 20 CASTELLANZA

LEGNANO 32 | 18

38 | 12 A9 Como - Chiasso

LAINATE 40 | 10

Villoresi ovest 42 | 8 Villoresi est

AUTOGRILL ip | Esso AUTOGRILL

44 | 6 ARESE

Tangenziale ovest 44 | 6

Barriera Milano nord

A4 46 | 4 A4 nesto

MILANO CERTOSA 50 | 0

A8

VARESE - MILANO
A 8

A8

6 | 42 AZZATE-BUGUGGIATE

Brughiera ovest 7 | 41 Brughiera est

AUTOGRILL Esso | Shell AUTOGRILL

8 | 40 CASTRONNO

GATTICO - GALLARATE
A 8/26 diramazione

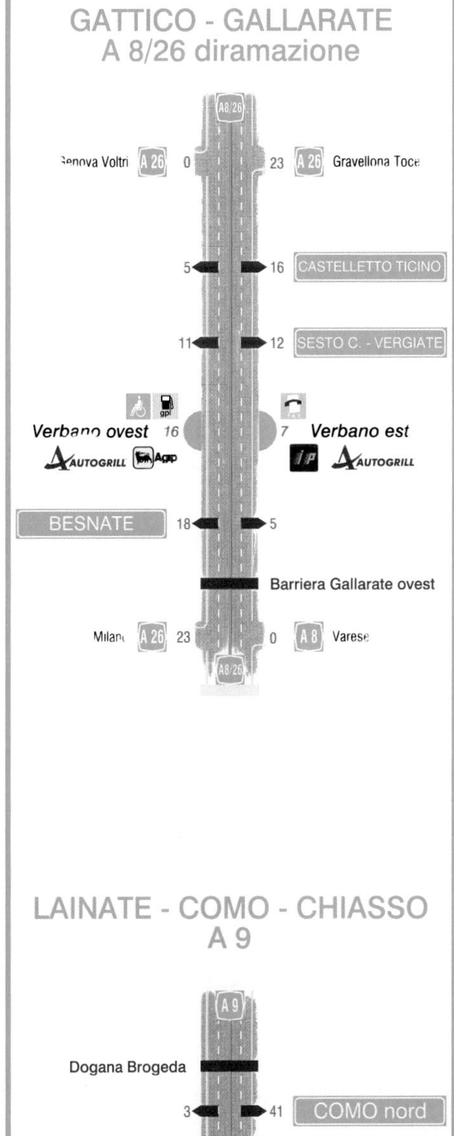

A8/26

Genova Voltri A26 0 | 23 A26 Gravellona Toce

5 | 16 CASTELLETTO TICINO

11 | 12 SESTO C. - VERGIATE

Verbano ovest 16 | 7 Verbano est

AUTOGRILL AGIP | ip AUTOGRILL

BESNATE 18 | 5

Barriera Gallarate ovest

Milano A26 23 | 0 A8 Varese

A8/26

LAINATE - COMO - CHIASSO
A 9

A9

Dogana Brogeda

3 | 41 COMO nord

23

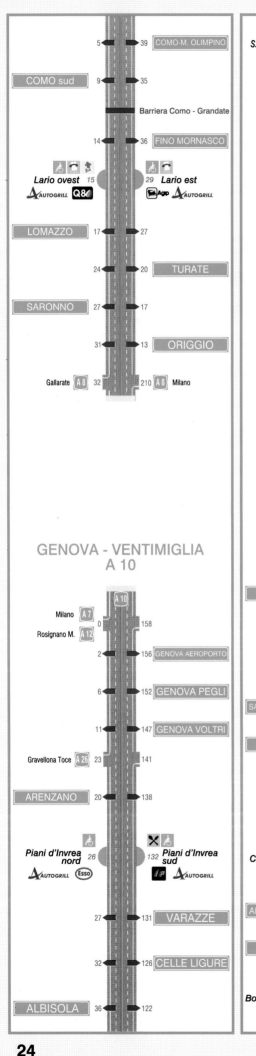

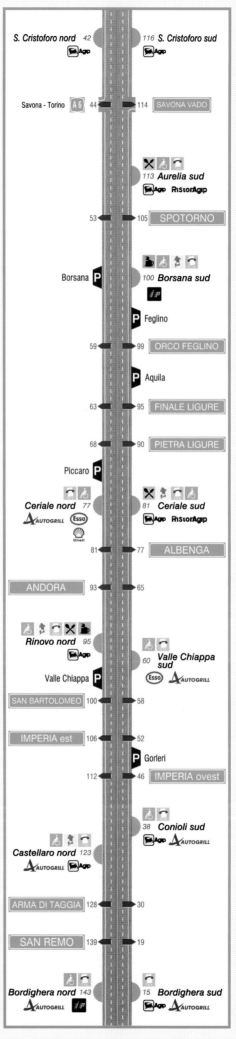

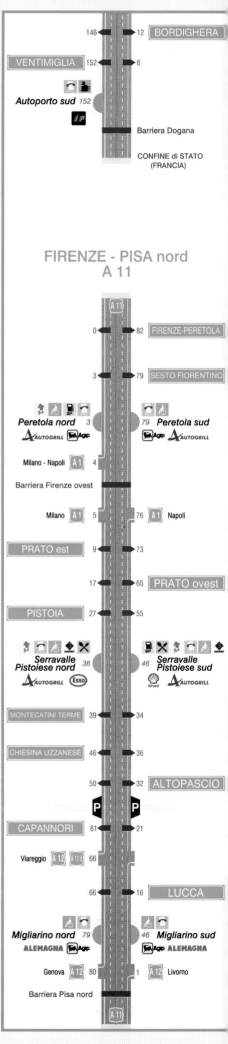

5 | 39 COMO-M. OLIMPINO

COMO sud 9 | 35

Barriera Como - Grandate

14 | 36 FINO MORNASCO

Lario ovest 15 — AUTOGRILL, Q8 | 29 *Lario est* — Agip, AUTOGRILL

LOMAZZO 17 | 27

24 | 20 TURATE

SARONNO 27 | 17

31 | 13 ORIGGIO

Gallarate A 8 32 | 210 A 8 Milano

GENOVA - VENTIMIGLIA A 10

A 10

Milano A 7, Rosignano M. A 12 0 | 158

2 | 156 GENOVA AEROPORTO

6 | 152 GENOVA PEGLI

11 | 147 GENOVA VOLTRI

Gravellona Toce A 26 23 | 141

ARENZANO 20 | 138

Piani d'Invrea nord 26 — AUTOGRILL, Esso | 132 *Piani d'Invrea sud* — IP, AUTOGRILL

27 | 131 VARAZZE

32 | 126 CELLE LIGURE

ALBISOLA 36 | 122

S. Cristoforo nord 42 — Agip | 116 *S. Cristoforo sud* — Agip

Savona - Torino A 6 44 | 114 SAVONA VADO

| 113 *Aurelia sud* — Agip, RistorAgip

53 | 105 SPOTORNO

Borsana P | 100 *Borsana sud* — IP

| P Feglino

59 | 99 ORCO FEGLINO

| P Aquila

63 | 95 FINALE LIGURE

68 | 90 PIETRA LIGURE

Piccaro P

Ceriale nord 77 — AUTOGRILL, Esso, Shell | 81 *Ceriale sud* — Agip, RistorAgip

81 | 77 ALBENGA

ANDORA 93 | 65

Rinovo nord 95 — Agip | 60 *Valle Chiappa sud* — Esso, AUTOGRILL

Valle Chiappa P

SAN BARTOLOMEO 100 | 58

IMPERIA est 106 | 52

| P Gorleri

112 | 46 IMPERIA ovest

| 38 *Conioli sud* — Agip, AUTOGRILL

Castellaro nord 123 — AUTOGRILL, Agip

ARMA DI TAGGIA 128 | 30

SAN REMO 139 | 19

Bordighera nord 143 — AUTOGRILL, IP | 15 *Bordighera sud* — Agip, AUTOGRILL

146 | 12 BORDIGHERA

VENTIMIGLIA 152 | 6

Autoporto sud 152 — IP

Barriera Dogana

CONFINE di STATO (FRANCIA)

FIRENZE - PISA nord A 11

A 11

0 | 82 FIRENZE-PERETOLA

3 | 79 SESTO FIORENTINO

Peretola nord 3 — AUTOGRILL, Agip | 79 *Peretola sud* — Agip, AUTOGRILL

Milano - Napoli A 1 4

Barriera Firenze ovest

Milano A 1 5 | 76 A 1 Napoli

PRATO est 9 | 73

17 | 65 PRATO ovest

PISTOIA 27 | 55

Serravalle Pistoiese nord 36 — AUTOGRILL, Esso | 46 *Serravalle Pistoiese sud* — Shell, AUTOGRILL

MONTECATINI TERME 39 | 34

CHIESINA UZZANESE 46 | 36

50 | 32 ALTOPASCIO

P | P

CAPANNORI 61 | 21

Viareggio A 12 A 11d 66

66 | 16 LUCCA

Migliarino nord 79 — ALEMAGNA, Agip | 46 *Migliarino sud* — Agip, ALEMAGNA

Genova A 12 80 | 1 A 12 Livorno

Barriera Pisa nord

A 11

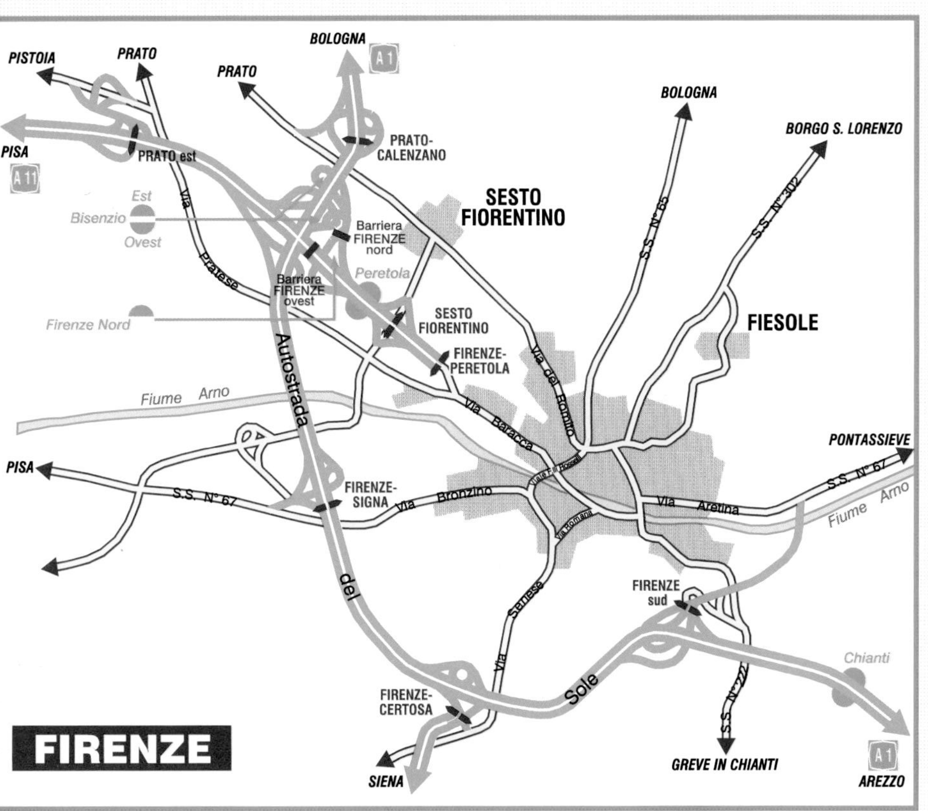

FIRENZE

PISTOIA
PRATO
PRATO
BOLOGNA A1
BOLOGNA
BORGO S. LORENZO
PISA
A11
PRATO-CALENZANO
PRATO est
Est
Bisenzio
Ovest
Firenze Nord
Barriera FIRENZE nord
Peretola
SESTO FIORENTINO
FIESOLE
Barriera FIRENZE ovest
SESTO FIORENTINO
FIRENZE-PERETOLA
Fiume Arno
PONTASSIEVE
Autostrada
PISA
S.S. N° 67
FIRENZE-SIGNA
FIRENZE sud
Fiume Arno
Chianti
del
FIRENZE-CERTOSA
Sole
SIENA
GREVE IN CHIANTI
AREZZO A1

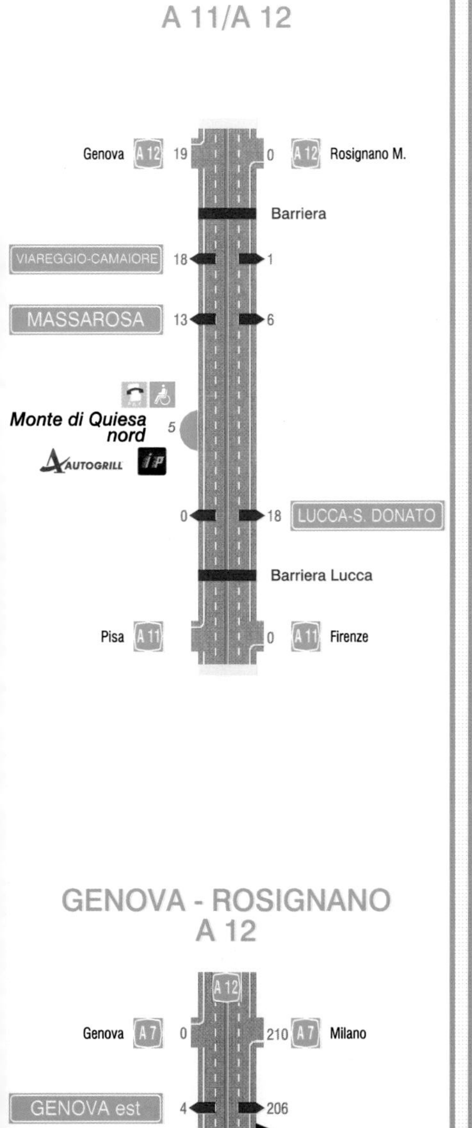

VIAREGGIO - LUCCA
A 11/A 12

Genova A12 19 — 0 A12 Rosignano M.
Barriera
VIAREGGIO-CAMAIORE 18 — 1
MASSAROSA 13 — 6
Monte di Quiesa nord 5
AUTOGRILL IP
0 — 18 LUCCA-S. DONATO
Barriera Lucca
Pisa A11 0 A11 Firenze

GENOVA - ROSIGNANO
A 12

A 12
Genova A7 0 — 210 A7 Milano
GENOVA est 4 — 206
P Priaruggia

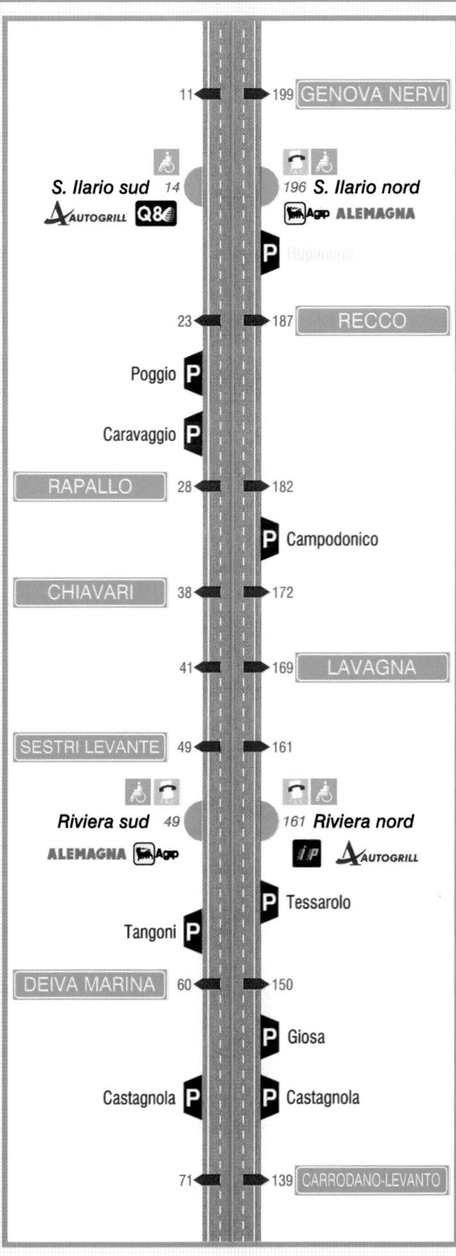

11 — 199 GENOVA NERVI
S. Ilario sud 14   196 S. Ilario nord
AUTOGRILL Q8   Agip ALEMAGNA
P Ruta
23 — 187 RECCO
Poggio P
Caravaggio P
RAPALLO 28 — 182
P Campodonico
CHIAVARI 38 — 172
41 — 169 LAVAGNA
SESTRI LEVANTE 49 — 161
Riviera sud 49   161 Riviera nord
ALEMAGNA Agip   IP AUTOGRILL
P Tessarolo
Tangoni P
DEIVA MARINA 60 — 150
P Giosa
Castagnola P   P Castagnola
71 — 139 CARRODANO-LEVANTO

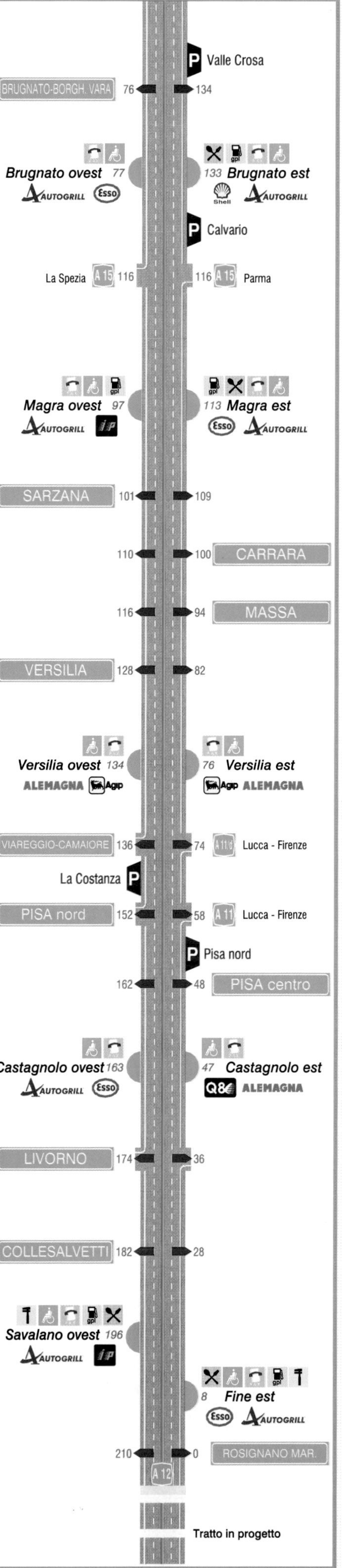

P Valle Crosa
BRUGNATO-BORGH. VARA 76 — 134
Brugnato ovest 77   133 Brugnato est
AUTOGRILL Esso   Shell AUTOGRILL
P Calvario
La Spezia A15 116 — 116 A15 Parma
Magra ovest 97   113 Magra est
AUTOGRILL IP   Esso AUTOGRILL
SARZANA 101 — 109
110 — 100 CARRARA
116 — 94 MASSA
VERSILIA 128 — 82
Versilia ovest 134   76 Versilia est
ALEMAGNA Agip   Agip ALEMAGNA
VIAREGGIO-CAMAIORE 136 — 74 A11 Lucca - Firenze
La Costanza P
PISA nord 152 — 58 A11 Lucca - Firenze
P Pisa nord
162 — 48 PISA centro
Castagnolo ovest 163   47 Castagnolo est
AUTOGRILL Esso   Q8 ALEMAGNA
LIVORNO 174 — 36
COLLESALVETTI 182 — 28
Savalano ovest 196
AUTOGRILL IP
8 Fine est
Esso AUTOGRILL
210 — 0 ROSIGNANO MAR.
A 12
Tratto in progetto

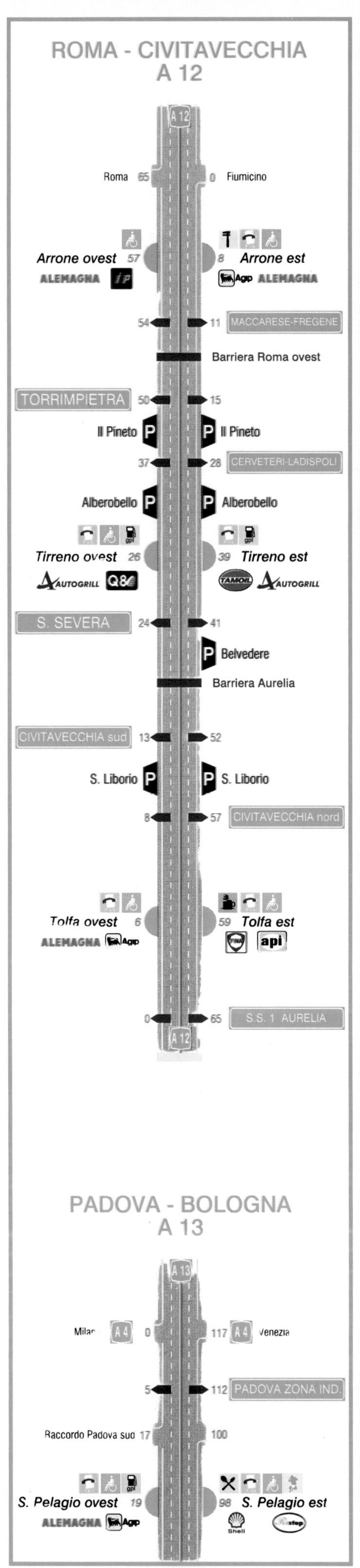

ROMA - CIVITAVECCHIA
A 12

Roma 65 — 0 Fiumicino

Arrone ovest 57 — 8 Arrone est
ALEMAGNA — Agip ALEMAGNA

54 — 11 MACCARESE-FREGENE

Barriera Roma ovest

TORRIMPIETRA 50 — 15

Il Pineto P — P Il Pineto

37 — 28 CERVETERI-LADISPOLI

Alberobello P — P Alberobello

Tirreno ovest 26 — 39 Tirreno est
Autogrill Q8 — TAMOIL Autogrill

S. SEVERA 24 — 41

P Belvedere

Barriera Aurelia

CIVITAVECCHIA sud 13 — 52

S. Liborio P — P S. Liborio

8 — 57 CIVITAVECCHIA nord

Tolfa ovest 6 — 59 Tolfa est
ALEMAGNA Agip — api

0 — 65 S.S. 1 AURELIA

A 12

PADOVA - BOLOGNA
A 13

A 13

Milan A 4 0 — 117 A 4 Venezia

5 — 112 PADOVA ZONA IND.

Raccordo Padova sud 17 — 100

S. Pelagio ovest 19 — 98 S. Pelagio est
ALEMAGNA Agip — Shell Restop

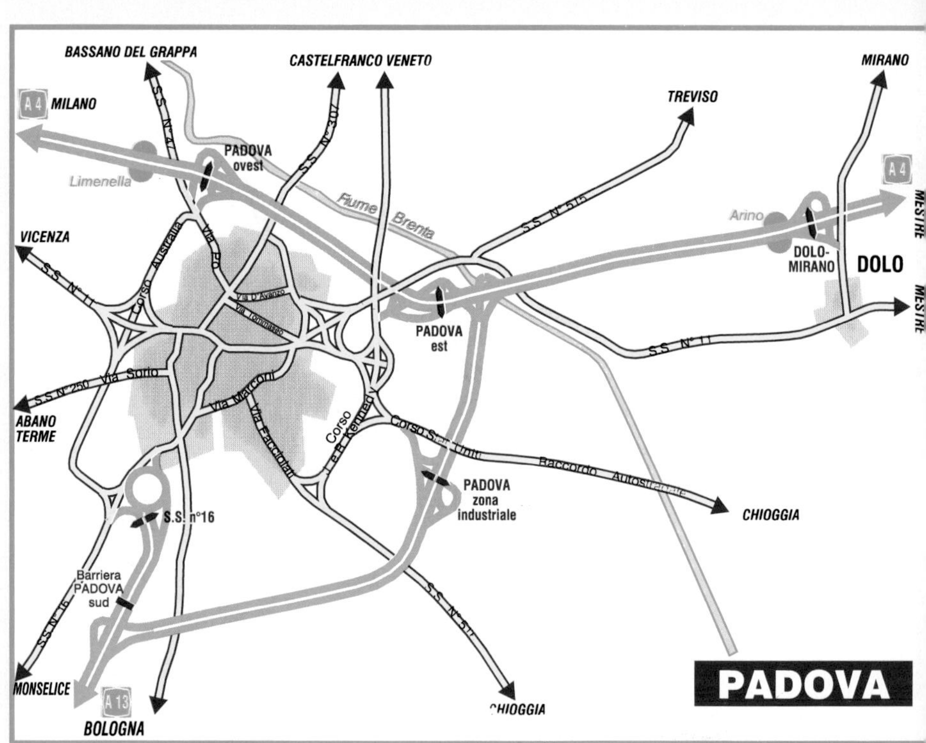

PADOVA

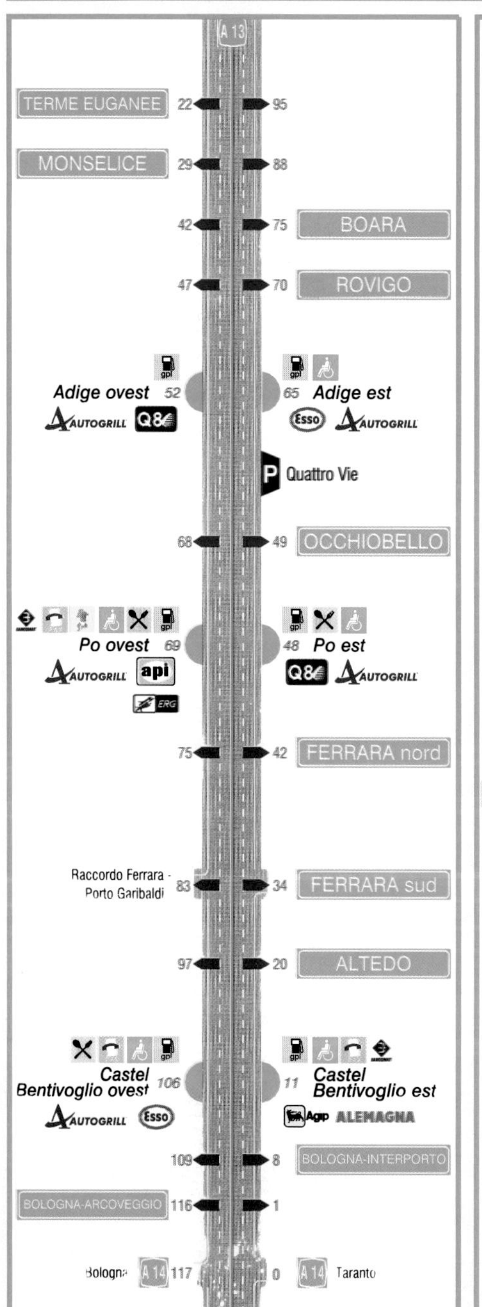

A 13

TERME EUGANEE 22 — 95

MONSELICE 29 — 88

42 — 75 BOARA

47 — 70 ROVIGO

Adige ovest 52 — 65 Adige est
Autogrill Q8 — Esso Autogrill

P Quattro Vie

68 — 49 OCCHIOBELLO

Po ovest 69 — 48 Po est
Autogrill api ERG — Q8 Autogrill

75 — 42 FERRARA nord

Raccordo Ferrara - Porto Garibaldi 83 — 34 FERRARA sud

97 — 20 ALTEDO

Castel Bentivoglio ovest 106 — 11 Castel Bentivoglio est
Autogrill Esso — Agip ALEMAGNA

109 — 8 BOLOGNA-INTERPORTO

BOLOGNA-ARCOVEGGIO 116 — 1

Bologna A 14 117 — 0 A 14 Taranto

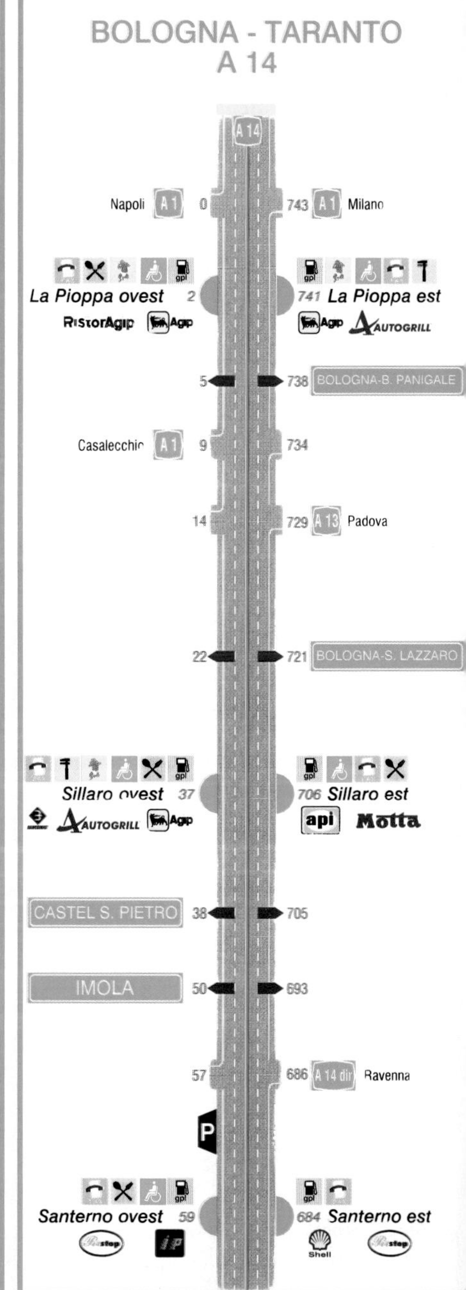

BOLOGNA - TARANTO
A 14

A 14

Napoli A 1 0 — 743 A 1 Milano

La Pioppa ovest 2 — 741 La Pioppa est
RistorAgip Agip — Agip Autogrill

5 — 738 BOLOGNA-B. PANIGALE

Casalecchio A 1 9 — 734

14 — 729 A 13 Padova

22 — 721 BOLOGNA-S. LAZZARO

Sillaro ovest 37 — 706 Sillaro est
Autogrill Agip — api Motta

CASTEL S. PIETRO 38 — 705

IMOLA 50 — 693

57 — 686 A 14 dir Ravenna

P

Santerno ovest 59 — 684 Santerno est
Restop — Shell Restop

26

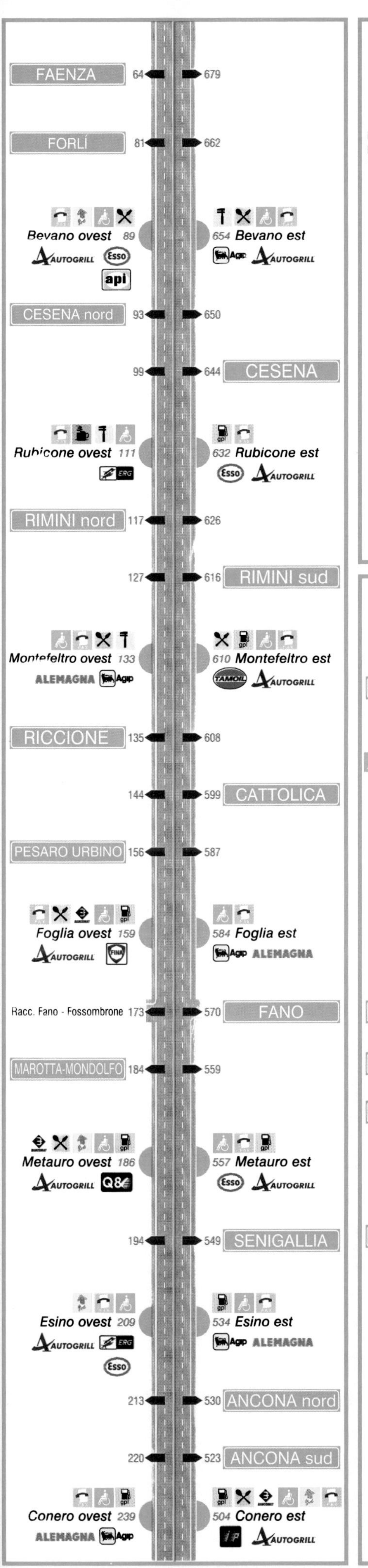

FAENZA	64		679	
FORLÍ	81		662	
Bevano ovest 89			654	Bevano est
AUTOGRILL ESSO api			FINA Agip AUTOGRILL	
CESENA nord	93		650	
	99		644	CESENA
Rubicone ovest 111			632	Rubicone est
ERG			ESSO AUTOGRILL	
RIMINI nord	117		626	
	127		616	RIMINI sud
Montefeltro ovest 133			610	Montefeltro est
ALEMAGNA Agip			TAMOIL AUTOGRILL	
RICCIONE	135		608	
	144		599	CATTOLICA
PESARO URBINO	156		587	
Foglia ovest 159			584	Foglia est
AUTOGRILL FINA			Agip ALEMAGNA	
Racc. Fano - Fossombrone 173			570	FANO
MAROTTA-MONDOLFO	184		559	
Metauro ovest 186			557	Metauro est
AUTOGRILL Q8			ESSO AUTOGRILL	
	194		549	SENIGALLIA
Esino ovest 209			534	Esino est
AUTOGRILL ERG ESSO			Agip ALEMAGNA	
	213		530	ANCONA nord
	220		523	ANCONA sud
Conero ovest 239			504	Conero est
ALEMAGNA Agip			IP AUTOGRILL	

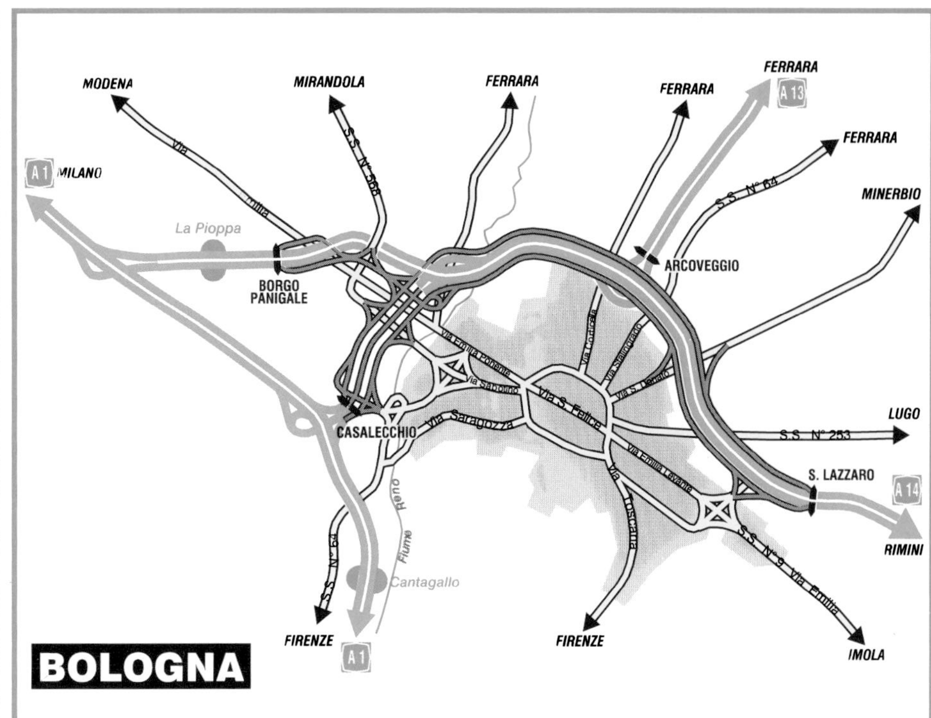

BOLOGNA

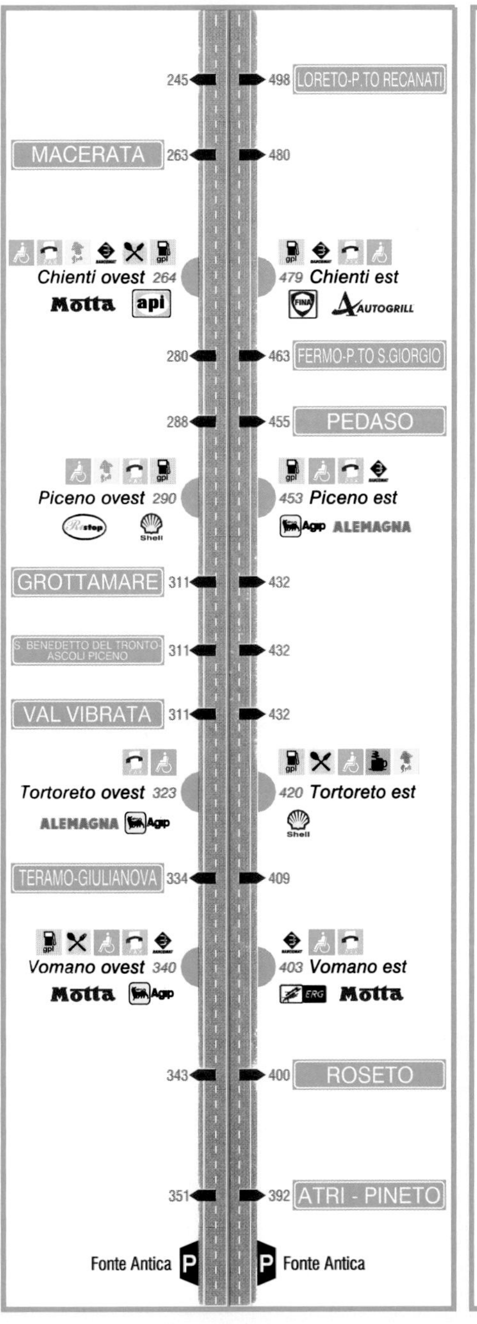

	245		498	LORETO-P.TO RECANATI
MACERATA	263		480	
Chienti ovest 264			479	Chienti est
Motta api			FINA AUTOGRILL	
	280		463	FERMO-P.TO S.GIORGIO
	288		455	PEDASO
Piceno ovest 290			453	Piceno est
Restop Shell			Agip ALEMAGNA	
GROTTAMARE	311		432	
S. BENEDETTO DEL TRONTO ASCOLI PICENO	311		432	
VAL VIBRATA	311		432	
Tortoreto ovest 323			420	Tortoreto est
ALEMAGNA Agip			Shell	
TERAMO-GIULIANOVA	334		409	
Vomano ovest 340			403	Vomano est
Motta Agip			ERG Motta	
	343		400	ROSETO
	351		392	ATRI - PINETO
Fonte Antica P			P	Fonte Antica

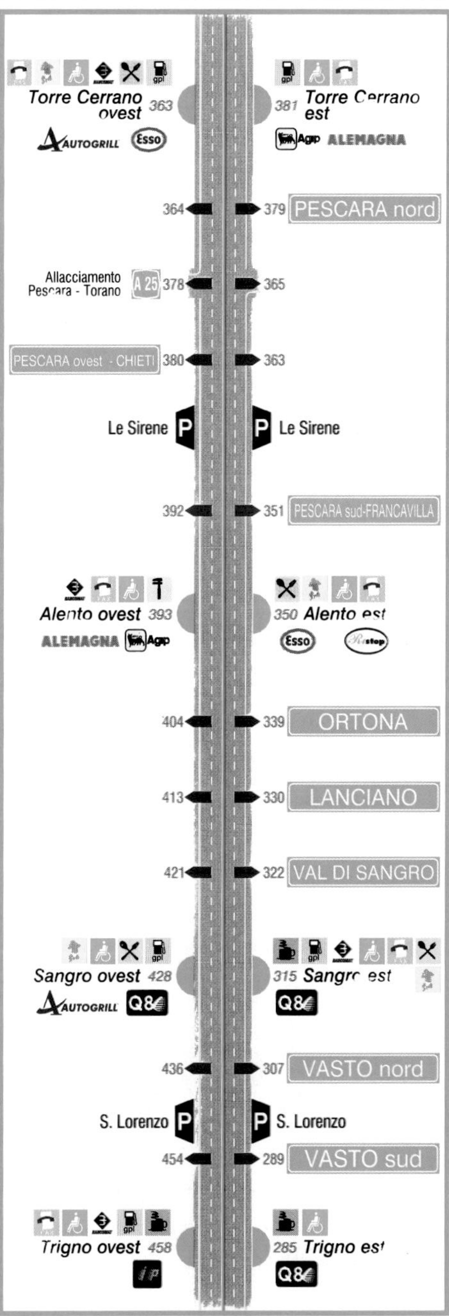

Torre Cerrano ovest 363			381	Torre Cerrano est
AUTOGRILL ESSO			Agip ALEMAGNA	
	364		379	PESCARA nord
Allacciamento Pescara - Torano A25 378			365	
PESCARA ovest - CHIETI 380			363	
Le Sirene P			P	Le Sirene
	392		351	PESCARA sud-FRANCAVILLA
Alento ovest 393			350	Alento est
ALEMAGNA Agip			ESSO Restop	
	404		339	ORTONA
	413		330	LANCIANO
	421		322	VAL DI SANGRO
Sangro ovest 428			315	Sangro est
AUTOGRILL Q8			Q8	
	436		307	VASTO nord
S. Lorenzo P			P	S. Lorenzo
	454		289	VASTO sud
Trigno ovest 458			285	Trigno est
IP			Q8	

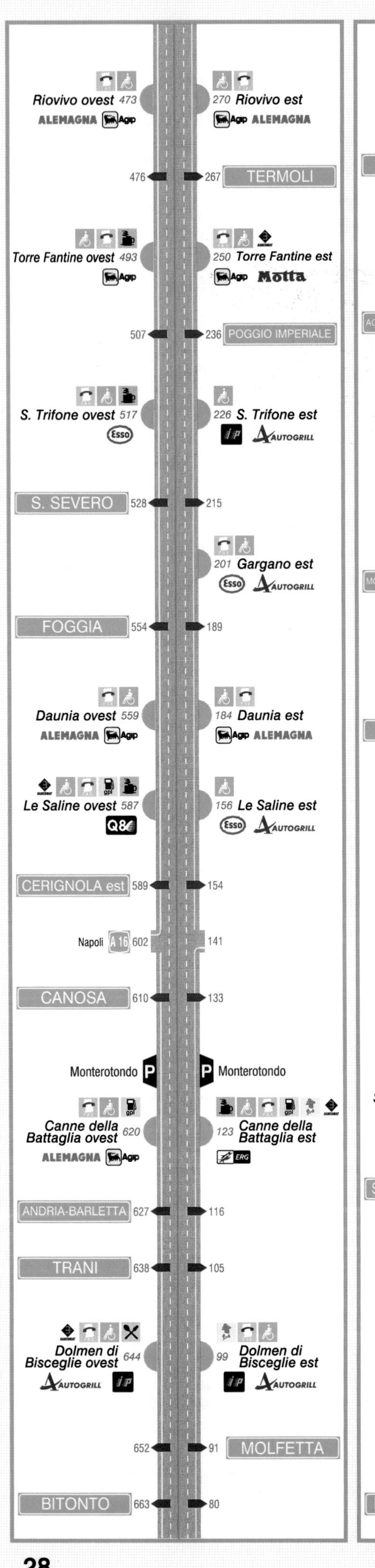

Riovivo ovest 473 · 270 Riovivo est
ALEMAGNA Agip · Agip ALEMAGNA

476 · 267 · TERMOLI

Torre Fantine ovest 493 · 250 Torre Fantine est
Agip · Agip Motta

507 · 236 · POGGIO IMPERIALE

S. Trifone ovest 517 · 226 S. Trifone est
Esso · IP AUTOGRILL

S. SEVERO 528 · 215

201 Gargano est
Esso AUTOGRILL

FOGGIA 554 · 189

Daunia ovest 559 · 184 Daunia est
ALEMAGNA Agip · Agip ALEMAGNA

Le Saline ovest 587 · 156 Le Saline est
Q8 · Esso AUTOGRILL

CERIGNOLA est 589 · 154

Napoli A 16 602 · 141

CANOSA 610 · 133

Monterotondo P · P Monterotondo

Canne della Battaglia ovest 620 · 123 Canne della Battaglia est
ALEMAGNA Agip · ERG

ANDRIA-BARLETTA 627 · 116

TRANI 638 · 105

Dolmen di Bisceglie ovest 644 · 99 Dolmen di Bisceglie est
AUTOGRILL IP · IP AUTOGRILL

652 · 91 · MOLFETTA

BITONTO 663 · 80

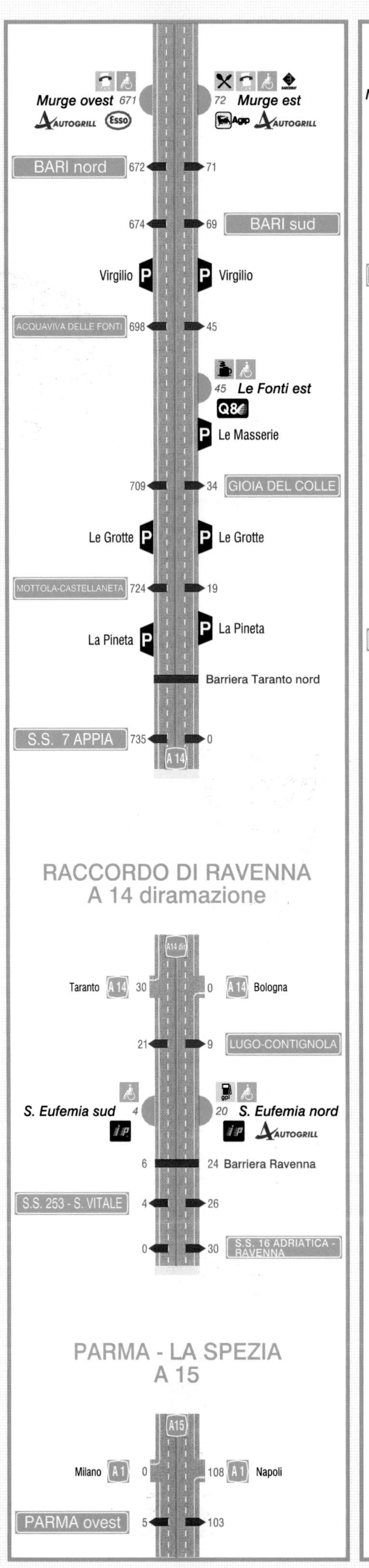

Murge ovest 671 · 72 Murge est
AUTOGRILL Esso · Agip AUTOGRILL

BARI nord 672 · 71

674 · 69 · BARI sud

Virgilio P · P Virgilio

ACQUAVIVA DELLE FONTI 698 · 45

45 Le Fonti est
Q8

P Le Masserie

709 · 34 · GIOIA DEL COLLE

Le Grotte P · P Le Grotte

MOTTOLA-CASTELLANETA 724 · 19

La Pineta P · P La Pineta

Barriera Taranto nord

S.S. 7 APPIA 735 · 0

A 14

RACCORDO DI RAVENNA
A 14 diramazione

A14 dir

Taranto A 14 30 · 0 A 14 Bologna

21 · 9 · LUGO-CONTIGNOLA

S. Eufemia sud 4 · 20 S. Eufemia nord
IP · IP AUTOGRILL

6 · 24 Barriera Ravenna

S.S. 253 - S. VITALE 4 · 26

0 · 30 · S.S. 16 ADRIATICA - RAVENNA

PARMA - LA SPEZIA
A 15

A15

Milano A1 0 · 108 A1 Napoli

PARMA ovest 5 · 103

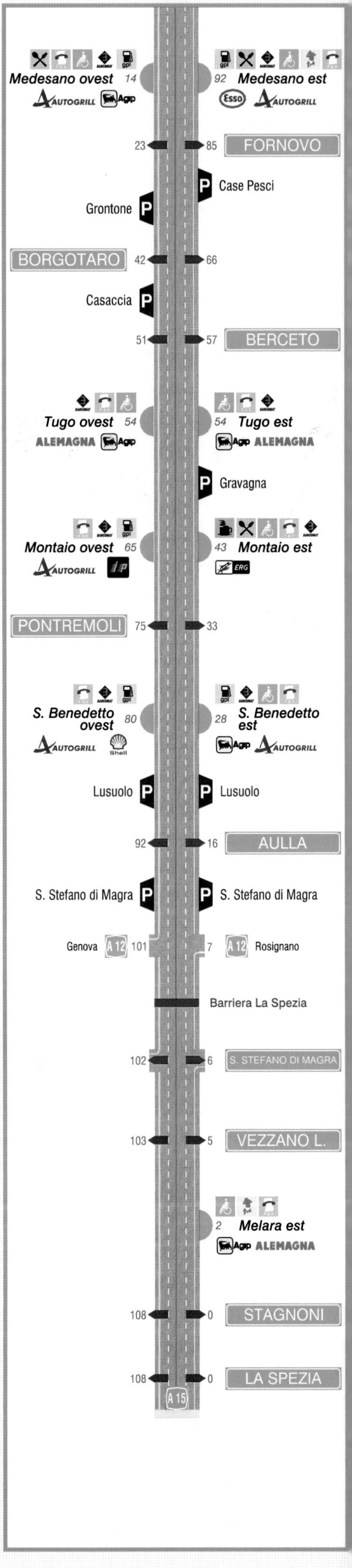

Medesano ovest 14 · 92 Medesano est
AUTOGRILL Agip · Esso AUTOGRILL

23 · 85 · FORNOVO

P Case Pesci

Grontone P

BORGOTARO 42 · 66

Casaccia P

51 · 57 · BERCETO

Tugo ovest 54 · 54 Tugo est
ALEMAGNA Agip · Agip ALEMAGNA

P Gravagna

Montaio ovest 65 · 43 Montaio est
AUTOGRILL IP · ERG

PONTREMOLI 75 · 33

S. Benedetto ovest 80 · 28 S. Benedetto est
AUTOGRILL Shell · Agip AUTOGRILL

Lusuolo P · P Lusuolo

92 · 16 · AULLA

S. Stefano di Magra P · P S. Stefano di Magra

Genova A 12 101 · 7 A 12 Rosignano

Barriera La Spezia

102 · 6 · S. STEFANO DI MAGRA

103 · 5 · VEZZANO L.

2 Melara est
Agip ALEMAGNA

108 · 0 · STAGNONI

108 · 0 · LA SPEZIA

A 15

28

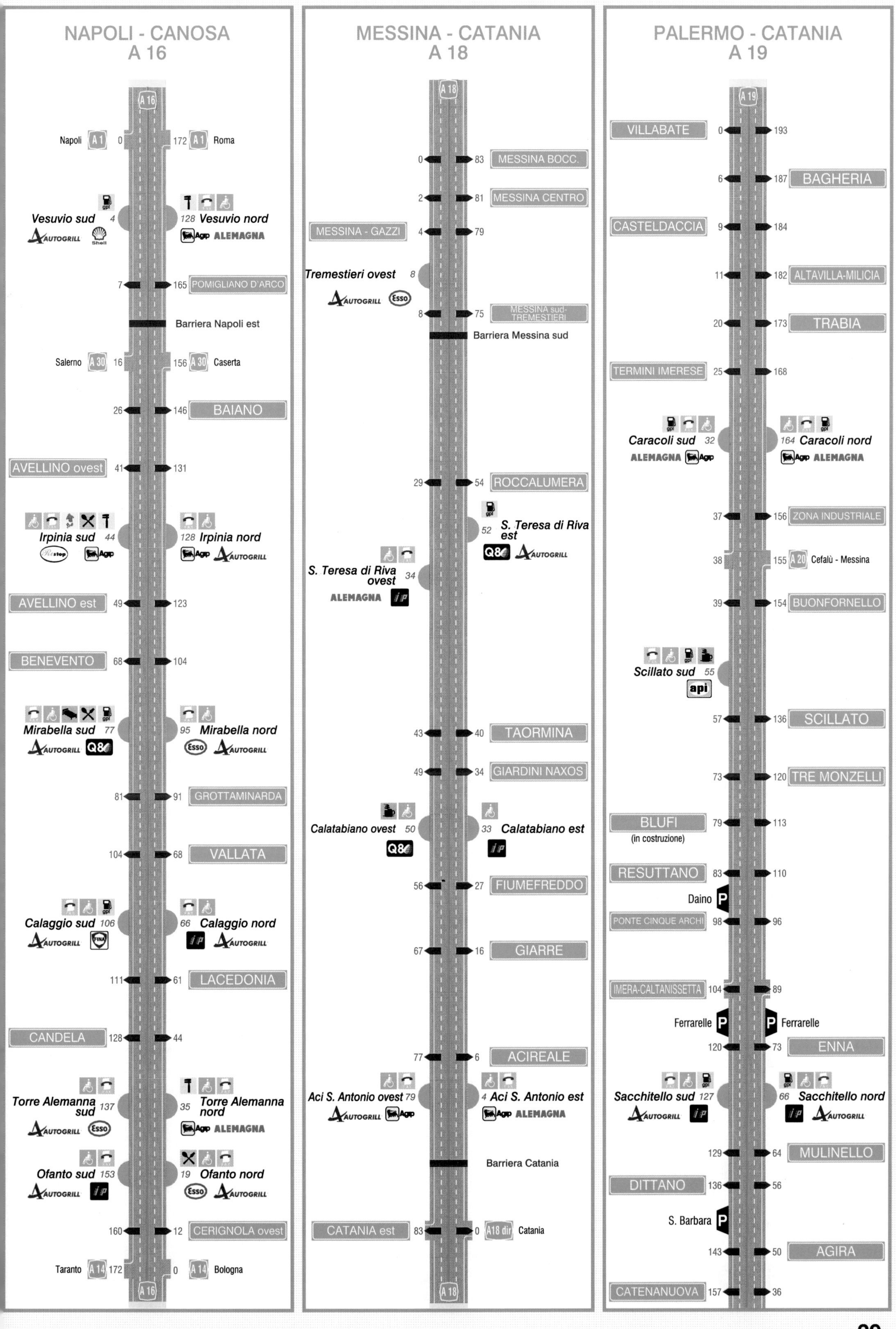

NAPOLI - CANOSA
A 16

Napoli **A1**	0	172 **A1**	Roma
Vesuvio sud	4	128	Vesuvio nord
			ALEMAGNA
	7	165	POMIGLIANO D'ARCO
		Barriera Napoli est	
Salerno **A30**	16	156 **A30**	Caserta
	26	146	BAIANO
AVELLINO ovest	41	131	
Irpinia sud	44	128	Irpinia nord
AVELLINO est	49	123	
BENEVENTO	68	104	
Mirabella sud	77	95	Mirabella nord
	81	91	GROTTAMINARDA
	104	68	VALLATA
Calaggio sud	106	66	Calaggio nord
	111	61	LACEDONIA
CANDELA	128	44	
Torre Alemanna sud	137	35	Torre Alemanna nord
Ofanto sud	153	19	Ofanto nord
	160	12	CERIGNOLA ovest
Taranto **A14**	172	0 **A14**	Bologna

MESSINA - CATANIA
A 18

	0	83	MESSINA BOCC.
	2	81	MESSINA CENTRO
MESSINA - GAZZI	4	79	
Tremestieri ovest	8	75	MESSINA sud- TREMESTIERI
		Barriera Messina sud	
	29	54	ROCCALUMERA
		52	S. Teresa di Riva est
S. Teresa di Riva ovest	34		
	43	40	TAORMINA
	49	34	GIARDINI NAXOS
Calatabiano ovest	50	33	Calatabiano est
	56	27	FIUMEFREDDO
	67	16	GIARRE
	77	6	ACIREALE
Aci S. Antonio ovest	79	4	Aci S. Antonio est
		Barriera Catania	
CATANIA est	83	0 **A18 dir**	Catania

PALERMO - CATANIA
A 19

VILLABATE	0	193	
	6	187	BAGHERIA
CASTELDACCIA	9	184	
	11	182	ALTAVILLA-MILICIA
	20	173	TRABIA
TERMINI IMERESE	25	168	
Caracoli sud	32	164	Caracoli nord
ALEMAGNA			ALEMAGNA
	37	156	ZONA INDUSTRIALE
	38	155 **A20**	Cefalù - Messina
	39	154	BUONFORNELLO
Scillato sud	55		
	57	136	SCILLATO
	73	120	TRE MONZELLI
BLUFI (in costruzione)	79	113	
RESUTTANO	83	110	
Daino **P**			
PONTE CINQUE ARCHI	98	96	
IMERA-CALTANISSETTA	104	89	
Ferrarelle **P**		**P**	Ferrarelle
	120	73	ENNA
Sacchitello sud	127	66	Sacchitello nord
	129	64	MULINELLO
DITTANO	136	56	
S. Barbara **P**			
	143	50	AGIRA
CATENANUOVA	157	36	

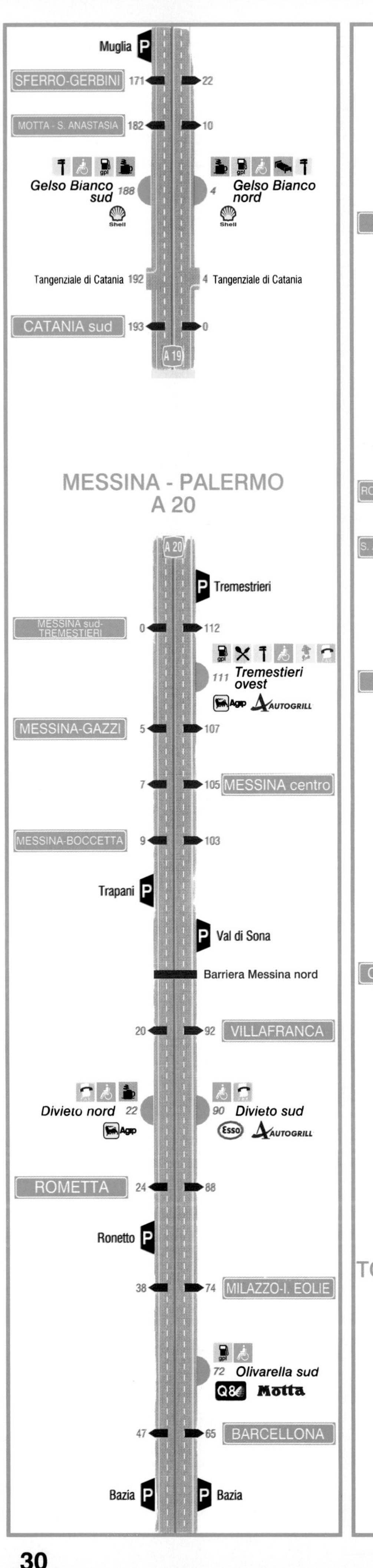
Muglia
SFERRO-GERBINI 171 22
MOTTA - S. ANASTASIA 182 10
Gelso Bianco sud 188
4 Gelso Bianco nord
Tangenziale di Catania 192
4 Tangenziale di Catania
CATANIA sud 193 0
A 19
MESSINA - PALERMO
A 20
Tremestrieri
MESSINA sud-TREMESTIERI 0 112
111 Tremestieri ovest
MESSINA-GAZZI 5 107
7 105 MESSINA centro
MESSINA-BOCCETTA 9 103
Trapani
Val di Sona
Barriera Messina nord
20 92 VILLAFRANCA
Divieto nord 22
90 Divieto sud
ROMETTA 24 88
Ronetto
38 74 MILAZZO-I. EOLIE
72 Olivarella sud
47 65 BARCELLONA
Bazia
Bazia

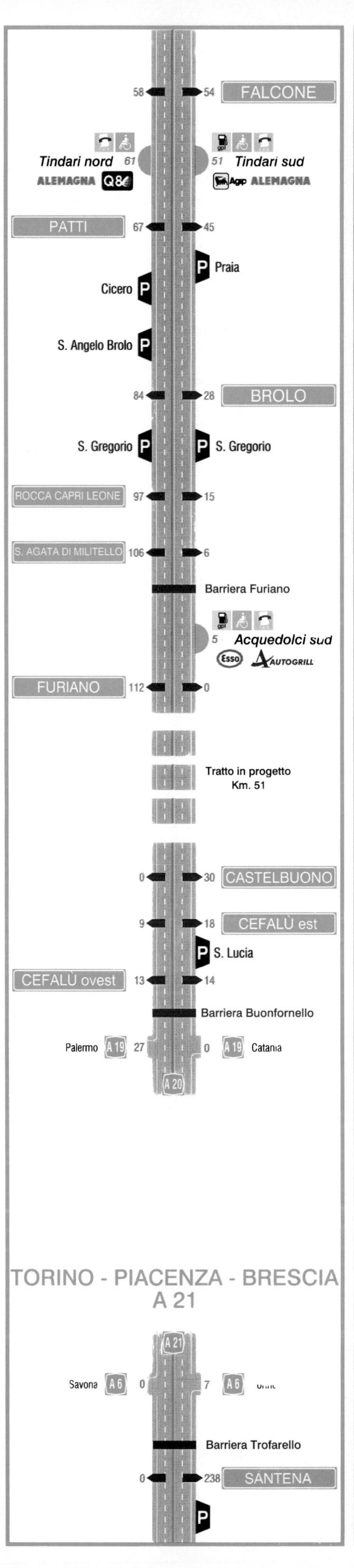
58 54 FALCONE
Tindari nord 61
51 Tindari sud
PATTI 67 45
Praia
Cicero
S. Angelo Brolo
84 28 BROLO
S. Gregorio
S. Gregorio
ROCCA CAPRI LEONE 97 15
S. AGATA DI MILITELLO 106 6
Barriera Furiano
5 Acquedolci sud
FURIANO 112 0
Tratto in progetto
Km. 51
0 30 CASTELBUONO
9 18 CEFALÙ est
S. Lucia
CEFALÙ ovest 13 14
Barriera Buonfornello
Palermo A 19 27
0 A 19 Catania
A 20
TORINO - PIACENZA - BRESCIA
A 21
Savona A 6 0
7 A 6
Barriera Trofarello
0 238 SANTENA

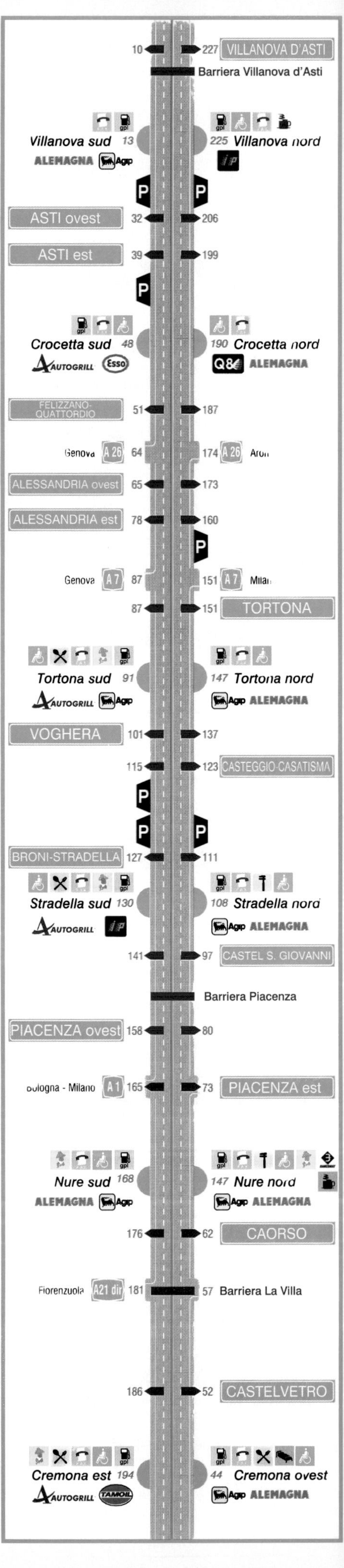
10 227 VILLANOVA D'ASTI
Barriera Villanova d'Asti
Villanova sud 13
225 Villanova nord
ASTI ovest 32 206
ASTI est 39 199
Crocetta sud 48
190 Crocetta nord
FELIZZANO-QUATTORDIO 51 187
Genova A 26 64
174 A 26
ALESSANDRIA ovest 65 173
ALESSANDRIA est 78 160
Genova A 7 87
151 A 7
87 151 TORTONA
Tortona sud 91
147 Tortona nord
VOGHERA 101 137
115 123 CASTEGGIO-CASATISMA
BRONI-STRADELLA 127 111
Stradella sud 130
108 Stradella nord
141 97 CASTEL S. GIOVANNI
Barriera Piacenza
PIACENZA ovest 158 80
A 1 165
73 PIACENZA est
Nure sud 168
147 Nure nord
176 62 CAORSO
Fiorenzuola A21 dir 181
57 Barriera La Villa
186 52 CASTELVETRO
Cremona est 194
44 Cremona ovest

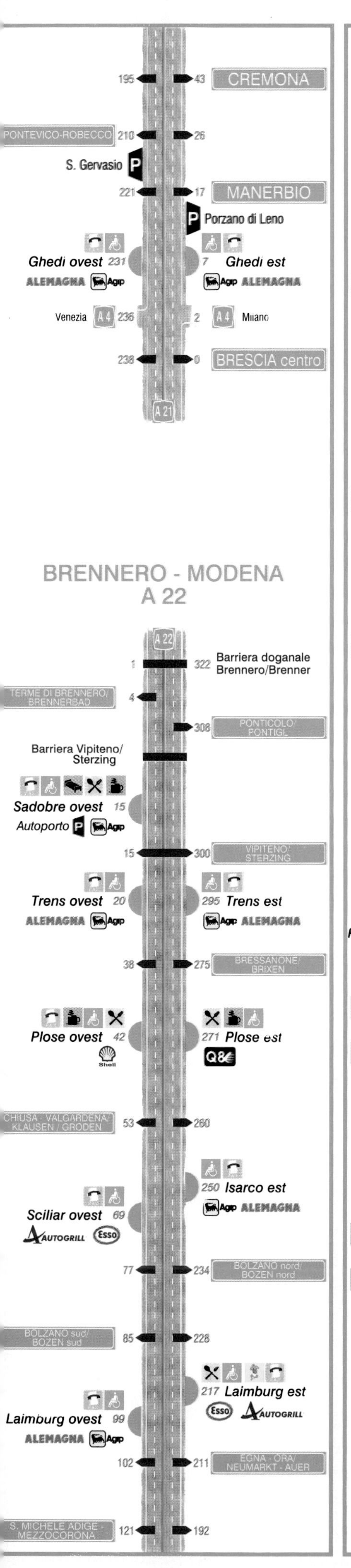

CREMONA

195 — 43

PONTEVICO-ROBECCO 210 — 26

S. Gervasio P

221 — 17 MANERBIO

P Porzano di Leno

Ghedi ovest 231 — 7 Ghedi est
ALEMAGNA Agip — Agip ALEMAGNA

Venezia A4 236 — 2 A4 Milano

238 — 0 BRESCIA centro

A 21

BRENNERO - MODENA
A 22

A 22

1 — 322 Barriera doganale Brennero/Brenner

TERME DI BRENNERO/ 4 —
BRENNERBAD

— 308 PONTICOLO/
PONTIGL

Barriera Vipiteno/
Sterzing

Sadobre ovest 15
Autoporto P Agip

15 — 300 VIPITENO/
STERZING

Trens ovest 20 295 Trens est
ALEMAGNA Agip — Agip ALEMAGNA

38 — 275 BRESSANONE/
BRIXEN

Plose ovest 42 271 Plose est
Shell Q8€

CHIUSA - VALGARDENA/ 53 — 260
KLAUSEN / GRODEN

250 Isarco est
Sciliar ovest 69 Agip ALEMAGNA
AUTOGRILL Esso

77 — 234 BOLZANO nord/
BOZEN nord

BOLZANO sud/ 85 — 228
BOZEN sud

217 Laimburg est
Esso AUTOGRILL

Laimburg ovest 99
ALEMAGNA Agip

102 — 211 EGNA - ORA/
NEUMARKT - AUER

S. MICHELE ADIGE - 121 — 192
MEZZOCORONA

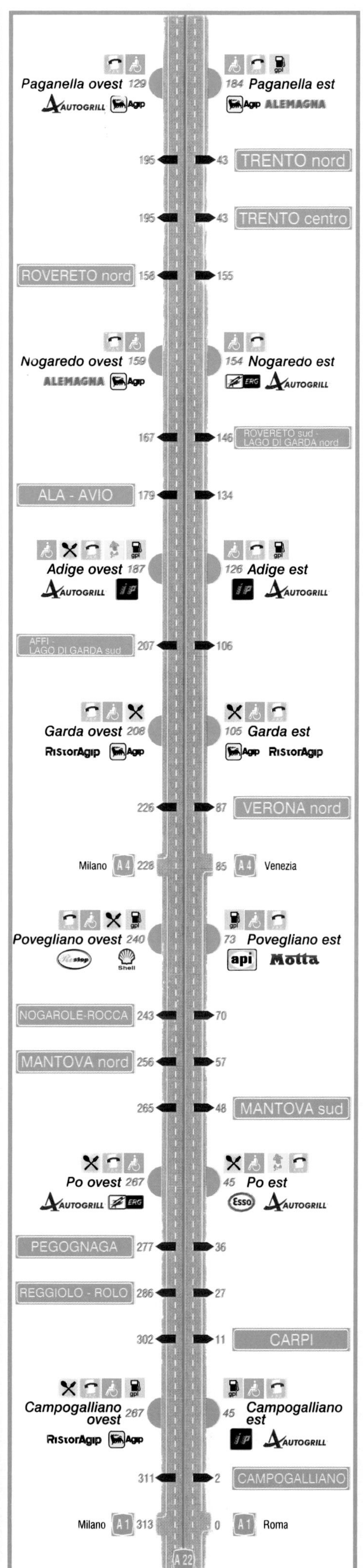

Paganella ovest 129 — 184 Paganella est
AUTOGRILL Agip — Agip ALEMAGNA

195 — 43 TRENTO nord

195 — 43 TRENTO centro

ROVERETO nord 158 — 155

Nogaredo ovest 159 — 154 Nogaredo est
ALEMAGNA Agip — ERG AUTOGRILL

167 — 146 ROVERETO sud -
LAGO DI GARDA nord

ALA - AVIO 179 — 134

Adige ovest 187 — 126 Adige est
AUTOGRILL IP — IP AUTOGRILL

AFFI - 207 — 106
LAGO DI GARDA sud

Garda ovest 208 — 105 Garda est
RistorAgip Agip — Agip RistorAgip

226 — 87 VERONA nord

Milano A4 228 — 85 A4 Venezia

Povegliano ovest 240 — 73 Povegliano est
Restop Shell — api Motta

NOGAROLE-ROCCA 243 — 70

MANTOVA nord 256 — 57

265 — 48 MANTOVA sud

Po ovest 267 — 45 Po est
AUTOGRILL ERG — Esso AUTOGRILL

PEGOGNAGA 277 — 36

REGGIOLO - ROLO 286 — 27

302 — 11 CARPI

Campogalliano 267 — 45 Campogalliano
ovest est
RistorAgip Agip — IP AUTOGRILL

311 — 2 CAMPOGALLIANO

Milano A1 313 — 0 A1 Roma

A 22

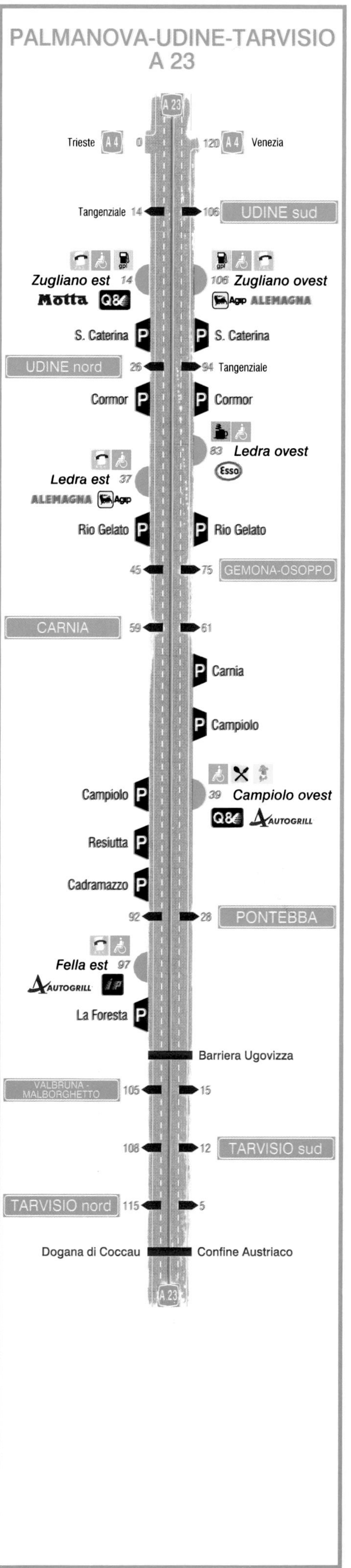

PALMANOVA-UDINE-TARVISIO
A 23

A 23

Trieste A4 0 — 120 A4 Venezia

Tangenziale 14 — 106 UDINE sud

Zugliano est 14 — 106 Zugliano ovest
Motta Q8€ — Agip ALEMAGNA

S. Caterina P — P S. Caterina

UDINE nord 26 — 94 Tangenziale

Cormor P — P Cormor

83 Ledra ovest
Esso

Ledra est 37
ALEMAGNA Agip

Rio Gelato P — P Rio Gelato

45 — 75 GEMONA-OSOPPO

CARNIA 59 — 61

P Carnia

P Campiolo

Campiolo P — 39 Campiolo ovest
Q8€ AUTOGRILL

Resiutta P

Cadramazzo P

92 — 28 PONTEBBA

Fella est 97
AUTOGRILL IP

La Foresta P

Barriera Ugovizza

VALBRUNA - 105 — 15
MALBORGHETTO

108 — 12 TARVISIO sud

TARVISIO nord 115 — 5

Dogana di Coccau Confine Austriaco

A 23

31

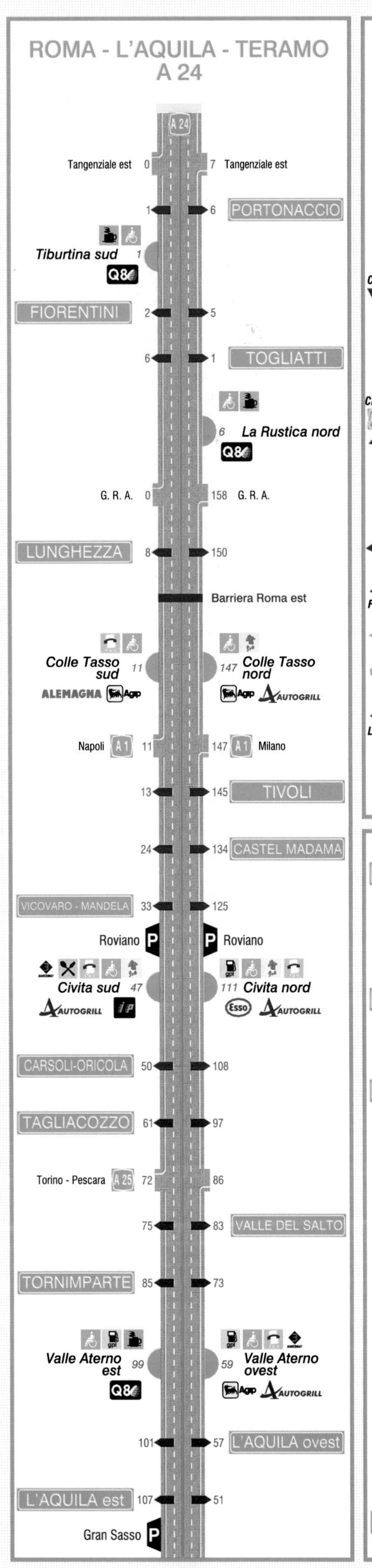

ROMA - L'AQUILA - TERAMO
A 24
Tangenziale est 0
7 Tangenziale est
1
6 PORTONACCIO
Tiburtina sud 1
FIORENTINI 2
5
6
1 TOGLIATTI
6 La Rustica nord
G. R. A. 0
158 G. R. A.
LUNGHEZZA 8
150
Barriera Roma est
Colle Tasso sud 11
147 Colle Tasso nord
ALEMAGNA
AUTOGRILL
Napoli A1 11
147 A1 Milano
13
145 TIVOLI
24
134 CASTEL MADAMA
VICOVARO - MANDELA 33
125
Roviano
Roviano
Civita sud 47
111 Civita nord
AUTOGRILL
AUTOGRILL
CARSOLI-ORICOLA 50
108
TAGLIACOZZO 61
97
Torino - Pescara A25 72
86
75
83 VALLE DEL SALTO
TORNIMPARTE 85
73
Valle Aterno est 99
59 Valle Aterno ovest
AUTOGRILL
101
57 L'AQUILA ovest
L'AQUILA est 107
51
Gran Sasso

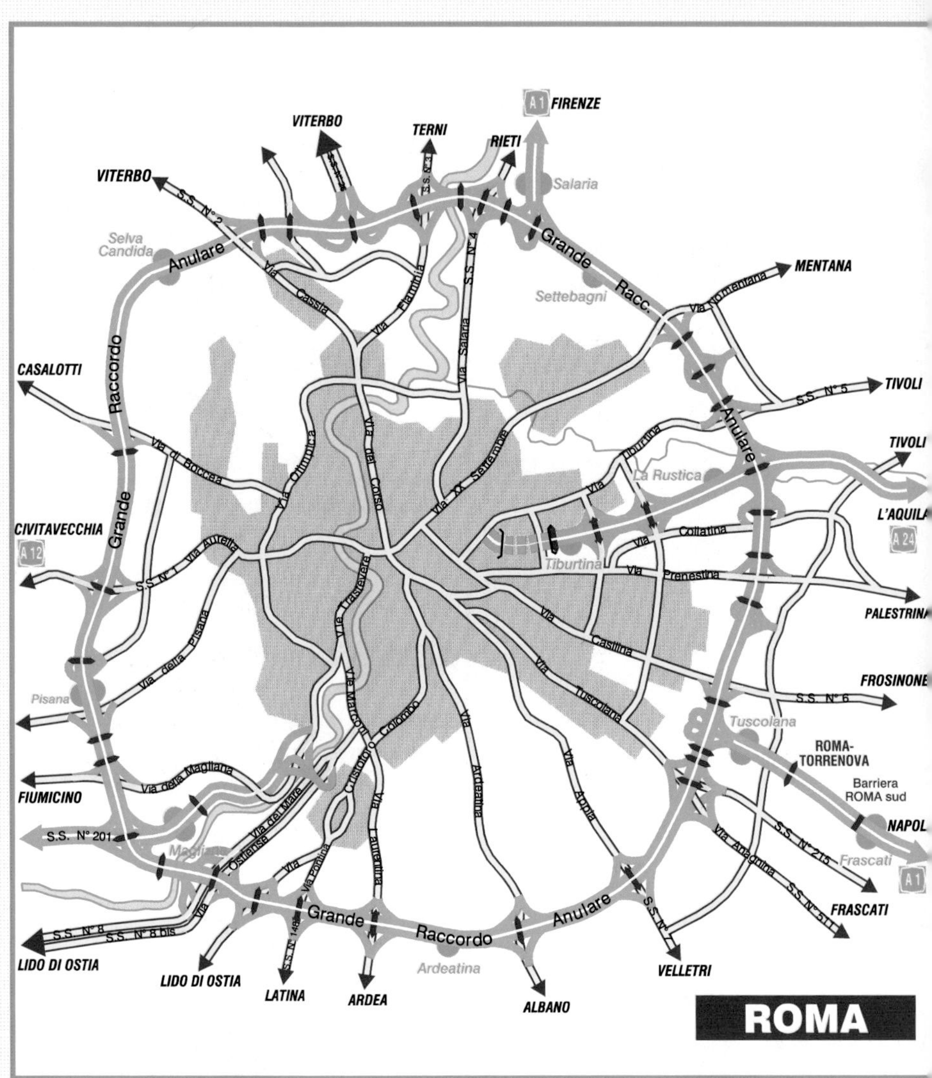

A1 FIRENZE
VITERBO
TERNI
RIETI
VITERBO
Salaria
Selva Candida
Anulare
Grande
Racc.
Settebagni
MENTANA
CASALOTTI
Raccordo
TIVOLI
TIVOLI
La Rustica
L'AQUILA
CIVITAVECCHIA
A 12
Grande
Tiburtina
Collatina
Prenestina
PALESTRINA
Casilina
FROSINONE
Pisana
S.S. N°6
Tuscolana
ROMA-TORRENOVA
Barriera ROMA sud
FIUMICINO
NAPOL
S.S. N°201
Frascati
A1
FRASCATI
S.S. N°8
S.S. N°8 bis
LIDO DI OSTIA
LIDO DI OSTIA
LATINA
ARDEA
Grande
Raccordo
Anulare
Ardeatina
ALBANO
VELLETRI
ROMA

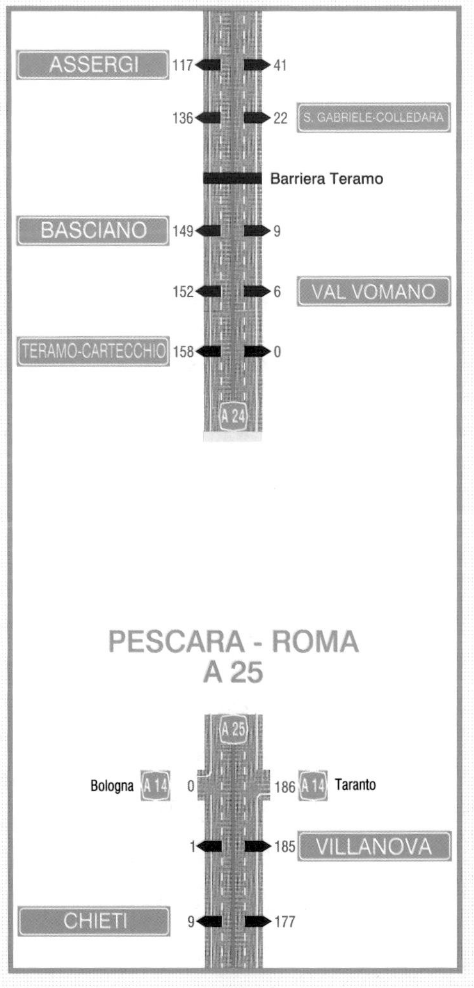

ASSERGI 117
41
136
22 S. GABRIELE-COLLEDARA
Barriera Teramo
BASCIANO 149
9
152
6 VAL VOMANO
TERAMO-CARTECCHIO 158
0
A 24
PESCARA - ROMA
A 25
A 25
Bologna A14 0
186 A14 Taranto
1
185 VILLANOVA
CHIETI 9
177

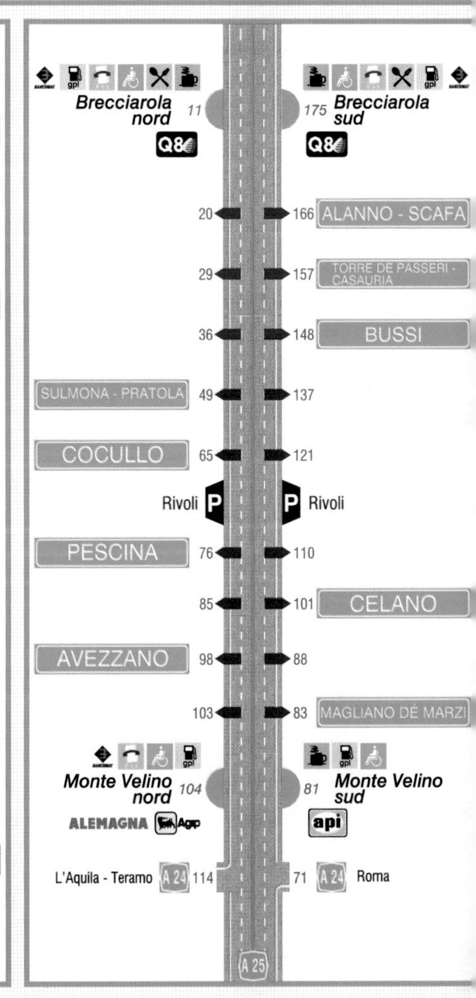

Brecciarola nord 11
175 Brecciarola sud
20
166 ALANNO - SCAFA
29
157 TORRE DE PASSERI - CASAURIA
36
148 BUSSI
SULMONA - PRATOLA 49
137
COCULLO 65
121
Rivoli
Rivoli
PESCINA 76
110
85
101 CELANO
AVEZZANO 98
88
103
83 MAGLIANO DÈ MARZI
Monte Velino nord 104
81 Monte Velino sud
ALEMAGNA
api
L'Aquila - Teramo A24 114
71 A24 Roma
A 25

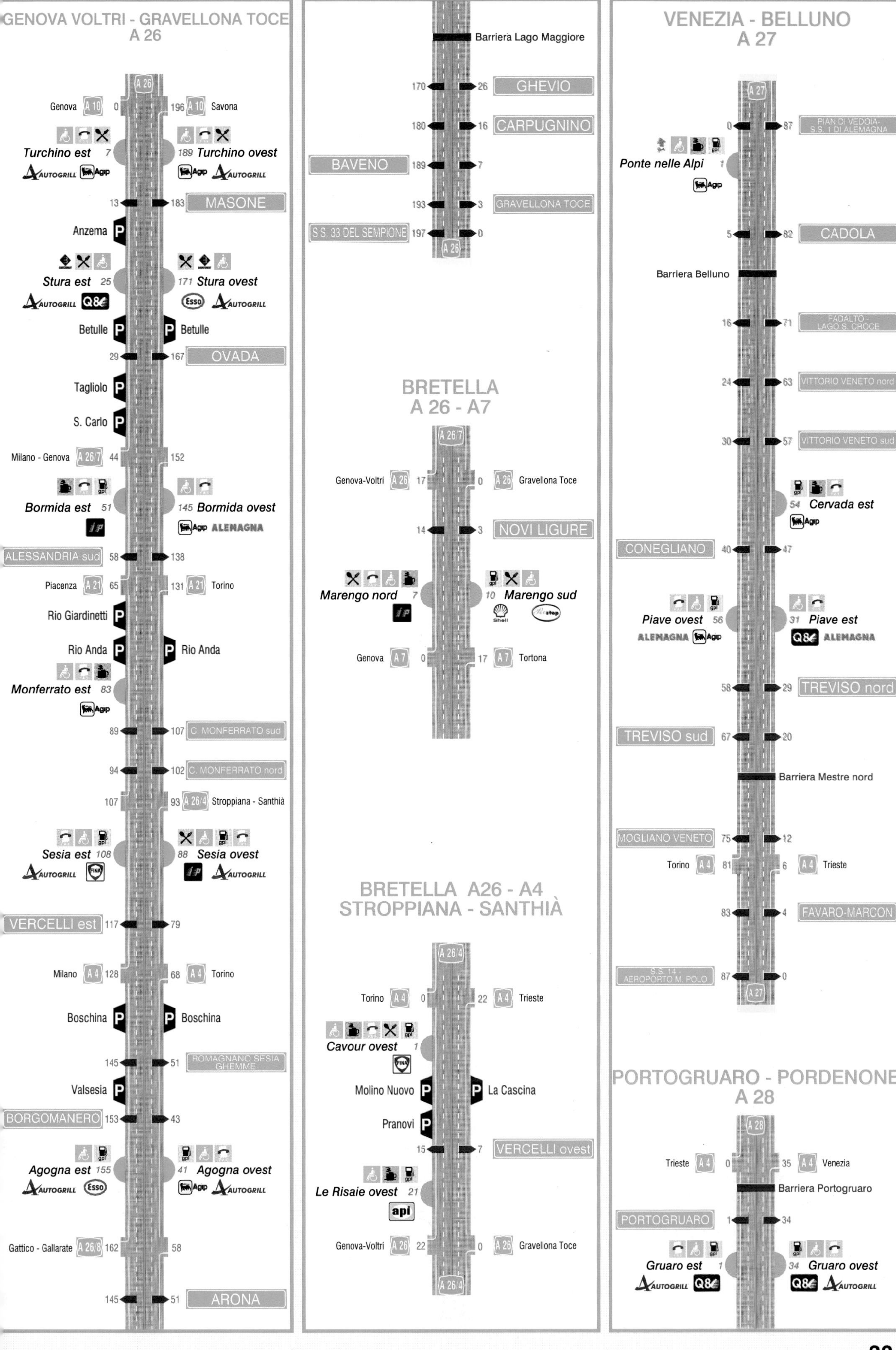

GENOVA VOLTRI - GRAVELLONA TOCE
A 26

Genova A 10 0		196 A 10 Savona
Turchino est 7		189 Turchino ovest
13		183 MASONE
Anzema P		
Stura est 25		171 Stura ovest
Betulle P	P Betulle	
29		167 OVADA
Tagliolo P		
S. Carlo P		
Milano - Genova A 26/7 44		152
Bormida est 51		145 Bormida ovest
ALESSANDRIA sud 58		138
Piacenza A 21 65		131 A 21 Torino
Rio Giardinetti P		
Rio Anda P	P Rio Anda	
Monferrato est 83		
89		107 C. MONFERRATO sud
94		102 C. MONFERRATO nord
107		93 A 26/4 Stroppiana - Santhià
Sesia est 108		88 Sesia ovest
VERCELLI est 117		79
Milano A 4 128		68 A 4 Torino
Boschina P	P Boschina	
145		51 ROMAGNANO SESIA GHEMME
Valsesia P		
BORGOMANERO 153		43
Agogna est 155		41 Agogna ovest
Gattico - Gallarate A 26/8 162		58
145		51 ARONA

	Barriera Lago Maggiore
170 — 26	GHEVIO
180 — 16	CARPUGNINO
BAVENO 189 — 7	
193 — 3	GRAVELLONA TOCE
S.S. 33 DEL SEMPIONE 197 — 0	
A 26	

BRETELLA
A 26 - A7

A 26/7		
Genova-Voltri A 26 17		0 A 26 Gravellona Toce
14		3 NOVI LIGURE
Marengo nord 7		10 Marengo sud
Genova A 7 0		17 A 7 Tortona

BRETELLA A26 - A4
STROPPIANA - SANTHIÀ

A 26/4		
Torino A 4 0		22 A 4 Trieste
Cavour ovest 1		
Molino Nuovo P	P La Cascina	
Pranovi P		
15		7 VERCELLI ovest
Le Risaie ovest 21		
Genova-Voltri A 26 22		0 A 26 Gravellona Toce
A 26/4		

VENEZIA - BELLUNO
A 27

A 27		
0		87 PIAN DI VEDOIA - S.S. 1 DI ALEMAGNA
Ponte nelle Alpi 1		
5		82 CADOLA
Barriera Belluno		
16		71 FADALTO - LAGO S. CROCE
24		63 VITTORIO VENETO nord
30		57 VITTORIO VENETO sud
		54 Cervada est
CONEGLIANO 40		47
Piave ovest 56		31 Piave est
58		29 TREVISO nord
TREVISO sud 67		20
Barriera Mestre nord		
MOGLIANO VENETO 75		12
Torino A 4 81		6 A 4 Trieste
83		4 FAVARO-MARCON
S.S. 14 - AEROPORTO M. POLO 87		0
A 27		

PORTOGRUARO - PORDENONE
A 28

A 28		
Trieste A 4 0		35 A 4 Venezia
Barriera Portogruaro		
PORTOGRUARO 1		34
Gruaro est 1		34 Gruaro ovest

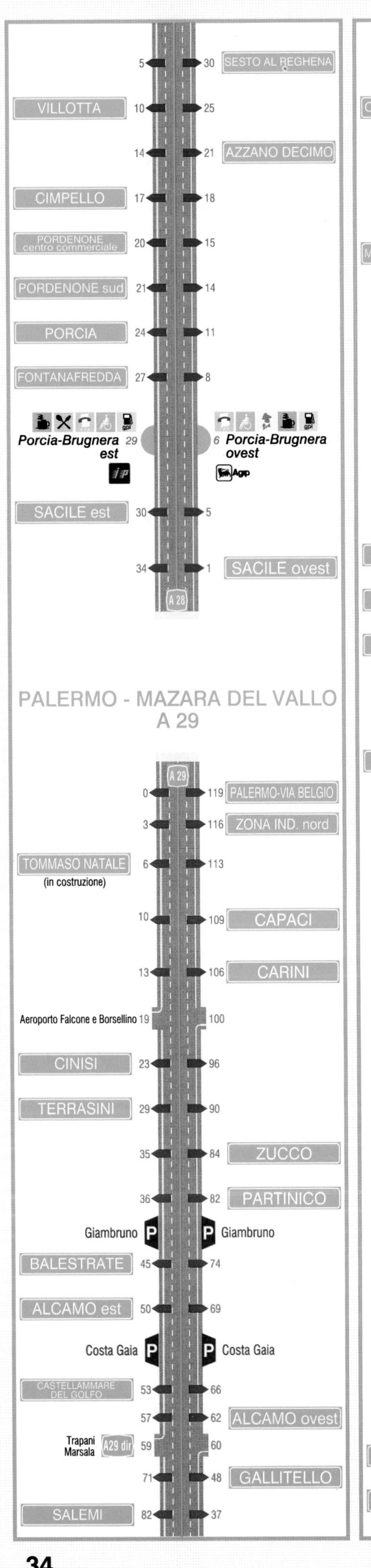

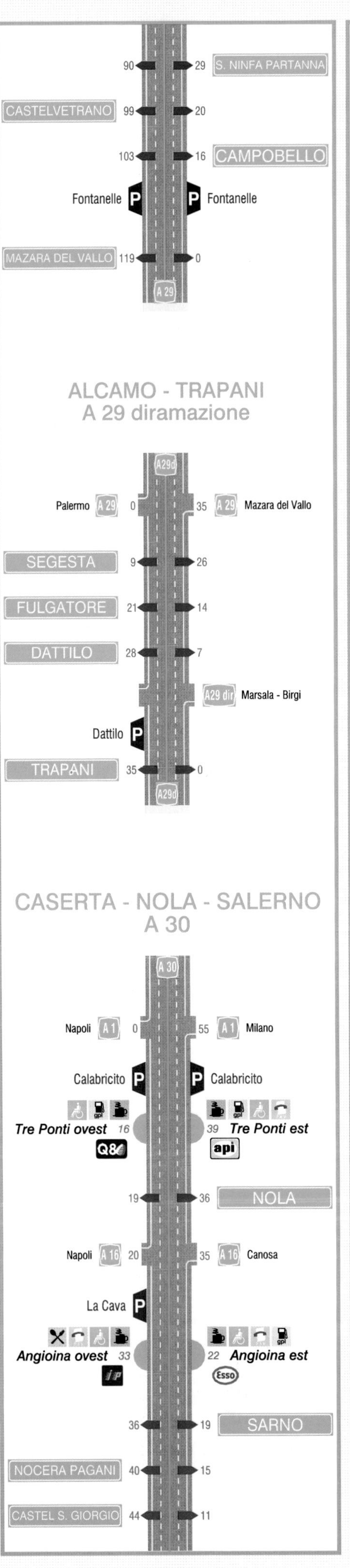

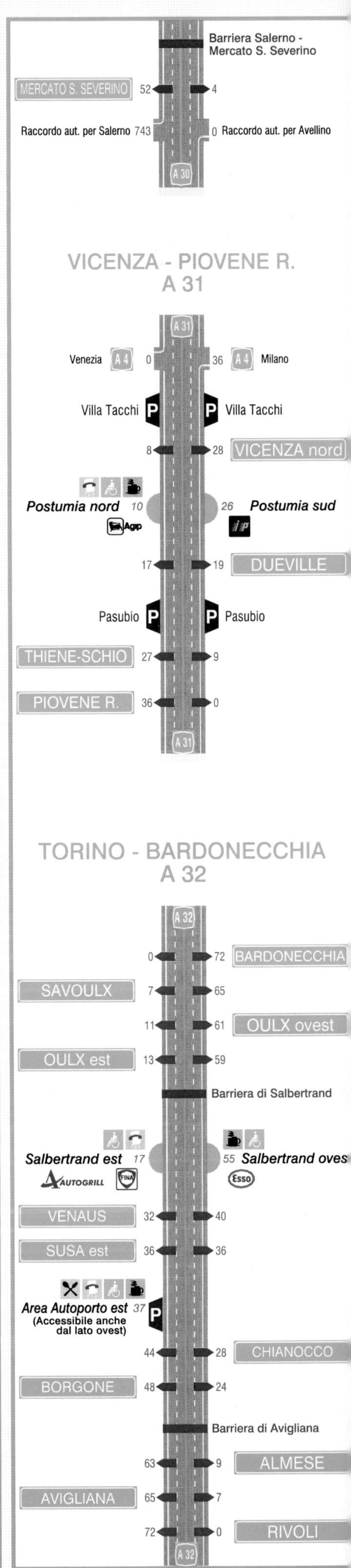

Column 1

SESTO AL REGHENA 5 — 30

VILLOTTA 10 — 25

14 — 21 AZZANO DECIMO

CIMPELLO 17 — 18

PORDENONE centro commerciale 20 — 15

PORDENONE sud 21 — 14

PORCIA 24 — 11

FONTANAFREDDA 27 — 8

Porcia-Brugnera est 29 — 6 *Porcia-Brugnera ovest*

SACILE est 30 — 5

34 — 1 SACILE ovest

A 28

PALERMO - MAZARA DEL VALLO
A 29

A 29

0 — 119 PALERMO-VIA BELGIO

3 — 116 ZONA IND. nord

TOMMASO NATALE (in costruzione) 6 — 113

10 — 109 CAPACI

13 — 106 CARINI

Aeroporto Falcone e Borsellino 19 — 100

CINISI 23 — 96

TERRASINI 29 — 90

35 — 84 ZUCCO

36 — 82 PARTINICO

Giambruno — Giambruno

BALESTRATE 45 — 74

ALCAMO est 50 — 69

Costa Gaia — Costa Gaia

CASTELLAMMARE DEL GOLFO 53 — 66

57 — 62 ALCAMO ovest

Trapani Marsala A29 dir 59 — 60

71 — 48 GALLITELLO

SALEMI 82 — 37

Column 2

90 — 29 S. NINFA PARTANNA

CASTELVETRANO 99 — 20

103 — 16 CAMPOBELLO

Fontanelle P — P Fontanelle

MAZARA DEL VALLO 119 — 0

A 29

ALCAMO - TRAPANI
A 29 diramazione

A29d

Palermo A 29 0 — 35 A 29 Mazara del Vallo

SEGESTA 9 — 26

FULGATORE 21 — 14

DATTILO 28 — 7

A29 dir Marsala - Birgi

Dattilo P

TRAPANI 35 — 0

A29d

CASERTA - NOLA - SALERNO
A 30

A 30

Napoli A1 0 — 55 A1 Milano

Calabricito P — P Calabricito

Tre Ponti ovest 16 — 39 *Tre Ponti est*
Q8 — api

19 — 36 NOLA

Napoli A 16 20 — 35 A 16 Canosa

La Cava P

Angioina ovest 33 — 22 *Angioina est*
iP — Esso

36 — 19 SARNO

NOCERA PAGANI 40 — 15

CASTEL S. GIORGIO 44 — 11

Column 3

Barriera Salerno - Mercato S. Severino

MERCATO S. SEVERINO 52 — 4

Raccordo aut. per Salerno 743 — 0 Raccordo aut. per Avellino

A 30

VICENZA - PIOVENE R.
A 31

A 31

Venezia A 4 0 — 36 A 4 Milano

Villa Tacchi P — P Villa Tacchi

8 — 28 VICENZA nord

Postumia nord 10 — 26 *Postumia sud*
Agip — iP

17 — 19 DUEVILLE

Pasubio P — P Pasubio

THIENE-SCHIO 27 — 9

PIOVENE R. 36 — 0

A 31

TORINO - BARDONECCHIA
A 32

A 32

0 — 72 BARDONECCHIA

SAVOULX 7 — 65

11 — 61 OULX ovest

OULX est 13 — 59

Barriera di Salbertrand

Salbertrand est 17 — 55 *Salbertrand ovest*
Autogrill FINA — Esso

VENAUS 32 — 40

SUSA est 36 — 36

Area Autoporto est 37 (Accessibile anche dal lato ovest) P

44 — 28 CHIANOCCO

BORGONE 48 — 24

Barriera di Avigliana

63 — 9 ALMESE

AVIGLIANA 65 — 7

72 — 0 RIVOLI

A 32

34

TRAFORI

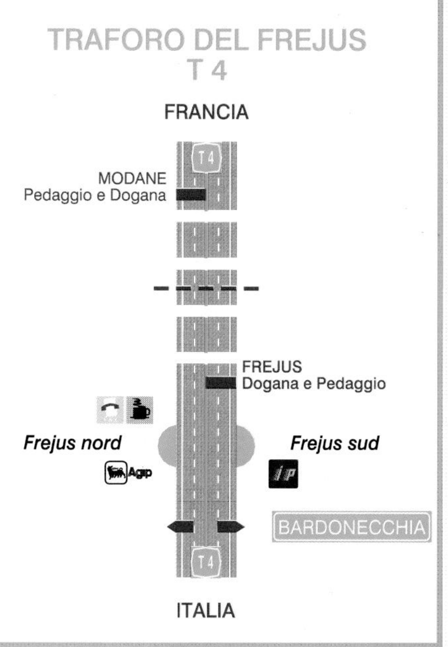

TRAFORO DEL FREJUS
T 4
FRANCIA

MODANE
Pedaggio e Dogana

FREJUS
Dogana e Pedaggio

Frejus nord

Frejus sud

BARDONECCHIA

ITALIA

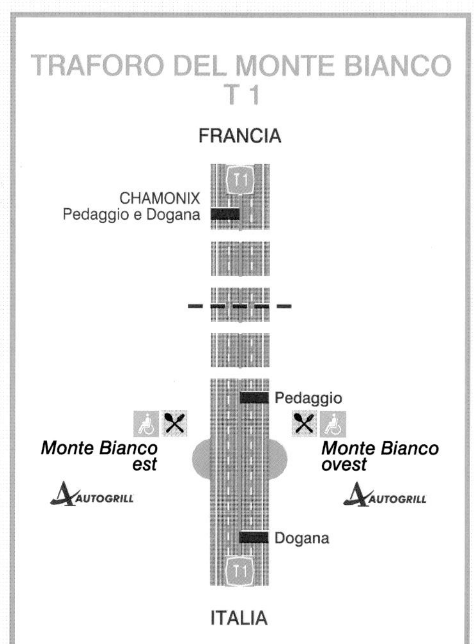

TRAFORO DEL MONTE BIANCO
T 1
FRANCIA

CHAMONIX
Pedaggio e Dogana

Pedaggio

Monte Bianco est

Monte Bianco ovest

AUTOGRILL

AUTOGRILL

Dogana

ITALIA

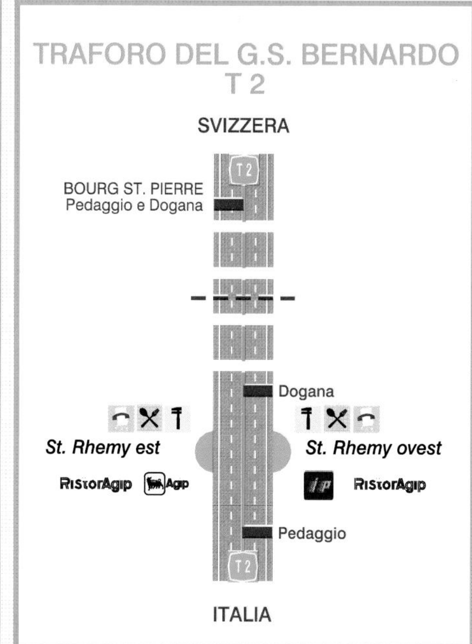

TRAFORO DEL G.S. BERNARDO
T 2
SVIZZERA

BOURG ST. PIERRE
Pedaggio e Dogana

Dogana

St. Rhemy est

St. Rhemy ovest

RistorAgip

RistorAgip

Pedaggio

ITALIA

DISTANZE CHILOMETRICHE FRA LE PRINCIPALI CITTÀ
DISTANCES IN KM BETWEEN MAIN TOWNS
DISTANCES EN KM ENTRE LES VILLES PRINCIPALES
ENTFERNUNG ZWISCHEN DEN WICHTIGSTEN STÄDTEN IN KM
DISTANCIAS EN KM ENTRE LAS CIUDADES MÁS IMPORTANTES

Sardegna

	SASSARI	ORISTANO	OLBIA	NUORO	CAGLIARI	
						CAGLIARI
					180	NUORO
				105	265	OLBIA
			170	90	95	ORISTANO
		120	105	120	210	SASSARI

Sicilia

	TRAPANI	SIRACUSA	RAGUSA	PALERMO	MESSINA	ENNA	CATANIA	CALTANISSETTA	AGRIGENTO	
										AGRIGENTO
								55		CALTANISSETTA
							110	165		CATANIA
						85	35	90		ENNA
					180	95	205	260		MESSINA
				235	135	205	125	125		PALERMO
			270	200	130	105	130	135		RAGUSA
		95	260	155	140	60	165	215		SIRACUSA
	370	300	110	345	245	320	240	170		TRAPANI

Distanze chilometriche

	ANCONA	AOSTA	BARI	BELLUNO	BOLOGNA	BOLZANO	BRESCIA	BRINDISI	CAMPOBASSO	CATANZARO	CUNEO	FIRENZE	GENOVA	IMPERIA	L'AQUILA	LECCE	LIVORNO	MILANO	NAPOLI	PADOVA	PERUGIA	PESCARA	PIACENZA	POTENZA	RAVENNA	REGGIO CAL.	ROMA	SAVONA	SIENA	TARANTO	TORINO	TRENTO	TRIESTE	VARESE	VENEZIA	VERONA
ANCONA																																				
AOSTA	617																																			
BARI	465	1071																																		
BELLUNO	454	534	908																																	
BOLOGNA	219	401	673	244																																
BOLZANO	494	449	948	165	280																															
BRESCIA	411	266	865	270	192	210																														
BRINDISI	576	1182	113	960	784	1065	975																													
CAMPOBASSO	331	930	221	767	532	807	724	335																												
CATANZARO	814	1349	362	1225	984	1246	1160	364	489																											
CUNEO	581	216	1035	555	366	475	295	1145	866	1251																										
FIRENZE	262	470	720	346	106	367	281	833	494	879	372																									
GENOVA	506	245	952	487	291	422	228	1065	726	1111	147	225																								
IMPERIA	613	324	1062	585	398	525	325	1175	836	1221	135	342	121																							
L'AQUILA	212	794	394	655	420	695	612	507	199	639	696	321	549	666																						
LECCE	614	1220	152	1000	822	1100	1010	40	373	383	1180	871	1103	1210	545																					
LIVORNO	379	421	767	440	201	430	290	880	541	926	320	115	176	290	439	915																				
MILANO	426	181	880	363	210	295	97	991	739	1176	214	299	145	243	627	1029	296																			
NAPOLI	409	959	261	835	594	856	770	375	160	406	861	489	714	831	247	393	536	786																		
PADOVA	326	404	780	130	116	235	145	860	639	1095	860	216	363	460	527	410	315	235	705																	
PERUGIA	139	626	634	502	262	523	437	747	408	793	528	153	381	498	178	785	271	455	403	372																
PESCARA	156	763	302	540	365	640	555	425	161	850	720	408	655	770	100	465	535	572	260	440	266															
PIACENZA	365	252	819	345	150	280	85	930	678	1118	215	239	144	255	566	965	235	66	728	220	395	510														
POTENZA	462	1102	143	978	737	999	913	220	239	345	1004	632	864	974	388	238	679	929	158	848	546	298	871													
RAVENNA	152	476	606	235	76	355	230	740	465	985	440	137	371	485	353	775	280	286	595	135	196	315	225	603												
REGGIO CAL.	907	1445	455	1315	1080	1340	1250	455	580	160	1345	975	1207	1315	731	480	1015	1272	494	1185	889	750	1205	445	1050											
ROMA	286	748	450	624	383	645	559	563	224	609	650	278	510	620	113	601	322	575	219	494	192	207	517	362	384	705										
SAVONA	539	253	991	525	324	455	255	1105	765	1150	100	271	47	70	595	600	220	169	760	390	427	700	185	903	415	1245	549									
SIENA	246	537	673	410	173	435	345	785	447	832	440	68	292	410	278	820	130	366	442	285	110	425	300	585	250	925	231	340								
TARANTO	548	1154	95	935	756	1035	945	70	304	297	1115	802	1034	1125	477	85	830	963	308	830	716	395	900	153	710	390	515	1055	735							
TORINO	547	110	1001	492	332	410	228	1112	860	1274	94	395	170	206	719	1150	346	138	884	366	551	693	182	1027	407	1370	673	145	426	1084						
TRENTO	439	395	893	110	295	58	118	1004	752	1192	421	313	368	473	640	1042	410	241	802	129	469	585	208	945	299	1228	591	398	380	976	356					
TRIESTE	503	581	957	180	293	347	319	1068	816	1274	606	395	537	642	704	1106	490	412	884	177	551	649	393	1027	286	1370	673	567	462	1040	542	290				
VARESE	488	188	942	410	273	345	320	1055	801	1240	260	361	193	290	689	1090	355	57	850	285	517	630	125	993	350	1330	639	220	425	1025	145	272	457			
VENEZIA	364	442	818	108	154	214	180	929	677	1131	467	255	397	502	565	967	350	273	741	38	411	510	253	884	141	1227	530	426	322	901	402	157	157	318		
VERONA	355	332	809	205	142	155	70	925	668	1106	355	231	286	385	556	960	295	163	716	80	387	500	145	859	180	1200	505	315	295	895	292	101	256	205	120	

QUADRO D'UNIONE – KEY MAP
ÜBERSICHTSKARTE – TABLEAU D'ASSEMBLAGE
CUADRO DE UNION

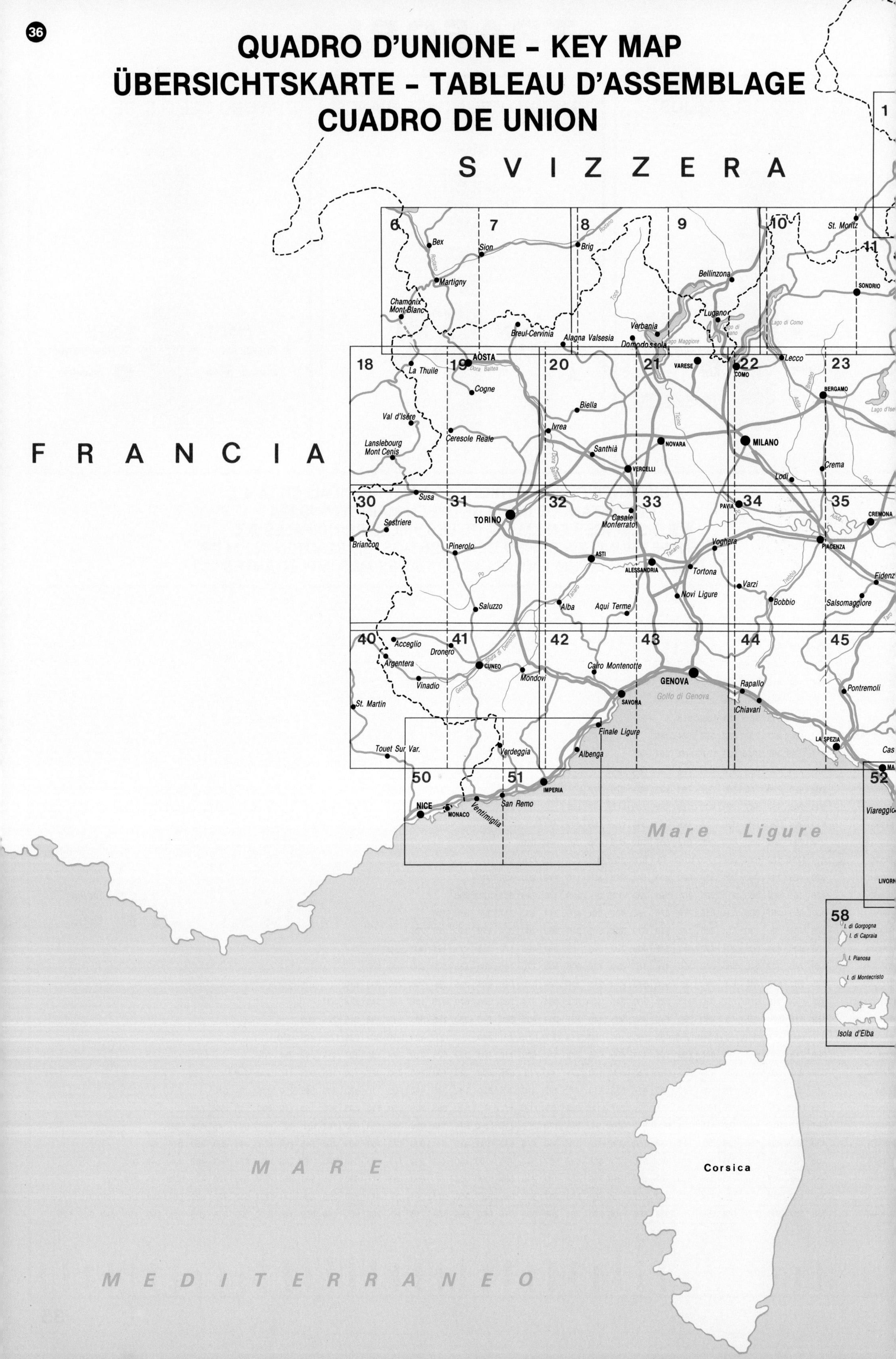

SVIZZERA

FRANCIA

6 — Bex, Sion, Martigny, Chamonix Mont-Blanc

7 — Brig, Breul-Cervinia, Alagna Valsesia

8 — Rodano

9 — Bellinzona, Verbania, Lugano, Domodossola, Lago Maggiore

10 — St. Moritz

11 — SONDRIO

1

18 — La Thuile, Val d'Isère, Lanslebourg Mont Cenis

19 — AOSTA, Cogne, Ceresole Reale, Dora Baltea

20 — Biella, Ivrea, Santhià, VERCELLI, Dora Baltea

21 — NOVARA, Ticino, VARESE

22 — COMO, Lecco, BERGAMO, Lago di Como, Adda

23 — Crema, Lago d'Iseo

MILANO, Lodi

30 — Susa, Sestriere, Briançon

31 — TORINO, Pinerolo, Po

32 — Alba, Tanaro

33 — Casale Monferrato, ASTI, ALESSANDRIA, Aqui Terme

34 — PAVIA, Voghera, Tortona, Novi Ligure, Varzi, Bobbio

35 — CREMONA, PIACENZA, Fidenza, Salsomaggiore, Adda, Taro, Trebbia

40 — Acceglio, Argentera, Dronero, Vinadio, St. Martin

41 — CUNEO, Mondovi, Saluzzo, Stura di Demonte, Gesso

42 — Cairo Montenotte

43 — GENOVA, SAVONA, Finale Ligure, Golfo di Genova

44 — Rapallo, Chiavari, LA SPEZIA

45 — Pontremoli, Taro

50 — NICE, MONACO, Touet Sur Var.

51 — IMPERIA, San Remo, Ventimiglia, Verdeggia, Albenga

52 — MA..., Viareggio, LIVORN..., Cas...

Mare Ligure

58 — I. di Gorgogna, I. di Capraia, I. Pianosa, I. di Montecristo, Isola d'Elba

MARE

Corsica

MEDITERRANEO

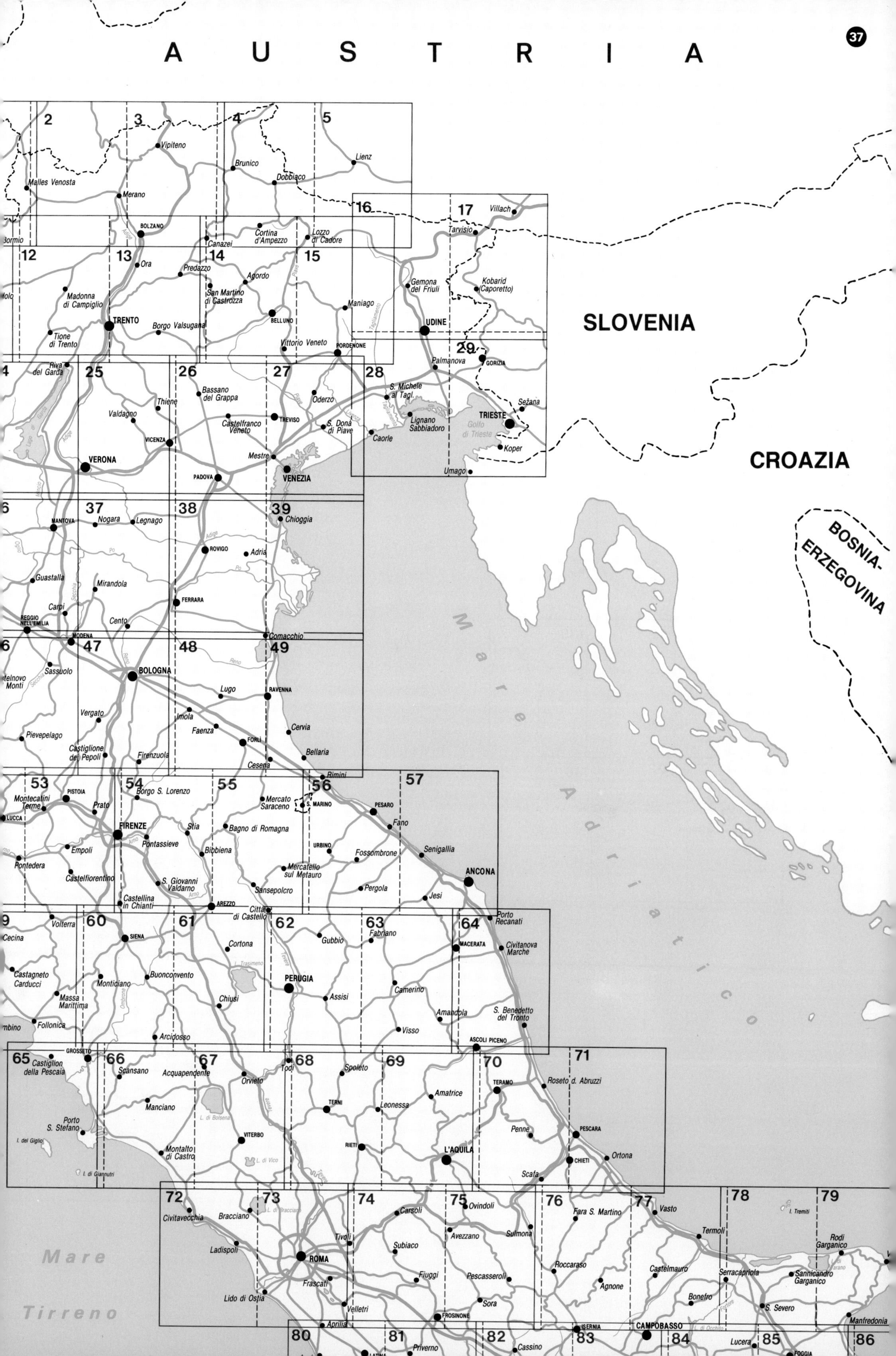
AUSTRIA
SLOVENIA
CROAZIA
BOSNIA-ERZEGOVINA
Mare Adriatico
Mare Tirreno
Golfo di Trieste
2
3
4
5
Vipiteno
Brunico
Lienz
Malles Venosta
Dobbiaco
Merano
16
17
Villach
Bolzano
Cortina d'Ampezzo
Lozzo di Cadore
Tarvisio
Bormio
Canazei
12
13
14
15
Ora
Predazzo
Agordo
Gemona del Friuli
Kobarid (Caporetto)
Madonna di Campiglio
San Martino di Castrozza
Maniago
Trento
Belluno
Udine
Borgo Valsugana
Tione di Trento
Vittorio Veneto
Pordenone
29
Palmanova
Gorizia
Riva del Garda
25
26
27
28
Bassano del Grappa
Oderzo
S. Michele al Tagl.
Thiene
Sežana
Valdagno
Castelfranco Veneto
Treviso
S. Donà di Piave
Lignano Sabbiadoro
Trieste
Vicenza
Caorle
Verona
Mestre
Koper
Padova
Venezia
Umago
37
38
39
Nogara
Legnago
Chioggia
Mantova
Rovigo
Adria
Guastalla
Mirandola
Ferrara
Carpi
Cento
Reggio nell'Emilia
Modena
Comacchio
47
48
49
Sassuolo
Bologna
Lugo
Ravenna
Vergato
Imola
Cervia
Faenza
Pievepelago
Forlì
Castiglione dei Pepoli
Firenzuola
Bellaria
Cesena
Rimini
53
54
55
56
57
Pistoia
Borgo S. Lorenzo
Montecatini Terme
Mercato Saraceno
S. Marino
Pesaro
Prato
Lucca
Firenze
Stia
Bagno di Romagna
Fano
Pontassieve
Empoli
Bibbiena
Urbino
Senigallia
Fossombrone
Pontedera
Mercatello sul Metauro
Castelfiorentino
S. Giovanni Valdarno
Ancona
Sansepolcro
Pergola
Castellina in Chianti
Jesi
Arezzo
Città di Castello
Porto Recanati
60
61
62
63
64
Volterra
Cecina
Siena
Gubbio
Fabriano
Cortona
Macerata
Civitanova Marche
Castagneto Carducci
Monticiano
Buonconvento
Perugia
Massa Marittima
Chiusi
Assisi
Camerino
Amandola
S. Benedetto del Tronto
Follonica
Visso
Arcidosso
Ascoli Piceno
65
66
67
68
69
70
71
Grosseto
Castiglion della Pescaia
Scansano
Acquapendente
Orvieto
Todi
Spoleto
Teramo
Roseto d. Abruzzi
Amatrice
Manciano
Terni
Leonessa
L. di Bolsena
Porto S. Stefano
Penne
Pescara
I. del Giglio
Viterbo
Rieti
L'Aquila
Montalto di Castro
L. di Vico
Chieti
Ortona
I. di Giannutri
Scafa
72
73
74
75
76
77
78
79
Ovindoli
Vasto
Civitavecchia
L. di Bracciano
Carsoli
Fara S. Martino
I. Tremiti
Bracciano
Avezzano
Sulmona
Termoli
Rodi Garganico
Tivoli
Subiaco
Ladispoli
Roma
Roccaraso
Castelmauro
Serracapriola
Sannicandro Garganico
Frascati
Fiuggi
Pescasseroli
Agnone
Lido di Ostia
Sora
Bonefro
S. Severo
Velletri
Frosinone
Manfredonia
Aprilia
Isernia
Campobasso
80
81
82
83
84
85
86
Priverno
Cassino
Lucera
Foggia

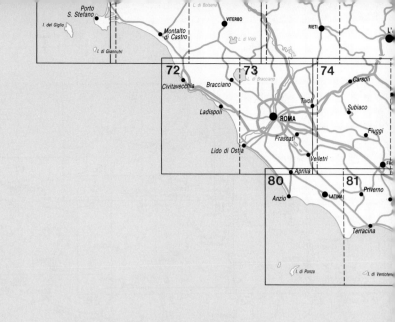
Porto S. Stefano
I. del Giglio
I. di Giannutri
Montalto di Castro
VITERBO
RIETI
72
73
74
Civitavecchia
Bracciano
Carsoli
Tivoli
Subiaco
Ladispoli
ROMA
Fiuggi
Frascati
Lido di Ostia
Velletri
Aprilia
80
81
Anzio
LATINA
Priverno
Terracina
I. di Ponza

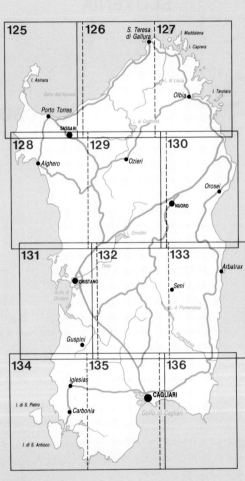
125
126
127
S. Teresa di Gallura
I. Maddalena
I. Caprera
I. Asinara
I. Tavolara
Olbia
Porto Torres
SASSARI
128
129
130
Alghero
Ozieri
Orosei
NUORO
131
132
133
Arbatrax
ORISTANO
Seni
Guspini
134
135
136
Iglesias
CAGLIARI
I. di S. Pietro
Carbonia
Golfo di Cagliari
I. di S. Antioco

Mare Tirreno

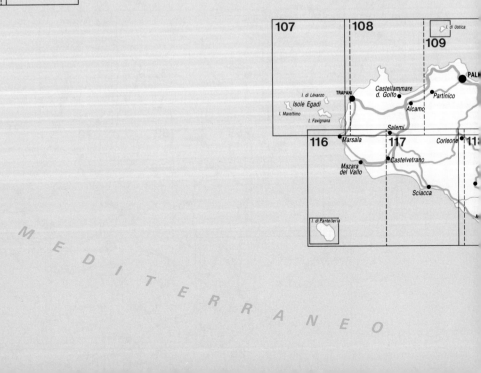
107
108
I. di Ustica
109
TRAPANI
Castellammare d. Golfo
Partinico
I. di Levanzo
Isole Egadi
I. Marettimo
Alcamo
I. Favignana
Salemi
116
Marsala
117
Corleone
Castelvetrano
Mazara del Vallo
Sciacca
I. di Pantelleria

MARE MEDITERRANEO

Mare Adriatico

Mare Tirreno

Mare Ionio

76 **77** Vasto **78** I. Tremiti **79**

Penne
PESCARA
Ortona
Scafa
CHIETI
Sulmona
Fara S. Martino
Roccaraso
Termoli
Castelmauro
Rodi Garganico
Vieste
Agnone
Bonefro
Serracapriola
Sannicandro Garganico
S. Severo
Manfredonia
ISERNIA
CAMPOBASSO

82 **83** **84** Lucera **85** FOGGIA **86** **87**
Cassino
S. Giorgio Matese
S. Marco dei Cavoti
Troia
Margherita di Savoia
Barletta
Molfetta
Teano
Talese
Ariano Irpino
Cerignola
Adria
BARI
Capua
CASERTA
BENEVENTO
Lacedonia
Minervino Murge
Melfi
Monopoli

88 **89** Nola **90** **91** **92** **93** **94** **95**
Aversa
NAPOLI
AVELLINO
Conza d. Campania
Genzano di Lucania
Altamura
Santeramo in Colle
Putignano
Ostuni
I. di Procida
Nocera Inf.
Acerno
Muro Lucano
MATERA
Martina Franca
BRINDISI
Isola d'Ischia
SALERNO
POTENZA
Laterza
Sorrento
Battipaglia
Satriano di Lucania
Garaguso
Amalfi
I. di Capri
Roccadaspide
Sala Consilina
Stigliano
TARANTO
Manduria
Francavilla Fontana

96 **97** **98** **99** **99** **100**
Castellabate
Vallo d. Lucania
S. Arcangelo
LECCE
Sapri
Lagonegro
Episcopia
Maglie
Otranto
Marina di Camerota
Maratea
Trebisacce
Roseto Capo Spulico
Gallipoli
Leuca
Castrovillari

101 **102** **103**
S. Sosti
Rossano
Paola
Longobucco
Cirò Marina
Stróngoli
COSENZA
S. Giovanni in Fiore
Crotone

104 **105** **106**
Nicastro
S. Eufemia Lamezia
CATANZARO
Isola di Capo Rizzuto
Vibo Valentia
Soverato Marina
Serra S. Bruno

114 **115**
Palmi
Taurianova
Monasterace Marina
MESSINA
REGGIO DI CALABRIA
Bovalino Marina
Ali Terme
Bova Marina

111 **112** **113**
Alicudi
Filicudi
I. Salina
I. Lipari
I. Stromboli
I. Panarea
I. Eolie o Lipari
I. Vulcano
Capo d'Orlando
Milazzo
S. Agata di Militello
Cefalù
Termini Imerese
Castelbuono
Mistretta
Randazzo
Taormina

119 **120** **121**
Nicosia
M. Etna
ENNA
Regalbuto
Acireale
CALTANISSETTA
Piazza
Catania
Canicatti
Mazzarino
Caltagirone
Augusta

122 **123** **124**
Palma di Montechiaro
Licata
Vizzini
SIRACUSA
Gela
Noto
RAGUSA
Palma di Montechiaro
Marina di Ragusa
Ispica
I. Lampedusa
I. di Linosa

40

SEGNI CONVENZIONALI – MAP SIMBOLS
KONVENTIONELLE ZEICHEN – LÉGENDE
SIGNOS CONVENCIONALES

Autostrade – Motorways – Autobahnen – Autoroutes – Autopistas

Superstrade e strade a traffico veloce – Fast main roads – Schnellstraßen – Routes à trafic rapide – Carreteras a percorribilidad rapida

Strade Statali e di grande comunicazione – National roads and trunk roads – Staatsstraßen und Fernverkehrsstraßen – Routes Nationales et a grande circulation – Carreteras estatal y de grande comunicacion

Altre strade – Other roads – Sonstige straßen – Autres routes – Otras carreteras

Distanze chilometriche sulle Autostrade – Distances over the motorways – Entfernungsängaben in Kilometern an Autobahnen – Distances en kilomètres sur les Autoroutes – Kilometraje en Autopistas

Distanze chilometriche sulle Superstrade e strade Statali – Distances in kilometres over the fast main roads and National roads – Entfernungsgängaben in Kilometern an Schnellstraßen und Staatsstraßen – Distances en kilomètres sur les routes à trafic rapide et routes Nationales – Kilometraje en las carreteras a percorribilidad rapida y carreteras estadales

Distanze chilometriche – Distances in kilometres – Entfernungsangaben in Kilometern – Distances en kilomètres – Distancias Kilometricas

Ferrovie – Railways – Eisenbahnen – Chemins de Fer – Ferrocarriles

Linee di navigazione – Shipping routes – Schiffahrtslinien – Lignes de navigation – Linea maritima

Confini di Stato - National frontiers - Staatsgrenzen – Frontières d'État – Limites de frontera

Confini di Regione - Regional boundaries - Regionsgrenzen – Limites de Région - Limites de regione

Confini di Provincia - Provincial boundaries - Provinzgrenzen – Limites de Province – Limites de provincia

Funicolari - Mountain railways - Draht Seilbahnen – Funiculaires – Funiculares

Funivie – Cable-railways – Seilschwebebahnen – Téléphériques – Teleféricos

Seggiovie – Chair-Lifts – Sesselbahnen – Télésièges – Telesillos

Parchi – Parks – Parke – Parcs – Parques

Grotte – Caves – Höhlen – Grottes – Cuevas

Chiese – Churches – Kirchen – Eglieses – Iglesias

Monumenti – Monuments – Denkmale – Monuments – Monumentos

Castelli – Castles – Schloßen – Châteaux – Castillos

Torri – Towers – Turme – Tours – Torres

Antichità o Rovine – Ancient monuments or Ruins – Baudenkmale oder Ruinen – Antiquités ou Ruines – Excavacionnes o ruinas

Nuraghe – Nuraghe – Nuragen – Nuraghe – Nuraghe – (SARDEGNA)

Campeggi – Campings – Campings – Campings – Camping

Fari – Lighthouses – Leuchtturme – Phares – Faros

Aeroporti – Airports – Flughafen – Aéroports – Aeropuertos

di grande interesse

molto interessanti

Località turistiche – Tourist areas – Fermdenvergehrs-orte – Localités touristiques – Localidades pintorescas recomendadas

interessanti

1 : 250.000

0   5   10   15   20 km

SCALA – SCALE – MAßSTAB – ECHELLE – ESCALA

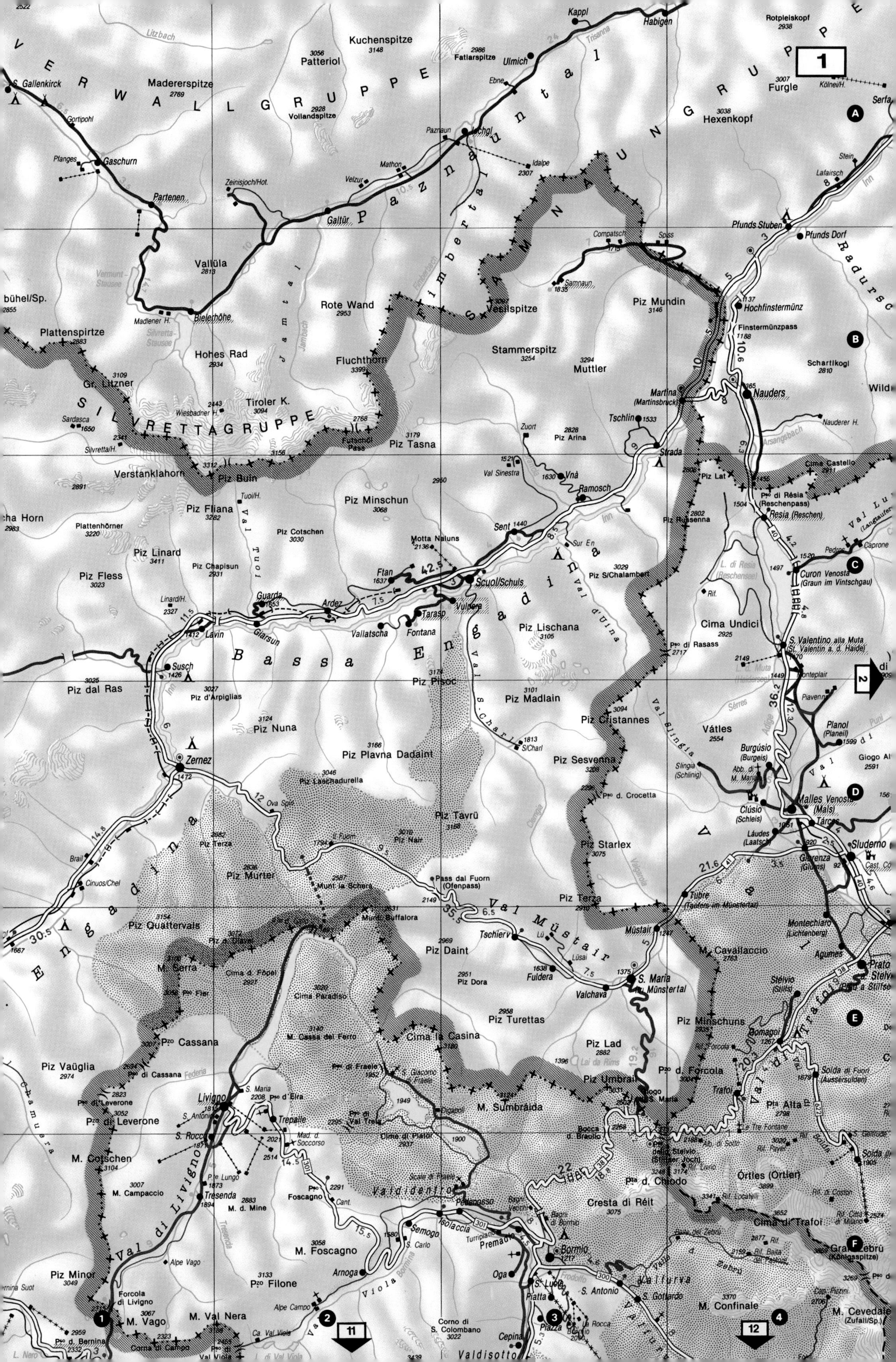

1
2
11
12
A
B
C
D
E
F
VERWALLGRUPPE
SILVRETTAGRUPPE
SAMNAUNGRUPPE
Paznauntal
Fimbertal
Jamtal
Basse Engiadina
Engiadina
Val Müstair
Val di Livigno
Valdidentro
Valfurva
Kappl
Habigen
Rotpleiskopf
2938
Litzbach
Kuchenspitze
3148
Patteriol
3056
Fatlarspitze
2986
Ulmich
Furgle
3007
Kölnei/H.
Serfa
S. Gallenkirck
Madererspitze
2769
Ebne
Hexenkopf
3038
Gortipohl
Vollandspitze
2928
Paznaun
Ischgl
Gaschurn
Pfanges
Mathon
Idalpe
2307
Velzur
Stein
Lafairsch
Partenen
Zeinisjoch/Hot.
Galtür
Inn
Pfunds Stuben
Pfunds Dorf
Compatsch
Spiss
Vallüla
2813
Vermunt-Stausee
Samnaun
1835
Hochfinstermünz
Finstermünzpass
1188
bühel/Sp.
2855
Madlener H.
Bielerhöhe
Rote Wand
2953
Vesilspitze
3097
Piz Mundin
3146
Silvretta-Stausee
Plattenspirtze
2883
Hohes Rad
2934
Stammerspitz
3254
Scharlkogl
2810
Fluchthorn
3399
Muttler
3294
Gr. Litzner
3109
Wild
Martina
(Martinsbruck)
Nauders
Tiroler K.
3094
Wiesbadner H.
2443
Sardasca
1650
Tschlin
1533
Nauderer H.
Zuort
Piz Arina
2828
Silvretta/H.
2341
Futschöl Pass
2768
Piz Tasna
3179
Strada
Arsangsbach
Cima Castello
2911
Verstanklahorn
3312
Piz Buin
3156
Val Sinestra
1521
Vnà
1630
Piz Lat
2808
Ramosch
P. so di Résia
(Reschenpass)
1504
Tuoi/H.
Piz Minschun
3068
2950
Piz Fliana
3282
Resia (Reschen)
2891
Piz Russenna
2802
cha Horn
2983
Plattenhörner
3220
Piz Cotschen
3030
Sent
1440
Sur En
Val Tuoi
Piz Linard
3411
Motta Naluns
2136
Piz S/Chalambert
3029
Curon Venosta
(Graun im Vintschgau)
Pedros
Caprone
Piz Chapisun
2931
L. di Resia
(Reschensee)
Piz Fless
3023
Ftan
1637
Scuol/Schuls
Val d'Uina
Linard/H.
2327
Guarda
1653
Ardez
Vulpera
Tarasp
Rif.
Lavin
1412
Giarsun
Vallatscha
Fontana
Piz Lischana
3105
Cima Undici
2925
S. Valentino alla Muta
(St. Valentin a. d. Haide)
P. so di Rasass
2717
Susch
1426
Piz Pisoc
3173
Monteplair
Piz dal Ras
3025
Piz d'Arpiglias
3027
Piz Madlain
3101
Piavenna
Séres
Piz Cristannes
3094
Val S. Charl
Val Slingia
Vátles
2554
Planol
(Planeil)
1599
Piz Nuna
3124
S/Charl
1813
Zernez
1472
Piz Plavna Dadaint
3166
Piz Sesvenna
3205
Burgúsio
(Burgeis)
Slingia
(Schlinig)
Giogo Al
2591
Piz Laschadurella
3046
P. so d. Crocetta
Malles Venosta
(Mals)
Ova Spin
Piz Tavrü
3168
Clúsio
(Schleis)
Láudes
(Laatsch)
Tárces
Piz Terza
2682
Il Fuorn
1794
Piz Nair
3010
Piz Starlex
3075
Sluderno
Brail
Piz Murtèr
2836
Glorenza
(Glurns)
Munt la Schera
2587
Pass dal Fuorn
(Ofenpass)
2149
Cinuos/Chel
Piz Terza
2910
Tubre
(Taufers im Münstertal)
Piz Quattervals
3154
Munt Buffalora
2631
Müstair
1247
Montechiaro
(Lichtenberg)
Piz d. Diavel
3072
Tschierv
Piz Daint
2969
Lü
Lüsai
M. Cavallaccio
2763
Agumes
Prato
Stelvio
M. Serra
3100
Cima d. Fópel
2927
Fuldera
1638
Piz Dora
2951
Valchava
S. Maria
(im Münstertal)
P. so Fier
Cima Paradiso
3020
Stelvio
(Stilfs)
Piz Turettas
2958
Piz Minschuns
2935
P. zo Cassana
3071
M. Cassa del Ferro
3140
Cima la Casina
3180
Gomagoi
Val di Trafoi
Piz Lad
2882
Rif. Forcola
Piz Vaüglia
2974
P. so di Cassana
Federia
P. so di Fraele
1952
S. Giacomo di Fraele
Lai da Rims
Piz Umbrail
3031
P. zo d. Forcola
3004
Trafoi
Solda di Fuori
(Aussersulden)
Pta. Alta
2798
Livigno
1816
S. Maria
2208
P. so d' Elra
Trepalle
M. Sumbraida
3124
Bocca d. Braulio
P. so d. Stelvio
(Stilfser Joch)
Le Tre Fontane
Chamuera
P. so d. Leverone
2823
P. zo di Leverone
3052
S. Antonio
P. so di Val Trela
2295
S. Rocco
Mad. d. Soccorso
Cime di Plator
2937
1900
Rif. Payer
S. Geltrude
Solda
1905
M. Cotschen
3104
P. te Lungo
1873
Scale di Fraele
P. ta d. Chiodo
Ortles (Ortler)
3899
M. Campaccio
3007
Tresenda
1894
M. d. Mine
2883
P. so Foscagno
2291
Pedenosso
Isolaccia
Semogo
Turripiano
Premadio
Bagni Vecchi
Bagni di Bormio
Cresta di Réit
3075
Rif. Locatelli
3341
Rif. di Coston
Rif. Città di Milano
Cima di Trafoi
3852
M. Foscagno
3058
Alpe Vago
S. Carlo
Viola Bormina
Bormio
1217
Frodolfo
Valle d. Zebrù
Gran Zebrù
(Königspitze)
Piz Minor
3049
P. zo Filone
3133
Arnoga
Oga
S. Lucia
S. Antonio
S. Gottardo
Confinale
3370
3269
Forcola di Livigno
M. Vago
3067
M. Val Nera
Alpe Campo
Ca. Val Viola
Corno di S. Colombano
3022
Piatta
Piazza
La Rocca
M. Confinale
M. Cevedale
(Zufall/Sp.)
Cap. Pizzini
P. so d. Bernina
2332
L. Nero
Corna di Campo
2323
P. so di Val Viola
L. di Val Viola
Valdisotto
Cepina

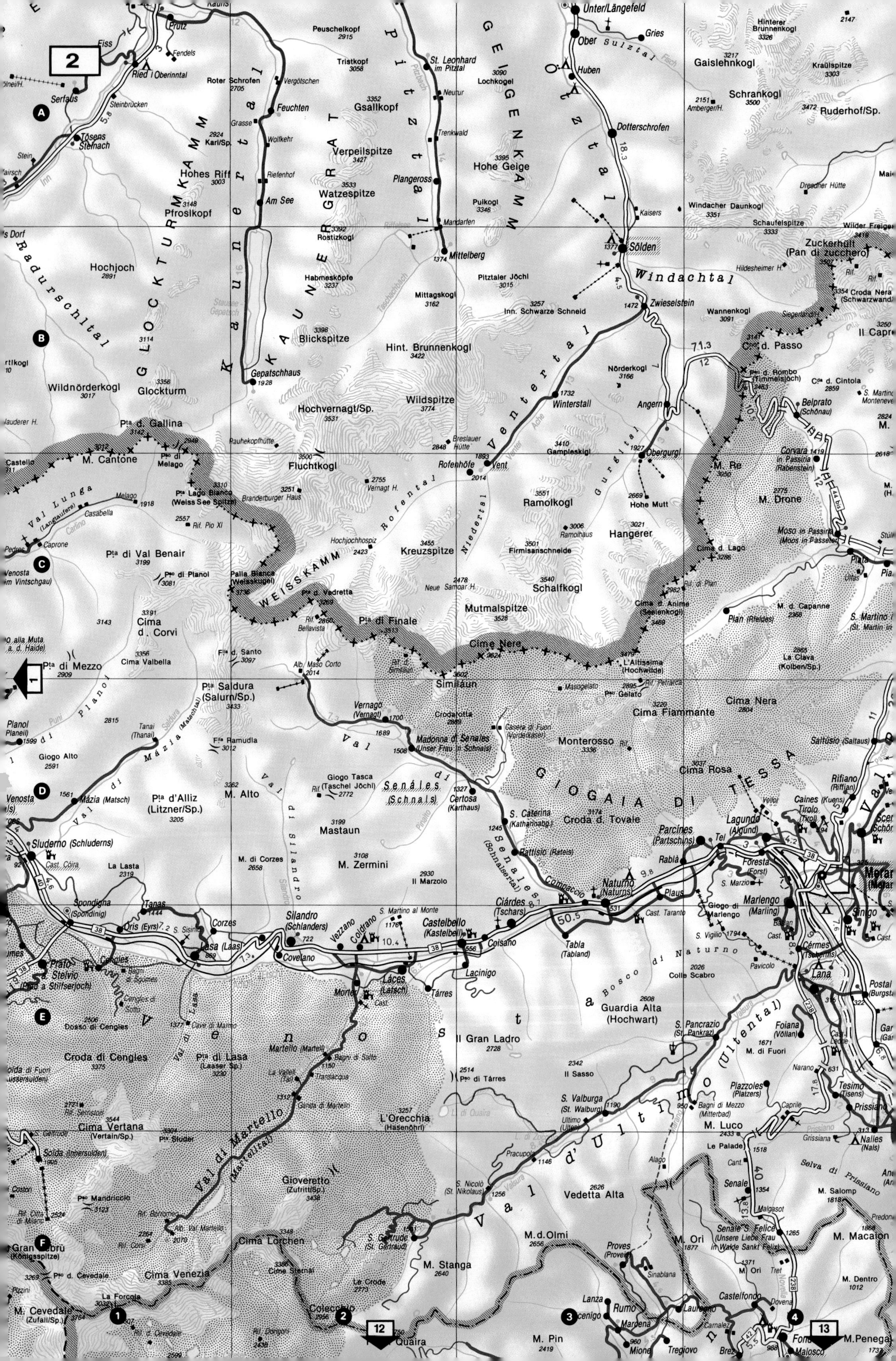

2
Unter/Längefeld
Gries
Ober
Sulztal
Huben
Dotterschrofen
Sölden
Windachtal
Zwieselstein
Ötztal
Hinterer Brunnenkogl
Gaislehnkogl
Kraulspitze
Schrankogl
Amberger/H.
Ruderhof/Sp.
Dresdner Hütte
Windacher Daunkogl
Schaufelspitze
Wilder Freiger
Zuckerhütl (Pan di zucchero)
Hildesheimer H.
Croda Nera (Schwarzwand)
Wannenkogl
Il Capro
Cr. d. Passo
P. d. Rombo (Timmelsjoch)
Cª d. Cintola
S. Martino Monteneve
Belprato (Schönau)
Corvara in Passiria (Rabenstein)
M. Re
M. Drone
Moso in Passiria (Moos in Passeier)
Cima d. Lago
Plan (Pfelders)
M. d. Capanne
S. Martino (St. Martin in)
La Clava (Kolben/Sp.)
Cima Nera
Saltusio (Saltaus)
Rifiano (Riffian)
Caines (Kuens)
Tirolo (Tirol)
Lagundo (Algund)
Merano
Prutz
Fendels
Fiss
Ried i. Oberinntal
Serfaus
Steinbrücken
Tösens
Steinach
Stein
Inn
Peuschelkopf
Tristkopf
Roter Schrofen
Vergötschen
Feuchten
Grasse
Karl/Sp.
Wolfkehr
Hohes Riff
Riefenhof
Am See
Pfroslkopf
Kaunertal
Gepatschhaus
GLOCKTURMKAMM
KAUNERGRAT
St. Leonhard im Pitztal
Neurur
Pitztal
Trenkwald
Plangeross
Mandarfen
Mittelberg
Gsallkopf
Verpeilspitze
Watzespitze
Rostizkogl
Habmeskõpfe
Blickspitze
GEIGENKAMM
Lochkogel
Hohe Geige
Pulkogl
Pitztaler Jöchl
Mittagskogl
Inn. Schwarze Schneid
Hint. Brunnenkogl
Wildspitze
Hochvernagt/Sp.
Breslauer Hütte
Fluchtkogl
Vernagt H.
Rofenhöfe
Vent
Venter tal
Winterstall
Nörderkogl
Angern
Obergurgl
Gampleskogl
Ramolkogl
Hohe Mutt
Hangerer
Firmisanschneide
Schalfkogl
Mutmalspitze
Kreuzspitze
Niedertal
Rofental
Hochjochhospiz
Neue Samoar H.
Cima d. Anime (Seelenkogl)
L'Altissima (Hochwilde)
Cime Nere
Similaun
Rif. Petrarca
Pso Gelato
Cima Fiammante
Monterosso
Cima Rosa
GIOGAIA DI TESSA
Croda d. Tovale
Parcines (Partschins)
Tel
Rablà
Foresta (Forst)
Marlengo (Marling)
Sinigo
Hochjoch
Raduschltal
Wildnörderkogl
Glockturm
Pta d. Gallina
M. Cantone
Pso di Melago
Pta Lago Bianco (Weiss See Spitze)
Branderburger Haus
Val Lunga (Langtaufers)
Melago
Casabella
Rif. Pio XI
Caprone
Pta di Val Benair
Pso di Planol
Palla Bianca (Weisskugel)
WEISSKAMM
Pta d. Vedretta
Rif. Bellavista
Pta di Finale
Cima d. Corvi
Cima Valbella
Flla d. Santo
Pta di Mezzo
Pta Saldura (Salurn/Sp.)
Alb. Maso Corto
Vernago (Vernagt)
Crodarotta
Casera di Fuori (Vorderkaser)
Madonna di Senales (Unser Frau in Schnals)
Val di Senales
Giogo Tasca (Taschel Jöchl)
Senales (Schnals)
Certosa (Karthaus)
S. Caterina (Katharinaberg)
Rattisio (Rateis)
Planol (Planeil)
Giogo Alto
Tanai (Thanai)
Flla Ramudla
Val di Mazia (Matschertal)
Mazia (Matsch)
Pta d'Alliz (Litzner/Sp.)
M. Alto
Val di Silandro
Mastaun
M. Zermini
M. di Corzes
Il Marzolo
Sluderno (Schluderns)
Cast. Coira
La Lasta
Spondigna (Spondinig)
Tanas
Oris (Eyrs)
Corzes
S. Sisinio
Lasa (Laas)
Silandro (Schlanders)
Covelano
Vezzano
Coldrano
S. Martino al Monte
Castelbello (Kastelbell)
Coisano
Ciárdes (Tschars)
Compaccio
Naturno (Naturns)
Plaus
Cast. Taranto
Giogo di Marlengo
S. Marzio
S. Vigilio
Tabla (Tabland)
Lacinigo
Laces (Latsch)
Tárres
Morter
Prato a. Stelvio (Prad a. Stilfserjoch)
Cengles
Bagni di Squmes
Dosso di Cengles
Cave di Marmo
Val di Lasa
Croda di Cengles
Pta di Lasa (Laaser Sp.)
Martello (Martell)
Bagni di Salto
Transacqua
Ganda di Martello
Il Gran Ladro
Pso di Tàrres
Il Sasso
Bosco di Naturno
Colle Scabro
Guardia Alta (Hochwart)
S. Pancrazio (St. Pankraz)
Pavicolo
Cermes (Tscherms)
Lana
Postal (Burgstall)
Foiana (Völlan)
M. di Fuori
Narano
Tesimo (Tisens)
Prissiano
Plazzoles (Platzers)
Bagni di Mezzo (Mitterbad)
Caprile
M. Luco
Val d'Ultimo (Ultental)
S. Valburga (St. Walburg)
Ultimo (Ulten)
L. di Quaira
L'Orecchia (Hasenöhrl)
Cima Vertana (Vertain/Sp.)
Pta Sludar
Rif. Serristori
Solda (Innersulden)
Val di Martello (Martelltal)
Pso Mandriccio
Rif. Città di Milano
Rif. Borromeo
Alb. Val Martello
Rif. Corsi
Gioveretto (Zufritt/Sp.)
Pracupola
S. Nicolò (St. Nikolaus)
Vedetta Alta
Alago
Le Palade
Senale
Selva di Prissiano
Grissiano
Nalles (Nals)
M. Salomp
Malgasot
Senale S. Felice (Unsere Liebe Frau im Walde Sankt Felix)
M. Macaion
M. Ori
Tret
M. Dentro
Gran Zebrù (Königsspitze)
Cima Lorchen
Cime Sternai
S. Geltrude (St. Gertraud)
M. Stanga
Le Crode
M. d. Olmi
Proves (Proveis)
Sinablana
Pso d. Cevedale
Cima Venezia
M. Cevedale (Zufall/Sp.)
La Forcola
Rif. d. Cevedale
Colecchio
Rif. Dorigoni
Quaira
Lanza
Rumo
Marcena
Lauregno
Castelfondo
Dovena
Carnalez
Mione
Tregiovo
Brez
Malosco
M. Pin
M. Penegal
A
B
C
D
E
F
1
2
3
4
12
13

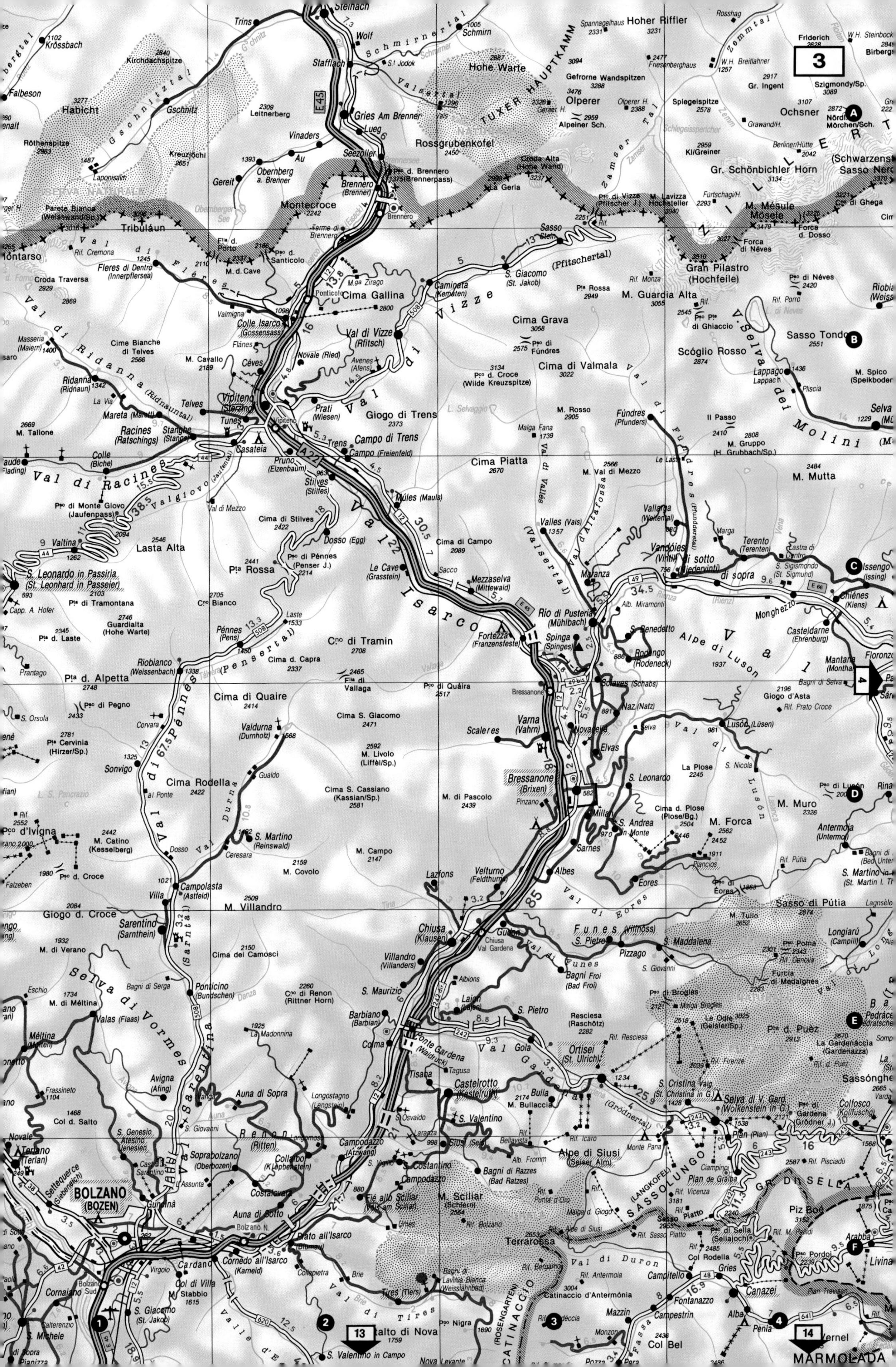

3
Steinach
Trins
Krössbach
Kirchdachspitze
Falbeson
Habicht
Gschnitz
Gschnitztal
Wolf
Schmirntal
Schmirn
Stafflach
St. Jodok
Hoher Riffler
Friederich
Hohe Warte
Tuxer Hauptkamm
Gefrorne Wandspitzen
Olperer
Alpeiner Sch.
Zemmtal
W.H. Breitlahner
Gr. Ingent
Szigmondy/Sp.
Ochsner
Spiegelspitze
Gries Am Brenner
Lueg
Leitnerberg
Valsertal
Rossgrubenkofel
Vinaders
Au
Obernberg a. Brenner
Gereit
Röthenspitze
Kreuzjöchl
Laponisalm
Croda Alta (Hohe Wand)
Zamser Tal
Gr. Schönbichler Horn
Sasso Nero
Brennero (Brenner)
P.so d. Brennero (Brennerpass)
Seezoller
La Gerla
Montecroce
Parete Bianca (Weisswand/Sp.)
Tribulàun
P.so di Vizze (Pfitscher J.)
M. Lavizza Hochsteller
M. Mésule Möseler
Cima di Ghega
Sasso Stein
Terme di Brennero
Val di Fleres
Rif. Cremona
Fleres di Dentro (Innerpflersea)
P.so d. Santicolo
M. d. Cave
Forca di Nèves
Forca d. Dosso
Gran Pilastro (Hochfeile)
Zillertal
S. Giacomo (St. Jakob)
(Pfitschertal)
Caminata (Kematen)
Croda Traversa
M.ga Zirago
Ponticolo
Cima Gallina
P.ta Rossa
M. Guardia Alta
Rif. Monza
P.so di Nèves
Rif. Porro
Val di Vizze
Valmigna
Colle Isarco (Gossensass)
Val di Vizze (Pfitsch)
Cima Grava
P.so di Fúndres
P.so P.ta di Ghiaccio
V. Selva dei Molini
Sasso Tondo
Masseria (Maiern)
Val di Ridanna
Cime Bianche di Telves
Flànes
Novale (Ried)
Avenes (Afens)
P.so d. Croce (Wilde Kreuzspitze)
Cima di Valmala
Scóglio Rosso
M. Cavallo
Céves
Lappago Lappach
Pliscia
M. Spico (Speikboden)
Ridanna (Ridnaun)
La Via
Mareta (Maretti)
Telves
Vipiteno (Sterzing)
Prati (Wiesen)
Giogo di Trens
L. Selvaggio
M. Rosso
Fúndres (Pfunders)
Il Passo
Selva
M. Tallone
Racines (Ratschings)
Stanghe (Stange)
Tunes
Casateia
Trens
Campo di Trens
Campo (Freienfeld)
Malga Fana
M. Gruppo (H. Grubbach/Sp.)
Colle (Biche)
Val di Racines
Pruno (Elzenbaum)
Stilves (Stilfes)
Cima Piatta
M. Val di Mezzo
M. Mutta
Valgiovo (Jaufental)
Val di Mezzo
P.so di Monte Giovo (Jaufenpass)
Múles (Mauls)
Val di Valles
Valles (Vais)
Val d'Altafossa
Vallarga (Weitental)
Val di Fúndres
Marga
Terento (Terenten)
Lastra di Dentro
Cima di Stilves
Dosso (Egg)
Val Isarco
Cima di Campo
Vandóies (Vintl) di sotto (Niedervintl)
Valtina
Lasta Alta
P.so di Pénnes (Penser J.)
Le Cave (Grasstein)
Sacco
Mezzaselva (Mittewald)
Maranza
di sopra
S. Sigismondo (St. Sigmund)
Issengo (Issing)
S. Leonardo in Passiria (St. Leonhard in Passeier)
P.ta Rossa
P.ta di Tramontana
C.no Bianco
Rio di Pusteria (Mühlbach)
Alb. Miramonti
Monghezzo
Chiénes (Kiens)
Capp. A. Hofer
Guardialta (Hohe Warte)
P.ta d. Laste
Pénnes (Pens)
Laste
C.no di Tramin
Fortezza (Franzensfeste)
Spinga (Spinges)
S. Benedetto
Alpe di Luson
Casteldarne (Ehrenburg)
Val Luson
Riobianco (Weissenbach)
Val di Pénnes (Pensertal)
Cima d. Capra
Rodengo (Rodeneck)
Mantana (Montal)
Florenz
Prantago
P.ta d. Alpetta
F.lla di Vallaga
P.so di Quaira
Bressanone
Sciaves (Schabs)
Bagni di Selva
4
P.so di Pegno
S. Orsola
Cima di Quaire
Corvara
Valdurna (Durnholz)
Cima S. Giacomo
Scaleres
Varna (Vahrn)
Naz (Natz)
Giogo d'Asta
Rif. Prato Croce
Luson (Lüsen)
P.ta Cervinia (Hirzer/Sp.)
M. Livolo (Lifféi/Sp.)
Novacella
Elvas
Sonvigo
Cima Rodella
Gualdo
La Plose
S. Nicola
Cima S. Cassiano (Kassian/Sp.)
M. di Pascolo
Bressanone (Brixen)
Pinzano
S. Leonardo
P.so di Luson
al Ponte
Val Durna
Millan
S. Andrea in Monte
Cima d. Plose (Plose/Bg.)
M. Force
M. Muro
P.so d'Ivigna
M. Catino (Kesselberg)
S. Martino (Reinswald)
Dosso
Ceresara
M. Campo
Sarnes
Antermoia (Untermoi)
Falzeben
P.so d. Croce
M. Covolo
Lazfons
Velturno (Feldthurns)
Albes
Rif. Pútia
S. Martino in Badia (St. Martin i. Th.)
Campolasta (Astfeld)
Villa
M. Villandro
Eores
P.so di Eores
Sasso di Pútia
Giogo d. Croce
Val di Eores
M. Tullio
Lagnsele
Sarentino (Sarnthein)
Chiusa (Klausen)
Gudon
Chiusa Val Gardena
Funes (Villnöss)
S. Pietro
S. Maddalena
Longiarú (Campill)
M. di Verano
Cima dei Camosci
Villandro (Villanders)
Val di Funes
Pizzago
S. Giovanni
P.so Poma
Rif. Genova
Selva di Vormes
Bagni di Serga
Ponticino (Bundschen)
Bagni Froi (Bad Froi)
Forcia di Medalghes
Eschio
M. di Méltina
C.no di Renon (Rittner Horn)
S. Maurizio
Albions
P.so di Broglie
Malga Broglie
Laion (Lajen)
S. Pietro
Valas (Flaas)
Barbiano (Barbian)
Resciesa (Raschötz)
Le Odle (Geisler/Sp.)
P.te d. Puez
Pedraces
Méltina (Mölten)
La Madonnina
Colma
Ponte Gardena (Waidbruck)
Val Gardena
Ortisei (St. Ulrich)
Rif. Resciesa
La Gardenàccia (Gardenazza)
Tagusa
Tisana
Avigna (Afing)
Castelrotto (Kastelruth)
Bulla
M. Bullaccia
S. Cristina Valg. (St. Christina in G.)
Selva di V. Gard. (Wolkenstein in G.)
Sassónghe
Frassineto
Auna di Sopra
Longostagno (Lengstein)
Colfosco (Kollfuschg)
Col d. Salto
S. Genesio Atesino (Jenesien)
S. Giovanni
Renon (Ritten)
S. Osvaldo
S. Valentino
Laranza
Siusi (Seis)
Rif. Icaro
Monte Pana
Plan (Plan)
Rif. Pisciadù
Terlano (Terlan)
Campodazzo (Atzwang)
Alb. Fromm
Alpe di Siusi (Seiser Alm)
Gr. di Sella
Settequerce (Siebeneich)
Soprabolzano (Oberbozen)
Collalbo (Klobenstein)
S. Costantino
Campodazzo
Bagni di Razzes (Bad Ratzes)
Ciampinoi
Plan de Gralba
BOLZANO (BOZEN)
L'Assunta
Costalovara
Fiè allo Sciliar (Völs am Schlern)
M. Sciliar (Schlern)
Sassolungo (Langkofel)
Rif. Vicenza
Piz Boè
Guncinà
Auna di Sotto
Malga d. Giogo
Sasso Piatto
Rif. Sasso Piatto
P.so di Sella (Sellajoch)
Rif. M. Pallidi
Arabba
Bolzano N.
Prato all'Isarco (Blumau)
Rif. Bolzano
Terrarossa
P.so Pordoi
Cardano
Cornedo all'Isarco (Karneid)
Col di Villa
Virgolo
Collepietra
Val di Duron
Col Rodella
Gries
Livinallongo
M. Stabbio
Bolzano Sud
Cornaiano
Brie
Bagni di Lavinia Bianca (Weisslahnbad)
Rif. Bergamo
Rif. Antermoia
Campitello
Canazei
S. Giacomo (St. Jakob)
Tires (Tiers)
Val di Tires
Catinaccio (Rosengarten)
Catinaccio d'Antermóia
Fontanazzo
S. Michele
Calterenzio
P.so Nigra
Mazzin
Campestrin
Alba
Penia
1
2
3
4
13
14
Valle d'Ega
Val di Fassa
Monzoni
Col Bel
Vernel
Marmolada
S. Valentino in Campo
Nova Levante
A22
E45
E66

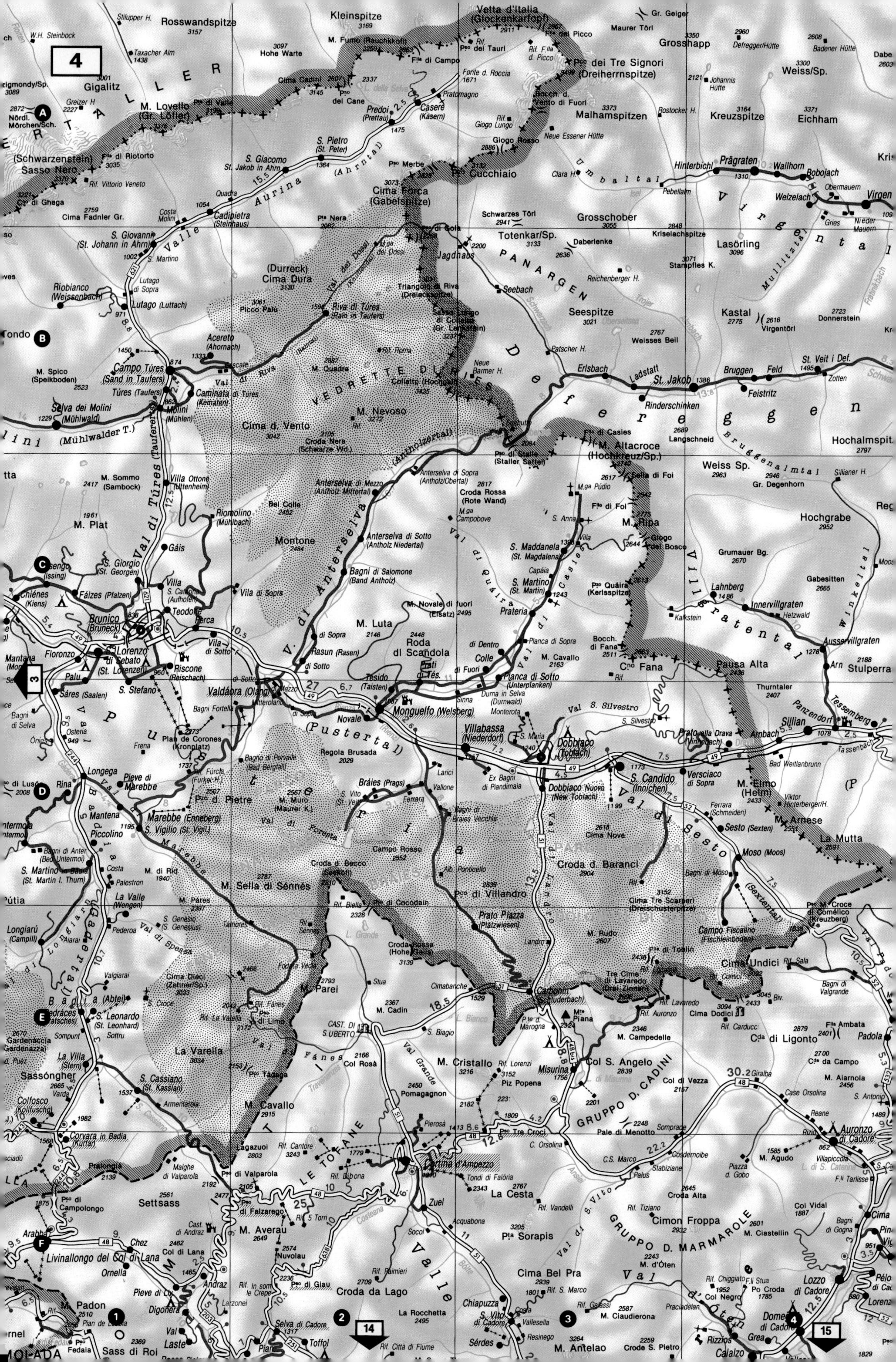
4
Rosswandspitze
3157
Kleinspitze
3169
Vetta d'Italia
(Glockenkarkopf)
2911
Gr. Geiger
Maurer Törl
Grosshapp
Defregger/Hütte
Badener Hütte
M. Fumo (Rauchkofl)
Hohe Warte
Taxacher Alm
Gigalitz
Z I L L E R T A L E R
Cima Cadini
Pso dei Tauri
Fte di Campo
Pso dei Tre Signori
(Dreiherrnspitze)
Weiss/Sp.
M. Lovello
(Gr. Löffler)
Pso del Cane
Predoi
(Prettau)
Casere
(Kasern)
Fonte d. Roccia
Pratomagno
Bocch. d. Vento di Fuori
Malhamspitzen
Kreuzspitze
Eichham
Nördl. Mörchen/Sch.
Giogo Lungo
Giogo Rosso
Neue Essener Hütte
(Schwarzenstein)
Sasso Nero
Fta di Riotorto
Rif. Vittorio Veneto
S. Giacomo
St. Jakob in Ahrn
S. Pietro
(St. Peter)
(A h r n t a l)
Pso Merbe
Pso Cucchiaio
Clara H.
Umbaltal
Hinterbichl
Prägraten
Wallhorn
Bobojach
Virgen
Welzelach
Obermauern
Pso di Ghega
Cima Fadnler Gr.
Costa Molini
Cadipietra
(Steinhaus)
Valle Aurina
Cima Forca
(Gabelspitze)
Pta Nera
Schwarzes Törl
Grosschober
Krlselachspitze
V i r g e n t a l
Nieder Mauern
S. Giovanni
(St. Johann in Ahrn)
S. Martino
Totenkar/Sp.
Daberlenke
Lasörling
Stampfles K.
(Durreck)
Cima Dura
Jagdhaus
P A N A R G E N
Riobianco
(Weissenbach)
Lutago
(Luttach)
Lutago di Sopra
Triangolo di Riva
(Dreieckspitze)
Seebach
Reichenberger H.
Seespitze
Kastal
Virgentörl
Donnerstein
Picco Palù
Riva di Túres
(Rain in Taufers)
Sasso Lungo di Collalto
(Gr. Lenkstein)
Weisses Beil
Tondo
Acereto
(Ahornach)
Rif. Roma
M. Spico
(Spelkboden)
Campo Túres
(Sand in Taufers)
M. Quadra
Neue Barmer H.
Patscher H.
Collalto (Hochgall)
Erlsbach
Ladstatt
St. Jakob
Bruggen
Feld
St. Veit i Def.
Zotten
Feistritz
Túres (Taufers)
Caminata di Túres
(Kematen)
V E D R E T T E D I R I E S
D e f e r e g g e n
Rinderschinken
Selva dei Molini
(Mühlwald)
Molini
(Mühlen)
M. Nevoso
Cima d. Vento
Croda Nera
(Schwarze Wd.)
Fta di Casies
M. Altacroce
(Hochkreuz/Sp.)
Langschneid
Hochalmspitze
(Mühlwalder T.)
Pso di Stalle
(Staller Sattel)
Bruggenalmtal
Weiss Sp.
M. Sommo
(Sambock)
Villa Ottone
(Uttenheim)
Anterselva di Mezzo
(Antholz Mittertal)
Anterselva di Sopra
(Antholz/Obertal)
Croda Rossa
(Rote Wand)
Sella di Foi
Gr. Degenhorn
Sillianer H.
Val di Túres (Tauferertal)
M. Plat
Bel Colle
Riomolino
(Mühlbach)
M.ga Campobove
S. Anna
Fta di Foi
M. Ripa
Hochgrabe
Montone
Anterselva di Sotto
(Antholz Niedertal)
Val di Quaira
S. Maddanela
(St. Magdalena)
Giogo del Bosco
Grumauer Bg.
Gáis
Issengo
(Issing)
S. Giorgio
(St. Georgen)
Bagni di Salomone
(Bad Antholz)
Villgratental
Gabesitten
Chiénes
(Kiens)
Fálzes (Pfalzen)
Villa
S. Caterina
(Aufhofen)
Vila di Sopra
S. Martino
(St. Martin)
Pso Quaira
(Kerlsspitze)
Lahnberg
Innervillgraten
Hetzwald
Kalkstein
Winkeltal
Brunico
(Bruneck)
Teodone
Perca
M. Novale di fuori
(Elsatz)
Prateria
M. Luta
Roda di Scandola
Planca di Sopra
Bocch. di Fana
Ausservillgraten
Mantana
Floronzo
S. Lorenzo di Sebato
(St. Lorenzen)
Vila di Sotto
Riscone
(Reischach)
Rasun (Rasen)
di Sotto
Colle
di Dentro
di Fuori
M. Cavallo
Cno Fana
Pausa Alta
Arn
Stulperra
Palù
S. Stefano
Sáres (Saalen)
Valdáora (Olang)
Tesido
(Taisten)
Prati di Tés.
Planca di Sotto
(Unterplanken)
Thurntaler
Panzendorf
Tessenberg
Sillian
Mittenolang
Bagni Fortella
Novale
Monguelfo (Welsberg)
Durna in Selva
(Durnwald)
Monterota
Val S. Silvestro
S. Silvestro
Arnbach
Bagni di Selva
Osteria
Plan de Corones
(Kronplatz)
(P u s t e r t a l)
Villabassa
(Niederdorf)
S. Maria
Dobbiaco
(Toblach)
Prato alla Drava
(Winnebach)
Tassenbach
Frena
Bagno di Pervalle
(Bad Bergfall)
Regola Brusada
Ex Bagni di Piandimaia
S. Candido
(Innichen)
Versciaco di Sopra
Bad Weitlanbrunn
Pso Fúrcia
(Furkel-H.)
Bráies (Prags)
Larici
Dobbiaco Nuovo
(New Toblach)
Val di Sesto
M. Elmo
(Helm)
Pso di Lusón
Rina
Longega
Pieve di Marebbe
Pzo d. Pietre
S. Vito
(St. Veit)
Ferrara
Vallone
Viktor Hinterberger/H.
Ferrara
(Schmeiden)
Mantena
Marebbe (Enneberg)
S. Vigilio (St. Vigil)
M. Muro
(Maurer K.)
Val di Foresta
Bagni di Bráies Vecchia
Sesto (Sexten)
M. Arnese
La Mutta
Piccolino
Cima Nove
Croda d. Baranci
Moso (Moos)
Bagni di Anter
(Bad Untermoi)
Campo Rosso
S. Martino in Badia
(St. Martin i. Thurn)
Costa
Palestron
M. di Rid
Croda d. Becco
(Seekofl)
Alb. Ponticello
Pso di Villandro
Bagni di Moso
Cima Tre Scarperi
(Dreischusterspitze)
Pso M. Croce di Comélico
(Kreuzberg)
La Valle
(Wengen)
M. Sella di Sénnes
M. Páres
Rif. Biella
Pso di Cocodain
Prato Piazza
(Plätzwiesen)
Campo Fiscalino
(Fischleinboden)
Longiarú
(Campill)
Pederoa
Val di Spessa
L. Grande
Croda Rossa
(Hohe Gaisl)
Landro
M. Rudo
Fta di Toblin
Cima Undici
Rif. Sala
Valgiarai
Cima Dieci
(Zehner/Sp.)
M. Parei
Stua
Cimabanche
Carbonin
(Schluderbach)
Tre Cime di Lavaredo
(Drei Zinnen)
Rif. Comici
Bagni di Valgrande
Badia (Abtei)
S. Croce
Pedraces
S. Leonardo
(St. Leonhard)
Sottru
Rif. La Varella
Rif. Fánes
Pso di Limo
M. Cadin
L. Bianco
Mte Piana
Rif. Lavaredo
Rif. Auronzo
Cima Dodici
Rif. Carducci
Cda di Ligonto
Fila Ambata
Padola
Gardenaccia
Sompunt
La Varella
CAST. DI S. UBERTO
S. Biagio
M. Campedelle
Cda da Campo
La Villa
(Stern)
Fánes
Col Rosà
M. Cristallo
Rif. Lorenzi
Piz Popena
Misurina
Col S. Angelo
Col di Vezza
M. Aiarnola
Sassóngher
S. Cassiano
(St. Kassian)
Pso Tádega
Val Grande
Pomagagnon
GRUPPO D. CADINI
Case Orsolina
S. Antonio
Colfosco
(Kolfuschg)
Armentarola
M. Cavallo
Pierosá
Pso Tre Croci
Pale di Menotto
Somprade
Reane
Corvara in Badia
(Kurfar)
Lagazuoi
Rif. Cantore
LE TOFANE
C. Orsolina
Auronzo di Cadore
Pralongià
Malghe di Valparola
Pso di Valparola
Cortina d'Ampezzo
Tondi di Falória
C.S. Marco
Cosdernoibe
Stabiziane
Palus
M. Agudo
Piazza d. Gobo
L. di S. Caterina
Fli Tarlisse
Pso di Campolongo
Settsass
Pso di Falzarego
Rif. Dibona
La Cesta
Rif. Vandelli
Croda Alta
Col Vidal
Rif. 5 Torri
Zuel
Acquabona
Rif. Tiziano
Cimon Froppa
GRUPPO D. MARMAROLE
M. Ciastellin
Bagni di Gogna
Arabba
Chez
Cast. di Andraz
M. Averau
Socol
Pta Sorapis
Livinallongo del Col di Lana
Col di Lana
Nuvolau
Valle
M. d'Óten
Ornella
Andraz
Pso di Giau
Rif. Palmieri
Cima Bel Pra
Val d'Óten
Rif. Chiggiato
Col Negro
Fli Stua
Po Croda
Lozzo di Cadore
Pelo di Cadore
Pieve di Livinallongo
Rif. In som le Crepe
Croda da Lago
Rif. S. Marco
Rif. Galassi
M. Claudierona
Praciadelan
M. Padon
Digonera
La Rocchetta
Chiapuzza
S. Vito di Cadore
Vallesella
Resinego
Domegge di Cadore
Pian de Lobia
Val Laste
Selva di Cadore
Toffol
Rif. Città di Fiume
Sérdes
M. Antelao
Crode S. Pietro
Rizzios
Grea
Calalzo
Pso Fedaia
Sass di Roi
1
2
14
3
4
15
A
B
C
D
E
F

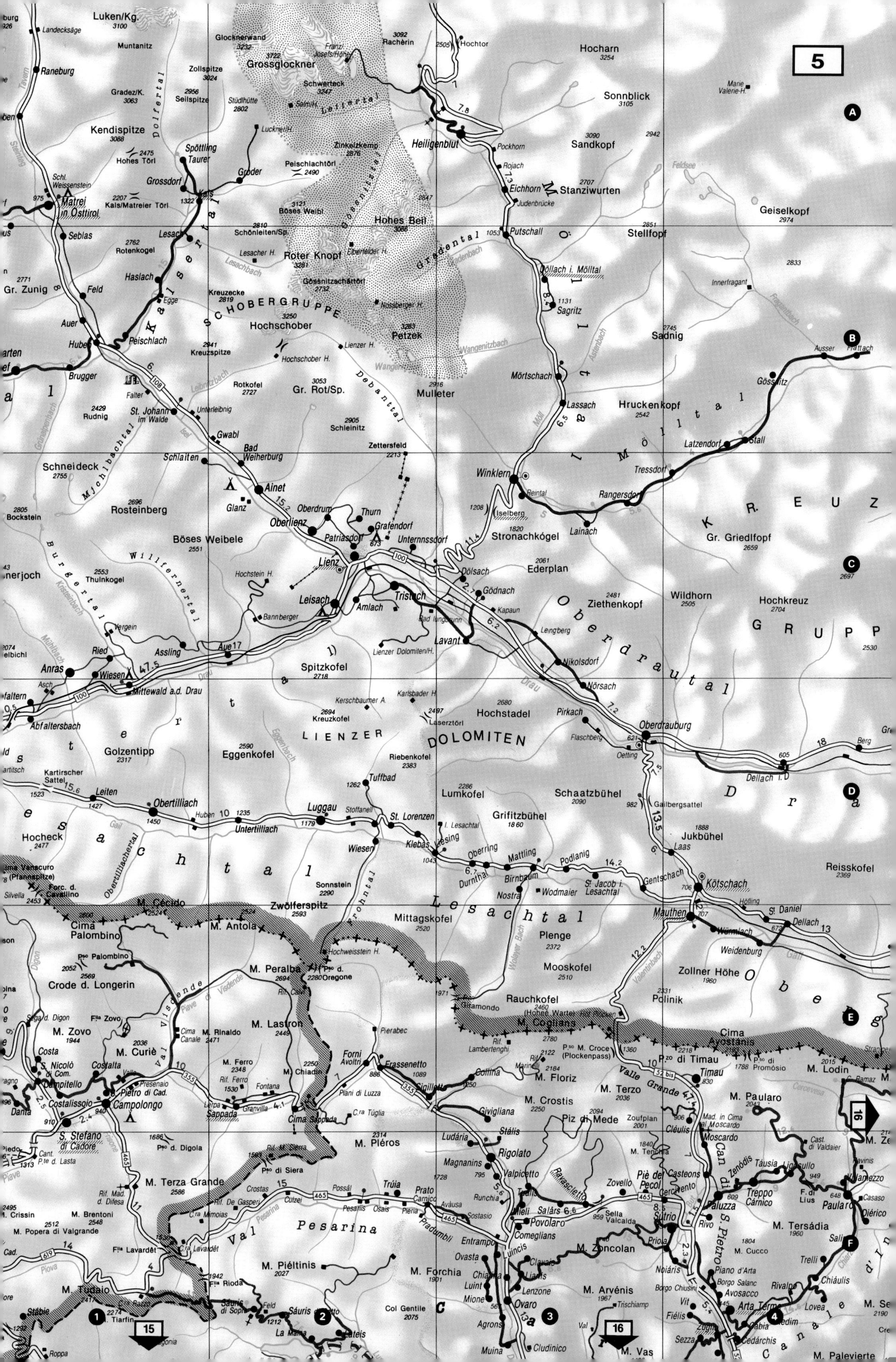
5
Grossglockner
Heiligenblut
Matrei in Osttirol
SCHOBERGRUPPE
Hochschober
Lienz
Oberdrauburg
LIENZER DOLOMITEN
Obertilliach
Kötschach
Mauthen
Lesachtal
Oberdrautal
Mölltal
KREUZ GRUPPE
Winklern
Sappada
M. Peralba
M. Coglians
Paluzza
Paularo
Ovaro
Pesarina
S. Stefano di Cadore
15
16

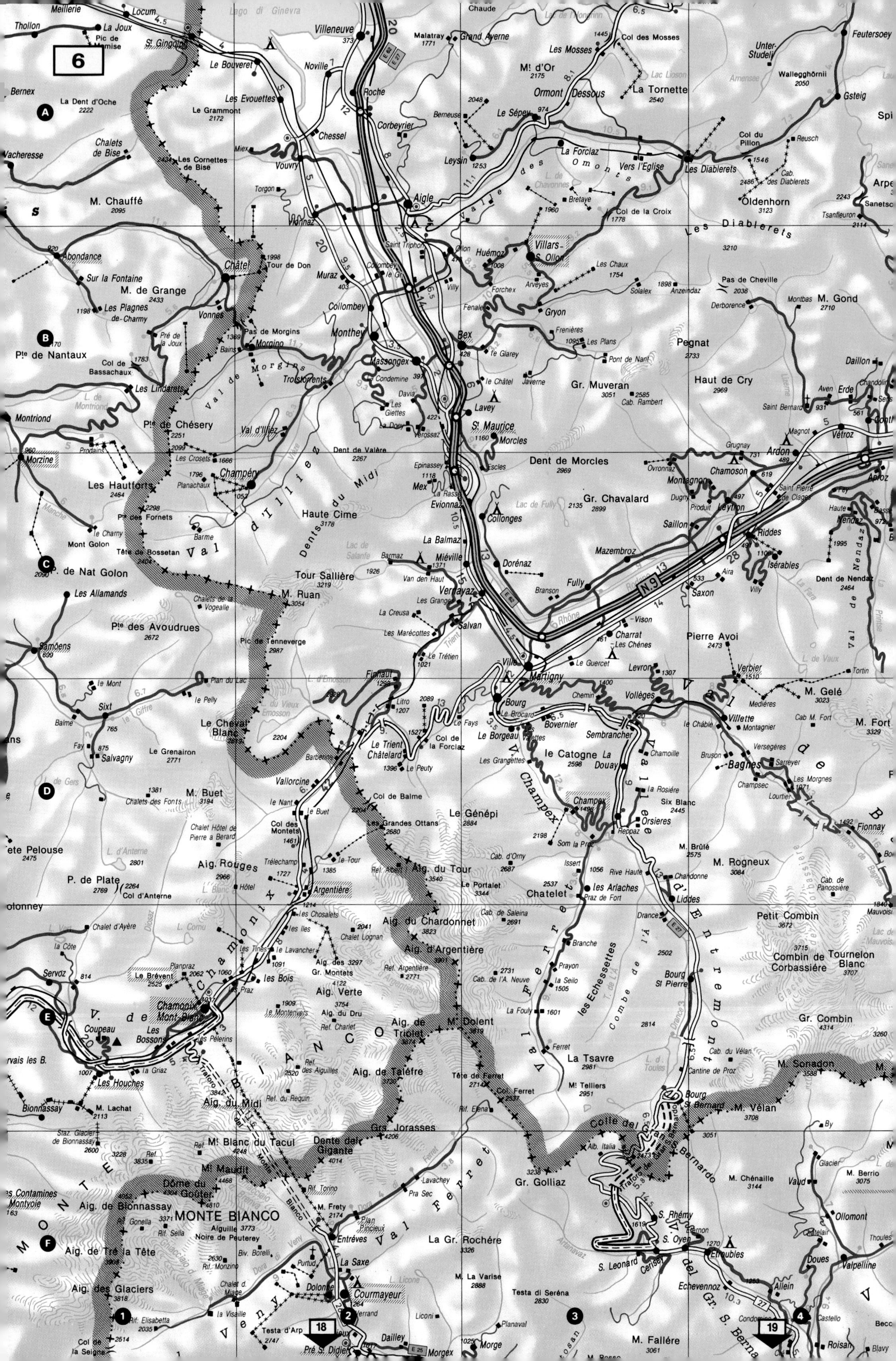
6
Meillerie
Thollon
Locum
La Joux
Pic de Mamise
St. Gingolph
Lago di Ginevra
Le Bouveret
Bernex
La Dent d'Oche 2222
Le Grammont 2172
Les Evouettes
Chalets de Bise
Vacheresse
Les Cornettes de Bise
M. Chauffé 2095
Abondance
Sur la Fontaine
M. de Grange 2433
Les Plagnes de-Charmy
Châtel
Tour de Don
Vonnes
Pas de Morgins
Morgins
Pte de Nantaux
Col de Bassachaux
Les Lindarets
Montriond
Val de Morgins
Troistorrents
Val d'Illiez
Pte de Chésery
Morzine
Prodains
Les Crosets
Champéry
Planachaux
Les Hautforts 2464
Pte des Fornets
Mont Golon
Tête de Bossetan
Barme
Val d'Illiez
Dents du Midi
Haute Cime 3178
Dent de Valère 2267
P. de Nat Golon
Les Allamands
Tour Sallière 3219
M. Ruan 3054
Chalets de la Vogealle
Pte des Avoudrues 2672
Samoëns
Pic de Tenneverge 2987
le Mont
Plan du Lac
le Pelly
Sixt
Balme
Salvagny
Le Cheval Blanc 2819
Le Grenairon 2771
L. d'Emosson
du Vieux Emosson
Finhaut
M. Buet 3194
Chalets des Fonts
Chalet Hôtel de Pierre a Berard
L. d'Anterne
Tete Pelouse 2475
P. de Plate 2769
Col d'Anterne
Aig. Rouges 2966
Hôtel
Chalet d'Ayère
L. Cornu
la Côte
Servoz
Le Brévent 2525
Planpraz
Chamonix Mont-Blanc
V. de Chamonix
Coupeau
Les Bossons
Les Houches
M. Lachat 2113
Bionnassay
Staz. Glacier de Bionnassay
Villeneuve
Noville
Roche
Chessel
Corbeyrier
Vouvry
Miex
Torgon
Aigle
Vionnaz
Saint Triphon
Ollon
Muraz
Collombey
Monthey
Massongex
Bex
le Glarey
le Châtel
Javerne
Lavey
St. Maurice
Morcles
Epinassey
Mex
La Rasse
Evionnaz
Les Giettes
Vérossaz
Collonges
La Balmaz
Miéville
Dorénaz
Vernayaz
Salvan
Les Granges
La Creusa
Les Marécottes
Le Trétien
Martigny
Ville
Trient
Litro
Col de la Forclaz
Le Trient
Châtelard
Le Peuty
Barberine
Vallorcine
Col de Balme
le Nant
le Buet
Col des Montets
Les Grandes Ottans 2680
Le Génépi 2884
Trélechamp
Argentière
Aig. du Tour 3540
Le Portalet 3344
Les Chosalets
Aig. du Chardonnet 3823
Chalet Lognan
Aig. d'Argentière 3901
Aig. des Grands Montets 3297
Les Bois
Aig. Verte 3754
Aig. du Dru
Le Montenvers
Aig. de Triolet 3874
M. Dolent 3819
Aig. de Talèfre 3730
Tête de Ferret 2714
Col. Ferret 2537
Aig. du Midi 3842
Traforo del Monte Bianco
Grs. Jorasses 4206
Mt Blanc du Tacul 4248
Dente del Gigante 4014
Mt Maudit 4468
Dôme du Goûter 4304
Aig. de Bionnassay 4052
MONTE BIANCO
Aiguille Noire de Peuterey 3773
Les Contamines Montjoie
Aig. de Tré la Tête 3908
Aig. des Glaciers 3818
Rif. Elisabetta
Col de la Seigne 2514
La Visaille
Val Veny
Testa d'Arp 2747
Entrèves
La Saxe
Dolonne
Courmayeur
Purtud
Pré S. Didier
18
Dailley
Morgex
M. Frety 2174
Lavachey
Pra Sec
Plan Pincieux
Val Ferret
La Gr. Rochère 3326
M. La Varise 2888
Testa di Seréna 2830
Planaval
Gr. Golliaz 3238
Chaude
Malatray 1771
Grand Averne
Les Mosses
Col des Mosses
Mt d'Or 2175
Ormont Dessous
La Tornette 2540
Lac Lioson
Le Sépey
Berneuse
Leysin
La Forclaz
Ormonts
Vers l'Eglise
Les Diablerets
Col du Pillon
Reusch
Cab. des Diablerets
Oldenhorn 3123
Unter-Studeli
Wallegghörnli 2050
Feutersoey
Gsteig
L. de Chavonnes
Bretaye
Col de la Croix
Villars-S. Ollon
Huémoz
Arveyes
Les Chaux
Forchex
Gryon
Fenalet
Solalex
Anzeindaz
Pas de Cheville
Derborence
Montbas
M. Gond 2710
Frenières
Les Plans
Pont de Nant
Pegnat 2733
Gr. Muveran 3051
Cab. Rambert
Haut de Cry 2969
Daillon
Aven
Erde
Saint Bernard
Magnot
Vétroz
Ardon
Grugnay
Chamoson
Ovronnaz
Dent de Morcles 2969
Montagnon
Dugny
Produit
Leytron
Saint Pierre de Clages
Gr. Chavalard 2899
Lac de Fully
Saillon
Riddes
Isérables
Haute Nendaz
Dent de Nendaz 2464
Val de Nendaz
Mazembroz
Fully
Branson
Rhône
N.9
Saxon
Aira
Vison
Charrat
Les Chênes
Le Guercet
Pierre Avoi 2473
Levron
Verbier
Tortin
L. de Vaux
Bourg
Le Brocard
Bovernier
Le Borgeau
Les Valettes
Chemin
Vollèges
Sembrancher
Le Châble
Villette
Montagnier
Medières
M. Gelé 3023
Cab M. Fort
M. Fort 3329
le Catogne 2598
La Douay
Les Grangettes
Val Champex
Chamoille
Bruson
Versegères
Bagnes
Sarreyer
Champsec
Lourtier
Les Morgnes
Val de Bagnes
La Rosière
Champex
Six Blanc 2445
Orsières
Reppaz
Som la Proz
Cab. d'Orny 2687
Fionnay
Issert
Rive Haute
M. Brûlé 2575
M. Rogneux 3084
Chatelet
les Arlaches
Praz de Fort
Chandonne
Liddes
Cab. de Panossière
Petit Combin 3672
Mauvoisin
Cab. de Saleina
Drance
Val d'Entremont
Combin de Corbassière 3715
Tournelon Blanc 3707
Branche
Prayon
la Seilo
les Echessettes
Combe de l'A
Cab. de l'A. Neuve
Bourg St Pierre
La Fouly
Val Ferret
Gr. Combin 4314
Ferret
La Tsavre 2981
Mt Telliers 2951
L. d. Toules
Cab. du Vélan
Cantine de Proz
M. Sonadon 3588
Bourg St. Bernard
M. Vélan 3708
Colle del Gran San Bernardo
Alb. Italia
Traforo del Gr. S. Bernardo
By
Glacier
M. Berrio 3075
M. Chénaille 3144
Vaud
Ollomont
S. Rhémy
S. Oyen
Etroubles
S. Leonard
Cerisey
Valle del Gr. S. Bernardo
Echevennoz
Allein
Doues
Valpelline
Thoules
19
Castello
Condemine
Roisan
Blavy
M. Fallère 3061
Morge
E 25
E 27
E 62
1
2
3
4
A
B
C
D
E
F

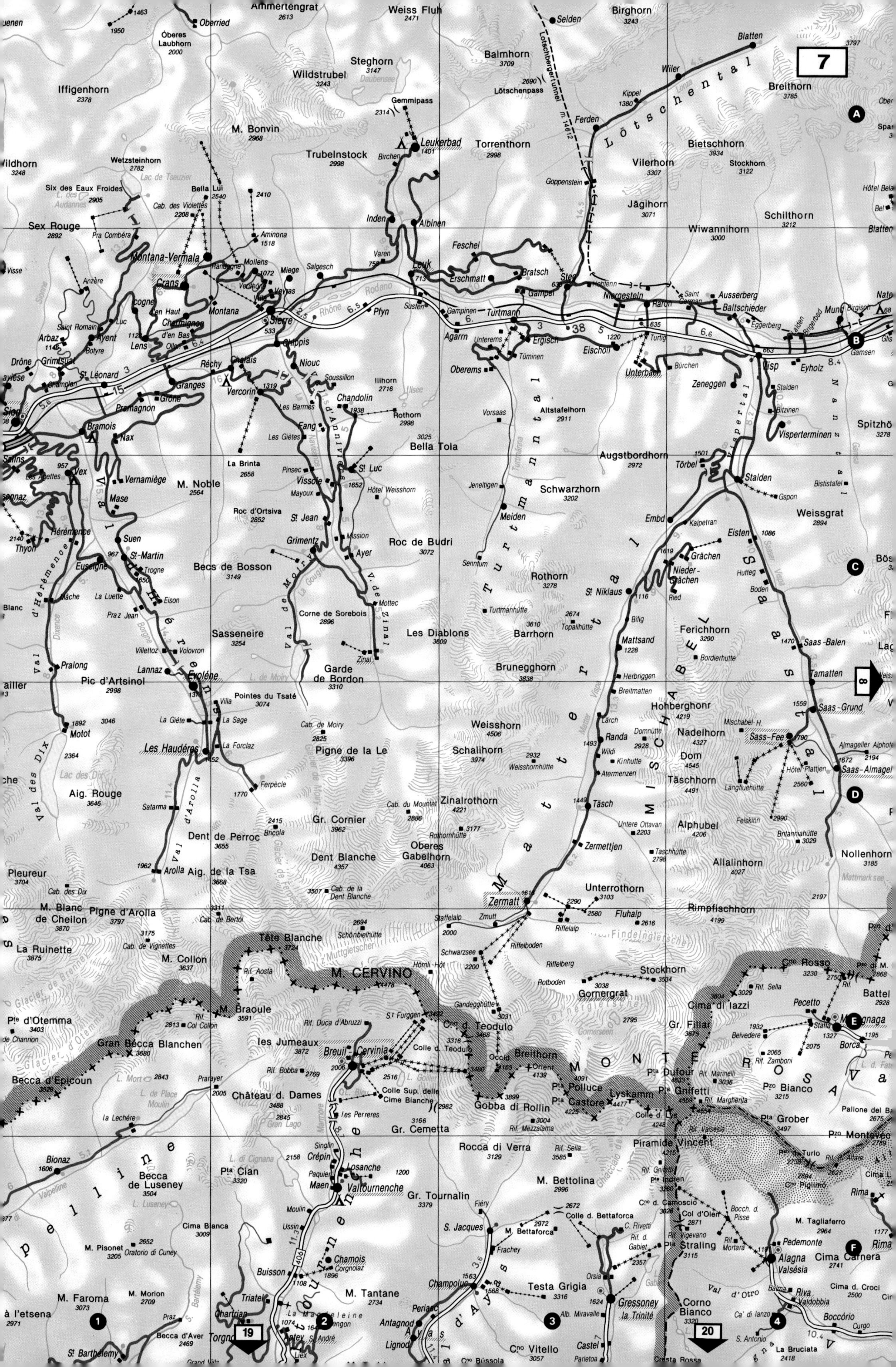

7
Ammertengrat
2613
Weiss Fluh
2471
Selden
Birghorn
3243
Blatten
Oberes Laubhorn
2000
Oberried
Balmhorn
3709
Lötschbergertunnel
Lötschental
Steghorn
3147
Wildstrubel
3243
Lötschenpass
Wiler
Breithorn
3785
Iffigenhorn
2378
Gemmipass
Kippel
Ferden
M. Bonvin
2968
Leukerbad
Torrenthorn
2998
Bietschhorn
3934
Wildhorn
3248
Wetzsteinhorn
2782
Trubelnstock
2998
Vilerhorn
3307
Stockhorn
3122
Lac de Tseuzier
Goppenstein
Six des Eaux Froides
2905
Bella Lui
2540
Cab. des Violettes
2208
Jägihorn
3071
Sex Rouge
2892
Pra Combéra
Aminona
1518
Inden
Albinen
Schilthorn
3212
Wiwannihorn
3000
Montana-Vermala
Mollens
Feschel
Crans
Randogne
Miège
Salgesch
Varen
Leuk
Erschmatt
Bratsch
Steg
Niedergesteln
Ausserberg
Baltschieder
Anzère
Lens
Icogne
Montana
Venthône
Veyras
Sierre
Pfyn
Susten
Gampinen
Turtmann
Gampel
Raron
Saint German
Ayent
Luc
Chermignon
Rhône
Rodano
Agarrn
Ergisch
Eischoll
Turtig
Mund
Brigerbad
Saint Romain
Arbaz
Botyre
Ollon
Chippis
Unterems
Bürchen
Visp
Eyholz
Gamsen
Drône
Grimisuat
St. Léonard
Réchy
Chalais
Niouc
Soussillon
Illhorn
2716
Oberems
Tüminen
Unterbäch
Zeneggen
Stalden
Nanztal
Savièse
Champlan
Granges
Grône
Vercorin
Chandolin
Rothorn
2998
Vorsaas
Altstafelhorn
2911
Bitzinen
Visperterminen
Spitzhörner
3278
Sion
Pramagnon
Les Barmes
Fang
Bella Tola
Bramois
Nax
Les Giètes
Augstbordhorn
2972
Törbel
Vispertal
La Brinta
2658
Pinsec
St. Luc
Vex
Vernamiège
M. Noble
2564
Vissoie
Hôtel Weisshorn
Schwarzhorn
3202
Stalden
Gspon
Bististafel
Mase
Mayoux
Jeneltigen
Embd
Weissgrat
2894
Roc d'Ortsiva
2852
St. Jean
Meiden
Kalpetran
Hérémence
Suen
Mission
Roc de Budri
3072
Eisten
Thyon
St-Martin
Grimentz
Ayer
Grächen
Euseigne
Trogne
Becs de Bosson
3149
Val de Moiry
Senntum
Turtmanntal
Rothorn
3278
Nieder-Gächen
Hutteg
Saastal
Mâche
La Luette
Eison
Mottec
St. Niklaus
Boden
Val d'Hérémence
Corne de Sorebois
2896
V. de Zinal
Turtmannhütte
Ried
Praz Jean
Topalihütte
Bifig
Ferichhorn
3290
Sasseneire
3254
Les Diablons
3609
Barrhorn
Mattsand
Saas-Balen
Villettaz
Volovron
Zinal
Herbriggen
Bordierhütte
Pralong
Lannaz
Evolène
Garde de Bordon
3310
Brunegghorn
3838
Mattertal
Tamatten
Pic d'Artsinol
2998
Pointes du Tsaté
3074
Breitmatten
8
Villa
Hohberghorn
4219
Mischabel
La Giéte
La Sage
Cab. de Moiry
2825
Weisshorn
4506
Saas-Grund
Val des Dix
Motot
Les Haudères
La Forclaz
Pigne de la Le
3396
Schalihorn
3974
Lärch
Randa
Domhütte
2928
Nadelhorn
4327
Mischabel-H
Saas-Fee
Almageller Hütte
2194
Weisshornhütte
Wildi
Kinhutte
Dom
4545
Hôtel Plattjen
Saas-Almagell
Lac des Dix
Ferpècle
Atermenzen
Täschhorn
4491
Längfluehütte
Aig. Rouge
3646
Satarma
Cab. du Mountet
2886
Zinalrothorn
4221
Täsch
Bricola
Gr. Cornier
3962
Val d'Arolla
Rothornhütte
3177
Untere Ottavan
2203
Alphubel
4206
Felskinn
Britanniahütte
3029
Dent de Perroc
3655
Oberes Gabelhorn
4063
Zermettjen
Täschhütte
2798
Allalinhorn
4027
Nollenhorn
3185
Arolla
Aig. de la Tsa
3668
Dent Blanche
4357
Pleureur
3704
Cab. des Dix
Cab. de la Dent Blanche
Unterrothorn
3103
Mattmarksee
M. Blanc de Cheilon
3870
Pigne d'Arolla
3797
Cab. de Bertol
Zermatt
Zmutt
Fluhalp
Rimpfischhorn
4199
Staffelalp
Riffelalp
Schönbielhütte
La Ruinette
3875
Cab. de Vignettes
Tête Blanche
3724
Riffelboden
Findelngletscher
M. Collon
3637
Schwarzsee
Riffelberg
Cno Rosso
Hörnli-Hüt
Rif. Aosta
M. CERVINO
4478
Stockhorn
3534
Rotboden
Gornergrat
Rif. Sella
Battel
2928
Pte d'Otemma
3403
M. Braoule
3591
Rif. Col Collon
Gandegghütte
Cima di Iazzi
Pecetto
Macugnaga
Rif. Duca d'Abruzzi
Cno d. Teodulo
Gornergletscher
Gr. Fillar
3675
Staffa
Belvedere
Borca
Gran Becca Blanchen
3680
Ies Jumeaux
3872
Breuil
Cervinia
Colle d. Teodulo
Occid.
Breithorn
Orient.
4139
Rif. Zamboni
L. Mort
Rif. Bobba
Colle Sup. delle Cime Bianche
MONTE ROSA
Rif. Marinelli
Pta Dufour
Becca d'Epicoun
3529
Prarayer
Pta Polluce
Lyskamm
4477
Pta Gnifetti
Pzo Bianco
3215
L. de Place Moulin
Château d. Dames
3488
Gobba di Rollin
Pta Castore
4229
Rif. Margherita
Pallone del Bec
Colle d. Lys
la Lechère
Ies Perreres
Gran Lago
Rif. Mezzalama
Pta Grober
3497
Gr. Cemetta
3166
Rif. Valsesia
Pzo Montevecc
Rocca di Verra
3129
Rif. Sella
Piramide Vincent
Pta di Turlo
Bionaz
Crépin
L. di Cignana
Pta Cian
3320
Losanche
Valpelline
Becca de Luseney
3504
Maen
Valtournenche
M. Bettolina
Rif. Gnifetti
Pta Indren
Cno Piglimò
Rima
L. Luseney
Gr. Tournalin
3379
Cno d. Camoscio
Bocch. d. Pisse
Col d'Olen
Moulin
Fiéry
Colle d. Bettaforca
Cima Bianca
3009
Ussin
S. Jacques
M. Bettaforca
Rif. Vigevano
Rif. Mortara
M. Tagliaferro
2964
M. Pisonet
3205
Oratorio di Cuney
Chamois
Frachey
C. Rivetti
Rif. d. Gabiet
Pta Straling
3115
Pedemonte
Alagna Valsesia
Cima Carnera
2741
Buisson
Corgnolaz
Champoluc
Testa Grigia
3316
Orsia
Gressoney la Trinité
Val d'Otro
Riva
Valdobbia
Cima d. Croci
2500
M. Faroma
3073
M. Morion
2709
Triatel
M. Tantane
2734
Periasc
Alb. Miravalle
Corno Bianco
3320
Ca' di Ianzo
Boccòrio
Curgo
à l'etsena
2971
Praz
Chartrian
La Magdeleine
Antagnod
Val d'Ayas
S. Antonio
Becca d'Aver
2469
Torgnon
19
Antey
S. André
Lignod
Cno Vitello
3057
Castel
Parletoa
20
La Bruciata
2418
St Barthélemy
Cno Bùssola
Cresta Rossa
1
2
3
4
A
B
C
D
E
F

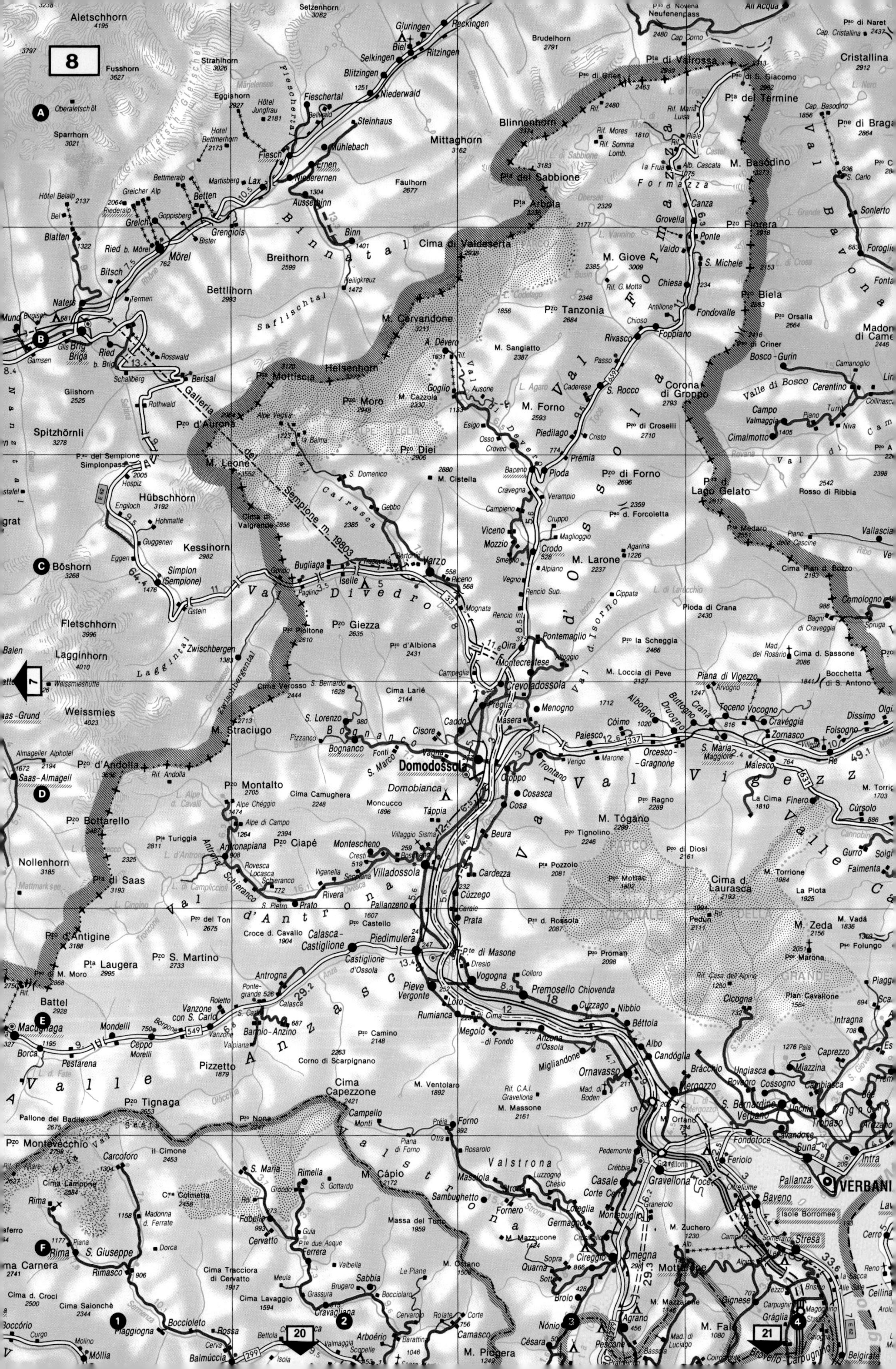
8
Aletschhorn 4195
Setzenhorn 3062
Gluringen
Reckingen
Neufenenpass
All'Acqua
P.ne di Naret
Fusshorn 3627
Strahlhorn 3026
Biel
Selkingen
Ritzingen
Brudelhorn 2791
Cap. Corno
Cap. Cristallina
Cristallina 2912
Blitzingen
Niederwald
P.ta di Valrossa
P.so di Gries
P.so di S. Giacomo
P.ta del Termine
Oberaletsch öt
Eggishorn 2927
Hôtel Jungfrau
Fieschertal
Steinhaus
Rif. Maria Luisa
Cap. Basodino
P.ne di Braga 2864
Sparrhorn 3021
Hotel Bettmerhorn
Fiesch
Mühlebach
Mittaghorn 3162
Blinnenhorn 3374
Rif. Mores
Rif. Somma Lomb.
Riale
Ernen
M. Basodino 3273
Hôtel Belalp 2137
Bettmeralp
Martisberg
Lax
Niederernen
Faulhorn 2677
P.ta dei Sabbione 3183
la Frua
Alb. Cascata
Formazza
S. Carlo
Riederalp
Betten
Aussenbinn
P.ta Arbola
Canza
Sonlerto
Bel
Greich
Goppisberg
Grengiols
Binn
Grovella
P.zo Fiorera
Blatten
Bister
Binntal
Cima di Valdeserta 2938
Ponte
Valdo
Ried b. Mörel
Mörel 762
Breithorn 2599
M. Giove 3009
S. Michele
Foroglio
Bitsch
Heiligkreuz 1472
Rif. G. Motta
Chiesa
Bettlihorn 2993
Termen
P.zo Tanzonia 2684
P.zo Biela 2863
Fondovalle
Naters
Saflischtal
Chioso
Antillone
Rivasco
Foppiano
P.zo Orsalia 2664
Brig
Briga
Glis
Gamsen
Ried b. Brig
Rosswald
M. Cervandone 3211
A. Dévero
M. Sangiatto 2387
P.so di Criner
Bosco-Gurin
Schallberg
Berisal
Helsenhorn 3272
P.ta Mottiscia 3170
Goglio
Passo
Corona di Groppo 2793
Camanoglio
Glishorn 2525
Rothwald
Galleria del Sempione m. 19803
P.zo Moro 2948
M. Cazzola 2330
Ausone
M. Forno 2593
S. Rocco
Valle di Bosco
Cerentino
Caderese
Campo Valmaggia
Cimalmotto
Spitzhörnli 3278
P.zo d'Aurona
Alpe Veglia
la Balma
Esigo
Osso
Croveo
Piedilago
Cristo
P.zo di Croselli 2710
P.zo Diei 2906
Prémia
P.so del Sempione Simplonpass
M. Leone 3552
S. Domenico
M. Cistella
Baceno
Pioda
P.zo di Forno 2696
Lago Gelato
Rosso di Ribbia
Hospiz
Hübschhorn 3192
Gebbo
Cravegna
Verampio
P.so d. Forcoletta
Engiloch
Hohmatte
Cima di Valgrande 2856
Cairasca
Campieno
Cruppo
Viceno
Mozzio
Maglioggio
P.ta Medaro
Piano delle Cascine
Vallascia
grat
Guggenen
Kessihorn 2982
Crodo
Agarina
Smeglio
M. Larone 2237
Eggen
Bugliaga
Varzo
Riceno
Cima Pian d. Bozzo 2193
Böshorn 3268
Simplon (Sempione)
Iselle
Vegno
Alpiano
Paglino
Val Divedro
Rencio Sup.
Cippata
Gstein
Mognata
Rencio Inf.
Pioda di Crana 2430
Comologno
Fletschhorn 3996
P.zo Giezza 2635
P.zo Pioltone 2610
Oira
Pontemaglio
Bagni di Craveggia
Spruga
Lagginhorn 4010
Zwischbergen
P.zo d'Albiona 2431
P.zo la Scheggia 2466
Mad. del Rosario
Cima d. Sassone 2086
Lagginital
Montecrestese
Val d'Isorno
Weissmieshütte
Cima Verosso 2444
S. Bernardo
Cima Larié 2144
Campeglia
M. Loccia di Peve 2127
Piana di Vigezzo
Bocchetta di S. Antonio
Crevoladossola
Arvogno
Weissmies 4023
Zwischbergental
S. Lorenzo
Preglia
Menogno
Toceno
Vocogno
Dissimo
Saas-Grund
M. Straciugo
Bognanco
Caddo
Masera
Cóimo
Albogno
Druogno
Buttogno
Crana
Cravéggia
Olgia
Pizzanco
Cisore
Paiesco
Zornasco
Folsogno
Almageller Alphotel
P.zo d'Andolla
Fonti
Vagna
Trontano
Verigo
Marone
Orcesco-Gragnone
S. Maria Maggiore
Malesco
Re
Saas-Almagell
Rif. Andolla
S. Marco
Domodossola
Croppo
Val Vigezzo
Domobianca
Cosasca
La Cima
Finero
M. Torrione
P.zo Montalto 2705
Alpe Chéggio
Cima Camughera 2248
Moncucco 1896
Cosa
P.zo Ragno 2289
Cúrsolo
Alpe di Campo
Táppia
M. Tógano 2299
P.zo Bottarello
Villaggio Sisma
Beura
P.ta Turiggia 2811
Antronapiana
P.zo Ciapé 2394
Montescheno
P.zo Tignolino 2246
P.zo di Diosi 2161
Gurro
Solgia
Cresti
Bosco
Falmenta
Nollenhorn 3185
Antrona
Rovesca
Locasca
Viganella
Seppiana
Villadossola
Cardezza
P.ta Pozzolo 2081
Parco
Cima d. Laurasca 2193
Schieranco
Rivera
P.ta di Saas 3193
Mattmarksee
L. di Camposecco
Cúzzego
Valle Cannobina
La Piota 1925
Val d'Antrona
Pallanzeno
Prata
P.zo del Ton 2675
S. Pietro
Prato
P.zo Castello
P.zo d. Rossola 2087
Pedum 2111
M. Zeda 2156
M. Vadà 1836
Nazionale
della
Val
Grande
P.ta d'Antigine 3188
Croce d. Cavallo 1904
Calasca-Castiglione
Piedimulera
P.te di Masone
P.zo Proman 2098
P.zo Folungo
P.zo S. Martino 2733
P.ta Laugera 2995
Castiglione d'Ossola
Dresio
Vogogna
P.zo Marona
P.zo M. Moro 2868
Antrogna
Pontegrande
Pieve Vergonte
Colloro
Premosello Chiovenda
Rif. Casa dell'Alpino
Piaggia
Battel 2928
Roletto
Calasca
Rif.
Cicogna
Pian Cavallone 1564
Vanzone con S. Carlo
Rumianca
Cuzzago
Nibbio
Macugnaga
Mondelli
Ceppo Morelli
Bannio-Anzino
P.zo Camino 2148
Megolo
Cima
Megolo di Fondo
Béttola
Intragna
Borca
Pestarena
Valle Anzasca
Vanzone
Valpiana
Corno di Scarpignano
Anzola d'Ossola
Albo
Candóglia
Caprezzo
Migliandone
L. d. Fate
Pizzetto 1879
Ornavasso
Brácchio
Ungiasca
Miazzina
Cima Capezzone 2421
M. Ventolaro 1892
Rif. C.A.I. Gravellona
Mad. di Boden
Mergozzo
Rovegro
Cossogno
Cambiasca
P.zo Tignaga 2653
M. Massone 2161
S. Bernardino Verbano
Unchio
Trobaso
Arizzano
Pallone del Badile 2675
Campello Monti
Forno
M. Orfano
P.zo Montevecchio
P.zo Nona
Piana di Forno
Otra
Pedemonte
Fondotoce
Feriolo
Suna
Cavandone
Intra
Il Cimone 2453
Rosarolo
Crébbia
Carcoforo
Valstrona
Pallanza
Verbania
Cima Lampone
S. Maria
Rimella
S. Gottardo
M. Capio 2172
Massiola
Luzzogno
Chesio
Casale Corte Cerro
Gravellona Toce
Cima Colmetta 2458
Rima
Madonna d. Ferrate
Fobello
Gula
Sambughetto
Fornero
Strona
Loreglia
Germagno
Montebuglio
Baveno
Isole Borromee
Cervatto
Massa del Turlo 1959
M. Mazzucone 1424
Granerolo
M. Zuchero 1230
Rima
S. Giuseppe
Dorca
P.te due Acque
Ferrera
Cireggio
Omegna
Mottarone
Stresa
Cerro
Campino
Somerano
Carnera
Rimasco
Valbella
M. Ostano
Quarna Sopra
Quarna Sotto
Reno
Cima d. Croci 2500
Cima Tracciora di Cervatto
Meula
Sabbia
Le Piane
Alpino
Levo
Brisino
Alle Sale
Cellina
Cima Lavaggio 1594
Brugaro
Grassura
Bocciolaro
Brolo
M. Mazzarone
Gignese
Vezzo
Carpugnino
Cima Saionché 2344
Cravagliana
Cervarolo
Rolate
Corte
Camasco
Nonio
Agrano
Mad. di Luciago
M. Falò 1080
Gráglia
Magognino
Boccioleto
Piaggiogna
Rossa
Arboério
Scopello
Valmaggia
Barattina
M. Ploggera
Cesara
Pescone
Bassora
Brovello-Carpugnino
Belgirate
Boccório
Curgo
Molino
Móllia
Balmúccia
Cerva
Bettola
Isola
20
21
7
A
B
C
D
E
F
1
2
3
4
E 62
299
549
337
631
659
33
Sempione

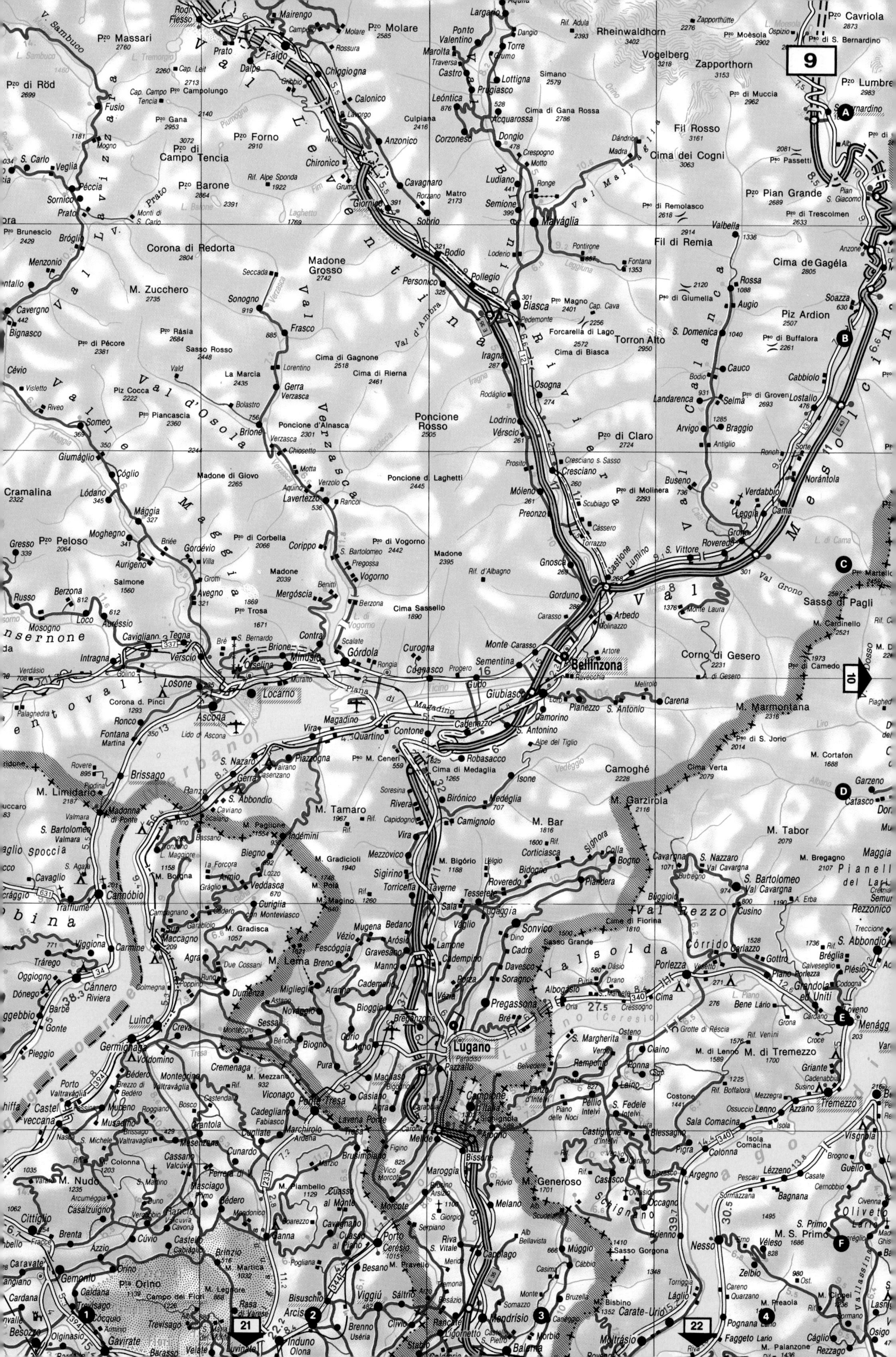

9
10
21
22
A
B
C
D
E
F
1
2
3
4
Airolo
Fiesso
Prato
Dalpe
Faido
Mairengo
Molare
Pzo Molare
Pzo Massari
Pzo di Röd
Fusio
Pzo Campolungo
Pzo Gana
Pzo Forno
Pzo di Campo Tencia
Pzo Barone
S. Carlo
Veglia
Péccia
Sornico
Prato
Brúglio
Pzo Brunescio
Corona di Redorta
Madone Grosso
Menzonio
M. Zucchero
Cavergno
Bignasco
Pzo di Pécore
Pzo Rásia
Sasso Rosso
Cévio
Someo
Giumáglio
Cóglio
Lódano
Mággia
Moghegno
Aurigeno
Gordévio
Avegno
Cramalina
Gresso
Pzo Peloso
Russo
Berzona
Loco
Auréssio
Intragna
Cavigliano
Tegna
Verscio
Losone
Locarno
Ascona
Ronco
Brissago
M. Limidario
Cannóbio
Cánnero Riviera
Luino
Germignaga
Porto Valtraváglia
Castelveccana
Cittiglio
Laveno
Gemonio
Gavirate
Lago Maggiore
Val Verzasca
Sonogno
Frasco
Gerra Verzasca
Brione
Lavertezzo
Vogorno
Gordola
Minusio
Orselina
Magadino
Vira
Piazzogna
Gerra
S. Nazaro
Indemini
Monte Tamaro
Pzo M. Ceneri
Rivera
Bironico
Camignolo
Sigirino
Taverne
Tesserete
Lugano
Campione d'Italia
Melide
Morcote
Ponte Tresa
Bissone
Capolago
Mendrisio
Chiasso
Balerna
Porto Ceresio
Viggiú
Arcisate
Induno Olona
Varese
Valle Leventina
Chiggiogna
Calonico
Lavorgo
Anzonico
Giornico
Cavagnaro
Sobrio
Bodio
Personico
Pollegio
Biasca
Iragna
Osogna
Lodrino
Claro
Cresciano
Preonzo
Moleno
Gnosca
Gorduno
Arbedo
Castione
Bellinzona
Giubiasco
Sementina
Monte Carasso
Cugnasco
Cadenazzo
Camorino
S. Antonino
Pianezzo
Carena
Valle di Blenio
Malvaglia
Semione
Ludiano
Dongio
Acquarossa
Lottigna
Prugiasco
Leóntica
Castro
Marolta
Largario
Ponto Valentino
Torre
Rheinwaldhorn
Vogelberg
Zapporthorn
Fil Rosso
Cima dei Cogni
Val Malvaglia
Fil di Remia
Pzo Magno
Torron Alto
Cima di Biasca
Pzo di Claro
Pzo di Molinera
Val Calanca
Rossa
Augio
S. Domenica
Cauco
Landarenca
Selma
Arvigo
Braggio
Buseno
Roveredo
Grono
Lumino
S. Vittore
Val Mesolcina
Mesocco
S. Bernardino
Pzo Cavriola
Pzo Lumbreda
Pzo Pian Grande
Cima de Gagéla
Soazza
Piz Ardion
Lostallo
Cama
Norántola
Leggia
Verdabbio
Sasso di Pagli
Corno di Gesero
M. Marmontana
Camoghé
Cima Verta
M. Garzirola
M. Bar
M. Tabor
M. Bregagno
Val Cavargna
Cavargna
S. Bartolomeo Val Cavargna
Val Rezzo
Val Solda
Porlezza
Córrido
Carlazzo
Menaggio
Grandola ed Uniti
Tremezzo
Lenno
Lago di Lugano (Ceresio)
Lago di Como
Argegno
Colonna
Nesso
Schignano
Cernobbio
Sonvico
Pregassona
Gandria
M. Generoso
Laino
S. Fedele Intelvi
Castiglione d'Intelvi
Carate-Urio
Moltrásio
Bellagio
M. S. Primo
Oliveto Lario

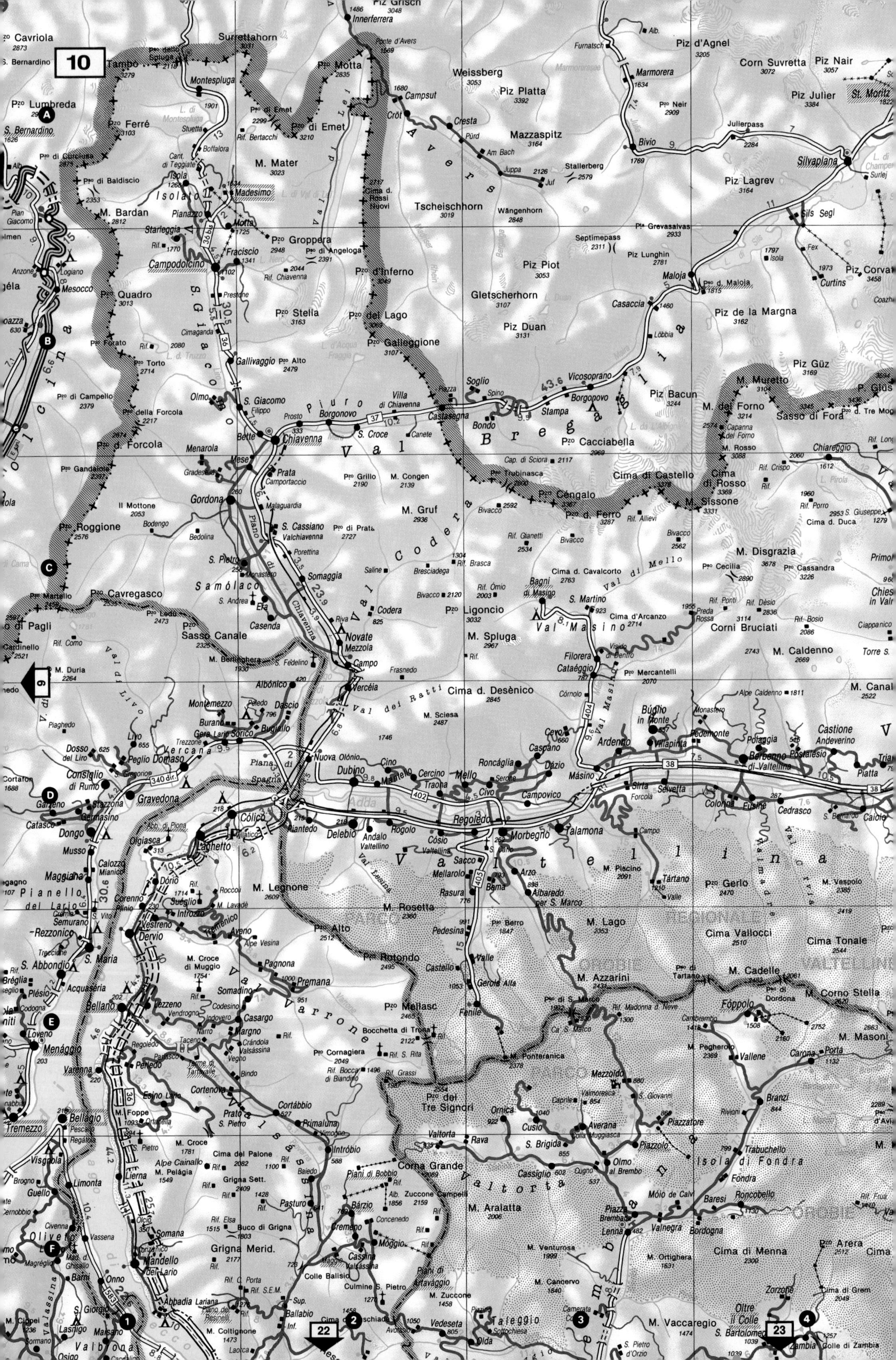

10
9
22
23
A
B
C
D
E
F
1
2
3
4
Piz Grisch
Innerferrera
Surrettahorn
Tambo
P.so dello Spluga
Montespluga
Pzo Lumbreda
S. Bernardino
Pzo Ferré
Pzo di Emet
M. Mater
Pzo Motta
Campsut
Cröt
Cresta
Avers
Juf
Weissberg
Piz Platta
Mazzaspitz
Stallerberg
Piz d'Agnel
Marmorera
Bivio
Julierpass
Corn Suvretta
Piz Nair
Piz Julier
St. Moritz
Silvaplana
Piz Lagrev
Sils
Segl
Piz Corvatsch
Maloja
Pso d. Maloja
Casaccia
Septimerpass
Piz Lunghin
Piz Piot
Gletscherhorn
Piz Duan
Tscheischhorn
Wängenhorn
Pzo di Baldiscio
M. Bardan
Isola
Madesimo
Pianazzo
Motta
Starleggia
Campodolcino
Fraciscio
Pzo Groppera
Pzo di Angeloga
Pzo d'Inferno
Pzo Stella
Pzo del Lago
Pzo Galleggione
Pzo Quadro
Mesocco
Pzo Forato
Pzo Torto
Gallivaggio
Pzo Alto
Olmo
S. Giacomo
Pzo di Campello
Pzo della Forcola
Pzo d. Forcola
Chiavenna
Bette
Prosto
Piuro
Borgonovo
Villa di Chiavenna
Castasegna
Soglio
Bondo
Stampa
Vicosoprano
Borgonovo
Piz Bacun
Val Bregaglia
Pzo Cacciabella
M. Muretto
M. del Forno
Sasso di Fora
M. Rosso
Chiareggio
Cima di Castello
Cima di Rosso
M. Sissone
Pzo Cengalo
Pzo Trubinasca
Pzo d. Ferro
Piz Güz
Val Codera
Menarola
Mese
Prata
Gordona
Pzo Gandaiola
Il Mottone
Pzo Grillo
M. Congen
M. Gruf
Pzo Roggione
S. Cassiano
Pzo di Prata
S. Pietro
Samólaco
Somaggia
Era
Casenda
Codera
Pzo Ligoncio
Bagni di Masino
S. Martino
Cima d. Cavalcorto
Val di Mello
M. Disgrazia
Pzo Cecilia
Pzo Cassandra
Pzo Cavregasco
Pzo Ledù
Sasso Canale
Novate Mezzola
Campo
Verceia
M. Spluga
Val Masino
Cima d'Arcanzo
Corni Bruciati
M. Caldenno
M. Duria
M. Berlinghera
Albónico
Val dei Ratti
Cima d. Desènico
Filorera
Cataéggio
Pzo Mercantelli
Montemezzo
Dascio
Sorico
Gera Lario
Vercana
Livo
Domaso
Peglio
M. Sciesa
Búglio in Monte
Ardenno
Villapinta
Castione Andeverino
Cevo
Caspano
Dazio
Roncáglia
Nuova Olónio
Dubino
Cino
Mantello
Cercino
Traona
Mello
Civo
Másino
Berbenno di Valtellina
Polaggia
Postalesio
Piatta
Consiglio di Rumo
Gravedona
Stazzona
Dongo
Musso
Cólico
Piantedo
Delebio
Andalo Valtellino
Rogolo
Cósio Valtellino
Regoledo
Morbegno
Talamona
Campovico
Sirta
Forcola
Selvetta
Colorina
Fusine
Cedrasco
Caiolo
Adda
Valtellina
Laghetto
Olgiasca
Dorio
Sueglio
Introzzo
M. Legnone
Sacco
Mellarolo
Rasura
Arzo
Albaredo per S. Marco
M. Piscino
Tártano
Pzo Gerlo
M. Vespolo
Pianello del Lario
Calozzo
Maggiana
Corenno Plinio
Vestreno
Dervio
M. Rosetta
Pedesina
Pzo Berro
M. Lago
Cima Vallocci
Cima Tonale
Rezzonico
S. Maria
S. Abbondio
Acquaséria
Pzo Alto
M. Croce di Muggio
Pagnona
Premana
Pzo Rotondo
Valle
Castello
Gerola Alta
Fenile
M. Azzarini
M. Cadelle
M. Corno Stella
Foppolo
Bellano
Lezzeno
Somadino
Casargo
Margno
Pzo Mellasc
Pzo di S. Marco
Val Varrone
Bocchetta di Trona
M. Masoni
Menággio
Loveno
Varenna
Perledo
Cortenova
Pzo Cornagiera
Rif. Grassi
M. Ponteranica
Mezzoldo
Vallene
Carona
Branzi
Bellágio
Tremezzo
Esino Lario
Prato S. Pietro
Cortábbio
Primaluna
Pzo dei Tre Signori
Ornica
Cusio
Averara
Piazzatorre
Valtorta
Rava
S. Brigida
Piazzolo
Isola di Fondra
Trabuchello
Vissgnola
M. Croce
Cima del Palone
Intróbio
Corna Grande
Valtorta
Olmo al Brembo
Fondra
Limonta
Guello
Lierna
M. Pelágia
Grigna Sett.
Pasturo
Zuccone Campelli
Móio de Calvi
Roncobello
Baresi
Barzio
M. Aralatta
Piazza Brembana
Lenna
Valnegra
Bordogna
Oliveto
Somana
Mandello del Lario
Grigna Merid.
Cremeno
Moggio
Cassina Valsassina
M. Venturosa
M. Ortighera
Cima di Menna
Pzo Arera
Onno
Colle Balisio
Culmine S. Pietro
Piani di Artavággio
M. Zuccone
M. Cancervo
Zorzone
Cima di Grem
S. Giorgio
Abbadia Lariana
Ballabio
Taleggio
Camerata
Oltre il Colle
M. Coltignone
Vedeseta
Olda
M. Vaccaregio
S. Bartolomeo
Zambla
Colle di Zambla
Valbrona
Lasnigo

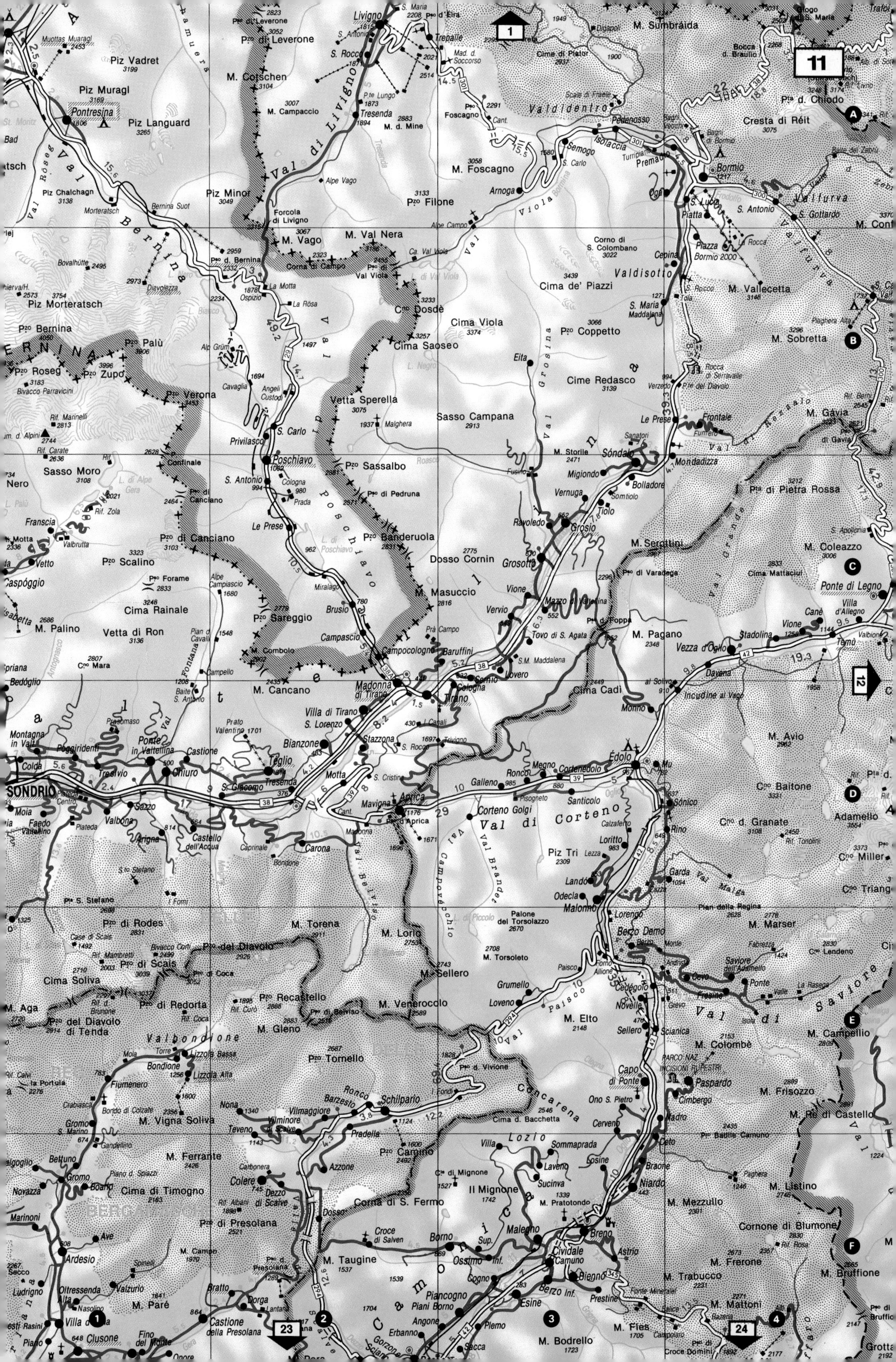

1
11
12
23
24
Livigno
Val di Livigno
Pontresina
Piz Vadret
Piz Muragl
Piz Languard
Piz Bernina
Bormio
Valdidentro
Valfurva
Valdisotto
Poschiavo
Val Poschiavo
Tirano
Madonna di Tirano
Sondalo
Grosio
Ponte di Legno
Édolo
Val di Corteno
Aprica
SONDRIO
Chiuro
Teglio
Ponte in Valtellina
Capo di Ponte
Breno
Cividale Camuno
Clusone
Castione della Presolana
Valbondione
Ardesio
M. Gavia
Adamello
Concarena

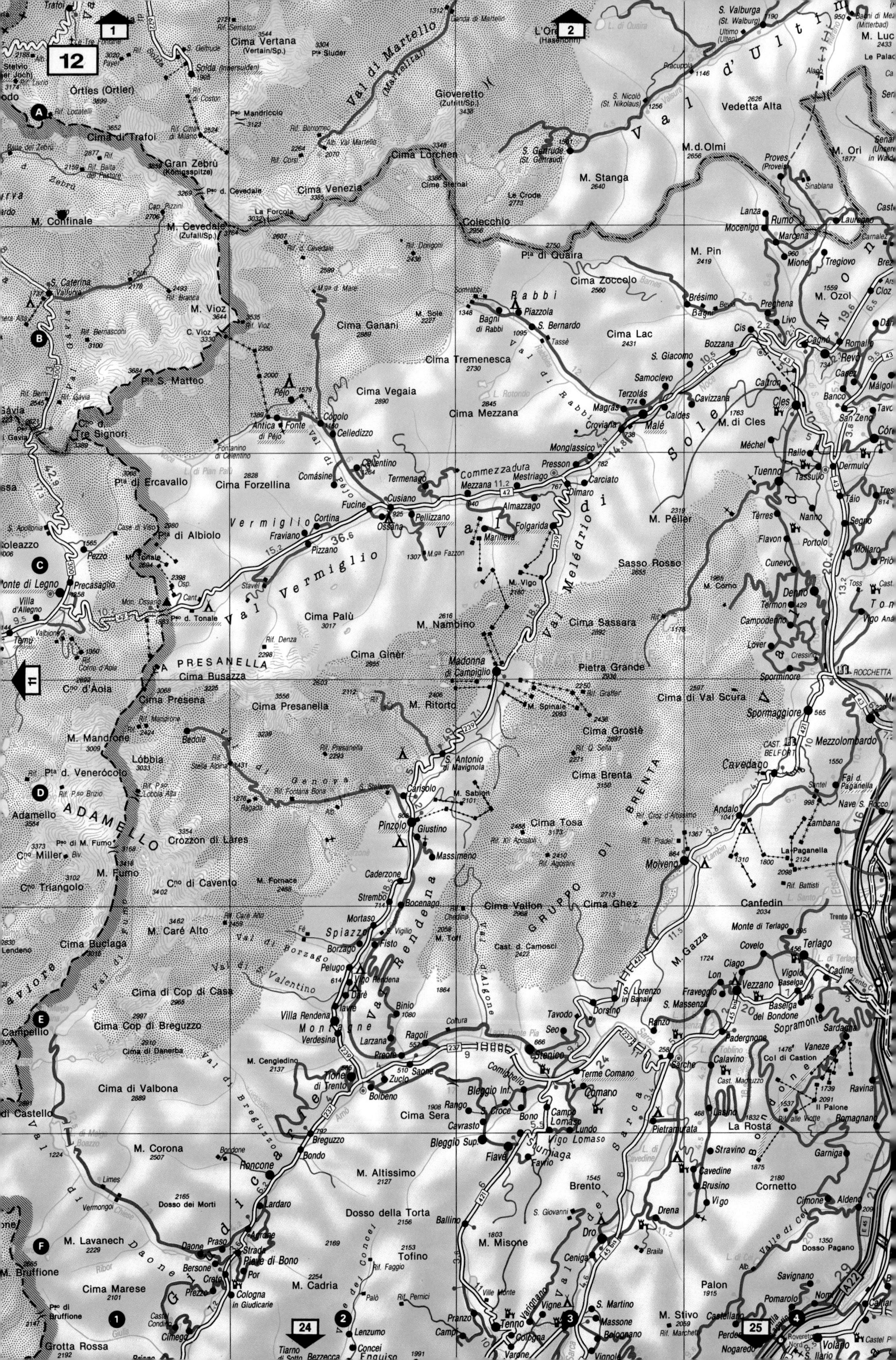

12
1
2
11
24
25
A
B
C
D
E
F
Ortles (Ortler)
Cima di Trafoi
Gran Zebrù (Königsspitze)
M. Confinale
M. Cevedale (Zufall/Sp.)
Cima Vertana (Vertain/Sp.)
Solda (Innersulden)
Val di Martello (Martelltal)
Gioveretto (Zufritt/Sp.)
Cima Lorchen
Cima Venezia
Colecchio
L'Orso (Hasenöhrl)
S. Valburga (St. Walburg)
Val d'Ultimo
S. Nicolò (St. Nikolaus)
S. Gertrude (St. Gertraud)
Vedetta Alta
M. d. Olmi
M. Stanga
M. Ori
Proves (Proveis)
Rumo
Lanza
Mocenigo
Marcena
Mione
Tregiovo
Laurègno
M. Pin
Pta di Quaira
Cima Zoccolo
Bresimo
Rabbi
Piazzola
Bagni di Rabbi
S. Bernardo
Val di Rabbi
Cima Lac
M. Sole
Cima Ganani
Cima Tremenesca
Cima Vegaia
Cima Mezzana
S. Caterina Valfurva
M. Vioz
C. Vioz
Pta S. Matteo
Pejo
Cogolo
Celledizzo
Fonte di Pejo
Cno d. Tre Signori
Pta di Ercavallo
Cima Forzellina
Celentino
Comàsine
Termenago
Commezzadura
Mezzana
Mestriago
Presson
Monclassico
Croviana
Malè
Magras
Terzolàs
Caldes
Cavizzana
Samoclevo
S. Giacomo
Bozzana
Cis
Livo
Preghena
Cagnò
Revò
Romallo
Cles
M. di Cles
Val di Sole
M. Ozol
Cloz
Dimaro
Carciato
Almazzago
Folgarida
Marilleva
Cusiano
Ossana
Fucine
Pellizzano
Vermiglio
Cortina
Fraviano
Pizzano
Val Vermiglio
Stavel
Pta di Albiolo
M. Tonale
Pso d. Tonale
Precasaglio
Pezzo
Ponte di Legno
Villa d'Allegno
Temù
Gavia
Val Gavia
Tuenno
Tassullo
Nanno
Portolo
Dermulo
Tàio
Segno
Mollaro
Tres
Flavon
Terres
Cunevo
Denno
Termon
Campodenno
Lover
Cressino
Sporminore
Rocchetta
Val di Non
M. Peller
Sasso Rosso
M. Corno
Val Meledrio
M. Vigo
M. Nambino
Cima Palù
Cima Sassara
Pietra Grande
Madonna di Campiglio
Cima Ginèr
Presanella
Cima Busazza
Cno d'Aola
Cima Presena
Cima Presanella
M. Ritorto
M. Spinale
Cima di Val Scura
Spormaggiore
Mezzolombardo
Cima Grostè
M. Mandrone
Lòbbia
Bedole
Val Genova
S. Antonio di Mavignola
Carisolo
Cima Brenta
Cavedago
Cast. Belfort
Fai d. Paganella
Andalo
Molveno
M. Sabion
Pinzolo
Giustino
Massimeno
Cima Tosa
Gruppo di Brenta
Adamello
Pta d. Venerócolo
Crozzon di Lares
Cno Miller
M. Fumo
Cno Triangolo
Cno di Cavento
M. Fornace
Caderzone
Strembo
Bocenago
Cima Vallon
Cima Ghez
La Paganella
Zambana
Canfedin
Monte di Terlago
Terlago
Cadine
Covelo
Ciago
Vigolo Baselga
Vezzano
Lon
Fraveggio
M. Gazza
M. Caré Alto
Cima Buciaga
Mortaso
Spiazzo
Fisto
Borzago
Val di Borzago
Val di S. Valentino
Pelugo
Vigo Rendena
Darè
Val Rendena
M. Toff
Cast. d. Camosci
Val d'Algone
S. Lorenzo in Banale
Dorsino
Tavodo
Seo
Stenico
Cima di Cop di Casa
Cima Cop di Breguzzo
Cima di Danerba
Villa Rendena
Verdesina
Javrè
Binio
Larzana
Montagne
Preore
Ragoli
Coltura
Lago Ponte Pia
S. Massenza
Ranzo
Padergnone
Calavino
Baselga del Bondone
Sopramonte
Sardagna
Vaneze
Col di Castion
Valle dei Laghi
Campellio
M. Cengledino
Cima di Valbona
Tione di Trento
Zuclo
Saone
Bolbeno
Comighello
Terme Comano
Comano
Bleggio Inf.
Rango
S. Croce
Cavrasto
Bleggio Sup.
Fiavè
Cima Sera
Bono
Campo Lomaso
Lundo
Vigo Lomaso
Dasindo
Favrio
Sarche
Lasino
Pietramurata
La Rosta
Il Palone
Romagnano
Ravina
Garniga
Cima di Castello
Val di Breguzzo
Breguzzo
Bondo
M. Corona
M. Altissimo
Roncone
Stravino
Cavedine
Brusino
Vigo
Cornetto
Val di Daone
Dosso dei Morti
Lardaro
Dosso della Torta
Brento
Drena
Cimone
Aldeno
Val Giudicarie
Valle del Sarca
M. Lavanech
Daone
Praso
Agrone
Strada
Pieve di Bono
Bersone
Creto
Prezzo
Por
Cologna in Giudicarie
Tofino
M. Misone
Ballino
S. Giovanni
Dro
Ceniga
Dosso Pagano
Valle di Cei
M. Bruffione
Cima Marese
Pso di Bruffione
Castel Condino
Cimego
M. Cadria
Palù
Lenzumo
Concei
Enguiso
Tiarno di Sotto
Bezzecca
Pranzo
Campi
Ville Monte
Tenno
Varignano
Vigne
Cologna
Varone
S. Martino
Massone
Bolognano
Vignole
Arco
Palon
M. Stivo
Castellano
Pedersano
Nogaredo
Savignano
Pomarolo
Nomi
Volano
Castel Pietra
Rovereto Nord
S. Ilario
Grotta Rossa
Adige (Etsch)
A22
E45

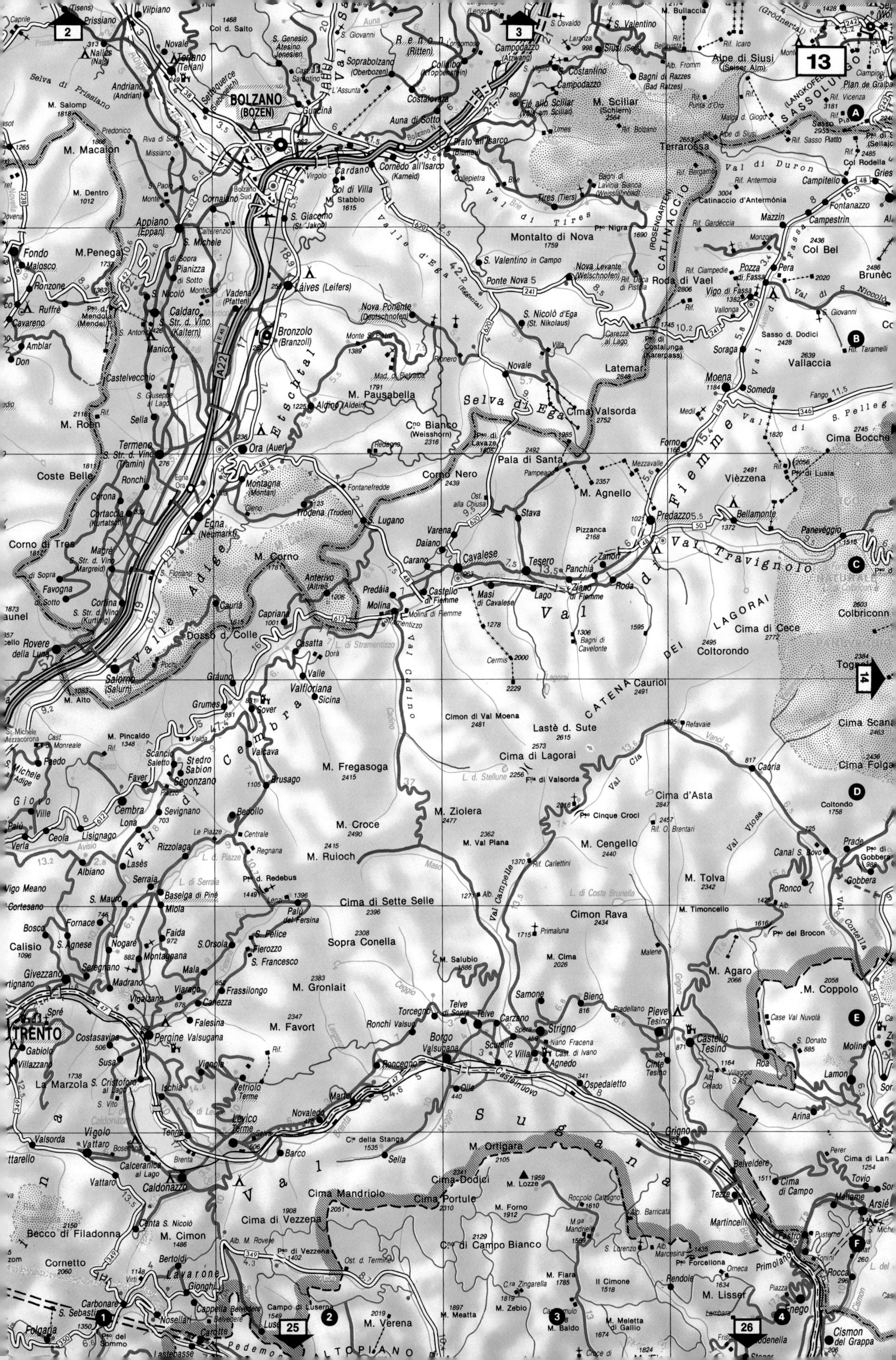
2
3
13
14
25
26
BOLZANO
(BOZEN)
TRENTO
Prissiano
Vilpiano
Nalles
Terlano
Andriano
Settequerce
Col d. Salto
S. Genesio Atesino
Soprabolzano
(Oberbozen)
Collalbo
Renon
(Ritten)
Campodazzo
(Atzwang)
S. Osvaldo
S. Valentino
M. Bullaccia
Alpe di Siusi
(Seiser Alm)
Siusi
Bagni di Razzes
S. Costantino
Fiè allo Sciliar
M. Sciliar
(Schlern)
2564
Sassolungo
Plan de Gralba
Selva di Prissiano
M. Salomp
M. Macaion
Guncinà
Costalovara
Auna di Sotto
Prato all'Isarco
(Blumau)
Terrarossa
Val di Duron
Campitello
Fontanazzo
Campestrin
Mazzin
Catinaccio d'Antermóia
CATINACCIO
(ROSENGARTEN)
Cardano
Cornedo all'Isarco
(Karneid)
Col di Villa
M. Stabbio
1615
Tires (Tiers)
Val di Tires
M. Dentro
Cornaiano
Appiano
(Eppan)
S. Michele
S. Giacomo
Valle d'Ega
Montalto di Nova
1759
Col Bel
Fondo
Malosco
M. Penegal
Pianizza di Sotto
Ronzone
S. Nicolò
Caldaro
Laives (Leifers)
S. Valentino in Campo
Ponte Nova
Nova Levante
(Welschnofen)
Roda di Vael
Pozza di Fassa
Pera
Vigo di Fassa
Val di S. Nicolò
Ruffrè
Cavareno
Mendola
Vadena
(Pfatten)
Nova Ponente
(Deutschnofen)
S. Nicolò d'Ega
Bronzolo
(Branzoll)
Carezza al Lago
Passo di Costalunga
(Karerpass)
Soraga
Sasso d. Dodici
Amblar
Don
Manicor
Monte S. Pietro
Vallaccia
Castelvecchio
S. Giuseppe al Lago
Etschtal
Novale
Latemar
Moena
Someda
M. Pausabella
Aldino (Aldein)
Selva di Ega
Cima Valsorda
M. Roen
Sella
Cno Bianco
(Weisshorn)
2316
Forno
S. Pellegrino
Termeno
Ora (Auer)
Pso di Lavazè
Pala di Santa
Cima Bocche
Coste Belle
Ronchi
Montagna
Corno Nero
M. Agnello
Vièzzena
Corona
Cortaccia
Egna
(Neumarkt)
Trodena (Truden)
S. Lugano
Stava
Predazzo
Bellamonte
Paneveggio
Corno di Tres
Magrè
Favogna
M. Corno
Varena
Daiano
Carano
Cavalese
Tesero
Panchià
Ziano di Fiemme
Val di Fiemme
Val Travignolo
Cortina
Anterivo
Castello di Fiemme
Masi di Cavalese
Lago
Roda
Predáia
Molina
Cauriá
Capriana
Val Lagorai
Colbricon
Rovere della Luna
Dosso d. Colle
Valle Adige
Casatta
Cima di Cece
Coltorondo
Salorno
(Salurn)
Valle
Valfloriana
Cermis
Bagni di Cavelonte
CATENA DEI LAGORAI
Cauriol
M. Alto
Gráuno
Grumes
Sover
Sicina
Val Cadino
Cimon di Val Moena
Lastè d. Sute
Cima Scanaiol
M. Pincaldo
Scancio
Valcava
M. Fregasoga
Cima di Lagorai
Fla di Valsorda
Caoria
Cima Folga
Faedo
Segonzano
Faver
Brusago
Cima d'Asta
Coltondo
Giovo
Cembra
Val di Cembra
Sevignano
Bedollo
M. Ziolera
Pso Cinque Croci
Verla
Ceola
Lisignago
M. Croce
M. Val Piana
M. Cengello
Prade
Rizzolaga
M. Ruioch
Canal S. Bovo
Albiano
Lasès
Serraia
Baselga di Pinè
Pso d. Redebus
Rif. Carlettini
M. Tolva
Vigo Meano
Cortesano
S. Mauro
Miola
Palù del Fersina
Cima di Sette Selle
Val Campelle
Cimon Rava
M. Timoncello
Ronco
Fornace
Faida
Pso del Brocon
Bosco
Calisio
S. Agnese
Nogaré
S. Orsola
S. Felice
Fierozzo
S. Francesco
Sopra Conella
Primaluna
M. Cima
M. Agaro
Givezzano
Seregnano
Montagnana
Madrano
Mala
Frassilongo
M. Gronlait
M. Salubio
M. Coppolo
Case Val Nuvolà
Vigalzano
Viarago
Canezza
Samone
Bieno
Pieve Tesino
Castello Tesino
Cinte Tesino
Pergine Valsugana
Falesina
M. Favort
Ronchi Valsugana
Torcegno
Telve di Sopra
Telve
Carzano
Strigno
Spera
Ivano Fracena
Villa Agnedo
S. Donato
Costasavina
Gabiolo
Villazzano
Susa
Vignola
Roncegno
Borgo Valsugana
Scurelle
Ospedaletto
Roa
Lamon
La Marzola
S. Cristoforo al Lago
Ischia
Vetriolo Terme
Marter
Olle
Castelnuovo
Arina
Novaledo
Levico Terme
Valsugana
Valsorda
Vigolo Vattaro
Tenna
Selva
Barco
Cta della Stanga
Sella
M. Ortigara
Grigno
Calceranica al Lago
Caldonazzo
Brenta
Val Brenta
Cima Dodici
Cima Portule
M. Lozze
Roccolo Cattagno
Belvedere
Cima di Campo
Tovio
Tezze
Becco di Filadonna
Cima Mandriolo
Cima di Vezzena
M. Forno
Mga Mandrielle
Alb. Barricata
Martincelli
Arsiè
Centa S. Nicolò
M. Cimon
Pso di Vezzena
Cno di Campo Bianco
S. Lorenzo
Pso Forcellona
Fastro
Primolano
Cornetto
Bertoldi
Lavarone
Gionghi
Ost. d. Termine
M. Fiara
Il Cimone
Rendole
Orneca
Rocca
Carbonare
Cappella
Nosellari
Campo di Luserna
Luserna
C.ra Zingarella
M. Zebio
M. Lisser
Enego
Folgaria
Pso del Sommo
M. Verena
M. Meatta
M. Baldo
M. Meletta di Gallio
Godenella
Cismon del Grappa
Carotte
Pedemonte
ALTOPIANO
A
B
C
D
E
F
1
2
3
4

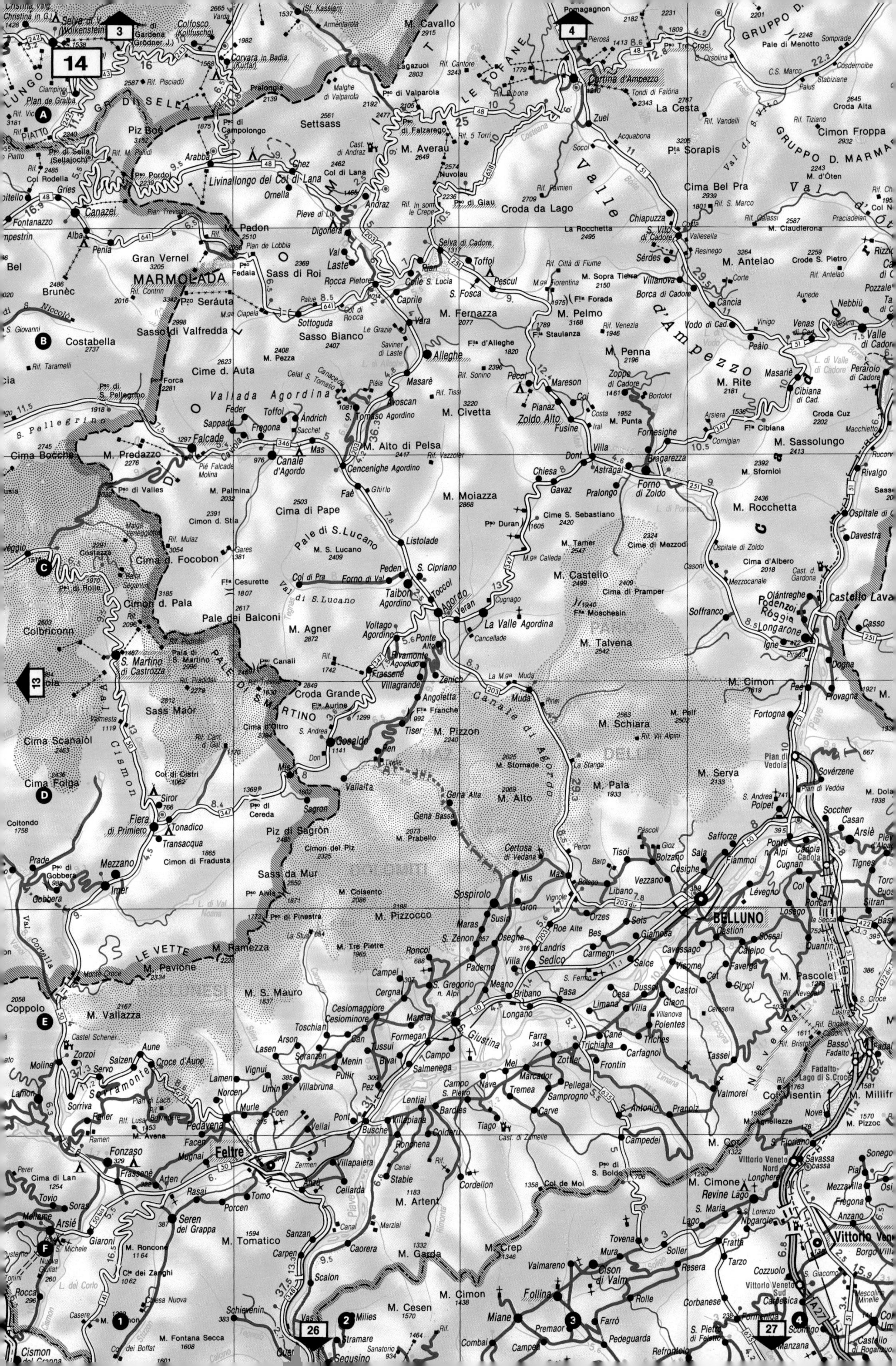

14
3
4
13
26
27
A
B
C
D
E
F
1
2
3
4
Selva di V.
Colfosco
Corvara in Badia
M. Cavallo
Pomagagnon
GRUPPO D.
Pale di Menotto
Lagazuoi
Rif. Pisciadù
Pralongià
Pso di Valparola
Cortina d'Ampezzo
La Cesta
Croda Alta
Plan de Gralba
GR. DI SELLA
Settsass
Pso di Falzarego
Rif. 5 Torri
Zuel
Cimon Froppa
GRUPPO D. MARMAR
Piz Boè
Pso di Campolongo
M. Averau
Pta Sorapis
Arabba
Pso Pordoi
Col di Lana
Nuvolau
Livinallongo del Col di Lana
Ornella
Col Rodella
Gries
Canazei
Fontanazzo
Andraz
Pso di Giau
Croda da Lago
Valle
Cima Bel Pra
Val d'Oten
Pieve di Liv.
Digonera
M. Padon
Alba
Penia
Gran Vernel
MARMOLADA
Pso Fedaia
Sass di Roi
Val Laste
Rocca Pietore
Selva di Cadore
Toffol
Pescul
Colle S. Lucia
S. Fosca
La Rocchetta
Chiapuzza
S. Vito di Cadore
M. Antelao
Sérdes
Villanova
Borca di Cadore
Cancia
Brunèc
Pzo Seráuta
Sottoguda
Caprile
M. Fernazza
M. Pelmo
Fla Forada
Sasso di Valfredda
Costabella
Sasso Bianco
Vara
Alleghe
Fla Staulanza
Fla d'Alleghe
M. Penna
d'Ampezzo
Vodo di Cad.
Peàio
Venas di Cad.
Valle di Cadore
M. Pezza
Cime d. Auta
Pso di S. Pellegrino
Pso Forca
Vallada Agordina
Masarè
Pecol
Mareson
Zoppe di Cadore
M. Rite
Masariè
Cibiana di Cad.
Feder
Sappade
Toffol
Fregona
Ándrich
Sacchet
S. Tomaso Agordino
Avoscan
M. Civetta
Pianaz
Zoldo Alto
Coi
Fusine
M. Punta
Fornesighe
Fla Ciblana
Croda Cuz
S. Pellegrino
Falcade
Canale d'Agordo
Mas
Cencenighe Agordino
M. Alto di Pelsa
Villa
Dont
Astragal
Forno di Zoldo
Bragarezza
M. Sassolungo
Cima Bocche
M. Predazzo
Chiesa
Gavaz
Pralongo
M. Sfornioi
Pso di Valles
M. Palmina
Faè
M. Moiazza
M. Rocchetta
Cima di Pape
Cimon d. Stia
Cime S. Sebastiano
Pso Duran
Listolade
Pale di S. Lucano
M. S. Lucano
M. Tamer
Cime di Mezzodì
Ospitale di Zoldo
Davestra
Cima d. Focobon
Costazza
Cima d'Albero
Castello Lavazzo
Pso di Rolle
Fla Cesurette
Col di Pra
Forno di Val
Peden
S. Cipriano
M. Castello
Cima di Pramper
Taibon Agordino
Toccol
Agordo
Veran
Cimon d. Pala
Pale dei Balconi
Fla Moschesin
Soffranco
Podenzoi
Roggia
Longarone
Colbricon
La Valle Agordina
M. Agner
Voltago Agordino
M. Talvena
Casso
Igne
PALE DI S. MARTINO
S. Martino di Castrozza
Pso Canali
Rivamonte Agordino
Frassenè
Zenich
Dogna
Val Cismon
Villagrande
Canale di Agordo
Muda
M. Cimon
Provagna
Croda Grande
Sass Maòr
Angoletta
Fla Aurine
Fla Franche
M. Schiara
M. Pelf
Fortogna
Cima Scanaiòl
Cima d'Oltro
Tiser
M. Pizzon
Cimon di Fradusta
Gosaldo
Cima Folga
Col di Cistri
Mis
Vallalta
M. Stornade
La Stanga
M. Pala
M. Serva
Soverzene
Siror
Pso di Cereda
Sagron
Gena Alta
M. Alto
Polpet
Coltondo
Fiera di Primiero
Tonadico
Transacqua
Piz di Sagron
Gena Bassa
M. Prabello
Soccher
Casan
Arsiè
Cimon del Piz
Certosa di Vedana
Peron
Pàscoli
Tisoi
Gioz
Bolzano
Sala
Safforze
Fiammoi
Ponte n. Alpi
Cadola
Prade
Pso di Gobbera
Mezzano
Imer
Sass da Mur
Pso Alvis
M. Coisento
Mis
Mas
Sospirolo
Vezzano
Cusighe
Cugnan
Tignes
Gobbera
M. Pizzocco
Gron
Libano
BELLUNO
Lévegno
Col
Roncan
Losego
Pso di Finestra
Susin
Orzes
Sois
Maras
S. Zenon
Roe Alte
Bes
Giamosa
Castion
Sossai
LE VETTE
M. Ramezza
M. Tre Pietre
Roncoi
Oseghe
Landris
Carmegn
Cavessago
Caleipo
Quantin
M. Pavione
Villa
Sedico
Salce
Visome
Faverga
Campel
Paderno
Bribano
Pasa
Cet
Cirvoi
M. Pascolet
Coppolo
M. S. Mauro
S. Gregorio n. Alpi
Meano
Cesa
Dussoi
Castoi
M. Vallazza
Cergnai
Longano
Limana
Villa
Giaon
Cesiomaggiore
Cesiominore
Marsiai
S. Giustina
Polentes
Toschian
Arson
Farra
Trichiana
Canè
Triches
Zorzoi
Lasen
Can
Tussui
Formegan
Campo
Zottier
Carfagnoi
Tassei
Basso Fadalto
Aune
Croce d'Aune
Soranzen
Menin
Bivai
Mel
Frontin
Fadalto
Moline
Salzen
Servo
Lamen
Vignui
Salmenega
Marcador
Lago di S. Croce
Lamon
Serramonte
Norcen
Umin
Villabruna
Pullir
Pez
Campo S. Pietro
Nave
Tremea
Pellegai
Samprogno
S. Antonio
Pranolz
Valmorel
Col Visentin
Sorriva
Murle
Foen
Lentiai
Bardies
Carve
Faller
Pedavena
Vellai
Pont
Villapiana
Tiago
M. Millifret
Nove
M. Pizzoc
M. Avena
Busche
Colderù
Campedei
M. Agnellezze
S. Floriano
Fonzaso
Facen
Feltre
Ronchena
Cast. di Zumelle
M. Cor
Savassa bassa
Sonego
Mugnai
Zermen
Villapaiera
Pso di S. Boldo
Vittorio Veneto Nord
Frassenè
Arten
Cima di Lan
Rasai
Anzù
Cellarda
Stabie
Cordellon
Col de Moi
M. Cimone
Revine Lago
Longhere
Mezzavilla
Tovio
Soras
Tomo
Canai
M. Artent
Fregona
Arsié
Seren del Grappa
Porcen
S. Maria
Lago
Nogarole
Anzano
Mellame
M. Roncone
Giaroni
S. Michele
M. Tomatico
Sanzan
Carpen
Caorera
Marziai
Tovena
M. Crep
Soller
Fratta
Vittorio Veneto
Cima dei Zanghi
M. Garda
Mura
Cison di Valm.
Resera
Tarzo
Cozzuolo
Borgo Villa
Rocca
Valmareno
Scalon
Follina
Rolle
Corbanese
Vittorio Veneto Sud
Ceneda
Casere
M. Cesen
M. Cimon
Miane
Premaor
Farrò
Schievenin
Vas
Milies
Pedeguarda
S. Pietro di Feletto
Formeniga
Scomigo
Cismon del Grappa
Col dei Boffat
M. Fontana Secca
Stramare
Segusino
Combai
Campea
Refrontolo
Manzana
Castello di Roganzuolo

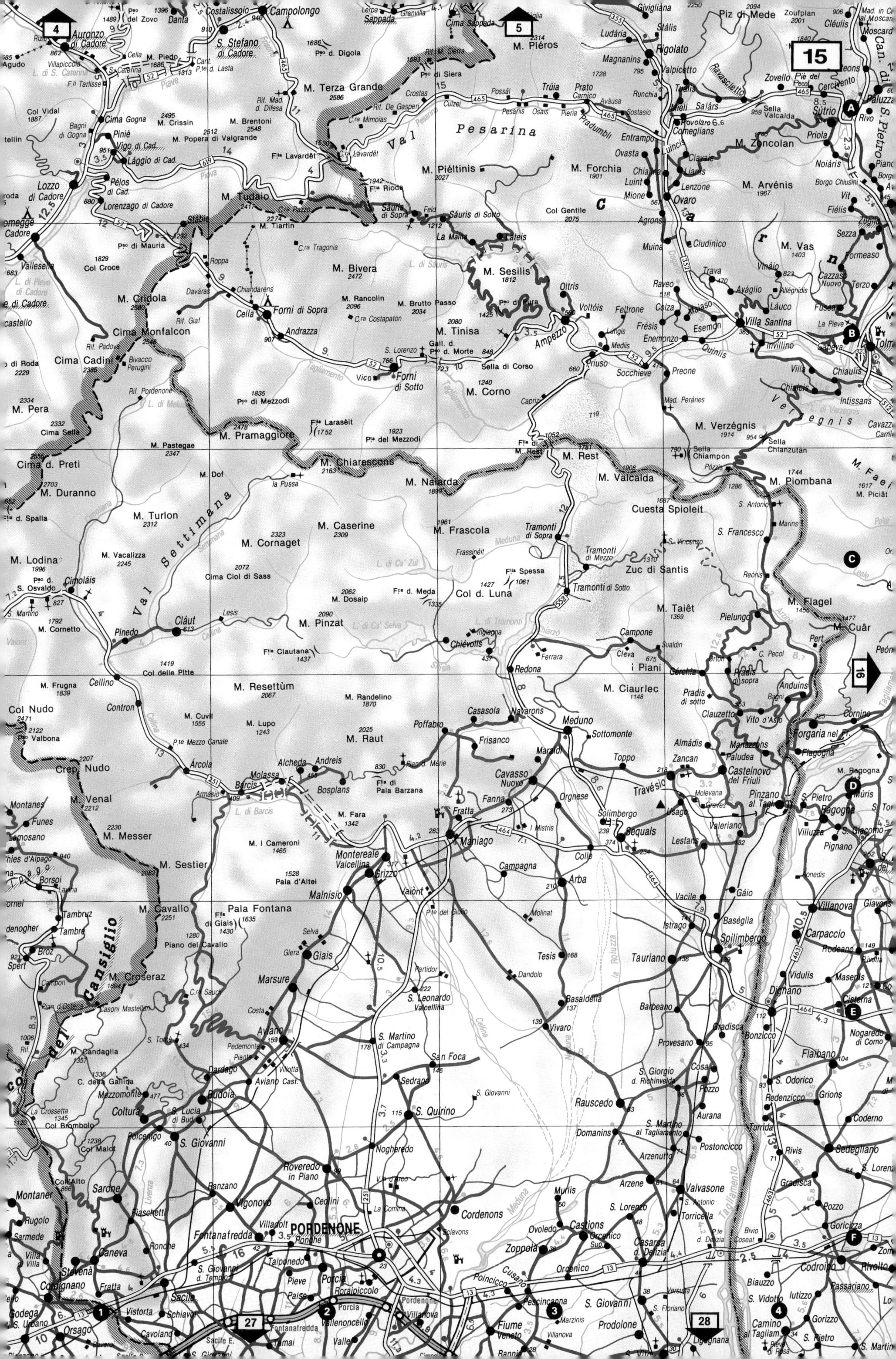
4
5
15
16
27
28
Auronzo di Cadore
Costalissoio
Campolongo
Danta
S. Stefano di Cadore
Sappada
Cima Sappada
M. Piéros
Giviglianà
Stális
Ludária
Rigolato
Piz di Mede
Zoufplan
Cléulis
Magnanins
Valpicetto
Zovello
Cercivento
Paluzza
Sútrio
Rivo
M. Terza Grande
P.so di Siera
P.so d. Digola
M. Piedo
Cima Gogna
M. Crissin
M. Brentoni
M. Popera di Valgrande
Vigo di Cad.
Lággio di Cad.
Piniè
F.lla Lavardêt
C.ra Lavardêt
Rif. De Gasperi
Crostas
Cúlzei
Possâl
Pesariis
Osais
Trúia
Pieria
Prato Carnico
Avàusa
Sostasio
Val Pesarina
Pradumbli
Entrampo
Comeglians
Povolaro
Tualis
Mieli
Salârs
Sella Valcalda
Priola
M. Zoncolan
Noiáris
Col Vidal
Lozzo di Cadore
Pélos di Cad.
Lorenzago di Cadore
Vallesella
M. Tudaio
M. Piéltinis
M. Forchia
Ovasta
Chialina
Luint
Mione
Ovaro
Lenzone
M. Arvénis
Borgo Chiusini
Fiélis
Zuglio
Col Gentile
Agrons
Stábie
Sáuris di Sopra
Sáuris di Sotto
La Maina
Lateis
P.so di Mauria
M. Tiarfin
C.ra Tragonia
M. Bivera
Col Croce
Roppa
Daváras
Chiandarens
M. Sesilis
P.so di Pura
Muina
Cludinico
M. Vas
Sezza
Formeaso
Vináio
Cazzaso Nuovo
Terzo
Oltris
Voltóis
Feltrone
Raveo
Colza
Trava
Aváglio
Lauco
Allégnidis
M. Cridola
M. Rancolin
M. Brutto Passo
Cella
Forni di Sopra
Rif. Giaf
Andrazza
C.ra Costapaton
M. Tinisa
Ampezzo
Lungis
Mediis
Frésis
Enemonzo
Esemon
Villa Santina
Quinis
Invillino
La Pieve
Fusea
Caneva
Tolmezzo
Cima Monfalcon
Cima Cadini
Bivacco Perugini
Rif. Padova
P.so di Roda
S. Lorenzo
Gall. d. P.so d. Morte
Sella di Corso
Vico
Forni di Sotto
Tagliamento
M. Corno
Priuso
Socchieve
Preone
Villa
Chiaulis
Chiassis
Intissans
Rif. Pordenone
L. di Meluzzo
P.co di Mezzodì
Caprizi
Mad. d. Perárles
M. Pera
Cima Sella
F.lla Larasèit
M. Pramaggiore
P.ta del Mezzodì
F.lla di M. Rest
M. Rest
M. Verzégnis
Sella Chianzutan
Verzegnis
Cavazzo Carnico
L. di Verzegnis
M. Pastegae
Cima d. Preti
M. Dof
M. Chiarescons
M. Naiarda
M. Valcalda
Sella Chiampon
Pózzis
M. Piombana
M. Faeit
M. Piciât
M. Duranno
la Pussa
Cuestа Spioleit
S. Antonio
F.lla d. Spalla
M. Turlon
Val Settimana
M. Caserine
M. Frascola
Tramonti di Sopra
Marins
M. Cornaget
Meduna
Frassinèit
S. Vincenzo
S. Francesco
M. Vacalizza
Tramonti di Mezzo
Zuc di Santis
M. Lodina
Cima Ciol di Sass
L. di Ca' Zul
F.lla Spessa
Reónis
P.so d. S. Osvaldo
Cimoláis
F.ca d. Meda
Col d. Luna
Tramonti di Sotto
M. Flagel
S. Martino
M. Dosaip
M. Taiêt
M. Cornetto
Pinedo
Cláut
Lesis
M. Pinzat
L. di Ca' Selva
L. di Tramonti
Inglagna
Chiévolis
Campone
Pielungo
M. Cuâr
Pert
Vaiont
F.lla Clautana
Sualdin
Cleva
i Piani
Orton
C. Pecol
Peónis
Col delle Pitte
Redona
Ferrara
Gerchia
Pradis di sopra
M. Frugna
Cellino
M. Resettùm
M. Randelino
M. Ciaurlec
Pradis di sotto
Anduins
Contron
Clauzetto
Vito d'Asio
Col Nudo
M. Cuvil
M. Lupo
Casasola
Navarons
Meduno
Sottomonte
Cornino
P.so Valbona
P.te Mezzo Canale
M. Raut
Poffabro
Frisanco
Maraldi
Almádis
Manazzons
Forgaria nel Fr.
Flagogna
Crep. Nudo
Árcola
Alcheda
Andreis
Pian d. Mérie
Toppo
Zancan
Paludea
Castelnovo del Friuli
Molassa
Barcis
Bosplans
F.lla di Pala Barzana
Cavasso Nuovo
Fanna
Orgnese
Trávesio
Molevana
Pinzano al Tagl.
M. Ragogna
Muris
S. Pietro
Ragogna
M. Venal
Armasio
L. di Barcis
M. Fara
Fratta
I Mistris
Solimbergo
Usago
Graves
Valeriano
Montanes
Funes
Lamosano
M. Messer
M. i Cameroni
Maniago
Sequals
Lestans
Villuzza
Pignano
S. Giacomo
Chies d'Alpago
Borsoi
M. Sestier
Pala d'Altei
Montereale Valcellina
Grizzo
Colle
Campagna
Arba
Vaiònt
Malnisio
P.te del Giulio
Molinat
Vacile
Gáio
Villanova
Giavons
Tambruz
Tambre
Denogher
M. Cavallo
Pala Fontana
F.lla di Giais
Selva
Giais
Glera
Istrago
Baséglia
Spilimbergo
Carpaccio
Rodeano
Broz
Spert
Cansiglio
Piano del Cavallo
M. Croseraz
Marsure
Partidor
Tesis
Tauriano
Vidulis
Maseris
Campon
Pian d'Osteria
Casoni Mastellan
C.re Sauch
S. Leonardo Valcellina
Dandolo
Basaldella
Barbeano
Dignano
Cisterna
Costa
Aviano
Pedemonte
Piante
Villotta
S. Tomè
S. Martino di Campagna
Vivaro
Gradisca
Bonzicco
Nogaredo di Corno
Provesano
Flaibano
M. Candaglia
C. della Gallina
Mezzomonte
Dardago
Aviano Cast.
San Foca
Sedrano
Cosa
S. Giorgio d. Richinvelda
Pozzo
S. Odorico
Redenzicco
Grions
Col del
Coltura
Budoia
S. Lucia di Bud.
S. Quirino
S. Giovanni
Rauscedo
Aurana
Coderno
La Crossetta
Col Brombolo
Col Maiot
Polcenigo
S. Giovanni
Nogheredo
Domanins
S. Martino al Tagliamento
Postoncicco
Turrida
Sedegliano
Rivis
Col Alto
Roveredo in Piano
Arzenutto
Gradisca
S. Lorenzo
Montaner
Sarone
Banzano
V.la d'Arco
Arzene
Valvasone
Rugolo
Fiaschetti
Vigonovo
Cecilni
La Comina
Cordenons
Murlis
S. Antonio
Torricella
Pozzo
Sarmede
Ronche
Fontanafredda
Villadolt
PORDENONE
Sclavons
Ovoledo
Castions
Orcenico Sup.
Casarsa d. Delizia
P.te d. Delizia
Bivio Coseat
Goricizza
Villa di Villa
Caneva
S. Giovanni d. Tempio
Talponedo
Zoppola
Orcenico
Codroipo
Rivolto
Stevenà
Cordignano
Fratta
Pieve
Porcia
Roraipiccolo
Poincicco
Cusano
Versutta
Biauzzo
Passariano
Godega di S. Urbano
Vistorta
Sacile
Schiavoi
Palse
Porcia
Pordenone
Villanova
Pescincanna
S. Giovanni
S. Floriano
S. Vidotto
Iutizzo
Gorizzo
Orsago
Cavolano
Fontanafredda
Vallenoncello
Tamai
Sacile E.
Valle
Fiume Veneto
Marzinis
Villanova
Prodolone
Lignagna
Camino al Tagliam.
S. Pietro
S. Martino
Piave
Livenza
Cellina
Tagliamento

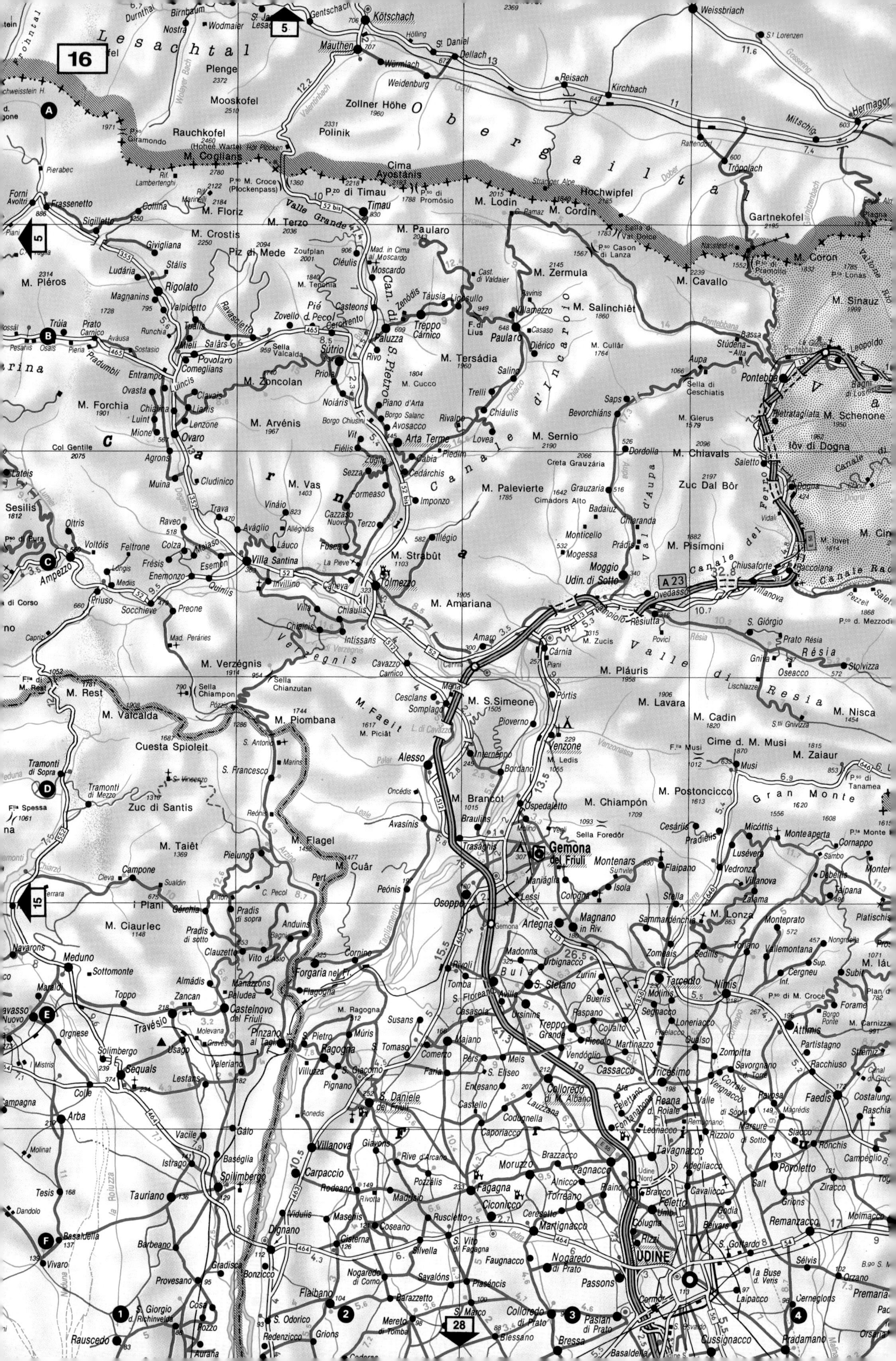
16
Lesachtal
Kötschach
Mauthen
Würmlach
Dellach
St Daniel
Weissbriach
St Lorenzen
Kirchbach
Reisach
Hermagor
Mitschig
Tröpolach
Gartnerkofel
Plenge
Mooskofel
Zollner Höhe
Polinik
Rauchkofel
M. Coglians
Cima Avostanis
Oberer Gailtal
Hochwipfel
M. Cordin
M. Lodin
P.zo di Timau
Timau
Forni Avoltri
Frassenetto
Sigilletto
Collina
M. Floriz
M. Terzo
M. Crostis
Piz di Mede
M. Paularo
Valle Grande
M. Pléros
Rigolato
Stális
Ludária
Givigliana
Magnanins
Valpicetto
Trúia
Prato Carnico
Pesariis
Osais
Pieria
Avàusa
Sostasio
Pradumbli
Tualis
Mieli
Salârs
Povolaro
Comeglians
M. Zoncolan
Sella Valcalda
Sútrio
Paluzza
Cercivento
Treppo Cárnico
Paularo
Ligosullo
Tausia
Zenodis
M. Zermula
M. Salinchiêt
M. Cavallo
M. Coron
M. Sinauz
Pontebba
Studena Alta
Aupa
M. Tersádia
M. Cucco
Entrampo
Ovasta
M. Forchia
Chialina
Luint
Mione
Lenzone
Ovaro
Agrons
Liariis
Clavais
M. Arvénis
Arta Terme
Cabia
Cedárchis
Zuglio
Sezza
Fielis
Avosacco
Piano d'Arta
Rivalpo
Trelli
Chiáulis
Lovea
Salino
Dierico
Canale d'Incaroio
M. Sernio
Bevorchiáns
Saps
M. Glerus
M. Schenone
Iôf di Dogna
M. Chiavals
Zuc Dal Bôr
Dogna
Saletto
Grauzaria
Cimadors Alto
M. Palevierte
Creta Grauzária
Col Gentile
Muina
Cludinico
M. Vas
Formeaso
Imponzo
Cazzaso Nuovo
Terzo
Lauco
Vinaio
Sesilis
Oltris
Voltóis
Ampezzo
Feltrone
Raveo
Colza
Fresis
Enemonzo
Esemon
Villa Santina
Invillino
Caneva
Tolmezzo
Illégio
M. Strabût
Moggio
Udin. di Sotto
Ovedasso
Chiusaforte
Raccolana
Villanova
M. Pisimoni
Val d'Aupa
Canale del Ferro
Canale di Raccolana
A 23
Resiutta
Povici
Valle di Resia
S. Giórgio
Prato Résia
Oseacco
Stolvizza
Gniva
Lischiazze
M. Nisca
M. Cadin
M. Lavara
Socchieve
Priuso
Preone
Villa
Chiaulis
Chiaicis
Intissans
M. Amariana
Amaro
Cárnia
Piani
M. Zucis
M. Pláuris
M. Verzégnis
Verzegnis
Cavazzo Carnico
Sella Chianzutan
M. Rest
M. Valcalda
Sella Chiampon
M. Piombana
Cuesta Spioleit
Cesclans
Somplago
M. Faeit
M. S.Simeone
Pioverno
Portis
Venzone
Interneppo
Bordano
Alesso
M. Ledis
Tramonti di Sopra
Tramonti di Mezzo
Zuc di Santis
S. Francesco
Oncédis
M. Brancot
Braulins
Ospedaletto
M. Chiampón
Sella Foredôr
M. Postoncicco
Musi
Cime d. M. Musi
M. Zaiaur
Gran Monte
Avasinis
Trasaghis
Gemona del Friuli
Montenars
Flaipano
Cesáriis
Pradielis
Micóttis
Monteaperta
Lusévera
Vedronza
Villanova
M. Taiêt
M. Flagel
Pielungo
M. Cuâr
Peónis
Osoppo
Maniáglia
Lessi
Artegna
Magnano in Riv.
Isola
Stella
Zalama
Taipana
Campone
Cleva
Sualdin
i Plani
Orton
C. Pecol
Pradis di sopra
Pradis di sotto
Anduins
M. Ciaurlec
Navarons
Meduno
Sottomonte
Clauzetto
Vito d'Asio
Forgaria nel Fr.
Flagogna
Cornino
Rivoli
Madonna
Urbignacco
Buia
S. Stefano
Zurini
Sammardénchia
M. Lonza
Zomeais
Sedilis
Tarcento
Nimis
Monteprato
Vallemontana
Cergneu
Maraldi
Toppo
Zancan
Almádis
Manazzons
Peludea
Castelnovo del Friuli
Travésio
Usago
Pinzano al Tagl.
S. Pietro
Ragogna
M. Ragogna
Múris
Susans
S. Tomaso
Majano
Tomba
S. Floreano
Avilla
Ursinins
Treppo Grande
Raspano
Bueriis
Molinis
Segnacco
Loneriacco
Collalto
Martinazzo
Zompitta
Attimis
Partistagno
Racchiuso
Faedis
Savorgnano d. Torre
Orgnese
Solimbergo
Sequals
Lestans
Valeriano
Villuzza
S. Giacomo
Pignano
Comerzo
Farla
Pers
Mels
S. Eliseo
Vendóglio
Piccolo
Cassacco
Tricésimo
Reana d. Roiale
Feletiano
Valle
Colle
Arba
Vacile
Gálo
Baséglia
Istrago
Spilimbergo
Tauriano
S. Daniele del Friuli
Entesano
Castello
Colloredo di M. Albano
Codugnella
Caporiacco
Fontanabona
Leonacco
Rizzolo
Marsure
Ravosa
Ronchis
Villanova
Giavons
Carpaccio
Rive d'Arcano
Pozzalis
Rodeano
Moruzzo
Brazzacco
Pagnacco
Tavagnacco
Adegliacco
Povoletto
Campéglio
Tesis
Dandolo
Basaldella
Vivaro
Vidulis
Dignano
Maseriis
Coseano
Madrisio
Fagagna
Ciconicco
Alnicco
Torreano
Plaino
Branco
Feletto Umb.
Cavalicco
Salt
Ziracco
Remanzacco
Barbeano
Cisterna
Ruscletto
Silvella
S. Vito di Fagagna
Ceresetto
Martignacco
Colugna
Rizzi
Godia
Beivars
S. Gottardo
Gradisca
Provesano
Bonzicco
Nogaredo di Corno
Savalóns
Plaséncis
Faugnacco
Nogaredo di Prato
Passons
UDINE
la Buse d. Veris
Sélvis
Orzano
Premariacco
Cosa
S. Giorgio d. Richinvelda
Pozzo
Rauscedo
Aurava
S. Odorico
Redenzicco
Flaibano
Grions
Barazzetto
Mereto di Tomba
S. Marco
Blessano
Colloredo di Prato
Pasian di Prato
Bressa
Cormor
Basaldella
Laipacco
Cerneglons
Cussignacco
Pradamano
28
15
5

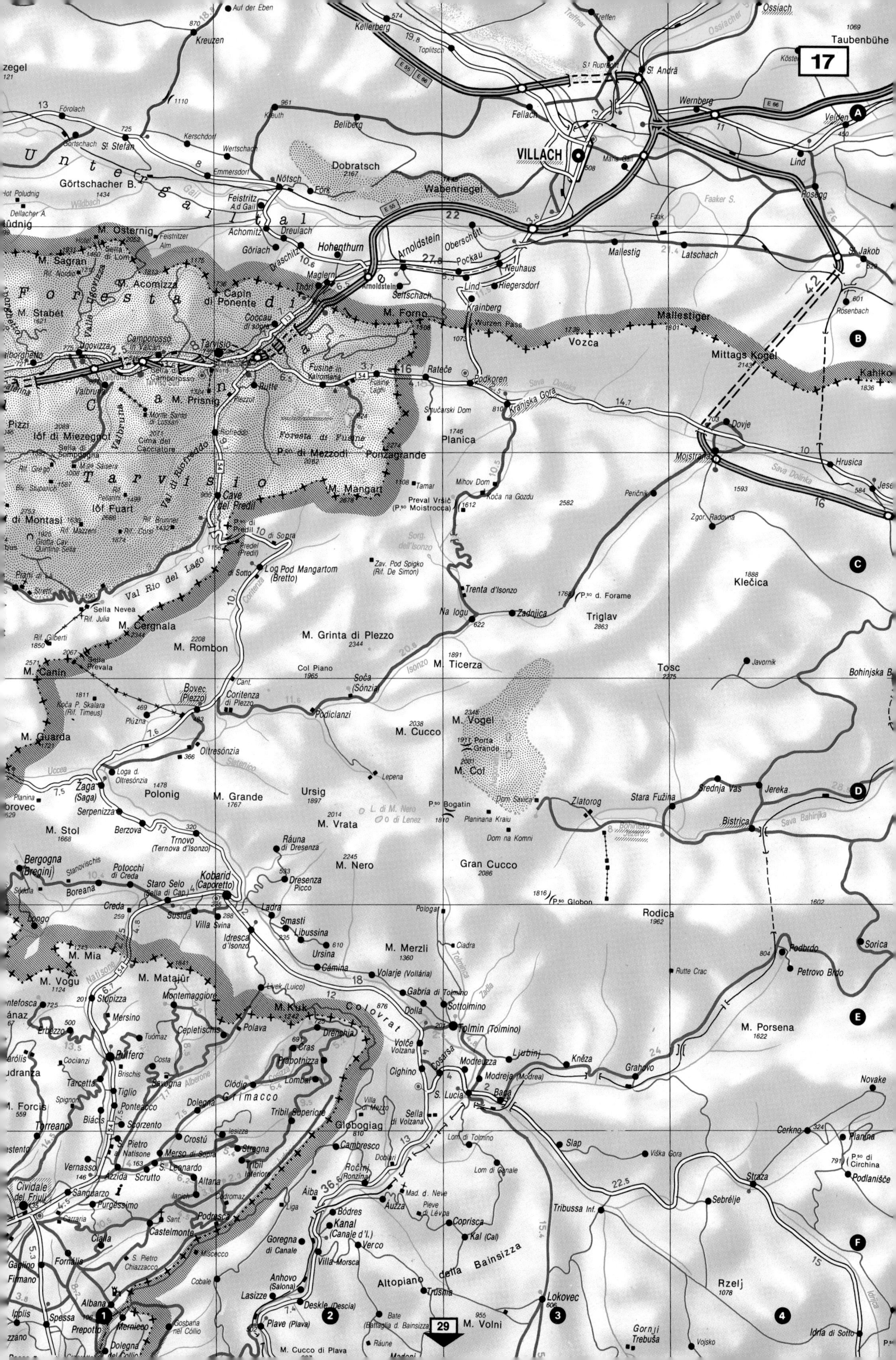
17
Auf der Eben
Kreuzen
Kellerberg
Toplitsch
Ossiach
Treffen
Taubenbühe
St. Ruprecht
St. Andrä
Förolach
Gortschach
St. Stefan
Kerschdorf
Wertschach
Kreuth
Beliberg
Fellach
Wernberg
Velden
Untergailtal
Görtschacher B.
Emmersdorf
Nötsch
Förk
Dobratsch
2167
Wabenriegel
VILLACH
Maria Gail
Lind
Rosegg
Faaker S.
Faak
Feistritz A.d Gail
Achomitz
Dreulach
Göriach
Hohenthurn
Arnoldstein
Oberschütt
Pockau
Neuhaus
Mallestig
Latschach
St. Jakob
Rosenbach
M. Osternig
Sella di Lom
M. Sagran
M. Acomizza
Foresta di Tarvisio
M. Stabet
Capin di Ponente
Maglern
Thörl
Seltschach
Lind
Riegersdorf
Krainberg
Wurzen Pass
M. Forno
Mallestiger
Vozca
Mittags Kogel
Kahiko
Coccau di sopra
Camporosso in Valcan
Ugovizza
Tarvisio
Valbruna
Sella di Camporosso
Fusine in Valromana
Rateče
Podkoren
Kranjska Gora
Sava Dolinka
Dovje
Mojstrana
Hrusica
Jesenice
a M. Prisnig
Rutte
Monte Santo di Lussari
Pizzi
Iôf di Miezegnot
Cima del Cacciatore
Foresta di Fusine
P.so di Mezzodi
Ponzagrande
Planica
Slovenski Dom
Iôf Fuart
di Montasi
Cave del Predil
M. Mangart
Tamar
Mihov Dom
Koča na Gozdu
Preval Vršič (P.so Moistrocca)
Peričnik
Zgor. Radovna
P.so di Predil
Predel (Predil)
Log Pod Mangartom (Bretto)
Zav. Pod Spigko (Rif. De Simon)
Sorg. dell'Isonzo
Klečica
Val Rio del Lago
Sella Nevea
Rif. Julia
M. Cergnala
M. Rombon
Trenta d'Isonzo
P.so d. Forame
Na logu
Zadnjica
Triglav
M. Grinta di Plezzo
M. Canin
Sella Prevala
Koča P. Skalara (Rif. Timeus)
M. Ticerza
Col Piano
Soča (Sónzia)
Tosc
Javornik
Bohinjska B
Bovec (Plezzo)
Coritenza di Plezzo
Podiclanzi
M. Cucco
M. Vogel
Porta Grande
M. Col
M. Guarda
Plužna
Oltresónzia
Lepena
Zaga (Saga)
Loga d. Oltresónzia
Polonig
M. Grande
Ursig
L. di M. Nero
P.so Bogatin
Dom Savica
Zlatorog
Stara Fužina
Srednja Vas
Jereka
Bistrica
Sava Bahinjka
Serpenizza
M. Vrata
Planinana Kraiu
Dom na Komni
M. Stol
Berzova
Trnovo (Ternova d'Isonzo)
Ráuna di Dresenza
M. Nero
Gran Cucco
Bergogna (Bregini)
Potocchi di Creda
Staro Selo (Sella di Cap.)
Kobarid (Caporetto)
Dresenza Picco
Boreana
Creda
Susida
Villa Svina
Ladra
Smasti
Libussina
Ursina
P.so Globon
Pologar
Rodica
Longo
M. Mia
M. Vogu
M. Matajûr
Idresca d'Isonzo
Cámina
M. Merzli
Volarje (Voliária)
Ciadra
Rutte Crac
Podbrdo
Petrovo Brdo
Sorica
Montemaggiore
Livek (Luico)
M. Kuk
Colovrat
Gabria di Tolmino
Sottolmino
Stupizza
Mersino
Cepletischis
Polava
Drenchia
Dolla
Tolmin (Tolmino)
M. Porsena
Erbezzo
Pulfero
Cras
Prapotnizza
Volče Volzana
Cighino
Cosarsa
Modreuzza
Ljubinj
Kneža
Grahovo
Savogna
Clódig
Lombai
Modreja (Modrea)
Baca
Novake
M. Forcis
Tarcetta
Tiglio
Ponteacco
Dolegna
Grimacco
Tribil Superiore
Villa di Mezzo
S. Lucia
Sella di Volzana
Torreano
Biácis
Scorzento
Crostú
Globogiag
Cambresco
Lom di Tolmino
Slap
Viška Gora
Cerkno
Planina
Pietro al Natisone
Merso di Sopra
Stregna
Tribil Inferiore
Dobbri
P.so di Circhina
Podlanišče
Vernasso
Azzida
Scrutto
S. Leonardo
Altana
Ročinj (Ronzina)
Lom di Canale
Cividale del Friuli
Sanguarzo
Purgessimo
Podresca
Áiba
Mad. d. Neve
Auzza
Pieve di Lévpa
Tribussa Inf.
Sebrélje
Straza
Castelmonte
Bódres
Kanal (Canale d'I.)
Coprisca
Kal (Cal)
Cialla
Goregna di Canale
Verco
Villa Morsca
Bainsizza
Gagliano
Fornális
S. Pietro Chiazzacco
Miscecco
Altopiano della Bainsizza
Cobale
Anhovo (Salona)
Trušnja
Lokovec
Rzelj
Albana
Ipplis
Spessa
Prepotto
Mernicco
Dolegna del Collio
Gosbana nel Collio
Lasizze
Deskle (Descla)
Plave (Plava)
Bate (Battaglia d. Bainsizza)
Ráune
M. Cucco di Plava
29
M. Volni
Gornji Trebuša
Vojsko
Idria di Sotto
Ioriica
A
B
C
D
E
F
1
2
3
4

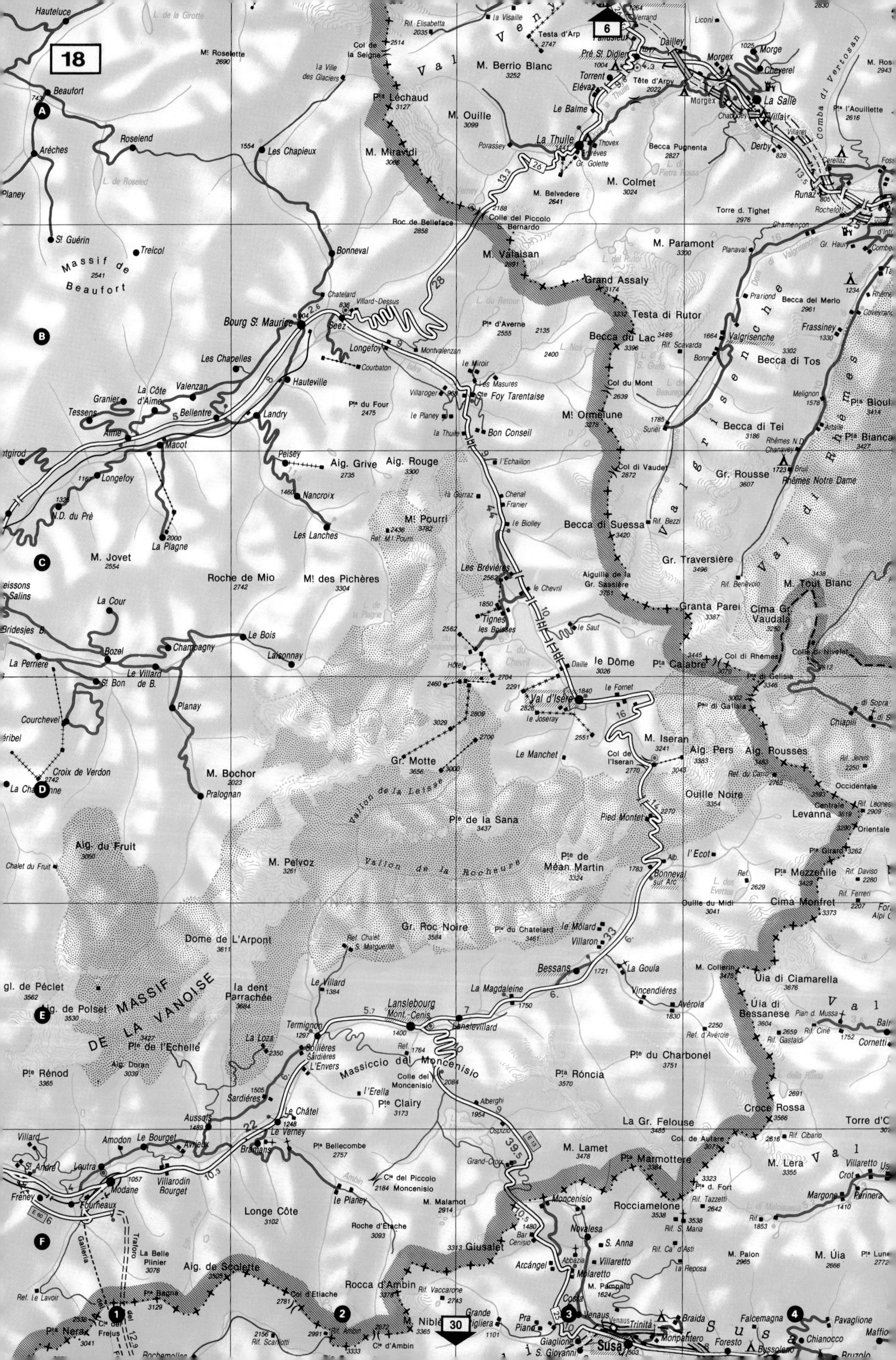

18
6
30
Hauteluce
L. de la Girotte
Mt Roselette
2690
Beaufort
743
Aréches
Roselend
L. de Roseled
Planey
St Guérin
Treicol
Massif de Beaufort
2541
1554
Les Chapieux
Col de la Seigne
2514
Rif. Elisabetta
2035
la Ville des Glaciers
Pte Léchaud
3127
M. Ouille
3099
M. Miravidi
3066
Val Veny
la Visaille
Testa d'Arp
2747
M. Berrio Blanc
3252
Pré St Didier
1004
Tête d'Arpy
2022
Torrent
Elévaz
Le Balme
La Thuile
1441
Thovex
Entrèves
Gr. Golette
Porassey
Dailley
Morgex
Morge
Cheverel
La Salle
Villair
Chabodey
Derby
828
Liconi
Becca Pugnenta
2827
L. di Pietra Rossa
M. Colmet
3024
M. Belvedere
2641
Combe di Vertosan
Pte l'Aouillette
2616
M. Ros
2943
Villaret
Cerellaz
Runaz
805
Rochefort
Torre d. Tighet
2976
Chamençon
Planaval
Gr. Haury
Combe
1234
Rhêmes
Coveyrand
2188
Colle del Piccolo S. Bernardo
Roc de Belleface
2858
M. Valaisan
2891
L. del Rutor
M. Paramont
3300
Grand Assaly
3174
Testa di Rutor
3332
Becca du Lac
3396
3486
Rif. Scavarda
L. di S. Grato
Col du Mont
2639
L. de Beauregard
Mt Ormelune
3278
1785
Surier
Valgrisenche
1664
Bonne
Becca di Tos
3302
Frassiney
1330
Prariond
Becca del Merlo
2961
Melignon
1578
Pte Blanche
3414
Becca di Tei
3186
Artalle
Pta Bianca
3427
Rhêmes N.D.
Chanavey
1723
Bruil
Rhêmes Notre Dame
Val di Rhêmes
Bonneval
Bourg St Maurice
904
Chatelard
836
Villard-Dessus
Seez
Longefoy
Montvalenzan
Courbaton
L. du Retour
Pte d'Averne
2555
2135
L. Noir
2400
Les Chapelles
La Côte d'Aime
Valenzan
Hauteville
Granier
Tessens
Aime
Bellentre
Landry
Macot
le Miroir
Les Masures
Villaroger
968
Ste Foy Tarentaise
le Planey
la Thuile
Bon Conseil
Pte du Four
2475
ntgirod
1167
Longefoy
1325
N.D. du Prè
2000
La Plagne
Peisey
Aig. Grive
2735
Aig. Rouge
3300
1460
Nancroix
Les Lanches
l'Echaillon
la Gurraz
Chenal
Franier
le Biolley
Mt Pourri
3782
2436
Ref. M. Pourri
Col di Vaudet
2872
Gr. Rousse
3607
Rif. Bezzi
Becca di Suessa
3420
Gr. Traversière
3496
Aiguille de la Gr. Sassière
3751
Rif. Benevolo
3438
M. Tout Blanc
M. Jovet
2554
Roche de Mio
2742
Mt des Pichères
3304
Les Bréviéres
2562
le Chevril
1850
Tignes
les Boisses
Granta Parei
3387
Cima Gr. Vaudala
3250
eissons
Salins
La Cour
Bridesjes B.
Le Bois
Bozel
Champagny
Laisonnay
La Perriere
St Bon
Le Villard de B.
2562
le Saut
L. du Chevril
Hôtel
2704
2291
Daille
le Dôme
3026
Pta Calabre
3445
Col di Rhêmes
Colle di Nivolet
2612
Pta di Gelisia
3346
Courchevel
Planay
2460
2826
Val d'Isère
1840
le Fornet
le Joseray
3002
Pta di Galisia
di Sopra
Chiapili
éribel
2809
3029
2700
Le Manchet
2551
M. Iseran
3241
Col de l'Iseran
2770
Aig. Pers
3383
3043
Aig. Rousses
3483
Rif. Jervis
2250
Croix de Verdon
2742
La Chamonne
M. Bochor
2023
Pralognan
Gr. Motte
3656
3000
Vallon de la Leisse
Ref. du Carro
2765
Ouille Noire
3354
Occidentale
3593
Centrale
3619
Rif. Leonesi
2909
Levanna
3290
Orientale
Aig. du Fruit
3050
Chalet du Fruit
M. Pelvoz
3261
Pte de la Sana
3437
Vallon de la Rocheure
Pied Montet
2270
Pte de Méan Martin
3324
1783
Alb.
Bonneval sur Arc
l'Ecot
L. des Evettes
Ref.
2629
Pte Girard
3262
Pta Mezzenile
3429
Rif. Daviso
2280
Rif. Ferreri
Ouille du Midi
3041
2207
Cima Monfret
3373
Dome de L'Arpont
3611
Gr. Roc Noire
3584
Pte du Chatelard
3461
le Mólard
Villaron
Ref. Chalet S. Marguerite
Bessans
1721
La Goula
M. Collerin
3475
Uia di Ciamarella
3676
gl. de Péclet
3562
MASSIF DE LA VANOISE
la dent Parrachée
3684
Le Villard
1384
La Magdaleine
1750
Vincendiéres
Avérola
1830
Úia di Bessanese
3604
Pian d. Mussa
Val
Aig. de Polset
3530
Termignon
1297
Lanslebourg Mont-Cenis
1400
Lanslevillard
Rif. Cirié
1752
2659
Rif. Gastaldi
Cornetti
2250
Ref. d'Avérole
Pte de l'Echelle
3427
Aig. Doran
3039
La Loza
2350
Sollières
Sardières
L'Envers
Ref.
1764
Massiccio del Moncenisio
Colle del Moncenisio
2084
Pte du Charbonel
3751
Pta Róncia
3570
Pte Rénod
3365
Sardières
1505
l'Erella
Pte Clairy
3173
Alberghi
1954
2691
Croce Rossa
3566
Torre d'C
Aussois
1489
Le Châtel
1248
Le Verney
Ospizio
La Gr. Felouse
3485
Villard
St André
Amodon
Le Bourget
Avrieux
Bramans
Pta Bellecombe
2757
Grand-Croix
M. Lamet
3478
Col. de Autare
3071
2616
Rif. Cibario
M. Lera
3355
Villaretto
Crot
Loutra
Modane
1057
Villarodin Bourget
Freney
Fourneaux
E 60
Col del Piccolo Moncenisio
2184
le Planey
M. Malamot
2914
Pta Marmottere
3384
3323
Pta d. Fort
Rif. Tazzetti
2642
Margone
1410
Perinera
Rif.
1853
Longe Côte
3102
Roche d'Etache
3093
Moncenisio
1480
Bar Cenisio
Novalesa
S. Anna
Rocciamelone
3538
Rif. S. Maria
Rif. Ca' d'Asti
Galleria
Traforo
La Belle Plinier
3076
3313
Giusalet
Arcángel
Abbazia
Villaretto
la Reposa
M. Palon
2965
M. Úia
2666
Pta Lune
2772
Aig. de Scolette
3505
Molaretto
M. Pampalù
1624
Ref. le Lavoir
Pta Bagna
3129
Col d'Etiache
2781
Rocca d'Ambin
3378
Rif. Vaccarone
2743
Costa
Venaus
Trinità
Braida
Falcemagna
Pavaglione
Maffio
Pta Nerax
3041
Cle del Frejus
2536
2156
Rif. Scarfiotti
2991
Rif. Ambin
2872
M. Niblé
3365
Cle d'Ambin
3333
Grande Uligliera
1101
Pra Piano
Giaglione
S. Giovanni
Susa
503
Monpantero
Foresto
Bussoleno
Chianocco
Bruzolo
Rochemolles
Susa

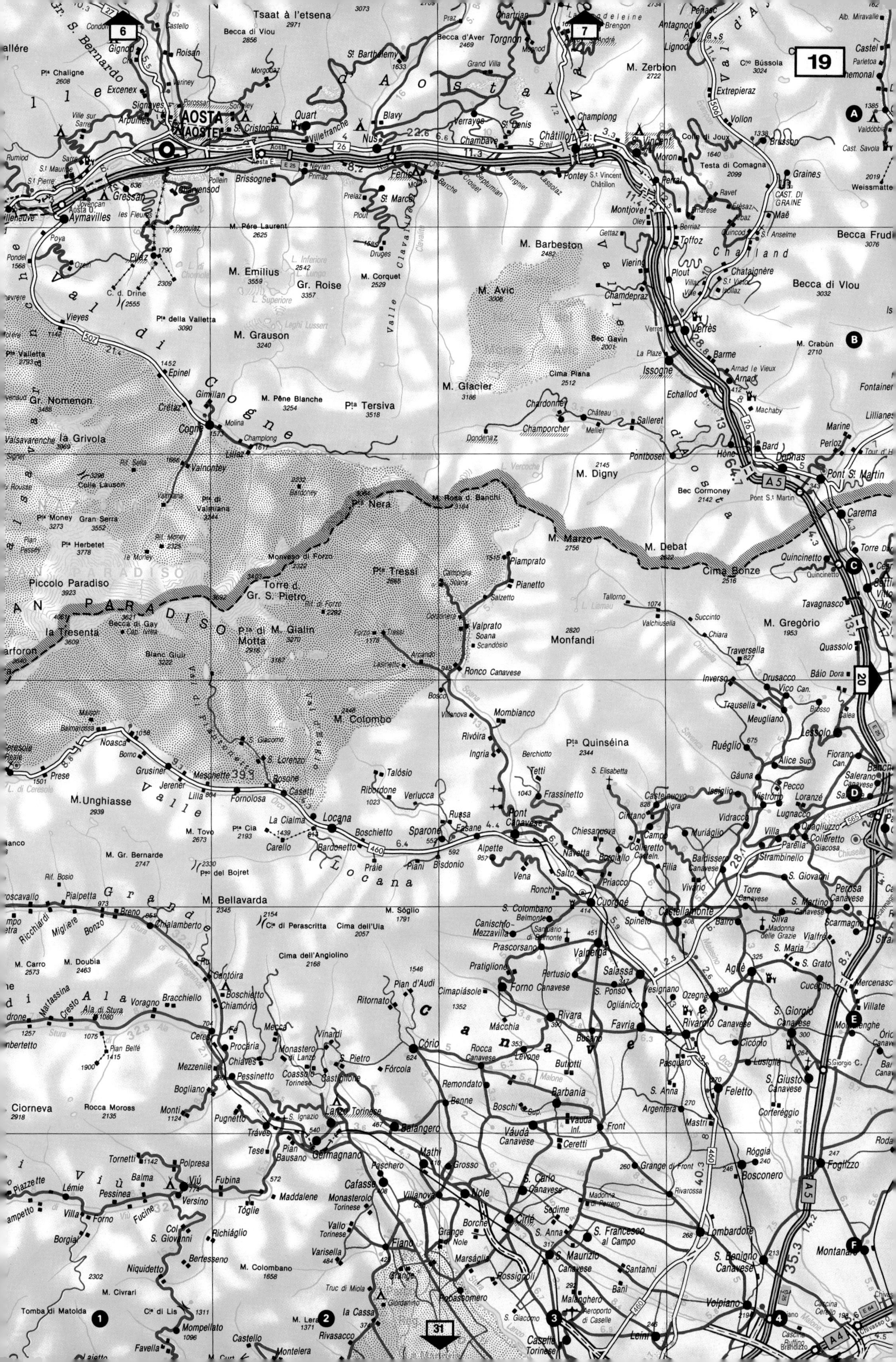
19
AOSTA
AOSTE
Valle d'Aosta
Val di Cogne
Gran Paradiso
Valle Locana
Valle Grande
Val di Ala
Val di Viù
Canavese
Courmayeur
Gr. S. Bernardo
Châtillon
St. Vincent
Verrès
Issogne
Pont St. Martin
Cogne
M. Emilius
Gr. Roise
M. Grauson
M. Glacier
M. Avic
M. Barbeston
M. Zerbion
Piccolo Paradiso
la Tresenta
la Grivola
Gr. Nomenon
Pta Tersiva
Pta Tressi
Pta Nera
M. Colombo
M. Marzo
M. Debat
Cima Bonze
M. Digny
Monfandi
M. Gregòrio
Pont Canavese
Cuorgnè
Castellamonte
Rivarolo Canavese
Lanzo Torinese
Locana
Sparone
Ivrea
Caselle Torinese
S. Maurizio Canavese
Ciriè
Volpiano
Chivasso
A5
A4
6
7
20
31
A
B
C
D
E
F
1
2
3
4

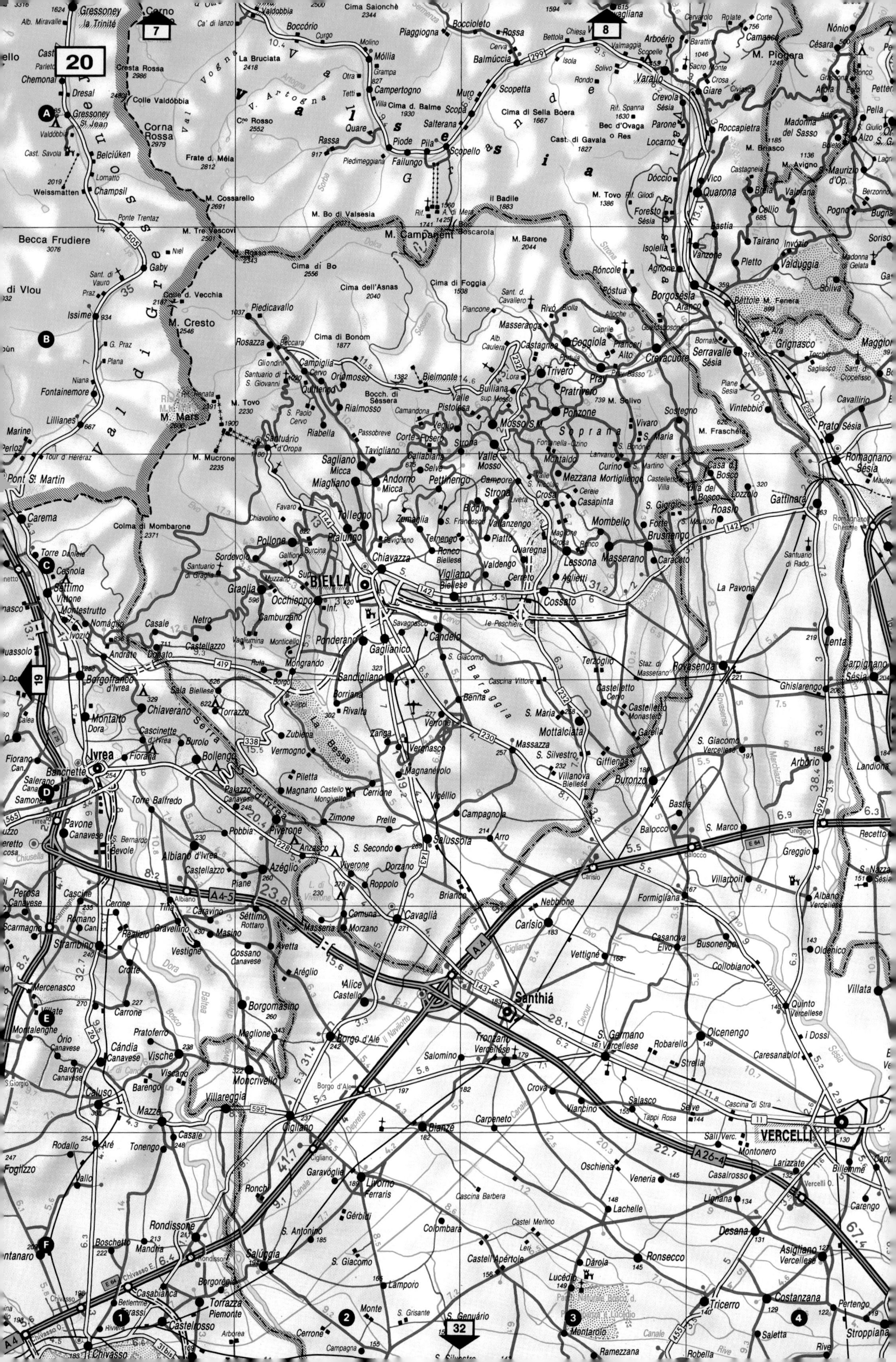

20
7
8
19
32
A
B
C
D
E
F
1
2
3
4
Gressoney la Trinité
Gressoney St. Jean
Cresta Rossa
Colle Valdóbbia
Corna Rossa
Frate d. Méla
Belciúken
Champsil
Weissmatten
Valdóbbia
Becca Frudiere
Gaby
Issime
Fontainemore
Lillianes
Pont St. Martin
Carema
Cima Saionchè
Boccório
Piaggiogna
Boccioleto
Rossa
Balmúccia
Móllia
Campertogno
Cima d. Balme
Quare
Rassa
Piode
Pila
Scopello
Failungo
Scopetta
Cima di Sella Boera
Bec d'Ovaga o Res
Cast. di Gavala
Varallo
Arboério
Camasco
Nónio
Césara
M. Pioggera
Crevola Sésia
Parone
Locarno
Roccapietra
Quarona
Dóccio
Vico
Foresto Sésia
Isolella
Agnona
Borgosésia
Aranco
Valduggia
Bettole
M. Fenera
Serravalle Sésia
Grignasco
Crevacuore
Coggiola
Trivero
Pray
Pratrivero
Ponzone
M. Solivo
Sostegno
Vintebbio
M. Fraschéia
Prato Sésia
Romagnano Sésia
Gattinara
M. Campanent
M. Barone
Cima di Bo
Cima dell'Asnas
Cima di Foggia
Cima di Bonom
M. Cresto
Piedicavallo
Rosazza
Campiglia Cervo
Oriomosso
Quittengo
Bielmonte
Bocch. di Séssera
Rialmosso
Riabella
M. Tovo
M. Mars
M. Mucrone
Santuário d'Oropa
Mosso S.M.
Valle Mosso
Sagliano Micca
Miagliano
Andorno Micca
Pettinengo
Tavigliano
Strona
Mezzana Mortigliengo
Casapinta
Crosa
Mombello
Roasio
Brusnengo
Masserano
Lessona
Cossato
Quaregna
Valdengo
Vigliano Biellese
Chiavazza
Tollegno
Pralungo
Pollone
Sordevolo
Graglia
Occhieppo
BIELLA
Ponderano
Gaglianico
Candelo
Sandigliano
Mongrando
Netro
Castellazzo
Donato
Andrate
Borgofranco d'Ivrea
Montalto Dora
Chiaverano
Colma di Mombarone
Settimo Vittone
Carema
Ivrea
Banchette
Salerano
Samone
Fiorano
Pavone Canavese
Bollengo
Burolo
Palazzo Canavese
Piverone
Azéglio
Viverone
Roppolo
Cavaglià
Salussola
Dorzano
Zimone
Cerrione
Magnano
Vergnasco
Magnanévolo
Vigéllio
Benna
Verrone
Massazza
Mottalciata
Villanova Biellese
Gifflenga
Buronzo
Castelletto Cervo
Rovasenda
Lenta
Ghislarengo
Arborio
Landiona
Carpignano Sésia
S. Giacomo Vercellese
Balocco
S. Marco
Greggio
Recetto
Villarboit
Albano Vercellese
Formigliana
Casanova Elvo
Busonengo
Collobiano
Oldenico
Villata
Quinto Vercellese
Carisio
Nebbione
Vettigné
Santhiá
S. Germano Vercellese
Olcenengo
Tronzano Vercellese
Salomino
Crova
Viancino
Salasco
Selve
VERCELLI
Montonero
Larizzate
Billemme
Caresanablot
Casalrosso
Lignana
Desana
Asigliano Vercellese
Costanzana
Tricerro
Pertengo
Stroppiana
Ronsecco
Lachelle
Oschiena
Veneria
Dárola
Lucédio
Montarolo
Castell'Apértole
Colombara
Livorno Ferraris
Bianzè
Carpeneto
Cigliano
Borgo d'Ale
Alice Castello
Moncrivello
Villareggia
Borgomasino
Maglione
Vische
Cándia Canavese
Caluso
Mazzè
Orio Canavese
Barone Canavese
Strambino
Scarmagno
Mercenasco
Vestigne
Cossano Canavese
Masino
Caravino
Settimo Rottaro
Albiano d'Ivrea
Tina
Areglio
Rondissone
Mandria
Boschetto
Chivasso
Casabianca
Torrazza Piemonte
Castelrosso
Saluggia
S. Antonino
S. Giacomo
Lamporo
S. Genuário
Monte
Cerrone
Foglizzo
Rodallo
Vallo
Aré
Tonengo
Casale
Crotte
Carrone
Montalenghe
A4
A4-5
A26-4
E 64
299
142
143
230
232
338
419
228
594
595
505
11
26
565
144

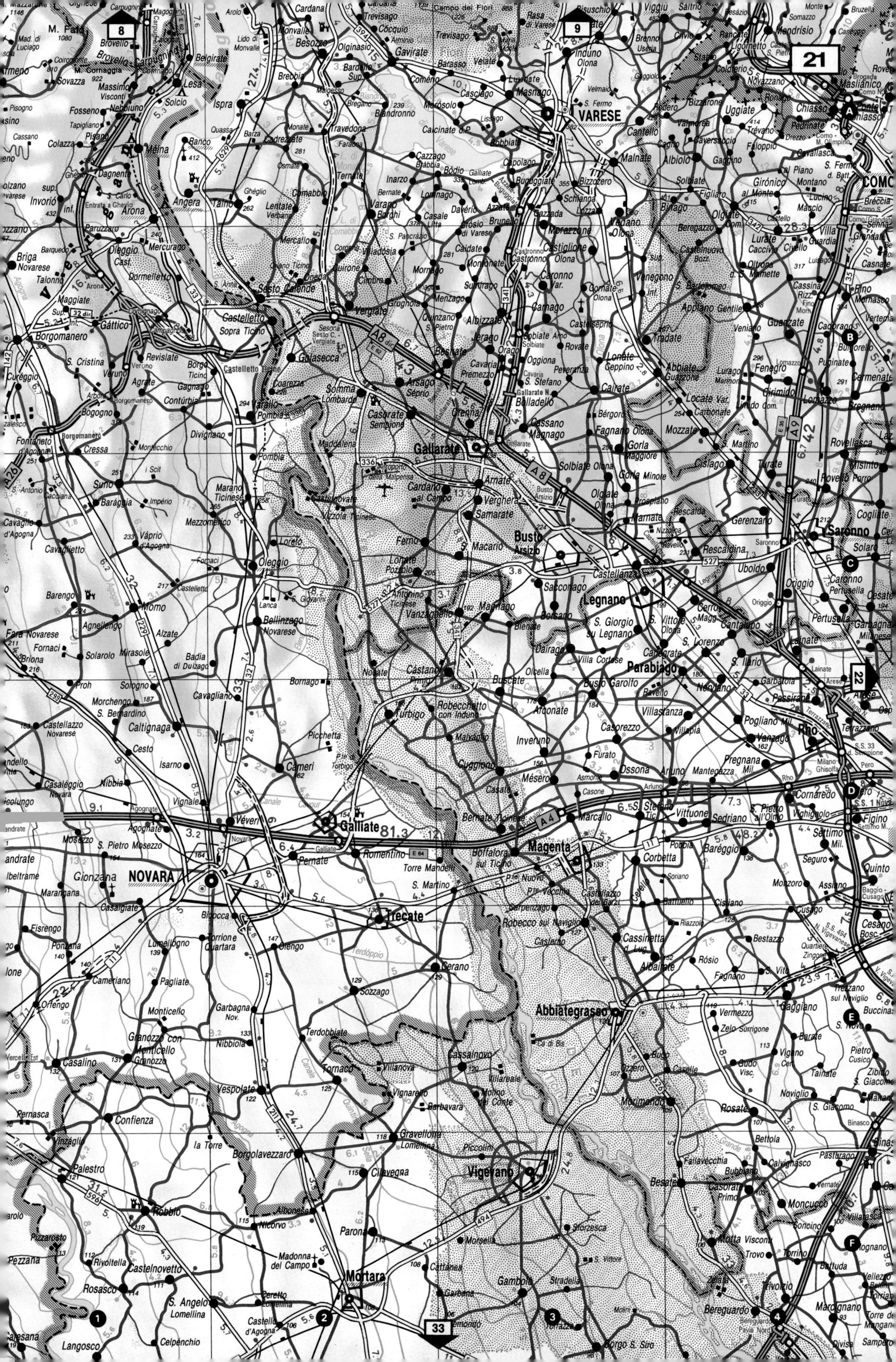

8
9
21
22
33
VARESE
COMO
Gallarate
Busto Arsizio
Legnano
Saronno
Rho
Parabiago
Magenta
Abbiategrasso
NOVARA
Trecate
Galliate
Vigevano
Mortara
Sesto Calende
Arona
Angera
Ispra
Lesa
Belgirate
Meina
Borgomanero
Oleggio
Momo
Cameri
Castano Primo
Turbigo
Cuggiono
Inveruno
Corbetta
Sedriano
Vittuone
Cornaredo
Settimo Mil.
Tradate
Mozzate
Lomazzo
Cislago
Appiano Gentile
Olgiate Com.
Chiasso
Mendrisio
Vergiate
Somma Lombardo
Cardano al Campo
Samarate
Castellanza
Nerviano
Lainate
Garbagnate Milanese
Vespolate
Borgolavezzaro
Robbio
Palestro
Confienza
Casalino
Cilavegna
Gambolò
Rosate
Motta Visconti
Bereguardo
Binasco
Gaggiano
Trezzano sul Naviglio
Cesano Bosc.
Cassano Magnago
Fagnano Olona
Gorla Maggiore
Solbiate Olona
Olgiate Olona
Marnate
Rescaldina
Cerro Magg.
Canegrate
S. Vittore Olona
S. Giorgio su Legnano
Dairago
Buscate
Arconate
Robecchetto con Induno
Bernate Ticinese
Boffalora sul Ticino
Marcallo
Mesero
Ossona
Arluno
Pregnana Mil.
Vanzago
Pogliano Mil.
Cassinetta di Lug.
Albairate
Robecco sul Naviglio
Cerano
Sozzago
Terdobbiate
Tornaco
Gravellona Lomellina
Cassolnovo
Morimondo
Besate
Zelata
A8
A4
A9
A26
E 62
E 64

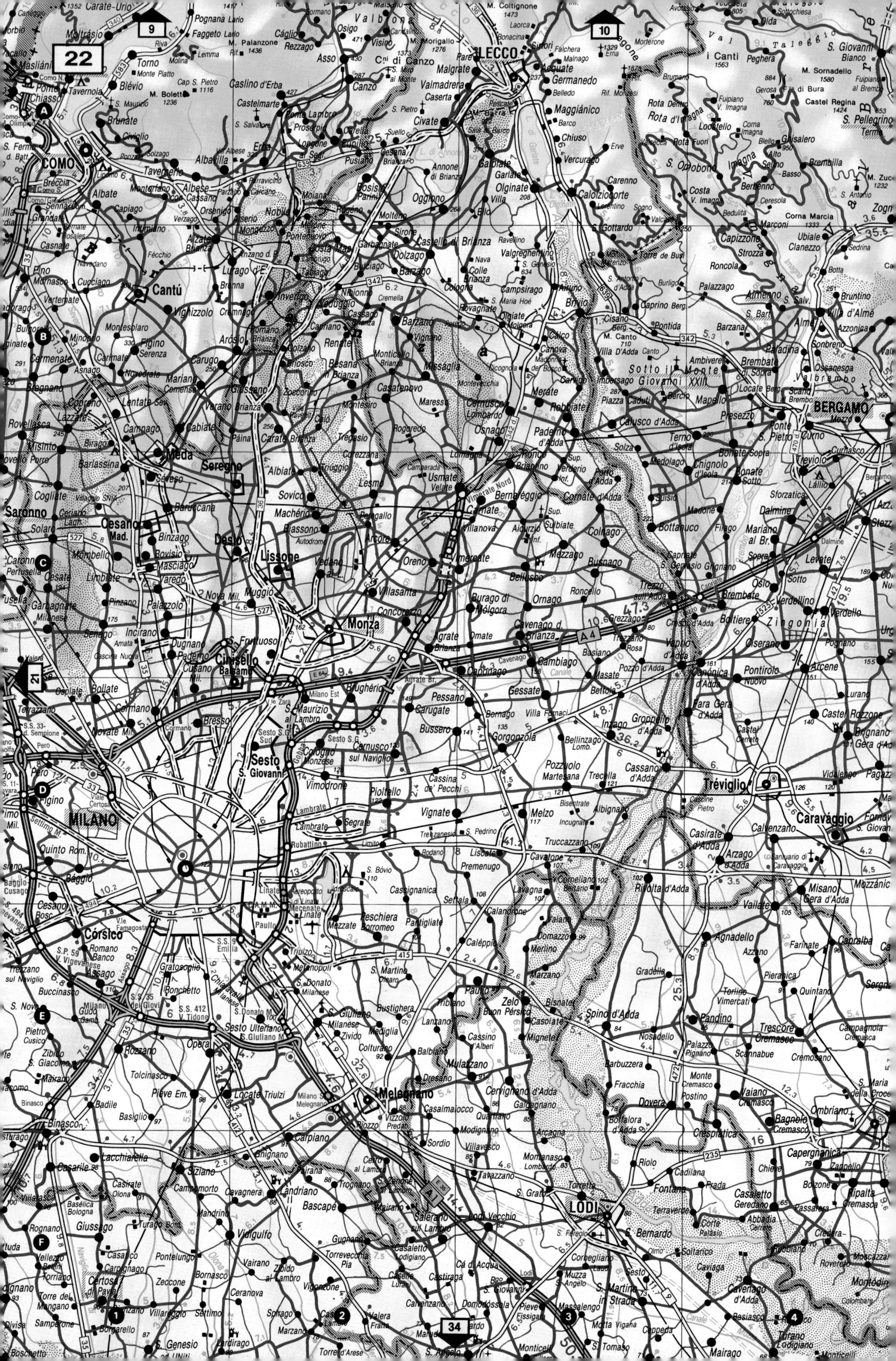

22
9
10
21
34
COMO
LECCO
BERGAMO
MILANO
LODI
Monza
Cantú
Seregno
Desio
Lissone
Meda
Saronno
Cesano Mad.
Cinisello Balsamo
Sesto S. Giovanni
Treviglio
Caravággio
Melegnano
Còrsico
Erba
Asso
Canzo
Valmadrera
Malgrate
Civate
Galbiate
Olginate
Calolziocorte
Merate
Brivio
Oggiono
Casatenovo
Vimercate
Arcore
Usmate Velate
Carnate
Bernaréggio
Trezzo sull'Adda
Vaprio d'Adda
Cassano d'Adda
Gorgonzola
Pioltello
Melzo
Vignate
Segrate
Brughério
Cologno Monzese
Cernusco sul Naviglio
Cusano Mil.
Paderno
Bollate
Novate Mil.
Cormano
Bresso
Rho
Pero
Figino
Settimo Mil.
Baggio
Quinto Rom.
Cesano Bosc.
Buccinasco
Assago
Rozzano
Opera
Locate Triulzi
Pieve Em.
Basiglio
Binasco
Lacchiarella
Siziano
Landriano
Carpiano
Vizzolo Predabissi
San Donato Milanese
S. Giuliano Milanese
Peschiera Borromeo
Linate
Paullo
Mulazzano
Zelo Buon Pérsico
Spino d'Adda
Rivolta d'Adda
Pandino
Agnadello
Vailate
Misano Gera d'Adda
Casirate d'Adda
Arzago d'Adda
Calvenzano
Brignano Gera d'Adda
Pontirolo Nuovo
Canonica d'Adda
Fara Gera d'Adda
Arcene
Ciserano
Verdellino
Zingonia
Boltiere
Osio Sotto
Levate
Dalmine
Treviolo
Curno
Ponte S. Pietro
Terno d'Isola
Chignolo d'Isola
Bonate Sotto
Brembate
Capriate S. Gervasio
Calusco d'Adda
Sotto il Monte Giovanni XXIII
Mapello
Presezzo
Almè
Villa d'Almè
Brembate di Sopra
Paladina
S. Pellegrino Terme
S. Omobono
Costa V. Imagna
Capizzone
Strozza
Almenno S. Salv.
Caprino Berg.
Cisano Berg.
Pontida
Olgiate Molgora
Missaglia
Besana in Brianza
Renate
Carate Brianza
Giussano
Mariano Comense
Cabiate
Lentate Sev.
Barlassina
Cogliate
Limbiate
Paderno
Muggiò
Nova Mil.
Varedo
Bovisio Masciago
Seveso
Garbagnate Milanese
Senago
Cesate
Caronno Pertusella
Solaro
Lazzate
Rovellasca
Fino Mornasco
Cermenate
Albate
Tavernola
Cernobbio
Blévio
Torno
Brunate
Albavilla
Alzate Brianza
Inverigo
Lurago d'Erba
Arosio
Carugo
Vighizzolo
Figino Serenza
Capiago
Montorfano
Albese con Cassano
Orsenigo
Alserio
Ponte Lambro
Proserpio
Pusiano
Bosisio Parini
Castello di Brianza
Dolzago
Barzago
Barzanò
Cremella
Casatenovo
Lesmo
Biassono
Vedano
Villasanta
Concorezzo
Agrate Brianza
Caponago
Cambiago
Cavenago di Brianza
Ornago
Bellusco
Mezzago
Busnago
Cornate d'Adda
Colnago
Paderno d'Adda
Robbiate
Osnago
Cernusco Lombardo
Lomagna
Pozzo d'Adda
Inzago
Gessate
Bussero
Pessano
Carugate
Truccazzano
Cavaione
Comazzo
Merlino
Casalpusterlengo
Lodi Vecchio
Salerano sul Lambro
Sant'Angelo
Borghetto
Tavazzano
Montanaso Lombardo
Galgagnano
Cervignano d'Adda
Boffalora d'Adda
Dovera
Crespiatica
Chieve
Capergnanica
Bagnolo Cremasco
Vaiano Cremasco
Palazzo Pignano
Trescore Cremasco
Crema
Ripalta Cremasca
Casaletto Ceredano
Abbadia Cerreto
Corte Palasio
Cavenago d'Adda
Turano Lodigiano
Mairago
S. Martino in Strada
Massalengo
Pieve Fissiraga
Cornegliano Laudense
S. Bernardo
Certosa di Pavia
Giussago
Rognano
Villanterio
Vidigulfo
Bascapè
Torrevecchia Pia
Vigonzone
Valera Fratta
Marzano
Borgarello
S. Genesio
Casarile
A4
A1

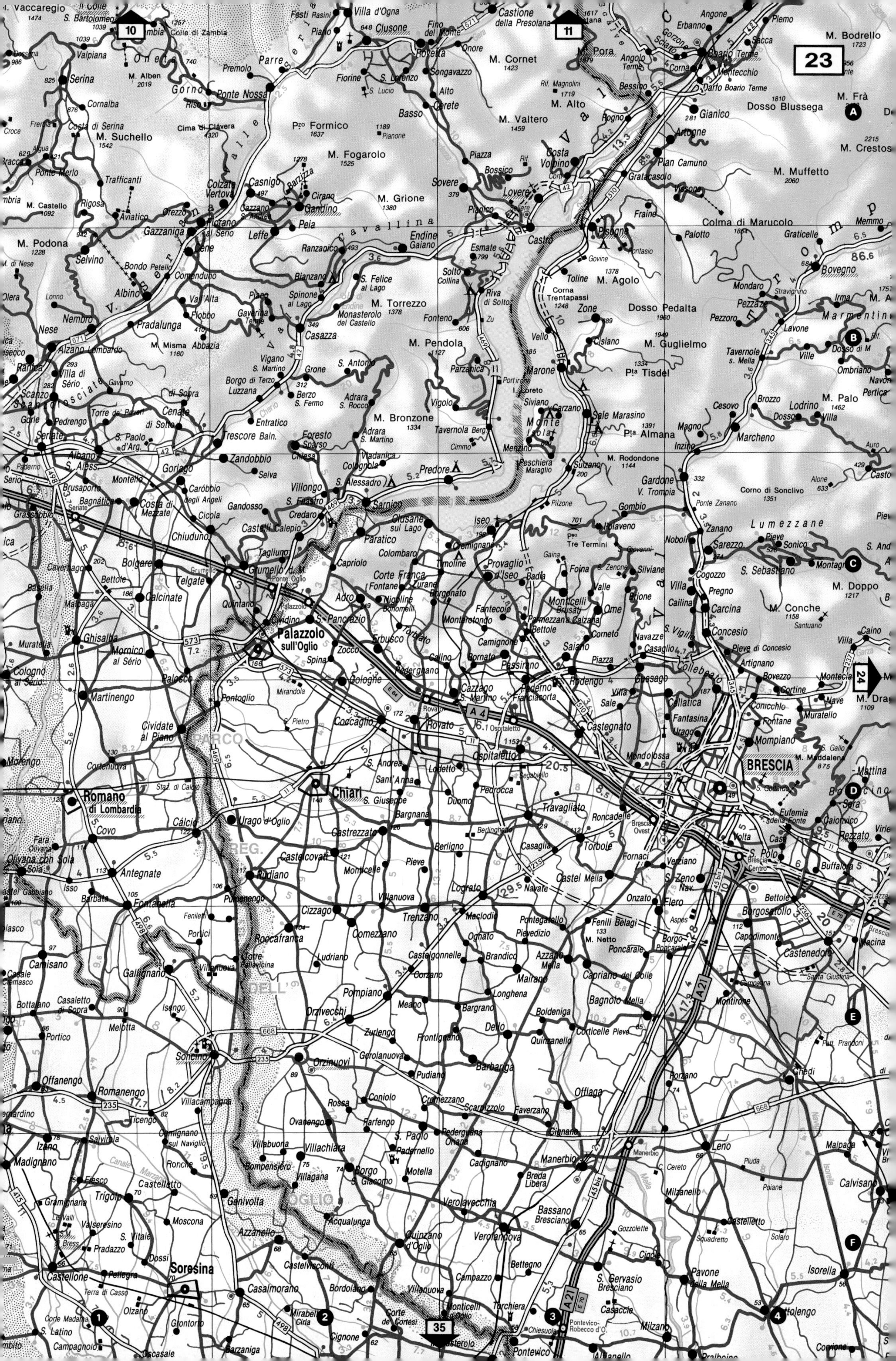
10
11
M. Bodrello
Boario Terme
Montecchio
Darfo Boario Terme
Clusone
Castione della Presolana
Villa d'Ogna
M. Pora
M. Cornet
Rovetta
Onore
Songavazzo
Serina
M. Alben
Gorno
Ponte Nossa
Parre
Premolo
Cerete
Basso
M. Alto
M. Valtero
Gianico
Artogne
Dosso Blussega
M. Frà
M. Crestoso
Pian Camuno
Gratacasolo
M. Muffetto
Cornalba
Costa di Serina
M. Suchello
Cima di Clàvera
Pzo Formico
M. Fogarolo
Costa Volpino
Lovere
Sovere
Bossico
Casnigo
Colzate
Vertova
Gandino
Cirano
Barzizza
M. Grione
Piario
Pisogne
Fraine
Colma di Marucolo
Palotto
Graticelle
Trafficanti
Aviatico
Rigosa
M. Castello
Ponte Merlo
Gazzaniga
Fiorano al Serio
Cene
Leffe
Peia
Endine Gaiano
Ranzanico
Castro
Esmate
Solto Collina
Riva di Solto
Bianzano
Spinone al Lago
S. Felice al Lago
M. Torrezzo
Monasterolo del Castello
Toline
M. Agolo
Corna Trentapassi
Zone
Dosso Pedalta
Bovegno
Pezzaze
Mondaro
Pezzoro
Irma
Marmentino
Lavone
Tavernole s. Mella
M. Podona
Selvino
Albino
Bondo Petello
Comenduno
Val'Alta
Nembro
Pradalunga
Abbazia
M. Misma
Casazza
Fonteno
Vello
Cislano
M. Guglielmo
M. Pendola
Parzanica
Marone
Pta Tisdel
Ombriano
M. Palo
Alzano Lombardo
Villa di Sério
Ranica
Scanzo
Gorle
Pedrengo
Torre de' Roveri
Cenate di Sotto
Trescore Baln.
Entratico
Borgo di Terzo
Luzzana
Vigano S. Martino
Grone
Berzo S. Fermo
Adrara S. Rocco
S. Antonio
M. Bronzone
Adrara S. Martino
Vigolo
Tavernola Berg.
Monte Isola
Siviano
Carzano
Sale Marasino
Pta Almana
Cesovo
Brozzo
Lodrino
Marcheno
Magno
Inzino
Seriate
Albano S. Aless.
Brusaporto
Bagnatica
Costa di Mezzate
Montello
Gorlago
Zandobbio
Selva
Foresto Sparso
Chiesa
Viadanica
Villongo
Credaro
Sarnico
Predore
Peschiera Maraglio
Sulzano
M. Rodondone
Gardone V. Trompia
Corno di Sonclivo
Grassobbio
Carobbio degli Angeli
Gandosso
Castelli Calepio
Paratico
Clusane sul Lago
Iseo
Pilzone
Polaveno
Gombio
Lumezzane
Sarezzo
Pieve
Sonico
S. Sebastiano
M. Doppo
Chiuduno
Bolgare
Telgate
Tagliuno
Grumello d. M.
Capriolo
Colombaro
Clevegnano
Provaglio d'Iseo
Timoline
Corte Franca
Nigoline
Borgonato
Fantecolo
Monticelli Brusati
Ome
Brione
Villa
Cailina
Carcina
Concesio
M. Conche
Calcinate
Palazzolo sull'Oglio
Cividino
S. Pancrazio
Adro
Erbusco
Zocco
Bettole
Camignone
Passirano
Paderno Franciacorta
Saiano
Rodengo
Gussago
Collebeato
Cellatica
Ghisalba
Mornico al Sério
Palosco
Cologno al Sério
Martinengo
Cividate al Piano
Pontoglio
Cologne
Coccaglio
Rovato
Cazzago S. Martino
Ospitaletto
Castegnato
Mompiano
BRESCIA
Cortenuova
Romano di Lombardia
Chiari
S. Giuseppe
Bargnana
Lodetto
Duomo
Pedrocca
Travagliato
Roncadelle
Urago d'Oglio
Castrezzato
Berligno
Casaglia
Torbole
S. Eufemia
Rezzato
Covo
Antegnate
Fornovo
Calcio
Rudiano
Castelcovati
Pieve
Lograto
Castel Mella
Fornaci
Verziano
S. Zeno Nav.
S. Polo
Buffalora
Fontanella
Pumenengo
Cizzago
Trenzano
Maclodio
Onzato
Flero
Borgosatollo
Villanuova
Comezzano
Roccafranca
Castelgonnelle
Brandico
Azzano Mella
Capriano del Colle
Poncarale
Capodimonte
Castenedolo
Camisano
Gallignano
Ludriano
Corzano
Mairano
Bagnolo Mella
Montirone
Pompiano
Orzivecchi
Meano
Longhena
Bargnano
Dello
Boldeniga
Quinzanello
Corticelle Pieve
Soncino
Orzinuovi
Gerolanuova
Frontignano
Barbariga
Offlaga
Ghedi
Offanengo
Romanengo
Coniolo
Pudiano
Cremezzano
Scarpizzolo
Faverzano
Porzano
Villacampagna
Ticengo
Rossa
Ovanengo
Farfengo
S. Paolo
Pederganga
Cignano
Leno
Malpaga
Calvisano
Izano
Madignano
Salvirola
Villabuona
Villachiara
Bompensiero
Villagana
Borgo S. Giacomo
Motella
Cadignano
Manerbio
Breda Libera
Milzanello
Trigolo
Castelletto
Genivolta
Azzanello
Acqualunga
Verolavecchia
Verolanuova
Bassano Bresciano
Castelletto
Soresina
Castellone
Casalmorano
Castelvisconti
Quinzano d'Oglio
Bettegno
Cigole
Pavone del Mella
Isorella
S. Gervasio Bresciano
Campazzo
Bordolano
Villanuova
Monticelli d'Oglio
Torchiera
Casaccia
Milzano
Gottolengo
Pontevico
Cignone
Corte de' Cortesi
Mirabello Ciria
35
24

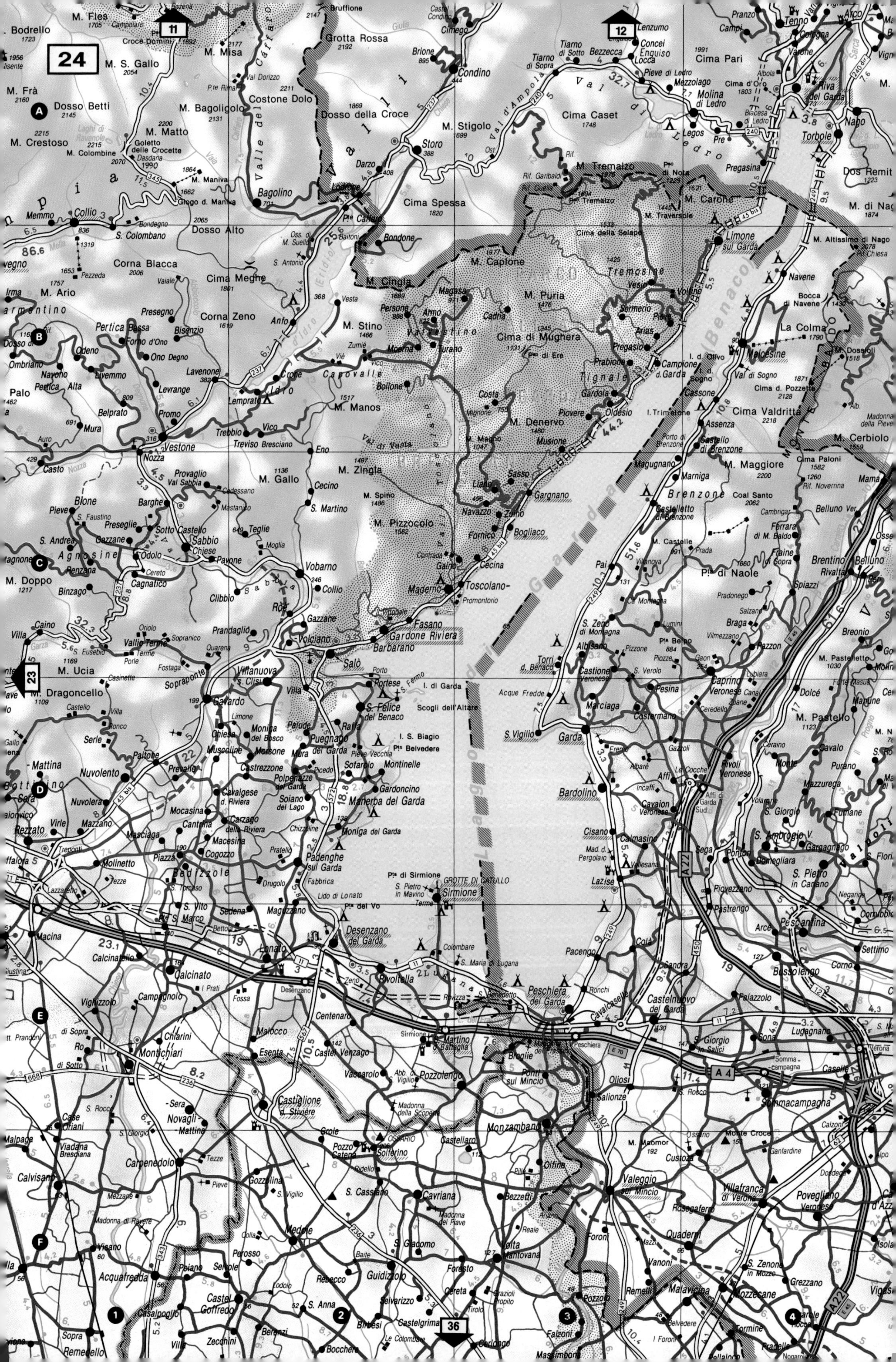

24
11
12
23
36
A
B
C
D
E
F
1
2
3
4
Bodrello
M. Fles
M. Misa
Grotta Rossa
M. S. Gallo
Croce Domini
Bruffione
Condino
Cimego
Brione
Lenzumo
Concei
Enguiso
Locca
Tiarno di Sotto
Tiarno di Sopra
Bezzecca
Pieve di Ledro
Mezzolago
Molina di Ledro
Cima Pari
Tenno
Arco
Riva del Garda
Nago
Torbole
Val di Ledro
M. Frà
Dosso Betti
M. Bagoligolo
Costone Dolo
Dosso della Croce
M. Stigolo
Cima Caset
Val d'Ampola
Storo
Darzo
M. Crestoso
M. Matto
M. Colombine
Goletto delle Crocette
Dasdana
M. Maniva
Giogo d. Maniva
Valle del Caffaro
Bagolino
Lodrone
Cima Spessa
M. Tremalzo
Rif. Garibaldi
Pso di Nota
M. Carone
M. Traversole
Pregasina
Dos Remit
M. di Nago
Collio
Memmo
S. Colombano
Dosso Alto
Bondone
Baitoni
Cima della Selapa
Limone sul Garda
M. Altissimo di Nago
Corna Blacca
Cima Meghe
M. Caplone
Tremosine
Pezzeda
M. Ario
M. Cingla
Magasa
M. Puria
Vesio
Voltino
Navene
Bocca di Navene
Presegno
Corna Zeno
Anfo
Vesta
Persone
Armo
Cadria
Valvestino
Sermerio
Piovere
Arias
Pertica Bassa
Forno d'Ono
Bisenzio
M. Stino
Cima di Mughera
Pregasio
La Colma
Malcesine
Odeno
Ombriano
Navono
Pertica Alta
Livemmo
Ono Degno
Lavenone
Levrange
Moerna
Turano
Prabione
Campione d. Garda
Tignale
Gardola
Oldesio
Val di Sogno
Cima d. Pozzette
Cima Valdritta
Palo
Belprato
Mura
Promo
Lemprato
Idro
Crone
Capovalle
Bollone
Costa
M. Manos
M. Denervo
Assenza
Castello di Brenzone
M. Cerbiolo
Vestone
Nozza
Trebbio
Vico
Treviso Bresciano
Eno
Val di Vesta
M. Magno
Musione
Porto di Brenzone
Magugnano
Marniga
M. Maggiore
Cima Paloni
Casto
Provaglio Val Sabbia
M. Gallo
M. Zingla
Liano
Sasso
Gargnano
Brenzone
Coal Santo
Mama
Pieve
Barghe
Cecino
M. Spino
Navazzo
Zuino
Bogliaco
Castelletto di Brenzone
Belluno Ver.
Sotto Castello
Preseglie
S. Martino
M. Pizzocolo
Fornico
Ferrara di M. Baldo
Sabbio Chiese
Teglie
S. Andrea
Gazzane
Agnosine
Odolo
Pavone
Vobarno
Gaino
Cecina
M. Castelle
Fraine di Sopra
Brentino
Belluno
Rivalta
M. Doppo
Renzana
Cagnatico
Collio
Maderno
Toscolano-Maderno
Pai
Pta di Naole
Binzago
Clibbio
Promontorio
Spiazzi
Caino
Villa
Roè
Gazzane
Prandaglio
Fasano
Gardone Riviera
Barbarano
S. Zeno di Montagna
Braga
Breonio
Vallio Terme
Volciano
Albisano
Pta Belpo
Pazzon
Sopraponte
Salò
Torri d. Benaco
Castione Veronese
Caprino Veronese
M. Pastelletto
M. Ucia
Villanuova s. Clisi
Portese
I. di Garda
Scogli dell'Altare
Acque Fredde
Pesina
M. Dragoncello
Gavardo
Villa
S. Felice del Benaco
Marciaga
Costermano
Dolcè
Serle
Chiesa
Monina del Bosco
Raffa
Puegnago del Garda
I. S. Biagio
Pta Belvedere
S. Vigilio
Garda
M. Pastello
Mattina
Nuvolento
Paitone
Prevalle
Muscoline
Morsone
Castrezzone
Polpenazze del Garda
Sotarolo
Montinelle
Rivoli Veronese
Cavalo
Nuvolera
Cavalgese d. Riviera
Soiano del Lago
Gardoncino
Manerba del Garda
Bardolino
Affi
Cavaion Veronese
Mazzurega
Rezzato
Virle
Mazzano
Mocasina
Carzago della Riviera
Moniga del Garda
Cisano
Calmasino
S. Giorgio
Fumane
Masciaga
Cantrina
Macesina
Cogozzo
Padenghe sul Garda
Sega
Ponton
S. Ambrogio V.
Gargagnago
Molinetto
Piazza
Bedizzole
Pta di Sirmione
Grotte di Catullo
Sirmione
Lazise
Piovezzano
Domegliara
S. Pietro in Cariano
S. Vito
Sedena
Maguzzano
Lido di Lonato
Pta del Vo
S. Pietro in Mavino
Pastrengo
Pescantina
Corrubbio
Macina
S. Marco
Desenzano del Garda
Colombare
Colà
Arcè
Settimo
Calcinatello
Lonato
Calcinato
Rivoltella
S. Maria di Lugana
Pacengo
Sandrà
Bussolengo
Corno
Peschiera del Garda
Campagnolo
Fossa
Desenzano
Centenaro
Cavalcaselle
Castelnuovo del Garda
Palazzolo
Vighizzolo
Chiarini
Malocco
Esenta
Castel Venzago
S. Martino d. Battaglia
Broglie
Sirmione
Peschiera
S. Giorgio in Salici
Sona
Lugagnano
Montichiari
Vaccarolo
Pozzolengo
Ponti sul Mincio
Oliosi
Salionze
Caselle
Sommacampagna
Verona
Novagli-Mattina
Castiglione d. Stiviere
Madonna della Scoperta
Monzambano
Case Oriani
Viadana Bresciana
Carpenedolo
Pozzo Catena
Solferino
Grole
Castellaro
Olfino
M. Mamor
Custoza
Monte Croce
Calvisano
Gozzolina
S. Cassiano
Cavriana
Bezzetti
Valeggio sul Mincio
Villafranca di Verona
Povegliano Veronese
Rosegaferro
Medole
S. Giacomo
Volta Mantovana
Foroni
Quaderni
Visano
Acquafredda
Perosso
Guidizzolo
Vanoni
S. Zenone in Mozzo
Grezzano
Castel Goffredo
Rebecco
Cereta
Foresto
Remelli
Malavicina
Mozzecane
Casalpoglio
S. Anna
Birbesi
Selvarizzo
Castelgrimaldo
Falzoni
Pozzolo
Sopra
Remedello
Zecchini
Villa
Bocchere
Cerlongo
Massimbona
Tormine
Pradelle
A 4
A22
E 70
Lago di Garda
Benaco

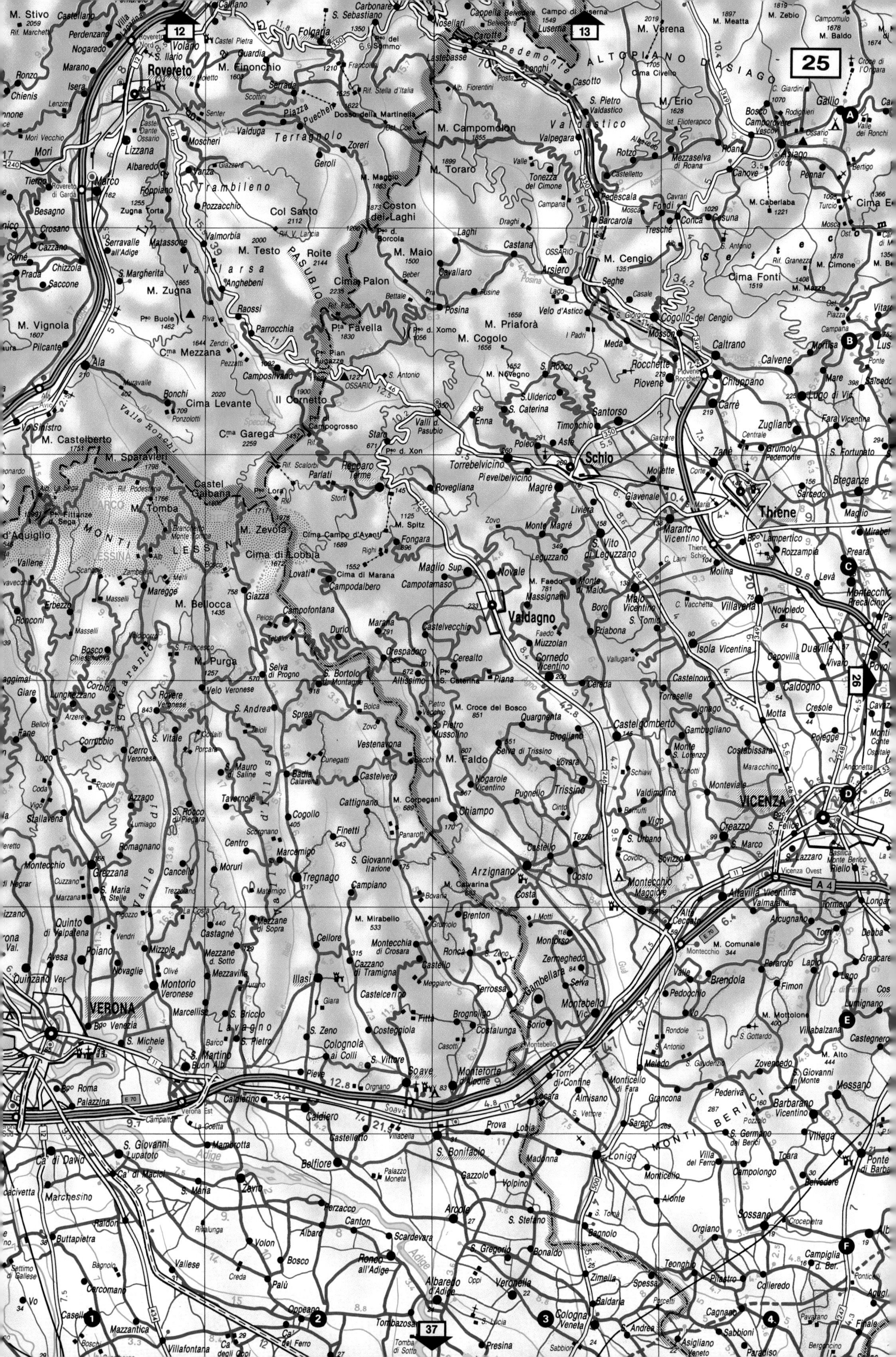

12
13
26
37
ALTOPIANO D'ASIAGO
Rovereto
Volano
Folgaria
Asiago
Gallio
M. Verena
M. Erio
Val d'astico
M. Campomolon
M. Toraro
Terragnolo
Trambileno
Mori
Lizzana
Marco
Col Santo
Coston dei Laghi
M. Testo
Roite
PASUBIO
Vallarsa
M. Zugna
Cima Palon
Pta Favella
M. Maio
M. Priaforà
M. Cogolo
Arsiero
M. Cengio
Cogollo del Cengio
Caltrano
Piovene Rocchette
Chiuppano
Carrè
Santorso
Schio
Thiene
Zanè
Breganze
Valli d. Pasubio
Recoaro Terme
Torrebelvicino
Magrè
M. Castelberto
M. Sparavieri
Castel Gaibana
M. Tomba
PARCO MONTI LESSINI
M. Zevola
Cima di Lobbia
Novale
Valdagno
Cornedo Vicentino
Malo
Marano Vicentino
Isola Vicentina
Dueville
Caldogno
Castelgomberto
Trissino
Chiampo
Arzignano
Montecchio Maggiore
VICENZA
Creazzo
Altavilla Vicentina
Tregnago
Illasi
VERONA
Montorio Veronese
S. Martino Buon Alb.
Caldiero
Soave
Montebello Vic.
Montecchia di Crosara
Lonigo
MONTI BERICI
Brendola
Barbarano Vicentino
Mossano
Sossano
S. Bonifacio
Arcole
Belfiore
Colognola ai Colli
Albaredo d'Adige
Cologna Veneta
Ronco all'Adige
S. Giovanni Lupatoto
Ca' di David
Adige

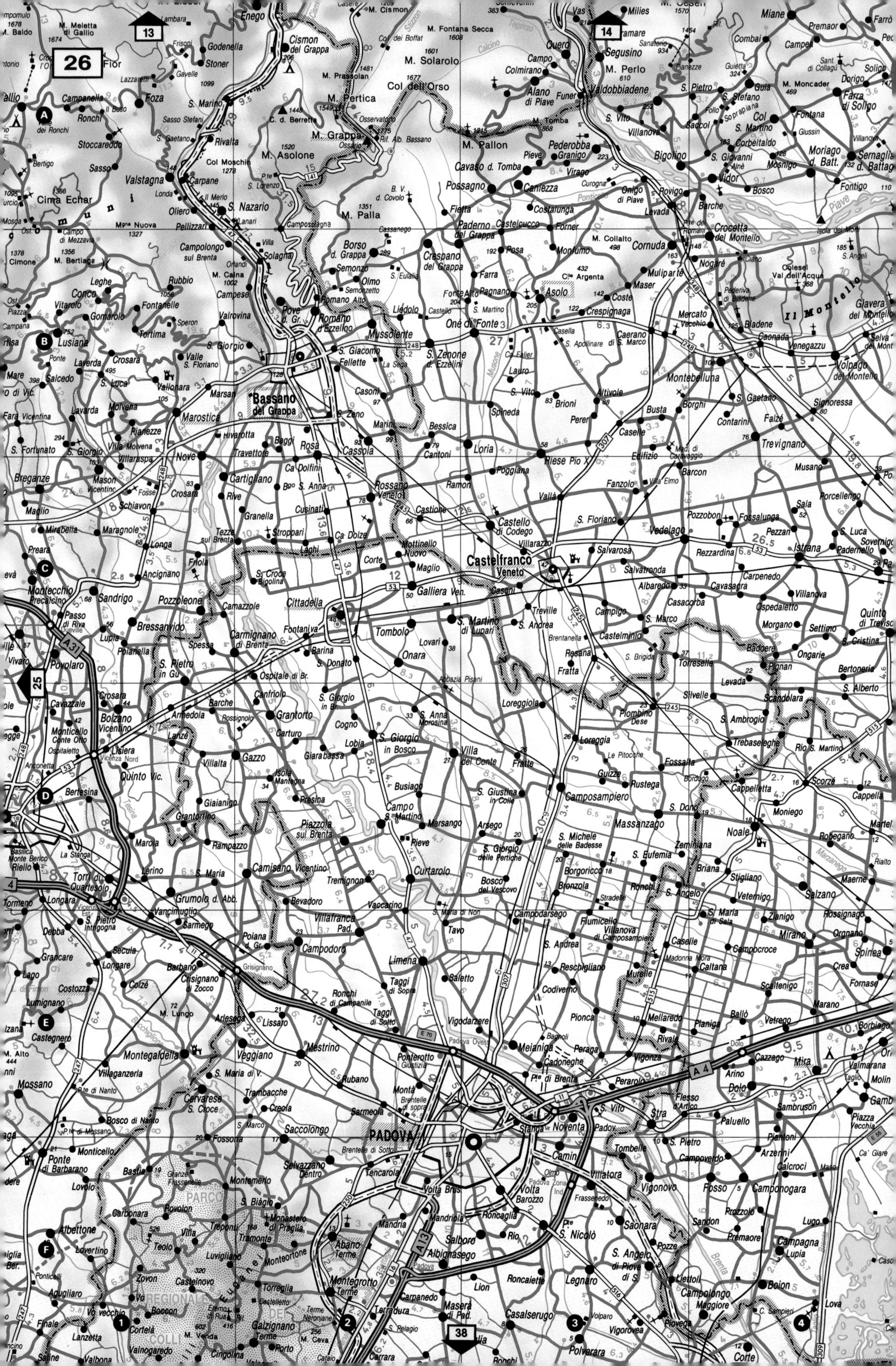

13
26
14
25
38
M. Meletta di Gallio
Enego
Cismon del Grappa
M. Cismon
M. Fontana Secca
M. Solarolo
Col dell'Orso
M. Pertica
M. Grappa
M. Pallon
M. Tomba
Segusino
M. Perlo
Valdobbiadene
Quero
Alano di Piave
Miane
Premaor
Combai
Guia
M. Moncader
Farra di Soligo
Foza
Stoner
Godenella
Gallio
Campanella
Ronchi
Stoccareddo
Sasso
Valstagna
Cima Echar
Carpane
Rivalta
S. Marino
Col Moschin
M. Asolone
C. d. Berretta
Possagno
Cavaso d. Tomba
Pederobba
Pieve
Virago
Onigo di Piave
Bigolino
Vidor
Col S. Martino
Moriago d. Batt.
Sernaglia d. Battaglia
Mosnigo
Bosco
Fontigo
S. Nazario
Oliero
Pellizzari
M. Palla
Borso d. Grappa
Crespano del Grappa
Paderno del Grappa
Castelcucco
Cornuda
Crocetta del Montello
Nogaré
Maser
Asolo
Coste
Crespignaga
Caerano di S. Marco
Il Montello
Volpago del Montello
Venegazzu
Montebelluna
Campolongo sul Brenta
Solagna
Romano d'Ezzelino
Pove d. Gr.
Mussolente
Oné di Fonte
S. Zenone d. Ezzelini
Bassano del Grappa
Marostica
Conco
Lusiana
Crosara
Valle S. Floriano
Cassola
Rosà
Rossano Veneto
Loria
Riese Pio X
Altivole
Vallà
Castello di Codego
Castelfranco Veneto
Vedelago
Istrana
Signoressa
Trevignano
Breganze
Sandrigo
Nove
Cartigliano
Tezze sul Brenta
Cittadella
Galliera Ven.
Tombolo
Onara
S. Martino di Lupari
Resana
Loreggia
Piombino Dese
Trebaseleghe
Scorzè
Quinto di Treviso
Montecchio Precalcino
Dueville
Bressanvido
Pozzoleone
Carmignano di Brenta
Fontaniva
S. Pietro in Gu
Grantorto
Gazzo
S. Giorgio in Bosco
Villa del Conte
Camposampiero
Massanzago
Noale
Bolzano Vicentino
Quinto Vic.
Camisano Vicentino
Piazzola sul Brenta
Campo S. Martino
Curtarolo
Vigodarzere
Cadoneghe
Limena
Villafranca Pad.
Campodoro
Grumolo d. Abb.
Torri di Quartesolo
Longare
Montegaldella
Veggiano
Mestrino
Rubano
Saccolongo
Selvazzano Dentro
PADOVA
Noventa Padov.
Stra
Dolo
Mira
Salzano
Mirano
Spinea
Vigonza
Vigonovo
Fossò
Camponogara
Saonara
Legnaro
Polverara
Abano Terme
Montegrotto Terme
Albignasego
Maserà di Pad.
Casalserugo
Teolo
Torreglia
Galzignano Terme
Cervarese S. Croce
Bosco di Nanto
Ponte di Barbarano
Albettone
Lovertino
Mossano
Castegnero
Lumignano
Costozza
Arzergrande
Campolongo Maggiore
Lova
Piove di Sacco
Rovolon
Luvigliano
Zovon
Vò
A4
A13
A31
A 4

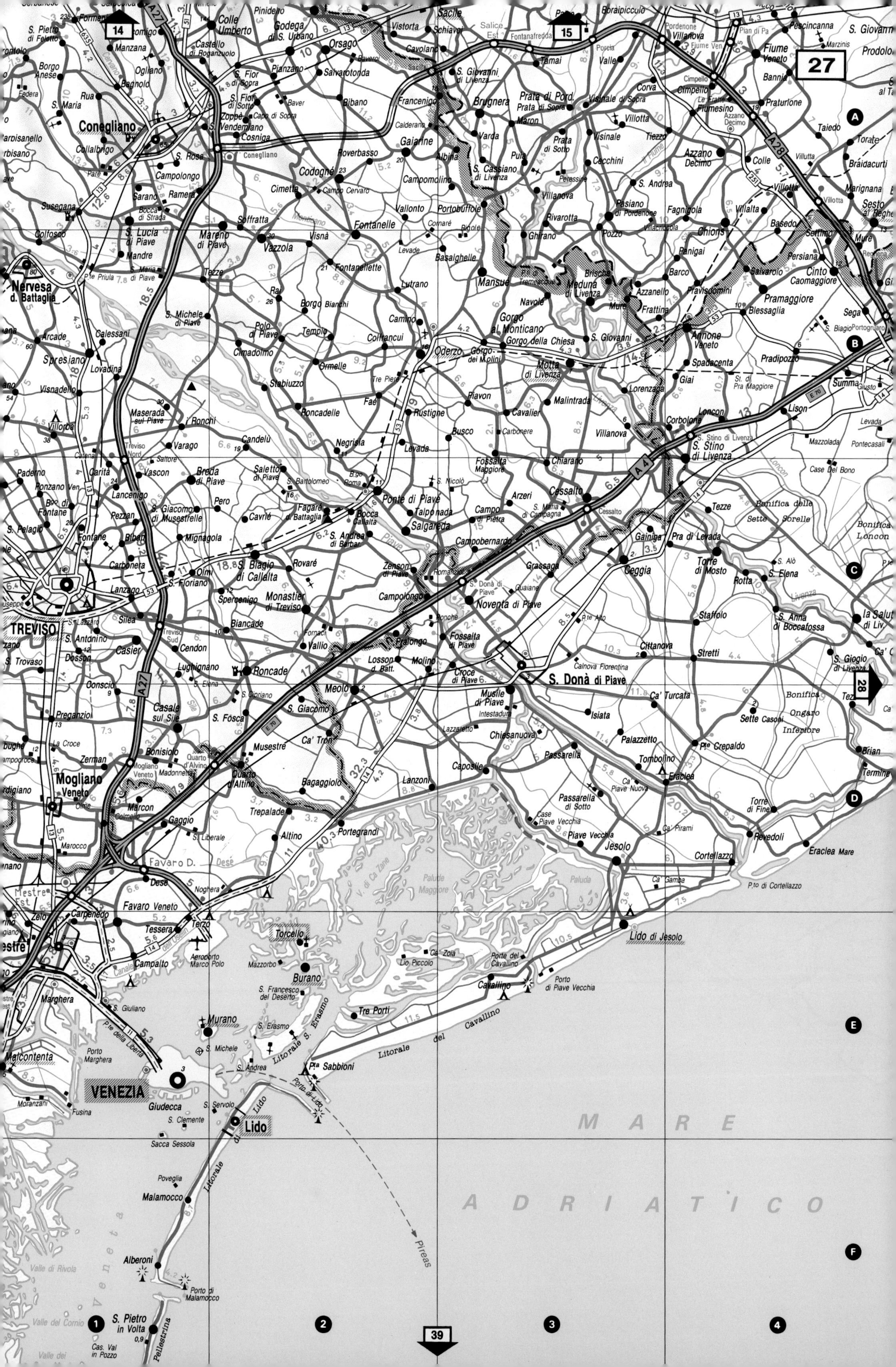

14
15
27
28
39
A
B
C
D
E
F
1
2
3
4
A27
A28
A4
E 70
Conegliano
S. Pietro di Feletto
Formeniga
Manzana
Ogliano
Bagnolo
Borgo Anese
Federa
Rua
S. Maria
Collalbrigo
Susegana
Colfosco
Nervesa d. Battaglia
Arcade
Spresiano
Visnadello
Villorba
Lovadina
Calessani
Padernò
Ponzano Veneto
Fontane
Carità
Lancenigo
S. Pelagio
TREVISO
S. Lazzaro
S. Antonino
Dosson
S. Trovaso
Preganziol
Zerman
Mogliano Veneto
Marocco
Mestre
Zelo
Carpenedo
Favaro Veneto
Tessera
Campalto
Marghera
Malcontenta
Porto Marghera
Fusina
Moranzani
VENEZIA
Giudecca
S. Clemente
Sacca Sessola
Poveglia
Malamocco
Alberoni
Porto di Malamocco
S. Pietro in Volta
Pellestrina
Valle di Rivola
Valle del Cornio
Cas. Val in Pozzo
Lido
S. Servolo
S. Andrea
Murano
S. Michele
S. Erasmo
Litorale S. Erasmo
Burano
Mazzorbo
Torcello
S. Francesco del Deserto
Tre Porti
Ca' Zola
Lio Piccolo
Cavallino
Porte del Cavallino
Porto di Piave Vecchia
Litorale del Cavallino
Punta Sabbioni
Porto di Lido
Litorale di Lido
Pireas
MARE
ADRIATICO
Lido di Jesolo
Jesolo
Ca' Gamba
Cortellazzo
P.to di Cortellazzo
Eraclea Mare
Revedoli
Torre di Fine
Eraclea
Ca' Pirami
Piave Vecchia
Passarella di Sotto
Passarella
Case Piave Vecchia
Ca' Piave Nuova
Tombolino
Palazzetto
P.te Crepaldo
Sette Casoni
Bonifica Ongaro Inferiore
Brian
Termine
Isiata
Ca' Turcata
Cittanova
Stretti
Staffolo
Torre di Mosto
Rotta
S. Elena
S. Alò
S. Anna di Boccafossa
S. Giorgio di Livenza
La Salute di Livenza
Ceggia
Gainiga
Pra di Levada
Tezze
Bonifica delle Sette Sorelle
Bonifica Loncon
Case Del Bono
Mazzolada
Pontecasali
Levada
S. Stino di Livenza
Corbolone
Loncon
Lison
Summaga
Giai
Spadacenta
Lorenzaga
Annone Veneto
Pradipozzo
S. Biagio
Portogruaro
Blessaglia
Pramaggiore
Sega
Cinto Caomaggiore
Persiana
Settimo
Salvarolo
Pravisdomini
Frattina
Azzanello
Barco
Panigai
Chions
Villotta
Basedo
Sesto al Reghena
Marignana
Villutta
Braidacurti
Torate
Taiedo
Colle
Azzano Decimo
Fiume Veneto
Bannia
Praturlone
Fiumesino
Cimpello
Pescincanna
Marzinis
S. Giovanni
Prodolone
Pordenone
Villanova
Pian di Pa
Corva
Tiezzo
Villotta
Visinale di Sopra
Visinale
Cecchini
S. Andrea
Pasiano di Pordenone
Fagnigola
Villalta
Pozzo
Villadolda
Rivarotta
Ghirano
Villanova
Brischis
Meduna di Livenza
Mure
Tremeacque
Mansuè
Navolè
Gorgo al Monticano
Gorgo della Chiesa
S. Giovanni
Motta di Livenza
Malintrada
Villanova
Lorenzaga
Cessalto
S. Maria di Campagna
Chiarano
Fossalta Maggiore
Arzeri
Campo di Pietra
Campobernardo
Grassaga
Noventa di Piave
S. Donà di Piave
Calnova Fiorentina
Musile di Piave
Intestadura
Chiesanuova
Caposile
Lazzaretto
Croce di Piave
Fossalta di Piave
Molino
Losson d. Batt.
Pralongo
Ponte di Piave
Talponada
Salgareda
Zenson di Piave
Campolongo
Romanziol
Busco
Levada
Rustignè
Piavon
Cavalier
Carbonere
Oderzo
Gorgo dei Molini
Colfrancui
Camino
Lutrano
Fontanellette
Fontanelle
Levada
Basalghelle
Portobuffolè
Vallonto
Campomolino
Gaiarine
Albina
Francenigo
Calderano
Codognè
Cimetta
Roverbasso
Campo Cervaro
S. Cassiano di Livenza
Brugnera
Varda
Maron
Pula
Prata di Sotto
Prata di Pordenone
Tamai
Fontanafredda
Porcia
Valle
Sacile
Salice
S. Giovanni di Livenza
Cavolano
Vistorta
Schiavoi
Orsago
Godega di S. Urbano
Pinidello
Bibano
Salvarotonda
Pianzano
Colle Umberto
Castello di Roganzuolo
S. Fior di Sopra
S. Fior di Sotto
Zoppè
S. Vendemiano
Cosniga
S. Rosa
Campolongo
Sarano
Ramera
Mareno di Piave
Soffratta
Vazzola
Visnà
Tezze
Rai
Borgo Bianchi
Tempio
Ormelle
Tre Piere
Faè
Roncadelle
Negrisia
Stabiuzzo
Cimadolmo
Polo di Piave
S. Michele di Piave
S. Lucia di Piave
Mandre
Maserada sul Piave
Ronchi
Candelù
Varago
Saltore
Vascon
Breda di Piave
Saletto di Piave
S. Bartolomeo
Pero
Cavriè
Fagarè di Battaglia
Bocca Callalta
S. Andrea di Barbarana
S. Giacomo di Musestrelle
Pezzan
Biban
Mignagola
Carbonera
S. Biagio di Callalta
Rovarè
Olmi
S. Floriano
Lanzago
Spercenigo
Monastier di Treviso
Biancade
Silea
Casier
Cendon
Lughignano
Roncade
Vallio
Fornaci
Meolo
S. Giacomo
Ca' Tron
Musestre
Quarto d'Altino
Trepalade
Bagaggiolo
Lanzoni
Portegrandi
Altino
S. Cipriano
S. Elena
Casale sul Sile
S. Fosca
Conscio
Bonisiolo
Marcon
Gaggio
S. Liberale
Favaro D.
Dese
Noghera
Terzo
Aeroporto Marco Polo
Palude Maggiore
Paluda
S. Giuliano
P.te della Libertà

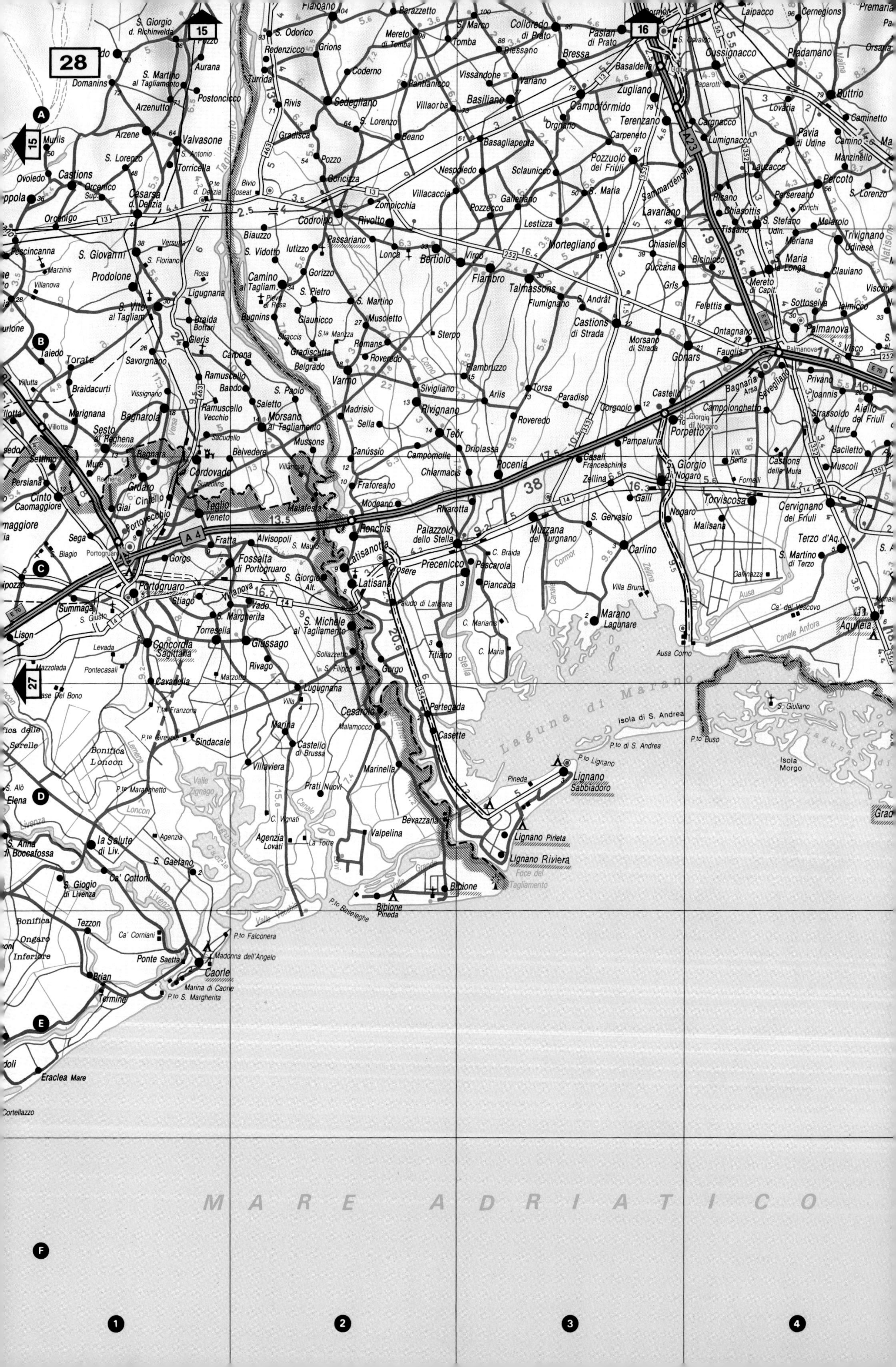

15
16
15
27
A
B
C
D
E
F
1
2
3
4
S. Giorgio d. Richinvelda
Pozzo
Aurana
S. Martino al Tagliamento
Domanins
Postoncicco
Arzenutto
Arzene
Valvasone
Murlis
S. Antonio
S. Lorenzo
Torricella
Ovoledo
Castions
Orcenico Sup.
Casarsa d. Delizia
P.te d. Delizia
Orcenigo
Bivio Coseat
Pescincanna
S. Giovanni
Versutta
S. Floriano
Marzinis
Villanova
Prodolone
Rosa
S. Vito al Tagliam.
Ligugnana
Braida Bottari
Gleris
Taiedo
Torate
Savorgnano
Carbona
Villutta
Braidacurti
Ramuscello
Bando
Vissignano
S. Paolo
Marignana
Bagnarola
Ramuscello Vecchio
Saletto
Villotta
Sesto al Reghena
Sacudello
Morsano al Tagliamento
Settimo
Bagnara
Belvedere
Mussons
Persiana
Mure
Gruaro
Cordovado
Villanova
Cinto Caomaggiore
Giai
Cintello
Suzzolins
Malafesta
Teglio Veneto
Portovecchio
Sega
Fratta
Alvisopoli
S. Mauro
S. Biagio
Portogruaro
Gorgo
Fossalta di Portogruaro
S. Giorgio Alt.
Summaga
S. Giusto
Villanova
Vado
Stiago
Lison
S. Margherita
S. Michele al Tagliamento
Torresella
Giussago
Concordia Sagittaria
Levada
Rivago
Mazzolada
Pontecasali
Sollazzetto
S. Filippo
Cavanella
Marzona
Case Del Bono
Lugugnana
Villa
T.ta Franzona
Cesarolo
Malamocco
Marina
Sindacale
P.te Girevole
Sorelle
Bonifica Loncon
Castello di Brussa
Villaviera
Marinella
Prati Nuovi
S. Alò
Elena
P.te Maranghetto
Valle Zignago
Loncon
C. Vignati
S. Anna di Boccafossa
la Salute di Liv.
Agenzia
Agenzia Lovati
La Torre
Valpelina
Bevazzana
S. Gaetano
Ca' Cottoni
S. Giogio di Livenza
Caorle
Bibione
Bibione Pineda
P.to Baseleghe
Valle Vecchia
Valle Grande
Foce del Tagliamento
Tezzon
Bonifica Ongaro Inferiore
Ca' Corniani
P.to Falconera
Ponte Saetta
Madonna dell'Angelo
Brian
Termine
Marina di Caorle
P.to S. Margherita
Eraclea Mare
Cortellazzo
Flaibano
Barazzetto
S. Odorico
Redenzicco
Grions
Mereto di Tomba
Tomba
S. Marco
Colloredo di Prato
Pasian di Prato
Plasencis
Blessano
Bressa
Turrida
Coderno
Pantianicco
Vissandone
Variano
Basaldella
Zugliano
Rivis
Sedegliano
Villaorba
Basiliano
Campofórmido
Terenzano
S. Lorenzo
Gradisca
Beano
Orgnano
Basagliapenta
Carpeneto
Pozzo
Nespoledo
Sclaunicco
Pozzuolo del Friuli
Goricizza
Villacaccia
Galleriano
S. Maria
Sammardenchia
Zompicchia
Codroipo
Rivolto
Pozzecco
Lestizza
Lavariano
Biauzzo
Passariano
S. Vidotto
Iutizzo
Lonca
Bertiolo
Virco
Mortegliano
Chiasiellis
Camino al Tagliam.
Pieve di Rosa
Gorizzo
S. Pietro
Flambro
Talmassons
Cuccana
Bicinicco
Bugnins
S. Martino
Glaunicco
Flumignano
S. Andrât
Gris
Felettis
Musoletto
Straccis
S.ta Marizza
Sterpo
Castions di Strada
Morsano di Strada
Romans
Gradiscutta
Roveredo
Belgrado
Flambruzzo
Gonars
Varmo
Sivigliano
Ariis
Torsa
Paradiso
Castello
Rivignano
Roveredo
Corgnolo
Porpetto
Madrisio
Sella
Teôr
Pampaluna
Canùssio
Driolassa
Campomolle
Casali Franceschinis
S. Giorgio di Nogaro
Chiarmacis
Pocenia
Zellina
Fraforeano
Galli
Modeano
Rivarotta
Torviscosa
Nogaro
Ronchis
Palazzolo dello Stella
Muzzana del Turgnano
S. Gervasio
Malisana
Latisanotta
Crosere
Precenicco
C. Braida
Carlino
Pescarola
Latisana
Piancada
Paludo di Latisana
Villa Bruna
Marano Lagunare
C. Marianis
C. Maria
Titiano
Gorgo
Ausa Corno
Pertegada
Casette
Laguna di Marano
Isola di S. Andrea
P.to di S. Andrea
P.to Lignano
Lignano Sabbiadoro
Pineda
Lignano Pineta
Lignano Riviera
P.to Buso
S. Giuliano
Isola Morgo
Laipacco
Cerneglons
Premariacco
Cussignacco
Pradamano
Orsaria
Basaldella
Udine
Paparotti
Buttrio
Lovaria
Caminetto
Cargnacco
Lumignacco
Pavia di Udine
Camino
Manzinello
Lauzacco
Percoto
S. Lorenzo
Risano
Chiasottis
Persereano
Ronchi
S. Stefano Udin.
Tissano
Melarolo
Merlana
Trivignano Udinese
S. Maria la Longa
Clauiano
Mereto di Capit.
Sottoselva
Jalmicco
Ontagnano
Palmanova
Visco
Fauglis
Privano
Bagnaria Arsa
Sevegliano
Joannis
Campolonghetto
S. Giorgio di Nogaro
Strassoldo
Aiello del Friuli
Alture
Vill. Roma
Saciletto
Castions delle Mura
Muscoli
Fornelli
Cervignano del Friuli
Terzo d'Aq.
S. Martino di Terzo
Gallinazza
Ausa
Ca' del Vescovo
Canale Anfora
Aquileia
Grado
Stella
Cormor
Tagliamento
MARE ADRIATICO
A 4
A 23
E 55
E 70
13
14
252
351
352
353
354
463
38

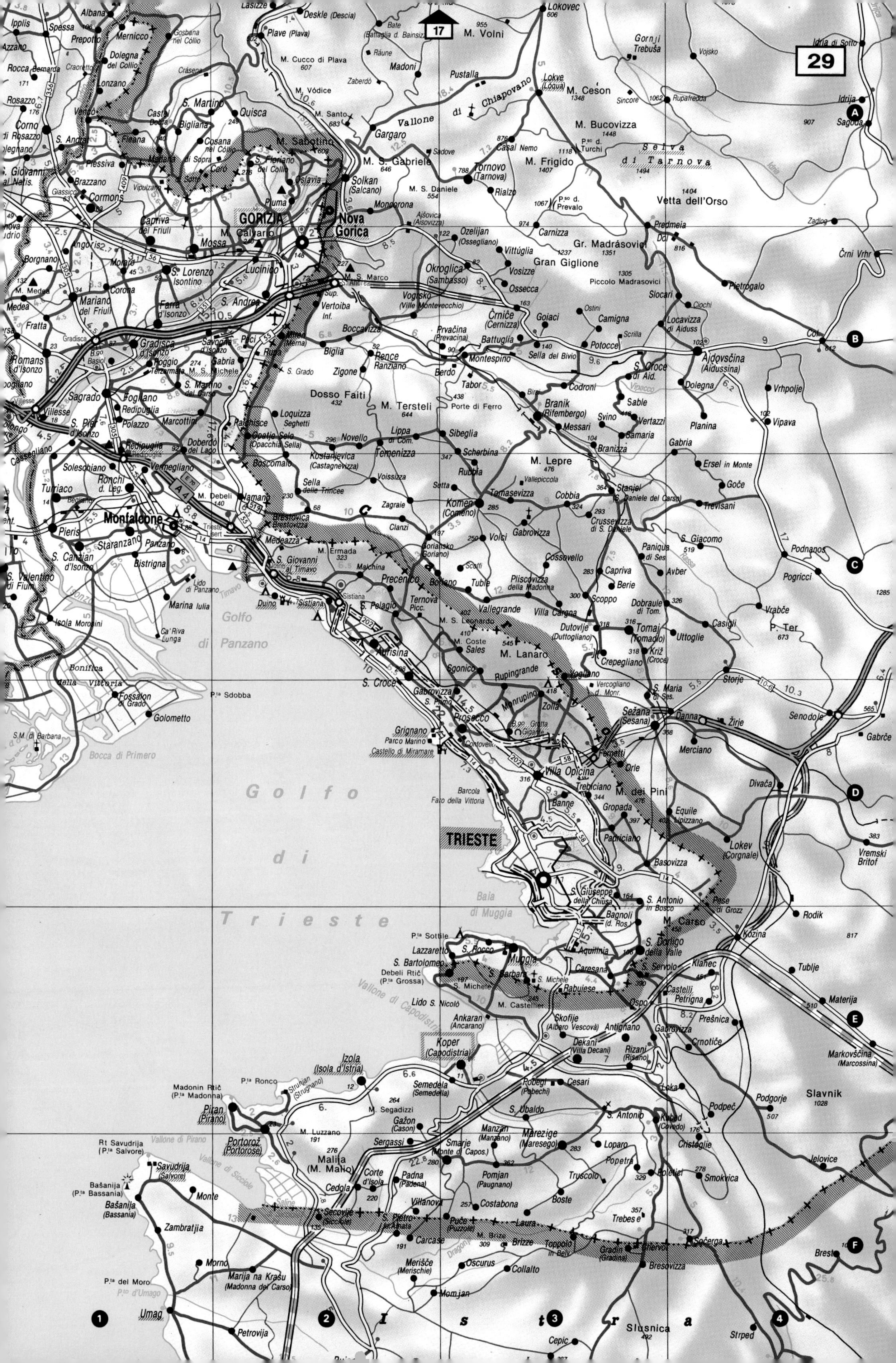
29
17
Lokovec
M. Volni
Deskle (Descla)
Plave (Plava)
Bate
Battaglia d. Bainsizza
Gornji Trebuša
Vojsko
Idria di Sotto
Albana
Ipplis
Spessa
Prepotto
Mernicco
Gosbana nel Collio
Azzano
Dolegna del Collio
M. Cucco di Plava
Madoni
Pustalla
Lokve (Loqua)
M. Ceson
Rocca Bernarda
Craoretto
Crasena
Lonzano
M. Vodice
Zaberdo
Sincore
Rupafredda
Idrija
Rosazzo
Corno di Rosazzo
Vencò
Castel Dobra
S. Martino
Quisca
Bigliana
M. Santo
Vallone di Chiapovano
M. Bucovizza
Sagoda
S. Andrat
Fleana
Cosana nel Collio
M. Sabotino
Gargaro
Casal Nemo
P.so d. Turchi
Selva di Tarnova
S. Giovanni al Natis.
Plessiva
Medana
S. Floriano del Collio
M. S. Gabriele
Sadove
Tornovo (Tarnova)
M. Frigido
Brazzano
Vipulzano
Oslavia
Solkan (Salcano)
Rialzo
Giassico
Cormons
Piuma
M. S. Daniele
P.so d. Prevalo
Vetta dell'Orso
Capriva del Friuli
GORIZIA
Nova Gorica
Moncorona
Ajšovica (Aisovizza)
Predmeia
Dol
Zadlog
Angoris
M. Calvario
Mossa
Ozelijan (Osseliano)
Carnizza
Gr. Madrásovici
Borgnano
Moraro
S. Lorenzo Isontino
Lucinico
Vittúglia
Gran Giglione
Črni Vrhr
M. Medea
Medea
Mariano del Friuli
Corona
Farra d'Isonzo
S. Andrea
M. S. Marco
Vertoiba Sup.
Vertoiba Inf.
Okroglica (Sambasso)
Vosizze
Ossecca
Piccolo Madrasovici
Pietrogalo
Vogrsko (Ville Montevecchio)
Slocari
Ciochi
Fratta
Gradisca
Gradisca d'Isonzo
Savogna d'Isonzo
Miren (Merna)
Boccavizza
Črniče (Cernizza)
Goiaci
Camigna
Ostini
Locavizza di Aiduss
Romans d'Isonzo
B.go Basio
Poggio
Peci
Rupa
Biglia
Rence Ranziano
Prvačina (Prevacina)
Battuglia
Sella del Bivio
Potocce
Scrilla
Ajdovščina (Aidussina)
Col
Villesse
Sagrado
Terzamata
Gabria
M. S. Michele
S. Martino del Carso
S. Grado
Zigone
Berdo
Montespino
Codroni
S. Croce di Aid.
Dolegna
Vrhpolje
Fogliano
Redipuglia
Polazzo
Loquizza Seghetti
Dosso Faiti
M. Tersteli
Tabor
Porte di Ferro
Branik (Rifembergo)
Sable
Vertazzi
Planina
Vipava
S. Pier d'Isonzo
Marcottini
Palchisce
Opatje Selo (Opacchia Selo)
Novello
Lippa di Com.
Sibeglia
Messari
Svino
Samaria
Cassegliano
Solesciano
Vermegliano
Doberdò del Lago
Kostanjevica (Castagnevizza)
Temenizza
Scherbina
M. Lepre
Branizza
Ersel in Monte
Ronchi d. Leg.
Boscomalo
Rubbia
Vallepiccola
Stanjel
S. Daniele del Carso
Goče
Turriaco
M. Debeli
Jamiano
Sella delle Trincee
Voissizza
Setta
Tomasevizza
Cobbia
Trevisani
Begliano
Monfalcone
Pieris
Staranzano
Panzano
Bistrigna
S. Canzian d'Isonzo
Brestovica
Medeazza
Zagraie
Clanzi
Komen (Comeno)
Gabrovizza
Crussevizza di S. Daniele
Trieste sert
M. Ermada
Gorjansko (Goriano)
Volci
S. Giacomo
Paniqua di Ses
Podnanos
S. Valentino di Fium.
Lido di Panzano
S. Giovanni al Timavo
Malchina
Scotti
Cossovello
Capriva
Avber
Pogricci
Marina Iulia
Duino
Sistiana
Precenico
Borjano
Tuble
Pliscovizza della Madonna
Berie
Isola Morosini
Golfo di Panzano
S. Pelagio
Ternova Picc.
Vallegrande
Villa Cargna
Scoppo
Dobraule di Tom.
Vrabče
Ca' Riva Lunga
M. S. Leonardo
Dutovlje (Duttogliano)
Tomaj (Tomadio)
Casigli
P. Ter
M. Coste
Sales
Aurisina
M. Lanaro
Uttoglie
Križ (Croce)
Crepegliano
Bonifica della Vittoria
Sgonico
Rupingrande
Vogliano
Vercogliano d. Monr.
Storje
S. Croce
Gabrovizza
Monrupino
Zolla
S. Maria di Ses.
P.ta Sdobba
Fossalon di Grado
Golometto
S. Primo
Prosecco
Sežana (Sesana)
Danna
Žirje
Senodolje
Gabrče
Grignano
Parco Marino
Castello di Miramare
Contovello
B.ga Grotta Gigante
Fernetti
Merciano
S.M. di Barbana
Bocca di Primero
Villa Opicina
Orle
Divača
Trebiciano
M. dei Pini
Barcola
Faro della Vittoria
Banne
Gropada
Equile Lipizzano
Golfo di Trieste
TRIESTE
Padriciano
Lokev (Corgnale)
Vremski Britof
Basovizza
Baia di Muggia
S. Giuseppe della Chiusa
S. Antonio in Bosco
Pese di Grozz
Rodik
Bagnoli (d. Ros.)
M. Carso
Kozina
P.ta Sottile
Lazzaretto
S. Rocco
Muggia
Aquilinia
S. Dorligo della Valle
Klanec
Tublje
S. Bartolomeo
Debeli Rtič (P.ta Grossa)
S. Barbara
S. Michele
Caresana
S. Servolo
Castelli
Petrigna
Materija
Vallone di Capodistria
Lido S. Nicolò
M. Castellier
Rabuiese
Ospo
Prešnica
Ankaran (Ancarano)
Škofije (Albaro Vescovà)
Antignano
Gabrovizza
Crnotiče
Koper (Capodistria)
Dekani (Villa Decani)
Rizani (Risano)
Markovščina (Marcossina)
Izola (Isola d'Istria)
Semedela
Pobegi (Pobechi)
Cesari
Loka
Slavnik
Madonin Rtič (P.ta Madonna)
P.ta Ronco
Strunjan (Strugnano)
M. Segadizzi
Gažon (Cason)
S. Ubaldo
S. Antonio
Kubed (Covedo)
Podpeč
Podgorje
Piran (Pirano)
M. Luzzano
Manzan (Manzano)
Marezige (Maresego)
Loparo
Cristoglie
Rt Savudrija (P.ta Salvore)
Vallone di Pirano
Portorož (Portorose)
Sergassi
Šmarje (Monte di Capos.)
Popetra
Savudrija (Salvore)
Malija (M. Malio)
Padna (Padena)
Pomjan (Paugnano)
Truscolo
Polelje
Smokvica
Jelovice
Bašanija (P.ta Bassania)
Bašanija (Bassania)
Vallone di Sicciole
Monte
Cedola
Corte d'Isola
Boste
Villanova
Saline
Costabona
Trebese
Zambratija
Sečovlje (Sicciole)
S. Pietro in Amata
Puče (Puzzole)
Laura
Sočerga
Carcase
M. Brizze
Brizze
Toppolo in Belv.
Gradin (Gradina)
Bresovizza
Brest
Morno
Merišče (Merischie)
Oscurus
Collalto
P.ta del Moro
P.to d'Umago
Marija na Krasu (Madonna del Carso)
Momjan
Umag
Petrovija
Istra
Slusnica
Strped
Cepic

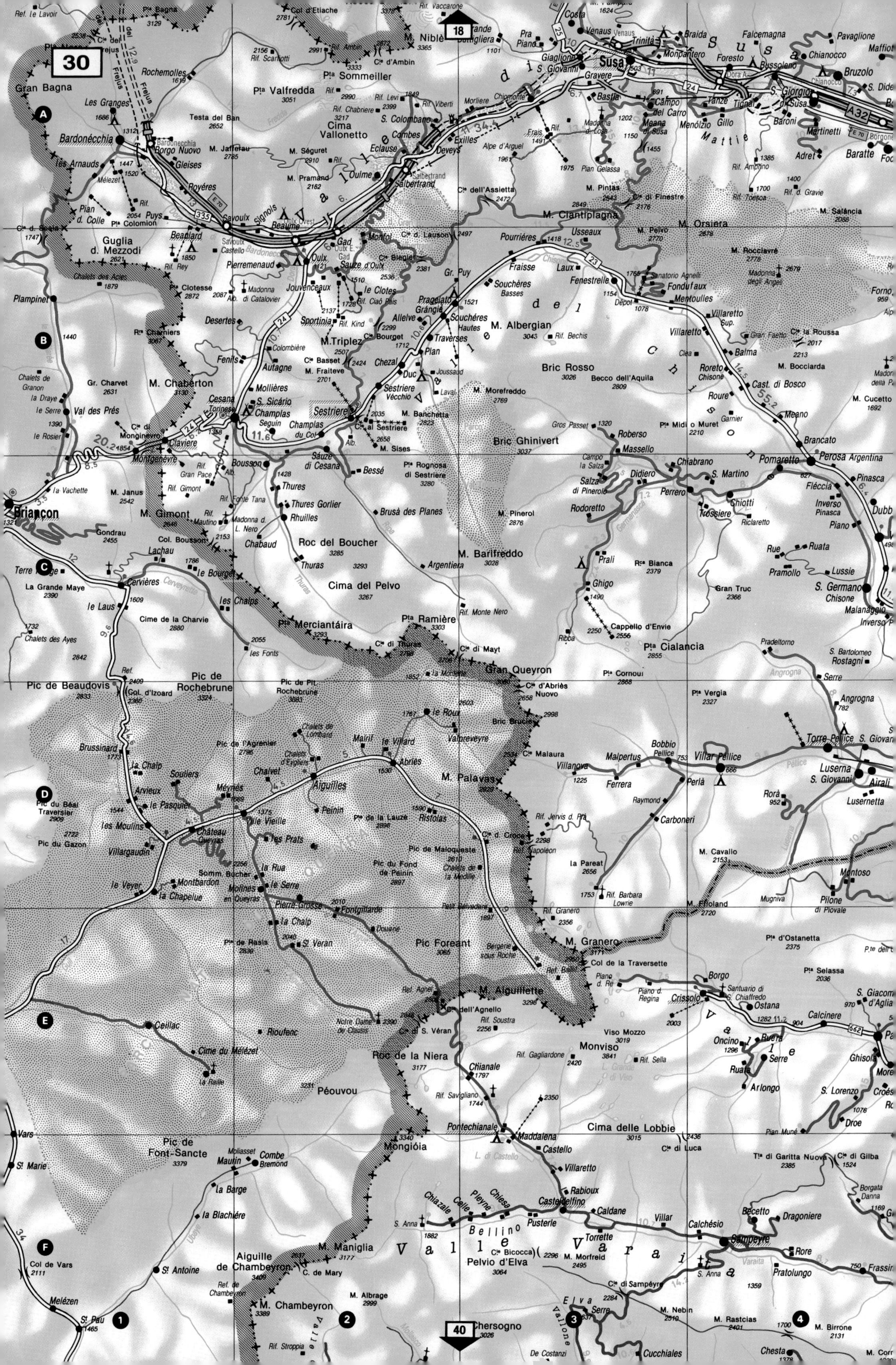

30
18
40
A
B
C
D
E
F
1
2
3
4
Gran Bagna
Les Granges
Bardonécchia
Borgo Nuovo
Gleises
Royères
Savoulx
Signols
Beaume
Oulx
Gad
Salbertrand
Oulme
Eclause
Deveys
Exilles
Chiomonte
Gravere
Susa
Venaus
Giaglione
Mompantero
Bussoleno
Chianocco
Bruzolo
S. Giorgio di Susa
Tanze
Tignai
Gillo
Menólzio
Meana di Susa
Campo del Carro
Bastia
Baroni
Martinetti
Adret
Baratte
Trinità
Braida
Foresto
Falcemagna
Pavaglione
Costa
Pra Piano
Valle di Susa
Mattie
Pta Sommeiller
Pta Valfredda
Cima Vallonetto
Testa del Ban
M. Jafferau
M. Séguret
M. Pramand
Rochemolles
Cle d'Ambin
M. Niblè
Col d'Etiache
Pta Bagna
Frejus
Colombano
Combes
Alpe d'Arguel
Cle dell'Assietta
M. Pintas
M. Ciantiplagna
M. Orsiera
M. Pelvo
M. Rocciavrè
Cle di Finestre
Pourrières
Usseaux
Fraisse
Laux
Fenestrelle
Souchères Basses
Pragelato
Grangie
Souchères Hautes
Traverses
Plan
Duc
Laval
M. Albergian
Bric Rosso
Becco dell'Aquila
Fondufaux
Mentoulles
Villaretto
Balma
M. Bocciarda
Roreto Chisone
Roure
Cast. di Bosco
Meano
Brancato
Perosa Argentina
Pomaretto
Pinasca
Inverso Pinasca
Fléccia
Dubbione
Piano
Rue
Ruata
Pramollo
Lussie
S. Germano Chisone
Malanaggio
M. Cucetto
Valle del Chisone
Cle la Roussa
Pta Midi o Muret
Gros Passet
Roberso
Massello
Chiabrano
S. Martino
Perrero
Didiero
Salza di Pinerolo
Rodoretto
Chiotti
Trossiere
Riclaretto
Prali
Ghigo
Rca Bianca
Gran Truc
Cappello d'Envie
Ribba
Pta Cialancia
Pta Cornour
Pta Vergia
M. Triplez
Chezal
Sestriere
Sestriere Vécchio
Champlas du Col
Champlas Seguin
M. Fraiteve
Cle Basset
Cle Bourget
Allevè
Sportinia
Jouvenceaux
Sauze d'Oulx
le Clotes
Montol
Cle d. Lauson
Cle Blegier
Gr. Puy
M. Banchetta
M. Morefreddo
Bric Ghinivert
M. Sises
Cle al Sestriere
Pta Rognosa di Sestriere
Bessé
Sauze di Cesana
Bousson
Thures
Thures Gorlier
Rhuilles
Chabaud
Roc del Boucher
Brusà des Planes
M. Pinerol
M. Barifreddo
Argentiera
Cima del Pelvo
Thuras
Cesana Torinese
S. Sicário
Mollières
Autagne
Fenils
Desertes
Rta Charniers
M. Chaberton
Pta Clotesse
Pierremenaud
Beaulard
Guglia d. Mezzodi
Pian d. Colle
Pta Colomion
Puys
les Arnauds
Cle d. Scala
Chalets des Acles
Plampinet
Val des Prés
Gr. Charvet
Chalets de Granon
la Draye
le Serre
le Rosier
Cle di Monginevro
Claviere
Montgenèvre
Briançon
la Vachette
M. Janus
M. Gimont
Rif. Gran Pace
Rif. Gimont
Col. Bousson
Lachau
le Bourget
Gondrau
Terre Rouge
Cervières
La Grande Maye
le Laus
Cime de la Charvie
les Chalps
Chalets des Ayes
Pta Merciantáira
Pta Ramière
Cle di Thuras
Cle di Mayt
les Fonts
Gran Queyron
Cle d'Abriès Nuovo
Pic de Beaudovis
Col. d'Izoard
Pic de Rochebrune
Pic de Pit. Rochebrune
le Roux
Valpreveyre
Bric Bucie
Brussinard
la Chalp
Arvieux
Souliers
Pic de l'Agrenier
Chalets de Lombard
Chalets d'Eyglier
Malrif
le Villard
Abriès
Chalvet
Aiguilles
Méyriès
le Pasquier
Château Queyras
Ville Vieille
les Moulins
Villargaudin
Pic du Béal Traversier
Pic du Gazon
Peinin
Pte de la Lauze
Ristolas
M. Palavas
Cle Malaura
Villanova
Malpertus
Bobbio Pellice
Villar Pellice
Ferrera
Perlà
Torre Pellice
Luserna S. Giovanni
Lusernetta
Airali
Rorà
Angrogna
Pradeltorno
S. Bartolomeo Rostagni
Serre
Raymond
Carboneri
Rif. Jervis d. Prà
Cle d. Croce
Rif. Napoleon
la Pareat
Rif. Barbara Lowrie
M. Cavallo
Montoso
Mugniva
Pilone di Piovale
M. Frioland
Pta d'Ostanetta
Pta Selassa
les Prats
Somm. Bucher
la Rua
Montbardon
le Serre
Molines en Queyras
le Veyer
la Chapelue
Pierre Grosse
Fontgillarde
la Chalp
St. Veran
Pte de Rasis
Pic de Maloqueste
Pic du Fond de Peinin
Chalets de la Medille
Pic Foreant
Bergerie sous Roche
M. Granero
Rif. Granero
Col de la Traversette
Rif. Ballif
M. Aiguillette
Cle dell'Agnello
Rif. Soustra
Rif. Agnel
Notre Dame de Clausis
Cle di S. Véran
Roc de la Niera
Ceillac
Cime du Mélézel
la Raille
Rioufenc
Péouvou
Viso Mozzo
Monviso
Rif. Gagliardone
Rif. Sella
L. Grande di Viso
Chianale
Rif. Savigliano
Pontechianale
Maddalena
Castello
L. di Castello
Villaretto
Rabioux
Casteldelfino
Caldane
Pusterle
Torrette
Villar
Calchésio
Sampeyre
Becetto
Dragoniere
Rore
Frassino
Pratolungo
Cima delle Lobbie
Cle di Luca
Tte di Garitta Nuova
Cle di Gilba
Borgata Danna
Piano d. Re
Piano d. Regina
Crissolo
Borgo
Santuario di S. Chiaffredo
Ostana
Calcinere
S. Giacomo d'Aglia
Oncino
Ruera
Serre
Ruata
Arlongo
Valle Po
Ghisola
S. Lorenzo
Droe
Pian Muné
Vars
St. Marie
Pic de Font-Sancte
Moliasset
Maurin
Combe Bremond
la Barge
la Blachière
Mongióia
Chiazale
Celle
Pleyne
Chiesa
S. Anna
Bellino
Valle Varaita
Cle Bicocca
Pelvio d'Elva
M. Morfreid
M. Maniglia
Aiguille de Chambeyron
C. de Mary
Ref. de Chambeyron
M. Chambeyron
M. Albrage
Col de Vars
St. Antoine
Melézen
St. Paul
Rif. Stroppia
Chersogno
Cle di Sampéyre
Elva
Serre
M. Nebin
M. Rastcias
M. Birrone
Chesta
Cucchiales
S. Anna
De Costanzi

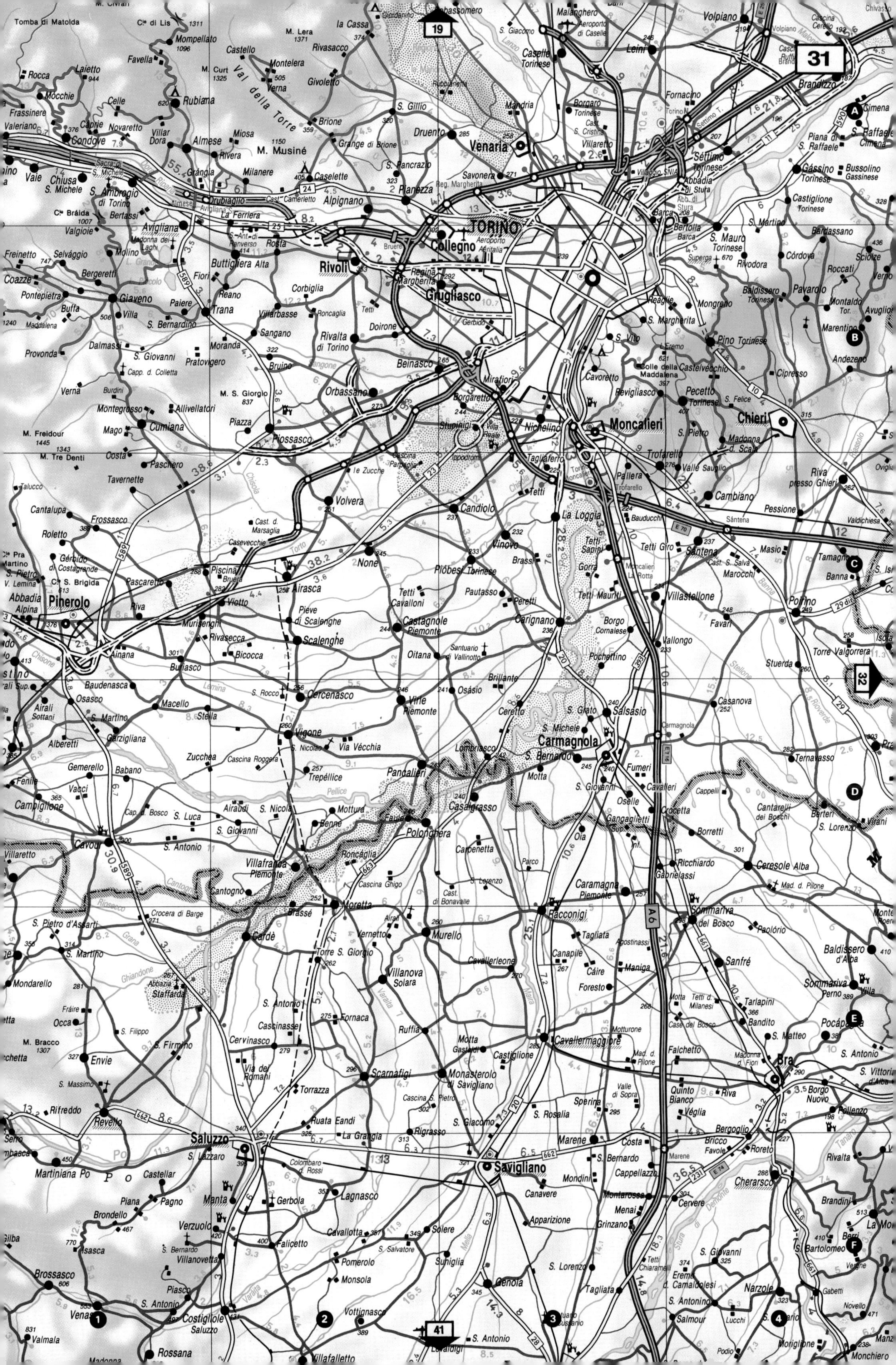

19
31
32
41
Tomba di Matolda
Rocca
Mocchie
Frassinere
Valeriano
Condove
Caprie
Celle
Novaretto
Vaie
Chiusa S. Michele
S. Ambrogio di Torino
Laietto
Favella
Mompellato
Rubiana
Villar Dora
Almese
Rivera
Miosa
M. Musiné
Castello
Montelera
Verna
Val della Torre
M. Lera
Rivasacco
Givoletto
La Cassa
Brione
S. Gillio
Grange di Brione
Druento
Venaria
Mandria
Caselle Torinese
Leini
Volpiano
Brandizzo
Cimena
Borgaro Torinese
Fornacino
Settimo Torinese
Abbadia di Stura
Gassino Torinese
Bussolino Gassinese
Castiglione Torinese
Caselette
Pianezza
Alpignano
S. Pancrazio
Savonera
Reg. Margherita
Collegno
TORINO
Rivoli
Avigliana
Buttigliera Alta
Rosta
Grangia
Milanere
La Ferriera
Giaveno
Coazze
Pontepietra
Bergeretti
Selvaggio
Freinetto
Valgioie
Trana
Reano
Villarbasse
Sangano
Bruino
Corbiglia
Rivalta di Torino
Grugliasco
Beinasco
Orbassano
Mirafiori
Borgaretto
Stupinigi
Nichelino
Moncalieri
Cavoretto
Revigliasco
Pecetto Torinese
Chieri
Pino Torinese
Baldissero Torinese
Pavarolo
Montaldo Tor.
Marentino
Andezeno
Cipresso
S. Mauro Torinese
Superga
Rivodora
Córdova
Bardassano
Sciolze
Mongreno
Reaglie
S. Margherita
S. Vito
Colle della Maddalena
Cumiana
Allivellatori
M. S. Giorgio
Piossasco
Piazza
Montegrosso
Mago
M. Freidour
M. Tre Denti
Costa
Paschero
Tavernette
Volvera
le Zucche
Candiolo
Vinovo
Tetti
La Loggia
Tagliaferro
Trofarello
Cambiano
Pessione
Riva presso Chieri
Santena
Tetti Giro
Villastellone
Poirino
Tamagnone
Banna
None
Airasca
Piscina
Pinerolo
Abbadia Alpina
Frossasco
Cantalupa
Roletto
Scalenghe
Castagnole Piemonte
Piobesi Torinese
Carignano
Vallongo
Pancalieri
Casalgrasso
Carmagnola
Salsasio
Ceretto
Osasio
Virle Piemonte
Cercenasco
Vigone
Buriasco
Macello
Osasco
Garzigliana
Cavour
Villafranca Piemonte
Moretta
Polonghera
Faule
Racconigi
Caramagna Piemonte
Sommariva del Bosco
Ceresole Alba
Sanfrè
Cavallermaggiore
Murello
Villanova Solara
Cardè
Abbazia Staffarda
Revello
Envie
Saluzzo
Scarnafigi
Monasterolo di Savigliano
Savigliano
Marene
Bra
Pocapaglia
Baldissero d'Alba
Sommariva Perno
Cherasco
Pollenzo
Narzole
Genola
Manta
Verzuolo
Lagnasco
Costigliole Saluzzo
Venasca
Brossasco
Rossana
Martiniana Po
Po
Villafalletto
Salmour
Monchiero
A
B
C
D
E
F
1
2
3
4

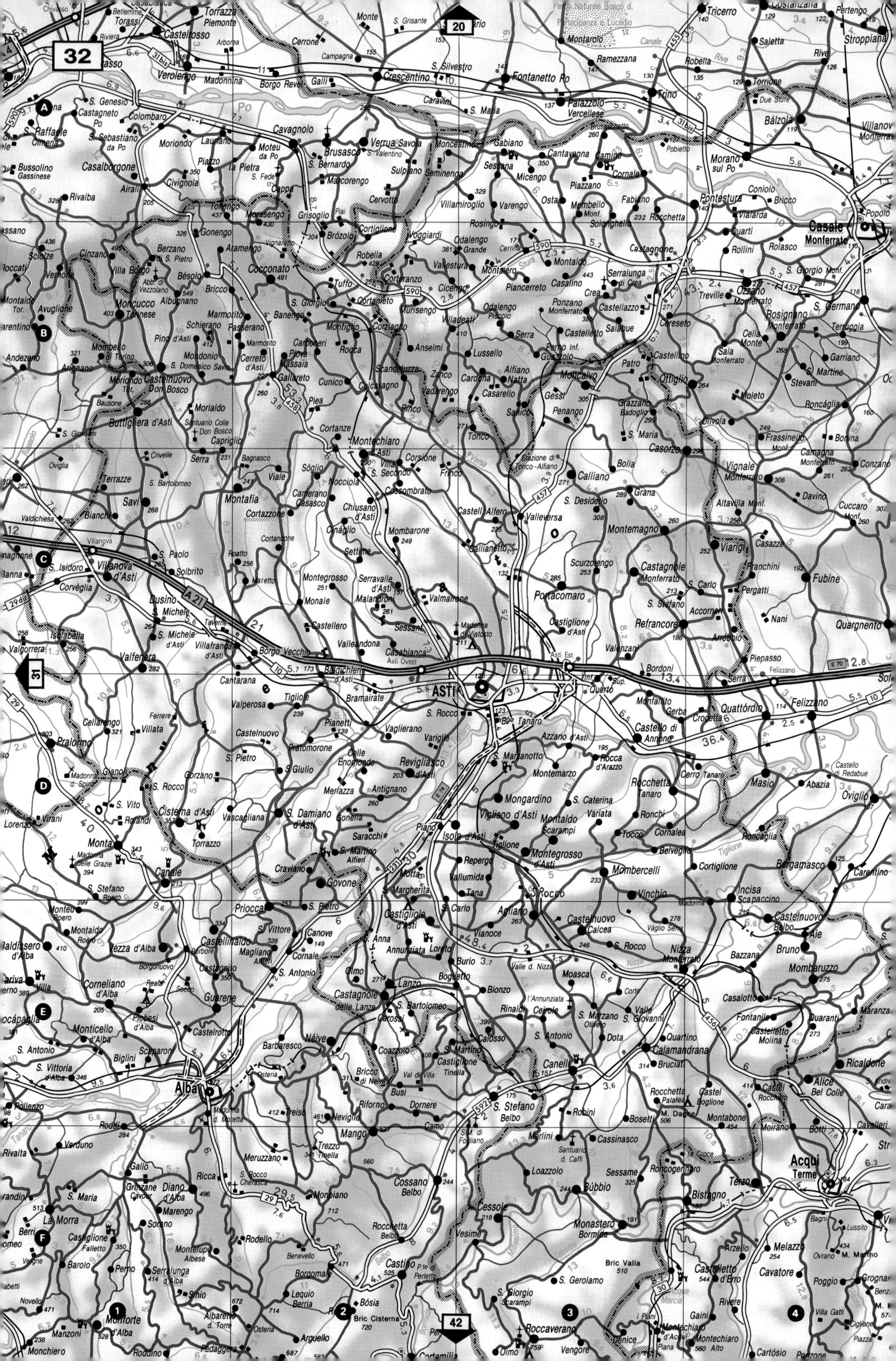

32
20
31
42
Chivasso
Torrazza Piemonte
Castelrosso
Verolengo
Crescentino
Fontanetto Po
Tricerro
Costanzana
Stroppiana
Montarolo
Ramezzana
Trino
Palazzolo Vercellese
Saletta
Robella
Rive
Torrione
Bálzola
Villanova Monferrato
Morano sul Po
Casale Monferrato
Popolo
Pontestura
Coniolo
Bricco
Po
Monte
S. Grisante
Cerrone
Campagna
Borgo Revel
Galli
S. Silvestro
Caravini
S. Maria
Madonnina
S. Genesio
Castagneto Po
S. Raffaele Cimena
S. Sebastiano da Po
Colombaro
Moriondo
Lauriano
Moteu da Po
Cavagnolo
Brusasco
Verrua Savoia
S. Valentino
Moncestino
Gabiano
Cantavenna
Camino
Cornale
Bussolino Gassinese
Casalborgone
Airali
Civignola
Piazzo
la Pietra
S. Fede
Cappa
S. Bernardo
Marcorengo
Sulpiano
Seminenga
Sessana
Micengo
Piazzano
Rivalba
Torrengo
Marasengo
Grisoglio
Brózolo
Cervotto
Villamiroglio
Varengo
Osta
Mombello Monf.
Solonghello
Fabiano
Rocchetta
Viarda
Quarti
Rolasco
Rollini
Gonengo
Aramengo
Vignaretto
Cortiglione
Voggiardi
Odalengo Grande
Rosingo
Cerrina
Montaldo
Castagnone
Serralunga di Crea
Cinzano
Scioize
Vernone
Villa Borgo
Berzano di S. Pietro
Abb. di Vezzolano
Bésolo
Albugnano
Cocconato
Robella
Tuffo
Corteranzo
Vallestura
Cicengo
Montalero
Piancerreto
Casalino
Crea
Castellazzo
Treville
Ozzano Monferrato
S. Giorgio Monf.
S. Germano
Moncucco Torinese
Avuglione
Andezeno
Arignano
Mombello di Torino
Bricco
Marmorito
Schierano
Passerano
Pino d'Asti
S. Giorgio
Cortanieto
Banengo
Montiglio
Corziagno
Murisengo
Villadeati
Odalengo Piccolo
Ponzano Monferrato
Salabue
Cereseto
Rosignano Monferrato
Terruggia
Cella Monte
Sala Monferrato
Castellino
Garriano
Serra
Castelletto
Perno Inf.
Guazzolo
Mondonio
S. Domenico Savio
Cerreto d'Asti
Piova Massaia
Cardoneri
Rocca
Anselmi
Lussello
Alfiano Natta
Moncalvo
Patro
Ottiglio
Moleto
Stevani
S. Martino
Roncáglia
Castelnuovo Don Bosco
Moriondo Tor.
Bausone
Gallareto
Cunico
Colcavagno
Scandeluzza
Zanco
Vadarengo
Cardona
Casarello
Sanico
Gessi
Penango
Grazzano Badoglio
Olivola
Frassinello Monf.
Bonina
Buttigliera d'Asti
Morialdo
Santuario Colle Don Bosco
Piea
Rinco
Tonco
S. Maria
Casorzo
Camagna Monferrato
Conzano
Capriglio
Serra
Cortanze
Montechiaro d'Asti
Villa S. Secondo
Corsione
Frinco
Stazione di Tonco-Alfiano
Calliano
Bolla
Vignale Monferrato
Crivelle
Oviglio
Bagnasco
Viale
Sóglio
Nocciola
Cossombrato
Grana
Davino
S. Bartolomeo
Terrazze
Savi
Montafia
Camerano Casasco
Chiusano d'Asti
Castell'Alfero
S. Desiderio
Altavilla Monf.
Cuccaro Monf.
Bianchi
Valdichiesa
Cortazzone
Villanova d'Asti
S. Paolo
Solbrito
Cortandone
Cinaglio
Settime
Mombarone
Callianetto
Valleversa
Montemagno
Viarigi
Casazze
Fubine
C
S. Isidoro
Corvèglia
Roatto
Maretto
Montegrosso
Serravalle d'Asti
Malandrone
Valmairone
Scurzolengo
Portacomaro
Castagnole Monferrato
S. Carlo
Franchini
Pergatti
Nani
Dusino
S. Michele
Monale
Castellero
Sessant
Madonna di Viatosto
Castiglione d'Asti
S. Stefano
Refrancore
Accornero
Arróbbio
Quargnento
Isolabella
Valgorrera
S. Michele d'Asti
Taverne
Villafranca d'Asti
Borgo Vecchio
Valleandona
Casabianca
Asti Ovest
Asti Est
Valenzani
Piepasso
Valfenera
A 21
Baldichieri d'Asti
Bramairate
ASTI
Bordoni
Serra
Felizzano
Cantarana
Tigliole
Quarto
Monfallito
Gerba
Crocetta
Quattórdio
Cellarengo
Villata
Ferrere
Valperosa
Pianetti
S. Rocco
Vaglierano
Variglie
Tanaro
Azzano d'Asti
Castello di Annone
Masio
Castello di Redabue
Pralormo
Castelnuovo
Pratomorone
Celle Enomondo
S. Pietro
S. Giulio
Revigliasco d'Asti
S. Marzanotto
Montemarzo
Rocca d'Arazzo
Cerro Tanaro
Abazia
Oviglio
D
Madonna d. Spina
Gianoli
S. Rocco
Gorzano
Merlazza
Antignano
Mongardino
S. Caterina
Variata
Rocchetta Tanaro
S. Vito
Rolandi
Cisterna d'Asti
Torrazzo
Vascagliana
S. Damiano d'Asti
Gonella
Piano
Isola d'Asti
Vigliano d'Asti
Montaldo Scarampi
Ronchi
Cornalea
Tocco
Virani
Monta
Madonna delle Grazie
Saracchi
S. Martino Alfieri
Tigliole
Montegrosso d'Asti
Belveglio
Roncaglia
Tiglione
Bergamasco
Carentino
Canale
S. Stefano Roero
Craviano
Govone
Motta
Repergo
Callumida
Mombercelli
Cortiglione
Incisa Scapaccino
Monteu Roero
Montaldo Roero
Priocca
S. Pietro
S. Margherita
Castigliole d'Asti
Tana
S. Carlo
Agliano
S. Rocco
Vinchio
Castelnuovo Calcea
Vaglio Serra
Castelnuovo Belbo
Baldissero d'Alba
Vezza d'Alba
Castellinaldo
S. Vittore
Magliano Alfieri
Canove
Cornale
S. Anna
Annunziata
Loreto
Vianoce
Burio
S. Rocco
Nizza Monferrato
Bazzana
Bruno
Aie
Borbore
Borgonuovo
Castagnito
S. Antonio
Olmo
Lanzo
Bogliètto
Valle d. Nizza
Moasca
Mombaruzzo
E
Corneliano d'Alba
Reale
Secco
Guarene
Castagnole delle Lanze
S. Bartolomeo
Bionzo
Rinaldi
Ceirole
S. Marzano Oliveto
Valle S. Giovanni
Corte
Casalotto
Fontanile
Castelletto Molina
Quaranti
Maranzana
Monticello d'Alba
Piobesi d'Alba
Castelrotto
Barbaresco
Néive
Carossi
Calosso
S. Antonio
Dota
Quartino
Calamandrana
Bruciati
S. Antonio
Biglini
Scaparoni
Coazzolo
S. Martino
Castiglione Tinella
Canelli
Ricaldone
S. Vittoria d'Alba
Alba
Osteria
Bricco di Neive
Val di Villa
Busi
S. Stefano Belbo
Robini
Rocchetta Palafea
Castel Boglione
Castel Rocchero
Alice Bel Colle
Pollenzo
Madonna d. Moretta
Treiso
Neviglie
Riforno
Dornere
Camo
Bosetti
M. Dagne
Montabone
Moirano
Botti
Cavalleri
Roddi
Rivalta
Verduno
Meruzzano
Trezzo Tinella
Mango
S.M. di Fogliano
Merlini
Cassinasco
Santuario d. Caffi
Roncogennaro
La Croce
Acqui Terme
Gallo
Grinzane Cavour
Diano d'Alba
Ricca
S. Rocco Cherasca
Cossano Belbo
Loazzolo
Bùbbio
Sessame
Terzo
Bistagno
S. Maria
La Morra
Marengo
Sorano
Monbiano
Cessole
Vesime
Monastero Bormida
Bagni
Lussito
F
Castiglione Falletto
Perno
Montelupo Albese
Rodello
Benevello
Rocchetta Belbo
Castino
Bric Valla
Arzello
Melazzo
Ovrano
M. Marino
Barolo
Serralunga d'Alba
Borgomale
P.te di Perletto
S. Gerolamo
Castelletto d'Erro
Cavatore
Poggio
Grognardo
Sinio
Lequio Berria
S. Giorgio Scarampi
Rivere
Novello
Monforte d'Alba
Albaretto d. Torre
Bósia
Bric Cisterna
Gaini
Villa Gatti
Cigliole
Manzoni
Monchiero
Osteria
Arguello
Roccaverano
Denice
Montechiaro d'Acqui
Montechiaro Alto
Piazza
Roddino
Pedaggera
Cortemilia
Olmo
Vengore
Cartósio
Ponzone
1
2
3
4
A
B

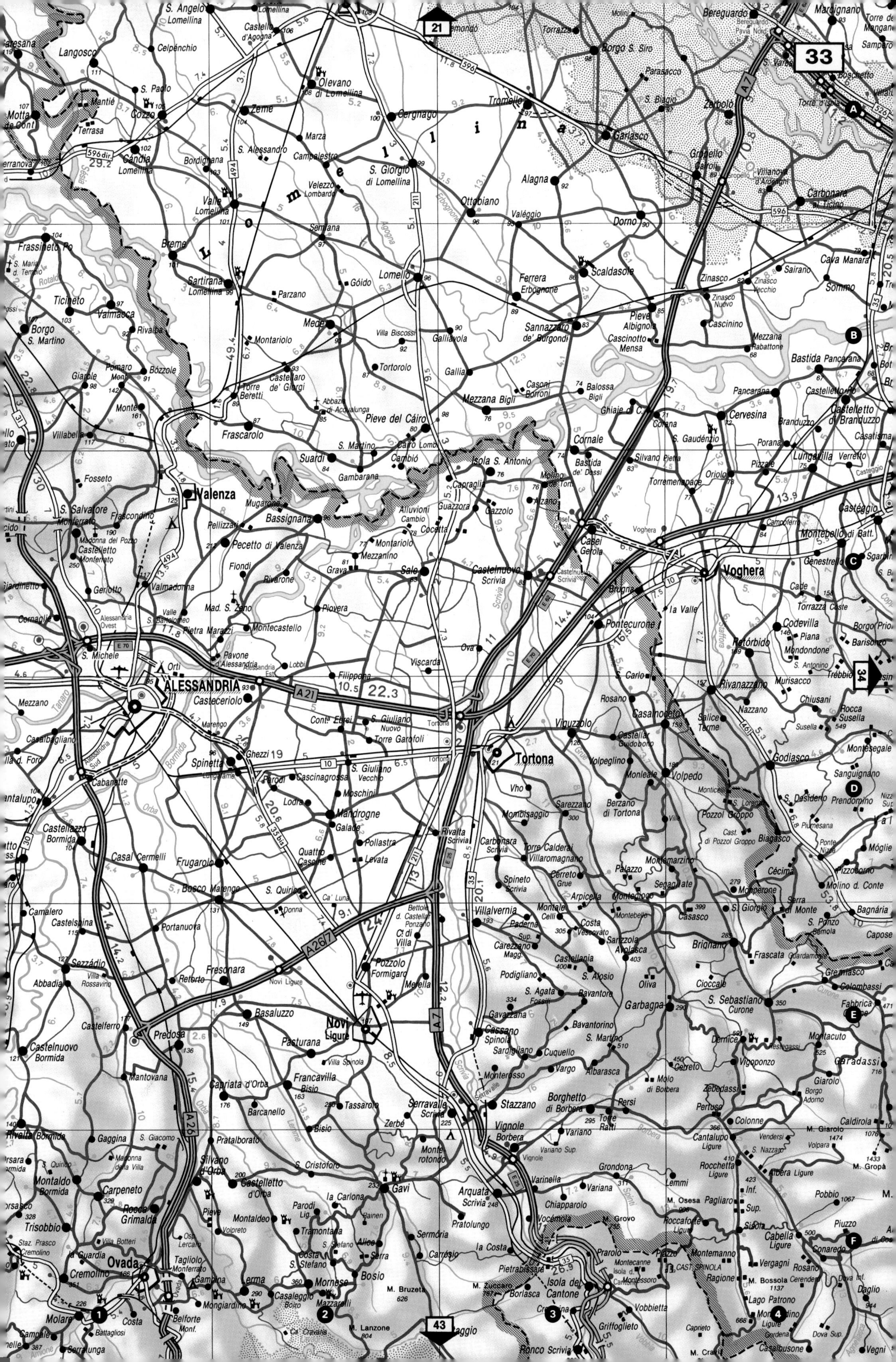
21
33
34
43
L o m e l l i n a
Po
S. Angelo Lomellina
Langosco
Celpènchio
Castello d'Agogna
Olevano di Lomellina
Cozzo
Zeme
Cergnago
Tromello
Borgo S. Siro
Bereguardo
Marcignano
Motta de'Conti
Càndia Lomellina
S. Alessandro
Marza
Campalestro
S. Giorgio di Lomellina
Garlasco
Gropello Cairoli
Zerbolò
Bordignana
Velezzo Lombardo
Valle Lomellina
Ottobiano
Alagna
Dorno
Carbonara al Ticino
Breme
Semiana
Valéggio
Frassineto Po
Sartirana Lomellina
Parzano
Gòido
Lomello
Ferrera Erbognone
Scaldasole
Zinasco
Cava Manara
Sommo
Sairano
Ticineto
Valmacca
Borgo S. Martino
Rivalba
Mede
Villa Biscossi
Galliavola
Sannazzaro de' Burgondi
Pieve Albignola
Cascinotto Mensa
Mezzana Rabattone
Bastida Pancarana
Montariolo
Castellaro de' Giorgi
Tortorolo
Gallia
Casoni Borroni
Balossa Bigli
Giarole
Pomaro Monf.
Bózzole
Torre Beretti
Mezzana Bigli
Pancarana
Cervesina
Castelletto di Branduzzo
Frascarolo
Abbazia di Acqualunga
Pieve del Cairo
Villabella
Monte
Suardi
S. Martino
Cairo Lomb.
Cambiò
Gambarana
Isola S. Antonio
Cornale
Bastida de' Dossi
Silvano Pietra
Corana
S. Gaudènzio
Torremenapace
Oriolo
Porana
Pizzale
Lungavilla
Verretto
Fosseto
Valenza
Mugarone
Bassignana
Capraglia
Guazzora
Alluvioni Cambiò
Cocetta
Gazzolo
Molino dei Torti
Alzano
Casei Gerola
Voghera
Casteggio
Montebello di Batt.
Genestrello
S. Salvatore Monferrato
Frascondino
Madonna del Pozzo
Castelletto Monferrato
Pellizzari
Pecetto di Valenza
Montariolo
Mezzanino
Grava
Salo
Castelnuovo Scrivia
Brugna
Fiondi
Rivarone
Piovera
Valmadonna
Gerlotto
Cornaglie
Alessandria Ovest
Valle S. Bartolomeo
Pietra Marazzi
Mad. S. Zeno
Montecastello
Pontecurone
la Valle
Codevilla
Retòrbido
Torrazza Coste
S. Michele
Pavone d'Alessandria
Alessandria Est
Lobbi
Filippona
Viscarda
Ova
ALESSANDRIA
Orti
Castceriolo
A 21
22.3
Rivanazzano
Murisacco
Tortona
Rosano
S. Carlo
Casalnoceto
Nazzano
Chiusani
Rocca Susella
Mezzano
Marengo
Cont.ᵃ Ebrei
S. Giuliano Nuovo
Torre Garofoli
Viguzzolo
Castellar Guidobono
Salice Terme
Casalbagliano
Spinetta
Ghezzi
S. Giuliano Vecchio
Volpeglino
Monleale
Volpedo
Godiasco
Montesegale
Cabanette
Parodi
Cascinagrossa
Moschini
Lodra
Mandrogne
Galade
Vho
Mombisaggio
Sarezzano
Berzano di Tortona
Pozzol Groppo
Sanguignano
Prendomino
Castellazzo Bormida
Pollastra
Levata
Rivalta Scrivia
Carbonara Scrivia
Torre Calderai
Villaromagnano
Montemarzino
Biagasco
Casal Cermelli
Frugarolo
Quattro Cascine
Bosco Marengo
S. Quirico
Ca' Luna
Spineto Scrivia
Cerreto Grue
Arpicella
Palazzo
Monteggioco
Montebello
Cecima
Monperone
Serra del Monte
Molino d. Conte
Camalero
Castelspina
Portanuora
Donna
Bettole di Castellar Ponzano
Villalvernia
Montale Celli
Costa Vescovato
Sarizzola
Casasco
S. Giorgio
Brignano
S. Ponzo Semola
Bagnària
Sezzàdio
Abbadia
Villa Rossavino
Retorto
Fresonara
Novi Ligure
A 26/7
Pozzolo Formigaro
Merella
Paderna
Carezzano Magg.
Podigliano
Castellania
S. Alosio
Avolasca
Oliva
Frascata
Gremiasco
Colombassi
Castelferro
S. Agata Fossili
Bavantore
Garbagna
Cioccale
S. Sebastiano Curone
Fabbrica Curone
Predosa
Basaluzzo
Pasturana
Novi Ligure
Gavazzana
Cassano Spinola
Sardigliano
Cuquello
Bavantorino
S. Martino
Demice
Montacuto
Castelnuovo Bormida
Mantovana
Francavilla Bisio
Villa Spinola
Monterosso
Vargo
Albarasca
Molo di Borbera
Cerreto
Vigoponzo
Garadassi
Giarolo
Capriata d'Orba
Barcanello
Tassarolo
Serravalle Scrivia
Stazzano
Borghetto di Borbera
Persi
Torre Ratti
Zebedassi
Pertuso
Colonne
Rivalta Bormida
Gaggina
S. Giacomo
Pratalborato
Bisio
Zerbè
Monte rotondo
Vignole Borbera
Variano
Cantalupo Ligure
Caldirola
M. Giarolo
Silvano d'Orba
S. Cristoforo
Grondona
Lemmi
Rocchetta Ligure
Albera Ligure
M. Gropà
Montaldo Bormida
Carpeneto
Castelletto d'Orba
Gavi
la Carlona
Arquata Scrivia
Varinella
Variana
Chiapparolo
M. Osesa
Pagliaro
Pobbio
Trisobbio
Rocca Grimalda
Pieve
Montaldeo
Parodi Lig.
Tramontana
Pratolungo
Vocèmola
M. Grovo
Roccaforte Ligure
Cabella Ligure
Piuzzo
Conaredo
Ovada
Cremolino
la Guardia
Tagliolo Monferrato
Gambina
Lerma
Casaleggio Boiro
Mornese
Mazzarelli
Costa S. Stefano
Bosio
Alice
Serra
Sermòria
Carrosio
la Costa
Pietrabissara
Isola del Cantone
Prarola
Montecanne
CAST. SPINOLA
Montemanno
Ragione
M. Bossola
Rosano
Vergagni
Lago Patrone
Daglio
Molare
Belforte Monf.
Mongiardino
M. Bruzeta
M. Lanzone
M. Zuccaro
Borlasca
Cremina
Vobbietta
Griffoglieto
Ronco Scrivia
Montoggio
Mongiardino Ligure
Casalbusone
Caprieto
Dova Sup.
Costa
Battagliosi
Serralunga
Campale
M. Cravi
Vegni
A 7
A 26
A 21
A
B
C
D
E
F
1
2
3
4

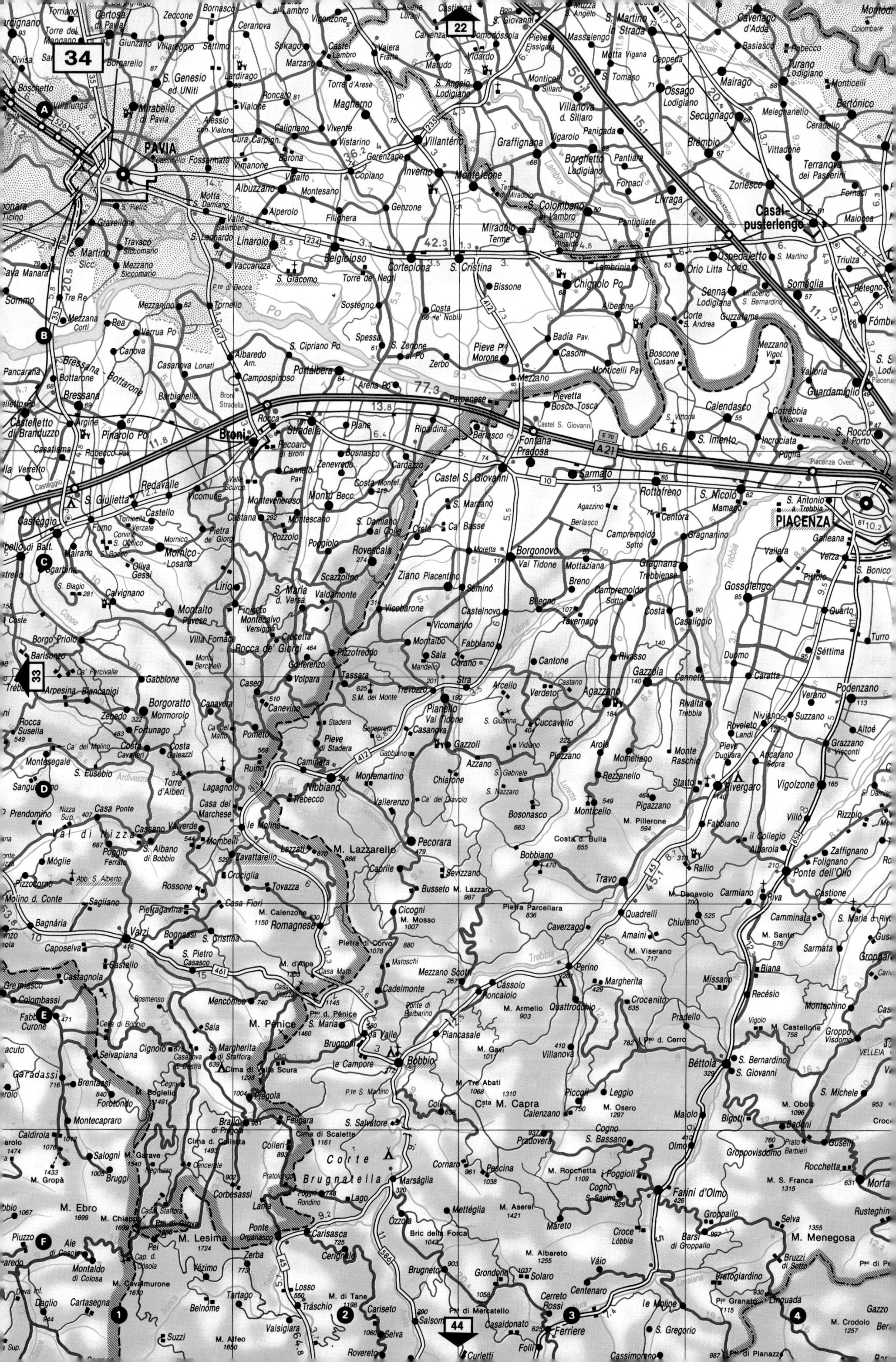

34
22
33
44
PAVIA
Certosa di Pavia
Giussago
Borgarello
S. Genesio ed Uniti
Mirabello di Pavia
Cura Carpign.
Fossarmato
Albuzzano
Linarolo
Belgioioso
Corteolona
S. Cristina
Magherno
Villanterio
Inverno
Monteleone
Graffignana
Borghetto Lodigiano
Livraga
Casalpusterlengo
S. Angelo Lodigiano
S. Martino in Strada
Massalengo
Ossago Lodigiano
Secugnago
Brembio
Mairago
Cavenago d'Adda
Turano Lodigiano
Bertonico
Terranova dei Passerini
Zorlesco
S. Colombano al Lambro
Miradolo Terme
Chignolo Po
Orio Litta
Ospedaletto Lodig.
Senna Lodigiana
Somaglia
Guzzafame
Boscone Cusani
Mezzano Vigol.
Calendasco
Guardamiglio
S. Rocco al Porto
Po
S. Martino Sicc.
Travacò Siccomario
Mezzana Corti
Bressana
Bressana-Bottarone
Castelletto di Branduzzo
Pinarolo Po
Albaredo Arn.
Portalbera
Arena Po
S. Zenone al Po
Spessa
Costa de' Nobili
Pieve P.te Morone
Zerbo
Broni
Stradella
Rocca
Parpanese
Castel S. Giovanni
Fontana Pradosa
Sarmato
Rottofreno
S. Nicolò
PIACENZA
Piacenza Ovest
A21
E70
Casteggio
S. Giulietta
Redavalle
Montù Becc.
Canneto Pav.
Montescano
Cigognola
Borgonovo Val Tidone
Ziano Piacentino
Gragnano Trebbiense
Gossolengo
Rovescala
Montalto Pavese
Mornico-Losana
Calvignano
Rocca de' Giorgi
Pizzofreddo
Golferenzo
Volpara
Tassara
Trevozzo
Pianello Val Tidone
Agazzano
Gazzola
Rivalta Trebbia
Podenzano
Vigolzone
Rivergaro
Borgoratto Mormorolo
Fortunago
Nibbiano
Caminata
Pecorara
M. Lazzarello
Bobbio
Travo
Ponte dell'Olio
Varzi
Val di Nizza
Bagnária
Romagnese
M. Pènice
Perino
Bèttola
Farini d'Olmo
Coli
Corte Brugnatella
Marságlia
M. Lesima
M. Ebro
Fabbrica Curone
Ferriere
M. Menegosa
Trebbia
Tidone
Nure

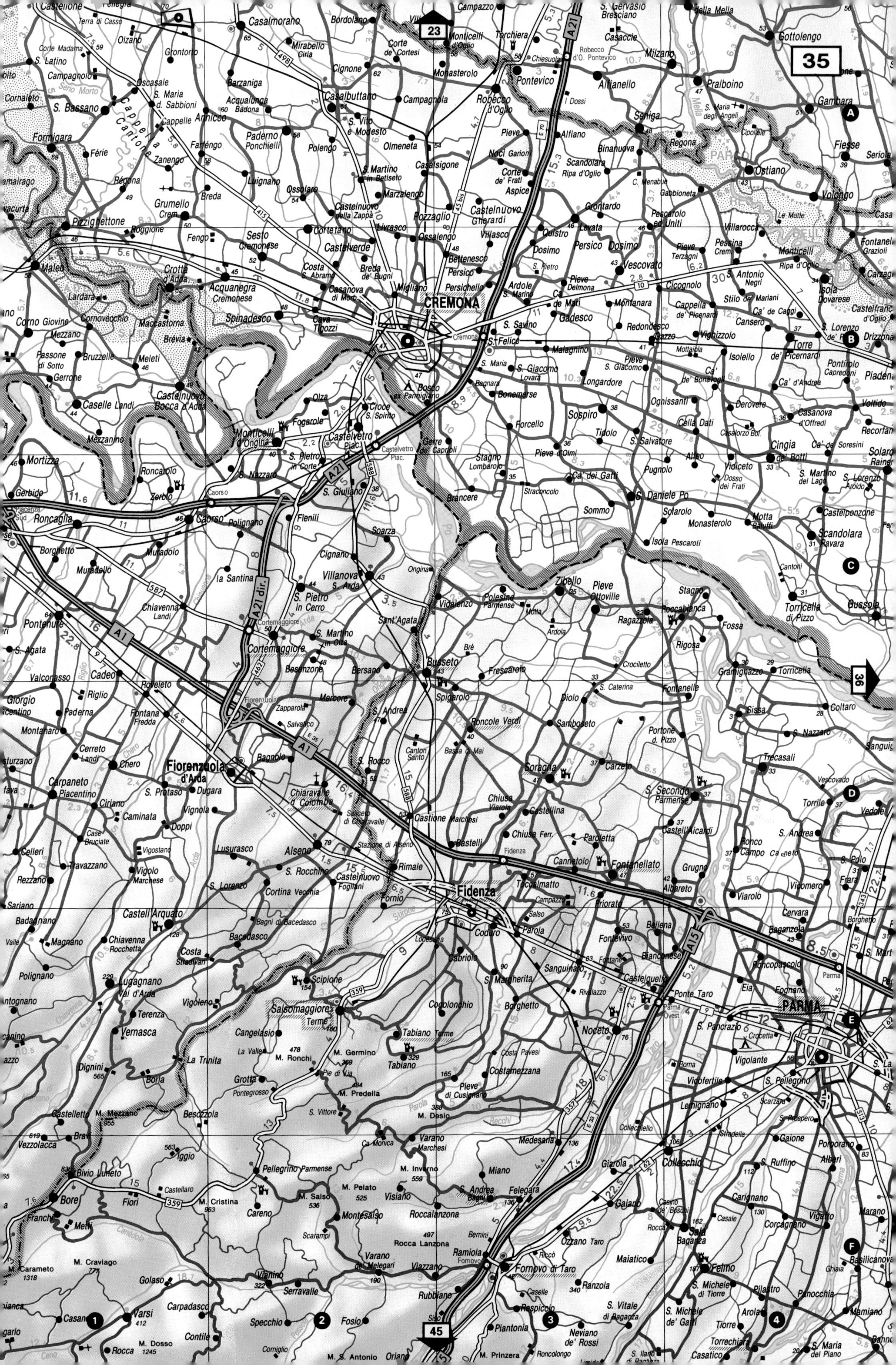
35
36
23
45
A
B
C
D
E
F
1
2
3
4
A21
A1
A15
A21 dir.
E 70
E 35
E 33
Castelleone
Casalmorano
Bordolano
Monticelli d'Oglio
Torchiera
S. Gervasio Bresciano
Gottolengo
Olzano
Grontorto
Mirabello Ciria
Corte de' Cortesi
Robecco d'O. Pontevico
Casaccie
Milzano
Corte Madama
S. Latino
Campagnola
Oscasale
S. Maria d. Sabbioni
Barzaniga
Acqualunga Badona
Cignone
Casalbuttano
Monasterolo
Pontevico
Alfianello
Pralboino
Gambara
Cornaleto
S. Bassano
Cappella Cantone
Cappelle
Annicco
S. Vito e Modesto
Campagnola
Robecco d'Oglio
I Dossi
Seniga
S. Maria degli Angeli
Cipollare
Formigara
Férie
Zanengo
Farfengo
Paderno Ponchielli
Polengo
Olmeneta
Pieve
Alfiano
Binanuova
Regona
Fiesse
Seriola
Regona
S. Martino in Beliseto
Casalsigone
Noci Garioni
Corte de' Frati
Aspice
Scandolara Ripa d'Oglio
C. Menabue
Gabbioneta
Ostiano
Volongo
Pizzighettone
Roggione
Grumello Crem.
Breda
Luignano
Ossolaro
Castelnuovo della Zappa
Marzalengo
Pozzaglio
Castelnuovo Gherardi
Grontardo
Pescarolo ed Uniti
Villarocca
Le Motte
Fengo
Sesto Cremonese
Cortetano
Livrasco
Ossalengo
Villasco
Quistro
Levata
Dosimo
Persico Dosimo
Pieve Terzagni
Pessina Crem.
Monticelli Ripa d'Oglio
Fontanella Grazioli
Maleo
Lardara
Crotta d'Adda
Acquanegra Cremonese
Castelverde
Costa S. Abramo
Breda de' Bugni
Bettenesco
Persico
S. Pietro
Pieve Delmona
Vescovato
S. Antonio Negri
Isola Dovarese
Carzaghetto
Corno Giovine
Cornovecchio
Maccastorna
Spinadesco
Casanova di Morb.
Migliaro
Persichello
Ardole S. Marino
Ca' de Mari
Cicognolo
Montanara
Stilo de' Mariani
Castelfranco d'Oglio
Mezzano
Brevia
Cava Tigozzi
CREMONA
Gadesco
Cappella de' Picenardi
Cà de' Caggi
Cansero
Passone di Sotto
Bruzzelle
Meleti
S. Savino
S. Felice
Redondesco
Gazzo
Vighizzolo
S. Lorenzo de' P.
Drizzona
Gerrone
Malagnino
Mottaiola
Isolello
Torre de' Picenardi
Pontirolo Capredoni
Piadena
Caselle Landi
Castelnuovo Bocca d'Adda
Olza
Bosco ex Parmigiano
S. Maria
S. Giacomo Lovara
Pieve S. Giacomo
Cà de' Bonavogli
Cà d'Andrea
Mezzanino
Monticelli d'Ongina
Fogarole
Croce S. Spirito
Castelvetro Piac.
Bagnara
Bonemerse
Longardore
Ognissanti
Derovere
Casanova d'Offredi
Voltido
Recorfano
Forcello
Sospiro
Tidolo
Cella Dati
Casalorzo Bol.
Mortizza
S. Pietro in Corte
Gerre de' Caprioli
Pieve d'Olmi
S. Salvatore
Cingia de' Botti
Cà de' Soresini
Solarolo Rainerio
Roncarolo
S. Nazzaro
Stagno Lombardo
Altèo
Vidiceto
Dosso dei Frati
S. Martino del Lago
S. Lorenzo Aroldo
Gerbido
Zerbio
Caorso
S. Giuliano
Brancere
Straconcolo
Cà dei Gatti
Pugnolo
S. Daniele Po
Piacenza Sud
Roncaglia
Polignano
Fienili
Sommo
Solarolo
Monasterolo
Motta Baluffi
Castelponzone
Scandolara Ravara
Borghetto
Muradolo
Soarza
Isola Pescaroli
Muradello
la Santina
Cignano
Villanova S. Arda
Ongina
Cantoni
Chiavenna Landi
S. Pietro in Cerro
Vidalenzo
Polesine Parmense
Zibello
Pieve Ottoville
Stagno
Roccabianca
Ragazzola
Torricella di Pizzo
Gussola
Pontenure
Cortemaggiore
Sant'Agata
Motta
Ardola
Fossa
S. Agata
S. Martino in Olza
Brè
Rigosa
Valconasso
Riglio
Cadeo
Roveleto
Besenzone
Bersano
Busseto
Frescarolo
Crociletto
Gramignazzo
Torricella
Giorgio
Paderna
Fiorenzuola
Zapparola
Mercore
Spigarolo
S. Caterina
Fontanelle
Diolo
Sissa
Coltaro
Montanaro
Fontana Fredda
Salvatico
S. Andrea
Roncole Verdi
Samboseto
Portone d. Pizzo
S. Nazzaro
Cerreto Landi
Chero
Fiorenzuola d'Arda
Bagnolo
Canton Santo
Bassa di Mai
Trecasali
Carpaneto Piacentino
S. Protaso
Dugara
S. Rocco
Soragna
Carzeto
Vescovado
Torrile
Ciriano
Vignola
Chiaravalle d. Colomba
Chiusa Viarola
Castellina
S. Secondo Parmense
Vedole
Caminata
Doppi
Case Bruciate
Salicero di Chiaravalle
Castione Marchesi
Chiusa Ferr.
Parolletta
Castell'Aicardi
S. Andrea
Celleri
Vigostano
Lusurasco
Alseno
Stazione di Alseno
Bastelli
Ronco Campo
Rezzano
Travazzano
Vigolo Marchese
S. Rocchino
Castelnuovo Fogliani
Rimale
Fidenza
Cannetolo
Fontanellato
Grugno
S. Polo
Sariano
S. Lorenzo
Cortina Vecchia
Fornio
Toccalmatto
Campazzo
Albareto
Viarolo
Vicomero
Frara
Badagnano
Castell'Arquato
Bagni di Bacedasco
Salso
Priorato
Cervara
Baganzola
Borghetto
Valle
Magnano
Chiavenna Rocchetta
Bacedasco
Codero
Parola
Bellena
Fontevivo
Costa Stradivari
Lodesana
Cabriolo
Sanguinaro
Fontane
Bianconese
Roncopascolo
Polignano
Lugagnano Val d'Arda
Scipione
S. Margherita
Castelguelfo
Eia
Fognano
Parma
S. Martino
Vigoleno
Salsomaggiore Terme
Cogolonchio
Borghetto
Rivalazzo
Ponte Taro
Parma Ovest
S. Pancrazio
Crocetta
PARMA
Terenza
Vernasca
Cangelasio
La Valle
M. Ronchi
Tabiano Terme
Tabiano
M. Germino
Noceto
Vigolante
S. Lazzaro
Dignini
La Trinità
Grotta
Pontegrosso
Pie di Via
M. Predella
Costa Pavesi
Costamezzana
Roma
Vicofertile
S. Pellegrino
Boria
Pieve di Cusignano
Lemignano
Scarzara
Castelletto
M. Mezzano
Besozzola
S. Vittore
M. Desio
Recchi
Collecchiello
Stradella
S. Prospero
Vezzolacca
Bravi
Ca Monica
Varano Marchesi
Medesano
Collecchio
Gaione
Pororano
Iggio
Pellegrino Parmense
M. Inverno
Miano
Giarola
S. Ruffino
Alberi
Bivio Lumeto
Castellaro
M. Pelato
Visiano
S. Andrea Bagni
Felegara
Gaiano
Carignano
Bore
Fiori
M. Cristina
Careno
M. Salso
Montesalso
Roccalanzona
Casino de' Boschi
Casale
Corcagnano
Vigatto
Marano
Franchi
Metti
Scarampi
Rocca Lanzona
Bemini
Rocca
Sala Baganza
M. Caramelo
M. Craviago
Ramiola
Fornovo
Ozzano Taro
Riccò
Maiatico
Felino
Ghiaia
Basilicanova
Golaso
Viazzano
Varano de' Melegari
Vianino
Fornovo di Taro
Ranzola
S. Michele di Tiorre
Pilastro
Panocchia
Mamiano
Serravalle
Rubbiano
Caselle
Respiccio
S. Vitale di Baganza
S. Michele de' Gatti
Arola
Casan
Varsi
Carpadasco
Specchio
Fosio
Siso
Piantonia
Neviano de' Rossi
Tiorre
Torrechiara
Contile
Rocca
M. Dosso
Corniglio
M. S. Antonio
Oriano
M. Prinzera
Roncolongo
S. Ilario di Baganza
Casatico
S. Maria del Piano
Po
Taro
Parma
Arda
Stirone
Chero
Riglio
Ceno
Ongina
Parola

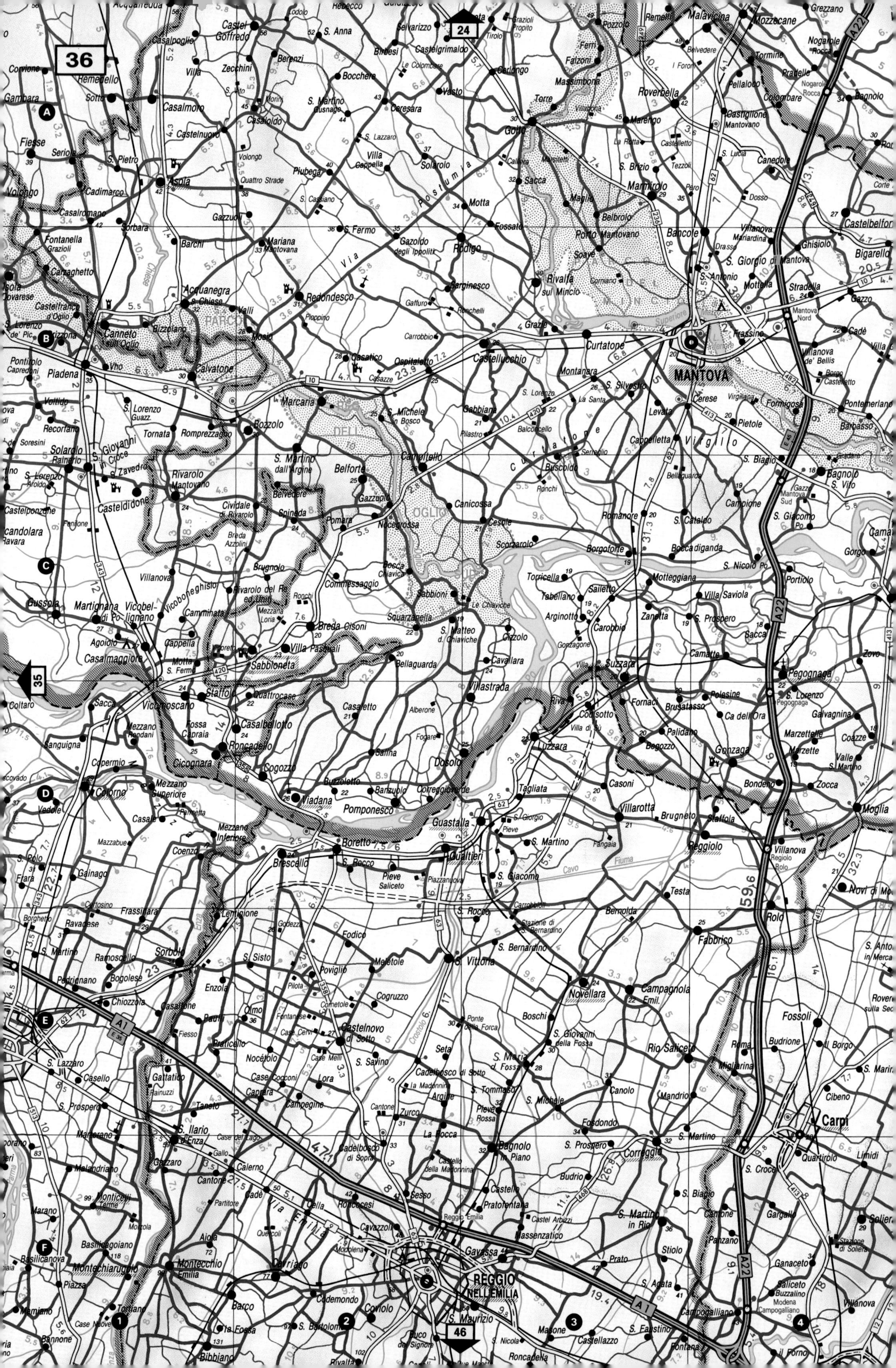

36
24
35
46
A
B
C
D
E
F
1
2
3
4
Castel Goffredo
Casalmoro
Casaloldo
Asola
Remedello
Fiesse
Gambara
Canneto sull'Oglio
Piadena
Calvatone
Acquanegra s. Chiese
Redondesco
Mariana Mantovana
Marcaria
Bozzolo
Rivarolo Mantovano
Casteldidone
S. Giovanni in Croce
Solarolo Rainerio
Gussola
Martignana di Po
Casalmaggiore
Vicomoscano
Sabbioneta
Viadana
Pomponesco
Colorno
Sorbolo
Brescello
Boretto
Gualtieri
Guastalla
Luzzara
Suzzara
Gonzaga
Pegognaga
Reggiolo
Moglia
Novellara
Fabbrico
Rolo
Carpi
Correggio
Bagnolo in Piano
Castelnovo di Sotto
Poviglio
S. Ilario d'Enza
Montecchio Emilia
Cavriago
REGGIO NELL'EMILIA
Rubiera
Campogalliano
Soliera
Novi di Modena
Fossoli
S. Martino in Rio
Campagnola Emil.
Rio Saliceto
MANTOVA
Curtatone
Castellucchio
Goito
Roverbella
Marmirolo
Porto Mantovano
Rodigo
Gazoldo degli Ippoliti
Virgilio
Borgoforte
Motteggiana
Bagnolo S. Vito
S. Giorgio di Mantova
Castelbelforte
Bigarello
Mozzecane
Nogarole Rocca
Volta Mantovana
Ceresara
Piubega
Castellucchio
Commessaggio
Dosolo
Villastrada
S. Matteo d. Chiaviche
Canicossa
Cesole
S. Martino dall'Argine
Gazzuolo
Belforte
Campitello
Ospitaletto
Via Postumia
Via Emilia
PARCO DEL MINCIO
PARCO OGLIO SUD
Po
Oglio
Mincio
A1
A22
E 35
E 45
10
62
63
343
358
413
420
482
236
249

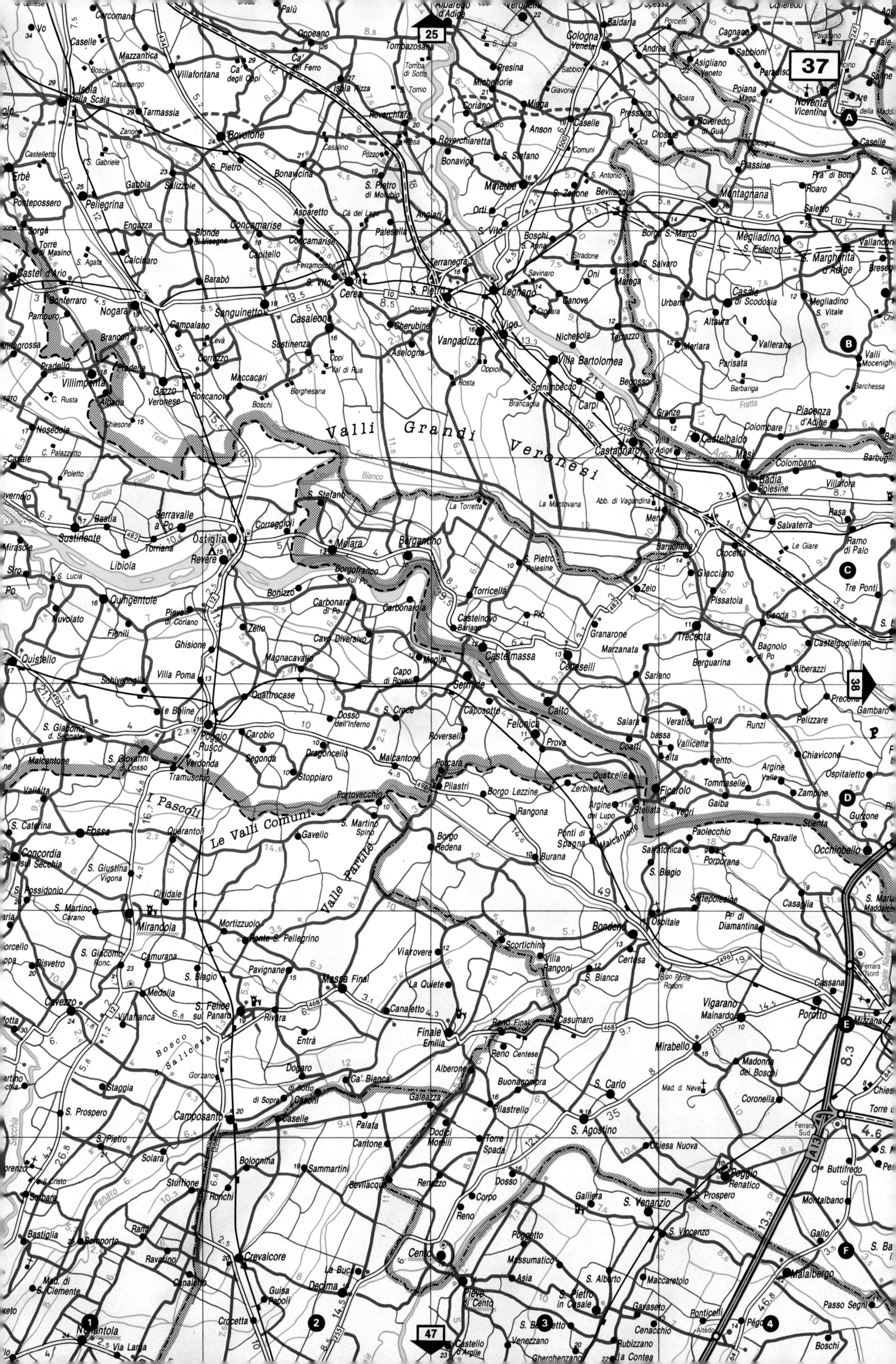

25
37
38
47
Isola della Scala
Bovolone
Oppeano
Cologna Veneta
Noventa Vicentina
Asigliano Veneto
Poiana Maggiore
Roveredo di Guà
Pressana
Minerbe
Montagnana
Bevilacqua
Megliadino S. Fidenzio
S. Margherita d'Adige
Casale di Scodosia
Megliadino S. Vitale
Erbè
Pellegrina
Salizzole
Concamarise
Cerea
S. Pietro
Legnago
Nogara
Sanguinetto
Casaleone
Vangadizza
Villa Bartolomea
Castel d'Ario
Villimpenta
Gazzo Veronese
Roncanova
Valli Grandi Veronesi
Carpi
Castagnaro
Castelbaldo
Piacenza d'Adige
Masi
Badia Polesine
Sustinente
Serravalle a Po
Ostiglia
Revere
Libiola
Melara
Bergantino
Borgofranco sul Po
Carbonara di Po
Castelnovo Bariano
Castelmassa
Ceneselli
Trecenta
Giacciano
Quingentole
Quistello
Poggio Rusco
Sermide
Felonica
Calto
Ficarolo
Stienta
Occhiobello
Concordia sul Secchia
Mirandola
I Pascoli
Le Valli Comuni
Valle Partite
Bondeno
Vigarano Mainardo
Mirabello
Cavezzo
Medolla
S. Felice sul Panaro
Massa Final
Finale Emilia
Camposanto
S. Agostino
S. Carlo
Poggio Renatico
Malalbergo
Cento
Pieve di Cento
Crevalcore
Decima
S. Pietro in Casale
Galliera
S. Venanzio
Nonantola
Bastiglia
Bomporto
Castello d'Argile
A13

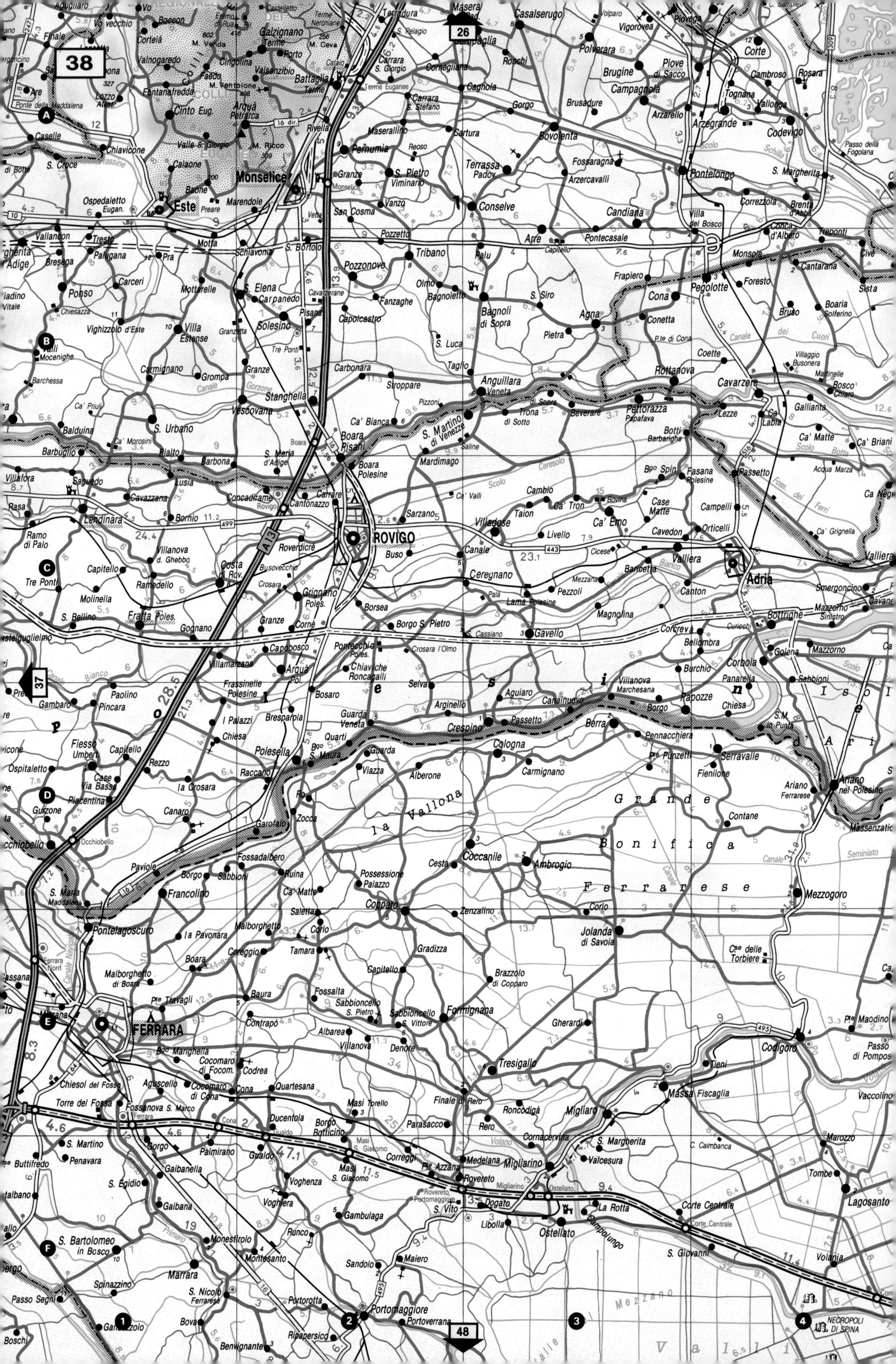

38
26
37
48
Monselice
Este
Battaglia Terme
Galzignano Terme
Arquà Petrarca
Cinto Eug.
Conselve
Bovolenta
Piove di Sacco
Pontelongo
Codevigo
Cavarzere
Adria
ROVIGO
Lendinara
Badia Polesine
Fratta Poles.
Occhiobello
Pontelagoscuro
FERRARA
Copparo
Formignana
Tresigallo
Migliaro
Massa Fiscaglia
Codigoro
Lagosanto
Ostellato
Portomaggiore
Ariano nel Polesine
Mezzogoro
Jolanda di Savoia
Crespino
Polesella
Villadose
Gavello
Pettorazza Papafava
Anguillara Veneta
Bagnoli di Sopra
Agna
Cona
Pegolotte
Tribano
Pernumia
Solesino
Stanghella
Vescovana
Boara Pisani
Villa Estense
Ponso
Grande Bonifica Ferrarese
Isole d'Ariano
NECROPOLI DI SPINA
Valli di Comacchio

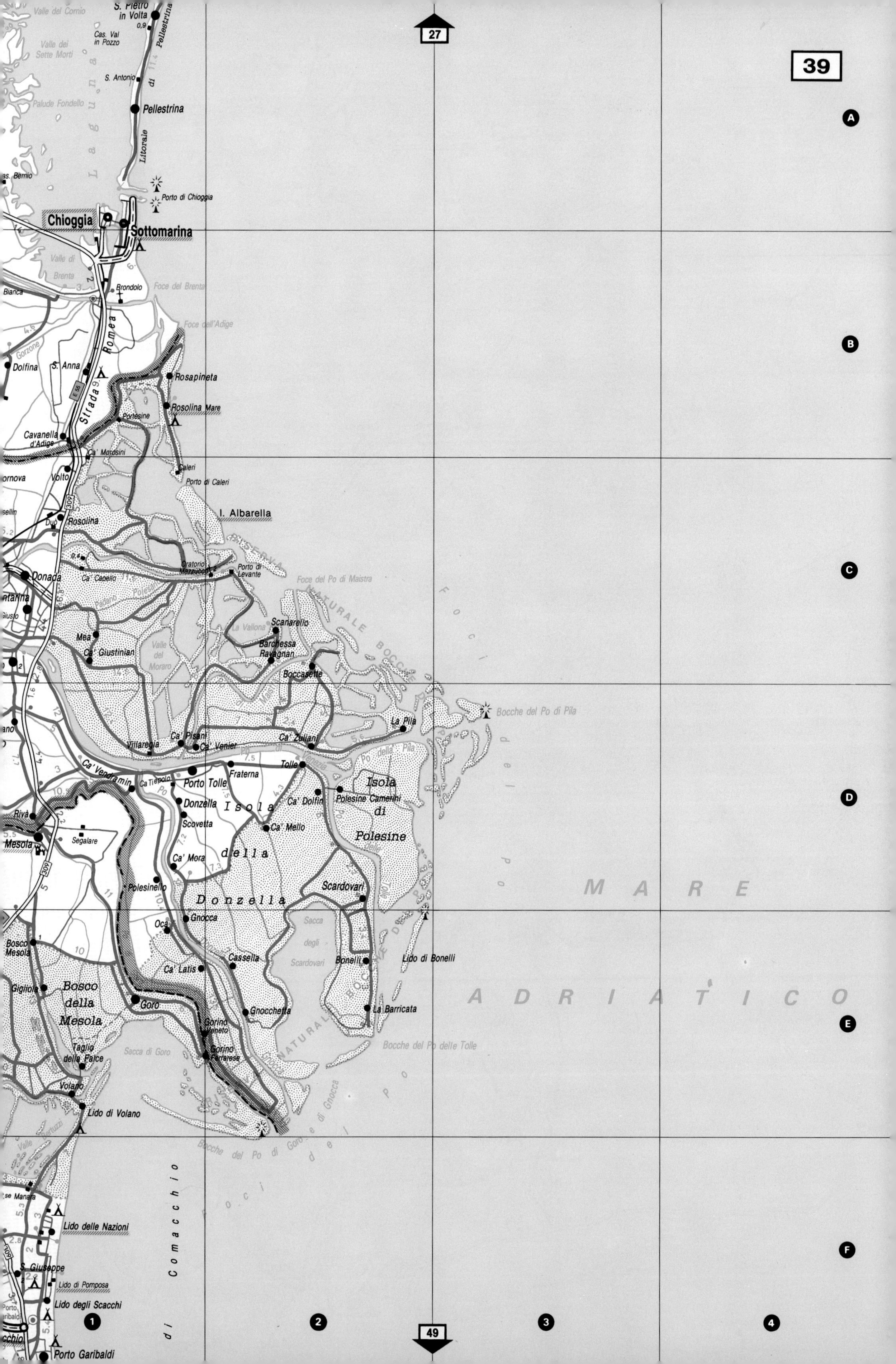

27

39

A

B

C

D

E

F

Valle del Cornio
S. Pietro in Volta
Cas. Val in Pozzo
0,9
S. Antonio
Valle dei Sette Morti
Palude Fondello
Pellestrina
as. Bernio
Porto di Chioggia
Chioggia
Sottomarina
Valle di Brenta
Bianca
Brondolo
Foce del Brenta
Gorzone
4,5
Dolfina
S. Anna
Rosapineta
Foce dell'Adige
Cavanella d'Adige
Portesine
Rosolina Mare
Ca' Marosini
ornova
Volto
Caleri
Porto di Caleri
sellin
Duo
Rosolina
I. Albarella
Donada
Ca' Capello
Oratorio Mazzucco
Porto di Levante
ntalina
Giusto
Foce del Po di Maistra
NATURALE BOCCHE
Mea
Ca' Giustinian
Valle del Moraro
Scanarello
Barchessa Ravagnan
La Vallona
Boccasette
FOCI
Bocche del Po di Pila
La Pila
Ca' Pisani
Villaregia
Ca' Venier
Ca' Zuliani
Po della Pila
Ca' Vendramin
Ca Tiepolo
Tolle
Fraterna
Isola
di
Polesine
Porto Tolle
Donzella
Ca' Dolfin
Polesine Camerini
Rivà
Scovetta
Ca' Mello
Mesola
Segalare
I s o l a
Ca' Mora
d e l l a
Polesinello
Donzella
Scardovari
Ocà
Gnocca
Po
M A R E
Bosco Mesola
Sacca degli Scardovari
Gigliola
Cassella
Bonelli
Lido di Bonelli
Bosco
Ca' Latis
della
Goro
Mesola
Gnocchetta
La Barricata
A D R I A T I C O
Taglio della Falce
Gorino Veneto
Sacca di Goro
Gorino Ferrarese
Volano
NATURALE
Bocche del Po delle Tolle
Lido di Volano
Bocche del Po di Goro
di Gnocca
Po
e Manara
di
Lido delle Nazioni
Comacchio
S. Giuseppe
Lido di Pomposa
Lido degli Scacchi
chio
Porto Garibaldi

1   **2**   **49**   **3**   **4**

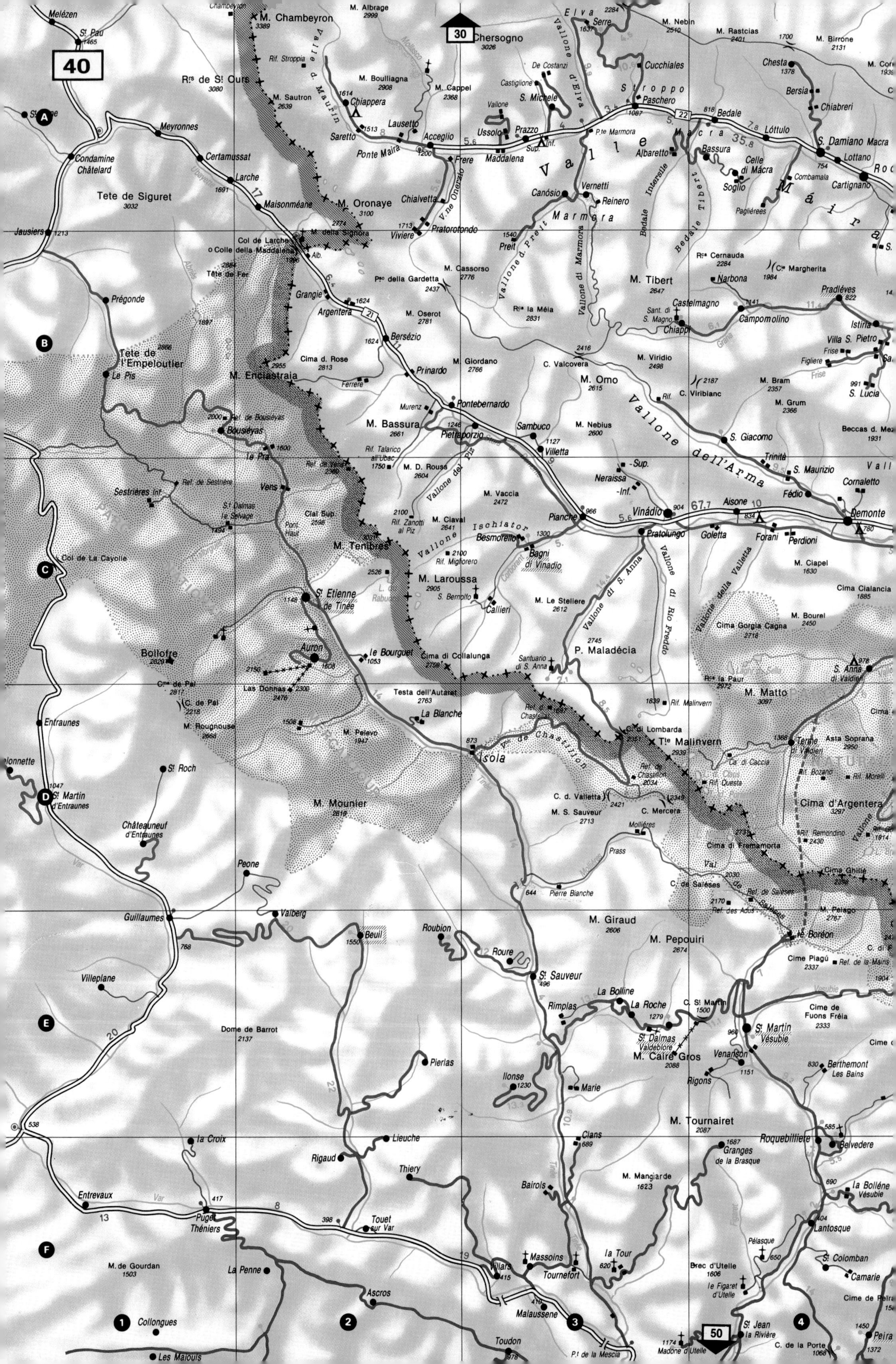

40
30
50
A
B
C
D
E
F
1
2
3
4
Melézen
St Pau
1465
M. Chambeyron
3389
M. Albrage
2999
Chersogno
3026
Elva
Serre
M. Nebin
2510
M. Rastcias
2401
M. Birrone
2131
Rif. Stroppia
M. Boulliagna
2908
M. Cappel
2368
Cucchiales
Chesta
1378
Rrs de St Ours
3080
M. Sautron
2639
Chiappera
De Costanzi
Castiglione
S. Michele
Stroppo
Paschero
Bersia
Chiabreri
Meyronnes
Saretto
Lausetto
Acceglio
Ussolo
Prazzo
Bedale
Lóttulo
Condamine
Châtelard
Certamussat
Ponte Maira
Frere
Maddalena
Valle
Macra
Albaretto
Bassura
Celle di Mácra
S. Damiano Macra
Lottano
Cartignano
Larche
Tete de Siguret
3032
Maisonméane
M. Oronaye
3100
Chialvetta
Canósio
Vernetti
Reinero
Marmora
Soglio
Combamala
Pagliérees
Máira
Jausiers
1213
Viviere
Pratorotondo
Preit
M. della Signora
Col de Larche
o Colle della Maddalena
1996
Tête de Fer
Pso della Gardetta
M. Cassorso
2776
Rca Cernauda
2284
M. Tibert
2647
Narbona
Cle Margherita
Pradléves
Prégonde
Grangie
Argentera
M. Oserot
2781
Rca la Méia
2831
Castelmagno
Sant. di S. Magno
Chiappi
Campomolino
Istiria
Villa S. Pietro
Frise
Figliere
Tete de l'Empeloutier
Le Pis
Bersézio
Cima d. Rose
2813
M. Giordano
2766
C. Valcovera
M. Viridio
2498
M. Omo
2615
C. Viribianc
M. Bram
2357
M. Grum
2366
S. Lucia
M. Enciastraia
Ferrere
Prinardo
Pontebernardo
Vallone dell'Arma
Bousiéyas
Ref. de Bousiéyas
Murenz
M. Bassura
2661
Pietraporzio
Sambuco
M. Nebius
2600
S. Giacomo
Beccas d. Mex
1931
le Pra
Rif. Talarico all'Ubac
M. D. Rouss
2604
Villetta
Neraissa -Sup.
-Inf.
Trinità
S. Maurizio
Cornaletto
Fédio
Sestrières Inf.
Ref. de Sestrière
Vens
M. Vaccia
2472
Vallone del Piz
Pianche
Vinádio
904
Aisone
Demonte
St Dalmas le Selvage
Clai Sup.
2598
Rif. Zanotti al Piz
M. Claval
2641
Vallone Ischiator
Besmorello
Pratolungo
Goletta
Forani
Perdioni
Col de La Cayolle
M. Tenibres
Rif. Migliorero
Bagni di Vinadio
Vallone di S. Anna
Vallone di Rio Freddo
M. Ciapel
1630
M. Laroussa
2905
S. Bernolfo
Callieri
M. Le Steliere
2612
Vallone della Valletta
Cima Cialancia
1885
St Etienne de Tinée
M. Bourel
2450
Cima Gorgia Cagna
2718
Bolloffre
2620
Auron
le Bourguet
1053
Cima di Collalunga
2759
Santuario di S. Anna
P. Maladécia
Rca la Paur
2972
S. Anna di Valdieri
Cme de Pal
2817
Las Donnas
2476
C. de Pal
2218
Testa dell'Autaret
2763
La Blanche
M. Rougnouse
2668
M. Pelevo
1947
Rif. Malinvern
M. Matto
3097
Entraunes
Isola
Col di Lombarda
Tte Malinvern
2939
Terme di Valdieri
Asta Soprana
2950
St Roch
Ref. de Chastillon
2034
Ca di Caccia
Rif. Questa
Rif. Bozano
Rif. Morelli
St Martin d'Entraunes
Cima d'Argentera
3297
M. Mounier
2818
C. d. Valletta
C. Mercera
M. S. Sauveur
2713
Châteauneuf d'Entraunes
Mollières
Prass
Cima di Fremamorta
Rif. Remondino
Var
Peone
Cima Ghilié
C. de Saléses
Ref. de Saléses
Ref. des Adus
Pierre Bianche
M. Pelago
2767
Guillaumes
Valberg
Beuil
1550
Roubion
M. Giraud
2606
M. Pepouiri
2674
le Boréon
Roure
Cime Piagù
2337
Ref. de la Maïris
Villeplane
St Sauveur
496
La Bolline
La Roche
C. St Martin
Rimplas
Cime de Fuons Fréla
2333
St Martin Vésubie
St Dalmas Valdeblore
M. Caire Gros
2088
Dome de Barrot
2137
Venanson
Pierlas
Ilonse
Rigons
Berthemont Les Bains
Marie
M. Tournairet
2087
Clans
Roquebillière
Belvedere
la Croix
Lieuche
Rigaud
Granges de la Brasque
Thiery
M. Mangiarde
1623
Bairols
La Bolléne Vésubie
Entrevaux
Puget Théniers
Touet sur Var
Lantosque
Pélasque
M. de Gourdan
1503
La Penne
Villars
Massoins
Tournefort
la Tour
Brec d'Utelle
1606
St Colomban
Camarie
le Figaret d'Utelle
Ascros
Malaussene
Cime de Peira
Collongues
St Jean la Rivière
Madone d'Utelle
C. de la Porte
Toudon
P.t de la Mescia
Les Mailouis
Peira

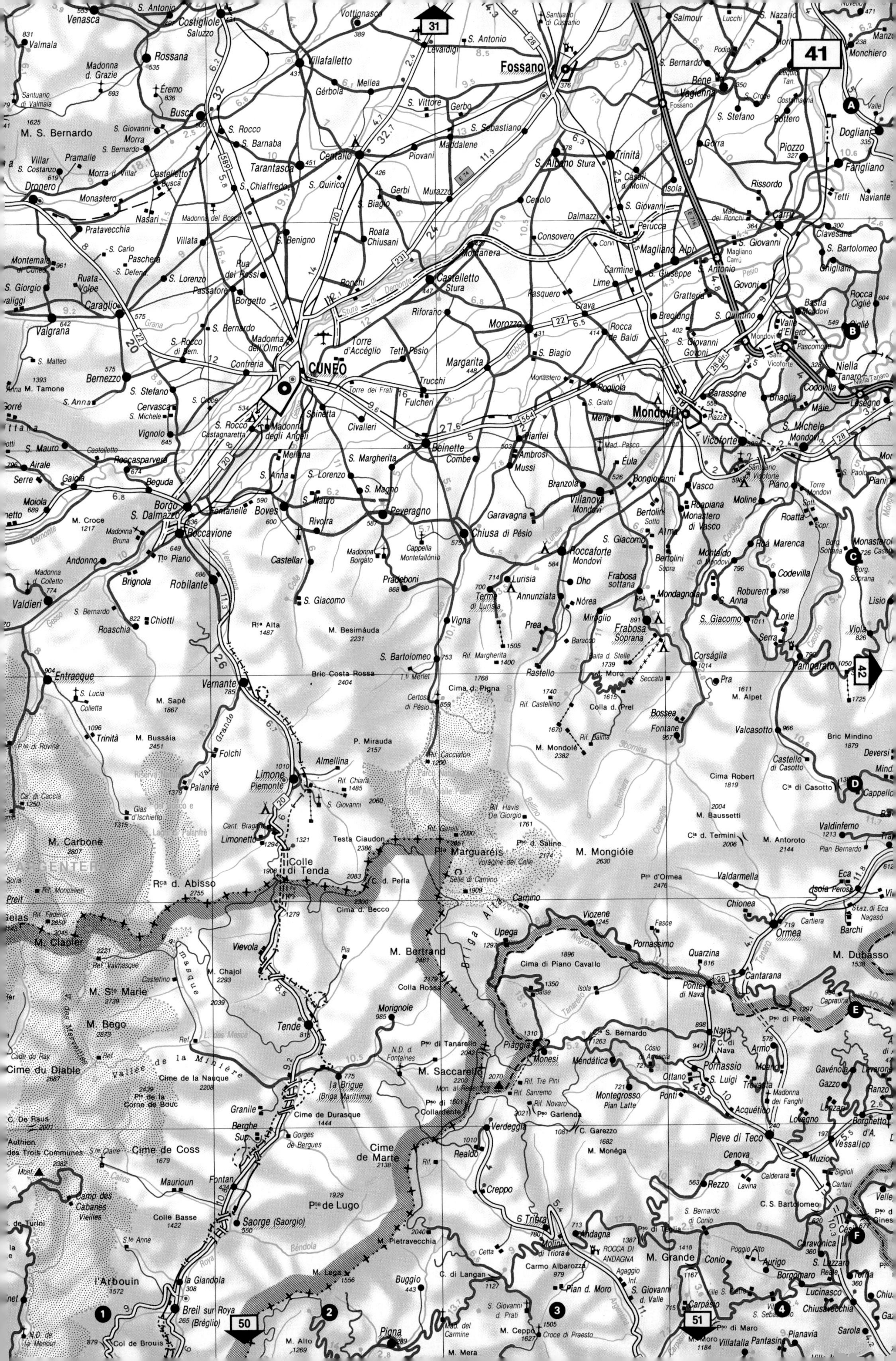
31
41
42
50
51
A
B
C
D
E
F
1
2
3
4
Venasca
Valmala
S. Antonio
Costigliole Saluzzo
Vottignasco
Levaldigi
S. Antonio
Santuario di Cussanio
Fossano
Salmour
Lucchi
S. Nazario
Novello
Monchiero
Rossana
Villafalletto
Mellea
Gérbola
Madonna d. Grazie
Éremo
Santuario di Valmala
Busca
S. Vittore
Gerbo
S. Bernardo
Bene Vagienna
S. Croce
Costamagna
Bottero
S. Stefano
Dogliani
Valle
M. S. Bernardo
S. Giovanni
Morra
S. Bernardo
S. Rocco
S. Barnaba
S. Sebastiano
Maddalene
Piovani
Centallo
Tarantasca
S. Albano Stura
Trinità
Gorra
Piozzo
Farigliano
Villar S. Costanzo
Pramalle
Morra d. Villar
Castelletto Busca
Dronero
Monastero
S. Chiaffredo
S. Quirico
Gerbi
Murazzo
Casali d. Molini
Isola
Rissordo
Tetti
Naviante
Nasari
Madonna del Bosco
Pratavecchia
S. Biagio
Cerriolo
S. Giovanni
Dalmazzi
Peirucca
Mad. dei Ronchi
Carrù
Clavesana
Villata
S. Benigno
Roata Chiusani
Consovero
Corvi
Magliano Alpi
Magliano Carrù
S. Giovanni
S. Bartolomeo
S. Carlo
Paschera
S. Defend.
Montemale di Cuneo
Rua dei Rossi
Mottanera
Carmine
S. Giuseppe
S. Antonio
Ghigliani
Ruata Volpe
S. Giorgio
Valliggi
S. Lorenzo
Passatore
Ronchi
Castelletto Stura
Pasquero
Lime
Gratteria
Govoni
Rocca Cigliè
Bastia Mondovì
Caraglio
Borgetto
Stura di Demonte
Riforano
Crava
Breolungi
S. Quintino
Valle d'Ellero
Cigliè
Valgrana
Grana
S. Bernardo
Madonna dell'Olmo
Torre d'Accéglio
Tetti Pesio
Morozzo
Rocca de Baldi
S. Giovanni Govoni
Pascomonti
Sant. Vicoforte
S. Matteo
S. Rocco di Bern.
Confreria
CUNEO
Margarita
S. Biagio
Niella Tanaro
Bernezzo
M. Tamone
S. Anna
S. Stefano
Torre dei Frati
Trucchi
Fulcheri
Monastero
Pogliola
Mondovì
Carassone
Codovilla
Lesegno
Valla Tanaro
S. Croce
Cervasca
S. Michele
Vignolo
S. Rocco Castagnaretta
Madonna degli Angeli
Spinetta
Civalleri
Beinette
Combe
S. Grato
Merlo
Piazza
Briaglia
Máie
S. Michele Mondovì
Vicoforte
Pianfei
Ambrosi
Mussi
Mad. Pasco
Éula
S. Mauro
Airale
Castelletto
Roccasparvera
Mellana
S. Margherita
Santuario di Vicoforte
S. Paolo
Serre
Gaiola
Beguda
S. Anna
S. Lorenzo
S. Magno
Branzola
Bongiovanni
Vasco
Piano
Torre Mondovì
Moiola
Borgo S. Dalmazzo
Fontanelle
Boves
S. Mauro
Peveragno
Villanova Mondovì
Bertolini Sotto
Roapiana
Monastero di Vasco
Moline
M. Croce
Madonna Bruna
Boccavione
Rivoira
Garavagna
Chiusa di Pésio
Alma
Roatta Sopr.
Demonte
Cappella Montefallónio
Madonna Borgato
S. Giacomo
Roccaforte Mondovì
Bertolini Sopra
Montaldo di Mondovì
Roà Marenca
Monasterolo Casotto
Andonno
T.to Piano
Castellar
Pradeboni
Lurisia
Dho
Frabosa sottana
Mondagnola
Codevilla
Borg. Soprana
Madonna d. Colletto
Brignola
Robilante
Terme di Lurisia
Annunziata
Nórea
Roburent
S. Anna
Lorie
Lisio
Valdieri
S. Bernardo
Chiotti
S. Giacomo
Vigna
Miroglio
Frabosa Soprana
S. Giacomo
Roaschia
R.ca Alta
M. Besimáuda
Prea
Baracco
Serra
Viola
Gesso
Vermenagna
S. Bartolomeo
Rif. Margherita
Rastello
Baita d. Stelle
Corságlia
Pamparato
Entracque
Bric Costa Rossa
Moro
Seccata
Pra
Vernante
Cima d. Pigna
Certosa di Pésio
Rif. Castellino
Colla d. Prel
M. Alpet
S. Lucia
Colletta
M. Sapé
Bossea
Fontane
Trinità
M. Bussáia
Valcasotto
Bric Mindino
P.te di Rovina
Folchi
P. Miraúda
Almellina
Rif. Cacciatori
Rif. Balma
M. Mondolè
Castello di Casotto
Deversi
Limone Piemonte
Rif. Chiara
Parco Naturale dell'Alta Valle Pesio
Cima Robert
Palanfrè
S. Giovanni
C.le di Casotto
Cappello
Ca. di Caccia
Gias d'Ischietto
Cant. Bragard
Rif. Havis De Giorgio
M. Baussetti
Limonetto
Testa Ciaudon
Rif. Garelli
P.zo d. Saline
C.le d. Termini
Valdinferno
M. Carbonè
ARGENTERA
Colle di Tenda
P.ta Marguareis
Voragine del Colle
M. Mongióie
M. Antoroto
Pian Bernardo
R.ca d. Abisso
Rif. Morelli
C. d. Perla
Selle di Carnino
P.zo d. Ormea
Valdarmella
Eca
Isola Perosa
Preit
Rif. Federici
Gelas
Cima d. Becco
Carnino
Chionea
Staz. di Eca Nagasó
M. Clapier
Viozene
Fasce
Cartiera
Barchi
Rif. Valmasque
Vievola
Upega
Negrone
Pornassimo
Ormea
M. Bertrand
Cima di Piano Cavallo
Quarzina
Tanaro
M. Dubasso
M. Chajol
Castelino
Pia
Colla Rossa
Calse
Isola
Cantarana
M. Ste Marie
Ponte di Nava
Capraúna
P.so di Prale
M. Bego
Tende
Morignole
P.so di Tanarello
Piaggia
C. S. Bernardo
Nava
C. di Nava
Armo
Gavénola
Cade du Ray
Vallée de la Minière
N.D. d. Fontaines
M. Saccarello
Monesi
Mendática
Cósio di Arroscia
Pornassio
Moano
Gazzo
Cime du Diable
Cime de la Nauque
la Brigue (Briga Marittima)
Mon. al Redentore
Rif. Tre Pini
Rif. Sanremo
Rif. Novaro
Montegrosso Pian Latte
Ottano
S. Luigi
Ponti
Trovasta
Madonna dei Fanghi
Acquetico
Pte de la Corne de Bouc
Granile
Cime de Durasque
P.so di Collardente
P.so Garlenda
C. Garezzo
Verdeggia
M. Monéga
Lovegno
Borghetto d'A.
C. De Raus
Berghe Sup.
Gorges de Bergues
Cime de Marte
Realdo
Pieve di Teco
Vessalico
Authion
des Trois Communes
Ste Claire
Cime de Coss
Rif.
Cenova
Muzio
Camp des Cabanes Vieilles
Maurioun
Fontan
Creppo
Rezzo
Lavina
Calderara
Sigliori
Cartari
Colle Basse
Saorge (Saorgio)
Pte de Lugo
Triora
C. S. Bartolomeo
S. Bernardo di Conio
P.so di Teglia
Ste Anne
Béndola
Roya
M. Pietravecchia
Cetta
Molini di Triora
Andagna
Rocca di Andagna
Caravonica
Poggio Alto
M. Grande
Conio
Aurigo
Borgomaro
S. Lazzaro Reale
Carmo Albarozza
Agaggio Inf.
S. Giovanni d. Valle
l'Arbouin
la Giandola
M. Lega
Buggio
C. di Langan
Pian d. Moro
Ville S. Pietro
Lucinasco
Chiusavecchia
Breil sur Roya (Bréglio)
S. Giovanni d. Prati
Carpásio
Villa S. Sebastiano
N.D. de la Menour
Col de Brouis
M. Alto
Pigna
Mad. del Carmine
M. Ceppo
Croce di Praesto
P.so di Maro
M. Moro
Villatalla
Pantasina
Pianavia
Sarola
M. Mera
E 74
E 717

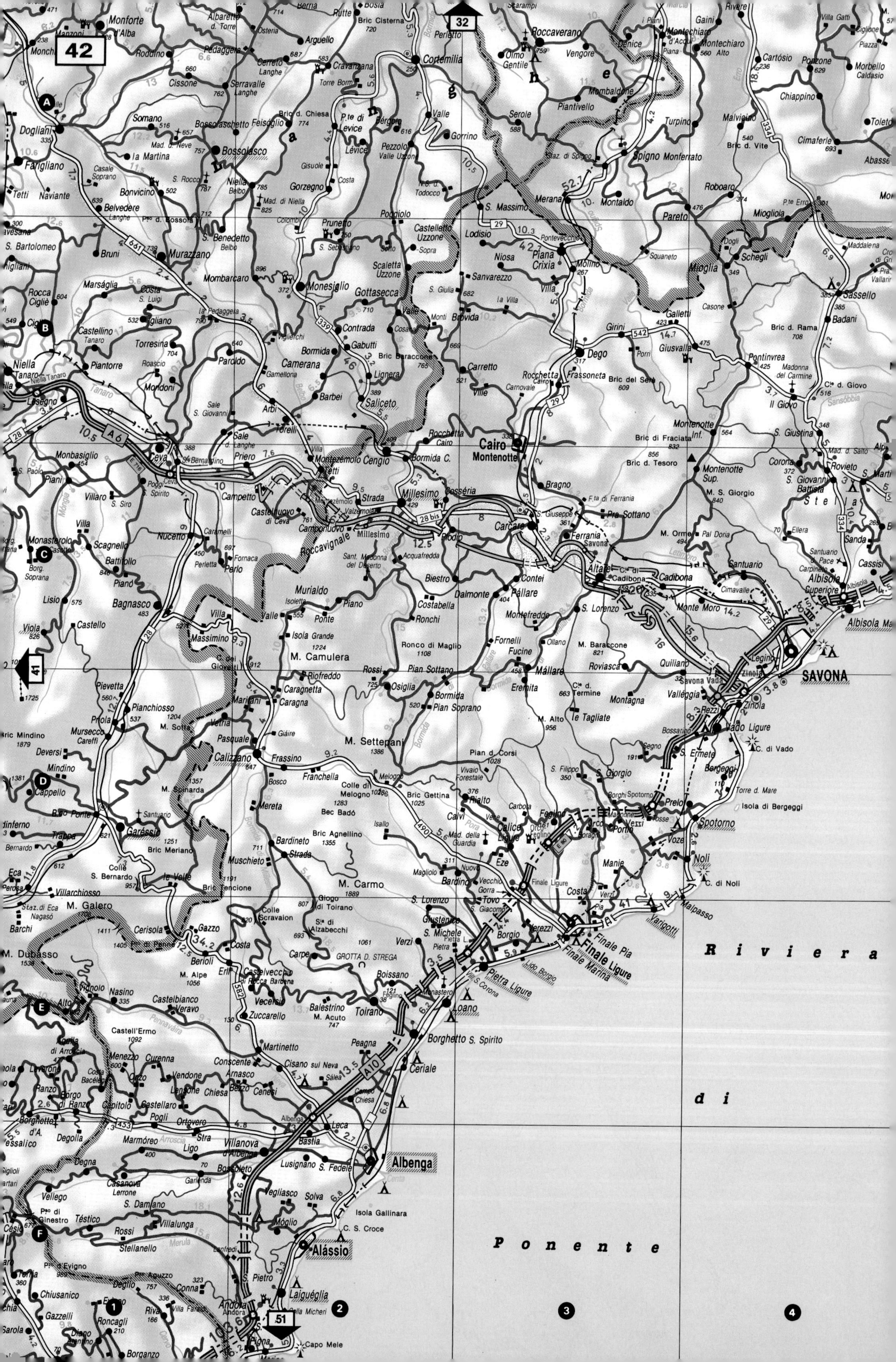

42
32
41
51
Monforte d'Alba
Dogliani
Farigliano
Murazzano
Bossolasco
Cortemilia
Roccaverano
Spigno Monferrato
Montechiaro d'Acqui
Denice
Mombaldone
Piana Crixia
Dego
Monesiglio
Gottasecca
Camerana
Saliceto
Ceva
Priero
Montezemolo
Cengio
Millesimo
Cosséria
Cairo Montenotte
Carcare
Altare
Cadibona
Ferrania
Bormida
Mallare
Pallare
Calizzano
Murialdo
Bagnasco
Garéssio
Nucetto
Perlo
Sassello
Pontinvrea
Mioglia
Pareto
Giusvalla
Stella
Albisola Superiore
Albisola Marina
Savona
Quiliano
Vado Ligure
Bergeggi
Isola di Bergeggi
Spotorno
Noli
C. di Noli
Varigotti
Malpasso
Finale Ligure
Finale Pia
Finale Marina
Calice Ligure
Rialto
Orco Feglino
Pietra Ligure
Borgio
Verezzi
Loano
Borghetto S. Spirito
Toirano
Ceriale
Albenga
Villanova d'Albenga
Leca
Bastia
Cisano sul Neva
Zuccarello
Castelvecchio di Rocca Barbena
Bardineto
Isola Gallinara
C. S. Croce
Alássio
Laiguéglia
Andora
Capo Mele
M. Carmo
M. Settepani
M. Camulera
M. Galero
Riviera
di
Ponente
A6
A10
28 bis
E 80
E 717
1
2
3
4
A
B
C
D
E
F

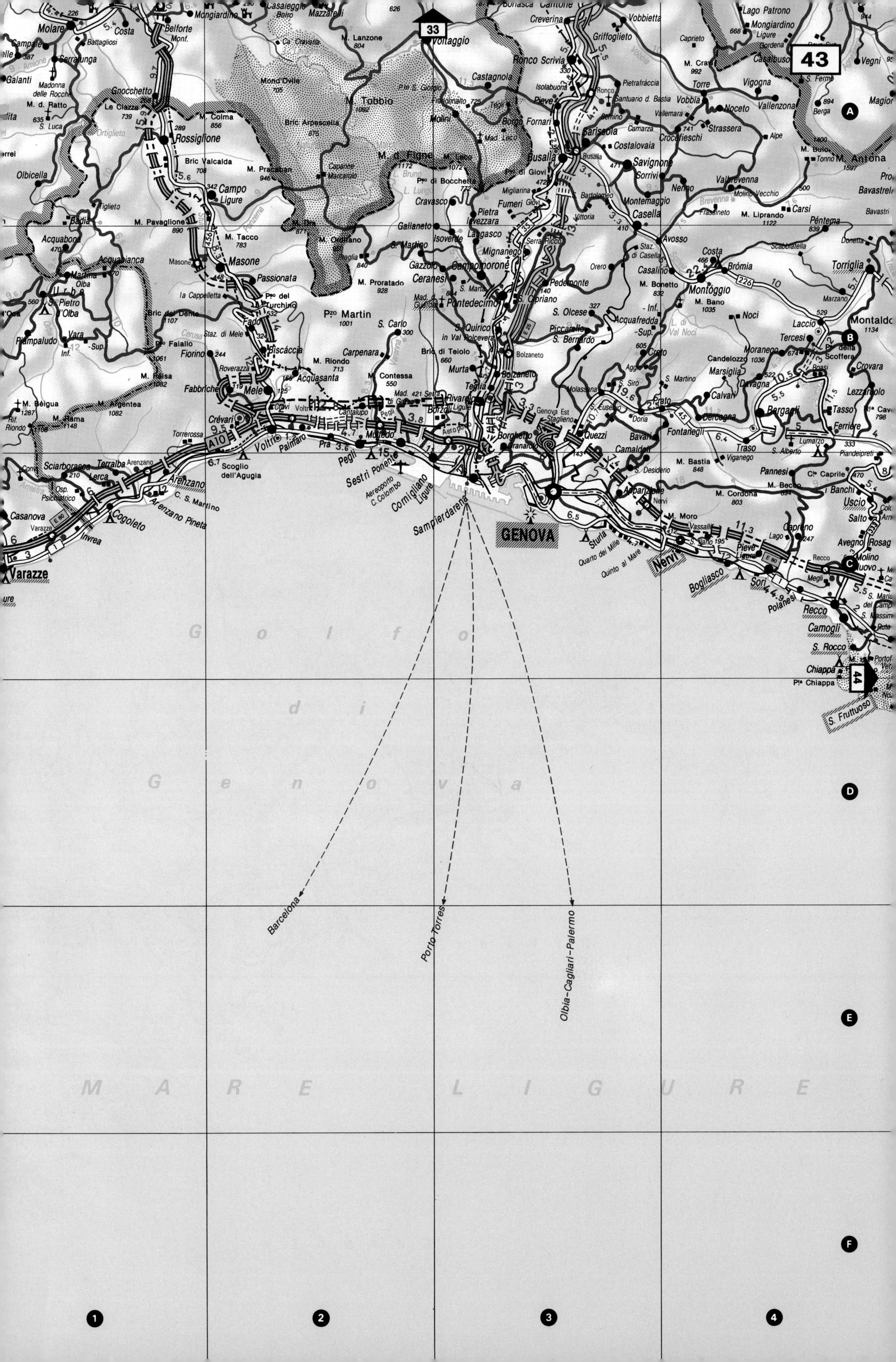

33
43
44
A
B
C
D
E
F
1
2
3
4
Molare
Costa
Belforte Monf.
Mongiardino
Mazzarelli
Voltaggio
M. Lanzone 804
Creverina
Griffoglieto
Vobbietta
Lago Patrono
Mongiardino Ligure
Gordena
Cabella
Casalbuso
Vegni
Campale
Battagliosi
Serralunga
Galanti
Madonna delle Rocche
M. d. Ratto
Gnocchetto
Le Ciazze 739
Mond'Ovile 705
M. Tobbio 1092
Bric Arpescella 875
Castagnola
Ronco Scrivia
Pietrafráccia
Torre
Vobbia
Vigogna
Vallenzona
Magioi
M. Cravi 992
Pieve
Isolabuona
Santuario d. Bastia
Noceto
Fornari
Borgo Fornari
Vallemara
Strassera
Crocefieschi
Alpe
Molini
S. Luca
M. Colma 856
Rossiglione
Bric Valcalda 708
M. Pracaban 946
M. d. Figne
Capanne Marcarolo
Mad. Leco
Busalla
Costalovaia
Savignone
Sorrivi
Camarza
M. Antona 1597
M. Bulo
Tonno
Olbicella
Campo Ligure
Pso di Bocchetta 772
Pso di Giovi 472
Migliarina
Fumeri
Giovi
S. Bartolomeo
Montemaggio
Nenno
Valbrevenna
Molino Vecchio
Carsi
Bavastrelli
Pro
Tiglieto
Badia
M. Pavaglione 890
Cravasco
Pietra Lavezzara
Vittoria
Casella
Frassineto
M. Liprando 1122
Péntema 839
Bavastri
Acquabona 470
M. Tacco 783
Galianeto
Isoverde
Langasco
Serra Riccò
Avosso
Donetta
Torriglia
Acquabianca
Masone
Gazzolo
Campomorone
Mignanego
Orero
Staz. di Casella
Costa
Brómia
Scabbiatella
Martina Olba
Urbe
Passionata
M. Proratado 928
Ceranesi
Pedemonte
Casalino
M. Bonetto 832
Montoggio
Marzano
S. Pietro d'Olba
la Cappelletta
Pso del Turchino 532
S. Martino
S. Cipriano
M. Bano 1035
Bric del Dente 1107
Pzo Martin 1001
Mad. d. Guardia
Pontedecimo
S. Olcese
Acquafredda -Inf. -Sup.
Noci
Laccio
Montaldo 1134
Piampaludo
Vara Inf. -Sup.
Fado
Staz. di Mele
S. Carlo
S. Quirico in Val Polcevera
Piccarello
S. Bernardo
L. di Val Noci
Tercesi
Pso della Scoffera
Pso Faiallo
Fiorino
Biscáccia
Carpenara
Brio di Teiolo 660
Bolzaneto
Creto
Candelozzo
Moranego
Crovara
M. Reisa 1082
Roverazza
M. Riondo 713
Murta
Aggio
Marsiglia
Davagna
Lezzaruolo
Fabbriche
Mele
Acquasanta
M. Contessa 550
Teglia
S. Siro
S. Martino
Calvari
M. Béigua 1287
M. Argentea 1082
Rivarolo
Prato
Bargagli
Tasso
Ferriere
Rif. Riondo
M. Rama 1148
Crévari
Voltri
Cantalupo
Pegli
Borzoli
Genova Est
Staglieno
Molassana
Doria
Bavari
Fontanegli
Dercogna
Traso
Lumarzo
Torrerossa
Palmaro
Pra
Multedo
Aeroporto
Borghetto
Granarolo
Quezzi
Camaldoli
M. Bastia 848
Viganego
S. Alberto
Piandeipreti
A10
Scoglio dell'Agugia
Sestri Ponente
Aeroporto C. Colombo
Cornigliano Ligure
S. Desiderio
Pannesi
Ce Caprile
Sciarborasca
Terralba
Arenzano
Lerca
Osp. Psichiatrico
C. S. Martino
Arenzano Pineta
Sampierdarena
GENOVA
Sturla
Quarto dei Mille
Quinto al Mare
Apparizione
M. Cordona 803
M. Becco
Banchi
Uscio
Casanova
Varazze
Cogoleto
Invrea
Nervi
M. Moro
Vassalli
S. Ilario
Pieve Ligure
Caprono
Lago
Avegno
Rosag
Salto
Molino Nuovo
E 80
Bogliasco
Sori
Polanesi
Recco
Megli
Camogli
S. Rocco
Chiappa
Pta Chiappa
S. Fruttuoso
Portofino
Golfo di Genova
Barcelona
Porto Torres
Olbia–Cagliari–Palermo
MARE LIGURE

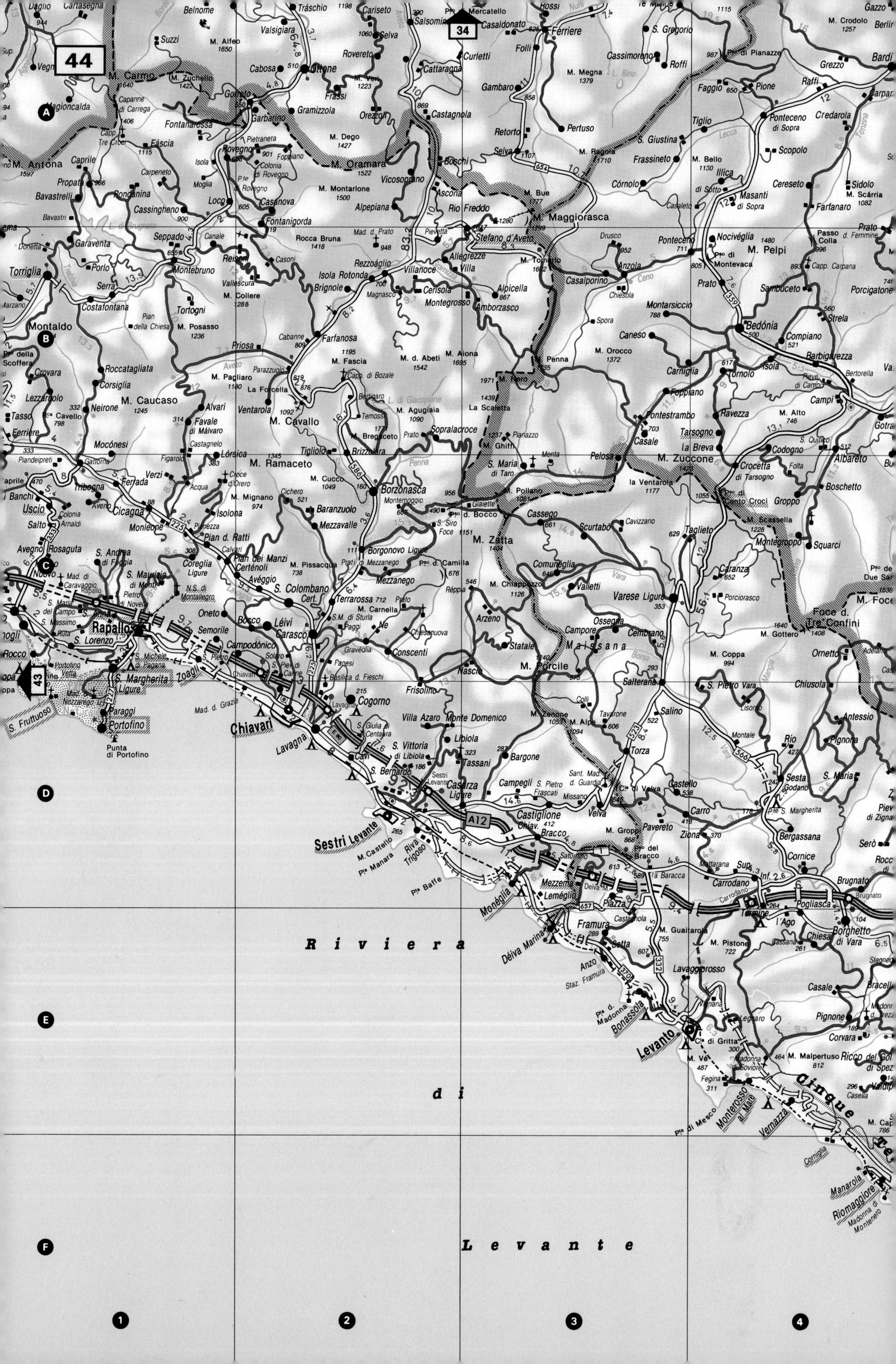

44
34
43
A
B
C
D
E
F
1
2
3
4
Daglio
Cartasegna
Belnome
Tráschio
Cariseto
Salsominore
P.so Mercatello
Casaldonato
Rossi
Ferriere
S. Gregorio
M. Crodolo
Berlin
Gazzo
Suzzi
M. Alfeo
Valsigiara
Selva
Curletti
Folli
Cassimoreno
Roffi
P.so di Pianazze
Bardi
Grezzo
Magioncalda
M. Carmo
M. Zuchello
Cabosa
Ottone
Rovereto
Cattaragna
M. Megna
L. Bino
Raffi
M. Antona
Capanne di Carrega
Gorreto
Garbarino
Gramizzola
Frassi
M. Veri
Orezzoli
Castagnola
Gambaro
Faggio
Pione
Ponteceno di Sopra
Credarola
Capp. Tre Croci
Fontanarossa
Pietranera
M. Dego
Retorto
Pertuso
Tiglio
Fáscia
Rovegno
Foppiano
Colonia di Rovegno
M. Oramara
Boschi
Selva
M. Ragola
S. Giustina
Frassineto
M. Bello
Scopolo
Caprile
Propata
Isola
Carpeneto
Moglia
P.te S. Rovegno
Vicosoprano
Ascona
Rio Freddo
M. Montarlone
Córnolo
Illica di Sotto
Masanti di Sopra
Cereseto
Sidolo
M. Scárria
Bavastrelli
Rondanina
Cassingheno
Loco
Casanova
Fontanigorda
Alpepiana
M. Bue
M. Maggiorasca
Casaleto
Farfanaro
Bavastri
L. di Brugneto
Garaventa
Donetta
Seppado
Canale
Reisoni
Rocca Bruna
Mad. d. Prato
Pievetta
Stefano d'Aveto
Drusco
Ponteceno
Nocivéglia
P.so di Montevaca
M. Pelpi
Passo Colla
P.so d. Femmine
Prato
Torriglia
Porlo
Serra
Montebruno
Casoni
Rezzoáglio
Isola Rotonda
Villanoce
Allegrezze
Villa
M. Tomarlo
Casalporino
Anzola
Ceno
Capp. Carpana
Vallescura
Brignole
Cerisola
Magnasco
Montegrosso
Alpicella
Chiesola
Prato
Sambuceto
Porcigatone
Marzano
Costafontana
M. Collere
Tortogni
Amborzasco
Montarsiccio
Bedónia
Strela
Montaldo
Pian della Chiesa
M. Posasso
Spora
Caneso
Compiano
P.so della Scoffera
Priosa
Farfanosa
Cabanne
M. Fascia
M. d. Abeti
M. Aiona
M. Penna
M. Orocco
Barbigarezza
Isola
Crovara
Roccatagliata
Corsiglia
Parazzuolo
Capp. di Bozale
M. Pagliaro
La Forcella
M. Nero
Carniglia
Tornolo
Bertorella
Campi
Lezzaruolo
M. Caucaso
Ventarola
Bertigaro
L. di Giacopiane
La Scaletta
Foppiano
Pieve di Campi
Tasso
Cavallo
Neirone
Alvari
Favale di Málvaro
M. Cavallo
Temossi
M. Aguglaia
Fontestrambo
Ravezza
M. Alto
Gotra
Ferriere
Castagnelo
M. Bregaceto
Prato
Sopralacroce
Pianazzo
Casale
Tarsogno
Codogno
S. Quilico
Albareto
Mocónesi
Lórsica
Tigliolo
Brizzolara
M. Ghiffi
Menta
Pelosa
M. Zuccone
la Breva
Crocetta di Tarsogno
Piandeipreti
Gattorna
Figarolo
M. Ramaceto
Penna
S. Maria di Taro
Folta
Boschetto
Ferrada
Verzi
Croce d'Orero
M. Cucco
Borzonasca
M. Pollano
la Ventarola
Banchi
Tribogna
Acqua
M. Mignano
Cichero
Montemoggio
Giaiette
P.so d. Bocco
Cassego
Scurtabò
Cavizzano
P.so di Canto Croci
Groppo
Uscio
Colonia Arnaldi
Cicagna
Avena
Isolona
Baranzuolo
Mezzavalle
S. Siro Foce
M. Zatta
Taglieto
M. Scassella
Montegroppo
Squarci
Salto
Monleone
Pian d. Ratti
Calvari
Borgonovo Ligure
P.so d. Camilla
Comunéglia
Caranza
Avegno
Rosaguta
S. Andrea di Foggia
Coreglia Ligure
Pian dei Manzi
Certénoli
M. Pissacqua
Mezzanego
Vara
P.so de Due Sa
Nuovo
Mad. di Caravaggio
S. Maurizio di Monti
N.S. di Montallegro
Avéggio
S. Colombano Cert.
Réppia
M. Chiappozzo
Valletti
Varese Ligure
Porciorasco
Foce d. Tre Confini
M. Foce
S. Maria del Campo
Rapallo
S. Massimo
Ruta
S. Lorenzo
Oneto
Semorile
Bocco
Léivi
Carasco
Terrarossa
M. Carnella
S.M. di Sturla
Paggi
Ne
Chiesanuova
Arzeno
Campore
Ossegna
Cembrano
M. Gottero
Rocco
S. Michele di Pagana
S. Pietro
Campodónico
Statale
Maissana
M. Coppa
Ornetto
Portofino Vetta
Zoagli
Chiavari
Solaro
S. Pier di Canne
Gravéglia
Conscenti
Panesi
Basilica d. Fieschi
Nascio
M. Porcile
Salterana
S. Pietro Vara
Chiusola
S. Fruttuoso
Mad. di Nozzarego
S. Margherita Ligure
Paragai
Portofino
Punta di Portofino
Mad. d. Grazie
Lavagna
Cogorno
Frisolino
Colli
Tavarone
Salino
Lisorgo
Antessio
S. Giulia di Centaura
Villa Azaro
Monte Domenico
M. Zenone
M. Alpe
Pignona
Cavi
S. Vittoria di Libiola
Libiola
Tassani
Bargone
Torza
Montale
Rio
S. Bernardo
Sestri Levante
Casarza Ligure
Campegli
S. Pietro Frascati
Sant. Mad. d. Guardia
Missano
C.le di Velva
Castello
Sesta Godano
S. Maria
Velva
Carro
P.te S. Margherita
Pieve di Zignago
Sestri Levante
M. Castello
P.ta Manara
Riva Trigoso
Castiglione Chiav.
Bracco
M. Groppi
P.so del Bracco
Paveréto
Ziona
Bergassana
Serò
P.ta Baffe
S. Saturnino
la Baracca
Mattarana
Sup.
Carrodano
Cornice
Brugnato
Monéglia
Mezzema
Lemeglio
Deiva M.
Piazza
Castagnola
Carrodano
Termine
Pogliasca
l'Ago
Borghetto di Vara
Framura
Setta
M. Guaitarola
M. Pistone
Cassana
Chiesa
Déiva Marina
Anzo
Staz. Framura
Lavaggiorosso
Stagnedo
Casale
Bracelli
P.ta d. Madonna
Bonassola
Legnaro
Pignone
Levanto
C.le di Gritta
Corvara
M. Vè
Madonna di Soviore
M. Malpertuso
Ricco del Golfo di Spezia
Fegina
P.ta di Mesco
Monterosso al Mare
Vernazza
Casella
M. Cap
Corniglia
Manarola
Riomaggiore
Madonna di Montenero
Cinque Terre
A12
E 80
Riviera
di
Levante

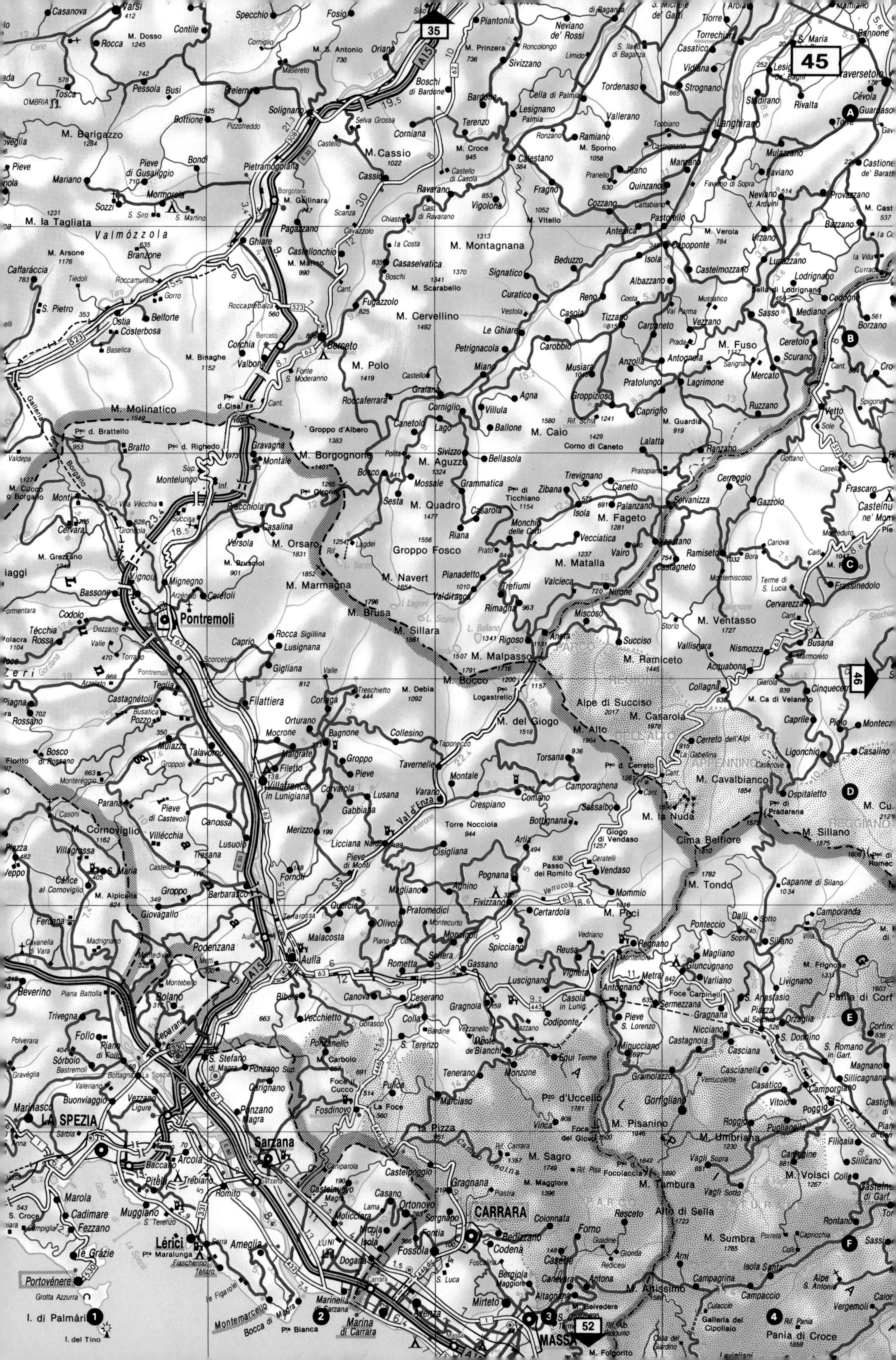

35
45
46
52
A
B
C
D
E
F
1
2
3
4
Varsi
Casanova
Contile
Specchio
Fosio
Rocca
M. Dosso
Pessola
Busi
Tosca
Prelerno
Solignano
M. Barigazzo
Bottione
M. S. Antonio
Oriano
Piantonia
M. Prinzera
Neviano de' Rossi
Sivizzano
Boschi di Bardone
Bardone
Terenzo
Calestano
Lesignano Palmia
Cella di Palmia
Tordenaso
Vallerano
Langhirano
Torrechiara
Casatico
Vidiana
Strognano
Traversetolo
Cévola
Rivalta
Guardasone
Stadirano
M. Cassio
Cassio
Corniana
M. Croce
Pieve di Gusaliggio
Mariano
Bondi
Pietramogolana
Mormorola
Sozzi
M. Gallinara
Pagazzano
M. la Tagliata
Valmózzola
Ghiare
Branzone
M. Arsone
Castellonchio
M. Marino
Caffaráccia
S. Pietro
Ostia
Costerbosa
Belforte
Casaselvatica
M. Montagnana
Ravarano
Vigolone
Fragno
M. Vitello
Ramiano
M. Sporno
Riano
Quinzano
Manzano
Cozzano
Pastorello
Antesica
Capoponte
M. Verola
Isola
Castelmozzano
Mulazzano
Provazzano
Bazzano
Lupazzano
Lodrignano
Sella di Lodrignano
Cedogno
Mediano
Borzano
Sasso
Fugazzolo
M. Cervellino
M. Scarabello
Signatico
Curatico
Beduzzo
Reno
Casola
Tizzano
Albazzano
Carpaneto
Vezzano
M. Fuso
Ceretolo
Scurano
Mercato
Ruzzano
Corchia
Berceto
Valbona
M. Binaghe
M. Polo
Petrignacola
Le Ghiare
Carobbio
Musiara
Anzola
Antognola
Pratolungo
Lagrimone
Groppizioso
Capriglio
M. Guardia
Vetto
Roccaferrara
Graiana
Corniglio
Lago
Villula
Agna
Ballone
M. Caio
Corno di Caneto
Lalatta
Ranzano
M. Molinatico
P.so d. Cisa
P.so d. Brattello
Bratto
P.so d. Righedo
Gravagna
Montale
Groppo d'Albero
M. Borgognone
Canetolo
Sivizzo
M. Aguzzo
Bellasola
Mossale
Grammatica
M. Quadro
Sesta
P.so di Ticchiano
Zibana
Trevignano
Caneto
Palanzano
Isola
M. Fageto
Selvanizza
Cerreggio
Gazzolo
Frascaro
Casteln. ne' Monti
Montelungo
Monti
Cervara
Bosco
P.so Orsaro
Pracchiola
Casalina
Versola
M. Orsaro
M. Brusolo
Riana
Casarola
Monchio delle Corti
Vecciatica
Vairo
Vestano
Castagneto
Ramiseto
Groppo Fosco
Lagdei
M. Grezzano
Vignola
Mignegno
Bassone
Pontremoli
Cereteli
M. Marmagna
M. Navert
Pianadetto
Valditacca
Trefiumi
M. Matalla
Valcieca
Nirone
Cervarezza
Frassinedolo
Codolo
Técchia
Rossa
Zeri
M. Brusa
M. Sillara
Rimagna
Rigoso
Miscoso
Succiso
M. Ventasso
Busana
Nismozza
Vallisnera
Rocca Sigillina
Lusignana
Caprio
Gigliana
Scorcetoli
M. Malpasso
M. Ramiceto
Acquabona
M. Bocco
Logastrello
Filattiera
Treschietto
M. Debia
Teglia
Castagnétoli
Pozzo
Orturano
Coriaga
Bagnone
Collesino
Alpe di Succiso
M. Casarola
Collagna
M. Ca di Velaneto
Cinquecerri
M. del Giogo
M. Alto
Cerreto dell'Alpi
Caprile
Ligonchio
Casalino
Rossano
Bosco di Rossano
Mulazzo
Talavorno
Mocrone
Malgrate
Filetto
Groppo
Pieve
Tavernelle
Montale
Torsana
P.so d. Cerreto
M. Cavalbianco
Ospitaletto
P.so di Pradarena
Villafranca in Lunigiana
Corvarola
Lusana
Gabbiana
Varano
Val d'Enza
Crespiano
Comano
Camporaghena
Sassalbo
M. la Nuda
Pieve di Castevoli
Parana
M. Cornoviglio
Villagrossa
Villécchia
Canossa
Lusuolo
Tresana
Merizzo
Licciana Nardi
Torre Nocciola
Bottignana
Giogo di Vendaso
Cima Belfiore
M. Sillano
Cisigliana
Pieve di Monti
Arlia
Passo del Romito
Vendaso
Calice al Cornoviglio
M. Alpicella
Groppo
Barbarasco
Giovagallo
Fornoli
Magliano
Agnino
Pognana
Fivizzano
Mommio
M. Tondo
Capanne di Silano
Ferdana
Quercia
Olivola
Pratomedici
Certardola
M. Peci
Terrarossa
Malacosta
Aulla
Monzone
Soliera
Gassano
Spicciano
Reusa
Regnano
Ponteccio
Dalli
Sillano
Camporanda
Podenzana
Rometta
Vigneta
Luscignano
Casola in Lunig.
Metra
Magliano
Giuncugnano
Varliano
Livignano
Pania di Corfino
Beverino
Bolano
Canova
Ceserano
Gragnola
Codiponte
Antognano
Sermezzana
Foce Carpinelli
Gragnana
S. Anastasio
Piazza al Serchio
Orzaglia
S. Donnino
Trivegna
Follo
Bibola
Vecchietto
Colla
Monte de' Bianchi
Equi Terme
Pieve S. Lorenzo
Minucciano
Castagnola
Nicciano
Casciana
Cascianella
S. Romano in Garf.
Magnano
Sillicagnana
Sórbolo
S. Stefano di Magra
Ponzano Sup.
M. Carbolo
Foce il Cucco
S. Terenzo
Tenerano
Gramolazzo
Gorfigliano
Casatico
Vitoio
Camporgiano
Poggio
Marinasco
LA SPEZIA
Buonviaggio
Vezzano Ligure
Carignano
Ponzano Magra
Fosdinovo
Pulica
La Foce
Marciaso
P.so d'Uccello
M. Pisanino
Roggio
Puglianella
Filicaia
Sillicano
Sarzana
Arcola
Baccano
Trebiano
Pitelli
Romito
Caniparola
Castelnuovo Magra
Castelpoggio
Gragnana
M. Sagro
Foce del Giovo
Focolaccia
M. Tambura
M. Umbriana
Careggine
Vagli Sopra
Vagli Sotto
M. Volsci
Marola
Cadimare
Fezzano
Muggiano
Lérici
Le Grázie
Portovénere
Ameglia
Casano
Ortonovo
Sorgnano
Molicciara
Nicola
Isola
Luni
Dogana
Fontia
Fossola
CARRARA
M. Maggiore
Colonnata
Bedizzano
Codena
Resceto
Forno
Alto di Sella
M. Sumbra
Arni
Isola Santa
Rontano
Sassi
Bergiola Maggiore
Casette
Canevara
Antona
Altagnana
M. Altissimo
Campagrina
Campaccio
Alpe S. Antonio
Vergemoli
Galleria del Cipollaio
Pania di Croce
Mirteto
M. Belvedere
MASSA
Avenza
Marinella di Sarzana
Marina di Carrara
Bocca di Magra
Montemarcello
P.ta Bianca
I. di Palmária
I. del Tino
Tellaro
Fiascherino
S. Croce
A15
E33
62
63
523
445

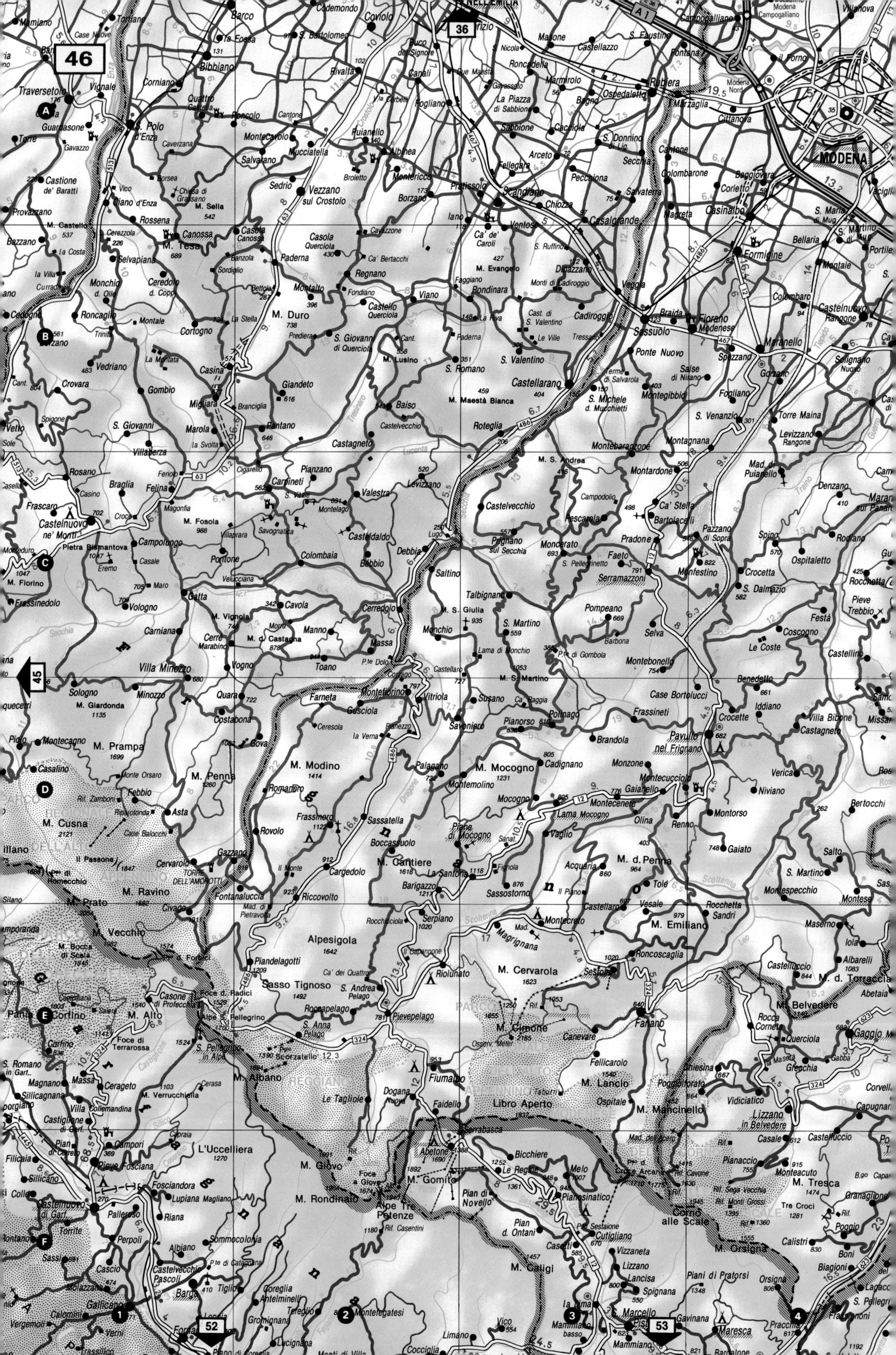

46
36
45
52
53
A1
Modena
Campogalliano
Barco
Codemondo
Coviolo
Rivalta
Bibbiano
Traversetolo
Vignale
Corniano
Quattro Castella
S. Polo d'Enza
Guardasone
Roncolo
Montecavolo
Mucciatella
Puianello
Albinea
Canali
Fogliano
Buco del Signore
Masone
Castellazzo
S. Faustino
Campogalliano
Fontana
Roncadella
Marmirolo
Rubiera
Ospedaletto
Marzaglia
Cittanova
La Piazza di Sabbione
Bagno
Sabbione
Casalgrande
Salvaterra
Arceto
Fellegara
Scandiano
Chiozza
S. Donnino di Lig.
Secchia
Cantone
Colombarone
Baggiovara
Corletto
Magreta
Casinalbo
Formigine
Bellaria
Montale
Castione de' Baratti
Ciano d'Enza
Rossena
Canossa
M. Tesa
M. Sella
Casola Canossa
Vezzano sul Crostolo
Sedrio
Salvarano
Montericco
Borzano
Pratissolo
Iano
Ca' de' Caroli
Ventoso
M. Evangelo
Dinazzano
Monti di Cadiroggio
Casola Querciola
Paderna
Regnano
Montalto
Viano
Rondinara
Cadiroggio
Sassuolo
Braida
Fiorano Modenese
Maranello
Castelnuovo Rangone
Solignano Nuovo
Bazzano
Selvapiana
Monchio d. Olle
Ceredolo d. Coppi
M. Duro
Castello Querciola
S. Giovanni di Querciola
S. Valentino
Le Ville
Cast. di S. Valentino
Tressano
Ponte Nuovo
Spezzano
Gorzano
Cadognc
Roncaglio
Montale
Cortogno
Casina
La Montata
M. Lusino
S. Romano
M. Maestà Bianca
Castellarano
Terme di Salvarola
S. Michele d. Mucchietti
Montegibbio
Salse di Nirano
Fogliano
Vedriano
Crovara
Gombio
Migliara
Giandeto
Baiso
Castelvecchio
Roteglia
S. Venanzio
Torre Maina
Levizzano Rangone
Marola
Pantano
Castagneto
Montebaranzone
Montagnana
S. Giovanni
Villaberza
Rosano
Braglia
Felina
Carpineti
Pianzano
Levizzano
M. S. Andrea
Montardone
Mad. di Puianello
Frascaro
Castelnuovo ne' Monti
Croce
M. Fosola
Valestra
Castelvecchio
Campodolio
Pescarola
Ca' Stella
Bartolacelli
Denzano
Pietra Bismantova
Campolungo
Casale
Savognatica
Villaprara
Castedaldo
Debbia
Lugo
Prignano sul Secchia
Moncerato
Pradone
Pazzano di Sopra
Spino
Rodiano
M. Fiorino
Frassinedolo
Eremo
Maro
Vologno
Pontone
Colombaia
Bebbio
Saltino
S. Pellegrinetto
Faeto
Serramazzoni
Monfestino
Crocetta
S. Dalmazio
Ospitaletto
Rocchetta
Pieve Trebbio
Gatta
Veluccia
Cavola
Cerredolo
Talbignano
M. S. Giulia
Pompeano
Selva
Festà
Carniana
M. Vignola
Cerrè Marabino
M. d. Castagna
Manno
Massa
Monchio
S. Martino
Lama di Monchio
Le Coste
Coscogno
Villa Minozzo
Vogno
Toano
Castellaro
M. S. Martino
Montebonello
Castellino
Sologno
M. Giardonda
Minozzo
Quara
Farneta
Montefiorino
Vitriola
Susano
Case Bortolucci
Benedetto
Iddiano
Gusciola
Pianorso
Polinago
Frassineti
Crocette
Pavullo nel Frignano
Villa Bibbone
Castagneto
Costabona
Gova
Ceresola
Piolo
Montecagno
M. Prampa
Savoniero
Brandola
Casalino
M. Modino
Palagano
M. Mocogno
Cadignano
Monzone
Montecuccolo
Verica
Monte Orsaro
M. Penna
Febbio
Romanoro
Montemolino
Mocogno
Gaianello
Montecenere
Niviano
Asta
M. Cusna
Frassinoro
Sassatella
Boccassuolo
Piane di Mocogno
Lama Mocogno
Vaglio
Olina
Renno
Montorso
Gaiato
Bertocchi
Il Passone
Cervarolo
Torre dell'Amorotti
Gazzano
Rovolo
M. Cantiere
La Santona
Fignola
Acquaria
M. d. Penna
Tolè
Salto
S. Martino
Montespecchio
Homecchio
M. Ravino
Civago
Fontanaluccia
Il Monte
Cargedolo
Riccovolto
Barigazzo
Sassostorno
Il Piano
Castellaro
Vesale
M. Emiliano
Rocchetta Sandri
Montese
M. Prato
M. Vecchio
Mad. di Pietravolta
Serpiano
Rocchicciola
Alpesigola
Scoltenna
Magrignana
Montecreto
Maserno
Iola
M. Bocca di Scala
Piandelagotti
Il Capannone
Ca' dei Quattro
Riolunato
M. Cervarola
Sestola
Roncoscaglia
Albarelli
Castelluccio
M. d. Torraccia
Sasso Tignoso
S. Andrea Pelago
Casone di Profecchia
Foce d. Radici
Alpe S. Pellegrino
Roccapelago
Pievepelago
Parco
M. Cimone
Canevare
Fanano
Rocca Corneta
Querciola
M. Belvedere
Gaggio M.
Cortino
M. Alto
S. Anna Pelago
S. Pellegrino in Alpe
Foce di Terrarossa
Scorzatello
Fellicarolo
Chiesina
Poggioforato
Grecchia
S. Romano in Garf.
Massa
Ceragato
M. Albano
Reggiano
Fiumalbo
M. Lancio
Ospitale
Vidiciatico
Lizzano in Belvedere
Corvella
Magnano
Sillicagnana
M. Verrucchiella
Le Tagliole
Dogana Nuova
Faidello
Libro Aperto
M. Mancinello
Capugnano
Villa Collemandina
Castiglione di Garf.
Campori
L'Uccelliera
M. Giovo
Serrabasca
Abetone
Bicchiere
Mad. dell'Acero
Casale
Castelluccio
Pian di Cerreto
Pieve Fosciana
Filicaia
Sillicano
Fosciandora
Lupiana
Magliano
Riana
Foce a Giovo
M. Gomito
Le Regine
Melo
Croce Arcana
Pianaccio
Monteacuto
M. Tresca
Granaglione
Colle
Castelnuovo di Garf.
Pallerose
M. Rondinaio
Alpe Tre Potenze
Pian di Novello
Pianosinatico
Tre Croci
Poggio
Rif. Casentini
Corno alle Scale
Torrite
Perpoli
Albiano
Sommocolonia
Pian d. Ontani
Cutigliano
Calistri
Boni
Sassi
Cascio
Castelvecchio Pascoli
P.te di Catagnana
M. Caligi
Vizzaneta
Lizzano
Lancisa
M. Orsigna
Piani di Pratorsi
Orsigna
Biagioni
Lagacci
S. Pellegrino
Molazzana
Barga
Tiglio
Coreglia Antelminelli
Spignana
Gallicano
Calomini
Vergemoli
Verni
Fornaci
Gromignana
Tereglio
Montefegatesi
La Lima
Mammiano basso
S. Marcello Pistoiese
Gavinana
Maresca
Pracchia
Frassignoni
Vico
Limano
Lucignana
Cocciglia
Mammiano
Bardalone

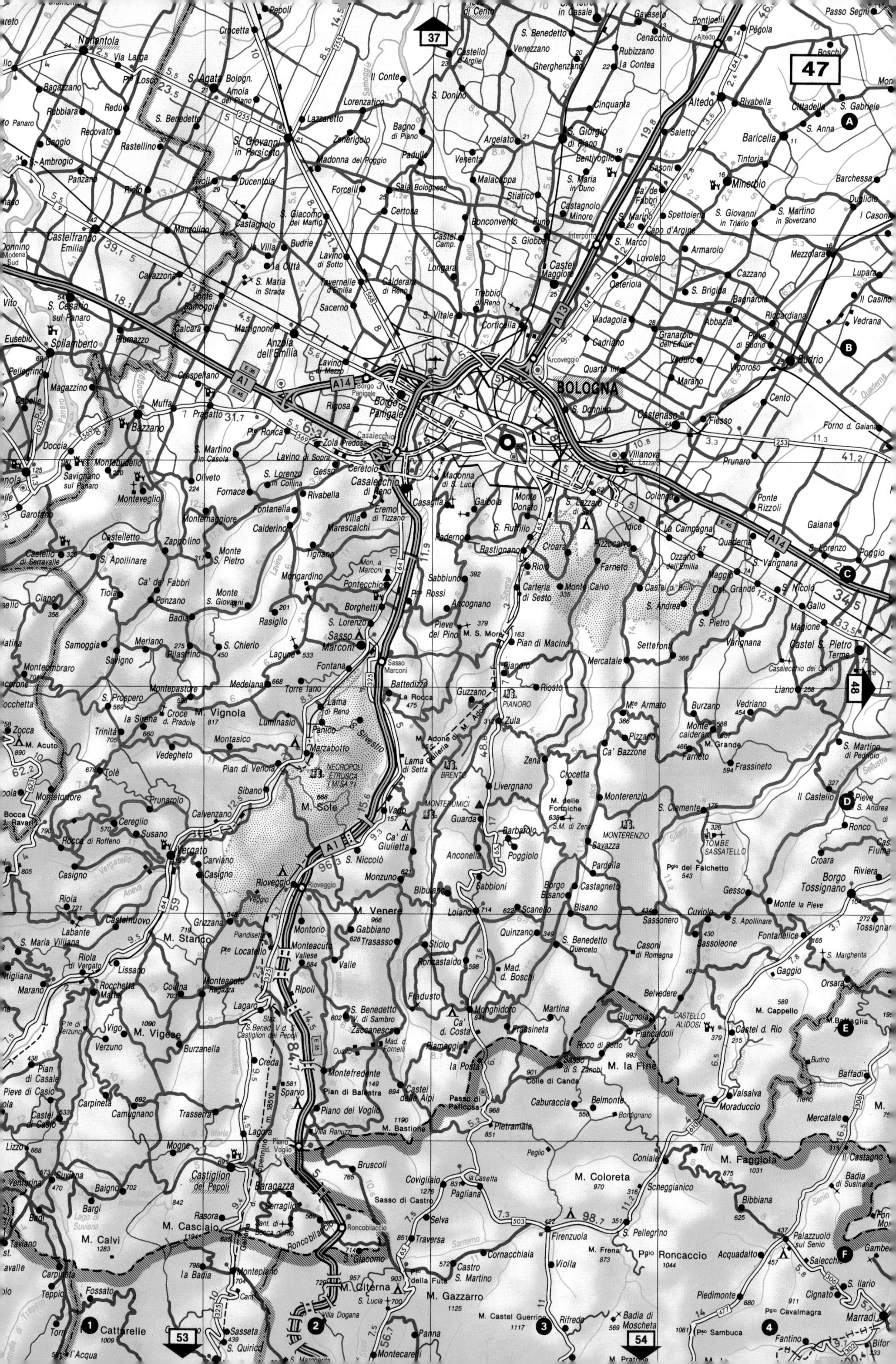

47
37
48
53
54
BOLOGNA
Nonantola
S. Agata Bologn.
S. Giovanni in Persiceto
Castelfranco Emilia
S. Cesario sul Panaro
Spilamberto
Bazzano
Anzola dell'Emilia
Borgo Panigale
Casalecchio di Reno
Zola Predosa
Castel Maggiore
S. Giorgio di Piano
Bentivoglio
Altedo
Minerbio
Baricella
Budrio
Castenaso
Villanova
S. Lazzaro di Savena
Ozzano dell'Emilia
Castel S. Pietro Terme
Pianoro
Sasso Marconi
Marzabotto
Vergato
Monteveglio
Savignano sul Panaro
Loiano
Monghidoro
Castiglion dei Pepoli
Firenzuola
Palazzuolo sul Senio
Marradi
Borgo Tossignano
Castel d. Rio
Monterenzio
M. Sole
M. Venere
M. Vigese
M. Calvi
M. Cascaio
M. Coloreta
M. Faggiola
M. la Fine
Lago di Suviana
Rioveggio
Grizzana
Castelnuovo
Riola
Camugnano
Baragazza
Roncobilaccio
Pietramala
Covigliaio
Passo della Futa
M. Gazzarro
Cattarelle
Montecarelli
A1
A13
A14
E 35
E 45
Necropoli Etrusca
Monte S. Pietro
Monte S. Giovanni
Castello di Serravalle
Medelana
Pian di Macina
Castello Alidosi
Tombe Sassatello
Monterumici
Brento
Galleria di M. Adone

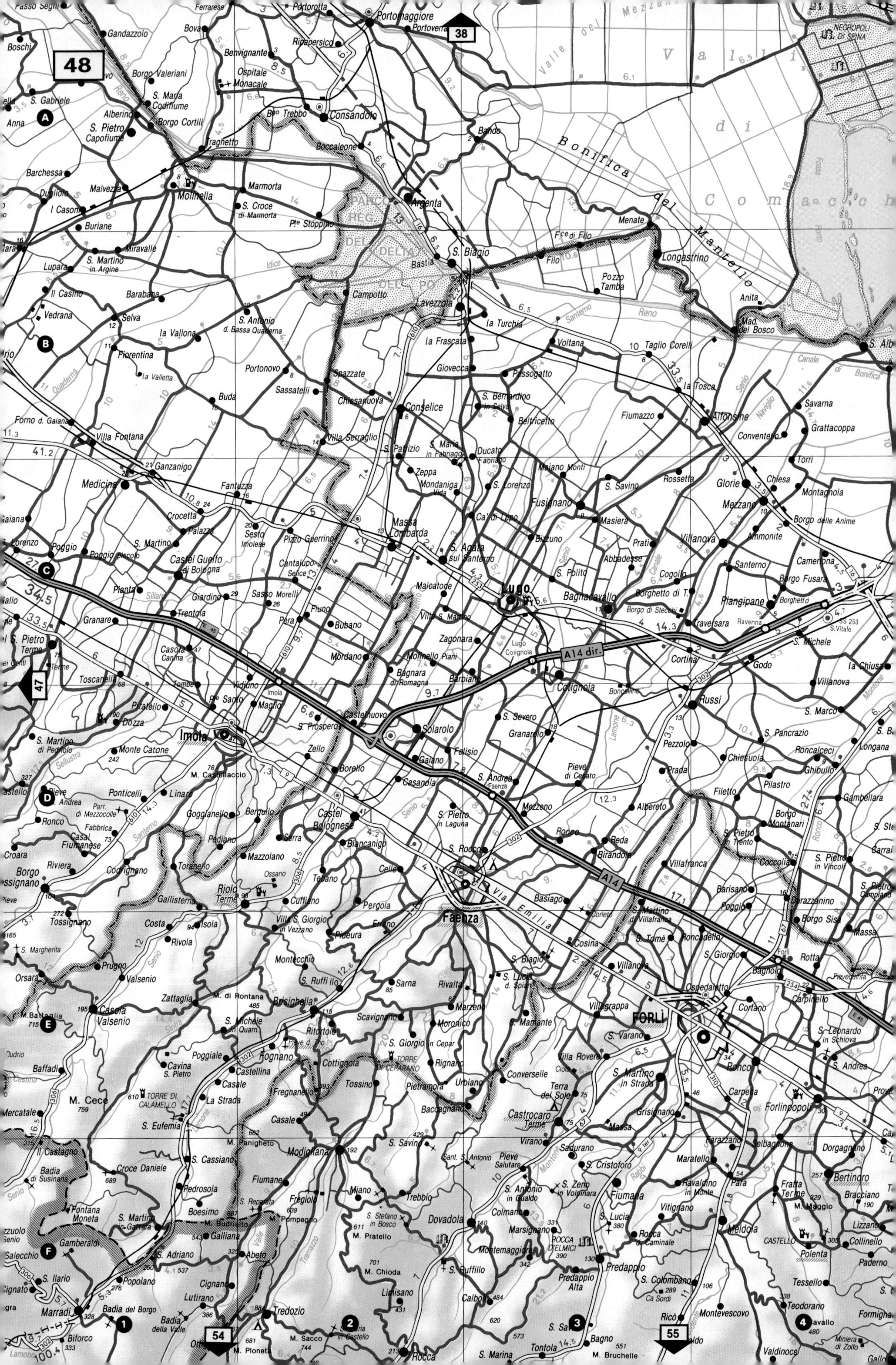
48
38
47
54
55
A
B
C
D
E
F
1
2
3
4
Fasso Segni
Ferrarese
Portorotta
Portomaggiore
Portoverra
Gandazzolo
Bova
Ripapersico
Boschi
Benvignante
Borgo Valeriani
Ospitale
Monacale
S. Maria Codifiume
S. Gabriele
Anna
Alberino
S. Pietro Capofiume
Borgo Cortili
Consandolo
Bo Trebbo
Traghetto
Boccaleone
Bando
Valle del Mezzano
Valli di Comacchio
NECROPOLI DI SPINA
Bonifica del Mantello
Barchessa
Malvezza
Molinella
Marmorta
Argenta
Dugliolo
I Casoni
Buriane
S. Croce di Marmorta
Pte Stoppino
PARCO REG. DEL DELTA DEL PO
Menate
S. Biagio
Fte di Filo
Filo
Longastrino
Miravalle
S. Martino in Argine
Lupara
Idice
Bastia
Pozzo Tamba
Anita
Il Casino
Barabana
Campotto
Lavezzola
Vedrana
Selva
S. Antonio d. Bassa Quaderna
la Vallona
la Turchia
Santerno
Reno
Mad. del Bosco
Taglio Corelli
S. Alberto
Fiorentina
la Valletta
Portonovo
la Frascata
Voltana
Canale di Bonifica
Quaderna
Sassatelli
Spazzate
Giovecca
Passogatto
la Tosca
Savarna
Buda
Chiesanuova
Conselice
S. Bernardino in Selva
Beltricetto
Fiumazzo
Alfonsine
Conventello
Grattacoppa
Forno d. Gaiana
Villa Fontana
Villa Serraglio
S. Patrizio
S. Maria in Fabriago
Ducato Fabriago
Torri
Ganzanigo
Medicina
Zeppa
Mondaniga Vida
Maiano Monti
Rossetta
Glorie
Chiesa
Montagnola
Fantuzza
S. Lorenzo
S. Savino
Mezzano
Borgo delle Anime
Crocetta
Palazzo
Sesto Imolese
Pizzo Guerrino
Massa Lombarda
Ca' di Lupo
Fusignano
Masiera
Ammonite
Gaiana
S. Martino
Poggio Piccolo
Castel Guelfo di Bologna
S. Agata sul Santerno
Bizzuno
Prati
Villanova
Poggio
Cantalupo Selice
Abbadesse
Cogollo
Santerno
Camerlona
Pianta
Giardino
Sasso Morelli
Malcatone
Lugo
S. Polito
Bagnacavallo
Borghetto di T.
Borgo Fusara
Granare
Trentola
Fiumo
Bubano
Villa S. Martino
Borgo di Stecchi
Piangipane
Borghetto
S. Pietro Terme
Casola Canina
Pera
Mordano
Zagonara
Lugo Cotignola
Traversara
Ravenna
S. Vitale
Toscanella
Molinello Piani
Bagnara di Romagna
Cortina
S. Michele
Godo
la Chiusa
Tombe
Pte Santo
Vidiuno
Imola
Magione
Barbiano
Cotignola
Boncellino
Russi
Villanova
Piratello
Dozza
Castelnuovo
S. Prospero
Solarolo
S. Severo
Granarolo
S. Marco
S. Martino di Pedriolo
Imola
Monte Catone
Zello
Felisio
Pezzolo
S. Pancrazio
Longana
M. Castellaccio
Borello
Gaiano
Chiesuola
Roncalceci
Ghibullo
Pieve S. Andrea
Ponticelli
Linaro
Casanola
S. Andrea Faenza
Pieve di Cesato
Prada
Filetto
Pilastro
Gambellara
Parr. di Mezzocolle
Gogglanello
Bergullo
Castel Bolognese
S. Pietro in Laguna
Mezzeno
Alberelo
Borgo Montanari
Ronco
Fabbrica
Casal Fiumanese
Biancanigo
Pediano
Serra
Ronco
Reda
S. Pietro in Trento
Croara
Riviera
Codrignano
Toranello
Mazzolano
Tebano
Celle
S. Rocco
Birandola
Villafranca
Coccolia
S. Pietro in Vincoli
Borgo Tossignano
Ossano
Riolo Terme
Cuffiano
Faenza
Via Emilia
Basiago
Barisano
Poggio
Durazzanino
S. Pietro Campiano
Tossignano
Gallisterna
Costa
Isola
Villa S. Giorgio in Vezzano
Pergola
Errano
Corleto
S. Martino di Villafranca
Borgo Sisa
Rivola
Pideura
Cosina
S. Tomè
Roncadello
Massa
S. Margherita
Prugno
Valsenio
Montecchio
S. Biagio
Villanova
S. Giorgio
Rotta
Orsara
Zattaglia
M. di Rontana
S. Ruffillo
Sarna
Rivalta
S. Lucia d. Spiano
Bagnolo
Forlì
Carpinello
Casola Valsenio
M. Battaglia
Brisighella
Ospedaletto
Cortano
Villagrappa
FORLÌ
S. Michele in Quarn.
Scavignano
Marzeno
Moronico
S. Mamante
S. Varano
S. Leonardo in Schiova
Ridriolo
Pieve d. Tho
Dudrio
Poggiale
S. Giorgio in Cepar
Villa Rovere
Baffadi
Cavina S. Pietro
Fognano
Torre di Ceparano
Rignano
S. Martino in Strada
Ronco
S. Andrea
Castellina
Cottignola
Tossino
Conversclle
Casale
Pietramora
Urbiano
Terra del Sole
Carpena
Forlimpopoli
Mercatale
M. Cece
Torre di Calamello
La Strada
Fregnanello
Castrocaro Terme
Baccagnano
Grisignano
Massa
Farazzano
Selbagnone
Dorgagnano
S. Eufemia
Casale
Virano
Il Castagno
M. Panigheto
Modigliana
S. Savino
Sant. S. Antonio
Pieve Salutare
Sadurano
Maratello
Bertinoro
Badia di Susinana
Croce Daniele
S. Cassiano
S. Cristoforo
Pedrosola
Fiumane
Miano
Trebbio
S. Antonio in Gualdo
S. Zeno in Volpinara
Fiumana
Ravaldino in Monte
Para
Fratta Terme
Bracciano
Fontana Moneta
Boesimo
S. Reparata
Fregiolo
S. Stefano in Bosco
Colmano
Vitignano
M. Maggio
S. Martino in Gattara
Pompegno
M. Pratello
Dovadola
Marsignano
S. Lucia
Meldola
Lizzano
Castello
Collinello
Gamberaldi
M. Budriatto
Galliana
Rocca d'Elmici
Rocca di Caminale
Polenta
Salecchio
S. Adriano
Abeto
M. Chioda
Montemaggiore
Predappio
Paderno
S. Ilario
Cignano
Popolano
Lutirano
S. Ruffillo
Predappio Alta
S. Colombano
Ca Sordi
Tessello
Marradi
Badia del Borgo
Badia della Valle
Tredozio
Limisano
Calboli
Montevescovo
Teodorano
Formignano
Biforco
M. Sacco
S. Maria in Castello
Ricò
Cavallo
M. Plonete
Rocca
S. Marina
Tontola
Bagno
M. Bruchelle
Valdinoce
Miniera di Zolfo
Lamone
Senio
Sillaro
Sellustra
Montone
Rabbi
Ronco
A14
A14 dir.
E 45
610
302
306
9
67
254
310
253
16
9 ter

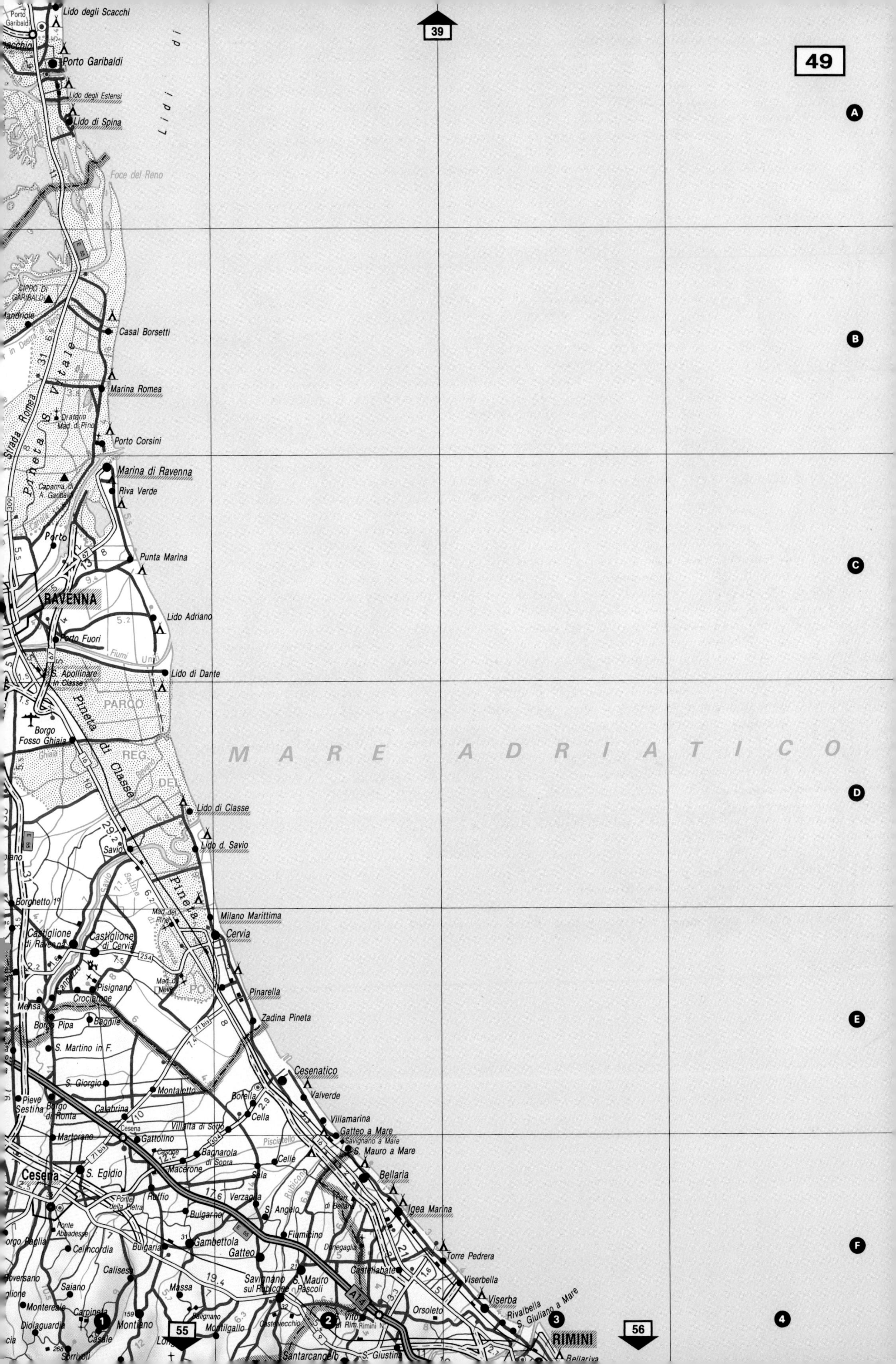

A

B

C

MARE ADRIATICO

D

E

F

4

Lido degli Scacchi
Porto Garibaldi
Porto Garibaldi
Lido degli Estensi
Lido di Spina
Foce del Reno
PIPO DI GARIBALDI
andriole
Casal Borsetti
Marina Romea
Oratorio
Mad. d. Pino
Porto Corsini
Marina di Ravenna
Riva Verde
Capanna di
A. Garibaldi
Porto
Punta Marina
RAVENNA
Porto Fuori
Lido Adriano
S. Apollinare
in Classe
Lido di Dante
PARCO
Borgo
Fosso Ghiaia
Pineta di Classe
Lido di Classe
Savio
Lido d. Savio
REG.
DEL
Borghetto
Milano Marittima
Castiglione
di Ravenna
Castiglione
di Cervia
Cervia
Pineta
Mad. del
Pino
Pisignano
Crociarone
Pinarella
Mensa
Borgo Pipa
Bagnile
Zadina Pineta
S. Martino in F.
Cesenatico
S. Giorgio
Montaletto
Borella
Valverde
Pieve
Sestina
Borgo
di Ronta
Calabrina
Cella
Villamarina
Villatta di Sotto
Gatteo a Mare
Cesena
Gattolino
Savignano a Mare
S. Mauro a Mare
Martorano
Bagnarola
di Sopra
Celle
Cesena
Macerone
Cela
Bellaria
S. Egidio
Ruffio
Verzaglia
Bulgarno
Igea Marina
Ponte
della Pietra
S. Angelo
di Bella
Ponte
Abbadesse
Bulgaria
Fiumicino
org Paglia
Celincordia
Gambettola
Gatteo
Torre Pedrera
oversano
Calisese
Donegaglia
Castelnabatev
lione
Saiano
Massa
Savignano
sul Rubicone
Mauro
Pascoli
Viserbella
Montereale
Carpineta
Viserba
Diolaguardia
Montiano
Balignano
Castelvecchio
Orsoleto
S. Giuliano a Mare
RIMINI
Sorrivoli
Casale
Montilgallo
Rim Rimini
Bellariva
Santarcangelo
S. Giustina

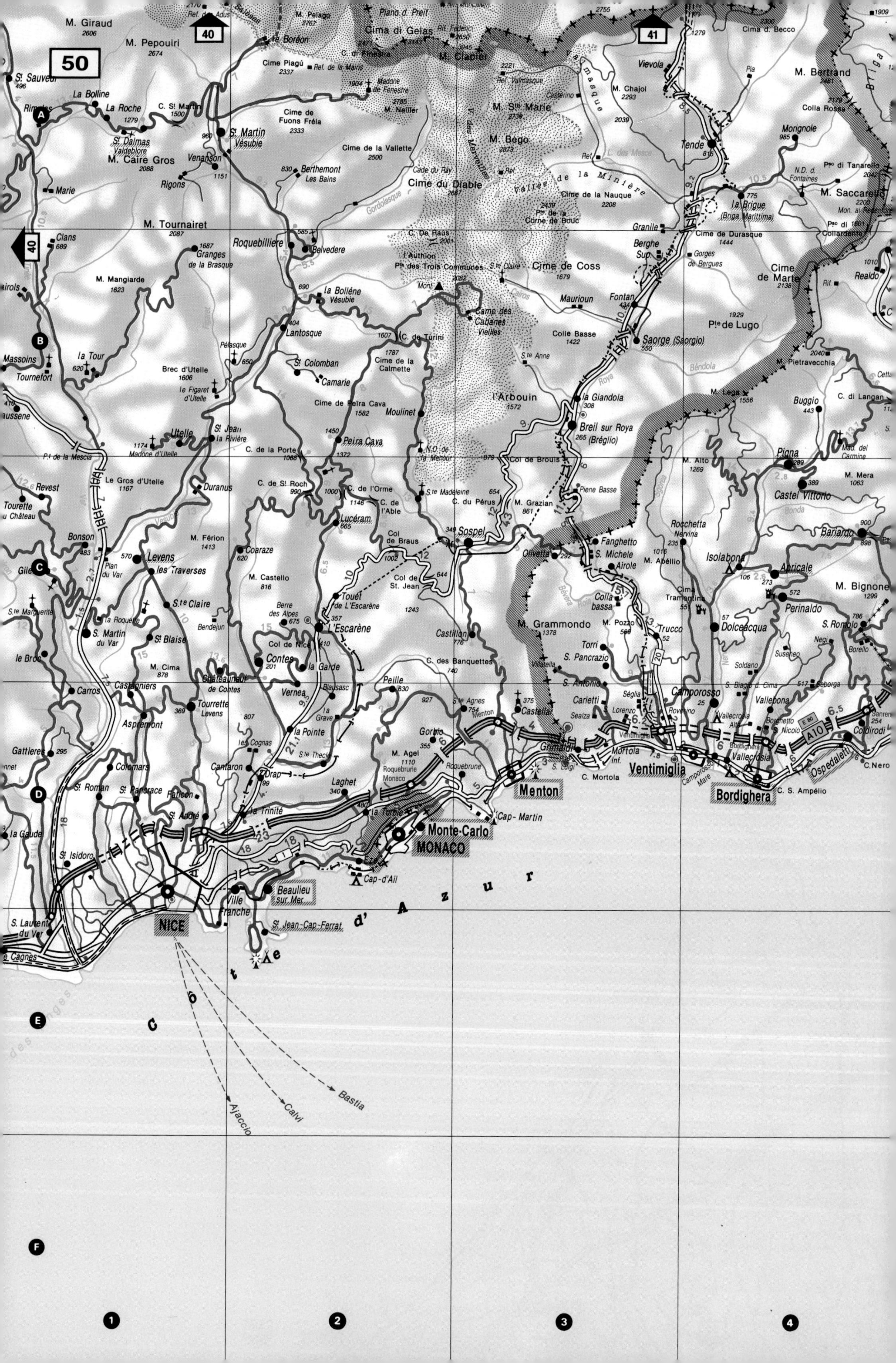

50
40
41
M. Giraud
2606
M. Pepouiri
2674
le Boréon
M. Pelago
Piano d. Preit
Cima di Gelas
C. di Fenestra
M. Clapier
Cime Piagú
2337
Rif. de la Maïris
Madone de Fenestre
M. Neiller
Rif. Valmasque
Casterino
M. Chajol
2293
Vievola
Cima d. Becco
M. Bertrand
Colla Rossa
St. Sauveur
496
La Bolline
La Roche
1279
C. St Martin
1500
Rimplas
St. Dalmas Valdeblore
M. Caïre Gros
2088
St. Martin Vésubie
Venanson
1151
Rigons
Cime de Fuons Fréia
2333
Cime de la Vallette
2500
Berthemont Les Bains
Cime du Diable
2687
M. Ste Marie
2738
M. Bego
2873
Vallée de la Minière
Cime de la Nauque
2208
Pte de la Corne de Bouc
Tende
816
Morignole
985
N.D. d. Fontaines
Pso di Tanarello
M. Saccarello
2200
la Brigue (Briga Marittima)
775
Marie
M. Tournairet
2087
Clans
689
Granges de la Brasque
Roquebillière
Belvedere
C. De Raus
l'Authion
Pte des Trois Communes
Cime de Coss
1679
Granile
Berghe Sup.
Cime de Durasque
1444
Gorges de Bergues
Cime de Marte
2138
Realdo
M. Mangiarde
1623
la Bolléne Vésubie
Mont.
Camp des Cabanes Vieilles
Maurioun
Fontan
Colle Basse
1422
Saorge (Saorgio)
550
Pte de Lugo
1929
Massoins
Tournefort
la Tour
Brec d'Utelle
1606
Pélasque
Lantosque
St. Colomban
Camarie
C. de Turini
Cime de la Calmette
1787
Ste Anne
Bendola
M. Pietravecchia
le Figaret d'Utelle
Cime de Peïra Cava
1582
Moulinet
l'Arbouin
1572
la Giandola
308
Breil sur Roya (Bréglio)
265
M. Lega
1556
Buggio
443
C. di Langan
Utelle
St. Jean la Rivière
Madone d'Utelle
P.t de la Mescla
C. de la Porte
1068
Peïra Cava
1372
N.D. de la Menour
Col de Brouis
879
M. Alto
1269
Pigna
289
Castel Vittorio
389
M. Mera
1063
Revest
Tourette du Château
Le Gros d'Utelle
1167
Duranus
C. de St. Roch
990
C. de l'Orme
C. de l'Able
Ste Madeleine
C. du Pérus
M. Grazian
861
Piene Basse
Lucéram
665
Col de Braus
1002
Sospel
349
Olivetta
Fanghetto
S. Michele
Airole
Rocchetta Nervina
235
M. Abéllio
Isolabona
Apricale
Bariardo
Bonson
483
Plan du Var
Levens
les Traverses
M. Férion
1413
Coaraze
620
M. Castello
816
Col de St. Jean
Touët de L'Escarène
Colla bassa
Cima Tramontina
Perinaldo
M. Bignone
1299
Gilette
Ste Marguerite
la Roquette
S. Martin du Var
St. Blaise
Ste Claire
Bendejun
Berre des Alpes
L'Escarène
Castillon
776
M. Grammondo
1378
M. Pozzo
Trucco
Dolceacqua
S. Romolo
le Broc
M. Cima
878
Col de Nice
Contes
201
la Garde
C. des Banquettes
Torri
S. Pancrazio
Suseneo
Carros
Castagniers
Châteauneuf de Contes
Vernea
Blausasc
Peille
630
Ste Agnes
754
Castellar
S. Antonio
Carletti
Camporosso
S. Biagio d. Cima
Vallebona
Tourrette Levens
Aspremont
la Grave
la Pointe
Gorbio
355
Menton
Grimaldi
Mortola Inf.
Ventimiglia
Vallecrosia
Bordighera
Ospedaletti
Coldirodi
Gattières
Colomars
les Cognas
Cantaron
Drap
Ste Thecle
M. Agel
1110
Roquebrune Monaco
Roquebrune
Laghet
C. Mortola
Camporosso Mare
C. S. Ampélio
C. Nero
St. Roman
St. Pancrace
Falicon
St. André
la Trinité
la Turbie
Cap-Martin
Monte-Carlo
MONACO
la Gaude
St. Isidoro
Cap-d'Ail
Beaulieu sur Mer
Ville Franche
NICE
St. Laurent du Var
Cagnes
St. Jean-Cap-Ferrat
Côte d'Azur
A10
E80
Bastia
Calvi
Ajaccio
A
B
C
D
E
F
1
2
3
4

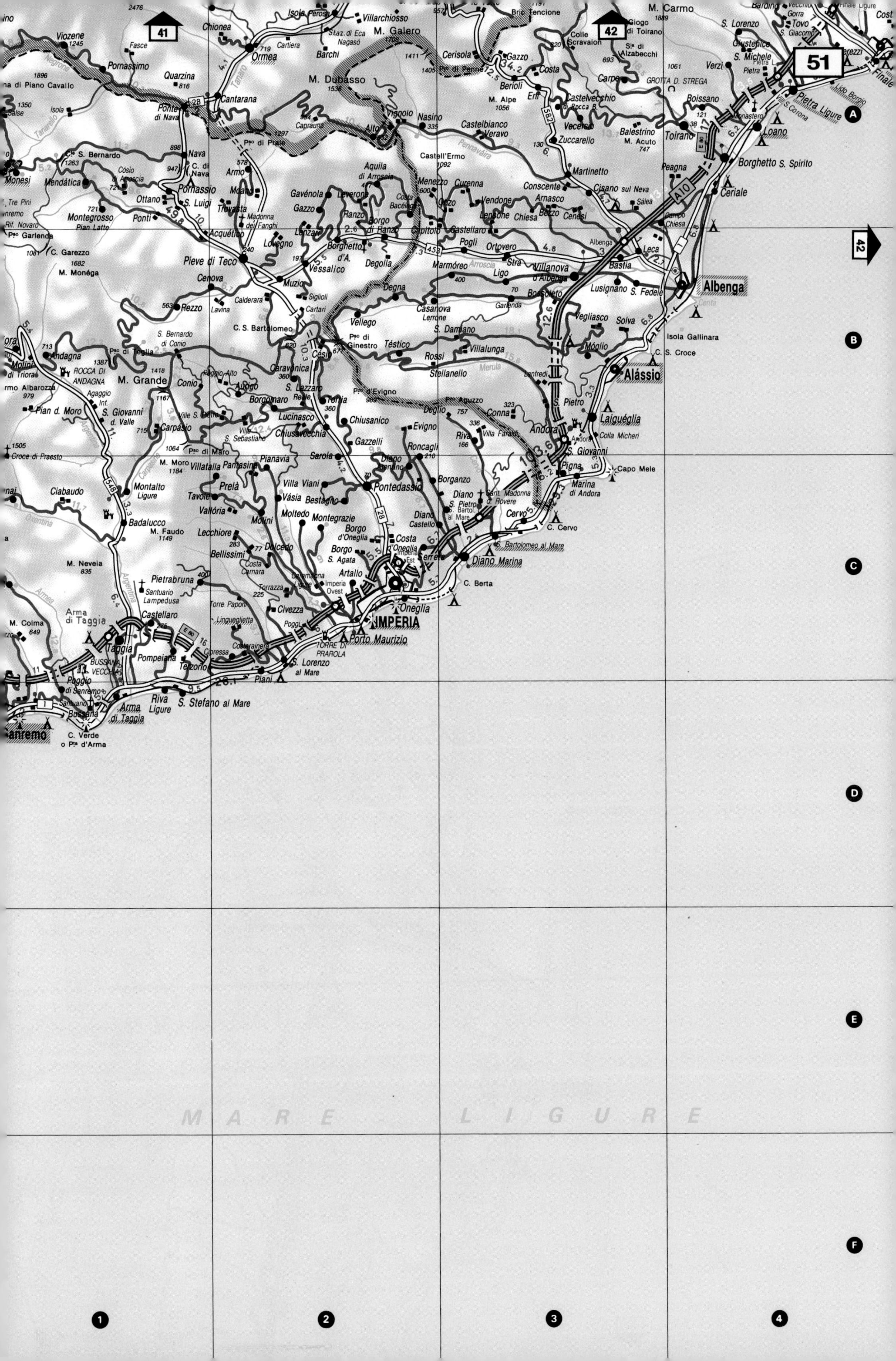
41
42
51
42
Viozene
Pornassimo
Quarzina
Chionea
Ormea
Isola Perosa
Villarchiosso
Barchi
M. Galero
M. Dubasso
Cartiera
Fasce
Cantarana
Ponte di Nava
Nava
C. di Nava
Pornassio
S. Luigi
Ottano
Ponti
Montegrosso Pian Latte
Mendática
Monesi
C. S. Bernardo
Cósio di Arroscia
P.so Garlenda
C. Garezzo
M. Monéga
Pieve di Teco
Acquético
Cenova
Rezzo
Lavina
Calderara
C. S. Bartolomeo
S. Bernardo di Conio
P.so di Teglia
M. Grande
Conio
Andagna
Molini di Triora
Rocca di Andagna
Pian d. Moro
S. Giovanni d. Valle
Carpásio
Croce di Praesto
M. Moro
Villatalla
Pantasina
Pianavia
Prelà
Tavole
Valloria
Molini
Ciabaudo
Montalto Ligure
Badalucco
M. Fauda
M. Neveia
Pietrabruna
Santuario Lampedusa
Castellaro
Arma di Taggia
Taggia
Pompeiana
Terzorio
Riva Ligure
S. Stefano al Mare
Bussana
Poggio di Sanremo
Sanremo
C. Verde o P.ta d'Arma
M. Colma
Armo
Moano
Trovasta
Madonna dei Fanghi
Lovegno
Vessalico
Muzio
Siglioli
Cartari
Caravonica
Cesio
Borgomaro
Aurigo
Lucinasco
Chiusavecchia
S. Lazzaro Reale
Torria
Chiusanico
Gazzelli
Sarola
Vasia
Villa Viani
Bestagno
Pontedassio
Moltedo
Montegrazie
Borgo d'Oneglia
Borgo S. Agata
Artallo
Costa d'Oneglia
Lecchiore
Bellissimi
Dolcedo
Costa Carnara
Torrazza
Civezza
Poggi
Torre di Prarola
S. Lorenzo al Mare
Piani
Porto Maurizio
Oneglia
IMPERIA
Imperia Ovest
Imperia Est
Caramagna Ligure
Costarainera
Cipressa
Lingueglietta
Torre Paponi
Diano Marina
C. Berta
Diano Castello
Diano S. Pietro
S. Bartol. al Mare
S. Bartolomeo al Mare
Cervo
C. Cervo
Borganzo
Roncagli
Diano Arentino
Evigno
Deglio
Conna
Villa Faraldi
Riva
P.so Aguzzo
P.so d'Evigno
Stellanello
Rossi
Villalunga
S. Damiano
Testico
P.so di Ginestro
Vellego
Casanova Lerrone
Degna
Aquila di Arroscia
Gavénola
Leverone
Gazzo
Ranzo
Borgo di Ranzo
Lenzari
Borghetto d'A.
Degolla
Vignolo
Alto
Nasino
Capráuna
P.so di Prale
Cerisola
P.so di Pennè
Gazzo
Costa
Berioli
Erli
M. Alpe
Castelbianco
Veravo
Castell'Ermo
Menezzo
Curenna
Onzo
Vendone
Lerrone
Chiesa
Arnasco
Bezzo
Cenesi
Capitolo
Castellaro
Pogli
Ortovero
Strà
Ligo
Marmóreo
Villanova d'Albenga
Garlenda
Bossoleto
Lusignano
S. Fedele
Albenga
Leca
Bastia
Conscente
Cisano sul Neva
Salea
Martinetto
Zuccarello
Castelvecchio di Rocca B.
Vecersio
Colle Scravaion
Giogo di Toirano
S.te di Alzabecchi
Carpe
M. Carmo
Bric Tencione
Balestrino
M. Acuto
Toirano
Grotta d. Strega
Boissano
Peagna
Verzi
S. Michele
Pietra
Giustenice
S. Lorenzo
Tovo S. Giacomo
Pietra Ligure
Finale
Lido Borgio
Loano
Monastero
Borghetto S. Spirito
Ceriale
Campo Chiesa
Vegliasco
Solva
Moglio
Isola Gallinara
C. S. Croce
Alássio
Lenfredi
S. Pietro
Laiguéglia
Andora
Colla Micheri
S. Giovanni
Pigna
Marina di Andora
Capo Mele
Arroscia
Merula
Pennavaira
Tanaro
Argentina
Armea
A10
E80
28
453
582
548
1
M A R E   L I G U R E
A
B
C
D
E
F
1
2
3
4

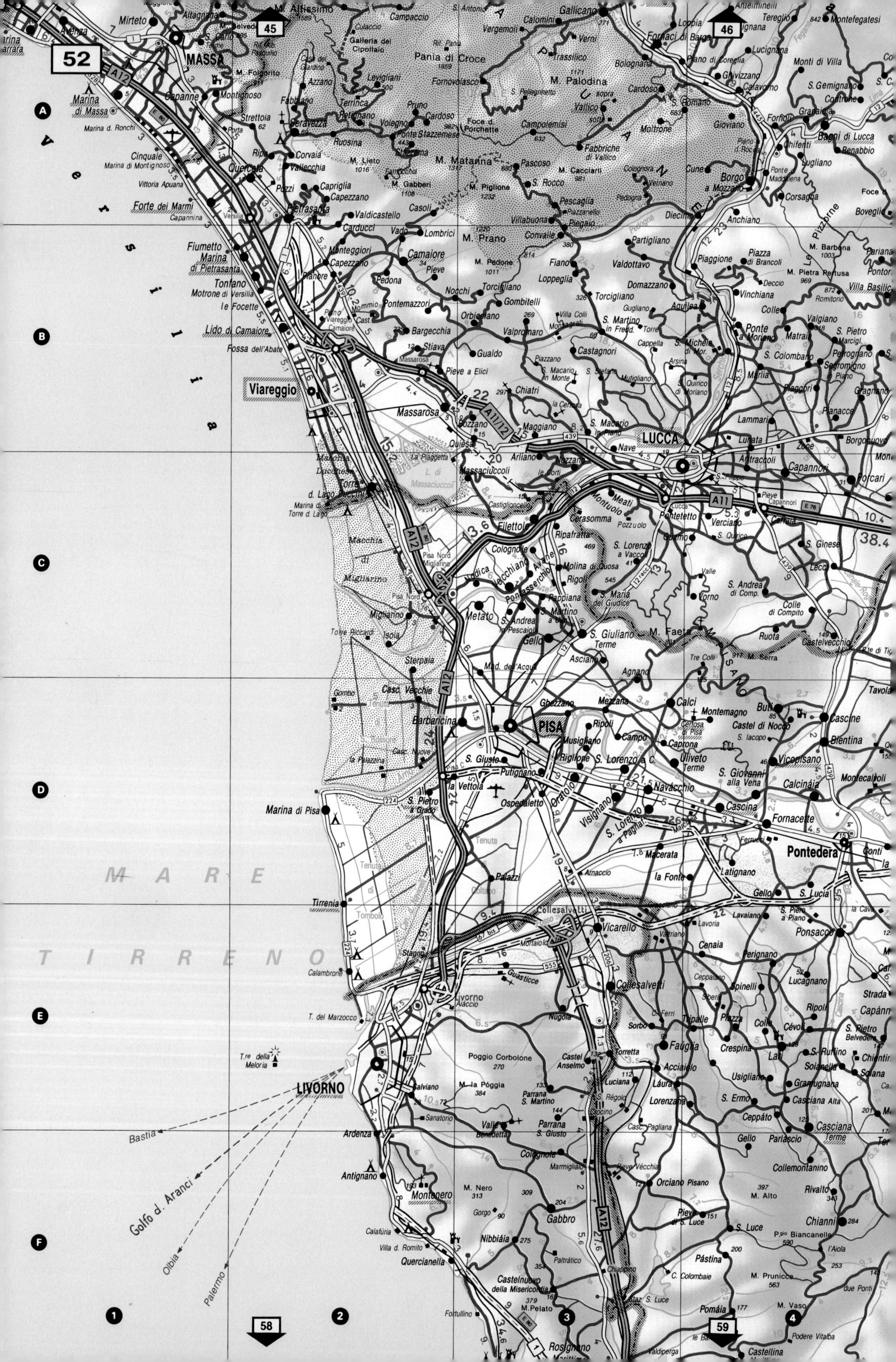
52
45
46
58
59
A
B
C
D
E
F
1
2
3
4
Massa
Marina di Massa
Montignoso
Seravezza
Querceta
Forte dei Marmi
Pietrasanta
Camaiore
Viareggio
Massarosa
Lido di Camaiore
Torre d. Lago Puccini
L. di Massaciuccoli
Lucca
Capannori
Porcari
Borgo a Mozzano
Bagni di Lucca
Gallicano
Fornaci di Barga
Pania di Croce
M. Palodina
M. Matanna
M. Prano
M. Pizzorne
Macchia di Migliarino
Pisa
S. Giuliano Terme
Calci
Cascina
Pontedera
Vicopisano
Bientina
Navacchio
Marina di Pisa
Tirrenia
Collesalvetti
Livorno
Antignano
Montenero
Quercianella
Castelnuovo della Misericordia
Gabbro
Nibbiaia
Fauglia
Crespina
Lari
Casciana Terme
Chianni
Ponsacco
Rosignano Marittimo
M A R E
T I R R E N O
Versilia
Bastia
Golfo d. Aranci
Olbia
Palermo
T.re della Meloria
A12
A11
A11/12
E 80
E 76

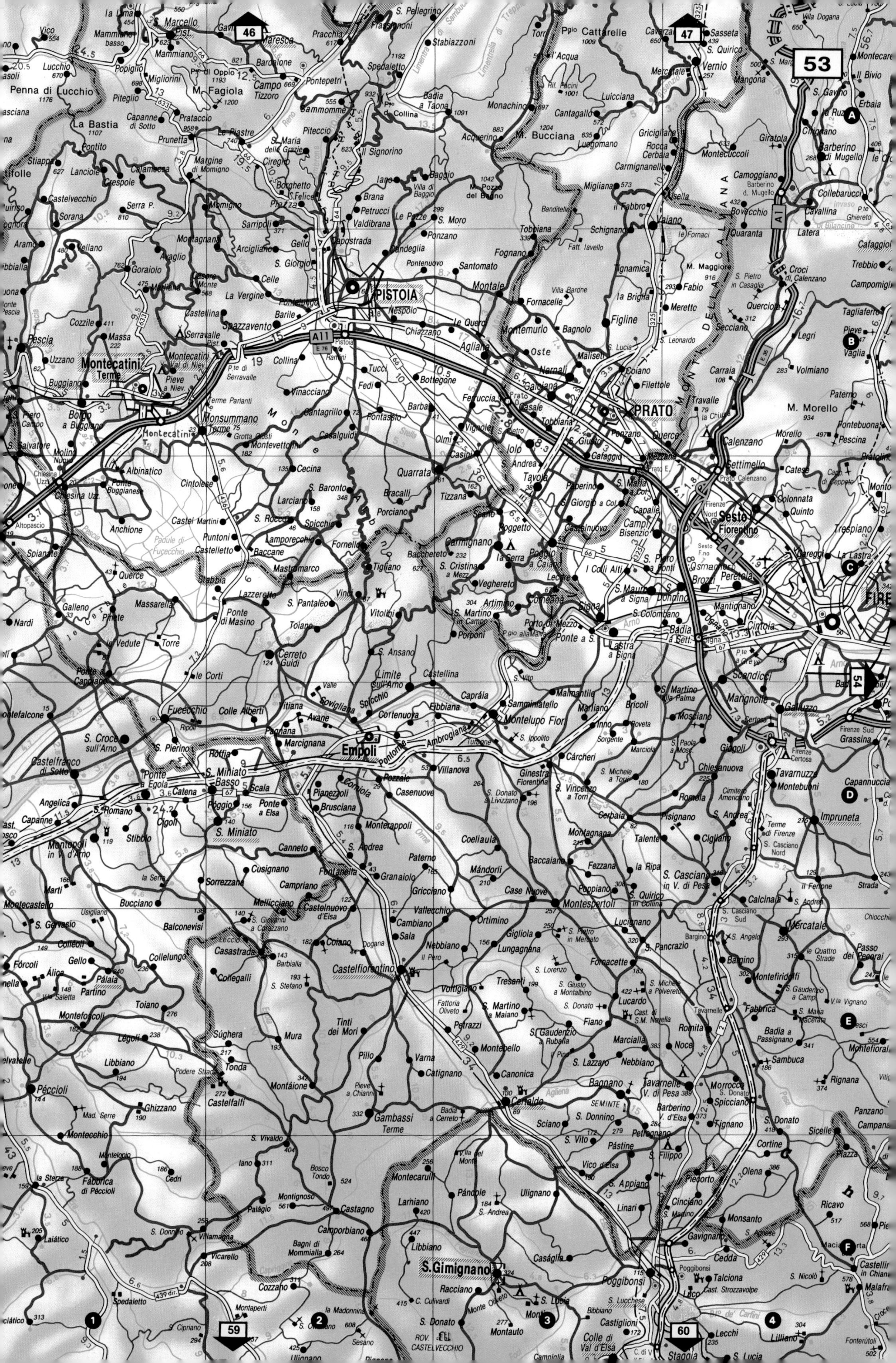

46
47
53
54
59
60
A
B
C
D
E
F
1
2
3
4
A1
A11
PISTOIA
PRATO
Empoli
S.Gimignano
Montecatini Terme
Pescia
Sesto Fiorentino
Poggibonsi
Castelfiorentino
Certaldo
Fucecchio
S. Miniato
Montelupo Fior.
Signa
Scandicci
Calenzano
Vaiano
Vernio
Barberino di Mugello
Montale
Agliana
Quarrata
Carmignano
Vinci
Cerreto Guidi
Monsummano Terme
Lamporecchio
Larciano
Montespertoli
S. Casciano in V. di Pesa
Tavarnelle V. di Pesa
Barberino V. d'Elsa
Impruneta
Mercatale
Gambassi Terme
Montaione
Castelfranco di Sotto
S. Croce sull'Arno
Montopoli in V. d'Arno
Péccioli
Lucchio
Penna di Lucchio
La Bastia
Marliana
Serravalle Pist.
Pieve a Niev.
Buggiano
Borgo a Buggiano
Chiesina Uzz.
Ponte Buggianese
Altopascio
Cintolese
Castel Martini
Stabbia
Limite sull'Arno
Capraia
Lastra a Signa
Campi Bisenzio
Calenzano
Settimello
Galluzzo
Tavarnuzze
Grassina
Cerbaia
Lucardo
Marcialla
Pisignano
Fabbrica
Cortine
Stagia
Colle di Val d'Elsa
Castellina in Chianti
Montecatini
M. Bucciana
M. Morello
M. Maggiore
Monte Albano
Padule di Fucecchio
Arno

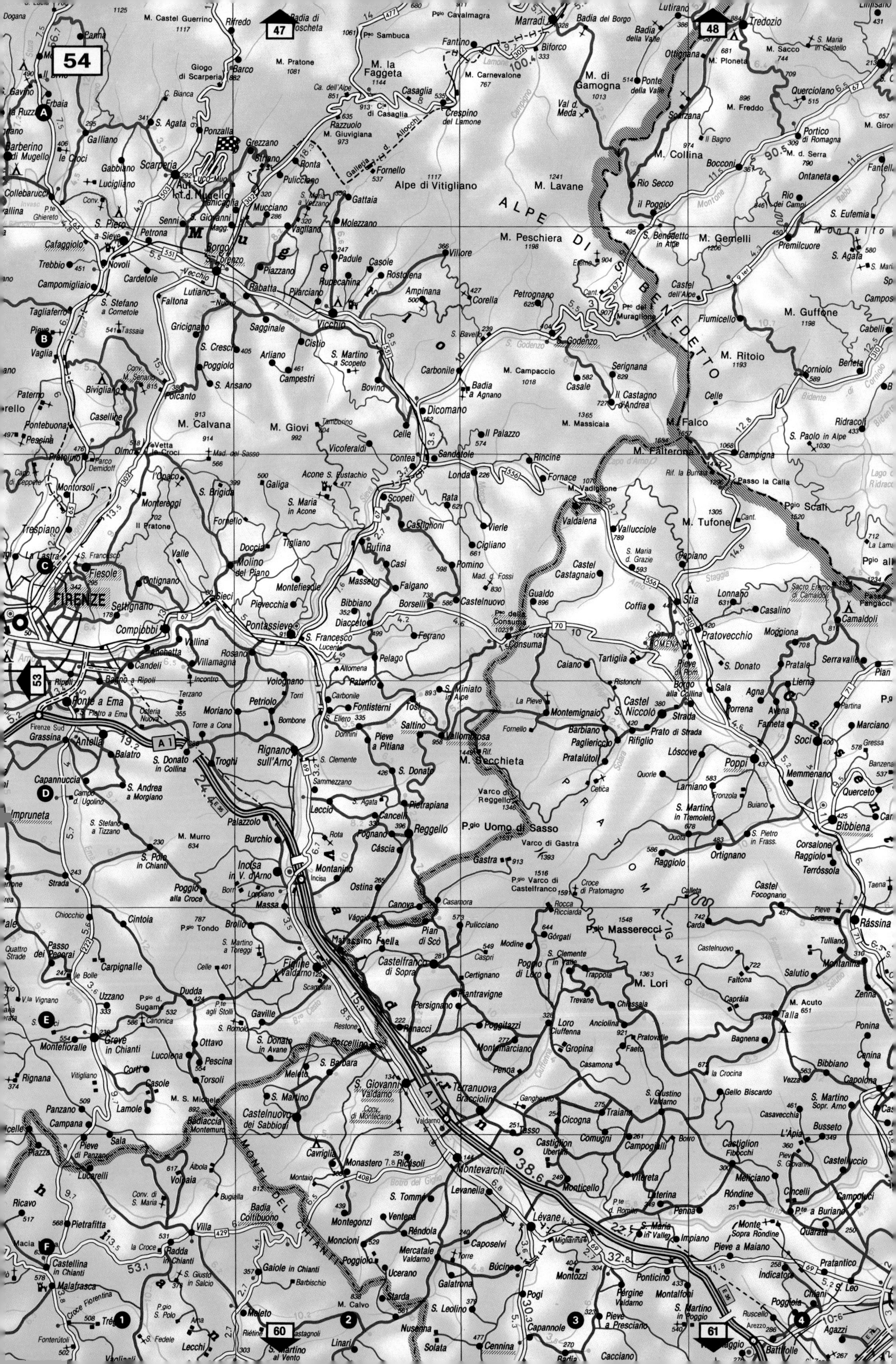
54
47
48
53
60
61
Marradi
Badia del Borgo
Lutirano
Tredozio
M. Castel Guerrino
Firenzuola
Badia di Moscheta
P.gio Cavalmagra
M. Pratone
M. la Faggeta
Fantino
Biforco
M. Carnevalone
M. di Gamogna
Crespino del Lamone
Casaglia
Razzuolo
M. Giuvigiana
Galleria d. Allocchi
Fornello
Giogo di Scarperia
Barco
Ponzalla
Grezzano
Scarperia
Sant'Agata
Galliano
Barberino di Mugello
Le Croci
Gabbiano
Lucigliano
Collebarucci
Aut. Int.d.Mugello
Luco Mug.
Panicaglia
S. Giovanni Maggiore
Mucciano
Pulicciano
Ronta
Gattaia
Molezzano
Vaglialla
Alpe di Vitigliano
M. Lavane
ALPE DI S. BENEDETTO
M. Collina
Bocconi
Portico di Romagna
M. d. Serra
Rio Secco
il Poggio
S. Benedetto in Alpe
M. Gemelli
Premilcuore
M. Peschiera
S. Piero a Sieve
Petrona
Senni
Borgo S. Lorenzo
Cafaggiolo
Novoli
Trebbio
Campomigliaio
Cardetole
Faltona
Lutiano
Piazzano
Rabatta
Padule
Casole
Rostolena
Rupecanina
Pilarciano
Vicchio
Villore
Ampinana
Corella
Petrognano
Muraglione
Castel dell'Alpe
M. Guffone
S. Stefano a Cornetole
Tagliaferro
Gricignano
Sagginale
Cistio
S. Martino a Scopeto
S. Bavello
S. Godenzo
M. Campaccio
Serignana
Casale
Il Castagno d'Andrea
M. Ritoio
Corniolo
Pieve
Vaglia
Bivigliano
M. Senario
Polcanto
S. Cresci
Poggiolo
S. Ansano
Arliano
Campestri
Bovino
Carbonile
Badia a Agnano
Dicomano
Paterno
Caselline
Fontebuona
Pescina
M. Calvana
M. Giovi
Tamburino
Vicoferaldi
Celle
Il Palazzo
M. Massicaia
M. Falco
M. Falterona
Ridracoli
S. Paolo in Alpe
Campigna
Pratolino
Olmo
Vetta le Croci
Mad. del Sasso
Parco Demidoff
Montorsoli
l'Opaco
S. Brigida
Galiga
Acone S. Eustachio
Contea
Sandetole
Londa
Rincine
Fornace
M. Vadiglione
Rif. la Burraia
Passo la Calla
Monterreggi
Il Pratone
S. Maria in Acone
Scopeti
Rata
Castiglioni
Vierle
Valdalena
Vallucciole
M. Tufone
P.gio Scali
Trespiano
Fornello
Doccia
Tigliano
Bufina
Cigliano
S. Maria d. Grazie
Papiano
La Lastra
S. Francesco
Fiesole
Valle
Molino del Piano
Casi
Pomino
Castel Castagnaio
Ontignano
Masseto
Falgano
Mad. d. Fossi
Gualdo
Stia
Lonnano
Sacro Eremo di Camaldoli
Camaldoli
FIRENZE
Settignano
Sieci
Montefiesole
Pievecchia
Bibbiano
Borselli
Castelnuovo
Coffia
Casalino
Compiobbi
Pontassieve
S. Francesco
Diacceto
Ferrano
P.so della Consuma
Consuma
Pratovecchio
Moggiona
Vallina
Rosano
Lucente
Pelago
Caiano
Tartiglia
Romena
Pieve di Rom.
S. Donato
Pratale
Serravalle
Anchetta
Candeli
Villamagna
Bagno a Ripoli
Incontro
Vologno
Torri
Altomena
Paterno
Carbonile
S. Miniato in Alpe
Ristonchi
Borgo alla Collina
Sala
Agna
Lierna
Ponte a Ema
S. Pietro a Ema
Osteria Nuova
Terzano
Moriano
Petriolo
Bombone
Fontisterni
Tosi
S. Ellero
Donnini
Saltino
Vallombrosa
La Pieve
Montemignaio
Castel S. Niccolò
Strada
Torrena
Avena
Partina
Marciano
Firenze Sud
Grassina
Antella
Balatro
Torre a Cona
Troghi
S. Donato in Collina
Rignano sull'Arno
S. Clemente
Pieve a Pitiana
M. Secchieta
Fornello
Barbiano
Pagliericcio
Rifiglio
Prato di Strada
Loscove
Poppi
Fametta
Soci
Memmenano
Capannuccia
Campo d. Ugolino
S. Andrea a Morgiano
Sammezzano
S. Donato
Quorle
Pratalutoli
PRATOMAGNO
Larniano
Fronzola
Buiano
Quercetto
Bibbiena
Impruneta
S. Stefano a Tizzano
Palazzolo
Leccio
S. Agata
Pietrapiana
Cancelli
Varco di Reggello
Cetica
S. Martino in Tremoleto
Burchio
Rota
Fognano
Reggello
Cascia
P.gio Uomo di Sasso
Varco di Gastra
S. Pietro in Frass.
Corsalone
Raggiolo
Ortignano
M. Murro
S. Polo in Chianti
Incisa in V. d'Arno
Montanino
Gastra
Terrossola
Strada
Poggio alla Croce
Borri
Loppiano
Ostina
Canova
Casamora
P.gio Varco di Castelfranco
Croce di Pratomagno
Castel Focognano
Massa
Rocca Ricciarda
Chiocchio
Cintoia
P.gio Tondo
Brollo
Vaggio
Pian di Scò
Pulicciano
Gorgati
P.gio Masserecci
Carda
Rassina
Passo dei Pecorai
Quattro Strade
Matassino
Figline Valdarno
Scampata
Castelfranco di Sopra
Caspri
Modine
Poggio di Loro
S. Clemente in Valle
Trappola
M. Lori
Castelnuovo
Tulliano
Montanina
Carpignalle
Celle
S. Martino a Toreggi
Certignano
Faltona
Capraia
Salutio
Le Bolle
Uzzano
P.gio d. Sugame
Dudda
P.te agli Stolli
Gaville
Restone
Persignano
Piantravigne
Poggitazzi
Trevane
Chiassaia
Loro Ciuffenna
Anciolina
Pratovalle
M. Acuto
Talla
Zenna
V.la Vignano
Canonica
Greve in Chianti
Montefioralle
Lucolena
Ottavo
S. Romolo
S. Donato in Avane
Porcellino
Renacci
Montemarciano
Gropina
Faeto
Bagnena
Ponina
Pescina
Corti
Casole
Torsoli
Meleto
S. Barbara
Penna
Casamona
La Crocina
Bibbiano
Canina
Rignana
Vitigliano
Lamole
M. S. Michele
S. Martino
S. Giovanni Valdarno
Terranuova Bracciolini
Ganghereto
S. Giustino Valdarno
Gello Biscardo
Capolona
Panzano
Campana
Badiaccia Montemuro
Castelnuovo dei Sabbioni
Conv. di Montecarlo
Valdarno
Tasso
Cicogna
Traiana
Comugni
Casavecchia
S. Martino Sopr. Arno
Busseto
Pieve di Panzano
Sala
Volpaia
Albola
Cavriglia
Monastero
Ricasoli
Montevarchi
Castiglion Ubertini
Campogialli
Castiglion Fibocchi
L'Apia
Pieve S. Giovanni
Castelluccio
Lucarelli
Ricavo
Conv. di S. Maria
Bugialla
MONTI DEL CHIANTI
Montaio
Botro del Giglio
S. Tommè
Levanella
Monticello
Vitereta
Meliciano
Cincelli
Campoluci
Pietrafitta
Villa
Badia Coltibuono
Montegonzi
Ventena
Levane
P.te d. Romito
Laterina
Penna
Rondine
P.te a Buriano
Quarata
Macia
Castellina in Chianti
Malafrasca
la Croce
Radda in Chianti
Monciohi
Rendola
Mercatale Valdarno
Caposelvi
Migliarina
S. Maria in Valle
Impiano
Monte Sopra Rondine
Pieve a Maiano
Pratantico
S. Giusto in Salcio
Gaiole in Chianti
Barbischio
Poggiolo
Ucerano
Torre
Bucine
Montozzi
Ponticino
Montalfoni
Indicatore
Chiani
S. Leo
Croce Fiorentina
P.gio S. Polo
Meleto
M. Calvo
Starda
Galatrona
Pogi
Pergine Valdarno
Pieve a Presciano
S. Martino in Poggio
Ruscello
Poggiola
Agazzi
Trèl
Fonterutoli
S. Fedele
Lecchi
Rietine
Castagnoli
S. Martino al Vento
Linari
Nusenna
Solata
S. Leolino
Cennina
Capannole
Badia
Cacciano
Arezzo
Battifolle
A1
A
B
C
D
E
F
1
2
3
4

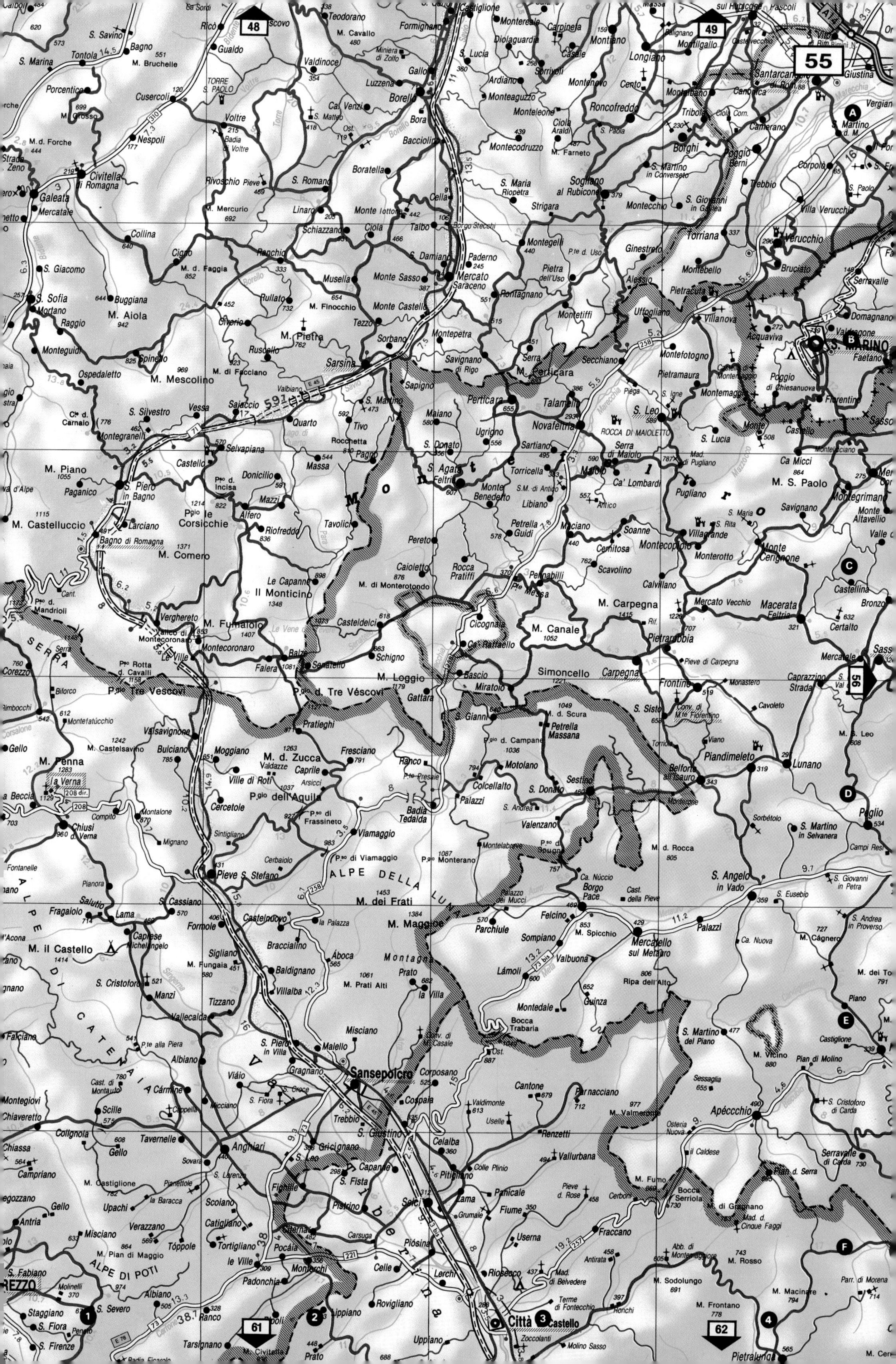

48
49
55
56
61
62
A
B
C
D
E
F
1
2
3
4
S. Savino
Bagno
M. Bruchelle
S. Marina
Tontola
Porcentico
M. Grosso
Cusercoli
Nespoli
M. d. Forche
Civitella di Romagna
Galeata
Mercatale
Collina
S. Giacomo
S. Sofia
Mortano
Buggiana
M. Aiola
Raggio
Monteguidi
Spinello
Ospedaletto
M. Mescolino
Ricò
Gualdo
Scovo
Teodorano
M. Cavallo
Valdinoce
Voltre
Badia di Voltre
Rivoschio
Pieve
M. Mercurio
Cigno
M. d. Faggia
Ranchio
Rullato
Civerio
Ruscello
M. di Facciano
Linaro
Schiazzano
S. Romano
Musella
M. Finocchio
M. Pietra
Sarsina
Castiglione
Formignano
Luzzena
Borello
Gallo
Bora
Bacciolino
Boratella
Monte Iottone
Ciola
Cella
Talbo
S. Damiano
Monte Sasso
Mercato Saraceno
Paderno
Monte Castello
Tezzo
Sorbano
Montepetra
Savignano di Rigo
S. Lucia
Ardiano
Monteaguzzo
Monteleone
Diolaguardia
Montecodruzzo
M. Farneto
S. Maria Riopetra
Strigara
Montegelli
Pietra dell'Uso
Pontagnano
Montetiffi
Sogliano al Rubicone
Montiano
Longiano
Roncofreddo
Montenovo
Cento
Borghi
Tribola
Montecchio
S. Giovanni in Galilea
S. Martino in Converseto
Santarcangelo di Romagna
Camerano
Poggio Berni
Torriana
Montebello
Ginestreto
Alessio
Uffogliano
Pietracuta
Villanova
Verucchio
Villa Verucchio
Corpolò
Trebbio
S. Martino
Bruciato
Serravalle
Domagnano
Acquaviva
Valdragone
S. MARINO
Faetano
Montefotogno
Pietramaura
Montemaggio
Poggio di Chiesanuova
Fiorentino
Sassofeltrio
Sapigno
S. Martino
Perticara
M. Perticara
Talamello
Novafeltria
Sechiano
S. Leo
ROCCA DI MAIOLETTO
Maiano
S. Donato
Ugrigno
Sartiano
S. Agata Feltria
Serra di Maiolo
Maiolo
Ca' Lombardi
Pugliano
Torricella
Monte Benedetto
Libiano
Montefeltro
Ca Micci
M. S. Paolo
Montegrimano
Savignano
Monte Altavellio
Villagrande
Montecopiolo
Monterotto
Monte Cerignone
Soanne
Cerritosa
Scavolino
Maciano
Pennabilli
Petrella Guidi
Pereto
Caioletto
Rocca Pratiffi
M. di Monterotondo
Castellina
Certalto
Macerata Feltria
Mercato Vecchio
M. Carpegna
Calvillano
Pietrarubbia
M. Canale
Cicognaia
Ca' Raffaello
Bascio
Miratoio
Simoncello
Carpegna
Pieve di Carpegna
Frontino
Monastero
Caprazzino
Strada
Mercatale
Cavoleto
S. Sisto
Conv. di M.te Fiorentino
Piandimeleto
Lunano
M. S. Leo
Belforte all'Isauro
Vessa
Sajaccio
Selvapiana
Castello
Quarto
S. Silvestro
Montegranelli
Cà d. Carnalo
Tivo
Rocchetta
Pagno
Massa
M. Piano
Paganico
S. Piero in Bagno
Larciano
M. Castelluccio
Bagno di Romagna
Donicilio
Incisa
Mazzi
Alfero
Corsicchie
Riofreddo
Tavolici
M. Comero
Le Capanne
Il Monticino
Verghereto
M. Fumaiolo
Valico di Montecoronaro
Montecoronaro
Le Ville
Casteldelci
Schigno
Balze
Senatello
Falera
M. Loggio
Gattara
P.gio d. Tre Véscovi
P.gio Tre Vescovi
Pratieghi
S. Gianni
M. d. Scura
Petrella Massana
P.gio d. Campane
Biforco
Rotta d. Cavalli
Montefatucchio
Corezzo
Valsavignone
M. Castelsavino
Bulciano
Moggiano
M. d. Zucca
Valdazze
Caprile
Fresciano
Ranco
Motolano
Colcellalto
Palazzi
S. Donato
Sestino
M. Penna
La Verna
Chiusi d. Verna
Ville di Roti
P.gio dell'Aquila
Cercetole
Compito
Montalone
Mignano
Sintigliano
Frassineto
Viamaggio
Badia Tedalda
S. Andrea
Valenzano
P.so di Spugna
Montelabreve
M. d. Rocca
Monterano
P.so di Viamaggio
Cerbaiolo
Pieve S. Stefano
ALPE DELLA LUNA
Ca. Nuccio
Borgo Pace
Cast. della Pieve
S. Angelo in Vado
S. Martino in Selvanera
Peglio
Campi Resi
S. Giovanni in Petra
S. Eusebio
Pianora
Salutio
Fragaiolo
Lama
S. Cassiano
Caprese Michelangelo
Formole
Castelnuovo
la Palazza
M. dei Frati
M. Maggiore
Palazzo dei Mucci
Parchiule
Felcino
M. Spicchio
Mercatello sul Metauro
Palazzi
Ca. Nuova
M. Cágnero
S. Andrea in Proverso
M. il Castello
Sigliano
M. Fungaia
Braccialino
Áboca
Montagna
Sompiano
Valbuona
Lámoli
Ripa dell'Alto
S. Cristoforo
Baldignano
Villalba
M. Prati Alti
Prato
la Villa
Guinza
Montedale
Bocca Trabaria
Manzi
Tizzano
Vallecalda
ALPE DI CATENAIA
P.te alla Piera
Albiano
S. Piero in Villa
Malello
Misciano
Conv. di M. Casale
S. Martino del Piano
M. Vicino
Pian di Molino
Castiglione
Piano
Gragnano
Sansepolcro
Corposano
Cast. di Montauto
Viaio
S. Fiora
S. Croce
Cármine
Micciano
Cappella
Cospaia
Valdimonte
Uselle
Cantone
Parnacciano
Sessaglia
Apécchio
M. Valmeronte
S. Cristoforo di Carda
Montegiovi
Chiaveretto
Scille
Collignola
Gello
Tavernelle
Anghiari
Trebbio
S. Giustino
Celalba
Renzetti
Osteria Nuova
il Caldese
Serravalle di Carda
Chiassa
Campriano
M. Castiglione
Sovara
S. Lorenzo
Gricignano
S. Leo
Capanne
S. Fista
Pitigliano
Colle Plinio
Vallurbana
Pieve d. Rose
M. Fumo
Bocca Serriola
Pian d. Serra
M. di Gragnano
Mad. d. Cinque Faggi
Antria
Upachi
la Baracca
Scoiano
Catigliano
Fighille
Pistrino
Selci
Lama
Grumale
Panicale
Fiume
Cerbone
Misciano
Verazzano
Tortigliano
Citerna
Carsuga
Piosina
Userna
Fraccano
M. Pian di Maggio
Tóppole
ALPE DI POTI
le Ville
Pocáia
Monterchi
Celle
Lerchi
Riosecco
Mad. di Belvedere
Antirata
Abb. di Montemaggiore
M. Rosso
S. Fabiano
Molinelli
AREZZO
Padonchia
Albiano
Ranco
Rovigliano
Terme di Fontecchio
M. Sodolungo
Ronchi
M. Frontano
M. Macinare
Parr. di Morena
Staggiano
S. Severo
S. Fiora
S. Firenze
Tarsignano
M. Civitella
Lippiano
Prato
Uppiano
Città di Castello
Zoccolanti
Molino Sasso
Pietralunga
Badia Ficarolo

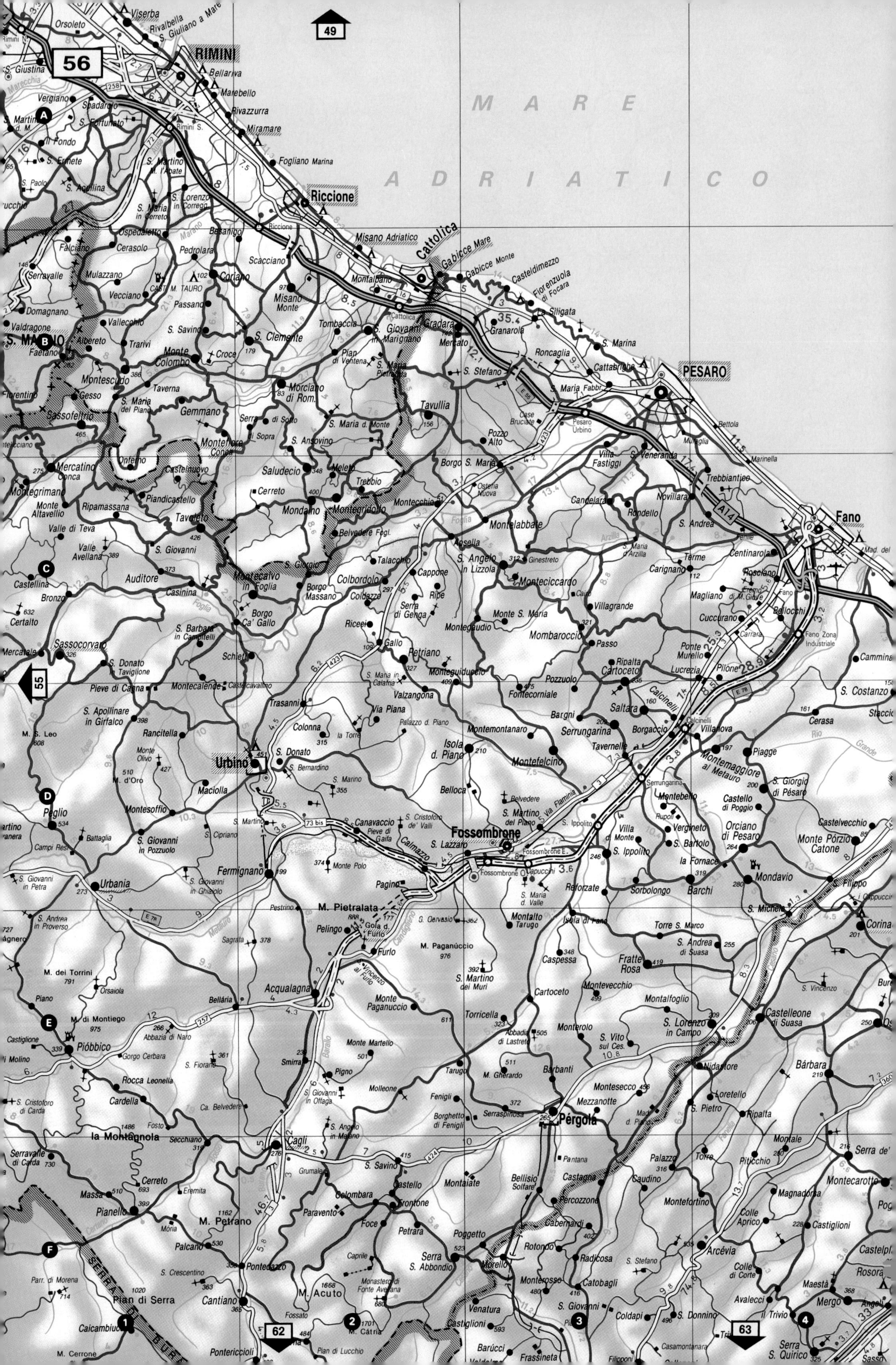

49
56
55
62
63
MARE
ADRIATICO
RIMINI
Viserba
Rivalbella
S. Giuliano a Mare
Orsoleto
S. Giustina
Marecchia
Bellariva
Marebello
Rivazzurra
Miramare
Vergiano
Spadarolo
S. Fortunato
Rimini S.
Il Fondo
S. Ermete
S. Martino M. l'Abate
Fogliano Marina
S. Paolo
S. Aquilina
S. Lorenzo in Correggiano
S. Maria in Cerreto
Riccione
Ospedaletto
Besanigo
Falciano
Cerasolo
Pedrolara
Misano Adriatico
Cattolica
Gabicce Mare
Gabicce Monte
Casteldimezzo
Fiorenzuola di Focara
Serravalle
Mulazzano
CAST. M. TAURO
Coriano
Scacciano
Misano Monte
Montalbano
Vecciano
Passano
Domagnano
Vallecchio
S. Savino
S. Clemente
Tombaccia
S. Giovanni in Marignano
Gradara
Granarola
La Siligata
Valdragone
S. MARINO
Faetano
Albereto
Trarivi
Monte Colombo
Croce
Plan di Ventena
S. Maria Pietrarubbia
Mercato
Roncaglia
S. Marina
Cattabrighe
PESARO
Montescudo
Gesso
S. Stefano
Florentino
Sassofeltrio
S. Maria del Piano
Taverna
Gemmano
Morciano di Rom.
Tavullia
S. Maria Fabbr.
Case Bruciate
Pesaro Urbino
Serra di Sotto
Serra di Sopra
S. Maria d. Monte
Pozzo Alto
Bettola
Muraglia
Marinella
Montefiore Conca
S. Ansovino
Villa Fastiggi
S. Veneranda
Onferno
Mercatino Conca
Castelnuovo
Saludecio
Meleto
Borgo S. Maria
Montegrimano
Piandicastello
Cerreto
Trebbio
Osteria Nuova
Trebbiantico
Monte Altavellio
Ripamassana
Mondaino
Montegridolfo
Montecchio
Candelara
Novilla
Rondello
Fano
Valle di Teva
Tavoleto
Belvedere Fogl.
Montelabbate
S. Andrea
Valle Avellana
S. Giovanni
S. Giorgio
Apsella
S. Angelo in Lizzola
Ginestreto
S. Maria d'Arzilla
Terme
Centinarola
Castellina
Auditore
Montecalvo in Foglia
Talacchio
Cappone
Colbordolo
Montecciardo
Carignano
Rosciano
Bronzo
Casinina
Borgo Massano
Coldazzo
Serra di Genga
Ripe
Cairo
Villagrande
Magliano
Eremo di M. Giove
Certalto
Borgo Ca' Gallo
Monte S. Maria
Cuccurano
Bellocchi
S. Barbara in Campitelli
Ricece
Montegaudio
Mombaroccio
Carrara
Fano Zona Industriale
Mercatale
Sassocorvaro
Schieti
Gallo
Petriano
Passo
Ripalta
Ponte Murello
S. Donato in Taviglione
S. Maria in Calafria
Monteguiduccio
Cartoceto
Lucrezia
Pilone
Cammina
Pieve di Cagna
Montecalende
Castelcavallino
Fontecorniale
Pozzuolo
Calcinelli
S. Costanzo
S. Apollinare in Girfalco
Valzangona
Trasanni
Via Piana
Bargni
Saltara
Cerasa
Stacciola
Rancitella
Colonna
Palazzo d. Piano
la Torre
Montemontanaro
Serrungarina
Borgaccio
Villanova
M. S. Leo
Monte Olivo
Urbino
S. Donato
Isola d. Piano
Tavernelle
Montemaggiore al Metauro
Piagge
M. d'Oro
S. Bernardino
Montefelcino
Maciolla
S. Marino
Belloca
Montebello
Rupoli
S. Giorgio di Pesaro
Castello di Poggio
Peglio
Montesoffio
S. Martino
S. Cristoforo de' Valli
Canavaccio
Pieve di Gaifa
Belvedere
S. Martino del Piano
Via Flaminia
S. Ippolito
Vergineto
Orciano di Pesaro
Castelvecchio
Monte Porzio Catone
Battaglia
S. Giovanni in Pozzuolo
S. Cipriano
Calmazzo
Fossombrone
S. Lazzaro
Villa di Monte
S. Bartolo
Campi Resi
Fermignano
Monte Polo
Fossombrone E.
Fossombrone O.
Capucchi
la Fornace
S. Giovanni in Petra
Urbania
S. Giovanni in Ghiaiolo
Pagino
S. Maria d. Valle
Reforzate
Sorbolongo
Barchi
Mondavio
S. Filippo
Cappuccini
Pestrino
M. Pietralata
Montalto Tarugo
Isola di Fano
S. Michele
Corinaldo
S. Andrea in Proverso
Metauro
Pelingo
Gola d. Furlo
S. Gervasio
Torre S. Marco
S. Andrea di Suasa
Sagrata
Furlo
M. Paganuccio
Caspessa
Fratte Rosa
M. dei Torrini
Orsaiola
Vincenzo al Furlo
S. Martino dei Muri
Cartoceto
Montevecchio
Montalfoglio
S. Vincenzo
Piano
Acqualagna
Monte Paganuccio
Castelleone di Suasa
M. di Montiego
Bellària
Torricella
Abbadia di Lastreto
Monterolo
S. Lorenzo in Campo
Castiglione
Abbazia di Naro
Piobbico
Gorgo Cerbara
Smirra
Monte Martello
S. Vito sul Ces.
Barbara
Molino
S. Fiorano
Pigno
Tarugo
M. Gherardo
Barbanti
Nidastore
Rocca Leonella
Molleone
Montesecco
Loretello
S. Cristoforo di Carda
Cardella
Ca. Belvedere
S. Giovanni in Offaga
Fenigli
Borghetto di Fenigli
Serraspinosa
Mezzanotte
Pergola
S. Pietro
Ripalta
la Montagnola
Fosto
Secchiano
Cagli
S. Angelo in Maiano
Montale
Serra de'
Serravalle di Carda
Grumale
S. Savino
Pantana
Palazzo
Torre
Piticchio
Cerreto
Eremita
Castello
Montaiate
Bellisio Solfare
Castagna
Caudino
Montecarotto
Massa
Colombara
Frontone
Percozzone
Montefortino
Magnadorsa
Pianello
M. Petrano
Paravento
Foce
Petrara
Cabernardi
Colle Aprico
Castiglioni
Moria
Poggetto
Rotondo
Palcano
Caprile
Serra S. Abbondio
Radicosa
Arcevia
Castelplanio
Pontedazzo
S. Crescentino
Monastero di Fonte Avellana
Morello
S. Stefano
Colle di Corte
Rosora
Parr. di Morena
M. Acuto
Monterosso
Catobagli
Maestà
Cantiano
Venatura
Coldapi
S. Donnino
Avalecci
Mergo
Angeli
Pian di Serra
Fossato
M. Catria
Castiglioni
Il Trivio
Caicambiucci
Pian di Lucchio
Barucci
Casamontanara
Serra S. Quirico
Sasso
M. Cerrone
Ponterlccioli
Frassineta
Filipponi
SERRA DI BURANO
A14
E 55
E 78

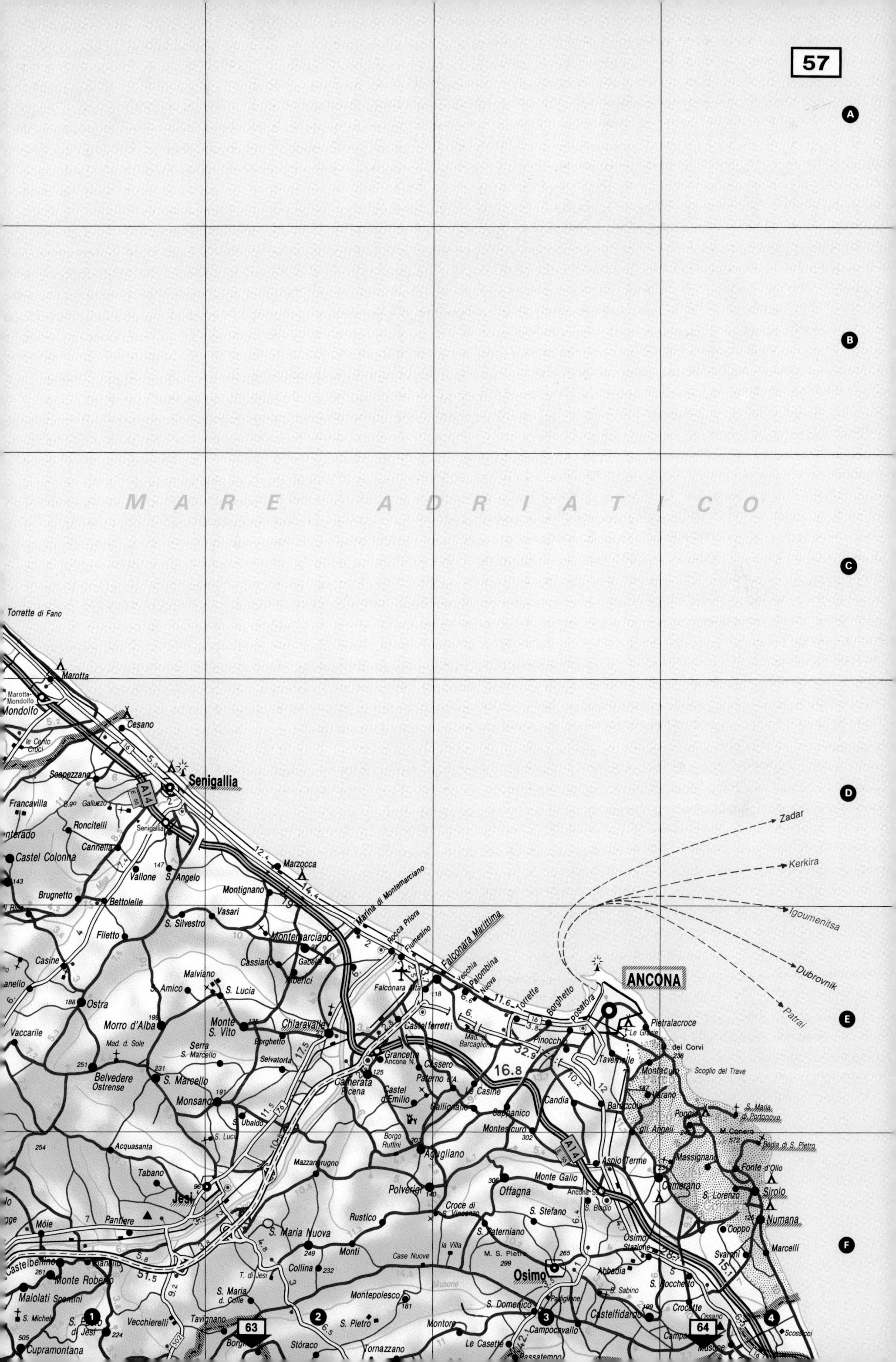

57

A

B

MARE ADRIATICO

C

Torrette di Fano

Marotta
Marotta-
Mondolfo
Mondolfo
Cesano
le Cento
Croci
Scapezzano
Senigallia
Francavilla
B.go Galluzzo
A14
Roncitelli
Senigallia
nterado
Cannella
Castel Colonna
147
Marzocca
Vallone
S. Angelo
143
Montignano
Brugnetto
Bettolelle
Vasari
Marina di Montemarciano
Filetto
S. Silvestro
10
Montemarciano
Rocca Priora
Casine
Cassiano
Gabella
Fiumesino
Falconara Marittima
Malviano
Alberici
Falconara Alta
Vecchia
Palombina
Ostra
188
S. Amico
S. Lucia
18
Nuova
Vaccarile
Morro d'Alba
Monte
Chiaravalle
Castelferretti
11.6
Torrette
Borghetto
ANCONA
S. Vito
Mad. di
Posatora
Serra
Borghetto
Barcaglione
Pinocchio
Pietralacroce
Belvedere
251
S. Marcello
Selvatorta
Grancetto
Ancona N.
32.9
Tavernelle
dei Corvi
Ostrense
231
S. Marcello
125
Cassero
Montacuto
Scoglio del Trave
Monsano
191
Camerata
Paterno d'A.
16.8
Candia
Varano
Picena
Castel
Le Casine
Sappanico
Baraccola
254
S. Ubaldo
d'Emilio
Gallignano
Poggio
S. Maria
S. Luca
Montesicuro
302
di Portonovo
Acquasanta
Borgo
Aguglianо
A14
gli Angeli
M. Conero
Tabano
Ruffini
Mazzangrugno
Aspio Terme
Massignano
Fonte d'Olio
Polverigi
Monte Gallo
Camerano
Jesi
Offagna
Ancona S.
S. Lorenzo
Sirolo
Panthere
Croce di
Vincenzo
S. Stefano
S. Biagio
Numana
Móie
Rustico
S. Paterniano
Coppo
S. Maria Nuova
la Villa
Osimo
Marcelli
249
Monti
Case Nuove
M. S. Pietro
Stazione
265
Collina
232
299
Castelbellino
Monte Roberto
T. di Jesi
S. Maria
Osimo
Abbadia
S. Rocchetto
Maiolati Spontini
d. Colle
S. Domenico
S. Sabino
Castelfidardo
1
63
Vecchierelli
Tavignano
2
S. Pietro
3
Campocavallo
64
4
Cupramontana
S. Michele
Borgo
Stóraco
Montore
Le Casette
Montepolesco
Tornazzano
Zadar
Kerkira
Igoumenitsa
Dubrovnik
Patrai

D

E

F

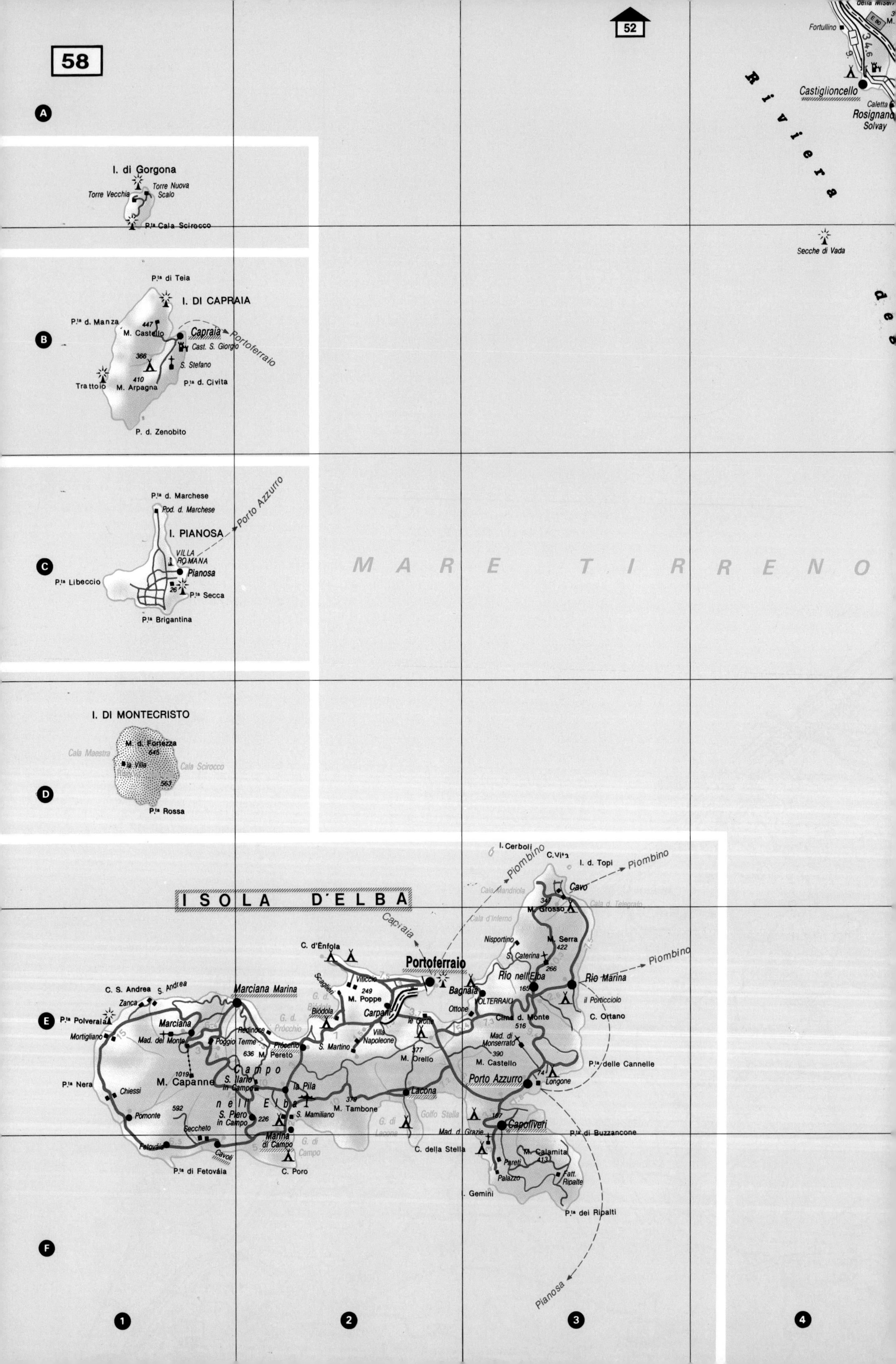
52
A
B
C
D
E
F
1
2
3
4
I. di Gorgona
Torre Vecchia
Torre Nuova
Scalo
P.ta Cala Scirocco
P.ta di Teia
I. DI CAPRAIA
P.ta d. Manza
M. Castello
447
Capraia
Cast. S. Giorgio
Portoferraio
366
S. Stefano
Trattoio
410
M. Arpagna
P.ta d. Civita
P. d. Zenobito
P.ta d. Marchese
Pod. d. Marchese
Porto Azzurro
I. PIANOSA
VILLA ROMANA
Pianosa
P.ta Libeccio
26
P.ta Secca
P.ta Brigantina
I. DI MONTECRISTO
M. d. Fortezza
645
Cala Maestra
la Villa
Cala Scirocco
563
P.ta Rossa
MARE TIRRENO
Fortullino
Castiglioncello
Caletta
Rosignano Solvay
Riviera
Secche di Vada
ISOLA D'ELBA
I. Cerboli
C. Vita
I. d. Topi
Piombino
Cavo
Cala Mandriola
Cala d. Telegrafo
M. Grosso
347
Cala d'Inferno
Capraia
C. d'Enfola
Nisportino
M. Serra
422
S. Caterina
266
Portoferraio
Rio nell'Elba
165
Rio Marina
C. S. Andrea
S. Andrea
Marciana Marina
Viticcio
249
M. Poppe
Bagnaia
Zanca
Scaglieri
Carpani
Ottone
VOLTERRAIO
il Porticciolo
P.ta Polveraia
Marciana
Biodola
le Grotte
Cima d. Monte
516
C. Ortano
Mortigliano
Mad. del Monte
Redinoce
Poggio Terme
G. d. Procchio
Procchio
S. Martino
Villa Napoleone
Mad. di Monserrato
390
636
M. Pereto
377
M. Orello
M. Castello
P.ta delle Cannelle
1019
Campo
S. Ilario in Campo
la Pila
P.ta Nera
M. Capanne
Chiessi
Lacona
Porto Azzurro
74
Longone
nell'Elba
378
M. Tambone
592
S. Piero in Campo
226
S. Mamiliano
Golfo Stella
Pomonte
G. di Lacona
167
Capoliveri
Seccheto
Marina di Campo
Mad. d. Grazie
P.ta di Buzzancone
Fetováia
G. di Campo
Cavoli
C. della Stella
M. Calamita
413
P.ta di Fetováia
C. Poro
Pareti
Fatt. Ripalte
Palazzo
Gemini
P.ta dei Ripalti
Pianosa

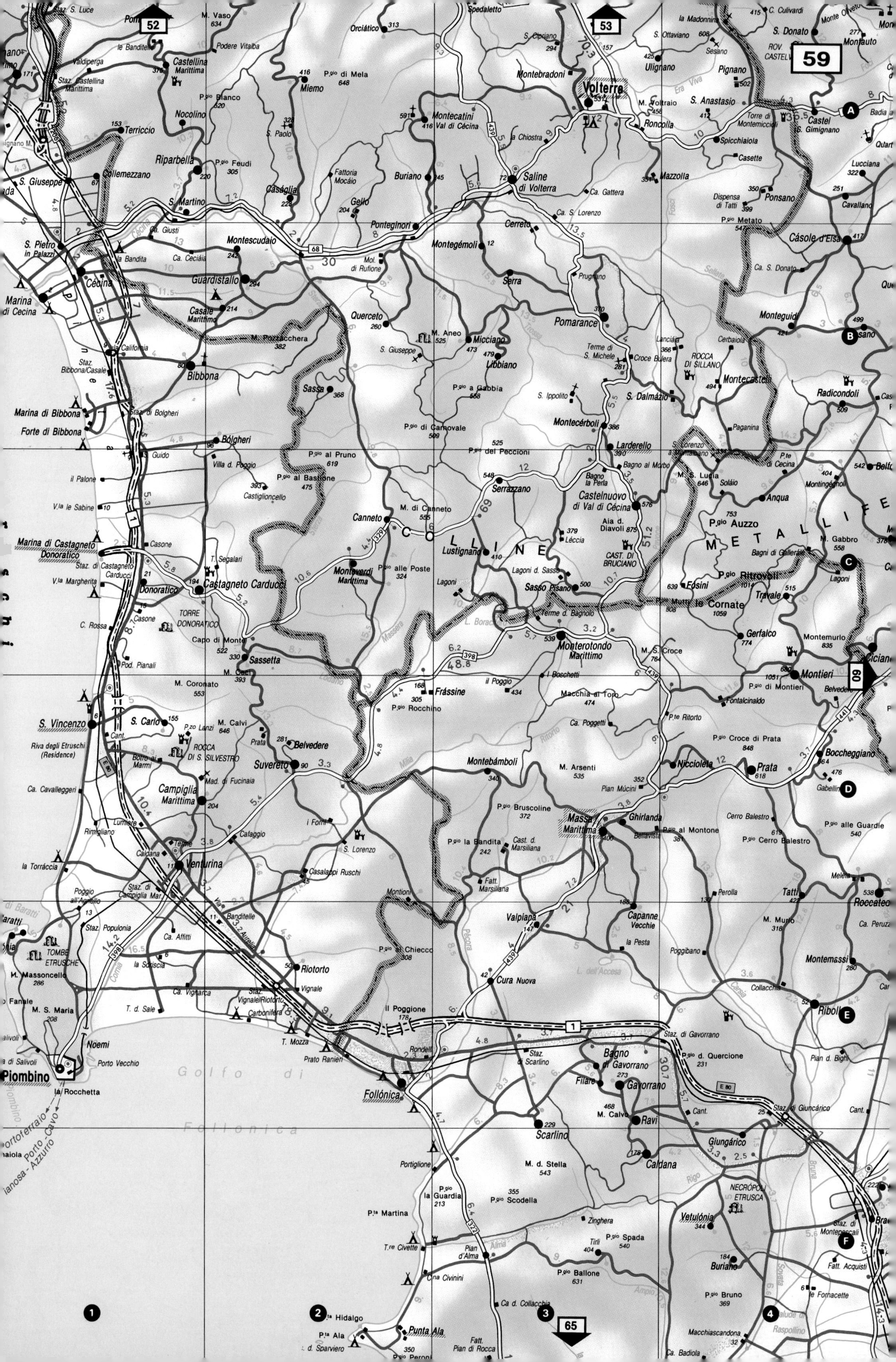

52
53
59
60
65
Staz. S. Luce
M. Vaso
634
Podere Vitalba
le Banditelle
Castellina Marittima
Valdiperga
Staz. Castellina Marittima
Orciático
313
Spedaletto
S. Cipriano
294
S. Ottaviano
la Madonnina
C. Culivardi
S. Donato
Monte Oliveto
Montauto
P.gio di Mela
648
Miemo
416
Montebradoni
Volterra
Ulignano
Pignano
Terriccio
153
Nocolino
P.gio Bianco
520
Montecatini Val di Cécina
S. Paolo
M. Voltraio
S. Anastasio
Torre di Montemiccioli
Castel S. Gimignano
Riparbella
P.gio Feudi
305
Fattoria Mocáio
Buriano
la Chiostra
Roncolla
Spicchiaiola
Casette
Collemezzano
S. Giuseppe
Caságlia
Gello
Saline di Volterra
Mazzolla
Ca. Gattera
Dispensa di Tatti
Ponsano
Lucciana
Cavallano
S. Martino
Ponteginori
Ca. S. Lorenzo
P.gio Metato
S. Pietro in Palazzi
Ca. Giusti
Montescudaio
Montegémoli
Cerreto
Cásole d'Elsa
la Bandita
Ca. Ceciáia
Mol. di Rufione
Ca. S. Donato
Cécina
Marina di Cecina
Guardistallo
Serra
Prugnano
Casale Marittimo
Querceto
Pomarance
Monteguidi
Casano
M. Pozzacchera
382
M. Aneo
525
Micciano
Libbiano
Terme di S. Michele
Croce Bulera
Lanciáia
Cerbaiola
ROCCA DI SILLANO
Montecastelli
Radicondoli
la California
Staz. Bibbona/Casale
Bibbona
S. Giuseppe
Sassa
P.gio a Gabbia
558
S. Ippolito
S. Dalmázio
Marina di Bibbona
Forte di Bibbona
Staz. di Bolgheri
P.gio di Carnovale
509
Montecérboli
Paganina
Bólgheri
Guido
Villa d. Poggio
P.gio al Pruno
619
P.gio del Peccioni
Larderello
S. Lorenzo a Merse
Bagno al Morbo
M. S. Lucia
Soláio
Anqua
P.te di Cecina
Montingégnoli
il Palone
P.gio al Bastione
475
Castiglioncello
Serrazzano
Bagno la Perla
Castelnuovo di Val di Cécina
V.la le Sabine
M. di Canneto
Canneto
Aia d. Diavoli
Léccia
P.gio Auzzo
COLLINE
METALLIFERE
Marina di Castagneto Donoratico
Casone
T. Segalari
Staz. di Castagneto Carducci
Lustignano
CAST. DI BRUCIANO
M. Gabbro
Bagni di Gallerate
V.la Margherita
Donoratico
Castagneto Carducci
Monteverdi Marittima
P.gio alle Poste
Lagoni
Lagoni d. Sasso
Sasso Pisano
Fósini
P.gio Ritrovoli
Travale
Lagoni
Mutti
le Cornate
1059
C. Rossa
TORRE DONORATICO
L. Boracifero
Terme d. Bagnolo
Capo di Monte
Monterotondo Marittimo
M. S. Croce
Gerfalco
Montemurlo
Sassetta
Pod. Pianali
M. Coronato
Frássine
il Poggio
I Boschetti
Montieri
P.gio di Montieri
Belvedere
Macchia al Toro
Fontalcinaldo
P.gio Rocchino
S. Vincenzo
S. Carlo
P.zo Lanzi
M. Calvi
Ca. Poggetti
P.te Ritorto
Riva degli Etruschi (Residence)
ROCCA DI S. SILVESTRO
Prata
Belvedere
P.gio Croce di Prata
Suvereto
Montebámboli
M. Arsenti
Nicciolete
Prata
Boccheggiano
Ca. Cavalleggeri
Campiglia Marittima
Mad. di Fucinaia
Pian Múcini
Gabellino
Rimigliano
Lumiere
P.gio Bruscoline
Massa Marittima
Ghirlanda
Cerro Balestro
I Forni
P.gio al Montone
P.gio alle Guardie
la Torráccia
Caldana
Venturina
Cafaggio
S. Lorenzo
P.gio la Bandita
Cast. d. Marsiliana
Bellavista
P.gio Cerro Balestro
Casalappi Ruschi
Fatt. Marsiliana
Perolla
Meleta
Roccatederighi
Poggio all'Agnello
Staz. di Campiglia Mar.
Montioni
Capanne Vecchie
Tatti
Baratti
Staz. Populonia
Banditelle
Valpiana
M. Murlo
Ca. Peruzzi
TOMBE ETRUSCHE
Ca. Affitti
Aurelia
P.gio al Chiecco
la Pesta
Poggibano
M. Massoncello
la Sorisca
Riotorto
Montemassi
Ca. Vignarca
Staz. Vignale/Riotorto
Vignale
Cura Nuova
L. dell'Accesa
Collacchia
Fanale
M. S. Maria
T. d. Sale
Carbonifera
il Poggione
Ribolla
T. Mozza
Staz. di Gavorrano
Noemi
Porto Vecchio
Prato Ranieri
Rondelli
Staz. di Scarlino
Bagno di Gavorrano
P.gio d. Quercione
Pian d. Bighi
Piombino
Golfo di Follonica
Follónica
Filare
Gavorrano
la Rocchetta
M. Calvo
Ravi
Cant.
Staz. di Giuncárico
Scarlino
Portoferraio
Porto Azzurro
Caldana
Giuncárico
Portiglione
M. d. Stella
P.gio la Guardia
P.gio Scodella
NECRÓPOLI ETRUSCA
P.ta Martina
Zinghera
Vetulónia
T.re Civette
Tirli
P.gio Spada
Pian d'Alma
Staz. di Montepescali
C.na Civinini
P.gio Ballone
Fatt. Acquisti
Buriano
le Fornacette
Ca d. Collacchia
P.gio Bruno
Hidalgo
Punta Ala
P.ta Ala
Macchiascandona
Fatt. Pian di Rocca
Ca. Badiola

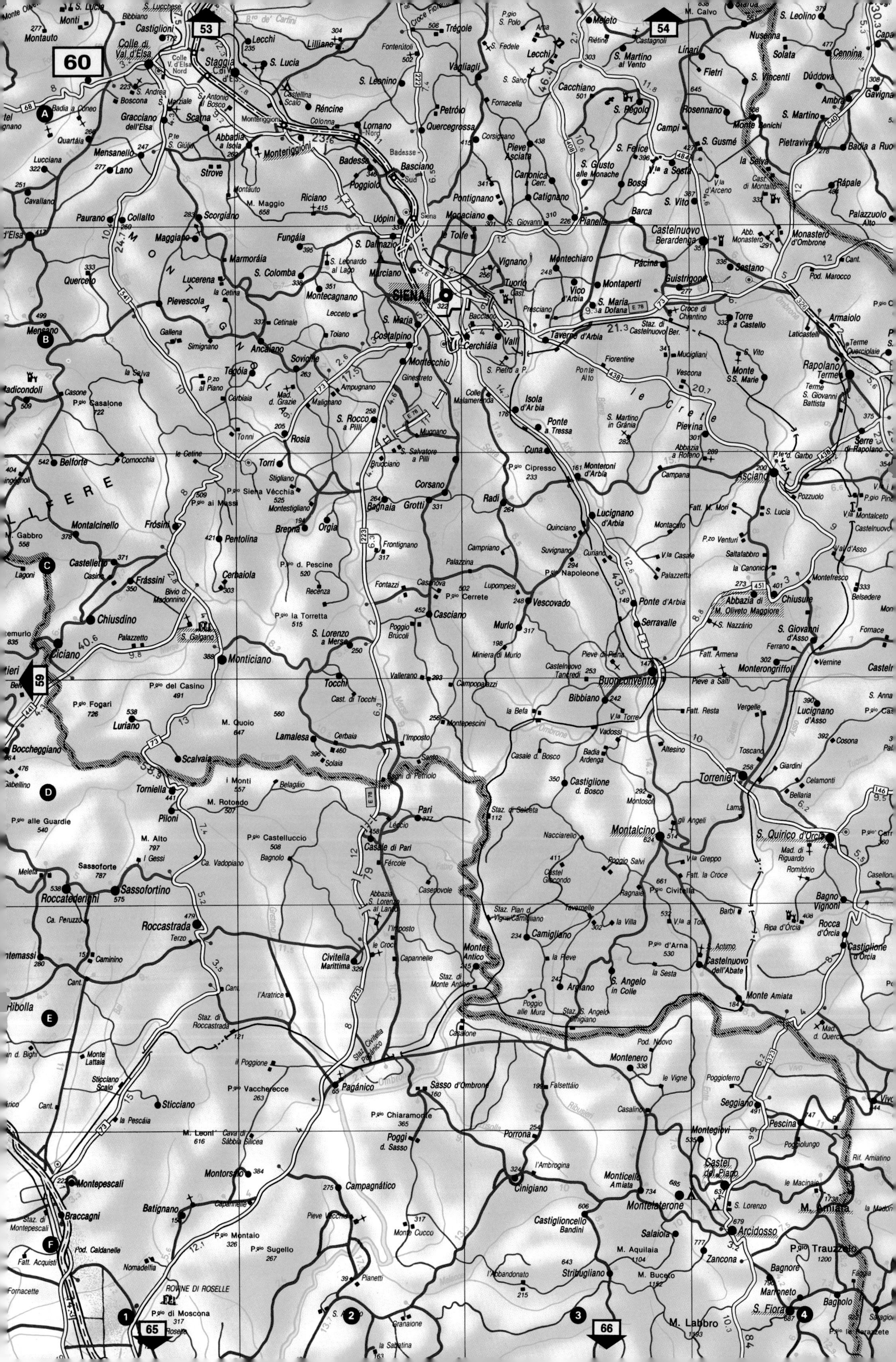
53
54
60
59
65
66
A
B
C
D
E
F
1
2
3
4
Colle di Val d'Elsa
Castiglioni
Staggia
Lecchi
S. Lucia
Lilliano
Trègole
Meleto
Castagnoli
S. Martino al Vento
Lìnari
S. Leolino
Nusenna
Solata
Cennina
Badia a Coneo
Boscona
Gracciano dell'Elsa
Scarna
Abbadia a Isola
Monteriggioni
Rèncine
S. Leonino
Lornano
Quercegrossa
Petròio
Vagliagli
Fornacella
Cacchiano
S. Regolo
Fietri
S. Vincenti
Dùddova
Gavignano
Ambra
S. Martino
Mensanello
Lano
Lucciana
Cavallano
Strove
Badesse
Basciano
Poggiolo
Pieve Asciata
Canonica a Cerr.
S. Giusto alle Monache
S. Felice
Bossi
Campi
S. Gusmé
Rosennano
Monte Benichi
Pietraviva
Badia a Ruoti
Paurano
Collalto
Scorgiano
M. Maggio
Riciano
Uòpini
Pontignano
Catignano
Monaciano
Pianella
Barca
S. Vito
Ràpale
Palazzuolo Alto
Maggiano
Marmoràia
Fungàia
S. Dalmazio
Marciano
le Tolfe
Vignano
Montechiaro
Castelnuovo Berardenga
Monastero d'Ombrone
Quercelo
Lucerena
S. Colomba
Montecagnano
SIENA
Tuorlo
Vico d'Arbia
Montaperti
S. Maria a Dofana
Pàcina
Guistrigona
Sestano
Pievescola
Lecceto
Cetinale
Costalpino
S. Maria
Cerchiàia
Valli
Taverne d'Arbia
Torre a Castello
Armaiolo
Rapolano Terme
Mensano
Ancaiano
Sovicille
Tegóia
Montecchio
Isola d'Arbia
Ponte a Tressa
Monte S.S. Marie
Le Crete
Radicondoli
P.gio Casalone
Rosia
S. Rocco a Pilli
Mugnano
S. Salvatore a Pilli
Pievina
Serre di Rapolano
Belforte
Torri
Cuna
P.gio Cipresso
Monteroni d'Arbia
Asciano
Le Cornate
Montalcinello
Frósini
P.gio Siena Vècchia
Brenna
Orgia
Bagnaia
Grotti
Corsano
Radi
Lucignano d'Arbia
M. Gabbro
Castelletto
Pentolina
Cerbaiola
Frontignano
P.gio d. Pescine
Frássini
Chiusdino
Casanova
P.gio Cerrete
Vescovado
Murlo
Ponte d'Arbia
Serravalle
Abbazia di M. Oliveto Maggiore
Chiusure
S. Galgano
Ciciano
Palazzetto
Monticiano
P.gio la Torretta
S. Lorenzo a Merse
Casciano
Poggio Brùcoli
S. Giovanni d'Asso
Monterongriffoli
Tocchi
Buonconvento
Bibbiano
P.gio del Casino
P.gio Fogari
Luriano
M. Quoio
Lamalesa
Montepescini
Lucignano d'Asso
Boccheggiano
Scalvaia
Castiglione d. Bosco
Torrenieri
Torniella
Piloni
i Monti
M. Rotondo
Bagni di Petriolo
Pari
P.gio alle Guardie
M. Alto
P.gio Castelluccio
Casale di Pari
Montalcino
S. Quirico d'Orcia
Sassoforte
Sassofortino
Roccatederighi
Roccastrada
Civitella Marittima
Monte Antico
Camigliano
Argiano
S. Angelo in Colle
Castelnuovo dell'Abate
Bagno Vignoni
Rocca d'Orcia
Castiglione d'Orcia
Ribolla
Monte Amiata
Montenero
Pagànico
Sasso d'Ombrone
Sticciano
P.gio Vaccherecce
P.gio Chiaramonte
Poggi d. Sasso
Seggiano
Pescina
Porrona
Montegiovi
Castel del Piano
M. Leoni
Montorsaio
Montepescali
Braccagni
Campagnàtico
Cinigiano
Monticello Amiata
Montelaterone
Arcidosso
M. Amiata
Batignano
P.gio Montaio
P.gio Sugello
Monte Cucco
Castiglioncello Bandini
Salaiola
M. Aquilaia
Zancona
P.gio Trauzzolo
Stribugliano
M. Buceto
Bagnore
Marroneto
Bagnolo
S. Fiora
ROVINE DI ROSELLE
P.gio di Moscona
M. Labbro

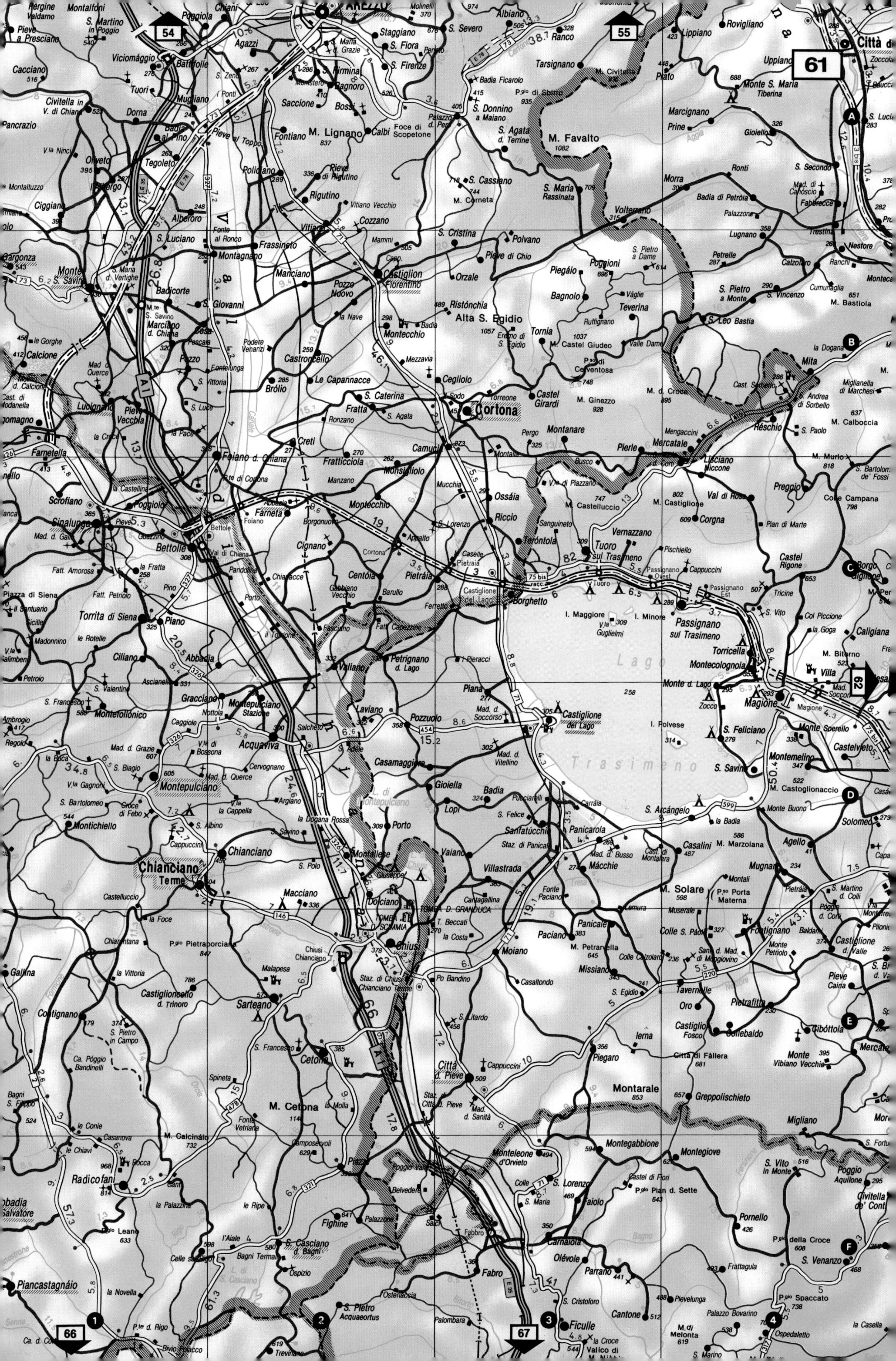

54
55
61
62
66
67
Arezzo
Città di Castello
Cortona
Castiglion Fiorentino
Foiano d. Chiana
Bettolle
Sinalunga
Torrita di Siena
Montepulciano
Acquaviva
Chianciano Terme
Chianciano
Chiusi
Sarteano
Cetona
M. Cetona
Radicofani
Piancastagnaio
Città d. Pieve
Ficulle
Fabro
Tuoro sul Trasimeno
Passignano sul Trasimeno
Castiglione del Lago
Magione
Borghetto
Lago Trasimeno
I. Maggiore
I. Minore
I. Polvese
Panicale
Paciano
Piegaro
Montegabbione
Monteleone d'Orvieto
M. Lignano
M. Favalto
Alta S. Egidio
Lisciano Niccone
Mercatale
Montecchio
Fratta
Camucia
Terontola
Ossaia
Riccio
Pozzuolo
Gioiella
Lopi
Vaiano
Villastrada
Moiano
Sanfatucchio
Panicarola
Macchie
Casalini
M. Solare
Tavernelle
Castiglion Fosco
Collebaldo
Montarale
Greppolischieto
Monte S. Maria Tiberina
Val di Rose
Corgna
Castel Rigone
Monte Sperello
Castelvieto
Montemelino
S. Feliciano
S. Savino
S. Arcangelo
Torricella
Montecolognola
Monte d. Lago
Zocco
Civitella in V. di Chiana
Monte S. Savino
Marciano d. Chiana
Lucignano
Scrofiano
Gracciano
Montefollonico
Montichiello
S. Albino
S. Casciano d. Bagni
S. Pietro Acquaeortus
Fighine
Piazze
Castiglioncello d. Trinoro
Contignano
Abbadia S. Salvatore
Poggio Aquilone
Civitella de' Conti
S. Venanzo
Lago di Chiusi
L. di Montepulciano
A1
E 35
E 78

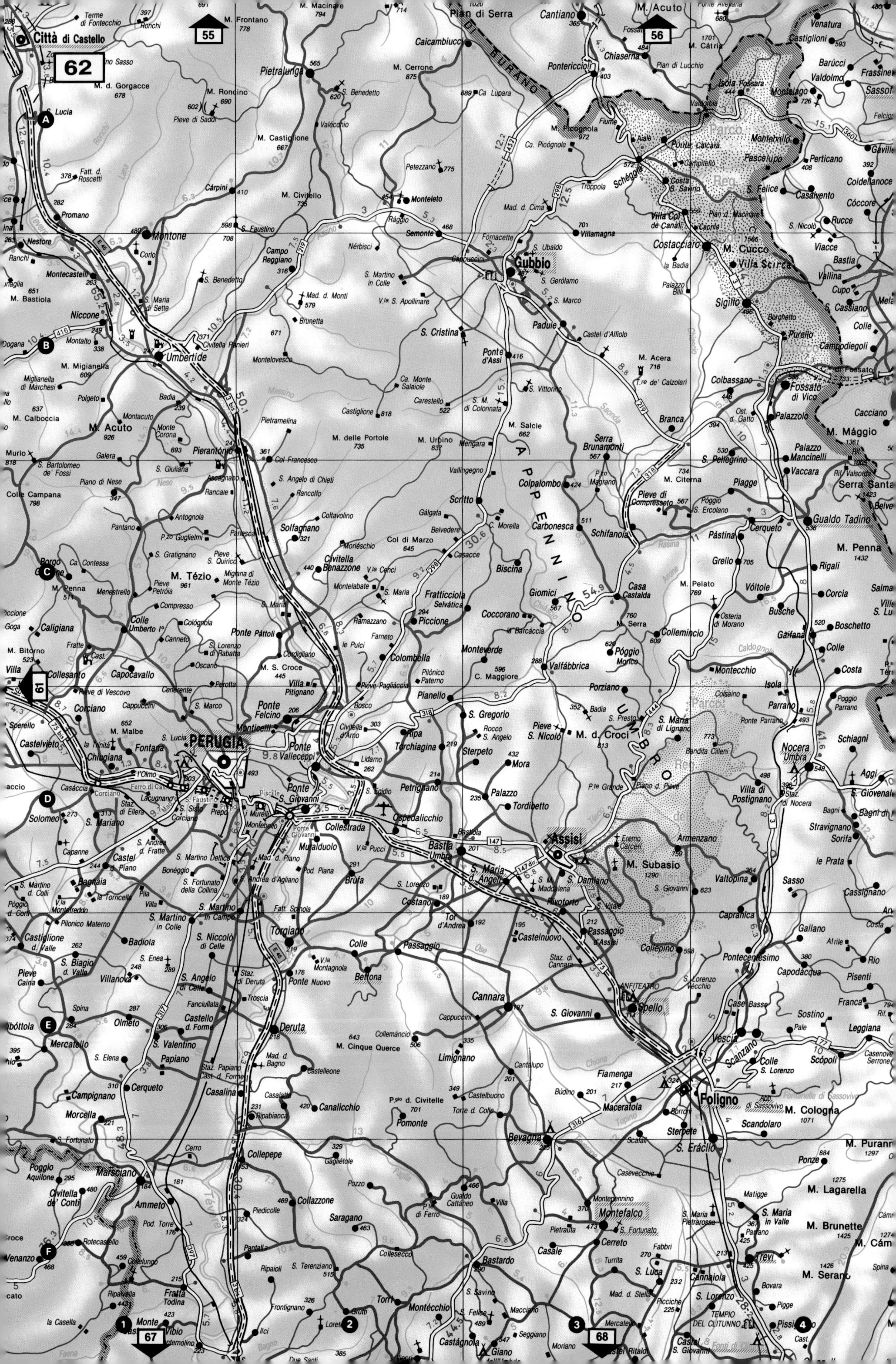

62
55
56
61
67
68
Città di Castello
Terme di Fontecchio
M. Frontano
M. Macinare
Pian di Serra
Cantiano
M. Acuto
Caicambiucci
Pietralunga
M. Cerrone
M. d. Gorgacce
M. Roncino
Pieve di Saddi
S. Benedetto
Ca Lupara
Ponte Riccioli
Chiaserna
Pian di Lucchio
M. Cátria
Isola Fossara
Venatura
Castiglioni
Barúcci
Valdolmo
Montelago
Frassineta
Sassoferrato
S. Lucia
M. Castiglione
Valécchio
M. Picognola
Ca. Picógnola
Fiume
Scheggia
Parco
Montebollo
Pascelupo
Perticano
Gaville
Coldellanoce
Fatt. d. Roscetti
Cárpini
M. Civitello
Petezzano
Troppola
Costa S. Savino
Reg.
S. Felice
Casalvento
Cóccore
Promano
Monteleto
Mad. d. Cima
Villa Col de Canali
Pian d. Macinare
S. Nicolò
Rucce
Nestore
Montone
S. Faustino
Ráglio
Semonte
Villamagna
Costacciaro
M. Cucco
Viacce
Ranchi
Corlo
Campo Reggiano
Nérbisci
Fornacette
S. Ubaldo
la Badia
Villa Scirca
Bastia
Montecastelli
Cappuccini
Gubbio
Vallina
M. Bastiola
S. Benedetto
Mad. d. Monti
S. Martino in Colle
S. Gerólamo
Palazzo Bilili
Sigillo
Cupo
S. Maria di Sette
V.la S. Apollinare
S. Marco
S. Cassiano
Niccone
Brunetta
Padule
Castel d'Alfiolo
Borghetto
Colle
Dogana
Montalto
Civitella Ranieri
S. Cristina
Purello
Campodiegoli
Umbertide
Ponte d'Assi
M. Acera
M. Migianella
Montelovesco
T.re de' Calzolari
Colbassano
Fossato di Vico
Migianella di Marchesi
Ca. Monte Salaiole
S. Vittorino
Polgeto
Badia
Carestello
S. M. di Colonnata
Ost. d. Gatto
Palazzolo
Cacciano
M. Calboccia
Montacuto
Castiglione
Branca
M. Acuto
Monte Corona
Pietramelina
M. Salcle
Palazzo Mancinelli
M. Màggio
M. delle Portole
M. Urbino
Mengara
APPENNINO
Serra Brunamonti
Murlo
S. Bartolomeo de' Fossi
Galera
Pierantonio
Col Francesco
S. Pellegrino
Vaccara
Rif. Valsorda
Serra Santa
S. Giuliana
Ascagnano
S. Angelo di Chieti
Vallingegno
Colpalombo
P.zo Magrano
M. Citerna
Piagge
Piano di Nese
Rancaie
Rancollo
Pieve di Compresseto
Poggio S. Ercolano
Colle Campana
Antognola
Coltavolino
Scritto
Gálgata
C. Morella
Carbonesca
Schifanoia
Cerqueto
Gualdo Tadino
Pantano
Pariesca
Solfagnano
Belvedere
Pástina
P.zo Guglielmi
Morléschio
Col di Marzo
Casacce
Biscina
Rasina
Grello
M. Penna
Borgo Giglione
Ca. Contessa
S. Gratignano
Pieve S. Quirico
Civitella Benazzone
Casa Castalda
Rigali
M. Penna
M. Tézio
Migiana di Monte Tézio
V.la Cenci
Giomici
M. Pelato
Vóltole
Corcia
Menestrello
Pieve Petróia
Montelabate
S. Maria
Fratticciola Selvática
Salmaregia
Piccione
Goga
Caligiana
Compresso
S. Maria
Ramazzano
Piccione
Coccorano
Colle Umberto I°
Colognola
la Barcáccia
M. Serra
Collemincio
Busche
Osteria di Morano
Boschetto
M. Bitorno
Canneto
Ponte Páttoli
Farneto
Gaifana
Villa
Fratte
Cast.
S. Lorenzo di Rabatta
Cordigliano
Colombella
Monteverde
Póggio Morico
Colle
Collesanto
Capocavallo
Oscano
M. S. Croce
Pilónico Paterno
C. Maggiore
Valfábbrica
Montecchio
Costa
Pieve di Vescovo
Perotta
Villa Pitignano
Pieve Pagliáccia
Isola
Cenerente
Pianello
Porziano
Colsaino
Parco
Poggio Parrano
Corciano
Cappuccini
S. Marco
Ponte Felcino
Bosco
Badia
Parrano
Sperello
Monticelli
Civitella d'Arno
S. Gregorio
S. Presto
S. Maria di Lignano
Ponte Parrano
M. Malbe
Ripa
Rocco
S. Angelo
Pieve S. Nicolò
M. d. Croci
Schiagni
Castelvieto
la Trinità
Fontana
S. Lucia
PERUGIA
Torchiagina
Sterpeto
Bandita Cillent
Nocera Umbra
Chiugiana
Ponte Valleceppi
Lidarno
Mora
Reg.
Aggi
l'Olmo
Ferro di Cav.
Petrignano
Piano d. Pieve
Villa di Postignano
Staz. di Nocera
S. Giovenale
Casáccia
Corciano
Lacugnano
S. Faustino
Piscille
Ponte S. Giovanni
S. Egidio
Palazzo
P.te Grande
Bagni
Bagni di Nocera
Solomeo
Staz. di Ellera
S. Sisto
Prepo
Murello
Montebello
Ospedalicchio
Tordibetto
Stravignano
Sorifa
S. Mariano
Corciano
Ponte Giovanni
Collestrada
Bastiola
Armenzano
Capanne
S. Andrea d. Fratte
Muralduolo
V.la Pucci
Bastia Umbra
Assisi
Eremo Carceri
Castel d. Piano
S. Martino Delfico
Mad. d. Piano
S. Maria d. Angeli
S. Damiano
M. Subasio
le Prata
S. Martino d. Colli
Bagnáia
Bonéggio
Pod. Piana
Brufa
S. Lorenzo
S. M. Maddalena
S. Giovanni
Valtopina
Sasso
Cassignano
S. Fortunato della Collina
S. Andrea d'Agliano
la Torricella
Pila
Costano
Rivotorto
S. Vitale
Póggio d. Corti
V.la Montefreddo
S. Martino in Campo
Fatt. Spinola
Tor d'Andrea
Villa
S. Martino in Colle
Pilonico Materno
Torgiano
Passaggio d'Assisi
Capranica
Castelnuovo
Castiglione d. Valle
Badiola
S. Niccolò di Celle
Collepino
Gallano
Costa
Colle
Passaggio
Afrile
Rio
S. Biagio d. Valle
S. Enea
V.la Montagnola
Pontecentesimo
Ose
Staz. di Cannara
Pieve Caina
Villanova
S. Angelo di Celle
Staz. di Deruta
Ponte Nuovo
Bettona
Capodacqua
Pisenti
S. Lorenzo Vecchio
Troscia
Anfiteatro
Fanciullata
Cannara
Spello
Case Basse
Franca
Spina
Olmeto
Castello d. Forme
S. Giovanni
Sostino
Mercatello
S. Valentino
Deruta
Cappuccini
Pale
Leggiana
M. Cinque Querce
Collemáncio
Vescia
S. Elena
Papiano
Mad. d. Bagno
Limignano
Chiona
Scanzano
Scópoli
Staz. Papiano
Cast. d. Forme
Castelleone
Cantalupo
Colle S. Lorenzo
Fiamenga
Cerqueto
Casalina
Casalalta
Castelbuono
Búdino
Campignano
Canalicchio
P.gio d. Civitelle
Maceratola
Foligno
Abb. di Sassovivo
Fontanelle di Sassovivo
M. Cologna
Morcella
Ripabianca
Pomonte
Torre d. Colle
Bevagna
Topino
Borroni
Scandolaro
Sterpete
S. Fortunato
Cerro
Gagliétole
Scafali
S. Eráclio
M. Puranno
Collepepe
Poggio Aquilone
Marsciano
Pozzo
Ponze
Casevecchie
Civitella de' Conti
Ammeto
Collazzone
Gualdo Cattaneo
Villa
Montepennino
M. Lagarella
Piedicolle
Saragano
P.te di Ferro
Montefalco
S. Maria Pietrarossa
Matigge
S. Maria in Valle
Pod. Torre
Pantalla
Collesecco
Pietrauta
S. Fortunato
Parrano
M. Brunette
Rotecastello
Cerreto
Casale
Fabbri
Trevi
M. Cámmoro
S. Venanzo
Collelungo
Ripaioli
S. Terenziano
Bastardo
Turrita
Cannaiola
M. Serano
S. Luca
Bovara
Spina
Fratta Todina
Frontignano
Torri
Montécchio
S. Savino
Mad. d. Stella
Picciche
S. Lorenzo
Pigge
Ripalvella
Grotti
Loreto
S. Felice
Macciano
TEMPIO DEL CLITUNNO
Pissignano
la Casella
Monte Vibio
Ilci
Castágnola
Giano
Seggiano
Mercatello
Castel S. Giovanni
Campemolino
Bagno
Moriano
Castel Ritaldi
Fonti di Clitunno
Due Santi
Tévere
E 45
E 45

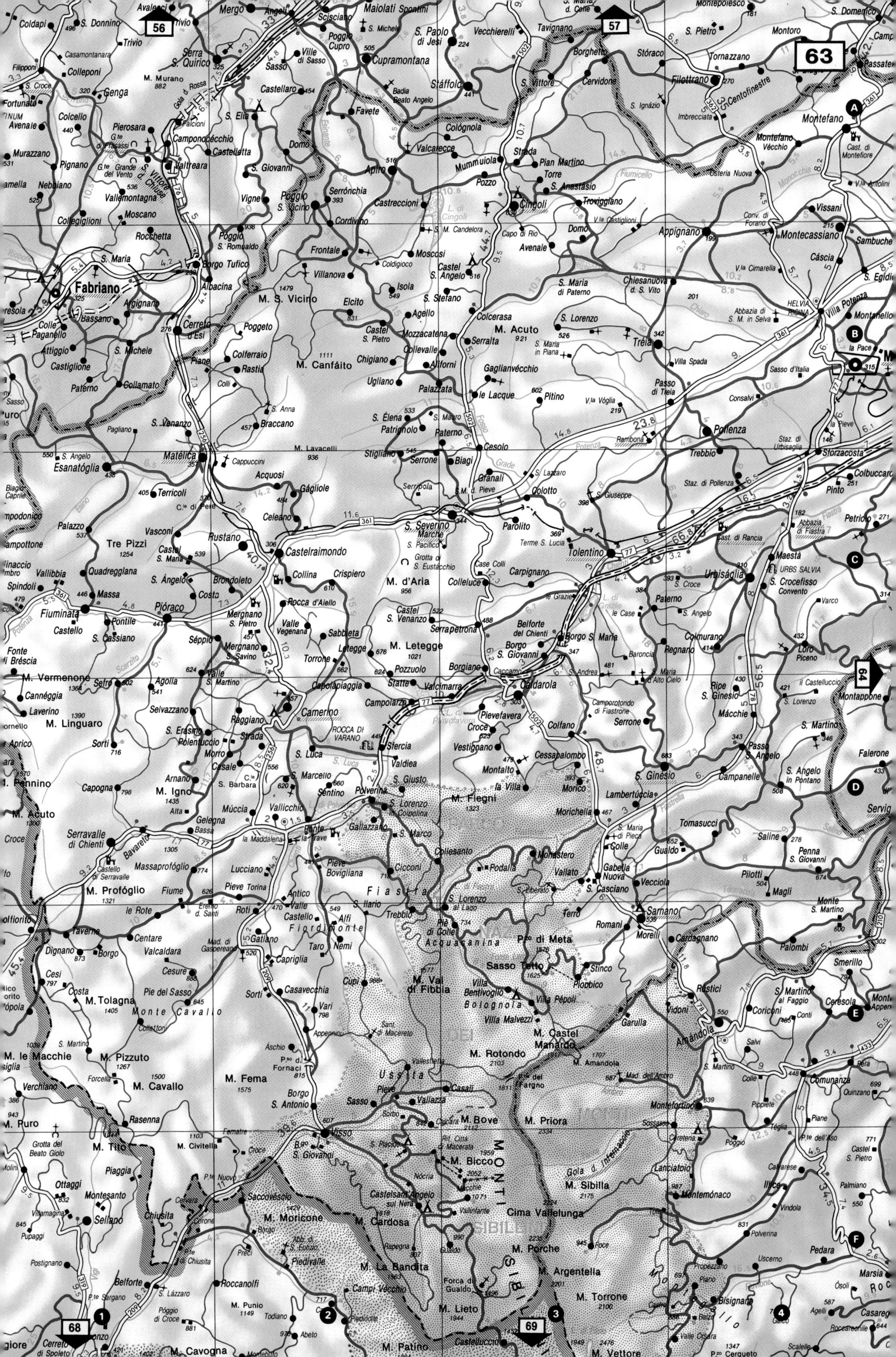
56
57
63
64
68
69
Coldapi
S. Donnino
Trivio
Mergo
Angeli
Maiolati Spontini
Scisciano
S. Paolo di Jesi
Vecchierelli
Tavignano
Montepolesco
S. Domenico
Montoro
Serra S. Quirico
Sasso
Ville di Sasso
Poggio Cupro
Cupramontana
Borghetto
Stóraco
Tornazzano
Filottrano
Centofinestre
Colleponi
Genga
M. Murano
Castellaro
Staffolo
S. Vittore
Cervidone
S. Ignázio
Imbrecciata
Montefano
Fortunato
Avenale
Colcello
Pierosara
Camponocécchio
Castelletta
S. Elia
Favete
Badia Beato Angelo
Cológnola
Strada
Pian Martino
Torre
S. Anastásio
Montefano Vécchio
Osteria Nuova
Cast. di Montefiore
Murazzano
Pignano
Grande del Vento
Valtreara
Domo
S. Giovanni
Apiro
Valcarecce
Mummuiola
Pozzo
Cingoli
Troviggiano
Nebbiano
Vallemontagna
Moscano
Vigne
Poggio S. Vicino
Serrónchia
Castreccioni
L. di Cingoli
Capo di Rio
Avenale
Appignano
Montecassiano
Vissani
Sambuche
Collegiglioni
Rocchetta
Poggio S. Romualdo
Cordivino
S. M. Candelora
Moscosi
Frontale
Coldigioco
Castel S. Angelo
Domo
Cáscia
V.la Cimarella
S. Egidio
Fabriano
S. Maria
Borgo Tufico
Albacina
Villanova
M. S. Vicino
Isola
S. Stefano
S. Maria di Paterno
Chiesanuova d. S. Vito
Helvia Ricina
Villa Potenza
Montanello
Argignano
Bassano
Colle Paganello
Cerreto d'Esi
Elcito
Agello
Colcerasa
S. Lorenzo
Abbazia di S. M. in Selva
Attiggio
Castiglione
S. Michele
Poggeto
Colferraio
Rastia
Castel S. Pietro
Mozzacatena
Collevalle
Serralta
M. Acuto
S. Maria in Piana
Treia
la Pace
Paterno
Collamato
Piane
Colli
M. Canfáito
Chigiano
Ugliano
Allforni
Palazzata
Gagliavécchio
le Lacque
Pitino
Villa Spada
Passo di Treia
Sasso d'Italia
Consalvi
S. Venanzo
Braccano
S. Anna
Pagliano
S. Élena
Patrignolo
S. Mauro
Paterno
V.la Vóglia
Rambona
Pollenza
la Pieve
Matélica
Esanatóglia
S. Angelo
Cappuccini
M. Lavacelli
Stigliano
Serrone
Biagi
Cesolo
Trebbio
Staz. di Urbisaglia
Sforzacosta
Colbuccaro
Terricoli
Acquosi
Gágliole
Serripola
Granali
S. Lazzaro
Staz. di Pollenza
S. Giuseppe
Pinto
Palazzo
Vasconi
Celeano
S. Severino Marche
S. Pacifico
Parolito
Colotto
Terme S. Lucia
Tolentino
Abbazia di Fiastra
Petriolo
Tre Pizzi
Rustano
Castelraimondo
Grotta di S. Eustacchio
Cast. di Rancia
Maestà
Castel S. Maria
Vallibbia
Quadregglana
Collina
Crispiero
Case Colli
Carpignano
Urbiságlia
Urbs Salvia
S. Crocefisso Convento
Spindoli
S. Ángelo
Brondoleto
Costa
M. d'Aria
Colleluce
S. Croce
Massa
Fiuminata
Castello
Pontile
S. Cassiano
Pióraco
Mergnano S. Pietro
Rocca d'Aiello
Valle Vegenana
Sabbieta
Castel S. Venanzo
Serrapetrona
Belforte del Chienti
Borgo S. Maria
L. di Caccamo
le Case
Paterno
S. Angelo
Varco
Colmurano
Regnano
Loro Piceno
Fonte di Bréscia
Séppio
Mergnano S. Savino
Letegge
M. Letegge
Torrone
Pozzuolo
Borgo S. Giovanni
Baroncia
S. Maria d'Alto Cielo
M. Vermenone
Sefro
Agolla
Valle S. Martino
Capolapiaggia
Statte
Valcimarra
Borgiano
Caccamo
Caldarola
S. Andrea
Ripe S. Ginesio
il Castelluccio
Montappone
Canneggia
Laverino
Selvazzano
Raggiano
Camerino
Campolarzo
Pievefavera
Camporotondo di Fiastrone
Mácchie
S. Lorenzo
M. Linguaro
S. Erasmo
Polentuccio
Strada
Rocca di Varano
Sfercia
Croce
Vestignano
Colfano
Serrone
S. Martino
Aprico
Sorti
Morro
Casale
S. Luca
Valdiea
Cessapalombo
Passo S. Angelo
Falerone
M. Pennino
Capogna
Arnano
M. Igno
S. Barbara
S. Marcello
S. Giusto
Sentino
Montalto
la Villa
Monico
S. Ginesio
Campanelle
S. Angelo in Pontano
Alta
Múccia
Vallicchio
Polverina
S. Lorenzo in Colpolina
M. Fiegni
Morichella
Lambertúcca
M. Acuto
Gelegna
Bassa
la Maddalena
Ponte la Trave
Gallazzano
S. Marco
Parco
Tomasucci
Saline
Penna S. Giovanni
Servigliano
Serravalle di Chienti
Bavareto
Collesanto
Monastero
S. Maria di Pieca
Colle
Gualdo
Croce
Massaprofóglio
Lucciano
Pieve Bovigliana
Ciccioni
Podalla
Vallato
Gabella Nuova
S. Casciano
Vecciola
Pilotti
Magli
Castello di Serravalle
M. Profóglio
Fiume
Pieve Torina
Antico
Fiastra
S. Liberato
Monte S. Martino
Colfiorito
le Rote
Eremo d. Santi
Roti
Valle Castello
S. Ilario
Trebbio
S. Lorenzo al Lago
Sarnano
Taverne
Centare
Gagliano
Fiordimonte
Alfi
Piè di Colle
Acquacanina
Naz.
P.zo di Meta
Romani
Morelli
Cardagnano
Palombi
Dignano
Borgo
Valcaldara
Mad. di Gasperéano
Capriglia
Taro
Nemi
Sasso Tetto
Stinco
Smerillo
Cesi
Cesure
M. Val di Fibbia
Piobbico
Rustici
Costa
M. Tolagna
Pie del Sasso
Monte Cavallo
Sorti
Casavecchia
Cupi
Villa Bentivoglio
Bolognola
Villa Pépoli
Vidoni
S. Martino al Faggio
Coriconi
Conti
Ceresola
Collattoni
Vari
Villa Malvezzi
Garulla
Amándola
Montelparo
S. Martino
Appennino
Sant. di Macereto
Dei
M. Castel Manardo
Salvi
M. le Macchie
M. Pizzuto
Áschio
P.so d. Fornaci
M. Rotondo
M. Amandola
Mad. dell'Ambro
S. Martino
Rera
Forcella
M. Cavallo
M. Fema
Vallestrella
Ussita
Forca del Fargno
Colle
Comunanza
Quinzano
Verchiano
Rasenna
Borgo S. Antonio
Pieve
Casali
Vallazza
Sasso
Calcara
M. Bove
M. Priora
Montefortino
Pippiete
Piane
M. Puro
Fematre
Visso
Sorbo
Sossasso
Cerretana
Téglia
Poggio
P.te dell'Aso
Castel S. Pietro
Grotta del Beato Giolo
M. Tito
M. Civitella
Croce
B.go S. Giovanni
S. Placido
Rif. Città di Macerata
Monti
M. Bicco
Gola d. Infernaccio
Lanciatoio
Carrarese
Piaggia
P.te Nuovo
Nócria
Macchie
M. Sibilla
Illice
Palmiano
Ottaggi
Montesanto
Cervara
Saccovéscio
Castelsant'Angelo sul Nera
Vallinfante
Cima Vallelunga
Montemónaco
Vindola
Villamagina
Sellano
Chiusita
M. Moricone
M. Cardosa
Sibillini
Pupaggi
Borgo
Preci
Abb. di S. Eutizio
Piedivalle
Rapegna
Gualdo
M. Porche
Foce
Polverina
Pedara
Postignano
le Chiusita
M. La Bandita
M. Argentella
Uscerno
Propezzano
Marsia
Belforte
S. Lázzaro
Roccanolfi
Campi Vecchio
Forca di Gualdo
M. Torrone
Pianb
Bisignano
Ósoli
Agelli
P.te Sargano
Póggio di Croce
M. Punio
Todiano
Piedivalle
M. Lieto
Balzo
Roccacerollle
Casaregnano
Cerreto di Spoleto
M. Cavogna
Abeto
M. Patino
Castelluccio
M. Vettore
Valle Orsara
P.zo Cerqueto
Scalelle
A
B
C
D
E
F
1
2
3
4

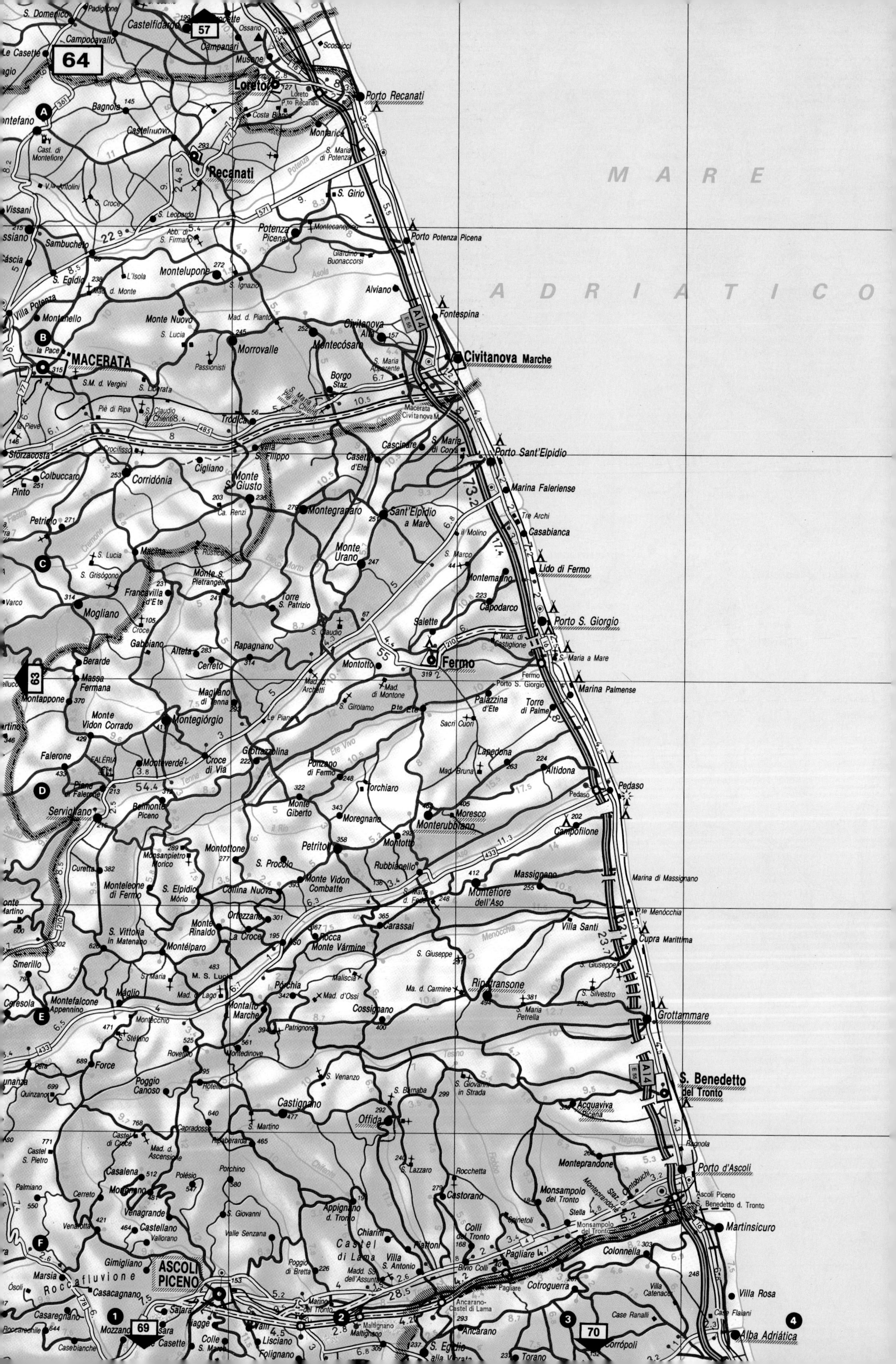

64
57
63
69
70
MARE
ADRIATICO
A
B
C
D
E
F
1
2
3
4
A14
S. Domenico
Castelfidardo
Campocavallo
Le Casette
Ossario
Campanari
Musone
Scossicci
Loreto
Porto Recanati
P.to Recanati
Costa Bianca
Bagnolo
Castelnuovo
Montarice
S. Maria di Potenza
Cast. di Montefiore
Recanati
V.la Antolini
S. Croce
Vissani
S. Girio
S. Leopardo
Abb. di S. Firmano
Potenza Picena
Montecanepino
Porto Potenza Picena
Sambucheto
Giardino Buonaccorsi
L'Isola
Montelupone
S. Egidio
Mad. d. Monte
S. Ignazio
Alviano
Fontespina
Villa Potenza
Montanello
Monte Nuovo
Mad. d. Pianto
Civitanova Alta
la Pace
S. Lucia
Morrovalle
Montecósaro
Civitanova Marche
MACERATA
Passionisti
S. Maria Apparente
S.M. d. Vergini
S. Liberata
Borgo Staz.
Piè di Ripa
S. Claudio al Chienti
Trodica
Macerata Civitanova M.
la Pieve
Sforzacosta
Crocifisso
Villa S. Filippo
Cascinare
S. Maria di Corva
Porto Sant'Elpidio
Colbuccaro
Corridónia
Cigliano
Monte S. Giusto
Casette d'Ete
Marina Faleriense
Pinto
Ca. Renzi
Montegranaro
Sant'Elpidio a Mare
Tre Archi
Casabianca
Petriolo
il Molino
S. Lucia
Macina
S. Rustico
Monte Urano
S. Marco
Lido di Fermo
S. Grisógono
Monte S. Pietrangeli
Montemarino
Varco
Francavilla d'Ete
Torre S. Patrizio
Capodarco
Mogliano
Salette
Porto S. Giorgio
S. Croce
S. Claudio
Mad. di Castiglione
Gabbiano
Alteta
Rapagnano
S. Maria a Mare
Berarde
Cerreto
Montotto
Fermo
Massa Fermana
Mad. Archetti
Mad. di Montone
Porto S. Giorgio
Marina Palmense
Montappone
Magliano di Tenna
S. Girolamo
P.te Ete
Palazzina d'Ete
Torre di Palme
Monte Vidon Corrado
Montegiórgio
Le Piane
Sacri Cuori
Falerone
FALERIA
Monteverde
Croce di Via
Grottazzolina
Ponzano di Fermo
Lapedona
Altidona
Torchiaro
Mad. Bruna
Pedaso
Piane di Falerone
Servigliano
Belmonte Piceno
Monte Giberto
Moregnano
Moresco
Campofilone
Monterubbiano
Montottone
Monsanpietro Morico
Petritoli
Montotto
S. Procolo
Rubbianello
Curetta
Monteleone di Fermo
S. Elpidio Mório
Collina Nuova
Monte Vidon Combatte
S. Maria d. Fossi
Montefiore dell'Aso
Massignano
Marina di Massignano
P.te Menócchia
Ortezzano
Monte Rinaldo
Carassai
Villa Santi
S. Vittoria in Matenano
Montélparo
La Croce
Rocca Monte Vármine
Cupra Marittima
Smerillo
S. Maria
M. S. Lucia
S. Giuseppe
S. Giuseppe
Maliscia
Porchia
Mad. d'Ossi
Ma. d. Carmine
Ripatransone
S. Silvestro
Montefalcone Appennino
Máglio
Mad. d. Lago
Cossignano
S. Maria Petrella
Grottammare
Montecchio
Montalto Marche
Patrignone
S. Stéfano
Rovetino
Montedinove
Force
Pera
S. Venanzo
S. Barnaba
S. Giovanni in Strada
S. Benedetto del Tronto
Quinzano
Poggio Canoso
Rotella
Castignano
Acquaviva Picena
Offida
Capradosso
S. Martino
Ripaberarda
Castel di Croce
Mad. d. Ascensione
Castel S. Pietro
Ragnola
S. Lazzaro
Monteprandone
Porto d'Ascoli
Casalena
Porchino
Polésio
Rocchetta
Monsampolo del Tronto
Centobuchi
Palmiano
Cerreto
Venagrande
Castorano
Ascoli Piceno
S. Benedetto d. Tronto
S. Giovanni
Appignano d. Tronto
Spinetoli
Stella
Venarotta
Castellano
Vallorano
Valle Senzana
Colli del Tronto
Monsampolo del Tronto
Martinsicuro
Castel di Lama
Chiarini
Villa S. Antonio
Piattoni
Colonnella
Gimigliano
Poggio di Bretta
Pagliare
Marsia
ASCOLI PICENO
Roccafluvione
Madd. SS. dell'Assunta
Bivio Colli
Cotroguerra
Villa Catenaccio
Casacagnano
Villa Rosa
Marino del Tronto
Ancarano-Castel di Lama
Casaregnano
Salara
Piagge
Case Ranalli
Case Flaiani
Mozzano
Casette
Maltignano
Ancarano
Alba Adriática
Colle S. Marco
Lisciano
S. Egidio alla Vibrata
Corrópoli
Torano
Folignano

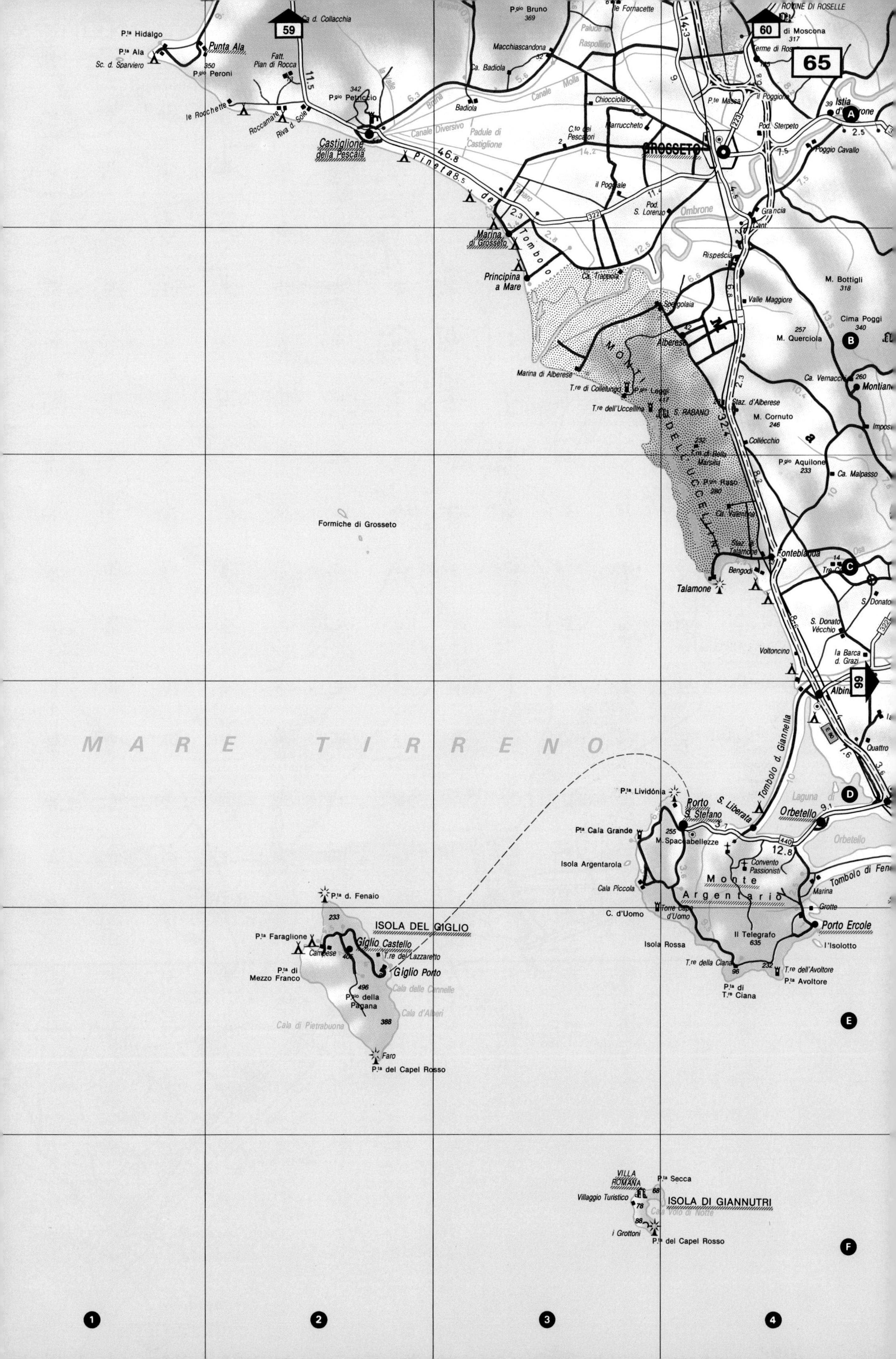
65
59
60
66
P.ta Hidalgo
P.ta Ala
Sc. d. Sparviero
Punta Ala
P.gio Peroni
350
Ca d. Collacchia
Fatt. Pian di Rocca
le Rocchette
Roccamare
Riva d. Sole
P.gio Petriccio
342
Castiglione della Pescaia
Canale Diversivo
Padule di Castiglione
Pineta del Tombolo
46.8
11.5
Badiola
Ca. Badiola
Macchiascandona
P.gio Bruno
369
le Fornacette
Padule di Raspollino
Canale Molla
Chiocciolaio
Marrucheto
C.to dei Pescatori
GROSSETO
il Poggiale
Pod. S. Lorenzo
Ombrone
322
Marina di Grosseto
Principina a Mare
Ca. Trappola
ROVINE DI ROSELLE
di Moscona
317
Terme di Roselle
il Poggione
P.te Masca
Istia d'Ombrone
Pod. Sterpeto
Poggio Cavallo
Grancia
Rispescia
Spergolaia
Alberese
Marina di Alberese
MONTI DELL'UCCELLINA
T.re di Collelungo
P.gio Lecci
T.re dell'Uccellina
S. RABANO
P.gio Raso
280
Ca. Valentina
Staz. di Talamone
Talamone
Bengodi
Fonteblanda
M. Bottigli
318
Valle Maggiore
Cima Poggi
340
M. Querciola
257
Ca. Vernacchia
Montiano
260
Staz. d'Alberese
M. Cornuto
246
Collécchio
P.gio Aquilone
233
Ca. Malpasso
Osa
S. Donato
S. Donato Vécchio
la Barca d. Grazi
Voltoncino
Albinia
Quattro
Formiche di Grosseto
MARE TIRRENO
Tombolo d. Giannella
P.ta Lividónia
Porto S. Stefano
S. Liberata
Orbetello
Laguna di Orbetello
440
12.8
P.ta Cala Grande
M. Spaccabellezze
255
Isola Argentarola
Cala Piccola
Convento Passionisti
Monte Argentario
Tombolo di Feniglia
Marina
Grotte
C. d'Uomo
Torre Capo d'Uomo
Il Telegrafo
635
Porto Ercole
l'Isolotto
Isola Rossa
T.re della Ciana
96
232
T.re dell'Avoltore
P.ta Avoltore
P.ta di T.re Ciana
P.ta d. Fenaio
233
ISOLA DEL GIGLIO
P.ta Faraglione
Campese
Giglio Castello
T.re del Lazzaretto
Giglio Porto
P.ta di Mezzo Franco
Cala delle Cannelle
496
P.gio della Pagana
Cala d'Alberi
Cala di Pietrabuona
388
Faro
P.ta del Capel Rosso
VILLA ROMANA
P.ta Secca
Villaggio Turistico
ISOLA DI GIANNUTRI
Cala Volo di Notte
i Grottoni
P.ta del Capel Rosso
A
B
C
D
E
F
1
2
3
4

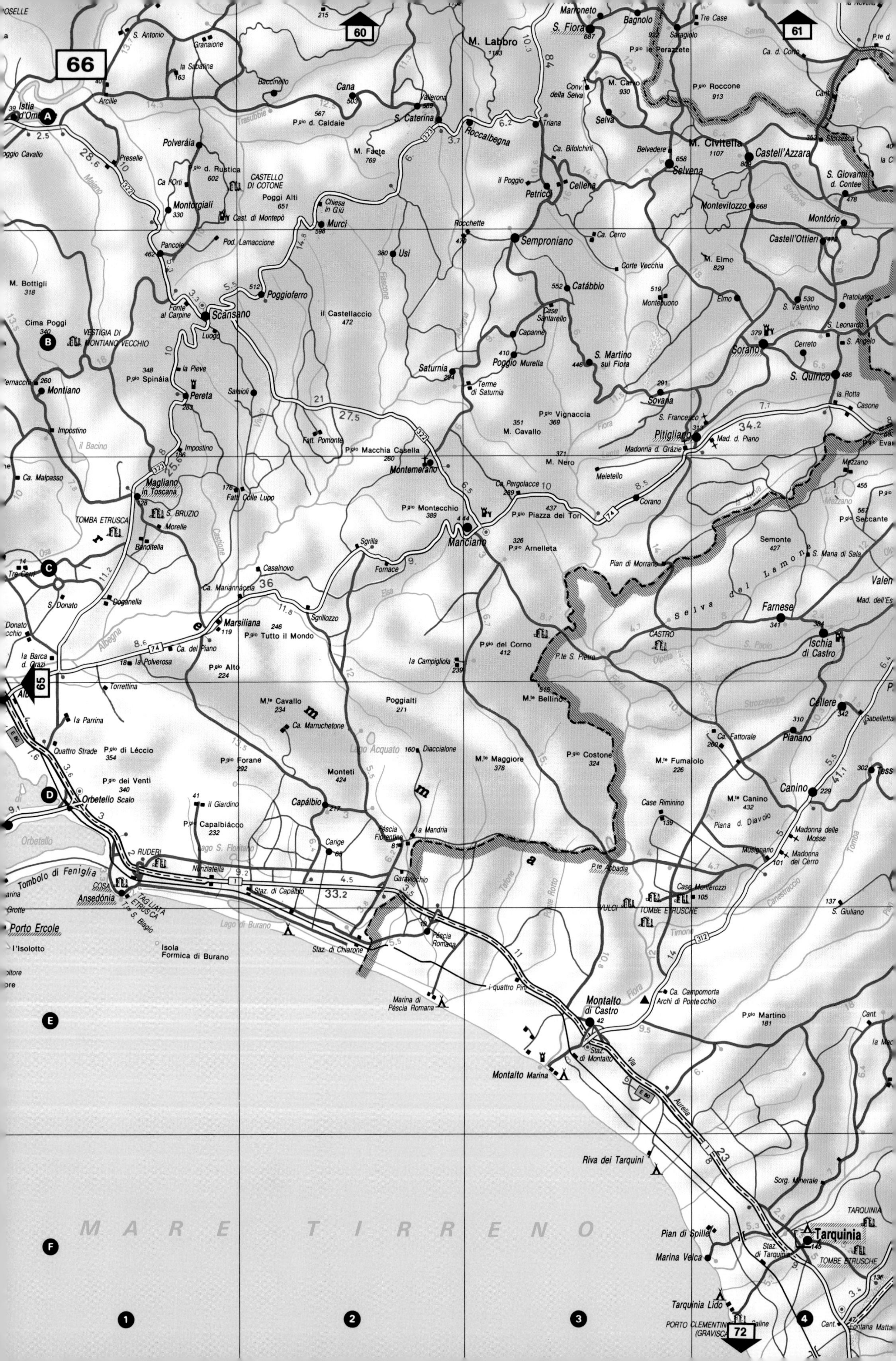

66
60
61
65
72
MARE TIRRENO
Istia d'Ombrone
Scansano
Magliano in Toscana
Montiano
Marsiliana
Orbetello Scalo
Orbetello
Porto Ercole
Ansedònia
Capàlbio
Manciano
Montemerano
Saturnia
Roccalbegna
S. Caterina
Semproniano
Catàbbio
Pitigliano
Sovana
Sorano
S. Quirico
Castell'Azzara
Selvena
S. Fiora
M. Labbro
M. Civitella
Farnese
Ischia di Castro
Cellere
Pianano
Canino
Montalto di Castro
Montalto Marina
Riva dei Tarquini
Tarquinia
Tarquinia Lido
Marina Velca
Pian di Spille
Pèscia Romana
Pèscia Fiorentina
Vulci
Tombolo di Feniglia
Lago di Burano
Lago Acquato
Selva del Lamone
Poggioferro
Murci
Pereta
Pancole
Polveràia
Montorgiali
Cana
Usi
Petricci
Cellena
S. Martino sul Fiora
Poggio Murella
Capanne
Montevitozzo
Montòrio
Castell'Ottieri
Elmo
Corano
S. Valentino
Pratolungo

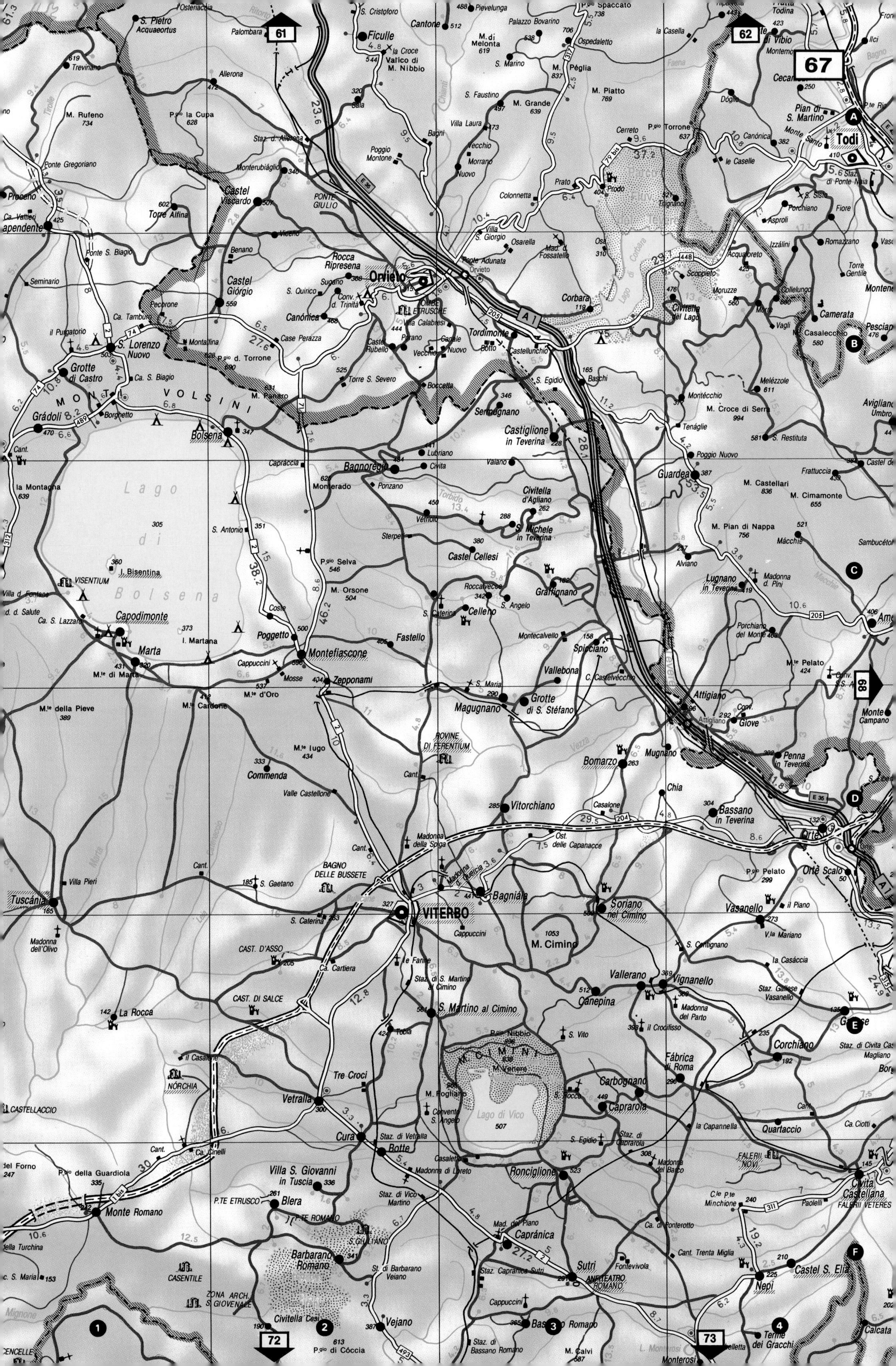

61
62
67
68
72
73
S. Pietro Acquaeortus
Palombara
Trevinano
Allerona
M. Rufeno
P.gio la Cupa
Ponte Gregoriano
Proceno
Torre Alfina
Castel Viscardo
Ficulle
S. Cristoforo
Cantone
Pievelunga
M. di Melonta
Palazzo Bovarino
Ospedaletto
P.gio Spaccato
la Croce
Valico di M. Nibbio
Sala
S. Marino
Péglia
M. Piatto
S. Faustino
M. Grande
Villa Laura
Vecchio
Morrano
Nuovo
Poggio Montone
Bagni
Staz. d. Allerona
Monterubiáglio
Ponte Giulio
Cerreto
P.gio Torrone
Prato
Prodo
Parco Fluv. del Tevere
Colonnetta
Tilignano
Todi
Pian di S. Martino
Dóglio
Canónica
Monte Santo
le Caselle
Staz. di Ponte Naia
S. Sisto
Porchiano
Fiore
Asproli
Izzálini
Romazzano
Torre Gentile
Ilci
Cecanibbi
Montemolino
la Casella
Fratta Todina
Ponte S. Biagio
Seminario
Benano
Viceno
Rocca Ripresena
Castel Giórgio
Orvieto
Sugano
S. Quirico
Conv. d. Trinità
Canónica
Tombe Etrusche
Villa Calabresi
Porano
Castel Rubello
Canale
Vecchio
Nuovo
Villa S. Giorgio
Osarella
Ponte Adunata
Mad. d. Fossatello
Osa
Corbara
Lago di Corbara
Scoppieto
Acquaroreto
Moruzze
Civitella del Lago
Collelungo
Camerata
Casalecchio
Pesciano
Vagli
Tordimonte
Botto
Castellunchio
Pecorone
Ca. Tamburo
Montalfina
P.gio d. Torrone
Case Perazza
Torre S. Severo
Boccetta
S. Egidio
Baschi
Melézzole
Montécchio
M. Croce di Serra
Tenáglie
S. Restituta
Avigliano Umbro
il Purgatorio
S. Lorenzo Nuovo
Grotte di Castro
Ca. S. Biagio
Monti Volsini
M. Panaro
Sermugnano
Castiglione in Teverina
Gradoli
Borghetto
Bolsena
Lubriano
Cant.
la Montagna
Lago di Bolsena
Capráccia
Bagnoregio
Civita
Valano
Poggio Nuovo
Guardea
M. Castellari
M. Cimamonte
Frattuccia
Castel dell'Aquila
Monterado
Ponzano
Torbido
Civitella d'Agliano
Vetriolo
S. Michele in Teverina
M. Pian di Nappa
Mácchie
Sambucétole
S. Antonio
Sterpeto
Castel Cellesi
Alviano
P.gio Selva
J. Bisentina
Visentium
Villa d. Fontane
M. Orsone
Roccalvecce
Graffignano
Lugnano in Teverina
Madonna d. Pini
Amelia
S. Caterina
Celleno
S. Angelo
Capodimonte
Ca. S. Lazzaro
Coste
I. Martana
Poggetto
Fastello
Montecalvello
Spicciano
Porchiano del Monte
M.te Pelato
Marta
M.te di Marta
Cappuccini
Montefiascone
Mosse
M.te d'Oro
Zepponami
Vallebona
C. Castelvecchio
S. Maria
Magugnano
Grotte di S. Stéfano
Attigliano
Giove
Monte Campano
M.te della Pieve
M.te Cardone
M.te Iugo
Rovine di Ferentium
Bomarzo
Mugnano
Penna in Teverina
Commenda
Valle Castellone
Cant.
Chia
Vitorchiano
Casalone
Bassano in Teverina
Ost. delle Capanacce
Orte
Madonna della Spiga
Bagno delle Bussete
Madonna d. Quercia
Bagnáia
Soriano nel Cimino
Orte Scalo
P.gio Pelato
Tuscánia
Villa Pieri
S. Gaetano
Viterbo
Cappuccini
M. Cimino
Vasanello
V.la Mariano
il Piano
S. Caterina
Madonna dell'Olivo
Cast. d'Asso
Ca. Cartiera
le Fanine
Staz. di S. Martino al Cimino
S. Centignano
la Casáccia
Vallerano
Vignanello
Canepina
Staz. Gallese Vasanello
Cast. di Salce
S. Martino al Cimino
Madonna del Parto
La Rocca
Tobia
P.gio Nibbio
Monti Cimini
il Crocifisso
S. Vito
Gallese
Corchiano
Staz. di Civita Castellana Magliano
il Casalone
M. Venere
Fábrica di Roma
Nórchia
Tre Croci
Carbognano
M. Fogliano
Convento S. Angelo
Lago di Vico
S. Rocca
Caprarola
Castellaccio
Vetralla
la Capannella
Quartaccio
Ca. Ciotti
Cura
Staz. di Vetralla
S. Egidio
Staz. di Caprarola
Botte
Casaletto
Ronciglione
Madonna del Barco
Falerii Novi
Cant.
Ca. Cinelli
del Forno
P.gio della Guardiola
Villa S. Giovanni in Tuscia
Madonna di Loreto
Civita Castellana
Falerii Veteres
Monte Romano
P.te Etrusco
Blera
P.te Romano
Staz. di Vico Martino
C.le P.te Minchione
Paolelli
Ca. di Ponterotto
della Turchina
S. Giuliano
Mad. del Piano
Capránica
Cant. Trenta Miglia
Barbarano Romano
St. di Barbarano Veiano
Staz. Capranica Sutri
Sutri
Anfiteatro Romano
Fontevivola
Nepi
Castel S. Elia
S. Maria
Casentile
Zona Arch. S. Giovenale
Cappuccini
Mignone
Civitella Cesi
Vejano
Bassano Romano
P.gio di Cóccia
Staz. di Bassano Romano
M. Calvi
L. Monterosi
Monterosi
Terme dei Gracchi
Calcata
Cencelle
A
B
C
D
E
F
1
2
3
4

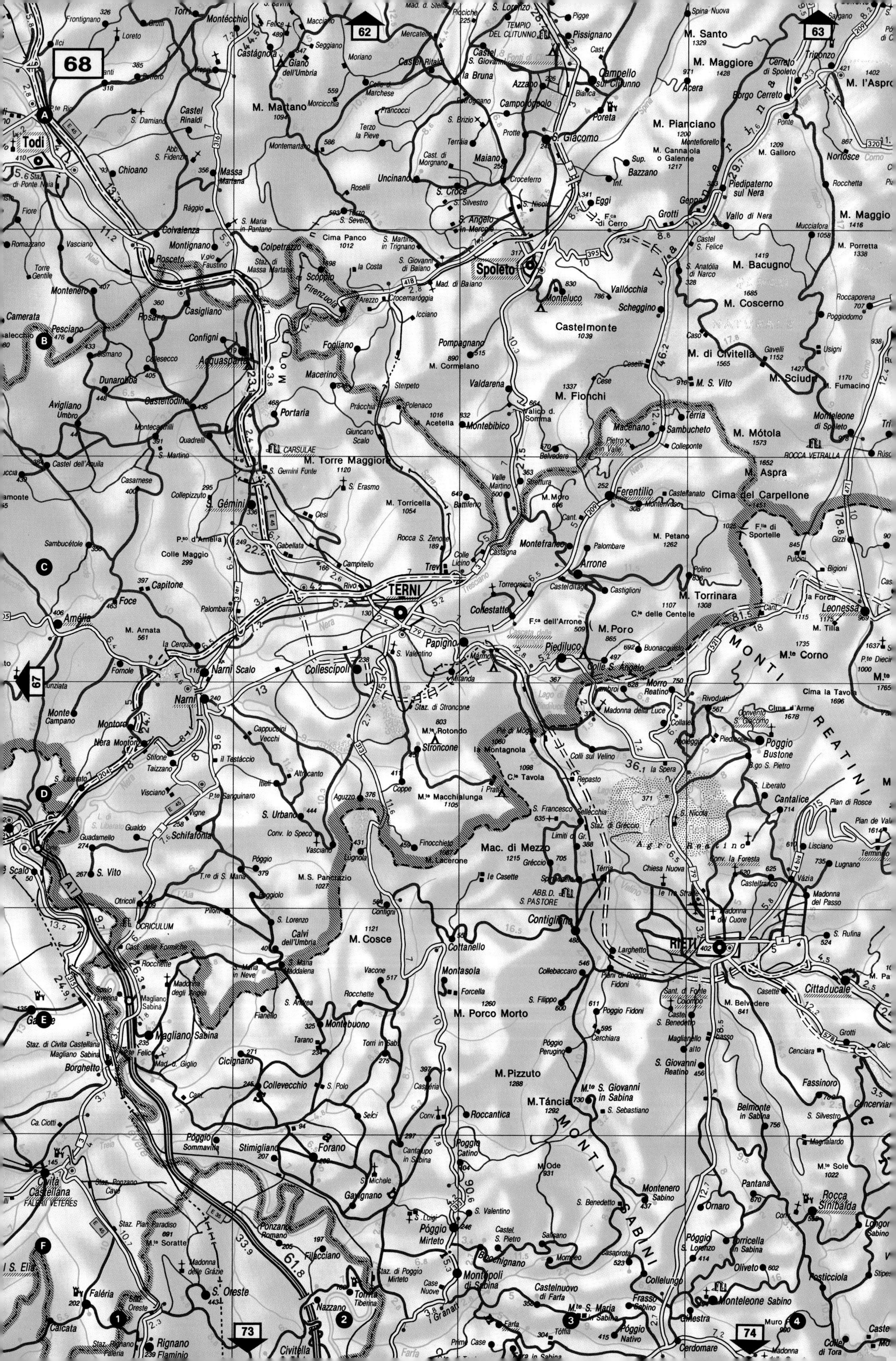

68
62
63
67
73
74
Todi
Montécchio
Castágnola
Giano dell'Umbria
M. Martano
Castel Ritaldi
la Bruna
Campello sul Clitunno
TEMPIO DEL CLITUNNO
Pissignano
M. Santo
M. Maggiore
M. l'Aspro
Triponzo
Cerreto di Spoleto
Borgo Cerreto
M. Pianciano
Campoléppolo
Poreta
S. Giácomo
Massa Martana
Chioano
Castel Rinaldi
Uncinano
Maiano
S. Croce
Eggi
Grotti
Piedipaterno sul Nera
Vallo di Nera
Nortosce
M. Maggio
Colvalenza
Montignano
Rosceto
Colpetrazzo
Cima Panco
Spoleto
Monteluco
Vallócchia
Scheggino
Castelmonte
M. Bacugno
M. Coscerno
Roccaporena
Montenero
Camerata
Casigliano
Rosaro
Configni
Acquasparta
Pesciano
Scoppio
Firenzuola
Fogliano
Pompagnano
M. Cormelano
M. di Civitella
M. S. Vito
M. Sciudri
M. Fumacino
Dunarobba
Castel Todino
Avigliano Umbro
Portaria
Macerino
Valdarena
M. Fionchi
Valico d. Somma
Monteleone di Spoleto
M. Acetella
Montebibico
Macenano
Sambucheto
M. Mótola
CARSULAE
M. Torre Maggiore
ROCCA VETRALLA
Castel dell'Aquila
M. Aspra
Ferentilio
Cima del Carpellone
S. Gémini
M. Torricella
Battiferro
Montefranco
Arrone
M. Petano
Capitone
Colle Maggio
Rocca S. Zenone
Trevi
TERNI
Collestatte
M. Torrinara
Leonessa
Amélia
Foce
M. Arnata
Papigno
M. Poro
Piediluco
MONTI
M.te Corno
Narni Scalo
Narni
Collescipoli
Marmore
Colle S. Angelo
Morro Reatino
Rivodutri
Cima la Tavola
Monte Campano
Montoro
Nera Montoro
M.te Rotondo
Stroncone
la Montagnola
Colli sul Velino
Cima d'Arme
Poggio Bustone
REATINI
S. Liberato
Schifanoia
S. Urbano
Coppe
M.te Macchialunga
C.le Tavola
Cantalice
S. Vito
Vasciano
Finocchieto
M. Lacerone
Mac. di Mezzo
Agro Reatino
Lugnano
M.S. Pancrazio
Gréccio
Vázia
Otricoli
OCRICULUM
ABB. D. S. PASTORE
Contigliano
Calvi dell'Umbria
M. Cosce
Cottanello
RIETI
Cittaducale
Magliano Sabina
Montasola
M. Porco Morto
M. Belvedere
Montebuono
Cicignano
Collevecchio
M. Pizzuto
S. Giovanni Reatino
M.te S. Giovanni in Sabina
M. Táncia
Borghetto
Roccantica
Fassinoro
Belmonte in Sabina
Forano
Stimigliano
Cantalupo in Sabina
Poggio Catino
M. Ode
M.te Sole
Civita Castellana
FALERII VETERES
Gavignano
Montenero Sabino
Rocca Sinibalda
Póggio Mirteto
Ponzano Romano
M.te Soratte
S. Oreste
Filacciano
Montopoli di Sabina
Castelnuovo di Farfa
Collelungo
Monteleone Sabino
Faléria
Nazzano
Torrita Tiberina
M.te S. Maria in Sabina
Póggio Nativo
Rignano Flaminio
Civitella
Calcata
MONTI SABINI
A1
E 45

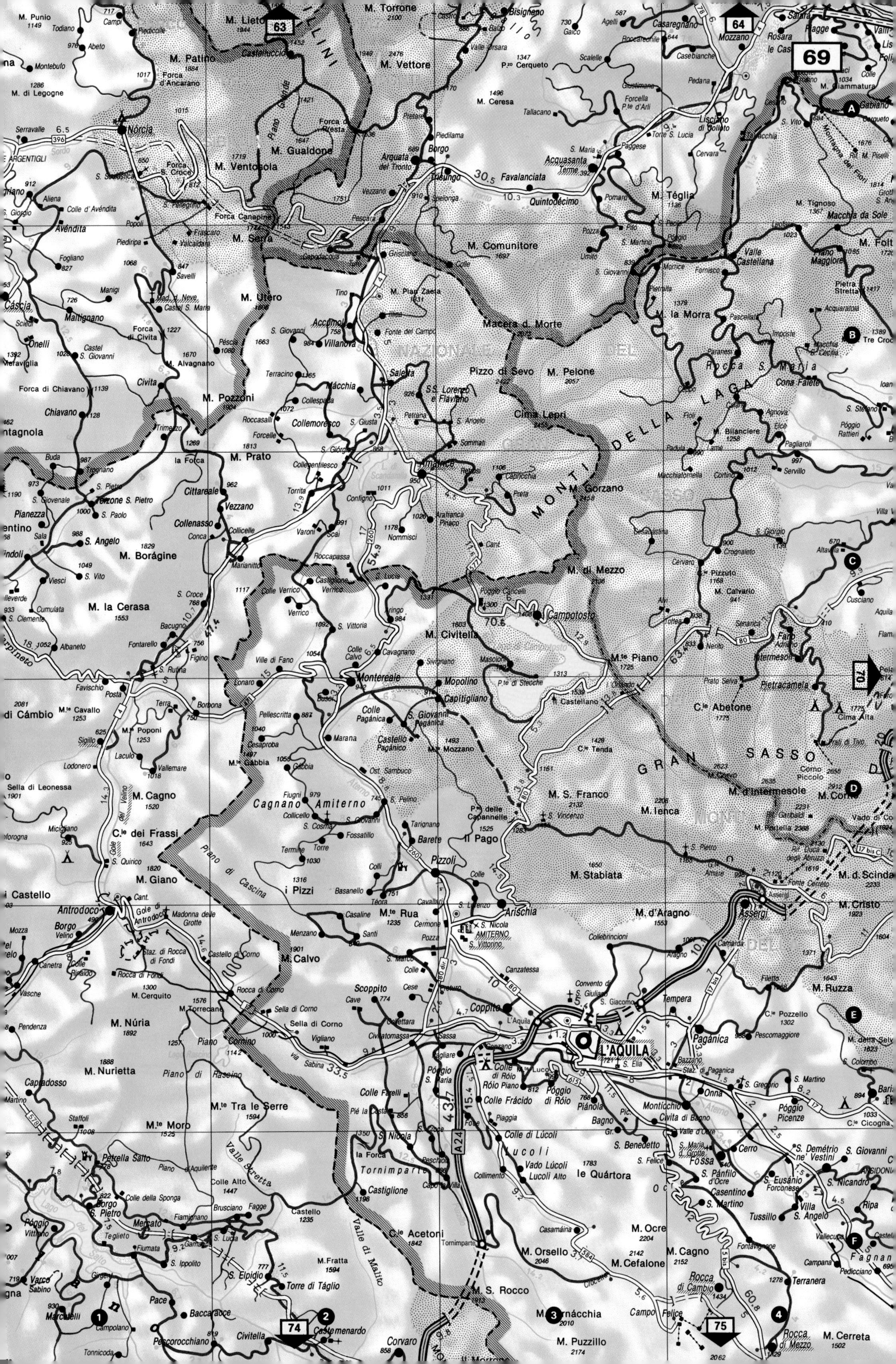

69
63
64
70
74
75
M. Torrone
M. Lieto
M. Patino
Castelluccio
M. Vettore
Bisignano
M. Ceresa
Norcia
M. Gualdone
M. Ventosola
Forca Canapine
M. Sarra
Arquata del Tronto
Acquasanta Terme
Quintodecimo
M. Téglia
M. Comunitore
Valle Castellana
Piano Maggiore
M. Utero
Accumoli
Macera d. Morte
NAZIONALE
DEL
Pizzo di Sevo
M. Pelone
M. la Morra
Rocca S. Maria
Cona Faiete
Cascia
Monteleone
M. Alvagnano
Civita
M. Pozzoni
Cima Lepri
MONTI DELLA LAGA
Amatrice
M. Prato
Cittareale
M. Gorzano
SASSO
Vezzano
Collenasso
S. Angelo
M. Borágine
M. di Mezzo
Campotosto
M. la Cerasa
M. Civitella
M.te Piano
Montereale
Mopolino
Capitignano
C.le Abetone
Pietracamela
Cima Alta
M. di Cámbio
M.te Cavallo
M.te Poponi
Castello Pagánica
GRAN SASSO
M. Cagno
Cagnano Amiterno
M. S. Franco
M. Ienca
M. d'Intermesole
M. Corvo
C.le dei Frassi
Il Pago
M. Stabiata
M. Giano
Pizzoli
i Pizzi
Antrodoco
Gole di Antrodoco
M.te Rua
Arischia
M. d'Aragno
Assergi
M. Cristo
M. Calvo
M. Cerquito
Rocca di Corno
Scoppito
Coppito
L'AQUILA
Paganica
M. Ruzza
M. Núria
M. Nurietta
Sella di Corno
via Sabina
Colle Fárello
Poggio di Róio
Onna
Poggio Picenze
M.te Tra le Serre
M.te Moro
Lucoli
le Quártora
Fossa
Petrella Salto
Tornimparte
Castiglione
Borgo S. Pietro
Mercato
C.le Acetoni
M. Ocre
M. Orsello
M. Cefalone
M. Cagno
Rocca di Cambio
Torre di Táglio
M. S. Rocco
M. Fratta
M.Ornácchia
M. Puzzillo
Campo Felice
Rocca di Mezzo
M. Cerreta
Pescorocchiano
Civitella
Castemenardo
Corvaro
Valle di Malito
Valle Stretta
Piano di Cascina
A24

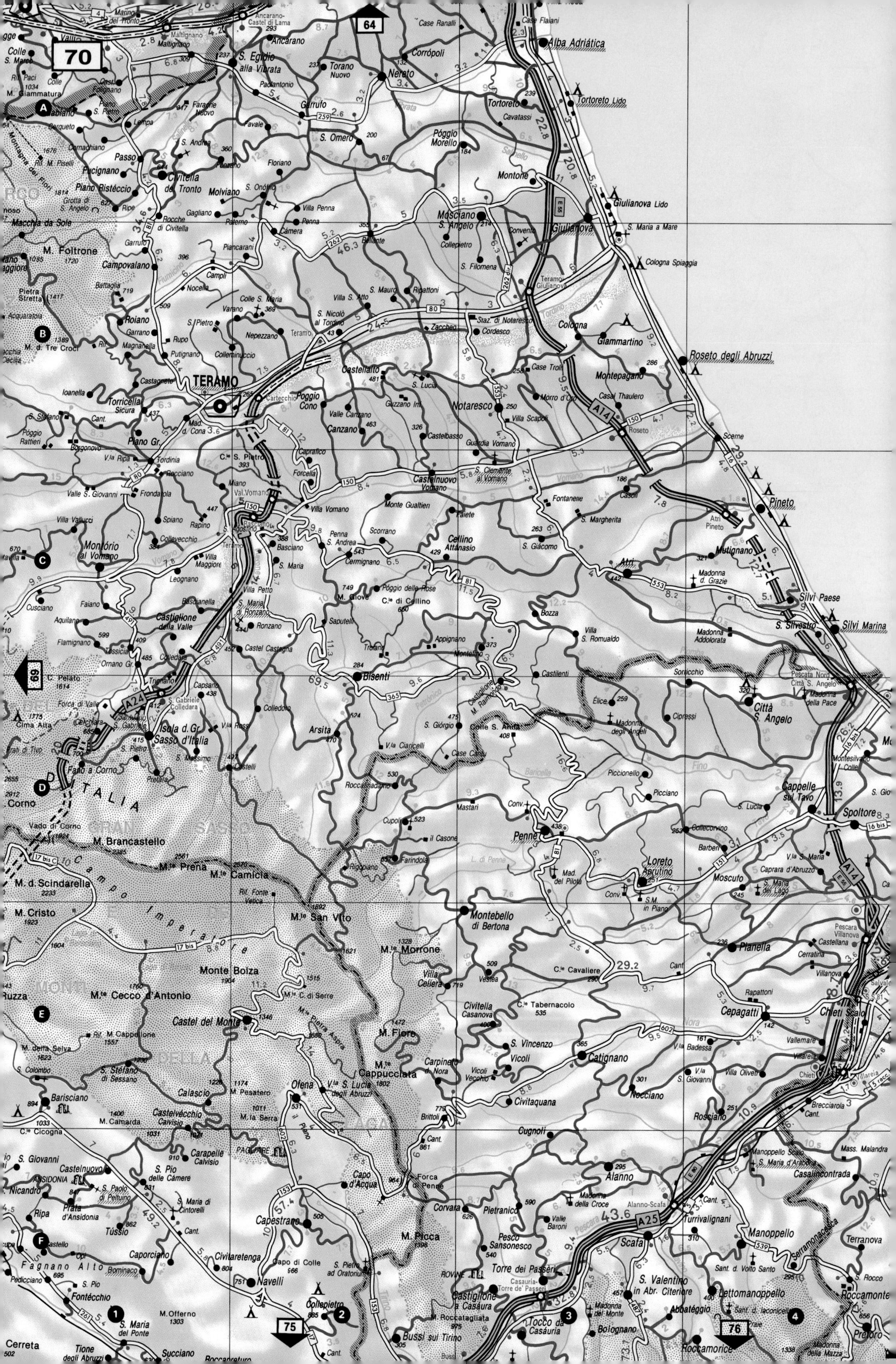

64
70
69
75
76
A
B
C
D
E
F
1
2
3
4
Alba Adriática
Tortoreto Lido
Tortoreto
Marino del Tronto
Maltignano
Ancarano-Castel di Lama
Ancarano
S. Egidio alla Vibrata
Torano Nuovo
Nereto
Corrópoli
Case Ranalli
Case Flaiani
Colle S. Marco
M. Giammatura
Civitella del Tronto
Garrufo
S. Omero
Póggio Morello
Montone
Giulianova Lido
Giulianova
S. Maria a Mare
Cologna Spiaggia
Mosciano S. Angelo
Campovalano
M. Foltrone
Pietra Stretta
M. d. Tre Croci
Roiano
Teramo
Castellalto
Notaresco
Cologna
Giammartino
Roseto degli Abruzzi
Montepagano
Roseto
Scerne
Pineto
Atri
Mutignano
Silvi Paese
Silvi Marina
S. Silvestro
Torricella Sicura
Piano Gr.
Tordinia
Poggio Cono
Canzano
Castelnuovo Vomano
Montório al Vomano
Cellino Attanasio
Basciano
Castiglione della Valle
Isola d. Gr. Sasso d'Italia
Bisenti
Arsita
Castilenti
Élice
Città S. Angelo
Cappelle sul Tavo
Spoltore
Penne
Loreto Aprutino
Moscufo
Pianella
Cepagatti
Chieti Scalo
Chieti
Montebello di Bertona
Farindola
M. Brancastello
M.te Prena
M.te Camicia
M. d. Scindarella
M. Cristo
M.te San Vito
M.te Morrone
Monte Boizu
M.te Cecco d'Antonio
Castel del Monte
M. Fiore
M.te Cappucciata
Ofena
Calascio
Castelvècchio Calvisio
Carapelle Calvisio
S. Stéfano di Sessano
Barisciano
Capestrano
Navelli
Collepietro
Bussi sul Tirino
Castiglione a Casáura
Torre dei Passeri
Tocco da Casáura
Scafa
S. Valentino in Abr. Citeriore
Manoppello
Roccamontepiano
Catignano
Nocciano
Rosciano
Civitaquana
Vicoli
Alanno
Pietranico
Corvara
Pesco Sansonesco
Fontécchio
Fagnano Alto
Caporciano
Civitaretenga
Tussio
Cerreta
Campo Imperatore
GRAN SASSO D'ITALIA
A14
A24
A25

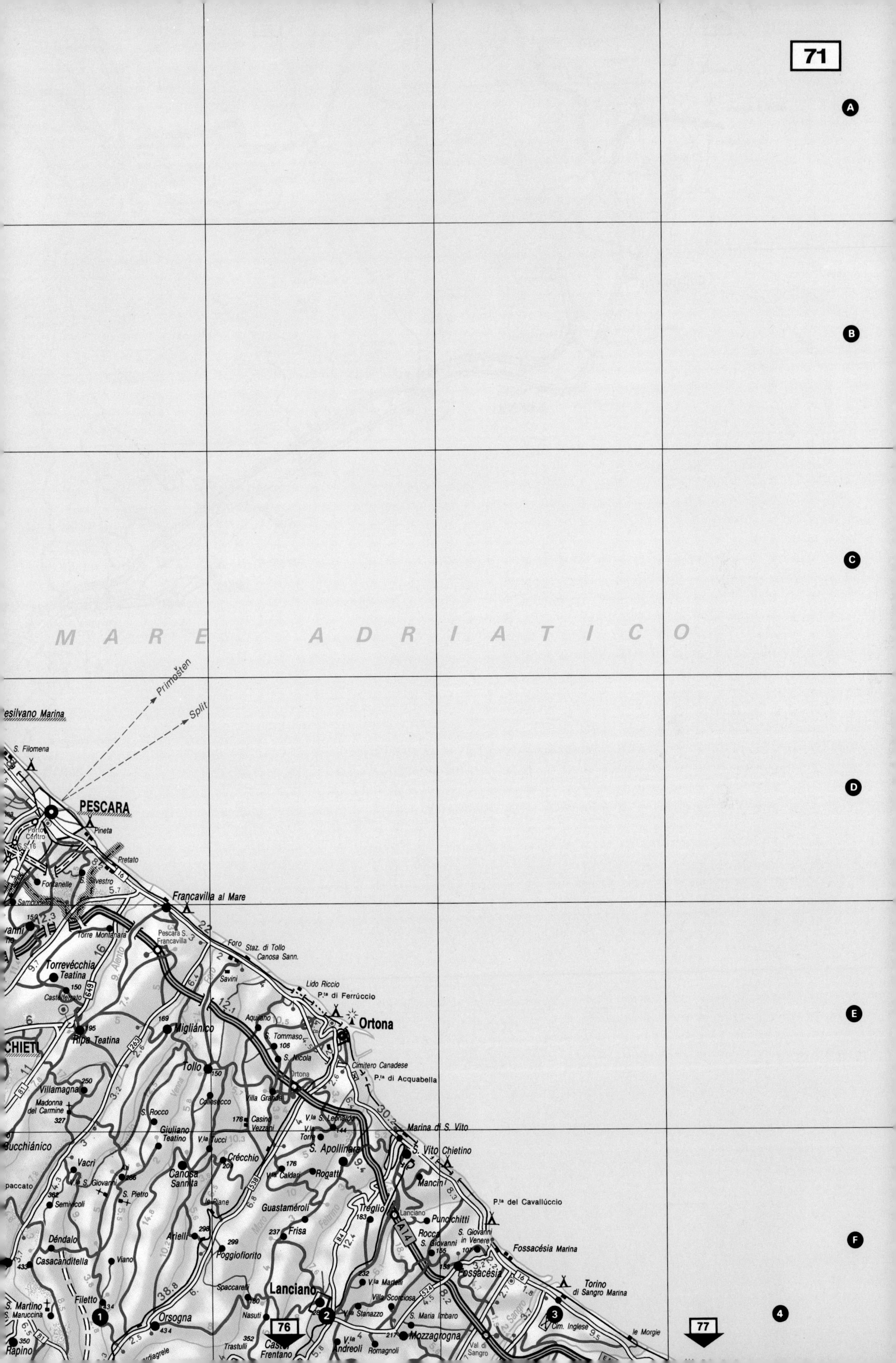

71

MARE ADRIATICO

esilvano Marina

S. Filomena

PESCARA
Pineta
Pretato

Fontanelle
S. Silvestro
Sambinelle
Francavilla al Mare

Torre Montanara
Pescara S.
Francavilla
Foro
Staz. di Tollo
Canosa Sann.

Torrevécchia
Teatina
Savini
Lido Riccio
P.ta di Ferrúccio

Castelletano
Aquilano
Migliánico
Ortona
S. Tommaso
CHIETI
Ripa Teatina
S. Nicola

Tollo
Cimitero Canadese
Ortona
P.ta di Acquabella

Villamagna
Collesecco
Villa Grande

Madonna
del Carmine
S. Rocco
Casino
Vezzani
V.la S. Leonardo
Marina di S. Vito

Giuliano
Teatino
V.la Tucci
Torre
Bucchiánico
Vacri
Crécchio
S. Apollinare
S. Vito Chietino

S. Giovanni
S. Pietro
Canosa
Sannita
V.la Caldari
Rogatti
Mancini

paccato
le Piane
Guastaméroli
P.ta del Cavallúccio

Semivicoli
Déndalo
Arielli
Treglio
Lanciano
Punci chitti

Casacanditella
Vianc
Poggiofiorito
Frisa
Rocca
S. Giovanni
in Venere
Fossacésia Marina

S. Martino
Filetto
Spaccarelli
Lanciano
V.la Madelli
Villa Scorciosa
S. Maria Imbaro
Fossacésia
Torino
di Sangro Marina

S. Maruccina
Orsogna
Nasuti
Cast.
Frentano
V.la
Stanazzo
Cim. Inglese
le Morgie

Rapino
Trastulli
Andreoli
Romagnoli
Mozzagrogna
Val. di
Sangro

76   **77**

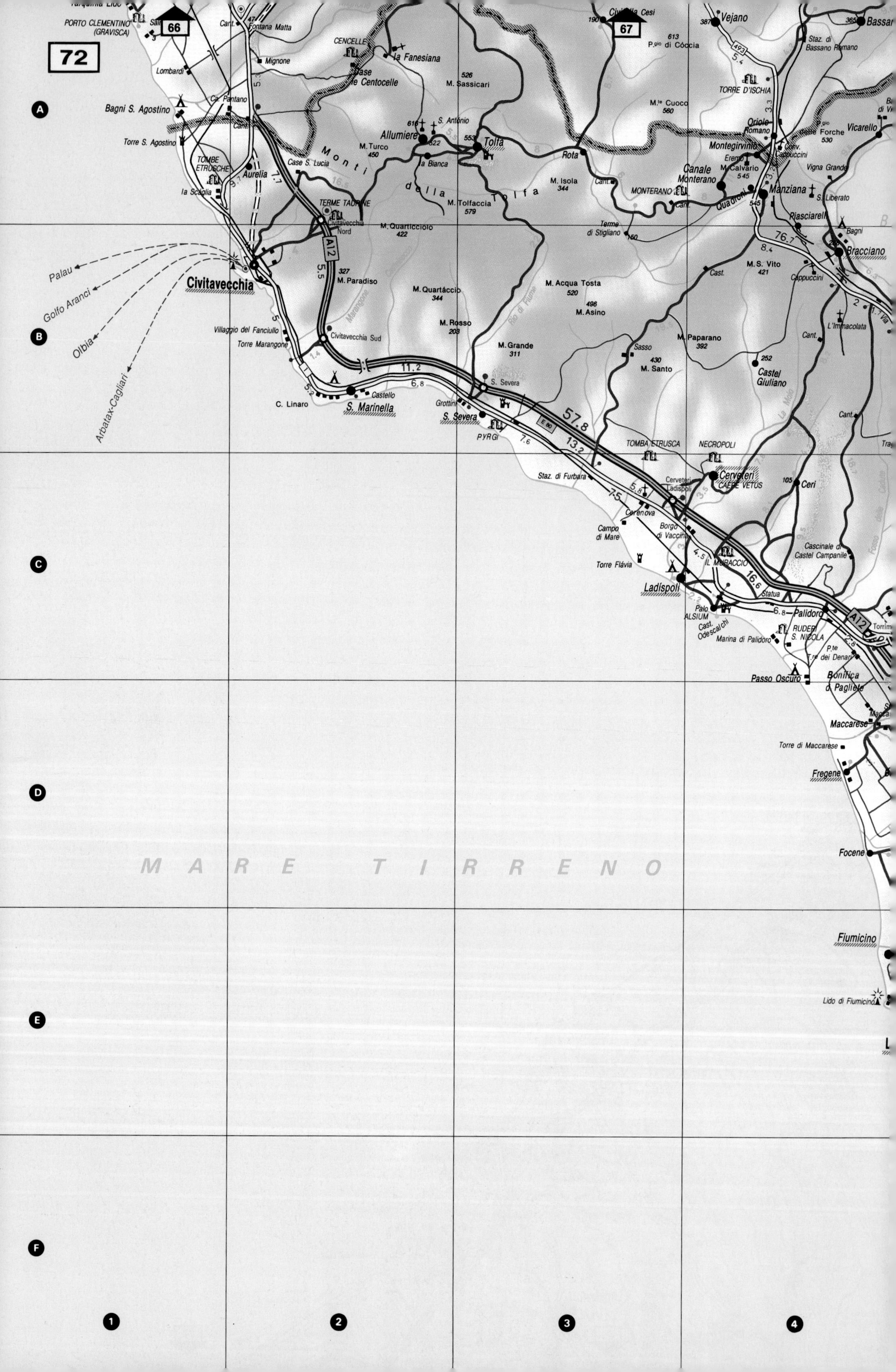

72
66
67
PORTO CLEMENTINO (GRAVISCA)
Fontana Matta
Mignone
CENCELLE
la Fanesiana
Case le Centocelle
Lombardi
Bagni S. Agostino
Torre S. Agostino
TOMBE ETRUSCHE
Aurelia
la Scaglia
Ca. Pantano
526 M. Sassicari
S. Antonio
Allumiere
Tolfa
M. Turco 450
Case S. Lucia
la Bianca
Monti della Tolfa
TERME TAURINE
Civitavecchia Nord
M. Quarticciolo 422
M. Tolfaccia 579
M. Isola 344
Rota
Civitella Cesi
613 P.gio di Cóccia
Vejano
Staz. di Bassano Romano
TORRE D'ISCHIA
M.te Cuoco 560
Oriolo Romano
Montegirvinio
Eremo
M. Calvario 545
Canale Monterano
MONTERANO
Quadroni
Manziana
Conv. Cappuccini
P.gio delle Forche 530
Vicarello
Vigna Grande
S. Liberato
Piasciarelli
Bagni
Bracciano
Terme di Stigliano
Palau
Golfo Aranci
Olbia
Arbatax-Cagliari
Civitavecchia
A12
327 M. Paradiso
M. Quartáccio 344
M. Acqua Tosta 520
496 M. Asino
M. S. Vito 421
Cappuccini
L'Immacolata
Villaggio del Fanciullo
Torre Marangone
Civitavecchia Sud
M. Rosso 203
M. Grande 311
Sasso
430 M. Santo
M. Paparano 392
252 Castel Giuliano
C. Linaro
Castello
S. Marinella
S. Severa
Grottini
PYRGI
57.8
TOMBA ETRUSCA
NECROPOLI
Staz. di Furbara
Cerveteri Ladispoli
Cerveteri
CAERE VETUS
105 Ceri
Cerenova
Campo di Mare
Borgo di Vaccina
Torre Flávia
IL MURACCIO
Cascinale di Castel Campanile
Ladispoli
Statua
Palo
ALSIUM
Cast. Odescalchi
Palidoro
RUDERI S. NICOLA
Marina di Palidoro
P.te Tre dei Denari
Passo Oscuro
Bonifica di Pagliete
Maccarese
Torre di Maccarese
Fregene
MARE TIRRENO
Focene
Fiumicino
Lido di Fiumicino
A
B
C
D
E
F
1
2
3
4

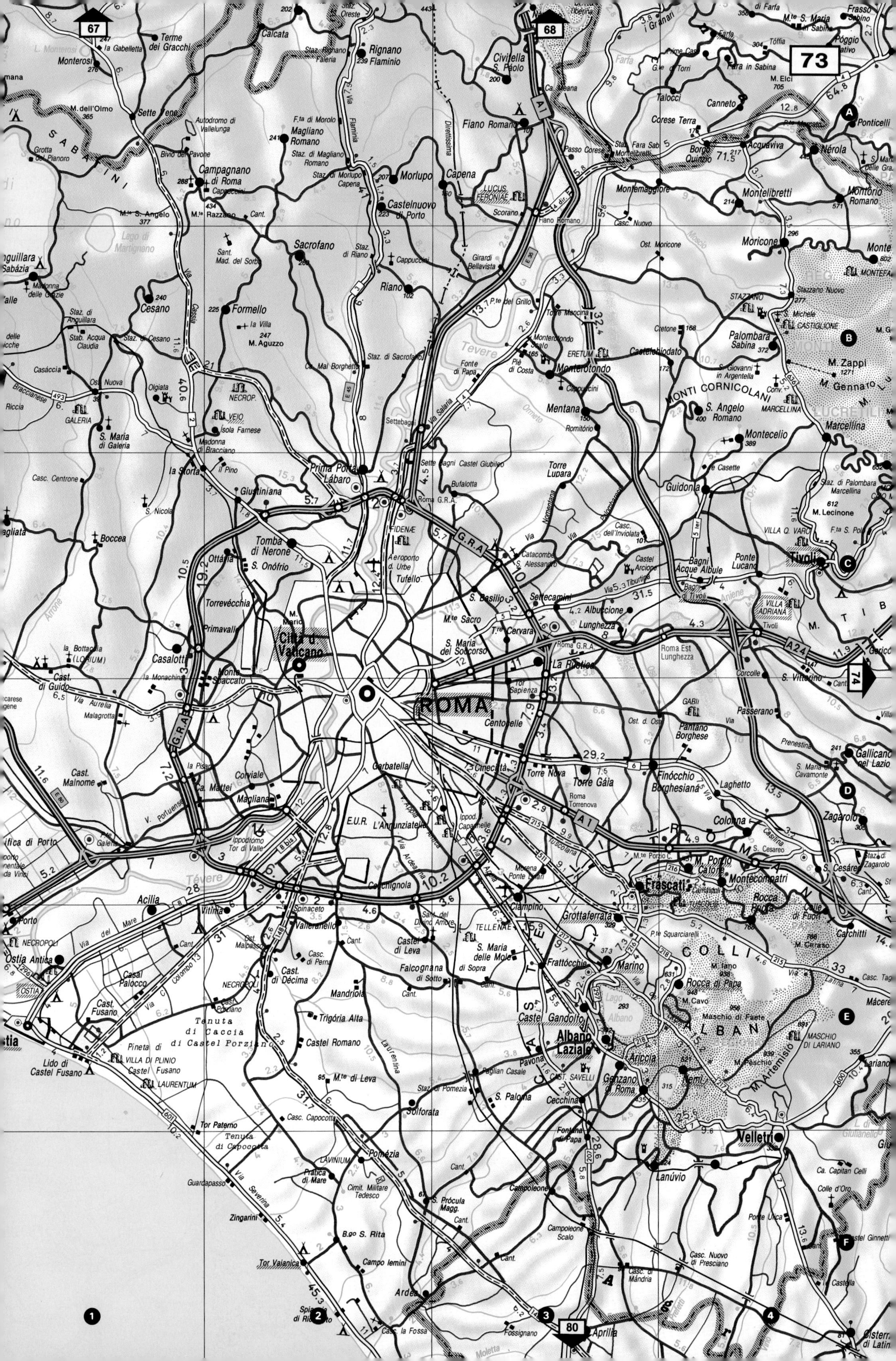

67
68
73
74
80
Monterosi
Terme dei Gracchi
Calcata
Rignano Flaminio
Civitella S. Paolo
Fara in Sabina
Sette Vene
Magliano Romano
Fiano Romano
Ponticelli
Nerola
Campagnano di Roma
Morlupo
Capena
Castelnuovo di Porto
Montelibretti
Montorio Romano
Moricone
Sacrofano
Riano
Anguillara Sabàzia
Cesano
Formello
M. Aguzzo
Tevere
Palombara Sabina
M. Zappi
M. Gennaro
Monterotondo
Mentana
MONTI CORNICOLANI
S. Angelo Romano
Montecelio
Marcellina
Guidonia
Tivoli
VILLA ADRIANA
Bagni di Tivoli
La Storta
Giustiniana
Prima Porta
Tomba di Nerone
Primavalle
Casalotto
Città d. Vaticano
ROMA
Centocelle
Settecamini
Lunghezza
La Rustica
Torre Gàia
Finocchio
Colonna
Zagarolo
Gallicano nel Lazio
Corviale
Magliana
E.U.R.
Cecchignola
Ciampino
Frascati
Grottaferrata
Marino
Rocca di Papa
Rocca Priora
Montecompatri
Monte Porzio Catone
COLLI ALBANI
Castel Gandolfo
Albano Laziale
Ariccia
Genzano di Roma
Nemi
Velletri
Lanùvio
Acilia
Ostia Antica
Casal Palocco
Lido di Castel Fusano
Tenuta di Caccia di Castel Porziano
Castel Romano
Pomèzia
Tor Vaianica
Ardea
Aprilia
Cisterna di Latina
Campoleone
Via Aurelia
Via Cassia
Via Flaminia
Via Salaria
Via Tiburtina
Via Prenestina
Via Casilina
Via Appia
Via Laurentina
Via Severiana
Via del Mare
G.R.A.
A1
A24
1
2
3
4
A
B
C
D
E
F

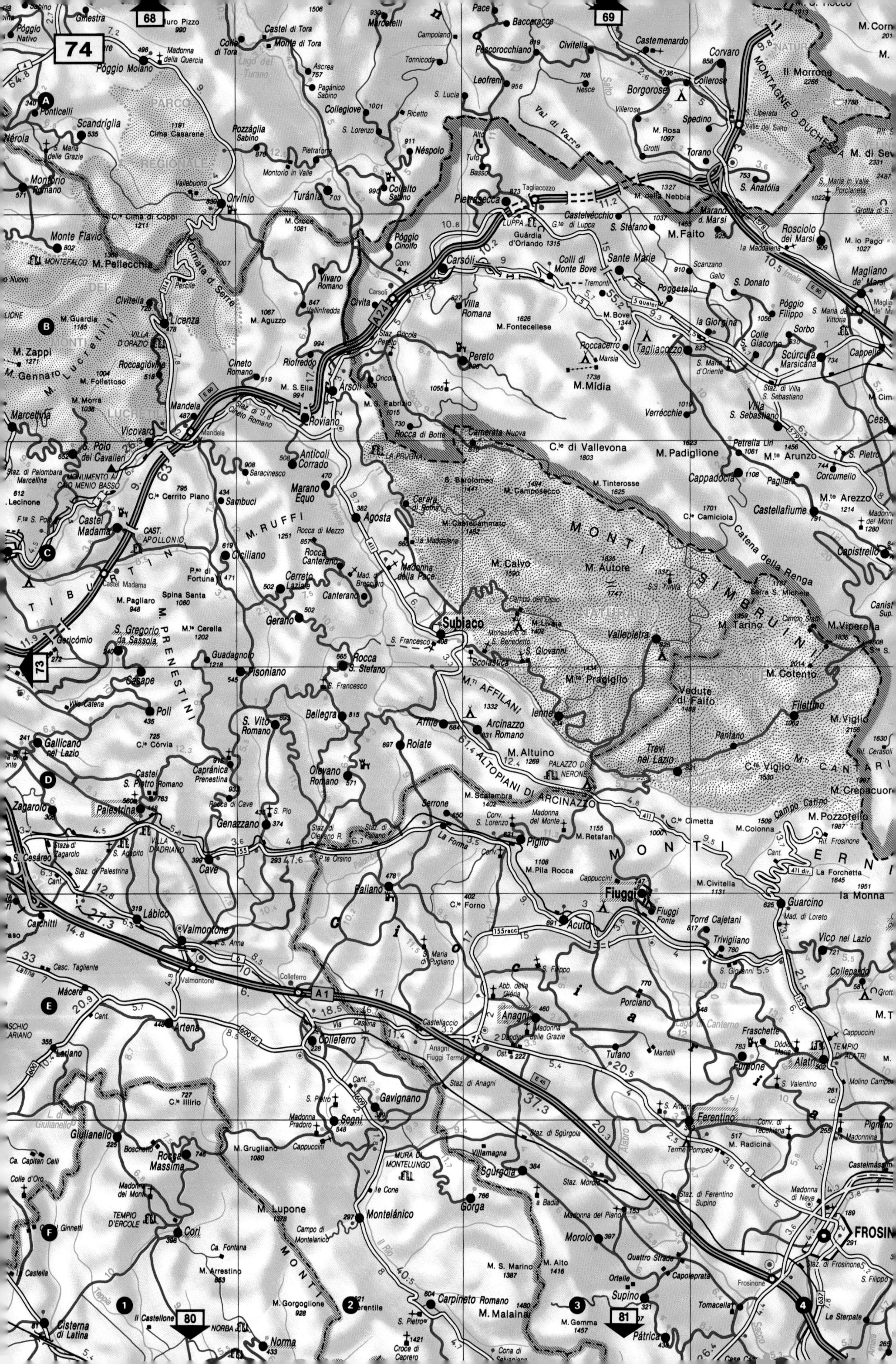

74
68
69
73
80
81
Póggio Nativo
Ginestra
Poggio Moiano
Madonna della Quercia
Castel di Tora
Monte di Tora
Colle di Tora
Lago del Turano
Ascrea
Paganico Sabino
Marcetelli
Campolano
Tonnicoda
Pace
Baccaracce
Pescorocchiano
Civitella
Castemenardo
Corvaro
Leofreni
Nesce
Borgorose
Collerose
Il Morrone
Ponticelli
Scandriglia
Nérola
PARCO
REGIONALE
Cima Casarene
Pozzáglia Sabino
Collegiove
Ricetto
S. Lorenzo
Néspolo
S. Lucia
Val di Varri
Villerose
Spedino
S. Liberata
Valle del Salto
M. Rosa
Grotti
Torano
MONTAGNE D. DUCHESSA
M. di Sev
Montorio Romano
Montorio in Valle
Pietraforte
Vallebuono
Orvínio
Turánia
Collalto Sabino
Alto
Tufo
Basso
Pietrasecca
Tagliacozzo
M. della Nebbia
Marano d. Marsi
S. Anatólia
Cima di Coppi
M. Croce
Póggio Cinolfo
Carsóli
Castelvécchio di Luppa
S. Stéfano
M. Faito
Rosciolo dei Marsi
Monte Flavio
M. Pellecchia
Cimata di Serre
Percile
Vivaro Romano
Vallinfreda
Civita
Guárdia d'Orlando
Colli di Monte Bove
Sante Marie
Tremonti
Scanzano
Gallo
Poggetello
S. Donato
Magliano de' Marsi
MONTEFALCO
M. Guardia
M. Zappi
M. Gennaro
MONTI LUCRETILI
Civitella
Licenza
VILLA D'ORAZIO
Roccagiovine
M. Aguzzo
Villa Romana
M. Fontecellese
M. Bove
Roccacerro
Marsia
Tagliacozzo
la Giorgina
Póggio Filippo
Colle Giacomo
Sorbo
Scúrcola Marsicana
Cappelle
M. Follettoso
M. Morra
Marcellina
Mandela
Vicovaro
Cineto Romano
Riofreddo
M. S. Elia
Roviano
Arsoli
Oricola
Pereto
M. Midia
S. Maria d'Oriente
Villa S. Sebastiano
Verrécchie
S. Polo dei Cavalieri
MONUMENTO A CAIO MENIO BASSO
Saracinesco
Anticoli Corrado
M. S. Fabrizio
Rocca di Botte
Camerata Nuova
LA PRUGNA
C.le di Vallevona
M. Padiglione
Petrella Liri
M.te Arunzo
S. Pietro
Corcumello
Cappadocia
Pagliara
M.te Arezzo
Castellafiume
Lecinone
Castel Madama
CAST. APOLLONIO
C.le Cerrito Piano
Sambuci
Marano Equo
Agosta
S. Bartolomeo
M. Camposecco
M. Tinterosse
Cerasa di Roma
M. Castellammato
MONTI SIMBRUINI
Catena della Renga
C.le Camiciola
Capistrello
M. RUFFI
Ciciliano
Rocca di Mezzo
Rocca Canterano
Madonna della Pace
M. Calvo
M. Autore
S.S. Trinità
Serra S. Michele
TIBURTINI
Castel Madama
M. Pagliaro
Spina Santa
Cerreto Laziale
Canterano
M.te Cerella
Gerano
Subiaco
M. Livata
Monastero di S. Benedetto
S. Giovanni
Vallepietra
Campo Staffi
M. Tarino
M. Viperella
Guidonia
S. Gregorio da Sassola
Corcómio
M. PRENESTINI
Guadagnolo
S. Francesco
Scolastica
M.te Pragiglio
Vedute di Faito
M. Cotento
Casape
Pisoniano
Rocca S. Stefano
M.ti AFFILANI
Filettino
M. Viglio
Poli
Villa Catena
S. Vito Romano
Bellegra
Affile
Arcinazzo Romano
Jenne
Pantano
Gallicano nel Lazio
C.le Córvia
Roiate
ALTOPIANI DI ARCINAZZO
M. Altuino
PALAZZO DI NERONE
Trevi nel Lazio
C.le Viglio
M.ti CANTARI
Castel S. Pietro Romano
Caprânica Prenestina
Olevano Romano
Serrone
M. Scalambra
M. Crepacuore
Zagarolo
Palestrina
Rocca di Cave
Genazzano
S. Pio
Madonna del Monte
Conv. S. Lorenzo
C.le Cimetta
M. Pozzotello
Campo Catino
M. Colonna
S. Cesáreo
S. Agapito
VILLA D'ADRIANO
Cave
Piglio
M. Retafani
MONTI ERNICI
La Forchetta
Rif. Frosinone
Staz. di Palestrina
P.te Orsino
La Forma
M. Pila Rocca
Cappuccini
Fiuggi
Fiuggi Fonte
M. Civitella
Guarcino
la Monna
Colonna
Lábico
Paliano
C.le Forno
Acuto
Torre Cajetani
Mad. di Loreto
Valmontone
S. Anna
S. Maria di Pugliano
Trivigliano
Vico nel Lazio
Carchitti
Casc. Tagliente
Colleferro
S. Filippo
Porciano
S. Giovanni
Collepardo
Mácere
Artena
Abb. della Glória
Anagni
Madonna delle Grazie
Lago di Canterno
Fraschette
Cappuccini
Lariano
Colleferro
Via Casilina
Castellaccio
Anagni Fiuggi Terme
Tufano
Martelli
Fumone
Alatri
TEMPIO DI ALATRI
Molino Campo
C.le Illirio
Cant.
Gavignano
Staz. di Anagni
S. Valentino
S. Pietro
Segni
S. Antonio
Ferentino
Conv. di Tecchiena
Pignano
Madonna Pradoro
Giulianello
Boschetto
Rocca Massima
M. Grugliano
Cappuccini
MURA DI MONTELUNGO
Villamagna
Staz. di Sgúrgola
Terme Pompeo
M. Radicina
Madonnina
Castelmassimo
Ca. Capitan Celli
Colle d'Oro
Madonna dei Monti
le Cone
Sgúrgola
Staz. Morolo
Staz. di Ferentino Supino
Madonna di Neve
TEMPIO D'ERCOLE
Cori
M. Lupone
Montelánico
Gorga
a Badia
Madonna del Piano
FROSINONE
Ginnetti
Campo di Montelanico
Ca. Fontana
MONTI
Il Rio
Morolo
M. Arrestino
M. S. Marino
M. Alto
Quattro Strade
Capoleprata
Staz. di Frosinone
S. Filippo
Castella
Ortelle
Supino
Frosinone
Tomacella
Il Castellone
M. Gorgoglione
Carpineto Romano
M. Malaina
M. Gemma
Le Sterpate
Cisterna di Latina
NORBA
Norma
S. Pietro
Croce di Caprero
Cona di Selvapiana
Pátrica
A1
A24
E 80
E 45

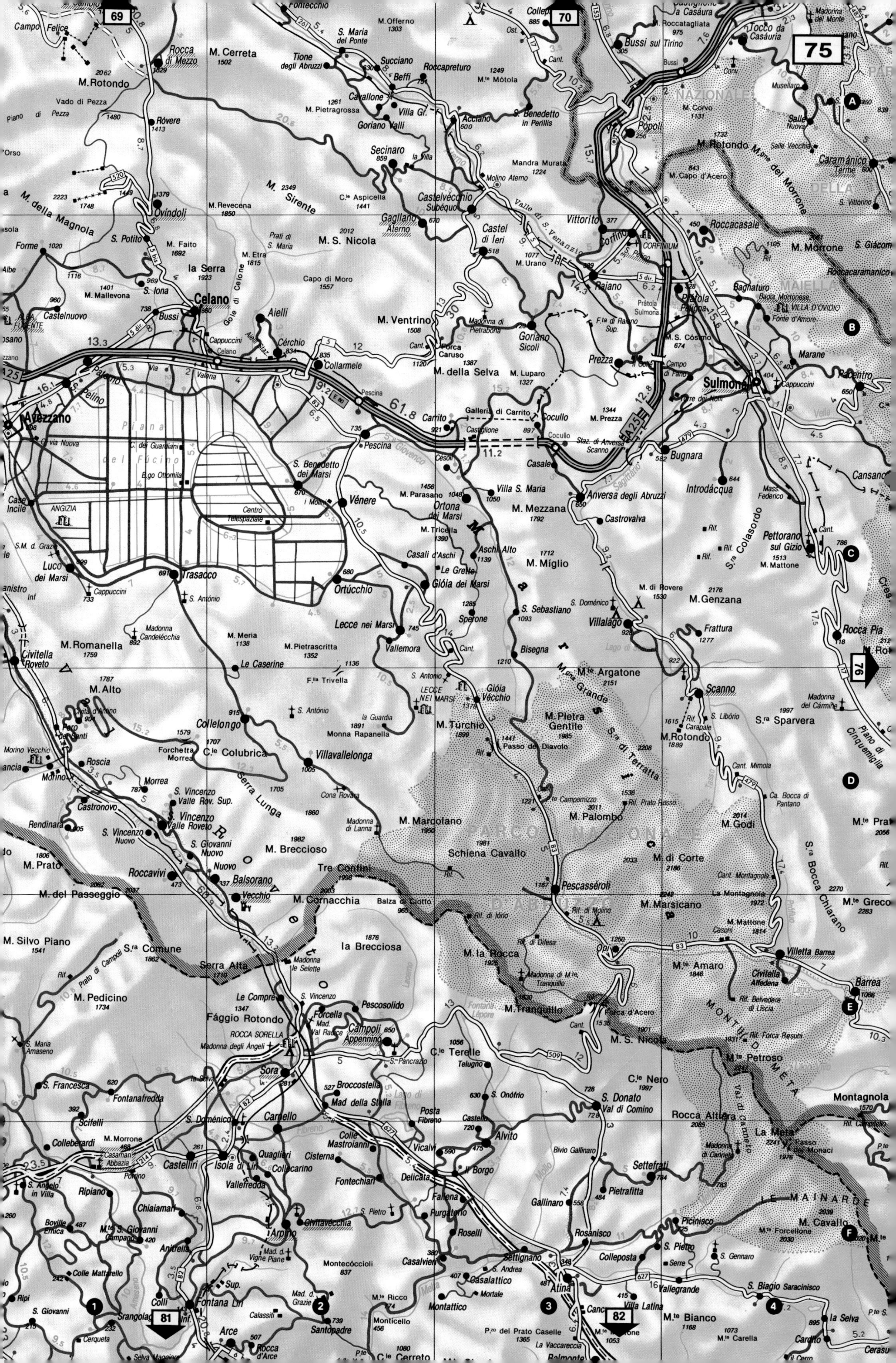

69
70
75
76
81
82
Campo Felice
Rocca di Mezzo
M. Cerreta
M. Rotondo
Vado di Pezza
Piano di Pezza
Rovere
Ovindoli
M. della Magnola
S. Potito
M. Faito
Forme
la Serra
Celano
S. Iona
M. Mallevona
Castelnuovo
Bussi
Aielli
Cerchio
Collarmele
Avezzano
S. Pelino
Piana del Fucino
C. dei Guardiani
B.go Ottomila
Centro Telespaziale
Case Incile
ANGIZIA
Luco dei Marsi
Trasacco
Ortucchio
Venere
S. Benedetto dei Marsi
Pescina
M. Sirente
M. S. Nicola
Capo di Moro
Prati di S. Maria
M. Revecena
Fontecchio
S. Maria del Ponte
Tione degli Abruzzi
M. Offerno
Succiano
Beffi
Roccapreturo
M.te Mòtola
Cavallone
Villa Gr.
M. Pietragrossa
Goriano Valli
Acciano
S. Benedetto in Perillis
Secinaro
la Villa
Mandra Murata
Molino Aterno
Castelvecchio Subequo
Gagliano Aterno
Castel di Ieri
Valle di S. Venanzio
M. Urano
M. Ventrino
Madonna di Pietrabona
Goriano Sicoli
Forca Caruso
M. della Selva
M. Luparo
Carrito
Galleria di Carrito
Cocullo
Castiglione
M. Prezza
Staz. di Anversa Scanno
Casale
Villa S. Maria
Ortona dei Marsi
M. Parasano
M. Mezzana
Anversa degli Abruzzi
Castrovalva
M. Tricella
Aschi Alto
Casali d'Aschi
Le Grotte
Gioia dei Marsi
M. Miglio
Sperone
S. Sebastiano
Lecce nei Marsi
Vallemora
Bisegna
Villalago
Lago di Scanno
M.te Argatone
Frattura
Scanno
M. Genzana
M. di Rovere
Pettorano sul Gizio
M. Mattone
Rocca Pia
Introdacqua
Bugnara
Sulmona
Cappuccini
Pacentro
Cansano
Prezza
Campo di Fano
Pratola Peligna
M. S. Cosimo
Raiano
Vittorito
Corfinio
CORFINIUM
Roccacasale
M. Morrone
Badia Morronese
VILLA D'OVIDIO
Fonte d'Amore
Marane
Bagnaturo
MAIELLA
Popoli
Bussi sul Tirino
Tocco da Casauria
M. Roccatagliata
M. Corvo
NAZIONALE
M. Rotondo
M.gne del Morrone
M. Capo d'Acero
Caramanico Terme
Salle Nuova
Salle Vecchia
S. Vittorino
Roccacaramanico
S. Giacomo
Musellaro
Madonna del Monte
M. Romanella
Civitella Roveto
M. Meria
M. Pietrascritta
Le Caserine
F.lla Trivella
S. Antonio
LECCE NEI MARSI
Gioia Vecchio
M. Turchio
Passo del Diavolo
M. Alto
Civita d'Antino
Pero dei Santi
Collelongo
C.le Colubrica
Forchetta Morrea
Villavallelonga
Monna Rapanella
la Guardia
Serra Lunga
Roscia
Morino
Morino Vecchio
Morrea
S. Vincenzo Valle Rov. Sup.
S. Vincenzo Valle Roveto
S. Vincenzo Nuovo
Castronovo
Rendinara
S. Giovanni Nuovo
Roccavivi
Balsorano Nuovo
Balsorano Vecchio
M. Breccioso
M. Marcolano
Schiena Cavallo
Madonna di Lanna
Cona Rovara
PARCO NAZIONALE D'ABRUZZO
M. Pietra Gentile
M.gna Grande
S.ra di Terratta
M. Palombo
Pescasseroli
M. di Corte
M. Godi
M. Marsicano
La Montagnola
Opi
M.te Amaro
Villetta Barrea
Civitella Alfedena
Barrea
M. Prato
M. del Passeggio
Tre Confini
M. Cornacchia
Balza di Ciotto
la Brecciosa
M. Silvo Piano
S.ra Comune
Serra Alta
Madonna le Selette
M. Pedicino
Le Compre
Faggio Rotondo
ROCCA SORELLA
Forcella
Pescosolido
Campoli Appennino
M. la Rocca
M. Tranquillo
Madonna di M.te Tranquillo
Forca d'Acero
M. S. Nicola
C.le Terelle
Telugno
C.le Nero
S. Onofrio
S. Donato Val di Comino
M.te Petroso
MONTI DELLA META
Rocca Altiera
La Meta
Passo dei Monaci
Montagnola
Sora
S. Maria Amaseno
S. Francesca
Fontanafredda
Scifelli
Broccostella
Mad. della Stella
Posta Fibreno
Lago di Fibreno
Colleberardi
M. Morrone
Casamari Abbazia
S. Domenico
Carnello
Castelliri
Isola di Liri
Quaglieri
Collecarino
Colle Mastroianni
Cisterna
Vicalvi
Alvito
Castello
Il Borgo
Settefrati
Pietrafitta
Gallinaro
Bivio Gallinaro
Madonna di Canneto
Val di Canneto
LE MAINARDE
M. Cavallo
M.te Forcellone
Picinisco
S. Pietro
Serre
S. Gennaro
S. Angelo in Villa
Ripiano
Chiaiamari
Vallefredda
Fontechiari
Delicata
Fallena
Purgatorio
Roselli
Rosanisco
Colleposta
Arpino
Civitavecchia
Boville Ernica
M.te S. Giovanni Campano
Anitrella
Montecoccioli
Casalvieri
Casalattico
Mortale
Settignano
Atina
Vallegrande
S. Biagio Saracinisco
Villa Latina
Colle Mattarello
Ripi
S. Giovanni
Strangolagalli
Colli
Fontana Liri
Arce
Rocca d'Arce
M.te Ricco
Santopadre
Monticello
C.le Cerreto
P.zo del Prato Caselle
La Vaccareccia
M.te Bianco
M.te Carella
la Selva
Cardito
Cerquete

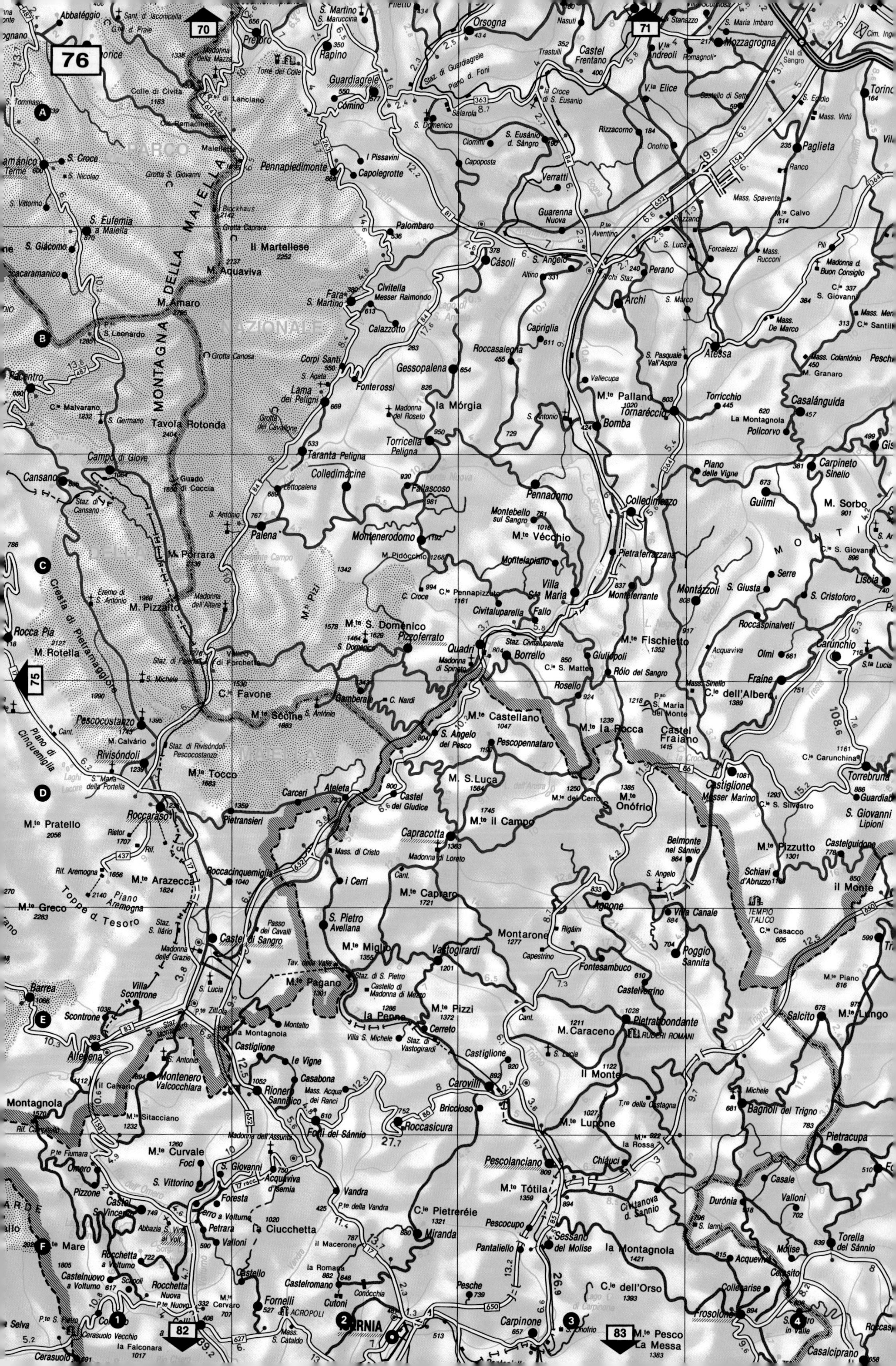

76
70
71
75
82
83
A
B
C
D
E
F
1
2
3
4
Abbatéggio
Pretoro
Rapino
S. Martino
Orsogna
Castel Frentano
Mozzagrogna
Guardiagrele
Comino
S. Domenico
Salarola
Piano d. Foni
Staz. di Guardiagrele
la Croce di S. Eusanio
V.la Elice
S. Eusanio d. Sangro
Ciommi
Capoposta
Rizzacorno
S. Onofrio
Paglieta
Torino
Mass. Virtù
S. Egidio
Val di Sangro
Cim. Ingl.
Stanazzo
S. Maria Imbaro
Andreoli
Romagnoli
Nasuti
Trastulli
Castello di Sette
Colle di Civita
P.so di Lanciano
Torre del Colle
Madonna della Mazza
Maielletta
Grotta S. Giovanni
S. Croce
S. Nicola
S. Vittorino
S. Eufemia a Maiella
S. Giácomo
Caramanico Terme
Blockhaus
Grotta Caprara
Il Martellese
M. Aquaviva
M. Amaro
PARCO
NAZIONALE
DELLA
MAIELLA
MONTAGNA DELLA MAIELLA
Pennapiedimonte
I Pissavini
Capolegrotte
Palombaro
Verratti
Guarenna Nuova
P.te Aventino
Cásoli
S. Angelo
Altino
Archi Staz.
Archi
Perano
S. Luca
Forcaiezzi
Piazzano
Mass. Spaventa
M.te Calvo
Mass. Rucconi
Pili
Madonna di Buon Consiglio
C.le S. Giovanni
Fara S. Martino
Civitella Messer Raimondo
Calazzotto
Lago di S. Angelo
Capriglia
Roccascalegna
S. Marco
Atessa
S. Pasquale Vall'Aspra
Mass. De Marco
Mass. Colantónio
M. Granaro
Casalánguida
S. Leonardo
Grotta Canosa
Pacentro
C.le Malvarano
S. Germano
Tavola Rotonda
Corpi Santi
S. Agata
Fonterossi
Lama dei Peligni
Madonna del Roseto
Gessopalena
la Mórgia
Vallecupa
M.te Pallano
Tornaréccio
Bomba
Torricchio
La Montagnola
Policorvo
Grotta del Cavallone
Taranta Peligna
Torricella Peligna
S. Antonio
Campo di Giove
Cansano
Staz. di Cansano
Guado di Coccia
Lettopalena
Colledimácine
Fallascoso
Fonte Nuova
Pennadomo
Piano delle Vigne
Carpineto Sinello
Guilmi
M. Sorbo
Colledimezzo
Palena
Montebello sul Sangro
M.te Vécchio
Montenerodomo
M. Pidócchio
M. Porrara
Pietraferrazzana
MONTI
C.le S. Giovanni
Serre
S. Giusta
Montázzoli
Lisoia
Eremo di S. Antonio
M. Pizzalto
Madonna dell'Altare
M.te Pizzi
C. Croce
C.le Pennapizzuto
Montelapiano
Villa S.ta Maria
Civitaluparella
Fallo
Monteferrante
S. Cristoforo
Roccaspinalveti
Rocca Pia
M. Rotella
Cresta di Pietramaggiore
M.te S. Domenico
Pizzoferrato
S. Domenico
Quadri
Madonna di Spineto
Staz. Civitaluparella
Borrello
C.le S. Matteo
Giuliopoli
L. Negro
M.te Fischietto
Acquaviva
Olmi
Carunchio
S.ta Lucia
Staz. di Palena
Valico di Forchetta
S. Michele
C.le Favone
Gamberale
C. Nardi
Rosello
Rólo del Sangro
Mass. Sinello
C.le dell'Albero
Fraine
P.so S. Maria del Monte
Pescocostanzo
M.te Secine
M.te Castellano
M.te la Rocca
Castel Fraiano
Cant.
Piano di Cinquemiglia
Staz. di Rivisóndoli Pescocostanzo
MAIELLA
S. Angelo del Pesco
Pescopennataro
la Croce
C.le Carunchina
Torrebruna
Rivisóndoli
M.te Tocco
Laghi Lecore
S. Maria della Portella
M. S.Luca
dell'Antra
M.te del Cerro
M.te Onófrio
Castiglione Messer Marino
Guardiab
M.te Pratello
Roccaraso
Pietransieri
Carceri
Ateleta
Castel del Giudice
M.te il Campo
C.le S. Silvestro
S. Giovanni Lipioni
Ristor
Rif.
Rif. Aremogna
M.te Arazecca
Roccacinquemiglia
Mass. di Cristo
Capracotta
Madonna di Loreto
Belmonte nel Sánnio
M.te Pizzutto
Castelguidone
Piano Aremogna
Toppe d. Tesoro
i Cerri
Cant.
M.te Capraro
S. Angelo
Schiavi d'Abruzzo
il Monte
M.te Greco
Staz. S. Ilário
Castel di Sangro
Passo dei Cavalli
S. Pietro Avellana
Agnone
Villa Canale
TEMPIO ITALICO
C.le Casacco
Madonna delle Grazie
M.te Miglio
Vastogirardi
Montarone
Rigáini
Capestrino
Poggio Sannita
Tav. della Valle
Staz. di S. Pietro
Castello di Madonna di Mezzo
Fontesambuco
Castelverrino
M.te Piano
Barrea
Villa Scontrone
S. Lucia
M.te Pagano
la Penne
M.te Pizzi
Salcito
M.te Lungo
Scontrone
P.te Zittola
Staz.
Montalto
la Montagnola
Cerreto
Villa S. Michele
Staz. di Vastogirardi
Cant.
M. Caraceno
Pietrabbondante
RUDERI ROMANI
Alfedena
S. Antonio
Castiglione
le Vigne
Casabona
Mass. Acqua dei Ranci
Castiglione
S. Lucia
Il Monte
Trigno
Montagnola
Il Calvario
Montenero Valcocchiara
Rionero Sannitico
Carovilli
Briccioso
T.re della Castagna
Michele
Bagnoli del Trigno
M.te Sitacciano
Forli del Sánnio
Roccasicura
M.te Lupone
Madonna dell'Assunta
M.te la Rossa
Pietracupa
P.te Fiumara
M.te Curvale
Foci
Pescolanciano
Chiáuci
Omero
S. Giovanni
S. Vittorino
Acquaviva d'Isernia
Vandra
Casale
Valloni
Pizzone
Foresta
P.te della Vandra
C.le Pietreréie
M.te Tótila
Durónia
Castel S. Vincenzo
Ferro a Volturno
Abbazia S. Vinc. al Volt.
la Ciucchetta
Pescocupo
Civitanova d. Sannio
S. Ianni
Petrara
Valloni
Miranda
Sessano del Molise
Molise
Torella del Sánnio
Rocchetta a Volturno
il Macerone
Pantaliello
la Montagnola
Acquevive
Castelnuovo a Volturno
Scapoli
Rocchetta Nuova
Castello
La Romana
Castelromano
Conócchia
Cutoni
Pesche
C.le dell'Orso
Lago di Carpinone
Colle d'Anchise
Cercesito
M.te Cervaro
P.te Nuovo
Fornelli
ACROPOLI
ISERNIA
Carpinone
S. Onofrio
M.te Pesco La Messa
Frosolone
in Valle
Casalciprano
Selva
P.te S. Pietro
Cerasuolo Vecchio
la Falconara
Cerasuolo
Mass. S. Cataldo
Mare
ARDE
Volturno

71

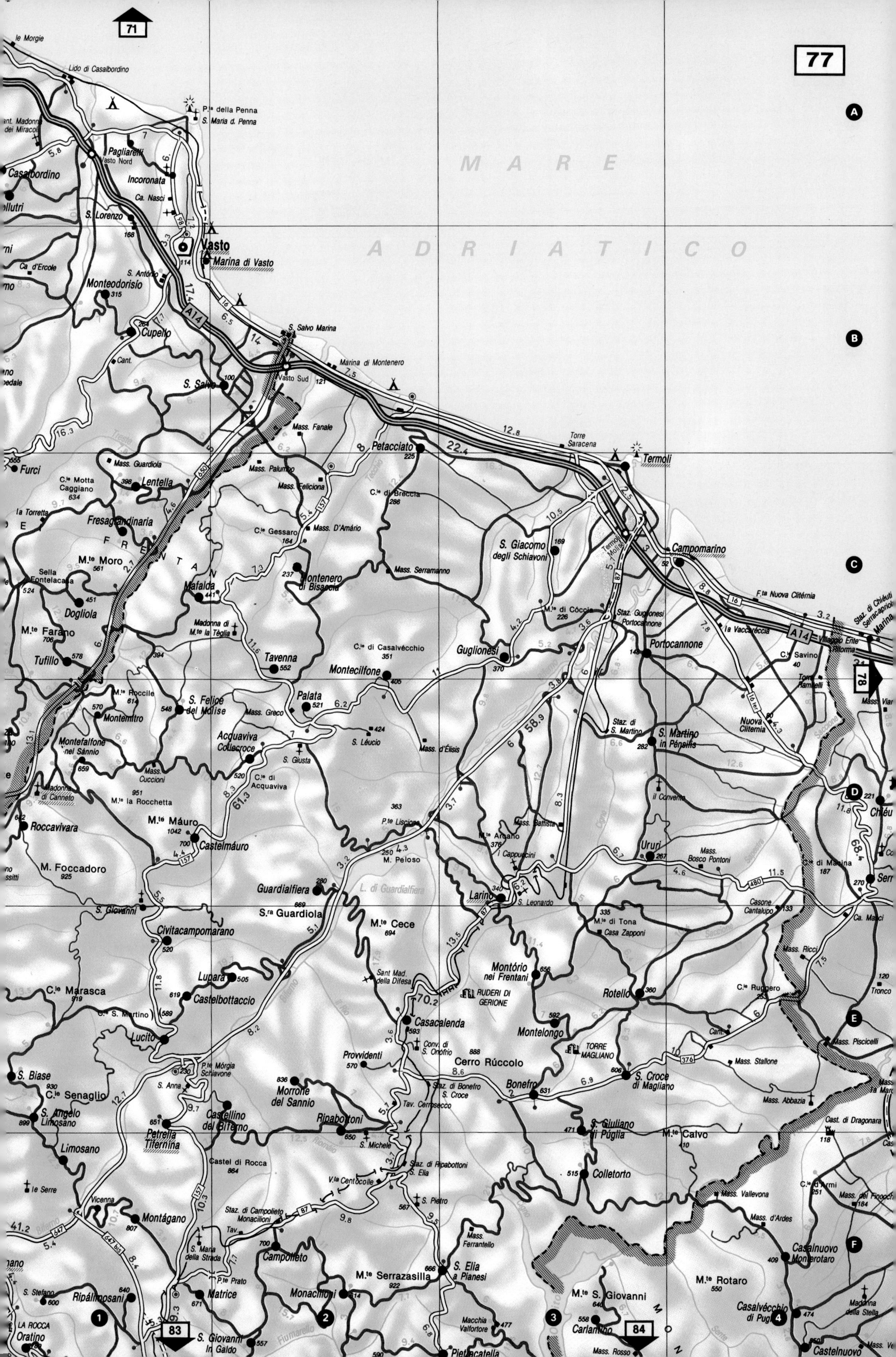
A
B
C
D
E
F
1
2
3
4
MARE
ADRIATICO
le Morgie
Lido di Casalbordino
P.ta della Penna
S. Maria d. Penna
Ant. Madonna dei Miracoli
Pagliarelli
Vasto Nord
Casalbordino
Incoronata
Ca. Nasci
S. Lorenzo
Vasto
Marina di Vasto
Ca d'Ercole
S. Antonio
Monteodorisio
A14
Cupello
S. Salvo Marina
Marina di Montenero
Cant.
S. Salvo
Vasto Sud
Mass. Fanale
Petacciato
Torre Saracena
Termoli
Furci
Mass. Guardiola
Mass. Palumbo
Mass. Feliciona
C.le Motta Caggiano
Lentella
C.le di Breccia
la Torretta
Fresagrandinaria
C.le Gessaro
Mass. D'Amário
S. Giacomo degli Schiavoni
Campomarino
M.te Moro
Sella Fontelacasa
Mafalda
Montenero di Bisaccia
Mass. Serramanno
Dogliola
M.te di Cóccia
Staz. Guglionesi Portocannone
F.ta Nuova Clitérnia
la Vaccaréccia
Staz. di Chiéuti Serracapriola
Villaggio Ente Riforma
Marina
M.te Farano
Madonna di M.te la Téglia
Tavenna
C.le di Casalvécchio
Guglionesi
Portocannone
C.le Savino
Torre Ramelli
Tufillo
Montecilfone
M.te Roccile
Montemitro
S. Felice del Molise
Palata
Mass. Greco
Acquaviva Collecroce
S. Leúcio
Mass. d'Elisis
Staz. di S. Martino
S. Martino in Pénsilis
Nuova Clitérnia
Montefalfone nel Sánnio
S. Giusta
Mass. Cuccioni
C.le di Acquaviva
Madonna di Canneto
M.te la Rocchetta
Roccavivara
M.te Máuro
Castelmáuro
P.te Liscione
il Convento
Chiéu
M.te Arcano
Mass. Battista
i Cappuccini
Ururi
Mass. Bosco Pontoni
C.le di Marina
M. Foccadoro
M. Peloso
L. di Guardialfiera
Guardialfiera
Larino
S. Leonardo
Serr
S. Giovanni
S.ra Guardiola
M.te Cece
M.te di Tona
Casa Zapponi
Casone Cantalupo
Ca. Masci
Civitacampomarano
Mass. Ricci
Lupara
Sant Mad. della Difesa
Montório nei Frentani
C.le Marasca
Castelbottaccio
C.le S. Martino
RUDERI DI GERIONE
Rotello
C.le Ruggero
Tronco
Casacalenda
Montelongo
Lucito
Conv. di S. Onofrio
Provvidenti
TORRE MAGLIANO
Mass. Piscicelli
P.te Mórgia Schiavone
Cerro Rúccolo
Mass. Stallone
S. Biase
S. Anna
Staz. di Bonefro S. Croce
Bonefro
S. Croce di Magliano
C.le Senaglio
Morrone del Sannio
Tav. Cerrosecco
Mass. Abbazia
S. Angelo Limosano
Petrella Tifernina
Castellino del Biferno
Ripabottoni
S. Giuliano di Púglia
M.te Calvo
Cast. di Dragonara
S. Michele
Limosano
Castel di Rocca
Staz. di Ripabottoni S. Elia
V.la Centocolle
Colletorto
C.le d'Armi
le Serre
S. Pietro
Mass. Vallevona
Mass. dei Finocchi
Vicenna
Montágano
Staz. di Campolieto Monacilioni
Mass. d'Ardes
Tav.
S. Maria della Strada
Mass. Ferrantello
Campolieto
Casalnuovo Monterotaro
M.te Rotaro
P.te Prato
S. Stefano
Ripalimosani
Matrice
M.te Serrazasilla
S. Elia a Pianesi
M.te S. Giovanni
Monacilioni
Madonna della Stella
Casalvécchio di Púglia
LA ROCCA
Oratino
S. Giovanni in Galdo
Macchia Valfortore
Carlantino
Mass. Rosso
Pietracatella
Castelnuovo
Fiumarello
Biferno
Cigno
Saccione
Trigno
Tecchio
Sente
FRENTANI

78

83

84

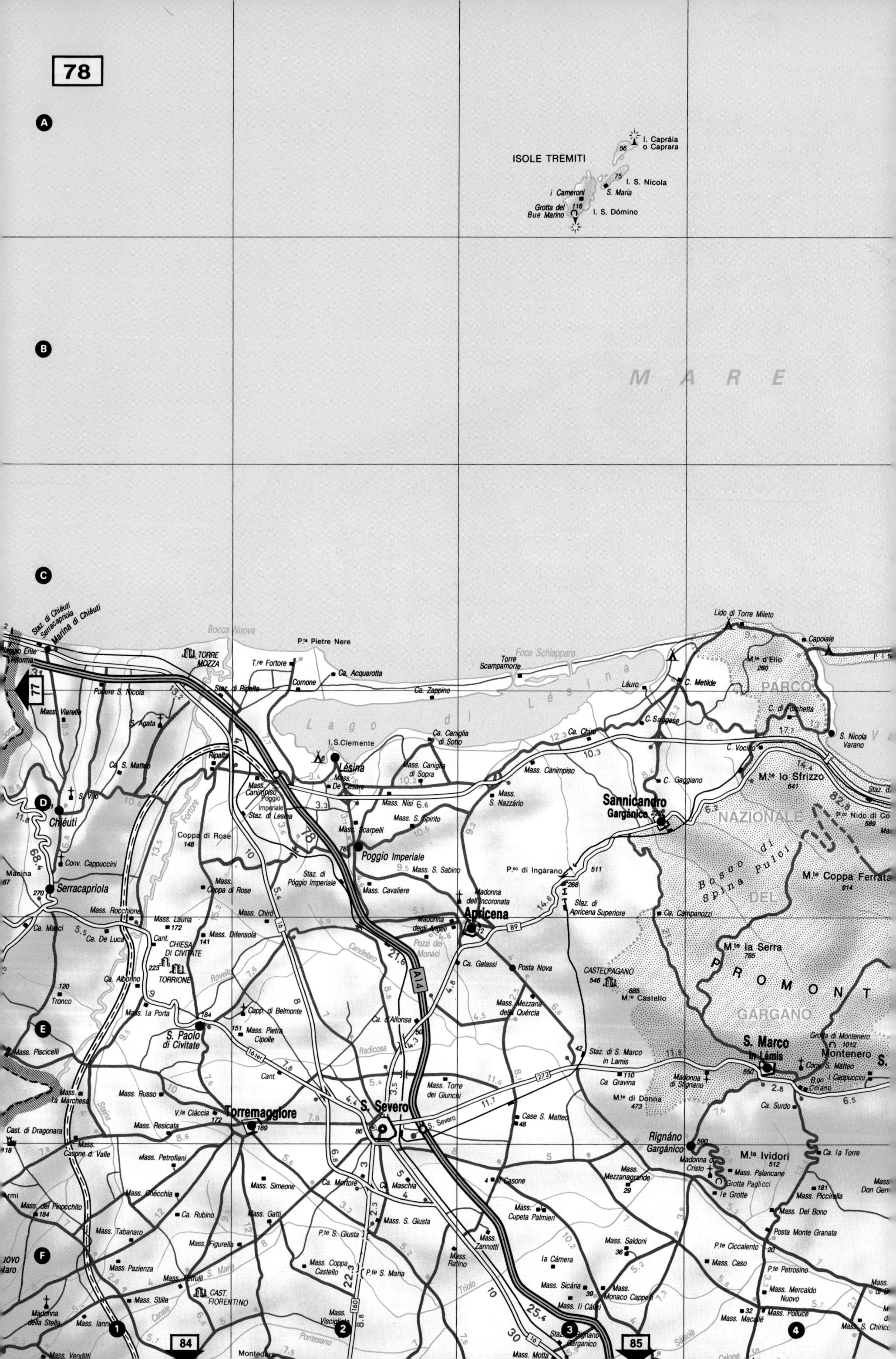

ISOLE TREMITI
I. Capráia o Caprara
I. S. Nicola
S. Maria
i Cameroni
Grotta del Bue Marino
I. S. Dómino
M A R E
Lago di Lésina
Lésina
Poggio Imperiale
Apricena
Sannicandro Gargánico
S. Marco in Lamis
Rignáno Gargánico
S. Severo
Torremaggiore
S. Paolo di Civitate
Serracapriola
Chiéuti
Marina di Chiéuti
PARCO NAZIONALE DEL GARGANO
PROMONT
Bosco di Spina Pulci
M.te Coppa Ferrata
M.te lo Sfrizzo
M.te la Serra
M.te Castello
M.te Ividori
S. Nicola Varano
Lido di Torre Mileto
Capoiale
TORRE MOZZA
CHIESA DI CIVITATE
TORRIONE
CAST. FIORENTINO
CASTELPAGANO
Madonna della Stella
A14
16
89
272
160
77
84
85

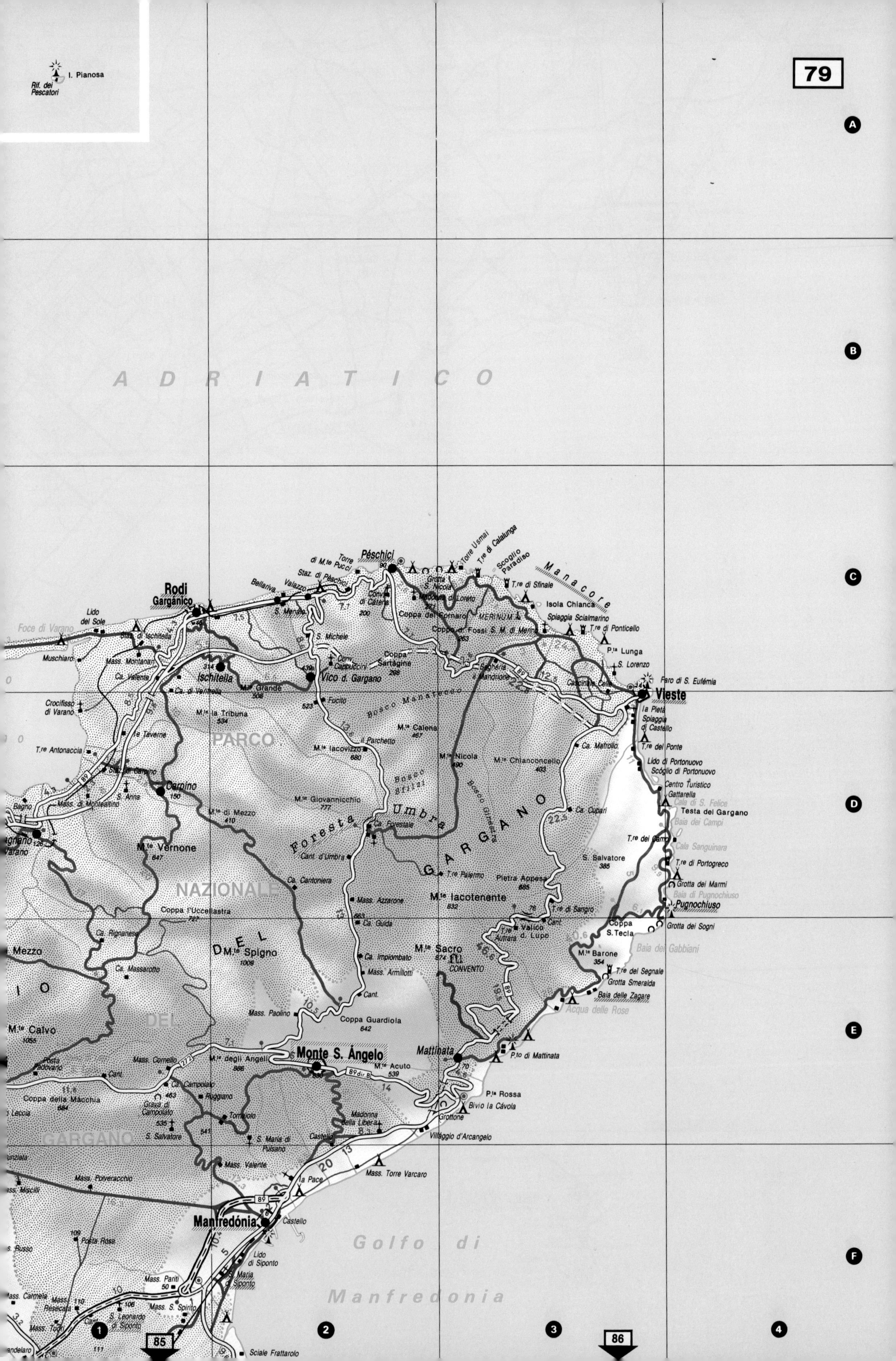

A

B

C

D

E

F

1   2   3   86   4

Rif. dei Pescatori
I. Pianosa

ADRIATICO

Rodi Gargánico
Lido del Sole
Foce di Varano
Muschiaro
Mass. Montanari
Crocifisso di Varano
Ca. Valente
Ischitella
T.re Antonaccia
St.ne del Camino
Ca. di Ventrella
Carpino
S. Anna
Mass. di Montefalmo
Bagno
M.te Vernone 647
M.te di Mezzo 410
PARCO
Péschici
di M.te Pucci
Torre
Staz. di Péschici
Bellariva
Valazzo
S. Menaia
S. Michele
Conv. Cappuccini
M.te la Tribuna 534
M.te Iacovizzo 680
Fucito
Grande 506
Vico d. Gargano
Coppa Sartàgine 298
il Parchetto
Bosco Manatreddo
M.te Calena 467
Conv. di Catena 200
Torre Usmai
Grotta S. Nicola
Madonna di Loreto
Coppa del Fornaro
Coppa d. Fossi S. M. di Merino
MERINUM
T.re di Calalunga
Scoglio Paradiso
Manacore
T.re di Sfinale
Isola Chianca
Spiaggia Scialmarino
T.re di Ponticello
P.ta Lunga
S. Lorenzo
Faro di S. Eufémia
Vieste
Segheria il Mandrione
M.te Nicola 490
M.te Chianconcello 403
Bosco Sfilzi
Ca. Matrolla
la Pietà
Spiaggia di Castello
T.re del Ponte
Lido di Portonuovo
Scóglio di Portonuovo
Centro Turistico Gattarella
M.te Giovannicchio 777
Foresta
Ca. Forestale
GARGANO
Bosco Quarto
UMBRA
Ca. Cupari
Ca. Matrolla
Cala di S. Felice
Testa del Gargano
Baia dei Campi
Cala Sanguinara
T.re di Portogreco
Grotta dei Marmi
Baia di Pugnochiuso
Cant. d'Umbra
NAZIONALE
Ca. Cantoniera
Coppa l'Uccellastra 727
Ca. Rignanese
M.te Calvo 1055
Mezzo
Ca. Massarotte
DM.te Spigno 1008
DEL
Ca. Impiombato
Mass. Armillotti
Mass. Azzarone
Ca. Guida
M.te Iacotenente 832
CONVENTO
T.re Palermo
Pietra Appesa 685
M.te Sacro 874
T.re di Sangro
Cant.
T.re Valico
Autrara d. Lupo
S. Salvatore 385
Pugnochiuso
Grotta dei Sogni
Coppa S. Tecla
Baia del Gabbiani
M.te Barone 354
T.re del Segnale
Grotta Smeralda
Baia delle Zagare
Acqua delle Rose
Mass. Paolino
Cant.
Coppa Guardiola 642
Mattinata
P.to di Mattinata
Coppa della Macchia 684
Mass. Cornello
Cant.
Ca. Campolato
Ruggiano
Grava di Campolato 535
Torriviole
S. Salvatore
GARGANO
M.te degli Angeli 886
Monte S. Ángelo
M.te Acuto 539
S. Maria di Pulsano
Castello
Madonna della Libera
Grottone
P.ta Rossa
Bivio la Cávola
Villággio d'Arcangelo
Mass. Valente
Mass. Polveraccio
la Pace
Mass. Torre Varcaro
Manfredónia
Castello
Golfo di
Lido di Siponto
Maria Siponto
Siponto
Mass. Pariti 50
Mass. Miscilli
Mass. Carmela
Mass. Respecala
Mass. S. Spirito
Mass. Toro
Russo
Posta Rosa
Pósta Padovana
Coppa della Macchia 684
Lecoia
Puntata
S. Leonardo di Siponto
Sciale Frattarolo
Manfredonia

85
86

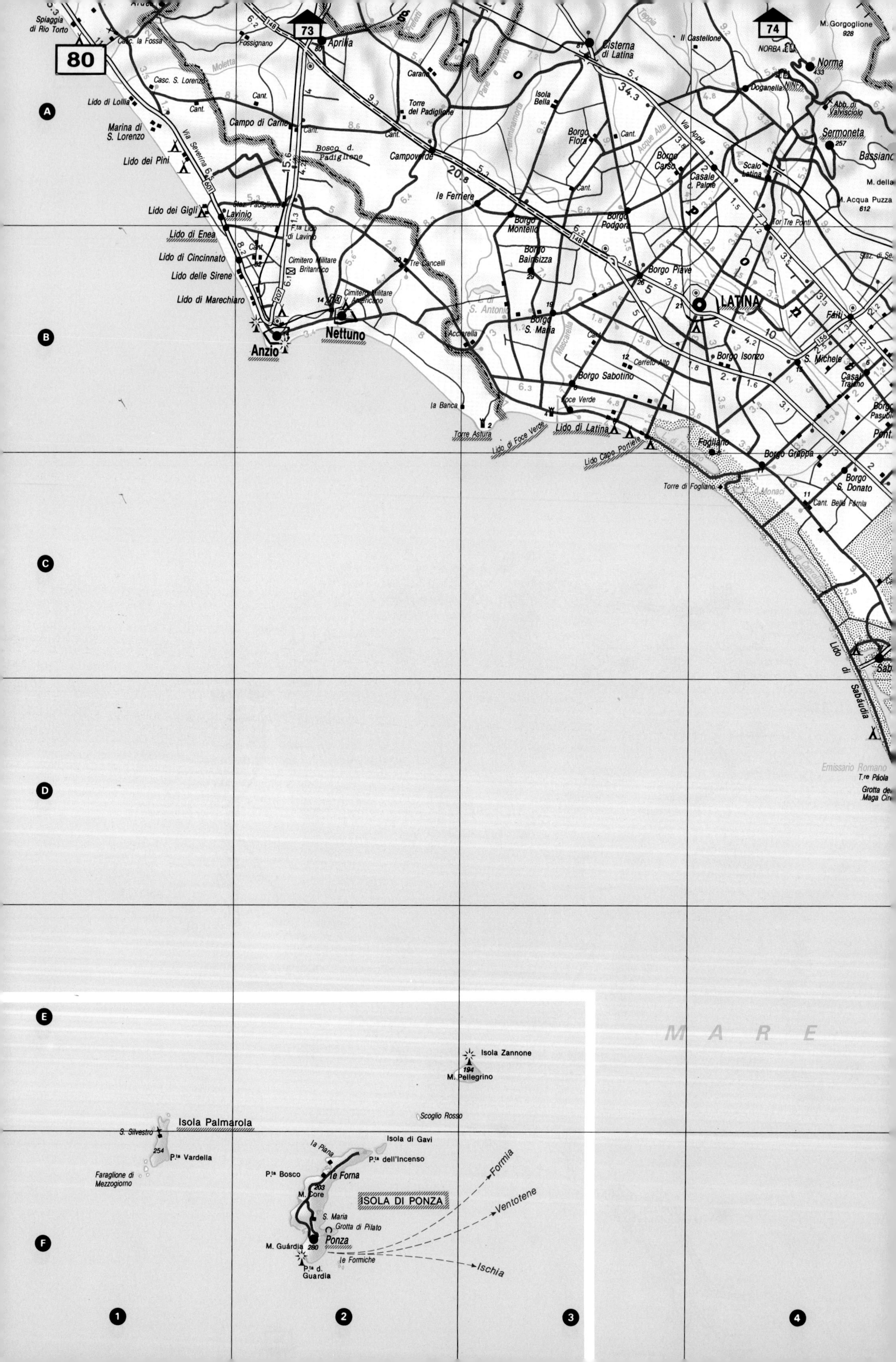
80
73
74
A
B
C
D
E
F
1
2
3
4
Spiaggia di Rio Torto
Casc. la Fossa
Fossignano
Aprilia
Cisterna di Latina
Il Castellone
M. Gorgoglione 928
NORBA
Norma
Ninfa
Doganella
Abb. di Valvisciolo
Sermoneta
Bassiano
M. della
M. Acqua Puzza 612
Casc. S. Lorenzo
Lido di Lollia
Marina di S. Lorenzo
Lido dei Pini
Via Severina
Campo di Carne
Bosco d. Padiglione
Carano
Torre del Padiglione
Campoverde
Isola Bella
Borgo Flora
Borgo Carso
Casale d. Palme
Via Appia
Scalo Latina
Acque Alte
le Ferriere
Lido dei Gigli
Lavinio
Staz. Padiglione
Lido di Enea
F.ta Lido di Lavinio
Lido di Cincinnato
Lido delle Sirene
Lido di Marechiaro
Cimitero Militare Britannico
Tre Cancelli
Cimitero Militare Americano
Borgo Montello
Borgo Bainsizza
Borgo Podgora
Tor Tre Ponti
Borgo Piave
LATINA
Fàiti
Staz. di Se
Anzio
Nettuno
Acciarella
L. di S. Antonio
Borgo S. Maria
Mascarella
Cerreto Alto
Borgo Isonzo
S. Michele
Casal Traiano
Borgo Sabotino
Foce Verde
la Banca
Torre Astura
Lido di Foce Verde
Lido di Latina
Lido Capo Portiere
L. di Fogliano
Fogliano
Borgo Grappa
Borgo Pasubio
Torre di Fogliano
L. d. Monaci
Borgo S. Donato
Cant. Bella Farnia
L. di Caprolace
Lido di Sabaudia
Emissario Romano
T.re Pàola
Grotta della Maga Circe
M A R E
Isola Zannone
M. Pellegrino
Scoglio Rosso
Isola Palmarola
S. Silvestro
P.ta Vardella
Faraglione di Mezzogiorno
Isola di Gavi
la Piana
P.ta dell'Incenso
P.ta Bosco
le Forna
M. Core
ISOLA DI PONZA
S. Maria
Grotta di Pilato
M. Guàrdia
Ponza
le Formiche
P.ta d. Guardia
Formia
Ventotene
Ischia

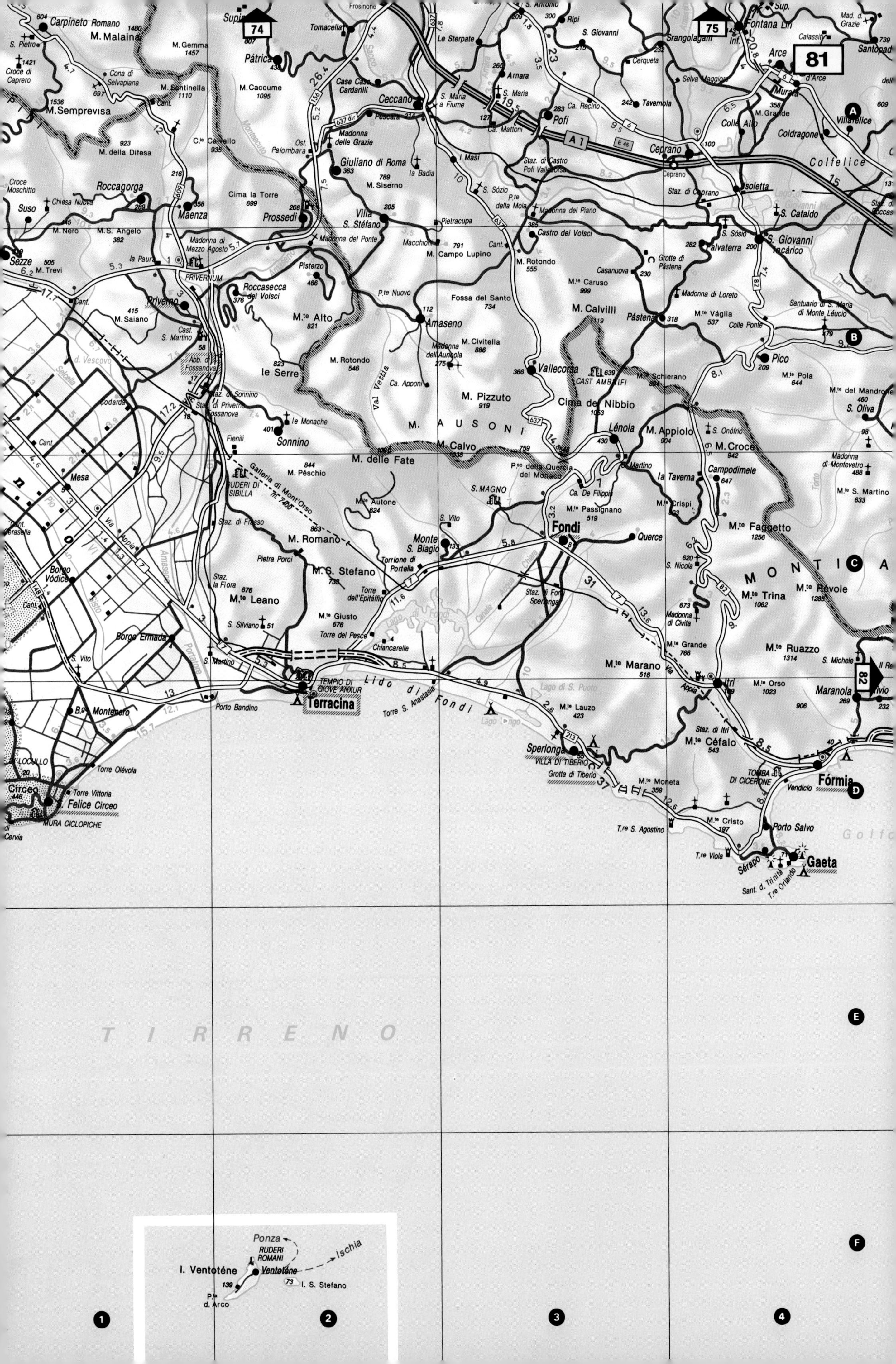

74
75
81
82
Carpineto Romano
M. Malaina
M. Gemma
Pátrica
Tomacella
Frosinone
Le Sterpate
S. Antonio
Ripi
S. Giovanni
Srangolagalli
Fontana Liri
Arce
Santopadre
Mad. d. Grazie
Calassiti
S. Pietro
Croce di Caprero
Cona di Selvapiana
M. Caccume
M. Sentinella
M. Semprevisa
Case Cardarilli
Ceccano
S. Maria a Fiume
Arnara
S. Maria
Cerqueta
Tavernola
Selva Maggiore
Murata
M. Grande
Villafelice
Pofi
Ca. Recino
Ca. Mattoni
Colle Alto
Coldragone
Colfelice
Pescara
Madonna delle Grazie
C.le Calvello
Ost. Palombara
Giuliano di Roma
la Badia
I Masi
Staz. di Castro Pofi Vallecorsa
Ceprano
Staz. di Ceprano
Isoletta
Lago di Giovanni Inc.
S. Cataldo
M. della Difesa
M. Siserno
S. Sózio
P.te della Mola
Madonna del Piano
Croce Moschitto
Roccagorga
Cima la Torre
Suso
Chiesa Nuova
Maenza
Prossedi
Villa S. Stéfano
Pietracupa
Castro dei Volsci
S. Sósio
Falvaterra
S. Giovanni Incárico
M. Nero
M.S. Angelo
Madonna di Mezzo Agosto
Madonna del Ponte
Macchioni
M. Campo Lupino
Cant.
M. Rotondo
Grotte di Pastena
Sezze
M. Trevi
la Paura
PRIVERNUM
Pisterzo
Casanuova
M.te Caruso
Roccasecca dei Volsci
P.te Nuovo
Fossa del Santo
Madonna di Loreto
Priverno
M. Saiano
M.te Alto
Amaseno
M. Calvilli
Pástena
M.te Váglia
Santuario di S. Maria di Monte Léucio
Colle Ponte
Cast. S. Martino
d. Vescovo
Madonna dell'Auricola
M. Civitella
Abb. di Fossanova
M. Rotondo
le Serre
Vallecorsa
CAST. AMBRIFI
M. Schierano
Pico
M. Pola
Codarda
Staz. di Sonnino
Staz. di Priverno Fossanova
Ca. Apponi
Val Vettia
M. Pizzuto
Cima del Nibbio
M.te del Mandrone
S. Oliva
le Monache
Sonnino
M. AUSONI
Lénola
M. Appiolo
S. Onófrio
M. Croce
Cant.
Fienili
M. Calvo
M. delle Fate
P.so della Quercia del Monaco
S. Martino
la Taverna
Campodimele
Madonna di Montevetro
RUDERI DI SIBILLA
Galleria di Mont'Orso
M. Péschio
S. MAGNO
Ca. De Filippis
M.te Crispi
M.te S. Martino
Mesa
M.te Autone
M.te Passignano
S. Vito
Staz. di Frasso
M. Romano
Monte S. Biagio
Fondi
Querce
M.te Faggetto
Via Appia
Pietra Porci
Torrione di Portella
S. Nicola
M O N T I
Borgo Vódice
Staz. la Fiora
M.te Leano
M.S. Stefano
Torre dell'Epitaffio
Lago di Fondi
Staz. di Fondi Sperlonga
M.te Trina
M.te Révole
Madonna di Civita
S. Silviano
M.te Giusto
Torre del Pesce
Chiancarelle
Borgo Ermada
M.te Grande
M.te Ruazzo
S. Michele
S. Vito
S. Martino
M.te Marano
Itri
M.te Orso
Maranola
TEMPIO DI GIOVE ANXUR
Terracina
Lido di Fondi
Porto Bandino
Torre S. Anastasia
Lago di S. Puoto
M.te Lauzo
Lago Lungo
B.go Montenero
Staz. di Itri
M.te Céfalo
Sperlonga
VILLA DI TIBERIO
Grotta di Tiberio
Torre Olévola
TOMBA DI CICERONE
Fórmia
Vendicio
Circeo
S. Felice Circeo
Torre Vittoria
MURA CICLOPICHE
M.te Moneta
M.te Cristo
T.re S. Agostino
Porto Salvo
Golfo
T.re Viola
Sérapo
Gaeta
Sant. d. Trinità
T.re Orlando
TIRRENO
Ponza
RUDERI ROMANI
Ischia
I. Ventoténe
Ventoténe
I. S. Stefano
P.ta d. Arco
A
B
C
D
E
F
1
2
3
4

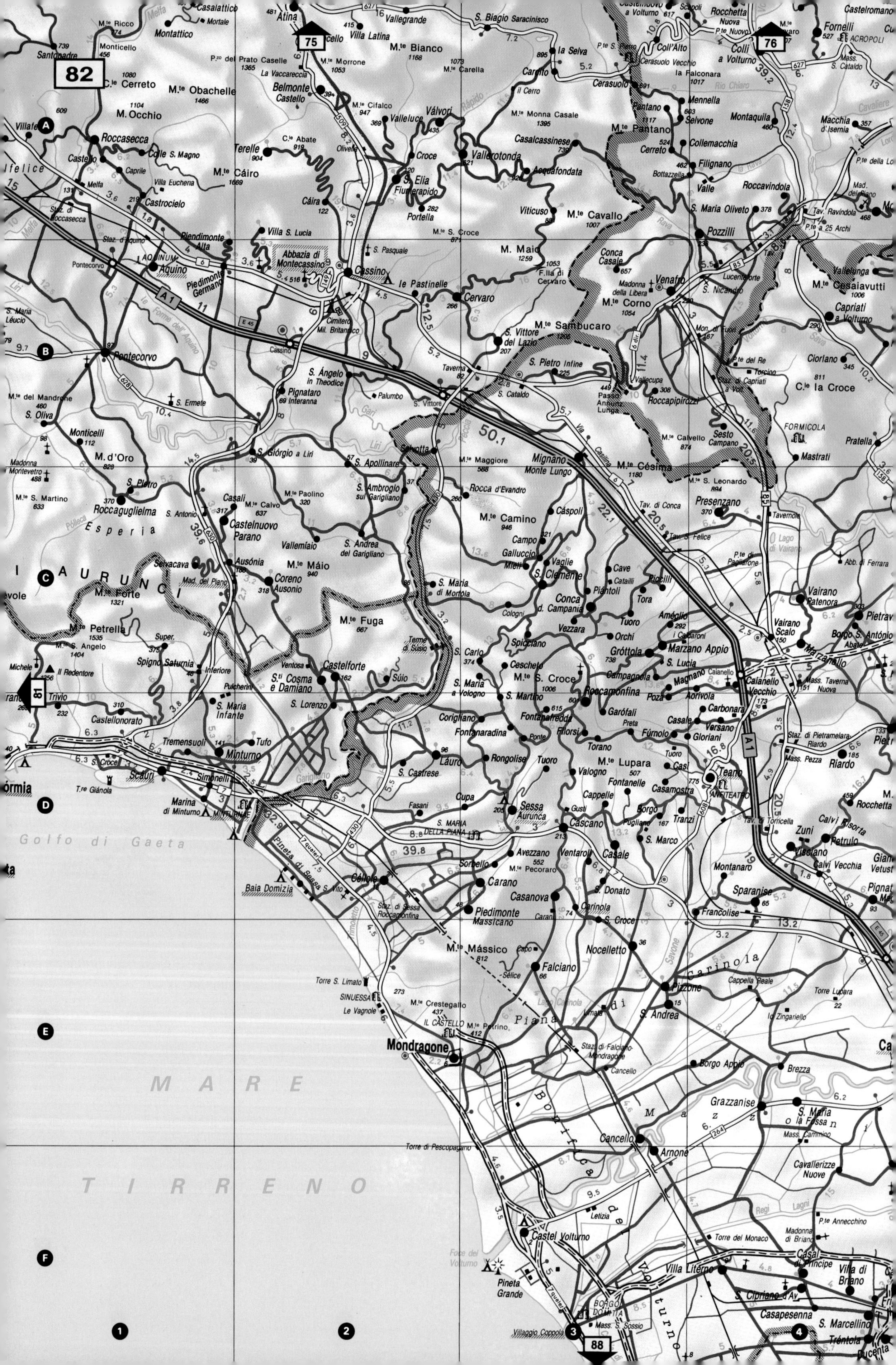
82
75
76
81
88
Casalattico
Mortale
Montattico
M.te Ricco
Monticello
Santopadre
C.le Cerreto
M.te Obachelle
M. Occhio
P.zo del Prato Caselle
La Vaccareccia
Atina
Cello
Villa Latina
Vallegrande
M.te Bianco
M.te Morrone
M.te Carella
S. Biagio Saracinisco
la Selva
Cardito
Il Cerro
Belmonte Castello
M.te Cifalco
Valleluce
Válvori
M.te Monna Casale
Casalcassinese
Vallerotonda
Acquafondata
Viticuso
M.te Cavallo
Villafe
Roccasecca
Castello
Colle S. Magno
Caprile
Terelle
C.le Abate
M.te Cáiro
Villa Euchenia
Olivella
Croce
S. Elia Fiumerapido
Portella
Cáira
Melfa
Castrocielo
Staz. di Roccasecca
Staz. d'Aquino
Piedimonte Alta
Villa S. Lucia
Abbazia di Montecassino
S. Pasquale
M.te S. Croce
M. Maio
F.lla di Cervaro
Aquino
AQUINUM
Piedimonte Germano
Pontecorvo
Cassino
le Pastinelle
Cervaro
Cimitero Mil. Britannico
A1
E 45
Le Forme dell'Aquino
S. Maria Léucio
Pontecorvo
S. Ángelo in Theodice
Pignataro Interanna
Palumbo
S. Vittore
Taverna
S. Vittore del Lazio
M.te Sambucaro
S. Pietro Infine
S. Cataldo
S. Ermete
M.te del Mandrone
S. Oliva
Monticelli
M. d'Oro
Madonna Montevetro
M.te S. Martino
S. Pietro
Roccaguglielma
S. Antonio
Esperia
Gari
Liri
S. Giórgio a Liri
S. Apollinare
S. Ambrogio sul Garigliano
M.te Paolino
Casali
M.te Calvo
Castelnuovo Parano
Vallemáio
S. Andrea del Garigliano
Selvacava
AURUNCI
Ausónia
Coreno Ausonio
M.te Máio
M.te Forte
Mad. del Piano
M.te Petrella
M.te S. Angelo
Il Redentore
Super.
Spigno Saturnia
Inferiore
Pulcherini
S. Maria Infante
Ventosa
S.ti Cosma e Damiano
Castelforte
Súio
Terme di Súio
M.te Fuga
S. Lorenzo
Trivio
Castellonorato
Tremensuoli
Minturno
Tufo
Scauri
S. Croce
Simonelli
T.re Gianola
Formia
Marina di Minturno
MINTURNAE
Golfo di Gaeta
Garigliano
Pineta di Sessa
Baia Domizia
S. Vito
Cellole
Staz. di Sessa Roccamonfina
Torre S. Limato
SINUESSA
Le Vagnole
M.te Crestegallo
IL CASTELLO
M.te Petrino
Mondragone
MARE
TIRRENO
Torre di Pescopagano
Castel Volturno
Foce del Volturno
Pineta Grande
BORGO DOMITIA
Villaggio Coppola
Mass. S. Sossio
Salvatito
Rocca d'Evandro
M.te Maggiore
Mignano Monte Lungo
M.te Camino
Cáspoli
Campo
Galluccio
Mieli
Vaglie
S. Clemente
S. Maria di Mortola
Conca d. Campania
Cologni
Vezzara
Spicciano
S. Carlo
Ceschito
M.te S. Croce
S. Maria a Vologno
S. Martino
Corigliano
Fontanaradina
Fontanafredda
Ponte
Rongolise
Lauro
S. Castrese
Tuoro
Filorsi
Roccamonfina
Cupa
Fasani
Sessa Aurunca
S. MARIA DELLA PIANA
Avezzano
M.te Pecoraro
Sorbello
Carano
Piedimonte Massicano
Casanova
Ventaroli
Cascano
Gusti
Casale
S. Donato
Carinola
S. Croce
M.te Mássico
Falciano
Sélice
Nocelletto
Piana di Carinola
Pizzone
S. Andrea
Staz. di Falciano-Mondragone
Cancello
Borgo Appio
Brezza
Grazzanise
S. Maria la Fossa
Mass. Cammino
Cancello
Arnone
Cavallerizze Nuove
Letizia
Bonifica del Volturno
Mazzoni
Torre del Monaco
P.te Annecchino
Madonna di Briano
Casal di Principe
Villa Literno
Villa di Briano
S. Cipriano d'Av.
Casapesenna
S. Marcellino
Trentola
Ducenta
Castelnuovo a Volturno
Scapoli
Rocchetta Nuova
P.te Nuovo
Colli a Volturno
Castelromano
Fornelli
ACROPOLI
Mass. S. Cataldo
Coll'Alto
Cerasuolo Vecchio
la Falconara
Rio Chiaro
Cerasuolo
Mennella
Selvone
Pantano
M.te Pantano
Cerreto
Collemacchia
Filignano
Bottazzella
Montaquila
Macchia d'Isernia
Valle
Roccavindola
S. Maria Oliveto
Pozzilli
Tav. Ravindola
P.te a 25 Archi
Conca Casale
Madonna della Libera
Venafro
M.te Corno
S. Nicandro
Lucente forte
Vallelunga
M.te Cesaiavutti
Capriati a Volturno
Mon. di Fuori
Vallecupa
Passo Annunziata Lunga
Roccapipirozzi
P.te del Re
Torcino
Staz. di Capriati a Volt.
Ciorlano
C.le la Croce
FORMICOLA
Pratella
Sesto Campano
M.te Calvello
M.te Césima
M.te S. Leonardo
Mastrati
Via Casilina
Tav. di Conca
Tav. S. Felice
Presenzano
Tavernola
Lago di Vairano
P.te di Pagliarone
Abb. di Ferrara
Cave
Cataiili
Piantoli
Tora
Piccilli
Tuoro
Orchi
Améglio
i Cafaroni
Gróttola
Marzano Appio
S. Lucia
Campagnola
Magnano
Calanello
Poza
Aorivola
Carbonara
Versano
Casale
Gloriani
Fúrnolo
Garófali
Preta
Torano
Tuoro
Casi
M.te Lupara
Valogno
Fontanelle
Cappelle
Casamostra
Borgo
Pugliano
Tranzi
S. Marco
Teano
ANFITEATRO
Vairano Patenora
Vairano Scalo
Marzanello
Pietravairano
Borgo S. Antonio Abate
Calanello Vecchio
Mass. Taverna Nuova
Staz. di Pietramelara-Riardo
Mass. Pezza
Riardo
Rocchetta
Tav. di Torricella
Zuni
Calvi Risorta
Visciano
Petrulo
Calvi Vecchia
Montanaro
Sparanise
Francolise
Cappella Reale
Torre Lupara
lo Zingariello

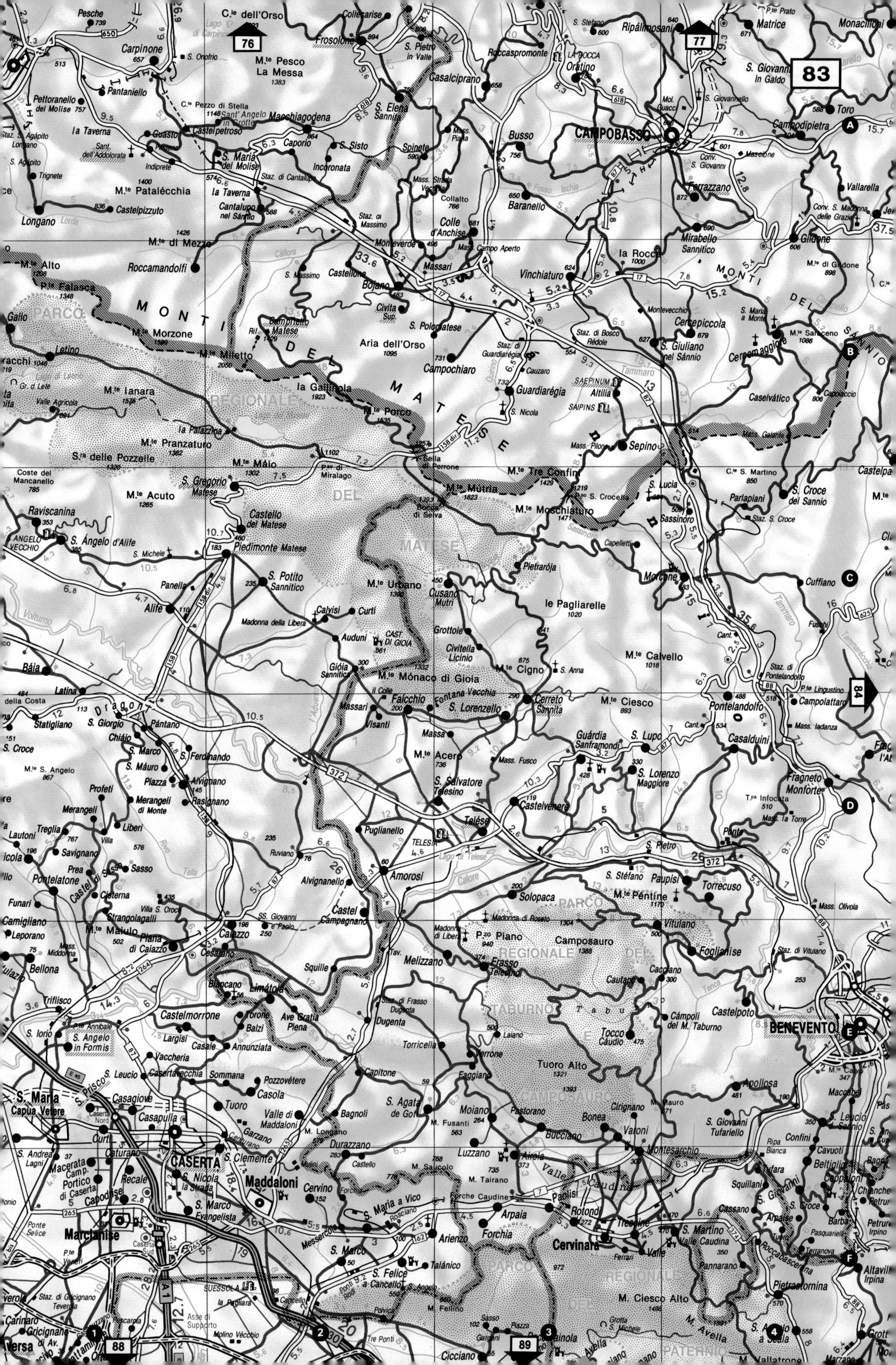

83
76
77
84
88
89
A
B
C
D
E
F
1
2
3
4
Pesche
C.le dell'Orso
Collecarise
Frosolone
Ripalimosani
Matrice
Monacilioni
Carpinone
M.te Pesco
La Messa
S. Pietro in Valle
Roccaspromonte
Oratino
S. Giovanni in Galdo
Pettoranello del Molise
Pantaniello
Casalciprano
Macchiagodena
S. Elena Sannita
Toro
Campodipietra
la Taverna
Castelpetroso
Caporio
S. Sisto
Spinete
Busso
CAMPOBASSO
Longano
M.te Patalécchia
Castelpizzuto
S. Maria del Molise
Incoronata
Cantalupo nel Sannio
Baranello
Ferrazzano
Vallarella
M.te di Mezzo
Roccamandolfi
Colle d'Anchise
Mirabello Sannitico
Gildone
M.te Alto
P.te Falasca
Monteverde
Castellone
Bojano
Massari
Vinchiaturo
la Rocca
M O N T I   D E L   S A N N I O
M.te di Gildone
Gallo
PARCO
M O N T I   D E L   M A T E S E
M.te Morzone
M.te Miletto
Campitello Matese
Civita Sup.
S. Polo Matese
Aria dell'Orso
Campochiaro
Cercepiccola
S. Giuliano nel Sánnio
Cercemaggiore
M.te Saraceno
Letino
M.te Ianara
REGIONALE
la Gallinola
M.te Porco
Guardiarégia
SAEPINUM
Altilia
SAIPINS
Caselvático
la Palazzina
M.te Pranzaturo
S.ra delle Pozzelle
Sepino
M.te Máio
Sella di Perrone
M.te Tre Confini
M.te Mútria
Castelpagano
Coste del Mancanello
M.te Acuto
S. Gregorio Matese
DEL
S. Lucia
Parlapiani
S. Croce del Sannio
Raviscanina
Castello del Matese
M.te Moschiaturo
Sassinoro
S. Ángelo d'Alife
Piedimonte Matese
MATESE
Capelletti
Pietraróia
Morcone
Cuffiano
S. Potito Sannitico
M.te Urbano
Cusano Mutri
le Pagliarelle
Alife
Calvisi
Curti
Auduni
Grottole
Civitella Licinio
M.te Calvello
Báia
Latina
Gióia Sannitica
M.te Mónaco di Gioia
M.te Cigno
Falcchio
Fontana Vecchia
S. Lorenzello
Cerreto Sannita
M.te Ciesco
Pontelandolfo
Campolattaro
Statigliano
S. Giorgio
Dragoni
Pántano
Massari
Visanti
Massa
Guárdia Sanframondi
S. Lupo
Casalduini
S. Croce
S. Marco
S. Máuro
S. Ferdinando
M.te Acero
S. Lorenzo Maggiore
M.te S. Angelo
Piazza
Alvignano
S. Salvatore Telesino
Fragneto Monforte
Profeti
Merangeli di Monte
Rasignano
Castelvenere
Merangeli
Liberi
Puglianello
Telese
TELESIA
Treglia
Savignano
Ruviano
Lago di Telese
S. Pietro
Ponte
Pontelatone
Sasso
Amorosi
Alvignanello
S. Stéfano
Paupisi
Torrecuso
Funari
Cisterna
Strangolagalli
Castel Campagnano
Solopaca
M.te Pentime
Camigliano
M.te Maiulo
Piana di Caiazzo
Caiazzo
Piano
Camposauro
Vituliano
Foglianise
Bellona
Squille
Melizzano
Frasso Telesino
REGIONALE
Triflisco
Biancano
Limátola
Ave Gratia Plena
Dugenta
TABURNO
Cautano
Cámpoli del M. Taburno
Castelpoto
Castelmorrone
Largisi
Casale
Annunziata
S. Angelo in Formis
Torricella
Tocco Caudio
BENEVENTO
S. Iorio
Vaccheria
Tuoro Alto
S. Leucio
Casertavecchia
Sommana
Pozzovétere
Casola
Capitone
Faggiano
CAMPOSAURO
Apollosa
S. Maria Capua Vetere
Casagiove
Tuoro
Casapulla
Valle di Maddaloni
S. Agata de Goti
Bagnoli
Moiano
Pastorano
Bonea
Cirignano
S. Giovanni Tufariello
Curti
Caturano
Garzano
Bucciano
Varoni
Confini
S. Andrea Lagni
Macerata Campania
Portico di Caserta
Recale
CASERTA
S. Clemente
Maddaloni
Durazzano
Luzzano
Airola
Montesarchio
Cavuoti
Beltiglio
S. Nicola la Strada
Cervino
S. Maria a Vico
Arpaia
Forchia
Paolisi
Rotondi
Tufara
Squillani
S. Giovanni
Capodrise
S. Marco Evangelista
Arienzo
Cervinara
Tressine
S. Martino Valle Caudina
Arpaise
S. Croce
Barba
Marcianise
Messercola
S. Marco
S. Felice a Cancello
Talánico
Valle
Pannarano
Roccabascerana
Terranova
Altavilla Irpina
PARCO
REGIONALE
Pietrastornina
Carinaro
Gricignano di Av.
Versa
SUESSOLA
Cancello
M. Fellino
M. Ciesco Alto
Polvica
Sasso
Piazza
Tre Ponti
Cicciano
M. Avella
PATERNIO

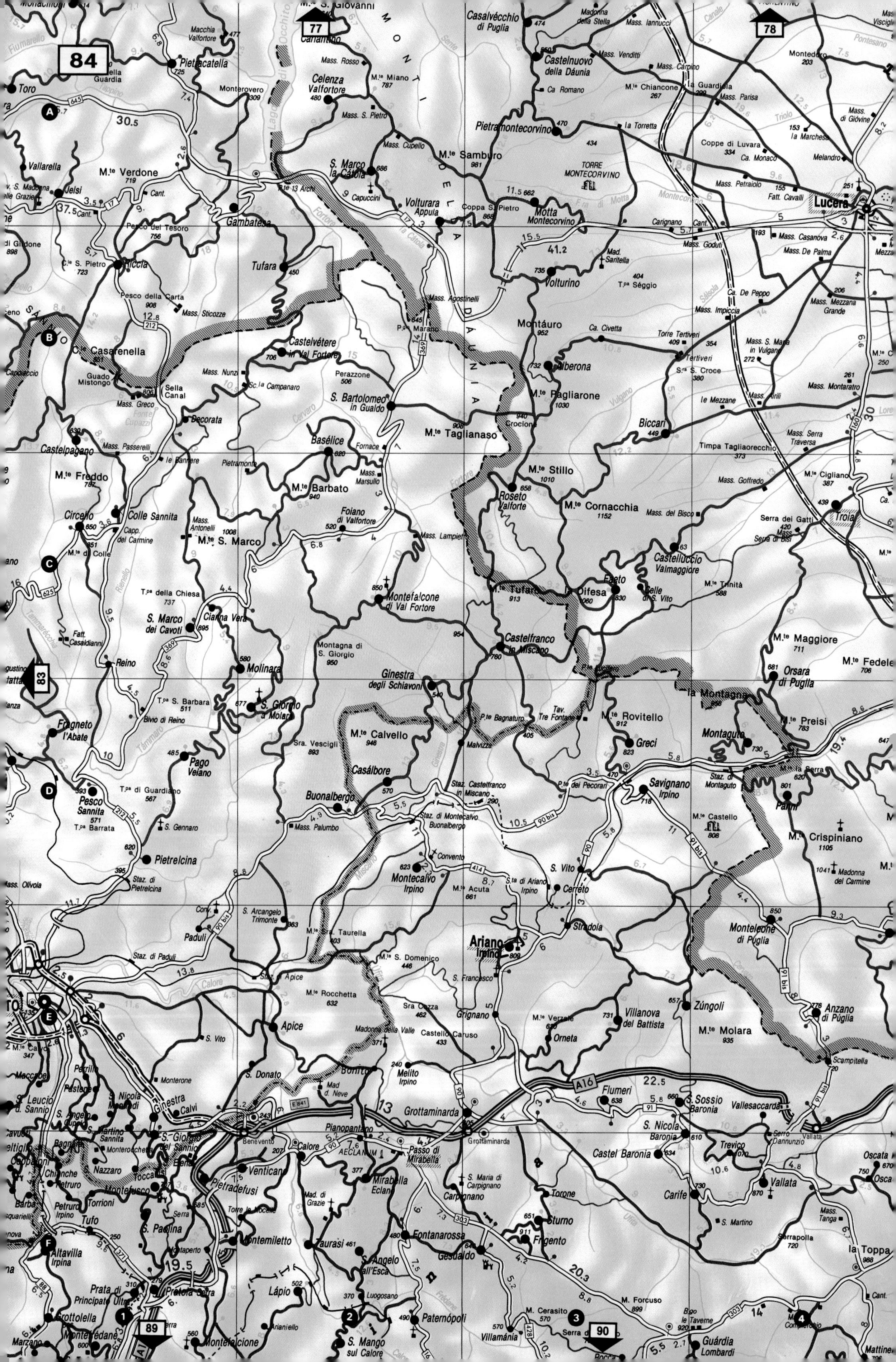

84
77
78
83
89
90
Toro
Pietracatella
Monterovero
Macchia Valfortore
Celenza Valfortore
Carlantino
Casalvécchio di Puglia
Castelnuovo della Dáunia
Pietramontecorvino
Lucera
M.te Verdone
Jelsi
Vallarella
Gambatesa
Tufara
Riccia
Pesco della Carta
S. Marco la Cátola
Volturara Appula
Motta Montecorvino
Volturino
M.te Samburo
Torre Montecorvino
Castelvétere in Val Fortore
S. Bartolomeo in Gualdo
Montáuro
Alberona
M.te Pagliarone
Biccari
M.te Taglianaso
Baselice
M.te Barbato
Foiano di Valfortore
Roseto Valforte
M.te Stillo
M.te Cornacchia
Castelluccio Valmaggiore
Troia
Castelpagano
M.te Freddo
Circello
Colle Sannita
M.te S. Marco
Montefalcone di Val Fortore
Faeto
Celle di S. Vito
S. Marco dei Cavoti
Molinara
S. Giorgio la Molara
Castelfranco in Miscano
Ginestra degli Schiavoni
M.te Maggiore
Orsara di Puglia
M.te Fedele
Reino
Fragneto l'Abate
Pago Veiano
Pesco Sannita
M.te Calvello
Casálbore
Buonalbergo
M.te Rovitello
Greci
Montaguto
M.te Preisi
Savignano Irpino
Panni
Crispiniano
Pietrelcina
Paduli
Montecalvo Irpino
Ariano Irpino
S. Vito
Cerreto
Stradola
Monteleone di Puglia
Apice
Villanova del Battista
Zúngoli
M.te Molara
Anzano di Púglia
Bonito
Melito Irpino
Grottaminarda
Flumeri
S. Sossio Baronia
Vallesaccarda
Benevento
Pietradefusi
Mirabella Eclano
Castel Baronia
Carife
Trevico
Vallata
Montefusco
Altavilla Irpina
Taurasi
Fontanarossa
Gesualdo
Sturno
Frigento
Lápio
Paternópoli
Prata di Principato Ultra
Pratola Serra
Montefalcione
S. Mango sul Calore
Villamaina
Guárdia Lombardi
la Toppa
A16

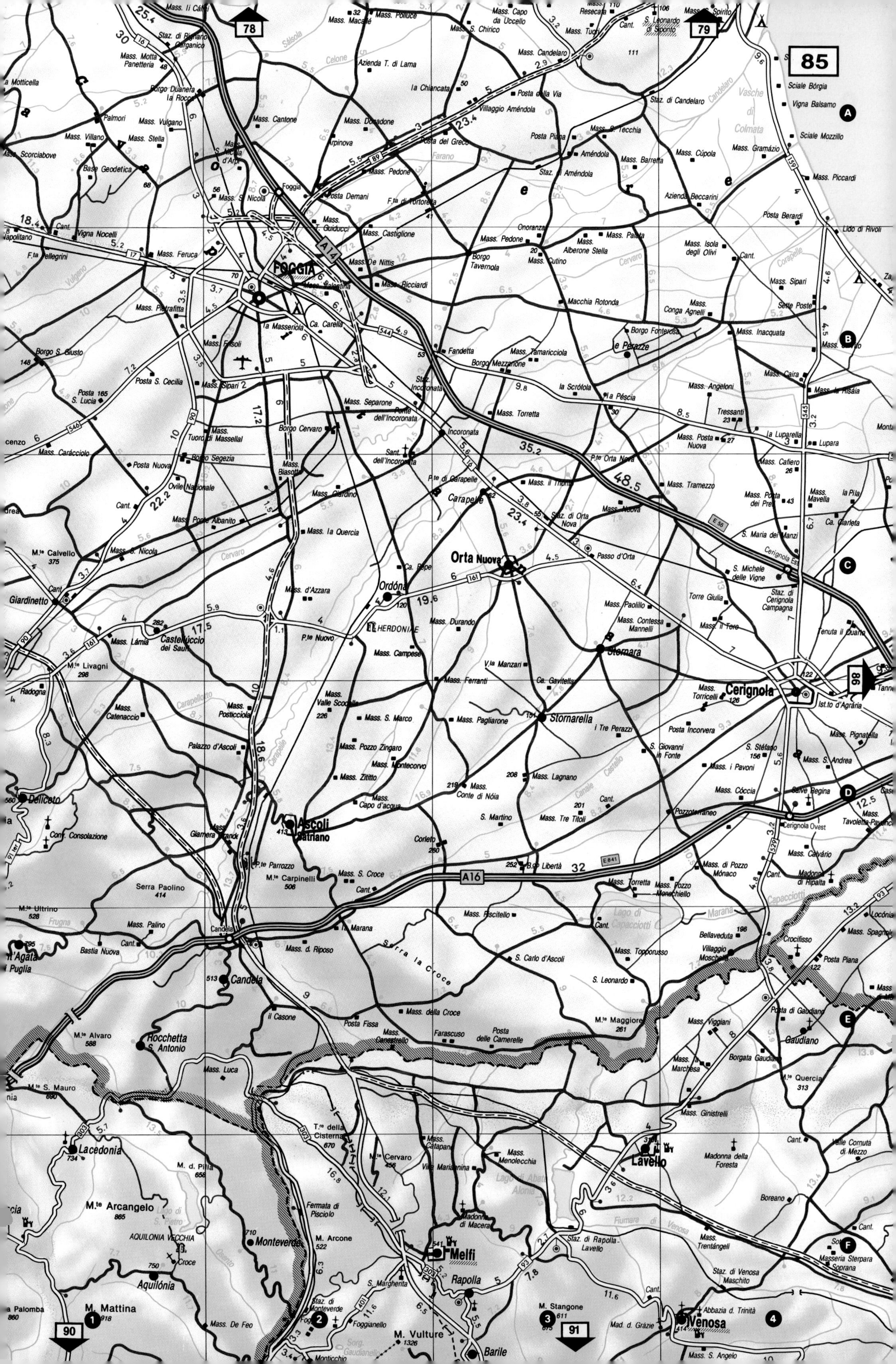

85
78
79
86
90
91
A
B
C
D
E
F
1
2
3
4
A14
A16
E 55
E 841
Foggia
FOGGIA
Mass. Capo da Uccello
Mass. Pollice
Mass. Macallè
Mass. S. Chirico
Mass. Tucci
Resecata
Cant.
S. Leonardo di Siponto
Mass. S. Spirito
Staz. di Rignano Garganico
Mass. Motta Panetteria
Celone
Azienda T. di Lama
Mass. Candelaro
Scìale Bórgia
Vigna Balsamo
Scìale Mozzillo
Mass. Gramázio
Mass. Piccardi
Staz. di Candelaro
Vasche di Colmata
Candelaro
la Chiancata
Posta della Via
Villaggio Améndola
Borgo Duanera la Rocca
Palmori
Mass. Vulgano
Mass. Cantone
Mass. Donadone
Arpinova
Posta del Greco
Posta Piana
Mass. S. Tecchia
Mass. Barretta
Mass. Cúpola
Améndola
Staz. di Améndola
Mass. Villano
Mass. Stella
Mass. Scorciabove
Base Geodetica
Mass. S. Nicola d'Arpi
Farano
Mass. Pedone
Posta Demani
F.ta di Tortorella
Azienda Beccarini
Posta Berardi
Lido di Rivoli
Mass. S. Nicola
Mass. Guiducci
Mass. Castiglione
Onoranza
Mass. Pedone
Mass. Palata
Mass. Alberone Stella
Mass. Cutino
Mass. Isola degli Olivi
Cant.
Vigna Nocelli
Napolitano
F.ta Pellegrini
Mass. Feruca
Mass. De Nittis
Borgo Tavernola
Cervaro
Carapelle
Mass. Sipari
Vulgano
Mass. Valentina
Mass. Ricciardi
Macchia Rotonda
Mass. Conga Agnelli
Sette Poste
Mass. Pietrafitta
la Masseriola
Ca. Carella
Borgo Fonterosa
le Perazze
Mass. Inacquata
Mass. Frisoli
Borgo S. Giusto
Posta S. Cecilia
Fandetta
Mass. Tamaricciola
Borgo Mezzanone
Mass. Caira
Mass. la Risaia
Mass. Sipari
la Scrófola
la Péscia
Mass. Angeloni
Posta S. Lucia
Mass. Separone
Ponte dell'Incoronata
Staz. Incoronata
Mass. Torretta
Tressanti
Borgo Cervaro
Incoronata
la Luparella
Lupara
Mass. Tuoro di Massellai
Mass. Posta Nuova
Mass. Caràcciolo
Sant. dell'Incoronata
P.te Orta Nova
Posta Nuova
Borgo Segezia
Mass. Biasotti
Mass. Cafiero
Ovile Nazionale
P.te di Carapelle
Mass. il Triono
Mass. Tramezzo
Mass. Giardino
Mass. Posta dei Preti
Mass. Mavella
la Pila
Cant.
Mass. Porte Albanito
Staz. di Orta Nova
Mass. Nuova
Ca. Ciarleta
Mass. la Quercia
S. Maria dei Manzi
Mass. S. Nicola
Passo d'Orta
M.te Calvello
Orta Nuova
Ca. Pepe
S. Michele delle Vigne
Staz. di Cerignola Campagna
Giardinetto
Mass. d'Azzara
Ordóna
Mass. Paolillo
Torre Giulia
Mass. Contessa Mannelli
Castelluccio dei Sauri
Mass. Lámia
P.te Nuovo
HERDONIAE
Mass. Durando
Mass. il Toro
Tenuta il Quarto
Mass. Campese
Stornara
M.te Livagni
Radogna
V.la Manzari
Ca. Gavitella
Cerignola
Mass. Torricelli
Ist.to d'Agrária
Mass. Ferranti
Mass. Catenaccio
Carapellotto
Mass. Posticciola
Mass. Valle Scodella
Mass. S. Marco
Mass. Pagliarone
Stornarella
i Tre Perazzi
Posta Incorvera
Mass. Pignatella
Palazzo d'Ascoli
Mass. Pozzo Zingaro
S. Giovanni in Fonte
S. Stéfano
Mass. S. Andrea
Mass. i Pavoni
Mass. Montecorvo
Mass. Zititto
Mass. Conte di Nóia
Mass. Lagnano
Canale Castello
Mass. Cóccia
Salve Regina
Deliceto
Mass. Capo d'acqua
Carapelle
S. Martino
Mass. Tre Titoli
Pozzoterraneo
Cerignola Ovest
Mass. Tavoletta-Pavoncelli
Conf. Consolazione
Mass. Giarnera Grande
Ascoli Satriano
Corleto
Mass. Calvário
P.te Parrozzo
B.go Libertà
Mass. di Pozzo Mónaco
Madonna di Ripalta
Serra Paolino
M.te Carpinelli
Mass. S. Croce
Cant.
Mass. Torretta
Mass. Pozzo Monachiello
Capacciotti
M.te Ultrino
Frugno
Mass. Palino
Candela
la Marana
Mass. Piscitello
Lago di Capacciotti
Cant.
Marana
Bellaveduta
Locónia
Mass. Spagnoletti
Bastia Nuova
Mass. d. Riposo
Serra la Croce
S. Carlo d'Ascoli
Mass. Topporusso
Villaggio Moschella
Crocifisso
Posta Piana
Sant'Agata di Puglia
Candela
S. Leonardo
il Casone
Mass. della Croce
Posta Fissa
M.te Maggiore
Posta di Gaudiano
Gaudiano
M.te Alvaro
Rocchetta S. Antonio
Mass. Canestrello
Farascuso
Posta delle Camerelle
Mass. Viggiani
Mass. la Marchesa
Borgata Gaudiano
M.te Quercia
M.te S. Mauro
Mass. Luca
Mass. Ginistrelli
T.re della Cisterna
Mass. Catapano
Cant.
Valle Cornuta di Mezzo
Lacedonia
M. d. Pilla
M.te Cervaro
Mass. Menolecchia
Lavello
Madonna della Foresta
Villa Mariannina
Lago di Abate Alonia
Boreano
M.te Arcangelo
Lago di S. Pietro
Fermata di Pisciolo
Madonna di Macera
Fiumara di Venosa
Mass. Trentángeli
Cant.
AQUILONIA VECCHIA
Croce
Monteverde
M. Arcone
Melfi
Staz. di Rapolla-Lavello
Masseria Sterpara Soprana
Aquilónia
Osento
S. Margherita
Rapolla
Staz. di Venosa Maschito
M. Mattina
Palomba
Staz. di Monteverde
Foggianello
M. Stangone
Abbazia d. Trinità
Venosa
Mad. d. Grázie
Mass. De Feo
M. Vulture
Sorg. Gaudianello
Monticchio
Barile
Mass. S. Angelo

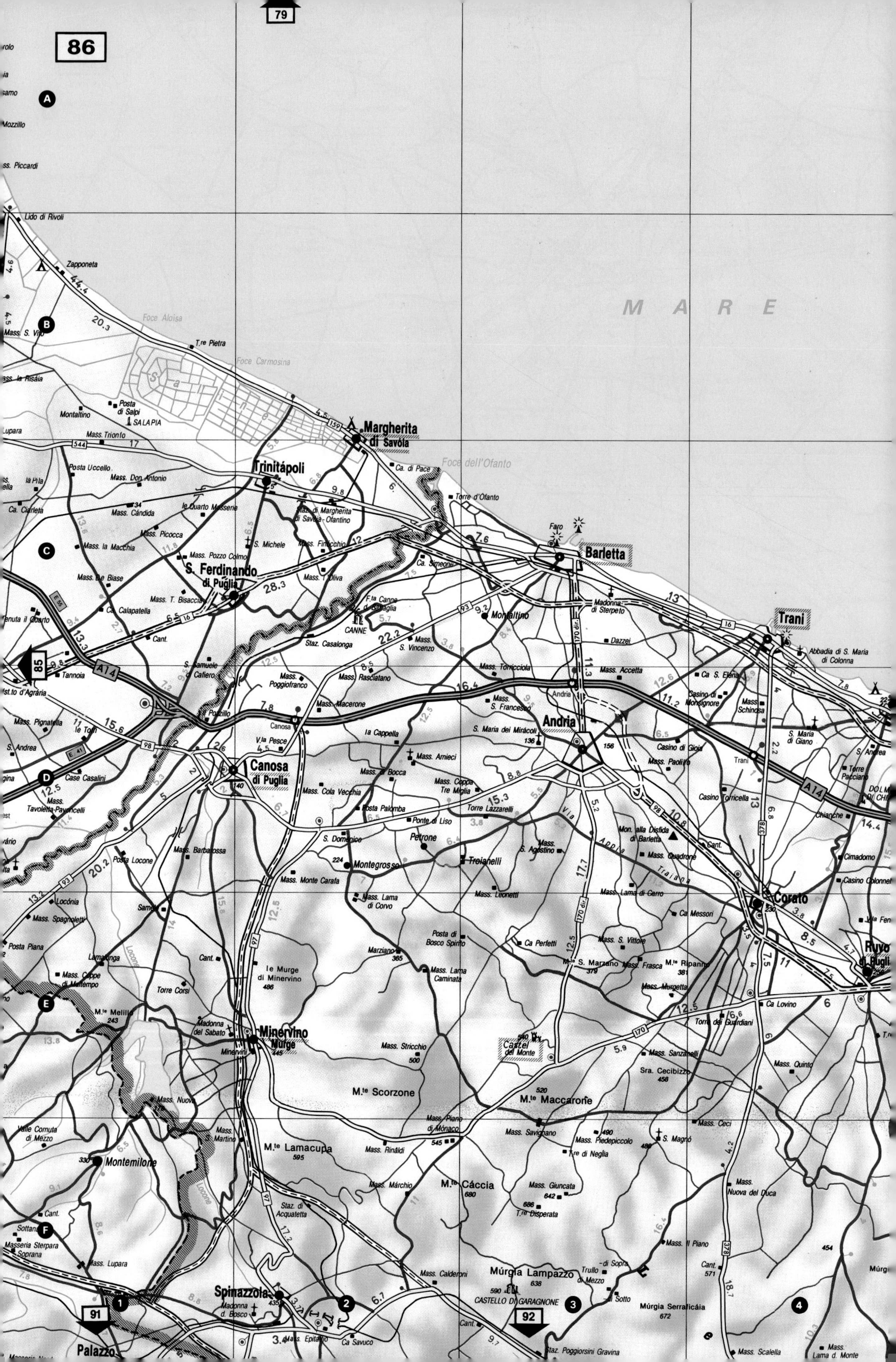
79
MARE
Margherita di Savoia
Trinitápoli
S. Ferdinando di Puglia
Barletta
Trani
Andria
Canosa di Puglia
Corato
Ruvo di Puglia
Minervino Murge
Castel del Monte
Spinazzola
Montemilone
M.te Scorzone
M.te Maccarone
M.te Lamacupa
M.te Cáccia
Múrgia Lampazzo
CASTELLO DI GARAGNONE
Múrgia Serraficáia
Palazzo
Foce Aloisa
Foce Carmosina
Foce dell'Ofanto
Lido di Rivoli
Zapponeta
CANNE
A14
85
91
92

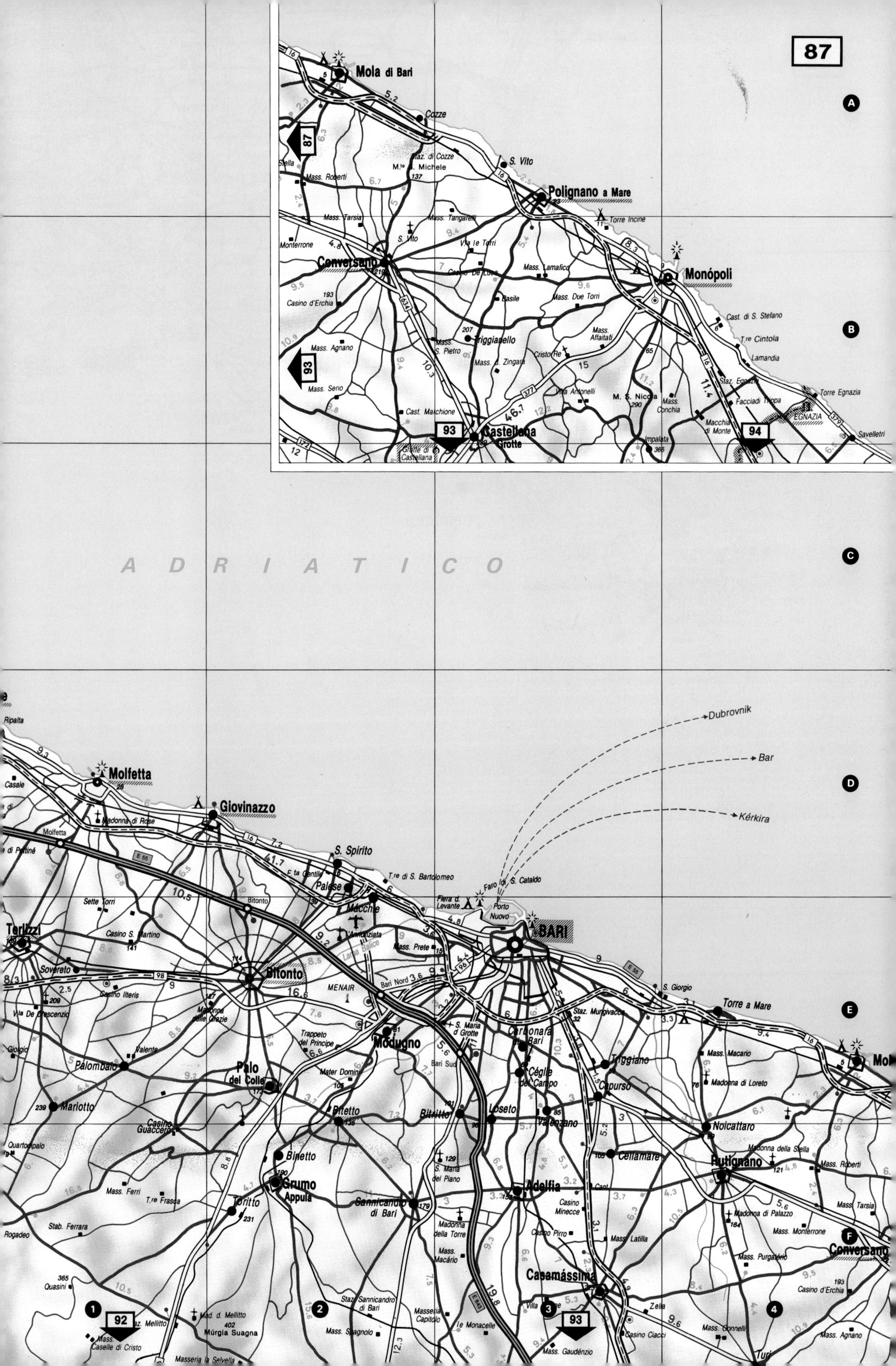
Mola di Bari
Cozze
Staz. di Cozze
M.te S. Michele
S. Vito
Polignano a Mare
Torre Incine
Mass. Roberti
Mass. Tarsia
Mass. Tangarelli
Monterrone
Conversano
Casino d'Erchia
Casino De Luca
Mass. Lamafico
Monópoli
Mass. Due Torri
Basile
Cast. di S. Stefano
T.re Cintola
Lamandia
Triggianello
Mass. Agnano
Mass. S. Pietro
Mass. Affaitati
Cristo Re
Mass. Zingara
Staz. Egnazia
Torre Egnazia
Facciadi Trappa
EGNAZIA
Mass. Serio
Villa Antonelli
M. S. Nicola
Mass. Conchia
Macchia di Monte
Cast. Marchione
Castellana Grotte
Grotte di Castellana
Impalata
Savelletri
A D R I A T I C O
Dubrovnik
Bar
Kérkira
Ripalta
Casale
Molfetta
Madonna di Rose
Giovinazzo
S. Spirito
T.re di S. Bartolomeo
Faro di S. Cataldo
Fiera d. Levante
Porto Nuovo
BARI
Palese
Macchie
Sette Torri
Terlizzi
Casino S. Martino
Sovereto
Bitonto
Casino Ilteris
Madonna delle Grazie
MENAIR
Bari Nord
Mass. Prete
S. Giorgio
Torre a Mare
Staz. Murgivacca
Trappeto del Principe
Modugno
S. Maria d. Grotte
Carbonara di Bari
Ceglie del Campo
Triggiano
Mass. Macario
Madonna di Loreto
Palombaio
Valente
Palo del Colle
Mater Domini
Bari Sud
Capurso
Mariotto
Casino Guaccero
Bitetto
Bitritto
Loseto
Valenzano
Noicattaro
Quartodipalo
Binetto
S. Maria del Piano
Cellamare
Madonna della Stella
Rutignano
Mass. Roberti
Grumo Appula
Mass. Ferri
T.re Frasca
Toritto
Sannicandro di Bari
Adelfia
Casino Minecce
Madonna di Palazzo
Mass. Tarsia
Stab. Ferrara
Rogadeo
Madonna della Torre
Mass. Macário
Casino Pirro
Mass. Latilla
Mass. Monterrone
Conversano
Mass. Purgatorio
Quasini
Casamássima
Casino d'Erchia
Mad. d. Mellitto
Múrgia Suagna
Staz. Sannicandro di Bari
Masseria Capitolo
Villa
Zella
Mass. Caselle di Cristo
Mass. Spagnolo
le Monacelle
Mass. Gaudénzio
Casino Ciacci
Mass. Donnelli
Mass. Agnano
Masseria la Selvella
Turi
92
93
94

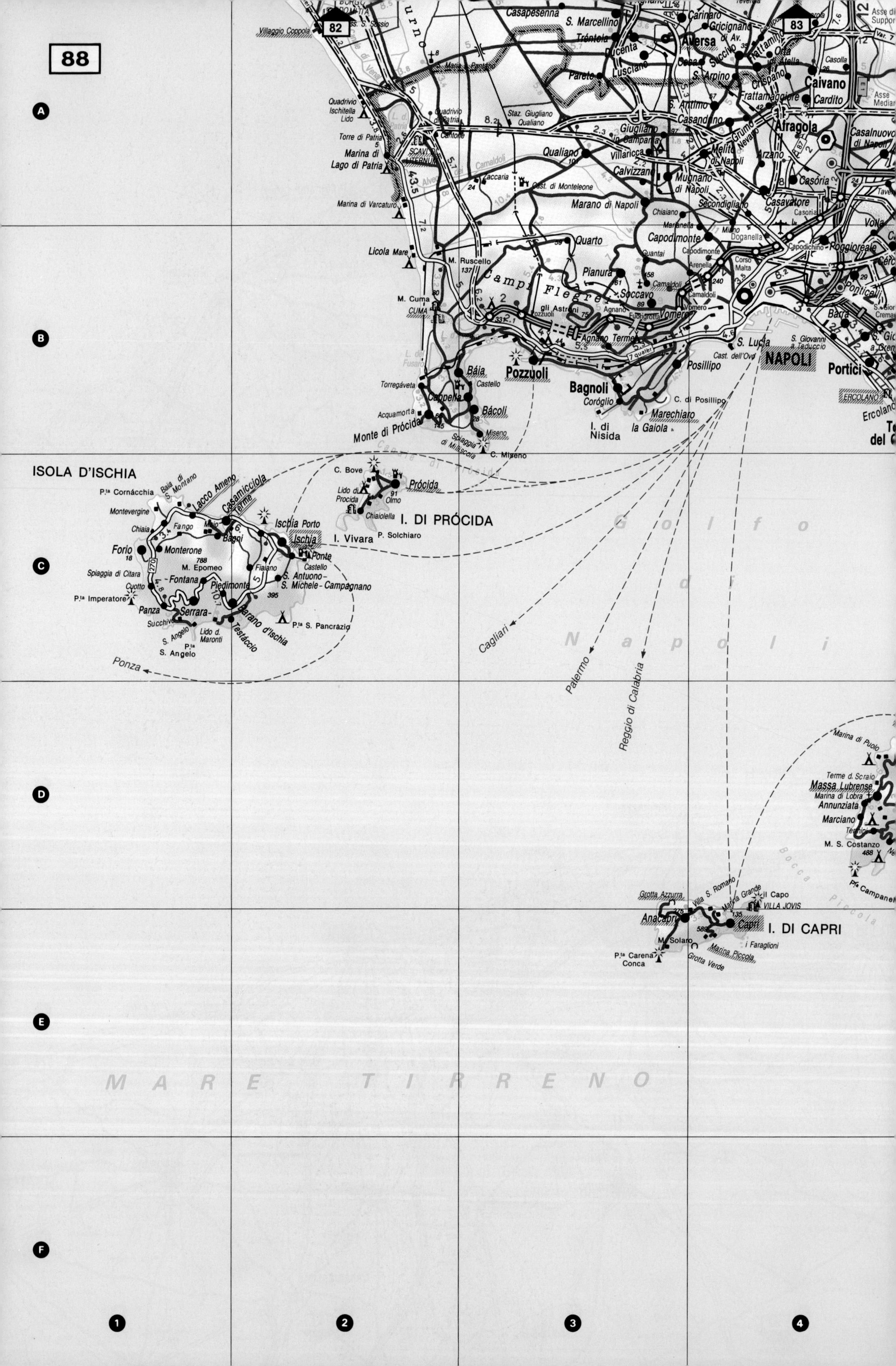
82
83
ISOLA D'ISCHIA
Forio
Casamicciola Terme
Lacco Ameno
Ischia Porto
Ischia
M. Epomeo
Serrara-Fontana
Barano d'Ischia
S. Angelo
I. DI PRÓCIDA
Prócida
I. Vivara
Monte di Prócida
Báia
Bácoli
Pozzuoli
Bagnoli
Posillipo
NAPOLI
Portici
Campi Flegrei
Quarto
Pianura
Soccavo
Vomero
Capodimonte
Aversa
Giugliano in Campania
Qualiano
Marano di Napoli
Caivano
Afragola
Casória
Licola Mare
Marina di Lago di Patria
I. di Nisida
Golfo di Napoli
Cagliari
Palermo
Reggio di Calabria
Ponza
I. DI CAPRI
Capri
Anacapri
Grotta Azzurra
Marina Grande
Massa Lubrense
Bocca Piccola
MARE TIRRENO
A
B
C
D
E
F
1
2
3
4

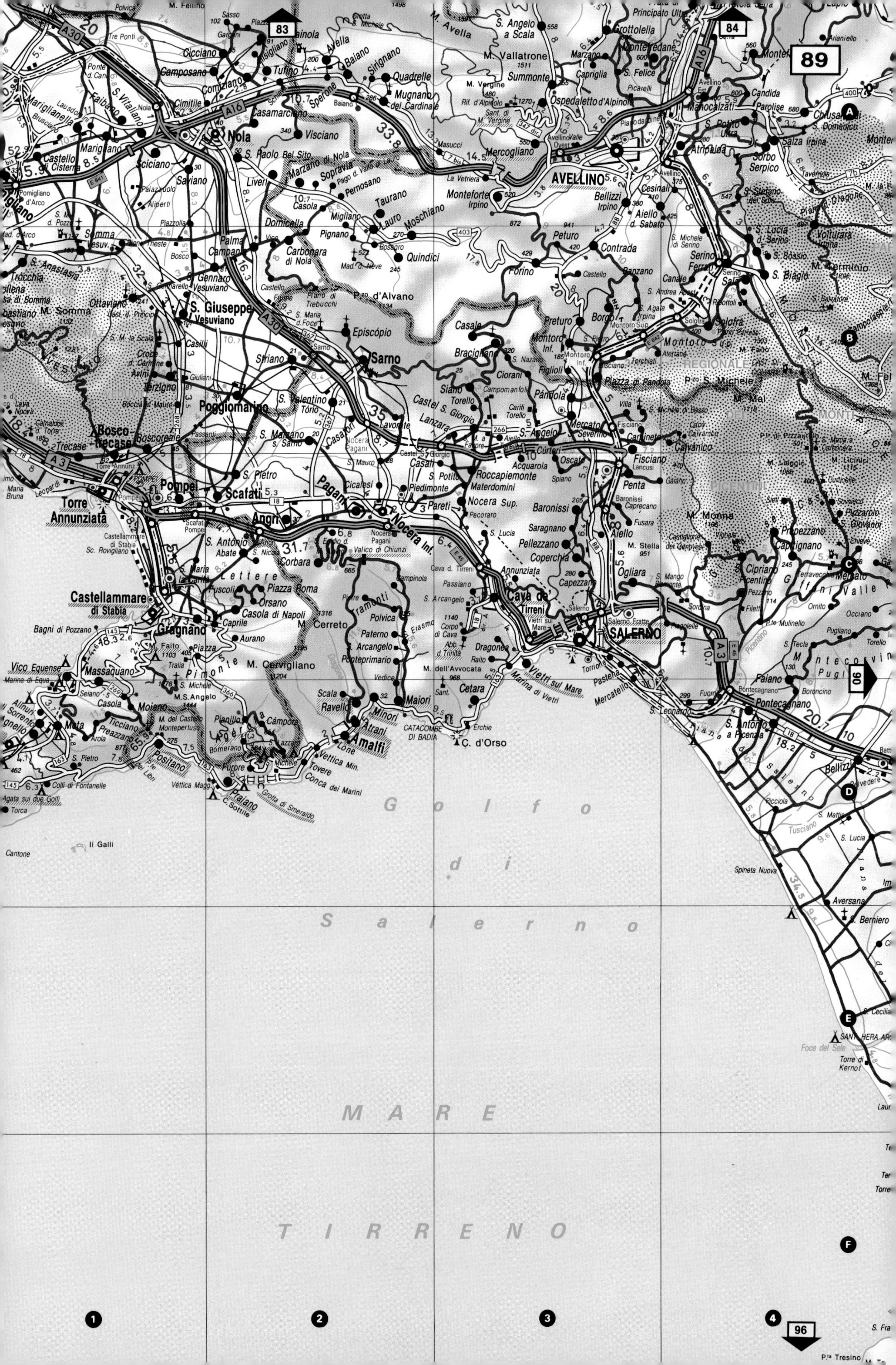
83
84
90
96
A
B
C
D
E
F
1
2
3
4
Golfo di Salerno
MARE TIRRENO
Nola
Cicciano
Camposano
Comiziano
Tufino
Avella
Baiano
Sirignano
Quadrelle
Mugnano del Cardinale
Sperone
Visciano
Casamarciano
Cimitile
S. Vitaliano
Mariglianella
Marigliano
Castello di Cisterna
Sciciano
Saviano
S. Paolo Bel Sito
Liveri
Marzano di Nola
Sopravia
Pernosano
Casola
Taurano
Migliano
Lauro
Moschiano
Domicella
Pignano
Quindici
Carbonara di Nola
Palma Campania
Somma Vesuv.
S. Anastasia
Ottaviano
S. Gennarello
S. Giuseppe Vesuviano
M. Somma
Episcópio
Sarno
Striano
Poggiomarino
Terzigno
S. Valentino Tório
S. Marzano s. Sarno
Casatori
Lavorate
Boscoreale
Bosco-trecase
Trecase
Pompei
Scafati
S. Pietro
Torre Annunziata
Angri
Pagani
Nocera Inf.
Nocera Sup.
Corbara
S. Antonio Abate
Lettere
Castellammare di Stabia
Gragnano
Casola di Napoli
Piazza Roma
Orsano
Caprile
Aurano
Pimonte
M. Cerreto
M. Cervigliano
Tramonti
Polvica
Paterno
S. Arcangelo
Ponteprimario
Vico Equense
Massaquano
Moiano
Meta
Positano
Praiano
Ravello
Scala
Minori
Maiori
Atrani
Amalfi
Conca dei Marini
Cetara
Vietri sul Mare
Cava de' Tirreni
SALERNO
AVELLINO
Mercogliano
Monteforte Irpino
Ospedaletto d'Alpinolo
Summonte
M. Vallatrone
Capriglia
Grottolella
Montefredane
Manocalzati
Atripalda
Chiusano
Salza Irpina
Sorbo Serpico
Bellizzi Irpino
Cesinali
Aiello d. Sabato
Contrada
Peturo
Forino
Banzano
Serino
Volturara Irpina
S. Lucia d. Serino
Montoro Inf.
Montoro Sup.
Solofra
Borgo
Preturo
Casale
Bracigliano
Siano
Castel S. Giorgio
Lanzara
Roccapiemonte
Materdomini
Mercato S. Severino
Fisciano
Penta
Baronissi
Pellezzano
Coperchia
Aiello
Ogliara
Calvanico
Giffoni Valle Piana
Pontecagnano
Faiano
S. Cipriano Picentino
Capitignano
Prepezzano
S. Antonio a Picenza
Bellizzi
Aversana
PICENTINI
Il Galli
C. d'Orso
Tresino

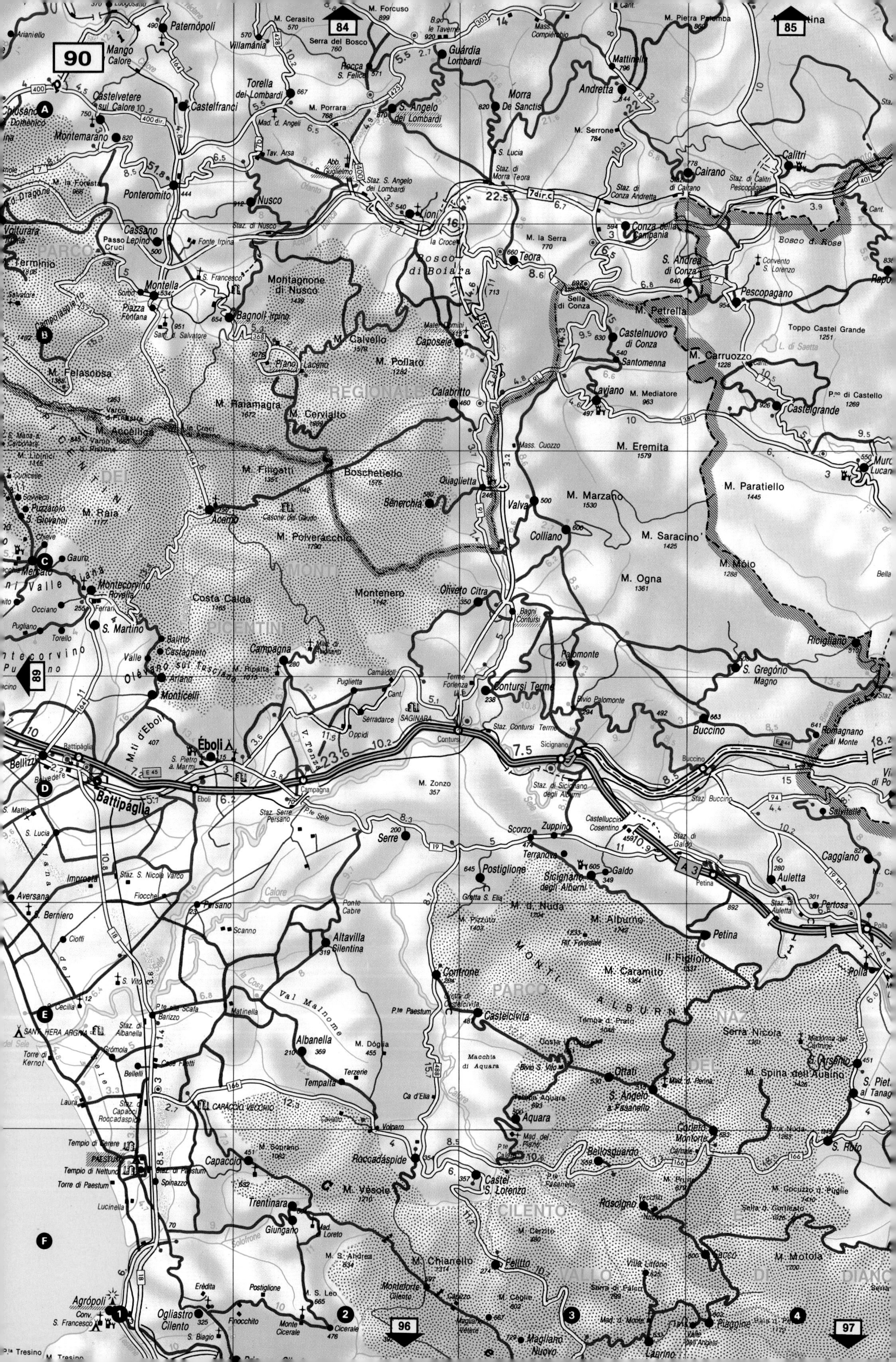

90
84
85
89
96
97
Paternópoli
Mango Calore
Villamània
M. Cerasito
Serra del Bosco
M. Forcuso
Guardia Lombardi
Rocca S. Felice
Torella dei Lombardi
S. Angelo dei Lombardi
M. Porrara
Morra De Sanctis
Mass. Compierchio
Andretta
Mattinella
M. Pietra Palomba
Castelvetere sul Calore
Castelfranci
Montemarano
Chiusano S. Domenico
M. Serrone
Cairano
Calitri
Tav. Arsa
Abb. S. Guglielmo
Staz. S. Angelo dei Lombardi
S. Lucia
Staz. di Morra Teora
Staz. di Conza Andretta
Staz. di Cairano
Staz. di Calitri Pescopagano
M. la Foresta
Ponteromito
Nusco
Lioni
Conza della Campania
Volturara Irpina
Cassano Irpino
Passo Cruci
Lepino
Staz. di Nusco
Fonte Irpina
la Croce
Bosco di Boiara
M. la Serra
Teora
S. Andrea di Conza
Bosco d. Rose
Convento S. Lorenzo
Pescopagano
PARCO
Terminio
Montella
S. Francesco
Montagnone di Nusco
Sella di Conza
Salvatore
Piazza Fontana
Bagnoli Irpino
M. Petrella
Campolaspierto
Sant. d. Salvatore
Caposele
Castelnuovo di Conza
Toppo Castel Grande
M. Calvello
M. Pollaro
Santomenna
M. Carruozzo
Piano Laceno
L. di Saetta
M. Felascosa
REGIONALE
Calabritto
Laviano
M. Mediatore
P.no di Castello
M. Raiamagra
M. Cervialto
Castelgrande
Varco d. Finestra
M. Accellica
Le Croci di Acerno
Varco d. Pistone
Mass. Cuozzo
M. Eremita
Muro Lucano
M. Libinci
M. Filigatti
Boschetiello
Quaglietta
Cudicelle
DEI
M. Paratiello
Senerchia
Valva
M. Marzano
Pizzarolo
S. Giovanni
M. Raia
Acerno
Casone del Gaudo
Colliano
M. Saracino
Chieve
M. Polveracchio
Gauro
Mercato
Valle Piana
MONTI
M. Mòio
Montecorvino Rovella
Costa Calda
Montenero
Oliveto Citra
M. Ogna
Bella
Occiano
Ferrari
Bagni Contursi
Pugliano
S. Martino
PICENTINI
Torello
Battito
Castagneto
Campagna
Palomonte
Ricigliano
Montecorvino Pugliano
Valle
Olevano sul Tusciano
M. Ripalta
Ariano
Camaldoli
Puglietta
Terme Forlenza
Contursi Terme
S. Gregorio Magno
Monticelli
Cant.
SAGINARA
Bivio Palomonte
Serradarce
Oppidi
Buccino
Romagnano al Monte
M.ti d'Eboli
V. Tenza
Contursi
Staz. Contursi Terme
Sicignano
Battipaglia
Eboli
S. Pietro a Marmi
Bellizzi
Belvedere
Campagna
M. Zonzo
Staz. di Sicignano degli Alburni
Staz. Buccino
S. Mattia
Staz. Serre Persano
P.te Sele
Serre
Scorzo
Zuppino
Castelluccio Cosentino
Salvitelle
S. Lucia
Piana del Sele
Terranova
Staz. di Galdo
Caggiano
Postiglione
Galdo
Impresta
Staz. S. Nicola Varco
Sicignano degli Alburni
Auletta
Grotta S. Elia
Aversana
Fiocche
Persano
Calore
Ponte Cabre
M. d. Nuda
Staz. di Auletta
Pertosa
S. Berniero
M. Pizzuto
M. Alburno
Scanno
Rif. Forestale
Petina
Cioffi
Altavilla Silentina
Il Figliolo
M. Caramito
S. Vito
Controne
MONTI
Polla
Cecilia
PARCO
la Cosa
Val Malnome
Grotta di Castelcivita
P.te Paestum
Castelcivita
ALBURNI
NAZ.
P.te sulla Scafa
Barizzo
Matinella
SANT'HERA ARGIVA
Staz. di Albanella
Tempa d. Prato
Serra Nicola
Madonna del Carmine
del Sele
Torre di Kernot
Grómola
Albanella
M. Dóglia
Costa
Macchia di Aquara
Bivio S. Vito
Ottati
Mad. d. Perina
DEL
S. Arsenio
M. Spina dell'Ausino
S. Pietro al Tanagro
Bellelli
Case Fiatti
Terzerie
Tempalta
S. Angelo a Fasanella
Laura
Staz. di Capaccio Roccadaspide
CAPACCIO VECCHIO
Ca d'Elia
Aquara
Corleto Monforte
Tempio di Cerere
PAESTUM
Tempio di Nettuno
Torre di Paestum
Staz. di Paestum
Spinazzo
M. Soprano
Capaccio
Volparo
Roccadaspide
Mad. del Piano
Bellosguardo
S. Rufo
Castel S. Lorenzo
P.te Fasanella
M. Pruno
M. Vesole
Trentinara
Giungano
Mad. Loreto
CILENTO
Roscigno
M. Cocuzzo d. Puglie
Lucinella
M. Cerzito
E
M. S. Andrea
M. Chianello
Felitto
Sacco
M. Motola
Villa Littorio
VALLO
DI
DIANO
Monteforte Cilento
Capizzo
M. Ceglie
Serra di Paleta
Agrópoli
Eredita
Postiglione
M. S. Leo
Ogliastro Cilento
Conv. S. Francesco
Finocchito
Monte Cicerale
Cicerale
S. Biagio
Magliano Vetere
Mad. d. Monte
Piaggine
Valle dell'Angelo
Magliano Nuovo
Laurino
P.ta Tresino
M. Tresino
A
B
C
D
E
F
1
2
3
4

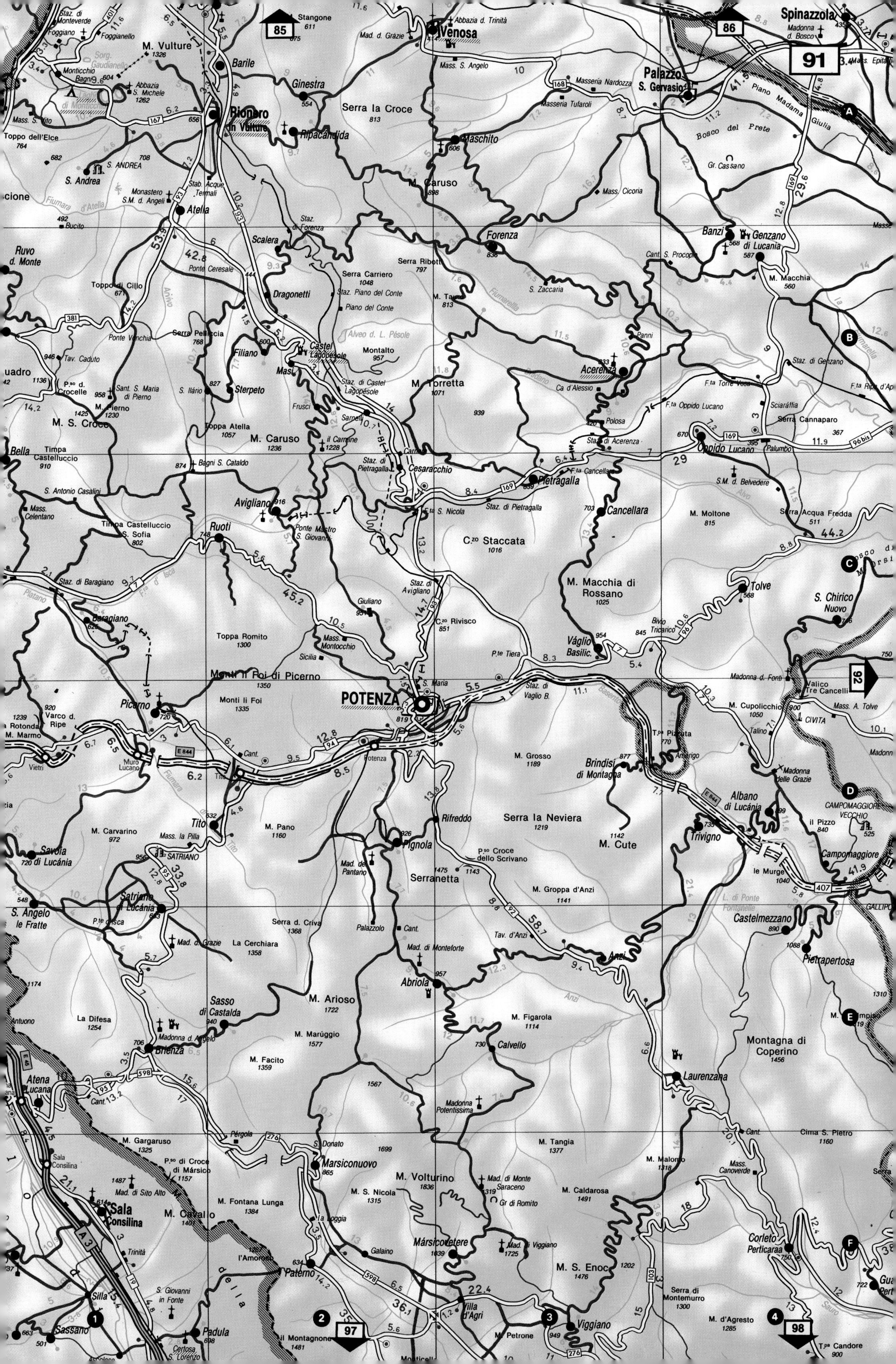

85
86
91
92
97
98
Venosa
Spinazzola
Palazzo S. Gervasio
Barile
M. Vulture
Rionero in Vulture
Ginestra
Ripacandida
Maschito
Serra la Croce
Banzi
Genzano di Lucania
Forenza
M. Caruso
Atella
Scalera
Dragonetti
Castel Lagopesole
Filiano
Masi
Sterpeto
Acerenza
M. Torretta
Oppido Lucano
Pietragalla
Cesaracchio
Cancellara
Avigliano
Ruoti
C.zo Staccata
M. Macchia di Rossano
Tolve
S. Chirico Nuovo
Vaglio Basilic.
Baragiano
Picerno
Monti li Foi di Picerno
Toppa Romito
POTENZA
Tito
Brindisi di Montagna
M. Grosso
Albano di Lucania
Trivigno
Campomaggiore
Pignola
Rifreddo
Serra la Neviera
M. Cute
Savoia di Lucania
Satriano di Lucania
S. Angelo le Fratte
Serranetta
Anzi
Castelmezzano
Pietrapertosa
Abriola
M. Arioso
Sasso di Castalda
Calvello
Brienza
Atena Lucana
Laurenzana
Montagna di Coperino
Marsiconuovo
M. Volturino
Sala Consilina
Marsicovetere
M. S. Enoc
Corleto Perticara
Paterno
Villa d'Agri
Viggiano
Padula
Sassano
Silla
Vallo di Diano
M. Petrone
Serra di Montemurro
M. d'Agresto
T.pa Candore

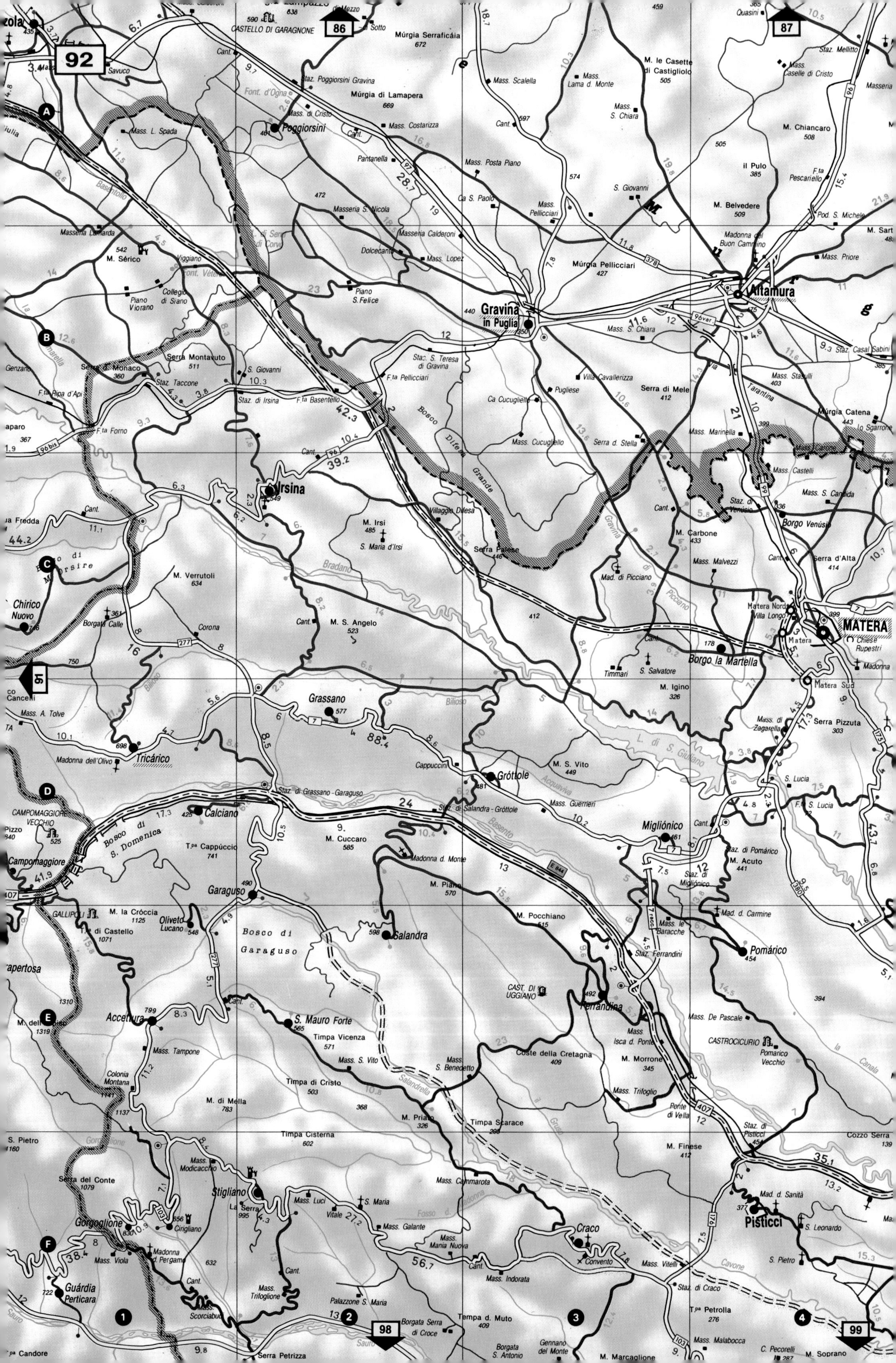

92
86
87
91
98
99
A
B
C
D
E
F
1
2
3
4
CASTELLO DI GARAGNONE
Múrgia Serraficáia
672
Savuco
Font. d'Ogna
Staz. Poggiorsini Gravina
Múrgia di Lamapera
669
Mass. di Cristo
Poggiorsini
Mass. L. Spada
Mass. Costarizza
Pantanella
Mass. Scalella
Mass. Lama d. Monte
M. le Casette di Castigliolo
505
Mass. S. Chiara
Mass. Posta Piano
Ca S. Paolo
Masseria S. Nicola
Masseria Calderoni
Dolcecanto
Mass. Lopez
Basentello
Masseria Lamarda
M. Sérico
Viggiano
Font. Vetere
Collegio di Siano
Piano Viorano
Piano S. Felice
Mass. Pellicciari
S. Giovanni
Múrgia Pellicciari
427
Madonna del Buon Cammino
Altamura
Gravina in Puglia
Staz. Mellitto
Mass. Caselle di Cristo
Masseria
M. Chiancaro
508
il Pulo
385
F.ta Pescariello
M. Belvedere
509
Pod. S. Michele
Mass. Priore
M. Sart
Staz. Casal Sabini
Mass. S. Chiara
Mass. Stasulli
403
Tarantina
Múrgia Catena
443
Lo Sgarrone
Genzano
Serra S. Monaco
360
Serra Montavuto
511
S. Giovanni
Staz. Taccone
Staz. di Irsina
F.ta Basentello
F.ta Ripa d'Api
F.ta Forno
Staz. S. Teresa di Gravina
F.ta Pellicciari
Bosco Difesa Grande
Ca Cucuglielle
Pugliese
Villa Cavallerizza
Serra di Mele
412
Mass. Cucugliello
Serra d. Stella
Mass. Marinella
Mass. Castelli
Mass. S. Candida
Staz. di Venúsio
Borgo Venúsio
Irsina
Villaggio Difesa
M. Irsi
485
S. Maria d'Irsi
Serra Palese
M. Carbone
433
Mass. Malvezzi
Serra d'Alta
414
Acqua Fredda
Bosco di Monte Irsire
Chirico Nuovo
M. Verrutoli
634
Borgata Calle
Corona
Bradano
M. S. Angelo
523
Mad. di Picciano
Picciano
Matera Nord
Villa Longo
MATERA
Chiese Rupestri
Madonna
Matera Sud
Borgo la Martella
Timmari
S. Salvatore
M. Igino
326
Bilioso
Grassano
577
Tricárico
698
Madonna dell'Olivo
Mass. A. Tolve
Cancelli
Cappuccini
Gróttole
481
M. S. Vito
449
L. di S. Giuliano
Mass. di Zagarella
Serra Pizzuta
303
S. Lucia
F.na S. Lucia
Staz. di Grassano-Garaguso
Staz. di Salandra-Gróttole
Acquaviva
Basento
Mass. Guerrieri
Miglíonico
461
CAMPOMAGGIORE VECCHIO
Pizzo
Campomaggiore
Bosco di S. Domenica
Calciano
T.pa Cappúccio
741
M. Cuccaro
585
Madonna d. Monte
Staz. di Pomárico
M. Acuto
441
Staz. di Miglíonico
GALLIPOLI
M. la Cróccia
1125
T.pa di Castello
1071
Oliveto Lucano
548
Garaguso
490
Bosco di Garaguso
M. Piano
570
M. Pocchiano
615
Mad. d. Carmine
Mass. le Baracche
Pomárico
454
Staz. Ferrandini
Pietrapertosa
M. della Croce
1319
Accettura
799
S. Mauro Forte
565
Timpa Vicenza
571
Salandra
598
CAST. DI UGGIANO
Ferrandina
492
Mass. De Pascale
394
CASTROCICURIO
Pomarico Vecchio
la Canala
Mass. Tampone
Colonia Montana
Mass. S. Vito
Mass. S. Benedetto
Coste della Cretagna
409
Mass. Isca d. Ponte
M. Morrone
345
Mass. Trifoglio
Timpa di Cristo
503
M. di Mella
783
M. Priato
326
Timpa Scarace
Salandrella
Ponte di Vella
S. Pietro
1160
Timpa Cisterna
602
Gorgoglione
Staz. di Pisticci
M. Finese
412
Cozzo Serra
139
Serra del Conte
1079
Mass. Modicacchio
Stigliano
La Serra
995
Mass. Luci
S. Maria
Vitale
Mass. Cammarota
Fosso d. Madonna
Mad. d. Sanità
Pisticci
377
S. Leonardo
Gorgoglione
Cirigliano
Madonna d. Pergamo
Mass. Viola
Mass. Galante
Mass. Mania Nuova
Craco
Convento
Mass. Vitelli
Mass. Indorata
Cavone
S. Pietro
Guárdia Perticara
722
Mass. Scorciabuoi
Mass. Trifoglione
Palazzone S. Maria
Staz. di Craco
T.pa Petrolla
276
Borgata Serra di Croce
Tempa d. Muto
409
Borgata S. Antonio
Gennano del Monte
M. Marcaglione
Mass. Malabocca
C. Pecorelli
M. Soprano
Sauro
Serra Petrizza
T.pa Candore

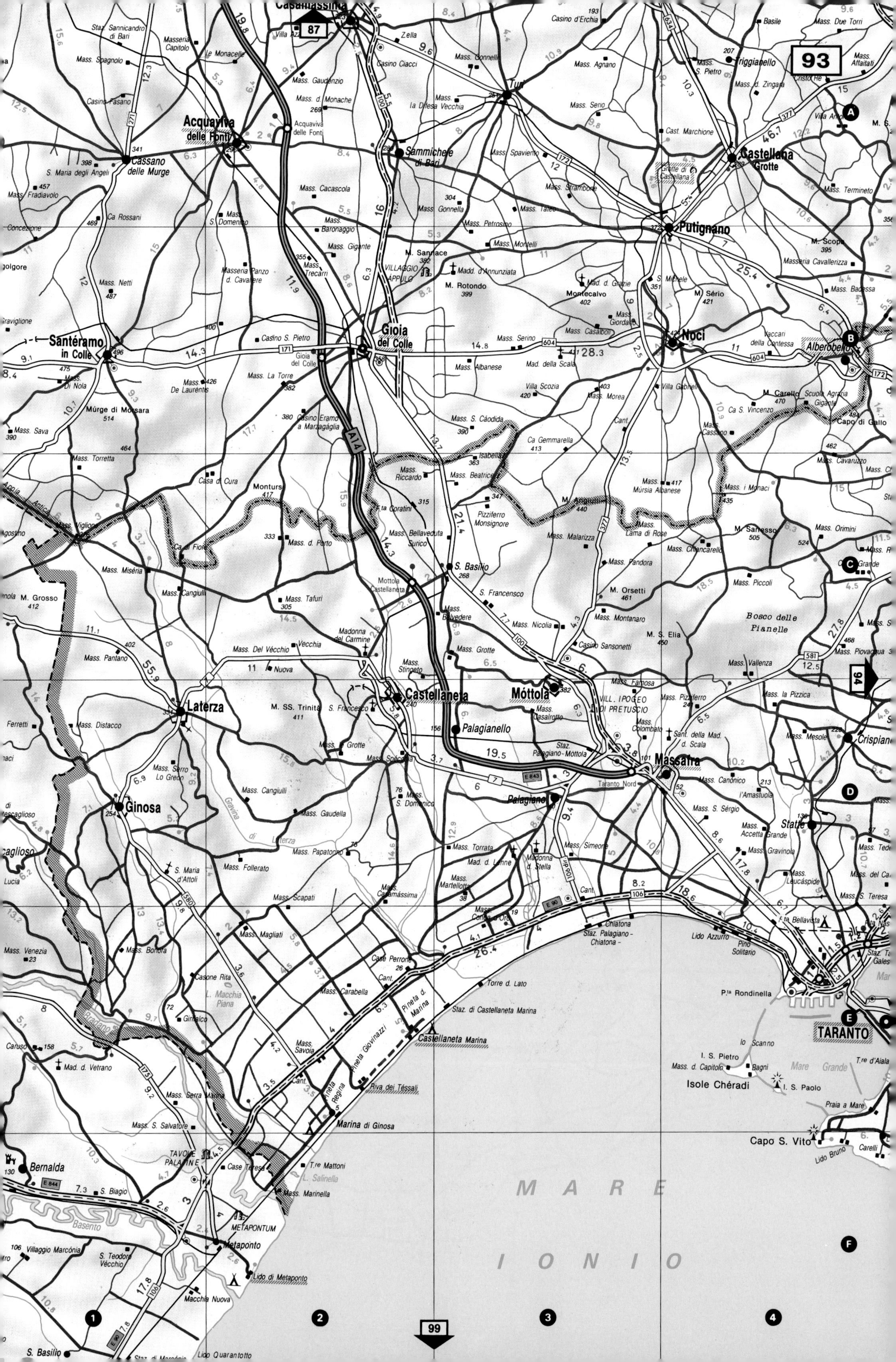

87
93
94
99
Casamassima
Zella
Tuni
Casino d'Erchia
Basile
Mass. Due Torri
Triggianello
Mass. Affaitati
Cristo Re
Villa Anton
Castellana Grotte
Grotte di Castellana
Putignano
Mass. Termineto
M. Scopo
Masseria Cavallerizza
Mass. Badessa
Noci
Alberobello
Vaccari della Contessa
Scuola Agraria Gigante
Capo di Gallo
M. Carello
Ca S. Vincenzo
Mass. Cavaruzzo
Mass. i Monaci
M. Sarresso
Mass. Orimini
Bosco delle Pianelle
Mass. Piovaqqua
M. S. Elia
Mass. Vallenza
Mass. la Pizzica
Mass. Mesole
Crispiano
Statte
Mass. Canonico
l'Amastuola
Mass. S. Sérgio
Mass. Accetta Grande
Mass. Gravinola
Mass. Leucàspide
Mass. S. Teresa
Bellavista
Lido Azzurro
Pino Solitario
P.ta Rondinella
TARANTO
Mare Grande
T.re d'Aiala
lo Scanno
I. S. Pietro
Mass. d. Capitolo
Bagni
Isole Chéradi
I. S. Paolo
Praia a Mare
Capo S. Vito
Lido Bruno
Carelli
Massafra
Taranto Nord
Mass. Colombato
Sant. della Mad. d. Scala
Mass. Pizziferro
Mass. Famosa
VILL. IPOGEO DI PRETUSCIO
Móttola
Mass. Casalrotto
Staz. Palagiano-Móttola
Palagiano
Palagianello
Castellaneta
Mass. Stingeto
Mass. Grotte
Mass. Nicolia
Casino Sansonetti
Mass. Montanaro
M. Orsetti
Mass. Pandora
Mass. Chiancarello
Mass. Lama di Rose
Mass. Malarizza
M. Anguilli
Mass. Múrsia Albanese
Ca Gemmarella
Mass. Cassano
Villa Gabriel
Mass. Morea
Villa Scozia
Mad. della Scala
Mass. Albanese
Mass. Serino
Mass. Casalbori
Mass. Giordano
Montecalvo
Mad. d. Grazie
S. Michele
M. Sério
Mass. Montelli
Mass. Petrosino
Mass. Gonnella
Mass. Strambone
Mass. Spaviento
Mass. Tateo
Mass. Serio
Mass. Agnano
Mass. Connelli
Mass. d. Zingara
Cast. Marchione
la Difesa Vecchia
Sammichele di Bari
Casino Ciacci
Acquaviva delle Fonti
Mass. Gaudenzio
Mass. d. Monache
Villa Azzurra
Staz. Sannicandro di Bari
Masseria Capitolo
Le Monacelle
Mass. Spagnolo
Casino Pasano
Cassano delle Murge
S. Maria degli Angeli
Mass. Fradiavolo
Ca Rossani
Concezione
Mass. S. Domenico
Mass. Cacascola
Mass. Baronaggio
Mass. Gigante
Mass. Trecarri
Masseria Panzo d. Cavalere
M. Sannace
VILLAGGIO APPULO
Madd. d'Annunziata
M. Rotondo
Mass. Netti
Santéramo in Colle
Gioia del Colle
Casino S. Pietro
Mass. Di Nola
Mass. De Laurentis
Mass. La Torre
Murge di Morsara
Casino Eramo a Marzagaglia
Mass. Sava
Mass. Torretta
Casa di Cura
Monturs
Mass. S. Càodida
Isabella
Mass. Riccardo
Mass. Beatrice
Pizziferro Monsignore
F.ta Coratini
Mass. Bellaveduta Surico
Appia Antica
Mass. Viglione
Ca di Fiore
Mass. d. Porto
S. Basilio
S. Francensco
Mottola Castellaneta
Mass. Misèria
M. Grosso
Mass. Cangiulli
Mass. Tafuri
Mass. Belvedere
Madonna del Carmine
Mass. Del Vècchio
Vecchia
Nuova
Mass. Pantano
Laterza
M. SS. Trinità
S. Francesco
Mass. Distacco
Ferretti
Mass. Grotte
Mass. Specchia
Mass. Serro Lo Greco
Ginosa
Mass. Cangiulli
Gravina di Laterza
Mass. Gaudella
Mass. S. Domenico
Mass. Papatonno
Mass. Torrata
Mad. d. Lonne
Madonna d. Stella
Mass. Simeone
S. Maria d'Attoli
Mass. Follerato
Mass. Scapati
Mass. Casamàssima
Mass. Martellotta
Mass. Conca d'Oro
Chiatona
Staz. Palagiano-Chiatona
Mass. Venezia
Mass. Bonora
Mass. Magliati
Case Perrone
Mass. Carabella
Casone Rita
L. Macchia Piana
Torre d. Lato
Pineta d. Marina
Staz. di Castellaneta Marina
Castellaneta Marina
Bradano
Girifalco
Caruso
Mad. d. Vetrano
Mass. Savoia
Pineta Giovinazzi
Riva dei Tèssali
Pineta Regina
Marina di Ginosa
Mass. Serra Marina
Mass. S. Salvatore
TAVOLE PALATINE
Case Teresa
T.re Mattoni
L. Salinella
Mass. Marinella
Bernalda
S. Biagio
Basento
METAPONTUM
Metaponto
Villaggio Marcónia
S. Teodoro Vecchio
Lido di Metaponto
Macchia Nuova
S. Basilio
Lido Quarantotto
MARE IONIO
A
B
C
D
E
F
1
2
3
4
A14
E 843
E 90
E 844

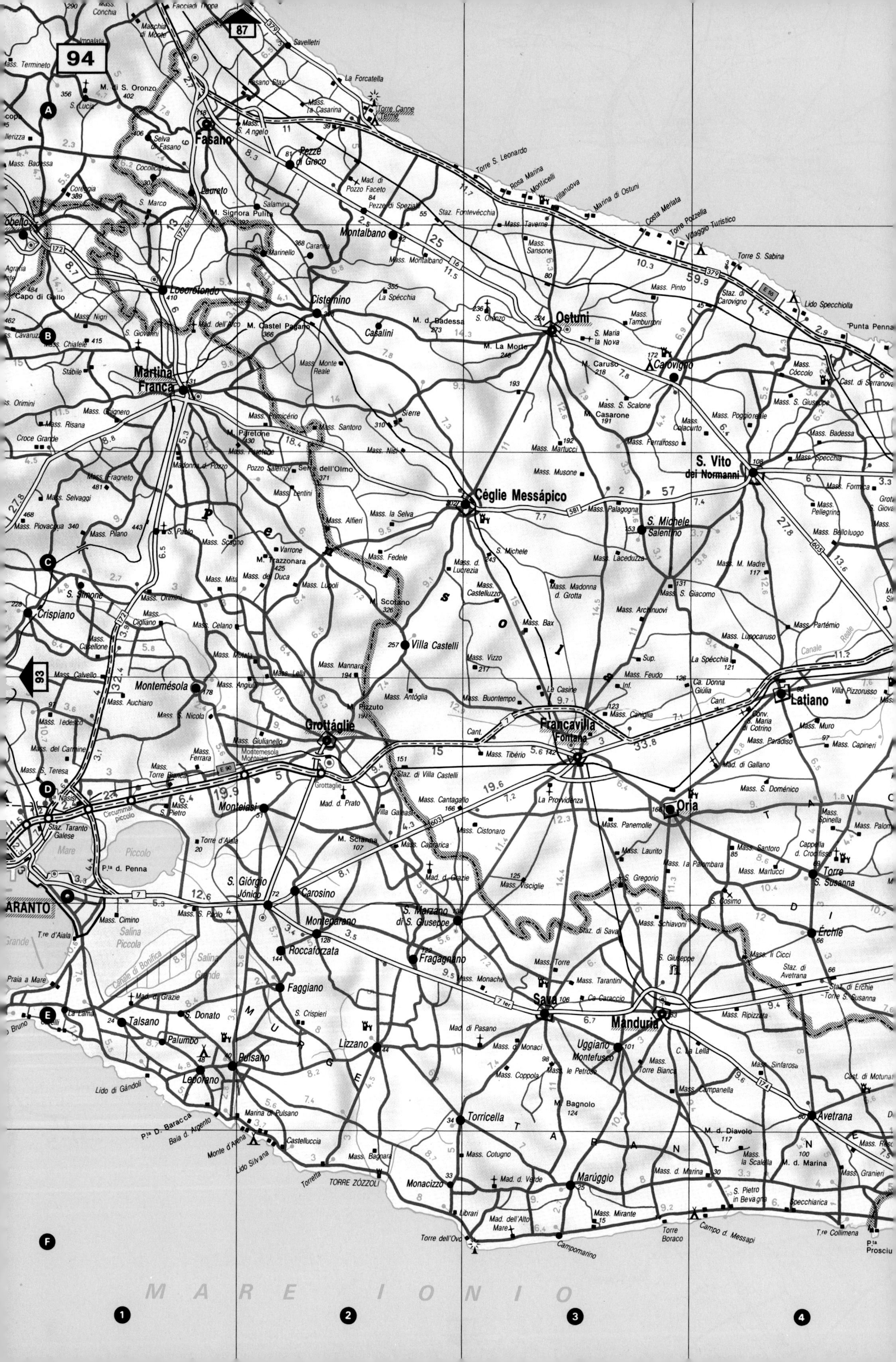

94
87
93
A
B
C
D
E
F
1
2
3
4
Fasano
Savelletri
La Forcatella
Torre Canne Terme
Mass. la Casarina
Fasano Staz.
S. Angelo
Pezze di Greco
Mad. di Pozzo Faceto
Pezze di Speziale
Selva di Fasano
Cocolicchio
Laureto
Coreggia
S. Marco
M. Signora Pulita
Salamina
Montalbano
Mass. Montalbano
Staz. Fontevècchia
Torre S. Leonardo
Rosa Marina
Monticelli
Villanuova
Marina di Ostuni
Costa Merlata
Torre Pozzella
Villaggio Turistico
Torre S. Sabina
Mass. Taverne
Mass. Sansone
Marinello
Caranna
Locorotondo
Capo di Gallo
Cisternino
La Spècchia
Casalini
M. d. Badessa
S. Oronzo
Ostuni
Mass. Pinto
Mass. Tamburroni
Staz. di Carovigno
Lido Specchiolla
Punta Penna
S. Maria la Nova
M. La Morte
M. Caruso
Carovigno
Mass. Còccolo
Cast. di Serranova
Mass. S. Giuseppe
Mass. Poggioreale
Mass. Badessa
Mass. Specchia
Mass. Nigri
Mass. Chialele
S. Giovanni
Mad. dell'Arco
M. Castel Pagano
Martina Franca
Stàbile
Mass. Monte Reale
Sierre
Mass. S. Scalone
M. Casarone
Mass. Colacurto
Mass. Ferrarosso
S. Vito dei Normanni
Mass. Orimini
Mass. Cuginero
Mass. Risana
Croce Grande
Mass. Pomicério
Mass. Santoro
M. Paretone
Mass. Paretone
Madonna d. Pozzo
Pozzo Salerno
Serra dell'Olmo
Mass. Nisi
Mass. Martucci
Mass. Musone
Céglie Messàpico
Mass. Palagogna
Mass. Formica
Mass. Pellegrino
Mass. Fragneto
Mass. Selvaggi
Mass. Piovacqua
Mass. Pilano
S. Paolo
Mass. Lentini
Mass. Alfieri
Mass. la Selva
S. Michele Salentino
Mass. Belloluogo
Mass. Scagno
Varrone
M. Trazzonara
Mass. del Duca
Mass. Fedele
Mass. d. Lucrezia
S. Michele
Mass. Laceduzza
Mass. M. Madre
Mass. Mita
Mass. Luppoli
M. Scotano
Mass. Castelluzzo
Mass. Madonna d. Grotta
Mass. S. Giacomo
S. Simone
Crispiano
Mass. Orimini
Mass. Cigliano
Mass. Celano
Mass. Archinuovi
Mass. Bax
Mass. Partémio
Mass. Casellone
Mass. Mutata
Villa Castelli
Mass. Vizzo
Mass. Lupocaruso
Sup.
La Spècchia
Canale Reale
Mass. Calvello
Montemésola
Mass. Angiulli
Mass. Lella
Mass. Mannara
Mass. Feudo
Inf.
Ca. Donna Giùlia
Mass. Auchiaro
Mass. S. Nicola
Mass. Antòglia
Mass. Buontempo
Le Casine
Cant.
Latiano
Villa Pizzorusso
Mass. Iedesco
M. Pizzuto
Grottàglie
Mass. Caniglia
Francavilla Fontana
Conv. S. Maria di Cotrino
Mass. Muro
Mass. del Carmine
Mass. Giulianello
Montemesola Monteiasi
Mass. Tibério
Mass. Paradiso
Mass. Capineri
Mass. S. Teresa
Mass. Ferrara
Mass. Torre Bianca
Staz. di Villa Castelli
Mad. di Galiano
Mass. S. Doménico
La Nasisi
Circummar piccolo
Mass. S. Pietro
Monteiasi
Grottaglie
Mad. d. Prato
Villa Galeasi
Mass. Cantagallo
La Provvidenza
Oria
Staz. Taranto Galese
Mare Piccolo
Torre d'Aiala
Mass. Cistonaro
M. Sciainna
Mass. Capparica
Mass. Panemolle
Mass. Laurito
Mass. Santoro
Cappella d. Crocifisso
Mass. Spinella
Mass. Palomba
P.ta d. Penna
Mad. d. Grazie
Mass. la Palombara
Mass. Martucci
Torre S. Susanna
S. Giórgio Jónico
Carosino
Mass. Visciglie
S. Gregorio
S. Cosimo
TARANTO
Mass. Cimino
Mass. S. Paolo
Montepàrano
S. Marzano di S. Giuseppe
Mass. Schiavoni
Èrchie
Salina Piccola
Salina Grande
T.re d'Aiala
Roccaforzata
Fragagnano
Staz. di Sava
Mass. Il Cicci
Canale di Bonifica
Praia a Mare
Faggiano
Mass. Monache
Mass. Torre
Mass. Tarantini
S. Giuseppe
Staz. di Avetrana
Staz. di Erchie
Torre S. Susanna
Mad. d. Grazie
S. Donato
Sava
Ca Caraccio
Manduria
Mass. Ripizzata
La Lama
Talsano
S. Crispieri
Mad. di Pasano
Lizzano
Palumbo
Mass. d. Monaci
Uggiano Montefusco
C. La Lella
Mass. Torre Bianca
Mass. Sinfarosa
Cast. di Motunato
Leporano
Pulsano
Mass. Coppola
Mass. le Petrose
Mass. Campanella
Lido di Gàndoli
M. Bagnolo
Marina di Pulsano
Torricella
Avetrana
P.ta D. Baracca
Baia d. Argento
Monte d'Arena
Lido Silvana
Castelluccia
Mass. Bagnara
Mass. Cotugno
M. d. Diavolo
Mass. la Scalella
M. d. Marina
Mass. Granieri
Torretta
TORRE ZÒZZOLI
Monacizzo
Mad. d. Verde
Marùggio
Mass. d. Marina
S. Pietro in Bevagna
Specchiarica
Librari
Mad. dell'Alto Mare
Mass. Mirante
Torre Boraco
Campo d. Messapi
T.re Collimena
P.ta Prosciu
Torre dell'Ovo
Campomarino
MARE IONIO
MURGE
PESOLI
TARANTO

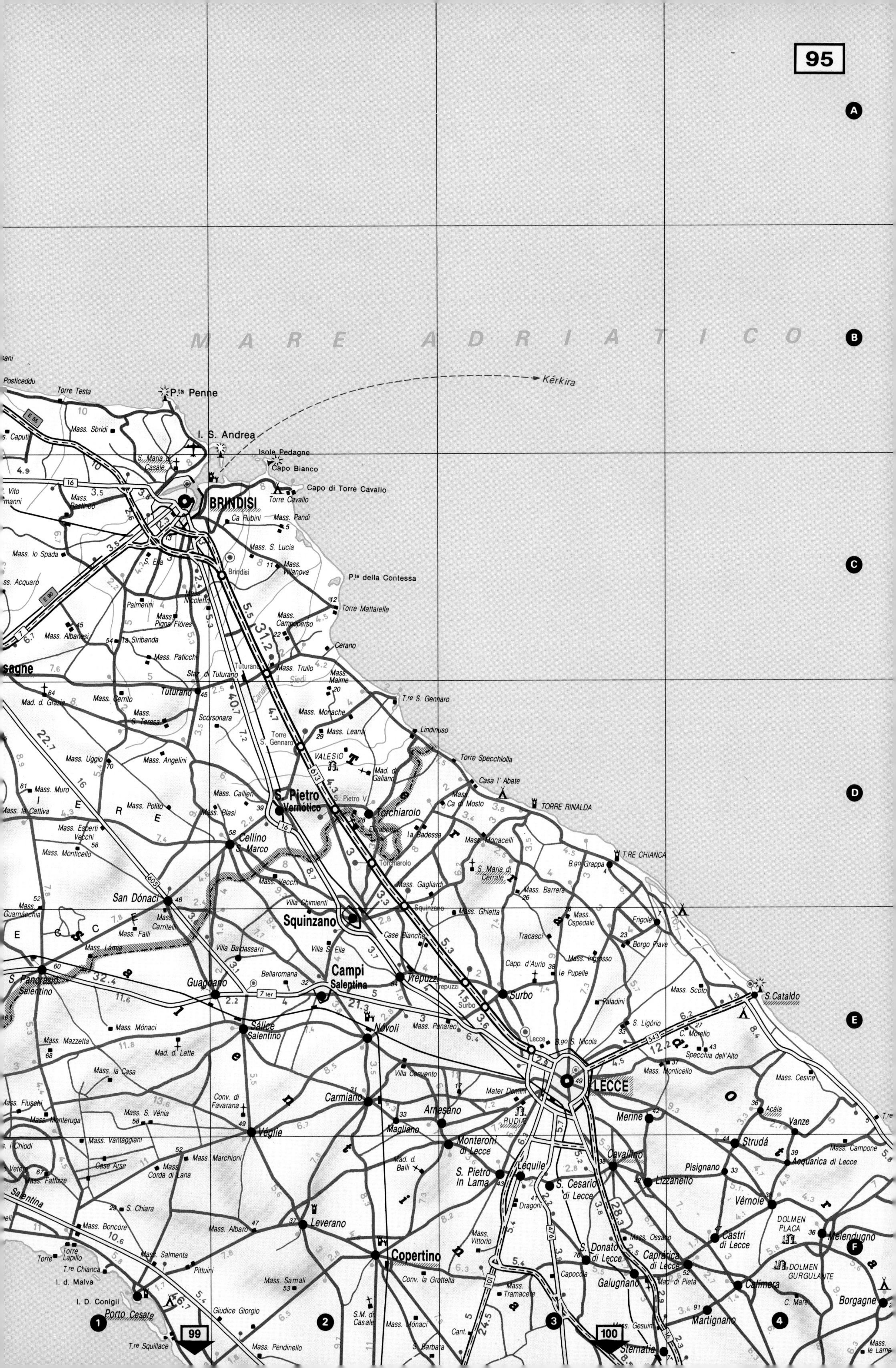
A
B
C
D
E
F
1
2
3
4
MARE ADRIATICO
Kérkira
Posticeddu
Torre Testa
P.ta Penne
I. S. Andrea
Isole Pedagne
Capo Bianco
Capo di Torre Cavallo
Torre Cavallo
BRINDISI
Mass. Sbridi
S. Maria d. Casale
Ca Rubini
Mass. Pandi
Mass. S. Lucia
Mass. Villanova
Brindisi
P.ta della Contessa
Torre Mattarelle
Mass. Campoperso
Cerano
Mass. lo Spada
S. Elia
Palmerini
Mass. Nicoletto
Mass. Pigna Flóres
Mass. Albanesi
Siribanda
Mass. Paticchi
Staz. di Tuturano
Tuturano
Mass. Trullo
Mass. Maime
T.re S. Gennaro
Mad. d. Grazia
Mass. Cerrito
Mass. S. Teresa
Scorsonara
Mass. Monache
Mass. Leanzi
Lindinuso
Torre S. Gennaro
Torre Specchiolla
Mass. Uggio
Mass. Angelini
VALESIO
Mad. di Galiano
Casa l' Abate
TORRE RINALDA
Mass. Muro
Mass. Callieri
S. Pietro Vernòtico
S. Pietro V.
Torchiarolo
Mass. Ca di Mosto
Mass. la Cattiva
Mass. Polito
Mass. Blasi
la Badessa
Mass. Monacelli
Mass. Esperti Vecchi
Cellino S. Marco
T.RE CHIANCA
Mass. Monticello
B.go Grappa
S. Maria di Cerrate
Mass. Vecchi
Mass. Gagliardi
Mass. Barrera
San Dónaci
Villa Chimienti
Squinzano
Mass. Ghietta
Mass. Ospedale
Frigole
Mass. Guarnàcchia
Mass. Carritelli
Mass. Falli
Tracasci
Borgo Piave
Mass. Lèmia
Villa Badassarri
Villa S. Elia
Case Bianche
Mass. Ingrosso
Capp. d'Aurio
le Pupelle
S. Pancrazio Salentino
Guagnano
Bellaromana
Campi Salentina
Trepuzzi
Surbo
Mass. Scoto
S. Cataldo
Paladini
Mass. Mónaci
Sálice Salentino
Nóvoli
Mass. Panareo
S. Ligório
C. Morello
Mass. Mazzetta
Mad. d. Latte
Lecce
B.go S. Nicola
Specchia dell'Alto
Mass. Monticello
Mass. la Casa
Villa Convento
LECCE
Mater Domini
Mass. Cesine
Mass. Fiuschi
Conv. di Favarana
Carmiano
Arnesano
RUDIAE
Merine
Acáia
Mass. Monteruga
Mass. S. Vénia
Véglie
Magliano
Vanze
Mass. Vantaggiani
Monteroni di Lecce
Strudá
Mass. Campone
Mass. Marchionì
Case Arse
Mass. Corda di Lana
Mad. d. Balli
S. Pietro in Lama
Lèquile
S. Cesario di Lecce
Cavallino
Pisignano
Acquarica di Lecce
Mass. Fattizze
Lizzanello
S. Chiara
Dragoni
Vérnole
Leverano
Mass. Boncore
Mass. Albaro
Mass. Vittorio
Mass. Ossano
DOLMEN PLACA
Castri di Lecce
Melendugno
Torre Lapillo
Copertino
S. Donato di Lecce
Caprárica di Lecce
Mass. Salmenta
Pittuini
T.re Chianca
I. d. Malva
Capocolla
DOLMEN GURGULANTE
Mass. Samali
Conv. la Grottella
Galugnano
Mad. di Pietà
Calimera
I. D. Conigli
Mass. Tramacere
C. Mare
Borgagne
Porto Cesare
Giudice Giorgio
S.M. di Casale
Mass. Mónaci
Martignano
Mass. Gesuini
T.re Squillace
Mass. Pendinello
S. Barbara
Cant.
Sternatia
Mass. le Lame
99
100

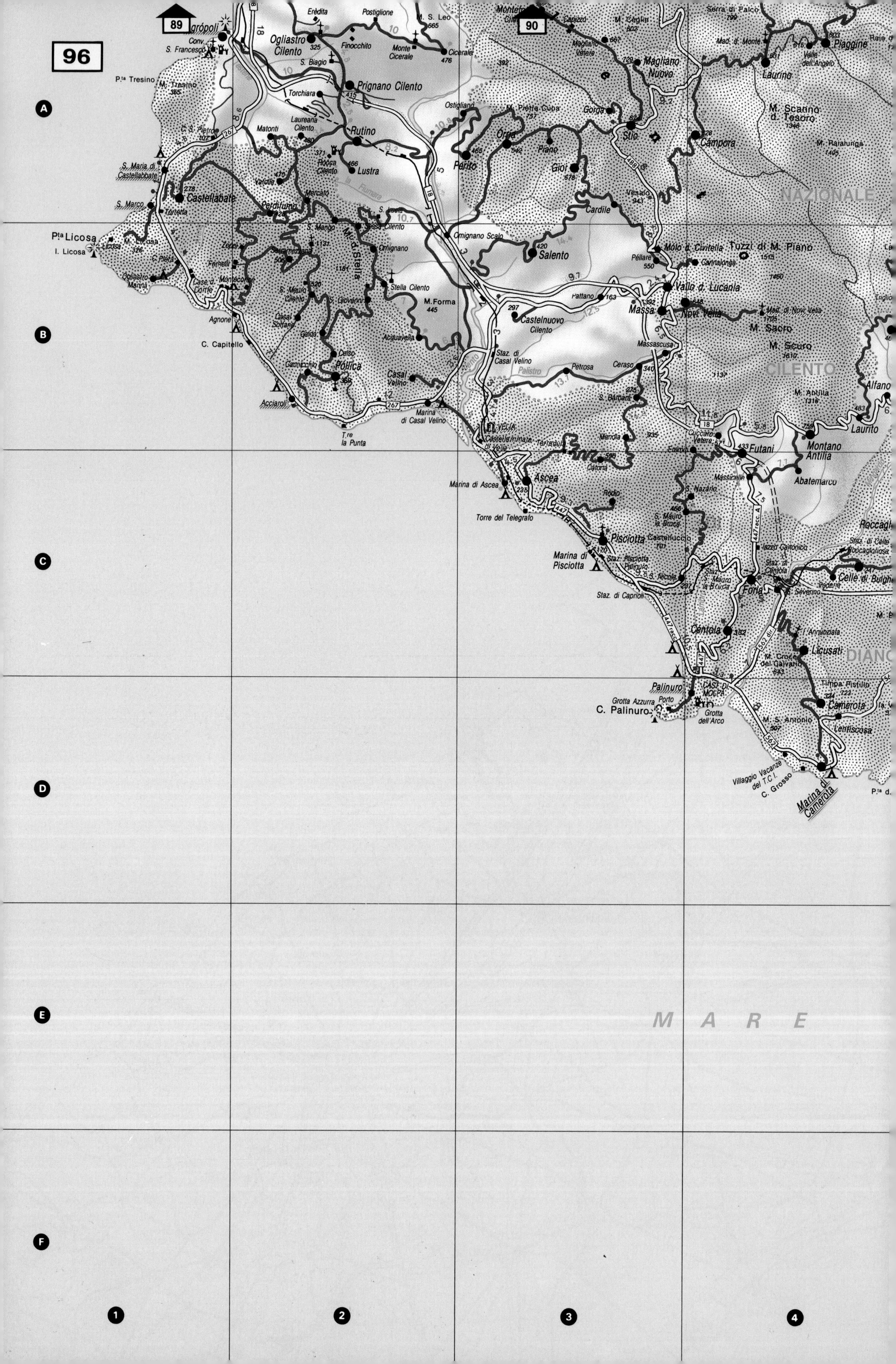

96
89
90
A
B
C
D
E
F
1
2
3
4
Agrópoli
Conv. S. Francesco
P.ta Tresino
M. Tresino
Ogliastro Cilento
Prignano Cilento
Torchiara
Rutino
Laureana Cilento
Matonti
Rocca Cilento
Lustra
S. Maria di Castellabbate
Castellabate
S. Marco
Perdifumo
Mercato
P.ta Licosa
I. Licosa
Serramezzana
M. d. Stella
Omignano
Ogliastro Marina
Case d. Corte
S. Mauro Cilento
S. Giovanni
Stella Cilento
M. Forma
Agnone
C. Capitello
Casal Sottano
Galdo
Pollica
Cannicchio
Acciaroli
Casal Velino
Marina di Casal Velino
T.re la Punta
Erèdita
Postiglione
M. S. Leo
Finocchito
Monte Cicerale
Cicerale
S. Biagio
Ostigliano
M. Pietra Cuba
Orria
Piano
Perito
Gioi
Cardile
Salento
Omignano Scalo
Castelnuovo Cilento
Pattano
Staz. di Casal Velino
Petrosa
Ceraso
S. Barbara
Velia
Castellammare di Velia
Terradura
Mandia
Catona
Ascea
Marina di Ascea
Torre del Telegrafo
Rodio
Pisciotta
Marina di Pisciotta
Staz. Pisciotta Palinuro
Staz. di Caprioli
S. Nicola
Magliano Vetere
Magliano Nuovo
M. Ceglie
Capizzo
Gorga
Stio
Càmpora
Vesalo
Laurino
Piaggine
Valle dell'Angelo
Serra di Falco
M. Scanno d. Tesoro
M. Raialunga
NAZIONALE
CILENTO
Mòio d. Civitella
Tuzzi di M. Piano
Pellare
Cannalonga
Vallo d. Lucania
Massa
Novi Velia
M. Sacro
M. Scuro
Massascusa
M. Antilia
Alfano
Laurito
Cuccaro Vetere
Futani
Montano Antilia
Abatemarco
Massicelle
Eremiti
S. Nazario
S. Mauro la Bruca
Castelluccio
Staz. S. Mauro la Bruca
Foria
Staz. di Centola
Centola
S. Severino
Celle di Bulgheria
Roccagloriosa
Licusati
M. Croce del Calvario
Camerota
Lentiscosa
M. S. Antonio
Palinuro
C. Palinuro
Grotta Azzurra
Porto
Cast. di Molpa
Grotta dell'Arco
Villaggio Vacanze del T.C.I.
C. Grosso
Marina di Camerota
M A R E

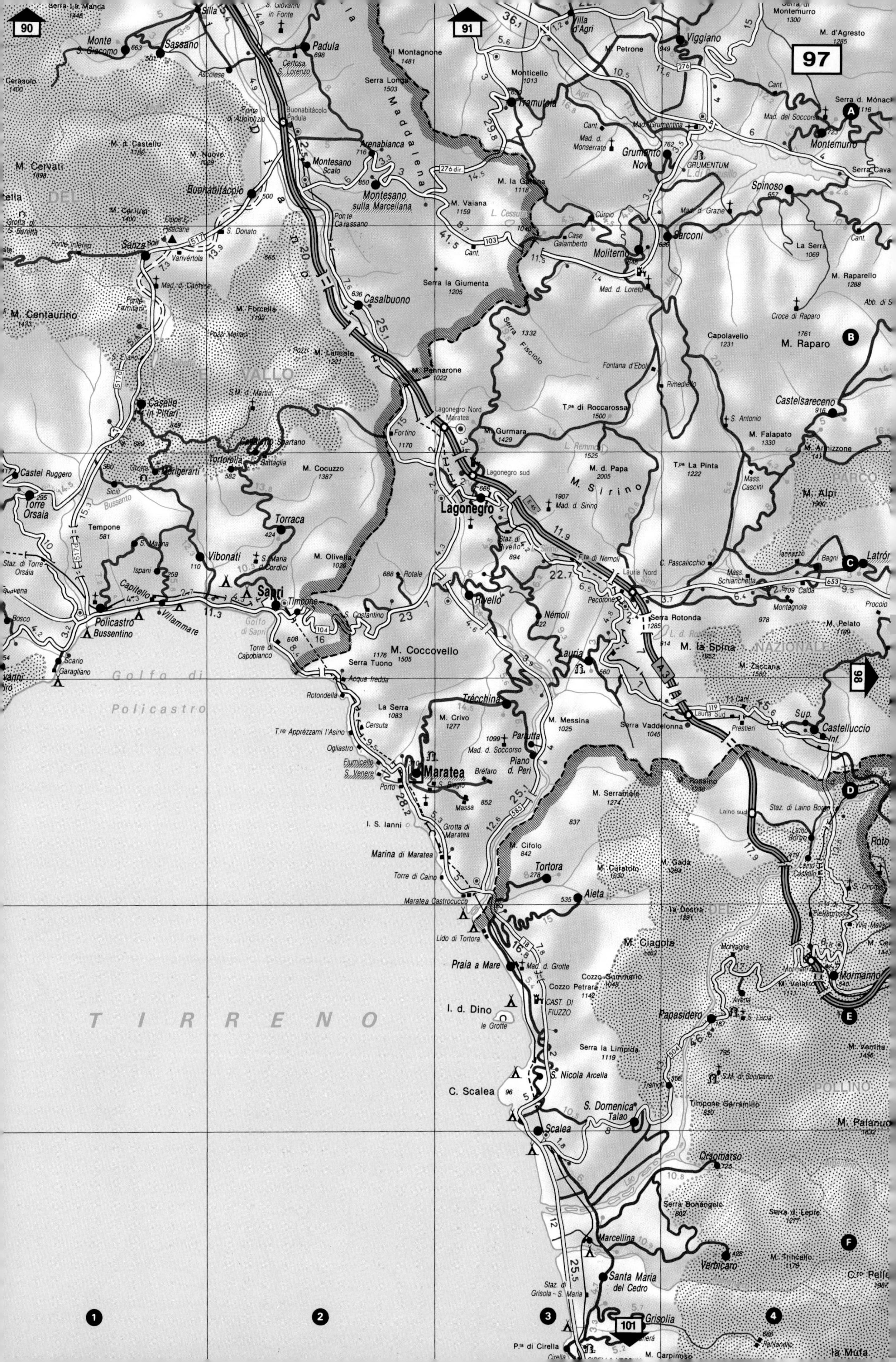

90
91
97
98
101
Serra La Manca
Silla
Sassano
Monte S. Giacomo
Padula
Certosa S. Lorenzo
Buonabitácolo
Montesano Scalo
Montesano sulla Marcellana
Arenabianca
M. Cervati
M. Centaurino
Sanza
Casalbuono
M. Pennarone
Lagonegro
Lagonegro Nord Maratea
Lagonegro sud
M. Sirino
Rivello
Nèmoli
Lauria
Lauria Nord
Lauria Sud
Trécchina
Maratea
Marina di Maratea
Maratea Castrocucco
Lido di Tortora
Praia a Mare
I. d. Dino
C. Scalea
S. Nicola Arcella
Scalea
S. Domenica Talao
Tortora
Aieta
Papasidero
Mormanno
Orsomarso
Verbicaro
Marcellina
Santa Maria del Cedro
Grisolia
Caselle in Pittari
Torraca
Vibonati
Sapri
Tortorella
Morigerati
Castel Ruggero
Torre Orsaia
Policastro Bussentino
Villammare
Capitello
Golfo di Policastro
Golfo di Sapri
M. Coccovello
Serra Tuono
Acquafredda
T I R R E N O
Tramutola
Viggiano
Villa d'Agri
Grumento Nova
GRUMENTUM
Moliterno
Sarconi
Spinoso
Montemurro
M. Raparo
Castelsaraceno
Latrónico
Castelluccio Sup.
Castelluccio Inf.
Serra Rotonda
M. la Spina
M. Alpi
PARCO
NAZIONALE
DEL
POLLINO
M. Palanuda
VALLO
DEL

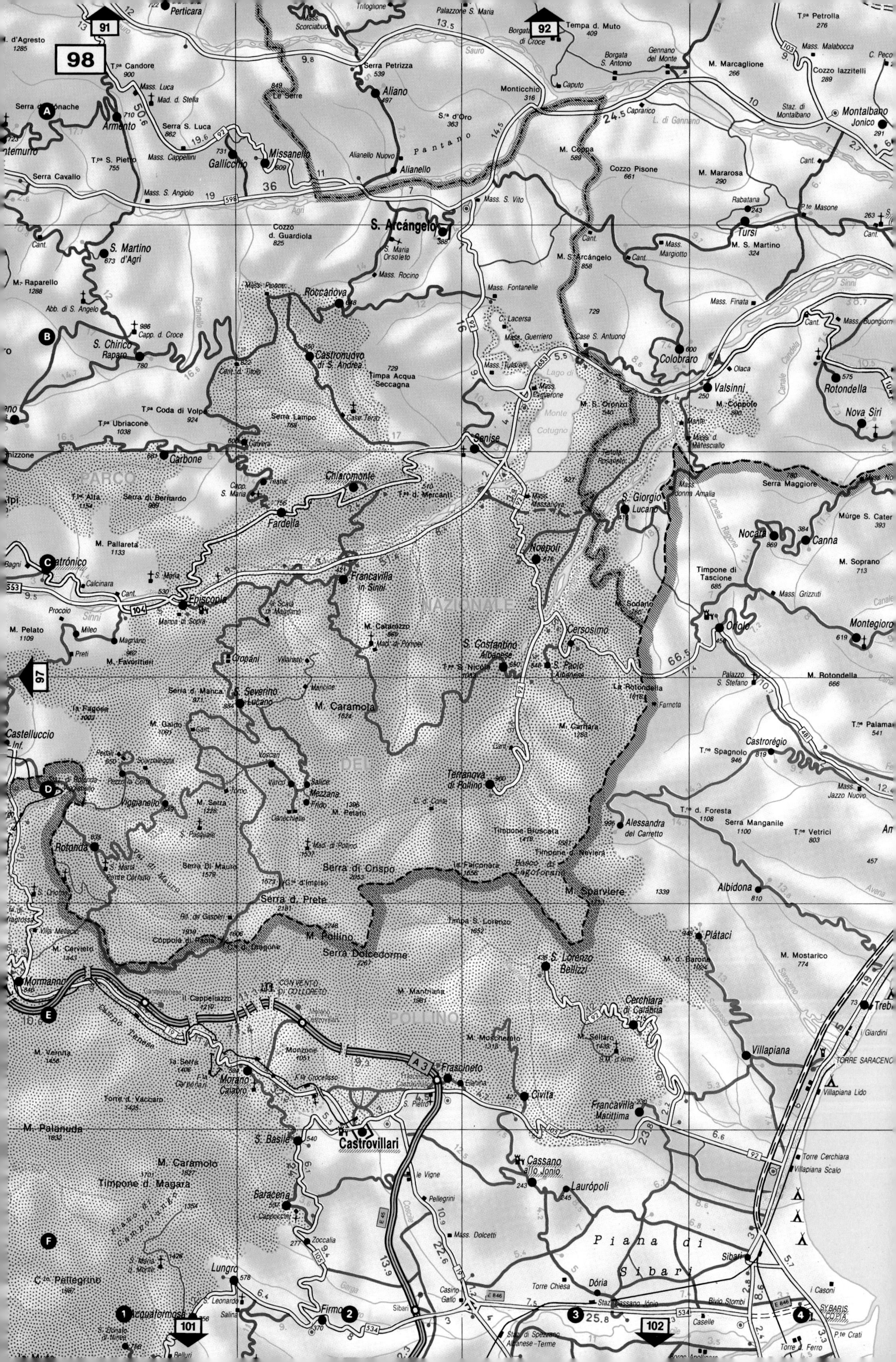

91
92
98
97
101
102
Perticara
Trifoglione
Palazzone S. Maria
Tempa d. Muto
T.pa Petrolla
M. d'Agresto
T.pa Candore
Mass. Scorciabuoi
Borgata di Croce
Serra Petrizza
Aliano
Borgata S. Antonio
Gennaro del Monte
M. Marcaglione
Mass. Malabocca
Cozzo Iazzitelli
Mass. Luca
Mad. d. Stella
Le Serre
Monticchio
Caputo
Capraríco
L. di Gannano
Staz. di Montalbano
Montalbano Jonico
Serra d. Monache
Armento
Serra S. Luca
S.ra d'Oro
Pantano
Gallicchio
Missanello
Mass. Cappellini
Alianello Nuovo
Alianello
M. Coppa
Cozzo Pisone
M. Mararosa
T.pa S. Pietro
Serra Cavallo
Mass. S. Angiolo
Agri
Mass. S. Vito
Rabatana
P.te Masone
Tursi
S. Arcángelo
Cozzo d. Guardiola
S. Maria Orsoleto
Mass. Rocino
M. S. Arcángelo
Mass. Margiotto
M. S. Martino
S. Martino d'Agri
M. Raparello
Abb. di S. Angelo
Roccanova
Mass. Fontanelle
Mass. Finata
Sinni
Mass. Buongiorno
Capp. d. Croce
S. Chirico Raparo
C. Lacersa
Mass. Guerriero
Case S. Antuono
Colobraro
Cant. d. Titolo
Castronuovo di S. Andrea
Timpa Acqua Seccagna
Mass. Tufarelli
Lago di Monte Cotugno
Olaca
Valsinni
Rotondella
Nova Siri
T.pa Coda di Volpe
T.pa Ubriacone
Serra Lampo
Case Terzo
M. Coppolo
M. S. Oronzo
Canale Candela
Carbone
PARCO
NAZIONALE
DEL
POLLINO
Senise
Chiaromonte
T.pa d. Mercanti
Serra Maggiore
Serra di Bernardo
T.pe Alta
Fardella
Mass. Massanova
S. Giorgio Lucano
Mass. Madonna Amalia
Múrge S. Cater
M. Pallareta
Nocara
Canna
Noepoli
Catrónico
S. Maria
Francavilla in Sinni
M. Soprano
Timpone di Tascione
Calcinara
Episcopia
Mass. Grizzuti
Procoio
Sinni
M. Sodano
Mileo
M. Calarozzo
Mad. di Pompei
Oriolo
Montegiorda
M. Pelato
Magriano
M. Favoritieri
Cropani
Villaneto
S. Costantino Albanese
S. Paolo Albanese
Cersosimo
Palazzo S. Stefano
M. Rotondella
Serra d. Manca
S. Severino Lucano
La Rotondella
Farneta
la Fagosa
M. Caramola
M. Carnara
M. Gaido
Castelluccio Inf.
Voscan
Castrorégio
T.ne Spagnolo
T.ne Palamar
Pedali
Scarpaleggia
Salice
Mezzana
Frido
Terranova di Pollino
Mass. Jazzo Nuovo
Viggianello
M. Serra
M. Pelato
C. d. Conte
T.ne d. Foresta
Serra Manganile
T.ne Vetrici
Rotonda
S. Pasquale
Alessandra del Carretto
Timpone Bruscata
Mad. di Pollino
Timpone d. Neviera
Serra Di Mauro
Serra di Crispo
Bosco di Lagoforano
Albidona
S. Oriolo
Serra d. Prete
M. Sparviere
Timpa S. Lorenzo
Rif. de Gasperi
M. Pollino
Plátaci
Coppola di Paola
Serra Dolcedorme
M. d. Barone
M. Mostarico
M. Cerviero
S. Lorenzo Bellizzi
Mormanno
Campotenese
Il Cappellazzo
CONVENTO DI COLLORETO
M. Mantriana
Campo Tenese
Morano Castrovillari
Cerchiara di Calabria
Trebi
M. Moschereto
M. Sellaro
I Giardini
M. Verruta
La Serra
Monzone
Villapiana
TORRE SARACENO
Morano Calabro
Frascineto
Torre d. Vaccaro
Eianina
Civita
Villapiana Lido
S. Pietro
Francavilla Marittima
M. Palanuda
S. Basile
Castrovillari
Torre Cerchiara
Villapiana Scalo
M. Caramolo
Cassano allo Jonio
Timpone d. Magara
le Vigne
Lauropoli
Saracena
Pellegrini
Piana di Sibari
Mass. Dolcetti
Zoccalia
S. Maria d. Monte
Sibari
C.zo Pellegrino
Lungro
Torre Chiesa
Dória
i Casoni
Casino Gallo
Acquaformosa
S. Leonardo
Salina
Firmo
Sibari
Staz. Cassano Jonio
Bivio Stombi
SYBARIS COPIA
Caselle
Staz. di Spezzano Albanese-Terme
Torre d. Ferro
P.te Crati
A
B
C
D
E
F
1
2
3
4
A 3
E 45
E 846

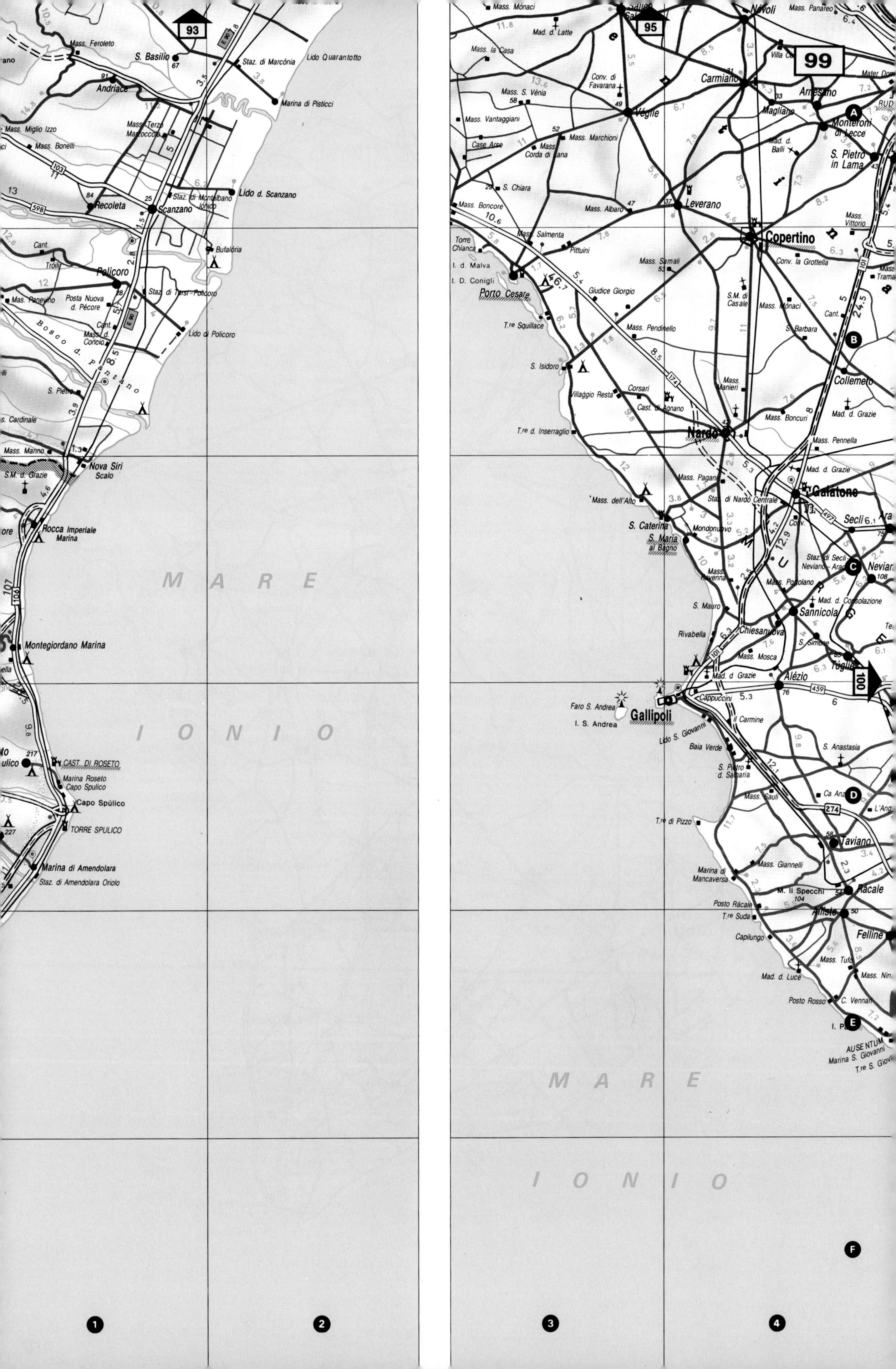

93
95
99
100
MARE
IONIO
Policoro
Scanzano
Nova Siri Scalo
Rocca Imperiale Marina
Montegiordano Marina
Capo Spúlico
Marina di Amendolara
Porto Cesare
Copertino
Leverano
Nardò
Galatone
Gallipoli
Alézio
Sannicola
Taviano
Racale
Alliste
1
2
3
4

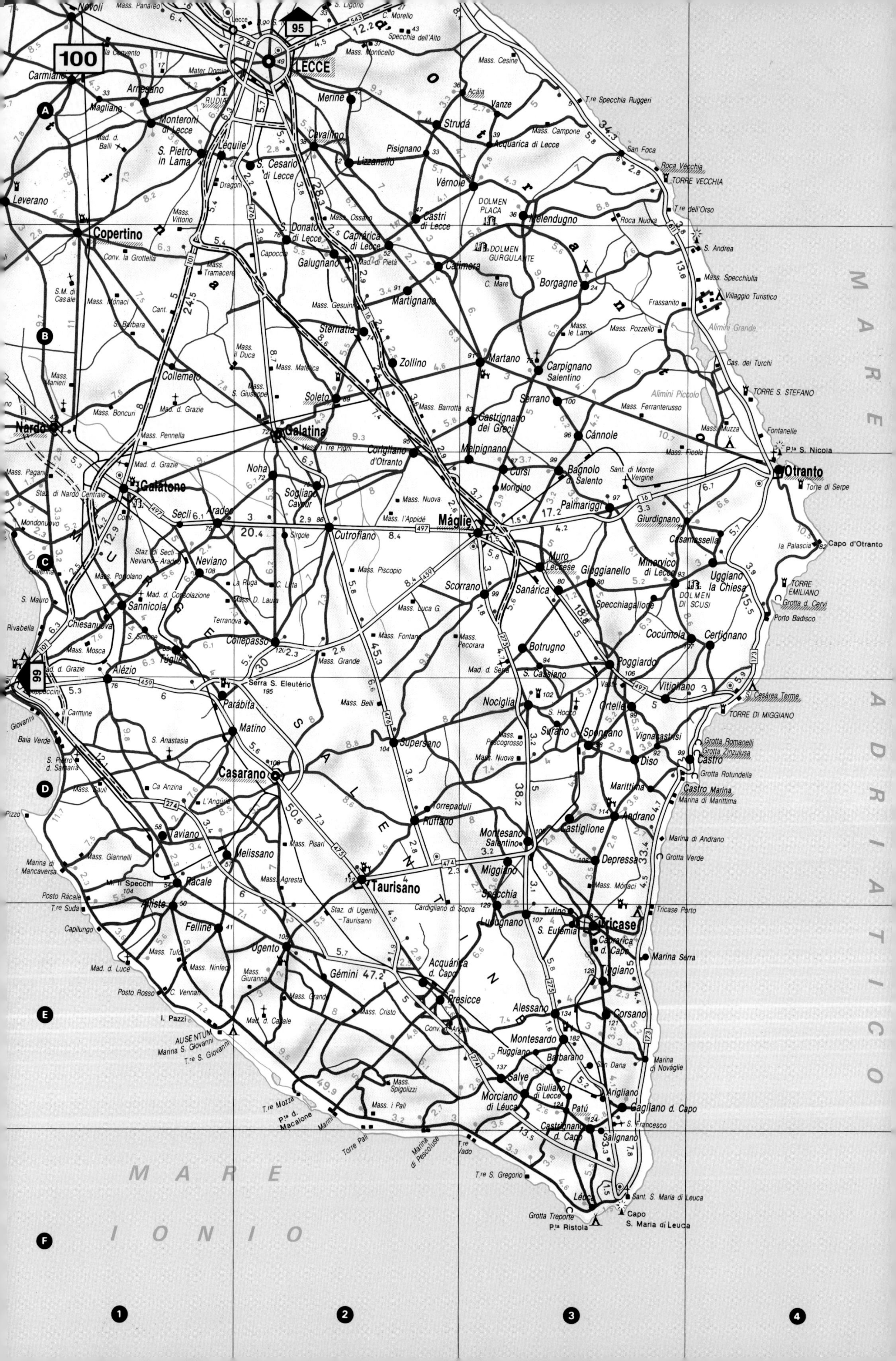

100
95
Nòvoli
Lecce
LECCE
Carmiano
Arnesano
Magliano
Monteroni di Lecce
Mater Domini
RUDIAE
Merine
Acàia
Vanze
Strudà
Cavallino
Lèquile
S. Pietro in Lama
S. Cesario di Lecce
Dragoni
Pisignano
Lizzanello
Vèrnole
Acquarica di Lecce
Mass. Cesine
T.re Specchia Ruggeri
San Foca
Roca Vècchia
TORRE VECCHIA
T.re dell'Orso
Roca Nuova
Leverano
Copertino
Mass. Vittorio
S. Donato di Lecce
Caprarica di Lecce
Castri di Lecce
DOLMEN PLACA
Melendugno
DOLMEN GURGULANTE
S. Andrea
Calimera
Galugnano
Mad. di Pietà
Conv. la Grottella
Mass. Tramacere
Capoccia
Borgagne
Mass. Specchiulla
Villaggio Turistico
Frassanito
Alimini Grande
S.M. di Casale
Mass. Mònaci
Martignano
Mass. Gesuini
Sternatia
S. Barbara
Mass. le Lame
Mass. Pozzello
Zollino
Martano
Carpignano Salentino
Cas. dei Turchi
Collemeto
Mass. il Duca
Mass. Matèrica
Soleto
Serrano
Alimini Piccolo
TORRE S. STEFANO
Mass. Ferranterusso
Mass. Manieri
Nardò
Mass. Boncuri
Mad. d. Grazie
Mass. S. Giuseppe
Mass. Barrotta
Castrignano dei Greci
Galatina
Mass. Pennella
Mass. i Tre Pigni
Corigliano d'Otranto
Melpignano
Cànnole
Mass. Muzza
Fontanelle
P.ta S. Nicola
Otranto
Torre di Serpe
Mass. Pagani
Galatone
Staz. di Nardò Centrale
Noha
Soglianо Cavour
Cursi
Morigino
Bagnolo d. Salento
Sant. di Monte Vergine
Palmariggi
Giurdignano
Secli
Aradeo
Sirgole
Cutrofiano
Màglie
Mass. Nuova
Mass. l'Appidè
Casamassella
Mondonuovo
Staz. di Secli Neviano-Aradeo
Neviano
Muro Leccese
Giuggianello
Minervino di Lecce
Uggiano la Chiesa
Capo d'Otranto
la Palascia
TORRE EMILIANO
Grotta d. Cervi
Porto Badisco
Ravenna
S. Mauro
Mass. Porcilano
Mad. d. Consolazione
La Ruga
C. Lita
Mass. Piscopio
Scorrano
Sanàrica
Specchiagallone
DOLMEN DI SCUSI
Sannicola
Mass. D. Laura
Terranova
Mass. Luca G.
Rivabella
Chiesanuova
S. Simone
Mass. Mosca
Collepasso
Mass. Fontana
Mass. Pecorara
Botrugno
Cocùmola
Cerfignano
Tuglie
Mass. Grande
Mad. d. Serra
S. Cassiano
Poggiardo
Vitigliano
S. Cesàrea Terme
TORRE DI MIGGIANO
Alèzio
Serra S. Eleutério
Paràbita
Mass. Belli
Nociglia
Vaste
Ortelle
Il Carmine
S. Giovanni
Baia Verde
Matino
S. Anastasia
Supersano
Mass. Pescogrosso
S. Hocco
Surano
Spongano
Vignacastrisi
Diso
Grotta Romanelli
Grotta Zinzulusa
Castro
Grotta Rotundella
S. Pietro d. Samaria
Casarano
Mass. Cauli
Ca Anzina
L'Angùria
Marittima
Castro Marina
Marina di Marittima
Pizzo
Taviano
Torrepaduli
Ruffano
Montesano Salentino
Castiglione
Andrano
Marina di Andrano
Grotta Verde
Mass. Giannelli
Melissano
Mass. Pisari
Marina di Mancaversa
Racale
M. Il Specchi
Mass. Agresta
Taurisano
Miggiano
Depressa
Mass. Mònaci
Posto Ràcale
T.re Suda
Alliste
Staz. di Ugento -Taurisano
Cardigliano di Sopra
Specchia
Lucugnano
Tutino
Tricase
S. Eufemia
Tricase Porto
Capilungo
Felline
Mass. Tufo
Mass. Ninfeo
Ugento
Acquàrica d. Capo
Caprarica d. Capo
Marina Serra
Tiggiano
Mad. d. Luce
Mass. Giuranna
Gèmini
Posto Rosso
C. Vennari
Mass. Grande
Mass. Cristo
Presicce
Alessano
Corsano
I. Pazzi
AUSENTUM
Marina S. Giovanni
T.re S. Giovanni
Mad. d. Casale
Conv. d. Angeli
Montesardo
Ruggiano
Barbarano
San Dana
Marina di Novàglie
Mass. Spigolizzi
Salve
Giuliano di Lecce
Arigliano
Gagliano d. Capo
Morciano di Lèuca
Patù
S. Francesco
Mass. i Pali
T.re Mozza
P.ta d. Macalone
Marini
Torre Pali
Marina di Pescoluse
T.re Vado
Castrignano d. Capo
Salignano
T.re S. Gregorio
Lèuca
Sant. S. Maria di Leuca
Grotta Treporte
P.ta Ristola
Capo S. Maria di Leuca
MARE IONIO
MARE ADRIATICO
A
B
C
D
E
F
1
2
3
4

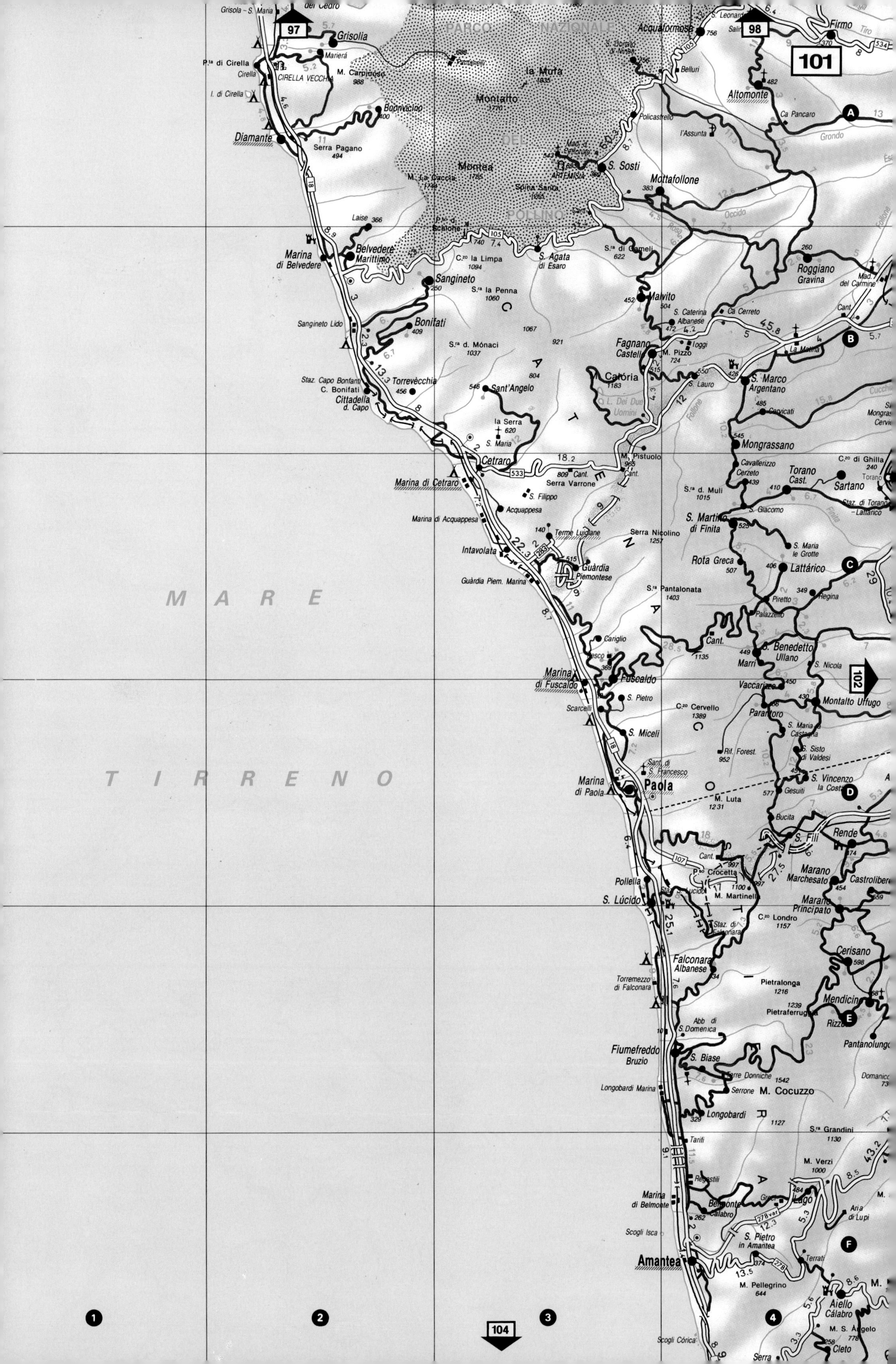

101
97
98
102
104
MARE
TIRRENO
PARCO NAZIONALE DEL POLLINO
Grisolia
Mariera
P.ta di Cirella
Cirella
CIRELLA VECCHIA
M. Carpinoso
988
I. di Cirella
Diamante
Buonvicino
Serra Pagano
494
Montalto
la Mula
1935
Montea
1785
M. La Caccia
Spina Santa
Acquaformosa
Firmo
Altomonte
Ca Pancaro
Grondo
Policastrello
l'Assunta
S. Sosti
Mottafollone
Occido
Laise
366
Marina di Belvedere
Belvedere Marittimo
S. Agata di Esaro
C.zo la Limpa
1094
Sangineto
250
S.ra la Penna
1060
S.ra di Cameli
622
Roggiano Gravina
260
Mad. del Carmine
Malvito
452
S. Caterina Albanese
472
Ca Cerreto
La Macina
Sangineto Lido
Bonifati
409
S.ra d. Mónaci
1037
Fagnano Castello
M. Pizzo
724
S. Lauro
S. Marco Argentano
Staz. Capo Bonfanti
C. Bonifati
Cittadella d. Capo
Torrevecchia
456
Sant'Angelo
546
M. Calória
1183
L. Dei Due Uomini
Cervicati
la Serra
620
S. Maria
Mongrassano
545
Cetraro
Marina di Cetraro
M. Pistuolo
965
809 Cant.
Serra Varrone
Cavallerizzo
Cerzeto
439
Torano Cast.
C.zo di Ghilla
240
Sartano
Staz. di Torano - Lattarico
S. Filippo
Acquappesa
Marina di Acquappesa
S.ra d. Muli
1015
S. Giacomo
S. Martino di Finita
Terme Luigiane
140
Serra Nicolino
1257
Intavolata
Guàrdia Piemontese
515
Guàrdia Piem. Marina
S. Maria le Grotte
Rota Greca
507
Lattárico
406
S.ra Pantalonata
1403
Piretto
Regina
349
Palazzello
Cariglio
Cant.
1135
S. Benedetto Ullano
449
Marri
S. Nicola
Marina di Fuscaldo
Fuscaldo
369
S. Pietro
Vaccarizzo
Montalto Uffugo
Scarcelli
C.zo Cervello
1389
Parantoro
S. Miceli
S. Maria a Castagna
S. Sisto di Valdesi
Rif. Forest.
952
Sant. di S. Francesco
Marina di Paola
Paola
M. Luta
1231
S. Vincenzo la Costa
Gesuiti
Bucita
Rende
S. Fili
Cant.
997
P.so Crocetta
1100
M. Martinella
Marano Marchesato
Castrolibero
Pollella
S. Lúcido
Marano Principato
C.zo Londro
1157
Staz. di Falconara
Cerisano
598
Falconara Albanese
Torremezzo di Falconara
Pietralonga
1216
Pietraferrugia
1239
Mendicino
Rizzo
Pantanolungo
Abb. di S. Domenica
Fiumefreddo Bruzio
S. Biase
Serre Donniche
1542
Serrone
M. Cocuzzo
Longobardi Marina
Longobardi
Domanico
S.ra Grandini
1130
1127
Tarifi
M. Verzi
1000
Regastili
Marina di Belmonte
Belmonte Calabro
262
Lago
Aria di Lupi
Scogli Isca
S. Pietro in Amantea
Amantea
M. Pellegrino
644
Terrati
Aiello Cálabro
M. S. Angelo
776
Cleto
Scogli Córica
Serra
1
2
3
4
A
B
C
D
E
F

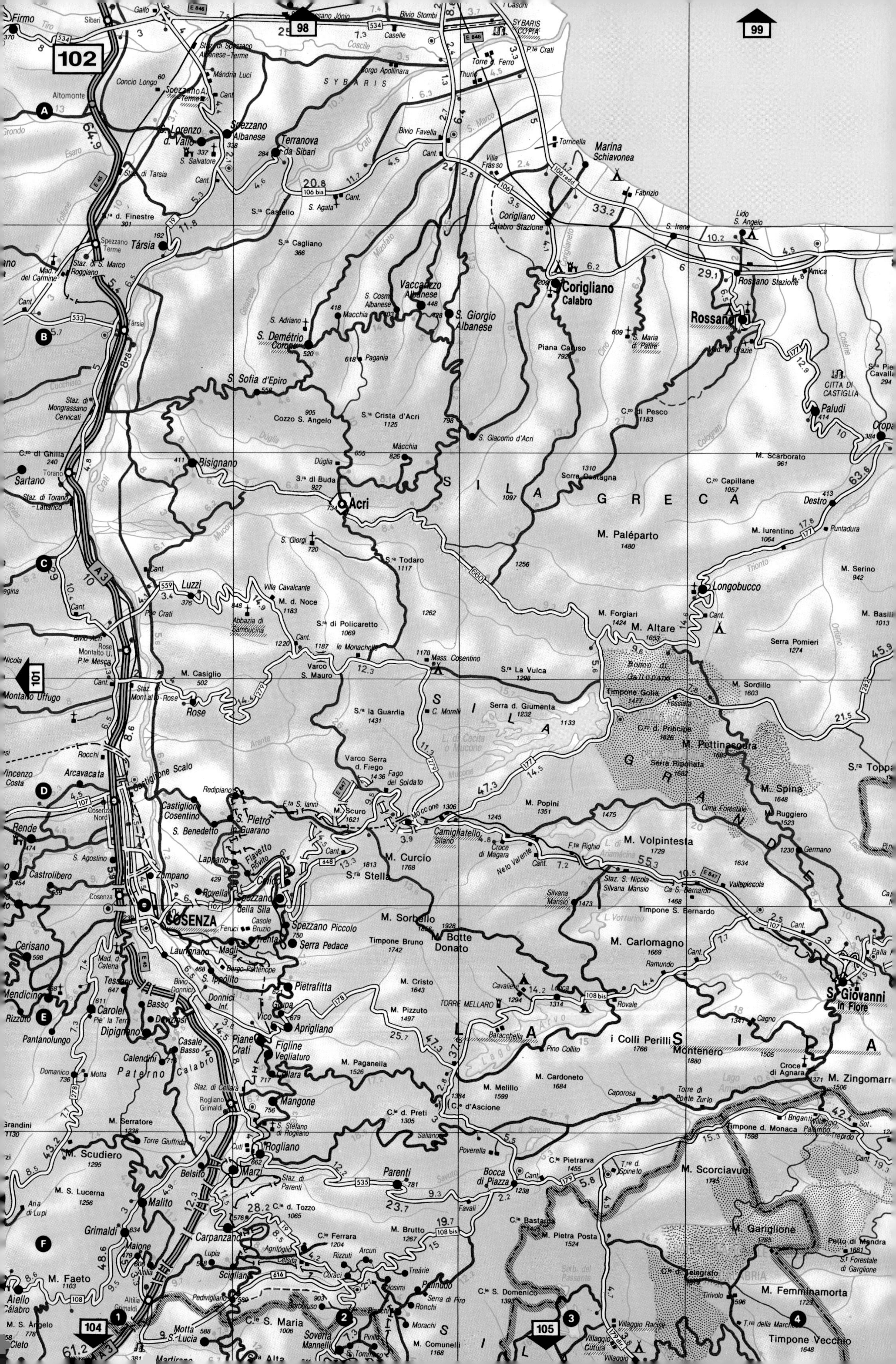

102
98
99
101
104
105
Firmo
Sibari
Cassano Jónio
Bivio Stombi
Caselle
SYBARIS
COPIA
P.te Crati
Torre d. Ferro
Thurio
Borgo Apollinara
S Y B A R I S
Coscile
Staz. di Spezzano Albanese-Terme
Mándria Luci
Concio Longo
Spezzano Albanese Terme
Altomonte
S. Lorenzo d. Vallo
Spezzano Albanese
Terranova da Sibari
Bivio Favella
Torricella
Marina Schiavonea
S. Salvatore
Staz. di Tarsia
S. Agata
Villa Frasso
Fabrizio
S.ra Castello
S.ra d. Finestre
Tàrsia
Spezzano Terme
Corigliano Calabro Stazione
S. Irene
Lido S. Angelo
S.ra Cagliano
Staz. di S. Marco Roggiano
Mad. del Carmine
Corigliano Calabro
Rossano Stazione
Amica
Vaccarizzo Albanese
S. Cosmo Albanese
S. Giorgio Albanese
Macchia
S. Adriano
S. Demétrio Corone
Rossano
S. Maria d. Pàtire
Mad. d. Grazie
Pagania
Piana Caruso
S. Sofia d'Epiro
CITTÀ DI CASTIGLIA
Paludi
Staz. di Mongrassano Cervicati
Cozzo S. Angelo
S.ra Crista d'Acri
C.zo di Pesco
S. Giacomo d'Acri
Cropalati
Mácchia
C.zo di Ghilla
Bisignano
Sartano
Torano
Dúglia
M. Scarborato
S.ra di Buda
Serra Castagna
C.zo Capillane
Staz. di Torano - Lattarico
Acri
S I L A
G R E C A
Destro
M. Paléparto
M. Iurentino
Puntadura
S. Giorgi
S.ra Todaro
M. Serino
Luzzi
Villa Cavalcante
M. d. Noce
Longobucco
Abbazia di Sambucina
S.ra di Policaretto
M. Forgiari
M. Altare
M. Basilicò
P.te Crati
Bivio Acri
Rose
Montalto U.
P.te Mesca
le Monachelle
Serra Pomieri
Mass. Cosentino
Varco S. Mauro
S.ra La Vulca
Bosco di Gallopane
M. Sordillo
M. Casiglio
Staz. Montalto-Rose
Montalto Uffugo
Timpone Gallo
Fossiata
S.ra la Guardia
C. Morelli
Serra d. Giumenta
C.zo d. Principe
M. Pettinascura
L. di Cecita o Mucone
Serra Ripollata
S.ra Toppa
Rocchi
Vincenzo Costa
Arcavacata
Varco Serra d. Fiego
Fago del Soldato
Castiglione Scalo
Redipiano
Castiglione Cosentino
F.ta S. Ianni
M. Scuro
Moccone
M. Popini
M. Spina
Cosenza Nord
Rende
S. Benedetto
S. Pietro in Guarano
Camigliatello Silano
Croce di Magara
F.ta Righio
M. Volpintesta
Cima Forestale
M. Ruggiero
S. Agostino
Lappano
Flavetto Rovito
M. Curcio
L. di Ariamàcina
Germano
Castrolibero
Zumpano
Celico
S.ra Stella
Staz. S. Nicola Silvana Mansio
Ca S. Bernardo
Vallepiccola
Rovella
Spezzano della Sila
Silvana Mansio
Timpone S. Bernardo
Cosenza
COSENZA
Casole Bruzio
Feruci
Spezzano Piccolo
M. Sorbello
M. Botte Donato
L. Votturino
Trenta
Serra Pedace
Timpone Bruno
M. Carlomagno
Cerisano
Laurignano
Magli
Ramundo
Mad. d. Catena
Borgo Partenope
S. Ippolito
Palla Palla
Tessano
Bivio Donnici
Pietrafitta
M. Cristo
Mendicino
Basso
Donnici Inf.
Cavaliere
Lorica
Rovale
S. Giovanni in Fiore
Carolei
Piè la Terra
Dipignano
Donnici
Gupa
Vico
Aprigliano
M. Pizzuto
TORRE MELLARO
Cagno
Rizzuto
Pantanolungo
Casale Basso
Piane Crati
Figline Vegliaturo
Baracchella
Lago Arvo
Pino Collito
i Colli Perilli
Montenero
Calendini
Paterno Calabro
M. Paganella
Croce di Agnara
M. Zingomarro
Domanico
Motta
Cellara
M. Cardoneto
Staz. di Cellara
M. Melillo
Caporosa
Torre di Ponte Zurlo
Lago Ampollino
Rogliano Grimaldi
Mangone
C.le d'Ascione
C.le d. Preti
I Briganti Villaggio Palumbo
Grandini
M. Serratore
S. Stefano di Rogliano
Timpone d. Monaca
Trepido
Torre Giuffrida
Saliano
L. di Savuto
M. Scudiero
Cuti
Rogliano
Poverella
C.le Pietrarva
T.re d. Spineto
M. Scorciavuoi
M. S. Lucerna
Belsito
Marzi
Staz. di Parenti
Parenti
Aria di Lupi
Malito
C.le d. Tozzo
Favali
Bocca di Piazza
Cant.
C.le Bastarda
M. Pietra Posta
Grimaldi
Carpanzano
C.le Ferrara
M. Brutto
M. Gariglione
Petto di Mandra
Maione
Altilia
Agrifoglio
Arcuri
Rizzuti
Lupia
Celsita
Coraci
Treárie
S.r Forestale di Garglione
M. Faeto
Scigliano
Panettieri
Pedivigliano
Bisignano
Serra di Piro
Ronchi
C.le S. Domenico
C.le d. Telegrafo
Tirivolo
Aiello Càlabro
M. Femminamorta
Altilia Grimaldi
Borboruso
M. S. Angelo
Cleto
C.le S. Maria
Soveria Mannelli
Morachi
Villaggio Racise
Villaggio Cutura
T.re della Marchesa
Timpone Vecchio
Motta S. Lucia
Martirano
S. Tommaso
M. Comunelli
S I L A
G R A N D E
A
B
C
D
E
F
1
2
3
4

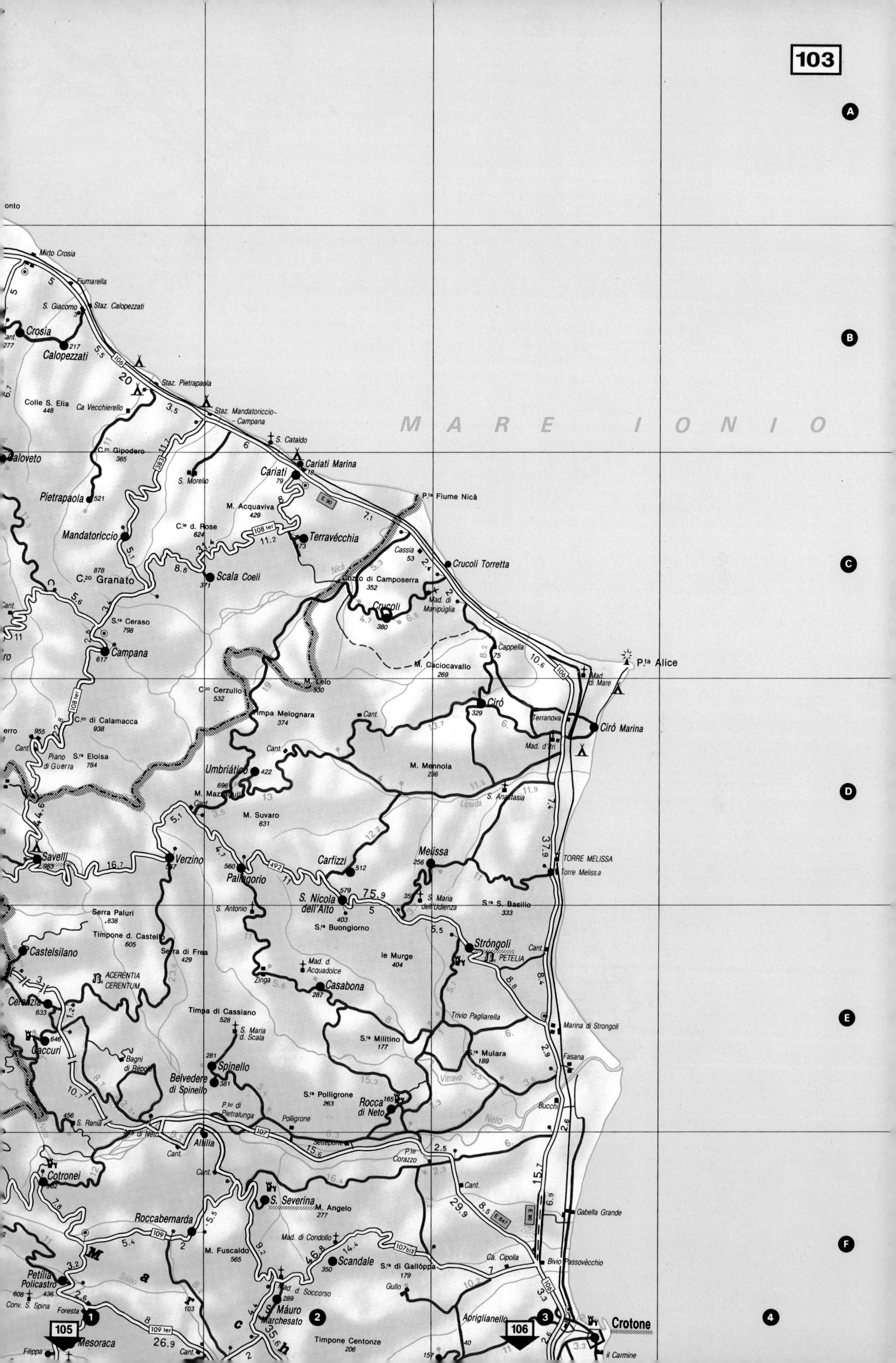

103

A

B

MARE IONIO

C

D

E

F

4

Mirto Crosia
Fiumarella
S. Giacomo
Staz. Calopezzati
Crosia
217
Calopezzati
Colle S. Elia
448
Ca Vecchierello
Staz. Pietrapaola
Staz. Mandatoriccio-
Campana
S. Cataldo
Caloveto
C.zo Gipodero
365
S. Morello
Cariati
79
Cariati Marina
Pietrapaola
521
M. Acquaviva
429
Mandatoriccio
C.le d. Rose
624
Terravécchia
173
P.ta Fiume Nicà
C.zo
878
Granato
Scala Coeli
371
Cassia
53
Crucoli Torretta
Cozzo di Camposerra
352
Crucoli
380
Mad. di
Manipúglia
S.ra Ceraso
798
Campana
617
M. Caciocavallo
269
Cappella
75
P.ta Alice
C.zo Cerzullo
532
M. Lelo
530
Mad.
di Mare
C.zo di Calamacca
938
Impa Melognara
374
Cant.
Ciró
329
Terranova
Ciró Marina
Piano
di Guerra
S.ra Eloisa
784
Cant.
Mad. d'Iri
Umbriático
696
422
M. Mazzaguri
M. Mennola
236
Savelli
983
Verzino
57
Palhagorio
560
M. Suvaro
631
Carfizzi
512
Melissa
256
Lipuda
M. Anastasia
TORRE MELISSA
Torre Melissa
S. Antonio
S. Nicola
dell'Alto
403
579
75.9
S.ra Buongiorno
S. Maria
dell'Udienza
S.ra S. Basilio
333
Serra Paluri
638
Timpone d. Castello
605
Serra di Frea
429
Mad. d.
Acquadolce
le Murge
404
Stróngoli
PETELIA
Cant.
Castelsilano
Zinga
Casabona
287
Trivio Pagliarella
Marina di Strongoli
Cerenzia
633
Timpa di Cassiano
528
S. Maria
d. Scala
S.ra Militino
177
S.ra Mulara
189
Fasana
Caccuri
646
Bagni
di Répole
Spinello
381
Belvedere
di Spinello
S.ra Polligrone
263
Rocca
di Neto
165
Bucchi
P.te di
Pietralunga
Polligrone
Settepone
Neto
S. Rania
456
Altilia
Cant.
107
P.ta
Corazzo
Cotronei
562
Cant.
S. Severina
M. Angelo
277
Cant.
Gabella Grande
Roccabernarda
109
M. Fuscaldo
565
Scandale
350
S.ra di Gallóppa
179
Ca. Cipolla
Bivio Passovècchio
Petília
Policastro
608
Conv. S. Spina
Foresta
Mad. d. Soccorso
289
109 ter
S. Máuro
Marchesato
Timpone Centonze
206
Gullo
Aprigliarello
Crotone
il Carmine

105
1
2
106
3

Mesoraca
Filippa
Cant.

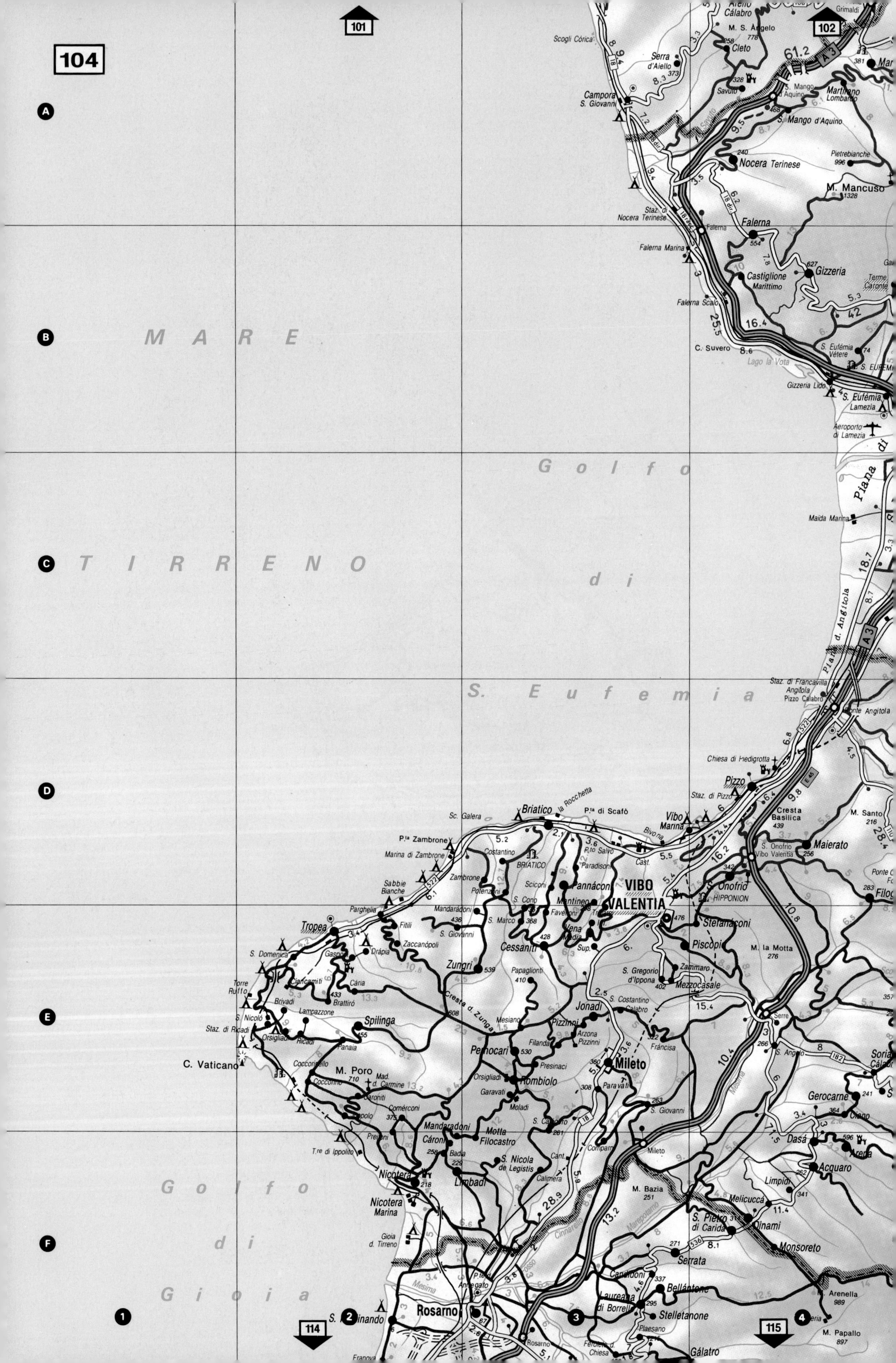
104
101
102
114
115
A
B
C
D
E
F
1
2
3
4
MARE
TIRRENO
Golfo
di
S. Eufemia
Golfo
di
Gioia
Scogli Córica
Serra d'Aiello
Cleto
M. S. Angelo
Campora S. Giovanni
Savuto
S. Mango d'Aquino
Martirano Lombardo
Nocera Terinese
Pietrebianche
M. Mancuso
Staz. di Nocera Terinese
Falerna
Falerna Marina
Castiglione Marittimo
Gizzeria
Falerna Scalo
C. Suvero
Lago la Vota
S. Eufémia Vetere
Gizzeria Lido
S. Eufémia Lamezia
Aeroporto di Lamezia
Piana
Maida Marina
Piana d. Angitola
Staz. di Francavilla Angitola Pizzo Calabro
Ponte Angitola
Chiesa di Piedigrotta
Pizzo
Staz. di Pizzo
Vibo Marina
Bivona
Cresta Basilica
M. Santo
Maierato
S. Onofrio Vibo Valentia
Sc. Galera
Briatico
la Rocchetta
P.ta di Scafò
P.ta Zambrone
Marina di Zambrone
Sabbie Bianche
Parghelia
Tropea
Zambrone
Potenzoni
Costantino
Sciconi
Paradisoni
Pannàconi
VIBO VALENTIA
S. Onofrio
HIPPONION
Stefanàconi
Piscopio
M. la Motta
Mandaradoni
S. Giovanni
S. Marco
S. Cono
Mantineo
Favelloni
Vena Media
Cessaniti
Zaccanópoli
Fitili
Drápia
Gasponi
Zungri
Papaglionti
S. Gregorio d'Ippona
Zammarò
Mezzocasale
S. Domenica
Ciaramiti
Cária
Brattirò
Torre Ruffo
Brivadi
Lampazzone
Cresta d. Zungri
S. Costantino Calabro
Jonadi
Serre
S. Nicolò
Staz. di Ricadi
Orsigliadi
Ricadi
Spilinga
Panaia
Mesiano
Pizzinni
Arzona
Filandari
Francisa
C. Vaticano
Coccorinello
M. Poro
Mad. d. Carmine
Pernocari
Presinaci
Mileto
Paravati
S. Angelo
Soriano Calabro
Coccorino
Caroniti
Orsigliadi
Rombiolo
Garavati
Moladi
S. Giovanni
Gerocarne
Ciano
Joppolo
Comérconi
S. Calogero
Preitoni
Mandaradoni
Càroni
Motta Filocastro
Compari
Mileto
Dasà
Arena
T.re di Ippolito
Badia
S. Nicola de Legistis
Cant.
Acquaro
Limpidi
Nicotera
Limbadi
Calimera
Nicotera Marina
M. Bazia
Melicuccà
S. Pietro di Caridà
Dinami
Gioia d. Tirreno
Cinnarello
Monsoreto
Serrata
Mesima
P.te Annegato
Candidoni
Bellantone
Laureana di Borrello
M. Arenella
Stelletanone
Rosarno
S. Ferdinando
Plaesano
M. Papallo
Feroleto d. Chiesa
Gálatro
Franova
A3
E 45
18
522
536
182

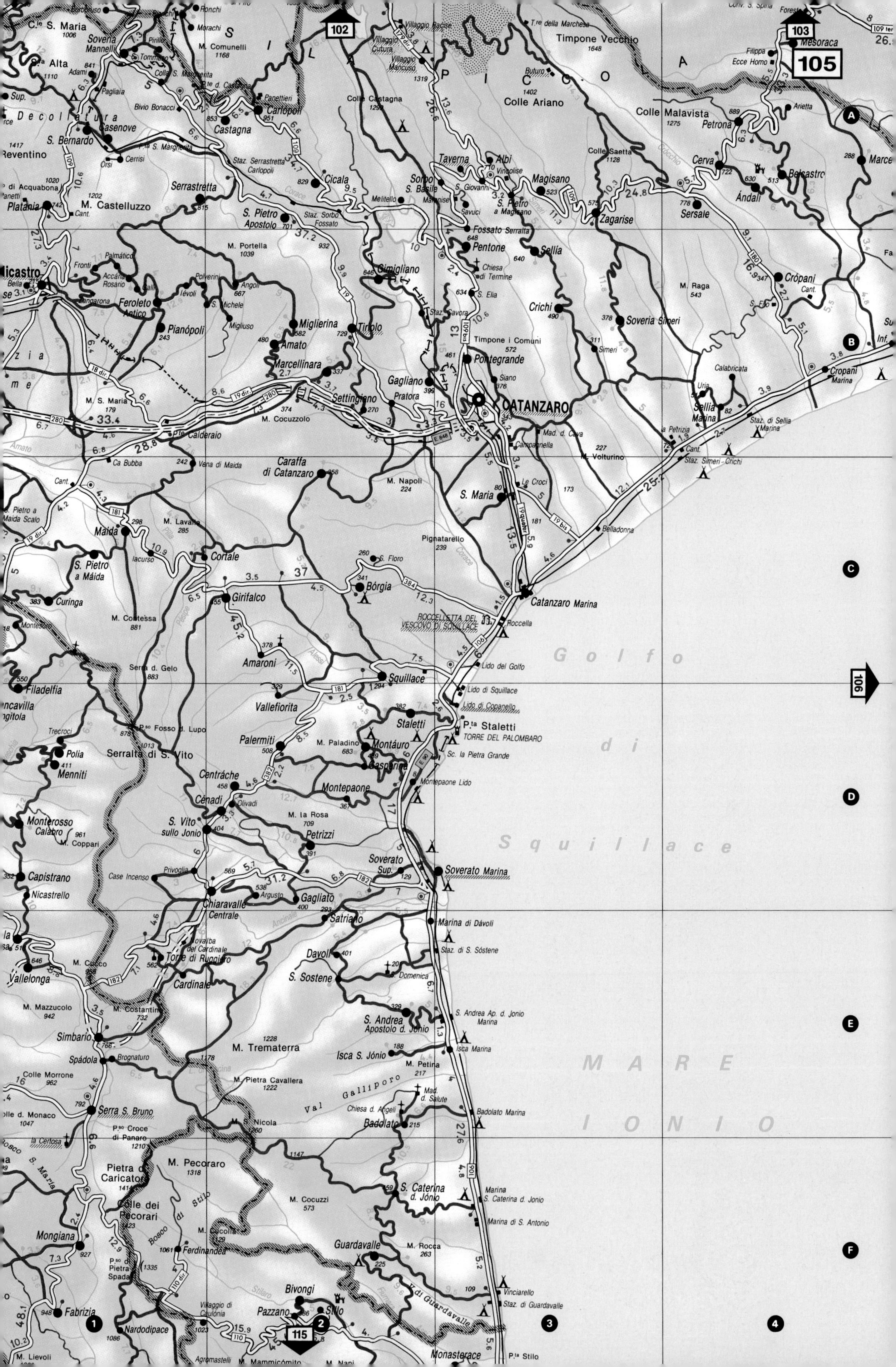

102
103
105
106
115
CATANZARO
Catanzaro Marina
Golfo di Squillace
MARE IONIO
Soverato Marina
Squillace
Girifalco
Chiaravalle Centrale
Serra S. Bruno
Badolato
Guardavalle
Stilo
Tiriolo
Sellia Marina
Cropani
Mesoraca
Petronà
Serrastretta
Carlopoli
Soveria Mannelli
Decollatura
Feroleto Antico
Maida
Borgia
Petrizzi
Satriano
Davoli
S. Sostene
Isca S. Jónio
S. Caterina d. Jónio
Monasterace
Bivongi
Fabrizia
Mongiana
Simbario
Vallelonga
Capistrano
Filadelfia
Polia
Cortale
Amaroni
Vallefiorita
Palermiti
Centrache
Montepaone
Gasperina
Montauro
Staletti
Soverato Sup.
Gagliato
Cardinale
Torre di Ruggiero
Gagliano
Settingiano
Marcellinara
Amato
Miglierina
Pianópoli
Pentone
Sellía
Magisano
Albi
Taverna
Zagarise
Sersale
Cerva
Andali
Belcastro
Soveria Simeri
Crichi
Pontegrande
S. Maria

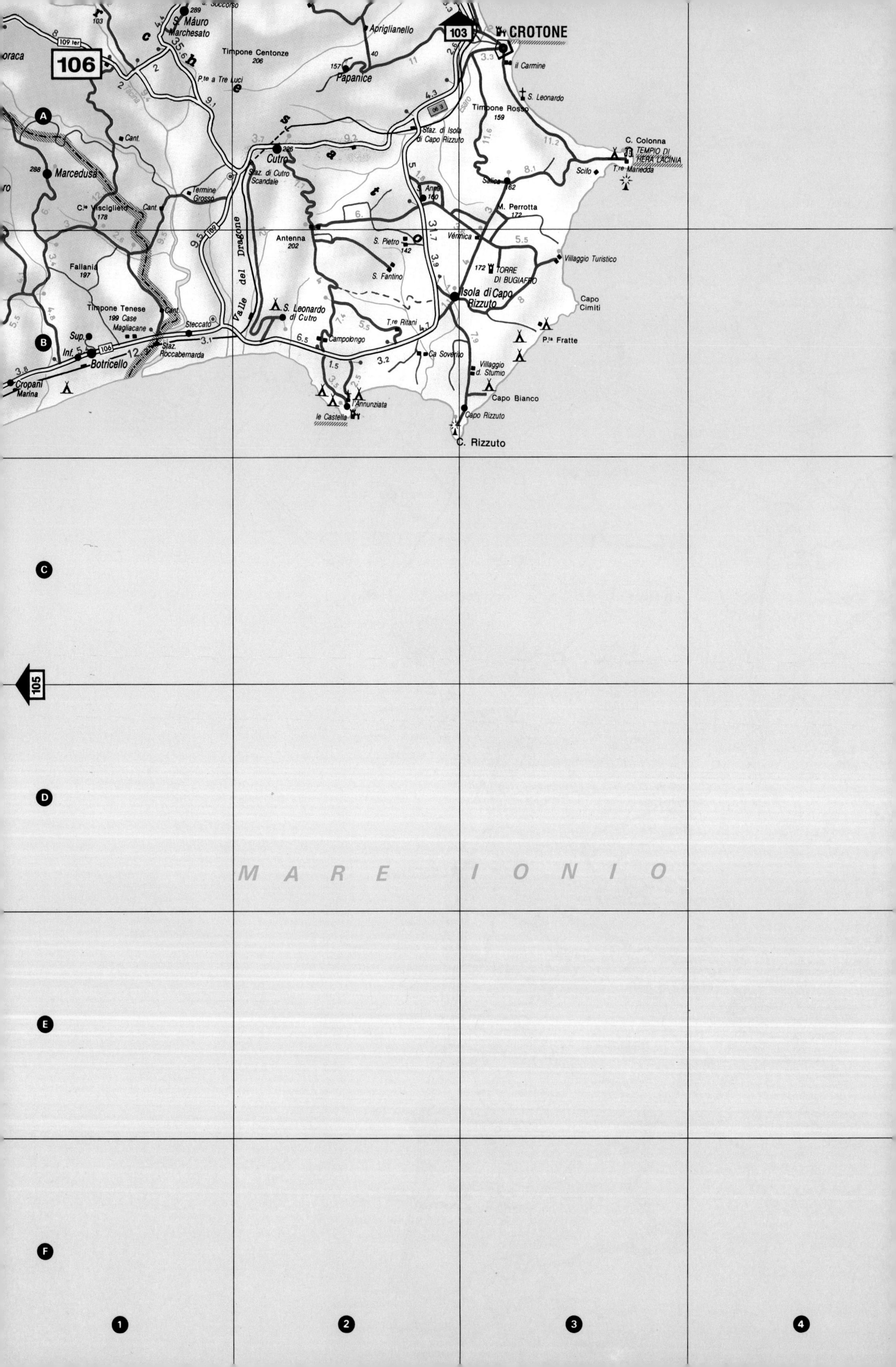
106
103
CROTONE
S. Mauro
Marchesato
Timpone Centonze
206
Apriglianello
Papanice
157
P.te a Tre Luci
il Carmine
S. Leonardo
Timpone Rosso
159
Staz. di Isola
di Capo Rizzuto
Cant.
Marcedusa
288
Cutro
226
Staz. di Cutro
Scandale
Termine
Grosso
C.te Visciglieto
178
Cant.
C. Colonna
TEMPIO DI
HERA LACINIA
T.re Mariedda
Scifo
Salica
162
S. Anna
160
M. Perrotta
172
Antenna
202
S. Pietro
142
Vérmica
Villaggio Turistico
172
TORRE
DI BUGIAFRO
S. Fantino
Fallania
197
Valle del Dragone
Isola di Capo
Rizzuto
Capo
Cimiti
Timpone Tenese
199 Case
Magliacane
Cant.
S. Leonardo
di Cutro
Steccato
T.re Ritani
P.ta Fratte
Sup.
Inf.
Botricello
Staz.
Roccabernarda
Campolongo
Ca Soverito
Villaggio
d. Stumio
Cropani
Marina
Capo Bianco
l'Annunziata
le Castella
Capo Rizzuto
C. Rizzuto
A
B
C
D
E
F
105
MARE IONIO
1
2
3
4

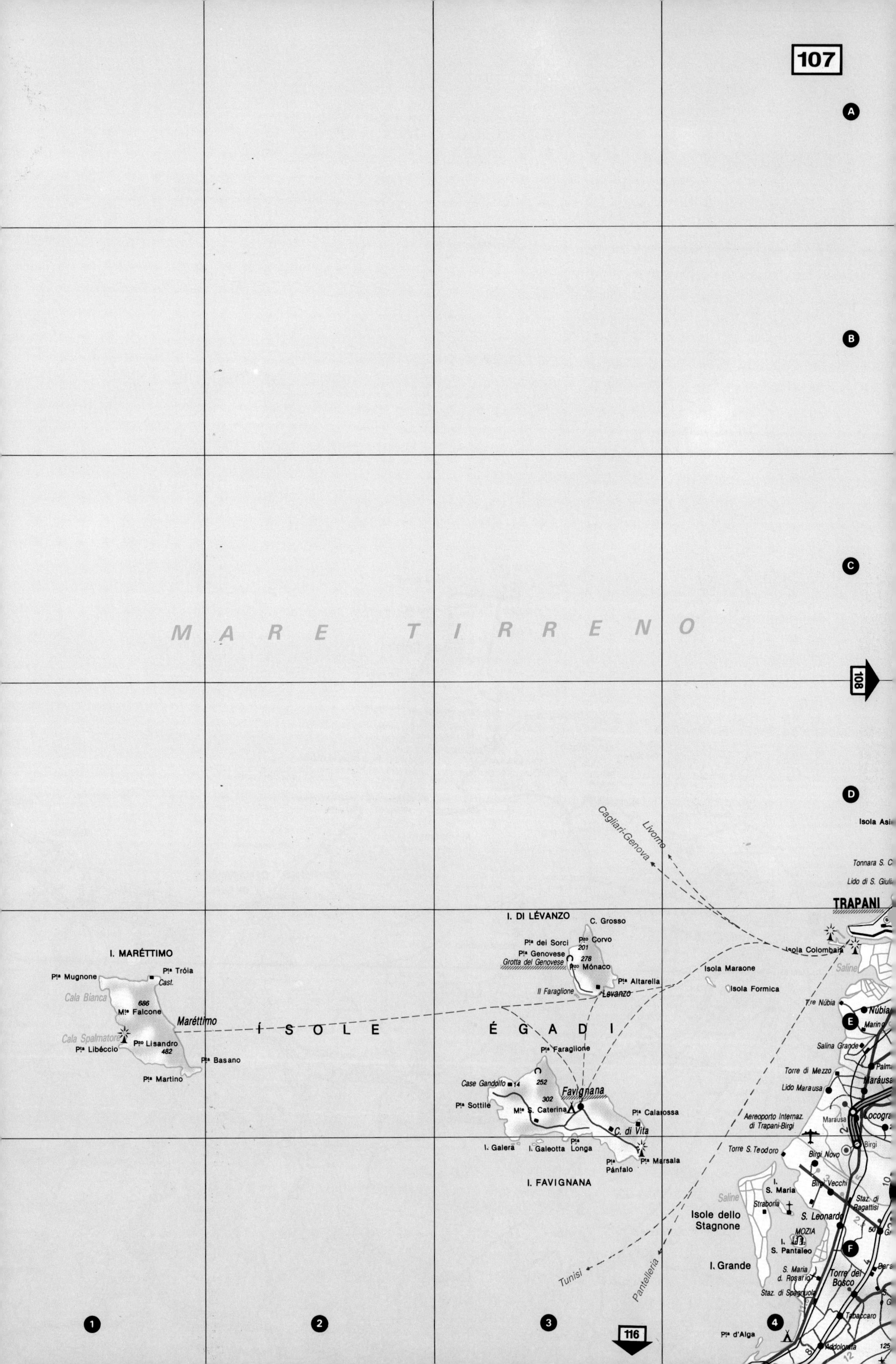

A

B

C

MARE TIRRENO

108

D

Isola Asi

Cagliari-Genova

Livorno

Tonnara S. C

Lido di S. Giuli

TRAPANI

I. DI LÉVANZO   C. Grosso

Pta dei Sorci   Pzo Corvo
201
Pta Genovese   278
Grotta del Genovese   Pzo Mónaco
Pta Altarella   Isola Colombaia

I. MARÉTTIMO   Saline

Pta Mugnone   Pta Tróia   Il Faraglione   Levanzo   Isola Maraone

Cala Bianca   Cast.   Isola Formica

686   Tre Núbia
Mte Falcone   Marial
Maréttimo   ISOLE   ÉGADI   Núbia

Cala Spalmatore
Pzo Lisandro   Salina Grande
Pta Libéccio   482   Pta Faraglione   Torre di Mezzo
Pta Basano   Palmi
Pta Martino   Maráusa
Case Gandolfo   14   252   Lido Marausa
Pta Sottile   302   Favignana   Pta Calarossa
Mte S. Caterina   Aereoporto Internaz.   Locogra
Pta   di Trapani-Birgi   Marausa
C. di Vita
I. Galerá   I. Galeotta Longa   Birgi Novo   Birgi
Pta   Pta Marsala   Torre S. Teodoro
Pánfalo

I. FAVIGNANA   Saline   Birgi Vecchi
I.   Staz. di
S. Maria   Ragattisi
Straboria
S. Leonard
Isole dello   MOZIA   50   Gr
Stagnone   I.
S. Pantaleo   F

I. Grande   S. Maria   Bara
d. Rosario   Torre del
Tunisi   Pantelleria   Staz. di Spagnuola   Bosco

Pta d'Alga   Middolonia   125

1   2   3   4

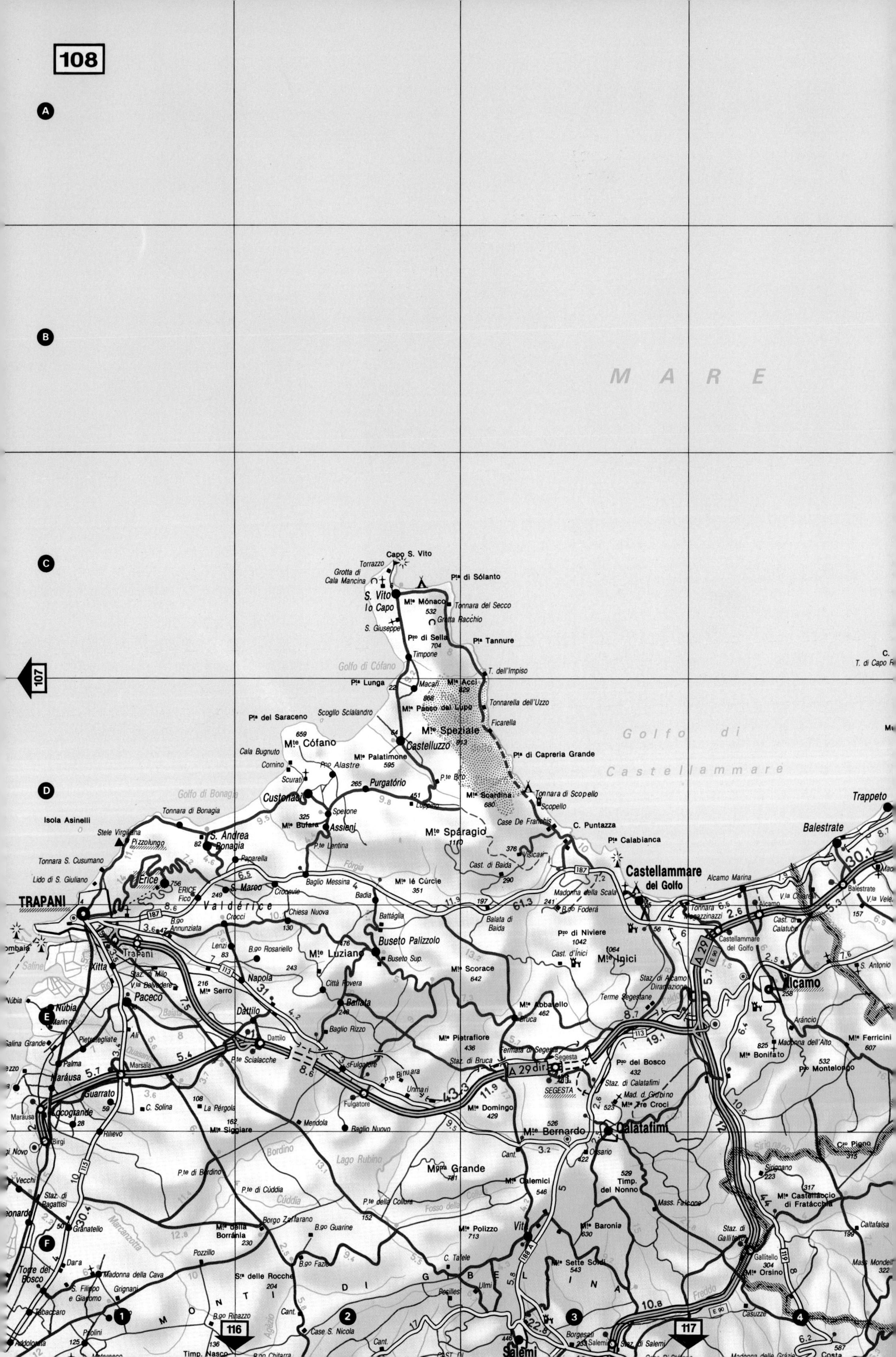

A

B

C

MARE

107

D

E

F

1

2

3

4

Capo S. Vito
Torrazzo
Grotta di
Cala Mancina
Pta di Sólanto
S. Vito
lo Capo
Mte Mónaco
532
Tonnara del Secco
Grotta Racchio
S. Giuseppe
Pzo di Sella
704
Pta Tannure
Timpone
T. dell'Impiso
Golfo di Cófano
Pta Lunga
Macari
Mta Acci
829
Mte Passo del Lupo
Tonnarella dell'Uzzo
Pta del Saraceno
Scoglio Scialandro
868
Ficarella
Mte Speziale
913
Pta di Capreria Grande
659
Cala Bugnuto
Mte Cófano
Castelluzzo
Golfo di
Cornino
Mte Palatimone
595
Pta Brp.
Scurati
Poo Alastre
Purgatório
Castellammare
265
451
Mte Scardina
680
Tonnara di Scopello
Custonaci
Luppino
Scopello
Golfo di Bonagia
9.8
C. Puntazza
Trappeto
Tonnara di Bonagia
325
Spetone
Mte Sparagio
1110
Case De Franchis
Isola Asinelli
Mte Bufara
Assieni
Pta Calabianca
Balestrate
Stele Virgiliana
Pizzolungo
82
Pta Lentina
376
Visicari
30.1
S. Andrea
Bonagia
Panarella
Cast. di Baida
187
8.1
Tonnara S. Cusumano
7.2
4.6
290
7.2
Balestrate
Lido di S. Giuliano
Fórpia
Mte lé Cúrcie
351
Madonna della Scala
Castellammare
del Golfo
V.la Chiara
V.la Vele.
Erice
756
S. Marco
Crocevie
Baglio Messina
4
Badia
197
61.3
241
B.go Foderà
Tonnara
Alcamo Marina
Alcamo
157
TRAPANI
4
ERICE
Fico
Valdérice
10
Chiesa Nuova
Battáglia
Cast. di
Calatubo
5.3
187
130
11.9
Mazzazinazzi
6.5
2.6
Crecci
Balata di
Baida
B.go
Trapani
3.6
Annunziata
Lenzi
83
B.go Rosariello
Buseto Palizzolo
13.2
Pzo di Niviere
1042
56
Castellammare
del Golfo
Xitta
Mte Luziano
Buseto Sup.
Cast. d'ínici
1.5
5.7
4.5
2.5
S. Antonio
7.5
Staz. di Milo
V.la Belvedere
113
243
Città Povera
Mte Scorace
642
Mte Ingici
1064
Staz. di Alcamo
Diramazione
Alcamo
258
Napola
216
Mte Serro
31
Aráncio
Paceco
7.5
Ballata
246
Mte Abbatello
462
Bruca
Terme Segestane
8.7
6.4
825
Madonna dell'Alto
607
Dáttilo
4.2
Baglio Rizzo
Mte Ferricini
Nubia
Dáttilo
Mte Bonifato
532
Marino
Ali
8
P.te Scialacche
Mte Piatrafiore
436
5.7
Pzo Montelongo
Pietretagliate
113
19.1
Palma
5.4
Fulgatore
Stferrata di Segesta
Staz. di Bruca
A 29 dir.
Segesta
10.5
Marsala
Maráusa
5.7
3.7
P.te Binuara
SEGESTA
Pzo del Bosco
432
Guarrato
3.6
108
La Pérgola
Unmari
43.3
11.9
Staz. di Calatafimi
Mad. d. Gbino
C. Solina
59
Mendola
Baglio Nuovo
9.5
Mte Domingo
429
Mte Tre Croci
523
cogrande
28
Mte Siggiare
526
Birgi
Mte Bernardo
Calatafimi
162
Bordino
131
Cant.
3.2
C.so Piano
375
10
115
Lago Rubina
Mrra Grande
781
Psario
422
Timp.
del Nonno
529
Sirignano
223
317
P.te di Bordino
P.te di Cúddia
Cúddia
Mte Calemici
546
Mass. Palcone
Mte Castellaccio
di Fratácchia
P.te della Collura
Fosso della
Caltafalsa
Borgo Zaffarano
152
Mte della
Borránia
230
Mte Polizzo
713
Vita
Mte Baronia
830
Staz. di
Gallitello
199
Pozzillo
B.go Guarine
B.go Fazio
Sta delle Rocche
204
Cant.
C. Talele
9.4
5.5
Mte Sette Soldi
543
188
Gallitello
304
Mte Orsino
322
Mass. Mondelf.
Dara
Madonna della Cava
10
Grignani
S. Filippo
e Giácomo
Pecilles
Ulmi
LINA
Casuzze
Tebaccaro
125
B.go Rinazzo
Ago Chitarra
Case S. Nicola
22.8
Borgesati
Staz. di Salemi
Madonna delle Grázie
Costa
6.2
587
Timp. Nasco
Salemi
446

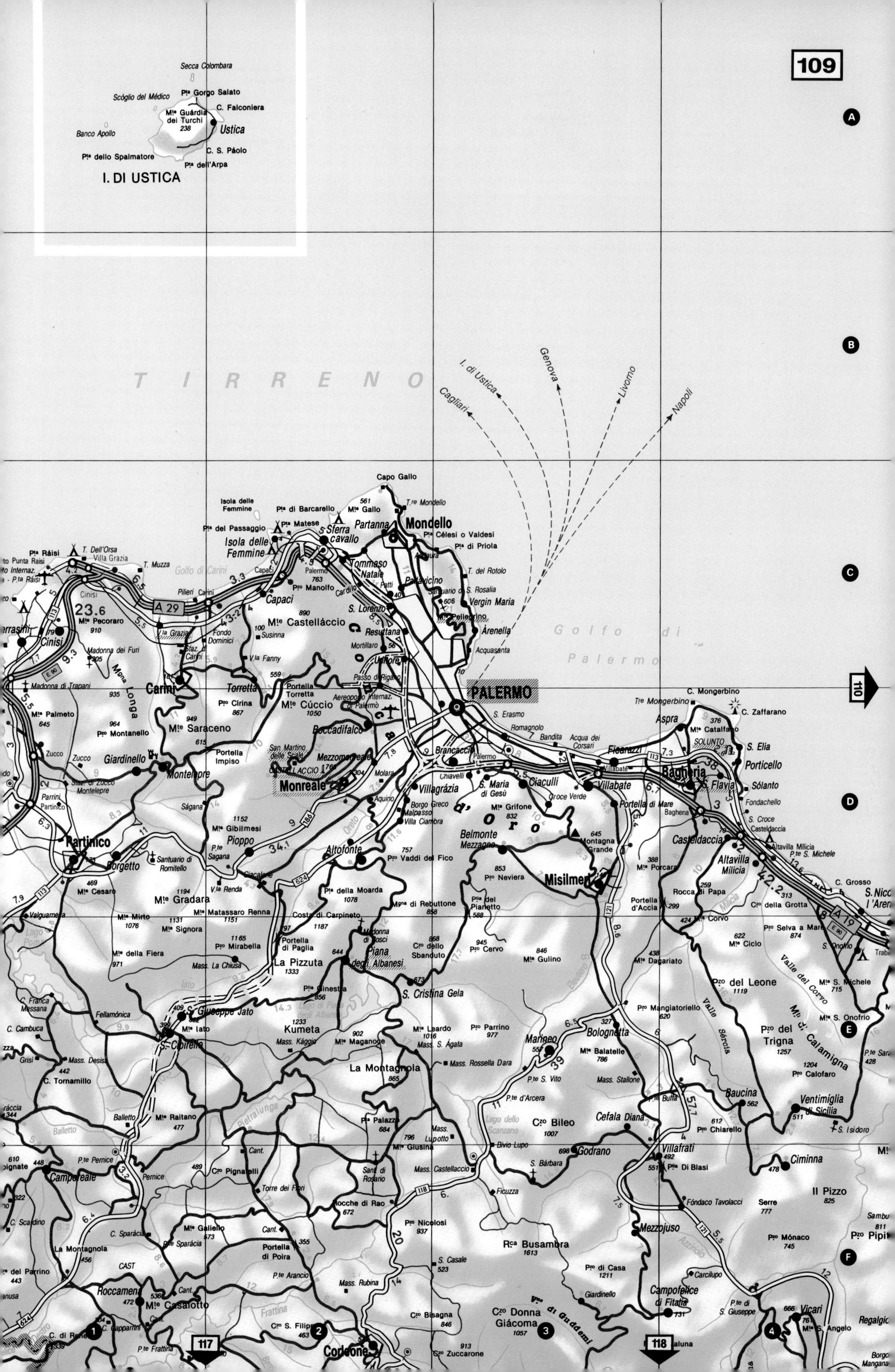
I. DI USTICA
Ustica
TIRRENO
Golfo di Palermo
PALERMO
Monreale
Bagheria
Partinico
Carini
Misilmeri
110
117
118

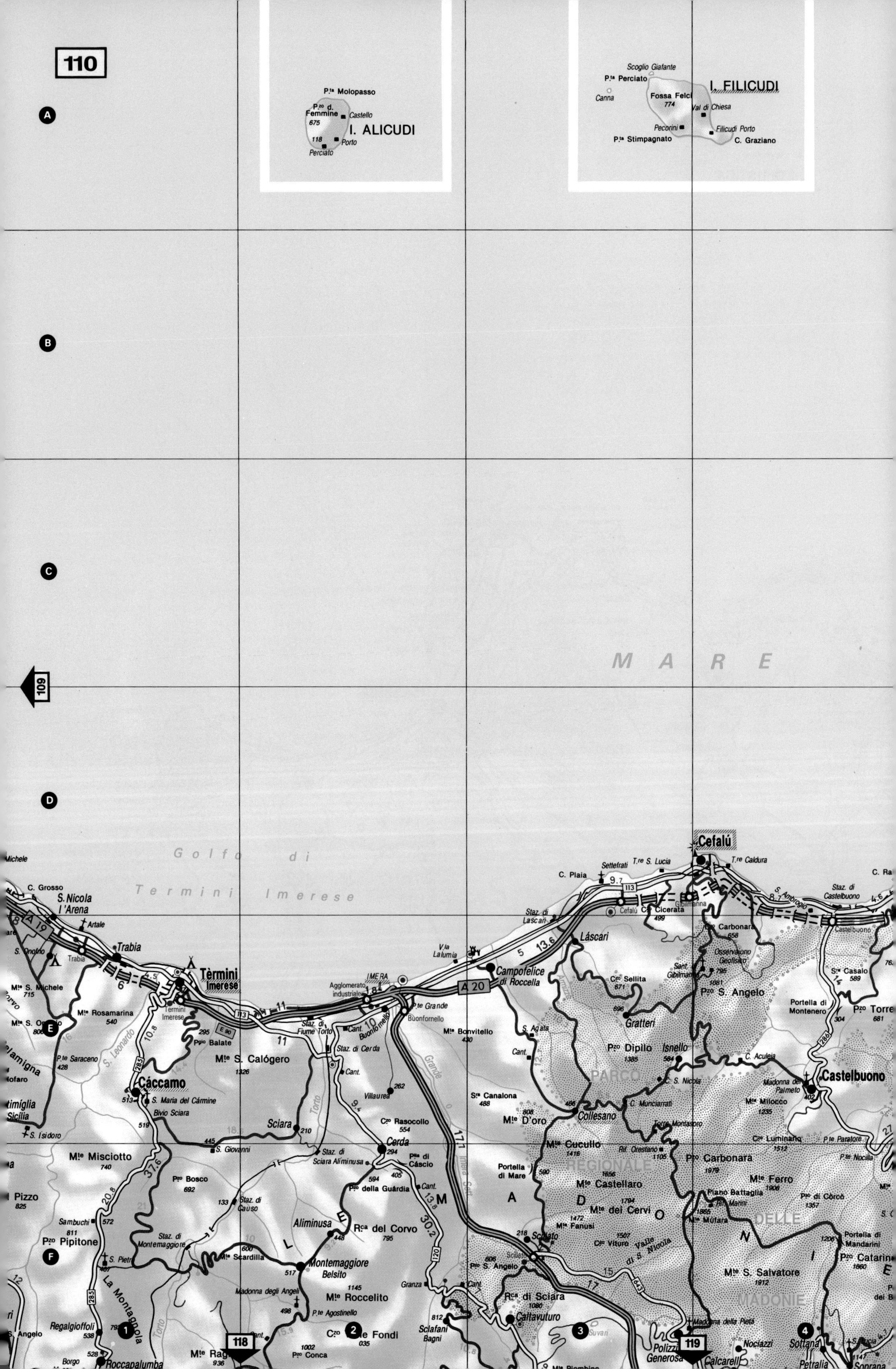

A

I. ALICUDI

P.ta Molopasso
P.zo d. Castello
Femmine
675
118 Porto
Perciato

I. FILICUDI

Scoglio Giafante
P.ta Perciato
Canna
Fossa Felci
774
Val di Chiesa
Pecorini
P.ta Stimpagnato
Filicudi Porto
C. Graziano

B

C

109

M A R E

D

Golfo di

Termini Imerese

Michele
C. Grosso
S. Nicola
l'Arena
Artale
A 19
S. Onofrio
Trabia
Trabia
Termini
Imerese
S. Agata
C. Plaia
Settefrati
T.re S. Lucia
T.re Caldura
C. Ra
Cefalù
9.7
113
Gibilmanna
S. Ambrogio
Staz. di
Castelbuono
C. Rasacollo
Staz. di
Lascari
Cefalù C.
Cicerata
499
B.7
4.5
Castelbuono

M.te S. Michele
715
M.te Orofio
806
M.te Rosamarina
540
Termini
Imerese
295
P.gio Balate
E 80
113
11
Staz. di
Fiume Torto
Cant.
Buonfornello
11
Staz. di Cerda
Mte Bonvitello
430
Cant.
V.la
Lalumia
Campofelice
di Roccella
A 20
Làscari
13.6
Carbonara
658
Cz.o Sellita
671
Sant.
Gibilmanna
795
Osservatorio
Geofisico
S.a Casalo
589
76.
Pzo S. Angelo
Portella di
Montenero
304
Pzo Torre
681

Mte S. Calógero
1326
Cant.
262
Villaurea
Sta Canalona
488
Grande
808
Mte D'oro
Gratteri
Pzo Dipilo
1385
Isnello
584
C. Aculeia
C. S. Nicola
PARCO
C. Munciarrati
Terra Montasoro
Madonna del
Palmeto
402
Castelbuono
Mte Milocco
1235
Cz.o Luminario
1512
P.te Paratore
27

Cáccamo
513
S. Maria del Cármine
Bivio Sciara
519
Sciara
210
Cz.o Rasocollo
554
Collesano
Mte Cucullo
1416
Rif. Crestario
1105
Pzo Carbonara
1979
Mte Ferro
1906
Pzo di Còrcò
1357

Mte Misciotto
740
445
S. Giovanni
18
Staz. di
Sciara Aliminusa
294
Cerda
P.ta di
Càscio
405
594
P.ta
della Guàrdia
Cant.
Portella
di Mare
590
Mte Castellaro
1856
Piano Battaglia
1665
Mte Mùfara
Piano
Marini
DELLE
Portella di
Mandarini
1206
Pzo Catarin
1660

Pizzo
825
P.zo Bosco
692
133
Staz. di
Causo
Aliminusa
448
Rca del Corvo
795
218
Scillato
Pizzo S. Angelo
Mte dei Cervi
1472
Cz.o Vituro
1507
Valle
di S. Nicola
1794
Mte S. Salvatore
1912

Sambuchi
572
Pzo Pipitone
S. Pietro
Staz. di
Montemaggiore
600
Mte Scardilla
517
Montemaggiore
Belsito
1145
606
P.zo S. Angelo
1080
Scillato
15
17
Madonna della Pietà
MADONIE

Regalgioffoli
538
79
285
Madonna degli Angeli
Mte Roccelito
498
Granza
Cant.
Rca di Sciara
812
Caltavuturo
Nociazzi
Sottana
Borgo
528
Roccapalumba
Mte Rag
936
Pzo Conca
1002
Cz.o e Fondi
035
Sclafani
Bagni
Su vari
Polizzi
Generosa
Calcarelli
Petralia
Sonrana

118

2

3

119

4

1

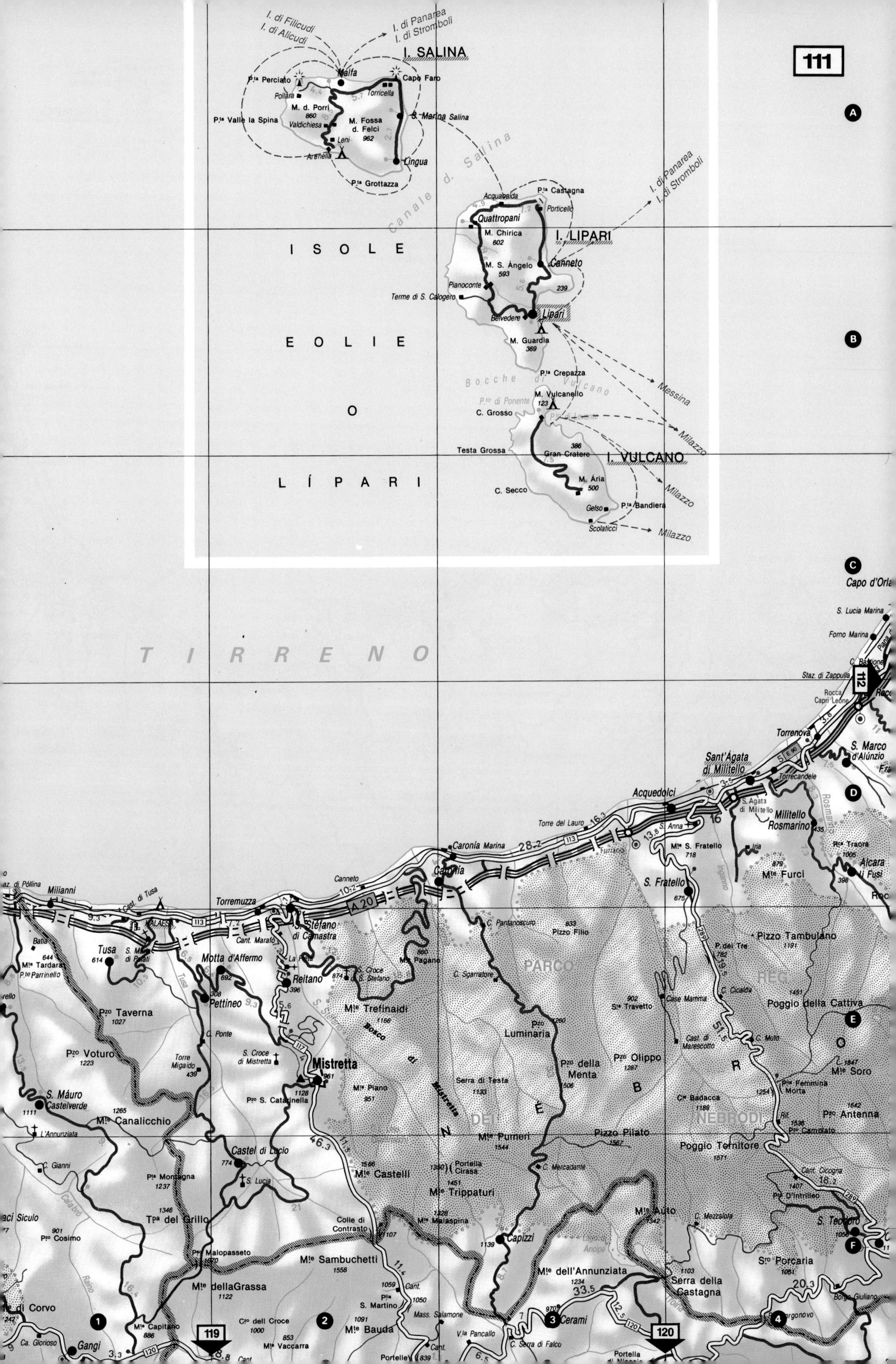

A

B

C

D

E

F

I. di Filicudi
I. di Alicudi

I. di Panarea
I. di Stromboli

I. SALINA

P.ta Perciato
Pollara
M. d. Porri
860
P.ta Valle la Spina
Valdichiesa
Leni
Malfa
Torricella
M. Fossa
d. Felci
962
Capo Faro
S. Marina Salina
Arenella
Lingua
P.ta Grottazza

ISOLE

EOLIE

O

LÍPARI

Canale d. Salina

Acquacalda
P.ta Castagna
Porticello
Quattropani
M. Chirica
602
I. /LIPARI
M. S. Àngelo
593
Canneto
Pianoconte
239
Terme di S. Calogero
Belvedere
Lipari
M. Guardia
369
P.ta Crepazza

I. di Panarea
I. di Stromboli

Messina

Milazzo

Bocche di Vulcano
P.to di Ponente
M. Vulcanello
123
C. Grosso
Testa Grossa
386
Gran Cratere
I. VULCANO
C. Secco
M. Ària
500
Gelso
P.ta Bandiera
Scolaticci
Milazzo
Milazzo

TIRRENO

Capo d'Orle
S. Lucia Marina
Forno Marina
C. Battione
Staz. di Zappulla
112
Rocca
Capri Leone
Torrenova
S. Marco
d'Alúnzio
Sant'Agata
di Militello
Torrecandele
Acquedolci
S. Agata
di Militello
Militello
Rosmarino
435
Torre del Lauro
16.3
Furiano
S.t Anna
16
M.te S. Fratello
718
Iria
879
M.te Furci
Alcara
li Fusi
398
Caronia Marina
113
28.2
S. Fratello
675
R.a Traora
1005
Rec
Canneto
10.2
Caronia
C. Pantanoscuro
833
Pizzo Filio
C. Sgarratore
Pizzo Tambulano
1191
Torremuzza
A 20
Milianni
Cast. di Tusa
113
9.3
KALAES
Batia
Mte Tardara
644
P.te Parrinello
Tusa
614
S. M.a
di Palati
Motta d'Affermo
692
Reitano
396
874
S. Croce
di S. Stefano
La Pietra
Cant. Marato
S.o Stefano
di Camastra
308
M.te Pagano
860
PARCO
P. del Tre
782
Cª Muta
Case Marma
1451
Poggio della Cattiva
REG
Pettineo
9.3
C. Ponte
S. Croce
di Mistretta
1172
Bosco
di
M.te Trefinaidi
1166
Pzo
Luminaria
C. Cicala
902
S.ta Travetto
Cast. di
Marescotto
E
Pzo Voturo
1223
Torre
Migaido
439
Mistretta
961
1128
Pzo S. Catarinella
M.te Piano
951
di
Serra di Testa
1133
Pzo della
Menta
506
Pzo Olippo
1287
B
1847
M.te Soro
S. Máuro
Castelverde
1111
M.te Canalicchio
1265
L'Annunziata
Castel di Lucio
774
P.ta Montagna
1237
S. Lucia
M.te Castelli
1566
1250
Portella
Cirasa
1451
N
M.te Pumeri
1544
Pizzo Pilato
1567
Cª Badacca
1189
NEBRODI
P.ta Femmina
Morta
1254
1642
Pzo Antenna
Poggio Tornitore
1671
1407
Cant. Cicogna
18.2
C. Gianni
Tpa del Grillo
1346
P.ta Malopasseto
1370
M.te dellaGrassa
1122
Cª del Croce
1000
M.te Sambuchetti
1558
1059
Cant.
S. Martino
1050
M.te Castelli
M.te Trippaturi
1328
M.te Malaspina
Colle di
Contrasto
1107
1139
Capizzi
C. Mercadante
M.te Auto
1342
C. Mezzalosa
S.to Porcaria
1051
S. Teodoro
1050
P.zo Cosimo
901
aci Siculo
Ca. Glorioso
242
di Corvo
Gangi
3.3
M.te Capitano
886
119
M.te dellaGrassa
853
M.te Vaccarra
Portelle
839
M.te Bauda
1091
Mass. Salamone
V.la Pancallo
970
Cerami
C. Serra di Falco
M.te dell'Annunziata
1234
33.5
Serra della
Castagna
1103
Borgo
Giuliano
120
Portella
di Minale
1
2
3
4

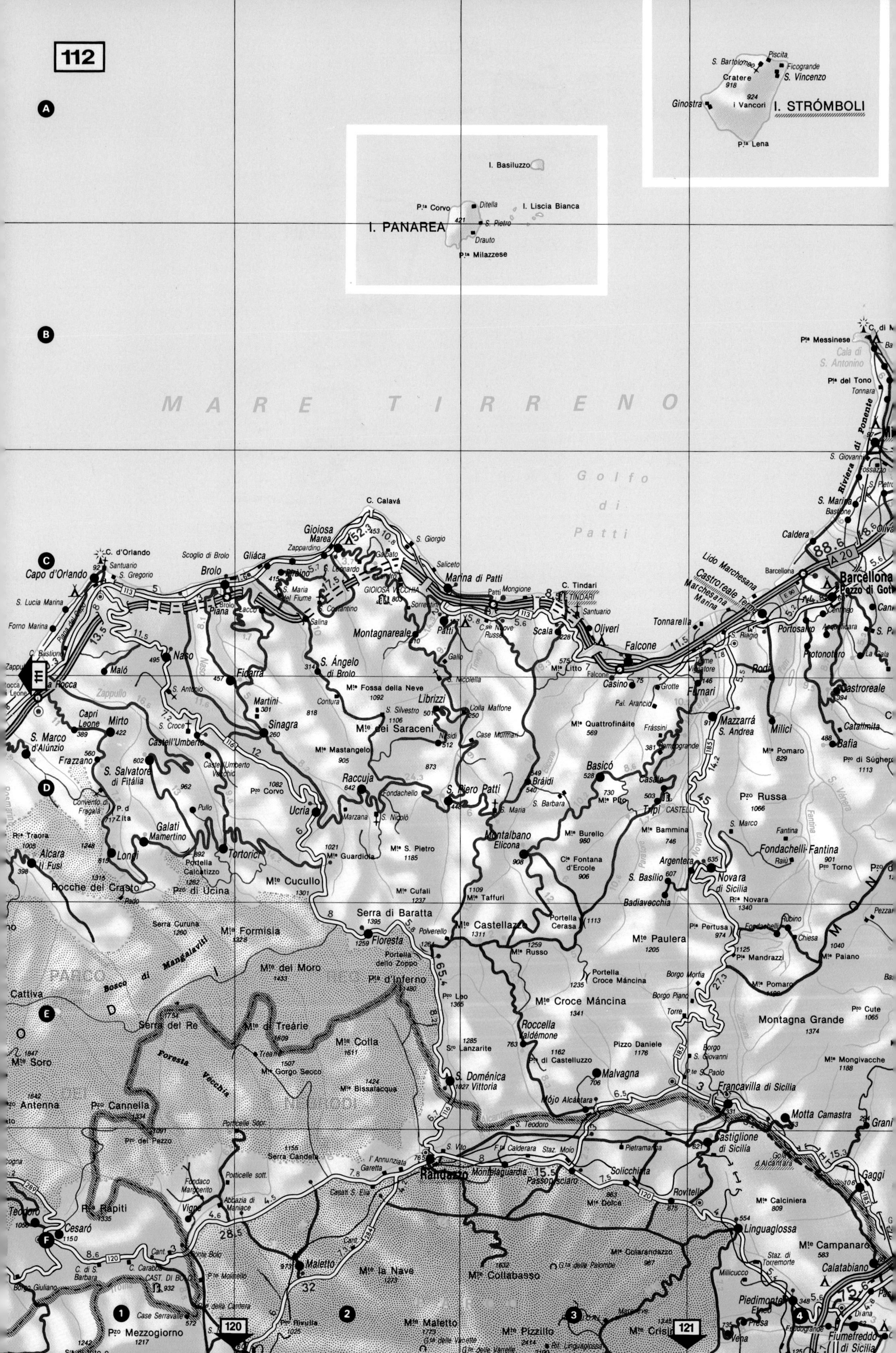

A

B

C

D

E

F

1

2

3

4

I. STRÓMBOLI

S. Bartolomeo
Piscita
Ficogrande
S. Vincenzo
Cratere
918
924
i Vancori
I. STRÓMBOLI
Ginostra
P.ta Lena

I. Basiluzzo

P.ta Corvo
Ditella
I. Liscia Bianca
I. PANAREA
421
S. Pietro
Drauto
P.ta Milazzese

MARE TIRRENO

Golfo
di
Patti

C. Calavá

P.ta Messinese
C. di M
Cala di
S. Antonino
P.ta del Tono
Tonnara

S. Giovanni

Gioiosa
Marea
52.3
453 10.5
S. Giorgio
Zappardino
5.6
Gafato
Saliceto
Gliáca
Leonardo
5.7 17.5
Patti
Scoglio di Brolo
Piraino
Marina di Patti
Mongione
S. Maria
del Fiume
Constantino
Sorrentini
GIOIOSA VECCHIA
Piana
Zacca
C. Tindari
Lido Marchesana
Riviera di ponente
88.6
Oliva
A. 20
5.6

Brolo
415
Salina
Russo
Santuario
Scala
228
Castroreale Terme
Barcellona
Barcellona
Pozzo di Gotto

C. d'Orlando
Santuario
92
S. Gregorio
113
Montagnareale
710
Patti
TINDARI
865
Oliveri
Marchesana
Marina
Tonnarella
Cann

Capo d'Orlando
S. Lucia Marina
5
Naso
S. Ángelo
di Brolo
Gallo
575
Falcone
11.5
Portosanto
Acquaficara
S.

Forno Marina
13.5
314
S. Nicolella
M.te Litto
Falcona
Casino
75
Rodi
Protonotaro
La Cala

Maló
495
Fidarrà
457
M.te Fossa della Neve
1092
Grotte
Furnari
Castroreale
1094

C. Bastione
11.5
S. Antonio
Contura
Librizzi
Colla Maffone
250
Pal. Arancio
Fornari
10.5
14.2

la Rocca
16.6
Martini
301
818
S. Silvestro 501
1106
M.te Quattrofináite
569
Frássini
91
Mazzarrà
S. Andrea
Milici
488
Bafia

Rocca
Leone
Capri
Leone
Mirto
422
Castell'Umberto
Sinagra
260
M.te dei Saraceni
Násidi
Case Murrari
381
Sampogrande
185
M.te Pomaro
829
Pzo di Súghero
1113

S. Marco
d'Alúnzio
389
S. Croce
Castell'Umberto
Vecchio
12
M.te Mastangelo
905
512
873
Basicó
528
Casale
503
M.te Pino
Tripi CASTELLI
4.5
Pzo Russa
1066

Frazzano
560
602
962
Pzo Corvo
1082
Raccuja
642
Fondachello
S. Piero Patti
648
Bráidi
540
730
S. Marco
Fantina

Convento di
Fragalá
P. d Zita
717
Pullo
Ucria
Marzana
S. Nicolò
S. Maria
S. Barbara
M.te Bammina
746
Argentera
635
Fondachelli-Fantina
901

S. Salvatore
di Fitália
R.a Traora
1005
1248
615
Galati
Mamertino
892
Tortorici
1021
M.te Guardiola
M.te S. Pietro
1185
Montalbano
Elicona
908
960
M.te Burello
S. Basílio
607
Novara
di Sicilia
R.a Novara
1340
M.te Torno

Alcara
li Fusi
398
Longi
Portella
Calcatizzo
1262
Pzo di Ucina
M.te Cucullo
1301
M.te Cufali
1237
C.a Fontana
d'Ércole
906
Badiavecchia
Rúbino
Fondachelli
Chiesa

Rocche del Crasto
1315
Pado
Serra di Baratta
1395
M.te Taffuri
Portella
Cerasa
1113
P.ta Pertusa
974
1040

Serra Curuna
1260
M.te Formísia
1328
1259
Floresta
1264
Polverello
M.te Castellazzo
1311
1259
M.te Russo
M.te Paulera
1205
P.ta Mandrazzi
1125
M.te Paiano
Pzo Cute
1065

PARCO
Bosco di Mangalaviti
M.te del Moro
1433
Portella
dello Zoppo
Portella
Croce Máncina
1235
Borgo Morfia
27.3
M.te Pomaro

Cattiva
P.ta d'Inferno
1480
Pzo Lao
1365
M.te Croce Máncina
1341
Borgo Piano
Montagna Grande
1374

Serra del Re
1775
M.te di Treárie
1609
Roccella
Valdémone
763
Torre
Borgo
S. Giovanni

M.to Soro
1847
Foresta Vecchia
Tréarie
1507
M.te Colla
1611
Sto Lanzarite
1285
Pizzo Daniele
1176
P.te S. Paolo
Francavilla di Sicilia

Pzo
Antenna
1642
Pzo Cannella
1334
M.te Gorgo Secco
M.te Bissaíacqua
1424
S. Doménica
Vittoria
1627
706
Mójo Alcántara
6.5
Malvagna
Motta Camastra
Graní

P.te del Pezzo
Porticelle Sopr.
S. Teodoro
Alcantara
Castiglione
di Sicilia
15.3
Gaggi

Serra Candela
1155
l'Annunziata
765
S. Vito
F.di Calderara
Staz. Mójo
Pietramarina
d'Alcántara

Teodoro
1058
Fondaco
Margherito
Porticelle sott.
7.8
Garetta
Randazzo
Montebiaguardia
15.5
Passopisciaro
7.5
Solicchiata
Rovitello
Calciniera
809
Linguaglossa

Rr Rapiti
1335
Vigna
4.5
Abbazia di
Maniace
4.6
Cant. S. Elia
28.5
M.te Dolce
120
863
875
554
Staz. di
Torremorte

Cesaró
1150
120
8.6
Cant.
Ponte Bolo
2.1
3
975
Maletto
1.2
M.te la Nave
1273
M.te Colarandazzo
967
Millicucco
M.te Campanaro
Calatabiano

Pzo Mezzogiorno
1217
Case Serravalle
32
Pza Rivulla
1025
M.te Maletto
1773
M.te Pizzillo
2414
M.te Crisimi
Piedimonte
Etneo
Vena
Fiumefreddo
di Sicilia

120
2
3
121
4

104

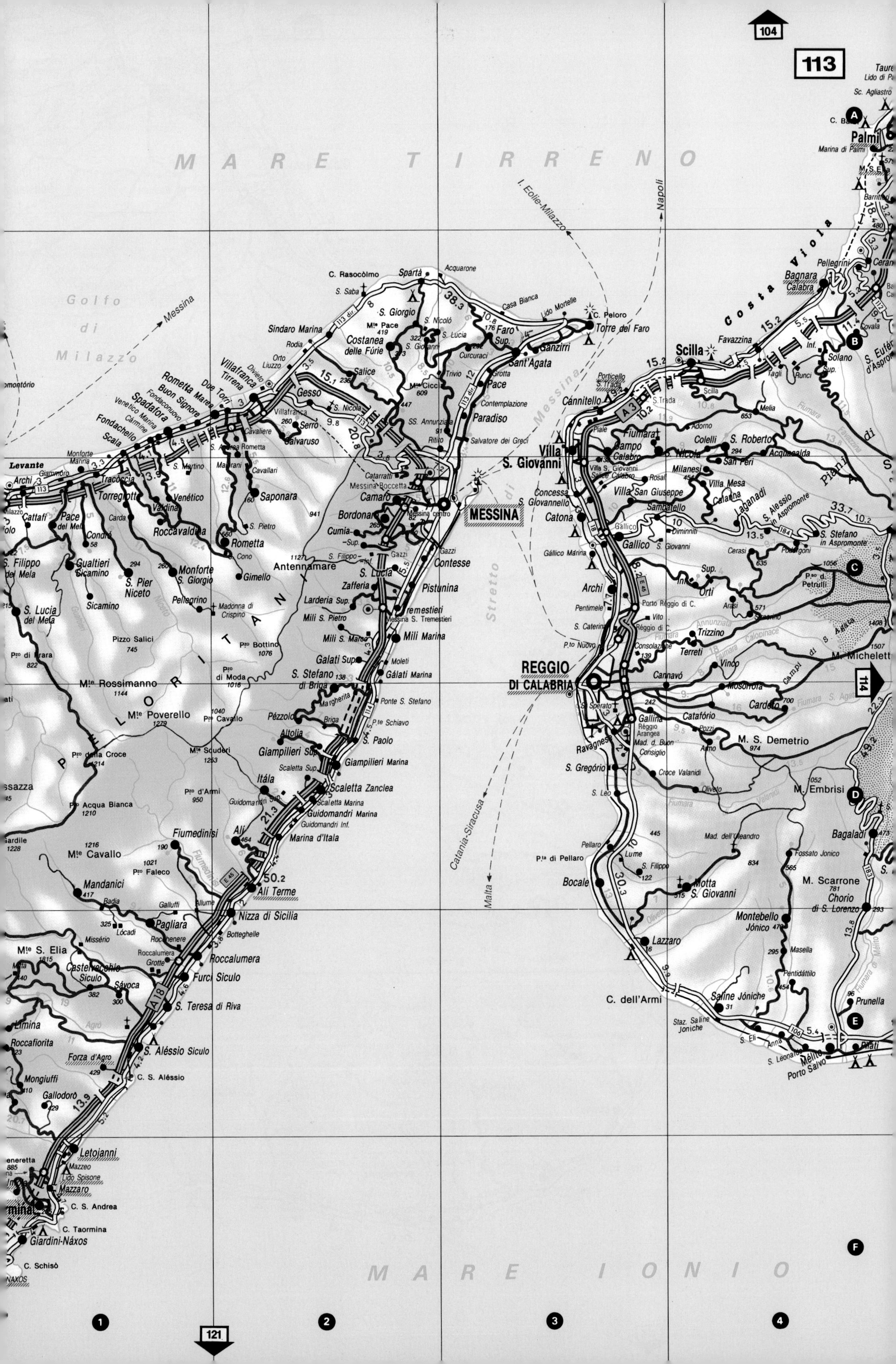
MARE TIRRENO
Golfo di Milazzo
Messina
I. Eolie-Milazzo
Napoli
Costa Viola
C. Rasocòlmo
Spartà
Acquarone
S. Saba
S. Giorgio
Mte Pace
Costanea delle Fúrie
Sindaro Marina
Rodia
Orto Liuzzo
Villafranca Tirrena
Divieto
Rometta Marea
Buon Signore
Spadafora
Venetico Marina
Càmmine
Fondachello
Scala
Due Torri
Gesso
Salice
S. Nicola
Serro
Calvaruso
Villafranca
Levante
Archi
Monforte Marina
Giammoro
Tracoccia
Torregrotta
Cavaliere
S. Andrea Rometta
S. Martino
Maurrani
Cavallari
Venético
Valdina
Saponara
Roccavaldina
Rometta
S. Pietro
Cono
Gimello
Cattafí
Pace del Mela
Condrò
Carda
Gualtieri Sicamino
Sicamino
S. Pier Niceto
Monforte S. Giorgio
Pellegrino
Madonna di Crispino
S. Filippo del Mela
S. Lucia del Mela
Pizzo Salici
Pzo di Rrara
Pzo Bottino
Pzo di Moda
Mte Rossimanno
Mte Poverello
Pzo Cavallo
PELORITANI
Antennamare
Pzo della Croce
Mte Scuderi
Pzo d'Armi
Pzo Acqua Bianca
Mte Cavallo
Pzo Faleco
Mandanici
Fiumedinisi
Badia
Galluffi
Allume
Pagliara
Lòcadi
Missério
Rocchenere
Roccalumera
Grotte
Mte S. Elia
Castelvecchio Siculo
Sàvoca
Limina
Roccafiorita
Forza d'Agrò
Mongiuffi
Gallodorò
Letojanni
Mazzeo
Lido Spisone
Mazzarò
C. S. Andrea
C. Taormina
Giardini-Náxos
C. Schisò
NAXOS
Faro Sup.
Casa Bianca
Lido Mortelle
C. Peloro
Torre del Faro
Ganzirri
Sant'Agata
S. Nicoló
S. Lucia
S. Giovanni
Curcuraci
Trivio
Mte Ciccia
Grotta
Pace
Contemplazione
Paradiso
SS. Annunziata
Ritiro
Salvatore dei Greci
Catarratti
Messina Boccetta
Camaro
Bordonaro
Messina centro
MESSINA
Cumia
Gazzi
Contesse
S. Filippo
S. Lucia
Zafferia
Pistunina
Larderia Sup.
Tremestieri
Messina S. Tremestieri
Mili S. Pietro
Mili S. Marco
Mili Marina
Galati Sup.
Moleti
Gálati Marina
S. Stefano di Briga
Margherita
Ponte S. Stefano
Briga
Pezzolo
P.te Schiavo
Altolia
S. Paolo
Giampilieri Sup.
Giampilieri Marina
Scaletta Sup.
Itála
Scaletta Zanclea
Scaletta Marina
Guidomandri Sup.
Guidomandri Marina
Guidomandri Inf.
Alì
Marina d'Itala
Alí Terme
Nizza di Sicilia
Botteghelle
Furci Siculo
S. Teresa di Riva
S. Aléssio Siculo
C. S. Aléssio
Stretto di Messina
Catania-Siracusa
Malta
Scilla
Favazzina
Bagnara Calabra
Pellegrina
Palmi
Marina di Palmi
C. Barbi
Sc. Agliastro
Solano Inf.
Solano Sup.
Tagli
Runci
Melia
S. Eufemia d'Aspromonte
Porticello
Cannitello
S. Trada
Piale
Fiumara
Adorno
Campo Calabro
Villa S. Giovanni
S. Nicola
Colelli
S. Roberto
San Peri
Acquacalda
Salice Calabro
Rosalí
Milanesi
Villa Mesa
Villa San Giuseppe
Concessa
S. Giovannello
Sambatello
Calanna
Laganadi
S. Alessio in Aspromonte
S. Stefano in Aspromonte
Catona
Gallico
Diminniti
S. Giovanni
Gállico Marina
Cerasi
Podàrgoni
Pso d. Petrulli
Orti Sup.
Orti Inf.
Archi
Pentimele
Porto Reggio di C.
Vito
Reggio di C.
S. Caterina
Arasi
P.to Nuovo
Trizzino
Consolazione
Terreti
Vinco
REGGIO DI CALABRIA
Cannavó
Mosorrofa
M. Micheletto
S. Sperato
Cardeto
Gallina
Reggio Arangea
Catafório
Pozzi
Ravagnese
Mad. d. Buon Consiglio
Armo
M. S. Demetrio
S. Gregório
Croce Valanidi
Olivéto
S. Leo
M. Embrisi
Bagaladi
Pellaro
Mad. dell'Oleandro
Lume
P.ta di Pellaro
S. Filippo
Fossato Jonico
Bocale
Motta S. Giovanni
M. Scarrone
Chorio di S. Lorenzo
Montebello Jónico
Lazzaro
Masella
Pentidáttilo
C. dell'Armi
Saline Jóniche
Prunella
Staz. Saline Joniche
S. Elia
Anna
S. Leonardo
Mèlito Porto Salvo
Pilati
MARE IONIO
A
B
C
D
E
F
1
2
3
4

114
121

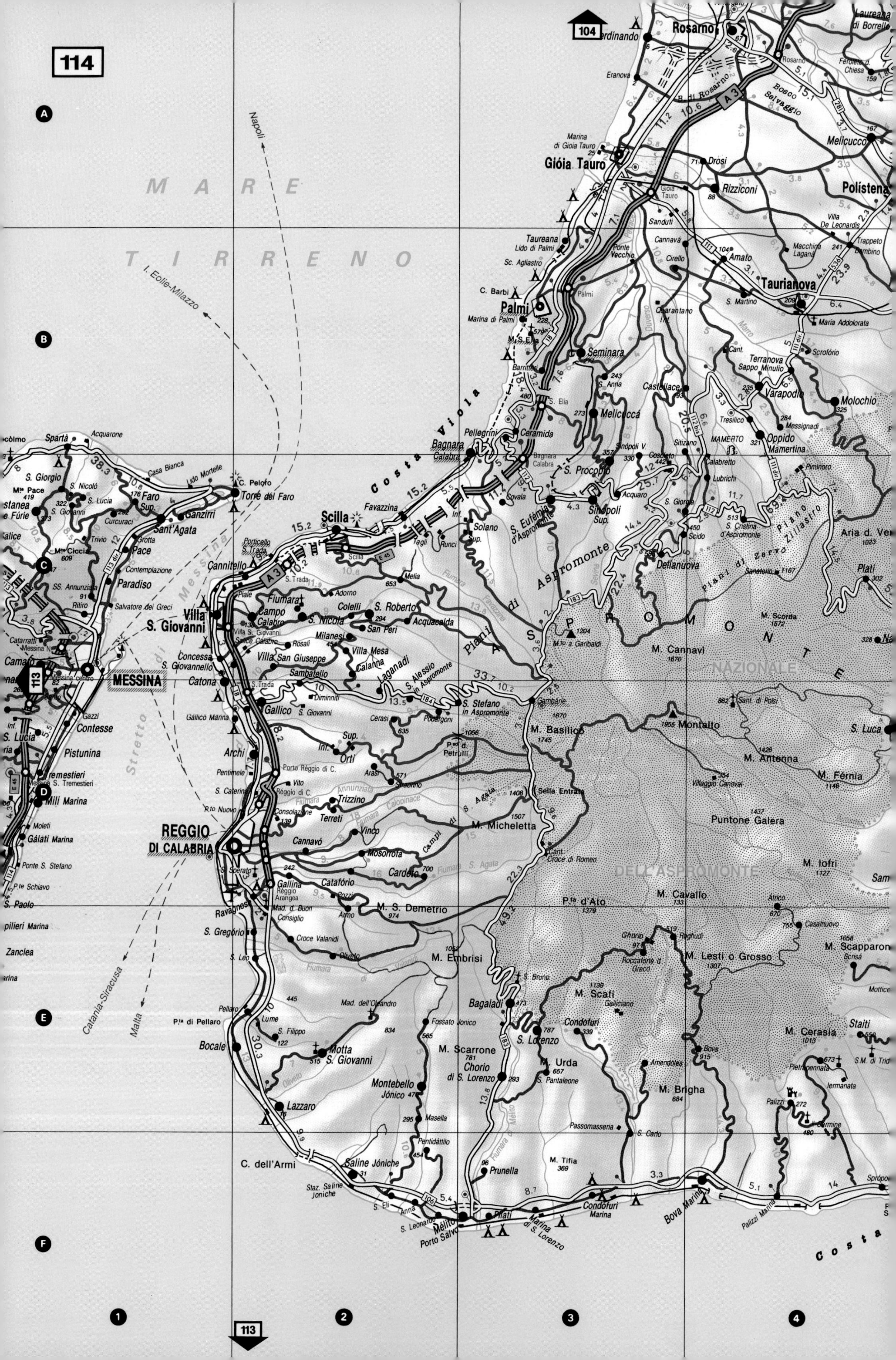
114
104
113
A
B
C
D
E
F
1
2
3
4
MARE
TIRRENO
Napoli
I. Eolie-Milazzo
Catania-Siracusa
Malta
Stretto di Messina
Costa Viola
Piani di Aspromonte
ASPROMONTE
PARCO NAZIONALE DELL'ASPROMONTE
Rosarno
Gióia Tauro
Rizziconi
Polístena
Melicucco
Taurianova
Amato
Palmi
Seminara
Melicuccà
Castellace
Varapodio
Molochio
Oppido Mamertina
Bagnara Calabra
Ceramida
Pellegrini
S. Procopio
Sinópoli Sup.
S. Eufémia d'Aspromonte
Delianuova
Scilla
Favazzina
Cannitello
Villa S. Giovanni
Campo Calabro
Fiumara
S. Roberto
Colelli
Acquacalda
S. Nicola
San Peri
Milanesi
Villa Mesa
Villa San Giuseppe
Calanna
Laganadi
Sambatello
S. Alessio in Aspromonte
S. Stefano in Aspromonte
Gambarie
Concessa
S. Giovannello
Catona
Gallico
Gallico Marina
Archi
Orti
Trizzino
Terreti
Vinco
Cannavó
Mosorrofa
Cardeto
Catafório
Gallina
M. S. Demetrio
REGGIO DI CALABRIA
Ravagnese
S. Gregório
M. Embrisi
M. Basilicò
Montalto
M. Cannavi
M. Scorda
M. Antenna
M. Férnia
Puntone Galera
M. Iofri
M. Cavallo
P.ta d'Ato
M. Lesti o Grosso
M. Scapparone
M. Micheletta
Sella Entrata
Bagaladi
S. Lorenzo
Condofuri
M. Scafi
M. Urda
M. Scarrone
Chorio di S. Lorenzo
M. Brigha
M. Cerasia
Staiti
M. Tifia
Motta S. Giovanni
Montebello Jónico
Lazzaro
Bocale
P.ta di Pellaro
C. dell'Armi
Saline Jóniche
Prunella
Mélito Porto Salvo
Condofuri Marina
Bova Marina
Palizzi Marina
S. Luca
Platì
MESSINA
Torre del Faro
C. Peloro
Ganzirri
Sant'Agata
Faro Sup.
Pace
Paradiso
S. Giorgio
Spartà
Contesse
Pistunina
Tremestieri
Mili Marina
Gálati Marina
S. Paolo
Zanclea
A3
E 45
18
Costa

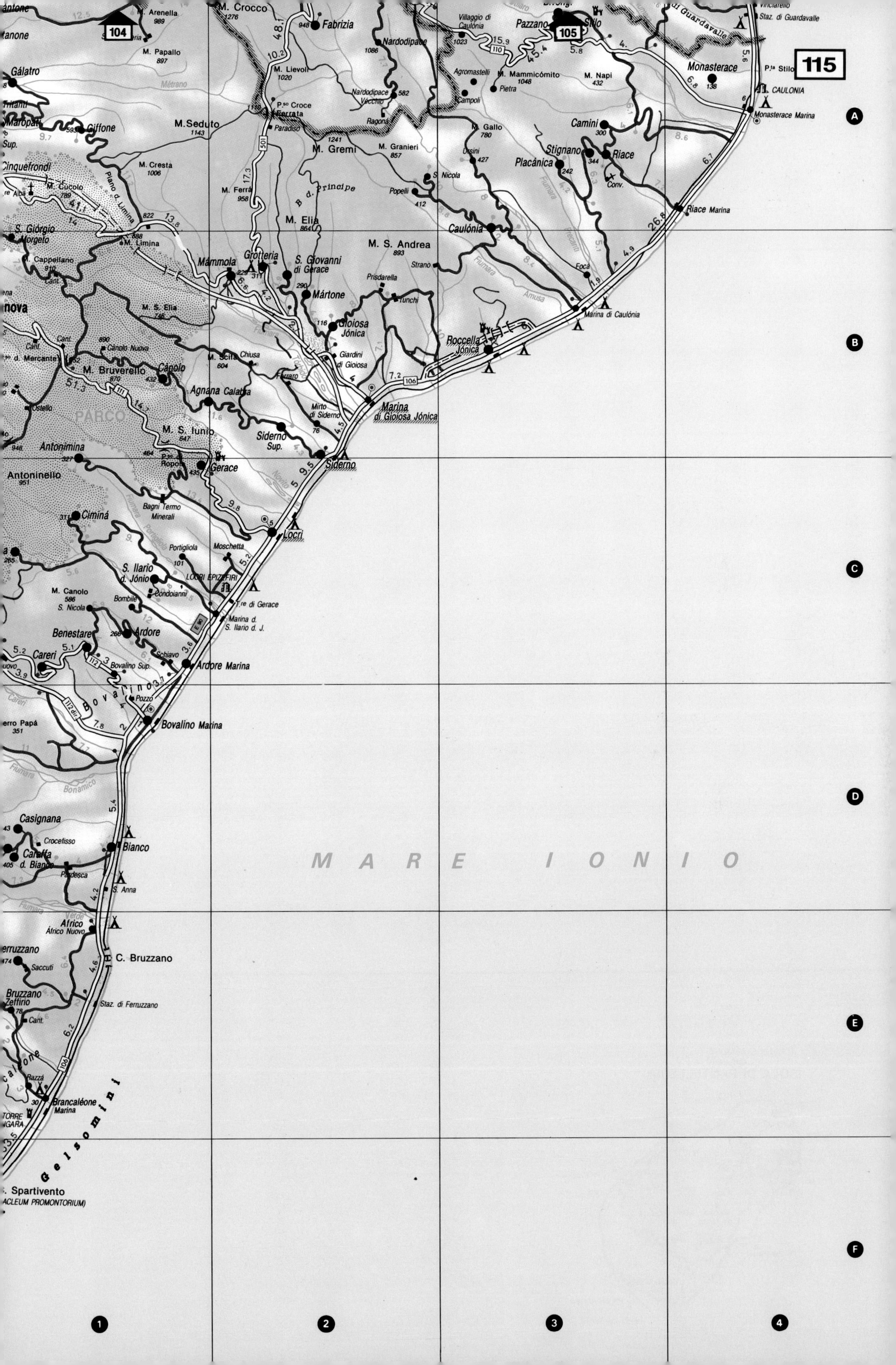
115
104
105
M. Arenella
989
M. Papallo
897
Gálatro
Giffone
M.Seduto
1143
M. Cresta
1006
Cinquefrondi
M. Cucolo
789
S. Giorgio Morgeto
M. Limina
888
M. Cappellano
910
M. Crocco
1276
Fabrizia
948
Nardodipace
1086
M. Lievoli
1020
P.so Croce Ferrata
Paradiso
Nardodipace Vecchio
582
Ragona
1241
M. Gremi
M. Granieri
857
M. Ferrà
958
B.d. Principe
M. Elia
864
Mammola
Grotteria
S. Giovanni di Gerace
Mártone
290
M. S. Andrea
893
Prisdarella
Tunchi
Strano
Villaggio di Caulónia
1023
Pazzano
Stilo
Agromastelli
M. Mammicómito
1048
Pietra
Campoli
M. Napi
432
M. Gallo
780
Ursini
427
S. Nicola
Popelli
412
Caulónia
Fumara Amusa
Focà
Marina di Caulónia
Monasterace
138
P.ta Stilo
CAULONIA
Monasterace Marina
Staz. di Guardavalle
Camini
300
Stignano
Riace
344
Placánica
242
Conv.
Riace Marina
M. S. Elia
746
Cánolo Nuova
890
M. Bruverello
870
Cánolo
432
PARCO
M. S. Iunio
647
Antonimina
327
Antoninello
951
Gerace
435
Agnana Calabra
Siderno Sup.
Siderno
Mirto di Siderno
Chiusa
M. Scifa
604
Ferraro
Gioiosa Jónica
116
Giardini di Gioiosa
Marina di Gioiosa Jónica
Roccella Jónica
106
Ostello
Bagni Termo Minerali
Ciminà
311
Locri
Portigliola
101
Moschetta
LOCRI EPIZEFIRI
T.re di Gerace
Marina d. S. Ilario d. J.
S. Ilario d. Jónio
Condoianni
M. Canolo
586
S. Nicola
Bombile
Benestare
Ardore
266
Ardore Marina
Careri
Bovalino Sup.
Schiavo
Bovalino
Pozzo
Bovalino Marina
Bonamico
Casignana
Crocefisso
Bianco
Careri d. Bianco
Pardesca
S. Anna
Africo
Africo Nuovo
C. Bruzzano
Saccuti
Bruzzano Zeffirio
Staz. di Ferruzzano
Razzà
Brancaléone Marina
Gelsomini
Spartivento
MARE IONIO
A
B
C
D
E
F
1
2
3
4

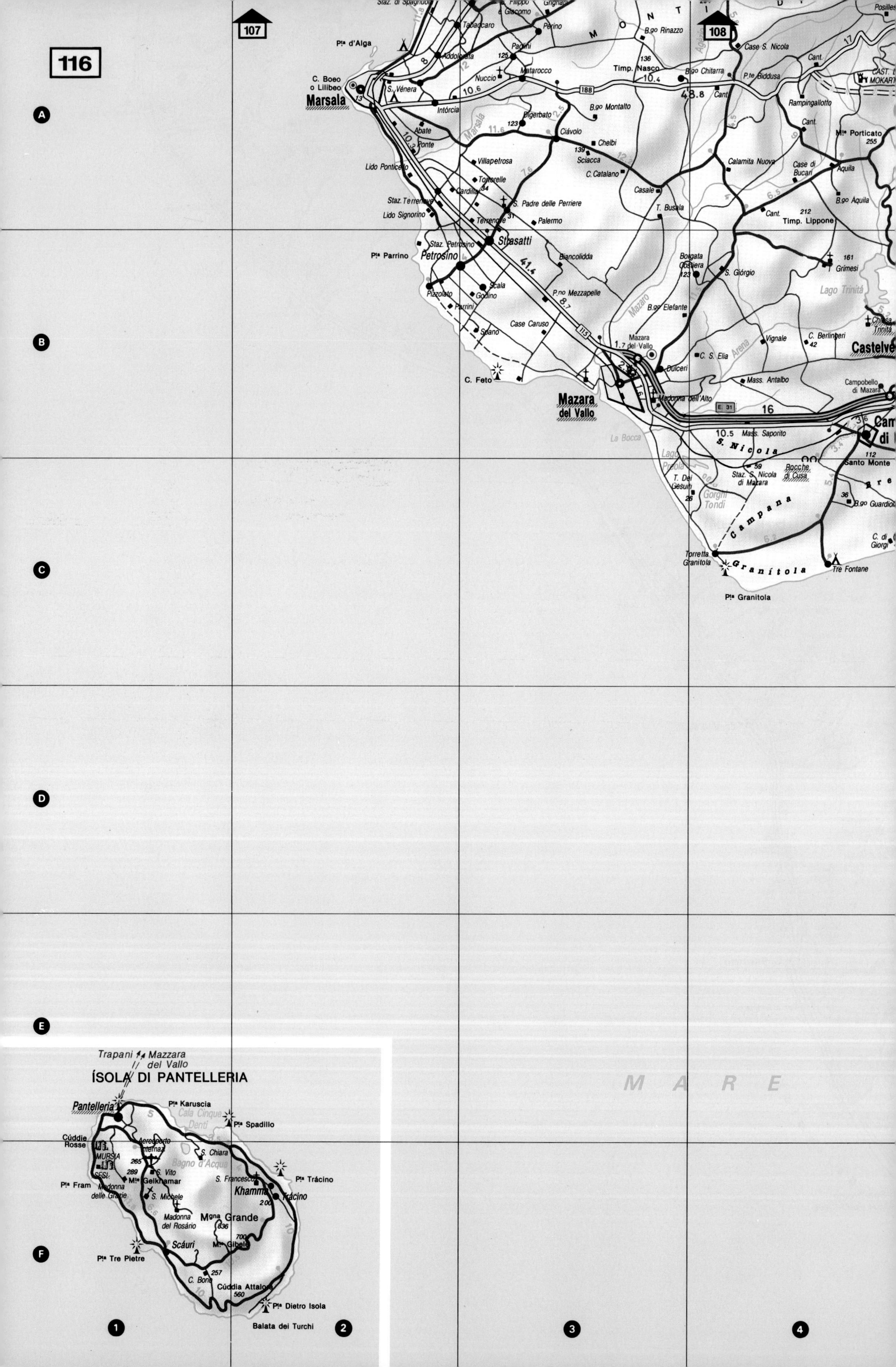

116
107
108
A
B
C
D
E
F
1
2
3
4
Marsala
C. Boeo o Lilibeo
P.ta d'Alga
Tabaccaro
Addolorata
Perino
Paolini
Matarocco
Nuccio
S. Vénera
Intórcia
Bigerbato
Ciávolo
B.go Montalto
B.go Rinazzo
Timp. Nasco
B.go Chitarra
Case S. Nicola
P.te Biddusa
Rampingallotto
M.te Porticato
Abate
Ponte
Lido Ponticello
Villapetrosa
Torrorelle
Cardilla
Chelbi
Sciacca
C. Catalano
Casale
Calamita Nuova
Case di Bucari
Aquila
B.go Aquila
Timp. Lippone
Staz. Terrenove
Lido Signorino
S. Padre delle Perriere
Terrenove
Palermo
T. Busala
P.ta Parrino
Staz. Petrosino
Petrosino
Strasatti
Biancolidda
Borgata Costiera
S. Giórgio
Grimesi
Lago Trinità
Pizzolato
Scala
Godino
Parrini
P.no Mezzapelle
Case Caruso
B.go Elefante
Sbano
Mazaro
Vignale
C. Berlingeri
Castelve
C. Feto
Mazara del Vallo
C. S. Elia
Dulceri
Mass. Antalbo
Campobello di Mazara
Madonna dell'Alto
E 31
La Bocca
Mass. Saporito
S. Nicola
Santo Monte
Lago Preola
T. Dei Gesuiti
Staz. S. Nicola di Mazara
Bocche di Cusa
Gorghi Tondi
Campana
B.go Guardiola
Torretta Granitola
Granitola
Tre Fontane
P.ta Granitola
MARE
Trapani
Mazzara del Vallo
ÍSOLA DI PANTELLERIA
Pantelleria
P.ta Karuscia
Cala Cinque Denti
P.ta Spadillo
Cúddie Rosse
Aeroporto Internaz.
S. Chiara
Bagno d'Acqua
MURSIA
SESI
S. Vito
P.ta Tràcino
P.ta Fram
Madonna delle Grazie
M.te Gelkhamar
S. Francesco
Khamma
Tràcino
S. Michele
Madonna del Rosário
M.gna Grande
M.te Gibele
Scáuri
P.ta Tre Pietre
C. Bonq
Cúddia Attalora
P.ta Dietro Isola
Balata dei Turchi

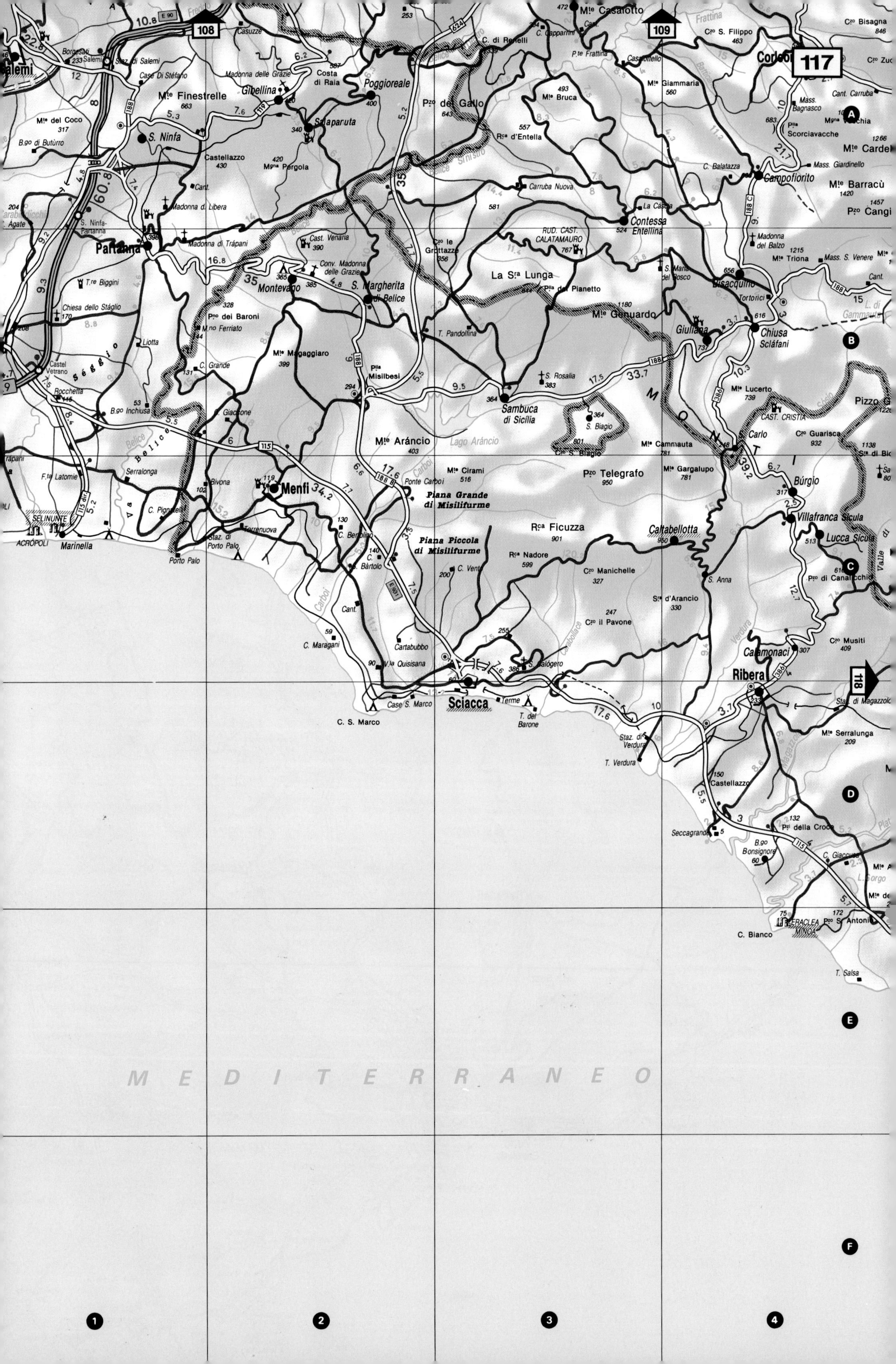

108
109
117
118
Salemi
Gibellina
Poggioreale
Salaparuta
S. Ninfa
M.te Finestrelle
Castellazzo
Partanna
Montevago
S. Margherita di Belice
Contessa Entellina
Campofiorito
Corleone
Bisacquino
Giuliana
Chiusa Sclafani
La S.ra Lunga
M.te Genuardo
Sambuca di Sicilia
Lago Arancio
M.te Arancio
Menfi
Piana Grande di Misilifurme
Piana Piccola di Misilifurme
Caltabellotta
Burgio
Villafranca Sicula
Lucca Sicula
Calamonaci
Ribera
Sciacca
Porto Palo
Selinunte
Acropoli
Marinella
Castelvetrano
Eraclea Minoa
Seccagrande
Castellazzo
M E D I T E R R A N E O
A
B
C
D
E
F
1
2
3
4

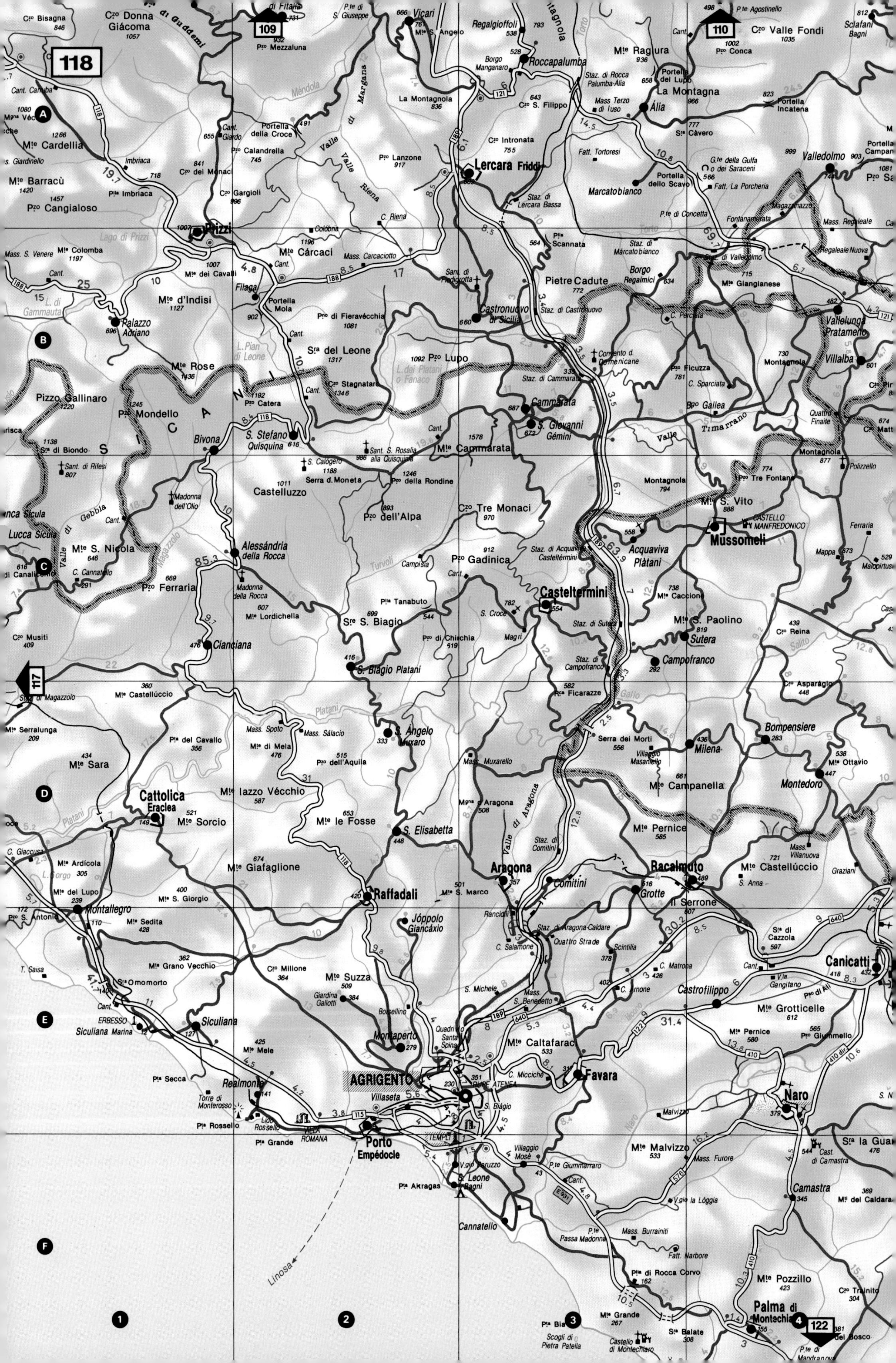

118
109
110
117
122
A
B
C
D
E
F
1
2
3
4
Prizzi
Lago di Prizzi
Palazzo Adriano
Filaga
Lercara Friddi
Roccapalumba
Vicari
Ália
Valledolmo
Vallelunga Pratameno
Villalba
Castronuovo di Sicilia
Cammarata
S. Giovanni Gémini
S. Stefano Quisquina
Bivona
Alessándria della Rocca
Cianciana
Lucca Sicula
Acquaviva Plátani
Mussomeli
Casteltermini
Sutera
Campofranco
S. Biagio Platani
S. Angelo Muxaro
Milena
Bompensiere
Montedoro
Cattolica Eraclea
Montallegro
Siculiana
Siculiana Marina
Realmonte
Raffadali
S. Elisabetta
Jóppolo Giancáxio
Aragona
Comitini
Racalmuto
Grotte
Canicattì
Castrofilippo
Favara
AGRIGENTO
Villaseta
Porto Empédocle
S. Leone Bagni
Montaperto
Naro
Camastra
Palma di Montechiaro
Cannatello
Linosa
Mte Cammarata
Mte Rose
Mte Cárcaci
Mte d'Indisi
Mte S. Nicola
Mte Sara
Mte Castellúccio
Mte Iazzo Vécchio
Mte le Fosse
Mte Giafaglione
Mte Grano Vecchio
Mte Suzza
Mte Caltafaraci
Mte Grotticelle
Mte Malvizzo
Mte Pozzillo
Mte Pernice
Mte Campanella
Mte S. Paolino
Mte Caccione
Mte Cardellia
Mte Barracù
Pzo Cangialoso
Pizzo Gallinaro
Pzo Mondello
Pzo Ferraria
Pzo Gadinica
Pzo dell'Alpa
Pzo Lupo
Castelluzzo
Sra del Leone
Cro Tre Monaci
Pietre Cadute
Marcatobianco
La Montagna
Mte Ragiura
Cro Valle Fondi
Cro Donna Giácoma
Pzo Mezzaluna
La Montagnola
Cro Intronata
Portella della Croce
Pzo Calandrella
Valle di Margana
Valle Riena
Platani
Turvoli
Valle di Aragona
Valle di Gebbia
Magazzolo
S I C A N I

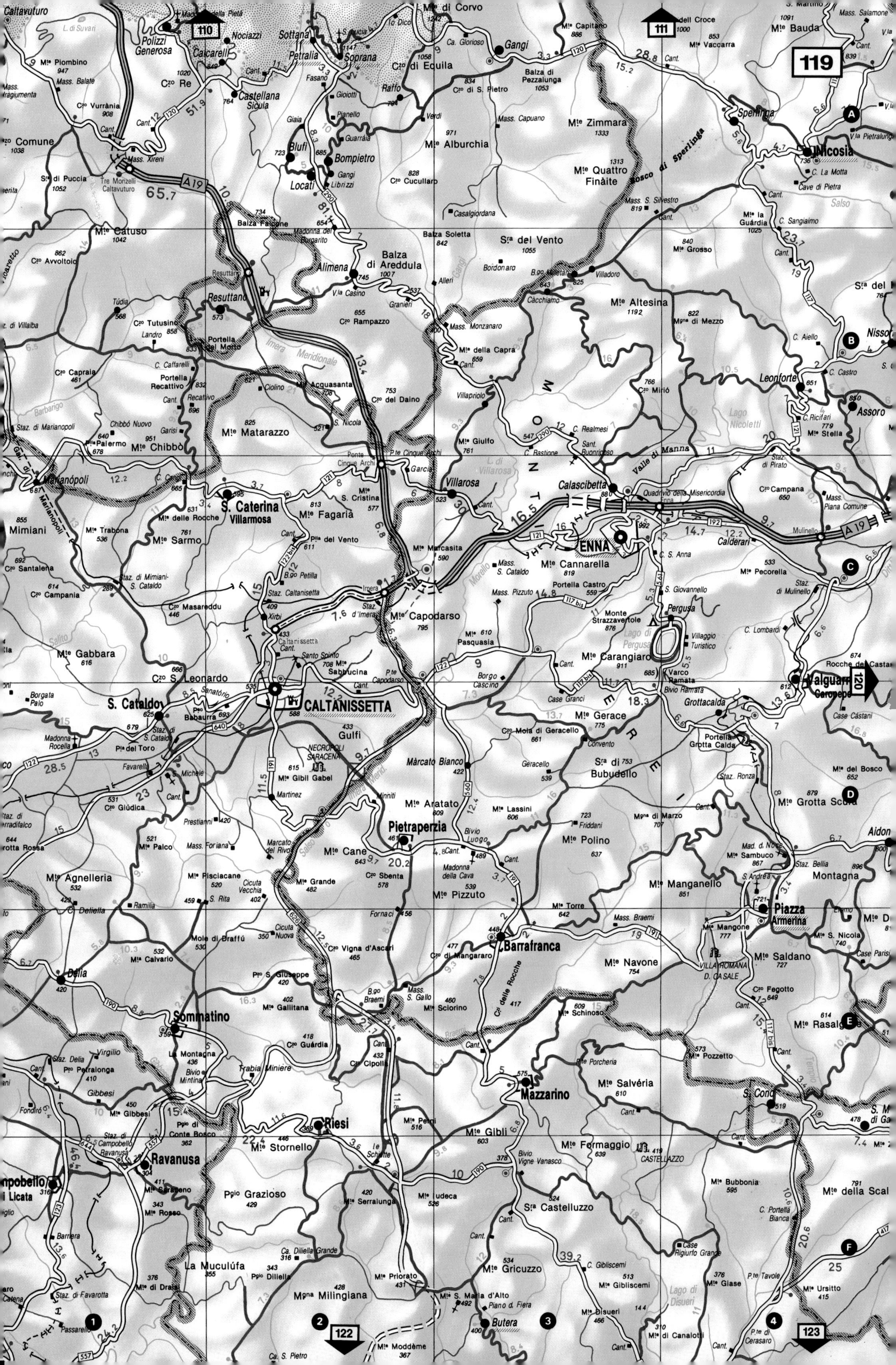

119
110
111
120
122
123
Caltavuturo
Polizzi Generosa
Nociazzi
Calcarelli
Castellana Sicula
Sottana
Petralia
Soprana
Mte di Corvo
Gangi
Cto di Equila
Raffo
Sperlinga
Nicosia
Mte Bauda
Mte Zimmara
Mte Quattro Finàite
Bosco di Sperlinga
Mte Capitano
Mte Vaccarra
Mte Piombino
Czo Re
Czo Vurrània
Czo Comune
Mass. Xireni
Tre Monzelli
Blufi
Bompietro
Locati
Mte Alburchia
Czo Cucullaro
Casalgiordana
Mte Catuso
Czo Avvoltoio
Balza Falcone
Alimena
Balza di Areddula
Balza Soletta
Sra del Vento
Mte la Guàrdia
Mte Grosso
Resuttano
Túdia
Czo Tutusino
Portella del Morto
Czo Rampazzo
Mte Altesina
Mgna di Mezzo
Mte della Capra
Czo Capraia
Portella Recattivo
Mte Acquasanta
Czo del Daino
Leonforte
Assoro
Nissoria
Mte Matarazzo
Mte Chibbò
Palermo
Marianópoli
Mte Giulfo
Villarosa
L. di Villarosa
Calascibetta
Valle di Manna
Lago Nicoletti
Czo Mirió
Mte Stella
Czo Campana
S. Caterina Villarmosa
Mte delle Rocche
Mte Fagaria
Mte S. Cristina
Mte Sarmo
Mte Trabona
Mimiani
Czo Santalena
Czo Campania
Pta del Vento
Mte Marcasita
ENNA
Mte Cannarella
Portella Castro
Monte Strazzavertole
Pergusa
Lago di Pergusa
Villaggio Turistico
Mte Pecorella
Staz. di Mulinello
Calderari
Staz. Caltanisetta
Czo Masareddu
Xirbi
Mte Capodarso
Mte Pasquasia
Mte Carangiaro
Valguarnera Caropepe
Rocche di Castani
Mte Gabbara
Czo S. Leonardo
Santo Spirito
Mte Sabbucina
CALTANISSETTA
S. Cataldo
Babaurra
Borgo Cascino
Varco Ramata
Bivio Ramata
Grottacalda
Mte Gerace
Czo Mola di Geracello
Sra di Bubudello
Portella Grotta Calda
Gulfi
Necropoli Saracena
Mte Gibil Gabel
Màrcato Bianco
Mte Aratato
Pietraperzia
Mte Lassini
Mgna di Marzo
Mte Polino
Mte del Bosco
Mte Grotta Scura
Aidone
Mte Agnelleria
Mte Palco
Mte Pisciacane
Czo Giùdica
Pta del Toro
Mte Cane
Czo Sbenta
Madonna della Cava
Mte Pizzuto
Mte Grande
Mte Manganello
Mte Sambuco
Montagna
Mte Torre
Piazza Armerina
Mte Mangone
Barrafranca
Czo di Mangararo
Czo Vigna d'Ascari
Mte Navone
Villa Romana d. Casale
Mte Saldano
Mte S. Nicola
Delia
Mte Calvario
Mole di Braffú
Pgo S. Giuseppe
Mte Gallitana
Mte Sciorino
Cda delle Rocche
Mte Schinoso
Czo Fegotto
Mte Rasalgone
Sommatino
La Montagna
Trabia Miniere
Czo Guàrdia
Czo Cipolla
Mte Salvéria
Mazzarino
Mte Pozzetto
S. Cono
Pgo Petralonga
Mte Gibbesi
Pgio di Conte Bosco
Riesi
Mte Stornello
Mte Gibli
Mte Formaggio
Castellazzo
Ravanusa
Campobello di Licata
Mte Saraceno
Mte Rosso
Pgio Grazioso
Mte Serralunga
Mte Iudeca
Sra Castelluzzo
Mte Bubbonia
Mte della Scala
La Muculúfa
Pgio Dilliella
Mte Gricuzzo
Mte Gibliscemi
Lago di Disueri
Mte Glase
Mte Ursitto
Mte di Draisi
Mgna Milingiana
Mte Priorato
Mte S. Maria d'Alto
Butera
Mte Disueri
Mte di Canalotti
Mte Moddème
Ca. S. Pietro
A19

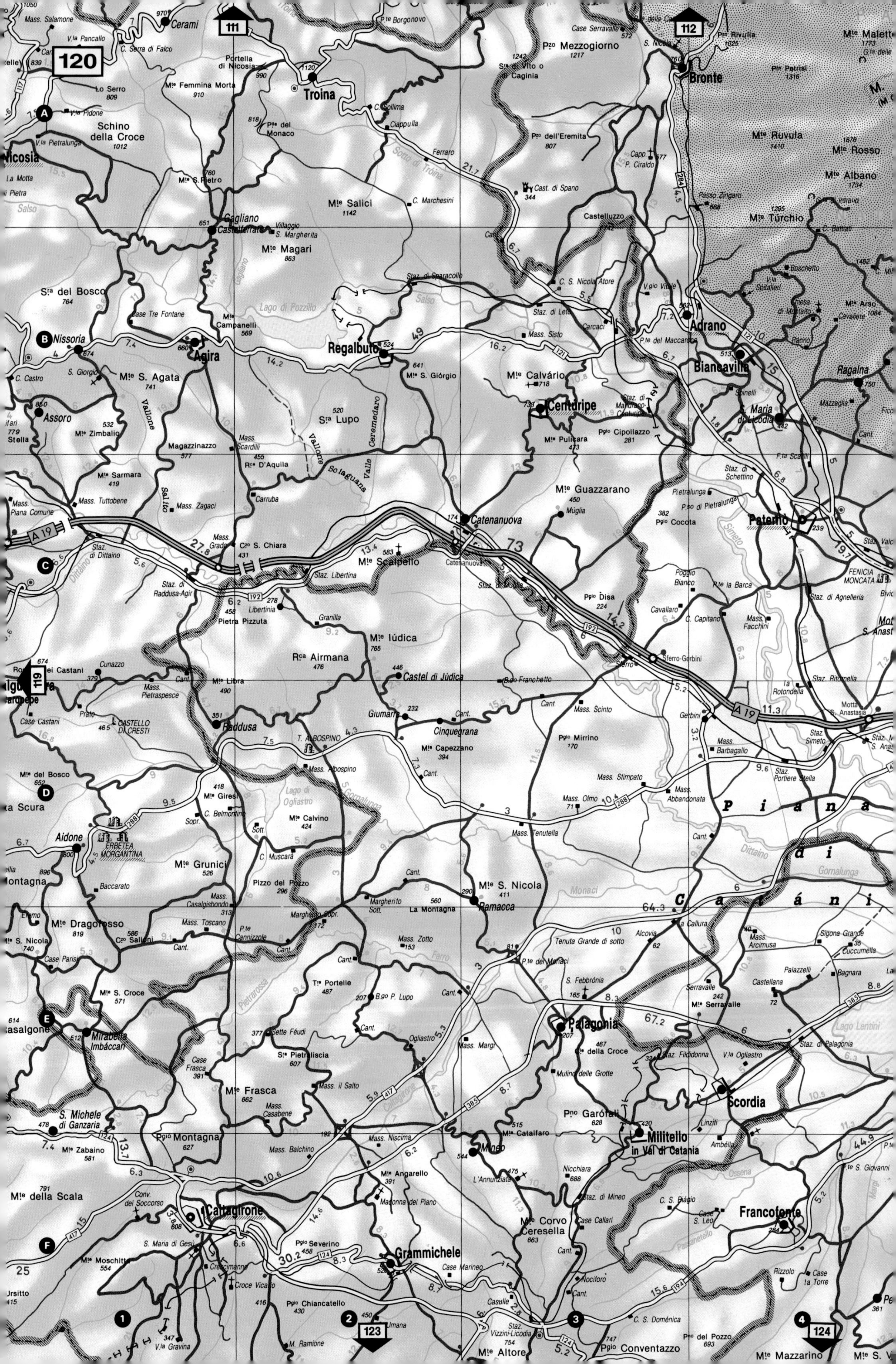
120
111
112
Mass. Salamone
Cerami
V.la Pancallo
C. Serra di Falco
Portella di Nicosia
P.te Borgonovo
Case Serravalle
P.zo Mezzogiorno
Bronte
M.te Maletto
Lo Serro
M.te Femmina Morta
Troina
S.ta di Vito o Caginia
P.zo Rivulla
P.zo Patrisi
Nicosia
V.la Pidone
V.la Pietralunga
Schino della Croce
P.lla del Monaco
C. Sollima
Ciappulla
P.zo dell'Eremita
M.te Ruvula
M.te Rosso
Ferraro
Sotto di Troina
La Motta
Pietra
Salso
M.te S. Pietro
M.te Salici
C. Marchesini
Capp. P. Ciraldo
Cast. di Spano
Passo Zingaro
M.te Albano
M.te Turchio
Castelluzzo
Gagliano Castelferrato
Villaggio S. Margherita
M.te Magari
S.ta del Bosco
Case Tre Fontane
M.te Campanelli
Lago di Pozzillo
Staz. di Sparacollo
C. S. Nicola Atore
V.gio Vitale
Adrano
Boschetto
M.te Arso
Staz. di Leto
Carcaci
Mass. Sisto
P.te del Maccarone
Biancavilla
Nissoria
Agira
Regalbuto
M.te S. Giorgio
M.te S. Agata
S. Giorgio
C. Castro
M.te Calvário
Centuripe
Staz. di Maniforo-Centuripe
Spinelli
S. Maria di Licodia
Ragalna
Mazzaglia
Assoro
M.te Zimbalio
Stella
Vallone
S.ta Lupo
Valle Ceremedaro
Magazzinazzo
Mass. Scardilli
R.ca D'Aquila
M.te Pulicara
P.gio Cipollazzo
M.te Sarmara
Sciaguana
Staz. di Schettino
Pietralunga
P.so di Pietralunga
M.te Guazzarano
Múglia
P.gio Cocota
Paternò
Mass. Tuttobene
Mass. Piana Comune
Carruba
Mass. Zagaci
Salito
Catenanuova
A 19
Mass. Grado
C.zo S. Chiara
M.te Scalpello
Staz. di Dittaino
Dittaino
Staz. Libertina
Staz. di Raddusa-Agira
Libertinia
Pietra Pizzuta
Staz. di Muglia
Poggio Bianco
P.te la Barca
FENICIA MONCATA
Staz. di Agnelleria
P.gio Disa
Cavallaro
C. Capitano
Mass. Facchini
Granilla
M.te Iúdica
R.ca Airmana
Sferro
Sferro-Gerbini
Castel di Júdica
B.go Franchetto
Rotondella
Staz. Ritornella
Motta S. Anastasia
Cunazzo
Mass. Pietraspesce
M.te Libra
119
Prato
CASTELLO DI CRESTI
Case Castani
Raddusa
Giumarra
Cinquegrana
Cant.
Mass. Scinto
Gerbini
P.gio Mirrino
Mass. Barbagallo
Staz. Simeto
T. ALBOSPINO
Mass. Albospino
M.te Capezzano
M.te del Bosco
M.te Giresi
C. Belmontino
Lago di Ogliastro
M.te Calvino
Mass. Stimpato
Mass. Olmo
Mass. Abbandonata
Staz. Portiere Stella
P i a n a
Scura
Aidone
ERBETEA MORGANTINA
Mass. Tenutella
M.te Grunici
C. Muscarà
Dittaino
d i
Montagna
Baccarato
Pizzo del Pozzo
Mass. Casalgisbondo
Margherito Sott.
La Montagna
M.te S. Nicola
Ramacca
Monaci
Gornalunga
C a t á n i a
M.te Dragofosso
M.te S. Nicola
C.zo Salinni
Mass. Toscano
P.te Cannizzole
Margherito Sopr.
Mass. Zotto
Tenuta Grande di sotto
Alcovia
La Callura
Mass. Arcimusa
Sigona Grande
Cuccumella
Case Parisi
Farro
P.te dei Monaci
Bagnara
M.te S. Croce
T.te Portelle
B.go P. Lupo
S. Febbrónia
Serravalle
M.te Serravalle
Castellana
Palazzelli
Mirabella Imbáccari
Sette Féudi
Ogliastro
Mass. Margi
Palagonia
della Croce
Lago Lentini
Staz. di Palagonia
Staz. Fildidonna
V.la Ogliastro
S.ta Pietraliscia
Case Frasca
Mulino delle Grotte
M.te Frasca
Mass. il Salto
Mass. Casabene
Scordia
P.no Garófali
S. Michele di Ganzaria
M.te Catalfaro
Militello in Val di Catania
Linziti
Ambélia
P.gio Montagna
Mass. Niscima
Mass. Balchino
M.te Zabaino
Mineo
T.te S. Giovanni
M.te Angarello
L'Annunziata
Nicchiara
Ossena
M.te della Scala
Conv. del Soccorso
Madonna del Piano
Staz. di Mineo
C. S. Biágio
Case S. Leo
Caltagirone
M.te Corvo Ceresella
Case Callari
Francofonte
S. Maria di Gesù
P.gio Severino
Grammichele
Pasanetello
M.te Moschitta
Crescimanno
Case Marineo
Rizzolo
Case la Torre
Croce Vicario
Nociforo
Ursitto
P.gio Chiancatello
Casulle
C. S. Doménica
123
Umana
Staz. Vizzini-Licodia
P.no del Pozzo
124
V.la Gravina
M. Ramione
M.te Altore
P.gio Conventazzo
M.te Mazzarino

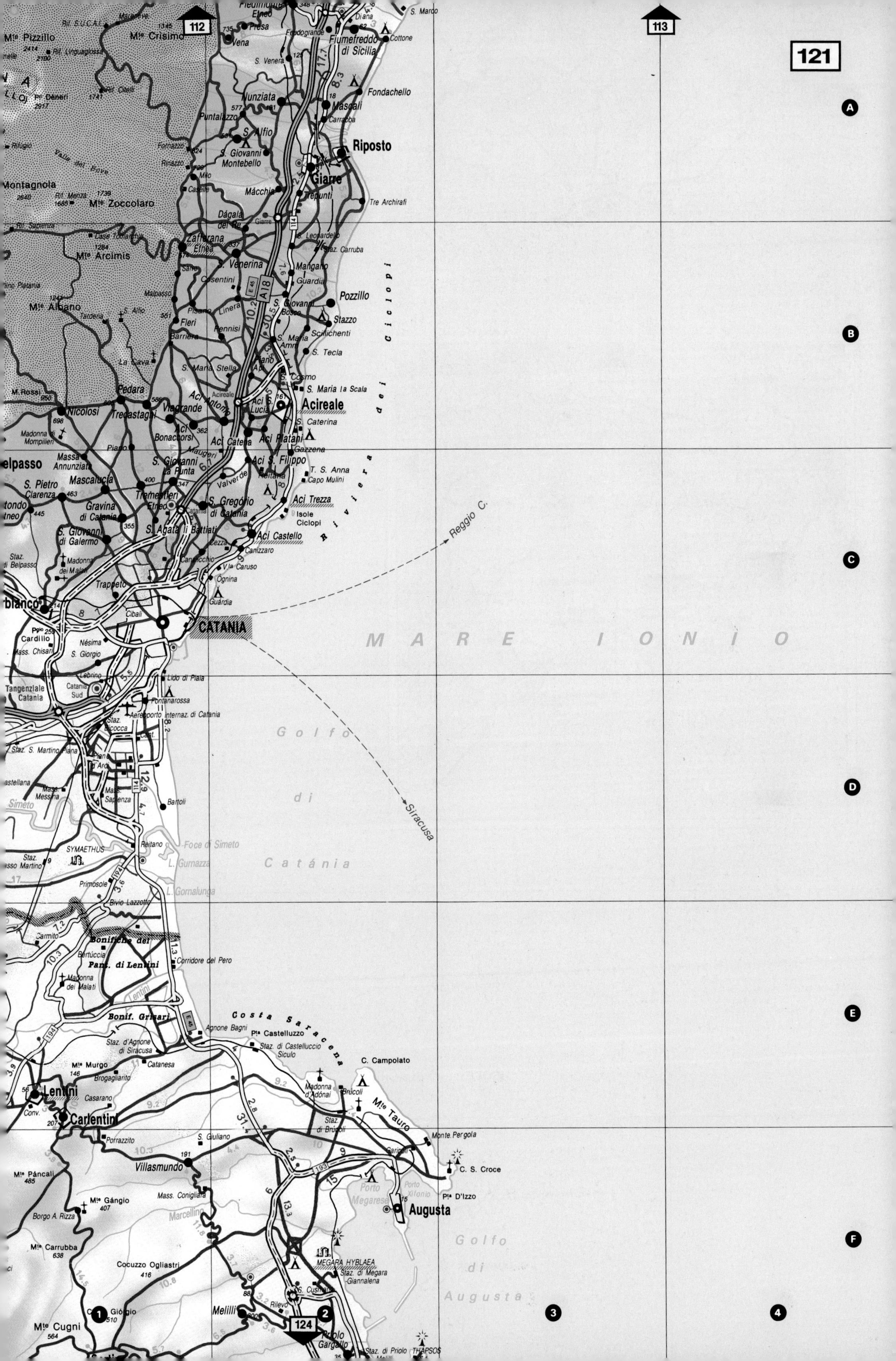
112
113
124
A
B
C
D
E
F
1
2
3
4
MARE IONIO
Golfo di Catánia
Golfo di Augusta
Riviera dei Ciclopi
Costa Saracena
Reggio C.
Siracusa
CATANIA
Acireale
Giarre
Riposto
Mascali
Fiumefreddo di Sicilia
Fondachello
Pozzillo
Stazzo
Aci Trezza
Aci Castello
Isole Ciclopi
Aci Catena
Aci S. Filippo
Aci Platani
S. Tecla
S. Maria la Scala
Zafferana Etnea
S. Venerina
Nicolosi
Pedara
Trecastagni
Viagrande
Mascalucia
Gravina di Catania
S. Giovanni la Punta
S. Gregorio di Catania
S. Agata li Battiati
Tremestieri Etneo
Misterbianco
Lentini
Carlentini
Villasmundo
Augusta
Melilli
Priolo Gargallo
MEGARA HYBLAEA
THAPSOS
SYMAETHUS
Mte Zoccolaro
Mte Arcimis
Mte Albano
Mte Crisimo
Mte Pizzillo
Mte Tauro
C. Campolato
C. S. Croce
Pta D'Izzo
Aeroporto Internaz. di Catania
Foce di Simeto
Bonifiche dei Pant. di Lentini
Bonif. Grisari
Tangenziale Catania
A18
E 45

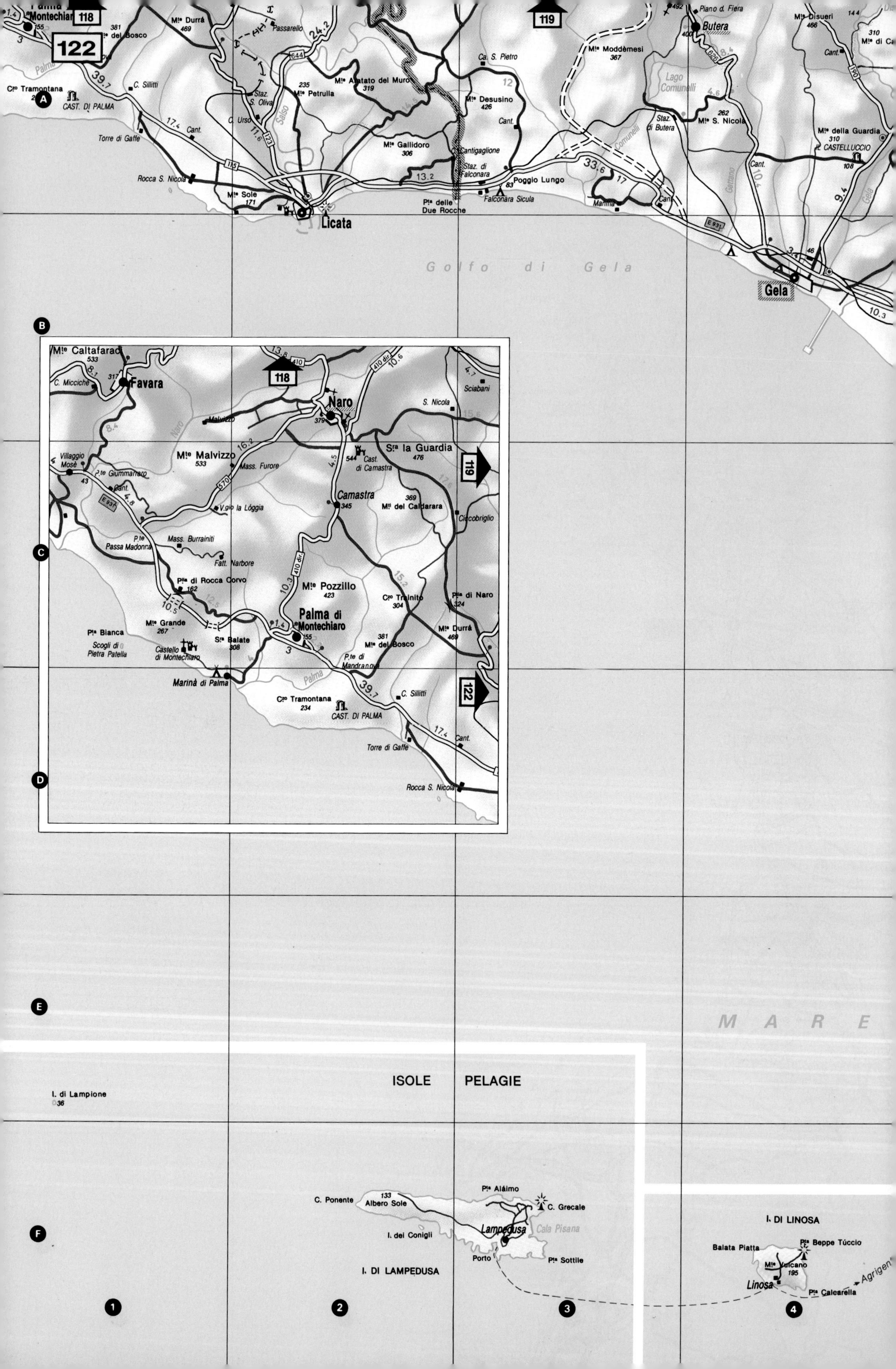

Licata
Golfo di Gela
Gela
Butera
Falconara Sicula
Poggio Lungo
Favara
Naro
Camastra
Palma di Montechiaro
Marinà di Palma
CAST. DI PALMA
Torre di Gaffe
Rocca S. Nicola
M A R E
ISOLE PELAGIE
I. di Lampione
I. DI LAMPEDUSA
Lampedusa
C. Ponente
Albero Sole
I. dei Conigli
Porto
Pta Sottile
C. Grecale
Pta Aláimo
Cala Pisana
I. DI LINOSA
Linosa
Balata Piatta
Pta Beppe Túccio
Mte Vulcano
Pta Calcarella

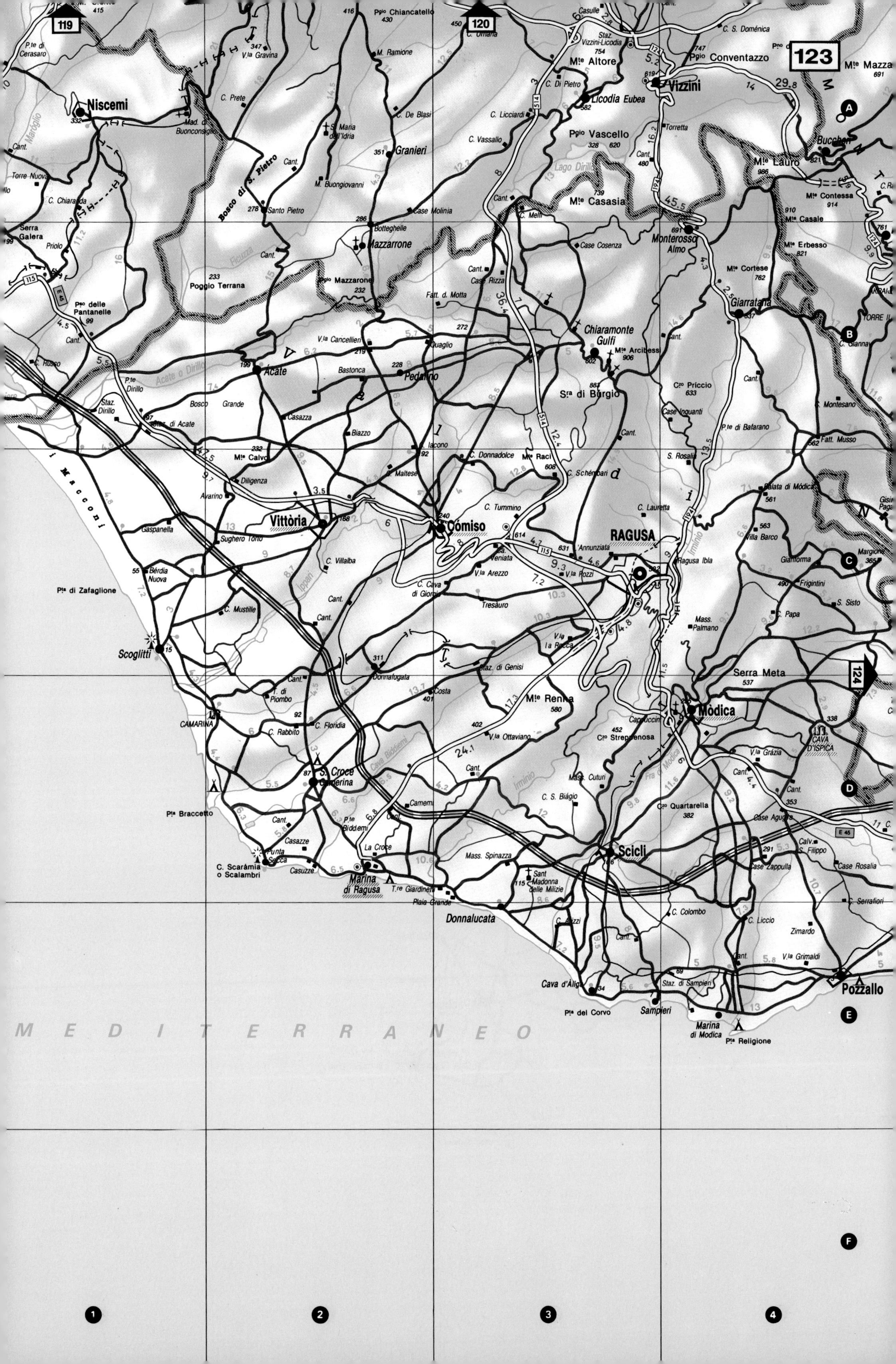

119
120
123
124
Niscemi
Mad. di Buonconsiglio
V.la Gravina
C. Prete
Bosco di S. Pietro
Santo Pietro
Poggio Terrana
P.gio Chiancatello
M. Ramione
C. De Blasi
S. Maria dell'Idria
Granieri
M. Buongiovanni
Case Molinia
Botteghelle
Mazzarrone
P.gio Mazzarone
C. Umana
Casulle
Staz. Vizzini-Licodia
M.te Altore
C. S. Doménica
P.gio Conventazzo
M.te Mazza
Vizzini
C. Di Pietro
Licodia Eubea
C. Licciardi
C. Vassallo
P.gio Vascello
Torretta
Lago Dirillo
M.te Casasia
M.te Lauro
Buccheri
M.te Contessa
M.te Casale
M.te Erbesso
Monterosso Almo
M.te Cortese
Giarratana
Torre Nuova
C. Chiaranda
Serra Galera
Priolo
P.so delle Pantanelle
C. Russo
P.te Dirillo
Staz. Dirillo
Staz. di Acate
Acate
Acate o Dirillo
Bosco Grande
V.la Cancellieri
Quaglio
Bastonca
Pedalino
Casazza
Biazzo
C. Iacono
Fatt. d. Motta
Case Rizza
Case Cosenza
C. Melfi
Chiaramonte Gulfi
M.te Arcibessi
S.ra di Burgio
C.zo Priccio
Case Inguanti
P.te di Bafarano
C. Montesano
Fatt. Musso
S. Rosalia
M.te Calvo
Diligenza
Avarino
C. Donnadolce
M.te Raci
C. Schénbari
C. Maltese
Vittòria
Còmiso
C. Tummino
RAGUSA
Annunziata
Ragusa Ibla
C. Lauretta
Palata di Modica
Villa Barco
Giamforma
Frigintini
Margione
S. Sisto
C. Papa
Gaspanella
Sughero Tonto
Bèrdia Nuova
P.ta di Zafaglione
C. Villalba
V.la Arezzo
V.la Pozzi
C. Cava di Giorgio
Tresauro
C. Mustille
Scoglitti
Cant.
Donnafugata
Staz. di Genisi
V.la la Rocca
Mass. Palmano
Serra Meta
T. di Piombo
Costa
M.te Renna
CAMARINA
C. Rabbito
C. Floridia
V.la Ottaviano
Cappuccini
C.zo Streppenosa
Mòdica
V.la Grázia
CAVA D'ISPICA
S. Croce Camerina
Cava Biddiemi
Mass. Cuturi
Fra di Modica
Irminio
C. S. Biágio
C.zo Quartarella
Case Agugra
P.ta Braccetto
Camemi
P.te Biddiemi
Casazze
Punta Secca
C. Scarámia o Scalambri
Casuzze
La Croce
Marina di Ragusa
T.re Giardinetti
Plaia Grande
Mass. Spinazza
Sant Madonna delle Milizie
Scicli
Calv. S. Filippo
Case Zappulla
Case Rosalia
Donnalucata
C. Colombo
C. Arizzi
C. Liccio
C. Serrafiori
Zimardo
Cava d'Aliga
Staz. di Sampieri
Sampieri
V.la Grimaldi
Pozzallo
P.ta del Corvo
Marina di Modica
P.ta Religione
M E D I T E R R A N E O
i Macconi
E 45
A
B
C
D
E
F
1
2
3
4

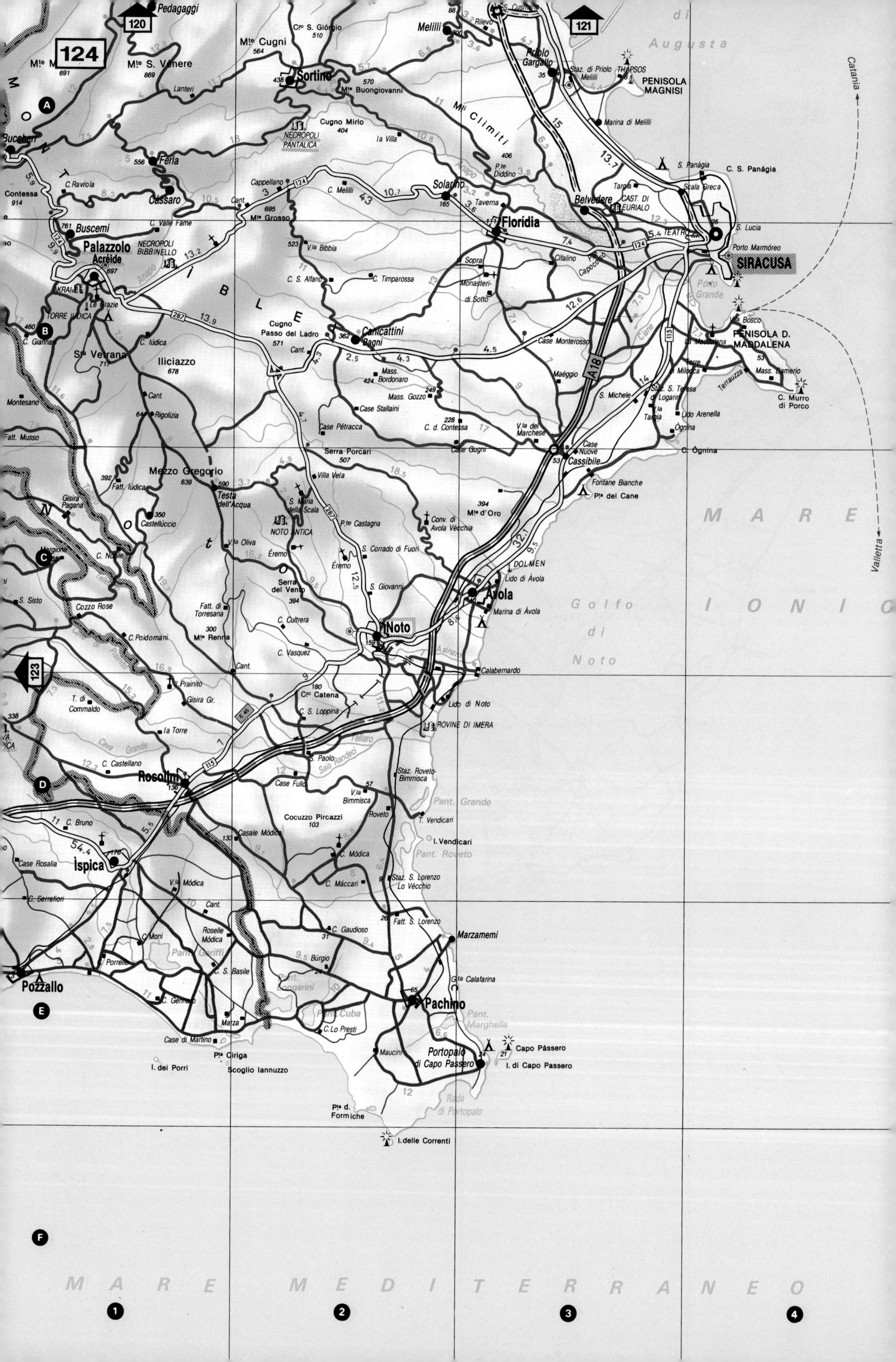
124
120
121
Pedagaggi
Melilli
Sortino
Mte Cugni
Mte S. Venere
Cugno Mirlo
NECROPOLI PANTALICA
Ferla
Cassaro
Buscemi
Palazzolo Acreide
NECROPOLI BIBBINELLO
Buccheri
Contessa
Priolo Gargallo
PENISOLA MAGNISI
THAPSOS
Marina di Melilli
Mti Climiti
Solarino
Floridia
Belvedere
CAST. DI EURIALO
S. Panagia
C. S. Panagia
Scala Greca
SIRACUSA
S. Lucia
Porto Marmoreo
Porto Grande
PENISOLA D. MADDALENA
C. Murro di Porco
Cassibile
Fontane Bianche
Pta del Cane
Cugno Passo del Ladro
Canicattini Bagni
Iliciazzo
Mezzo Gregorio
Testa dell'Acqua
NOTO ANTICA
Serra del Vento
Avola
Lido di Avola
Marina di Avola
DOLMEN
Noto
Calabernardo
Lido di Noto
ROVINE DI IMERA
Rosolini
Ispica
Pozzallo
Cocuzzo Pircazzi
I. Vendicari
Marzamemi
Pachino
Portopalo di Capo Passero
Capo Passero
I. di Capo Passero
Pta d. Formiche
I. delle Correnti
I. dei Porri
Scoglio Iannuzzo
Pta Ciriga
Golfo di Noto
Augusta
Catania
Valletta
MARE IONIO
MARE MEDITERRANEO
A
B
C
D
E
F
1
2
3
4

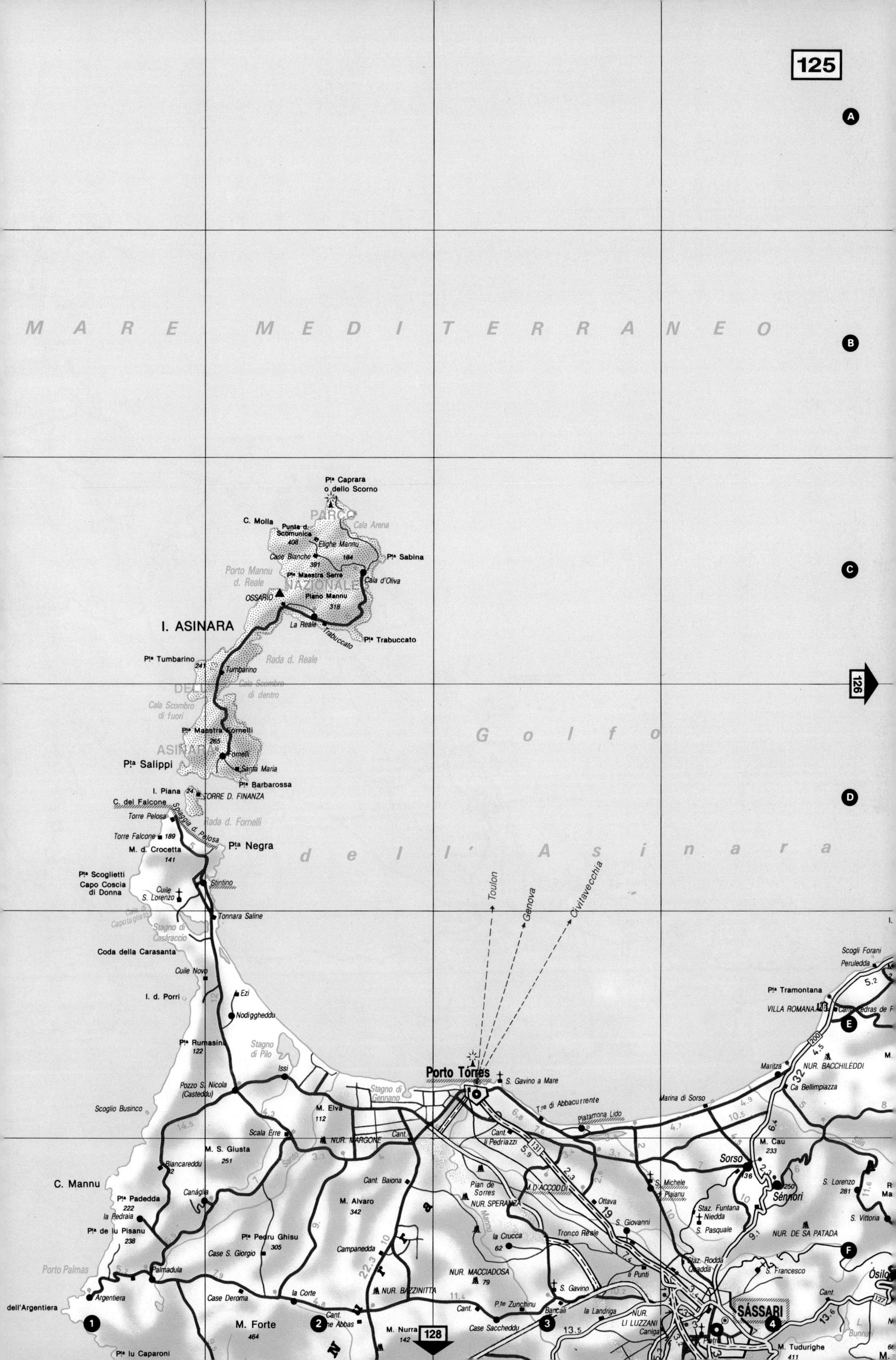

125

A

B

MARE MEDITERRANEO

Pta Caprara
o dello Scorno

PARCO

Cala Arena

C. Molla
Punta d.
Scomunica
408   Elighe Mannu
Case Bianche   164   Pta Sabina
391

Porto Mannu   Pta Maestra Sarre   Cala d'Oliva
d. Reale
NAZIONALE   Piano Mannu
OSSARIO   318

I. ASINARA   La Reale   Pta Trabuccato
Trabuccato

Pta Tumbarino   Rada d. Reale
241   Tumbarino

DEL   Cala Scombro
di dentro
Cala Scombro
di fuon   126

ASINARA   Pta Maestra Fornelli
265
Fornelli

Pta Salippi   Santa Maria

I. Piana   24   Pta Barbarossa
C. del Falcone   TORRE D. FINANZA
Torre Pelosa   Spiaggia d. Pelosa
Torre Falcone ■ 189
M. d. Crocetta   Pta Negra   dell'   Asinara
141

Pta Scoglietti
Capo Coscia
di Donna   Cuile
S. Lorenzo   Stintino   Golfo

Cala
di Capotagila   Tonnara Saline   Toulon   Genova   Civitavecchia

Stagno di   Scogli Forani
Casaraccio   Peruledda
5.2
Coda della Carasanta   Cuile Novo   Pta Tramontana
VILLA ROMANA   Campo Pedras de F.
I. d. Porri   Ezi   E
Nodiggheddu   Maritza   NUR. BACCHILÉDDI
Pta Rumasini   Ca Bellimpiazza
122   Stagno
di Pilo   Issi   32
Porto Torres   S. Gavino a Mare   Marina di Sorso   8
Pozzo S. Nicola   Stagno di
(Casteddu)   Gennano   M.
Scoglio Businco   4.3   M. Elva   Tre di Abbacurrente   M. Cau
14.5   Scala Erre   112   NUR. MARGONE   Cant.   Platamona Lido   233   Sorso
M. S. Giusta   131   36   250   S. Lorenzo
Biancareddu   251   Cant. Baiona   S. Michele   281   R
C. Mannu   Canáglia   M. Alvaro   Pian de   Pisanu   Séñnori   Ma
Pta Padedda   342   Sorres   Ottava   Stab. Funtana   S. Vittoria
222   NUR. SPERANZA   S. Giovanni   Niedda
la Pedraia   Pta Pedru Ghisu   M. D'ACCODDI   NUR. DE SA PATADA
Pta de lu Pisanu   305   Tronco Reale   S. Pasquale
238   Case S. Giorgio   la Crucca   Staz. Rodda
Campanedda   62   Odadda   S. Francesco
Porto Palmas   5.2   Palmadula   NUR. MACCIADOSA   S. Gavino   Il Punti   SÁSSARI   Ósilo
dell'Argentiera   79   P.te Zunchinu   la Landriga   NUR.
Argentiera   Case Deroma   la Corte   Barcali   LI LUZZANI   127
1   Abbas   2   NUR. BAZZINITTA   3   Case Saccheddu   Caniga   4
Pta lu Caparoni   M. Forte   M. Nurra   128   M. Tudurighe
464   142   411

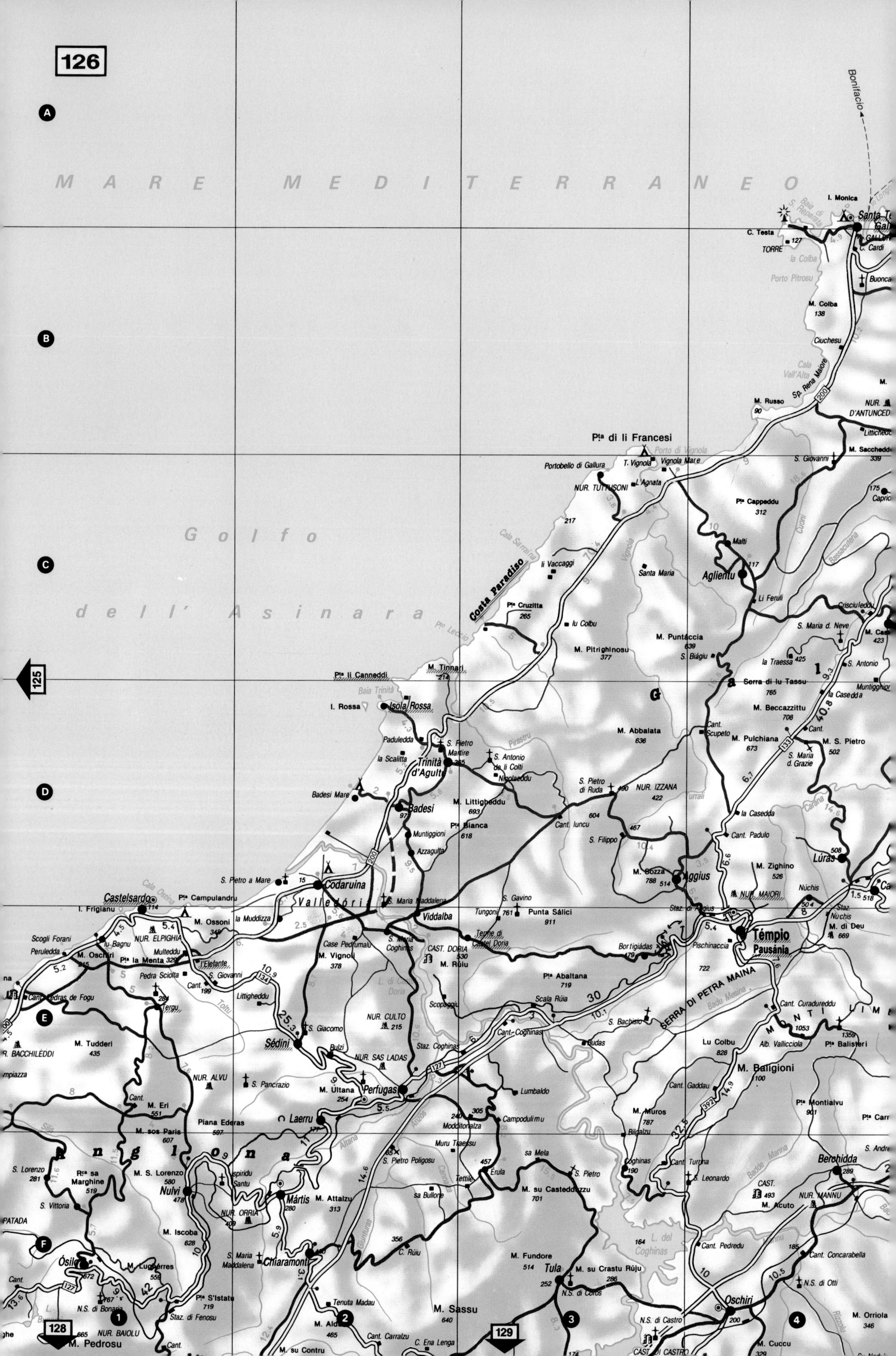
A
B
C
D
E
F
MARE MEDITERRANEO
Golfo dell' Asinara
Bonifacio
I. Monica
Santa Teresa Gallura
C. Testa
TORRE
127
la Colba
Porto Pitrosu
C. Cardi
M. Colba
138
Ciuchesu
Cala Vall'Alta
Sp. Rena Maiore
M. Russo
90
200
NUR. D'ANTUNCEDDU
Pta di li Francesi
Porto di Vignola
T. Vignola
Vignola Mare
Portobello di Gallura
NUR. TUTTUSONI
L'Agnata
M. Sacchedda
339
S. Giovanni
Pta Cappeddu
312
217
Cala Sarraina
Costa Paradiso
li Vaccaggi
Santa Maria
Malti
Aglientu
117
Li Feruli
Pta Cruzitta
265
lu Colbu
M. Pitrighinosu
377
M. Puntàccia
639
S. Biàgiu
S. Maria d. Neve
la Traessa
425
S. Antonio
Pto Leccio
M. Tinnari
214
Pta li Canneddi
Baia Trinità
I. Rossa
Isola Rossa
Serra di lu Tassu
765
M. Beccazzittu
708
la Casedda
Paduledda
la Scalitta
S. Pietro Martire
S. Antonio de li Colti
Nicolaeddu
Trinità d'Agultu
365
M. Abbalata
636
Cant. Scupeto
M. Pulchiana
673
M. S. Pietro
502
S. Maria d. Grazie
Badesi Mare
Badesi
97
M. Littigheddu
693
Pta Bianca
618
Muntiggioni
Azzagulta
Cant. Iuncu
S. Pietro di Ruda
490
NUR. IZZANA
422
604
467
S. Filippo
la Casedda
Cant. Padulo
M. Zighino
526
Lùras
508
M. Bozza
788
514
Aggius
NUR. MAIORI
Nùchis
504
S. Pietro a Mare
15
Codaruina
Valledòria
Castelsardo
114
Cala Ostina
Pta Campulandru
I. Frigianu
M. Ossoni
348
la Muddizza
S. Maria Maddalena
Viddalba
Tungoni
761
S. Gavino
Punta Sàlici
911
Staz. di Aggius
Staz. Nùchis
M. di Deu
669
Tèmpio Pausània
Scogli Forani
lu Bagnu
NUR. ELPIGHIA
Peruledda
M. Oschiri
Multeddu
Pta la Menta
329
l'Elefante
Case Pedrumalu
M. Vignoli
378
S. Maria Coghinas
CAST. DORIA
530
M. Ruiu
Terme di Casteldoria
Bortigiàdas
479
Pischinaccia
722
Pedra Sciolta
S. Giovanni
199
Cant.
134
Pta Abaltana
719
SERRA DI PETRA MAINA
Cant. Curadureddu
Cant. Pedras de Fogu
Tergu
Toltu
Littigheddu
Scala Rùia
Badu Mesina
NUR. CULTO
215
Scopaggiu
Cant. Coghinas
S. Bachisio
Budas
1053
1359
Pta Balisteri
M. Tudderi
435
S. Giacomo
Sèdini
Bulzi
NUR. SAS LADAS
Staz. Coghinas
Lu Colbu
828
Alb. Vallicciola
M. Baligioni
100
NUR. ALVU
S. Pancrazio
M. Ùltana
254
Perfugas
Lumbaldo
Cant. Gaddau
M. Eri
551
Cant.
Laerru
177
Campodulimu
305
240
Modditonalza
M. Muros
787
Bilgalzu
Pta Montialvu
901
M. sos Paris
607
Piana Ederas
597
Muru Traessu
S. Pietro Poligosu
Erula
457
sa Mela
S. Pietro
Coghinas
190
Cant. Turrina
S. Leonardo
Berchidda
289
S. Lorenzo
281
Rca sa Marghine
519
M. S. Lorenzo
580
Nulvi
478
Ispiridu Santu
NUR. ORRIA
409
Màrtis
280
M. Attalzu
313
sa Bullone
Tettile
M. su Casteddazzu
701
CAST.
493
M. Acuto
NUR. MANNU
S. Vittoria
M. Iscoba
628
S. Maria Maddalena
Chiaramonti
356
C. Rùiu
164
L. del Coghinas
Cant. Pedredu
185
Cant. Concarabella
Òsilo
672
M. Lughèrres
559
Pta S'Istatu
719
M. Fundore
514
Tula
252
M. su Crastu Rùju
286
N.S. di Coros
N.S. di Otti
N.S. di Bonaria
Staz. di Fenosu
Tenuta Madau
M. Sassu
640
Oschiri
200
M. Orriola
346
NUR. BAIOLU
M. Pedrosu
665
M. Aldu
465
Cant. Carralzu
C. Ena Lenga
N.S. di Castro
CAST. DI CASTRO
M. Cucchu
M. su Contru
125
128
129
1
2
3
4

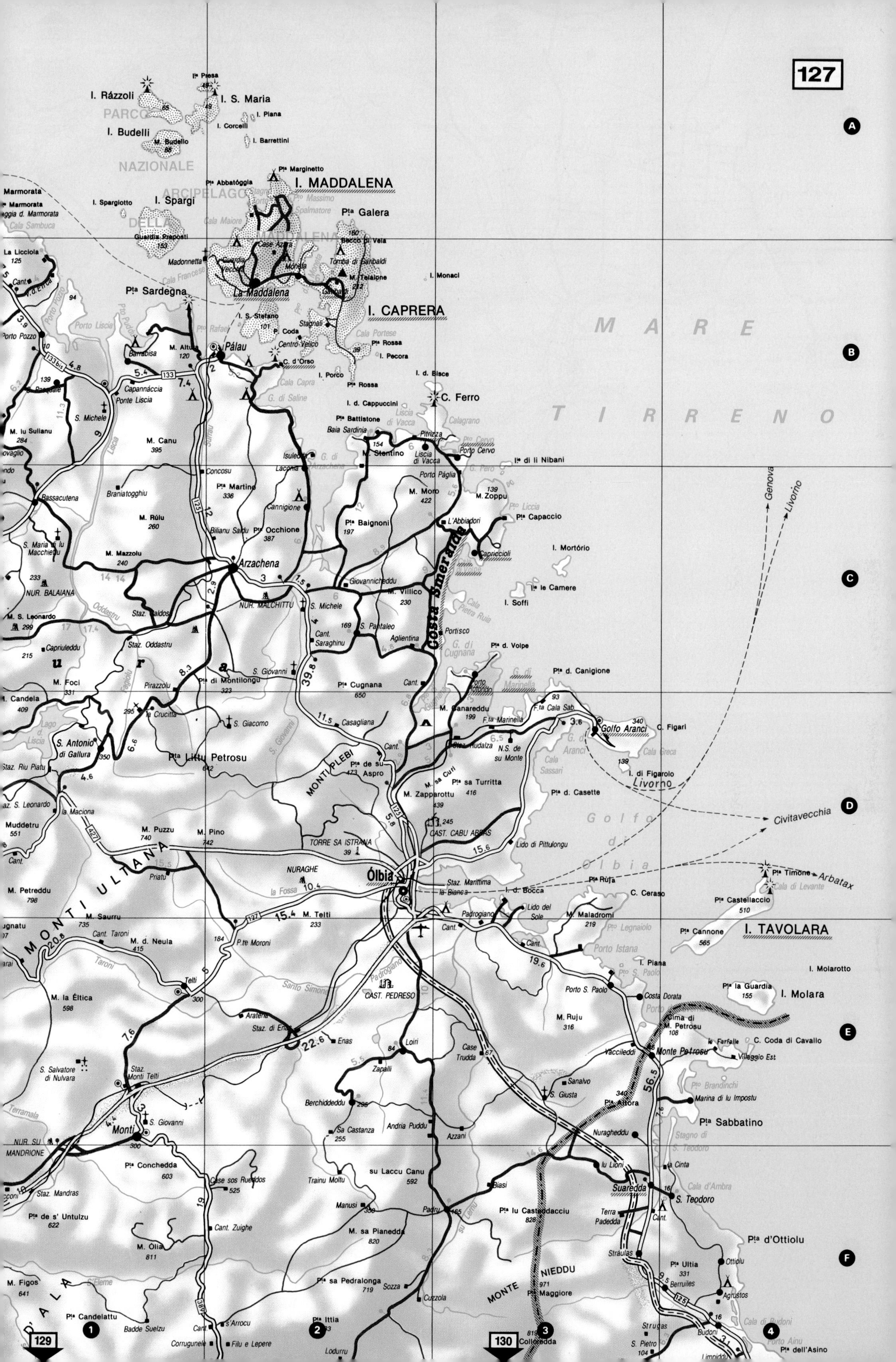

127
A
B
C
D
E
F
I. Rázzoli
I. S. Maria
I. Budelli
M. Budello
PARCO NAZIONALE ARCIPELAGO DELLA MADDALENA
I. Spargiotto
I. Spargi
I. MADDALENA
Pta Marginetto
Pta Abbatóggia
Pta Galera
Guardia Preposti
Madonnetta
La Maddalena
M. Telalone
Tomba di Garibaldi
Bacco di Vela
I. CAPRERA
I. Monaci
I. S. Stefano
Stagnali
Centro Velico
C. d'Orso
Pta Sardegna
Pálau
Barrabisa
M. Altura
Porto Pozzo
Capannáccia
Ponte Liscia
S. Michele
M. lu Sullianu
M. Canu
Pta Rossa
I. Pecora
I. Porco
I. d. Bisce
C. Ferro
I. d. Cappuccini
Pta Battistone
Baia Sardinia
Liscia di Vacca
Pitrizza
Porto Cervo
M. Stentino
Isuledda
Laconia
Ile di li Nibani
Porto Páglia
M. Moro
M. Zoppu
Pta Capaccio
L'Abbiadori
Capriccioli
I. Mortório
Ile le Camere
I. Soffi
Costa Smeralda
Portisco
M A R E
T I R R E N O
Genova
Livorno
Concosu
Pta Martina
Braniatogghiu
Bassacutena
M. Rúlu
Cannigione
Pta Baignoni
Bilianu Saldu
Pta Occhione
S. Maria di lu Macchietu
M. Mazzolu
Arzachena
NUR. BALAIANA
Giovannicheddu
M. Villico
NUR. MALCHITTU
S. Michele
S. Pantaleo
Aglientina
Staz. Baldosa
M. S. Leonardo
Capriuleddu
Staz. Oddastru
Cant. Saraghinu
Pta d. Volpe
Pta d. Canigione
M. Foci
Pirazzolu
Pta di Montilongu
S. Giovanni
Pta Cugnana
Porto Rotondo
M. Candela
La Crucitta
S. Giacomo
S. Antonio di Gallura
Casagliana
M. Canareddu
F.ta Marinella
F.ta Cala Sab.
Golfo Aranci
C. Figari
Staz. Riu Piatu
Pta Littu Petrosu
MONTI PLEBI
Pta de su Aspro
Staz. Rudalza
N.S. de su Monte
M. sa Curi
Pta sa Turritta
I. di Figarolo
Livorno
Pta d. Casette
M. Zapparottu
La Maciona
Muddetru
M. Puzzu
M. Pino
CAST. CABU ABBAS
Civitavecchia
Golfo di Olbia
TORRE SA ISTRANA
Lido di Pittulongu
MONTI ULTANA
NURAGHE
Ólbia
Staz. Marittima
la Bianca
Pta Ruja
I. d. Bocca
C. Ceraso
Pta Timone
Arbatax
Cala di Levante
M. Petreddu
Priatu
la Fossa
Padrogiano
Lido del Sole
M. Maladromi
Pta Castellaccio
M. Saurru
M. Telti
Pta Cannone
I. TAVOLARA
Cant. Taroni
M. d. Neula
P.te Moroni
Porto Istana
I. Piana
I. Molarotto
Telti
CAST. PEDRESO
Porto S. Paolo
Costa Dorata
Pta la Guardia
I. Molara
M. la Éltica
M. Ruju
Cima di M. Petrosu
Aratena
Staz. di Enas
Enas
Loiri
Case Trudda
Vaccileddi
Monte Petrosu
C. Coda di Cavallo
Villaggio Est
S. Salvatore di Nulvara
Staz. Monti Telti
Zapalli
Sanalvo
S. Giusta
Pta Brandinchi
Pta Aldia
Marina di lu Impostu
Berchiddeddu
Andria Puddu
Pta Sabbatino
S. Giovanni
Monti
Sa Castanza
Azzani
Nuragheddu
Stagno di S. Teodoro
NUR. SU MANDRIONE
Pta Conchedda
Case sos Rueddos
su Laccu Canu
Trainu Moltu
lu Lioni
la Cinta
Staz. Mandras
Biasi
Suaredda
Cala d'Ambra
S. Teodoro
Pta de s' Untulzu
Cant. Zuighe
Manusi
Padru
Pta lu Casteddacciu
Terra Padedda
M. sa Pianedda
M. Olia
Pta d'Ottiolu
Stráulas
Ottiolu
Pta Ultia
M. Figos
Pta sa Pedralonga
Sozza
MONTE NIEDDU
Pta Maggiore
Berruiles
Agrustos
Pta Candelattu
Badde Suelzu
s'Arrocu
Pta Ittia
Curzola
Strugas
Cala di Budoni
S. Pietro
Budoni
Porto Ainu
Pta dell'Asino
Corrugunele
Filu e Lepere
Lodurru
Colloredda
Limpiddu
129
130

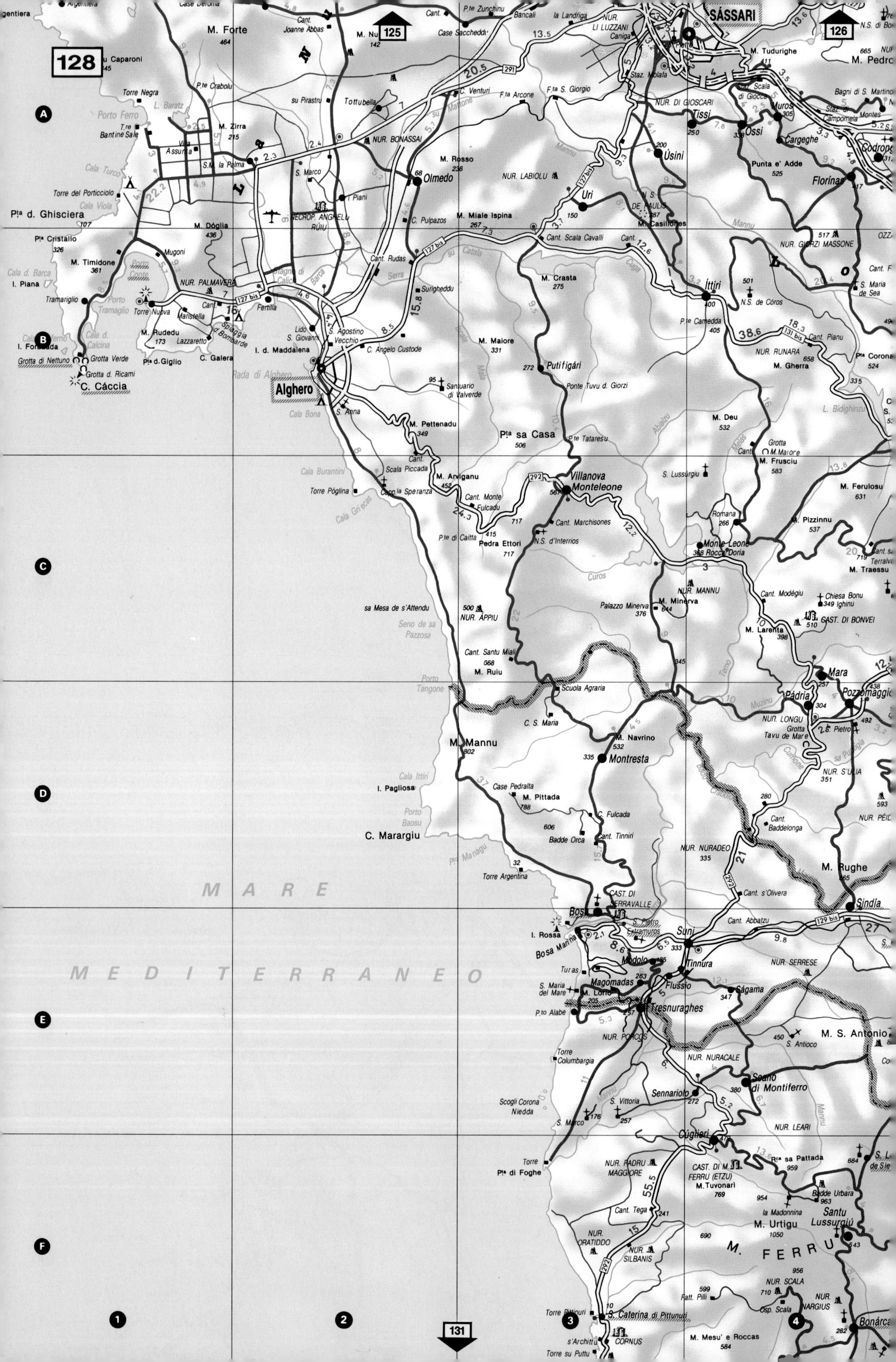

128
125
126
131
SÀSSARI
M. Forte
Torre Negra
Porto Ferro
M. Zirra
Pta d. Ghisciera
Pta Cristallo
Cala d. Barca
I. Piana
M. Timidone
Tramariglio
Torre Nuova
M. Rudedu
Grotta di Nettuno
Grotta Verde
Grotta d. Ricami
C. Càccia
Pta d.Giglio
C. Galera
M. Dóglia
Mugoni
NUR. PALMAVERA
Fertilia
I. d. Maddalena
Alghero
Rada di Alghero
Cala Bona
S. Anna
Olmedo
M. Rosso
NUR. BONASSAI
NECROP. ANGHELU RÚIU
M. Miale Ispina
C. Pulpazos
Cant. Rudas
Surigheddu
C. Angelo Custode
M. Maiore
Putifigàri
Santuario di Valverde
M. Pettenadu
Pta sa Casa
Cala Burantini
Torre Pòglina
Capo la Speranza
Scala Piccada
M. Arviganu
Villanova Monteleone
Cant. Marchisones
N.S. d'Interrios
Pedra Ettori
sa Mesa de s'Attendu
NUR. ÀPPIU
Seno de sa Pazzosa
Cant. Santu Miali
M. Ruiu
Porto Tangone
Scuola Agraria
C. S. Maria
M. Mannu
M. Navrino
Montresta
Cala Ittiri
I. Pagliosa
Case Pedralta
M. Pittada
Porto Baosu
C. Marargiu
C. Fulcada
Cant. Tinniri
Badde Orca
Torre Argentina
MARE
MEDITERRANEO
Bosa
CAST. DI SERRAVALLE
I. Rossa
Bosa Marina
Suni
Tinnura
Módolo
Magomadas
Flussio
Sàgama
Turas
S. Maria del Mare
M. Lorio
Tresnuraghes
Pto Alabe
NUR. PORCOS
Torre Columbargia
NUR. NURACALE
Scano di Montiferro
Sennariolo
S. Vittoria
Scogli Corona Niedda
S. Marco
Cùglieri
Torre
Pta di Foghe
NUR. PADRU MAGGIORE
CAST. DI M. FERRU (ETZU)
M. Tuvonari
Rea sa Pattada
Badde Urbara
la Madonnina
M. Urtigu
Santu Lussurgiú
M. FERRU
Cant. Tega
NUR. ORATIDDO
NUR. SILBANIS
NUR. SCALA
NUR. NARGIUS
Ratt. Pilli
Torre Pittinuri
S. Caterina di Pittinuri
s'Archittu
CORNUS
Torre su Puttu
M. Mesu' e Roccas
Bonàrcado
Uri
Ùsini
Tissi
Ossi
Muros
Cargeghe
Florinas
Punta e' Adde
NUR. GIORZI MASSONE
Ìttiri
N.S. de Córos
M. Crasta
NUR. RUNARA
M. Gherra
Pte Camedda
M. Deu
M. Frusciu
S. Lussùrgiu
Romana
Monte Leone Rocca Doria
M. Pizzinnu
M. Ferulosu
NUR. MANNU
M. Minerva
Palazzo Minerva
Chiesa Bonu
CAST. DI BONVEI
M. Larenta
Mara
Pàdria
Pozzomaggiore
NUR. LONGU
Grotta Tavu de Mare
NUR. S'ULIA
Cant. Baddelonga
NUR. NURADEO
M. Rughe
Sìndia
Cant. s'Olivera
Cant. Abbatzu
NUR. SERRESE
M. S. Antonio
S. Antioco
NUR. LEARI
M. Tudurighe
M. Pedrosu
Bagni di S. Martino
Codrongianos
A
B
C
D
E
F
1
2
3
4

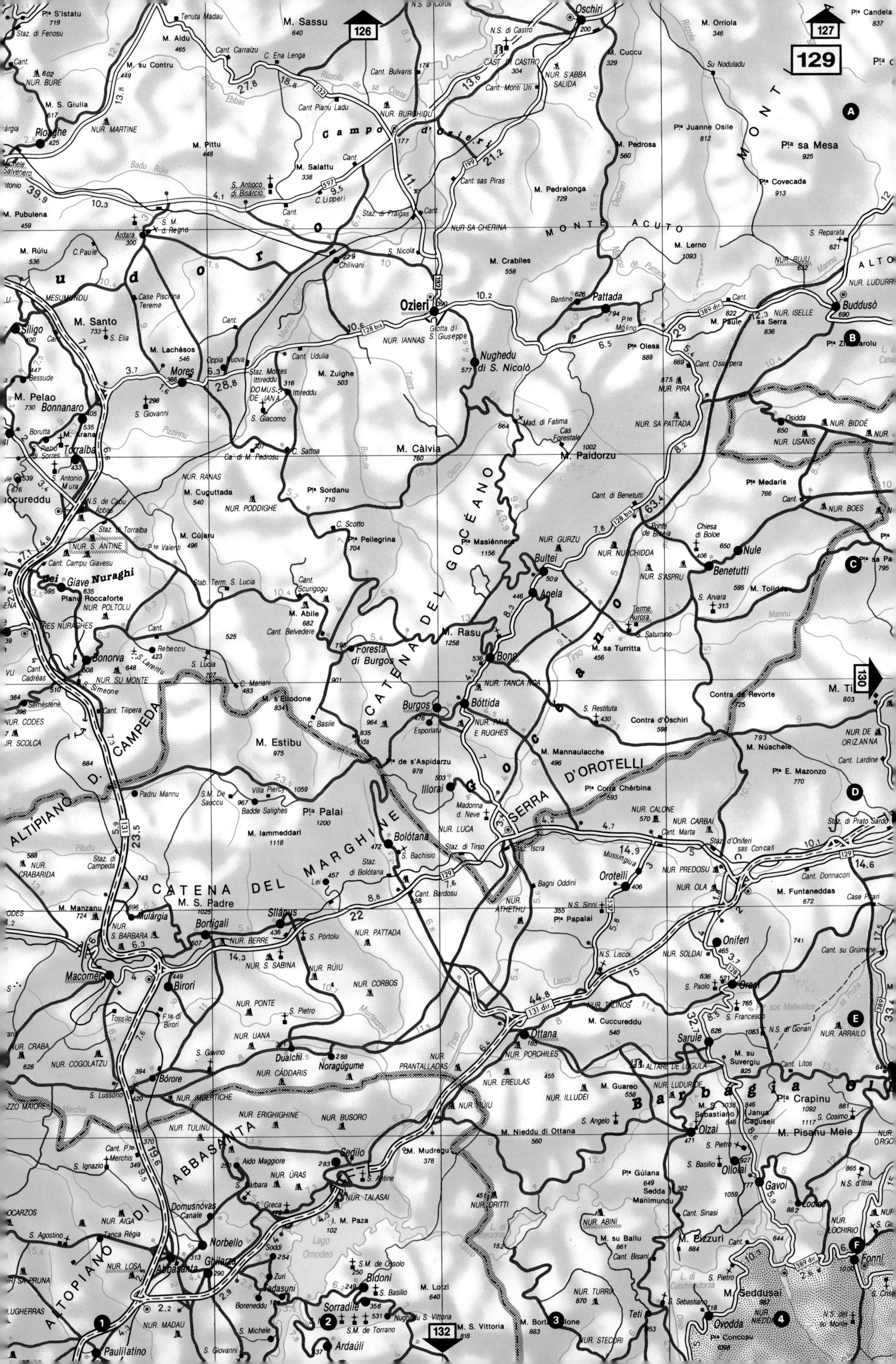
126
127
129
130
132
A
B
C
D
E
F
1
2
3
4
Oschiri
M. Sassu
M. Orriola
M. Cucco
Campo d'Ozieri
Ploaghe
M. Pittu
M. Salattu
S. Antioco di Bisarcio
M. Pedrosa
Pta sa Mesa
M. Pedralonga
MONTE ACUTO
MONTI
Ardara
Chilivani
M. Crabiles
M. Lerno
Ozieri
Pattada
Buddusò
ALTO
Siligo
M. Santo
Mores
M. Lachésos
Nughedu di S. Nicolò
Pta Olesa
Bonnanaro
M. Pelao
Torralba
M. Zuighe
Ittireddu
M. Càlvia
M. Paidorzu
Pta Sordanu
Pta Pellegrina
CATENA DEL GOCÉANO
Pta Masiénnera
Bultei
Anela
Nule
Benetutti
M. Cuguttada
M. Cújaru
Giave
Nuraghi
Bonorva
M. Abile
Foresta di Burgos
M. Rasu
Bono
Burgos
Bòttida
M. Estibu
Illorai
ALTIPIANO D. CAMPEDA
SERRA D'OROTELLI
Pta Palai
M. Iammeddari
Bolótana
CATENA DEL MARGHINE
Orotelli
M. Funtaneddas
Mulárgia
Bortigali
Silanus
Macomer
Birori
Oniferi
Orani
Ottana
Sarule
Dualchi
Noragùgume
Bórore
Barbagia
Olzai
Pta Crapinu
M. Pisanu Mele
ABBASANTA
ALTOPIANO DI ABBASANTA
Sedilo
Norbello
Abbasanta
Ghilarza
Lago Omodeo
Ollolai
Gavoi
Lodine
Fonni
Bidoni
Sorradile
Ardauli
Teti
M. Seddusai
Ovodda
Paulilatino
Tirso

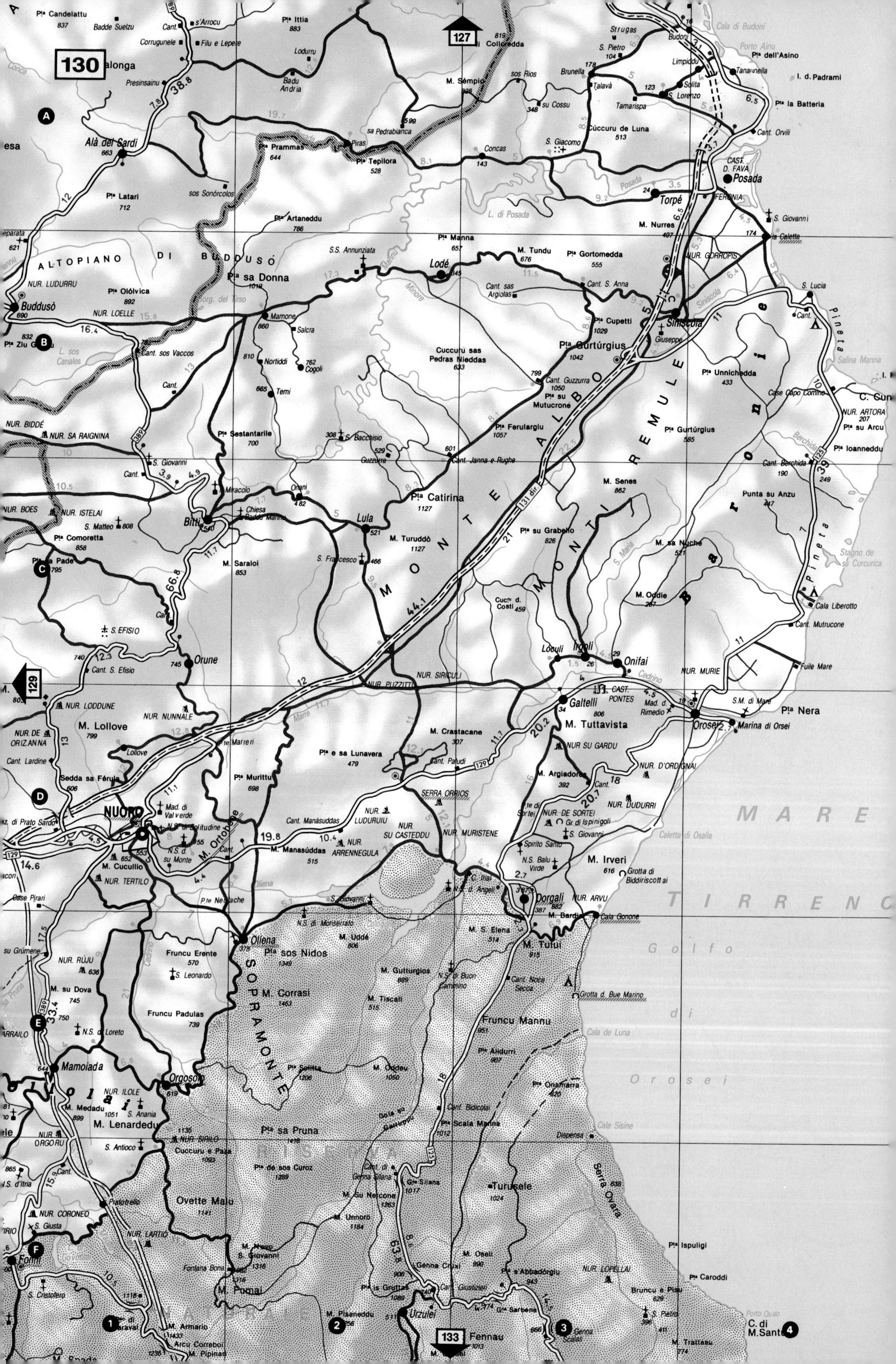

130
127
129
133
Pta Candelattu
Badde Suelzu
Corrugunele
Filu e Lepere
Pta Ittia
Lodurru
Badu Andria
Presinsainu
Alà dei Sardi
Pta Latari
sos Sonòrcolos
Pta Prammas
Piras
Pta Tepilora
sa Pedrabianca
Concas
M. Sèmpio
sos Rios
su Cossu
Strugas
S. Pietro
Budoni
Cala di Budoni
Porto Ainu
Pta dell'Asino
Limpiddu
Brunella
Talavà
Tanaunella
I. d. Padrami
Solita
S. Lorenzo
Tamarispa
Pta la Batteria
Cúccuru de Luna
S. Giacomo
Cant. Orvili
CAST. D. FAVA
Posada
Torpé
FERONIA
L. di Posada
Pta Artaneddu
ALTOPIANO DI BUDDUSÒ
NUR. LUDURRU
Buddusò
Pta Olòlvica
NUR. LOELLE
Pta sa Donna
S.S. Annunziata
Pta Manna
Lodè
M. Tundu
Pta Gortomedda
M. Nurres
S. Giovanni
la Caletta
NUR. GORROPIS
Cant. S. Anna
Cant. sas Argiolas
Siniscola
S. Lucia
Pineta
Mamone
Salcra
Nortiddi
Cogoli
Temi
Cant. sos Vaccos
Pta Ziu
L. sos Canales
Cuccuru sas Pedras Nieddas
Pta Cupetti
Pta Gurtúrgius
Cant. Guzzurra
Pta su Mutucrone
Pta Unnichedda
Salina Manna
Case Capo Comino
C. Cun
NUR. ARTORA
Pta su Arcu
Pta Ioanneddu
MONTE ALBO
MONTI REMULE
Baronie
NUR. BIDDÈ
NUR. SA RAIGNINA
Pta Sestantarile
S. Bacchisio
Guzzurra
Cant. Janna e Rughe
Pta Ferulargiu
Pta Gurtúrgius
Cant. Berchida
Berchida
S. Giovanni
Miracolo
Onani
Pta Catirina
M. Senes
Punta su Anzu
NUR. BOES
NUR. ISTELAI
S. Matteo
Bitti
Chiesa Babbu Mannu
Lula
M. Turuddò
Pta su Grabello
M. sa Nuche
Stagno de sa Curcurica
Pta Comoretta
Pta la Pade
M. Saraloi
S. Francesco
Cucru d. Costi
M. Oddie
Cala Liberotto
Cant. Mutrucone
S. EFISIO
Cant. S. Efisio
Orune
Lòculi
Irgoli
Onifai
Cedrino
NUR. SIRICULI
NUR. PUZZITTU
NUR. MURIE
Fuile Mare
NUR. LODDUNE
M. Lollove
NUR. NUNNALE
Galtelli
CAST. PONTES
Mad. d. Rimedio
S.M. di Mare
Pta Nera
M. Tuttavista
Orosei
Marina di Orsei
NUR. DE ORIZANNA
Lollove
Pte Marreri
M. Crastacane
Cant. Lardine
Pta e sa Lunavera
Cant. Paludi
NUR SU GARDU
NUR. D'ORDIGNAI
Sedda sa Férula
Pta Murittu
SERRA ORRIOS
M. Argiadores
NUR. DUDURRI
MARE
NUORO
Mad. di Val verde
N.S. d. Solitudine
Cant. Manasuddas
NUR. LUDURUIU
NUR. SU CASTEDDU
NUR. MURISTENE
NUR. DE SORTEI
Gr. di Ispinigoli
S. Giovanni
Caletta di Osalla
N.S. d. su Monte
M. Ortobene
M. Manasúddas
NUR. ARRENNEGULA
Spirito Santo
N.S. Balu Virde
M. Irveri
Grotta di Biddiriscott ai
TIRRENO
M. Cucullio
NUR. TERTILO
Case Pirari
Pte Nebiache
S. Giovanni
C. Irial
N.S. d. Angeli
Dorgali
NUR. ARVU
M. Bardia
Cala Gonone
N.S. di Monserrato
M. Uddè
M. S. Elena
M. Tului
Golfo di Orosei
Oliena
Pta sos Nidos
su Grùmene
NUR. RÚJU
Fruncu Erente
S. Leonardo
M. Gutturgios
N.S. di Buon Cammino
Cant. Noce Secca
Grotta d. Bue Marino
M. Corrasi
M. Tiscali
SUPRAMONTE
M. su Dova
Fruncu Padulas
Fruncu Mannu
Cala de Luna
N.S. d. Loreto
Pta Aidurri
Mamoiada
Pta Solitta
M. Oddeu
Pta Onamarra
Orgosolo
NUR. ILOLE
M. Medadu
S. Anania
M. Lenardedu
Gola su Gorroppu
Cant. Bidicolai
Pta Scala Manna
Cala Sisine
NUR. SIRILO
Pta sa Pruna
Cuccuru e Paza
Dispensa
NUR. ORGORU
S. Antioco
RISERVA NATURALE
Pta de sos Curoz
Cant. di Genna Silana
Gta Silana
Turusele
Serra Oviara
N.S. d'Itria
Ovette Malu
M. Su Nercone
NUR. CORONEO
M. Unnoro
Pratobello
NUR. LARTIO
S. Giusta
Fonni
M. Novo S. Giovanni
Fontana Bona
M. Pomal
Genna Cruxi
M. Oseli
Pta s'Abbadórgiu
NUR. LOPELLAI
Pta Ispuligi
Pta Caroddi
S. Cristoforo
Pta is Gruttas
Cant. Giustizieri
Gta Sarbene
Bruncu e Pisu
M. Pisaneddu
Urzulei
S. Pietro
Porto Quao
M. Armario
Arcu Correboi
M. Pipinari
Fennau
Genna Scalas
M. Trattasu
C. di M.Santu
A
B
C
D
E
F
1
2
3
4

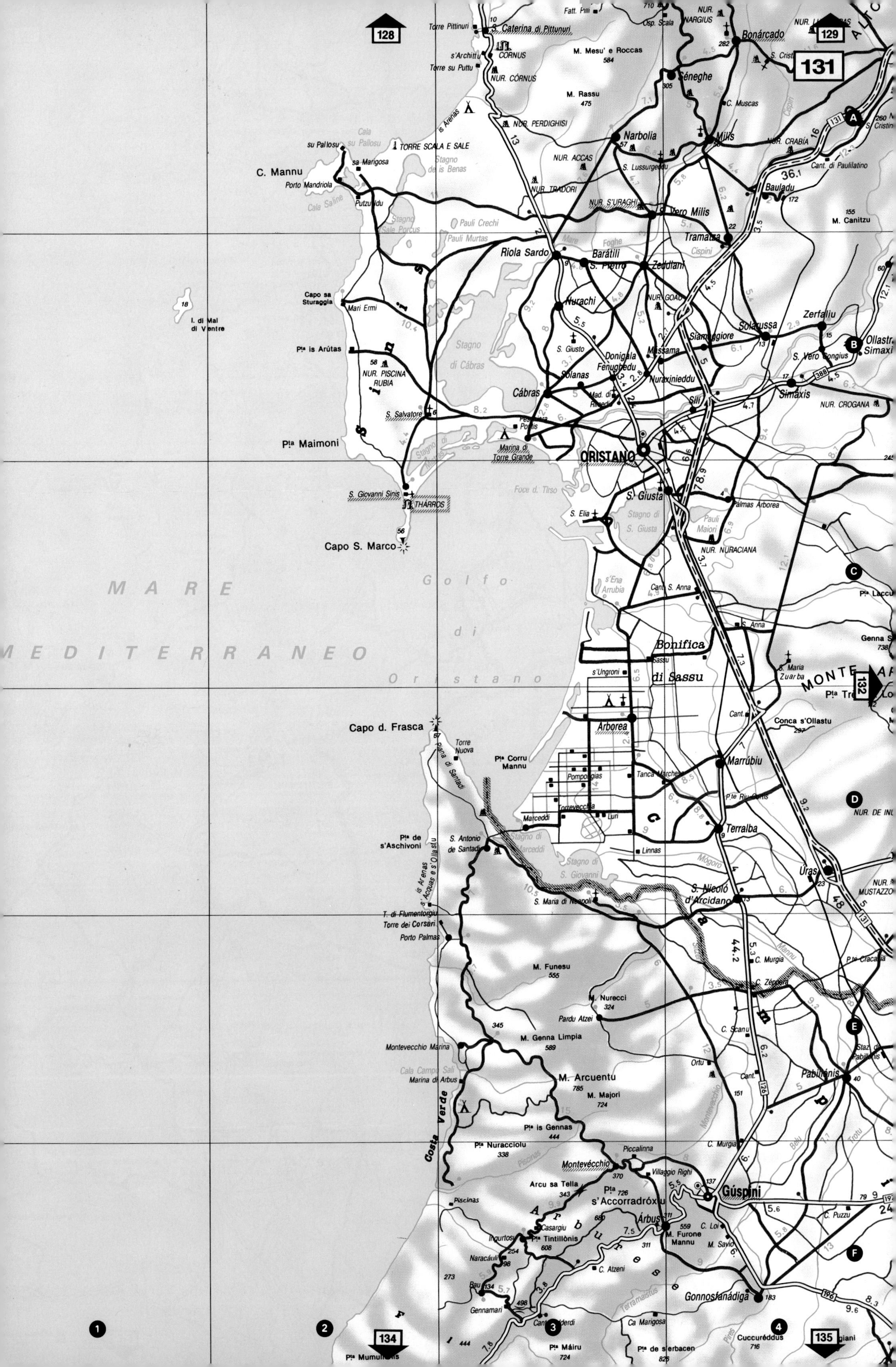

128
129
131
132
134
135
Torre Pittinuri
S. Caterina di Pittinuri
s'Archittu
CORNUS
Torre su Puttu
NUR. CÓRNUS
M. Mesu' e Roccas
584
M. Rassu
475
Bonárcado
Séneghe
Milis
C. Muscas
Narbolia
NUR. PERDIGHISI
is Arenas
su Pallosu
Cala su Pallosu
TORRE SCALA E SALE
sa Marigosa
Stagno de is Benas
C. Mannu
Porto Mandriola
Cala Saline
Putzu Idu
NUR. ACCAS
S. Lussurgiedu
NUR. TRADORI
NUR. S'URAGHI
Vero Milis
NUR. CRABIA
Cant. di Paulilatino
Bauladu
M. Canitzu
Stagno Sale Porcus
Pauli Crechi
Pauli Murtas
Mare Foghe
Riola Sardo
Barátili
S. Pietro
Zeddiani
Tramatza
Cispini
Capo sa Sturaggia
Mari Ermi
I. di Mal di Ventre
Nurachi
NUR. GOAU
Solarussa
Zerfaliu
Ollastra Simaxis
Pta is Arútas
NUR. PISCINA RUBIA
Stagno di Cábras
S. Giusto
Donigala Fenughedu
Massama
Siamaggiore
S. Vero Congius
Solanas
Nuraxinieddu
Simaxis
NUR. CROGANA
Cábras
Mad. di Rimedio
Silì
S. Salvatore
Pesc. Pontis
Marina di Torre Grande
Stagno di Mistras
Pta Maimoni
ORISTANO
Foce d. Tirso
S. Giovanni Sinis
THARROS
S. Giusta
Palmas Arborea
S. Elia
Stagno di S. Giusta
Pauli Maiori
NUR. NURACIANA
Capo S. Marco
MARE
MEDITERRANEO
Golfo di Oristano
s'Ena Arrubia
Cant. S. Anna
S. Anna
Pta Laccu
Genna S
Bonifica di Sassu
Sassu
s'Ungroni
S. Maria Zuarba
MONTE AR
Pta Tre
Cant.
Conca s'Ollastu
297
Capo d. Frasca
Torre Nuova
Piana di Santadi
Pta Corru Mannu
Arborea
Pompongias
Tanca Marchese
Marrúbiu
Pte Riu Corris
Torrevecchia
Luri
Marceddì
Stagno di Marceddì
Terralba
NUR. DE INU
Pta de s'Aschivoni
S. Antonio de Santadi
Linnas
Stagno di S. Giovanni
Mogoro
Uras
NUR. MUSTAZZO
is Arenas s'Acquas e s'Ollastu
S. Maria di Neapoli
S. Nicolò d'Arcidano
T. di Flumentorgiu
Torre dei Corsari
Porto Palmas
C. Murgia
Pte Cracaxia
M. Funesu
555
C. Zèppara
M. Nurecci
324
Pardu Atzei
C. Scanu
345
M. Genna Limpia
589
Montevecchio Marina
Cala Campu Sali
Marina di Arbus
Ortu
Staz. di Pabillonis
Pabillonis
M. Arcuentu
785
M. Majori
724
Costa Verde
Pta is Gennas
444
Pta Nuracciolu
338
Montevécchio
Piccalinna
Villaggio Righi
Arcu sa Tella
343
Pta s'Accorradróxiu
726
Gúspini
Piscinas
Árbus
M. Furone Mannu
C. Loi
C. Puzzu
M. Savio
Casargiu
Pta Tintillònis
608
Ingurtosu
Naracáuli
C. Atzeni
Bau
Gennamari
Arburese
Gonnosfanádiga
Terramaistus
Cant. Urderdi
Ca Marigosa
Cuccuréddus
716
Pta Máiru
724
Pta de s'erbacen
826
Pta Mumullonis
1
2
3
4
A
B
C
D
E
F

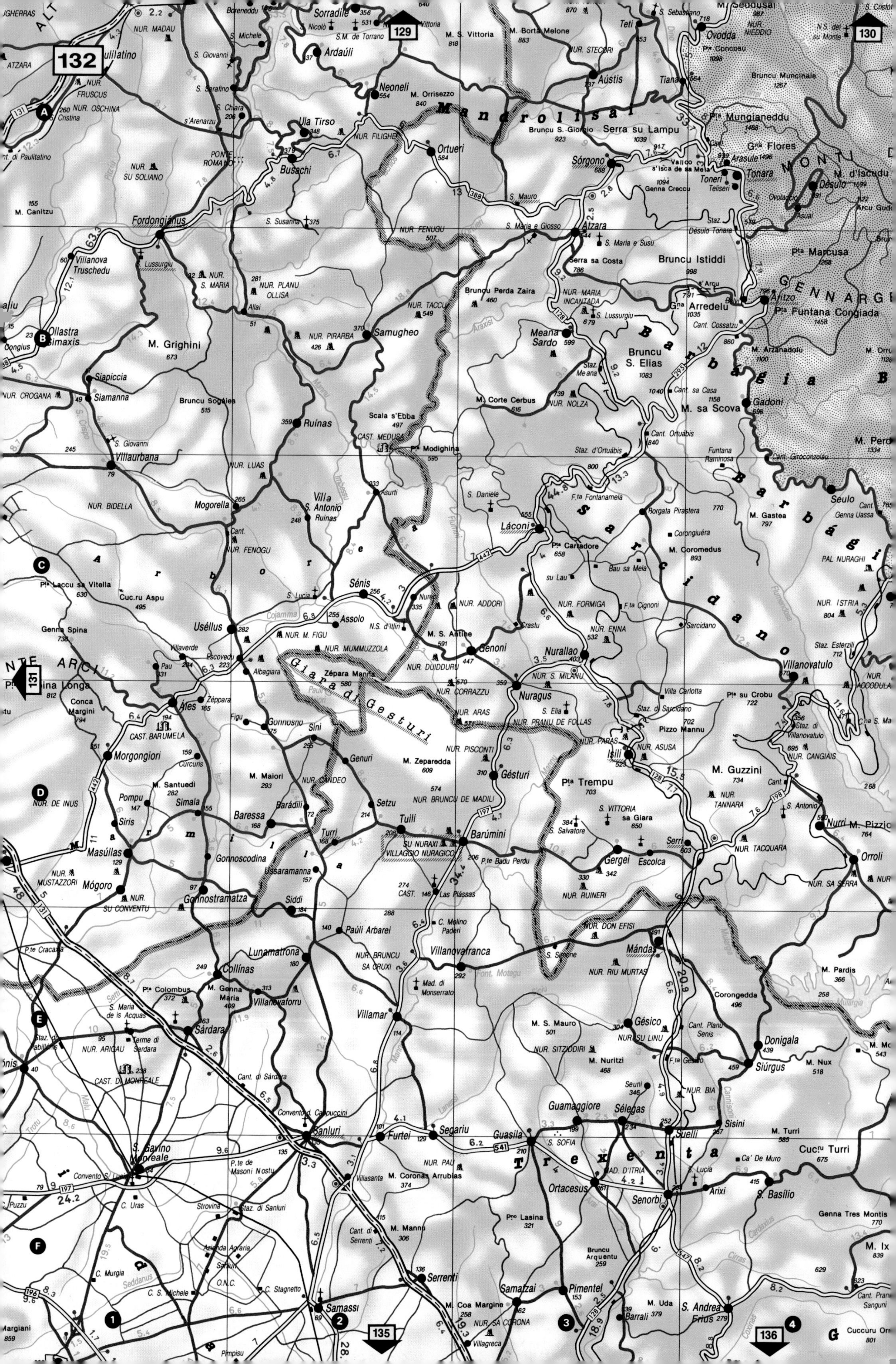

132
129
130
131
135
136
Sorradile
Ardaúli
Neoneli
Ula Tirso
Busachi
Ortueri
Fordongiánus
Villanova Truschedu
Ollastra Simaxis
Siapiccia
Siamanna
Villaurbana
Mogorella
Ruinas
Samugheo
Asuni
Sénis
Assolo
Usellus
Ales
Morgongiori
Masúllas
Mógoro
Gonnostramatza
Simala
Baressa
Baradili
Turri
Ussaramanna
Siddi
Genuri
Setzu
Tuili
Barúmini
Gésturi
Nuragus
Genoni
Nurallao
Isili
Láconi
Atzara
Sórgono
Aústis
Tiana
Ovodda
Teti
Tonara
Désulo
Aritzo
Meana Sardo
Gadoni
Seulo
Villanovatulo
Nurri
Orroli
Gergei
Escolca
Serri
Mándas
Gésico
Donigala
Siúrgus
Suelli
Sisini
Sélegas
Guamaggiore
Guasila
Ortacesus
Senorbì
Arixi
S. Basilio
Pimentel
Samatzai
Barrali
S. Andrea Frius
Serrenti
Samassi
Furtei
Segariu
Villamar
Villanovafranca
Lunamatrona
Collinas
Villanovaforru
Sárdara
Sanluri
S. Gavino Monreale
Páuli Arbarei
Las Plássas
Mandrolisai
Barbágia
Sarcidano
Trexenta
Marmilla
Arborea
Giara di Gesturi
Gennargentu
Monti
Monte Arci

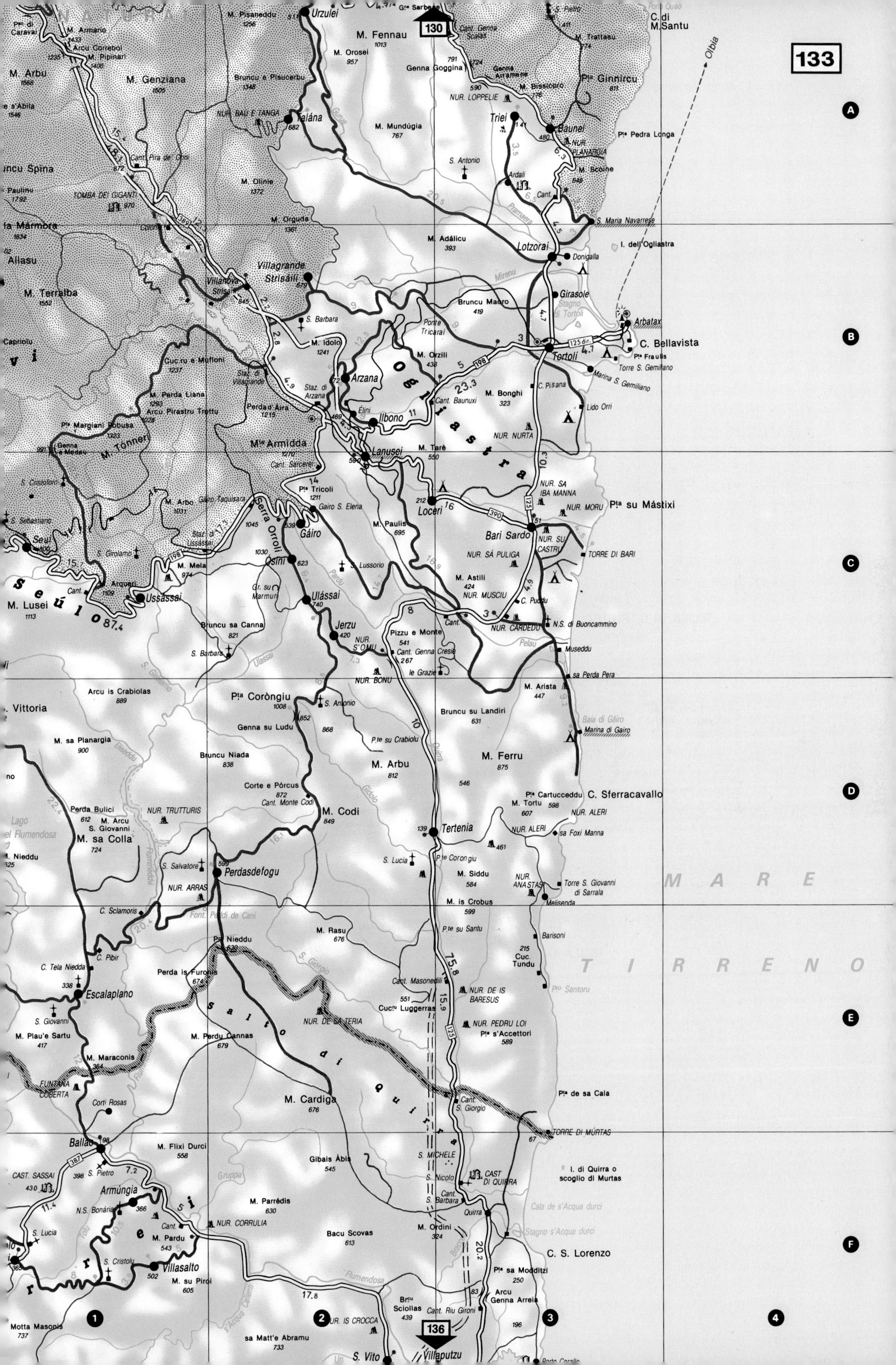133
130
136
A
B
C
D
E
F
1
2
3
4
Olbia
MARE
TIRRENO
Ogliastra
Seúlo
Salto di Quirra
Perdasdefogu
Urzulei
M. Fennau
1013
M. Orosei
957
Genna Goggina
Cant. Genna Scalas
M. Trattaeu
C. di M. Santu
Pta Ginnircu
M. Bissiccoro
NUR. LOPPELIE
Triei
Baunei
Pta Pedra Longa
NUR. PLANARGIA
M. Scoine
Ardali
S. Antonio
M. Mundúgia
767
Talána
NUR. BAU E TANGA
M. Pisaneddu
1256
Pta di Caravai
M. Armario
Arcu Correboi
M. Pipinari
1400
M. Arbu
M. Genziana
1505
Bruncu e Pisucerbu
1348
Cant. Pira 'e Onni
TOMBA DEI GIGANTI
M. Olinie
1372
M. Orguda
1361
La Mármora
1834
Allasu
M. Terralba
1552
Villanova Strisaili
845
Villagrande Strisaili
679
S. Maria Navarrese
M. Adálicu
393
Lotzorai
Donigalla
I. dell'Ogliastra
Girasole
Stagno di Tortolì
Arbatax
C. Bellavista
Pta Fraulis
Torre S. Gemiliano
Marina S. Gemiliano
Tortolì
Bruncu Mancu
419
Ponte Tricarai
M. Orzili
438
S. Barbara
M. Idolo
1241
Cuc.ru e Muflone
1237
Staz. di Villagrande
M. Perda Liana
1293
Arcu Pirastru Trottu
1028
Perda 'e Aira
1215
Pta Margiani Pobusa
1323
M. Tónneri
Genna e Medau
Arzana
Staz. di Arzana
Elini
Ilbono
Cant. Baunuxi
M. Bonghi
323
C. Pisana
Lido Orri
NUR. NURTA
Lanusei
M. Taré
550
Mte Armidda
1270
Cant. Sarcerei
Pta Tricoli
1211
Gairo S. Elena
Loceri
NUR. SA IBA MANNA
NUR. MORU
Pta su Mástixi
Bari Sardo
NUR. SU CASTRU
TORRE DI BARI
NUR. SÁ PULIGA
M. Paulis
695
S. Lussorio
M. Astili
424
NUR. MUSCIU
C. Puddu
NUR. CARDEDU
N.S. di Buoncammino
Museddu
sa Perda Pera
S. Cristoforo
S. Sebastiano
Seui
S. Girolamo
M. Arbu
1031
Gairo Taquisara
Staz. di Ussássai
Serra Orrioli
Gáiro
Osini
Ulássai
740
Jerzu
420
M. Mela
974
Arquerì
M. Lusei
1113
Ussássai
Cant.
Gr. su Marmuri
Bruncu sa Canna
821
S. Barbara
NUR. S'OMU
NUR. BONU
Pizzu e Monte
541
Cant. Genna Cresia
le Grazie
Cardedu
Pelau
M. Arista
447
Baia di Gáiro
Marina di Gairo
Arcu is Crabiolas
889
Pta Corongiu
1008
S. Antonio
Genna su Ludu
868
P.te su Crabiolu
Bruncu su Landiri
631
Vittoria
M. sa Planargia
900
Bruncu Niada
838
M. Arbu
812
M. Ferru
875
Corte e Pórcus
872
Cant. Monte Codi
M. Codi
849
Pta Cartucceddu
C. Sferracavallo
M. Tortu
607
NUR. ALERI
sa Foxi Manna
Perda Bulici
612
M. Arcu S. Giovanni
M. sa Colla
724
NUR. TRUTTURIS
Lago del Flumendosa
M. Nieddu
Tertenia
P.te Corongiu
S. Lucia
M. Siddu
584
NUR. ANASTASI
Torre S. Giovanni di Sarrala
Melisenda
S. Salvatore
NUR. ARRAS
M. is Crobus
599
C. Sclamoris
Font. Pedra di Cani
M. Rasu
676
P.te su Santu
Barisoni
Pta Nieddu
C. Pibir
C. Tela Niedda
Perda is Furonis
S. Giorgio
Cuc. Tundu
Pto Santoru
Escalaplano
Cant. Masonedili
Cucru Luggerras
NUR. DE IS BARESUS
S. Giovanni
M. Plau'e Sartu
417
NUR. DE SA TERIA
M. Perdu Cannas
679
NUR. PEDRU LOI
Pta s'Accettori
589
M. Maraconis
364
FUNTANA COBERTA
Corti Rosas
M. Cardiga
676
Cant. S. Giorgio
Pta de sa Cala
TORRE DI MÚRTAS
Ballao
M. Flixi Durci
558
CAST. SASSAI
S. Pietro
Gibais Àbis
545
S. MICHELE
CAST. DI QUIRRA
I. di Quirra o scoglio di Murtas
S. Nicolo
Cant. S. Barbara
Armúngia
N.S. Bonária
M. Parrédis
630
Quirra
Cala de s'Acqua durci
Stagno s'Acqua durci
Gruppa
NUR. CORRULIA
Cant.
M. Pardu
543
Bacu Scovas
613
M. Ordini
324
C. S. Lorenzo
S. Lucia
S. Cristoforo
Villasalto
502
M. su Piroi
605
Flumendosa
Pta sa Modditzi
250
Arcu Genna Arreia
Bruncu Sciollas
439
Cant. Riu Gironi
NUR. IS CROCCA
Motta Masonis
737
sa Matt'e Abramu
733
S. Vito
Villaputzu
Porto Corallo

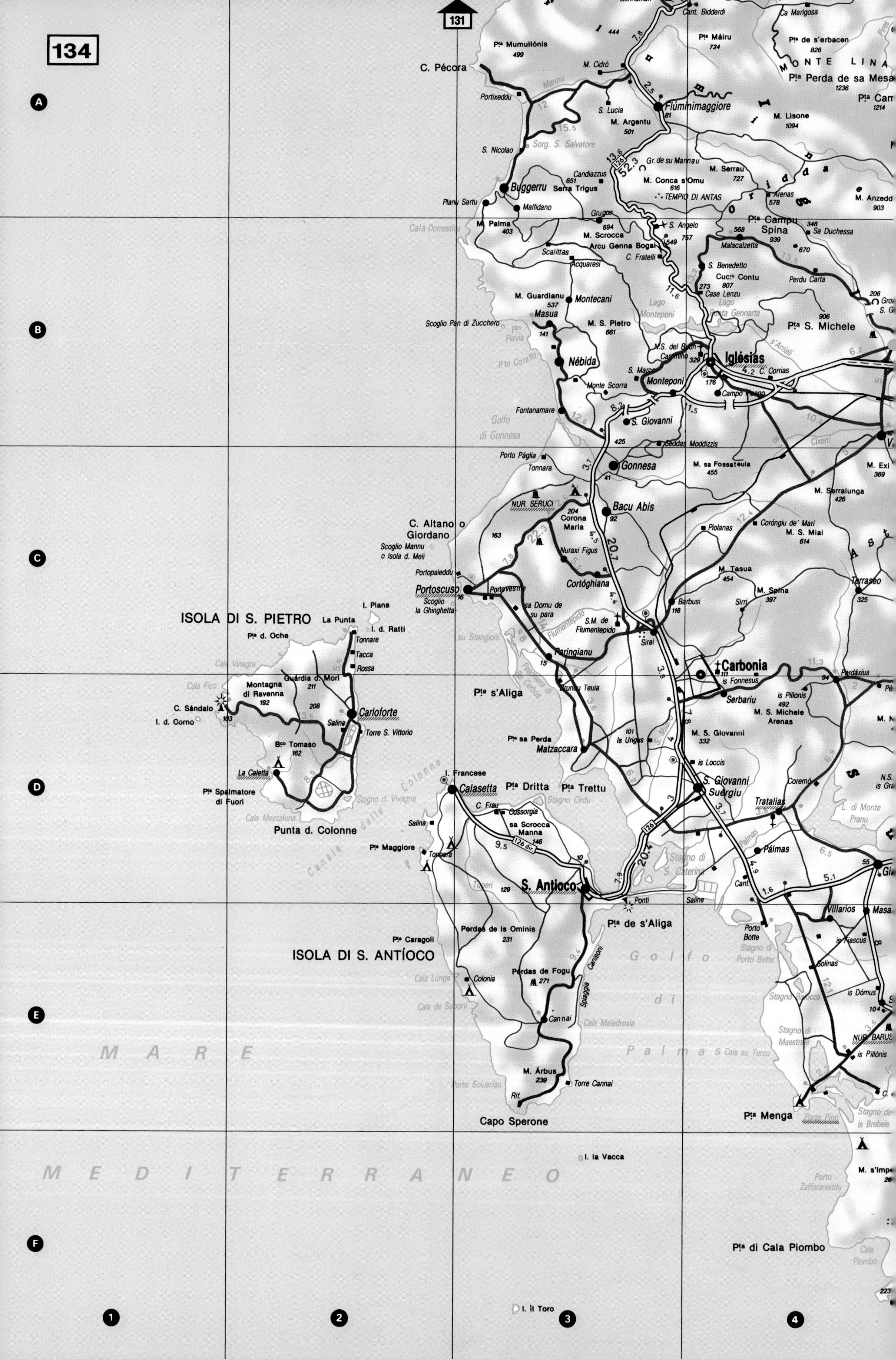
134
131
A
B
C
D
E
F
1
2
3
4
C. Pécora
Pta Mumullónis
499
Portixeddu
S. Nicolao
Buggerru
Planu Sartu
Malfidano
M. Palma
403
Cala Domestica
S. Lucia
M. Cidró
Flúminimaggiore
M. Argentu
501
Sorg. S. Salvatore
Cant. Bidderdi
Pta Máiru
724
Ca Marigosa
Pta de s'erbacen
826
MONTE LINAS
Pta Perda de sa Mesa
1236
M. Lisone
1094
Gr. de su Mannau
M. Serrau
727
M. Conca s'Omu
616
TEMPIO DI ANTAS
Candiazzus
651
Serra Trigus
Arenas
578
M. Anzedd
903
Grugua
694
M. Scrocca
Arcu Genna Bogai
S. Angelo
757
549
C. Fratelli
Scalittas
Acquaresi
Pta Campu Spina
939
568
Malacalzetta
348
Sa Duchessa
670
S. Benedetto
Cucru Contu
807
273
Case Lenzu
Perdu Carta
M. Guardianu
537
Montecani
Masua
141
Scoglio Pan di Zucchero
Pto Flavia
M. S. Pietro
661
Lago Monteponi
Lago Punta Gennarta
906
Pta S. Michele
P.to Corallo
Nébida
N.S. del Buon Cammino
329
Iglésias
176
Corrias
S. Marco
Monteponi
Monte Scorra
Campo Pisano
Fontanamare
Golfo di Gonnesa
S. Giovanni
425
Seddas Moddizzis
Cixerri
Porto Páglia
Tonnara
Gonnesa
41
M. sa Fossateula
455
M. Exi
369
NUR. SERUCI
204
Corona Maria
Bacu Abis
92
M. Serralunga
426
C. Altano o Giordano
Scoglio Mannu o Isola d. Meli
163
Nuraxi Figus
Piolanas
Coróngiu de' Mari
M. S. Miai
614
Portopaleddu
Portoscuso
Scoglio la Ghinghetta
Portovesme
Cortóghiana
M. Tasua
454
M. Spina
397
Terraseo
325
sa Domu de su para
Flumentepido
S.M. de Flumentepido
Barbusi
118
Sirri
Sirai
su Stangioni
Paringianu
15
Carbonia
111
is Fonnesus
Pardáxius
94
ISOLA DI S. PIETRO
La Punta
I. Piana
I. d. Ratti
Pta d. Oche
Tonnare
Tacca
Rossa
Cala Vinagra
Cala Fico
Montagna di Ravenna
192
Guárdia d. Mori
211
208
C. Sándalo
103
I. d. Corno
Carloforte
Saline
Torre S. Vittorio
Bco Tomaso
162
La Caletta
Pta Spalmatore di Fuori
Cala Mezzaluna
Punta d. Colonne
Stagno d. Vivagna
Canale delle Colonne
Pta s'Aliga
Peschiera di is Cerbus
Bruncu Teula
Serbariu
is Pilionis
492
M. S. Michele Arenas
Pta sa Perda
Matzaccara
101
is Urigus
M. S. Giovanni
332
is Loccis
I. Francese
Calasetta
Pta Dritta
Pta Trettu
Stagno Cirdu
S. Giovanni Suergiu
Coremó
Tratalias
L. di Monte Pranu
C. Frau
Cussorgia
sa Scrocca Manna
146
Salina
Pta Maggiore
Tonnara
Pálmas
Stagno di S. Caterina
Toneri
129
S. Antioco
Ponti
Saline
Villarios
Pta de s'Aliga
Porto Botte
Stagno di Porto Botte
is Fiascus
ISOLA DI S. ANTÍOCO
Pta Caragoli
Perdas de is Ominis
231
Perdas de Fogu
271
Cala Lunga
Colonia
Cala de Saponi
Spiaggia Coaquaddus
Cannai
Cala Maladroxia
Golfo di Palmas
Cala su Turcu
Solinas
is Dómus
104
Stagno Baiocca
Stagno di Maestrale
NUR. BARUS
is Pillónis
M. Árbus
239
Torre Cannai
Porto Sciusciau
Capo Sperone
Pta Menga
Porto Pino
Stagno de is Brebeis
MARE
I. la Vacca
MEDITERRANEO
M. s'Impe
Porto Zaffaraneddu
Pta di Cala Piombo
Cala Piombo
223
I. il Toro

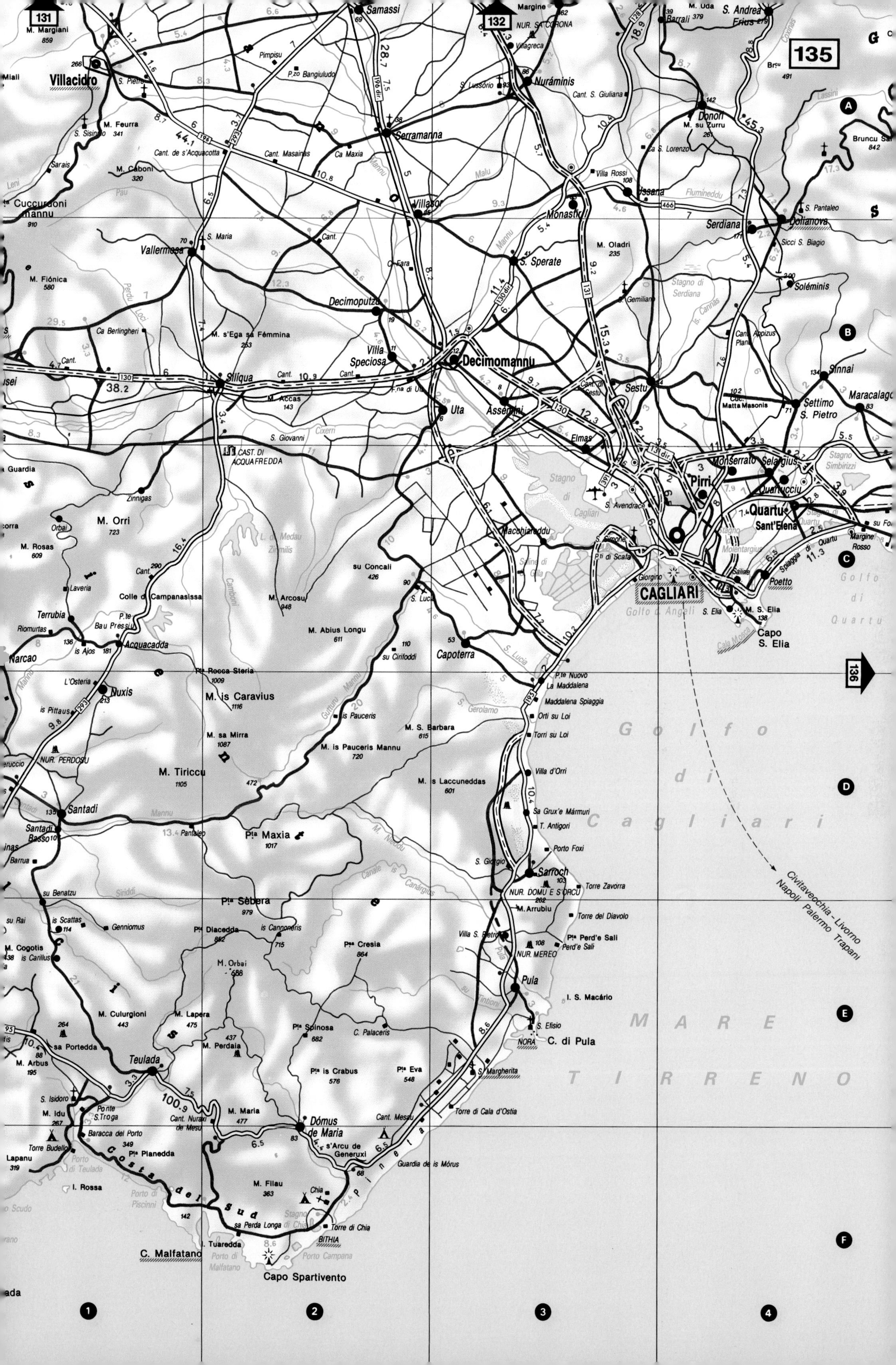

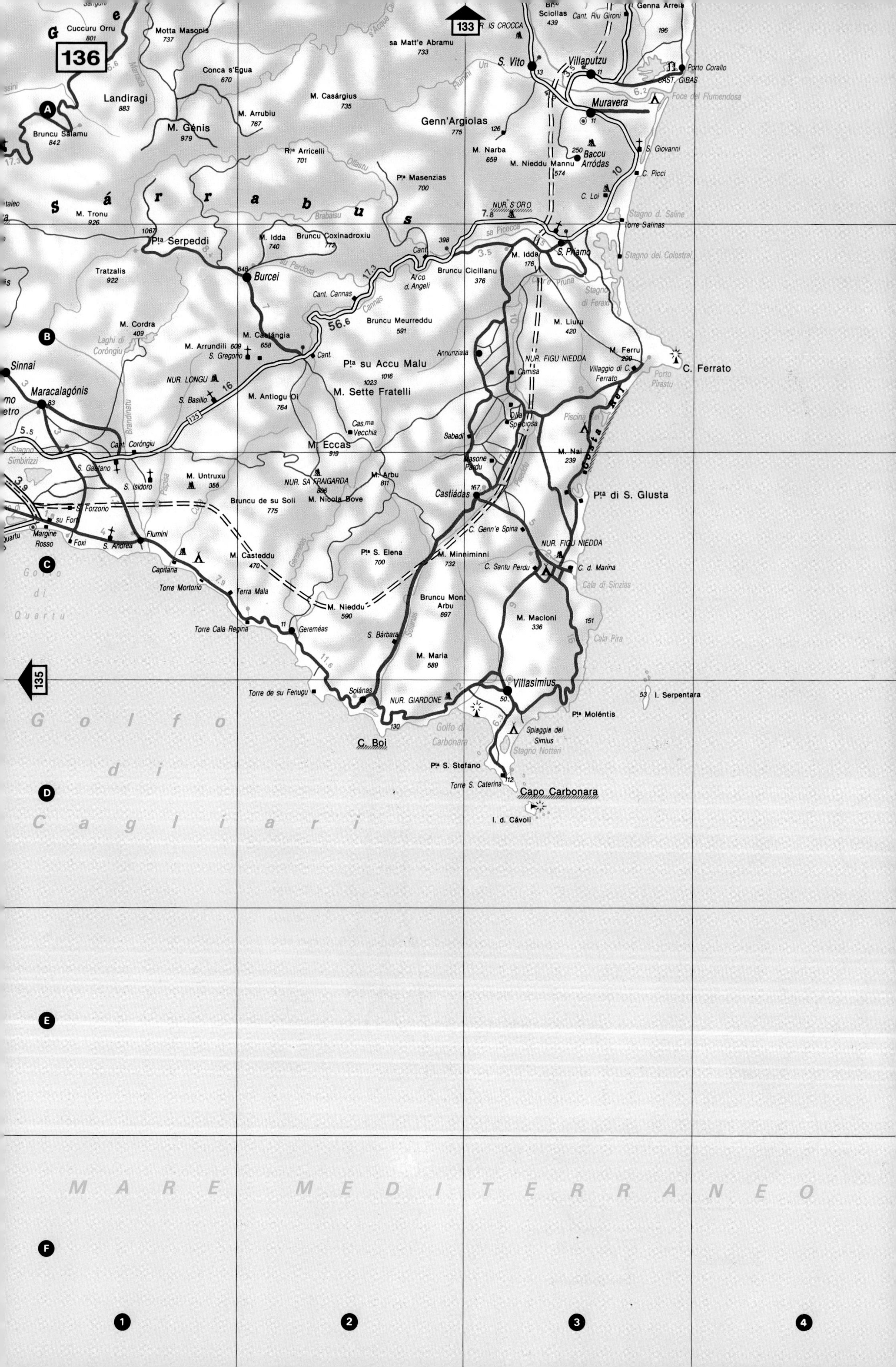
136
133
135
Cuccuru Orru
801
Motta Masonis
737
Conca s'Egua
670
Landiragi
883
Bruncu Salamu
842
M. Génis
979
M. Arrubiu
767
M. Casárgius
735
sa Matt'e Abramu
733
R. IS CROCCA
Sciollas
439
Cant. Riu Gironi
Genna Arreia
196
S. Vito
Villaputzu
Porto Corallo
CAST. GIBAS
Foce del Flumendosa
Muravera
Genn'Argiolas
775
M. Narba
659
M. Nieddu Mannu
574
Baccu Arródas
S. Giovanni
C. Picci
C. Loi
Rca Arricelli
701
Pta Masenzias
700
S á r r a b u s
M. Tronu
926
NUR. S'ORO
Stagno d. Saline
Torre Salinas
Stagno dei Colostrai
Pta Serpeddi
M. Idda
740
Bruncu Coxinadroxiu
772
M. Idda
176
S. Priamo
Tratzalis
922
Burcei
Arco d. Angeli
Bruncu Cicillanu
376
Cant. Cannas
Bruncu Meurreddu
591
M. Cordra
409
Laghi di Coróngiu
M. Castángia
658
M. Arrundili
S. Gregorio
Pta su Accu Malu
1016
M. Sette Fratelli
1023
M. Liuru
420
M. Ferru
Villaggio di C. Ferrato
C. Ferrato
Porto Pirastu
Annunziata
NUR. FIGU NIEDDA
Camisa
Sinnai
Maracalagónis
NUR. LONGU
S. Basilio
M. Antiogu Oi
764
Cas.ma Vecchia
Olia Speciosa
Sabadi
Cant. Coróngiu
M. Eccas
919
Stagno Simbirizzi
S. Gaetano
M. Untruxu
355
S. Isidoro
NUR. SA FRAIGARDA
M. Nicola Bove
M. Arbu
811
Nasone Pardu
Castiádas
M. Nai
239
Pta di S. Glusta
S. Forzorio
Bruncu de su Soli
775
su Fort
Margine Rosso
Foxi
S. Andrea
Flumini
C. Genn'e Spina
NUR. FIGU NIEDDA
Pta S. Elena
700
M. Minniminni
732
C. Santu Perdu
C. d. Marina
Cala di Sinzias
Capitana
M. Casteddu
470
Golfo di Quartu
Torre Mortorio
Terra Mala
M. Nieddu
590
Bruncu Mont Arbu
697
M. Macioni
336
Cala Pira
Torre Cala Regina
Gereméas
S. Bárbara
M. Maria
589
Villasimius
I. Serpentara
Torre de su Fenugu
Solánas
NUR. GIARDONE
Pta Moléntis
Golfo di Carbonara
Spiaggia del Simius
Stagno Notteri
C. Boi
Pta S. Stefano
Torre S. Caterina
Capo Carbonara
I. d. Cávoli
Golfo di Cagliari
MARE MEDITERRANEO
A
B
C
D
E
F
1
2
3
4

PIANTE DI CITTÁ CAPOLUOGO DI PROVINCIA
CON VIE DI ACCESSO, ATTRAVERSAMENTI, PRINCIPALI EDIFICI E MONUMENTI

MAPS OF PROVINCE'S CHIEF TOWNS,
WITH APPROACH AVENUES, CROSSING ROADS AND MAIN PUBLIC BUILDINGS AND MONUMENTS

STADTPLÄNEN VON DEN PROVINZHAUPTSTÄDTE
MIT ZUFAHRTSSTRAßEN, ORTSDURCHFAHRTEN UND DEN WICHTIGSTEN ÖFFENTLICHEN GEBÄUDE UND SEHENSWÜRDIGKEITEN

PLANS DES CHEF-LIEUX DE PROVINCE
AVEC LES VOIES D'ACCES, LES TRAVESÉES ET LES PRINCIPAUX ÉDIFICES ET MONUMENTS

PLANOS DE CAPITALES DE PROVINCIA
CON VÍAS DE ACCESO, VÍAS DE ATTRAVERSAMIENTO Y PRINCIPALES ÉDIFICIOS PUBLICOS Y MONUMENTOS

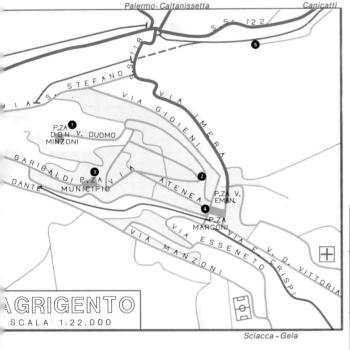

AGRIGENTO
1 Duomo
2 Santo Spirito
3 Comune
4 Stazione Centrale F.S.
5 Stazione e F.S. (Agrigento Bassa)

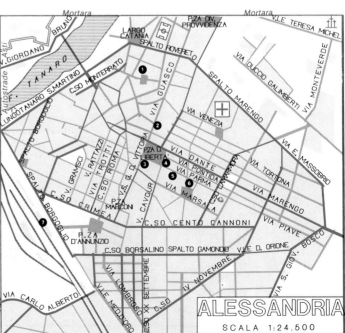

ALESSANDRIA
1 Santa Maria del Castello
2 Santa Maria del Carmine
3 Comune
4 Prefettura
5 Duomo
6 Museo Civico
7 Stazione F.S.

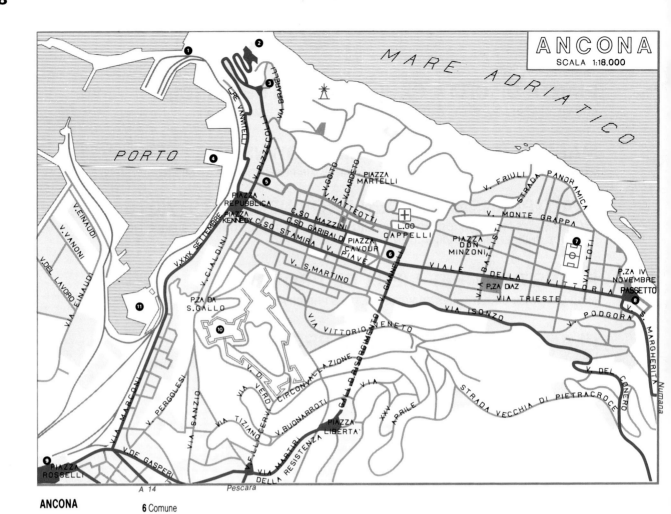

ANCONA

1 Arco di Traiano	**6** Comune
2 Duomo	**7** Stadio Comunale
3 Anfiteatro Romano	**8** Monumento ai Caduti
4 Stazione Marittima	**9** Stazione F.S.
5 Prefettura	**10** Cittadella
	11 Mole Vanvitelliana

AOSTA

1 Foro Romano
2 Duomo
3 Anfiteatro Romano
4 Teatro Romano
5 Sant'Orso
6 Stadio
7 Stazione F.S.
8 Torre Bramafam
9 Torre del Lebbroso

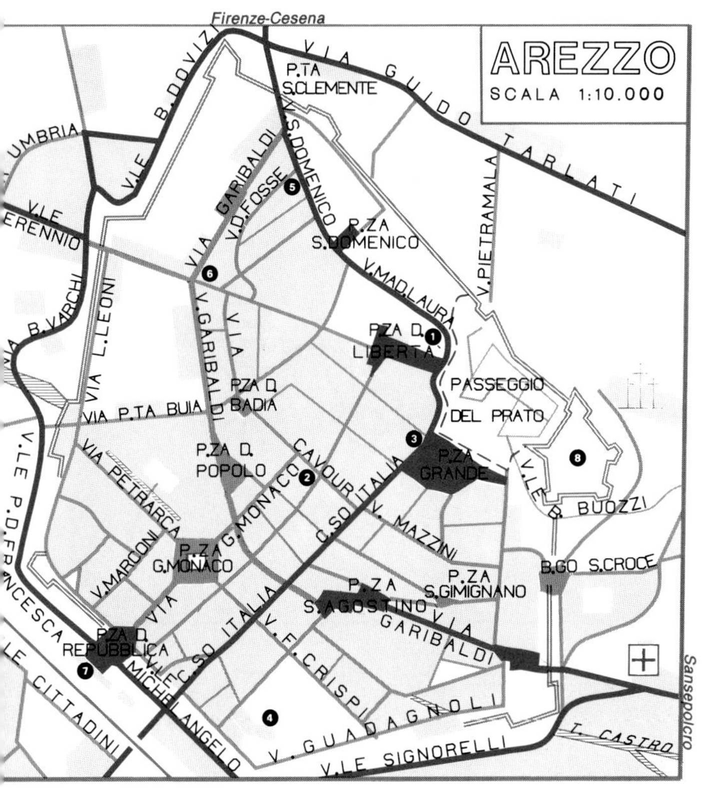

AREZZO
SCALA 1:10.000

AREZZO
1 Duomo
2 San Francesco
3 Santa Maria
4 Anfiteatro Romano
5 Casa del Vasari
6 Galleria e Museo Medioevale e Moderno
7 Stazione F.S.
8 Fortezza Medicea

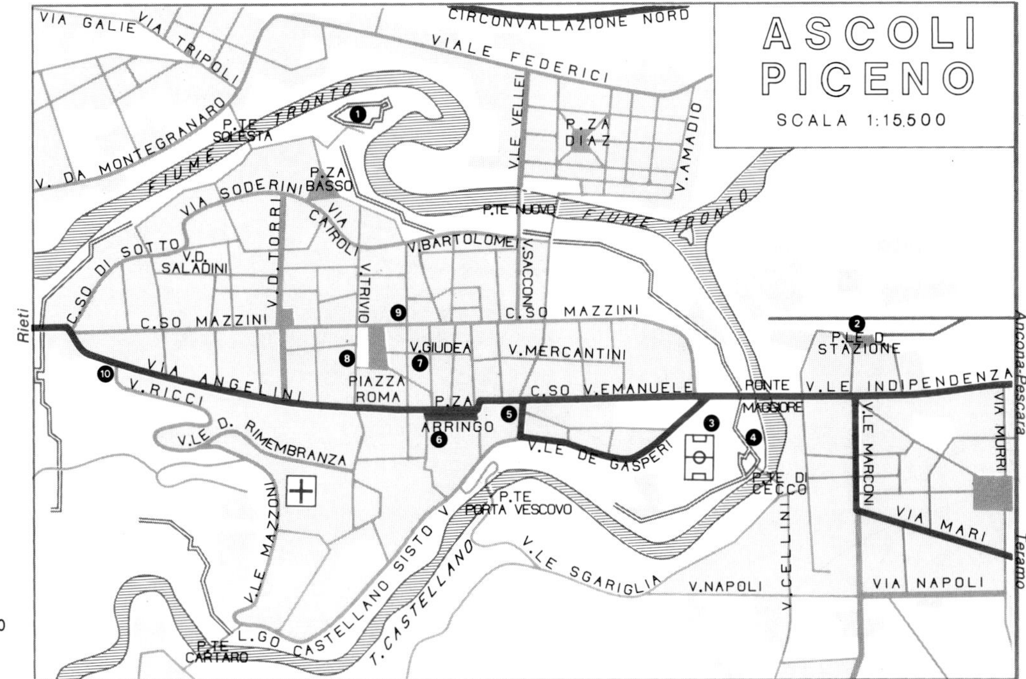

ASCOLI PICENO
SCALA 1:15.500

ASCOLI PICENO
1 San Pietro in Castello
2 Stazione F.S.
3 Campo Sportivo
4 Forte Malatesta
5 Duomo
6 Comune
7 Prefettura
8 Palazzo Capitano del Popolo
9 San Francesco
10 Teatro Romano

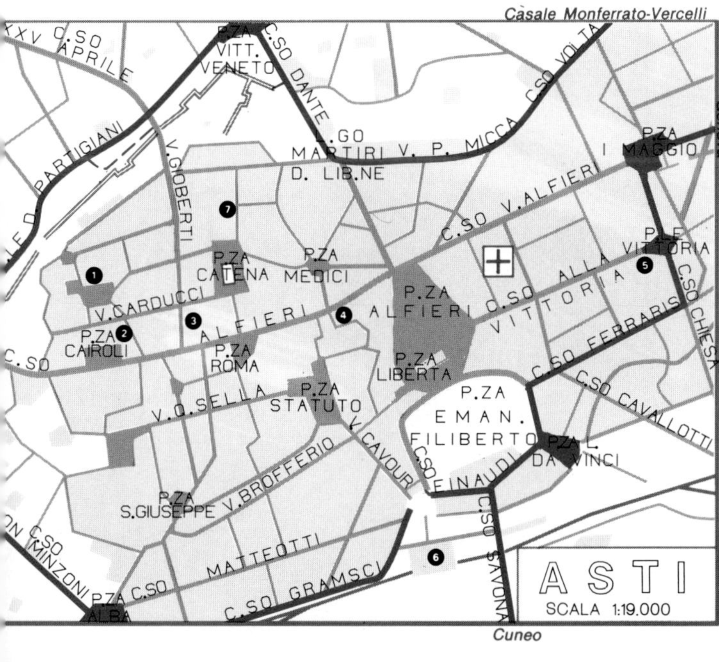

ASTI
SCALA 1:19.000

ASTI
1 Duomo
2 Palazzo Alfieri
3 Palazzo di Bellini
4 Comune
5 Battistero di San Pietro
3 Stazione F.S.
7 Tribunale

140

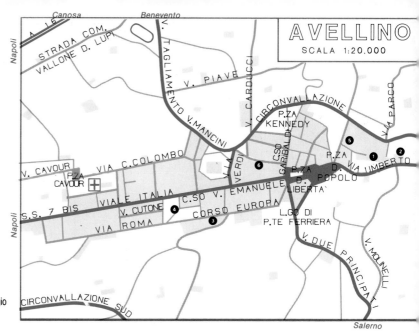

AVELLINO

1 Duomo
2 Castello
3 Museo Irpino
4 Villa Comunale
5 Torre dell'Orologio
6 Comune

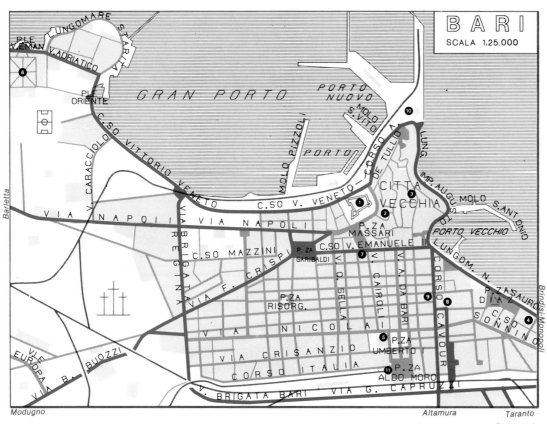

BARI

1 Castello
2 Cattedrale
3 San Nicola
4 Pinacoteca
5 Museo Archeologico
6 Fiera di Levante
7 Comune
8 Teatro Petruzzelli
9 Air Terminal
10 Capitaneria di Porto
11 Stazione F.S.

BELLUNO

1 Duomo
2 Museo
3 Santo Stefano
4 Comune
5 Stazione F.S.
6 Palasport

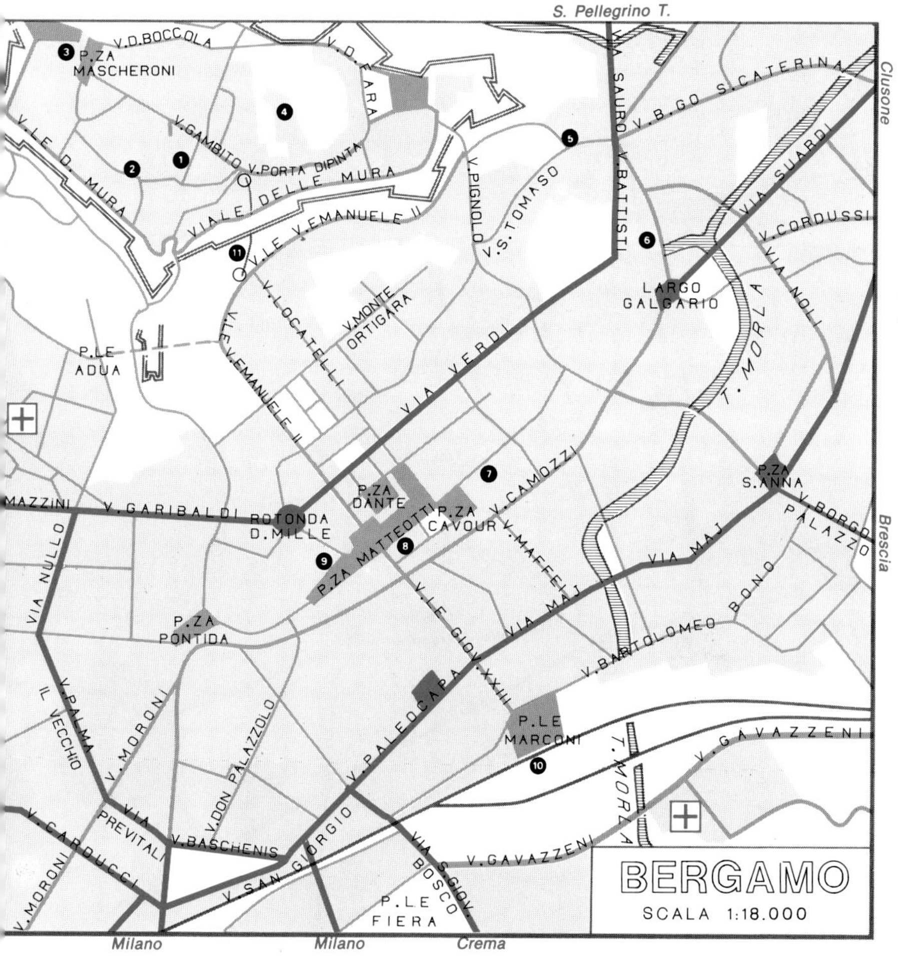

BERGAMO

1 Duomo
2 Santa Maria Maggiore
3 Cittadella
4 Rocca
5 Galleria Carrara
6 Palazzetto dello Sport
7 Prefettura
8 Teatro Donizetti
9 Comune
10 Stazione F.S.
11 Funicolare

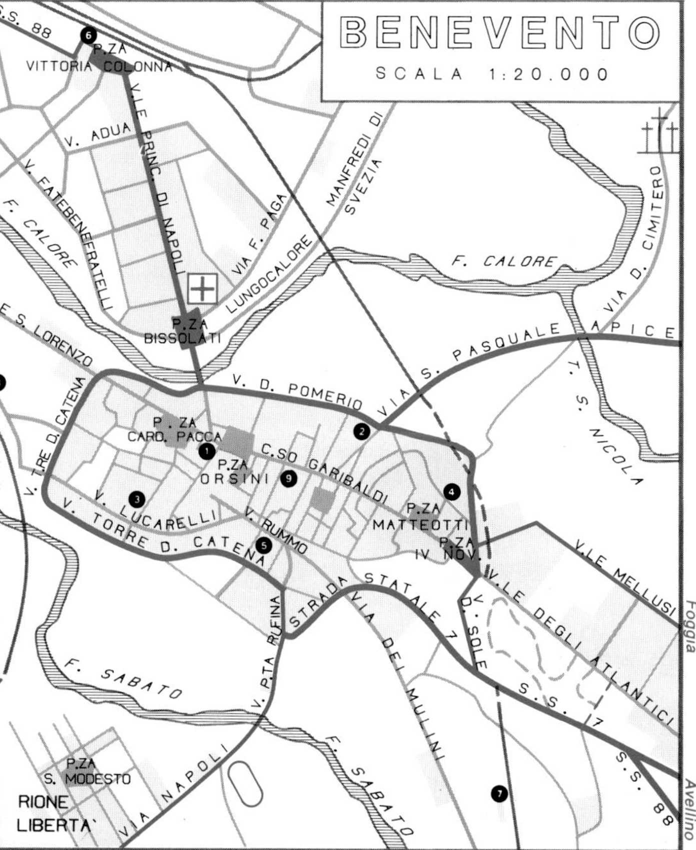

ENEVENTO

Duomo   4 Museo del Sannio   7 Stazione F.S. (Porta Rufina)
arco di Traiano   5 Mercato   8 Stazione F.S. (Appia)
eatro Romano   6 Stazione F.S.   9 Comune

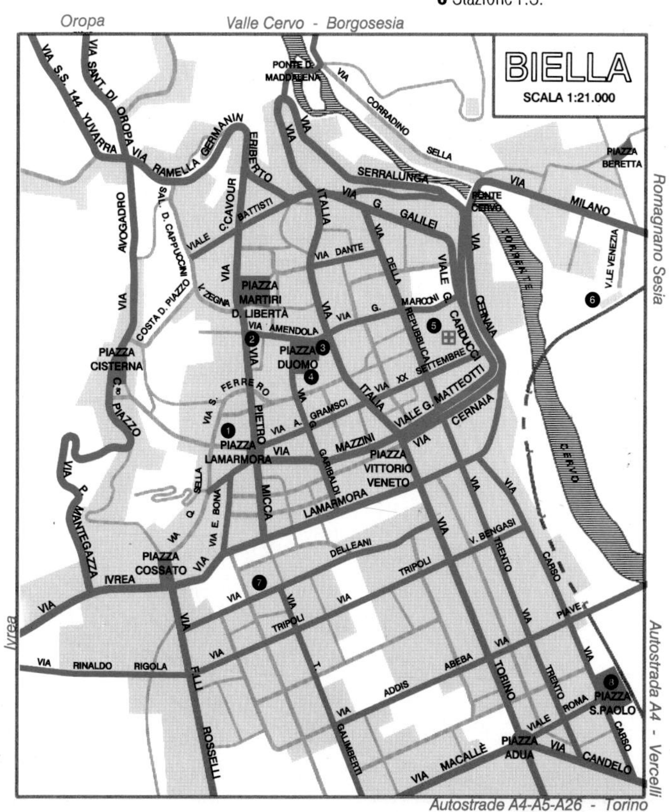

BIELLA

1 San Sebastiano
2 Museo Civico
3 Municipio
4 Duomo
5 Ospedale
6 Stazione F.S. Chiavazza
7 Museo delle Truppe Alpine
8 Stazione F.S.

142

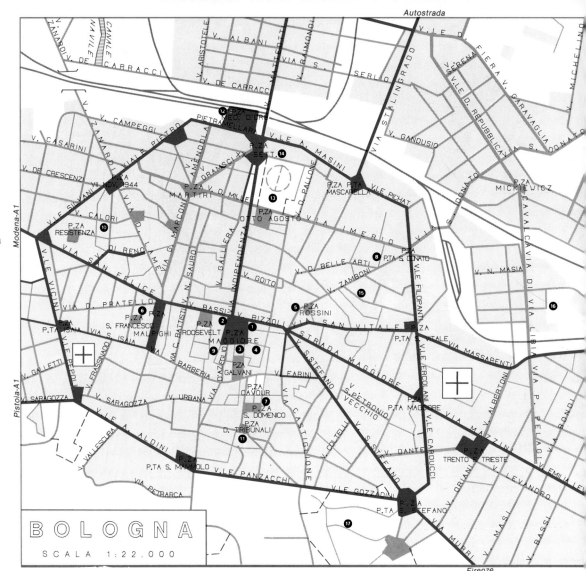

BOLOGNA

1 Palazzo del Podestà
2 Fontana del Nettuno
3 San Petronio
4 Museo Civico
5 Torre Asinelli, Garisenda
6 San Francesco
7 San Domenico
8 Pinacoteca Nazionale
9 Comune
10 Palazzo dello Sport
11 Palazzo di Giustizia
12 Stazione Centrale F.S.
13 Montagnola
14 Stazione Autolinee
15 Università
16 Villaggio del Fanciullo
17 Giardini Margherita

B O L O G N A

SCALA 1:22.000

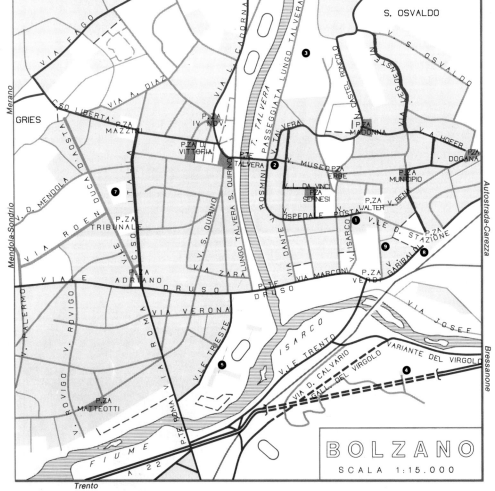

BOLZANO

1 Duomo
2 Museo Civico
3 Castel Mareccio
4 Virgolo
5 Lido
6 Comune
7 Tribunale
8 Stazione F.S.
9 Stazione Autolinee

B O L Z A N O

SCALA 1:15.000

BRINDISI

1 Monumento al Marinaio
2 Castello Svevo
3 Prefettura
4 Duomo
5 Comune
6 Stazione Marittima
7 Dogana
8 Stazione F.S.

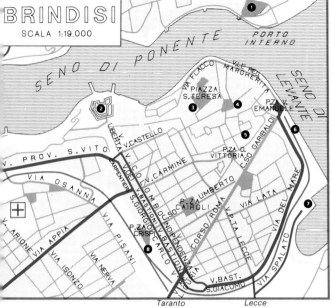

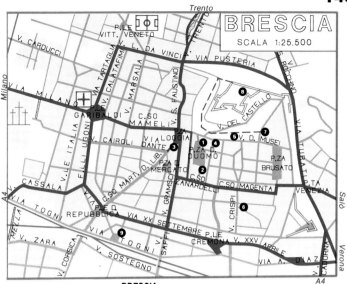

BRESCIA

1 Duomo
2 La Rotonda
3 Loggia (Comune)
4 Broletto
5 Tempio Capitolino
6 Pinacoteca Tosio Martinengo
7 Museo dell'età Cristiana
8 Castello
9 Stazione F.S.

CAGLIARI

1 Anfiteatro Romano
2 Prefettura
3 Duomo
4 Torre dell'Elefante
5 Stazione Ferrovie Sarde
6 Santi Cosma e Damiano
7 Stazione F.S.
8 Comune
9 Stazione Marittima
10 Capitaneria di Porto
11 Santuario di Bonaria
12 Fiera Campionaria
13 Stadio Sant'Elia
14 Stadio Ansicora

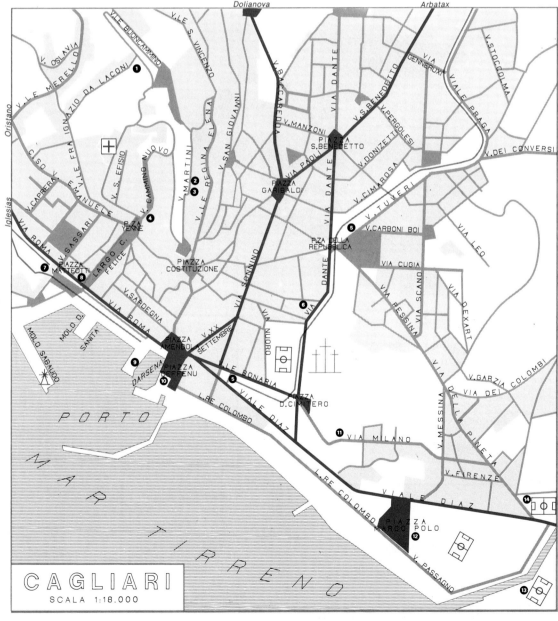

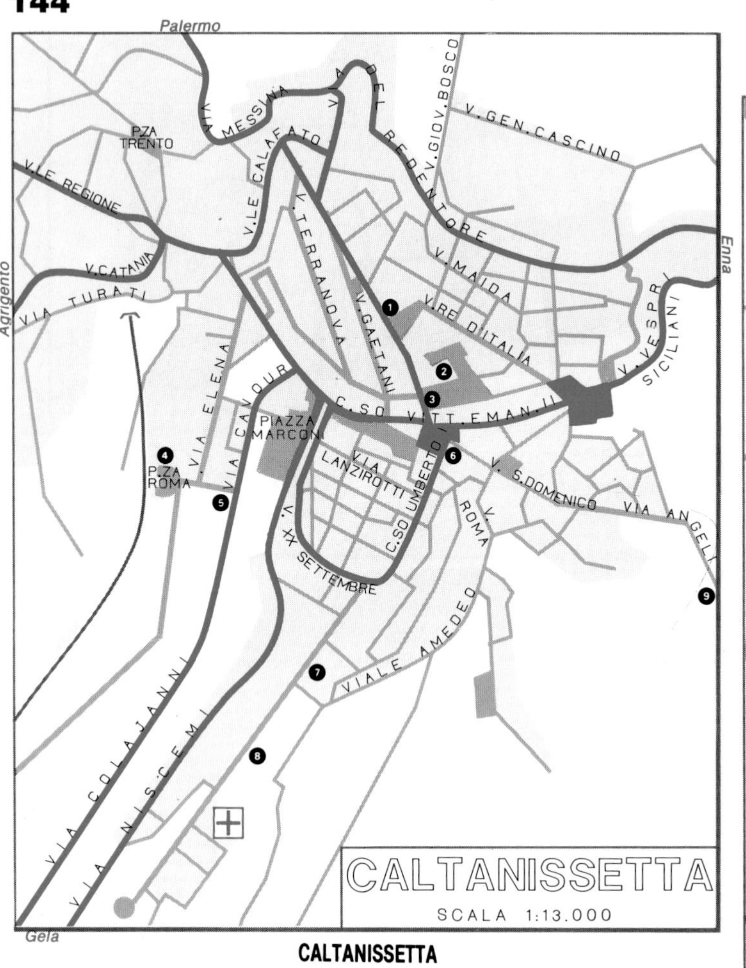

CALTANISSETTA
SCALA 1:13.000

CALTANISSETTA

1 Sant'Agata
2 Palazzo Moncada
3 Comune
4 Stazione F.S.
5 Museo Civico

6 Duomo
7 Prefettura
8 Villa Amedeo
9 Santa Maria degli Angeli
   (fuori pianta)

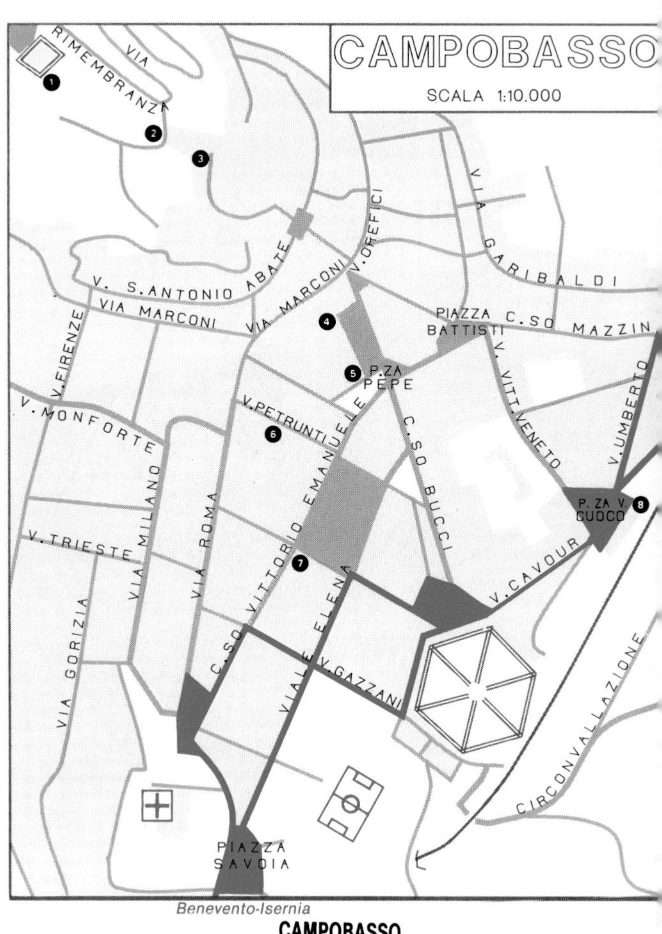

CAMPOBASSO
SCALA 1:10.000

CAMPOBASSO

1 Castello Monforte
2 San Giorgio
3 San Bartolomeo
4 Duomo

5 Prefettura
6 Poste e Telegrafi
7 Comune
8 Stazione e F.S.

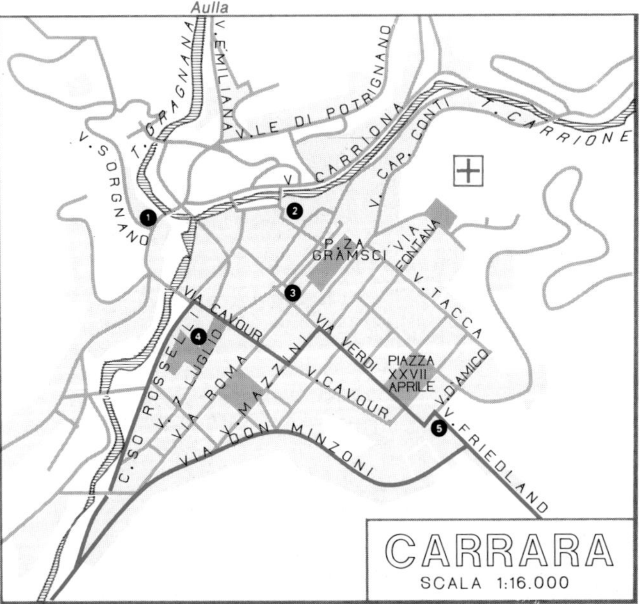

CARRARA
SCALA 1:16.000

CARRARA

1 Chiesa delle Grazie
2 Duomo
3 Accademia delle Belle Arti
4 Comune
5 San Francesco

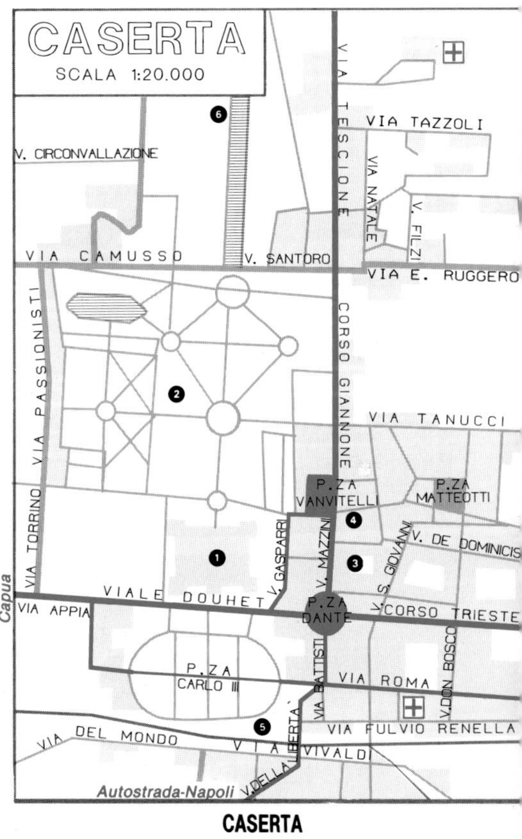

CASERTA
SCALA 1:20.000

CASERTA

1 Palazzo Reale
2 Parco Reale
3 Cattedrale

4 Comune
5 Stazione F.S.
6 Cascata dei Delfini

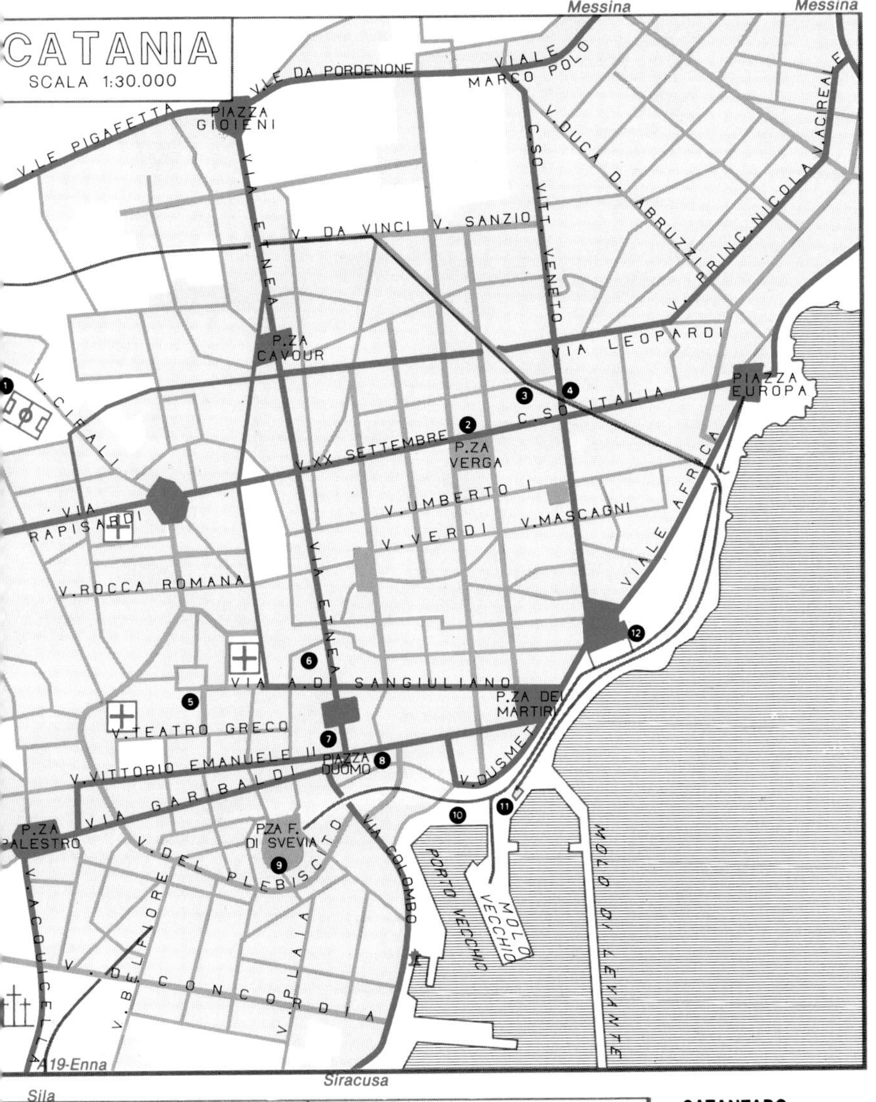

CATANIA
SCALA 1:30.000

CATANIA
1 Stadio
2 Palazzo di Giustizia
3 Palazzo delle Scienze
4 Stazione Circumetnea
5 San Nicolò
6 Prefettura
7 Comune
8 Duomo
9 Castello Ursino
10 Dogana
11 Stazione Porto Ferroviario (Circumetnea)
12 Stazione F.S.

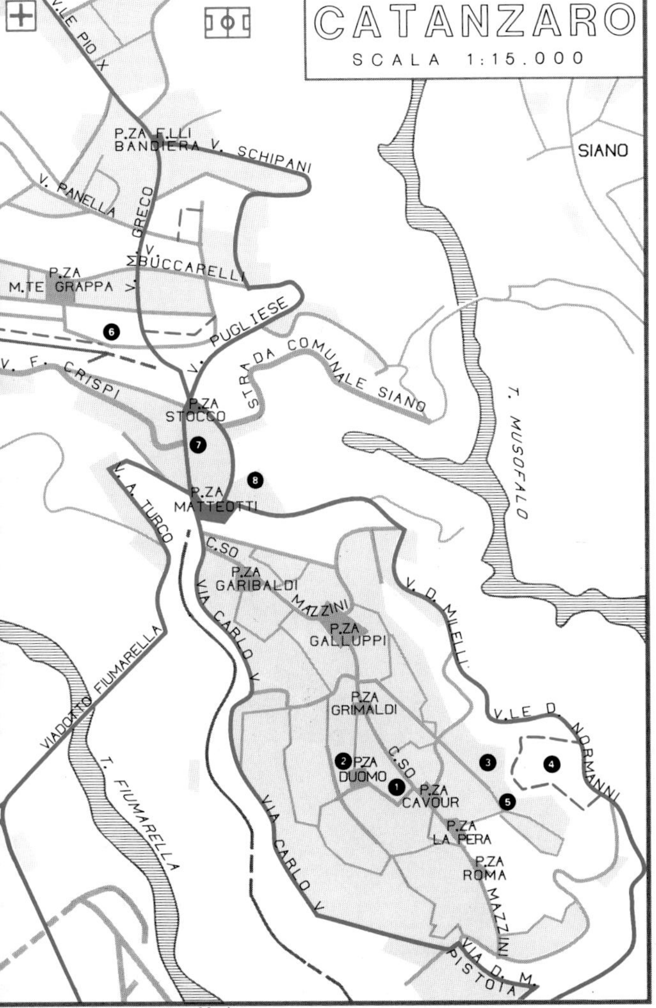

CATANZARO
SCALA 1:15.000

CATANZARO
1 San Domenico
2 Duomo
3 Museo Provinciale
4 Villa Trieste
5 Comune
6 Stazione Ferrovie Calabro-Lucane
7 Palazzo di Giustizia
8 Autostazione

CESENA
1 Ippodromo
2 Stazione F.S.
3 Cattedrale
4 Municipio
5 Rocca Malatestiana
6 Chiesa di S.Agostino
7 Teatro Bonci
8 Chiesa dell' Osservanza
9 Ospedale

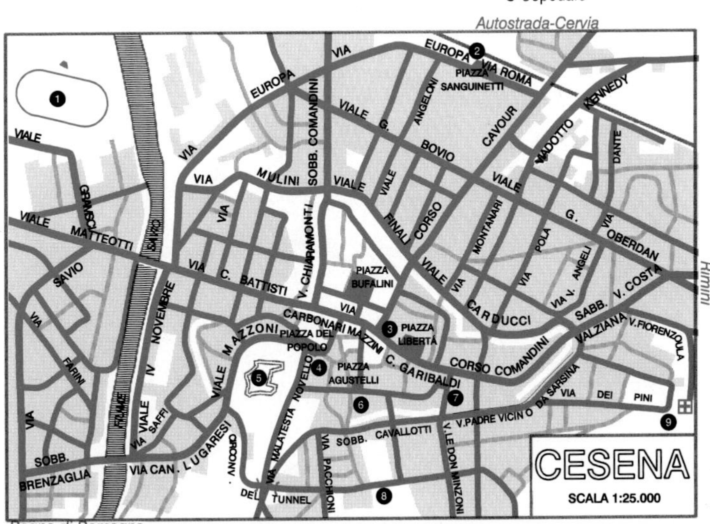

CESENA
SCALA 1:25.000

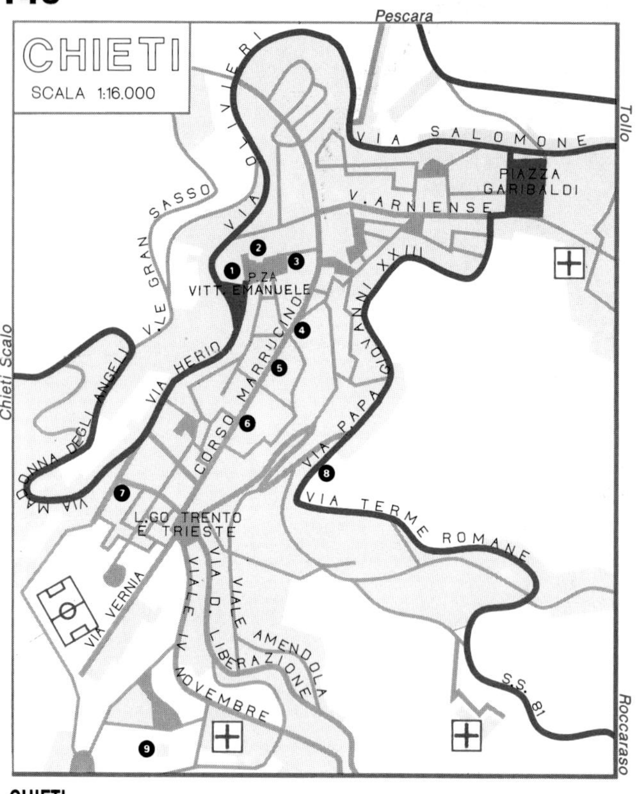

146

CHIETI
SCALA 1:16.000

COMO
SCALA 1:16.000

CHIETI
1 Palazzo di Giustizia
2 Duomo
3 Comune
4 Teatro Marrucino
5 Prefettura
6 San Domenico
7 Teatro Romano
8 Terme Romane
9 Museo Nazionale

COSENZA
1 Stazione Ferrovie Calabro-Lucane
2 Stazione F.S.
3 Madonna del Carmine
4 Comune
5 San Domenico
6 San Francesco di Paola
7 San Francesco d'Assisi
8 Duomo
9 Prefettura
10 Teatro Comunale
11 Castello

CREMONA
1 Stazione F.S.
2 Palazzo Raimondi
3 Museo Civico
4 Santo Sepolcro
5 Palazzo Fodri
6 San Michele
7 Duomo
8 Battistero
9 Loggia dei Militi
10 Comune
11 Sant'Agostino
12 San Pietro al Po
13 Palazzo dell'Arte

COMO
1 Stadio Sinigaglia
2 Tempio Voltiano
3 Sant'Agostino
4 Stazione F.N.
5 Duomo
6 Comune
7 San Fedele
8 Museo Civico
9 Prefettura
10 Stazione F.S.
11 Sant'Abbondio

COSENZA
SCALA 1:17.000

CREMONA
SCALA 1:14.000

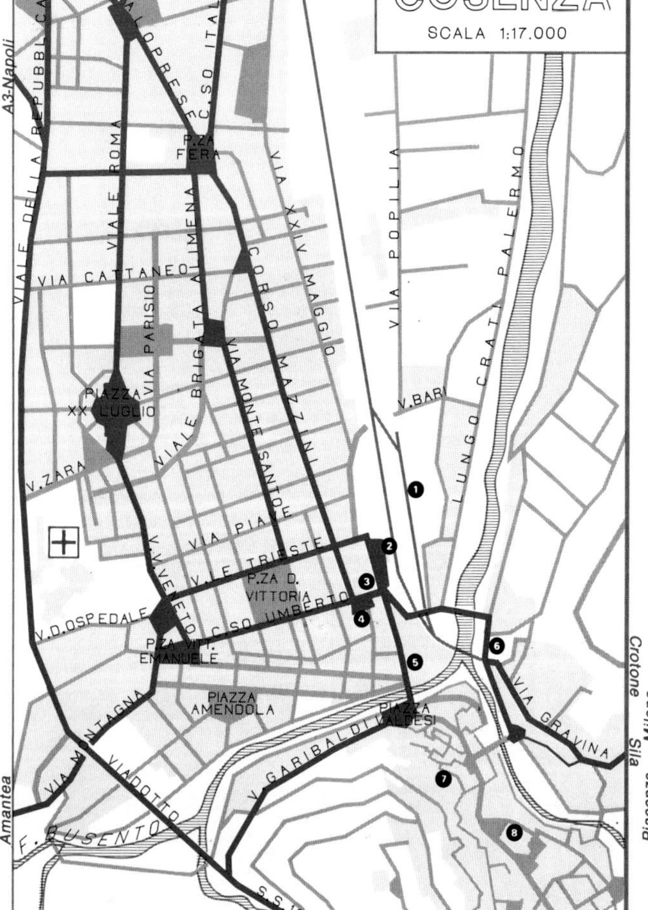

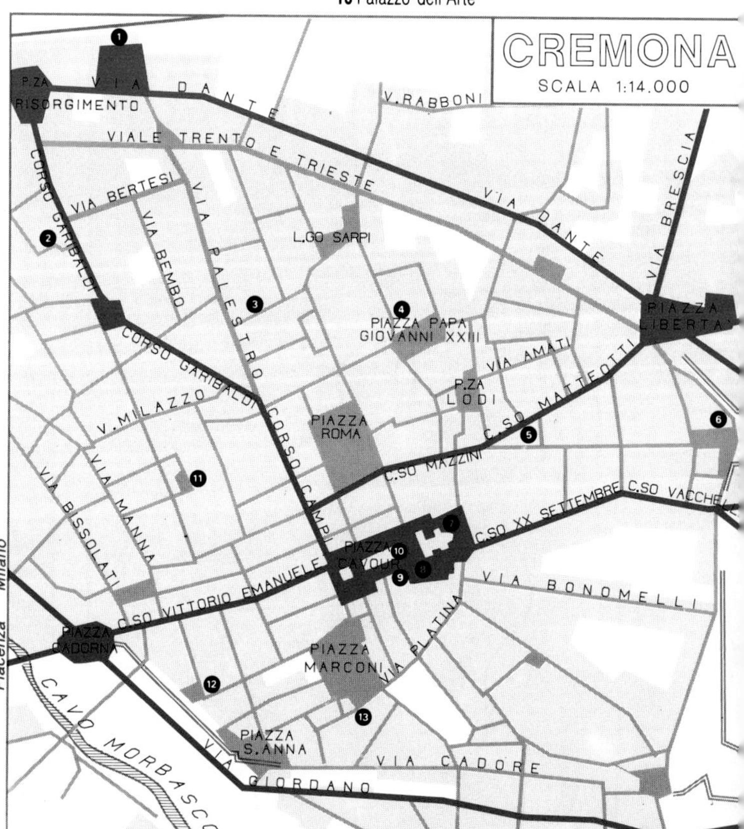

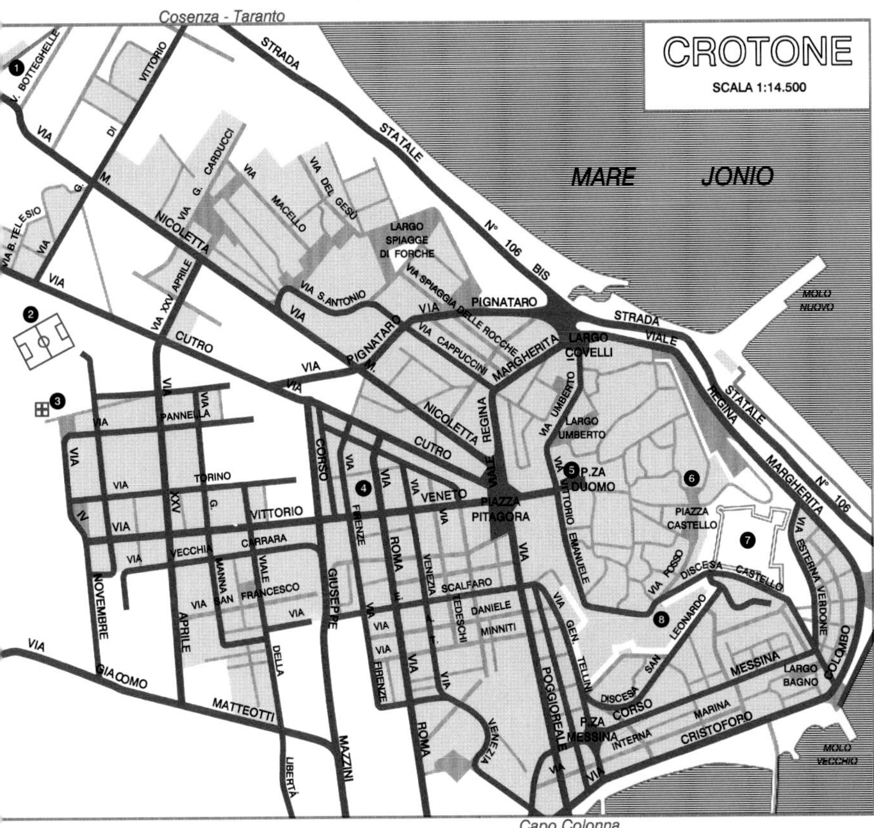

CROTONE

SCALA 1:14.500

MARE JONIO

CROTONE

1 Stazione F.S.
2 Campo Sportivo
3 Ospedale
4 Municipio
5 Duomo
6 Palazzo Barracco
7 Castello Carlo V
8 Museo Archeologico

147

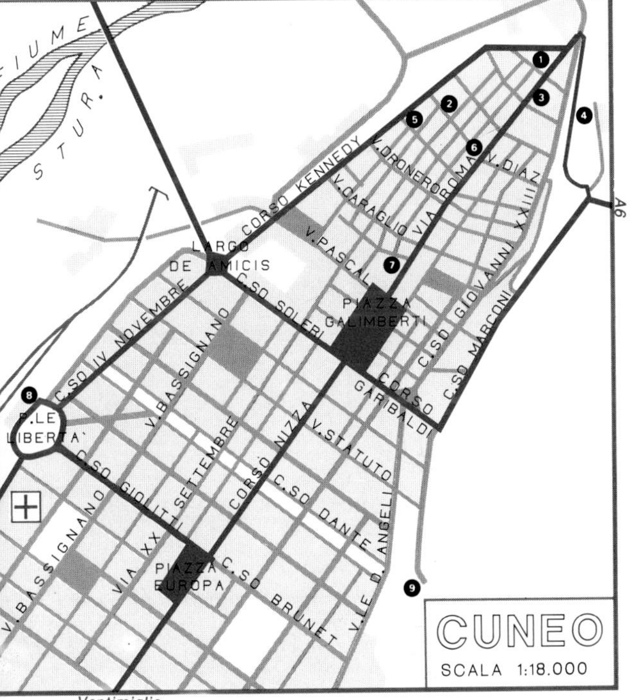

CUNEO

SCALA 1:18.000

CUNEO

1 Stazione Autolinee	5 Santa Croce
2 San Francesco	6 Comune
3 Prefettura	7 Duomo
4 Stazione F.S. (Cuneo-Gesso)	8 Stazione F.S.
	9 Parco della Resistenza

ENNA

1 Comune
2 Prefettura
3 Duomo
4 Castello di Lombardia
5 Torre di Federico II

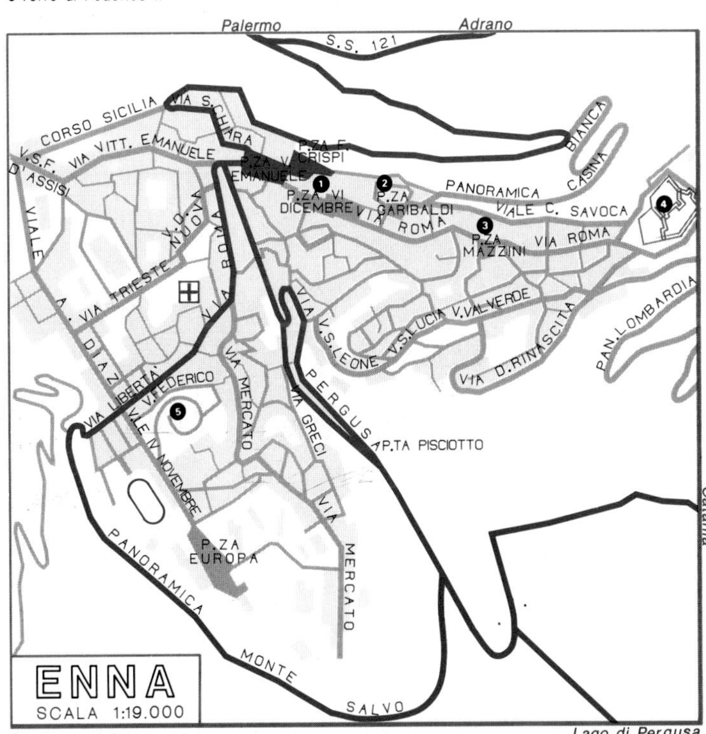

ENNA

SCALA 1:19.000

Lago di Pergusa

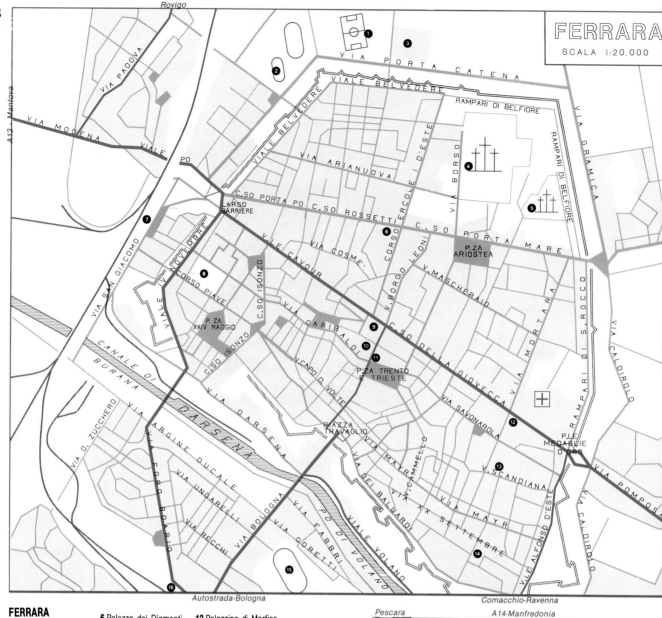

FERRARA

SCALA 1:20.000

Rovigo

A13 - Mantova

Autostrada-Bologna

Comacchio-Ravenna

FERRARA

1 Stadio
2 Velodromo
3 Fiera
4 Certosa
5 Cimitero Israelitico
6 Palazzo dei Diamanti
7 Stazione F.S.
8 Campo Sportivo
9 Castello Estense
10 Comune
11 Duomo
12 Palazzina di Marfisa
13 Palazzo Schifanoia
14 Palazzo di Ludovico il Moro
15 Ippodromo
16 Stazione Porta Reno

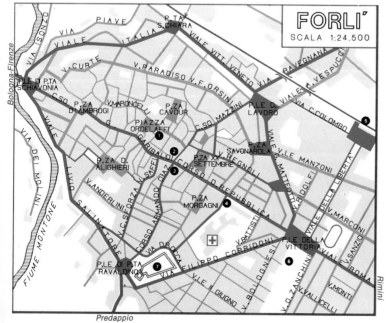

FOGGIA

SCALA 1:16.000

Pescara

A14-Manfredonia

Campobasso

Benevento-Avellino

Aeroporto

FORLI'
SCALA 1:24.500
Bologna-Firenze
Rimini
Predappio
P.LE DI P.TA SCHIAVONIA
P.TA S.CHIARA
PIAZZA ORDELAFFI
P.ZA CAVOUR
P.ZA D'AMBROGI
P.ZA D. ALIGHIERI
P.ZA XX SETTEMBRE
P.ZA SAVONAROLA
P.ZA MORGAGNI
P.LE D. LAVORO
P.LE DELLA VITTORIA
P.LE DI P.TA RAVALDINO
VIALE ITALIA
VIALE VITT. VENETO
V.F.ORSINI
V.PARADISO
V.CURTE
VIA ISONZO
VIA PIAVE
C.SO MAZZINI
C.SO GARIBALDI
CORSO D.REPUBBLICA
FIUME MONTONE
VIA DEI MOLINI
VIALE SALINATORE LIVIO
CORSO ARMANDO DIAZ
FILIPPO CORRIDONI
VIALE DELLA LIBERTA'
VIA RAVEGNANA
VIALE C.COLOMBO
VIALE G. MATTEOTTI
V.LE MANZONI
V.MARCONI
VIALE ROMA
V.LE II GIUGNO
V.BOLOGNESI
V.O.ZANCHINI
V.VALLICELLI
V.MONTI
V.SANZIO
V.ANDERLINI

FORLÌ

1 Duomo
2 Comune
3 Palazzo del Podestà
4 Pinacoteca Comunale
5 Stazione F.S.
6 Giardino Pubblico
7 Rocca Ravaldino

FOGGIA

1 Duomo
2 Comune
3 Prefettura
4 Stazione F.S.
5 Villa Comunale
6 Palazzo di Giustizia
7 Musei Civici
8 Campo Sportivo Zaccheria

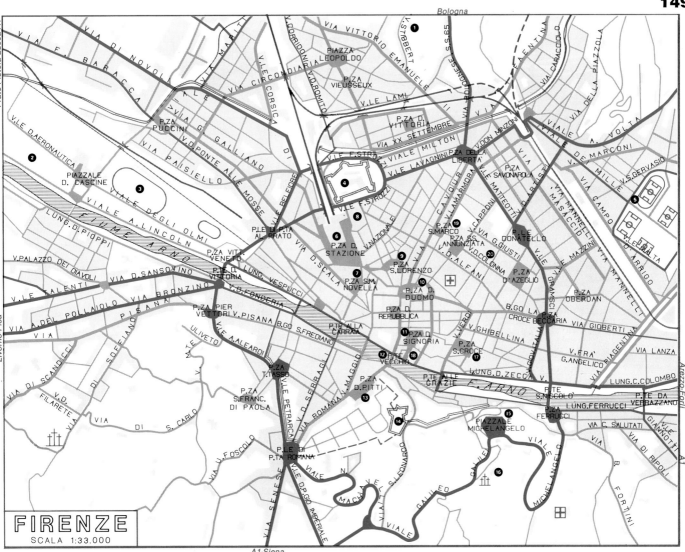

FIRENZE

SCALA 1:33.000

FIRENZE

1 Museo Stibbert
2 Parco delle Cascine
3 Ippodromo
4 Ex Fortezza da Basso (Sede Mostre)
5 Stadio Comunale

6 Stazione F.S. (Santa Maria Novella)
7 Santa Maria Novella
8 Palazzo dei Congressi
9 San Lorenzo
10 Duomo

11 Comune - Palazzo Vecchio
12 Ponte Vecchio
13 Palazzo Pitti
14 Forte di Belvedere
15 Piazzale Michelangelo

16 San Miniato al Monte
17 Santa Croce
18 Galleria degli Uffizi
19 Museo di San Marco
20 Museo Archeologico

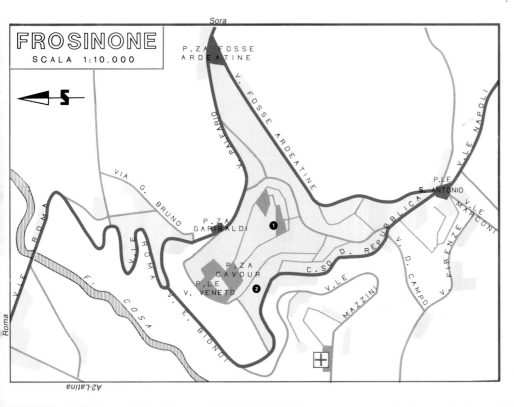

FROSINONE

SCALA 1:10.000

FROSINONE

1 Cattedrale
2 Comune

Busalla Serravalle Milano
Piacenza
GENOVA EST
MONTE ZIGNANO
RIVAROLO LIGURE
STAGLIENO
FEGINO
QUEZZI
CAMALDOLI
BORZOLI
GRANAROLO
OREGINA
RIGHI
MARASSI
FEREGGIANO
S.ROCCO
S.FRUTTUOSO
APPARIZIONE
P.ZA TERRALBA
CORNIGLIANO
SAMPIERDARENA
PORTO VECCHIO
S.MARTINO D'ALBARO
QUARTO D.MILLE
V.BURANELLO
LUNGOMARE CANEPA
P.LE S.BENIGNO
LANTERNA
P.ZA D. PORTELLO
P.ZA DE' FERRARI
P.ZA VERDI
P.ZA D. VITTORIA
STURLA
AVAMPORTO
BACINO D. LANTERNA
FIERA INTERNAZIONALE
P.TA VAGNO
LIDO D'ALBARO
BOCCADASSE
PORTO NUOVO
DIGA FORANEA
MARE LIGURE
Savona-Torino
Savona
Pisa-Sarzana
Nervi
Chiavari

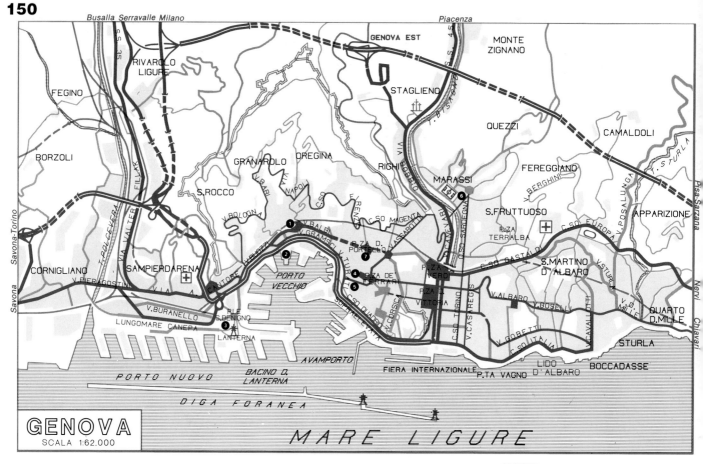

GENOVA

SCALA 1:62.000

GENOVA

1 Stazione F.S. (Porta Principe)
2 Stazione Marittima
3 Stazione F.S. (Brignole)
4 Palazzo Ducale
5 Duomo
6 Stadio
7 Comune

GORIZIA

1 Musei Provinciali
2 Prefettura
3 Castello
4 Museo Storico
5 Duomo
6 Comune
7 Parco della Rimembranza

Oslavia
F. ISONZO
VIA DEI CAMPI
VIALE XX SETTEMBRE
P.ZA MEDAGLIE D'ORO
VIALE VIRGILIO
T. CORNO
P.ZA C. BATTISTI
P.ZA D. VITTORIA
VIA BOMBI
P.ZA JULIA
VIA DEL FAITI
VIA VITTORIO VENETO
VIA TERZA ARMATA
Udine
Aidussina
Trieste-Autostrada
GORIZIA
SCALA 1:26.000

GROSSETO

1 Stazione F.S.
2 Nuovo Stadio
3 Prefettura
4 Fortezza Medicea
5 Duomo
6 Comune
7 Museo Archeologico e d'Arte della Maremma
8 San Francesco
9 Stadio Baseball

Livorno
Siena
VIALE EMILIA
P.ZA MARCONI
P.ZA D. REGIONI
P.ZA VOLTURNO
VIALE GIULIO CESARE
P.ZA F.LLI ROSSELLI
P.TA NUOVA
P.ZA PALMA
P.ZA DANTE
P.ZA SANZIO
P.ZA D. STADIO
VIALE GIOTTO
P.ZA LAMARMORA
Castiglione d. Pescaia
Marina di Grosseto
Roma
GROSSETO
SCALA 1:19.000

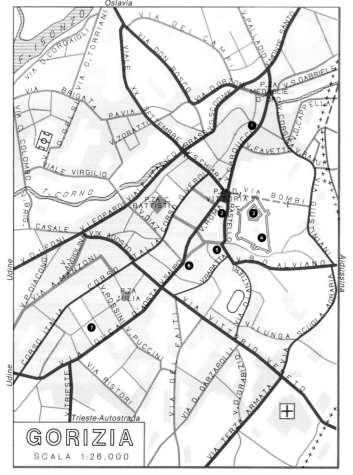

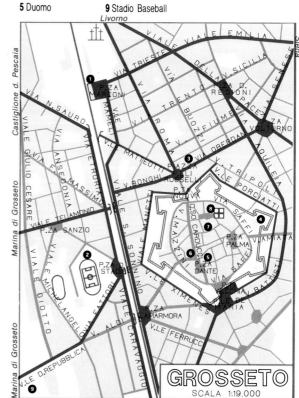

IMPERIA
SCALA 1:23.000

IMPERIA
1 Parrasio
2 San Maurizio (Duomo)
3 Capitaneria di Porto
4 Stazione F.S.
5 Prefettura
6 Comune
7 Capitaneria di Porto

PORTO MAURIZIO

MARE LIGURE ONEGLIA

L'AQUILA
SCALA 1:14.000

QUILA
uomo
an Bernardino
astello
ontana delle 99 cannelle
eatro
omune
anta Maria di Collemaggio
tazione F.S.
alazzo di Giustizia

ISERNIA
SCALA 1:15.500

ISERNIA
1 Stazione F.S.
2 Palazzo di Giustizia
3 Comune
4 Fontana della Fraterna
5 Duomo
6 Museo Civico e Biblioteca
7 Sacro Cuore
8 Villa Comunale
9 Santi Cosma e Damiano

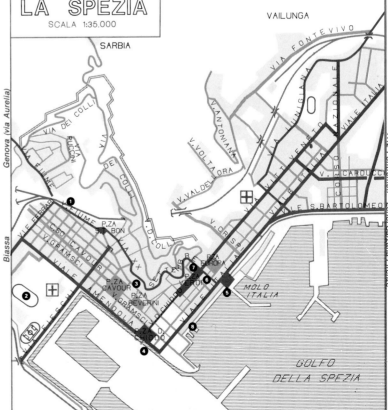

LA SPEZIA
SCALA 1:35.000

VAILUNGA

SARBIA

GOLFO DELLA SPEZIA

LA SPEZIA
1 Stazione F.S.
2 Impianti Sportivi
3 Duomo
4 Museo Navale
5 Capitaneria di Porto
6 Comune
7 Prefettura
8 Imbarco per
   Lerici e Portovenere

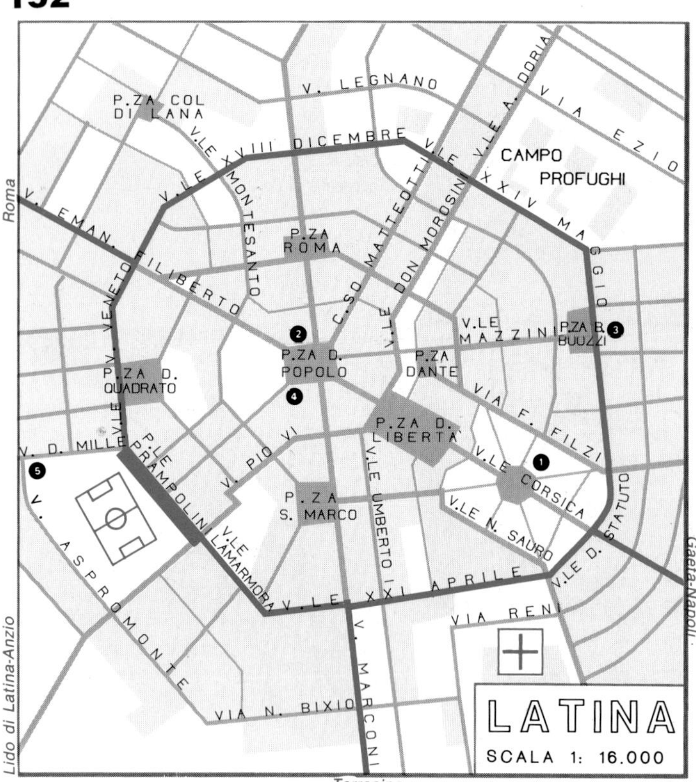

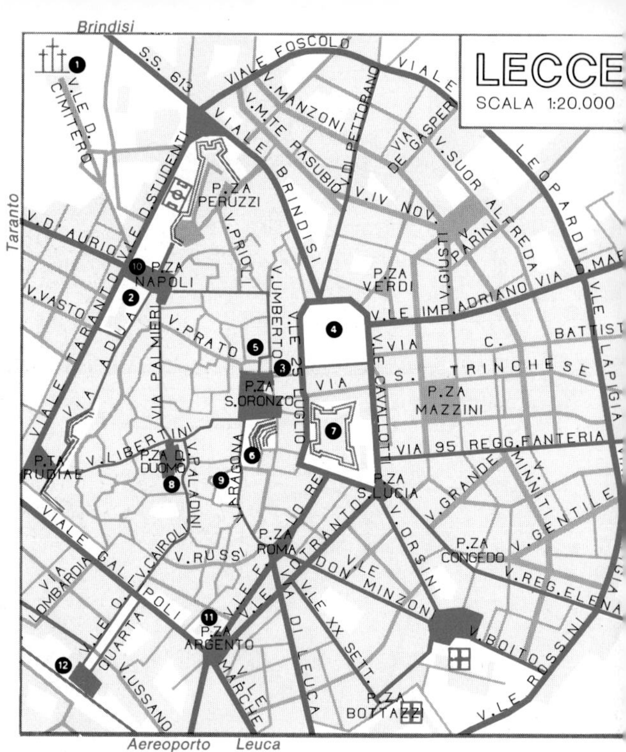

LECCE

1 Santi Nicolò e Cataldo	**5** Comune	**9** Teatro Romano
2 Università	**6** Anfiteatro Romano	**10** Arco di Trionfo
3 Palazzo del Governo	**7** Castello	**11** Museo Provinciale
4 Giardini Pubblici	**8** Duomo	**12** Stazione F.S.

LIVORNO

1 Fortezza Nuova	**5** Duomo	**9** Villa Fabbricotti
2 Stazione F.S.	**6** Fortezza Vecchia	**10** Acquario
3 Comune	**7** Capitaneria di Porto	**11** Ippodromo
4 Prefettura	**8** Santa Maria del Soccorso	**12** Stadio

LATINA

1 Parco
2 Comune
3 Tribunale
4 Stazione Autolinee
5 Palazzo dello Sport

LECCO

1 Villa di A.Manzoni
2 Municipio
3 Stazione F.S.
4 Museo Civico
5 Cimitero
6 CDuomo
7 Ospedale

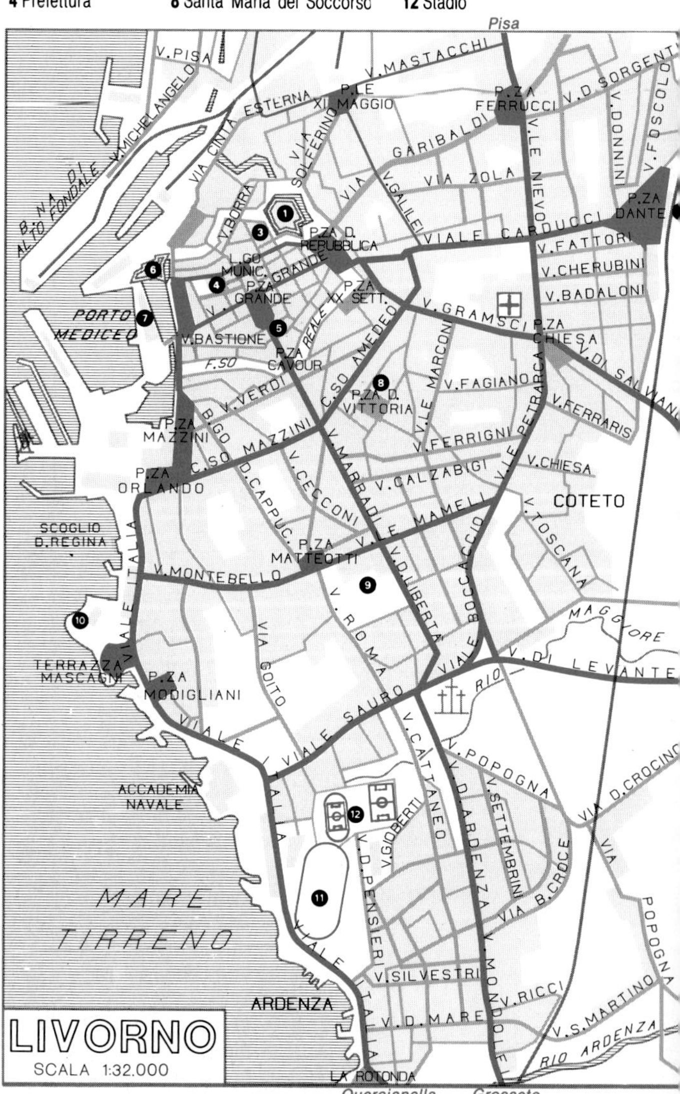

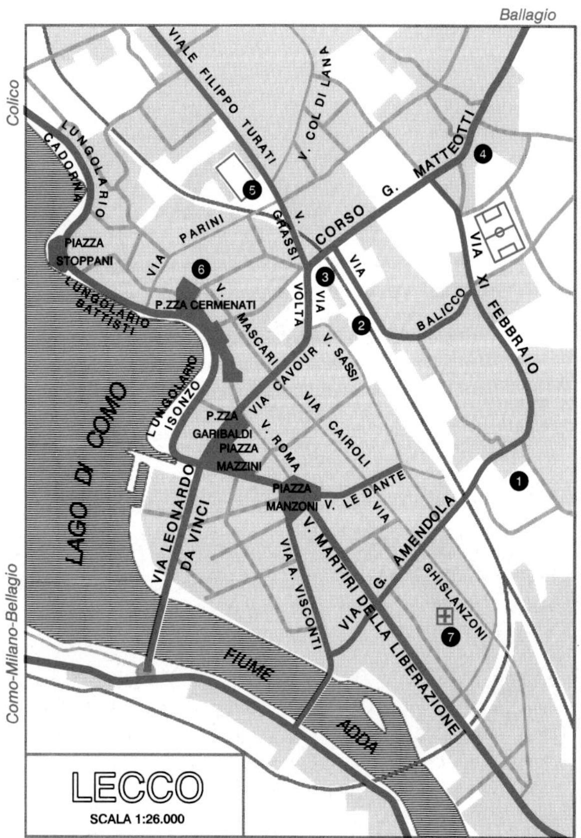

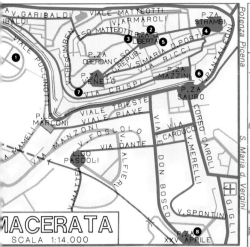

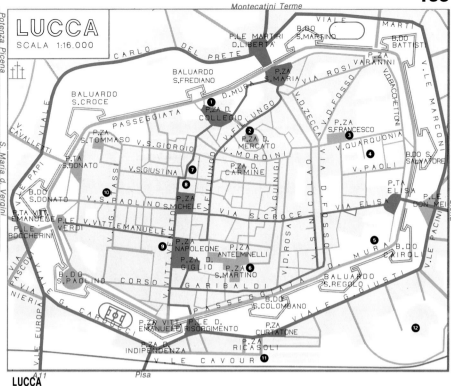

MACERATA

1 Giardini Diaz   5 Università
2 Prefettura   6 Sferisterio
3 Comune   7 Pinacoteca
4 Duomo   8 Stazione F.S.

LUCCA

1 San Frediano	5 Giardino Botanico	9 Palazzo della Provincia
2 Anfiteatro Romano	6 Duomo	10 Palazzo Mansi (Pinacoteca)
3 San Francesco	7 Comune	11 Stazione F.S.
4 Museo Nazionale di Villa Guinigi	8 San Michele in Foro	12 Mercato Ortofrutticolo

MANTOVA

1 Monumento a Virgilio	6 Palazzo della Ragione	12 Palazzo di Giustizia
2 Castello di San Giorgio	7 Teatro Scientifico	13 Casa del Mantegna
3 Duomo	8 Comune	14 Palazzo del Te
4 Palazzo Ducale	9 Palazzo d'Arco	15 Ippodromo
5 Sant'Andrea	10 Stazione F.S.	16 Stadio
	11 Stazione Autolinee	17 Santa Maria di Gradaro

LODI

1 Stazione F.S.
2 Castello
3 Duomo
4 Municipio
5 Museo Diocesiano
6 Museo Civico
7 Chiesa di S.Francesco
8 Ospedale Maggiore

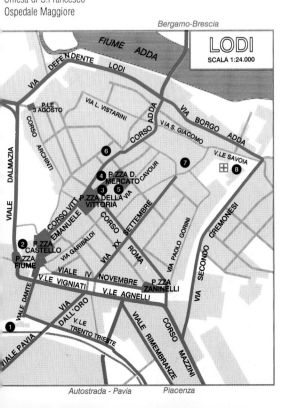

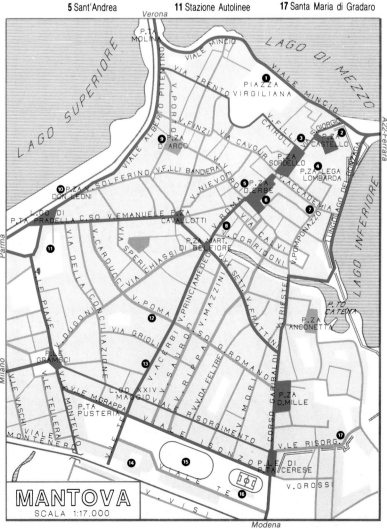

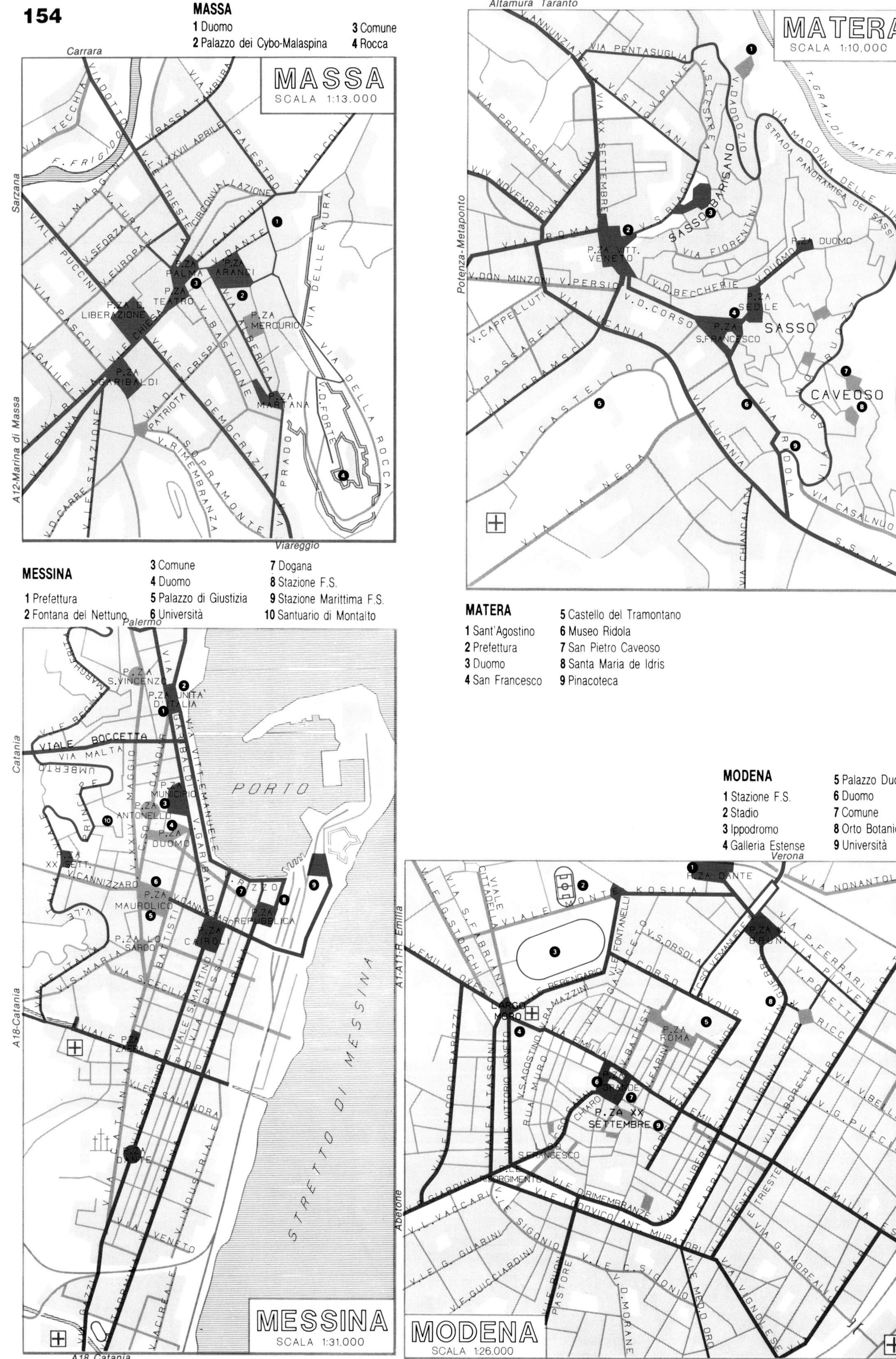

MASSA
1 Duomo
2 Palazzo dei Cybo-Malaspina
3 Comune
4 Rocca

MASSA
SCALA 1:13.000

MATERA
SCALA 1:10.000

MESSINA
1 Prefettura
2 Fontana del Nettuno
3 Comune
4 Duomo
5 Palazzo di Giustizia
6 Università
7 Dogana
8 Stazione F.S.
9 Stazione Marittima F.S.
10 Santuario di Montalto

MATERA
1 Sant'Agostino
2 Prefettura
3 Duomo
4 San Francesco
5 Castello del Tramontano
6 Museo Ridola
7 San Pietro Caveoso
8 Santa Maria de Idris
9 Pinacoteca

MODENA
1 Stazione F.S.
2 Stadio
3 Ippodromo
4 Galleria Estense
5 Palazzo Duca
6 Duomo
7 Comune
8 Orto Botanico
9 Università

MESSINA
SCALA 1:31.000

MODENA
SCALA 1:26.000

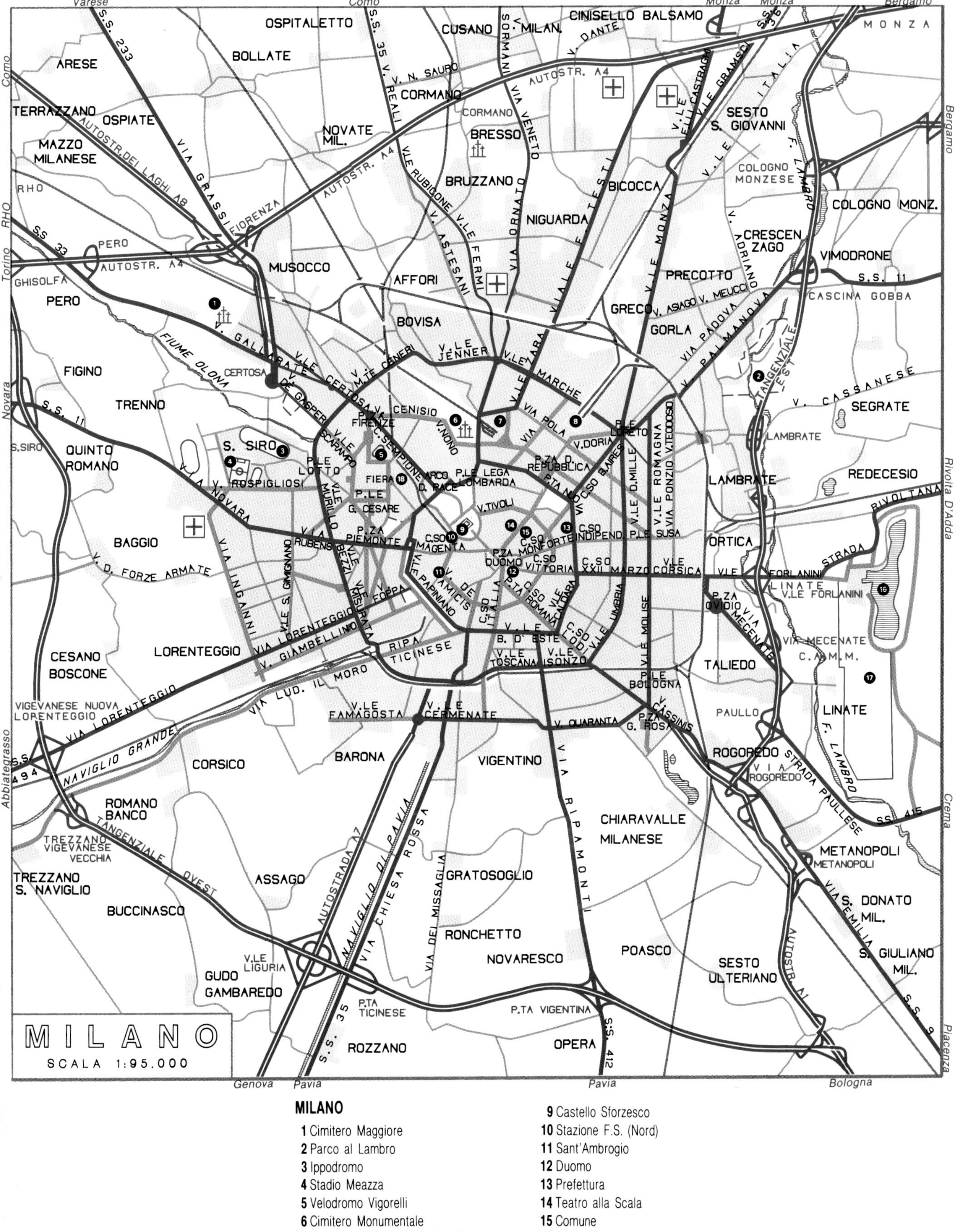

MILANO
SCALA 1:95.000

MILANO

1 Cimitero Maggiore
2 Parco al Lambro
3 Ippodromo
4 Stadio Meazza
5 Velodromo Vigorelli
6 Cimitero Monumentale
7 Stazione F.S. (Porta Garibaldi)
8 Stazione F.S. (Centrale)
9 Castello Sforzesco
10 Stazione F.S. (Nord)
11 Sant'Ambrogio
12 Duomo
13 Prefettura
14 Teatro alla Scala
15 Comune
16 Idroscalo
17 Aeroporto Forlanini
18 Fiera Campionaria

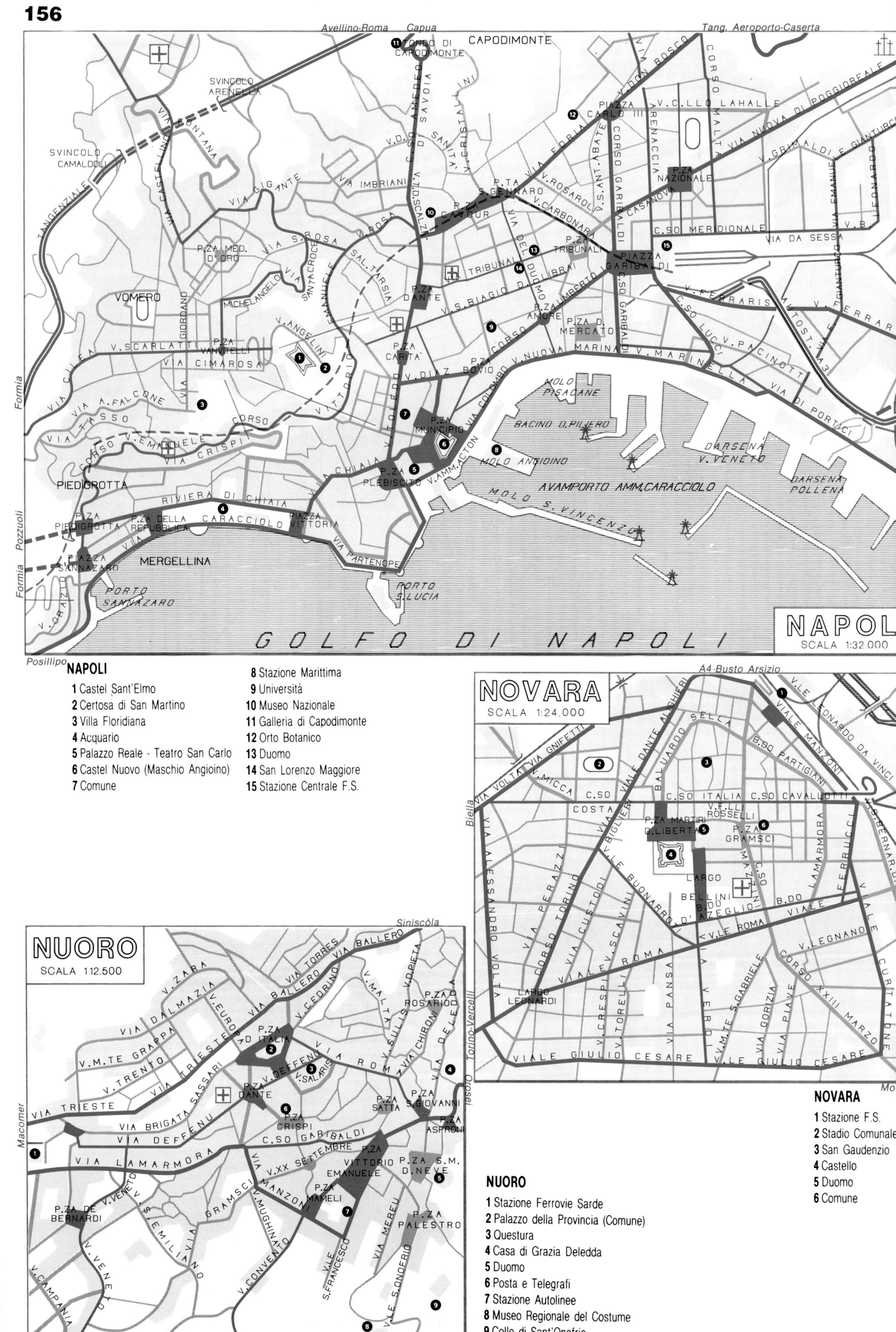

NAPOLI

1 Castel Sant'Elmo
2 Certosa di San Martino
3 Villa Floridiana
4 Acquario
5 Palazzo Reale - Teatro San Carlo
6 Castel Nuovo (Maschio Angioino)
7 Comune
8 Stazione Marittima
9 Università
10 Museo Nazionale
11 Galleria di Capodimonte
12 Orto Botanico
13 Duomo
14 San Lorenzo Maggiore
15 Stazione Centrale F.S.

NUORO

1 Stazione Ferrovie Sarde
2 Palazzo della Provincia (Comune)
3 Questura
4 Casa di Grazia Deledda
5 Duomo
6 Posta e Telegrafi
7 Stazione Autolinee
8 Museo Regionale del Costume
9 Colle di Sant'Onofrio

NOVARA

1 Stazione F.S.
2 Stadio Comunale
3 San Gaudenzio
4 Castello
5 Duomo
6 Comune

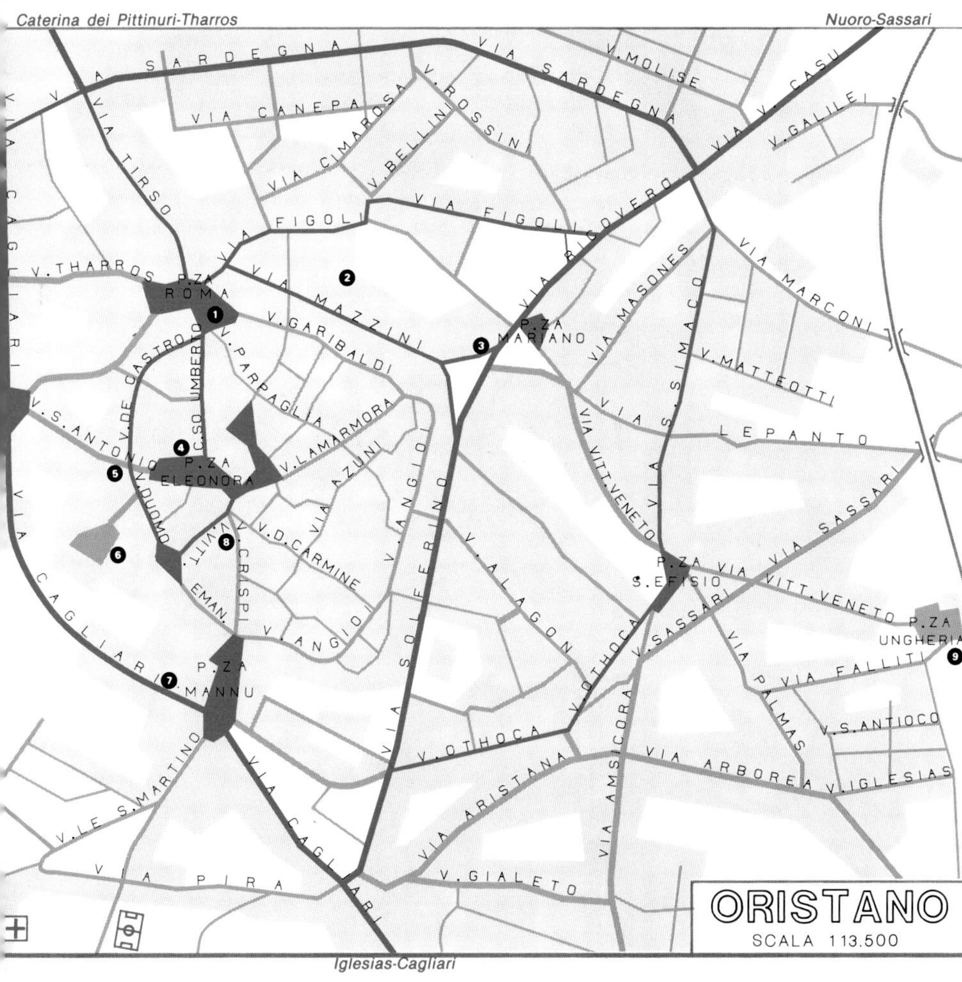

ORISTANO

1 Porta Manna
2 Mercato
3 Torre Portixedda
4 Comune
5 San Francesco
6 Duomo
7 Stazione Autolinee
8 Antiquarium Arborense
9 Stazione F.S.

ORISTANO

SCALA 1:13.500

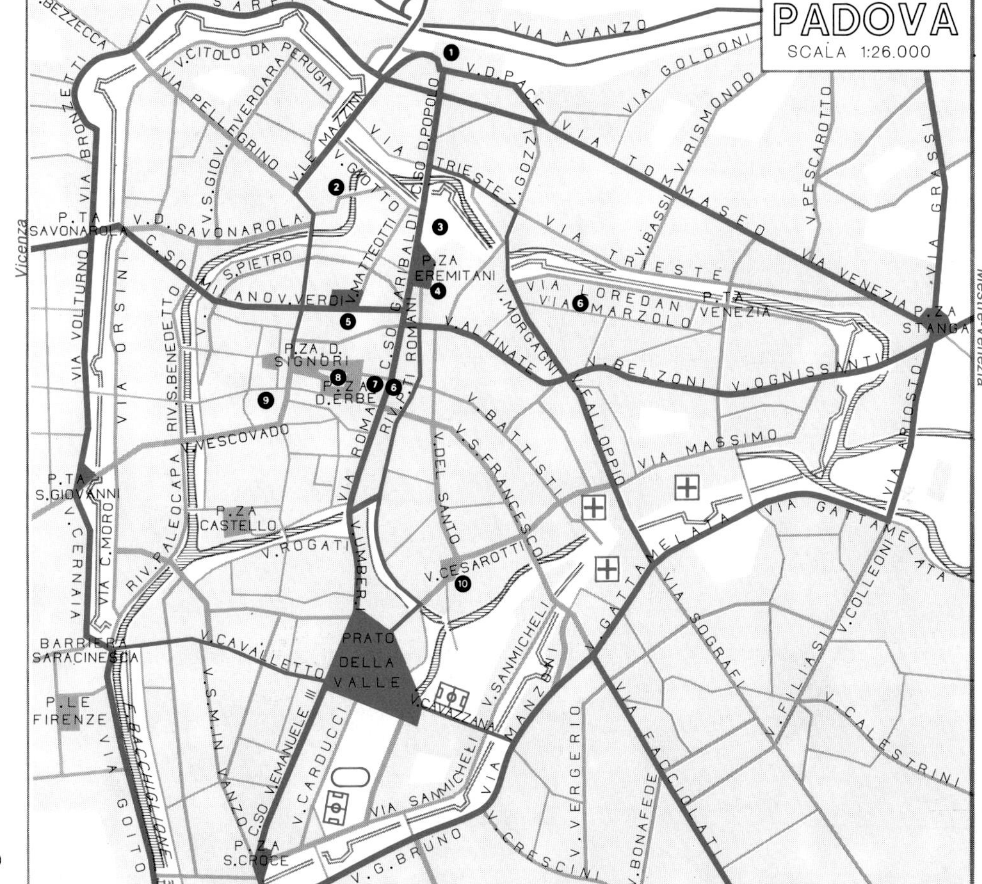

PADOVA

1 Stazione F.S.
2 Scuola del Carmine
3 Cappella degli Scrovegni
4 Musei Civici
5 Scuola San Rocco
6 Università
7 Comune
8 Palazzo della Ragione
9 Duomo
10 Basilica di Sant'Antonio - Monumento
   Gattamelata

PADOVA

SCALA 1:26.000

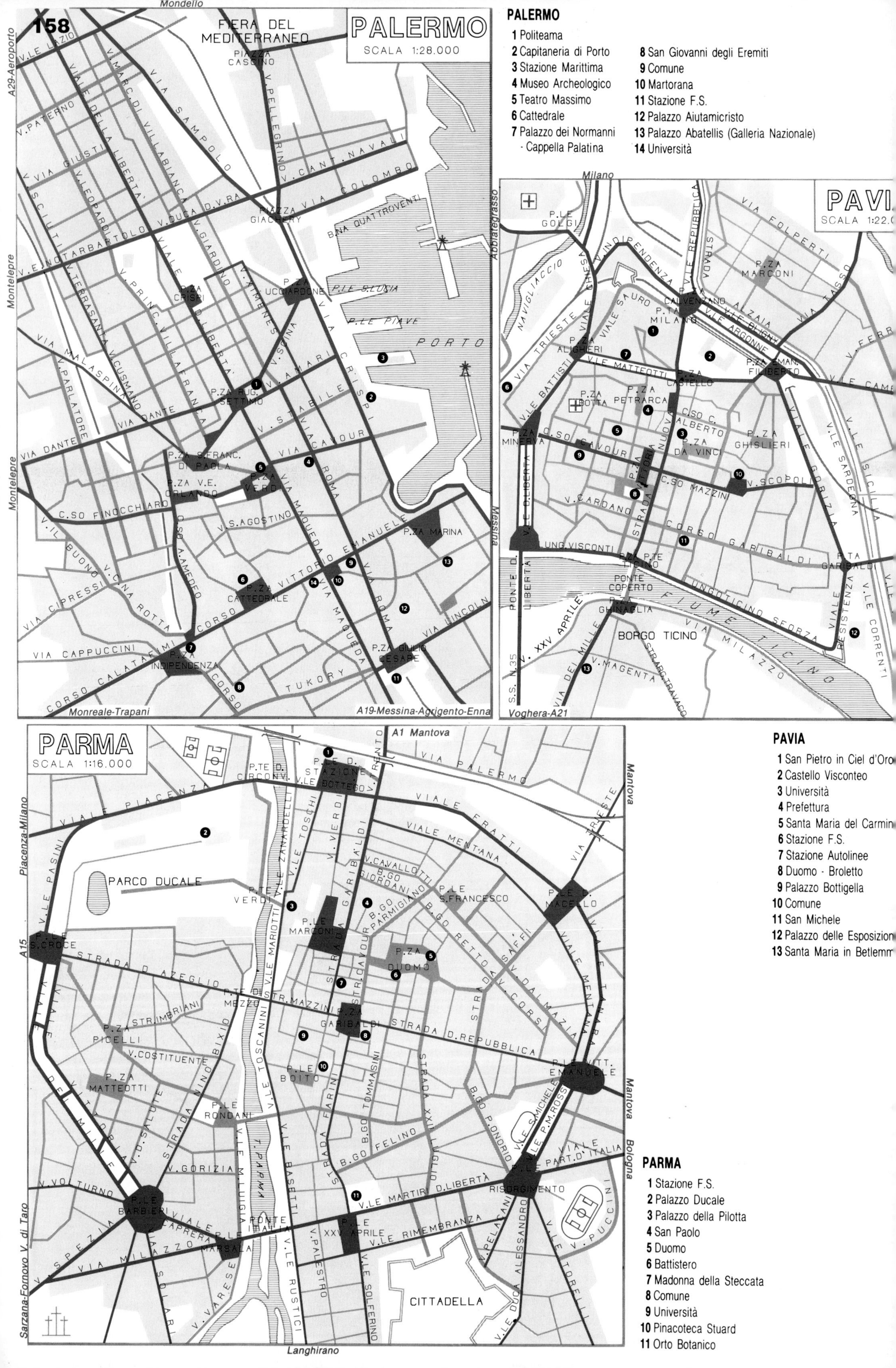

PALERMO
SCALA 1:28.000

PALERMO

1 Politeama
2 Capitaneria di Porto
3 Stazione Marittima
4 Museo Archeologico
5 Teatro Massimo
6 Cattedrale
7 Palazzo dei Normanni
  - Cappella Palatina
8 San Giovanni degli Eremiti
9 Comune
10 Martorana
11 Stazione F.S.
12 Palazzo Aiutamicristo
13 Palazzo Abatellis (Galleria Nazionale)
14 Università

PAVIA
SCALA 1:22.0

PAVIA

1 San Pietro in Ciel d'Oro
2 Castello Visconteo
3 Università
4 Prefettura
5 Santa Maria del Carmine
6 Stazione F.S.
7 Stazione Autolinee
8 Duomo - Broletto
9 Palazzo Bottigella
10 Comune
11 San Michele
12 Palazzo delle Esposizioni
13 Santa Maria in Betlemm

PARMA
SCALA 1:16.000

PARMA

1 Stazione F.S.
2 Palazzo Ducale
3 Palazzo della Pilotta
4 San Paolo
5 Duomo
6 Battistero
7 Madonna della Steccata
8 Comune
9 Università
10 Pinacoteca Stuard
11 Orto Botanico

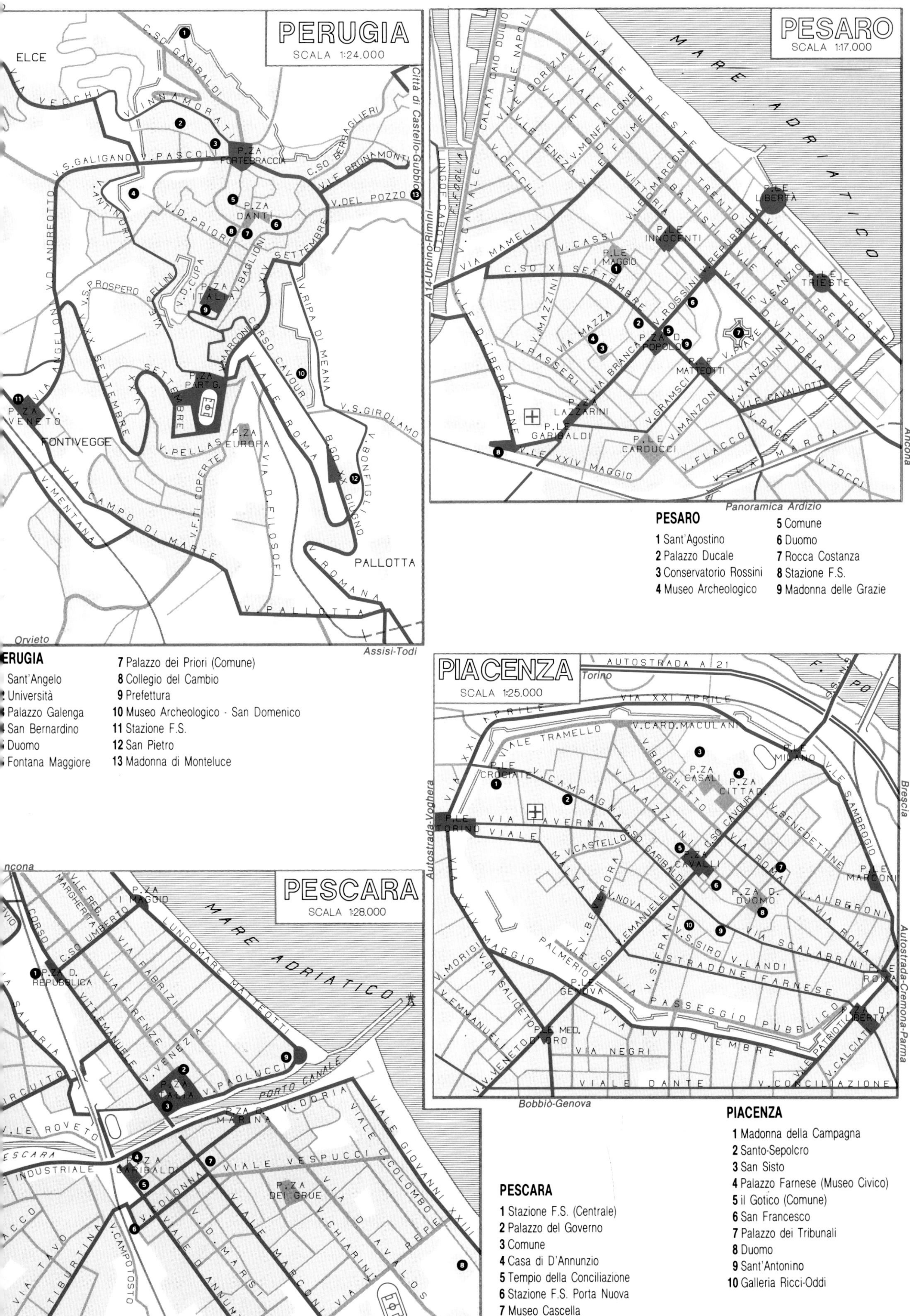

PERUGIA

SCALA 1:24.000

PESARO

SCALA 1:17.000

PESARO

1 Sant'Agostino
2 Palazzo Ducale
3 Conservatorio Rossini
4 Museo Archeologico
5 Comune
6 Duomo
7 Rocca Costanza
8 Stazione F.S.
9 Madonna delle Grazie

ERUGIA

Sant'Angelo
Università
Palazzo Galenga
San Bernardino
Duomo
Fontana Maggiore

7 Palazzo dei Priori (Comune)
8 Collegio del Cambio
9 Prefettura
10 Museo Archeologico · San Domenico
11 Stazione F.S.
12 San Pietro
13 Madonna di Monteluce

PIACENZA

SCALA 1:25.000

PESCARA

SCALA 1:28.000

PESCARA

1 Stazione F.S. (Centrale)
2 Palazzo del Governo
3 Comune
4 Casa di D'Annunzio
5 Tempio della Conciliazione
6 Stazione F.S. Porta Nuova
7 Museo Cascella
8 Teatro D'Annunziano
9 Museo Ittico

PIACENZA

1 Madonna della Campagna
2 Santo-Sepolcro
3 San Sisto
4 Palazzo Farnese (Museo Civico)
5 il Gotico (Comune)
6 San Francesco
7 Palazzo dei Tribunali
8 Duomo
9 Sant'Antonino
10 Galleria Ricci-Oddi

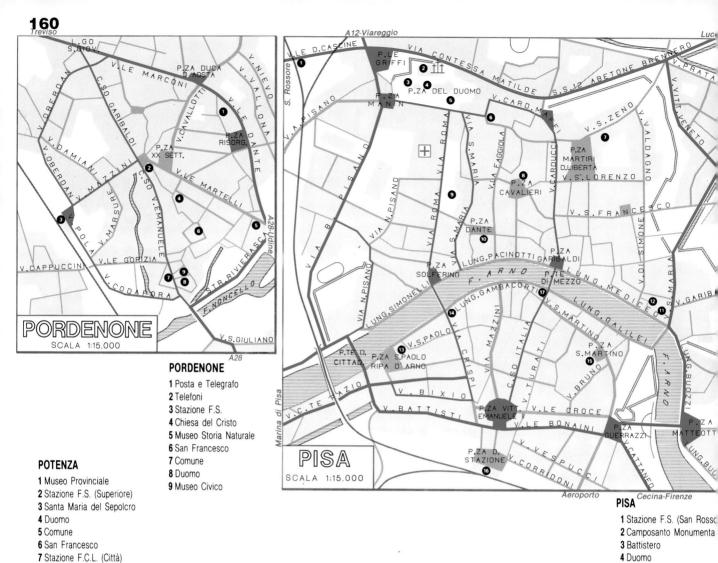

PORDENONE

SCALA 1:15.000

PORDENONE

1 Posta e Telegrafo
2 Telefoni
3 Stazione F.S.
4 Chiesa del Cristo
5 Museo Storia Naturale
6 San Francesco
7 Comune
8 Duomo
9 Museo Civico

POTENZA

1 Museo Provinciale
2 Stazione F.S. (Superiore)
3 Santa Maria del Sepolcro
4 Duomo
5 Comune
6 San Francesco
7 Stazione F.C.L. (Città)

PISA

SCALA 1:15.000

PISA

1 Stazione F.S. (San Rosso
2 Camposanto Monumenta
3 Battistero
4 Duomo
5 Campanile
6 Palazzo Arcivescovile
7 Santa Caterina
8 Palazzo dei Cavalieri
9 Orto botanico
10 Università
11 Museo Nazionale
12 Palazzo Medici (Prefettur
13 San Paolo a Ripa d'Arno
14 Santa Maria della Spina
15 San Martino
16 Stazione F.S. (Centrale)
17 Comune

PISTOIA

1 San Francesco
2 Sant'Andrea
3 Comune
4 Battistero - Palazzo del Podestà
5 Duomo
6 San Bartolomeo in Pantano
7 San Giovanni Fuorcivitas
8 Prefettura
9 San Domenico
10 Fortezza Santa Barbara
11 Stazione F.S.

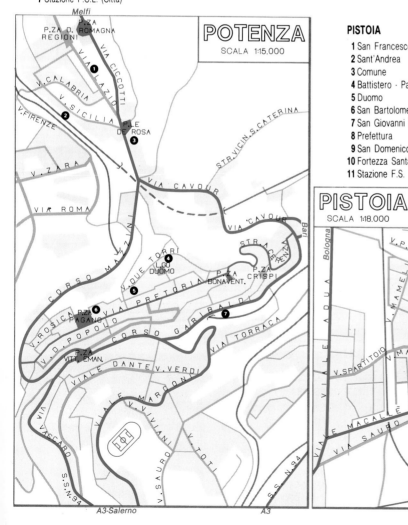

POTENZA

SCALA 1:15.000

PISTOIA

SCALA 1:18.000

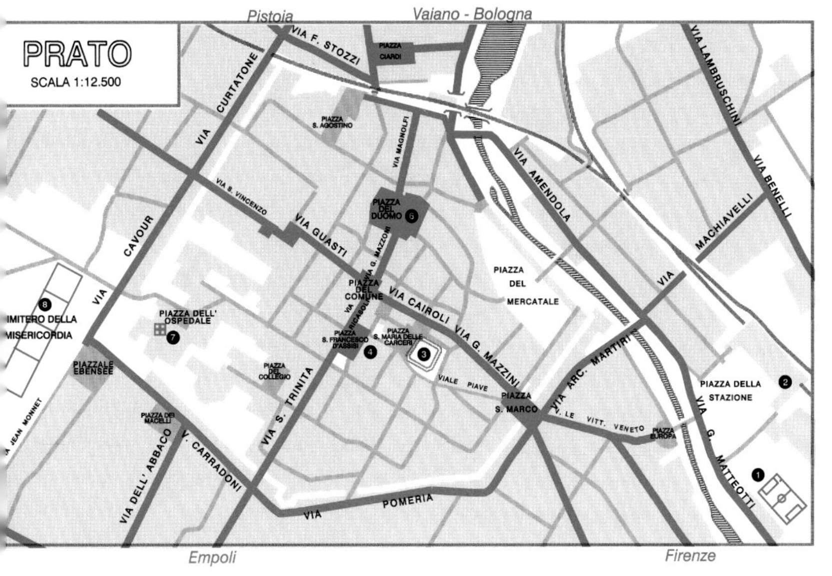

PRATO
SCALA 1:12.500

PRATO
1 Stadio
2 Stazione F.S.
3 Castello dell'Imperatore
4 Chiesa di S.Francesco
5 Municipio
6 Duomo
7 Ospedale
8 Cimitero della Misericordia

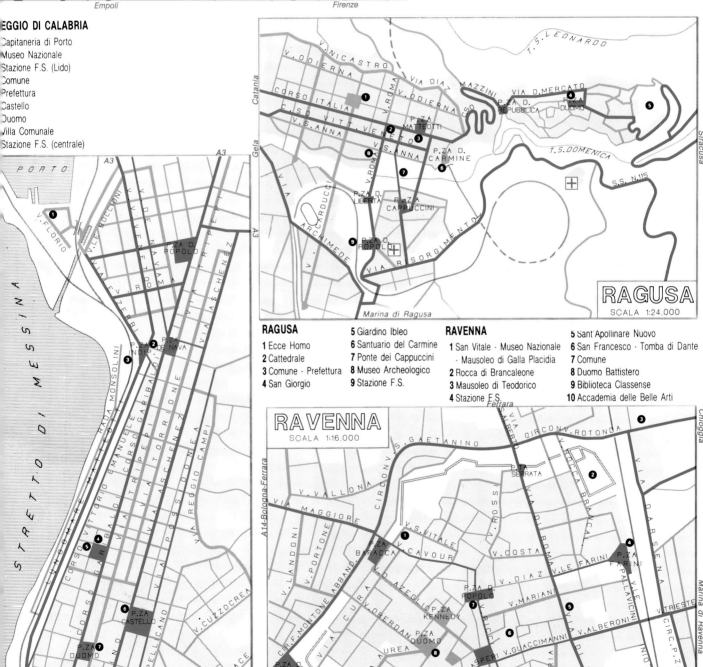

REGGIO DI CALABRIA
Capitaneria di Porto
Museo Nazionale
Stazione F.S. (Lido)
Comune
Prefettura
Castello
Duomo
Villa Comunale
Stazione F.S. (centrale)

RAGUSA
1 Ecce Homo
2 Cattedrale
3 Comune - Prefettura
4 San Giorgio
5 Giardino Ibleo
6 Santuario del Carmine
7 Ponte dei Cappuccini
8 Museo Archeologico
9 Stazione F.S.

RAVENNA
1 San Vitale - Museo Nazionale - Mausoleo di Galla Placidia
2 Rocca di Brancaleone
3 Mausoleo di Teodorico
4 Stazione F.S.
5 Sant'Apollinare Nuovo
6 San Francesco - Tomba di Dante
7 Comune
8 Duomo Battistero
9 Biblioteca Classense
10 Accademia delle Belle Arti

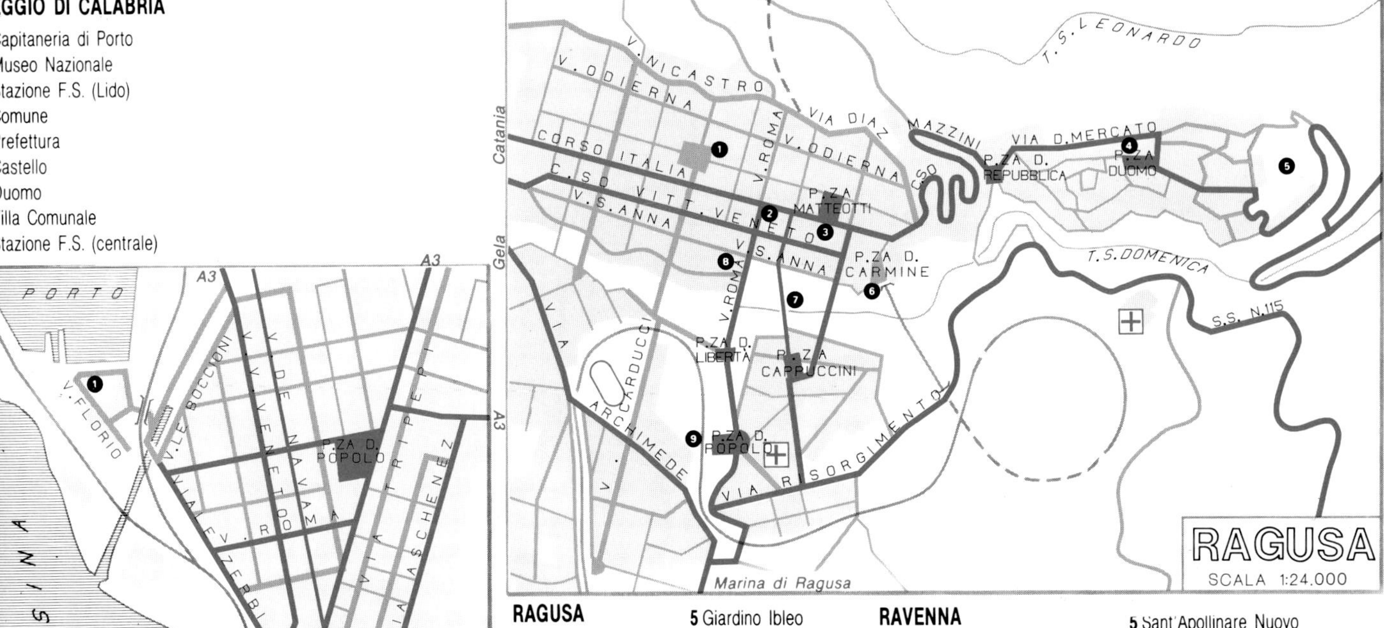

RAGUSA
SCALA 1:24.000

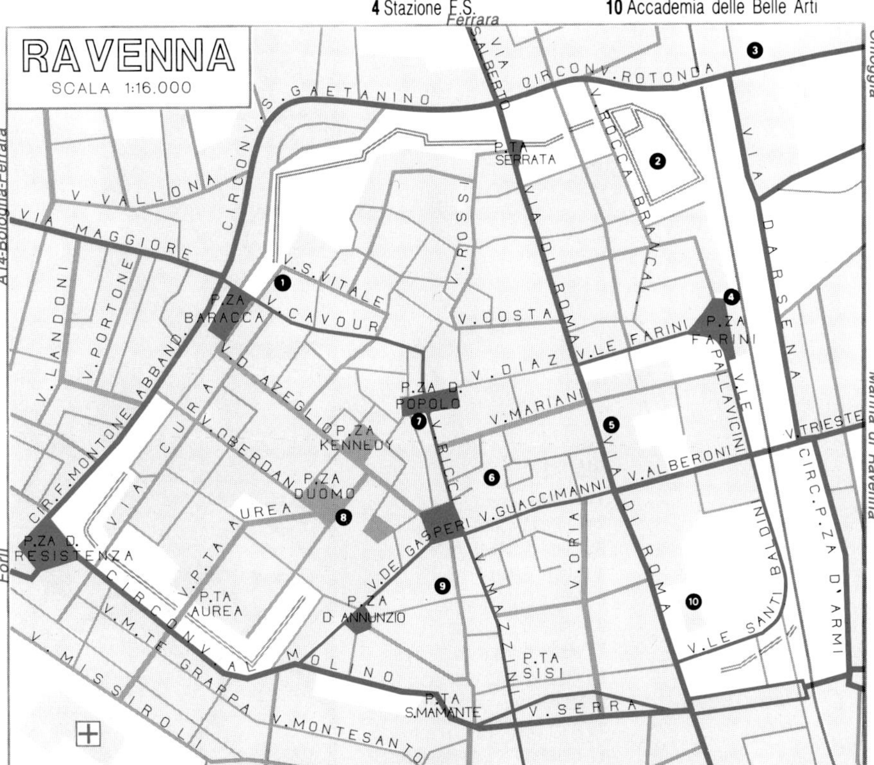

RAVENNA
SCALA 1:16.000

REGGIO DI CALABRIA
SCALA 1:15.000

162

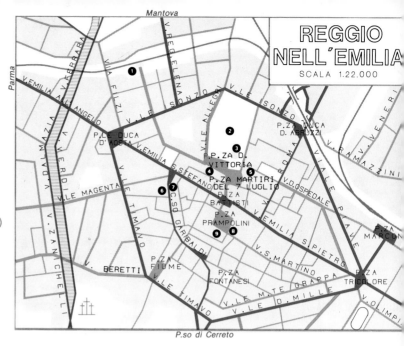

REGGIO NELL'EMILIA

1 Stazione F.S. (Santo Stefano)
2 Parco del Popolo
3 Teatro Municipale
4 Galleria Parmeggiani
5 Museo Spallanzani
6 Madonna della Ghiara
7 Prefettura
8 Duomo
9 Comune

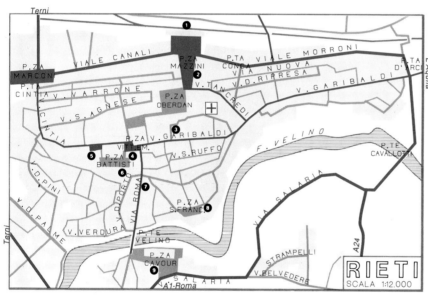

RIETI

1 Stazione F.S.
2 Sant'Agostino
3 Teatro Vespasiano
4 Comune
5 Duomo - Arcivescovato
6 Prefettura
7 Palazzo Vecchiarelli
8 San Francesco
9 Stazione Autolinee

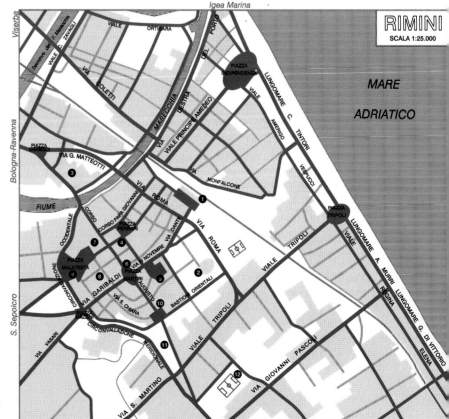

RIMINI

1 Stazione F.S.
2 Anfiteatro Romano
3 Chiesa di S.Giuliano
4 Palazzo Gambalunga
5 Tempio Malatestiano
6 Tempietto S.Antonio
7 Palazzo dell'Arengo
8 Chiesa di S.Agostino
9 Castello di Sigismondo
10 Arco di Augusto
11 Chiesa di S.Giovanni Battista
12 Stadio Comunale

Perugia Terni-Viterbo G.R.A. Autostrade Rieti

MONTE SACRO

Mentana

VITTORIA

FORO ITALICO

MONTE MARIO

FLAMINIO

VILLA GLORI

VILLA ADA

PIAZZA VESCOVIO VILLA CHIGI

PIAZZA S.EMERENZIANA

F. ANIENE

TRIONFALE

PRATI

PIAZZA MAZZINI

PIAZZA EUCLIDE

PARIOLI

PIAZZA PARIOLI

PIAZZA UNGHERIA

PIAZZA ANNIBALIANO

PIAZZA BOLOGNA

NOMENTANO

Tivoli

L'Aquila

PINCIANO

VILLA BORGHESE

PIAZZA DI SIENA

P.ZA D. POPOLO

CITTÀ DEL VATICANO

P.ZA D. RISORG.

PIAZZA CAVOUR

P.ZA DI SPAGNA

P.ZA BARBERINI

P.ZA D. REPUB.

CIMIT.CAMPO VERANO

PORTONACCIO

S.PIETRO

P.ZA V.D.CONCIL.

P.ZA NAVONA

P.ZA D. QUIRINALE

P.ZA D. ESQUILINO

TIBURTINO

PRENESTINO

Palestrina

AURELIO

P.ZA V.E.MAN.II

PIAZZA VENEZIA

P.ZA VITT. EM.AN.II

LABICANO

VILLA PAMPHILI

TRASTEVERE

AVENTINO

P.ZA S.GIOVANNI LATERANO

PIAZZA D'ROMA

Frosinone

GIANICOLENSE

PIAZZA PILO

TESTACCIO

P.ZA DI PTA SPAOLO

TUSCOLANO

MONTEVERDE NUOVO

OSTIENSE

GARBATELLA

APPIO LATINO

TOR MARANCIA

LA PARROCCHIETTA

ARDEATINO

APPIO PIGNATELLI

TRULLO

AGLIANA

FIUME TEVERE

E.U.R.

PIAZZA MARCONI

P.ZA DEL CARAVAGGIO

ROMA

SCALA 1:55.000

Teracina

A12-Aeroporto-Lido di Ostia   Latina

ROMA

1 Stadio Olimpico
2 Museo Nazionale di Villa Giulia
3 Castel Sant'Angelo
4 Trinità dei Monti
5 San Pietro in Vaticano
6 Mausoleo di Augusto
7 Pantheon
8 Palazzo della Cancelleria
9 Palazzo Venezia

10 Montecitorio
11 Quirinale
12 Vittoriano
13 Foro Traiano
14 Museo Nazionale Romano
15 Stazione F.S. (Termini)
16 Porta Pia
17 Santa Maria Maggiore
18 Foro Romano
19 Colosseo · Arco di Costantino

20 San Giovanni in Laterano
21 Circo Massimo
22 Terme di Caracalla
23 Piramide di Caio Cestio · Porta San Paolo
24 Campidoglio (Comune)
25 Teatro di Marcello
26 Santa Maria in Trastevere
27 Tomba di Cecilia Metella
28 Fosse Ardeatine
29 Fontana di Trevi
30 Università del Sacro Cuore

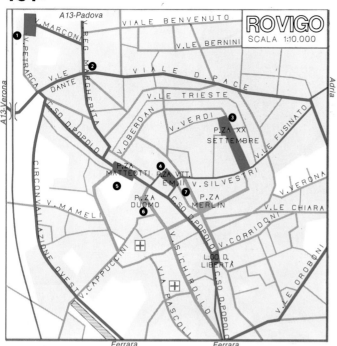

ROVIGO
SCALA 1:10.000

ROVIGO

1 Stazione F.S.
2 Museo Archeologico
3 Beata Vergine del Soccorso
4 Palazzo Roncalli (Comune)
5 Due Torri
6 Duomo
7 Corpo di Guardia

SASSARI

1 Stazione F.S.
2 Santissima Trinità
3 Duomo
4 Comune
5 Provincia
6 Mostra Artigianato Sardo
7 Museo Sanna
8 Università
9 Santa Maria di Betlem

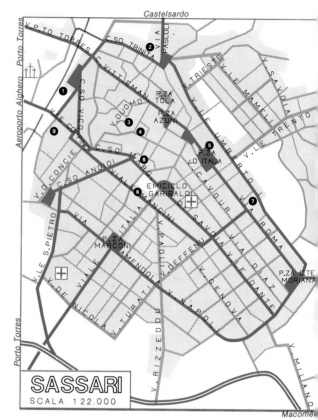

SASSARI
SCALA 1:22.000

SALERNO

1 Castello di Arechi
2 Madonna delle Grazie
3 Duomo - Episcopio
4 Santissima Annunziata
5 Teatro Verdi
6 Villa Comunale
7 Prefettura
8 Capitaneria di Porto
9 Palazzo di Città
10 Stazione F.S.

SALERNO
SCALA 1:32.000

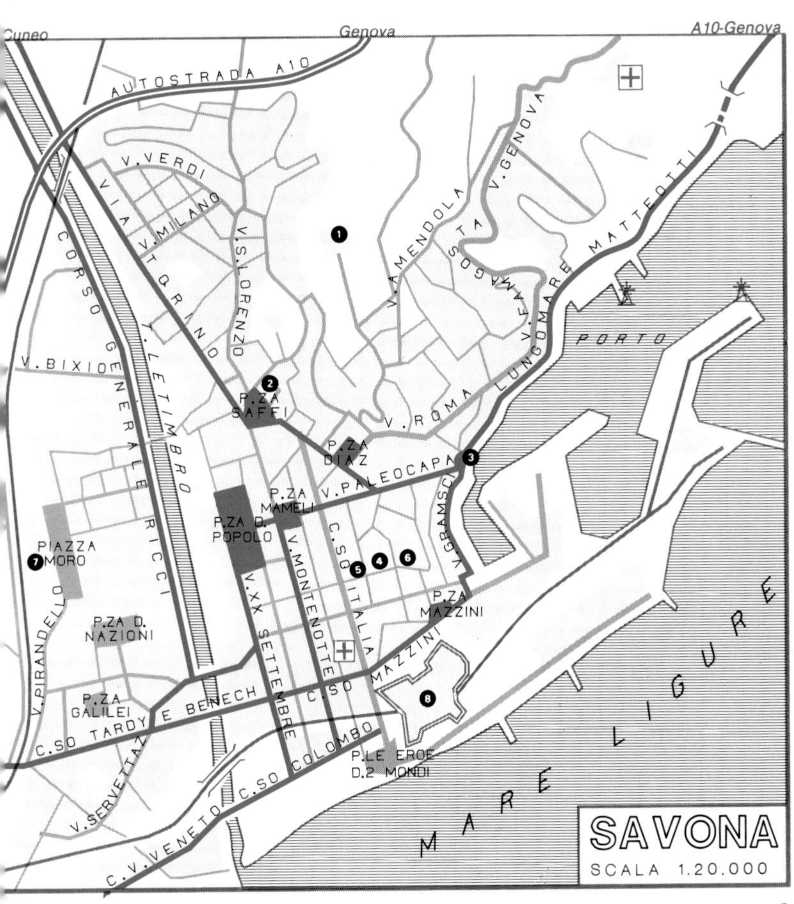

SAVONA

1 Cappuccini
2 Prefettura
3 Torre di Leon Pancaldo
4 Duomo
5 Comune
6 Palazzo della Rovere
7 Stazione F.S.
8 Fortezza Priamar

SIRACUSA

1 Teatro Greco
2 Anfiteatro Romano
3 Santa Lucia
4 Stazione F.S.
5 Ginnasio Romano
6 Tempio di Apollo
7 Comune
8 Duomo
9 Museo Regionale
10 Fontana Aretusa

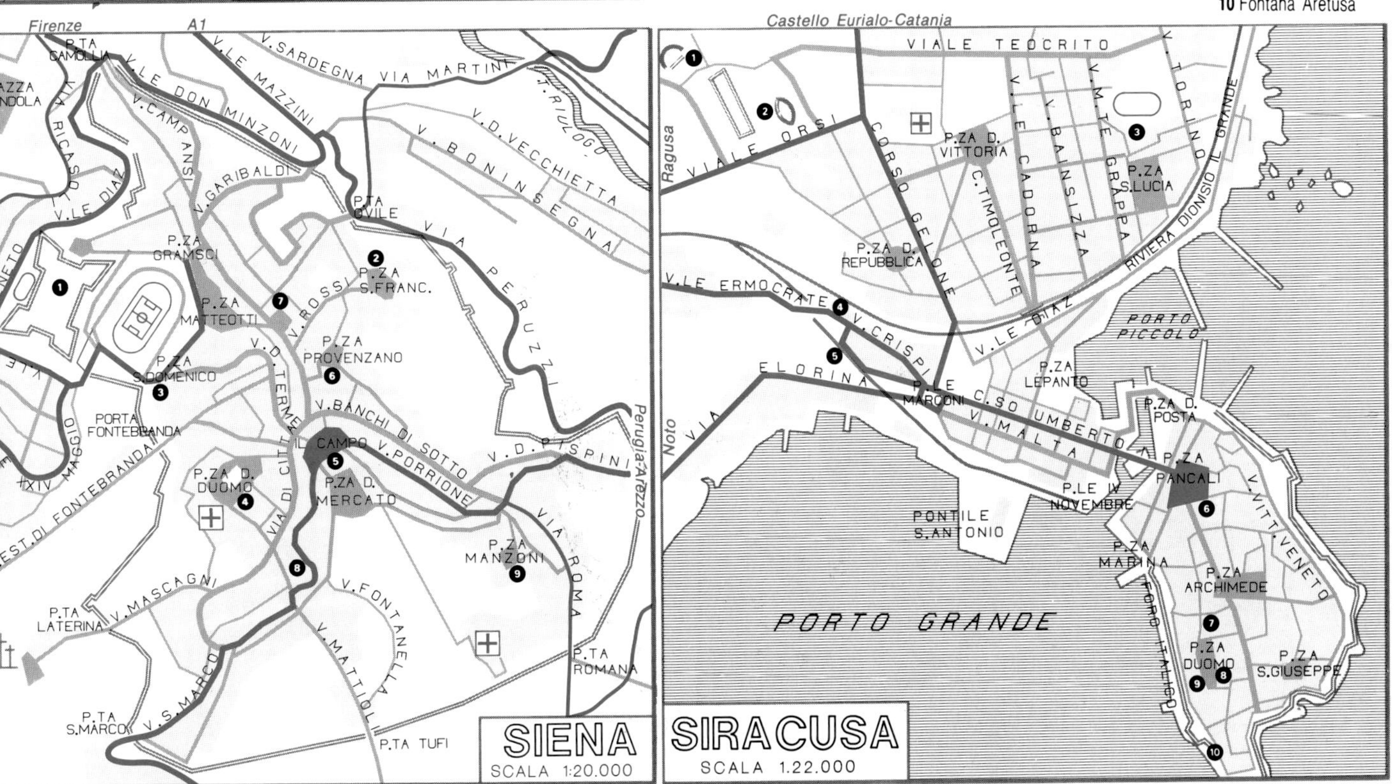

SIENA

1 Forte Santa Barbara
2 San Francesco
3 San Domenico
4 Duomo
5 Comune
6 Santa Maria in Provenzano
7 Palazzo Salimbeni
8 Pinacoteca Nazionale
9 Santa Maria dei Servi

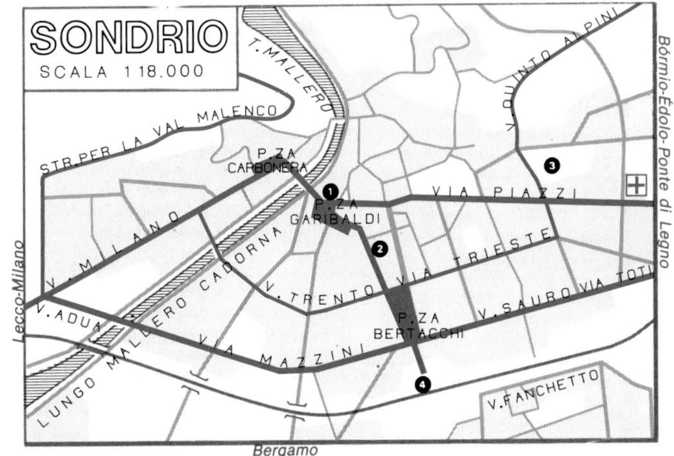

SONDRIO

1 Comune
2 Prefettura
3 Palazzo Quadrio (Museo)
4 Stazione F.S.

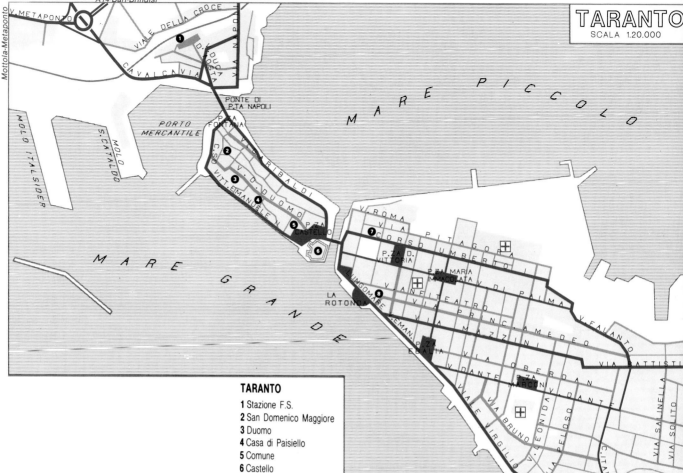

TARANTO
SCALA 1:20.000

TARANTO

1 Stazione F.S.
2 San Domenico Maggiore
3 Duomo
4 Casa di Paisiello
5 Comune
6 Castello
7 Museo Nazionale
8 Prefettura

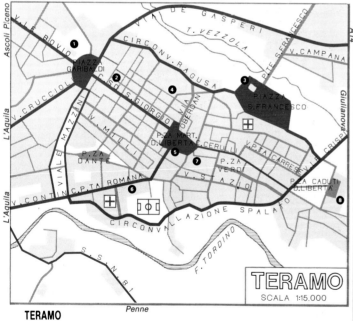

TERAMO
SCALA 1:15.000

TERAMO

1 Museo
2 Prefettura
3 Stazione Autolinee
4 Sant'Agostino
5 Duomo
6 San Domenico
7 Teatro Romano
8 Madonna delle Grazie

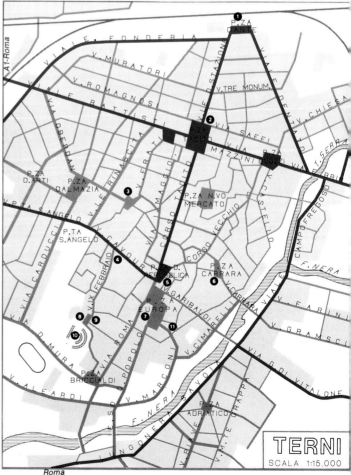

TERNI
SCALA 1:15.000

TERNI

1 Stazione F.S.
2 Prefettura
3 San Francesco
4 Palazzo Mazzancolli
5 Comune
6 San Pietro
7 Palazzo Spada
8 Duomo
9 Palazzo Bianchini - Riccardi
10 Anfiteatro Romano
11 San Salvatore

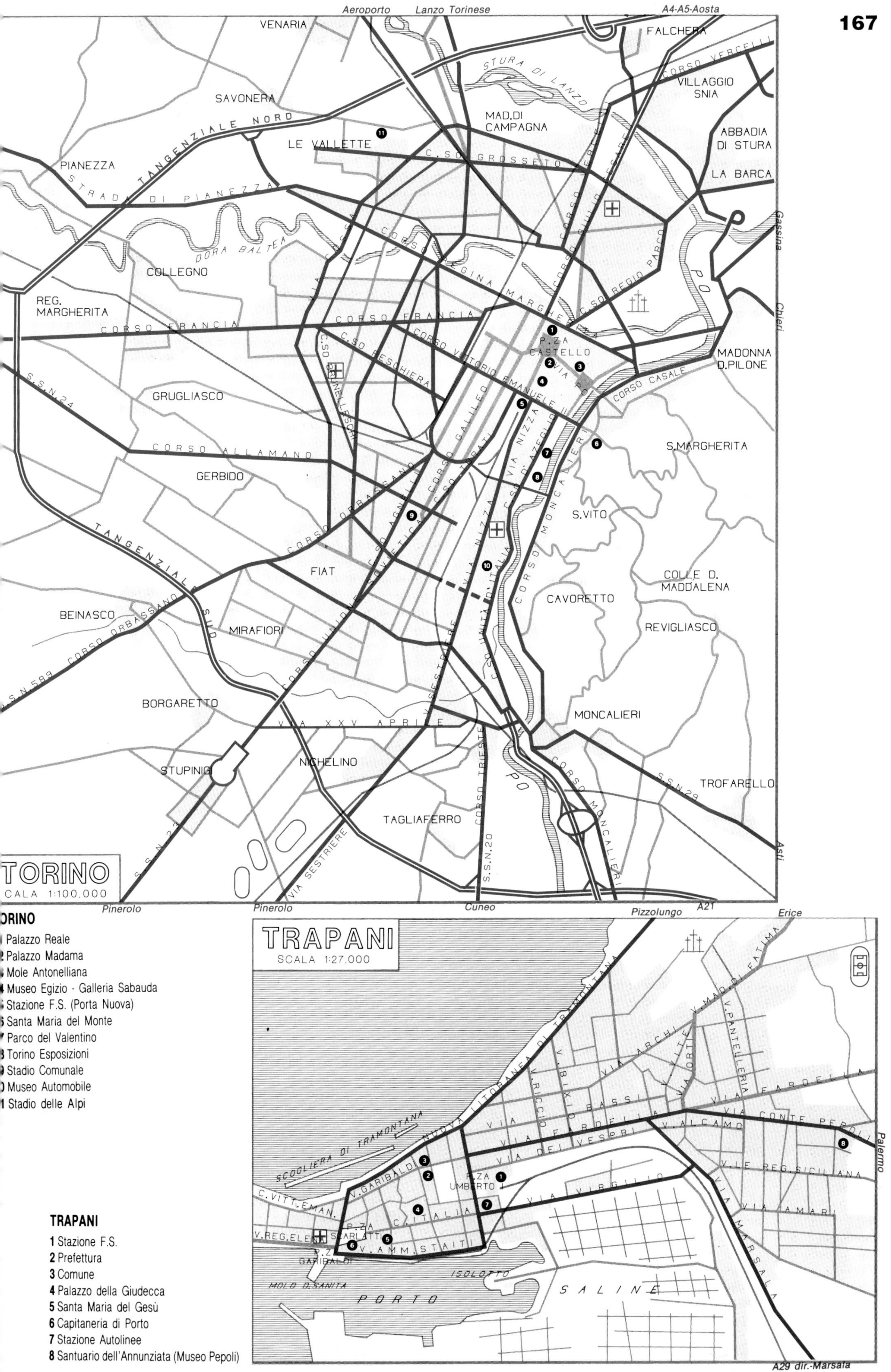

TORINO

SCALA 1:100.000

TORINO

1 Palazzo Reale
2 Palazzo Madama
3 Mole Antonelliana
4 Museo Egizio - Galleria Sabauda
5 Stazione F.S. (Porta Nuova)
6 Santa Maria del Monte
7 Parco del Valentino
8 Torino Esposizioni
9 Stadio Comunale
10 Museo Automobile
11 Stadio delle Alpi

TRAPANI

SCALA 1:27.000

TRAPANI

1 Stazione F.S.
2 Prefettura
3 Comune
4 Palazzo della Giudecca
5 Santa Maria del Gesù
6 Capitaneria di Porto
7 Stazione Autolinee
8 Santuario dell'Annunziata (Museo Pepoli)

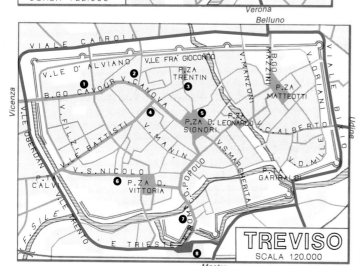

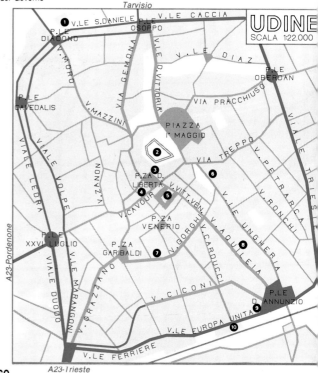

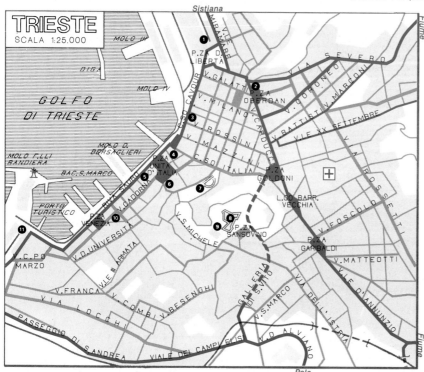

TRENTO

1 Doss Trento
2 Stazione F.S.
3 Palazzo della Provincia
4 Palazzo della Regione
5 Castello del Buonconsiglio - (Museo del Risorgimento)
6 Santa Maria Maggiore
7 Comune
8 Duomo - Palazzo Pretorio
9 Università
10 Collegio Arcivescovile
11 Palazzo del Governo

UDINE

1 Palazzo delle Mostre
2 Castello (Museo)
3 Porticato San Giovanni
4 Comune
5 Duomo
6 Palazzo Arcivescovile
7 Museo Storia Naturale
8 Università
9 Stazione Autolinee
10 Stazione F.S.

TREVISO

1 Museo Civico
2 Casa Trevigiana
3 Comune
4 Duomo
5 Palazzo del Podestà - Palazzo dei Trecento
6 San Nicolò - Seminario
7 Stazione Autolinee
8 Stazione F.S. (Centrale)

TRIESTE

1 Stazione F.S. (Centrale)
2 Museo del Risorgimento
3 Palazzo Carciotti (Capitaneria di Porto)
4 Palazzo del Governo
5 Palazzo del Loyd
6 Comune
7 Teatro Romano
8 Castello
9 Basilica Romana - San Giusto
10 Museo Revoltella
11 Stazione F.S. (Campo Marzio)

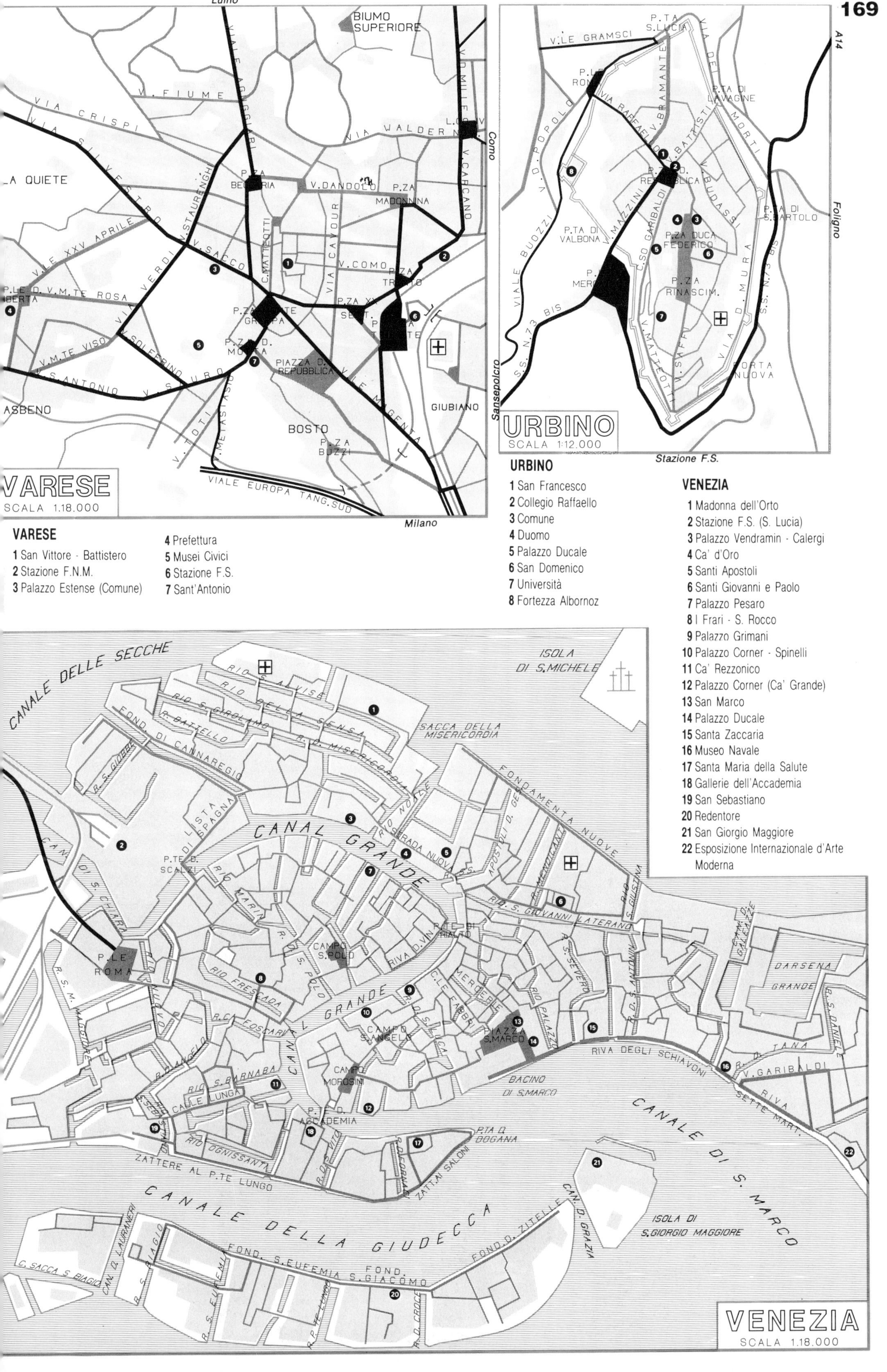

VARESE
SCALA 1:18.000

URBINO
SCALA 1:12.000

URBINO
1 San Francesco
2 Collegio Raffaello
3 Comune
4 Duomo
5 Palazzo Ducale
6 San Domenico
7 Università
8 Fortezza Albornoz

VENEZIA
1 Madonna dell'Orto
2 Stazione F.S. (S. Lucia)
3 Palazzo Vendramin - Calergi
4 Ca' d'Oro
5 Santi Apostoli
6 Santi Giovanni e Paolo
7 Palazzo Pesaro
8 I Frari - S. Rocco
9 Palazzo Grimani
10 Palazzo Corner - Spinelli
11 Ca' Rezzonico
12 Palazzo Corner (Ca' Grande)
13 San Marco
14 Palazzo Ducale
15 Santa Zaccaria
16 Museo Navale
17 Santa Maria della Salute
18 Gallerie dell'Accademia
19 San Sebastiano
20 Redentore
21 San Giorgio Maggiore
22 Esposizione Internazionale d'Arte
   Moderna

VARESE
1 San Vittore - Battistero
2 Stazione F.N.M.
3 Palazzo Estense (Comune)
4 Prefettura
5 Musei Civici
6 Stazione F.S.
7 Sant'Antonio

VENEZIA
SCALA 1:18.000

VERBANIA

1 Ospedale
2 Impianti Sportivi
3 Cimitero
4 Ospedale
5 Cimitero
6 Municipio
7 Chiesa di S.Remigio

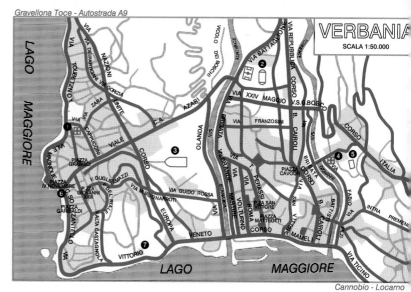

VERCELLI

1 Stazione F.S.
2 Sant'Andrea
3 Duomo
4 Castello
5 Museo Leone
6 Museo Borgogna
7 Comune
8 Prefettura

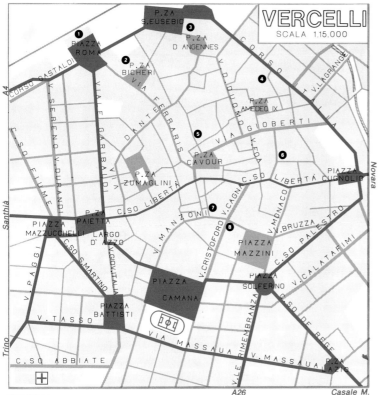

VIBO VALENTIA

1 Ferrovia Calabro-Lucania
2 Stazione F.S.
3 Ospedale Civile
4 Duomo
5 Museo Archeologico Statale
6 Castello Svevo-Normanno

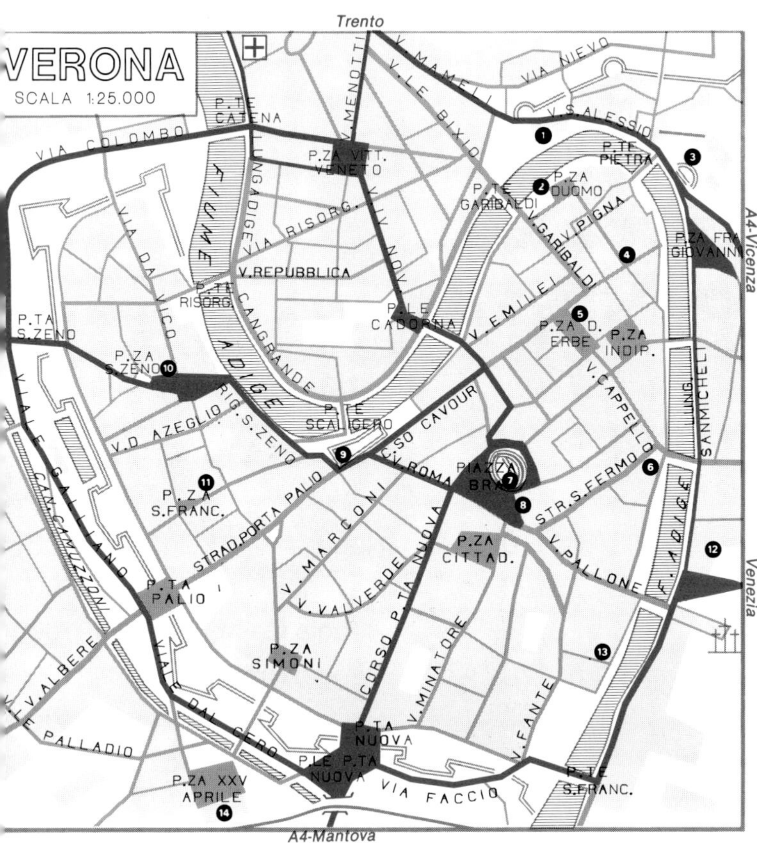

VERONA
SCALA 1:25.000

VERONA
1 San Giorgio in Braida
2 Duomo
3 Museo Archeologico (Teatro Romano)
4 Sant'Anastasia
5 Palazzo della Ragione - Arche Scaligere
  - Loggia del Consiglio
6 San Fermo Maggiore
7 Arena
8 Comune
9 Castelvecchio (Museo d'Arte)
10 San Zeno Maggiore
11 San Bernardino
12 Università
13 Tomba di Giulietta
14 Stazione F.S. (Porta Nuova)

VICENZA
1 Giardino Querini
2 Teatro Olimpico
3 Santa Corona
4 Palazzo Chiericati (Museo)
5 Comune
6 Basilica
7 Duomo
8 Casa Pigafetta
9 Palazzo Valmarana
10 Palazzo Breganze
11 Stazione F.S.
12 Basilica di Monte Berico

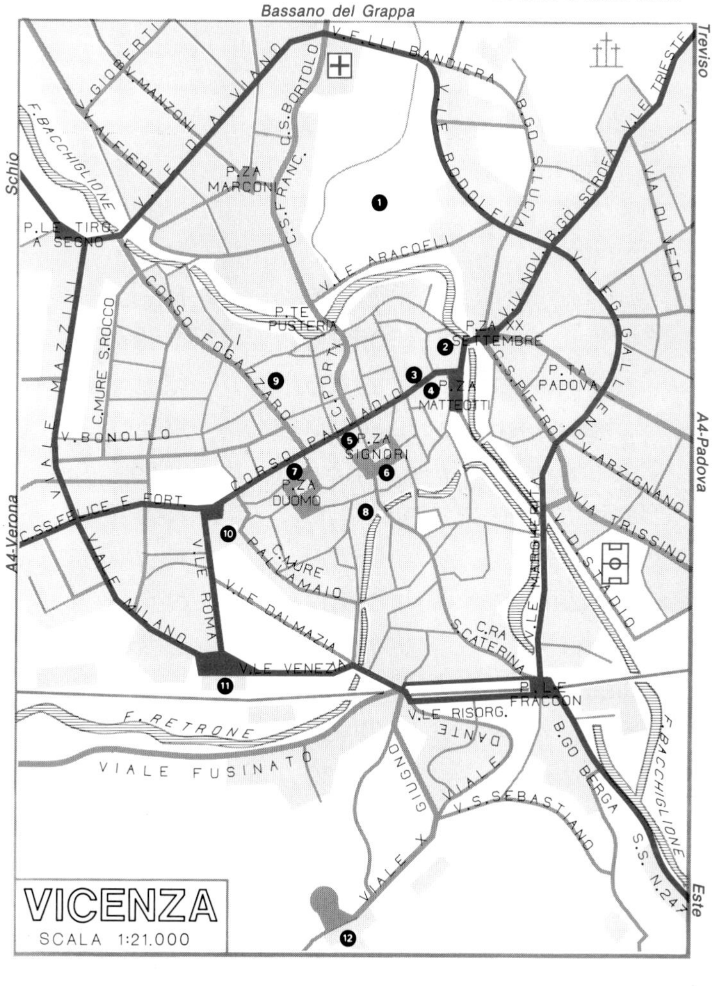

TERBO
Duomo
Palazzo Papale
Museo Civico
Rocca
Quartiere Medievale San Pellegrino
6 Comune
7 Stazione F.S. (Porta Fiorentina)
8 Stazione F.R.N.
9 Stazione F.S. (Porta Romana)
10 Stazione Autolinee
11 Giardino Pubblico

VITERBO
SCALA 1:13.000

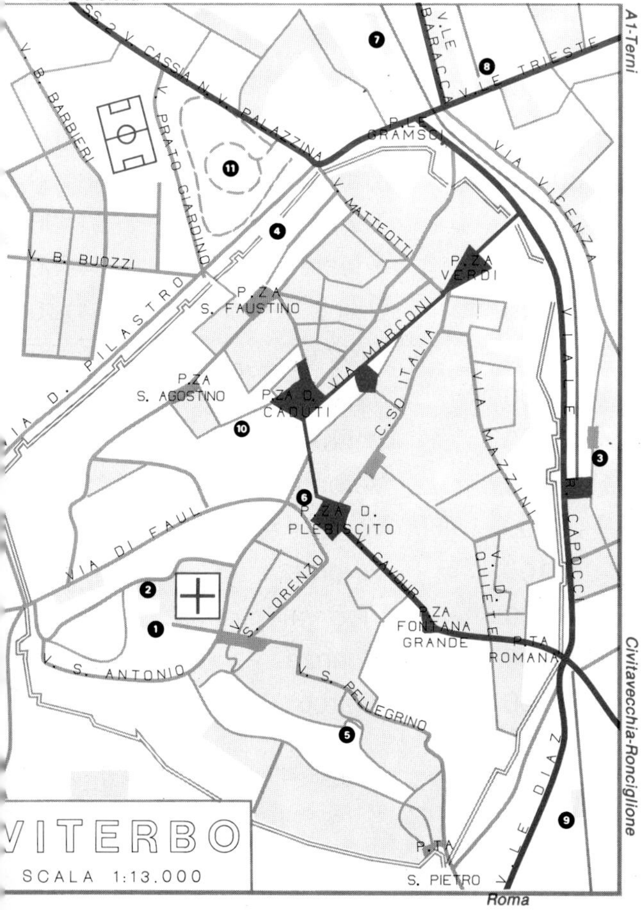

VICENZA
SCALA 1:21.000

C.A.P.
Z.I.P. CODES
INDICATIFS POSTAUX
POSTLEITZAHL
CÓDIGO POSTAL

Agrigento	92100	Frosinone	03100	Potenza	85100
Alessandria	15100	Genova	16100	Prato	59100
Ancona	60100	Gorizia	34170	Ragusa	97100
Aosta	11100	Grosseto	58100	Ravenna	48100
Arezzo	52100	Imperia	18100	Reggio Calabria	89100
Ascoli Piceno	63100	Isernia	86170	Reggio Emilia	42100
Asti	14100	L'Aquila	67100	Rieti	02100
Avellino	83100	La Spezia	19100	Rimini	47900
Bari	70100	Latina	04100	Roma	00100
Belluno	32100	Lecce	73100	Rovigo	45100
Benevento	82100	Lecco	73100	Salerno	84100
Bergamo	24100	Livorno	57100	Sassari	07100
Biella	13900	Lodi	26900	Savona	17100
Bologna	40100	Lucca	55100	Siena	53100
Bolzano	39100	Macerata	62100	Siracusa	96100
Brescia	25100	Mantova	46100	Sondrio	23100
Brindisi	72100	Massa	54100	Taranto	74100
Cagliari	09100	Matera	75100	Teramo	64100
Caltanissetta	93100	Messina	98100	Terni	05100
Campobasso	86100	Milano	20100	Torino	10100
Carrara	54033	Modena	41100	Trapani	91100
Caserta	81100	Napoli	80100	Trento	38100
Catania	95100	Novara	28100	Treviso	31100
Catanzaro	88100	Nuoro	08100	Trieste	34100
Cesena	47023	Oristano	09170	Udine	33100
Chieti	66100	Padova	35100	Urbino	61029
Como	22100	Palermo	90100	Varese	21100
Cosenza	87100	Parma	43100	Venezia	30100
Cremona	26100	Pavia	27100	Verbania	28900
Crotone	88900	Perugia	06100	Vercelli	13100
Cuneo	12100	Pesaro	61100	Verona	37100
Enna	94100	Pescara	65100	Vibo Valentia	89900
Ferrara	44100	Piacenza	29100	Vicenza	36100
Firenze	50100	Pisa	56100	Viterbo	01100
Foggia	71100	Pistoia	51100		
Forlì	47100	Pordenone	33170		

INDICE DELLE LOCALITÀ CONTENUTE NELL'ATLANTE

(Avvertenza per la ricerca)
I nomi sono elencati secondo l'ordine alfabetico, la sigla fra parentesi indica la provincia di appartenenza espressa con la targa automobilistica, il numero seguente la pagina, la lettera e il numero successivo indicano il riquadro nel quale si trova il nome.

INDEX OF PLACES CONTAINED IN THE ATLAS

(Warning for the research)
The names are listed in alphabetical order: the two letter code in brackets gives the province to which the spot belongs as it can be seen on plates; the following number indicates page number and the next letter and number indentify the grid square where the name can be found.

INDEX DES LOCALITÉS CONTENUES DANS L'ATLAS

(Avertissement pour la recherche)
La liste des noms est dressèe en ordre alphabétique: la sigle entre parenthéses indique la province, ainsi comment on peux la voir dans les plaques d'immatriculation; la lettre suivante est le numéro de la page et l'autre lettre avec le numéro suivantes indiquent les coordonnées du carrè ou le nom se trouve.

VERZEICHNIS DER IM ATLAS ENTHALTEN ORTCHAFTEN

(Hinweise für die Auffindung)
Die Namen sind in alphabetischen Ordnung ausgezeichnet. Die Abkürzung in Klammern zeigt den Provinz der gesuchten Ort, wie es auf den Nummerschilder steht; die folgenden zahl beziehet sich auf dem Kartenauschnitt, in dem den Name befindet werden Kann.

ÍNDICE DE LAS LOCALIDADES CONTENIDO EN EL ATLAS

(Advertencia para la busqueda)
Los nombres se encuentran segundo el orden alfabético: entre paréntesis hay la sigla de la provincia; el número siguiente es la pagina de l'atlas; la letra y el número sucesivos indican el recuadro adonde se encuentra el nombre.

ABANO TERME / ÀFRICO

A

Abano Terme (PD) 26 F2
Abasse (AL) 42 A4
Abate Alonia, Lago di (PZ) 85 F3
Abate, Casa I' (LE) 95 D3
Abate, Colle (FR) 82 A2
Abatemarco, Fiume 97 F4
Abatemarco (SA) 96 C4
Abate (TP) 116 A2
Abazia (AL) 32 D4
Abbacurrente, Torre (SS) 125 E3
Abbadesse, Ponte (FO) 49 F1
Abbadesse (RA) 48 C3
Abbadia a Isola (SI) 60 A1-2
Abbadia (AL) 33 E1
Abbadia Alpina (TO) 31 C1
Abbadia (AN) 57 F3
Abbadia Cerreto (LO) 22 F4
Abbadia di Lastreto (LC) 56 E3
Abbadia di Monte Maria (BZ) 1 D4
Abbadia di Stura (TO) 31 A4
Abbadia Lariana (CO) 10 F1
Abbadia, Ponte (VT) 66 D3
Abbadia San Salvatore (SI) 61 F1
Abbadia (SI) 61 C1-2
Abbadorgio, Punta s (NU) 130 F3
Abbalata, Monte (SS) 126 D3
Abbandonata, Masseria (CT) 120 D3-4
Abbandonato, I' (GR) 60 F3
Abbasanta, Altopiano di (OR) 129 F1
Abbasanta (OR) 129 F1
Abbatéggio (PE) 70 F3 4
Abbatello Monte (TP) 108 E3
Abbatóggia, Punta s (SS) 127 A2
Abbatzu, Cantoniera (NU) 128 E4
Abbazia (BO) 47 B4
Abbazia, Masseria (CB) 77 E4
Abbiategrasso (MI) 21 E3
Abbiate Guazzone (VA) 21 B4
Abbioccolo, Fiume 24 B1
Abéllio, Monte (IM) 50 C3
Abetaia (BO) 46 E4
Abeti, Monte degli (GE) 44 B2
Abeto (FI) 48 F2
Abetone, Colle (TE) 69 D4
Abetone (PT) 46 F2
Abeto (PG) 63 F2
Abfaltern [A] 5 D1
Abfaltersbach altersbach [A] 5 D1
Abialzu, Fiume 128 B3
Abila, Punta de s (NU) 133 A1
Abile, Monte (SS) 129 C2
Abini, Nuraghe (NU) 129 F3
Abisso, Rocca dell (CN) 41 D1
Abius Longu, Monte (CA) 135 C2
Able, Col de 1' [F] 50 C2
Aboca (AR) 55 E2
Abondance [F] 6 B1

Abries, Fiume 40 B1
Abriola (PZ) 91 E2
Abriès, Colle Nuovo d' (TO) 30 D3
Abriès [F] 30 D2
Abruzzo, Parco Nazionale d' (AQ) 75 D3
Acaia (LE) 95 E4
Acate o Dirillo, Fiume 123 B1
Acate (RG) 123 B2
Acate Stazione di (RG) 123 B1
Accadia (FG) 84 E4
Accária Rosario (CZ) 105 B1
Accas, Monte (CA) 135 B2
Accas, Nuraghe (OR) 131 A3
Acceglio (CN) 40 A2
Acceglio, Torre d' (CN) 41 B2
Accesa, Lago dell' (GR) 59 E3
Accetta Grande, Masseria (TA) 93 D4
Accetta, Masseria (BA) 86 D3
Accettori, Punta s' (NU) 133 E3
Accettura (MT) 92 E1
Acciaiolo (PI) 52 E3 4
Acciano (AQ) 75 A3
Accia, Portella d' (PA) 109 D3
Acciardi, Masseria (CS) 99 D1
Acciarella (LT) 80 B2 3
Acciaroli (SA) 96 E2
Acci, Monte (TP) 108 D2-3
Accoddi, Monte d '(SS) 125 F3
Accodulazzo, Nuraghe (NU) 132 C-D4
Accónia (CZ) 105 C1
Accorneri (AT) 32 C4
Accorradroxiu, Punta s' (CA) 131 F3
Accéllica Monte (SA) 90 B1
Accu Malu, Punta su (CA) 136 B2
Accúmoli (RI) 69 B2
Acera, Monte (PG) 63 B3
Acera (PG) 68 A3-4
Acerentia Cerentum (KR) 103 E1
Acerenza (PZ) 91 B3
Acerenza, Stazione di (PZ) 91 B3
Acereto, (Ahornach) (BZ) 4 B1-2
Acerno (SA) 90 C1-2
Acero, Forca d' (FR) 75 E3
Acero, Monte (BN) 83 D2 3
Acerra (NA) 88 A4
Acetella, Monte d '(SS) 125 F3
Acetoni, Colle (AQ) 69 F2
Achomitz [A] 17 B2
Aci Antonio (CT) 121 B1-2
Aci Bonaccorsi (CT) 121 B1
Aci Castello (CT) 121 C2
Aci Catena (CT) 121 B2
Acilia (ROMA) 73 DE1
Aci Platani (CT) 121 B2
Aci S. Filippo (CT) 121 C2
Aci S. Lucia (CT) 121 C2
Aci Trezza (CT) 121 C2

Acles, Chalets des [F] 30 B1
Acomizza, Monte (UD) 17 B1
Acone Sant Eustachio (FI) 54 C2
Acqua, All' [CH] 8 A4
Acquabella, Punta di (CH) 71 E2
Acqua Bianca, Fiume 90 AB2
Acquabianca (GE) 43 B1
Acqua Bianca, Pizzo (ME) 113 D1
Acquabona (BL) 4 F2 3
Acquabona (GE) 43 B1
Acquabona, Passo di (CZ) 105 A1
Acquabona (RE) 45 D4
Acquacadda (CA) 135 C1
Acqua Calda Fiume 83 C3
Acquacalda (ME) 111 A3
Acquacalda (RC) 114 C2
Acqua Callenti, Fiume s' 133 F2
Acquacanina (MC) 63 E2-3
Acqua Chiara, Canale 81 C3
Acqua Claudia, Stabilimento (ROMA) 73 B1
Acquacotta, Cant. de s' (CA) 135 A1-2
Acquadalto (FI) 47 F4
Acqua dei Corsari (PA) 109 D3
Acqua dei Ranci, Masseria (IS) 76 E2
Acqua del Gallo, Fiume 1 E2
Acqua delle Rose (FG) 79 E3
Acqua di San Franco, Fiume 69 D3-4
Acqua durci, Cala de s' (CA) 133 F3
Acqua durci, Stagno d'(CA) 133 F3
Acquaficara (ME) 112 C4
Acquafondata (FR) 82 A3
Acquaformosa (CS) 98 F1
Acqua Fraggia, Lago di (SO) 10 B2
Acquafredda (BS) 24 F1
Acquafredda, Castello di (CA) 135 B-C2
Acquafredda Inferiore / Superiore (GE) 43 B3
Acqua Fredda (PZ) 97 CD2
Acqua Fredda, Serra (PZ) 91 C4
Acquafredda (SV) 42 C2
Acqua (GE) 44 C1
Acqualagna (PS) 56 E2
Acqua, L' (PO) 47 F1
Acqualoreto (TR) 67 B4
Acqualunga, Abbazia di (PV) 33 B2
Acqualunga Badona (CR) 35 A2
Acqualunga (BS) 23 F2
Acqua Marcia (AL) 32 F3-4
Acqua Marza (VE) 38 C4
Acquamorta (NA) 88 B2
Acquanegra Cremonese (CR) 35 B2
Acquanegra Sante Chiese (MN) 36 B1
Acquapendente (VT) 67 A1
Acquappesa (CS) 101 C3
Acqua Puzza, Monte (LT) 80 A4
Acquara (SA) 90 D3
Acquara, Tempa (SA) 90 E3
Acquaratola (TE) 69 B4

Acquaresi (CA) 134 B3
Acquaria (MO) 46 D3
Acquarica del Capo (LE) 100 E2 3
Acquarica di Lecce (LE) 95 F4
Acquaro (CZ) 104 F4
Acquarola (SA) 89 C3
Acquaro, Masseria (BR) 95 C1
Acquarone (ME) 113 B3
Acquaro (VV) 114 C3
Acquarossa [CH] 9 A3
Acquarotta, Casa (FG) 78 C2
Acquasanta (AN) 57 F1
Acquasanta (GE) 43 B2
Acquasanta, Monte (PA-CL) 119 B2
Acquasanta (PA) 109 C3
Acquasanta Terme (AP) 69 A3
Acqua Seccagna, Timpa (PZ) 98 B2
Acquas e s' Ollasiu is Arenas (CA) 131 D2-3
Acquaseria (CO) 9 E4
Acquasparta (TR) 68 B1-2
Acquate (CO) 22 A3
Acquatetta, Stazione di (BA) 86 F2
Acquato, Lago (GR) 66 D2
Acqua Tosta, Monte (ROMA) 72 B3
Acquavella (SA) 96 B2
Acquavena (SA) 97 C1
Acquaviva Casteltèrmini, Stazione di (CL) 118 C3
Acquaviva (CH) 76 C4
Acquaviva Collecroce (CB) 77 D2
Acquaviva, Colle di (CB) 77 D2
Acquaviva delle Fonti (BA) 93 A1-2
Acquaviva d' Isernia (IS) 76 F2
Acquaviva, Monte (CH) 76 B2
Acquaviva, Monte (CS) 103 C2
Acquaviva (MT) 92 D3
Acquaviva Picena (AP) 64 E3
Acquaviva Plátani (CL) 118 C4
Acquaviva (ROMA) 73 A4
Acquaviva [R.S.M.] 55 B4
Acquaviva (SI) 61 D2
Acquaviva (TN) 13 F1
Acque Albule, Bagni (ROMA) 73 C4
Acquedolci (ME) 111 D3-4
Acque Fredde (VR) 24 D3
Acquerino (PT) 53 A3
Acque Termali, Stabilimento (PZ) 91 A1-2
Acquético (IM) 41 EF4
Acquevive (IS) 76 F4
Acquisti, Fattoria (GR) 59 F4
Acqui Terme (AL) 32 F4
Acquosi (MC) 63 C2
Acri, Bivio (CS) 102 C1
Acri (CS) 102 C2
Acropoli (IS) 76 F4
Acrópolis (TP) 117 C1
Aculeia, Casa (PA) 110 E4

Acuta, Monte (AV) 84 D2 3
Acuto (FR) 74 E3
Acuto, Monte (AR) 54 E4
Acuto, Monte (FG) 79 E2
Acuto, Monte (MC) 63 B3
Acuto, Monte (MO) 47 D1
Acuto, Monte (MT) 92 D4
Acuto, Monte (PG) 62 B1
Acuto, Monte (PG) 63 D1
Acuto, Monte (PS) 56 F2
Acuto, Monte (SS) 126 F4
Acuto, Monte (SS) 129 AB3
Acuto, Monte (SV) 42 E2
Adálicu, Monte (NU) 133 B2 3
Adamello Brenta, Parco Naturale (TN) 12 CD2-3
Adamello (BS) 11 D4
Adami (CZ) 105 A1
Adami Fiume 1 F3
Adda, Fiume 10 D2-11 C3-22 F3
Adda, Sorgenti dell' (SO) 1 E2
Addaura (PA) 109 C2
Adde, Punta e (SS) 128 A4
Addetta, Masseria d' (FG) 79 F1
Addolorata (ME) 107 F4
Addolorata (ME) 112 B4
Addolorata, Santuario dell' (IS) 83 A1
Addolorata (TP) 108 F1
Addori, Nuraghe (NU) 132 C3
Adegliacco (UD) 16 F4
Adelano (MS) 44 C4
Adelfia (BA) 87 F3
Adige, (Etsch), Fiume 2 E1-12 DE4
Adige, Fiume 1 D4 24 D4-25 F2 37 B4
Adige, Foce dell' (VE) 39 B1-2
Adone, Monte (BO) 47 D2 3
Adone, Monte Galleria di (BO) 47 D2-3
Adorno, Borgo (AL) 33 E4
Adorno (RC) 114 C2
Adrano (CT) 120 B4
Adrara San Martino (BG) 23 B2
Adrara San Rocco (BG) 23 B2
Adret (TO) 30 A4
Adriana, Villa (ROMA) 73 C4
Adriano, Villa d' (ROMA) 74 D1
Adria (RO) 38 C4
Adro (BS) 23 C3
Adula, Rifugio [CHI 9 A3
Adunata, Ponte (TR) 67 B3
Adus, Refuge Des [F] 40 DE4
Aeclanum (AV) 84 F2
Affaitati, Masseria (BA) 87 B3
Affilani, Monti (ROMA) 74 D3
Affile (ROMA) 74 D2
Affitti, Casa (LI) 59 E1
Affi (VR) 24 D3
Afra, Fiume 55 E2
Afragola (NA) 88 A4
Àfrico (RC) 114 D4

Àfrico (RC) 115 E1
Àfrico Nuovo (RC) 115 E1
Afrile (PG) 62 E4
Agaggio Inferiore (IM) 41 F3
Aga, Monte (SO) 11 F1
Agarina (VB) 8 C3
Agaro, Lago (VB) 8 B3
Agaro, Monte (TN) 13 E4
Agarrn [CH] 7 B3
Àgate, Casa (TP) 117 A1
Agazzano (PC) 34 D3
Agazzi (AR) 54 F4
Agazzino (PC) 34 C3
Agelli (AP) 63 F4
Agello (MC) 63 B2
Agello (PG) 61 D4
Agel, Mont [F] 50 D2
Agenzia Lovati (VE) 28 D2
Agérola (NA) 89 D2
Agettes, Les [CH] 7 C1
Agézio, Fiume 108 F2
Aggi (PG) 62 D4
Aggia, Fiume 61 A4
Aggio (GE) 43 B3
Aggius (SS) 126 D3-4
Aggius, Stazione (SS) E3-4
Agira (EN) 120 B1
Agliana (PT) 53 B3
Agliano (AT) 32 E3
Agliastro, Scoglio (RC) 114 B3
Agliena, Fiume 53 E3
Aglientina (SS) 127 C2
Aglientu, Monte (SS) 127 C1
Aglientu (SS) 126 C4
Aglietti (BI) 20 C3
Agliè (TO) 19 E4
Agna (AR) 54 D4
Agnadello (CR) 22 E4
Agna, Fiume 53 B3
Agnana Calabra (RC) 115 B1-2
Agnano, Castello di (LE) 99 B3 4
Agnano, Masseria (BA) 87 F4
Agnano (PI) 52 C3
Agnano Terme (NA) 88 B3
Agna (PD) 38 B3
Agna (PR) 45 B3
Agnara, Croce di (CS) 102 E4
Agnata, L' (SS) 126 C3
Agnedo (TN) 13 E3
Agnel, Lago (TO) 18 D4
Agnella, Pizzo di (CL) 119 C1
Agnellasca, Fiume 33 F4
Agnellengo (NO) 21 C1
Agnelleria, Monte (CL) 119 D1
Agnelleria, Stazione di (CT) 120 C4
Agnellezze, Monte (BL) 14 E4
Agnellino, Bric (SV) 42 D2
Agnelli, Sanatorio (TO) 30 B3 4
Agnello, Colle dell' (CN) 30 E2 3
Agnello, Monte (TN) 13 C3
Agnello, Poggio all' (LI) 59 DE1
Agnel, Piz d' [CH] 10 A3-4
Agnel, Refuge [F] 30 E2
Agner, Monte (BL) 14 C2
Agnino (MS) 45 D2 3
Agno (CH) 9 E2
Agnone Bagni (SR) 121 E1-2
Agnone di Siracusa, Stazione di (SR) 121 E1
Agnone (IS) 76 D3
Agnone (SA) 96 B1
Agnone (VC) 20 B3
Agnosine (BS) 24 C1
Agnova (TE) 69 B4
Agogna, Fiume 21 C1
Agogna, Fiume 33 B2
Agognate (NO) 21 D1
Agoiolo (CR) 36 C1
Agolla (MC) 63 CD1
Agolo, Monte (BS) 23 B3
Agordo (BL) 14 C2 3
Agosta (ROMA) 74 C2
Agostinassi (CN) 31 E3
Agostinelli, Masseria (FG) 84 B2-3
Agostinello, Ponte (PA) 110 F2
Agostini, Rifugio (TN) 12 D3
Agra [CH] 9 E2
Agrano (VB) 8 F3
Agraria Gigante, Scuola (BA) 93 B4
Agraria, Istituto d' (FG) 85 C4
Agraria Scuola (NU) 128 D3
Agraria Scuola (NU) 128 E4
Agrate Brianza (MI) 22 C2
Agrate (NO) 21 B1
Agra (VA) 9 E1
Agrenier, Pic de l' [F] 30 D1-2
Agresta, Masseria (LE) 100 D2
Agresto, Monte d' (PZ) 91 F4
Agriano (PG) 69 A1
Agri, Fiume 98 A2
Agrifóglio (CS) 102 F2
AGRIGENTO 118 E2
Agri (PZ) 97 A3
Agrò, Fiume 113 E1
Agromastelli (RC) 115 A3
Agrone (TN) 12 F2
Agrons (UD) 5 F3
Agrópoli (SA) 90 F1
Agrustos (NU) 127 F4
Agudo, Monte (BL) 4 F4
Agugiaia, Monte (GE) 44 B2
Agugia, Scoglio dell' (GE) 43 C2
Aguglia Case (RG) 123 D4
Agugliano (AN) 57 F2 3
Agugliaro (VI) 25 F4
Aguiaro (RO) 38 D3
Agumes (BZ) 1 E4
Aguscello (FE) 38 E1
Aguzzo, Monte (PR) 45 C2 3
Aguzzo, Monte (ROMA) 73 B2
Aguzzo, Monte (ROMA) 74 B2
Aguzzo, Pizzo (SV) 42 F1
Aguzzo (TR) 68 D2
Aiala, Torre d (TA) 93 E4
Aiale, l' (SI) 61 F2
Aiale (PG) 62 A3
Aiarnola, Monte (BL) 4 E4
Aiba [YUI] 17 F2
Aicurzio (MI) 22 C3
Aido Maggiore, (OR) 129 F2
Aidone (EN) 119 D4
Aie (AT) 32 E4
Aie di Cosola (AL) 34 F1
Aielli (AQ) 75 B2
Aielli Stazione (AQ) 75 B2
Aiello, Casa (EN) 119 B4
Aiello Calabro (CS) 101 F4
Aiello del Friuli (UD) 28 B4
Aiello del Sabato (AV) 89 AB3
Aiello (SA) 89 C3
Aiello Torello (SA) 89 B3
Aieta (CS) 97 D3
Aiga, Nuraghe (OR) 129 F1
Aigle [CH] 6 A2
Aigue Agnelle, l' 30 E2
Aigue Blanche 1' 30 E2
Aiguille de la Grand Sassiére [F] 18 C3
Aiguille e Noire de Peuterey (AO) 6 F1-2
Aiguilles [F] 30 D2
Aiguillisse, Rifuge des [F] 6 E2
Aiguillette,Monte (CN) 30 E3
Ailoche (BI) 20 B3
Aime [F] 18 B1
Ainana (TO) 31 C1
Ainet [A] 5 C2
Ainu, Porto (NU) 127 F4
Aiola, L' (PI) 52 F4
Aiola, Monte (FO) 55 B1
Aiola (RE) 36 F1
Aiola, Torre d' TA) 94 D1-2
Aiona, Monte (GE) 44 B2-3
Aira [CH] 6 C4
Airale (CN) 41 C1
Airali (CN) 31 E2
Airali Sottani (TO) 31 D1
Airali Superiore (TO) 31 D1
Airali (TO) 30 D4
Airali (TO) 32 A1
Airasca (TO) 31 C2
Airaudi (TO) 31 D2
Airili, Masseria (FG) 84 B4
Airmana, Rocca (CT) 120 C2
Airola (BN) 83 F3
Airole (IM) 50 C3
Airuno (LC) 22 B3
Aisone (CN) 40 C4
Aiàccio (LI) 52 E3
Ajdovscina, (Aidussina) [YUI] 29 B4
Ajos, is (CA) 135 C1
Ajsovica, (Aisovizza) [YU] 29 AB2
Akragas, Punta (AG) 118 F2
Akrai (SR) 123 B4
Alabe, Porto (OR) 128 E3
Ala (TN) 25 B1
Ala, Fiume 25 B1
Ala, Monti d' (SS) 127 F1
Ala, Punta (GR) 59 F2
Ala, Val di (TO) 19 E1
Alabro, Fiume 74 F3
Alagna (PV) 33 A3
Alagna Valsesia (VC) 7 F4
Alago (BZ) 2 F3
Alaimo, Punta (AG) 122 F3
Alanno (PE) 70 F3
Alano di Piave (BL) 26 A3
Alássio (SV) 42 F2
Alatri (FR) 74 E4
Alatri, Tempio di (FR) 74 E4
Alba Adriática (TE) 64 F4
Albacina (AN) 63 B1-2
Alba (CN) 32 E1
Alba Fucente (AQ) 75 B1
Albagiara (OR) 132 C2
Albagno, Rifugio d' [CH] 9 C3
Albairate (MI) 21 E3-4
Albana (UD) 17 F1
Albanella (SA) 90 E2
Albanella, Stazione di (SA) 90 E1
Albanese, Masseria (BA) 93 B3
Albanesi, Masseria (BR) 95 C1
Albaneto (RI) 69 C1
Albani, Colli (ROMA) 73 E4
Albani, Rifugio (BG) 11 F2
Albanito, Masseria Ponte (FG) 85 C1-2
Albano di Lucánia (PZ) 91 D4
Albano, Fiume 9 D4
Albano, Lago (ROMA) 73 E3
Albano Laziale (ROMA) 73 E3
Albano, Monte (CT) 120 A4
Albano, Monte (CT) 121 B1
Albano, Monte (LU) (MO) 46 E2
Albano, Monte (PT) 53 BC2
Albano Sant'Alessandro (BG) 23 C1
Albano Vercellese (VC) 20 DE4
Albarasca (AL) 33 E3
Albarea (FE) 38 E2
Albaredo Arnaboldi (PV) 34 B2
Albaredo d'Adige (VR) 25 F3
Albaredo per San Marco (SO) 10 D3
Albaredo (TN) 25 A1
Albaredo (TV) 26 C3
Albaredo (VI) 25 A3
Albarella, Isola (RO) 39 C2
Albarelli (MO) 46 E4
Albareto (MO) 37 F1
Albareto, Monte (PC) 34 F3
Albareto (PR) 35 D3 4
Albareto (PR) 44 C4
Albaretto (CN) 40 A3
Albaretto della Torre (CN) 32 F1-2
Albaria (MN) 37 B1
Albarola (PC) 34 D4
Albaro, Masseria (LE) 95 F2
Albaro (VR) 25 F2
Albarozza, Carmo (IM) 41 F3
Albarè (VR) 24 D3
Albate (CO) 22 A1
Alba (TN) 3 F4
Alba, Torre (PA) 109 C1
Alba, Torre (RC) 115 A1
Albavilla (CO) 22 A1
Albazzano (PR) 45 B3
Albe (AQ) 75 B1
Albegna, Fiume 66 C1
Albenga (SV) 42 F2
Alben Monte (BG) 23 A1
Albera Ligure (AL) 33 F4
Alberazzi (RO) 37 C4
Alberese (GR) 65 B4
Alberese, Stazione di (GR) 65 B4
Albereto (RN) 56 B1
Albereto (RA) 48 D3
Alberetti (TO) 31 D1
Alberghi [F] 18 E3
Alberghi (PT) 53 B1
Alberghi AB2
Albergian, Monte (TO) 30 B3
Albergo, L' (AR) 61 A1
Alberi, Cala d' (GR) 65 E2
Alberici (AN) 57 E2
Alberino (BO) 48 A1
Alberi (PR) 35 F4
Alberi, Torre d' (PV) 34 D1
Alberobello (BA) 93 B4
Albero, Cima d' (BL) 13 C4
Albero, Colle dell' (CH) 76 D4
Alberona (FG) 84 B3
Alberone (FE) 37 E3
Alberone (FE) 38 D2
Alberone, Fiume 17 E1
Alberone (MN) 36 D2
Alberone (PV) 34 B3
Alberone Stella, Masseria (FG) 85 B3
Alberoni (VE) 27 F1
Alberoro (AR) 61 A1
Albero Sole (AG) 122 F2
Albert I, Refuge [F] 6 D2
Albes (BZ) 3 D3
Albese con Cassano (CO) 22 A1
Albettone (VI) 25 F4
Albiano (AR) 55 F1
Albiano d'Ivrea (TO) 20 D1
Albiano (LU) 46 F1
Albiano (TN) 13 D1
Albiate (MI) 22 C2
Albi (CZ) 105 A3
Albidona (CS) 98 D4
Albignano (MI) 22 D3
Albignasego (PD) 26 F2-3
Albinatico (PT) 53 C1
Albina (TV) 27 A2-3
Albinea (RE) 46 A2
Albinen [CH] 7 AB2-3
Albinia (GR) 65 D4
Albini Nuraghe (NU) F7
Albino (BG) 23 B1
Albiolo (CO) 21 A4
Albiolo, Punta di (TN) 12 C1
Albiona, Pizzo d' (VB) 8 C2
Albions (BZ) 3 E3
Albisano (VR) 24 C3
Albisola Superiore (SV) 42 C4
Albis, Passo (BL) 14 D2
Albissola Marina (SV) 42 C4
Albizzate (VA) 21 B3
Albogásio (CO) 9 E3
Albogno (VB) 8 D3
Albo (VB) 8 E3
Àlbola (SI) 54 F1
Àlbola (TN) 24 A4
Albo, Monte (NU) 130 BC2 3
Albonese (PV) 21 F2
Albónico (CO) 10 C2
Alborino, Casa (FG) 78 E1
Albosággia (SO) 10 D4
Albospino, Masseria (CT) 120 D2
Albospino, Torre (CT) 120 D2
Albrage, Monte (CN) 30 F2
Albuccione (ROMA) 73 C3
Albugnano (AT) 32 B1
Alburchia Monte (PA) 119 A3
Alburni, Monti (SA) 90 E3
Alburno, Monte (SA) 90 E3
Albuzzano (PV) 34 A2
Alcamo (TP) 108 E4
Alcamo Diramazione, Stazione di (TP) 108 E3
Alcamo Marina (TP) 108 D4
Alcantara, Fiume 112 F4
Alcantara, Gola della (ME) 112 F4
Alcara Li Fusi (ME) 111 D4
Alcheda (PN) 15 D2
Alcovia (CT) 120 E3
Aldeno (TN) 12 F4
Aldino, (Aldein) (BZ) 13 B2
Aldu Monte (SS) 126 F2
Alenno San Bartolomeo/San Salvatore (BG) 22 B4
Alento, Fiume 70 F4 71 E1
Alento, Fiume 96 B3
Aleri, Nuraghe (NU) 133 D3
Ales (OR) 132 D1
Alessandra del Carretto (CS) 98 D3
ALESSANDRIA 33 D1-2
Alessano (LE) 100 E3
Alessándria della Rocca (AG) 118 C2
Alessi, Fiume 105 C2
Alessio, Ca di (PZ) 91 B3
Alessio con Vialone (PV) 34 A1
Alessio (FO) 55 B3
Alesso (UD) 16 D2
Aletsch Gletscher, Gr. [CH] 8 A1
Aletschhorn [CH] 8 A1
Alèzio (LE) 100 C1
Alfano (SA) 96 B4
Alfedena (AQ) 76 E1
Alfeo (CR) 35 C4
Alteo, Monte (PC) 34 F1-2
Alfero (FO) 55 C2
Alfianello (BS) 35 A3
Alfiano (CR) 35 A3
Alfiano Natta (AL) 32 B3
Alfieri, Masseria (BR) 94 C2
Alfi (MC) 63 E2
Alfiolo Castel d' (PG) 62 B3
Alfonsa, Casa d' (FG) 78 E2
Alfonsine (RA) 48 B4
Alga, Punta d' (TP) 107 F4
Alghero, Rada di (SS) 128 B2
Alghero (SS) 128 B2
Algone, Val d' (TN) 12 E3
Algua (BG) 23 A1
Alí(ME) 113 D2
Alí(TP) 108 E1
Àlia (PA) 118 A3
Alianello (MT) 98 A2
Alianello Nuovo (MT) 98 A2
Aliano (MT) 98 A2
Àlica (PI 53 E1
Alice (AL) 33 F2
Alice Bel Colle (AL) 32 E4
Alice Castello (VC) 20 E2
Alice Superiore (TO) 19 D4
Alicudi, Isola (ME) 110 A2
Alidosi, Castello (BO) 47 E4
Alidurri, Punta (NU) 130 E3
Aliena (PG) 69 A1
Alife (CE) 83 C1
Aliforni (MC) 63 B2-3
Aliga, Punta de s' (CA) 134 E3
Aliga, Punta s' (CA) 134 D3
Alimena (PA) 119 B2
Alimini Grande (LE) 100 B4
Alimini Piccolo (LE) 100 B3-4
Aliminusa (PA) 110 F2
Alinuri (NA) 89 D1
Ali, Passo di (AG) 118 E4
Aliperti (NA) 89 A1
Ali Terme (ME) 113 D2
Allai (OR) 132 B2
Allalinhorn [CH] 7 D4
Allamands, Les [F] 6 C1
Allasu, Bruncu (NU) 133 B1
Alleghe (BL) 14 B2
Alleghe, Forcella d' (BL) 14 B3
Alleghe, Lago (BL) 14 B2
Allénidis (UD) 15 B4
Allegrezze (GE) 44 B2 3
Allein (AO) 6 F4
Allelve (TO) 30 B2
Alleri (PA) 119 B3
Allerona (PR) 61 F2 3
Allerona, Stazione dell' (TR) 67 A2
Alle Sale (VB) 8 F4
Allievi, Rifugio (SO) 10 C3
Alliste (LE) 100 DE1
Allivellatori (TO) 31 B1-2
Alliz, Punta (Litzner/Sp.) (BZ) 2 D1
Allocchi, Galleria degli (FI) 54 A2
Allues [F] 18 CD1
Allume (ME) 113 D1-2
Allumiere (ROMA) 72 A2
Alluvioni Cambio (AL) 33 C2
Alma (CN) 41 C3-4
Alma, Fiume 59 F3
Almagelle Alphotel [CH] 7 D4
Almana, Punta (BS) 23 B3-4
Almazzago (TN) 12 C3
Almellina (CN) 41 D2
Almerita, Masseria (PA) 119 A1
Almese (TO) 31 A1-2
Almáis (PN) 15 D4
Almé(BG) 22 B4
Almisano (VI) 25 E3
Alnicco (UD) 16 F3
Alnè (TV) 26 A4
Aloisa, Foce (FG) 86 B1
Alone (BS) 23 C4
Alonte (VI) 25 F4
Alpago (BL) 15 D1
Alpa, Pizzo dell' (AG) 118 C2
Alpe di Campo (VB) 8D2
Alpe Campiascio (SO) 11 C2
Alpe, Casa dell' (FI) 54 A2
Alpe Cheggio (VB) 8 D1-2
Alpe dei Cavalli, Lago (NO) 8 D1
Alpe Caianello (LC) 10E1
Alpe di Luson (BZ) 3 C4
Alpe di Siusi, Rifugio (BZ) 3 F3
Alpàs (BL) 15 D2
Alpe (GE) 43 A4
Alpe Gera, Lago di (SO) 11 C1
Alpeiner Sch. [A] 3 A3
Alpe, Monte d' (PV) 34 E2
Alpe, Monte (SP) 44 D3
Alpe, Monte (SV) 42 E1
Alpepiana (GE) 44 A2
Alperolo (PV) 34 A2
Alpe Sant'Antonio (LU) 45 F4
Alpesigola (MO) 46 E2
Alpe Sponda, Rifugio [CH] 9 A2
Alpet, Monte (CN) 41 D4
Alpetta, Punta dell' (BZ) 3 C1
Alpette (TO) 19 D3
Alpe Veglia (VB) 8 B2
Alphubel [CH] 7 D4
Alpiano (VB) 8 C3
Alpi Apuane, Parco Naturale delle (MS) (LU) 45 F3-4
Alpicella (GE) 44 B3
Alpicella, Monte (SP) 45 D1
Alpicella (SV) 42 C4
Alpignano (TO) 31 A2
Alpi, Monte (PZ) 97 C4
Alpini, Monumento degli (SO) 11 B1
Alpinolo, Rifugio d' (AV) 89 A3
Alpino (NO) 8 F4
Alpone, Fiume 25 E2
Alpo (VR) 24 F4
Alseno (PC) 35 D2
Alseno, Stazione di (PC) 35 D2
Alserio (CO) 22 B2
Alslero, Lago di (CO) 22 A2
Altaccio, Monte (FO) 54 B4
Alta, Cima (TE) 69 D4
Alta Corte (MN-VR) 36 A4
Altacroce, Monte (H. Kreusz Sp) (BZ) 2 C4
Altacroce, Monte (Hochkreuz/Sp) (BZ) 4 BC3
Alta, Croda (BL) 4 F3-4
Alta, Croda (Hohe Wand) (BZ) 3 A
Alta Engadina [CH] 1 DE1
Altafossa Val d' (BZ) 3 C3
Altagnana (MS) 45 F3
Altamura (BA) 92 B4
Altana, Fiume 126 F2
Altana (UD) 17 F1-2
Altano, Capo (CA) 134 C2
Alta, Punta (BZ) 1 E4
Altarella Punta (TP) 107 E3
Altare, Monte (CS) 102 C3
Altare P. Rifugio (VC) 7 F4
Altare, Scogli dell' (BS) 24 D2 3
Altare (SV) 42 C3
Alta, Rocca (CN) 41 C2
Alta Sant'Egidio (AR) 61 B3
Alta, Serra (AQ) 75 E2
Alta, Serra (CZ) 105 A1
Alta, Serra d' (MT) 92 C4
Alta, Toppa (PZ) 98 C1
Altaura (PD) 37 B4
Alta, Vall' (BG) 23 B1
Alta valle Pesio, Parco Naturale dell' (CN) 41 D2-3
Alta Val Sesia, Parco Naturale (VC) 7 F4
Alta Val Sesia (VC) 8 EF1
Altavilla Irpina (AV) 84 F1
Altavilla Milicia (PA) 109 D4
Altavilla Monferrato (AL) 32 C4
Altavilla Silentina (SA) 90 E2
Altavilla (TE) 69 C4
Altavilla Vicentina (VI) 25 D4
Alte Ceccato (VI) 25 E4
Altedo (BO) 47 A4
Altoi, Pala d' (PN) 15 D2
Altesina, Monte (PA) 119 B3
Altesino (SI 60 D3
Alteta (AP) 64 C1
Altidona (AP) 64 D3
Altilia CB) 83 B3
Altilia (CS) 102 F1
Altilia (KR) 103 F1-2
Altino (CH) 76 B3
Altino (VE) 27 D2
Altissima (Hochwilde) (BZ) 2 C3
Altissimo di Nago, Monte (TN) 24 B4
Altissimo, Monte (MS) (LU) 45 F3-4
Altissimo, Monte (TN) 12 F2
Altissimo (VI) 25 D2
Altivole (TV) 26 B3
Alto (CN) 42 E1
Alto, Colle (RI) 69 F2
Alto, Coll' (PN) 15 F1
Alto di Pelsa, Monte (BL) 14 B2
Alto di Sella (MS) (LU) 45 F3-4
Alto, Dosso (BS) 24 B1-2
Altoé (PC) 34 D4
Altofonte (PA) 109 D2
Altoggio (VB) 8 C3
Altolia (ME) 113 D2
Alto, Masseria dell' (LE) 99 C3
Altomena (FI 54 C2
Alto, Monte (AQ) 75 D1
Alto, Monte (BG) 23 A3
Alto, Monte (BL) 14 D3
Alto, Monte (BZ) 2 D1
Altomonte (CS) 101 A4
Alto, Monte (FR) 74 F3
Alto, Monte (GR) 60 D1
Alto, Monte (IM) 41 F2
Alto, Monte (IS) 83 B1
Alto, Monte (LT) 81 B2
Alto, Monte (LU) 46 E1
Alto, Monte (MS) 45 D3
Alto, Monte (PI) 52 F4
Alto, Monte (PR) 44 B4
Alto, Monte (SV) 42 D3
Alto, Monte (TN) 13 D1
Alto, Monte (VI) 25 E4
Altomuzzo, Ponte dell' (SA) 97 A2
Altopascio (LU) 52 C4
Altopiano della Bainsizza [YUI] 17 F2-3
Alto, Pizzo (CO) 10 E2
Alto, Pizzo (SO) (LC) 10 B2
Alto, Poggio (GR) 66 C1
Alto, Poggio (IM) 41 F4
Alto, Ponte (VE) 27 C3
Altora, Punta (SS NU) 127 E3
Altore Monte (CT) 120 F3

Alto, Ripa dell' (PS) 55 E3-4
Altosa, Fiume 76 C4
Altrocanto (TR) 68 D2
Altstafelhorn [CH] 7 B3
Altuino, Monte (ROMA) 74 D3
Altura, Monte (SS) 127 B1
Alture (UD) 28 B4
Alà dei Sardi (SS) 130 A1
Alvagnano, Monte (PG) 69 B1
Alvano, Pizzo d' (AV) 89 B2
Alvari (GE) 44 B1
Alvaro, Monte (FG) 85 E1
Alvaro, Monte (SS) 125 F2
Alveo dei Camaldoli, Fiume 88 A2-3
Alveo di Lago Sant'Egidio (FG) 79 E1
Alveo Pesola, Lago di (PZ) 91 B2
Alviano, Lago di (TR) 67 C3-4
Alviano (MC) 64 B2
Alviano (TR) 67 C4
Alv!ignanello (CE) 83 D2
Alvianano (CE) 83 D1-2
Alvisopoli (VE) 28 C2
Alvi (TE) 69 C3
Alvito (FR) 75 F3
Alvo, Fiume 91 C4
Alvu, Nuraghe (SS) 126 E1
Alvu, Nuraghe (SS) 129 C1
Alzabecchi, Sella di (SV) 42 E2
Alzano (AL) 33 C3
Alzano Lombardo (BG) 23 B1
Alzasca, Pizzo [CH] 8 B4
Alzate Brianza (CO) 22 B1
Alzate (NO) 21 C1
Alzo (NO) 20 A4
Amaini (PC) 34 E3
Amalfi (SA) 89 D2
Amándola (FG) 85 A3
Amandola, Monte (AP) 63 E3
Amantea (CS) 101 F3-4
Amare, Grotte (AQ) 69 D4
Amariana, Monte (UD) 16 C2-3
Amario, Masseria d' (CB) 77 C2
Amaro, Monte (AQ) 75 E4
Amaro, Monte (AQ) (CH) 76 B1
Amaroni (CZ) 105 C2
Amaro (UD) 16 C3
Amaseno, Fiume 75 F1 81 B2
Amaseno (FR) 81 B2-3
Amastuola, l' (TA) 93 D4
Amata (MI) 22 C1
Amato (CZ) 105 B2
Amato, Fiume 105 BC1
Amato (RC) 114 B4
Amatrice (RI) 69 C2-3
Am Bach [CH] 10 A3
Ambata, Forcella (BL) 4 E4
Ambella (CT) 120 F4
Amberger/H. [A] 2 A3
Ambin, Colle d' (TO) 18 F2
Ambin [F] 18 F2
Ambin, Rifuge [F] 18 F2
Ambin, Rocca d' [F] 18 F2
Ambivere (BG) 22 B4
Amblar (TN) 13 B1
Amborzasco (GE) 44 B3
Ambra (AR) 60 A4
Ambra, Cala d' (NU) 127 F4
Ambrica (BG) 23 A1
Ambria (SO) 11 DE1
Ambrifi, Castello (LT) 81 B3
Ambro, Fiume 63 E3
Ambrogiana (FI) 53 D2-3
Ambrogina, l' (GR) 60 F3
Ambrogio (FE) 38 D3
Ambrosi (CN) 41 C3
Ameglia (SP) 45 F2
Améglio (CE) 82 C3
Amélia (TR) 68 C1
Amelia, Passo d' (TR) 68 C1
Améndola, Stazione di (FG) 85 A3
Améndola, Villaggio (FG) 85 A3
Amendolara (CS) 98 D4
Amendolara Oriolo, Stazione di (CS) 99 D1
Amendolea, Fiumara 114 E3
Amendolea (RC) 114 E3
Ameno (NO) 21 A1
Amerigo (MT) 91 D4
Amiata, Monte (GR) 60 F4
Amiatino, Rifugio (SI) 60 F4
Amica (CS) 102 B4
Amiene Villaggio (LI) 59 A1
Amione, Fiume 33 F1
Amiterno (AQ) 69 E3
Amlach [A]5 C2
Ammertengrat [CH] 7 A2
Ammeto (PG) 62 F1
Ammonite (RA) 48 C4
Amodon [F] 18 F1
Amola del Piano (BO) 47 A2
Amorosa, Fattoria (SI) 61 C1
Amorosi (BN) 83 D2
Amoroso, L' (SA) 91 F2
Amo (SI) 54 F1
Ampezzo (UD) 15 B3
Ampezzo, Valle d' (BL) 14 A3 B3-4
Ampinana (FI) 54 B2
Ampio, Fiume 59 F3-4
Ampola, Val d' (TN) 24 A3
Ampollino, Fiume 102 E4
Ampollino, Lago (CS) 102 E4
Amprino, Rifugio (TO) 30 A4
Ampugnano (SI) 60 B2
Am See [A] 2 A1
Amàndola (AP) 63 E4
Amusa, Fiumara 115 B3
Anacapri (NA) 88 E3
Anagni (FR) 74 E3
Anagni, Stazione di (FR) 74 E3
Anapo, Fiume 124 A2-3
Anastasi, Nuraghe (NU) 133 D3
Ancaiano (SI) 60 B2
Ancarano, Forca d' (PG) 69 A1
Ancarano Sopra (PC) 34 D4
Ancarano (TE) 64 F3
Anchetta (FI) 54 C1
Anchiano (LU) 52 AB4
Anchione (PT) 53 C1
Ancignano (VI) 26 C1
Ancinale (CZ) 105 E2
Anciolina (AR) 54 E3
Ancipa, Lago di (EN) 111 F3
Ancognano (BO) 47 C3
ANCONA 57 E3 4
Anconella (BO) 47 D3
Anconetta (VI) 25 D4
Andagna (IM) 41 F3
Andagna, Rocca di (IM) 41 F3
Andali (CZ) 105 A4
Andalo (TN) 12 D4
Andalo Valtellino (SO) 10 D2
Andezeno (TO) 31 B4
Andolla Pizzo d' (VB) 8 D1
Andolla, Rifugio (VB) 8 D1
Andonno (CN) 41 C1
Andora (SV) 42 F1-2
Andorno Micca (BI) 20 C2
Andrano (LE) 100 D3
Andrate (TO) 20 C1
Andraz (BL) 4 F1
Andraz, Castello di (BL) 4 F1
Andrazza (UD) 15 B2
Andreis (PN) 15 D2
Andretta (AV) 90 A3
Andria (BA) 86 D3
Andriace (MT) 99 A1
Andriano, (Andrian) (BZ) 2 F4
Andria Puddu (SS) 127 E2
Andrich (BL) 14 B2
Andrista (BS) 11 E4
Andrà, Sankt [A] 17 A3-4
Anduins (PN) 15 D4
Anela (SS) 129 C3
Aneo, Monte (PI) 59 B2-3
Aneta (PR) 45 C3
Aneva, Fiume 47 D1
Anfiteatro (PG) 62 E3
Anfo (BS) 24 B2
Anfora, Canale 28 C4
Angarello, Monte (CT) 120 F2
Angelica (PI) 53 D1
Angeli (AN) 56 F4
Angeli, Chiesa degli (CZ) 105 E2
Angeli, Convento degli (LE) 100 E2-3
Angeli Custodi [CH] 11 B2
Angeli, Gli (AN) 57 EF3-4
Angeli, Gli (SI) 60 D3-4
Angeli, Golfo degli (CA) 135 C3-4
Angeli, Monte degli (FG) 79 E1-2
Angelini Masseria (BR) 95 D1
Angelo Custode, Casa (SS) 126 B2
Angeloga Passo di (SO) 10 B2
Angelo Monte (KR) 103 F2
Angeloni, Masseria (FG) 85 B4
Angelo, Valle dell' (SA) 90 F4
Angera (VA) 21 A1
Angern [A] 2 B3
Anges, Baie des [F] 50 E1
Anghebeni (TN) 25 B2
Anghelu Ruiu, Necropoli (SS) 128 AB2
Anghiari (AR) 55 F2
Angiari (VR) 37 A2
Angiolino, Cima dell' (TO) 19 E2
Angitola, Lago dell' (VV) 104 D4
Angitola, Piana dell' (CZ) (VV) 104 C4
Angitola, Ponte (VV) 104 D4
Angiulli, Masseria (TA) 94 D1-2
Angiulli, Monte (TA) 93 C3
Angizia (AQ) 75 C1
Anglona (SS) 126 F1-2
Angoletta (BL) 14 D2
Angoli (CZ) 105 B2
Angolo Terme (BS) 11 F2
Angone (BS) 11 F2 3
Angoris (GO) 29 B1
Angri (SA) 89 C2
Angrogna, Fiume 30 CD4
Angrogna (TO) 30 D4
Anguillara Sabàzia (ROMA) 73 B1
Anguillara, Stazione di (ROMA) 73 B1
Anguillara Veneta (PD) 38 B3
Angúria, L' (LE) 100 D1
Anhovo, Salona [YUI] 17 F2
Aniene, Fiume 73 C4 74 D4
Aniene, Sorgenti dell' (ROMA) 74 C4
Animona [CH] 7 B2
Anita (FE) 48 B4
Anitra, Lago dell' (IS) 76 D3
Anitrella (FR) 75 F1
Ankaran, Ancarano [YUI] 29 E3
Anna (RC) 114 F2
Annecchino, Ponte (CE) 82 F4
Annegato, Ponte dell' (RC) 104 F3
Anne, Ste. [F] 18 F1
Annibale, Ponte (CE) 83 E1
Annicco (CR) 35 A1
Annifo (PG) 63 D1
Anniviers, Val d' [CH] 7 BC2
Annone di Brianza (LC) 22 A2
Annone, Lago di (LC) 22 A2
Annone Veneto (VE) 27 B4
Annunziata (AT) 32 E2
Annunziata (CA) 136 B2 3
Annunziata (CE) 83 E2
Annunziata (CN) 41 C3
Annunziata (FG) 79 F1
Annunziata, Fiumara 114 D2
Annunziata, L' (AT) 32 E3
Annunziata, L' (BA) 87 E2
Annunziata, L' (CT) 112 F2
Annunziata, L' (CT) 120 F3
Annunziata, L' (KR) 106 B2
Annunziata, L' (PA) 111 E1
Annunziata, L' (RG) 123 C3
Annunziata, L' (SA) 96 C4
Annunziata Lunga, Passo (CE) 82 B3
Annunziata, Monte dell' (EN) 111 F3
Annunziata (NA) 88 D4
Annunziata (SA) 89 C3
Annunziatella, L' (ROMA) 73 D2
Anòia, Superiore/inferiore (RC) 115 A1
Anqua (SI) 59 C4
Anras [A] 5 C1
Anselmi (AL) 32 B2
Ansidonia (AQ) 70 F1
Ansiei, Fiume 4 F3
Anson (VR) 37 A3
Antagnod (AO) 7 F2
Antalbo, Masseria (TP) 116 B4
Antas, Tempio di (CA) 134 A3-4
Antea (BG) 23 A1
Antegnate (BG) 23 D1
Antelao Monte (BL) 4 F3
Antelao Rifugio (BL) 4 F3
Antella (FI) 54 D1
Antenna (KR) 106 B2
Antennamare (ME) 113 C2
Antenna, Monte (RC) 114 D4
Antenna, Pizzo (ME) 111 E4
Anterivo, (Altrei) (BZ) 13 C2
Antermoia, Rifugio (TN) 3 F3
Antermoia, (Untermoi) (BZ) 3 D4
Anterne, Col d' [F] 6 D1
Anterne, Lac D' [F] 6 D1
Anterselva di Mezzo, (Antholz Mittertl) (BZ) 4 C2
Anterseva di Sopra, (Antholz/Obertal) (BZ) 4 C2-3
Anterselva di Sotto, (Antholz/Nie der-tal) (BZ) 4 C2
Anterselva, Lago d' (BZ) 4 B2 3
Antesica (PR) 45 B3
Antessio (SP) 44 D4
Antey (AO) 7 F2
Antica Fonte di Pejo (TN) 12 B2
Anticoli Corrado (ROMA) 74 C2
Antico (MC) 63 D2
Antico (PS) 55 C3
Antigine, Pizzo d' (VB) 7 E4
Antiglio [CH] 9 B4
Antignano (LI) 52 F2
Antignano [YUI] 29 E3
Antigori, Torre (CA) 135 D3
Antilia, Monte (SA) 96 B4
Antillo (ME) 112 E4
Antillone (NO) 8 B3
Antiogu Oi, Monte (CA) 136 B2
Antirata (PG) 55 F3
Antóglia, Masseria (BR) 94 D2
Antognano (AT) 32 D2
Antognano (LU) 45 E3
Antognano (PC) 35 E1
Antognasco, Fiume 11 C1
Antognola (PG) 62 C1
Antognola (PR) 45 B3-4
Antola Monte (BL) 5 E2
Antolini, Villa (MC) 63 A4
Antonaccia, Torre (FG) 79 D1
Antona, Monte (GE) 43 A4
Antona (MS) 45 F3
Antonelli, Masseria (BN) 84 C1
Antonelli, Villa (BA) 87 B3
Antonimina (RC) 115 B1
Antoninello, Monte (RC) 115 C1
Antoroto, Monte (CN) 41 D4
Antracoli (LU) 52 C4
Antria (AR) 55 F1
Antrodoco, Gole di (RI) 69 E1
Antro Doco (RI) 69 E1
Antrogna (VB) 8 E2
Antrona, Lago d' (VB) 8 D1
Antronapiana (VB) 8 D1-2
Antrona/Scheranco (VB) 8 D1-2
Antrona, Val d' (VB) 8 DE1-2
Antrosano (AQ) 75 B1
Antunceddu, Nuraghe d' (SS) 126 B4
Anversa degli Abruzzi (AQ) 75 C3
Anversa, Stazione di (AQ) 75 B3
Anza, Fiume 8 E2
Anzano del Parco (CO) 22 B2
Anzano di Pùglia (FG) 84 E4
Anzano (TV) 14 F4
Anzasca, Valle (VB) 8 E1-2
Anzasco (TO) 20 D2
Anzeddu, Monte (CA) 134 A4
Anzeindaz [CH] 6 B3
Anzere [CH] 7 B1
Anzi, Fiume 91 E3
Anzina, Ca (LE) 100 D1
Anzio (ROMA) 80 B2
Anzi (PZ) 91 E3
Anzi, Taverna d' (PZ) 91 E3
Anzola dell'Emilia (BO) 47 B2
Anzola (PR) 44 B3
Anzolla (PR) 45 B3
Anzona d'Ossola (VB) 8 E3 A2
Anzone [CH] 9 B4
Anzonico ICH] 9 A2
Anzos, Fiume 126 E2
Anzo (SP) 44 E3
Anzu, Punta su (NU) 130 C4
Anzù (BL) 14 F2
Aola, Corno d' (BS) 12 D1
Aonedis (UD) 15 D4
Aorivola (CE) 82 CD4
AOSTA, (Aoste) 19 A1-2
Aosta, Rifugio (AO) 7 E2
Aosta, Valle d' (AO) 19 A1-2-3
Aosta, Valle d' (AO) 19 BC3-4
Aouillette, Punta L' (AO) 18 A4
Apani Masseria (BR) 95 B1
Apani Scogli di (BR) 95 B1
Apécchio (PS) 55 E4
Apia L' (AR) 54 E4
Apice (BN) 84 E2
Apice, Stazione di (BN) 84 E2
Apiro (MC) 63 A2
Apoléggia (RI) 68 D3 4
Apollinara, Borgo (CS) 102 A2
Apollonio, Castello (ROMA) 74 C1
Apollosa (BN) 83 E4
Apóscipo, Fiume 114 D4
Appalto (AR) 61 C2
Apparizione (CN) 31 F3
Apparizione (GE) 43 C3
Appennino, Galleria dell' (FI) (BO) 47 EF2
Appennino (MC) 63 E2
Appiano Gentile (CO) 21 B4
Appiano Sulla Strada del Vino, (Eppan) (BZ) 2 F4
Appidé, Masseria L' (LE) 100 C2
Appignano del Tronto (AP) 64 F2
Appignano (MC) 63 B4
Appignano (TE) 70 C2-3
Appiolo, Monte (LT) 81 B3-4
Appiu, Nuraghe (SS) 128 C3
Appizus Planu, Cantoniera (CA) 135 B4
Apponi, Casa (FR) 81 B2
Apprezzami l'Asino, Torre (PZ) 97 D2
Appulo, Villaggio (BA) 93 B2
Aprilia (LT) 73 F3
Apricale (IM) 50 C4
Aprica, Passo d' (SO) 11 D2
Aprica (SO) 11 D2
Apricena (FG) 78 D3
Apricena Superiore, Stazione di (FG) 78 D3
Apriglianello (KR) 103 F3
Aprigliano (CS) 102 E2
Aproz [CH] 6 C4
Apsa, Fiume 56 D1
Apsella (PS) 56 C2-3
Apuane, Alpi (MS) (LU) 45 EF3-4
Apuane (LU) 52 A3-4
Aquiglio, Corno d' (VR) 25 C1
Aquila, Becco dell' (TO) 30 B3
Aquila [CH] 9 A3
Aquila di Arroscia (IM) 42 E1
Aquilaia, Monte (GR) 60 F3
Aquilano (CH) 71 E2
Aquilano (TE) 70 C1
Aquila, Pizzo dell' (AG) 118 D2
Aquila, Poggio dell' (AR) 55 D2
Aquila, Rocca D' (EN) 120 C2
Aquila (TP) 116 A4
Aquilea (LU) 52 B3-4
Aquileia (UD) 28 C4
Aquilente, Piano d' (RI) 69 F1
Aquilónia (AV) 85 F1
Aquilinia (TS) 29 E3
Aquilone, Poggio (GR) 65 C4
Aquilonia, Stazione di (AV) 90 A4
Aquilonia Vecchia (AV) 85 F1
Aquinium (FR) 82 B1
Aquino [CH] 9 C2
Aquino (FR) 82 B1
Aquino (PA) 109 D2
Aquino, Stazione di (FR) 82 B1
Arabba (BL) 3 F4
Aradeo (LE) 100 C1
Arafranca Pinaco (RI) 69 C2-3
Aragno (AQ) 69 E4
Aragno, Monte d' (AQ) 69 E3 4
Aragona (AG) 118 D3
Aragona-Caldare, Stazione di (AG) 118 E3
Aragona, Montagna d' (AG) 118 D3
Aragona, Valle di (AG) 118 D3
Arai, Fiume 132 F3
Aralatta, Monte (BG) 10 F3
Aramengo (AT) 32 B1-2
Aramo (PT) 53 B1
Arana, Monte (SS) 129 B1
Aranci, Golfo degli (SS) 127 D3
Arancio, Palazo (ME) 112 D3
Arancio, Ponte (PA) 109 F2
Arancio, Serra d' (AG) 117 C4
Aranco (VC) 20 B3-4
Araniello (AV) 84 F2
Aranno [CH] 9 E2
Arasi (RC) 114 D2
Aras, Nuraghe (NU) 132 D3
Arasule (NU) 132 A4
Aratato del Muro, Monte (AG) 122 A2
Aratato, Monte (EN) 119 D2-3
Aratena (SS) 127 E2
Aratrice, L' (GR) 60 E2
Aratu, Fiume 129 F4
Ara (UD) 16 E3
Aráncio, Lago (AG) 117 B3
Aráncio, Monte (AG) 117 B2
Aráncio (TP) 108 E4
Araxisi, Fiume 132 B3
Arazecca, Monte (AQ) 76 D1
Arba (PN) 15 D3
Arbatax (NU) 133 B3
Arbaz (AO) 19 A4
Arbaz [CH] 7 B1
Arbedo [CH] 9 C3
Arbia, Fiume 60 BC3
Arbi (CN) 42 B2
Arbizzano (VR) 25 E1
Arbizzi, Castel (RE) 36 F3
Arbo, Monte (NU) 133 C1
Arboério (VC) 8 F2
Arbola, Punta (NO) 8 A3
Arbora (VB) 21 B1
Arborea (OR) 131 D3
Arborea (TO) 20 F1-2
Arbório (VC) 20 D4
Arboulin, L ' [F] 41F1
Arbu, Bruncu Monte (CA) 136 C2-3
Arbu, Monte (CA) 136 C2
Arbu, Monte (NU) 133 A1
Arbu, Monte (NU) 133 D2
Arburese (CA) 131 F3-4
Arbus (CA) 131 F3-4
Arbus, Marina di (CA) 131 E2-3
Arbus, Monte (CA) 134 E3
Arbus, Monte (CA) 135 A1
Arcade (TV) 27 B1
Arcagna (LO) 22 F3
Arcando (TO) 19 C2
Arcángel (TO) 18 F3
Arcángelo, Monte (AV) 85 F1
Arcano, Monte (CB) 77 D3
Arcanzo Cima d' (SO) 10 C3
Arcavacata (CS) 102 D1
Arce (FR) 75 F2
Arcé (VR) 24 E4
Arcello (PC) 34 CD3
Arcene (BG) 22 D4
Arceno, Villa d' (SI) 60 A4
Arcera, Ponte d' (PA) 109 E3
Arceto (RE) 46 A3
Arcévia (AN) 56 F4
Arc, Fiume 18 EF1
Archi (CH) 76 B3
Archi (ME) 113 C1
Archinuovi, Masseria (BR) 94 C3
Archi, Ponte a 25 (IS) 82 A4
Archi, Ponte dei 13 (CB) (FG) 84 A2
Archi (RC) 114 D1-2
Archi, Stazione (CH) 76 B3
Archittu, s' (OR) 128 F3
Arcibessi, Monte (RG) 123 B3
Arcidosso (GR) 60 F4
Arcigliano (PT) 53 B2
Arcille (GR) 66 A1
Arcimis, Monte (CT) 121 B1
Arci, Monte (OR) 132 C1
Arcimusa, Masseria (SR) 120 E4
Arcinazzo, Altopiani di (ROMA) 74 D3
Arcinazzo Romano (ROMA) 74 D3
Arcisate (VA) 9 F2
Arco d. Angeli (CA) 136 B2
Arco, Grotta dell' (SA) 96 D4
Arcola (PN) 15 D1
Arcola (SP) 45 F1
Arcole (VR) 25 F3
Arconate (MI) 21 D3
Arcone, Fermata (SS) 128 A3
Arcone, Monte (PZ) 85 F2
Arco, Punta dell' (LT) 81 F1-2
Arcore (MI) 22 C2
Arcosu, Monte (CA) 135 C2
Arco (TN) 24 A4
Arco, Villa d' (PN) 15 F2
Arcu, de Generuxi, s' (CA) 135 F2
Arcuentu, Monte (CA) 131 E3
Arcugnano (VI) 25 E4
Arcuméggia (VA) 9 F1
Arcu, Punta su (NU) 130 B4
Arcuri (CS) 102 F2
Arcu sa Tella (CA) 131 F3
Arcu, s' (NU) 132 B4
Arda, Fiume 35 C2
Ardali (NU) 133 A3
Ardara (SS) 129 B1
Ardaúli (OR) 129 F2
Ardea (ROMA) 73 F2
Ardenno (SO) 10 D3
Ardenza (LI) 52 EF-2
Ardesio (BG) 11 F1
Ardes, Masseria d' (FG) 77 F4
Ardez [CH] 1 C2
Ardiano (FO) 55 A3
Ardícola, Monte (AG) 118 D1
Ardiòn, Piz [CH] 9 B4
Ardivestra, Fiume 34 D1
Ardo, Fiume 14 D3
Ardola (PR) 35 C3
Ardole San Marino (CR) 35 B3
Ardon [CH] 6 BC4
Ardore Marina (RC) 115 C1-2
Ardore (RC) 115 C1
Areddula, Balza di (PA) 119 B2
Aremogna, Piano (AQ) 76 D1
Aremogna, Rifugio (AQ) 76 D1
Arenabianca (SA) 97 A2
Arena, Cala (SS) 125 C2
Arena, Colle d' (VV) 105 F1
Arena (VV) 104 F4
Arena, Fiume 116 B4
Arena, Fiume 96 AB1
Arena Po (PV) 34 B2
Arenarzu, s' (OR) 132 A1
Arenas (CA) 134 A4
Arenas, Is (OR) 131 A3
Arenella (ME) 111 A2
Arenella, Monte (RC) 104 F4
Arenella (PA) 109 C3
Arente, Fiume 102 D2
Arenzano (GE) 43 C1
Arenzano, Pineta (GE) 43 C1
Arera, Pizzo (BG) 10 F4
Arese (MI) 21 D4
Are (VI) 37 A4
Aré (TO) 20 F1
Aréches [F] 18 A1
Aréglio (VC) 20 E2
AREZZO 55 F1
Arezzo, Monte (AQ) 74 C4

Arezzo (PG) 68 B2
Arezzo, Villa (RG) 123 C3
Argatone, Monte (AQ) 75 D3
Argegno (CO) 9 F4
Argelato (BO) 47 A3
Argenta, Colle (TV) 26 B3
Argenta (FE) 48 A2
Argentario, Monte (GR) 65 D4
Argentarola, Isola (GR) 65 D3
Argentea, Monte (GE) 43 B1
Argentella, Monte (AP) 63 F3
Argentera, Cima d' (CN) 40 D4
Argentera (CN) 40 B2
Argentera (ME) 112 D3-4
Argentera, Parco Naturale dell'(CN) 40 D4
Argentera (TO) 19 E3-4
Argentiera, Capo della (SS)125 F1
Argentiera (SS) 125 F1
Argentiera (TO) 30 C2-3
Argentiere [F] 6 D2
Argentiere, Glacier D' [F] 6 E2
Argentiere, Refuge [F] 6 E2
Argentig1i, Torre (PG) 69 A1
Argentina, Fiume 51 C1 41 F3
Argentina, Torre (NU) 128 D3
Argentino, Fiume 97 F4
Argentière, Aigle d' [F] 6 E2-3
Argento, Baia dell' (TA) 94 EF1
Argentu, Monte (CA) 134 A3
Argiadores, Monte (NU) 130 D3
Argiano (SI) 60 E3
Argiano (SI) 61 D2
Argignano (AN) 63 B1
Argine del Lupo (FE) 37 D3
Arginello (RO) 38 D2
Argine (PV) 34 B1
Argine (RE) 36 E2
Argine Valle (RO) 37 D4
Arginotto (MN) 36 C3
Argiolas, Cantoniera sas (NU) 130 B3
Argiolas, Genn' (CA) 136 A2-3
Arguel, Alpe d' (TO) 30 A3
Arguello (CN) 32 F2
Argusto (CZ) 105 D2
Aria dell'Orso (CB) 83 B2
Aria di Lupi (CS) 101 F4
Aramàcina, Lago di (CS) 102 D3
Aria, Monte d' (MC) 63 C2
Aria, Monte (ME) 111 C3
Ariano, Colle (CZ) 105 A3
Ariano Ferrarese (FE) 38 D4
Ariano Irpino (AV) 84 E3
Ariano Irpino, Sosta di (AV) 84 D3
Ariano, Isola (RO) 38 D4
Ariano nel Polesine (RO) 38 D4
Ariano (SA) 90 D1
Ariano (VR) 24 F3
Arias (BS) 24 B3
Ariccia (ROMA) 73 E3
Ari (CH) 71 F1
Arielli (CH) 71 F1
Arienzo (CE) 83 F3
Arietta (CZ) 105 A4
Arigau, Nuraghe (CA) 132 E1
Arigliano (LE) 100 E3
Arignano (TO) 32 B1
Arigna (SO) 11 D1
Ariis (UD) 28 B3
Arina (BL) 13 B4
Arina, Piz [CH] 1 B3
Aringo (AQ) 69 C2
Arino (VE) 26 E4
Ario, Monte (BS) 23 B4
Arioso, Monte (PZ) 91 E2
Aríschia (AQ) 69 E3
Arista, Monte (NU) 133 D3
Aritzo (NU) 132 B4
Arixi (CA) 132 F4
Arizzano (VB) 8 E4
Arizzi, Casa (RG) 123 E3
Arlaches, Les [CH] 6 D3
Arlena di Castro (VT) 67 D1
Arlesega (PD) 26 E1-2
Arlia (MS) 45 D3
Arliano (FI) 54 B2
Arliano (LU) 52 C3
Arlongo (CN) 30 E4
Arluno (MI) 21 D4
Arma di Taggia (IM) 51 D1
Armaiolo (SI) 60 B4
Armario, Monte (NU) 130 F1
Armarolo (BO) 47 B4
Armásio (PN) 15 D1-2
Armato, Monte (BO) 47 D3-4
Arma, Vallone dell' (CN) 40 BC3-4
Armea, Fiume 51 C1
Arme, Cima d' (RI) 68 D4
Armedola (PD) 26 D1
Armelio, Monte (PC) 34 E3
Armena, Fattoria (SI) 60 C4
Armeno (NO) 21 A1
Armentarola (BZ) 4 E1
Armento (PZ) 98 A1
Armenzano (PG) 62 D3-4
Armi, Capo dell' (RC) 114 F2
Ami, Colle d' (FG) 77 F4
Armidda Monte (NU) 133 BC2
Armillotti, Masseria (FG) 79 E2
Armi, Monte dell' (PZ) 90 C4
Arminio (VA) 9 F1
Armio (VA) 9 D2
Armi, Pizzo d' (ME) 113 D1-2
Armisa Fiume 11 DE1
Armizzo, Fiume 110 E3
Armizzone, Monte (PZ) 97 BC4
Armo (BS) 24 B2
Armo (IM) 41 E4
Armo (RC) 114 E2
Armúngia (CA) 133 F1
Arn [A] 4 C4
Arnaccio (PI) 52 D3
Arnad (AO) 19 B4
Arnad Le Vieux (AO) 19 B4
Arnaldi, Colonia (GE) 43 C4
Arnano (MC) 63 D1
Arna, Poggio d' (SI) 60 E3-4
Arnara, Fiume 81 A3
Arnara (FR) 81 A3
Arnasco (SV) 42 E2
Arnata, Monte (TR) 68 C1
Arnate (VA) 21 C3
Arnauds (TO) 30 A1
Arnbach [A] 4 D4
Arnelleta, Poggio (GR) 66 C3
Arnensee [CH] 6 A4
Arnesano (LE) 95 E2-3
Arnese, Monte (BZ) 4 D4
Arnieci, Masseria (BA) 86 D2
Arni (LU) 45 F3-4
Arno, Fiume 12 E2
Arno, Fiume 52 D4
Arno, Fiume 53 D2-3 54 F4
Arnò, Fiume 12 E1
Arno L. d. (BS) 11 E4
Arnoga (SO) 1 F2
Arnoldstein [A] 17 B2
Arnone, Casa (AG) 118 E3
Arnone (CE) 82 F3
Arogno [CH] 9 F3
Arola (NA) 89 D1
Arola (VB) 20 A4
Arola (PC) 34 D3
Arola (PR) 35 F4
Arolla [CH] 7 D1
Arolla, Pigne d' [CH] 7 DE1
Arolla, Val d' [CH] 7 D1
Arolo (VA) 8 F4
Arona (NO) 21 A1
Arone, Fiume 62 C3
Arósio [CH] 9 E2
Arósio (CO) 22 B1-2
Arpagna, Monte (LI) 58 B1
Arpaia (BN) 83 F3
Arpaise (BN) 83 F4
Arpa, Punta dell' (PA) 109 A1-2
Arpelistock [CH] 6 A4
Arpescella, Bric (AL) 43 A2
Arpesina (PV) 34 D1
Arpicella (AL) 33 DE3
Arpiglias, Piz d' [CH] 1 D1-2
Arpino (FR) 75 F2
Arpinova (FG) 85 A2
Arpuilles (AO) 19 A1
Arquà Petrarca (PD) 38 A1-2
Arquà Polesine (RO) 38 C2
Arquata del Tronto (AP) 69 A2
Arquata Scrivia (AL) 33 F3
Arquentu, Bruncu (CA) 132 F3
Arqueri, Monte (NU) 133 C1
Arquino (SO) 11 D1
Arrailo, Nuraghe (NU) 129 E4
Arramene, Genna (NU) 133 A3
Arras, Nuraghe (NU) 133 D1-2
Arredelu, Genna (NU) 132 B3-4
Arreia, Arcu Genna (CA) 133 F3
Arrennegula, Nuraghe (NU) 130 D2
Arre (PD) 38 AB3
Arrestino, Monte (LT) 74 F1
Arrestra, Fiume 43 C1
Arróbbio (AT) 32 C4
Arriali, Fiume s' (CA) 134 B4
Arricelli, Rocca (CA) 136 A2
Arrocu, s' (SS) 127 F2
Arrone, Fiume 73 C1
Arrone, Forca dell' (TR) 68 C3
Arrone (TR) 68 C3
Arroscia, Fiume 42 F1
Arro (BI) 20 D3
Arrubiu, Monte (CA) 135 DE3
Arrubiu, Monte (CA) 136 A2
Arrundili, Monte (CA) 136 B1
Arsa Fiume 66 C3
Arsago Séprio (VA) 21 B2
Arsangsbach, Fiume 1 B4
Arsa, Taverna (AV) 90 A2
Arse, Case (LE) 95 F1
Arsego (PD) 26 D3
Arsenti, Monte (GR) 59 D3
Arsicci (AR) 55 D2
Arsiera (BL) 14 B4
Arsiero (VI) 25 B3
Arsié (BL) 13 F4
Arsina (LU) 52 B3-4
Arsio (TN) 12 B4
Arsita (TE) 70 D2
Arsiè (BL) 14 B4
Arso, Monte (CT) 120 B4
Arsoli (ROMA) 74 B2
Arson (BL) 14 E2
Arsone, Monte (PR) 45 B1
Artale (PA) 110 E1
Artalle (AO) 18 B4
Artallo (IM) 51 C2
Artanavaz, Fiume 6 F3
Artaneddu, Punta (NU) 130 A2
Arta Terme (UD) 5 F4
Artavaggio, Piani di (LC) 10 F2
Artegna (UD) 16 E3
Artemisia (CS) 101 A3
Artemisio, Monte (ROMA) 73 E4
Artena (ROMA) 74 E1
Arten (BL) 14 F1
Artent, Monte (BL) 14 F2
Artignano (BS) 23 C4
Artimino (PO) 53 C3
Artó (VB) 20 A4
Artogna, Fiume 20 A2
Artogna, Valle (VC) 20 A2
Artogne (BS) 23 A4
Artora, Nuraghe (NU) 130 B4
Artore [CH] 9 C3
Artsinol, Pic d' [CH] 7 CD1
Arunzo, Monte (AQ) 74 C4
Arútas, Punta Is (OR) 131 B2
Arvello (PG) 62 DE4
Arvénis Monte (UD) 5 F3
Arveyes [CH] 6 B3
Arvier (AO) 18 A4
Arvieux [F] 30 D1
Arviganu, Monte (SS) 128 C2-3
Arvigo [CH] 9 B4
Arvivo (PZ) 91 B1
Arvo, Fiume 102 E4
Arvogno (VB) 8 D4
Arvo, Lago (CS) 102 E3
Arvu, Nuraghe (NU) 130 D3
Arzachena, Golfo di (SS) 127 BC2
Arzachena (SS) 127 C2
Arzago d'Adda (BG) 22 D4
Arzanadolu, Monte (NU) 132 B4
Arzana (NU) 133 B2
Arzana, Stazione (NU) 133 B2
Arzano (NA) 88 A4
Arzarello (PD) 38 A3
Arzegrande (PD) 38 A4
Arzelato (MS) 45 D1
Arzello (AL) 32 F4
Arzene (PN) 15 F3
Arzeno (GE) 44 C3
Arzenutto (PN) 15 F3-4
Arzercavalli (PD) 38 A3
Arzere (VR) 25 A1
Arzerini (VE) 26 F4
Arzeri (TV) 27 C3
Arzéncio (MS) 45 C1
Arzignano (VI) 25 D3
Arzilla, Fiume 56 C3
Arzino, Fiume 15 C4
Arzo [CH] 9 F2
Arzona Pizzinni (VV) 104 E3
Arzo (SO) 10 D3
Asaro Bivio (CT) 120 C4
Ascagnano (PG) 62 C1-2
Ascea, Marina di (SA) 96 C2-3
Ascea (SA) 96 C3
Asch [A] 5 D1
Aschi Alto (AQ) 75 C3
Aschio (MC) 63 E2
Aschivoni, Punta de s' (CA) 131 D2
Ascianello (SI) 61 CD1
Asciano (PI) 52 C3
Asciano (SI) 60 C4
Ascione, Colle d' (CS) 102 E3
Ascolese (SA) 97 A1-2
Ascoli, Palazzo d' (FG) 85 D1-2
ASCOLI PICENO 64 F1
Ascoli Satriano (FG) 85 D2
Ascona [CH] 9 D1-2
Ascona (GE) 44 A2-3
Ascona, Lido di [CH] 9 D1-2
Ascrea (RI) 74 A2
Ascros [F] 40 F2
Asei (BI) 20 C3
Aselogna (VR) 37 B2
Aserei, Monte (PC) 34 F3
Asia (BO) 37 F3
Asiago, Altopiano d' (VI) 13 F2-3
Asiago (VI) 25 A4
Asigliano Veneto (VI) 25 F4
Asigliano Vercellese (VC) 20 F4
Asina, Fiume 59 E4
Asinara, Golfo dell' (SS) 125 D3-4
Asinara, Isola (SS) 125 C1-2
Asinaro, Fiume 124 C2
Asinelli Isola (TP) 108 D1
Asino, Monte (ROMA) 72 B3
Asino, Punta dell' (NU) 127 F4
Asmonte (MI) 21 D3
Asnago (CO) 22 B1
Asnas, Cima dell' (BI) 20 B2
Aso Fiume 64 D2-3
Asola (MN) 36 A1
Asola, Fiume 64 B2
Asolone, Monte (VI) 26 A2
Asolo (TV) 26 B3
Asparágio, Cocuzzo (CL) 118 D4
Asparetto (VR) 37 A2
Aspes (BS) 23 E4
Aspice (CR) 35 A3
Aspicella, Colle (AQ) 75 A2
Aspidarzu Punta de s' (SS) 129 D2
Aspio Terme (AN) 57 F3
Aspra, Monte (PG) 68 C4
Aspra (PA) 109 D3 4
Aspremont [F] 50 D1
Asproli (PG) 67 A4
Aspro, Monte L' (PG) 68 A4
Aspromonte, Piani di (RC) 114 C3
Aspromonte (RC) 114 C3-4
Aspro, Punta de su (SS) 127 D2
Aspru, Nuraghe s' (SS) 129 C3-4
Aspu, Cuccuru (OR) 132 C1
Assa Fiume 13 F2 25 A3
Assago (MI) 22 E1
Asseggiano (VE) 27 E1
Assenza (VR) 24 B4
Assergi (AQ) 69 E4
Assergi, Lago d' (AQ) 69 E4
Assémini (CA) 135 B3
Assiano (MI) 21 D4
Assieni (TP) 108 D2
Assietta, Colle dell' (TO) 30 A3
Assi, Fiumara 105 F2
Assino, Fiume 62 AB2
Assisi (PG) 62 D3
Assling [A] 5 C1
Asso (CO) 22 A2
Asso, Fiume 60 D4
Asso, Ponte dell' (AP) 63 F4
Assoro (EN) 119 B4
Asso, Val d' (SI) 60 C4
Assunta, L' (BZ) 3 F1
Assunta, L' (CS) 101 A4
Assunta, Villa (SS) 128 A1
Asta, Cima d' (TN) 13 D3-4
Asta, Giogo d' (BZ) 3 D4
Astano [CH] 9 E2
Asta (RE) 46 D1
Astenbach, Fiume 5 B3
Aste (VI) 25 B3
ASTI 32 D2
Astia (CA) 134 C4
Astico, Fiume 25 C4
Astili, Monte (NU) 133 C3
Asti, Rifugio Ca d' (TO) 18 F3-4
Astragal (BL) 14 C3
Astrio (BS) 11 F3
Astrone, Fiume 61 E2
Astroni, gli (NA) 88 B3
Astura, Torre (ROMA) 80 B2-3
Asuai (NU) 132 A4
Asurti (OR) 132 C2
Asusa, Nuraghe (NU) 132 D3
Ateleta (AQ) 76 D2
Atella, Fiumara d' 91 A1
Atella (PZ) 91 A1-2
Atella, Toppa (PZ) 91 B1
Atena Lucana (SA) 91 E1
Atermenzen [CH] 7 D3
Aterno, Fiume 69 E4 75 A3
Aterrana (AV) 89 B4
Atessa (CH) 76 B4
Athethu, Nuraghe (NU) 129 DE3
Atina (FR) 75 F3
Atlano (CE) 83 BC1
Ató, Punta d' (RC) 114 DE3
Atrani (SA) 89 D2
Atripalda (AV) 89 A4
Atri (TE) 70 C3
Attalzu, Monte (SS) 126 F2
Attiggio (AN) 63 B1
Attigliano (TR) 67 D4
Attimis (UD) 16 E4
Atzara (NU) 132 AB3
Atzeni, Case (CA) 131 F3
Auchiaro, Masseria (TA) 94 D1
Audannes, Lac des [CH] 7 A1
Auditore (PS) 56 C1
Auduni (CE) 83 C2
Aue [A] 5 C2
Auer [A] 5 B1
Auf der Eben [A] 17 A2
Augio [CH] 9 B4
Augstbordhorn [CH] 7 C3
Augusta, Golfo di (SR) 121 F3
Augusta (SR) 121 F2
Auletta (SA) 90 D4
Auletta, Stazione di (SA) 90 DE4
Aulla (MS) 45 E2
Auna di Sopra (BZ) 3 E2
Auna di Sotto (BZ) 3 F2
Auna, Fiume 3 E2
Aune (BL) 14 E1
Aunede (BL) 14 B4
Aupa, Fiume 16 C3
Aupa (UD) 15 B4
Aupa, Val d' (UD) 16 C3
Aurana (PN) 15 E4
Aurano (NA) 89 C2
Aurano (VB) 8 E4
Aurelia (ROMA) 72 A2
Aurèssio [CH] 9 C1
Aurigeno [CH] 9 C1
Aurigo (IM) 41 F4
Aurine, Forcella (BL) 14 D2
Aurio, Cappella d' (LE) 95 E3
Aurisina (TS) 29 C2
Auro (BS) 23 BC4
Auro, Fiume 55 D3
Aurona, Pizzo d' (VB) 8 B1
Auron [F] 40 C2
Auronzo di Cadore (BL) 4 EF4
Auronzo, Rifugio (BL) 4 E3
Aurora, Terme (SS) 129 C3
Aurunci, Monti (FR) (LT) 82 C1
Ausa Corno (UD) 28 C3-4
Ausa, Fiume 28 C4
Ausa, Fiume 56 A1
Ausentum (LE) 100 E1
Ausónia (FR) 62 C2
Ausone (VB) 8 B3
Ausoni, Monti (FR) 81 B3
Ausser [A] 5 B4
Ausserberg [CH] 7 B4
Ausserbinn [CH] 8 A2
Ausservillgraten [A] 4 C4
Aussois [F] 18 E1
Austis (NU) 132 A3
Auta, Cime dell' (BL) 14 B1-2
Autagne (TO) 30 B2
Autaret, Testa dell' [F] 40 D2
Authion, L' [F] 41 F1
Auto, Monte (ME-EN) 111 F3-4
Autone, Monte (LT) 81 C2
Autore, Col de [F] 18 F3-4
Autore, Monte (ROMA) 74 C3
Autrara, Torre (FG) 79 E3
Auzate (NO) 20 D4
Auzza [YUI] 17 F2
Auzzo, Poggio (SI) 59 C4
Avaglio (PT) 53 B1
Avaglio (UD) 15 B4
Avalecci (AN) 56 F4
Avane (FI) 53 D2
Avane (PI) 52 C3
Avarino (RG) 123 C1-2
Avasinis (UD) 16 D2 3
Avausa (UD) 5 F3
Avber [YUI] 29 C4
Ave (BG) 11 F1
Avegno [CH] 9 C1-2
Avegno-Rosaguta (GE) 43 C4
Ave Gratia Plena (BN) 83 E2
Avelengo, (Hafling) (BZ) 2 E4
Avella (AV) 83 F3
Avella, Monte (AV) 83 F4
AVELLINO 89 A3
Avello, Fiume 76 A2
Avena (AR) 54 D4
Avena (CS) 97 E4
Avena, Fiume 98 C4
Avenale (AN) 63 A1
Avenale (MC) 63 B3
Avena, Monte (BL) 14 E1
Aven [CH] 6 B4
Avenes, (Afens) (BZ) 3 B2
Aveno (LC) 10 E1-2
Aventino, Fiume 76 C2
Aventino, Ponte (CH) 76 B3
Avenza (MS) 45 F2
Averana (BG) 10 E3
Averau, Monte (BL) 4 F2
Aver, Becca d' (AO) 7 F1
Averne, Ponte d' [F] 18 B3
Averno, Lago d' (NA) 88 B2-3
Aversa (CE) 83 F1
Aversana (SA) 89 DE4
Avers [CH] 10 A2-3
Averserrhein Fiume 10 A3
Avers P d' [CH] 10 A2
Averto, Casone (VE) 26 F4
Avesa (VR) 25 E1
Aveto, Fiume 44 B1-2
Aveto (PC) 34 F2
Avetrana, Stazione di (BR) 94 E4
Avetrana (TA) 94 E4
Avetta (TO) 20 E2
Avéggio (GE) 44 C2
Avéndita, Colle d' (PG) 69 A1
Avéndita (PG) 69 AB1
Avérola [F] 18 E3-4
Avérole, Refuge d' [F] 18 E4
Avezzano (AQ) 75 B1
Avezzano (CE) 82 D3
Aviano Castello (PN) 15 E2
Aviano (PN) 15 E2
Aviasco, Passo d' (BG) 10 E4
Aviatico (BG) 23 B1
Avic, Monte (AO) 19 B3
Avigliana (TO) 31 AB1
Avigliano (PZ) 91 C2
Avigliano, Stazione di (PZ) 91 C2
Avigliano Umbro (TR) 68 B1
Avigna, (Afing) (BZ) 3 E1
Avigna, Fiume 3 E1
Avigno, Monte (VB) 20 A4
Avilla (UD) 16 E3
Avlni (NA) 89 D1
Avino, Lago d' (NO) 8 C2
Avio, Lago di (BS) 11 D4
Aviolo, Lago d' (BS) 11 D4
Avio, Monte (BS) 11 D4
Avio, Pantano dell' (BS) 11 D4
Avio (TN) 25 B1
Avise (AO) 18 A4
Avisio, Fiume 13 C3
Avolasca (AL) 33 E3
Avola (SR) 124 C3
Avola Vecchia, Convento di (SR) 124 C2 3
Avoltore, Punta (GR) 65 E4
Avoltore, Torre dell' (GR) 65 E4 A
Avosacco (UD) 5 F4
Avoscan (BL) 14 B2
Avosso (GE) 43 B3-4
Avostánis, Cima (UD) 5 E4
Avotasio (BG) 10 F2
Avoudrues, Ponte des [F] 6 C1
Avrieux [F] 18 F1
ARSITA/BAGNI DI MAS
Avril, Monte (AO) 6 E4
Avuglione (TO) 31 B4
Avvocata, Monte dell' (SA) 89 C2 3
Avvoltoio, Cocuzo (PA) 119 B1
Ayas (AO) 7 F2
Ayas, Val d' (AO) 7 F2-3
Ayent [CH] 7 B1
Ayer [CH] 7 C2
Ayere, Chalet D' [F] 6 F1
Aymavilles (AO) 19 A1
Azara, Case (SS) 127 B2
Azéglio (TO) 20 D2
Azzago (VR) 25 D1
Azzagulta (SS) 126 D2
Azzana, Ponte (FE) 38 F2
Azzanello (CR) 23 F2
Azzanello (PN) 27 B3
Azzani (SS) 127 E3
Azzano (CO) 9 E4
Azzano (CR) 22 E4
Azzano d'Asti (AT) 32 D3
Azzano Decimo (PN) 27 A4
Azzano (LU) 52 A2
Azzano Mella (BS) 23 E3
Azzano (PC) 34 D3
Azzano (PG) 68 A3
Azzano San Paolo (BG) 22 C4
Azzano (UD) 17 F1
Azzano (VR) 24 F4
Azzara, Masseria d' (FG) 85 C2
Azzarini, Monte (SO) 10 E3
Azzarone, Masseria (FG) 79 D2
Azzate (VA) 21 A3
Azzida (UD) 17 F1

Azzio (VA) 9 F1
Azziriolo, Fiume 109 F4
Azzolini, Breda (CR) 36 C1-2
Azzone (BG) 11 F2
Azzone, Villa (BA) 87 F3
Azzonica (BG) 22 B4
Azzurra, Grotta (NA) 88 D3
Azzurra, Grotta (SA) 96 D3
Azzurra, Grotta (SP) 45 F1

B

Baar [CH] 6 C4
Babano (TO) 31 D1
Babaurra, Passo (CL) 119 D12
Baca [YUI] 17 E3
Baccaiano (FI) 53 D3
Baccanella (PI) 53 E1
Baccane (PT) 53 C2
Baccano (SP) 45 F1
Baccaracce (RI) 69 F1
Baccarato (EN) 120 D1
Bacchereto (PO) 53 C2-3
Bacchetta, Cima del (BS) 11 E3
Bacchiglione, Fiume 26 E1
Bacchileddi, Nuraghe (SS) 125 E4
Bacchi (VR) 25 D2
Bacciano (SI) 60 B3
Baccinello (GR) 66 A2
Bacciolino (FO) 55 A2
Baccu Arrodas (CA) 136 A3
Bacedasco, Bagni di (PC) 35 E2
Bacedasco (PC) 35 E2
Bacelega, Costa (IM) 42 E1
Baceno (VB) C3
Ba Cerbus, Peschiera di (CA) 134 CD3
Baciano (AR) 54 E4
Bacino, Il (GR) 66 B1
Bácoli (NA) 88 B3
Bacu Abis (CA) 134 C3
Bacugno, Monte (PG) 68 B4
Bacugno (RI) 69 C1
Bacun, Piz [CH] 10 B3-4
Bacu Scovas (CA) 133 F2
Badacca, Colle (ME) 111 E4
Badagnano (PC) 35 E1
Badaiuz (UD) 16 C3
Badalucco (IM) 51 C1
Badana, Lago della (AL) 43 A2
Badani (SV) 42 B4
Baddelonga, Cantoniera (SS) 128 D4
Badde Manna, Fiume (SS) 126 F4
Badde Orca (NU) 128 D3
Badde Salighes (NU) 129 D2
Badde Suelzu (SS) 127 F1
Badde Urbara (OR) 128 F4
Baddu Mannu, Chiesa (NU) 130 C2
Badener Hutte [A] 4 A4
Badesi Mare (SS) 126 D2
Badesi (SS) 126 D2
Badessa, La (LE) 95 D2
Badessa, Masseria (BA) 93 B4
Badessa, Masseria (BR) 94 B4
Badessa, Monte della (BR) 94 B2-3
Badesse (SI) 60 A2
Badia a Agnano (FI) 54 B3
Badia a Beato Angelo (AN) 63 A2
Badia, (Abtei) (BZ) 4 E1
Badia a Cerreto (FI) 53 E2-3
Badia a Coneo (SI) 60 A1
Badia, A (FR) 74 F3
Badia Agnano (AR) 54 F3
Badia al Pino (AR) 61 A1
Badia a Passignano (FI) 53 E4
Badia (AR) 61 B2
Badia Ardenga (SI) 60 D3
Badia a Ripoli (FI) 53 CD4
Badia a Ruoti (AR) 60 A4 9 I
Badia a Settimo (FI) 53 C4
Badia a Taona (PT) 53 A2-3
Badia (BO) 47 C1
Badia (BS) 23 C3
Badia Calavena (VR) 25 D2
Badiaccia a Montemuro (SI) 54 E1
Badia Coltibuono (SI) 54 F2
Badia (VV) 104 F2-3
Badia del Borgo (FI) 48 F1
Badia della Valle (FI) 48 F1
Badia di Dolzago (NO) 21 C1
Badia di Moscheta (FI) 47 F3
Badia di Petroia (PG) 61 A4
Badia di Susinana (FI) 47 F4
Badia Ficarolo (AR) 61 A3
Badia (GE) 43 A1
Badia, La (PO) 47 F1-2
Badia, La (FR) 81 A2
Badia, La (PG) 61 D4
Badia, La (PG) 62 B3
Badia (ME) 113 D1
Badia Morronese (AQ) 75 B4
Badia Pavese (PV) 34 B3
Badia (PG) 61 D3
Badia (PG) 62 B1
Badia (PG) 62 D3
Badia Polesine (RO) 37 C4
Badia Prataglia (AR) 54 C4
Badia Tedalda (AR) 55 D2
Badia (TP) 108 D2
Badiavecchia (ME) 112 D3
Badi (BO) 47 F1
Badicorte (AR) 61 B1
Badile Camuno, Pizzo (BS) 11 E4
Badile, il (VC) 20 A3
Badile (MI) 22 E1
Badiola, Ca (GR) 65 A3
Badiola (GR) 65 A3
Badiola (PG) 62 E1
Badisco, Porto (LE) 100 C4
Bad Lungbrunn [A] 5 C2 3
Badó, Bec (SV) 42 D2
Badoere (TV) 26 C4
Badolato (CZ) 105 EF2
Badolato Marina (CZ) 105 E3
Badoni (PC) 34 E4
Badu Alzolas, Fiume 126 F4
Badu Andria (SS) 130 A2
Badu Crabolo (NU) 128 D4
Badu Ebbas, Fiume 129 A1-2
Badu Mesina, Fiume 126 E4
Badu Perdu, Ponte (CA) 132 D3
Badu Rúiu, Fiume 129 A1
Bad Weiherburg [A] 5 BC2
Bad Weitlanbrunn [A] 4 D4
Bafarano Ponte di (RG) 123 B4
Baffadi (RA) 47 E4
Baffe, Punta (GE) 44 D2
Bafia (ME) 112 D4
Bafurco, Portella dei (PA) 110 F4
Bagaggiolo (TV) 27 D2
Bagaladi (RC) 114 E3
Baganza, Fiume 35 F3
Baganzola (PR) 35 E4
Bagazzano (MO) 47 A1
Baggi (VI) 26 B2
Baggio (MI) 22 D1
Bággio (PT) 53 A2-3
Baggio, Villa di (PT) 53 A2
Baggiovara (MO) 46 A4
Bagheria, (PA) 109 D4
Baglio Messina (TP) 108 D2
Baglio Nuovo (TP) 108 EF2
Baglio Rizzo (TP) 108 E2
Bagnacavallo (RA) 48 C3
Bagnaia (LI) 58 E2-3
Bagnáia (PG) 62 D1
Bagnáia (SI) 60 C2
Bagnaia (VT) 67 D3
Bagnana (CO) 9 F4
Bagnano (FI) 53 E3
Bagna, Punta [F] 18 F1
Bagnara (BN) 84 F1
Bagnara Calabra (RC) 114 BC 2
Bagnara (CR) 35 B3
Bagnara di Romagna (RA) 48 CD2
Bagnara (PG) 63 D1
Bagnara (SR) 120 E4
Bagnara (VE) 28 BC1
Bagnária (PV) 33 E4
Bagnaria Arsa (UD) 28 D4
Bagnarola (BO) 47 B4
Bagnarola di Sopra (FO) 49 F1-2
Bagnarola (PN) 28 B1
Bagnasco (AT) 32 C2
Bagnasco (CN) 42 C1
Bagnasco, Masseria (PA) 117 A4
Bagnata, Masseria (TA) 94 F2
Bagnática (BG) 23 C1
Bagnaturo (AQ) 75 B4
Bagnaturo Ponte (BN) 84 D3
Bagnena (AR) 54 E4
Bagnes [CH] 6D4
Bagnes, Val de (CH) 6 D3 4 E4
Bagni (AL) 32 F4
Bagni Contursi (SA) 90 C3
Bagni di Anter, (Bed Untermoi) (BZ) 3 D4
Bagni di Bormio (SO) 1 F3
Bagni di Braies Vecchia (BZ) 4 D2-3
Bagni di Lavinia Bianca, (Weisslahnbad) (BZ) 3 F3
Bagni di Lucca (LU) 52 A4
Bagni di Lusnizza (UD) 16 B4
Rangni di Masino (SO) 10 C3
Bagni di Mezzo, (Mitterbad) (BZ) 2 E3
Bagni di Mommialla (FI) 53 F2
Bagni di Moso (BZ) 4 D4
Bagni di Nocera (PG) 62 D4
Bagni di Rabbi (TN) 12 B3
Bagni di Razzes, (Bad Ratzes) (BZ) 3 F3
Bagni di Rèpole (KR) 103 E1
Bagni di Salomone, (Band Antholz) (BZ) 4 C2
Bagni di Selva (BZ) 3 CD4
Bagni di Serga (BZ) 3 E1
Bagni di Vinadio (CN) 40 C3
Bagni Fortella (BZ) 4 D1-2
Bagni Froi, (Bad Froi) (BZ) 3 E3
Bagni, i (PZ) 97 C4
Bagnile (FO) 49 E1
Bagni (NA) 88 C1-2
Bagni (PN) 15 D4
Bagni Sant' Agostino (VT) 72 A1
Bagni (TA) 93 E4
Bagni (TN) 12 B3-4
Bagni Vecchi (SO) 1 F3
Bagno (FG) 79 D1
Bagno (FO) 48 F3
Bagno a Ripoli (FI) 54 CD1
Bagno d' Acqua (TP) 116 F1
Bagno di Gavorrano (GR) 59 E3
Bagno di Pervalle,(BZ) 4 D2
Bagno di Piano (BO) 47 A2
Bagno di Romagna (FO) 55 C1
Bagno, Fiume 61 F3
Bagno, Fiume 62 F2
Bagno Grande/Piccolo (AQ) 69 EF3
Bagno II (FO) 54 A4
Bagnola (MC) 64 A1
Bagno la Perla (PI) 59 C3
Bagnoletto (PD) 38 B2-3
Bagnoli (BN) 83 E2
Bagnoli, della Rosandra (TS) 29 E3
Bagnoli del Trigno (IS) 76 E4
Bagnoli di Sopra (PD) 38 B3
Bagnoli Irpino (AV) 90 B2
Bagnoli (NA) 88 B3
Bagnoli (PD) 26 E3
Bagnolo (AR) 61 B3
Bagnolo Cremasco (CR) 22 EF4
Bagnolo del Salento (LE) 100 C3
Bagnolo di Po (RO) 37 C4
Bagnolo (PO) 53 B3
Bagnolo (FO) 48 E4
Bagnolo (GR) 60 D2
Bagnolo (GR) 60 F4 D2
Bagnolo in Piano (RE) 36 F3
Bagnolo Mella (BS) 23 E3
Bagnolo, Monte (TA) 94 E3
Bagnolo (PC) 35 D2
Bagnolo Piemonte (CN) 31 D1
Bagnolo San Vito (MN) 36 C4
Bagnolo (TV) 27 A1
Bagnolo (VI) 25 F3
Bagnolo (VR) 25 F1
Bagnolo (VR) 36 A4
Bagno (RE) 46 A3
Bagnone (MS) 45 D2
Bagnore (GR) 60 F4
Bagnorégio (VT) 67 C2
Bagnoro (AR) 61 A2
Bagno Vignoni (SI) 60 D4
Bagnu, Lu (SS) 126 E1
Bagoligolo Monte (BS) 24 A1-2
Bagolino (BS) 24 A2
Báia (NA) 88 B3
Baia (CE) 83 C1
Baia Domizia (CE) 82 D2
Baiano (AV) 83 - F3
Baiata, Fiume 108 E1
Baia Verde (LE) 100 D1
Baida, Castello di (TP) 108 D3
Baiedo (LC) 10 F2
Bai, Fiume 60 E1
Baigno (BO) 47 F1
Baignoni, Punta (SS) 127 C2
Baillif, Refuge [F] 30 E3
Bains [CH] 6 B1
Báio Dora (TO) 19 CD4
Baiocca, Stagno (CA) 134 E4
Baiolu, Nuraghe (SS) 126 F1
Baiona, Cantoniera (SS) 125 F2
Bairols [F] 40 F3
Bairo (TO) 19 E4
Baiso (RE) 46 B2
Baita del Pastore, Rifugio (SO) 1 F4
Baitone, Corno (BS) 11 D4
Baitone, Lago (BS) 11 D4
Baitoni (BS) 24 B2
Balaiana, Nuraghe (SS) 127 C1
Balangero (TO) 19 EF2
Balata dei Turchi (TP) 116 F2
Balata di Baida (TP) 108 E3
Balata di Modica (RG) 123 C4
Balata Piatta (AG) 122 F4
Balatazza, Casa (PA) 117 A4
Balatelle, Monte (PA) 109 E3
Balate, Masseria (PA) 119 A1
Balate, Poggio (PA) 110 E1
Balate Serra (AG) 118 F3-4
Balatro (FI) 54 D1
Balbiano (MI) 22 E2
Balchino, Masseria (CT) 120 F2
Balconcello (MN) 36 B3
Balconevisi (PI) 53 E1
Balconi, Pale dei (BL) 14 C1-2
Baldami (PG) 81 E4
Baldaria (VR) 25 F3
Baldassarri, Villa (LE) 95 E2
Balchieri d' Asti (AT) 32 CD2
Baldignano (AR) 55 E2
Baldiscio, Passo di (SO) 10 A1
Baldissero Canavese (TO) 19 D4
Baldissero d Alba (CN) 31 E4
Baldissero Torinese (TO) 31 B4
Baldo, Monte (VI) 13 F3
Baldo, Monte (VR) (TN) 24 BC4
Baldu, Fiume 127 C1
Balduina (PD) 38 B1
Balerna [CH] 9 F3
Balestra, Pian di (BO) 47 E2
Balestrate (PA) 108 D4
Balestrino (SV) 42 E1
Baligioni, Monte (SS) 126 E4
Balignano (FO) 49 F1-2
Balisio, Colle (LC) 10 F2
Balistera, Punta (SS) 128 E4
Ballabio, Inferiore/Superiore (LC) 10 F2
Ballano, Lago (PR) 45 C3
Ballao (CA) 133 F1
Ballata (TP) 108 E2
Balletto, Fiume 109 E1
Balletto (PA) 109 E1
Ballino (TN) 12 F2-3
Ballò (VE) 26 E4
Ballone, Poggio (GR) 59 F3
Ballone (PR) 45 B3
Ballu, Monte su (NU) 129 F3
Balma, La (VB) 8 B2
Balma, Rifugio (CN) 41 D3
Balmarossa (TO) 19 D1
Balma (TO) 19 F1
Balma (TO) 30 B4
Balma (VC) 7 F4
Balmaz, La [CH] 6 C2
Balme, Cima delle (VC) 20 A2
Balme, Col de [CH] 6 D2
Balme [F] 6 D1
Balme, Le (AO) 16 A3
Balme (TO) 18 E4
Balmhorn [CH] 7 A3
Balmúccia (VC) 6 F1
Balocchi, Case (RE) 46 D1
Balocco (VC) 20 E3
Balossa Bigli (PV) 33 B3
Balsorano Nuovo/Vecchio (AQ) 75 D2
Baltschieder [CH] 7 B4
Balvano (PZ) 90 C4
Balvano, Stazione di (PZ) 90 D4
Balza di Ciotto (FR) 75 DE2
Balze (FO) 55 C2
Balzi (CE) 83 E2
Balzo (AP) 63 F4
Bálzola (AL) 32 A4
Bammina, Monte (ME) 112 D3
Bánari (SS) 128 B4
Banca, La (Roma) 80 B2
Bancali (SS) 125 F3
Banchetta, Monte (TO) 30 B2
Banchette (TO) 20 D1
Banchi, I (GE) 43 C4
Banco Apollo (PA) 109 A1
Bancole (MN) 36 B3-4
Banco (TN) 12 B4
Banderuola, Pizzo (SO) 11 C2
Bandiera, Punta (ME) 111 C3
Bandino, Porto (LT) 81 D2
Bandita (AL) 43 A1
Bandita Cilleni (PG) 62 D3-4
Bandita, La (PI) 59 B1
Bandita, Monte La (PG) (MC) 63 F2
Bandita (PA) 109 D3
Bandita, Poggio La (GR) 59 D3
Banditella (GR) 66 C1
Banditelle (PO) 53 A3
Banditelle, le (PI) 52 F4
Banditelle (LI) 59 E2
Bandito (CN) 31 E4
Bando (FE) 48 A3
Bando (PN) 26 B1-2
Banengo (AT) 32 B2
Bangiuludo, Pizzo (CA) 135 A2
Banna, Fiume 31 C4
Banna (TO) 31 C4
Bannaberger [A] 5 C2
Bannere, Le (BN) 84 C1
Banne (TS) 29 D3
Bannia (PN) 15 F3
Bannio-Anzio (VB) 8 E2
Bannone (PR) 35 F4
Bano, Monte (GE) 43 B4
Banquettes, Col des [F] 50 C2-3
Ban, Testa del (TO) 30 A1-2
Bantine Sale,Torre (SS) 128 A1
Bantine (SS) 129 B3
Banì (TO) 19 F3
Banzano (AV) 89 B3
Banzena (AR) 54 D4
Banzi (PZ) 91 B4
Banzola (RE) 46 B2
Banzuolo (MN) 36 D2
Baone (PD) 38 A1
Baosu, Porto (NU) 128 D2
Barabana (BO) 48 B1
Barabò (VR) 37 B1-2
Baracca del Porto (CA) 135 F1
Baracca, La (AR) 55 F1
Baracca, La (SP) 44 D3
Baracca, Monumento a (TV) 26 B4
Baracca, Punta della (TA) 94 EF1
Baracchella (CS) 102 E3
Baracche, Masseria le (MT) 92 E3
Baracco (CN) 41 C3
Baráccola (AN) 57 E3
Baraccone, Bric (CN) 42 B2
Baraccone, Monte (SV) 42 C3
Barádili (OR) 132 D2
Baragazza (BO) 47 F2
Baraggia (VB) 20 B4
Barággia (NO) 21 C1
Baraggia (VC) 20 CD-3
Baragiano (PZ) 91 C1
Baragiano, Stazione di (PZ) 91 C1
Baralla, Poggio (AR) 54 D4
Barallo, Fiume 56 E2
Baranci Croda dei (BZ) 4 D3
Baranello (CB) 83 A3
Barano d Ischia (NA) 88 C2
Baranzuolo (GE) 44 C2
Barasso (VA) 21 A3
Barate (MI) 21 E4
Baratili S. Pietro (OR) 131 B3
Baratta, Serra di (ME) 112 E2
Baratte (TO) 30 A4
Baratti, Golfo di (LI) 59 E1
Baratti (LI) 59 E1
Barattina (VC) 8 F2
Baratz, Lago (SS) 128 A1
Barazzetto (UD) 16 F2
Barba (BN) 83 F4
Barbagallo, Masseria (CT) 120 D4
Barbania (TO) 19 E3
Barbano (VI) 26 E1
Barbanti (PS) 56 E3
Barba (PT) 53 B2
Barbágia Belvì (NU) 132 B3-4
Barbágia Ollolai (NU) 129 E4
Barbágia Seúlo (NU) 132 C4
Bárbara (AN) 56 E4
Barbara Lowrie, Rifugio (TO) 30 DE3
Barbarano (BS) 24 C2
Barbarano, Fiume 24 C2
Barbarano (LE) 100 E3
Barbarano Romano (VT) 67 F2
Barbarano Veiano, Stazione di (VT) 67 F2
Barbarano Vicentino (VI) 25 E4
Barbarasco (MS) DE1-2
Barbaresco (CN) 32 E2
Barbaricina (PI) 52 D2
Barbariga (BS) 23 E3
Barbariga (PD) 37 B4
Barbarigo, Fiume 119 B1
Barbarino, Ponte di (PC) 34 E2
Barbarolo (BO) 47 D3
Barbarossa, Masseria (BA) 86 D1
Barbarossa, Punta (SS) 125 D2
Barbassolo (MN) 36 B4
Barbasso (MN) 36 B4
Barbata (BG) 23 E1
Barbato, Monte (BN) 84 C2
Barbavara (PV) 21 E2-3
Barbé (VI) 9 E1
Barbeano (PN) 15 E3-4
Barbei (CN) 42 B2
Barbellino Lago di (BG) E2
Barbera, Cascina (VC) 20 F3
Barberine [F] 6 D2
Barberino di Mugello (FI) 53 A4
Barberino Val d' Elsa (FI) 53 E3-4
Barberi (PE) 70 D4
Barbeston, Monte (AO) 19 D3
Barbialla (FI) 53 E2
Barbianello (PV) 34 B1
Barbiano (AR) 54 D3
Barbiano, (Barbian) (BZ) 3 E2
Barbiano (RA) 48 CD2-3
Barbi, Capo (RC) 114 B3
Barbieri, Prato (PC) 34 F4
Barbígarezza (PR) 44 B4
Barbisanello (TV) 27 A1
Barbisano (TV) 26 A4
Barbischio (SI) 54 F2
Barbi (SI) 60 DE4
Barbona (MO) 46 C3
Barbona, Monte (LU) 52 B4
Barbona (PD) 38 BC1-2
Barbuglio (RO) 37 B4
Barbusi (CA) 134 C3-4
Barbuzzera (CR) 22 E3
Barca, Cala della (SS) 128 B1
Barca del Grazi, La (GR) 65 C4
Barca Fiume 128 B2
Barcanello (AL) 33 E2
Barca, Ponte la (CT) 120 C4
Barcarello, Punta di (PA) 109 C2
Barcarola (VI) 25 AB3
Barca (SI) 60 A3
Barca (TO) 31 A3-4
Barcàccia, La (PG) 62 C3
Barcellona Pozzo di Gotto (ME) 112 C4
Bar Cenisio (TO) 18 F3
Barche (AO) 19 A3
Barche (PD) 26 D1
Barchessa (PD) 37 B4
Barchessa Ravagnán (RO) 39 C2
Barche (TV) 26 A4
Barchi (CN) 41 E4
Barchi (MN) 36 B1
Barchi (PS) 56 D3-4
Bárcis (PN) 15 D2
Barcis, Lago di (PN) 15 D2
Barco (LC) 22 A3
Barco (FI) 47 F3
Barcola Faro della Vittoria (TS) 29 D2-3
Barcon (TV) 26 C3-4
Barco (PN) 27 B3-4
Barco, (RE) 36 F1-2
Barco (TN) 13 F2
Barco, Villa (RG) 123 C4
Barco (VR) 25 E2
Bardalone (PT) 46 F4
Bardan, Monte (SO) 10 A1
Bard (AO) 19 C4
Bardaro, Serra (AG) 119 E1
Bardassano (TO) 31 B4
Bardelle (MN) 36 C4
Bardello Superiore (VA) 21 A2
Bardia, Monte (NU) 130 DE3
Bardies (BL) 14 E2-3
Bardine (MS) 45 E2
Bardineto (SV) 42 D2
Bardino Vecchio/Nuovo (SV) 42 D2-3
Bardi (PR) 34 F4
Bardolino (VR) 24 D3
Bardone (PR) 45 A3
Bardonécchia (TO) 30 A1
Bardonetto (TO) 19 D2
Bardoney (AO) 19 C2
Bardosu, Cantoniera (NU) 129 D2-3
Baréggio (MI) 21 D4
Barengo (NO) 21 C1
Barengo (TO) 20 E1
Baresi (BG) 10 F4
Baressa (OR) 132 D2
Baresus, Nuraghe de is (NU) 133 E3
Barete (AQ) 69 D2
Baretta G., Grotta di (SA) 97 AB1
Bargagli (GE) 43 B4
Barga (LU) 46 F1
Bargecchia (LU) 52 B2
Barge (CN) 31 E1
Barge, La [F] 30 F1-2
Barghe (BS) 24 C1
Bargi (BO) 47 F1
Bargino (FI) 53 E4
Bargnana (BS) 23 D2
Bargni (PS) 56 D3
Bargone (GE) 44 D3
Bargrano (BS) 23 E3
BARI 87 E3
Bariano (BG) 23 D1
Bariardo (IM) 50 C4
Baricella (BO) 47 A4
Baricella Fiume 70 D3
Baricetta (RO) 38 C3
Barifreddo, Monte (TO) 30 C3
Barigazzo (MO) 46 D2
Barigazzo, Monte (PR) 45 A1
Barile (PT) 53 B2
Barile (PZ) 91 A2
Barina (PD) 26 C2
Barisano (FO) 48 D4
Bari Sardo (NU) 133 C3

Barisciano (AQ) 70 E1
Barisciano, Lago di (AQ) 70 E1
Barisoni (NU) 133 E3
Barisonzo (PV) 33 C4
Bari, Torre di (NU) 133 C3
Barizzo, il (SA) 90 E1
Barlassina (MI) 22 C1
Barletta (BA) 86 C3
Barmaz [CH] 6 C2
Barme (AO) 19 B4
Barme [CH] 6 C1
Barmes, Les [CH] 7 B2
Bar, Monte [CH] 9 D3
Barnes, Fiume 12 B3
Barni (CO) 9 F4
Barolo (CN) 32 F1
Baronaggio, Masseria (BA) 93 AB2
Barona (PV) 34 A2
Baroncia (MC) 63 C3
Barone Canavese (TO) 19 E4
Barone, Lago [CH] 9 A1-2
Barone, Monte del (CS) 98 E3 4
Barone, Monte del (BI) 20 B3
Barone, Monte (FG) 79 E3
Barone, Pizzo [CH] 9 A1-2
Barone, Torre del (AG) 117 D3
Baronia (ME) 112 B4
Baronia, Monte (TP) 108 F3
Baronie (NU) 130 BC4
Baroni, Piano dei (AG) 117 B2
Baronissi (SA) 89 C3
Baroni (TO) 30 A4
Barp (BL) 14 D3
Barquedo (NO) 21 B1
Barrabisa (SS) 127 B1
Barra (CN) 31 F1
Barracù, Monte (PA) 117 A4
Barrafranca (EN) 119 E3
Barrali (CA) 132 F3
Barra, Monte (LC) 22 A3
Barra (NA) 88 B4
Barrata, Toppa (BN) 84 D1
Barrea (AQ) 75 E4
Barrea, Lago di (AQ) 75 E4
Barrera, Masseria (LE) 95 D3
Barretta, Masseria (FG) 85 A3
Barrettini, Isola (SS) 127 A2
Barrhorn [CH] 7 C3
Barricata, Albergo (TN) 13 F3-4
Barricata, La (RO) 39 E2
Barriera (AG) 119 F1
Barriera (CT) 121 B1
Barritteri (RC) 114 B3
Barrott, Dome de [F] 40 E1-2
Barrotta, Masseria (LE) 100 B2
Barrua (CA) 135 D1
Barsi di Groppallo (PC) 34 F3-4
Bartolacelli (MO) 46 C3-4
Bartoli (CT) 121 D1
Baruccana (MI) 22 C1
Barúcci (AN) 56 F3
Baruchella (RO) 37 C3-4
Baruffini (SO) 11 C3
Barullo (AR) 61 C2
Barumela, Castello (OR) 132 D1
Barúmini (CA) 132 D3
Barussa, Nuraghe (CA) 134 E4
Barzago (LC) 22 B2
Barzana (BG) 22 B4
Barzaniga (CR) 35 A2
Barza (VA) 21 A2
Barzanó (LC) 22 B2
Barzesto (BG) 11 E2
Bárzio (LC) 10 F2
Barzizza (BG) 23 A2
Basagliapenta (UD) 28 A3
Basaldella (PN) 15 E3
Basaldella (UD) 15 E3
Basalghelle (TV) 27 B2-3
Basaluzzo (AL) 33 E2
Basanello (AQ) 69 D2
Basanija, Bassania [YUI] 29 F1
Basanija, Punta Bassania [YUI] 29 F1
Basano, Punta (TP) 107 E1-2
Bascapé (PV) 22 F2
Baschi (TR) 67 B3
Bascianella (TE) 70 C1
Basciano (SI) 60 A2
Basciano (TE) 70 C2
Bascio (PS) 55 C3
Basedo (PN) 27 A4
Baséglia (PN) 15 E4
Baseleghe, Borgo (VE) 28 DE2
Baselga del Bondone (TN) 12 E4
Baselga di Piné (TN) 13 D1-2
Baselica Bologna (PV) 22 F1
Baselica (PR) 45 B1
Basélice (BN) 84 B2
Basella (BG) 23 C1
Basentello, Fermata (MT) 92 B2
Basentello, Fiume 92 A1
Basento, Fiume 91 D3 92 D3 93 F1
Basiago (RA) 48 D3
Basiano (MI) 22 C3
Basiasco (LO) 22 F4
Basicó (ME) 112 D3
Basiglio (LO) 22 EF1
Basile (BA) 87 B2
Basile, Casa (SS) 129 D2
Basiliano (UD) 28 A3
Basilicagoiano (PR) 36 F1
Basilicanova (PR) 35 F4
Basilicó, Monte (CS) 102 C4
Basilicò, Monte (RC) 114 D3
Basiluzzo Isola (ME) 112 A3
Basiol, Borgo (GO) 29 B1
Baslan (BZ) 2 E4
Basodino, Cap [CH] 8 A4
Basódino Monte (VB) 8 A4
Basovizza (TS) 29 D3-4
Bassachaux, Col de [F] 6 B1
Bassacutena, Fiume 126 C4
Bassacutena (SS) 127 C1
Bassa di Mai (PR) 35 D3
Bassa Engadina [CH] 1 C2-3
Bassa, Forcella (PN) 14 D4
Bassano (AN) 63 B1
Bassano Bresciano (BS) 23 F3
Bassano del Grappa (VI) 26 B2
Bassano in Teverina (VT) 67 D4
Bassano, Rifugio Albergo (TV) 26 A2
Bassano Romano, Stazione di (VT) 67 F3
Bassano Romano (VT) 67 F3
Bassano (VA) 9 D1-2
Bassa (UD) 16 B4
Basse [CH] 6 C4
Basse, Colle [F] 41 F1
Basse di Ripe (AN) 57 DE1
Basset, Colle (TO) 30 B2
Bassiano (LT) 80 A4
Bassignana (AL) 33 C2
Basso (BG) 23 A2
Basso (CS) 102 E1
Basso Fadalto (TV) 14 E4
Bássola (NO) 8 F3
Bassone (MS) 45 C1
Bassura (CN) 40 A4
Bassura, Monte (CN) 40 B2
Bastarda, Colle (CS) 102 F3
Bastardo (PG) 62 F3
Bastelli (PR) 35 D3
Bastia (AN) 62 B4
Bastia (BL) 14 E4
Bastia (FE) 48 B2
Bastia, La (PT) 53 A1
Bastia (MN) 37 C1
Bastia Mondovì (CN) 41 B4
Bastia Monte (GE) 43 C4
Bastianello (ME) 112 E4
Bastia Nuova (FG) 85 E1
Bastia (PD) 26 F1
Bastia, Santuario della (GE) 43 A3
Bastia (SV) 42 F2
Bastia (TO) 20 AB4
Bastia (TO) 30 A3
Bastia Umbra (PG) 62 D2
Bastia (VC) 20 D3
Bastida de' Dossi (PV) 33 C3
Bastida Pancarana (PV) 33 B4
Bastiglia (MO) 37 F1
Bastiola, Monte (PG) 61 B4
Bastiola (PG) 62 D2-3
Bastione Casa (EN) 119 BC3
Bastione Casa (ME) 111 C4
Bastione (ME) 112 C4
Bastione, Monte (BO) 47 E2
Bastione, Poggio al (LI) 59 C2
Bastonca (RG) 123 B2
Bastremoli (SP) 45 E1
Bate, (Battaglia d Bainsizza) [YUI] 17 F2
Batia (PA) 111 E1
Batignano (GR) 60 F1
Battáglia (PS) 56 D1
Battáglia (SA) 97 C2
Battaglia (TE) 70 B1
Battáglia (TP) 108 E2
Battaglia, Canale della 26 F2
Battaglia, Monte (RA) 47 E4
Battaglia, Piano (PA) 110 F4
Battaglia Terme (PD) 38 A2
Battagliosi (AL) 33 F1
Battedizzo (BO) 47 C2
Battel (VB) 7 E4
Batteria, Punta la (NU) 130 A4
Battiati, Casa (CT) 120 AB4
Batticano, Fiume 117 A4
Battiferro (TR) 68 C2-3
Battifolle (AR) 54 F4
Battifolle, Monte (LU) 53 A1
Battifollo (CN) 42 C1
Battipáglia (SA) 90 D1
Battista, Masseria (CB) 77 D3
Battisti, Rifugio (TN) 12 D4
Battistone, Punta (SS) 127 B2
Battuda (PV) 21 F4
Battuello (MI) 21 D4
Battuglia [YUI] 29 B3
Bau (CA) 131 F3
Baucca (PG) 61 A4
Baucina (PA) 109 E4
Bauda, Monte (EN) 111 F2
Baudenasca (TO) 31 D1
Bauducchi (TO) 31 C3
Bau e Mandara, Lago (NU) 133 B1
Bau e Mela, Lago (NU) 133 AB1
Bau e Tanga, Nuraghe (NU) 133 A2
Bau e Tanga, Nuraghe (NU) G7
Bau Ischios (OR) 132 A2
Bauladu (OR) 131 A4
Baunei (NU) 133 A3
Baunuxi, Cantoniera (NU) 133 B3
Bau Pressiu, Ponte (CA) 135 C1
Bau Prezzius, Ponte (CA) D12
Baura (FE) 38 E2
Bau sa Mela (NU) 132 C3
Bausano, Pian (TO) 19 F2
Báuso (ME) 113 B2
Bausone (TO) 32 B1
Baussetti, Monte (CN) 41 D4
Bavantore (AL) 33 E3
Bavantorino (AL) 33 E3
Bavareto (MC) 63 D1
Bavari (GE) 43 B3
Bavarione, Monte (VB) 8 E4
Bavastrelli (GE) 44 A1
Bavastri (GE) 44 A1
Baveno (VB) 8 F4
Baveroi (TV) 15 F1
Baver (TV) 27 A2
Bavona, Fiume 8 B4
Bavona, Val [CH] 8 AB4
Bax, Masseria (BR) 94 C3
Bazena (BS) 11 F4
Bazia, Monte (RC) 104 F3
Bazza (MN) 36 B4
Bazzana (AT) 32 E4
Bazzano (AQ) 69 E4
Bazzano (BO) 47 B1
Bazzano Inferiore-Superiore (PG) 68 A3
Bazzano (PR) 45 B4
Bazzinitta, Nuraghe (SS) 125 F2
Béal Traversier, Pic du [F] 30 D1
Beano (UD) 28 A2
Beata Vergine del Cóvolo (TV) 26 A2
Beato Giolo, Grotta del (PG) 63 F1
Beatrice, Masseria (TA) 93 C3
Beaudovis, Pic de [F] 30 D1
Beaufort [F] 18 A1
Beaufort, Massif de [F] 18 B1
Beaulard (TO) 30 B1
Beaulieu sur Mer [F] 50 D2
Beaume (TO) 30 B2
Beauregard, Lago de (AO) 18 B3-4
Bèbbio (RE) 46 C2
Beber (VI) 25 B2
Beccacivetta (VR) 25 F1
Becca di Viou (AO) 6 F4
Becca, Ponte di (PV) 34 B1-2
Becca Pugnenta (AO) 18 A3-4
Beccara (BI) 20 B2
Beccarini, Azienda (FG) 85 A4
Beccati,Torre (PG) 61 E3
Beccazzittu, Monte (SS) 126 D4
Beccia, La (AR) 55 D1
Becco, Cima del [F] 41 E2
Becco, Monte (GE) 43 C4
Becetto (CN) 30 F4
Bechis, Rifugio (TO) 30 B3
Bedale (CN) 40 A4
Bedale Intersile (CN) 40 AB3
Bedalo Tibert (CN) 40 AB3-4
Bedano [CH] 9 E2
Bedelli, Isola (SS) 127 A1
Bedéro (VA) 9 E1
Bedéro (VA) 9 F2
Bedizzano (MS) 45 F3
Bedizzole (BS) 24 D1-2
Bedóglio (SO) 11 CD1
Bedole (TN) 12 D1
Bedolina (SO) 10 C1
Bedollo (TN) 13 D2
Bedónia (PR) 44 B4
Bedulita (BG) 22 B4
Beduzzo (PR) 45 B3
Bée (VB) 8 E4
Befa, La (SI) 60 D3
Beffi (AQ) 75 A2
Begliano (GO) 29 C1
Bogo, Monte [F] 41 E1
Begosso (VR) 37 B3
Begozzo (MN) 36 D3
Beguda (CN) 41 C1
Béigua, Monte (SV) 43 B1
Beil, Hohes [A] 5 A2
Beinasco (TO) 31 B2
Beinette (CN) 41 BC2 3
Beivars (UD) 16 F4
Belagáio (GR) 60 D2
Belalp, Hòtel [CH] 7 A4
Belbo, Fiume 32 F2 42 B2
Belbrolo (MN) 36 A3
Belcastro (CZ) 105 A4
Bel [CH] 7 A4
Belciúken (AO) 20 A1
Bel Colle (BZ) 4 C2
Belfé, Pian (TO) 19 E1
Belfiore, Cima (LU) (RE) 45 D4
Belfiore (VR) 25 F2
Belforte all'Isauro (PS) 55 D4
Belforte del Chienti (MC) 63 C3
Belforte (MN) 36 C2
Belforte Monferrato (AL) 33 F1
Belforte (PG) 63 F1
Belforte (PR) 45 B1
Belforte (SI) 60 C1
Belgioso (PV) 34 B2
Belgirate (NO) 8 F4
Belgrado (UD) 28 B2
Beliberg [A] 17 A2
Belice Destro, Fiume 109 F1
Belice, Fiume 117 B1
Belice Sinistro, Fiume 117 A3
Belice, Val (TP) 117 BC1
Belici, Fiume 118 C4
Bella (CZ) 105 B1
Belladonna (CZ) 105 C3
Bella Fárnia, Cantiere (LT) 80 C4
Bellagio (CO) 9 E4
Bellaguarda (MN) 36 C2
Bellaguarda (MN) 36 C3
Bella Lui [CH] 7 A1-2
Bella Marsilia, Torre di (GR) 65 C4
Bellamonte (TN) 13 C4
Bella-Muro Lucano, Stazione di (PZ) 90 C4
Bellano (LC) 10 E1
Bellante (TE) 70 B2
Bellántone (RC) 104 F3-4
Bella (PZ) 91 BC1
Belláría (RN) 49 F2
Bellaria (MO) 37 E1
Bellaria (MO) 46 B4
Bellaria, Parrocchia di (FO) 49 F2
Bellaria (PS) 56 E1
Bellaria (SI) 60 D4
Bellariva (FG) 79 C2
Bellariva (RN) 56 A1-2
Bellaromana (LE) 95 E2
Bellasola (PR) 45 C3
Bella Tola [CH] 7 B2 3
Bellavalle (PT) 47 F1
Bellavarda, Monte (TO) 19 D1-2
Bellaveduta (FG) 85 E4
Bellaveduta Surico, Masseria (TA) 93 C2
Bellavista, Albergo [CH] 9 F3
Bellavista, Capo (NU) 133 B3-4
Bellavista, Fermata (TA) 93 E4
Bellavista (GR) 59 D3
Bellavista, Rifugio (BZ) 2 C1-2
Bellavista, Rifugio (BZ) 3 EF3
Bellecombe, P.ta [F] 18 F2
Belledo (LC) 22 A3
Belleface, Roc de [F] 18 AB2
Bellegra (Roma) 74 D2
Bellelli (SA) 90 E1
Bellena (PR) 35 E3 4
Bellentre [F] 18 B1
Belle Plinier, La [F] 18 F1
Belleville [F] 18 A1
Bellia, Stazione (EN) 119 D4
Belli, Masseria (LE) 100 D2
Bellimpiazza, Ca (SS) 125 E4
Bellino (CN) 30 F3
Bellino Fiume 41 D3
Bellino, Monte (GR) (VT) 66 D3
Bellinzago Novarese (NO) 21 C2
Bellinzaro Lombardo (MI) 22 D3
Bellinzona [CH] 9 C3
Bellisio Solfare (PS) 56 F3
Bellissimi (IM) 51 C2
Bellizzi Irpino (AV) 89 A3
Bellizzi (SA) 89 D4
Belloca (PS) 56 D2-3
Bellocca Monte (VR) 25 C1-2
Bellocchi (PS) 56 C4
Belloluogo, Masseria (BR) 94 C4
Bellombra (RO) 38 C3-4
Bollo, Monte (PH) 44 A4
Bellona (CE) 83 E1
Bellori (VR) 25 D1
Bellosguardo (SA) 90 F3
BELLUNO 14 DE4
Belluno Veronese (VR) 24 C4
Belluno (VR) 24 C4
Belluri (CS) 98 F1
Bellusco (MI) 22 C3
Bellwald [CH] 8 A2
Belmonte Calabro (CS) 101 F4
Belmonte, Cappella di (FG) 78 E2
Belmonte Castello (FR) 82 A2
Belmonte (FI) 47 E3
Belmonte in Sabina (RI) 68 E4
Belmonte Mezzagno (PA) 109 D3
Belmonte nel Sànnio (IS) 76 D3
Belmonte Piceno (AP) 64 D1
Belmonte Santuario di (TO) 19 E3
Belmontino, Casa (EN) 120 D1-2
Belnome (PC) 34 F4
Belpasso (CT) 121 C1
Belpasso, Stazione di (CT) 121 C1
Belpo Punta (VR) 24 C3-4
Bel Pra, Cima (BL) 4 F3
Belprato (BS) 24 B1
Belprato (Schönau) (BZ) 2 B4
Belsedere (SI) 60 C4
Belsito (CS) 102 F1
Beltiglio (BN) 83 F4
Beltricetto (RA) 48 B3
Belu, Fiume 131 EF4
Belvedere (AN) 62 C4
Belvedere (BO) 47 E3-4
Belvedere, Cantoniera (SS) 129 C2
Belvedere, Ca (PS) 56 E1-2
Belvedere (CO) 9 E3
Belvedere di Liscia (AQ) 75 F4
Belvedere di Spinello (KR) 103 E1
Belvedere [F] 40 F4
Belvedere Fogliese (PS) 56 C2
Belvedere (GR) 59 D4
Belvedere (GR) 61 F2
Belvedere (GR) 66 A3
Belvedere Langhe (CN) 42 AB1
Belvedere (LI) 59 D2
Belvedere, Madonna di (PG) 55 F3
Belvedere Marittimo (CS) 101 B2
Belvedere, Masseria (TA) 93 C3
Belvedere (ME) 111 B3
Belvedere (MN) 24 F3-4
Belvedere (MN) 36 C2
Belvedere, Monte (AO) 18 A3
Belvedere, Monte (BA) 92 A4
Belvedere ,Monte (MO) 46 E4
Belvedere, Monte (MS) 45 F3
Belvedere, Monte (RI) 68 E4
Belvedere (VB) 7 E4
Belvedere Ostrense (AN) 57 E1
Belvedere (PG) 62 C2
Belvedere (PG) 68 B3
Belvedere (PN) 28 B2
Belvedere (PS) 56 D3
Belvedere, Punta (BS) 24 D2
Belvedere, Rifugio (BL) 14 E1
Belvedere (SA) 89 D4
Belvedere (SR) 124 A3
Belvedere (TN) 13 F2
Belvedere (TN) 13 F4
Belvedere (UD) 28 D4
Belvedere (VI) 25 F4
Belvedere, Villa (TP) 108 E1
Belveglio (AT) 32 D3-4
Belvi (NU) 132 B4
Belviso, Lago di (SO) 11 E2
Belviso, Passo di (SO) 11 F2
Belviso, Val (SO) 11 D3
Bema (SO) 10 D3
Bemini (PR) 35 F3
Benabbio (LU) 52 A4
Benano (TR) 67 E2
Benas, Stagno de is (OR) 131 A2-3
Benatzu, su (CA) 135 D1
Bendejun [F] 50 C1
Béndola, Fiume 41 F2
Benedetto, Lago (BS) 11 D4
Benedetto (MO) 46 C4
Bene Lário (CO) 9 E4
Benestare (RC) 115 C1
Benetutti, Cantoniera (SS) 129 C3
Benetutti (SS) 129 C4
Bene Vagienna (CN) 41 A4
Benevello (CN) 32 F2
BENEVENTO 83 E4
Benevolo, Rifugio (AO) 18 C4
Bengodi (GR) 65 C4
Benitti [CH] 9 C2
Benna (BI) 20 D3
Benne (TO) 19 E3
Benne (TO) 31 D2
Bennio Anzino (NO) 8 E2
Bentivoglio (BO) 47 A3
Benvignante (FE) 38 F1-2
Benzi (AL) 32 F4
Benzone, Lago di (NU) 129 F3
Beppe Túccio, Pùnta (AG) 122 F4
Berardi, Posta (FG) 85 A4
Berbenno (BG) 22 A4
Berbenno di Valtellina (SO) 10 D4
Berceto (PR) 45 B2-3
Berchida, Cantoniera (NU) 130 BC4
Berchida, Fiume 130 B4
Berchidda (SS) 126 F4
Berchiddeddu (SS) 127 E2
Berchiotto (TO) 19 D3
Bercio (BG) 22 B3
Berdia Nuova (RG) 123 C1
Berdo [YUI] 29 B2 3
Beregazzo (CO) 21 B4
Bereguardo, Naviglio di 21 E3-4
Bereguardo (PV) 21 F4
Berenzi (MN) 24 F2
Berg [A] 5 A1
Berga (AL) 43 A4
Bergalga, Fiume 10 AB3
Bergamasco (AL) 32 D4
BERGAMO 22 B4
Bergamo, Rifugio (BZ) 3 F3
Bergantino (RO) 37 C2
Bergassana (SP) 44 D4
Bergeggi, Isola di (SV) 42 D4
Bergeggi (SV) 42 D4
Bergeretti (TO) 31 B1
Bergerie Sous Roche [F] 30 E3
Berghe Superiore [F] 41 F2
Bergiola Maggiore (MS) 45 F3
Bergoglio (CN) 31 E4
Bergogna, (Breginj) [YUI] 17 D1
Bérgolo (CN) 42 A2
Bergoncino (VI) 25 F4
Bérgoro (VA) 21 B3
Berguarina (RO) 37 C4
Bergullo (BO) 48 D2
Berici, Monti (VI) 25 EF3-4
Béride [CH] 9 E2
Berie [YUI] 29 C3
Berioli (SV) 42 E1
Berisal [CH] 8 B1
Berlasco (PC) 34 B3
Berlasco (PC) 34 C3
Berleta (FO) 54 B4
Berligno (BS) 23 D3
Berliner/Hutte [A] 3 A4
Berlingeri, Casa (TP) 116 B4
Berlinghera, Monte (CO) 10 C1-2
Berlingheri, Casa (CA) 135 B1
Berlinghetto (BS) 23 D3
Berlini (PR) 34 F4
Bernalda (MT) 93 F1
Bernarde, Monte Grande (TO) 19 D1
Bernardo, Monte (TP) 108 EF3
Bernardo, Pian (CN) 41 D4
Bernardo, Serra di (PZ) 98 C1
Bernaréggio (MI) 22 C3
Bernasconi, Rifugio (SO) 12 B1
Bernate Rosales (CO) 21 B4
Bernate Ticinese (MI) 21 D3
Bernate (VA) 21 A2
Berneuse [CH] 6 A2
Bernezzo (CN) 41 B1
Bernina [CH] 11 B1
Bernina, Passo del [CH] 1 F1
Bernina, Pizzo [CH] 11 B1
Bernina Suot [CH] 1 F1
Bernina, Val [CH] 1 F1
Bernio, Casato (VE) 39 A1
Berni, Rifugio (SO) 11 B4
Bernolda (RE) 36 DE3
Bernuffi (VI) 25 D3
Berra (FE) 38 D3
Berre des Alpes [F] 50 C2
Berre, Nuraghe (NU) 129 E2
Berretta, Col della (VI) 26 A2
Berriaz (AO) 19 B4
Berri (CN) 31 F4
Berrio Blanc, Monte (AO) 6 F1-2
Berrio, Monte (AO) 6 F4
Berro Pizzo (SO) 10 DE3
Berruiles (NU) 127 F4
Bersano (PC) 35 C2
Bersézio (CN) 40 B2
Bersia (CN) 40 A4
Bersone (TN) 12 F1
Berta, Capo (IM) 51 C3

Bertacchi, Cà (RE) 46 B2
Bertacchi, Rifugio (SO) 10 A2
Bertassi (TO) 31 A1
Berteri (CN) 31 D4
Bertesina (VI) 26 D1
Bertesseno (TO) 19 F1-2
Berthemont, Les Bains [F] 40 E4
Bertiaga, Monte (VI) 25 B4
Bertigaro (GE) 44 B2
Bertigo (VI) 25 A4
Bertinoro (FO) 48 F4
Bertiolo (UD) 28 B2
Bertipaglia (PD) 26 F2-3
Bertocchi (MO) 46 D4
Bertol, Cab. de [CH] 7 E1-2
Bertoldi (TN) 13 F1
Bertolini Sopra (CN) 41 C3-4
Bertolini Sotto (CN) 41 C3
Bertolino, Casa (AG) 117 C2
Bertolla Barca (TO) 31 B4
Berton, Bric (AL) 43 A1
Bertoneria (TV) 26 C4
Bertónico (LO) 34 A4
Bertonio (NO) 8 C2
Bertorella (PR) 44 B4
Bertrand Monte [F] 41 E2
Bertúccia (SR) 121 E1
Berzano di San Pietro (AT) 32 B1
Berzano di Tortona (AL) 33 D3
Berzo (BS) 11 E3
Berzo Demo (BS) 11 E3
Berzo Inferiore (BS) 11 F3
Berzona [CH] 9 C1
Berzona [CH] 9 C2
Berzonno (NO) 20 A4
Berzo San Fermo (BG) 23 B2
Berzova [YUI] 17 D1
Bes (BL) 14 E3
Besagno (TN) 25 A1
Besana in Brianza (MI) 22 B2
Besanigo (RN) 56 B1-2
Besano (VA) 9 F2
Besate (MI) 21 F3 4
Besázio [CH] 9 F2-3
Besenello (TN) 12 F4
Besenzone (PC) 35 C2
Besimáuda, Monte (CN) 41 C2
Besmorello (CN) 40 C3
Besnate,(VA) 21 B3
Bésolo (AT) 32 B1
Besozzo (VA) 9 F1
Besózzola (PR) 35 E1-2
Bessa La (BI) 20 D2
Bessanese, Via di (TO) 18 E4
Bessans [F] 18 E3
Bessé (TO) 30 C2
Bessica (TV) 26 B2
Bessino (BS) 23 A3
Bessude (SS) 129 B1
Bestagno (IM) 51 C2
Bestazzo (MI) 21 E4
Betlemme (TO) 20 F1
Bettaforca, Colle del (AO) 7 F3
Bettaforca, Monte (AO) 7 F3
Bettale (VI) 25 B2
Bettegno (BS) 23 F3
Betten [CH] 8 A1
Bettenesco (CR) 35 B3
Bette (SO) 10 B2
Betti, Dosso (BS) 24 A1
Bettlihorn [CH] 8 B1-2
Bettmeralp [CH] 8 A1
Bettmerhòrn, Hot [CH] 8 A1
Béttola (BS) 24 E1-2
Bettola (MI) 21 E4
Béttola (MI) 22 D3
Bettola (VB) 8 E3
Béttola (PC) 34 E4
Bettola (PS) 56 B4
Bettola (RE) 46 B2
Bettola (VC) 8 F2
Bettole (BG) 23 C1
Bettole (BS) 23 C3
Bettole (BS) 23 DE4
Béttole (TO) 20 B4
Bettolelle (AN) 57 DE1
Bettolina, Monte (AO) 7 F3
Bettolle (SI) 61 C1
Bettona (PG) 62 E2
Bettuno (BG) 11 E1
Beuil [F] 40 E2
Beura (VB) 8 D3
Beuson [CH] 6 C4
Bevadoro (PD) 26 D2
Bevagna (PG) 62 EF3
Bevano, Fiume 49 D1
Bevazzana (VE) 28 D2
Beverare (RO) 38 B3
Bévera Roia, Fiume 50 C3
Beverino (SP) 45 E1
Bevia (TN) 12 B4
Bevilacqua (FE) 37 F2
Bevilacqua (VR) 37 A3
Bevole (TO) 20 D1
Bevorchiàns (UD) 16 B3
Bex [CH] 6 B2-3
Bezzecca (TN) 12 F2
Bezzetti (MN) 24 F3
Bezzi Rifugio (AO) 18 C3
Bezzo (SV) 42 E2
Biacesa di Ledro (TN) 24 A4
Biácis (UD) 17 E1
Biadene (TV) 26 B4
Biagasco (PV) (AL) 33 D4
Biagi (MC) 63 C3
Biagioni (BO) 46 F4
Biais, Fiume 14 BC2
Biana (PC) 34 E4
Bianca, Cala (TP) 107 E1
Biancacamicia (SI) 61 D1
Bianca, Casa (FI) 54 A1
Bianca, Casa (ME) 113 B3
Bianca, Cà (VE) 39 B1
Bianca, Cima (AO) 7 F1-2
Biancade (TV) 27 C2
Bianca, La (ROMA) 72 A2
Bianca La (SS) 127 D2-3
Biancanelle, Poggio (PI) 52 F4
Biancanigi (PV) 34 D1
Biancanigo (RA) 48 D2
Biancano (BN) 83 F2
Bianca (PG) 68 A3
Bianca, Punta (AG) 118 F3
Bianca, Punta (AO) 18 B4
Bianca, Punta (SP) 45 F2
Bianca, Punta (SS) 126 D2-3
Biancareddu (SS) 125 F1
Bianca, Rocca (TO) 30 C3
Biancavilla (CT) 120 B4
Bianche, Case (LE) 95 E2
Bianche, Case (SS) 125 C2
Bianche di Telves, Cime (BZ) 3 B1
Bianchi (AT) 32C1
Bianchi (CN) 30 F4
Bianchi (CS) 102 F2
Bianco, Canale 37 C2 38 CD1
Bianco, Capo (AG) 117 E4
Bianco, Capo (BR) 95 C2
Bianco, Capo (BZ) 3 C1-2
Bianco, Capo (KR) 106 B3
Bianco, Corno (TO) 19 D1
Bianco, Corno (VC) 7 F4
Bianco, Corno (Weisshorn) (BZ) 13 B2-3
Bianco, Fiume 90 D4
Bianco, Lago (BL) 4 E3
Bianco, Lago [CH] 11 B2
Biancolidda (TP) 116 B3
Bianco, Monte (AO) 6 F1-2
Bianco, Monte [F] 6 E2 F1
Bianco, Monte (FR) 75 F4
Bianconese (PR) 35 E3-4
Bianco, Pizzo (VB) 7 E4
Bianco, Poggio (PI) 59 A1-2
Bianco (RC) 115 D1
Bianco, Sasso (BL) 14 B2
Bianco, Vallone Rio (UD) 16 B4
Biandrate (NO) 21 D1
Biandronno, Lago di (VA) 21 A2
Biandronno (VA) 21 A2
Bia Nuraghe (CA) 132 E4
Bianzano (BG) 23 B2
Bianzé (VC) 20 E2
Bianzone (SO) 11 D3
Biasca [CH] 9 B3
Biasca, Cima di [CH] 9 B3
Biasi (SS) 127 F3
Biasotta, Masseria (FG) 85 C2
Biassa (SP) 45 F1
Biassono Autodromo (MI) 22 C2
Biauzzo (UD) 15 F4
Biazzo (RG) 123 B2
Bibano (TV) 27 A2
Biban (TV) 27 C1
Bibbiana (FI) 47 F4
Bibbiano (AR) 54 E4
Bibbiano (FI) 54 C2
Bibbiano (RE) 36 F1
Bibbiano (SI) 53 F3
Bibbiano (SI) 60 D3
Bibbia, Villa (SR) 124 B2
Bibbiena (AR) 54 D4
Bibbinello, Necropoli (SR) 124 B1
Bibbona / Casale, Stazione (LI) 59 B1
Bibbona (LI) 59 B1-2
Bibiana (TO) 30 D4
Bibione Pineda (VE) 28 DE2
Bibione (VE) 28 D2-3
Bibola (MS) 45 E2
Bibulano (BO) 47 D2-3
Biccari (FG) 84 B3
Bicchiere (PT) 46 F3
Bicco Monte (MC) 63 F3
Bicinicco (UD) 28 B4
Bicocca, Colle (CL) 30 F3
Bicocca (NO) 21 E1-2
Bicocca, Stazione (CT) 121 D1
Bicocca (TO) 31 C2
Biddemi, Ponte (RG) 123 D2
Bidderdi, Cantoniera (CA) 131 F3
Biddé, Nuraghe (NU) 129 B4
Biddiriscottai, Grotta di (NU) 130 D3
Biddusa, Ponte (TP) 116 A4
Bidella, Nuraqhe (OR) 132 C1
Bidente di Corniolo, Fiume 54 B4
Bidente di Ridracoli, Fiume 54 B4
Bidente, Fiume 48 F3-4 55 B1
Bidicolai Cantoniera (NU) 130 E2-3
Bidighinzu, Lago (SS) 128 B4
Bidogno [CH] 9 B3
Bidoni (OR) 129 F2
Biegno (VA) 9 D2
Biela, Pizzo [CH] 8 B4
Biel [CH] 8 A2
Bielerhöhe [A] 1 B1-2
Biella, Rifugio (BL) 4 D2
Biella (BI) 20 C2
Bielmonte (BI) 20 B2
Biena, Fiume 60 B3
Bienate (MI) 21 C3
Bienno (BS) 11 F3
Bieno (TN) 13 E3
Bientina (PI) 52 D4
Biestro (SV) 42 C2-3
Bietschhorn [CH] 7 A4
Biferno, Fiume 77 F1
Biffi, Canale 24 BC4
Bifig [CH] 7 C3
Bifolchini, Casa (GR) 66 A3
Biforco (AR) 55 D1
Biforco (FI) 47 F4
Bigalzu (SS) 126 EF3
Bigarello (MN) 36 B4
Bigório, Monte [CH] 9 D2-3
Biggini, Torre (TP) 117 B1
Bighi, Pian dei (GR) 59 E4
Bigioni (RI) 68 C4
Bigliana [YUI] 29 A1
Biglia [YUI] 29 B2
Biglini (CN) 32 E1
Bignasco [CH] 9 B1
Bignone, Monte (IM) 50 C4
Bigogno [CH] 9 E2
Bigolino (TV) 26 A3
Bigotti (PC) 34 E4
Bilanciere, Monte (TE) 69 B4
Bilegno (PC) 34 C3
Bileo, Cocuzzo (PA) 109 E3
Bilianu Saldu (SS) 127 C2
Bilioso, Fiume 92 CD1
Billemme (VC) 20 F4
Billi, Palazzo (PG) 62 B3
Bimmisca, Villa (SR) 124 D2
Binaghe, Monte (PR) 45 B1-2
Binago (CO) 21 A4
Binanuova (CR) 35 A3
Binasco (MI) 21 F4
Bindo (LC) 10 E1-2
Binetto (BA) 87 F2
Binio (TN) 12 E2
Binna, Fiume 8 AB2
Binnatal [CH] 8 AB2
Binn [CH] 8 B2
Bino, Lago (PC) 44 A3
Binzago (BS) 24 C1
Binzago (MI) 22 C1
Biódola, Golfo della (LI) 58 E2
Biódola (LI) 58 E2
Bioggio [CH] 9 E2
Bióglio (BI) 20 C3
Biogno [CH] 9 E2
Biolla (BI) 20 B3
Biolley, Le [F] 18 C3
Bionassay, Staz. Glacier de [F] 6 EF1
Bionaz (AO) 7 F4
Bionde di Visegna (VR) 37 AB1-2
Biondo, Serra di (PA) 118 BC1
Bione (BS) 24 C1
Bionnassay, Aigle de [F] 6 F1
Bionnassay [F] 6 E1
Bionzo (AT) 32 E3
Bioula, Punta (AO) 18 B4
Birago (MI) 22 C1
Birandola (RA) 48 D3
Birbergspitze [A] 3 A4
Birbesi (MN) 24 F2
Birchen [CH] 7 A2
Birghorn [CH] 7 A3
Birgi Novo (TP) 107 F4
Birgisch [CH] 7 B4
Birgi Vecchi (TP) 107 F4
Birnbaum [A] 5 D3
Birònico [CH] 9 D3
Birori, Fermata di (NU) 129 E1
Birori (NU) 129 E1
Birrone, Monte (CN) 30 F4
Birsi [YUI] 29 B3
Bisaccia (AV) 85 F1
Bisàccia, Masseria (FG) 86 C1
Bisaccia, Nuova (AV) 85 F1
Bisacquino (PA) 117 B4
Bisagna, Cocuzzo (PA) 109 F2-3
Bisani, Cantoniera (NU) 129 F3
Bisano (BO) 47 D3
Bisazza, Monte (PA) 109 E1
Bisbino, Monte (CO) 9 F3
Biscáccia (GE) 43 B2
Bis, Cà di (MI) 21 E3
Bisceglie (BA) 86 D4
Bisce, Isola delle (SS) 127 B2-3
Biscina (PG) 62 C3
Bisco, Masseria del (FG) 84 C3-4
Biscubio, Fiume 55 E4
Bisdonio (TO) 19 D2-3
Bisegna (AQ) 75 C3
Biseia, Ponte de (SS) 129 C3
Biselli (PG) 69 A1
Bisentina, Isola (VT) 67 C1
Bisenti (TE) 70 CD2
Bisentrate (MI) 22 D3
Bisenzio (BS) 24 B1
Bisenzio, Fiume 53 B3-4
Biserna (FO) 54 B4
Bisignano (AP) 63 F4
Bisignano (CS) 102 C1
Bisio (AL) 33 EF2
Bisnate (LO) 22 E3
Bissalacqua Monte (CT) 112 E2
Bissicoro, Monte (NU) 133 A3
Bissone [CH] 9 F3
Bissone (PV) 34 B3
Bistagno (AL) 32 F4
Bister [CH] 8 B1
Bististafel [CH] 7 C4
Bistrica [YUI] 17 D4
Bistrigna (GO) 29 C1
Bisucchio (VA) 9 F2
Bitetto (BA) 87 E2
Bithia (CA) 135 F2
Bitonto (BA) 87 E2
Bitorno, Monte (PG) 61 C4
Bitritto (BA) 87 EF2 3
Bitsch [CH] 8 B1
Bitti (NU) 130 C1
Bitzinen [CH] 7 B4
Bivai (BL) 14 E2
Bivera, Monte (UD) 15 B2
Biviere di Cesarò, Lago (ME) 112 E1
Biviere II (CL) 123 B1
Bivigliano (FI) 54 B1
Bivio [CH] 10 A3
Bivio, Il (FI) 53 A4
Bivio Luneto (PR) 35 F1
Bivio Lupo (PA) 109 F3
Bivio Passo Vecchio (KR) 103 F3
Bivona (AG) 117 C2
Bivona (AG) 118 B1
Bivona (VV) 104 D3
Bivongi (RC) 105 F2
Bizzarone (CO) 21 A4
Bizzolano (MN) 36 B1
Bizzozero (VA) 21 A3
Bizzuno (RA) 48 C3
Blacca, Corna (BS) 24 B1
Blachiére, La [F] 30 F1-2
Blanc de Cheilon, Monte [CH] 7 DE1
Blanc du Tacul, Mont [F] 6 F1-2
Blanc Giuir (TO) 19 C1
Blanche, Dent [CH] 7 D2
Blanche, La [F] 40 D2
Blanchen, Gran Becca (AO) 7 E1
Blanc, Lago [F] 18 E1
Blanc, Lago [F] 6 D1
Blasi, Masseria (BR) 95 D1-2
Blasi, Portella di (PA) 109 F4
Blatten [CH] 7 A4
Blatten [CH] 7 B4
Blausasc [F] 50 D2
Blavy (AO) 19 A2
Bleggio Inferiore (TN) 12 E3
Bleggio Superiore (TN) 12 F2 3
Blegier, Colle (TO) 30 B2
Blello (BG) 22 A4
Blénio, Val [CH] 9 AB3
Blera (VT) 67 F2
Blessaglia (VE) 27 B4
Blessagno (CO) 9 F3-4
Blessano (UD) 16 F3
Bleu, Lago (AO) 7 E2
Blévio (CO) 22 A1
Blickspitze [A] 2 B2
Blinne Fiume 8 A3
Blinnenhorn (VB) 8 A3
Blitzingen [CH] 8 A2
Blufi (PA) 119 A2
Blumone, Cornone di (BS) 11 F4
Blussega, Dosso (BS) 23 A4
Boara (FE) 38 E1
Boara Pisani (PD) 38 B2
Boara Polesine (RO) 38 C2
Boara (VR) 37 A4
Boarezzo (VA) 9 F2
Boaria Solferino (VE) 38 B4
Boario (BG) 11 F1
Boario Terme (BS) 11 F2
Boasi (GE) 43 B4
Bobba, Rifugio (AO) 7 E2
Bobbiano (PC) 34 D3
Bobbiate (VA) 21 A3
Bobbio (PC) 34 E2
Bóbbio, Cella di (PV) 34 E1
Bobbio Pellice (TO) 30 D3
Bobecco sul Naviglio (MI) 21 E3
Bobojach [A] 4 A4
Bocale (RC) 114 E1
Boca (NO) 20 B4
Bocca Callalta (TV) 27 C2
Bocca Chiarano, Serra (AQ) 75 DE4
Bocca Chiavica (MN) 36 C2
Bocca di Biandino, Rifugio (LC) 10 E2
Boccadifalco (PA) 109 D2
Bocca di Fiume (LT) 80 B4
Bocca di Ganda (MN) 36 C3-4
Bocca di Magra (SP) 45 F2
Bocca di Piazza (CS) 102 F3
Bocca di Rio, Santuario di (BO) 47 F2
Bocca di Scala, Monte (LU) 45 E4
Bocca di Strada (TV) 27 A1
Boccagnano (RA) 48 E2
Bocca, Isola della (SS) 127 D3
Bocca, La (TP) 116 B3
Boccaleone (FE) 48 A2
Bocca, Masseria di (BA) 86 D2
Bocca Nuova (FG) 78 C1-2
Boccasette (RO) 39 C2
Boccassuolo (MO) 46 D2
Boccavizza [YUI] 29 B2
Boccera (ROMA) 73 C1
Boccetta (TR) 67 B2-3
Bocche, Cima (TN) 13 B4
Bocche del Po del Tolle (RO) 39 E2-3
Bocche del Po di Goro e di Gnocca (RO) (FE) 39 EF2
Boccheggiano (GR) 59 D4
Bocchere (MN) 36 A2
Bocchetta, Passo di (AL) (GE) 43 A2-3
Bocchigliero (CS) 103 C1
Bocchignano (RI) 68 F3
Bòccia al Mauro (NA) 89 B1
Bocciarda, Monte (TO) 30 B4
Bocciolaro (VC) 8 F2
Boccioleto (VC) 8 F1
Bocco (GE) 44 C2
Bocco, Monte (PR) 45 D2-3
Bocconi (FO) 54 A4
Boccon (PD) 26 F1
Bocco, Passo di (GE) 44 C2-3
Boccório (VC) 7 F4
Bocenago (TN) 12 D2
Bochor Monte [F] 18 D1-2
Bockstein [A] 5 C1
Bodelacchi (AL) 32 C4
Boden [CH] 7 C4
Bodengo (SO) 10 C1
Bodio [CH] 9 B3-4
Bódio (VA) 21 A3
Bo di Val Sesia, Monte (VC) 20 A2
Bodrello, Monte (BS) 11 F3
Bódres [YUI] 17 F2
Boeo o Lilibeo, Capo (TP) 116 A2
Boesino (RA) 48 F1
Boes, Nuraghe (SS) 129 C4
Boffalora d'Adda (LO) 22 EF4
Boffalora, Rifugio (CO) 9 E4
Boffalora (SO) 10 A1
Boffalora sul Ticino (MI) 21 D3
Bogai, Arcu Genna (CA) 134 B3
Bogatin, Passo [YUI] 17 D2-3
Boglelio, Monte (PV) 34 E1
Bogliaco (BS) 24 C3
Bogliano, Fiume 32 F4
Bogliano (TO) 19 E1
Bogliasco (GE) 43 C4
Boglietto (AT) 32 E2-3
Bognanco (VB) 8 B2
Bognassi (PV) 34 E1
Bogno [CH] 9 D3
Bogogno (NO) 21 B1
Bogolese (PR) 36 E1
Bohinisko Jezero [YUI] 17 D3
Bohinjska Bela [YUI] 17 C4
Boiago (TV) 26 C4
Boiara, Bosco di (AV) 90 B2-3
Boi, Capo (CA) 136 D2
Boion (VE) 26 F4
Bois, Le [F] 18 C2
Boissano (SV) 42 E2
Bóite, Fiume 4 F3
Bojano (CB) 83 B2
Bojret, Passo del (TO) 19 D1-2
Bolago (BL) 14 D3
Bolano (SP) 45 E1
Bolastro [CH] 9 B2
Bolbeno (TN) 12 E2
Bolca (VR) 25 D2
Boldeniga (BS) 23 E3
Boleto (VB) 20 A4
Boletto, Monte (CO) 22 A1
Bolótana (NU) 129 D2
Bolgare (BG) 23 C1
Bólgheri (LI) 59 BC2
Bolgheri, Stazione di (LI) 59 B1
Boli Masseria Casa (BA) 93 B3
Bolla (AT) 32 C3
Bolladello (VA) 21 B3
Bolladore (SO) 11 C3
Bollate (MI) 22 D1
Bolle, le (FI) 54 E1
Bolléne Vésuble, La [F] 40 F4
Bollengo (TO) 20 D1
Bollofre [FI 40 C1
Bollone (BS) 24 B2
Bolo, Castello di (ME) 112 F1
Boloe, Chiesa di (SS) 129 C4
BOLOGNA 47 B3
Bolognana (LU) 46 F1
Bolognano (PE) 70 F3
Bolognano (TN) 12 F3
Bolognetta (PA) 109 E3
Bolognina (BO) 37 F2
Bolognola (MC) 63 E3
Bolo, Ponte (ME-CT) 112 F1
Bolotana, Stazione di (NU) 129 D2
Bolsena (VT) 67 B1-2
Bols, Les [F] 6 E2
Boltiere (BG) 22 C4
Bolza, Monte (AQ) 70 E1-2
Bolzaneto (GE) 43 B3
Bolzano (BL) 14 D3
BOLZANO (Bozen) 3 F3
Bolzano Novarese (NO) 21 A1
Bolzano, Rifugio (BZ) 3 F3
Bolzano (UD) 28 A4
Bolzano Vicentino (VI) 26 D1
Bolzone (CR) 22 F4
Bomarzo (VT) 67 D3
Bomba (CH) 76 B3
Bombarde, Spiaggia delle (SS) 128 B1
Bombiana (BO) 47 E1
Bombile (RC) 115 C1
Bombone (FI) 54 D2
Bomerano (NA) 89 D2
Bominaco (AQ) 70 F1
Bompensiere (CL) 118 D4
Bompensiero (BS) 23 F2
Bompietro (PA) 119 A2
Bomporto (MO) 37 F1
Bona, Cala (SS) 128 B2
Bonacci, Bivio (CZ) 105 A1
Bonacina (LC) 10 F1
Bonagia, Golfo di (TP) 108 D1
Bonaldo (VR) 25 F3
Bonamico, Fiumara 115 D1
Bonangelo, Serra (CS) 97 F4
Bonarcado (OR) 128 F4
Bonassai, Nuraghe (SS) 128 A2
Bonassola (SP) 44 E3
Bonatchesse [CH] 6 D4
Bonate Sopra (BG) 22 C4
Bonate Sotto (BG) 22 C4
Bonavalle, Castello di (CN) 31 D2-3
Bonavicina (VR) 37 A2
Bonavigo (VR) 37 A3
Boncellino (RA) 48 D3
Bonchi (TN) 25 B1
Bon Conseil [F] 18 B3
Bonconvento (BO) 47 A3
Boncore, Masseria (LE) 95 F1
Boncuri, Masseria (LE) 100 B1
Bonda, Fiume 50 C4

180 BONDANELLO / BRAGLIA

Bondanello (MN) 36 D4
Bondegno (BS) 24 B1
Bondeno (FE) 37 E3
Bondeno (MN) 36 D4
Bondione (BG) 11 E1
Bondi (PR) 45 A1
Bondo [CH] 10 B3
Bondo di Colzate (BG) 11 E1
Bondone (SO) 11 D2
Bondone (TN) 12 EF4
Bondone (TN) 12 F1-2
Bondone (TN) 24 B2
Bondo Petello (BG) 23 B1
Bondo (TN)12 F2
Bonea (BN) 83 E3
Bone, Fiume 14 B4
Bonefro (CB) 77 E3
Bonefro Santa Croce, Stazione di (CB) 77 E2-3
Bonelli, Masseria (MT) 99 A1
Bonelli (RO) 39 E2
Bonemerse (CR) 35 B3
Bonetto, Monte (GE) 43 B3-4
Bonéggio (PG) 62 D1
Bonferraro (VR) 37 B1
Bonghi, Monte (NU) 133 B3
Bongiovanni (CN) 41 C3-4
Boni (BO) 46 F4
Bonifati, Capo (CS) 101 B2
Bonifati (CS) 101 B2-3
Bonifato, Monte (TP) 108 E4
Bonifca, Canale di 48 B4
Bonifica, Canale di 94 E1
Bonina (AL) 32 B4
Bonisiolo (TV) 27 D1
Bonizzo (MN) 37 C2
Bonnanaro (SS) 129 B1
Bonne (AO) 18 B4
Bonneval [F] 18 B2
Bonneval sur Arc [F] 18 D3
Bono, Casa (TP) 116 F1
Bonom, Cima di (BI) 20 B2
Bonora, Masseria (TA) 93 E1
Bonorva (SS) 129 C1
Bono (SS) 129 C3
Bono (TN) 12 E3
Bonson [F] 50 C1
Bonu Ighinu, Chiesa (SS) 128 C4
Bonu, Nuraghe (NU) 133 CD2
Bonvei, Castello di (SS) 128 C4
Bonvicino (CN) 42 A1
Bonvin Mont [CH] 7 A2
Bonvitello, Monte (PA) 110 E2-3
Bonze, Cima (AO) (TO) 19 C4
Bonzicco (UD) 15 E4
Bonzo (TO) 19 E1
Boracifero, Lago (GR) 59 C3
Boraco, Torre (TA) 94 F3
Bora (FO) 55 A2
Boragine, Monte (RI) 69 C1
Boragni (SV) 42 D3
Bora (RE) 45 C4
Boratella (FO) 55 A2
Borbera, Fiume 33 F3
Borbiago (VE) 26 E4
Borbona (RI) 69 D1-2
Borbore (CN) 32 E1
Borboruso (CS) 102 F2
Borca di Cadore (BL) 14 B3
Borca (VB) 7 E4
Borchessa (BO) 47 A1
Borche (TO) 19 F3
Borcola, Passo della (VI) 25 B2
Bordano (UD) 16 D3
Bordierhutte [CH] 7 C4
Bordighera (IM) 50 D4
Bordigiádas (SS) 126 E3
Bordignana (PV) 33 A1-2
Bordignano (FI) 47 E3
Bordino, Fiume 108 F2
Bordino, Ponte di (TP) 108 F1
Bordogna (BG) 10 F3-4
Bordolano (CR) 23 F2
Bordonaro, Masseria (SR) 124 B2
Bordonaro (ME) 113 C2
Bordonaro (PA) 119 B3
Bordoni (AT) 32 C3
Bordugo (PD) 26 D3-4
Boreana [YUI] 17 D1
Boreano (PZ) 85 F4
Boreca, Fiume 34 F1
Borella (FO) 49 E2
Borelli, Bivio (AO) 6 F1-2
Borello, Fiume 55 B2
Borello (FO) 55 A2
Borello (IM) 50 C4
Borello (RA) 48 D2
Boreneddu (OR) 129 F2
Bore (PR) 35 F1
Boréon, Le [F] 40 E4
Boretto [RE] 36 D2
Borgaccio (PS) 56 D3
Borgagne (LE) 95 F4
Borgallo, Galleria del (PR) (MS) 45 BC1
Borganzo (IM) 51 C3
Borgarello (MI) 22 F1
Borgaretto (TO) 31 B3
Borgaro Torinese (TO) 31 A3
Borgata Calle (MT) 92 C1
Borgata Costiera (TP) 116 B3-4
Borgata Palo (CL) 119 D1
Borgata Pirastera (NU) 132 C3-4
Borgeau Le [CH] 6 D3
Borgesati (TP) 108 F3
Borgetto (CN) 41 B2
Borgetto (PA) 109 D1
Borghesana (VR) 37 B2
Borghetti (BO) 47 C2
Borghetto 1° (RA) 49 D1
Borghetto 2° (RA) 48 E4
Borghetto (AN) 57 E2-3
Borghetto (AR) 61 C3
Borghetto d' Arroscia (IM) 41 F4
Borghetto di Borbera (AL) 33 E3
Borghetto di Fenigli (PS) 56 E2 3
Borghetto di Traversara (RA) 48 C3
Borghetto di Vara (SP) 44 E4
Borghetto Granarolo (GE) 43 BC3
Borghetto Lodigiano (LO) 34 A3
Borghetto (MC) 57 F2
Borghetto (PC) 35 C1
Borghetto (PG) 62 B4
Borghetto (PR) 35 E3
Borghetto (PR) 35 E4
Borghetto (PT) 53 A2
Borghetto (RA) 48C4
Borghetto San Nicolò (IM) 50 D4
Borghetto Santo Spirito (SV) 42 E2-3
Borghetto (TN) 25 C1
Borghetto (VT) 67 B1
Borghetto (VT) 68 E1
Borghi (FO) 55 A4
Borghi (SV) 42 D3
Borghi (TV) 26 B3-4
Bórgia (CZ) 105 C2
Borgiallo (TO) 19 D3
Borgial (TO) 19 F1
Borgiano, Lago di (MC) 63 D3
Borgiano, Lido di (SV) 42 E3
Borgiano (MC) 63 C3
Borgio (SV) 42 E3
Borgna, Monte (VA) 9 D1
Borgnano (GO) 29 B1
Borgnone (VB) 9 CD1
Borgo a Buggiano (PT) 53 B1
Borgo a Giovi (AR) 54 F4
Borgo alla Collina (AR) 54 CD3-4
Borgo a Mozzano (LU) 52 A4
Borgo Anese (TV) 27 A1
Borgo Annunziata (TP) 108 E1
Borgo (AP) 69 A2-3
Borgo Appio (CE) 82 E4
Borgo Aquila (TP) 116 A4
Borgo (AV) 89 B3
Borgo Bainsizza (LT) 80 B3
Borgo Bianchi (TV) 27 B2
Borgo Bisano (BO) 47 D3
Borgo Bonsignore (AG) 117 D4
Borgo Botticino (FE) 38 EF2
Borgo Braemi (EN) 119 E2
Borgo Cà Gallo (PS) 56 C2
Borgo Carso (LT) 80 A3
Borgo Cascino (EN) 119 CD3
Borgo Castelletto (MN) 36 B4
Borgo (CE) 82 D3
Borgo Cerreto (PG) 68 A4
Borgo Chitarra (TP) 116 A4
Borgo Chiusini (UD) 5 F3-4
Borgo (CN) 30 E4
Borgo Cornalese (TO) 31 C3
Borgo Cortili (BO) 48 A1
Borgo d Ale (VC) 20 E2
Borgo delle Anime (RA) 48 C4
Borgo di Buturro (TP) 117 A1
Borgo di Ronta (FO) 49 E1
Borgo di Stecchi (RA) 48 C3
Borgo di Terzo (BG) 23 B2
Borgo di Vaccina (ROMA) 72 C3
Borgo d' Oneglia (IM) 51 C2
Borgo Elefante (TP) 116 B3
Borgo Ermada (LT) 81 C1
Borgo Fazio (TP) 108 F2
Borgo (FE) 38 D1
Borgo Flora (LT) 80 A3
Borgo Foderà (TP) 108 E3
Borgo Fornari (GE) 43 A3
Borgo Forte (MN) 36 C3
Borgo Fosso Ghiaia (RA) 49 D1
Borgo Franchetto (CT) 120 CD3
Borgo Franco d' Ivrea (TO) 20 CD1
Borgofranco sul Pò (MN) 37 C2
Borgo Fráccia (PA) 109 E1
Borgo Fusara (RA) 48 C4
Borgo Gallea (AG) 108 B4
Borgo Giglione (PG) 61 C4
Borgo Giuliano (ME) 111 F4
Borgognone, Monte (PR) 45 C2
Borgo Grappa (LT) 80 BC4
Borgo Greco (PA) 109 D2-3
Borgo Guardiola (TP) 116 C4
Borgo Guarine (TP) 108 F2
Borgo, Il (FR) 75 F3
Borgo, Il (MO) 36 E4
Borgo Inchiusa (TP) 117 B1
Borgo Isonzo (LT) 80 B4
Borgo la Martella (MT) 92 C4
Borgo lavezzaro (NO) 21 F2
Borgo Lezzine (FE) 37 D3
Borgomale (CN) 32 F2
Borgomanero (NO) 21 B1
Borgo Manganaro (PA) 110 F1
Borgomaro (IM) 41 F4
Borgomasino (TO) 20 E2
Borgo Massano (PS) 56 C2
Borgo (MC) 63 E1
Borgo Milletari (EN) 119 B3
Borgo Montalto (TP) 116 A3
Borgo Montanari (RA) 48 D4
Borgo Montello (LT) 80 AB3
Borgo Montenero (LT) 81 D1
Borgo Morfia (ME) 112 E3-4
Borgonato (BS) 23 C2-3
Borgone (NO) 8 E1
Borcone Susa (TO) 30 A4
Borgonovo [CH] 10 B2-3
Borgonovo Ligure (GE) 44 C2
Borgonovo, Ponte (ME-EN) 111 F4
Borgonovo (TE) 70 BC1
Borgonovo Val Tidone (PC) 34 C3
Borgonuovo (AR) 61 C2
Borgonuovo (CN) 31 E4
Borgonuovo (CN) 32 E1
Borgonuovo (LU) 52 B4
Borgo Nuovo (TO) 30 A1
Borgo Pace (PS) 55 D3
Borgo Paglia (FO) 49 F1
Borgo Panigale (BO) 47 B2
Borgo Parténope (CS) 102 E2
Borgo Pasubio (LT) 80 B4
Borgo Petilla (CL) 119 C2
Borgo (PG) 63 F2
Borgo Piano (ME) 112 E3
Borgo Piave (LE) 95 E3
Borgo Piave (LT) 80 B3
Borgo Pietro Lupo (CT) 120 E2
Borgo Pipa (FO) 49 E1
Borgo Podgora (LT) 80 AB3
Borgo Poncarale (BS) 23 E3-4
Borgo, Ponte (UD) 16 E4
Borgo Priolo (PV) 34 C1
Borgo Quinzio (ROMA) 73 A4
Borgoratto Alessandria (AL) 33 D1
Borgoratto Mormorolo (PV) 34 D1
Borgo Redena (FE) 37 D2-3
Borgo Regalmici (PA) 118 B3
Borgo Revel (TO) 32 A2
Borgorégio (TO) 20 F1
Borgoricco (PD) 26 D3
Borgo Rinazzo (TP) 108 F1-2
Borgo Rizza Angelo (SR) 121 F1
Borgo (RO) 38 D3
Borgo Rosariello (TP) 108 E2
Borgorose (RI) 74 A3
Borgo Sabotino (LT) 80 B3
Borgo Salanc (UD) 5 F4
Borgo San Dalmazzo (CN) 41 C1
Borgo San Donato (LT) 80 C4
Borgo San Giacomo (BS) 23 F2
Borgo San Giovanni (LO) 22 F3
Borgo San Giovanni (MC) 63 C3
Borgo San Giovanni (MC) 63 F2
Borgo San Lorenzo (FI) 54 B1-2
Borgo San Marco (PD) 37 A3 4
Borgo San Martino (AL) 33 B1
Borgo San Pietro (RI) 69 F1
Borgo San Pietro (RO) 38 C2
Borgo San Siro (PV) 21 F3
Borgo Sant'Agata (IM) 51 C2
Borgo Santa Maria (LT) 80 B3
Borgo Santa Maria (MC) 63 C3
Borgo Santa Maria (PS) 56 C2-3
Borgo S. Antònio Abate (IS) 82 C4
Borgo Santa Rita (ROMA) 73 F2
Borgo San Vittore (FO) 48 F4
Borgosatollo (BS) 23 F4
Borgosésia (VC) 20 B3-4
Borgo Sestina (FO) 48 E4
Borgo S. Giovanni (ME) 112 E4
Borgo Sisa (RA) 48 E4
Borgo Stazione (MC) 64 B2
Borgo Ticino (NO) 21 B1
Borgo Tossignano (BO) 47 D4
Borgo Trebbo (FE) 48 A2
Borgo Tufico (AN) 63 B2
Borgo Val di Taro (PR) 45 B1
Borgo Valeriani (FE) 48 A1
Borgo Valsugana (TN) 13 E2-3
Borgo (RI) 20 D2
Borgo Vecchio (AT) 32 C2
Borgo Velino (RI) 69 E1
Borgo Venusio (MT) 92 C4
Borgo Vercelli (VC) 20 E4
Borgo, Villa (AT) 32 B1
Borgo Villa (TV) 14 F4
Borgo Vódice (LT) 81 C1
Borgo Zaffarano (TP) 108 F2
Boriano [YUI] 29 C2-3
Borla (PC) 35 E1
Borlasca (GE) 33 F3
Borlezza, Fiume 23 A2-3
Bormida Cengio (SV) 42 C2
Bormida (CN) 42 B2
Bormida di Mallare, Fiume 42 CD3
Bormida di Millesimo, Fiume 42 D2
Bormida di Pallare Fiume 42 CD2-3
Bormida, Fiume 32 F2 33 D1
Bormida, Fiume 42 C2
Bormida Spigno, Fiume 42 B3
Bormida (SV) 42 D2-3
Bormina, Fiume 1 F2
Bormio (SO) 1 F3
Bormio 2000 (SO)1 F3
Bornago (MI) 22 D3
Bornago (NO) 21 CD2
Bornasco (PV) 22 F1
Bornate (TO) 20 B4
Bornato (BS) 23 C3
Bornio (RO) 38 C1
Borno (BS) 11 F3
Borno (TO) 19 D1
Boroncino (SA) 89 D4
Borore (NU) 129 E1
Boro (VI) 25 C3
Borránia, Monte della (TP) 108 F1-2
Borrello (CH) 76 C3
Borrello (CT) 121 B1
Borrello (PA) 111 E1
Borretti (CN) 31 D4
Borriana (BI) 20 D2
Borri (FI) 54 D1-2
Borro (AR) 54 EF3-4
Borromee, Isole (VB) 8 F4
Borromeo Rifugio (BZ) 2 F1
Borroni, Casoni (PV) 33 B3
Borroni (PG) 62 E3
Borsa, Fiume 44 C3
Borsano (VA) 21 C3
Borsea (RE) 46 A1
Borsea (RO) 38 C2
Borselli (FI) 54 C2
Borsellino (AG) 118 E2
Borso della Grappa (TV) 26 B2
Borsoi (BL) 15 D1
Borta Melone, Monte (NU) 129 F3
Bortigali (NU) 129 E1
Bortolot (BL) 14 B3
Borutta (SS) 129 B1
Borzago (TN) 12 E2
Borzago, Val di (TN) 12 E2
Borzano (RE) 45 B4
Borzano (RE) 46 A2
Borzoli (GE) 43 B2-3
Borzonasca (GE) 44 C2
Bosagro (AV) 89 B2
Bosa Marina (NU) 128 E3
Bosa (NU) 128 E3
Bosaro (RO) 38 D2
Boscarola, Borchetta (BI) 20 B2-3
Boschetiello (AV) 90 C2
Boschetti, I (GR) 59 CD3
Boschetto (CT) 120 B4
Boschetto (LT) 74 F1
Boschetto (VB) 8 D2
Boschetto (PG) 62 C4
Boschetto (PR) 44 C4
Boschetto (PV) 33 A4
Boschetto (TO) 20 F1
Boschi (BO) 37 F4
Boschi, Casino de' (PR) 35 F3 4
Boschi di Bardone (PR) 45 A2
Boschietto (TO) 19 D2
Boschietto (TO) 19 E2
Boschi (PC) 44 A2 3
Boschi (PR) 45 B2
Boschi (RE) 36 E3
Boschi Sant'Anna (VR) 37 B3
Boschi Superiore (TO) 19 E3
Boschi, Villa i (SI) 60 C4
Boschi (VR) 25 F1
Boschi (VR) 37 B2
Bosco, Capella del (TO) 31 D1
Bosco, Casa del (VC) 20 C4
Bosco, Casale del (SI) 60 D3
Bosco, Case del (CN) 31 E4
Bosco, Castello di (TO) 30 B4
Bosco Chiaro (VE) 38 B4
Bosco Chiesanuova (VR) 25 C1
Bosco (CL) 119 D1
Bosco della Partecipanza e Lucédio, Parco Naturale (VC) 20 F3
Bosco del Vescovo (PD) 26 D3
Bosco di Nanto (VI) 26 E1
Bosco di Naturno (BZ) 2 E3
Bosco di Rossano (MS) 45 D1
Bosco ex Parmigiano (CR) 35 B2-3
Bosco, Fiume 20 E1
Bosco, Giogo del (BZ) 4 C3
Bosco Grande (RG) 123 B1-2
Bosco/Gurin [CH] 8 B4
Boscomalo [YUI] 29 C2
Bosco Marengo (AL) 33 D1-2
Bosco, Monte del (AG) 118 F4
Bosco, Monte del (EN) 119 D4
Bosco (NA) 89 B1
Boscona (SI) 60 A1
Boscone Cusani (PC) 34 B3
Bosconero (TO) 19 F4
Bosco (PG) 62 B2
Bosco, Pizzo del (TP) 108 E3
Bosco, Pizzo (PA) 110 F2
Bosco Pontoni, Masseria (CB) 77 D4
Bosco (PR) 45 C2
Bosco, Punta (LT) 80 F2
Boscoreale (NA) 89 B1
Bosco Rédole, Stazione di (CB) 83 B3
Bosco (SA) 97 C1
Bosco, Serra del (AV) 84 F3
Bosco, Serra del (EN) 120 B1
Bosco Spirito, Posta di (BA) 86 E2 3
Bosco (TN) 13 E1
Bosco (TO) 19 D2-3
Bosco Tondo (FI) 53 F2
Bosco Tosca (PC) 34 B3
Boscotrecase (NA) 89 B1
Bosco (TV) 26 A4
Bosco (VA) 9 E1
Bosco, Valle di [CH] 8 B4
Bosco (VI) 25 A4
Bosco, Villa (SR) 124 B4
Bosco, Villa (VC) 20 C4
Bosco (VR) 25 C2
Bosco (VR) 25 F2
Bosentino (TN) 13 F1
Böses Weibele [A] 5 C1-2
Böses Weibl [A] 5 A2
Bosetti (AT) 32 E3
Böshorn [CH] 7 C4
Bósia (CN) 32 F2
Bosio (AL) 33 F2
Bosio, Rifugio (SO) 10 C4
Bosio. Rifugio (TO) 19 D1
Bosisio Parini (LC) 22 A2
Bosmenso (PV) 34 E1
Bosnasco (PV) 33 B2
Bosonasco (PC) 34 D3
Bosplans (PN) 15 D2
Bossarino (SV) 42 D3-4
Bossea (CN) 41 D3-4
Bossi (AR) 61 A2
Bossico (BG) 23 A3
Bossi (SI) 60 A3
Bosso, Fiume 56 F1
Bossola, Monte (AL) 33 F4
Bossola, Passo della (CN) 42 B1
Bossolaschetto (CN) 42 A1-2
Bossolasco (CN) 42 A1-2
Bossoleto (SV) 42 F1-2
Bossona, Villa di (SI) 61 D1-2
Bosson Becs de [CH] 7 C1-2
Bossons, Les [F] 6 E1
Boste [YUI] 29 F3
Botricello Superiore /Inferiore (CZ) 106 B1
Botro ai Marmi (LI) 59 D1
Botro di Fugnano, Fiume 53 F2 3
Botrugno (LE) 100 C3
Botta (BG) 22 B4
Bottaccia, La (ROMA) 73 C1
Bottagna (SP) 45 E1
Bottaiano (CR) 23 E1
Bottanuco (BG) 22 C3 4
Bottarello, Pizzo (VB) 8 D1
Bottarone (PV) 34 B1
Botta, Scolo 38 BC4
Bottazzella (IS) 82 A3
Botte Donato, Monte (CS) 102 E2-3
Botteghelle (CT) 123 B2
Botteghelle (ME) 113 E2
Bottegone (PT) 53 B2-3
Bottenicco (UD) 16 F4
Botteri, Villa (AL) 33 F1
Bottero (CN) 41 A4
Botte (VT) 67 F2
Botti (AL) 32 EF4
Botti Barbarighe (RO) 38 B3
Botticino Mattina/Sera (BS) 23 D4
Bottida (SS) 129 D3
Bottigli, Monte (GR) 65 B4
Bottignana (MS) 45 D3
Bottino, Pizzo (ME) 113 C2
Bottione (PR) 45 A1
Bottoga, Bivio (CT) 120 C4
Botto (TR) 67 B3
Bottrighe (RO) 38 C4
Botyre [CH] 7 B1
Boucher, Roc del (TO) 30 C2
Boulliagna, Monte (CN) 40 A2
Bourel, Monte (CN) 40 C4
Bourget, Colle (TO) 30 B2
Bourget, Le [F] 30 C1
Bourg Saint Bernard [CH] 6 E3-4
Bourg Saint Pierre [CH] 6 E3
Bourguet, Le [F] 18 F1
Bourguet, Le [F] 40 C2
Bousieyas [F] 40 B1-2
Bousieyas, Refuge de [F] 40 B1-2
Bousset, Fiume 41 D1
Bousson, Col [F] 30 C1
Bousson (TO) 30 C2
Bouveret, Le [CH] 6 A1-2
Bova (FE) 38 F1
Bovalhütte [CH] 11 A1
Bovalino Marina (RC) 115 D1
Bovalino (RC) 115 D1
Bovalino Superiore (RC) 115 C1
Bova Marina (RC) 114 F3-4
Bovara (PG) 62 F4
Bova (RC) 114 E4
Bovaria (VR) 25 D2-3
Bove, Capo (NA) 88 C2
Bovecchio (FI) 53 A4
Bovec (Plezzo) [YUI] 17 D1
Boveglio (LU) 52 A4
Bovegno (BS) 23 B4
Bove, Monte (AQ) 74 B3
Bove, Monte (MC) 63 E3
Bovernier [CH] 6 D3
Boves (CN) 41 C2
Bove, Valle del (CT) 121 A1
Bovezzo (BS) 23 D4
Boville Ernica (FR) 75 F1
Bovina (RO) 38 C3
Bovino (FG) 84 D4
Bovino (FI) 54 B2
Bovino, Stazione di (FG) 84 C4
Bovisio/Masciago (MI) 22 C1
Bovolenta (PD) 38 A3
Bovolone (VR) 37 A2
Bozale, Cappella di (GE) 44 B2
Bozano, Rifugio (CN) 40 D4
Bozel [F] 18 C1
Bozzana (TN) 12 B4
Bozzano (LU) 52 B3
Bozza (TE) 70 C3
Bózzole (AL) 33 B1
Bozzolo (MN) 36 B2
Brabaisu, Fiume 136 AB2
Bracalli (PT) 53 C2
Bracca (BG) 23 A1
Braccagni (GR) 60 F1
Braccano (MC) 63 B2
Braccetto, Punta (RG) 123 D1
Bracchiello (TO) 19 E1
Brácchio (VB) 8 E3-4
Braccialino (AR) 55 E2
Bracciano (FO) 48 F4
Bracciano, Lago di (ROMA) 72 A4
Bracciano (ROMA) 72 B4
Bracco (GE) 44 D3
Bracco, Monte (CN) 31 E1
Bracconi, Fiume 133 F3
Bracco Passo del (SP) 44 D3
Bracelli (SP) 44 E4
Bracigliano (SA) 89 B3
Bra (CN) 31 E4
Bradano, Fiume 91 B3 92 C2 93 E1
Braemi, Fiume 119 E3
Braemi, Masseria (EN) 119 E3
Braga, Piane di [CH] 8 A4
Bragard, Cantoneria (CN) 41 D2
Bragarezza (BL) 14 BC3
Braga (VR) 24 C4
Braggio [CH] 9 B4
Braglia (RE) 46 C1

Bragno (SV) 42 C3
Braida Bottari (PN) 28 B1
Braida, Casa (UD) 28 C3
Braidacurti (PN) 27 A4
Braida (MO) 46 B3
Braida (TO) 18 F3-4
Bráida, Colle (TO) 31 A1
Bráidi (ME) 112 D3
Bráies (Prags) (BZ) 4 D2
Braies, Lago di (BZ) 4 D2
Braila (TN) 12 F3
Brail [CH] 1 D1
Brallo di Pregola (PV) 34 E1-2
Bramairate (AT) 32 D2
Bramans [F] 18 F2
Bram, Monte (CN) 40 B4
Bramois [CH] 7 B1
Brana (PT) 53 A2
Branatogghiu (SS) 127 C1
Brancaccio (PA) 109 D3
Brancaglia (VR) 37 B3
Brancaléone (RC) 115 E1
Brancaleone Marina (RC) 115 E1
Branca (PG) 62 B3
Branca, Rifugio (SO) 12 B1
Brancastello, Monte (TE) 70 D1
Brancato (TO) 30 BC4
Brancere (CR) 35 C3
Branche [CH] 6 E3
Branchetto Montetomba (VR) 25 C1-2
Branciglia (RE) 46 B2
Brancla Fiume 1 C3
Brancon (VR) 37 B1
Brancot, Monte (UD) 16 D3
Branco (UD) 16 F3
Brandeglio (LU) 52 A4
Brandenburger Haus [A] 2 C1
Brandet, Val (BS) 11 D3
Brandico (BS) 23 E3
Brandinatu, Fiume 136 B1
Brandinchi, Porto (NU) 127 E4
Brandini (CN) 31 F4
Brandizzo (TO) 31 A4
Brandola (MO) 46 D3
Branduzzo (PV) 33 B4
Branik, Rifembergo [YUI] 29 B3
Branizza [YUI] 29 BC3
Branson [CH] 6 C3
Branzi (BG) 10 E4
Branzola (CN) 41 C3
Branzone (PR) 45 B1
Braone (BS) 11 F3
Braoule, Monte (AO) 7 E2
Brasca, Rifugio (SO) 10 C2-3
Brasimone, Fiume (BO) 47 E2
Brasimone Lago (BO) 47 F1
Brasi (SV) 42 C4
Brassé (CN) 31 E2
Brassi (TO) 31 C3
Bratsch [CH] 7 B3
Brattello, Passo del (MS) 45 B1
Brattiró (VV) 104 E2
Bratto (BG) 11 F2
Bratto (MS) 45 C1
Braulins (UD) 16 D3
Braulio, Bocca del (SO) 1 EF3
Braus, Col de [F] 50 C2
Bravi (PC) 35 E1
Brazzacco (UD) 16 F3
Brazzano (GO) 29 A1
Bràzzolo di Copparo (FE) 38 E3
Bré [CH] 9 C2
Bré [CH] 9 E3
Bré (PR) 35 C3
Brebbia (VA) 21 A2
Brebeis, Stagno de is (CA) 134 E4
Bréccia (CO) 21 A4
Breccia, Colle di (CB) 77 C2
Brecciarola (CH) 70 E4
Brecciosa, La (FR) 75 E2
Breccioso, Monte (AQ) 75 D2
Breda Cisoni (MN) 36 C2
Breda (CR) 35 A1-2
Breda de' Bugni (CR) 35 B2
Breda di Piave (TV) 27 C1-2
Breda Libera (BS) 23 F3
Brede (MN) 36 C4
Bréfaro (PZ) 97 D3
Bregaceto, Monte (GE) 44 B2
Bregaglia, Val [CH] 10 B2-3
Bregagno, Monte (CO) 9 D4
Bregano (VA) 21 A2
Breganze (VI) 25 C4
Breganzona [CH] 9 E2
Bréglia (CO) 9 E4
Bregnano (CO) 21 B4
Breguzzo (TN) 12 EF2
Breguzzo, Val di (TN) 12 E1-2
Breia (TO) 20 A4
Breil sur Roya, Bréglio [F] 41 F1-2
Breithorn [CH] 7 A4
Breithorn [CH] 8 B2
Breithorn / Occidentale / Orientale [CH] 7 E3
Breitlahner, W.H. [A] 3 A4
Breitmatten [CH] 7 D3
Brémbana, Val (BG) 22 AB4
Brembate (BG) 22 C4
Brembate di Sopra (BG) 22 B4
Brembilla (BG) 22 A4
Brembilla, Fiume 22 A4
Brémbio (LO) 34 A4
Brembo, Fiume 10 E4
Breme (PV) 33 B1
Brendola (VI) 25 E4
Brengon (AO) 7 F2
Brenna (CO) 22 B1-2
Brenna (SI) 60 C2
Brennero (Brenner) (BZ) 3 A2
Brennero, Passo (Brennerpass) (BZ) 3 A2-3
Brennero, Terme di (BZ) 3 AB2
Brennersee [A] 3 A2
Brenney, Glacier de [CH] 7 E1
Brenno Uséria (VA) 9 F2
Breno (BS) 11 F3
Breno [CH] 9 E2
Breno (PC) 34 C3
Breno (TO) 19 E1
Brenta, Cima (TN) 12 D3
Brenta d'Abbà (PD) 38 A4
Brenta, Fiume 13 EF2 26 B2
Brenta, Foce del (VE) 39 B1
Brenta, Gruppo di (TN) 12 DE3
Brentanella (TV) 26 C3
Brenta, Ponte di (PD) 26 E3
Brentari, Rifugio Ottone (TN) 13 D34
Brentassi (AL) 34 E1
Brenta (TN) 13 F1
Brenta (VA) 9 F1
Brenta Valle di (VE) 39 B1
Brentelle di Sopra (PD) 26 E2
Brentelle di Sotto (PD) 26 F2
Brentino (VR) 24 C4
Brento (BO) 47 D3
Brentonico (TN) 25 B1
Brentoni, Monti (BL) 5 F1
Brenton (VR) 25 E3
Brento (TN) 12 F3
Brenva Ghiacciaio del (AO) 6 F1-2
Brenzone, Porto di (VR) 24 BC3
Brenzone (VR) 24 C3-4
Breo (CN) 41 B4
Breolungi (CN) 41 B3-4
Breonio (VR) 24 C4
Brescello (RE) 36 D2
BRESCIA 23 D4
Bresciadega (SO) 10 C2
Bresciana (TP) 116 C4
Bresega (PD) 37 B4
Bresega, Scolo 38 C4
Brésimo (TN) 12 B4
Breslauer Hütte [A] 2 B2
Bresovizza [YUI] 29 F3-4
Bresparola (RO) 38 D2
Bressana/Bottarone (PV) 34 B1
Bressana (PV) 34 B1
Bressanone (Brixen) (BZ) 3 D3
Bressanvido (VI) 26 C1
Bressa (UD) 16 F3
Bresso (MI) 22 D1
Brestovica Brestovizza [YUI] 29 C2
Brest [YUI] 29 F4
Bretaye [CH] 6 A3
Bretta, Poggio di (AP) 64 F2
Breuil/Cervinia (AO) 7 E2
Breva, La (PR) 44 BC3-4
Brevenna, Fiume 43 A4
Brevént, Le [F] 6 E1
Brévia (LO) 35 B1
Bréviéres, Les [F] 18 C3
Brez (TN) 2 F3
Brezzo di Bedéro (VA) 9 E1
Briaglia (CN) 41 B4
Briana (VE) 26 D4
Brianco (BI) 20 D2-3
Brian (VE) 27 D4
Briancon [F] 30 C1
Brianza (CO) 22 B1-2-3
Briasco, Monte (TO) (VB) 20 A4
Briatico (VV) 104 D3
Bribano (BL) 14 E3
Briccioso (IS) 76 E2-3
Bricco (AL) 32 A4
Bricco (AT) 32 B1
Bricco di Neive (CN) 32 E2
Bricco Favole (CN) 31 F4
Bricherrásio (TO) 31 D1
Bricola [CH] 7 D2
Bricoli (FI) 53 D3
Bridesjes B [F] 18 C1
Brie (BZ) 3 F2
Brie, Fiume 3 F2
Brienno (CO) 9 F3-4
Brienza (PZ) 91 E1
Briée [CH] 9 C1
Briga Alta (CN) 41 E3
Briga (ME) 113 D2
Briga Novarese (NO) 21 B1
Brigantina, Punta (LI) 58 C1
Brigata Cadore, Rifugio (BL) 14 E4
Brig Briga [CH] 8 B1
Brigerbad [CH] 7 B4
Brigha, Monte (RC) 114 E3-4
Briglia, la (FI) 53 B3
Brignano (AL) 33 E4
Brignano Gera d'Adda (BG) 22 D4
Brignola (CN) 41 C1
Brignole (GE) 44 B2
Brillante (TO) 31 CD3
BRINDISI 95 C2
Brindisi di Montagna (PZ) 91 D3
Brinta la [CH] 7 C2
Brinzio (VA) 9 F2
Briona (NO) 21 C1
Brione (BS) 23 C3
Brione [CH] 9 BC2
Brione (TN) 12 F1
Brione (TO) 31 A2
Brioni (TV) 26 B3
Briosco (MI) 22 B2
Brische (TV) 27 B3
Brischis (UD) 17 E1
Brisighella (RA) 48 E2
Brisino (VB) 8 F4
Brissago [CH] 9 D1
Brissago Valtravaglia (VA) 9 EF1
Brissogne (AO) 19 A2
Bristot, Rifugio (BL) 14 E4
Britanniahütte [CH] 7 D4
Brittoli (PE) 70 E2
Brivadi (VV) 104 E2
Brivio (LC) 22 B3
Brize, Monte [YUI] 29 F3
Brizze [YUI] 29 F3
Brizzolara (GE) 44 BC2
Brobbio, Fiume 41 B3
Brocan, Lago (CN) 40 D4
Brocard, Le [CH] 6 D3
Broccostella (FR) 75 E2
Broc, Le [F] 50 C1
Brocon, Passo del (TN) 13 E4
Brogagliarito (SR) 121 E1
Brogles, Malga (BZ) 3 E4
Brogles, Passo di (BZ) 3 E3 4
Brogliano (VI) 25 D3
Broglie (MN) 24 E3
Bróglio [CH] 9 B1
Brognaturo (VV) 105 E1
Brogne, Fiume 7 C1
Brogno (CO) 9 F4
Brognoligo (VR) 25 E3
Broletto (RE) 46 A2
Brólio (AR) 61 B2
Brollo (FI) 54 E12
Brolo (ME) 112 C1
Brolo (VB) 6 F3
Brolo, Scoglio di (ME) 112 C1
Brombolo, Col (PN) 15 EF1
Brómia (GE) 43 B4
Brondello (CN) 31 F1
Brondoleto (MC) 63 C2
Brondolo (VE) 39 B1
Broni (PV) 34 B1-2
Brontallo [CH] 9 B1
Bronte (CT) 120 A4
Bronzola (PD) 26 D3
Bronzolo (Branzoll) (BZ) 13 B2
Bronzone Monte (BG) 23 B2
Bronzo (PS) 75 C4
Brossasco (CN) 31 F1
Brosso (TO) 19 D4
Brouis, Col de [F] 41 F1
Brovello/Carpugnino (VB) 8 F4
Brovello (VB) 8 F4
Brovida (SV) 42 B2-3
Broz (BL) 15 E1
Brózolo (TO) 32 B2
Brozzi (FI) 53 C4
Brozzo (BS) 23 B4
Bruca, Monte (PA) 117 A3
Bruca, Stazione di (TP) 108 F2-3
Bruca (TP) 108 E3
Brucciano (SI) 60 C2
Bruchelle, Monte (FO) 48 F3
Bruciano, Castello di (PI) 59 C3
Bruciata, La (VC) 7 F4
Bruciate, Case (PS) 56 B3
Bruciati (AT) 32 E3-4
Bruciato (RN) 55 B4
Brucie, Bric [F] 30 D3
Brucoli (SR) 121 E2
Brúcoli, Poggio (SI) 60 C2
Brúcoli, Stazione di (SR) 121 EF2
Brudelhorn [CH] 8 A3
Bruera (TO) 31 C2
Brufa (PG) 62 D2
Bruffione, Monte (TN) 11 F4
Bruffione, Passo di (TN) 11 F4
Brugaro (VC) 8 F2
Bruggen [A] 4 B4
Bruggenalmtal [A] 4 BC4
Brugger [A] 5 B1
Bruggi (AL) 34 F1
Brughério (MI) 22 D2
Brugine (PD) 38 A2
Brugna (AL) 33 C3
Brugnato (SP) 44 D4
Brugnera (PN) 27 A3
Brugneto, Lago di (GE) 44 AB1
Brugneto (PC) 34 F2
Brugneto (RE) 36 D3
Brugnetto (AN) 57 D1
Brugnola (PR) 45 A1
Brugnolo (CR) 36 C2
Brugnoni (PC) 34 E2
Bruil (AO) 18 C4
Bruino (TO) 31 B2
Brule, Mont [CH] 6 D3-4
Brumano (BG) 22 A3
Bruna, Fiume 59 F4
Bruna, Fiume 65 A2 3
Bruna, La (PG) 62 F3-4
Brunate (CO) 22 A1
Bruna, Villa (UD) 28 C3
Bruncu de Madili, Nuraghe (CA) 132 D2-3
Brunéc (TN) 13 B4
Brunegghorn [CH] 7 C3
Brunella (NU) 127 F3
Brunelli (PR) 45 B1
Brunello (VA) 21 A3
Brunescio, Pizzo [CH] 9 B1
Brunetta (PG) 62 B2
Brunette, Monte (PG) 62 F4
Bruni (CN) 42 B1
Brunico (Bruneck) (BZ) 4 C1
Brunner, Rifugio (UD) 17 C1
Bruno (AT) 32 E4
Bruno, Casa (RG) 124 D1
Bruno, Lago (AL) (GE) 43 A2
Brunone, Rifugio del (BG) 11 E1
Bruno, Poggio (GR) 59 F4
Bruno, Timpone (CS) 102 E2
Bruntino (BG) 22 B4
Brusá des Planes (TO) 30 C2
Brusadure (PD) 38 A2
Brusago (TN) 13 D2
Brusa, Monte (PR) 45 C2
Brusaporto (BG) 23 C1
Brusaschetto (AL) 32 A3
Brusasco (TO) 32 A2
Brusatasso (MN) 36 D3
Bruscata, Timpone (PZ) 98 D3
Brusciana (FI) 53 D2
Brusciano (NA) 89 A1
Brusciano (RI) 69 F1-2
Brusciol, Monte (MS) 45 C2
Bruscoli (FI) 47 F2
Bruscoline, Poggio (GR) 59 D3
Brusimpiano (VA) 9 F2
Brusino Arsizio [CH] 9 F2-3
Brusino (TN) 12 F4
Brusio [CH] 11 C2
Brusnengo (VC) 20 C3
Bruson [CH] 6 D4
Bruso (VE) 38 B4
Brussinard [F] 30 D1
Brusson (AO) 19 A4
Brutto, Monte (CS) 102 F2
Brutto Passo, Monte (UD) 15 B2-3
Bruverello, Monte (RC) 115 B1
Bruzella [CH] 9 F3
Bruzeta, Monte (AL) 33 F2
Bruzolo (TO) 18 F4
Bruzzano, Capo (RC) 115 E1
Bruzzano Zeffirio (RC) 115 E1
Bruzzelle (LO) 35 B1
Bruzzi di Sotto (PC) 34 F4
Bubano (BO) 48 C2
Bubba, CA (CZ) 105 C1
Bubbiano (MI) 21 F4
Bùbbio (AT) 32 F3
Bubbonia, Monte (CL) 119 F4
Bubegno (CO) 9 D4
Bubudello, Serra di (EN) 119 D3
Buca, La (SI) 61 D1
Bucari, Case di (TP) 116 A4
Buccheri (SR) 123 A4
Bucchi (KR) 103 E3
Bucchiánico (CH) 71 F1
Bucciana, Monte (PO) 53 A3
Bucciano (BN) 83 E3
Bucciano (PI) 53 D1
Buccinasco (MI) 21 E4
Buccino (SA) 90 D4
Buccino, Stazione (SA) 90 D4
Buceto, Monte (GR) 60 F3
Bucher Sommet [F] 30 D1-2
Buciaga, Cima (TN) 12 E1
Bùcine (AR) 54 F3
Bucita (CS) 101 D4
Bucito (PZ) 91 AB1
Buco del Signore (RE) 36 F2
Buco di Grigna (LC) 10 F1-2
Bucovizza, Monte [YUI] 29 A3
Buda (BO) 48 B1
Buda, Serra di (CS) 102 C2
Budas (SS) 126 E3
Buddusò, Altopiano di (SS) 130 B1
Buddusò (SS) 129 B4
Budello, Monte (SS) 127 A1
Budello, Torre (CA) 135 F1
Budino (PG) 62 E3
Budoia (PN) 15 E1-2
Budoni, Cala di (NU) 127 F4
Budoni (NU) 127 F4
Budrialto, Monte (RA) (FO) 48 F1-2
Budrie (BO) 47 B2
Budrio (BO) 47 B4
Budrione (MO) 36 E4
Budrio (RA) 47 E4
Budrio (RE) 36 F3
Bue Marino, Grotta del (FG) 78 A3
Bue Marino, Grotta del (NU) 130 F3
Bue, Monte (PC) 44 A3
Bueriis (UD) 16 E3
Buet,LE [F] 6 D2
Buet, Monte [F] 6 D1
Bufala, Monte della (LT) 80 A4
Bufalória (MT) 99 D2
Bufalotta (ROMA) 73 C3
Bufara, Monte (TP) 108 D2
Buffalora (BS) 23 D4
Buffalora, Munt [CH] 1 E2
Buffalora, Passo di [CH] 9 B4
Buffa, Ponte (PA) 109 E3-4
Buffa (TO) 31 B1
Buffi, Masseria (BR) 95 C1
Buggerru (CA) 134 A3
Buggiana (FO) 55 B1
Buggiano (PT) 53 B1
Búggio (IM) 41 F2
Búggiolo (CO) 9 D3-4
Bugiafro, Torre di (KR) 106 B3
Bugialla (SI) 54 F1-2
Bugiallo (CO) 10 D2
Bugliaga (NO) 8 C2
Búglio in Monte (SO) 10 D3
Bugnara (AQ) 75 C4
Bugnate (NO) 20 A4
Bugnins (UD) 28 B2
Bugnuto, Cala (TP) 108 D2
Bugo (MI) 21 B3
Buguggiate (VA) 21 A3
Buiano (AR) 54 D4
Buia (UD) 16 E3
Buin, Piz [A] 1 C2
Buio, Monte (AL) 43 A4
Buisson (AO) 7 F2
Bulciago (LC) 22 B2
Bulciano (AR) 55 D1
Bulera, Croce (PI) 59 B3 4
Bulgaria (FO) 49 F1
Bulgarno (FO) 49 F1-2
Bulgheria, Monte (SA) 96 C4
Bulgorello (CO) 21 B4
Bulla (BZ) 3 E3
Bullaccia, Monte (BZ) 3 E3
Bulla, Costa di (PC) 34 D3
Bulliana (BI) 20 B3
Bullicane (VT) 67 D2
Bullone (SS) 126 F2
Bultei (SS) 129 C3
Bulvaris, Cantoniera (SS) 129 A2
Bulzi (SS) 126 E2
Bunnari, Lago (SS) 125 F4
Buole, Passo (TN) 25 B1
Buonabitácolo (SA) 97 A1-2
Buonacompra (FE) 37 E3
Buonacquisto (TR) 68 C3
Buonalbergo (BN) 84 D2
Buoncammino (SS) 126 B4
Buonconvento (SI) 60 CD3
Buonfornello (PA) 110 E2
Buongiorno, Masseria (MT) 98 B4
Buongiovanni, Masseria (CT) 123 A2
Buongiovanni, Monte (SR) 124 A2
Buonriposo, Santuario (EN) 119 BC3
Buon Signore (ME) 113 B1
Buontempo, Masseria (BR) 94 D3
Buonviaggio (SP) 45 E1
Buonvicino (CS) 101 A2
Bura, Forcella di (BG) 22 A1
Burago di Mólgora (MI) 22 C3
Burana (FE) 37 D3
Burano (CO) 10 D1
Burano, Fiume 56 F2
Burano, Lago di (GR) 66 E1-2
Burano, Serra di (PG) 56 F1
Burano (VE) 27 E2
Burantini Cala (SS) 128 C2
Burcei (CA) 136 B2
Bürchen [CH] 7 B4
Burchio (FI) 54 D2
Burchio (RO) 38 C3 4
Burcina (BI) 20 C2
Burdini (TO) 31 B1
Burello (AN) 56 E4
Burello, Monte (ME) 112 D3
Bure, Nuraghe (SS) 129 A1
Burgertal [A] 5 C1
Búrgio (AG) 117 C4
Búrgio, Serra di (RG) 123 B3
Burgúsio (Burgeis) (BZ) 1 D4
Burghidu, Nuraghe (SS) 129 A2
Burgio (SR) 124 E2
Burgos (SS) 129 D2
Buriane (BO) 48 A1
Buriano (GR) 59 F4
Buriano (PI) 59 A2
Buriano, Ponte a (AR) 54 F4
Buriasco (TO) 31 C1
Burio (AT) 32 E3
Burligo (BG) 22 B3
Burolo (TO) 20 D1
Buronzo (VC) 20 D3
Burrainiti, Masseria (AG) 118 F3
Burzanella (BO) 47 E1-2
Burzano (BO) 47 D4
Busachi (OR) 132 A2
Busala, Torre (TP) 116 A3
Busalla (GE) 43 A3
Busambra, Rocca (PA) 109 F3
Busana (RE) 45 C4
Busano (TO) 19 E3
Busatica (MS) 45 D1
Busazza Cima (TN) 12 C1-2
Busca (CN) 41 A1
Buscate (MI) 21 CD3
Buscemi (SR) 124 B1
Busche (BL) 14 E2
Busche (PG) 62 C4
Busci (AQ) 69 D2
Busco (AR) 61 BC3
Buscoldo (MN) 36 C3
Busco (TV) 27 B3
Buseno [CH] 9 C4
Buseto Palizzolo (TP) 108 E2
Buseto Superiore (TP) 108 E2
Busiago (PD) 26 D2
Busi (CN) 32 E2
Businco, Scoglio (SS) 125 E1
Busin, Lago (VB) 8 B3
Busi (PR) 45 A1
Busnago (MI) 22 C3
Buso, Il (VI) 26 A1
Busonengo (VC) 20 E4
Busonera, Villaggio (VE) 38 B4
Buso, Porto (GO) 28 D4
Buso (RO) 38 C2
Busoro, Nuraghe (OR) 129 E2
Busovecchio (RO) 38 C2
Bussana (IM) 51 D1
Bussana Vecchia (IM) 51 C1
Bussento, Fiume 97 C1
Bussero (MI) 22 D2
Bussete, Bagno delle (VT) 67 D2
Busseto (AR) 54 E4
Busseto (PC) 34 D2
Busseto (PR) 35 C2-3
Bussáia, Monte (CN) 41 D1
Bussi (AQ) 75 B1
Bussi sul Tirino (PE) 70 F2
Busso (CB) 83 A3
Bússola, Corno (AO) 7 F3
Bussolengo (VR) 24 E4
Bussoleno (TO) 18 F4
Bussolino Gassinese (TO) 31 A4
Busta (TV) 26 B3
Bustighera (MI) 22 E2
Busto Arsizio (VA) 21 C3
Busto Garolfo (MI) 21 CD3
Butera (CL) 119 F3

Butera, Stazione di (CL) 122 A3
But, Fiume 5 F4
Butiotti (TO) 19 E3
Buti (PI) 52 D4
Butramo Fiumara 114 D4
Buttapietra (VR) 25 F1
Buttifredo, Case (FE) 37 F4
Buttigliera Alta (TO) 31 B2
Buttigliera d'Asti (AT) 32 B1
Buttogno (VB) 8 D3
Buttrio (UD) 28 A4
Buttule, Fiume 129 BC2
Buturo (CZ) 105 A3
Buzzancone, Punta di (LI) 58 EF3
Buzzoletto (MN) 36 D2
Buzzò (PR) 44 C4
By (AO) 6 E4

C

Cabanette (AL) 33 D1
Cabanne (GE) 44 B2
Ca' Basse (PC) 34 C2-3
Ca', Bazzone (BO) 47 D3
Càbbio [CH] 9 F3
Cabbiolo [CH] 9 B4
Cabella Ligure (AL) 33 F4
Cabelle (MO) 47 B1
Cabelli (FO) 54 B4
Caberlaba, Monte (VI) 25 A4
Cabernardi (AN) 56 F3
Ca' Bianca (MO) 37 E2
Cábia (UD) 5 F4
Cabianca, Monte (BG) 10 E4
Ca' Bianca (PD) 38 B2
Cabiate (CO) 22 B1
Caboni, Monte (CA) 135 A1
Cabosa (GE) 44 A2
Càbras (OR) 131 B3
Càbras, Stagno di (OR) 131 B3
Cabre, Ponte (SA) 90 EF1
Ca' Briani (VE) 38 B4
Cabriolo (PR) 35 E3
Cabu Abbas, Castello (SS) 127 D2-3
Caburaccia (FI) 47 E3
Ca' Capello (RO) 39 C1
Cacascola, Masseria (BA) 93 A2
Caccamo (MC) 63 CD3
Càccamo (PA) 110 E1
Cacchiamo (EN) 119 B3
Cacchiano (SI) 60 A3
Cacchiavia, Stazione (CZ) 106 A2
Cacciabella, Pizzo [CH] 10 B3
Caccia, Ca' di (CN) 40 D4
Caccia, Capo (SS) 128 B1
Cáccia, Monte (BA) 86 F2 3
Caccia, Monte La (CS) 101 A2-3
Cacciano (AN) 62 B4
Cacciano (AR) 54 F3
Cacciano (BN) 83 E3-4
Cacciano (NO) 21 C1
Cacciarli, Monte (LU) 52 A3
Cacciatore, Cima del (UD) 17 B1
Cacciatori, Rifugio (CN) 41 D2-3
Cacciola (RE) 46 A3
Caccione, Monte (CL) 118 C3-4
Caccume, Monte (FR) 81 A2
Caccuri (KR) 103 E1
Caciocavallo, Monte (KR) 103 C2-3
Ca' Cottoni (VE) 28 D1
Ca' d'Andrea (CR) 35 B4
Caddaris, Nuraghe (NU) 129 E2
Caddo (VB) 8 D2-3
Ca' de' Bonavogli (CR) 35 B4
Ca' de Caggi (CR) 35 B4
Ca' de' Caroli (RE) 46 B3
Cade du Ray [F] 41 E1
Ca' de Fabbri (BO) 47 A3
Ca' de' Fabbri (BO) 47 C1
Cadegliano Fabiasco (VA) 9 E2
Ca' degli Oppi (VR) 25 F2
Ca' dei Gatti (CR) 35 C3
Cadelbosco di Sopra (RE) 36 F2
Cadelbosco di Sotto (RE) 36 E2 3
Ca' del Ferro (VR) 25 F2
Ca' dell'Acqua (LO) 22 F3
Cadelle Monte (SO) 10 E4
Ca' del Molino (PV) 34 D1
Ca dell'Ora (MN) 36 B4
Cadelmonte (PC) 34 E2
Ca de Mari (CR) 35 B3
Cademario ICH] 9 E2
Cadempino [CH] 9 E3
Cadenabbia (CO) 9 E4
Cadenazzo [CH] 9 D3
Cadeo (PC) 35 C1
Cade (PV) 33 C4
Caderese (VB) 8 B3
Cadero (VA) 9 E2
Caderzone (TN) 12 D2
Ca' de' Soresini (CR) 35 B4
Cadé (MN) 36 B4
Cadibona, Colle di (SV) 42 C3
Cadibona (SV) 42 C3
Ca' di Caccia (CN) 41 D1
Ca' di David (VR) 25 F1
Ca' di Giulietta (BO) 47 D2
Cadignano (BS) 23 F3
Cadignano (MO) 46 D3
Cadilana (LO) 22 F3-4
Ca' di Lupo (RA) 48 C3
Ca' di Macici (VR) 25 F1
Cadimarco (BS) 36 A1
Cadimare (SP) 45 F1
Cadine (TN) 12 E4
Cadini, Cima (BL) 15 B1
Cadini, Cima (BZ) 4 A2
Cadini, Gruppo di (BL) 4 E3
Cadin, Monte (BL) 4 E2
Cadin, Monte (UD) 16 D4
Cadino, Fiume 13 D2
Cadino, Val (TN) 13 CD2
Cadipietra (Steinhaus) (BZ) 4 A1-2
Cadiroggio, Monti di (RE) 46 B3
Cadiroggio (RE) 46 B3
Ca' di Sola (MO) 46 B4
Ca di Velaneto, Monte (RE) 45 D4
Cádola (BL) 14 D4
Ca' Dolfni (VI) 26 C2
Ca' Dolfn (RO) 39 D2
Ca Dolze (VI) 26 C2
Cadoneghe (PD) 26 E3
Cadorago (CO) 21 B4
Cadore (BL) 14 ABC4
Cadreas, Cantoniera (SS) 129 C1
Cadrezzate (VA) 21 A2
Cadria (BS) 24 B3
Cadria Monte (TN) 12 F2
Cadriano (BO) 47 B3
Cadro [CH] 9 E3
Cadì, Cima (BS) 11 CD3
Cadé (RE) 36 F2
Cadula de Sisine, Fiume 130 F3
Cadute, Fosso delle 72 C4
Caduto, Taverna (PZ) 91 B1
Ca' Emo (RO) 38 C3
Caerano di San Marco (TV) 26 B3
Cafaggio (PO) 53 C3
Cafaggio (LI) 59 D2
Cafaggiolo (FI) 53 B4
Cafaro, Masseria (BR) 94 C4
Cafasse (TO) 19 F2
Cafórnia, Monte (AQ) 75 A1
Caffarelli, Casa (PA) 119 B1
Caffaráccia (PR) 45 B1
Caffaro, Fiume 24 A2
Caffaro, Ponte (BS) 24 B2
Cáffaro, Valle del (BS) 24 A2
Caffi, Santuario di (AT) 32 F3
Cafiero, Masseria (FG) 85 C4
Caggiano (SA) 90 D4
Caggiole (SI) 61 D1
Ca' Giustinian (RO) 39 C1
Cagliano, Serra (CS) 102 B2
CAGLIARI 135 C3 4
Cagliari, Gofio di (CA) 135 D4
Cagliari, Stagno di (CA) 135 C3
Cagli (PS) 56 EF2
Cáglio (CO) 9 F4
Cagnano Amiterno (AQ) 69 D2
Cagnano Varano (FG) 79 D1
Cagnano (VI) 25 F4
Cagnatico (BS) 24 C1
Cágnero, Monte (PS) 55 E4
Cagnó (TN) 12 D4
Cagno (CO) 21 A3-4
Cagno (CS) 102 E4
Cagnola (PD) 38 A3
Cagno, Monte (AQ) 69 F3-4
Cagno, Monte (RI) 69 D1
Caguseli, Janua (NU) 129 E4
Caianello Vecchio (CE) 82 C4
Caiano (AR) 54 C3
Caiano (TE) 69 B4
Caiazzo (CE) 83 E2
Caicambiucci (PG) 56 F1
Caidate (VA) 21 B3
Cailina (BS) 23 C4
Caimbanca, Case (FE) 38 F4
Caina, Monte (VI) 26 B1-2
Caines (Kuens) (BZ) 2 D4
Caino (BS) 23 C4
Caino, Torre di (PZ) 97 D2
Caioletto (PS) 55 C2
Caiolo (SO) 10 D4
Caio, Monte (PR) 45 B3
Caionvico (BS) 23 D4
Cáira (FR) 82 A2
Caira, Masseria (FG) 85 B4
Cairano (AV) 90 A4
Cairano, Stazione di (AV) 90 A3-4
Cairasca, Fiume 8 BC2
Cairasca, Valle (VB) 8 BC2
Cairate (VA) 21 B3
Cáire (CN) 31 E3
Caire Gros, Mont [F] 40 E2-3
Cairo Lombardo (PV) 33 BC2
Cáiro, Monte (FR) 82 A2
Cairo Montenotte (SV) 42 C3
Cairo (PS) 56 C3
Cairos, Fiume 41 F1
Caiti (RE) 45 C4
Caitta, Ponte di (SS) 128 C2-3
Caivano (NA) 88 A4
Calabernardo (SR) 124 C3
Calabianca, Punta (TP) 108 D3
Ca' Labia (VE) 38 B4
Calabre, Punta [F] 18 C3-4
Calabresi, Villa (TR) 67 E2-3
Calabretto (RC) 114 C4
Calabria, Parco Nazionale della (CS) 102 D3-4
Calabria, Parco Nazionale della (CZ) 102 F4
Calabria, Parco Nazionale della (RC) 114 D3
Calabria, Parco Nazionale della (RC) 114 D3 4
Calabricata (CZ) 105 B4
Calabrina (FO) 49 E1
Calabritto (AV) 90 B2-3
Calabrò, Fiume 111 F1
Calafarina, Grotta (SR) 124 E3
Calafúria (LI) 52 F2
Calaggio, Monte (AV) 84 EF4
Cala Gonone (NU) 130 DE3
Calagrano (SS) 127 B3
Cala Liberotto (NU) 130 C4
Calalunga, Torre di (FG) 79 C3
Calalzo di Cadore (BL) 4 F4
Calamacca, Cozzo di (CS) 103 D1
Cala Mancina, Grotta di (TP) 108 C2
Calamandrana (AT) 32 E3-4
Calambrone (PI) 52 E2
Calamecca (PT) 53 A1
Calamello, Torre di (RA) 48 E1
Calamigna, Monti di (PA) 109 E4
Calamita, Monte (LI) 58 F3
Calamita Nuova (TP) 116 A4
Calamonaci (AG) 117 C4
Calamone, Lago (RE) 45 C4
Calancasca, Fiume 9 C4
Calandrella, Pizzo (PA) 118 A2
Calandrone (MI) 22 E3
Calangiánus (SS) 126 D4
Calanna (RC) 114 C2
Calaone (PD) 38 A1
Calapatella, Casa (FG) 86 C1
Cala Piccola (GR) 65 D3
Cala, Punta de sa (NU) 133 E3
Cala Regina, Torre (CA) 136 C1-2
Calarossa, Punta (TP) 107 E3-4
Cala Sabina, Fermata (SS) 127 D3
Calasca/Castiglione (VB) 8 E2
Calasca (VB) 8 E2
Calascibetta (EN) 119 C3
Calascio (AQ) 70 E1
Cala Scirocco, Punta (LI) 58 B1
Calasetta (CA) 134 D3
Calassiti (FR) 75 F2
Calatabiano (CT) 112 F4
Calatafimi, Stazione di (TP) 108 E3
Calatafimi (TP) 108 EF3
Calatamauro, Rudere Castello (PA) 117 AB3
Ca' Latis (RO) 39 E1
Calatubo, Castello di (TP) 108 E4
Calavá, Capo (ME) 112 C2
Calavino (TN) 12 E4
Calavorno (LU) 52 A4
Calazzotto (CH) 76 B2
Calbezzano (AR) 54 E4
Calbi (AR) 61 A2
Calboccia, Monte (PG) 61 B4
Calboli (FO) 48 F2-3
Calcara (BO) 47 B1
Calcara (MC) 63 E2-3
Calcarella, Punta (AG) 122 F4
Calcarelli (PA) 110 F4
Calcariola (RI) 68 E4
Calcata (VT) 67 F4
Calcatizzo, Portella (ME) 112 D1
Calceranica al Lago (TN) 13 F1
Calchésio (CN) 30 F4
Calci (PI) 52 D3-4
Calciano (MT) 92 D1
Calcina, Cala della (SS) 128 B1
Calcinaia (FI) 53 D4
Calcináia (PI) 52 D4
Calcinaia, Monte (SI) 61 EF1
Calcinara (PZ) 98 C1
Calcinaro (VR) 37 B1 49
Calcinate (BG) 23 C1
Calcinate del Pesce (VA) 21 A2-3
Calcinatello (BS) 24 E1
Calcinato (BS) 24 E1
Calcinelli (PS) 56 D3
Calcinere (CN) 30 E4
Calciniera, Monte (CT) 112 F4
Calcino, Fiume 14 F1
Calcione (AR) 61 B1
Calcione, Molino del (SI) 61 B1
Cálcio (BG) 23 D1
Calcio, Stazione di (BG) 23 D1
Cálco (LC) 22 B3
Calcroci (VE) 26 F4
Calda, Costa (SA) 90 C1-2
Caldaie, Poggio delle (GR) 66 A2
Caldana (GR) 59 F3-4
Caldana (LI) 59 D1
Caldana (VA) 9 F1
Caldane (CN) 30 F3
Caldanelle, Podere (GR) 60 F1
Calda (PZ) 97 C4
Caldarara, Monti del (AG) 118 F4
Caldaro, Lago di (BZ) 13 B1
Caldarola (MC) 63 D3
Caldaroni, I (CE) 62 C3-4
Caldarosa Monte (PZ) 91 F3
Caldaro Sulla Strada del Vino (Kaltern) (BZ) 13 B1
Caldenno, Alpe (SO) 10 D4
Caldenno, Monte (SO) 10 C4
Calderaio, Ponte (CZ) 105 B1-2
Caldera (ME) 112 C4
Calderano (TV) 27 A2
Calderara di Reno (BO) 47 B2
Calderara, Fermata (CT) 112 F3
Calderara (IM) 41 F4
Calderari (EN) 119 C4
Calderino (BO) 47 C2
Calderoni, Masseria (BA) 86 F2-3
Calderoni, Masseria (BA) 92 B2
Caldese, il (PS) 55 F4
Caldes (TN) 12 B3-4
Caldierino (VR) 25 E2
Caldiero (VR) 25 E2
Caldirola (AL) 33 E4
Caldo, Fiume 108 E3
Caldognola, Fiume 62 C4
Caldogno (VI) 25 D4
Caldonazzo, Lago di (TN) 13 E1
Caldonazzo (TN) 13 F1
Caldosa, Stazione (SS) 127 C1
Caldura, Torre (PA) 110 D4
Calea (TO) 19 D4
Caleipo (BL) 14 E4
Calemici, Monte (TP) 108 F3
Calena, Monte (FG) 79 D2
Calendasco (PC) 34 B4
Calendini (CS) 102 E1
Calenzano (FI) 53 B4
Calenzano (PC) 34 E3
Calenzone, Monte (PV) 34 DE2
Caleri, Porto di (RO) 39 C1-2
Caleri (RO) 39 C1
Calerno (RE) 36 F1-2
Calessani (TV) 27 B1
Calestano (PR) 45 A3
Caletta, La (CA) 134 D2
Caletta, La (NU) 130 B4
Caletta (LI) 58 A4
Caléppio (MI) 22 E3
Cálice al Cornoviglio (SP) 45 D1
Calice Ligure (SV) 42 D3
Calich, Stagno di (SS) 128 B2
Calici Masseria li (FG) 78 F3
California, la (LI) 59 B1
Caligiana (PG) 61 C4
Caligi, Monte (PT) (LU) 46 F3
Calignano (PV) 34 A2
Calimera (VV) 104 F3
Calimera (LE) 95 F4
Calino (BS) 23 C2-3
Calisese (FO) 49 F1
Calisio, Monte (TN) 13 E1
Calistri (BO) 46 F4
Calitri (AV) 90 A4
Calitri Pescopagano, Stazione di (AV) 90 A4
Calizzano (SV) 42 D1-2
Callabiana (BI) 20 C2
Calla, Passo la (FO) (AR) 54 C4
Callari, Case (CT) 120 F3
Calleda, Malga (BL) 14 C3
Calleta (AR) 54 D3-4
Callianetto (AT) 32 C3
Calliano (AT) 32 C3
Calliano (TN) 12 F4
Calliera (MN) 36 A3
Callieri (CN) 40 C3
Callieri, Masseria (BR) 95 B2
Cállora, Fiume 83 B2
Callura, La (CT) 120 E3-4
Calmasino (VR) 24 D3
Calmazzo (PS) 56 D2
Calmette, Cime de la [F] 41 F1
Calnova Fiorentina (VE) 27 C3
Calofaro, Pizzo (PA) 109 E4
Calogna (NO) 8 F4
Caló (MI) 22 B2
Calolziocorte (LC) 22 A3
Calomini (LU) 45 F4
Calone, Nuraghe (NU) 129 D3
Calonico [CH] 9 A2
Calopezzati (CS) 103 B1
Calopezzati, stazione (CS) 103 B1
Calopinace, Fiumara 114 D2
Calore (AV) 84 F2
Calore, Fiume 84 E1-90 D2 96 A4
Calore, Ponte (SA) 90 F3
Caloria, Monte (CS) 101 B3
Calosso (AT) 32 E3
Caloveto (CS) 103 C1
Calozzo Mianico (CO) 10 D1
Caltabellotta (AG) 117 C3-4
Caltafalsa (PA) 108 F4
Caltafaraci, Monte (AG) 118 E3
Caltagirone (CT) 120 F1-2
Caltagirone, Fiume 120 E2
Caltana (VE) 26 E4
Caltanisetta, Stazione (CL) 119 C2
CALTANISSETTA 119 D2
Caltavuturo (PA) 110 F3
Calterenzio (BZ) 3 F1
Caltignaga (NO) 21 D1
Calto (RO) 37 D3
Caltrano (VI) 25 B4
Caltron (TN) 12 B4
Caludranza, Monte (UD) 17 E1
Calusco d'Adda (BG) 22 B3
Caluso (TO) 20 E1
Calvana, Monte (FI) 54 B1
Calvana, Monti della (FI) 53 AB4
Calvànico (SA) 89 BC4
Calvarese (AP) 63 F4
Calvari (GE) 43 B4
Calvari (GE) 44 C1-2
Calvario, Il (AQ) 76 E1
Calvario, Monte (AQ) 76 D1
Calvario, Monte (CL) 119 E1
Calvário, Monte (EN) 120 B3
Calvário, Masseria (FG) 85 D4
Calvario, Monte (GO) 29 B2
Calvário, Monte (ROMA) 72 A4
Calvario, Monte (TE) 69 C4
Calvaruso (ME) 113 B2
Calvatone (CR) 36 B1
Calvello, Colle (LT) 81 A2
Calvello, Masseria (TA) 94 CD1
Calvello, Monte (AV) 84 D2
Calvello, Monte (AV) 90 B2
Calvello, Monte (BN) 83 C3-4
Calvello, Monte (FG) 85 C1
Calvello, Monte (IS) 82 B3-4
Calvello (PZ) 91 E3
Calvene (VI) 25 B4
Calvenzano (BG) 22 D4
Calvenzano (BO) 47 D1-2
Calvenzano (LO) 22 F2
Calvera (PZ) 98 B2
Calveseglio (CO) 9 E4
Calvia, Monte (SS) 129 B2
Calvi (BN) 84 E1
Calvi dell'Umbria (TR) 68 E2
Calvignano (PV) 34 C1
Calvignasco (MI) 21 F4
Calvillano (PS) 55 C3-4
Calvilli, Monte (FR) 81 B3
Calvi, Monte (BO) 47 F1
Calvi, Monte (LI) 59 D2
Calvi, Monte (VT) 67 F3
Calvino, Monte (EN) 120 D2
Calvi, Rifugio (BG) 11 E1
Calvi, Rifugio (BL) 5 E2
Calvi Risorta (CE) 82 D4
Calvisano (BS) 23 F4
Calvisi (CE) 83 C2
Calvi (SV) 42 D2-3
Calvi Vecchia (CE) 82 D4
Calvizzano (NA) 88 A3
Calvo, Monte (AQ) 69 E2
Calvo, Monte (BN) 83 E4
Calvo, Monte (CB) 77 EF4
Calvo, Monte (CH) 76 AB4
Calvo, Monte (FG) 79 E1
Calvo, Monte (FR) 81 B3
Calvo Monte (FR) 82 C2
Calvo, Monte (GR) 59 E3
Calvo, Monte (GR) 66 A3
Calvo, Monte (RG) 123 C2
Calvo, Monte (ROMA) 74 C3
Calvo, Monte (SI) 54 F2
Calzaferro (BS) 11 D3
Calzolari, Torre de' (PG) 62 B3
Calzolaro, Colle (PG) 61 E3
Calzolaro (PG) 61 B4
Calzoni (VR) 24 EF4
Cama [CH] 9 C4
Camagna Monferrato (AL) 32 C4
Camaiore (LU) 52 B2
Camairago (LO) 35 A1
Cama, Lago di [CH] 9 C4
Camaldolesi, Eremo dei (CN) 31 F3-4
Camaldoli (AR) 54 C4
Camaldoli della Torre (NA) 89 B1
Camaldoli (GE) 43 BC3
Camaldoli (NA) 88 B3
Camaldoli (ROMA) 73 D4
Camaldoli (SA) 90 CD2
Camaló (TV) 26 B4
Camandona (BI) 20 B2
Camanoglio [CH] 8 B4
Camarda (AQ) 69 E4
Camarda, Monte (AQ) 70 E1
Camarie [F] 40 F4
Camarina (RG) 123 D1-2
Camaro (ME) 113 C2
Camarza (GE) 43 A3
Camasco (VC) 8 F2-3
Camastra (AG) 118 F4
Camastra, Castello di (AG) 118 F4
Camatta (MN) 36 C4
Ca' Matte (FE) 38 D2
Camatte (MN) 36 C3-4
Ca' Matte (VE) 38 B4
Camazzole (PD) 26 C1-2
Cambiago (MI) 22 CD3
Cambiano (FI) 53 E2
Cambiano (TO) 31 C4
Cambiasca (VB) 8 E4
Cambió (PV) 33 C2
Cambio (RO) 38 C3
Càmbio, Monte di (RI) 69 D1
Camboni, Fiume 135 C2
Cambrembo (BG) 10 E3-4
Cambresco [YUI] 17 F2
Cambrigar (VR) 24 C4
Cambroso (PD) 38 A4
Cambuca, Casa (PA) 109 E1
Camburzano (BI) 20 C2
Camedda, Ponte (SS) 128 B4
Camedo [CH] 8 D4
Camedo, Passo di (CO) 9 C4
Ca' Mello (RO) 39 D2
Camemi (RG) 123 D2
Cámera (TE) 70 B2
Camera, La (FG) 78 F3
Camerana (CN) 42 B2
Camerano (AN) 57 F3-4
Camerano Casasco (AT) 32 C2
Camerano (FO) 55 A4
Camerata Cornello (BG) 10 F3
Camerata Nuova (ROMA) 74 C3
Camerata (PG) 67 B4
Camerata Picena (AN) 57 E2
Camere, Isole Le (SS) 127 C3
Camerelle Posta delle (FG) 85 E3
Cámeri (NO) 21 D2
Cameriano (NO) 21 E1
Camerino (MC) 63 D2
Camerletto, Castello (TO) 31 A2
Camerlona (RA) 48 C4
Cameroni, I (FG) 78 A3
Cameroni, Monte i (PN) 15 D2
Camerota (SA) 96 D4
Camicia, Monte (AQ) 70 D1-2
Ca Micci (PS) 55 BC4
Camiciola, Colle (AQ) 74 C3 4
Camigliano (CE) 83 D1
Camigliano (SI) 60 E3
Camigliatello Silano (CS) 102 D2-3
Camigna [YUI] 29 B3
Camignolo [CH] 9 D3
Camignone (BS) 23 C3
Camilla, Passo di (GE) 44 C2-3
Cámina [YUI] 17 E2
Caminata di Tùres (Kematen) (BZ) 4 B1-2
Caminata (Kematen) (BZ) 3 B3
Caminata (PC) 34 D2
Caminata (PC) 35 D1
Caminetto (UD) 28 A4
Caminino (GR) 60 E1

Camini (RC) 115 A3
Camino (AL) 32 A3
Camino al Tagliamento (UD) 15 F4
Camino, Monte (CE) 82 C3
Camino, Pizzo (BG) 11 F2
Camino, Pizzo (VB) 8 E2
Camino (TV) 27 B2
Camino (UD) 28 A4
Camin (PD) 26 F3
Camisa (CA) 136 B3
Camisano (CR) 23 E1
Camisano Vicentino (VI) 26 D2
Cammarata (AG) 118 B3
Cammarata, Monte (AG) 118 B2-3
Cammarata, Stazione di (AG) 118 B3
Cammarota, Masseria (MT) 92 F2-3
Cammauta, Monte (AG) 117 B3-4
Cammedda, Punta (CA) 134 A4
Camminata (CR) 36 C1
Camminata (PC) 34 E4
Camminate (PS) 56 C4
Cammino, Masseria (CE) 82 E4
Cammoro (PG) 62 F4
Cámmoro, Monte (PG) 62 F4
Camnago (MI) 22 B1
Camo (CN) 32 EF2
Camoggiano (FI) 53 A4
Camogli (GE) 43 C4
Camogné [CH] 9 D3
Camolato, Pizzo (ME) 111 E4
Camonica Valle (BG) (BS) 11 F2-3
Ca' Mora (RO) 39 D1
Camorino [CH] 9 D3
Ca' Morosini (RO) 39 B1
Camosci, Castello dei (TN) 12 E3
Camosci, Cima dei (BZ) 3 E2
Camoscio, Corno del (AO) 7 F3-4
Campaccio, Monte (FI) 54 B3
Campaccio, Monte (SO) 1 F1
Campaggio, Pizzo (SO) 10 E4
Campagna (BS) 23 E4
Campagna, La (BO) 47 C4
Campagna Lupia (VE) 26 F4
Campagnano di Roma (ROMA) 73 A2
Campagnano (VA) 9 E1
Campagna (PN) 15 D3
Campagna (SA) 90 C2
Campagna (VC) 20 F2
Campagnella (CZ) 105 BC3
Campagnático (GR) 60 F2
Campagnola (CE) 82 C3
Campagnola (CR) 35 A2 3
Campagnola (BI) 20 D3
Campagnola Cremasca (CR) 22 E4
Campagnola Emiliana (RE) 36 E3
Campagnola (NO) 21 B1
Campagnola (PD) 38 A3
Campagnolo (BS) 24 E1
Campagnolo (CR) 23 F4
Campagrina (LU) 45 F4
Campaiana (LU) 45 E4
Campalano (VR) 37 B1
Campale (AL) 33 F1
Campalestro (PV) 33 A2
Campalto (VE) 27 E1
Campalto (VR) 25 E1
Campana (AQ) 69 F4
Campana, Cocuzzo (EN) 119 C4
Campana, Colle (PG) 61 C4
Campana (CS) 103 C1
Campana (FI) 53 E4
Campana, Porto (CA) 135 F2
Campanari (AN) 57 F4
Campanaro, Monte (CT) 112 F4
Campanaro, Portella (PA) 118 A4
Campanaro, Scuola (BN) 84 B2
Campana, Sasso (SO) 11 B3
Campana (SI) 60 C3
Campanasissa, Colle di (CA) 135 C1
Campana (TP) 116 C4
Campana (VI) 25 A3
Campana (VI) 25 B4
Campanedda (SS) 125 F2
Campanella, Masseria (TA) 94 E4
Campanella, Monte (CL) 118 D3-4
Campanella, Punta (NA) 88 D4
Campanella (VI) 25 A4
Campanelle (MC) 63 D4
Campanelli, Monte (EN) 120 B1-2
Campane, Poggio delle (AR) 55 D3
Campania, Cocuzzo (CL) 119 C1
Campanozzi, Casa (FG) 78 D3-4
Camparada (MI) 22 C2
Camparient, Monte (BI) 20 B2
Campascio [CH] 11 C2
Campazzo (BS) 23 F3
Campazzo (PR) 35 D3
Camp des Cabanes Vieilles [F] 41 F1
Campea (TV) 14 F3
Campeda, Altopiano della (NU) 129 D1
Campeda, Stazione di (NU) 129 D1
Campedei (BL) 14 E3
Campedelle, Monte (BL) 4 E3
Campegine (RE) 36 E2
Campeglia (VB) 8 C2
Campegli (GE) 44 D3
Campeglio (UD) 16 F4
Campel (BL) 14 E2
Campellio, Monte (SO) 11 E4
Campelli (RO) 38 C4
Campello [CH] 9 A2
Campello, Monti (VB) 8 E2
Campello, Pizzo di [CH] 10 B1
Campello (SO) 11 C1
Campello sul Clitunno (PG) 68 A3
Campertogno (VC) 20 A2
Campese (GR) 65 E2
Campese, Masseria (FG) 85 C2
Campese (VC) 26 B1-2
Campestri (FI) 54 B2
Campestrin (TN) 3 F3 4
Campetto (CN) 42 C1-2
Campiano (RA) 49 D1
Campiano (VR) 25 D2
Campi (AR) 54 D4
Campi, Baia dei (FG) 79 D4
Campi Bisenzio (FI) 53 C3
Campidano (CA) 131 DEF4
Campieno (VB) 8 C3
Campiglia (BI) 20 B2
Campiglia dei Berici (VI) 25 F4
Campiglia dei Foci (SI) 60 A1
Campiglia d'Orcia (SI) 60 E4
Campiglia Marittima (LI) 59 D1
Campiglia Marittima, Stazione di (LI) 59 D1
Campiglia Soana (TO) 19 C3
Campiglia (SP) 45 F1
Campigliola, La (GR) 66 C2
Campiglio (MO) 46 C4
Campiglione (TO) 31 D1
Campigna (FO) 54 BC4
Campignano (PG) 62 E1
Campigno, Fiume 54 A3
Campigo (TV) 26 C3
Campinola (SA) 89 C2
Campino (VB) 8 F4
Campiolo Resiutta (UD) 16 C3
Campione di Garda (BS) 24 B3-4
Campione d'Italia (CO) 9 E3
Campione, Fiume 24 B3
Campione (MN) 36 C4
Campi (PG) 63 F2
Campi (PR) 44 B4
Campi Resi (PS) 55 D4
Campi Salentina (LE) 95 E2
Campi (SI) 60 A3
Campisia (AG) 118 C2
Campitello (BL) 5 E1
Campitello Matese (CB) 83 B2
Campitello (MN) 36 C2
Campitello (PG) 62 A3-4
Campitello, Rifugio (AQ) 75 E4
Campitello (TN) 3 F3-4
Campitello (TR) 68 C2
Campi (TN) 12 F2-3
Campi, Torre dei (FG) 79 D3
Campi Vécchio (PG) 63 F2
Campliccioli, Lago di (VB) 8 D1
Campli (TE) 70 B1
Campo, Alpe (SO) 1 F2
Campo Aperto, Masseria (CB) 83
CAMPOBASSO 83 A3
Campobello di Licata (AG) 119 F1
Campobello di Mazara (TP) 116 B4
Campobello Ravanusa, Stazione di (AG) 119 F1
Campobernardo (TV) 27 C3
Campo Bianco, Corno di (TN) 13 F3
Campo (BL) 14 E2
Campo (BL) F2
Campobove, Malga (BZ) 4 C3
Campo Calabro (RC) 114 C2
Campocavallo (AN) 57 F3
Campo (CE) 82 C3
Campo Cecina (MS) 45 F3
Campochiaro (CB) 83 B2-3
Campo Chiesa (SV) 42 E2
Campo, Cima di (BL) 13 F4
Campo, Cima di (BZ) 3 C3
Campocologno [CH] 11 C2
Campocroce (TV) 27 D1
Campocroce (VE) 26 E4
Campo, Croda (BL) 4 E4
Campodalbero (VI) 25 C2
Campodarsego (PD) 26 E3
Campo d'Avanti, Cima (VI) 25 C2
Campodazzo (Atzwang) (BZ) 3 F2
Campodazzo (BZ) 3 F2-3
Campo del Carro (TO) 30 A3
Campodenno (TN) 12 C4
Campo di Carne (LT) 80 A1-2
Campodiegoli (AN) 62 B4
Campo di Fano (AQ) 75 B4
Campo di Fiume, Sorg (CH) 76 C2
Campo di Giove (AQ) 76 C1
Campo Lomaso (TN) 12 E3
Campo di Luserna (TN) 13 F2
Campodimele (LT) 81 C4
Campodipietra (CB) 83 A4
Campo di Pietra (TV) 27 C3
Campo di Trens (Freienfeld) (BZ) 3 B2
Campodolcino (SO) 10 B1
Campodolio (MO) 46 C3
Campodonico (AN) 63 C1
Campodonico (GE) 44 C1-2
Campodoro (PD) 26 E2
Campodulino (SS) 126 E3
Campo Felice (AQ) 69 F3
Campofelice di Fitalia (PA) 109 F3-4
Campofelice di Roccella (PA) 110 E3
Campoferro (PV) 33 C4
Campofilone (AP) 64 D3
Campofiorito (PA) 117 A4
Campo Fiscalino (Fischleinboden) (BZ) 4 E4
Campofontana (VR) 25 C2
Campo Forcella di (BZ) 4 A2
Campofórmido (UD) 28 A3
Campoforogna (RI) 69 D1
Campofranco (CL) 118 C3-4
Campofranco, Stazione di (AG) 118 C3
Campogalliano (MO) 36 F4
Campogialli (AR) 54 F3
Campo, Golfo di (LI) 58 F2
Campogrande (ME) 112 D3-4
Campogrosso, Passo di (VI) 25 B2
Campo, Lago di (TN) 11 E4
Campolano (RI) 69 F1
Campolaro (BS) 11 F4
Campolarzo (MC) 63 D2
Campo la Salza (TO) 30 C3
Campolaspierto (AV) 90 B1
Campolasta (Astfeld) (BZ) 3 D1-2
Campolato, Capo (SR) 121 E2
Campolato, Casa (FG) 79 E1
Campolato, Grava di (FG) 79 E1
Campolattaro (BN) 83 D4
Campo Lemini (ROMA) 73 F2
Campolemisi (LU) 52 A3
Campoleone (LT) 73 F3
Campoleone Scalo (LT) 73 F3
Càmpoli Appennino (FR) 75 E2
Càmpoli del Monte Taburno (BN) 83 E4
Campolieto (CB) 77 F2
Campolieto Monaciglioni, Stazione di (CB) 77 F2
Campo Ligure (GE) 43 A2
Campoli, Prato di (FR) 75 E1
Campoli (RC) 115 A3
Campolonghetto (UD) 28 B4
Campolongo al Torre (UD) 28 B4
Campolongo (BL) 5 E1
Campolongo (CZ) 106 B2
Campolongo Maggiore (VE) 26 F4
Campolongo, Passo di (BL) 4 F1
Campolongo sul Brenta (VI) 26 B1
Campolongo (TV) 27 A1
Campolongo (TV) 27 C2
Campolongo (VI) 25 F4
Campoluci (AR) 54 F4
Campolungo (FE) 38 F3
Campolungo, Piano di (CS) 98 F1
Campolungo, Pizzo [CH] 9 A1-2
Campolungo (RE) 46 C1
Campo Lupino, Monte (FR) 81 B2 3
Campomaggiore (PZ) 91 D4
Campomaggiore Vecchio (PZ) 91 D4
Campomanfoli (SA) 89 B3
Campomarino (CB) 77 C4
Campomarino (TA) 94 F3
Campomela, Stazione di (SS) 128 A4
Campomigliaio (FI) 53 B4
Campomizzo, Ponte (AQ) 75 D3
Campomolino (CN) 40 B4
Campomolino (TV) 27 A2-3
Campomolle (UD) 28 BC2
Campomolon, Monte (VI) 25 A3
Campo, Monte (BG) 11 F1
Campo, Monte (BZ) 3 D2
Campo, Monte il (IS) 76 D3
Campomorone (GE) 43 B3
Campomorta, Casa (VT) 66 E3
Campomorto (PV) 22 F1
Campomulo (VI) 13 F3
Campon (BL) 15 E1
Campo nell'Elba (LI) 58 E1-2
Campone, Masseria (BR) 95 E1
Campone, Masseria (LE) 95 F4
Campone (PN) 15 C3
Camponocécchio (AN) 63 A1-2
Camponogara (VE) 26 F4
Camponuovo (SV) 42 C2
Campopalazzi (SI) 60 CD3
Campoperso, Masseria (BR) 95 C2
Campo (PI) 52 D3
Campo Pietra (TO) 19 E1
Campo Pisano (CA) 134 B4
Camporaghena (MS) 45 D3
Camporanda (LU) 45 E4
Cámpora (NA) 89 D2
Cámpora (SA) 96 A4
Campora San Giovanni (CS) 104 A3
Camporbiano (FI) 53 F2
Camporeale (PA) 109 F1
Campo Reggiano (PG) 62 B2
Cámpore, Le (PC) 34 E2
Campore (SP) 44 C3
Campore, (BI) 20 C3
Camporóppolo (PG) 68 A3
Camporgiano (LU) 45 E4
Campori (LU) 46 F1
Campo Rinaldo (PV) 34 B3
Campo Rosso (BZ) 4 D2
Camporosso (IM) 50 D3-4
Camporosso in Valcanale (UD) 17 B1
Camporosso Mare (IM) 50 D4
Camporosso, Sella di (UD) 17 B1
Camporotondo di Fiastrone (MC) 63 D3
Camporotondo Etneo (CT) 121 C1
Camporotondo (SS) 127 C1
Camporovere Vescovi (VI) 25 A4
Camportaccio (SO) 10 C2
Camposampiero (PD) 26 D3
Campo San Martino (PD) 26 D2
Camposano (NA) 89 A1-2
Campo San Pietro (BL) 14 E2-3
Camposanto (MO) 37 E1-2
Camposauro (BN) 83 E3
Camposecco, Lago (VB) 8 D1
Camposecco, Monte (ROMA) 74 C3
Camposervoli (SI) 61 EF2
Camposilvano (TN) 25 B2
Campo (SO) 10 C2
Campo (SO) 10 D3
Camposolagna (VI) 26 A2
Camposonaldo (FO) 54 B4
Campospinoso (PV) 34 B2
Campo Staffi (FR) 74 C4
Campotamaso (VI) 25 C2-3
Campo Tencia, Cap [CH] 9 A1
Campo Tencia, Pizzo di [CH] 9 A1-2
Campo Tùres (BZ) 4 B1
Campo Tizzoro (PT) 53 A2
Campo (TN) 12 E3
Campo (TO) 19 D3
Campotosto (AQ) 69 C3
Campotosto Lago di (AQ) 69 C3
Campotto (FE) 48 B2
Campottone (AN) 63 C1
Campovaglio (SS) 127 B1
Campovalano (TE) 70 B1
Campo, Val di [CH] 8 B4
Campo Valmaggia [CH] 8 B4
Campovécchio, Val (BS) 11 D3
Campoverde (LT) 80 A2
Campoverdo (VE) 26 F3-4
Campovico (SO) 10 D3
Campremoldo Sopra (PC) 34 C3
Campremoldo Sotto (PC) 34 C3
Campriano (AR) 55 F1
Campriano (PI) 53 D2
Campriano (SI) 60 C3
Campsirago (LC) 22 B3
Campsut (CH) 10 A2
Campu Giavesu, Cantoniera (SS) 129 C1
Campulandru, Punta (SS) 126 D1
Campu Sali, Cala (CA) 131 E2-3
Campu Spina, Punta (CA) 134 AB4
Camucia (AR) 61 B2-3
Camughera, Cima (VB) 8 D2
Camugliano (PI) 52 E4
Camugnano (BO) 47 E1
Camulera, Monte (SV) 42 C2
Camurana (MO) 37 E1
Canacede (BL) 14 B2
Canaglia (SS) 125 F1-2
Cana (GR) 66 A2
Canai (BL) 14 F2
Canal (BL) 14 F2
Canale (AV) 89 B4
Canale (CN) 32 D1
Canale d'Agordo (BL) 14 BC2
Canale di Agordo (BL) 14 D3
Canale d'Incaroio (UD) 5 F4
Canale di Pròcida (NA) 88 BC2-3
Canale (GE) 44 B1
Canale, Monte (PS) 55 C3
Canale Monterano (ROMA) 72 A3-4
Canale, Monte (SO) 10 CD4
Canale Navigabile 38 E1
Canale (RO) 38 C3
Canales, Lago sos (SS) 129 B4
Canaletto (MO) 37 E2
Canaletto (MO) 37 F1
Canale Vecchio /Nuovo (TR) 67 B2-3
Canalicchio (CT) 121 C1
Canalicchio, Monte (PA) 111 E1
Canalicchio (PG) 62 E2
Canalicchio, Pizzo di (AG) 117 C4
Canali, Fiume 14 D1
Canali, Passo (BL) 14 C2
Canali (RE) 46 A2
Canali (SO) 11 D2
Canalona, Serra (PA) 110 E3
Canalotti, Monte di (CL) 119 F3-4
Canal San Bovo (TN) 13 D4
Canal Sella (BN) 84 B1
Canalupo (PG) 62 E3
Canal (VR) 24 D4
Cananavese, Pont (TO) 19 D3
Canapile (CN) 31 E3
Canapine, Forca (PG) 69 A2
Canareddu, Monte (SS) 127 D3
Canargius, Canale is 135 D2
Canaro (RO) 38 D1
Canavaccio (PS) 56 D2
Canavera (PV) 34 D1
Canavere (CN) 31 F3
Canavese (TO) 19 D4
Canavese (TO) 19 E2-3-4
Canazei (TN) 3 F4
Can (BL) 14 E2
Cancano, Lago di (SO) 1 E3
Cancano, Monte (SO) 11 CD2
Cancellade (BL) 14 C3
Cancellara, Ferrata (PZ) 91 C3
Cancellara (PZ) 91 C3
Cancelli (AN) 63 B1
Cancellieri, Villa (RG) 123 B2
Cancelli (FI) 54 D2
Cancello (CE) 82 E3
Cancello (FR) 75 F3
Cancello (NA) 83 F2
Cancello (VR) 25 D1
Cáncelo, Passo di (RC) 115 B1
Cancervo, Monte (BG) 10 F3
Cancia (BL) 14 B4
Canciano, Passo di (SO) 11 C1
Canciano, Pizzo di (SO) 11 C1
Canda, Colle di (FI) 47 E3
Candaglia, Monte (PN) 15 E1
Candalino (CO) 10 F1
Canda (RO) 37 C4
Candeglia (PT) 53 B2
Candela, Canale, 98 B4
Candela (FG) 85 E2
Candela, Monte (SS) 127 D1
Candelara (PS) 56 C3
Candelaro, Fiume 78 E2
Candelaro, Fiume 85 A4
Candelaro, Masseria (FG) 79 F1
Candelaro, Stazione di (FG) 85 A4
Candela, Serra (CT) 112 F2
Candelattu Punta (SS) 127 F1
Candeli (FI) 54 C1
Candelo (BI) 20 C2
Candelozzo (GE) 43 B4
Candelù (TV) 27 B2
Candeo, Nuraghe (OR) 132 D2
Candiá (AN) 57 E3
Cándia Canavese (TO) 20 E1
Candia, Lago di (TO) 20 E1
Cándia Lomellina (PV) 33 A1
Candiana (PD) 38 A3
Candiazzus (CA) 134 A3
Candida (AV) 89 A4
Cándida, Masseria (FG) 86 C1
Candide (BL) 5 E1
Candidoni (RC) 104 F3
Candigliano, Fiume 55 E4
Candiglieno, Fiume 56 E2
Candiolo (TO) 31 C3
Candóglia (VB) 8 E3
Candore, Toppa (PZ) 91 F4
Cané (BL) 14 E3
Cané (BS) 11 C4
Canébola (UD) 16 E4
Canedole (MN) 36 A4
Canéggio [CH] 9 F3
Canegrate (MI) 21 C3-4
Ca Negra (VE) (RO) 38 C4
Canelli (AT) 32 E3
Cane, Monte (EN) 119 D2
Cane, Passo del (BZ) 4 A2
Canepina (VT) 67 E3
Cane, Punta del (SR) 124 C3
Caneso (PR) 44 B3
Canestraccio, Fiume 66 D4
Canestrello Masseria (FG) 85 E2
Canete (SO)10 B2
Caneto, Corno di (PR) 45 C3
Canetolo (PR) 45 B2
Caneto (PR) 45 C3
Canetra (RI) 69 E1
Caneva (PN) 15 F1
Canevara (MS) 45 F3
Canevare (MO) 46 E3
Caneva (UD) 15 B4
Canevino (PV) 34 D2
Canezza (TN) 13 E1-2
Canfáito, Monte (MC) 63 B2
Canfedin (TN) 12 D4
Canfriolo (PD) 26 D2
Cangelasio (PR) 35 E2
Cangiais, Nuraghe (NU) 132 D4
Cangialoso, Pizzo (PA) 118 A1
Cangi, Casa (CL) 119 C1
Cangiulli, Masseria (TA) 93 C1
Cangiulli, Masseria (TA) 93 D2
Cani, Bruncu su (CA) 135 A4
Canicatti (AG) 118 F4
Canicattini Bagni (SR) 124 B2
Canicossa (MN) 36 C2-3
Caniezza (TV) 26 B3
Caniga (SS) 125 F3 4
Canigione, Punta di (SS) 127 C3
Caniglia di Sopra, Masseria (FG) 78 D2
Caniglia di Sotto, Casa (FG) 78 D2-3
Caniglia, Masseria (BR) 94 D3
Canimpiso, Masseria (FG) 78 D2
Canimpiso, Masseria (FG) 78 D3
Canin, Monte (UD) [YUI] 17 C1
Canino, Monte (VT) 66 D4
Canino (VT) 66 D4
Caniparola (MS) 45 F2
Cani, Ponte dei (NA) 89 A1
Canischio/Mezzavilla (TO) 19 E3
Canisoni, Spiaggia (CA) 134 E3
Canitzu, Monte (OR) 131 A4
Canizzano (TV) 27 C1
Canizzaro (CT) 121 C2
Canna, Bruncu sa (NU) 133 C1-2
Canna (CS) 98 C4
Cannai (CA) 134 E3
Cannaiola o Galenne, Monte (PG) 68 A3-4
Cannaiola (PG) 62 F4
Cannai Torre (CA) 134 E3
Cannalonga (SA) 96 B4
Cannalza, Fiume 126 F2
Canna (ME) 110 A3
Cannaparo, Serra (PZ) 91 B4
Cannara (PG) 62 E3
Cannara, Stazione di (PG) 62 E3
Cannarella, Monte (EN) 119 C3
Cannas, Cantoniera (CA) 136 B2
Cannas, Fiume 135 B4
Cannas, Fiume is 136 B2
Cannatello, (AG) 118 F3
Cannatello, Casa (PA) 118 C1
Cannavá (RC) 114 B3
Cannavó (RC) 114 D2
Cannavi, Monte (RC) 114 C3-4
Canne (BA) 86 C2
Canneddi, Punta li (SS) 126 CD2
Canne della Battaglia, Fermata (BA) 86 C2
Cannella (AN) 57 D1
Cannella, Pizzo (ME) 112 E1
Cannelle, Cala delle (GR) 65 E2
Cannelle, Punta delle (LI) 58 E3
Cánnero Riviera (VB) 9 E1
Cannetolo (PR) 35 D3
Canneto (ME) 111 B3
Canneto (ME) 111 D2
Canneto, Monte di (PI) 59 C2 3
Canneto Pavese (PV) 34 C2
Canneto (PC) 34 C3-4
Canneto (PG) 62 C1
Canneto (PI) 53 D2
Canneto (PI) 59 C2
Canneto (RI) 73 A4

Canneto sull'Oglio (MN) 36 B1
Canneto, Val di (FR) 75 EF4
Cannéggia (MC) 63 D1
Cannóbio (VB) 9 D1
Cannicchio (SA) 96 B2
Cannigione (SS) 127 C2
Cannisoni, Fiume 132 E4
Cannistra (ME) 112 C4
Cannitello (RC) 114 C1-2
Cannizzole, Ponte (EN) 120 E2
Cannobina, Valle (VB) 8-9 DE4
Cannobino, Fiume 8 D4
Cánnole (LE) 100 B3
Cannone, Punta (SS) 127 E4
Cannoneris, is (CA) 135 E2
Cannuzzo (RA) 49 E1
Canochielle (PZ) 92 D2
Cánolo (RC) 115 B1
Cánolo, Monte (RC) 115 C1
Canolo Nuova (RC) 115 B1
Canolo (RE) 36 E3
Canonica a Cerreto (SI) 60 A3
Canonica d'Adda (BG) 22 D4
Canonica (FI) 53 E3
Canonica (FI) 54 E1
Canonica (RN) 55 A4
Canonica, La (SI) 60 C4
Canónica, Masseria (TA) 93 D4
Canonica (PG) 67 A4
Canonica (TR) 67 B2
Canosa (BA) 86 D2
Canosa, Grotta (CH) 76 B1-2
Canosa Sannita (CH) 71 F1
Canosio (CN) 40 A3
Canossa (MS) 45 D1-2
Canossa (RE) 46 B1
Canova (LC) 22 B3
Canova (FI) 54 DE2
Canova (MS) 45 E2
Canova (PV) 34 B1
Canova (RE) 45 C4
Canovai, Villaggio (RC) 114 D4
Canove (CN) 32 E2
Canove (VI) 25 A4
Canove (VR) 37 B3
Canoverde, Masseria (PZ) 91 F4
Cansano (AQ) 75 C4
Cansano, Stazione di (AQ) 76 C1
Cansero (CR) 35 B4
Cansiglio, Bosco del (BL) 15 E1
Cantagallina (PG) 61 D3
Cantagallo (PO) 53 A3
Cantagallo, Masseria (BR) 94 D2-3
Cantagrillo (PT) 53 B2
Cantalice (RI) 68 D4
Cantalupa (TO) 31 C1
Cantalupo (AL) 33 D1
Cantalupo, Casone (CB) 77 DE4
Cantalupo (GE) 43 B2
Cantalupo in Sabina (RI) 68 F2
Cantalupo Ligure (AL) 33 F4
Cantalupo (MI) 21 C4
Cantalupo nel Sànnio (IS) 83 A2
Cantalupo Selice (BO) 48 C2
Cantalupo, Stazione di (IS) 83 A2
Cantarana (AT) 32 D1-2
Cantarana (CN) 41 E4
Cantarana (VE) 38 B4
Cantarelli dei Boschi (CN) 31 D4
Cantari, Monti (FR) 74 D4
Cantaron [F] 50 D1-2
Cantavenna (AL) 32 A3
Cantello (VA) 21 A3
Canterano (ROMA) 74 C2
Cantera, Ponte della (ME-CT) 112 F1-2
Canterno, Lago di (FR) 74 E4
Cantóra (TO) 19 E2
Cantù(CO) 22 B1
Cantia (AL) 63 B1
Cantiano (PS) 56 F1
Cantiere, Monte (MO) 46 D2
Cantigaglione, Casa (AG) 122 A2-3
Canti, I (BG) 22 A4
Canto Alto (BG) 22 B4
Canto (BG) 22 B3
Cantogno, Fiume 31 D1
Cantogno (TO) 31 D2
Canto, Monte (BG) 22 B3
Cantonazzo (RO) 38 C2
Cantone (BO) 37 EF2
Cantone, Masseria (FG) 85 A2
Cantone (MO) 36 F4
Cantone (MO) 37 F1
Cantone, Monte (BZ) 2 C1
Cantone (NA) 88 A2-3
Cantone (PC) 34 C3
Cantone, (PG) 55 E3
Cantone (RE) 36 E2
Cantone (RE) 36 F1
Cantone (RE) 46 A2
Cantone (RE) 46 A3
Cantoneria del Gal, Rifugio (TN) 14 D1
Cantone (TR) 61 F3
Cantoni (CR) 35 C4
Cantoni (TV) 26 C2
Canton (RO) 38 C3-4
Canton Santo (PR) 35 D2
Canton (VR) 25 F2
Cantore, Rifugio (BL) 4 F2
Cantrina (BS) 24 D1
Cantu, Case (TE) 70 D2-3
Cantù (CO) 22 B1
Canu, Monte (SS) 127 B1
Canúsio (UD) 28 B2
Canza (VB) 8 A3-4
Canzano (TE) 70 B2
Canzatessa (AQ) 69 E3
Canzo (CO) 22 A2
Canzo, Corni di (CO) 22 A2
Caonada (TV) 26 B4
Caorame, Fiume 14 E2
Caorera (BL) 14 F2
Caoria (TN) 13 D4
Caorle, Laguna di (VE) 28 D1-2
Caorle, Marina di (VE) 28 E1-2
Caorle (VE) 28 E1
Caorso (PC) 35 C1-2
Capaccio (LU) 45 F4
Capaccio, Punta (SS) 127 C3
Capaccio Roccadaspide, Stazione di (SA) 90 E1
Capaccio (SA) 90 F1-2
Capacciotti, Lago di (FG) 85 E3
Capaccio Vecchio (SA) 90 E1-2
Capaci (PA) 109 C2
Capaia (BZ) 4 C3
Capalbiacco, Poggio (GR) 66 D1
Capábio (GR) 66 D2
Capálbio, Stazione (GR) 66 D2
Capalle (FI) 53 C3
Capannáccia (SS) 127 B1
Capanacce, Osteria delle (VT) 67 D3
Capanne, Borgo (BO) 46 F4
Capanne di Silano (LU) 45 D4
Capanne di Sotto (PT) 53 A1
Capanne (GR) 66 B3
Capanne Le (FO) 55 C2
Capannella, La (VT) 67 E4
Capannelle (GR) 60 E2
Capannelle (GR) 60 F1-2
Capannelle, Ippodromo delle (ROMA) 73 D3
Capannelle, Passo delle (AQ) 69 D3
Capanne Marcarolo, Parco Naturale di (AL) 43 A2
Capanne, Monte delle (BZ) 2 C4
Capanne, Monte (LI) 58 E1
Capanne (MS) 52 A1
Capanne (PG) 55 F2
Capanne (PG) 62 D1
Capanne (PI) 53 D1
Capanne, Poggio (SI) 60 B4
Capanne Vecchie (GR) 59 E3
Capannina (LU) 52 AB1
Capannole (AR) 54 F3
Capannone, Il (MO) 46 E2
Capannori (LU) 52 C4
Capannori (PI) 52 E4
Capannuccia (FI) 53 D4
Caparoni, Punta lu (SS) 125 F1
Ca Pasquale (KR) 102 EF4
Cap-d'All [F] 50 D2
Capece, Masseria (BR) 94 D4
Capelletti (BN) 83 C3
Capel Rosso, Punta del (GR) 65 EF2-3
Capena (ROMA) 73 A3
Capergnatica (CR) 22 F4
Capestrano (AQ) 70 F2
Capestrino (IS) 76 E3
Capezzano (LU) 52 A2
Capezzano, Monte (CT) 120 D2-3
Capezzano (SA) 89 C3
Capezzine, Fattoria (SI) 61 C2
Capezzone, Cima (VB) 8 E2
Capiago (CO) 22 B1
Capidogno [CH] 9 D2
Capillane, Cozzo (CS) 102 C4
Capilungo (LE) 100 E1
Capin di Ponente (UD) 17 B2
Capineri, Masseria (BR) 94 D4
Cápio, Monte (VB) 8 F2
Ca' Pisani (RO) 39 D1-2
Capistrano (VV) 105 D1
Capistrello (ROMA) 74 C4
Capitana (CA) 136 C1
Capitanata (FG) 85 A1 B2 C3 D4
Capitan Celli, Casa (ROMA) 73 F4
Capitano, Casa (CT) 120 C4
Capitano, Monte (PA) 111 F1
Capitello, Capo (SA) 96 B1
Capitello (FE) 38 E2
Capitello (PD) 38 B3
Capitello (RO) 38 C1
Capitello (RO) 38 D1
Capitello (SA) 97 C1
Capitello (VR) 37 B2
Capitigliano (AQ) 69 D3
Capitignano (SA) 89 C4
Capitolo, Masseria (BA) 87 F2 3
Capitolo, Masseria del (TA) 93 E4
Capitolo (SV) 42 E1
Capitone (BN) 83 E2
Capitone (TR) 68 C1
Capizzi (ME) 111 F3
Capizzone (BG) 22 B4
Capizzo (SA) 90 F2-3
Caplone Monte (BS) 24 B3
Cap-Martin [F] 50 D3
Capobianco, Torre di (SA) 97 C2
Capo Bonfanti, Stazione (CS) 101 B2
Capobosco (RO) 38 C2
Capo Calvanico (SA) 84 B4
Capocavallo (PG) 62 C1
Capoccia (LE) 95 F3
Capocolle (FO) 48 EF4
Capo Comino, Case (NU) 130 B4
Capocorso, Ponte (SR) 124 B3
Capocotta, Cascina (ROMA) 73 E2
Capocotta, Tenuta di (ROMA) 73 E2
Capo d'Acero, Monte (AQ) 75 A4
Capo d'Acqua (AP) 69 B2
Capo d'Acqua (AQ) 70 F2
Capo d'Acqua, Masseria (FG) 85 D2
Capodacqua (PG) 62 C4
Capodacqua (PG) 62 E4
Capodarco (AP) 64 C3
Capo d'Argine (BO) 47 AB3 4
Capo d'Arno (AR) 54 C3
Capodarso, Monte (EN) 119 C2-3
Capodarso, Ponte (CL EN) 119 CD2
Capo da Uccello, Masseria (FG) 78 F4
Capodimonte (BS) 23 E4
Capodimonte (NA) 88 B3-4
Capodimonte (VT) 67 C1
Capo di Ponte (BS) 11 E3
Capo di Rio (MC) 63 B3
Capo di Roveri (MN) 37 C2
Capodistria, Vallone di [YU] 29 E2
Capo d'Olmo Cantiere (LT) 80 C4
Capo d'Orlando (ME) 112 C1
Capodrise (CE) 83 F1
Capo d'uomo, Torre (GR) 65 E4
Capogna (MC) 63 D1
Capoiaccio (CB) 83 B4
Capoiale (FG) 78 C4
Capo, Il (NA) 88 D4
Capolago [CH] 9 F3
Capolago (VA) 21 A3
Capolapiaggia (MC) 63 D2
Capo la Serra, Monte (SA) 90 D4
Capolavello (PZ) 97 B4
Capo la Villa (AQ) 69 F2-3
Capolcastro (PD) 38 B2
Capolegrotte (CH) 76 A2
Capoleprata (FR) 74 F3-4
Capoliveri (LI) 58 E3
Capolona (AR) 54 E4
Capo Mulini (CT) 121 C2
Caponago (MI) 22 D3
Capo Passero, Isola di (SR) 124 E3
Capo, Piana del (ME) 112 C1
Caponte (PR) 45 B4
Capo Portiere, Lido (LT) 80 BC3
Capoposta (CH) 76 A3
Capo Rama, Torre di (PA) 108 C4
Caporciano (AQ) 70 F1
Caporiacco (UD) 16 EF3
Caporio (IS) 83 A2
Capo Rizzuto (KR) 106 D3
Caporosa (CS) 102 E3
Caposele (AV) 90 B2
Caposelva (PV) 34 E1
Caposelvi (AR) 54 F3
Caposile (VE) 27 D3
Caposotto (MN) 37 D3
Capo Spulico (CS) 99 D1
Capostrada (PT) 53 B2
Capotagliato, Cala di (SS) 125 DE1
Capoterra (CA) 135 C3
Capovalle (BS) 24 B2
Capovilla (VI) 25 C4
Capo Volturno, Sorgente (IS) 76 F1
Cappadócia (AQ) 74 C4
Capparrini, Casa (PA) 109 F1
Cappa (TO) 32 A2
Cappeddu, Punta (SS) 126 C4
Cappella (AR) 55 E1
Cappella Belvedere (TN) 13 F1-2
Cappella Cantone (CR) 35 A1
Cappella, Cava [CH] 9 B3
Cappella (CH) 36 C1
Cappella (KR) 103 C3
Cappella de' Picenardi (CR) 35 B4
Cappella, La (BA) 86 D2
Cappella (LU) 52 B3
Cappella Maggiore (TV) 14 F4
Cappella Montefallióno (CN) 41 C2
Cappella (NA) 88 B2-3
Cappellano (RC) 115 B1
Cappellano (SR) 124 A2
Cappella (VE) 26 D4
Cappella, Villa la (SI) 61 D2
Cappellazzo (CN) 31 F3
Cappellazzo, Il (CS) 98 E1
Cappelle (AQ) 74 B4
Cappelle (CE) 82 D3
Cappelle sul Tavo (PE) 70 D4
Cappelletta, La (GE) 43 B1-2
Cappelletta (MN) 36 B3
Cappelletta (VE) 26 D4
Cappelli (CN) 31 D4
Cappellini, Masseria (PZ) 98 A1
Cappello (CN) 41 D4
Cappello, Monte (BO) 47 E4
Cappellone, Monte (AQ) 70 E1
Cappel, Monte (CN) 40 A2-3
Cappone (PS) 56 C2
Cappucciata, Monte (PE) 70 E2
Cappuccini, Convento dei (CA) 132 E2
Cappuccini, I (AN) 56 D4
Cappuccini, I (FG) 78 E4
Cappuccini, Isola dei (SS) 127 B2
Cappuccini (PG) 61 E3
Cappuccini (RG) 123 D3
Cappuccini (SI) 61 D1
Cappuccini (VC) 20 F4
Cappuccini Vecchi (TR) 68 D2
Cappuccio, Toppa (MT) 92 D1
Capra, Cala (SS) 127 B2
Capráccia (VT) 67 BC2
Capra, Cima della (BZ) 3 C2
Capracotta (IS) 76 D2
Capra, Cresta Monte (PC) 34 E3
Capradosso (AP) 64 EF1
Capradosso (RI) 69 E1
Caprafico (TE) 70 C2
Capraglia (AL) 33 C3
Capraia (AR) 54 E4
Capraia, Cocuzzo (PA) 119 B1
Capraia (FI) 53 D3
Capraia, Fiume 54 E4
Capraia, Isola di (LI) 58 B1-2
Capraia (LI) 58 B1
Capraia (LU) 46 EF1
Capraia o Caprara Isola (FG) 78 A3
Capralba (CR) 22 E4
Capra, Monte della (EN) 119 B3
Capránica (PG) 62 DE4
Capranica Prenestina (ROMA) 74 D1
Capranica Sutri, Stazione (VT) 67 F3
Capranica (VT) 67 F3
Caprara d'Abruzzo (PE) 70 D4
Caprara, Grotta (CH) 76 B2
Caprara o dello Scorno, Punta (SS) 125 C2
Caprara (RE) 36 E2
Caprarica del Capo (LE) 100 E3
Caprárica di Lecce (LE) 95 F3-4
Caprarica, Masseria (TA) 94 D2
Caprarico (MT) 98 A3
Caprarola, Stazione di (VT) 67 EF3
Caprarola (VT) 67 E3
Capraro, Monte (IS) 76 D2
Caprauna (CN) 41 E4
Caprazzino Strada (PS) 55 CD4
Caprecano (SA) 89 C3
Capreno (GE) 43 C4
Caprera, Isola (SS) 127 B2
Capreria Grande, Punta di (TP) 108 D3
Caprero, Croce di (ROMA) 81 A1
Caprese Michelangelo (AR) 55 E1
Caprezzo (VB) 8 E4
Capriana (TN) 13 C2
Capriano del Colle (BS) 23 E3
Capriano (MI) 22 B2
Capriata d' Orba (AL) 33 E2
Capriate San Gervasio (BG) 22 C3
Capriati a Volturno (CE) 82 B4
Capriati a Volturno, Stazione di (IS) 82 B4
Capricchia (LU) 45 F4
Capricchia (RI) 69 C3
Capriccioli (SS) 127 C3
Cáprie (TO) 31 A1
Caprieto (GE) 33 F4
Capriggine, Fiume 53 F2
Capriglia (AV) 89 A3
Capriglia (CH) 76 B3
Capriglia (LU) 52 A2
Capriglia (MC) 63 E2
Capriglio (AT) 32 B1 2
Capriglio (PR) 45 B3
Capri, Isola di (NA) 88 E4
Caprile (AR) 55 D2
Caprile (BL) 14 B2
Caprile (BZ) 2 E4
Caprile, Colle (GE) 43 C4
Caprile (FE) 38 E4
Caprile (FR) 82 A1
Caprile (GE) 44 A1
Caprile (NA) 89 C2
Capri Leone (ME) 112 D1
Caprile (PC) 34 D2
Caprile (PG) 62 AB4
Caprile (PS) 56 F2
Caprile (RE) 45 D4
Caprile (BI) 20 B3
Capri, Monte (SP) 44 E4
Capri (NA) 88 E4
Caprinale (SO) 11 D2
Caprino Bergamasco (BG) 22 B3
Caprino Veronese (VR) 24 D4
Caprioli, Stazione di (SA) 96 C3
Capriolo (BS) 23 C2
Capriolu, Bruncu (NU) 133 B1
Capriolu (SS) 126 C4
Caprio (MS) 45 C2
Capriuleddu (SS) 127 C1
Capriva del Friuli (GO) 29 AB1
Capriva [YU] 29 C3
Caprizi (UD) 15 B3
Capro, Il (BZ) 2 B4
Caproluce, Lago di (LT) 80 C4
Caprona (PI) 52 D3-4
Caprone (BZ) 1 C4
Capsano (TE) 70 D1
Capua (CE) 82 E4
Capuano, Masseria (PA) 119 A3
Capuccini (PS) 56 D3
Capugnano (BO) 46 E4
Capurso (BA) 87 E3
Caputi, Masseria (BR) 95 B1
Caputo (MT) 98 A3
Carabba, Cassa (ME) 112 F1
Carabbia [CH] 9 E2
Carabella, Masseria (TA) 93 E2
Carabiddicchia, Fontana (TP) 117 A1
Carabollace, Fiume 117 C3
Caraccio, Ca (TA) 94 E3
Caràcciolo, Masseria (FG) 85 BC1
Caraceno, Monte (IS) 76 E3
Caraceto (BI) 20 C3
Caraffa del Bianco (RC) 115 D1
Caraffa di Catanzaro (CZ) 105 C2
Ca' Raffaello (AR) 55 C3
Ca' Raggia (MO) 46 D3
Caraglio (CN) 41 B1
Caragna (SV) 42 D2
Caragnetta (SV) 42 D2
Caragoli, Punta (CA) 134 E2
Carale (VB) 8 DE2-3
Caralte (BL) 14 B4
Caramagna Ligure (IM) 51 C2
Caramagna Piemonte (CN) 31 D3
Caramelli (CN) 42 C1
Carameto, Monte (PR) 35 F1
Cara Mánico Terme (PE) 74 A4
Caramito, Monte (SA) 90 E3
Caramola, Monte (PZ) 98 D2
Caramolo, Monte (CS) 98 F1
Carana, Fiume 126 D4
Carangiaro, Monte (EN) 119 C3
Carani (CE) 82 DE3
Caranna (BR) 94 B2
Carano (CE) 82 D3
Carano (LT) 80 A2
Carano (TN) 13 C2
Caranzano (AL) 32 E4
Caranza (SP) 44 C4
Carapale, Rifugio (AQ) 75 D4
Carapelle Calvisio (AQ) 70 F1
Carapelle (FG) 85 C3
Carapelle, Fiume 85 D2
Carapelle, Ponte di (FG) 85 C2-3
Carapello, Fiume 83 B4
Carapellotto, Fiume 85 D1-2
Carasanta, Coda della (SS) 125 E1
Carasco (GE) 44 C2
Carassai (AP) 64 E2
Carassano, Ponte (SA) 97 AB2
Carasso [CH] 9 C3
Carassone (CN) 41 B4
Carate Brianza (MI) 22 C2
Carate, Rifugio (SO) 11 B1
Carate/Urio (CO) 9 F3
Caratta (PC) 34 C4
Caravággio (BG) 22 D4
Caravaggio, Santuario di (BG) 22 D4
Caravai, Passo di (NU) 130 F1
Caravate (VA) 9 F1
Caravini (VC) 32 A2
Caravino (TO) 20 E1
Caravita (NA) 88 B4
Caravius, Monte is (CA) 135 D2
Caravónica (IM) 41 F4
Carbai, Nuraghe (NU) 129 D4
Carbognano (VT) 67 E3
Carboi, Fiume 117 C2
Carboi, Ponte (AG) 117 C2-3
Carbolo, Monte (MS) 45 E2
Carbolone, Poggio (LI) 52 E3
Carbona (PN) 28 B1-2
Carbonara al Ticino (PV) 33 A4
Carbonara, Capo (CA) 136 D3
Carbonara (CE) 82 D4
Carbonara, Cocuzzo (PA) 110 E4
Carbonara di Bari (BA) 87 E3
Carbonara di Nola (NA) 89 B2
Carbonara di Po (MN) 37 C2
Carbonara, Golfo di (CA) 136 D2 3
Carbonara (PD) 26 F1
Carbonara (PD) 38 B2
Carbonara, Pizzo (PA) 110 F4
Carbonara Scrivia (AL) 33 D3
Carbonare (TN) 13 F1
Carbonari, Fermata (CS) 98 E1
Carbonarola (MN) 37 C2
Carbonate (CO) 21 B4
Carbone, Monte (CN) 41 D1
Carbone, Monte (MT) 92 C3-4
Carbone (PZ) 98 C1
Carbonera (BG) 11 F2
Carbonera (TV) 27 C1
Carbonere (TV) 27 B3
Carboneri (AT) 32 B2
Carboneri (TO) 30 D3 4
Carbonesca (PG) 62 C3
Carbonia (CA) 134 CD4
Carbonifera (LI) 59 E2
Carbonile (FI) 54 B2
Carbonile (FI) 54 D2
Carbonin (Schluderbach) (BZ) 4 E3
Carbota (SV) 42 D3
Carcaci (EN) 120 B3
Cárcaci, Monte (PA) 118 B2
Carcaciotto, Masseria (PA) 118 B2
Carcano (CO) 22 A2
Carcare (SV) 42 C3
Carcase [YU] 29 F2
Carcegna (NO) 20 A4
Carceri (AQ) 76 D2
Carceri (PD) 38 B1
Cárcheri (FI) 53 D3
Carchitti (ROMA) 73 E4
Carciato (TN) 12 C3
Carcilupo (PA) 109 F4
Carcina (BS) 23 C4
Carcoforo (VC) 8 F1
Carda (AR) 54 E3-4
Cardagnano (MC) 63 E4
Carda (ME) 113 C1
Cardana (VA) 9 F1
Cardano al Campo (VA) 21 C2 3
Cardano (BZ) 3 F1-2
Cardano (CO) 9 E4
Cardaxius, Fiume 132 F4
Cardazzo (PV) 34 C2
Cardedu, Nuraghe (NU) 133 C3
Cardella (PS) 56 E1
Cardellia Monte (PA) 118 A1
Cardetole (FI) 54 B1
Cardeto (RC) 114 D2
Cardezza (VB) 8 D3
Cardi, Case (SS) 126 B4
Cardiga, Monte (CA) 133 E2
Cardigliano di Sopra (LE) 100 DE2-3
Cardile (SA) 96 A3
Cardilla (TP) 116 A3
Cardillo, Poggio (CT) 121 C1
Cardilo (PA) 109 C2
Cardinale (CZ) 105 E1
Cardinale, Masseria (MT) 99 B1
Cardinello, Monte (CO) 9 C4
Carditello (CE) 82 F4
Cardito (FR) 75 F4
Cardito (NA) 88 A4
Cardona (AL) 32 B3
Cardone, Monte (VT) 67 D1-2
Cardoneto, Monte (CS) 102 E3
Cardosa, Monte (MC) 63 F2
Cardoso (LU) 52 A2
Cardoso (LU) 52 A3
Carducci (LU) 52 B2

Carducci, Rifugio (BL) 4 E4
Cardè (CN) 31 E2
Caré alto, Monte (TN) 12 E1
Caré alto, Rifugio (TN) 12 E2
Careggi (FI) 53 C4
Careggine (LU) 45 F4
Carella, Casa (FG) 85 B2
Carella (CO) 22 A2
Carella, Monte (FR) 75 F4
Carelli (TA) 93 F4
Carello Inferiore (CS) 103 E1
Carello, Monte (BA) 93 B4
Carello (TO) 19 D2
Carema (TO) 19 C4
Carena [CH] 9 D4
Carena Conca, Punta (NA) 88 E3
Carengo (VC) 20 F4
Carenno (LC) 22 A3
Careno (CO) 9 F4
Careno (PR) 35 F2
Carentino (AL) 32 D4
Careri, Fiumara 115 CD1
Careri (RC) 115 C1
Caresanablot (VC) 20 E4
Caresana (TS) 29 E3
Caresana (VC) 21 F1
Careser, Lago di (TN) 2 F1
Carezza al Lago (BZ) 13 B3
Carezzano Maggiore (AL) 33 E3
Carfagnoi (BL) 14 E3
Carfini, Botro de', Fiume 53 F4
Carfizzi (KR) 103 D2
Cargedolo (MO) 46 D2
Cargeghe (SS) 128 A4
Cargnacco (UD) 28 A4
Cária (VV) 104 E2
Cariati (CS) 103 C2
Cariati Marina (CS) 103 C2
Carife (AV) 84 F3
Carifi Torello (SA) 89 B3
Carige (GR) 66 D2
Cariglio (CS) 101 C3
Carignano (FG) 84 A3
Carignano (PR) 35 F4
Carignano (PS) 56 C3
Carignano (SP) 45 E2
Carignano (TO) 31 C3
Carillus, is (CA) 135 E1
Carimate (CO) 22 B1
Carinaro (CE) 83 F1
Carini, Golfo di (PA) 109 C1-2
Carini (PA) 109 D1
Carini (PC) 34 E4
Carini, Stazione di (PA) 109 C1
Carinola (CE) 82 D3
Carinola, Lago (CE) 82 E3
Carinola, Piana di (CE) 82 E3 4
Carisasca (PC) 34 F2
Cariseto (PC) 34 F2
Carisolo (TN) 12 D2
Carisio (VC) 20 E3
Carità (TV) 27 C1
Cariusi, Monte (SA) 97 A1
Carlantino (FG) 77 F3
Carlazzo (CO) 9 E4
Carlentini (SR) 121 E1
Carletti (IM) 50 D3
Carlettini, Rifugio (TN) 13 D3
Carlino, Fiume 2 C1
Carlino (UD) 28 C3
Carloforte (CA) 134 D2
Carlomagno, Monte (CS) 102 E3
Carlópoli (CZ) 105 A2
Carlotta, Villa (NU) 132 D3-4
Carmagnola (TO) 31 D3
Carmegn (BL) 14 E3
Carmela, Masseria (FG) 79 F1
Carmiano (LE) 95 E2
Carmiano (PC) 34 D4
Carmignanello (PO) 53 A3
Carmignano di Brenta (PD) 26 C2
Carmignano (FE) 38 D3
Carmignano (PO) 53 C3
Carmignano (PD) 38 B1
Cármine (AR) 55 E1
Carmine (CN) 41 B3
Cármine (ME) 113 B1
Carmine, Cappella del (BN) 84 C1
Carmine, Il (LE) 100 D1
Carmine, Il (PZ) 91 B2
Cármine, Il (RC) 114 E4
Carmine, Madonna del (IM) 41 F2-3
Carmine, Masseria del (TA) 94 D1
Carmine (VB) 9 E1
Carmito (SR) 121 E1
Carmo, Monte (GE) 44 A1
Carmo, Monte (SV) 42 D2
Carmosina, Foce (FG) 86 B1-2
Carnago (VA) 21 B3
Carnaio, Colle del (FO) 55 B1
Carnaiola (TR) 61 F3
Carnale (SA) F3-4
Carnalez (TN) 2 F3
Carnara, Monte (PZ) 98 D3
Carnella, Monte (GE) 44 C2
Carnello (FR) 75 E2
Carnera, Cima (VC) 7 F4
Carnera (PZ) 91 BC2
Carnevalone, Monte (FI) 54 A3
Cárnia (UD) 16 C3
Carniana (RE) 46 C1
Carniglia (PR) 44 B3-4
Carnino (CN) 41 DE3
Carnino Selle di (CN) 41 D3
Carnizza (UD) 16 E4
Carnizza [YUI] 29 B3
Carnovale, Poggio di (PI) 59 B2-3
Carnovale (SV) 42 B3
Carobbio degli Angeli (BG) 23 C1
Carobbio (MN) 36 C3
Carobbio (PR) 45 B3
Carobio (MN) 37 D2
Caroddi, Punta (NU) 130 F4
Carolei (CS) 102 E1
Carona (BG) 10 E4
Carona [CH] 9 EF2
Carona (SO) 11 D2
Carone, Masseria (MT) 92 B4
Carone, Monte (BS) 24 A4
Cároni (VV) 104 F2
Caronia, Fiume 111 E2-3
Caronìa, Marina (ME) 111 D3
Caronìa (ME) 111 D2-3
Caroniti (VV) 104 E2
Caronno, Fiume 11 DE1
Caronno Pertusella (VA) 21 C4
Caronno Varesina (VA) 21 B3
Carosino (TA) 94 D2
Carossi (AT) 32 E2
Carotte (TN) 13 F1-2
Carovigno (BR) 94 B3
Carovigno, Stazione di (BR) 94 B4
Carovilli (IS) 76 E2-3
Carpaccio (UD) 15 E4
Carpadasco (PR) 35 F1
Carpana Cappella (PR) 44 B4
Carpana (PR) 44 A4
Carpanedo (PD) 25 F2
Carpanedo (PD) 38 B2
Carpaneto Piacentino (PC) 35 D1
Carpaneto (PR) 45 B3
Carpane (VI) 26 A1
Carpani (LI) 58 E2
Carpanzano (CS) 102 F1-2
Carpasina, Fiume 41 F4
Carpasio (IM) 41 F4
Carpegna, Monte (PS) 55 C3
Carpegna, Pieve di (PS) 55 C4
Carpegna (PS) 55 C3
Carpellone, Cima del (PG) 68 C4
Carpena (FO) 48 E4
Carpenara (GE) 43 B2
Carpen (BL) 14 F2
Carpenedolo (BS) 24 F1
Carpenedo (TV) 26 C4
Carpenedo (VE) 27 DE1
Carpeneto (AL) 33 F1
Carpeneto (GE) 44 A1
Carpeneto (UD) 28 A3
Carpeneto (VC) 20 E3
Carpenetta (CN) 31 D3
Carpenzago (MI) 21 D3
Carpesica (TV) 14 F4
Carpe (SV) 42 F2
Carpiano (MI) 22 F2
Carpignago (PV) 22 F1
Carpignalle (FI) 54 E1
Carpignano (AV) 84 F2-3
Carpignano (MC) 63 C3
Carpignano Salentino (LE) 100 B3
Carpignano Sésia (NO) 20 C4
Carpi (MO) 36 E4
Carpine, Fonte al (GR) 66 B1
Carpinelli, Foce (LU) 45 E3-4
Carpinelli, Monte (FG) 85 D2
Carpinello (FO) 48 E4
Carpineta (BO) 47 E1
Carpineta (FO) 49 F1
Carpineta (PT) 47 F1
Carpineti (RE) 46 C2
Carpineto, Costa di (PA) 109 DE2
Carpineto della Nora (PE) 70 E2
Carpineto Romano (ROMA) 74 F3
Carpineto (SA) 89 B3
Carpineto Sinello (CH) 76 C4
Carpineto, Val (RI) 69 C1
Cárpini (PG) 62 A1
Carpino (FG) 79 D1
Carpino, Masseria (FG) 78 F1
Carpinoso, Monte (CS) 101 A2
Carpino, Stazione di (FG) 79 D1
Carpione (IS) 76 F3
Carpione, Lago di (IS) 76 F3
Carpi (VR) 37 B3
Carpugnino (VB) 8 F4
Carrabbà (CT) 121 A2
Carracanedda, Punta (SS) 126 E4
Carradore, Punta (NU) 132 C3
Carraia (FI) 53 B4
Carraia (LU) 52 C4
Carraia (PG) 61 D3
Carraie (RA) 48 D4
Carralzu, Cantoniera (SS) 126 F2
Carrara (MS) 45 F3
Carrara (PS) 56 C4
Carrara, Rifugio (MS) 45 F3
Carrara San Giorgio (PD) 38 A2
Carrara Santo Stefano (PD) 38 A2
Carrare (RO) 38 C2
Carraria (UD) 17 F1
Carrè (VI) 25 B4
Carrega, Capanne di (GE) (AL) 44 A1
Carrega Ligure (AL) 34 F1
Carretto (SV) 42 B2-3
Carriero, Serra (PZ) 91 B2
Carritelli, Masseria (BR) 95 E1
Carrito (AQ) 75 B3
Carrito, Galleria di (AQ) 75 B3
Carrobbioli (RE) 36 DE3
Carrobbio (MN) 36 B2
Carroccia, Poggio (SI) 60 D4
Carrodano Superiore/Inferiore (SP) 44 D4
Carro, Monte (TO) 19 E1
Carro Refuge, du [F] 18 D4
Carrone (TO) 20 E1
Carros [F] 50 D1
Carro (SP) 44 D4
Carrósio (AL) 33 F2-3
Carrú (CN) 41 AB4
Carruba, Cantoniera (PA) 117 A4
Carruba (EN) 120 C2
Carruba Nuova (PA) 117 A3
Carruba, Stazione (CT) 121 B2
Carrubba, Monte (SR) 121 F1
Carruozzo, Monte (PZ) 90 B4
Carsia, Fiume 59 E4
Carsi (GE) 43 A4
Carsoli (AQ) 74 B2 3
Carso, M [YUI] (TS) 29 E3 4
Carso [YUI] 29 CD2-3
Carsuga (PG) 55 F2
Carsulae (TR) 68 B2
Cartabubbo (AG) 117 C2
Cartasegna (AL) 34 F1
Carteria di Sesto (BO) 47 C3
Cartiera, Casa (VT) 67 E2
Cartigliano (VI) 26 C1-2
Cartignano (CN) 40 A4
Cartoceto (PS) 56 C3
Cartoceto (PS) 56 E3
Cartósio (AL) 42 A4
Cartucceddu, Punta (NU) 133 D3
Cartura (PD) 38 A2-3
Carturo (PD) 26 D2
Carugate (MI) 22 D2
Carugo (CO) 22 B1
Carunchina, Colle (CH) 76 D4
Carunchio (CH) 76 C4
Caruso, Case (TP) 116 B3
Caruso, Castello (AV) 84 E2-3
Caruso, Forca (AQ) 75 B3
Caruso, Masseria (MT) 93 E1
Caruso, Monte (BR) 94 B3
Caruso, Monte (FR) 81 B3
Caruso, Monte (IS) 83 AB1
Caruso, Monte (PZ) 91 A2-3
Caruso, Monte (PZ) 91 B2
Caruso, Piana (CS) 102 B3
Caruso, Villa (CT) 121 C2
Carvarino, Monte (PZ) 91 D1
Carve (BL) 14 E3
Carviano (BO) 47 D1-2
Carvico (CO) 22 B3
Carza, Fiume 54 B1
Carzaghetto (MN) 35 B4
Carzago Riviera (BS) 24 D2
Carzano (BS) 23 B3
Carzano (TN) 13 E3
Carzeto (PR) 35 D3
Casabasciana (LU) 53 A1
Casabella (BZ) 2 C1
Casabene, Masseria (CT) 120 E2
Casabianca (AP) 64 C3
Casabianca (AT) 32 C2
Casabianca (SI) 61 C1-2
Casabianca (TO) 20 F1
Casabona (KR) 103 E2
Casabona (IS) 76 E2
Casacagnano (AP) 64 F1
Casacalenda (CB) 77 E2-3
Casacanditella (CH) 71 F1
Casa, Cantoniera sa (NU) 132 B3 4
Casa Castalda (PG) 62 C3
Casacce (PG) 62 C2 3
Casaccia [CH] 10 B3
Casaccia (PG) 62 D1
Casaccia (ROMA) 73 B1
Cassáccia, La (VT) 67 E3
Casaccie (BS) 23 F3
Casacco, Colle (CH) 76 E4
Casacco (UD) 16 E3
Casacorba (TV) 26 C3 4
Casa dell'Alpino, Rifugio (VB) 8 E4
Casa del Marchese (PV) 34 D1
Casa Fiori (PV) 34 D1-2
Casagiove (CE) 83 E1
Casaglia (BO) 47 C2-3
Casaglia (BS) 23 D3
Casaglia, Colla di (FI) 54 A2
Casaglia (FE) 37 D4
Caságlia (FI) 54 A2
Caságlia (PI) 59 A2
Caságlia (SI) 53 F3
Casagliana (SS) 127 D2
Casaglio (BS) 23 C3-4
Casalanguida (CH) 76 B4
Casalatta (PG) 62 E2
Casalattico (FR) 75 F3
Casalbagliano (AL) 33 D1
Casalbellotto (CR) 36 D1
Casalbeltrame (NO) 21 D1
Casalbergo (VR) 137 A1
Casalbordino (CH) 77 A1
Casalbordino, Lido di (CH) 77 A1
Casalbore (AV) 84 D2
Casalborgone (TO) 32 A1
Casal Borsetti (RA) 49 B1
Casalbuono (SA) 97 B2
Casalbusone (AL) 33 F4
Casalbuttano (CR) 35 A2
Casalcassinese (FR) 82 A3
Casal Cermelli (AL) 33 D1
Casalciprano (CB) 76 F4
Casaldianni, Fattoria (BN) 84 C1
Casal di Principe (CE) 82 F4
Casaldonato (PC) 34 F3
Casalduini (BN) 83 D4
Casale (AQ) 75 C3
Casale Basso (CS) 102 E1
Casale (BO) 46 EF4
Casale (CB) 76 F4
Casalecchio di Reno (BO) 47 C2
Casalecchio, Monte (PG) 67 B4
Casale (CE) 82 D3-4
Casale (CE) 83 E1-2
Casale Corte Cerro (NO) 8 F3
Casale Cremasco (CR) 23 E1
Casale Cremasco Vidolasco (CR) 22 E4
Casale delle Palme (LT) 80 A4
Casale di Pari (GR) 60 D2
Casale di Scodosia (PD) 37 B4
Casale (PO) 53 B3
Casale (FI) 54 B3
Casale (FO) 48 E2
Casale (FO) 49 F1
Casaleggio Boiro (AL) 33 F2
Casale, Il (BA) 87 D1
Casale Litta (VA) 21 A2 3
Casale Marittimo (PI) 59 B1-2
Casale (MC) 63 D2
Casale (ME) 112 D3
Casale (MN) 37 BC1
Casale Monferrato (AL) 32 B4
Casale, Monte (SR) 123 AB4
Casalena (AP) 64 F1
Casaleone (VR) 37 B2
Casale (PG) 62 F3
Casale (PR) 35 F4
Casale (PR) 36 D1
Casale (PR) 44 B3
Casale (RA) 48 E1-2
Casale (RE) 46 C1
Casale (SA) 89 B3
Casale Soprano (CN) 42 A1
Casale (SP) 44 E4
Casale sul Sile (TV) 27 D1
Casale (TO) 20 F1
Casaleto (PR) 44 A3-4
Casale (TP) 116 A3
Casaletto di Sopra (CR) 23 E1
Casaletto Geredano (MI) 22 F4
Casaletto Lodigiano (LO) 22 F2
Casaletto (MN) 36 D2
Casaletto Spartano (SA) 97 B2
Casaletto (VT) 67 F3
Casale (BI) 20 C1
Casale (VI) 25 B3
Casale, Villa Romana del (EN) 119 E4
Casale, Villa (SI) 60 C3-4
Casaléggio Novara (NO) 21 D1
Casal-fiumanese (BO) 47 D4
Casalgiate (NO) 21 DE1
Casalgiordana (PA) 119 A3
Casalgisbondo, Masseria (EN) 120 ED1
Casalgrande (RE) 46 A3
Casalgrasso (CN) 31 D3
Casalguidi (PT) 53 B2
Casali (PC) 35 F1
Casali d'Aschi (AQ) 75 C2-3
Casali di Molini (CN) 41 A3
Casali (FR) 81 C1-2
Casali Franceschinis (UD) 28 BC3
Casaliggio (PC) 34 C3-4
Casali (MC) 63 E3
Casalina (MS) 45 C2
Casalina (PG) 62 E1
Casalincontrada (CH) 70 F4
Casaline (AQ) 69 E2
Casalini, Case (BA) 86 D1
Casalini (CR) 94 B2
Casalini (PG) 61 D4
Casalino (AL) 32 B3
Casalino (AR) 54 C4
Casalino (AR) 61 B1
Casalino (GE) 43 B3-4
Casalino (GR) 60 E3
Casalino (NO) 21 E1
Casalino (RE) 45 D4
Casalino (VR) 37 A2
Casali (SA) 89 C2
Casalmaggiore (CR) 36 C1
Casalmaiocco (LO) 22 E2-3
Casalmorano (CR) 22 F2
Casalmoro (MN) 36 A1
Casal Nemo [YUI] 29 A3
Casalnoceto (AL) 33 D3-4
Casalnovo (GR) 66 C2
Casalnuovo di Napoli (NA) 88 A4
Casalnuovo Monterotaro (FG) 77 F4
Casalnuovo (RC) 114 E4
Casalnuovo (RO) 38 D3
Casaloldo (MN) 36 A2
Casalone (GR) 60 E2-3
Casalone, Il (VT) 67 E1
Casalone, Poggio (SI) 60 B1
Casalone (VT) 67 D3
Casalonga, Stazione (BA) 86 C2
Casaloppi Ruschi (LI) 59 D2
Casalorzo Boldori (CR) 35 B4
Casalo, Serra (PA) 110 E4
Casalottello (PA) 109 F1-2
Casalotti (ROMA) 73 C1
Casalotto (AT) 32 E4
Casalotto, Monte (PA) 109 F1
Casal Palocco (ROMA) 73 E1
Casalpoglio (MN) 24 F1
Casalporino (PR) 44 B3
Casalpusterlengo (LO) 34 A4
Casalromano (MN) 36 AB1
Casalrosso (VC) 20 F4
Casalrotto, Masseria (TA) 93 D3
Casal Sabini, Stazione (BA) 92 B4
Casalserugo (PD) 25 F3
Casalsigone (CR) 35 A2 3
Casal Sottano (SA) 96 B2
Casal Thaulero (TE) 70 B3
Casaltondo (PG) 61 E3
Casaltone (PR) 36 E1
Casal Traiano (LT) 80 B4
Casaluce (CE) 82 F4
Casalvecchio, Colle di (CB) 77 C2
Casal Velino, Marina di (SA) 96 B2
Casal Velino (SA) 96 B2
Casal Velino, Stazione di (SA) 96 B3
Casalvento (AN) 62 A4
Casalvécchio di Puglia (FG) 77 F4
Casalvieri (FR) 75 F2
Casalvolone (NO) 21 E1
Casalzuigno (VA) 9 F1
Casamaggiore (PG) 61 D2
Casamáina (AQ) 69 F3
Casamarciano (NA) 89 A2
Casamari Abbazia (FR) 75 F1
Casamassella (LE) 100 C3-4
Casa, Masseria la (LE) 95 E1
Casamássima (BA) 87 F3
Casamássima, Masseria (TA) 93 D2
Casamazzagno (BL) 5 E1
Casamicciola Terme (NA) 88 C1-2
Casamona (AR) 54 E3
Casamontanara (AN) 56 F3-4
Casamora (AR) 54 D2-3
Casamostra (CE) 82 D3 4
Casan (BL) 14 D4
Casandrino (NA) 88 A3 4
Casanola (RA) 48 D2
Casano (SP) 45 F2
Casanova (CE) 82 D3
Casanova d'Alpe (FO) 54 C4
Casanova di Destra (PV) 34 E1
Casanova di Morbasco (CR) 35 B2
Casanova d'Offredi (CR) 35 B4
Casanova Elvo (VC) 20 E3
Casanova (GE) 44 A2
Casanova Lerrone (SV) 42 F1
Casanova Lonati (PV) 34 B1
Casanova, Masseria (FG) 84 B4
Casanova (PC) 34 D2
Casanova (PI) 52 E4
Casanova (PR) 35 F1
Casanova (RI) 68 C4
Casanova (SI) 60 C2
Casanova (SI) 61 EF1
Casanova (SV) 43 C1
Casanova (TO) 31 D4
Casanuova (FR) 81 B3
Casapesenna (CE) 82 F4
Casapinta (BI) 20 C3
Casa, Pizzo di (PA) 109 F3
Casa Ponte (PV) 34 D1
Casaprota (RI) 68 F3
Casapulla (CE) 83 E1
Casa, Punta sa (SS) 128 B3
Casapuzzano (CE) 83 F1
Casáraccio, Stagno di (SS) 125 E1
Casarano (LE) 100 D1-2
Casarano (SR) 121 E1
Casarea (NA) 88 A4
Casaregnano (AP) 63 F4
Casarello (AL) 32 B3
Casarene, Cima (RI) 74 A1
Casarenella, Colle (CB) 84 B1
Casargiu (CA) 131 F3
Casargius, Monte (CA) 136 A2
Casargo (LC) 10 E2
Casarile (MI) 21 F4
Casarina, Masseria la (BR) 94 A2
Casarnese (TR) 68 C1
Casarola, Monte (RE) 45 D3-4
Casarola (PR) 45 C3
Casarone, Monte (BR) 94 B3
Casarsa della Delizia (PN) 15 F3
Casarza Ligure (GE) 44 D2-3
Casasco (AL) 33 E4
Casasco (CO) 9 F3
Casaselvatica (PR) 45 B2
Casasia, Monte (RG) 123 A3
Casasola (PN) 15 D3
Casasola (UD) 16 E3
Casaso (UD) 5 F4
Casastrada (FI) 53 E2
Casate (CO) 9 F4
Casateia (BZ) 3 B2
Casate (MI) 21 D3
Casatenovo (LC) 22 B2
Casate (ROMA) 74 D1
Casatico (LU) 45 E4
Casatico (MN) 36 B2
Casatico (PR) 35 F4
Casatico (PV) 22 F1
Casatisma (PV) 33 B4
Casatori (SA) 89 B2
Casatta (TN) 13 C2
Casavatore (NA) 88 A4
Casavecchia (AR) 54 E4
Casavecchia (MC) 63 E2
Casazza (BG) 23 B2
Casazza (RG) 123 B2
Casazze (AL) 32 C4
Casazze (MN) 36 B2
Casazze (RG) 123 D2
Cascano (CE) 82 D3
Cascata, Albergo (VB) 8 A3-4
Cascate (BZ) 4 B1-2
Cascheto (CE) 82 C3
Cáscia (FI) 54 D2
Cáscia, La (PA) 117 A3-4
Cáscia (MC) 63 B4
Cáscia (PG) 69 B1
Cásciago (VA) 21 A3
Casciaio, Monte (BO) 47 F1-2
Casciana (LU) 45 E4
Casciana Terme (PI) 52 EF4
Cascianella (LU) 45 E4
Casciano (SI) 60 C2 3
Cascina Alta (PI) 52 E4
Cascina, Fiume 52 E4
Cascinagrossa (AL) 33 D2
Cascinale Nuovo di Presciano (ROMA) 73 F4

Cascina Nuova (MI) 22 C1
Cascina Parpaglia (TO) 31 C2
Cascina (PI) 52 D4
Cascina, Piano di (AQ) 69 D1-2
Cascinare (AP) 64 BC2
Cascinasse (CN) 31 E2
Cascine (PI) 52 D4
Cascine (TO) 19 D4
Cascinette di Villa (AL) 33 E2
Cascinette d'Ivrea (TO) 20 D1
Cascini, Masseria (PZ) 97 C4
Cascinino (PV) 33 B4
Cascinotto Mensa (PV) 33 B3
Cascio (LU) 46 F1
Cáscio, Portella di (PA) 110 F2
Case Basse (PG) 62 E4
Casebianche (AP) 64 F1
Case Bortolucci (MO) 46 D3-4
Case Bruciate (PC) 35 D1
Case (BS) 23 D4
Case Cascinali Cardarilli (LT) 81 A2
Case Cocconi (RE) 36 E2
Casedda, La (SS) 126 D4
Case del Lago (RE) 36 F1-2
Case delle Torbiere (FE) 38 E4
Casei/Gerola (PV) 33 C3
Case Incenso (CZ) 105 D1
Case Incile (AQ) 75 C1
Case le Centocelle (VT) 72 A2
Case, Le (MC)) 63 C3
Casella (GE) 43 AB3
Casella, La (TR) 61 F4
Casella (RE) 45 C4
Casella (SP) 44 E4
Casella, Stazione di (GE) 43 B3
Casella (TV) 26 B3
Caselle, Aeroporto di (TO) 19 F3
Caselle (AR) 61 C3
Caselle (BO) 37 E2
Caselle (CS) 98 F4
Caselle (CT) 121 A1
Caselle di Cristo, Masseria (BA) 92 A4
Caselle in Pittari (SA) 97 B1
Caselle Landi (LO) 35 B1
Caselle, Le (PG) 67 A4
Caselle Lurani (LO) 22 F2
Caselle (MI) 21 E4
Caselle (PR) 35 F3
Caselle Torinese (TO) 19 F2
Casellette (TO) 31 A2
Caselle (TV) 26 B3
Caselle (VE) 26 E3-4
Caselle (VI) 37 A4
Caselle (VR) 24 E4
Caselle (VR) 25 F1
Caselle (VR) 37 A3
Caselle (VR) 37 B1
Caselline (FI) 54 B1
Casellona (SI) 60 D4
Casellone, Masseria (TA) 94 C1
Casello (PR) 36 E1
Ca' Selva, Lago di (PN) 15 C2
Caselvàtico (CB) 83 B4
Case Matte (RO) 38 C3
Casemurate (RA) 48 E4
Casenda (SO) 10 C2
Casenove (CZ) 105 A1
Casenove (FI) 53 D2
Casenove (RE) 45 D4
Casenove Serrone (PG) 62 E4
Casenovole (GR) 60 D2
Casentile (VT) 67 F1
Casentini, Rifugio (LU) 46 F2
Casentino (AQ) 69 F4
Casentino (AR) 54 DE4
Case Nuove (AN) 57 F2
Case Nuove (FI) 53 D3
Case Nuove (PR) 36 F1
Case Nuove (RI) 68 F2
Case Nuove (SR) 124 BC3
Casenzano [CH] 9 D2
Caseo (PV) 34 CD2
Case Oriani (BS) 23 F4
Casera di Fuori (Vorderkaser) (BZ) 2 D2-3
Case Ranalli (TE) 64 F3
Casere (BL) 14 F1
Casere (Kasern) (BZ) 4 A2
Caserine, Monte (PN) 15 C2
CASERTA 83 F1-2
Caserta (LO) 22 A2
Casertavecchia (CE) 83 E1
Caset, Cima (TN) 24 A3
Case Trolli (TE) 70 B3
Casetta, La (FI) 47 F3
Casette d'Ete (AP) 64 C2
Casette di Castigliolo, Monte le (BA) 92 A3
Casette, Le (AN) 57 F3
Casette, Le (AP) 64 F1
Casette, Le (RI) 68 D3
Casette, Le (ROMA) 73 C4
Casette (MS) 45 F3
Casette (PI) 59 A4
Cssette, Punta di (SS) 127 D3
Casette (RI) 68 E4
Casette (UD) 28 D2-3
Casetti (TO) 19 D2
Case Vecchie (CL) 118 C4
Casevecchie (PG) 62 F3
Casevecchie (TO) 31 C2
Case Via Bassa (RO) 38 D1
Casez (TN) 12 B4
Casiano [CH] 9 E2
Casi (CE) 82 D3
Casier (TV) 27 C1
Casies, Forcella di (BZ) 4 B3
Casi (FI) 54 C2
Casigliano (TR) 68 B1
Casiglio, Monte (CS) 102 C1
Casigli [YUI] 29 C4
Casignana (RC) 115 D1
Casigno (BO) 47 D1
Casigno (BO) 47 D1-2
Casilli (NA) 89 B1-2
Casillones, Monte (SS) 128 AB3
Casima [CH] 9 F3
Casina, Cima la [CH] 1 E2-3
Casina, La (VT) 66 A4
Casinalbo (MO) 46 A4
Casina (RE) 46 B1
Casine (AN) 57 E1
Casine, Le (AN) 57 E3
Casine, Le (BR) 94 D3
Casinette (BS) 24 D1
Casinina (PS) 56 C1
Casini (PT) 53 BC3
Casinistro Inferiore (AQ) 75 C1
Casinistro Superiore (AQ) 74 C4
Casino, Il (BO) 47 B4
Casino (ME) 112 D3
Casino, Poggio del (SI) 60 D1
Casino (RE) 46 C1
Casino (SI) 60 C1
Casino Villa (PA) 119 B2
Casirate d'Adda (BG) 22 D4
Casirate Olona (MI) 22 F1
Caslino d'Erba (CO) 22 A2
Casnate (CO) 21 B4
Casnigo (BG) 23 A2
Casola (AV) 89 A2
Casola (BO) 47 E1
Casola Canina (BO) 48 C1
Casola Canossa (RE) 46 B2
Casola, Castello di (PR) 45 A3
Casola (CE) 83 E2
Casola di Napoli (NA) 89 C2
Casola in Lunigiana (MS) 45 E3
Casola (NA) 89 D1
Casola (PR) 45 B3
Casola Querciola (RE) 46 B2
Casolate (MI) 22 E3
Casola Valsenio (RA) 48 E1
Casole Bruzio (CS) 102 E2
Casole (FI) 54 B2
Casole (FI) 54 E1
Càsole d'Elsa (SI) 59 B4
Càsoli (CH) 76 B3
Casoli (LU) 52 A2
Casoli (LU) 53 A1
Casoli (TE) 70 C3
Casolla (NA) 83 F1
Caso, Masseria (FG) 78 F4
Cason di Lanza, Passo (UD) 16 B3
Casone di Profecchia (LU) 46 E1
Casone di Valle, Masseria (FG) 78 F1
Casone (FO) 49 F1
Casone (GR) 66 B4
Casone, Il (FG) 78 F3
Casone, Il (PE) 70 D2
Casone (LI) 59 C1
Casone (MI) 21 D3
Casone (SI) 60 B1
Casone (SV) 42 B4
Casoni (BL) 14 C3-4
Casoni (BO) 47 A3-4
Casoni di Romagna (BO) 47 E3-4
Casoni di Sotto di Sopra (MO) 37 E2
Casoni (GE) 44 B2
Casoni, I (BO) 47 A4
Casoni, I (CS) 98 F4
Casoni, I (SP) 45 D1
Casoni (PV) 34 B3
Casoni (RE) 36 D3
Casoni (TV) 26 C3
Casoni (VI) 26 B2
Casorate Primo (PV) 21 F4
Casorate Sempione (VA) 21 B2
Casore del Monte (PT) 53 B1-2
Casorezzo (MI) 21 D2
Casória (NA) 88 A4
Casorzo (AT) 32 BC3
Casotti (PT) 46 F3
Casotti (VR) 25 E3
Casotto, Colla di (CN) 41 D4
Casotto, Fiume 41 C4
Casotto (VI) 25 A3
Ca' Soverito (KR) 106 B2
Caspano (SO) 10 D3
Caspéria (RI) 68 E2
Caspessa (PS) 56 E3
Caspóggio (SO) 11 C1
Càspoli (CE) 82 C3
Caspri (AR) 54 E3
Cassa del Ferro, Monte (SO) 1 E2
Cassago Brianza (LC) 22 B2
Cassa, La (TO) 19 F2
Cassalnovo (PV) 21 E3
Cassana (FE) 37 E4
Cassana, Passo di [CH] 1 E1
Cassana, Pizzo [CH] 1 E1
Cassana (SP) 44 E4
Cassandra, Pizzo (SO) 10 C4
Cassanego (TV) 26 B2
Cassano allo Jónio (CS) 98 F3
Cassano (AV) 83 F4
Cassano d'Adda (MI) 22 D3
Cassano delle Murge (BA) 93 A1
Cassano, Grotta (PZ) 91 A4
Cassano Jònio, Stazione (CS) 98 F3
Cassano Lepino (AV) 90 B1
Cassano Magnago (VA) 21 B3
Cassano, Masseria (BA) 93 B4
Cassano (NO) 21 A1
Cassano (PV) 34 D1
Cassano Spinola (AL) 33 E3
Cassano Valcùvia (VA) 9 F1
Càssaro (SR) 124 A1
Cassegliano (GO) 29 BC1
Cassego (SP) 44 C3
Cassella (RO) 39 E2
Cássero (AN) 57 E2-3
Cássero [CH] 9 C3
Cassia (KR) 103 C2
Cassiano (AN) 57 E2
Cassiano, Timpa di (KR) 103 E1-2
Cassibile (SR) 124 C3
Cassiglio (BG) 10 F3
Cassignanica (MI) 22 DE2
Cassignano (PG) 62 D4
Cassimoreno (PC) 34 F3
Cassina de' Pecchi (MI) 22 D2-3
Cassina Rizzardi (CO) 21 B4
Cassinasco (AT) 32 F3
Cassina Valsássina (LC) 10 F2
Cassine (AL) 32 E4
Cassinelle (AL) 33 F1
Cassinello (PV) 34 A1
Cassinetta di Lugagnano (MI) 21 E3
Cassingheno (GE) 44 A1
Cassino d'Alberi (LO) 22 E3
Cassino (FR) 82 B2
Cassio, Monte (PR) 45 A2
Cassio (PR) 45 A2
Cassisi (SV) 42 C4
Cassola (VI) 26 BC2
Cassone (VR) 24 B4
Casso (PN) 14 C4
Cássolo (PC) 34 E3
Cassorso, Monte (CN) 40 B2 3
Castagna (AN) 56 EF3
Castagna, Colle (CZ) 105 A2
Castagna (CZ) 105 A2
Castagna, Monte della (RE) 46 C2
Castagna, Ponte della (CS) 105 A2
Castagna, Ponte (SR) 124 C2
Castagna, Punta (ME) 111 A3
Castagnaro (VR) 37 B3
Castagna, Serra (CS) 102 C3
Castagna, Serra della (ME) 111 F4
Castagna, Torre della (IS) 76 E3
Castagna (TR) 68 C3
Castagnè (VR) 25 E1-2
Castagnea (BI) 20 B3
Castagneia (VC) 20 A4
Castagnelo (GE) 44 B1
Castagneto (BO) 47 D3
Castagneto Carducci (LI) 59 C2
Castagneto Carducci, Stazione di (LI) 59 C1
Castagneto (MO) 46 D4
Castagneto Po (TO) 32 A1
Castagneto (RE) 45 C3-4
Castagneto (RE) 46 B2
Castagneto (SA) 90 C1
Castagneto (TE) 70 B1
Castagnétoli (MS) 45 D1
Castagniers [F] 50 D1
Castagnito (CN) 32 E1-2
Castagno d'Andrea, Il (FI) 54 B3
Castagno (FI) 53 F2
Castagno, Il (FI) 47 F4
Castagnola (AL) 34 E1
Castagnola (AL) 43 A3
Castagnola (LU) 45 E4
Castagnola (PC) 44 A2-3
Castágnola (PG) 62 F2-3
Castagnola (SP) 44 E3
Castagnole delle Lanze (AT) 32 E2
Castagnole Monferrato (AT) 32 C3
Castagnole Piemonte (TO) 31 C2-3
Castagnole (TV) 26 C4
Castagnoli (SI) 54 F2
Castagnolo (BO) 47 A2
Castagnolo Minore (BO) 47 A3
Castagnori (LU) 52 B3
Castana (PV) 34 C2
Castana (VI) 25 B3
Castangia, Monte (CA) 136 B2
Cástani, Case (EN) 119 D4
Castani, Rocche dei (EN) 120 C1
Castano (PC) 34 CD3
Cástano Primo (MI) 21 C2
Castanza, sa (SS) 127 E2
Castasegna [CH] 10 B2 3
Casteceriolo (AL) 33 D1-2
Casteddacciu, Punta lu (SS NU) 127 F3
Casteddu, Monte (CA) 136 C1-2
Casteddu, Monte (SS) 126 C4
Casteddu, Nuraghe su (NU) 130 D2
Castedduzzu, Monte su (SS) 126 F3
Castéggio (PV) 33 C4
Castegnato (BS) 23 D3
Castegnero (VI) 25 E4
Castel Anselmo (LI) 52 E3
Castel (AO) 7 F3
Castel Arcione (ROMA) 73 C3
Castelbaldo (PD) 37 B4
Castel Baronia (AV) 84 F3
Castelbasso (TE) 70 B2
Castelbelforte (MN) 36 AB4
Castel Belfort (TN) 12 D4
Castelbellino (AN) 57 F1
Castelbello (Kastelbell) (BZ) 2 E2
Castelberto, Monte (TN) 25 B1
Castelbianco (SV) 42 E1
Castel Boglione (AT) 32 E4
Castel Bolognese (RA) 48 D2
Castelbottaccio (CB) 77 E1-2
Castelbuono (PA) 110 E4
Castelbuono (PG) 62 E3
Castelbuono, Stazione di (PA) 110 D4
Castel Campagnano (CE) 83 D2
Castel Campanile Cascinale di (ROMA) 72 C4
Castel Campeggi (BO) 47 AB3
Castelcastagnaio (AR) 54 C3
Castel Castagna (TE) 70 C2
Castelcavallino (PS) 56 CD1-2
Castel Cellesi (VT) 67 C3
Castelcerino (VR) 25 E2
Castel Cerreto (BG) 22 D4
Castelchiodato (ROMA) 73 B3 4
Castelcivita, Grotta di (SA) 90 E2-3
Castelcivita (SA) 90 E3
Castel Colonna (AN) 57 D1
Castel Condino (TN) 12 F1
Castelcovati (BS) 23 D2
Castelcucco (TV) 26 AB3
Casteldaccia (PA) 109 D4
Castel d' Aiano (BO) 47 D1
Casteldaldo (RE) 46 C2
Castel Dante, Ossario (TN) 25 A1
Castel d' Ario (MN) 37 B1
Casteldarne (Ehrenburg) (BZ) 3 C4
Castel d' Asso (VT) 67 E2
Castel d' Azzano (VR) 24 F4
Castel dei Brilli (BO) 47 C3-4
Casteldelci (PS) 55 C2
Casteldelfino (CN) 30 F3
Castel del Giudice (IS) 76 D2
Castel dell' Alpe (FO) 54 B3-4
Castel dell' Aquila (TR) 68 C1
Castel delle Alpi (BO) 47 E2
Castel del Monte (AQ) 70 E1-2
Castel del Piano (GR) 60 F4
Castel del Piano (PG) 62 D1
Castel del Rio (BO) 47 E4
Castel d' Emilio (AN) 57 E2
Castel di Casio (BO) 47 E1
Castel di Decimo (ROMA) 73 E2
Casteldidone (CR) 36 C1
Castel di Ieri (AQ) 75 B3
Castel di Ivano (TN) 13 E3
Castel di Jùdica (CT) 120 CD2
Castel di Lago (TR) 68 C3
Castel di Lama (AP) 64 F2
Castel di Leva (ROMA) 73 D2
Castel di Lucio (ME) 111 F2
Casteldimezzo (PS) 56 B3
Castel di Nocco (PI) 52 D4
Castel di Rocca (CB) 77 F2
Castel di Salce (VT) 67 E2
Castel di Sangro (AQ) 76 E1-2
Castel di Sasso (CE) 83 D1
Castel di Tora (RI) 68 F4
Castel Dobra [YUI] 29 A1
Castel Doria, Lago (SS) 126 E2
Castel Doria, Terme di (SS) 126 E3
Castel Fagognano (AR) 54 D4
Castelfalfi (FI) 53 E2
Castelferrato (CH) 71 E1
Castelferretti (AN) 57 E2 3
Castelferro (AL) 33 E1
Castelfidardo (AN) 57 F3
Castelfiorentino (FI) 53 E2
Castelfondo (TN) 2 F3-4
Castelforte (CE) 82 C2
Castelfranci (AV) 90 A1
Castelfranco di Sopra (AR) 54 E2
Castelfranco di Sotto (PI) 53 D1
Castelfranco d' Oglio (CR) 35 B4
Castelfranco Emilia (MO) 47 AB1
Castelfranco in Miscano (BN) 84 C3
Castelfranco in Miscano, Stazione (AV) 84 D2-3
Castelfranco (RI) 68 D4
Castelfranco, Varco di (AR) 54 D3
Castelfranco Veneto (TV) 26 C3
Castel Frentano (CH) 76 A3
Castel Fusano, Lido di (ROMA) 73 E1
Castel Fusano (ROMA) 73 E1
Castel Gabbiano (CR) 23 DE1
Castel Gandolfo (ROMA) 73 E3
Castel Giocondo (SI) 60 D3
Castel Giórgio (TR) 67 B2
Castel Girardi (AR) 61 B3
Castel Giudeo, Monte (AR) 61 B3
Castel Giuliano (ROMA) 72 B4
Castel-gomberto (VI) 25 D3-4
Castelgonnelle (BS) 23 E2-3
Castelgrande (PZ) 90 B4
Castel Grande Toppo (PZ) 90 B4
Castelgrimaldo (MN) 24 F2 3
Castel Guelfo di Bologna (BO) 48 C1
Castelguelfo (PR) 35 E3
Castel Guerrino, Monte (FI) 47 F3
Castelguglielmo (RO) 37 C4
Castelguidone (CH) 76 D4
Castellabate (RN) 49 F2
Castellabate (SA) 96 A1
Castellaccia, Poggio (SI) 60 D4
Castellaccio di Fratacchia, Monte (PA) 108 F4
Castellaccio (FR) 74 E2
Castellaccio (GR) 66 B2
Castelláccio Masseria (PA) 109 F2-3
Castellaccio, Monte (BO) 48 D1-2
Castellaccio, Monte (PA) 109 C2
Castellaccio (PA) 109 D2
Castellaccio, Punta (SS) 127 D4
Castellaccio (VT) 67 E1
Castellace (RC) 114 B3
Castellafiume (AQ) 74 C4
Castel, Lago (VB) 8 A4
Castel Lagopesole (PZ) 91 B2
Castel Lagopesole, Stazione di (PC) 91 B2
Castell' Aicardi (PR) 35 D3-4
Castella, Le (KR) 106 B2
Castella, le (LT) 73 F4
Castell' Alfero (AT) 32 C3
Castellalto (TE) 70 B2
Castel Lambro (PV) 22 F2
Castellammare del Golfo (TP) 108 D3
Castellammare di Stabia (NA) 89 C1
Castellammare di Velia (SA) 96 B3
Castellammare, Golfo di (TP-PA) 108 D3-4
Castellammato, Monte (ROMA) 74 C3
Ca Stella (MO) 46 C3-4
Castellamonte (TO) 19 E3-4
Castellana Grotte (BA) 93 A4
Castellana, Masseria (CT) 121 D1
Castellana (PC) 34 E4
Castellana (PE) 70 E4
Castellana Sicula (PA) 119 A2
Castellana (SR) 120 E4
Castellanato (TR) 68 C3
Castellaneta Marina,stazione di (TA) 93 E3
Castellaneta Marina (TA) 93 E2-3
Castellaneta (TA) 93 D2-3
Castellania (AL) 33 E3
Castellano (AP) 64 F1
Castellano, Casa (SR) 124 D1
Castellano, Fiume 69 B3
Castellano, Il (AQ) 69 D3
Castellano, Monte (IS) 76 D3
Castellano (TN) 12 F4
Castellanza (VA) 21 C3
Castell' Apértole (VC) 20 F3
Castellarano (RE) 46 B3
Castellar (CN) 31 F1
Castellar (CN) 41 C2
Castellar [F] 50 D3
Castellar Guido Bono (AL) 33 D3
Castellari, Monte (TR) 67 C4
Castellaro (AN) 63 A2
Castellaro de' Giorgi (PV) 33 B2
Castellaro (IM) 51 C1
Castellaro (MN) 24 F2-3
Castellaro (MO) 46 C2-3
Castellaro (MO) 46 ED3
Castellaro, Monte (PA) 110 F3
Castellaro (PR) 35 F1
Castellaro (SV) 42 E1
Castellar Ponzano, Bettole di (AL) 33 E2
Castell' Arquato (PC) 35 DE1
Castell' Azzara (GR) 66 B4
Castellazzo (AG) 117 D4
Castellazzo (AL) 32 B3
Castellazzo Bormida (AL) 33 D1
Castellazzo (CL) 119 F3-4
Castellazzo dei Barzi (MI) 21 D3
Castellazzo, Monte (ME) 112 E3
Castellazzo Novarese (NO) 21 D1
Castellazzo (RE) 36 F3
Castellazzo (TO) 20 D1
Castellazzo (TP) 117 A2
Castellazzo (BI) 20 C1
Castelle, Monte (VR) 24 C3-4
Castelleone di Suasa (AN) 56 E4
Castelleone (PG) 62 E2
Castellero (AT) 32 C2
Castelletto (AL) 32 B3
Castelletto (AN) 63 A2
Castelletto (BO) 47 C1
Castelletto (BS) 23 F4
Castelletto Busca (CN) 41 A1
Castelletto Cervo (BI) 20 D3
Castelletto (CN) 41 BC1
Castelletto d' Erro (AL) 32 F4
Castelletto di Branduzzo (PV) 33 B4
Castelletto (CR) 23 F1
Castelletto di Brenzone (VR) 24 C3 4
Castelletto d' Orba (AL) 33 F2
Castelletto (MN) 36 A3
Castelletto Molina (AT) 32 E4
Castelletto Monastero (BI) 20 D3
Castelletto Monferrato (AL) 33 C1
Castelletto (NO) 21 C1
Castelletto (PC) 35 E1
Castelletto (PD) 26 F2
Castelletto Po (PV) 33 D4
Castelletto (PT) 53 C1-2
Castelletto (SI) 60 C1
Castelletto Sopra Ticino (NO) 21 B2
Castelletto Stura (CN) 41 B2-3
Castelletto Uzzone, Sotto/Sopra (CN) 42 B2
Castelletto (VI) 25 A3
Castelletto Villa (BI) 20 C3
Castelletto (VR) 25 F2
Castelletto (VR) 37 A1
Castelli Calepio (BG) 23 C2
Castellier, Monte [YUI] 29 E3
Castelli, Masseria (MT) 92 C4
Castelli (ME) 112 D3 4
Castelli, Monte (ME) 111 F2
Castellina (FI) 53 CD2-3
Castellina in Chianti (SI) 53 F4
Castellina, La (SI) 61 C1
Castellinaldo (CN) 32 E1-2
Castellina Marittima (PI) 59 A1
Castellina Marittima, Stazione (PI) 59 A1
Castellina (PR) 35 D3
Castellina (PS) 55 C4
Castellina (PT) 53 B1-2
Castellina (RA) 48 E1-2
Castellina Scalo (SI) 60 A2
Castellino (AL) 32 B3
Castellino del Biferno (CB) 77 E2
Castellino (MO) 46 C4
Castellino, Rifugio (CN) 41 D3
Castellino Tanaro (CN) 42 B1
Castelliri (FR) 75 F1
Castelli (TE) 70 D1-2
Castello (AO) 6 F4
Castello (AQ) 69 F4
Castello (AV) 89 B3
Castello (BN) 83 F2
Castello (BS) 24 E1

Castello (BZ) 2 E4
Castello Cabiáglio (VA) 9 F1
Castello, Canale 85 D3
Castello Cóira (BZ) 1 D4
Castello, Cima [A] 1 C4
Castello, Cima di[CH] 10 C3
Castello, Cimata di (RI) 69 D1
Castello (CN) 30 F3
Castello (CN) 42 C1
Castello d' Agogna (PV) 21 F2
Castello d' Argile (BO) 37 F3
Castello del Bosco (PI) 53 D1
Castello dell' Acqua (SO) 11 D1
Castello delle Forme (PG) 62 E1
Castello del Matese (CE) 83 C2
Castello di Annone (AT) 32 D3
Castello di Brenzone (VR) 24 BC4
Castello di Brianza (LC) 22 B2-3
Castello di Brussa (VE) 28 D2
Castello di Casotto (CN) 41 D4
Castello di Cisterna (NA) 89 A1
Castello di Codego (TV) 26 C3
Castello di Fiemme (TN) 13 C2 3
Castello di Poggio (PS) 56 D4
Castello di Roganzuolo (TV) 14 F4
Castello di Serravalle (BO) 47 C1
Castello di Sette (CH) 76 A4
Castello di Taranto (BZ) 2 E3
Castello di Zumelle (BL) 14 E3
Castello (FG) 79 EF2
Castello (FO) 55 C1
Castello (FR) 75 E3
Castello (FR) 82 A1
Castello, Il (BO) 47 D4
Castello, Il (CE) 82 E2-3
Castello (IS) 76 F2
Castello, Lago di (CN) 30 F3
Castello Lavazzo (PN) 14 C4
Castello Leone (BZ) 2 E4
Castello (MC) 63 C1
Castello (MC) 63 E2
Castello (ME) 110 A2
Castello, Monte (AV) 84 D4
Castello, Monte (BG) 23 A1
Castello, Monte (BL) 14 C3
Castello, Monte del (SA) 97 A1
Castello, Monte (FG) 78 E3
Castello, Monte (FO) 55 B2
Castello, Monte (GE) 44 D2
Castello, Monte il (AR) 55 E1
Castello, Monte (LI) 58 B1
Castello ,Monte (LI) 58 E3
Castello, Monte (PR) 45 AB4
Castello, Mont [F] 50 C2
Castello (MS) 44 C4
Castello (MS) 45 D1
Castello (NA) 89 B2
Castellonchio (PR) 45 B2
Castellone (CB) 83 B2
Castellone (CR) 23 F1
Castellone, Il (LT) 74 F1
Castellone, Monte (PC) 34 E4
Castellone, Valle (VT) 67 D2
Castellonorato (LT) 82 D1
Castello Pagánico (AQ) 69 D2
Castello (PG) 62 B2
Castello, Piano di (PZ) 90 B4
Castello, Pizzo [CH] 8 A4
Castello, Pizzo (VB) 8 E2
Castello (PR) 45 A2
Castello (PR) 45 B2
Castello (PS) 55 B4
Castello (PS) 56 F2
Castello (PV) 34 C1
Castello (PV) 34 E1
Castello Querciola (RE) 46 B2
Castello (RE) 36 F3
Castello (RI) 69 F2
Castello San Pietro [CH] 9 F3
Castello, Serra (CS) 102 A2
Castello (SO) 10 E2
Castello (SP) D3 4
Castello, Spiaggia di (FG) 79 D3
Castello Tesino (TN) 13 E4
Castello, Timpone del (KR) 103 E1
Castello (TO) 19 F2
Castello, Toppa di (MT) 92 E1
Castell' Ottieri (GR) 66 B4
Castello (TV) 26 B2
Castello (UD) 16 E3
Castello (UD) 28 B3
Castello Verruca (BZ) 2 E4
Castello (VI) 25 D3
Castello (VR) 25 E2-3
Castellucchio (MN) 36 B3
Castelluccia (TA) 94 F2
Castelluccio (AR) 54 F4
Castelluccio (BO) 46 EF4
Castelluccio Cosentino (SA) 90 D3
Castelluccio dei Sauri (FG) 85 C1
Castelluccio, Il (CL) 122 A4
Castelluccio, Il (MC) 63 D4
Castelluccio (MO) 46 E4
Castellùccio, Monte (AG) 118 D1
Castelluccio, Monte (AG) 118 D4
Castelluccio, Monte (FO) 55 C1
Castelluccio, Monte (PG) 61 C3
Castelluccio (PG) 63 F3
Castelluccio, Poggio (GR) 60 D2
Castelluccio (SA) 96 C3
Castelluccio Santa Sofia, Timpa (PZ) 91 C1
Castelluccio (SI) 61 D1
Castelluccio (SR) 124 C1
Castellúccio Siculo, Stazione di (SR) 121 E2
Castelluccio Superiore/Interiore (PZ) 97 D4
Castelluccio, Timpa (PZ) 91 BC1
Castelluccio Valmaggiore (FG) 84 C3
Castell' Umberto (ME) 112 D1
Castell' Umberto Vecchio (ME) 112 D1-2
Castellunchio (TR) 67 B3
Castelluzzo (AG) 118 C2
Castelluzzo (CT-EN) 120 A3
Castelluzzo, Masseria (BR) 94 C3
Castelluzzo, Monte (CZ) 105 A1
Castelluzzo, Punta di (ME) 112 E3
Castelluzzo, Punta (SR) 121 E2
Castelluzzo, Serra (CL) 119 F3
Castelluzzo (TP) 108 D2
Castel Madama (ROMA) 74 C1
Castel Madruzzo (TN) 12 E4
Castel Maggiore (BO) 47 B3
Castelmagno (CN) 40 B3-4
Castel Manardo, Monte (MC) (AP) 63 E3
Castelmarte (CO) 22 A2
Castel Martini (PT) 53 C1-2
Castelmassa (RO) 37 C3
Castelmássimo (FR) 74 F4
Castelmáuro (CB) 77 D1-2
Castel Mella (BS) 23 D3
Castelmenardo (RI) 69 F2
Castelmezzano (PZ) 91 E4
Castelminio (TV) 26 C3
Castelmola (ME) 113 F1
Castelmonte (PG) 68 B3
Castelmonte (UD) 17 F1
Castelmorrone (CE) 83 E1-2
Castelmozzano (PR) 45 B4
Castelmúzio (SI) 60 C4
Castelnovate (VA) 21 C2
Castelnovetto (PV) 21 F1
Castelnovo Bariano (RO) 37 C3
Castelnovo del Friuli (PN) 15 D4
Castelnovo di Sotto (RE) 36 E2
Castelnovo (PO) 54 C3
Castelnovo (PC) 34 C3
Castelnovo (PD) 26 F1
Castelnovo (VI) 25 D4
Castelnuovo (AQ) 70 F1
Castelnuovo (AQ) 75 B1
Castelnuovo (AR) 54 E4
Castelnuovo (AR) 55 E2
Castelnuovo (AT) 32 D2
Castelnuovo a Volturno (IS) 76 F1
Castelnuovo Belbo (AT) 32 E4
Castelnuovo Berardenga (SI) 60 AB3-4
Castelnuovo Berardenga, Stazione di (SI) 60 B3
Castelnuovo (BO) 47 DE1
Castelnuovo (BO) 48 D2
Castelnuovo Bocca d' Adda (LO) 35 B1
Castelnllovo Bormida (AL) 33 E1
Castelnuovo Bozzente (CO) 21 B4
Castelnuovo Calcea (AT) 32 E3
Castelnuovo Cilento (SA) 96 B3
Castelnuovo dei Sabbioni (AR) 54 E2
Castelnuovo del Garda (VR) 24 E3-4
Castelnuovo dell' Abate (SI) 60 E4
Castelnuovo della Dáunia (FG) 84 A3
Castelnuovo della Misericordia (LI) 52 F3
Castelnuovo della Zappa (CR) 35 A2
Castelnuovo d' Elsa (FI) 53 DE2
Castelnuovo di Ceva (CN) 42 C2
Castelnuovo di Conza (SA) 90 B3
Castelnuovo di Farfa (RI) 68 F3
Castelnuovo di Garfagnana (LU) 45 F4
Castelnuovo di Porto (ROMA) 73 A2
Castelnuovo di Val di Cécina (PI) 59 C3
Castelnuovo don Bosco (AT) 32 B1
Castelnuovo (FI) 53 C3
Castelnuovo Fogliani (PC) 35 D2
Castelnuovo Gherardi (CR) 35 A3
Castelnuovo Grilli (SI) 60 C4
Castelnuovo Magra (SP) 45 F2
Castelnuovo (MC) 64 A1
Castelnuovo (MN) 36 A1
Castelnuovo ne' Monti (RE) 45 C4
Castelnuovo Nigra (TO) 19 D3-4
Castelnuovo Parano (FR) 82 C1-2
Castelnuovo (PG) 62 E3
Castelnuovo (PS) 56 C1
Castelnuovo Rangone (MO) 46 B4
Castelnuovo Scrivia (AL) 33 C3
Castelnuovo Tancredi (SI) 60 C3
Castelnuovo (TN) 13 E3
Castelnuovo Vomano (TE) 70 C2
Castelpagano (BN) 84 BC1
Castelpagano (FG) 78 E3
Castel Pagano, Monte (BR) 94 B2
Castelpetroso (IS) 83 A1-2
Castel Pietra (TN) 12 F4
Castelpizzuto (IS) 83 A1
Castelplánio (AN) 56 F4
Castelpoggio (MS) 45 F2
Castelponzone (CR) 35 C4
Castelpoto (BN) 83 E4
Castelraimondo (MC) 63 C2
Castel Regina (BG) 22 A4
Castel Rigone (PG) 61 C4
Castel Rinaldi (PG) 68 A1
Castel Ritaldi (PG) 62 F3
Castel Rocchero (AT) 32 E4
Castelromano (IS) 76 F2
Castelrosso (TO) 20 F1
Castelrotto (CN) 32 E1
Castelrotto (Kastelruth) (BZ) 3 E3
Castel Rozzone (BG) 22 D4
Castel Rubello (TR) 67 E2
Castel Ruggero (SA) 97 C1
Castel San Felice (PG) 68 B4
Castel San Gimignano (SI) 59 A4
Castel San Giorgio (SA) 89 B2-3
Castel San Giovanni (PC) 34 C2-3
Castel San Giovanni (PG) 62 F3-4
Castel San Giovanni (PG) 69 B1
Castel San Lorenzo (SA) 90 F3
Castel San Niccolò (AR) 54 D3
Castel San Pietro (AP) 63 F4
Castel San Pietro (MC) 63 B2
Castel San Pietro (RI) 68 F3
Castel San Pietro Romano (ROMA) 74 D1
Castel San Pietro Terme (BO) 47 C4
Castel Santa Maria (MC) 63 C1
Castel Santa Maria (PG) 69 B1
Castel Sant' Angelo (MC) 63 B3
Castel Sant' Angelo (RI) 69 E1
Castelsant' Angelo sul Nera (MC) 63 F2
Castel Sant' Elia (VT) 67 F4
Castel San Venanzo (MC) 63 C2
Castel San Vincenzo (IS) 76 F1
Castel San Vincenzo, Lago di (IS) 76 F1
Castelsardo (SS) 126 DE1
Castelsareceno (PZ) 97 B4
Castelsavino, Monte (AR) 55 D1
Castel Schener (BL) 14 E1
Castelsecco, Fiume 72 B2
Castelsèprio (VA) 21 B3
Castelsilano (KR) 103 E1
Castelspina (AL) 33 E1
Casteltermini (AG) 118 C3
Castel Thun (TN) 12 C4
Casteltodino (TR) 68 B1
Castelveccana (VA) 9 E1
Castelvècchio (AQ) 74 AB3
Castelvécchio (BZ) 13 B1
Castelvécchio Calvisio (AQ) 70 E1
Castelvécchio, Casa (VT) 67 C3
Castelvecchio di Rocca Barbena (SV) 42 E2
Castelvecchio (FO) 49 F2
Castelvecchio (LU) 52 C4
Castelvecchio (MO) 46 C3
Castelvecchio Pascoli (LU) 46 F1
Castelvecchio (PS) 56 D4
Castelvecchio (PT) 53 A1
Castelvécchio (RE) 46 B2
Castelvecchio, Rovina (SI) 53 F2-3
Castelvecchio Siculo (ME) 113 E1
Castelvécchio Subéquo (AQ) 75 A2-3
Castelvecchio (TO) 31 B4
Castelvecchio (VI) 25 C2-3
Castelvénere (BN) 83 D3
Castel Venzago (BS) 24 E2
Castelverde (CR) 35 B2
Castelvero (VR) 25 D2
Castelverrino (IS) 76 E3
Castelvètere in Val Fortore (BN) 84 B2
Castelvetere sul Calore (AV) 90 A1
Castelvetrano (TP) 116 B4
Castelvetro di Modena (MO) 46 B4
Castelvetro Piacentino (PC) 35 B2
Castelvieto (PG) 61 D4
Castel Viscardo (TR) 67 A2
Castelvisconti (CR) 23 F2
Castel Vittorio (IM) 50 C4
Castel Volturno (CE) 82 F3
Castenaso (BO) 47 B3-4
Castendallo (VA) 9 E1-2
Castenedolo (BS) 23 E4
Casteons (UD) 5 F4
Casterino [F] 41 E1
Casterno (MI) 21 E3
Castiádas (CA) 136 C2-3
Castigliole d' Asti (AT) 32 E2
Castiglioncello Bandini (GR) 60 F3
Castiglioncello del Trinoro (SI) 61 E1
Castiglioncello (LI) 58 A4
Castiglioncello (LI) 59 C2
Castiglioncello (LU) 52 C3
Castiglion dei Pepoli (BO) 47 F1-2
Castiglion dei Pepoli, Stazione (BO) 47 E2
Castiglione a Casáura (PE) 70 F2-3
Castiglione (AN) 56 F4
Castiglione (AN) 63 B1
Castiglione (AQ) 69 F2
Castiglione (AQ) 75 B3
Castiglione Chiavarese (GE) 44 D3
Castiglione (CN) 31 E3
Castiglione (CN) 40 A3
Castiglione Cosentino (CS) 102 D1
Castiglione d' Adda (LO) 34 A4
Castiglione d' Asti (AT) 32 C3
Castiglione del Bosco (SI) 60 D3
Castiglione del Genovesi (SA) 89 C4
Castiglione del Lago (PG) 61 D3
Castiglione della Pescáia (GR) 65 A2
Castiglione della Valle (PG) 61 E4
Castiglione della Valle (TE) 70 C1
Castiglione delle Stivière (MN) 24 E2
Castiglione d' Orcia (SI) 60 E4
Castiglione di Cervia (RA) 49 E1
Castiglione di Garfagnana (LU) 45 E4
Castiglione d' Intelvi (CO) 9 F3
Castiglione di Ravenna (RA) 49 E1
Castiglione di Sicilia (CT) 112 F4
Castiglione d' Ossola (VB) 8 E2
Castiglione Falletto (CN) 32 F2
Castiglione, Fiume 46 E1
Castiglione (FO) 49 F1
Castiglione in Teverina (VT) 67 B3
Castiglione (IS) 76 E2
Castiglione (IS) 76 E3
Castiglione (LE) 100 D3
Castiglione Mantovano (MN) 36 A4
Castiglione Marittimo (CZ) 104 B4
Castiglione, Masseria (FG) 85 B2
Castiglione Messer Marino (CH) 76 D4
Castiglione, Monte (AR) 55 F1
Castiglione, Monte (PG) 61 C3-4
Castiglione, Monte (PG) 62 A2
Castiglione Monte Raimondo (TE) 70 D3
Castiglione Olona (VA) 21 B3
Castiglione, Padule di (GR) 65 A3
Castiglione (PG) 62 B2
Castiglione (PS) 55 E4
Castiglione (ROMA) 73 B4
Castiglione Scalo (CS) 102 D1
Castiglione (SI) 53 F3
Castiglione Tinella (CN) 32 E2-3
Castiglione (TO) 19 E2
Castiglione Torinese (TO) 31 A4
Castiglione Verrico (AQ) 69 C2
Castiglion Fibocchi (AR) 54 F4
Castiglion Fiorentino (AR) 61 B2
Castiglion Fosco (PG) 61 E4
Castiglioni (AN) 56 F2-3
Castiglioni (FI) 54 C2
Castiglioni (TR) 68 C3
Castiglioni, Villa (MC) 63 AB3
Castiglion Ubertini (AR) 54 F3
Castignano (AP) 64 E2
Castilenti (TE) 70 C3
Castillon [F] 50 C2-3
Castino (CN) 32 F2
Castion (BL) 14 E4
Castion, Col di (TN) 12 E4
Castione Andeverino (SO) 10 D4
Castione [CH] 9 C3
Castione de' Baratti (PR) 45 A4
Castione della Presolana (BG) 11 F1
Castione, Fiume 66 C1
Castione Marchesi (PR) 35 D2-3
Castione (PC) 34 D4
Castione (SO)11 D1
Castione (TN) 25 A1
Castione (TV) 26 C2
Castione Veronese (VR) 24 CD3
Castions della Mura (UD) 28 C4
Castions di Strada (UD) 28 B3
Castions (PN) 15 F3
Castiraga (LO) 22 F2 3
Casto (BS) 24 C1
Castoglionaccio, Monte (PG) 61 D4
Castoi (BL) 14 E3-4
Castorano (AP) 64 F2 3
Castore, Punta (AO) 7 E3
Castreccioni (MC) 63 A2
Castrezzato (BS) 23 D2
Castrezzone (BS) 24 D2
Castri di Lecce (LE) 95 F4
Castrignano dei Greci (LE) 100 B3
Castrignano del Capo (LE) 100 EF3
Castrignano (PR) 45 A3-4
Castro (AP) 63 F3
Castro (BG) 23 B3
Castrocaro Terme (FO) 48 E3
Castro, Caso (EN) 119 B4
Castro, Castello di (SS) 126 F3
Castro [CH] 9 A3
Castrocicurio (MT) 92 E4
Castrocielo (FR) 82 A1
Castro dei Volsci (FR) 81 B3
Castrofilippo (AG) 118 E4
Castro (LE) 100 D4
Castrolibero (CS) 101 D4
Castro Marina (LE) 100 D3-4
Castroncello (AR) 61 B2
Castronno (VA) 21 B3
Castronovo (AQ) 75 D1
Castronuovo di Sant' Andrea (PZ) 98 B2
Castronuovo di Sicilia (PA) 118 B3
Castronuovo, Stazione di (PA) 118 B3
Castropignano (CB) 77 F1
Castropofi Vallecorsa, stazione di (FR) 81 A3
Castro, Portella (EN) 119 C3
Castroreale (ME) 112 D4
Castro Reale Terme (ME) 112 C4
Castrorégio (CS) 98 D4
Castro San Martino (FI) 47 F3
Castro, Sasso di (FI) 47 F2
Castrovalva (AQ) 75 C3
Castrovillari (CS) 98 F2
Castro (VT) 66 C3
Castru, Nuraghe su (NU) 133 C3
Casturzano (PC) 35 D1
Casulle (CT) 120 F3
Casumaro (FE) 37 E3
Casuzze (RG) 123 D2
Casuzze (TP) 108 F4
Catábbio (GR) 66 B3
Catabio, Monte (RI) 68 C4
Catacombe di Badia (SA) 89 D2 3
Cataéggio (SO) 10 C3
Catafório (RC) 114 D2
Catagnana, Ponte di (LU) 46 F1-2
Cataill (CE) 82 C3
Cataio (PD) 26 F2
Catala, Fiume su 128 B2 3
Catalano, Casa (TP) 116 A3
Cataldo, Fiume 108 E4
Catalfano, Monte (PA) 109 D4
Catalfaro, Monte (CT) 120 EF3
Catalimita (ME) 112 D4
Catanesa (SR) 121 E1
CATANIA 121 C1
Catania, Aeroporto Internazionale di (CT) 121 D1
Catánia, Golfo di (CT) 121 D2
Catánia, Piana di (CT-SR) 120 DE4
CATANZARO 105 B3
Catanzaro Marina (CZ) 105 C3
Catapane, Masseria (PZ) 85 F2-3
Catarineci, Pizzo (PA) 110 F4
Catarozzo, Monte (PZ) 98 C2
Catarratti (ME) 113 C2
Catasco (CO) 9 D4
Catenaccio, Fiume 67 D1-2
Catenaccio, Masseria (FG) 85 D1
Catenacci, Villa (TE) 64 F3
Catena, Cocuzzo (SR) 124 D2
Catena, Convento di (FG) 79 C2
Catena Costiera (CS) 101 BC3 DEF4
Catenaia, Alpe di (AR) 55 DE1
Catena, La (AG) 119 F1
Catena, Múrgia (BA) 92 B4
Catenanuova (EN) 120 C3
Catena (PI) 53 D1
Catena (TV) 27 BC1
Catena, Villa (ROMA) 74 D1
Catera, Pizzo (AG) 118 B2
Catese (FI) 53 C4
Ca' Tiepolo (RO) 39 D1
Catigliano (AR) 55 F2
Catignano (FI) 53 E2-3
Catignano (PE) 70 E3
Catignano (SI) 60 A3
Catinaccio d'Antermòia (TN) 3 F3
Catinaccio (Rosengarten) (BZ) 3 F3
Catino, Campo (FR) 74 D4
Catino Monte, (Kesselberg) (BZ) 3 D1
Catirina, Punta (NU) 130 C2
Catobagli (AN) 56 F3
Catogne, Le [CH] 6 D3
Cátola, La, Fiume 84 B2
Catona (RC) 114 CD1
Catona (SA) 96 C3
Catria, Monte (PS) 56 F2
Ca' Tron (RO) 38 C3
Ca' Tron (TV) 27 D2
Cattabiano (PR) 45 A3
Cattabrighe (PS) 56 B3
Cattafi (ME) 113 C1
Cattánea (PV) 21 F2-3
Cattaragna (PC) 44 A2-3
Cattarelle, Poggio (PO) 47 F1
Cattignano (VR) 25 D2
Cattiva, Masseria la (BR) 95 D1
Cattiva, Poggio della (ME) 111 E4
Cattolica Eraclea (AG) 118 D1
Cattolica (FO) 56 B2
Catullo, Grotte di (BS) 24 D2-3
Caturano (CE) 83 EF1
Ca' Turcata (VE) 27 CD3 4
Catuso, Monte (PA) 119 B1
Caucaso Monte (GE) 44 B1
Cauco [CH] 9 B4
Caudina, Valle (BN) (AV) 83 F3
Caudine, Forche (BN) 83 F3
Caudino (AN) 56 F3
Caulera, Albergo (BI) 20 B3
Caulónia (RC) 115 B3
Caulónia, Villaggio di (RC) 105 F1-2
Caulonia (RC) 115 A4
Cau, Monte (SS) 125 F4
Cauriol (TN) 13 D3-4
Caurià (BZ) 13 C2
Causo, Stazione di (PA) 110 F2
Cautano (BN) 83 E3
Cauzaro (CB) 83 B3
Cava Biddiemi, Fiume 123 D2
Cavacurta (LO) 35 A1
Cava d'Aliga (RG) 123 E3
Cava de' Tirreni (SA) 89 C3
Cava di Giorgio, Casa (RG) 123 C2
Cava di Prainito, Fiume 124 C1
Cavagliano (NO) 21 D1-2
Cavaglia (BI) 20 E2
Cavaglietto (NO) 21 C1
Cavaglio d'Agogna (NO) 21 C1
Cavaglio (VB) 9 D1
Cavaglio Spoccia (VB) 9 D1
Cavaglià [CH] 11 B2
Cavagnano (AQ) 69 C2
Cavagnano (VA) 9 F2
Cavagnaro (CH) 9 A2
Cavagnera (PV) 22 F2
Cavagnolo (TO) 32 A2
Cava Grande, Fiume 124 D1
Cavaion Veronese (VR) 24 D3
Cava, La (CT) 121 B1
Cava, La (PI) 52 DE4
Cavalbianco, Monte (RE) 45 D4
Cavalcante, Villa (CS) 102 C2
Cavalcaselle (VR) 24 E3
Cavalcorto, Cima del (SO) 10 C3
Cavalese (TN) 13 C3
Cavalgese della Riviera (BS) 24 D1-2
Cavalicco (UD) 16 F4
Cavaliere, Colle (PE) 70 E3
Cavaliere (CS) 102 E3
Cavaliere (CT) 120 B4
Cavaliere Fiume 82 A4
Cavaliere Masseria (PG) 78 D2
Cavaliere (ME) 113 B2
Cavalier (TV) 27 B3
Cavaliggi (CN) 41 B1
Cavallaccio, Monte (BZ) 1 E4
Cavallano (SI) 59 A4
Cavallara (MN) 36 C3
Cavallari (AQ) 69 DE2
Cavallari (ME) 113 C2
Cavallaro (CT) 120 C3
Cavallaro (VI) 25 B3
Cavallasca (CO) 21 A4
Cavalleggeri, Ca (LI) 59 D1
Cavalleri (AL) 32 EF4
Cavalleri (TO) 31 D3-4
Cavallerizza, Masseria (BA) 93 A4
Cavallerizza, Villa (BA) 92 B3
Cavallerizze Nuove (CE) 82 F4
Cavallerizzo (CS) 101 C4
Cavallerleone (CN) 31 E3
Cavallermaggiore (CN) 31 E3

188 CAVALLERO / CERTONOLI

Cavallero, Santuario del (BI) 20 B3
Cavalli, Fattoria (FG) 84 A4
Cavalli, Monte dei (PA) 118 B1
Cavallina (FI) 53 A4
Cavallina, Val (BG) 23 B2
Cavallino, Forcella del (BL) 5 D1
Cavallino (LE) 95 F3
Cavallino, Litorale del (VE) 27 E2-3
Cavallino (VE) 27 E3
Cavalli, Passo dei (AQ) 76 E2
Cavalli, Pian dei (SO) 11 C2
Cavallirio (NO) 20 B4
Ca' Valli (RO) 36 C2-3
Cavallo, Croce del (VB) 8 E2
Cavallo (GR) 66 D2
Cavallo, Monte (BL) 4 E2
Cavallo, Monte (BZ) 3 B1-2
Cavallo, Monte (BZ) 4 C3
Cavallo, Monte (FO) 48 F4
Cavallo, Monte (FR) 75 F4
Cavallo, Monte (FR) 82 A3
Cavallo, Monte (GE) 44 B2
Cavallo, Monte (GR) 66 B3
Cavallo, Monte (MC) 63 E1
Cavallo, Monte (ME) 113 D1
Cavallo, Monte (PN) 15 E1
Cavallo, Monte (RC) 114 D3-4
Cavallo, Monte (RI) 69 D1
Cavallo, Monte (SA) 91 F1
Cavallo, Monte (TO) 30 D4
Cavallo, Monte (UD) 16 B4
Cavallone (AQ) 75 A2
Cavallone, Grotta del (CH) 76 B2
Cavallo, Piano del (PN) 15 E1-2
Cavallo, Pizzo (ME) 113 D2
Cavallo, Poggio (GR) 65 A4
Cavallo, Punta del (AG) 118 D1
Cavallo (SA) 90 E2
Cavallo, Serra (PZ) 97 A4
Cavallo, Torre (BR) 95 C2
Cavallotta (CN) 31 F2
Cavalluccio, Punta del (CH) 71 F3
Cavalmagra, Poggio (FI) 47 F4
Cavalmurone Monte (PC) 34 F1
Cavalo (VR) 24 D4
Cava Manara (PV) 33 B4
Cavandone (VB) 8 EF4
Cavanella d'Adige (VE) 39 B1
Cavanella di Vara (SP) 45 E1
Cavanella Po (RO) 38 C4
Cavanella (VE) 28 C1
Cavareno (TN) 13 B1
Cavargna (CO) 9 D3-4
Cavaria con Premezzo (VA) 21 B3
Cavaruzzo, Masseria (TA) 93 C4
Cavarzano (PO) 47 F1
Cavarzerane (PD) 38 B2
Cavarzere (VE) 38 B4
Cavasagra (TV) 26 C4
Cavaso della Tomba (TV) 26 A2-3
Cavasso Nuovo (PN) 15 D3
Cavatassi (TE) 70 A3
Cava Tigozzi (CR) 35 B2
Cavatone (MI) 22 D3
Cavatore (AL) 32 F4
Cavazzana (RO) 38 C1
Cavazzo Carnico (UD) 15 B4
Cavazzo Lago di (UD) 16 D2
Cavazzole (VI) 25 D4
Cavazzoli (RE) 36 F2
Cavazzolo (PR) 45 B2
Cavazzona (MO) 47 B1
Cavazzone (RE) 46 AB2
Cave (CE) 82 C3
Cavedago (TN) 12 D4
Cave del Predil (UD) 17 C2
Cave di Marmo (BZ) 2 E1
Cavedine, Lago (TN) 12 F3
Cavedine (TN) 12 F4
Cave di Pietra (EN) 119 A4
Cavedon (RO) 38 C3
Cave Le (Grasstein), (BZ) 3 C2
Cavello, Rocca (GE) 43 B4
Cavelonte, Bagni di (TN) 13 C3
Cave, Monte (BZ) 3 B2
Cavenago d'Adda (LO) 22 F4
Cavenago della Brianza (MI) 22 C3
Ca' Vendramin (RO) 39 D1
Ca' Venier (RO) 39 D1-2
Cavento, Corno di (TN) 12 D1-2
Cavenzano (UD) 28 B4
Cavergno [CH] 9 B1
Cavernago (BG) 23 C1
Cave, Rocca di (ROMA) 74 D1-2
Cave (ROMA) 74 D1
Cavero, Serra (PA) 118 A4
Caversaccio (CO) 21 A4
Caverzago (PC) 34 E3
Caverzana (RE) 46 A1
Cavessago (BL) 14 E3-4
Cavezzo (MO) 37 E1
Caviaga (LO) 22 F4
Caviano [CH] 9 D2
Cavi (GE) 44 D2
Cavigliano [CH] 9 C1
Cavina San Pietro (RA) 48 E1
Caviola (BL) 14 B1-2
Cavizzana (TN) 12 B4
Cavizzano (SP) 44 C3
Cavo (LI) 58 D3
Cavo Diversivo (MN) 37 C2
Cavo Fiuma Fiume 36 D3
Cavogna, Monte (PG) 63 F1-2
Cavolano (PN) 15 F1
Cavola (RE) 46 C2
Cávola Bivio La (FG) 79 E3
Cavoleto (PS) 55 D4
Cavoli, Isola dei (CA) 136 D3
Cavoli (LI) 58 F1
Cavo, Monte (ROMA) 73 E4
Cavona (VA) 9 F1
Cavone, Fiume 92 F4
Cavone, Rifugio (BO) 46 F3-4
Cavora, Stazione (CZ) 105 B3
Cavoretto (TO) 31 B3
Cavour, Canale 20 E3
Cavour, Canale 21 D2
Cavour (TO) 31 D1
Cavrari (VI) 25 A4
Cavrasto (TN) 12 E2-3
Cavregasco, Pizzo (SO) 10 C1
Cavriago (RE) 36 F2
Cavriana (MN) 24 F2-3
Cavrié (TV) 27 C2
Cavriglia (AR) 54 F2
Cavriola, Pizzo [CH] 9 A4
Cavuoti (BN) 83 E4
Cayolle, Col de La [F] 40 C1
Ca Zane, Val di (VE) 27 D2
Ca'Zen (RO) 38 C4
Ca' Zuliani (RO) 39 D2
Ca' Zul, Lago di (PN) 15 C2
Cazzago Brábbia (VA) 21 A2
Cazzago San Martino (BS) 23 D3
Cazzago (VE) 25 E4
Cazzano (BO) 47 B4
Cazzano di Tramigna (VR) 25 E2
Cazzano Sant'Andrea (BG) 23 AB2
Cazzano (TN) 25 B1
Cazzaso Nuovo (UD) 15 B4
Cazzola, Monte (VB) 8 B2
Cazzola, Serra di (AG) 118 E4
Cecanibbi (PG) 67 A4
Ceccano (FR) 81 A2
Cecchignola (ROMA) 73 D2
Cecchina (ROMA) 73 E3
Cecchini (PN) 27 A3
Cecco d'Antonio, Monte (AQ) 70 E1
Cece, Cima di (TN) 13 C4
Cece, Monte (CB) 77 E2
Cece, Monte (RA) 47 E4
Ceciaia, Cása (PI) 59 B1
Cecibizzo, Serra (BA) 86 E3
Cécido, M. [A] 5 D1
Cecilia, Passo (SO) 10 C4
Cécima (PV) 33 D4
Ceci, Masseria (BA) 86 F4
Ceci, Monte (LI) 59 CD2
Cecina (BS) 24 C3
Cécina (LI) 59 B1
Cécina, Fiume 59 B1
Cecina, Ponte di (SI) 59 C4
Cecina (PT) 53 C2
Cecino (BS) 24 C2
Ceci (PC) 34 E2
Cecita o Mucone, Lago di (CS) 102 D2-3
Cedárchis (UD) 5 F4
Cedda (SI) 53 F4
Cedégolo (BS) 11 E3
Cedessano (BS) 24 C1-2
Cedogno (PR) 45 B4
Cedola [YUI] 29 F2
Cedrasco (SO) 10 D4
Cedrino, Fiume 130 C3
Cedrino, Lago del (NU) 130 DE2-3
Cedri (PI) 53 F1
Cefala Diana (PA) 109 E3
Céfalo, Monte (LT) 81 D4
Cefalone Monte (AQ) 69 F3
Cefalú (PA) 110 D4
Ceggia (VE) 27 C3
Ceggio, Fiume 13 E2
Céglie del Campo (BA) 87 E3
Céglie Messápico (BR) 94 C3
Céglie, Monte (SA) 90 F3
Cegliolo (AR) 61 B3
Cegni (PV) 34 E1
Cei Lago di (TN) 12 F4
Ceilac [F] 30 E1
Ceirole (AT) 32 E3
Cei, Valle di (TN) 12 F4
Celado, Albergo (TN) 13 E4
Celalba (PG) 55 F3
Celamonti (SI) 60 D4
Celano (AQ) 75 B2
Celano, Borgo (FG) 78 E4
Celano, Masseria (TA) 94 C1
Celat San Tomaso (BL) 14 B2
Celeano (MC) 63 C2
Celentano, Masseria (PZ) 91 C1
Celenza Sultrigno (CH) 77 D1
Celenza Val Fortore (FG) 84 A2
Celerina [CH] 11 A1
Celesio Valdesi, Punta (PA) 109 C2-3
Celico (CS) 102 D2
Celincordia (FO) 49 F1
Cella (BL) 4 F4
Cella Dati (CR) 35 B4
Cella di Palmia (PR) 45 A3
Cella (FO) 49 E2
Cella (FO) A2-3
Cellamare (BA) 87 F3
Cella Monte (AL) 32 B4
Cellarda (BL) 14 F2
Céllara (CS) 102 E2
Céllara, Stazione di (CS) 102 E1-2
Cella (RE) 36 F2
Cellarengo (AT) 32 D1
Cellatica (BS) 23 D4
Cella (UD) 15 B2
Celle, Cascinale (FG) 79 CD3
Celle (CN) 30 F2-3
Celle di Bulgheria (SA) 96 C4
Celle di Màcra (CN) 40 A4
Celle di San Vito (FG) 84 C3
Celledizzo (TN) 12 B2
Celle Enomondo (AT) 32 D2
Celle (FI) 54 B2
Celle (FI) 54 E1
Celle (FO) 49 F2
Celle (FO) 54 B4
Celle Ligure (SV) 42 C4
Cellena (GR) 66 A3
Celleno (VT) 67 C3
Cellentino (TN) 12 C2
Celle (PG) 55 F2
Celle (PT) 53 B2
Celle (RA) 48 D2
Cellere, Monte (VT) 67 C1
Céllere (VT) 66 D4
Celleri (PC) 35 D1
Celle Rocca Gloriosa, Stazione di (SA) 96 C4
Celle sul Rigo (SI) 61 F1
Celle (TO) 31 A1
Cellina, Fiume 15 C1-2
Cellina (VA) 8 F4
Cellino Attánasio (TE) 70 C2 3
Cellino, Colle di (TE) 70 C2
Cellino (PN) 15 D1
Cellino San Marco (BR) 95 D2
Cellio (VC) 20 A4
Céllole (CE) 82 D2
Cellore (VR) 25 E2
Celone, Fiume 78 F4
Celone, Fiume 85 B1
Celone, Gole di (AQ) 75 B2
Celpénchio (PV) 21 F1
Celsita (CS) 102 F2
Celso (SA) 96 B2
Cembrano (SP) 44 C3
Cembra (TN) 13 D1
Cembra, Val di (TN) 13 D1-2
Cemetta, Grand (AO) 7 E2
Cenacchio (BO) 37 F3-4
Cénadi (CZ) 105 D1-2
Cenaia (PI) 52 E4
Cenate di Sopra/di Sotto (BG) 23 B1
Cencelle (VT) 72 A2
Cencenighe Agordino (BL) 14 C2
Cencerate (PV) 34 F1
Cenciara (RI) 68 E4
Cenci, Villa (PG) 62 C2
Cendon (TV) 27 C1
Cene (BG) 23 B1
Cenerente (PG) 62 D1
Ceneri, Passo Monte [CH] 9 D2
Ceneselli (RO) 37 C3
Cenesi (SV) 42 E2
Cenédola, Fiume 35 F1
Cenforche, Colle di (FO) 55 A1
Céngalo, Pizzo [CH] 10 C3
Cengello, Monte (TN) 13 D3
Cengio, Monte (VI) 25 B3
Cengio (SV) 42 C2
Cengledino, Monte (TN) 12 E2
Cengles (BZ) 2 E1
Cengles, Croda di (BZ) 2 E1
Cengles, Dosso di (BZ) 2 E1
Ceniga (TN) 12 F3
Cenina (AR) 54 E4
Cennina (AR) 54 F3
Ceno, Fiume 35 F1
Ceno, Fiume 44 B3
Cénova (IM) 41 F4
Centa, Fiume 13 F1-2
Centa, Fiume 42 F2
Centallo (CN) 41 A2
Centare (MC) 63 E1
Centa San Nicolò (TN) 13 F1
Centaurino, Monte (SA) 97 B1
Centelle, Colle delle (TR) 68 C3
Centenaro (BS) 24 E2
Centenaro (PC) 34 F3
Centeno (VT) 67 A1
Centina, La (SI) 60 B1-2
Centinale (SI) 60 B2
Centinarola (PS) 56 C4
Centine, Le (SI) 60 BC1
Centineo (ME) 112 C4
Cento (BO) 47 B4
Centobuchi (AP) 64 F3
Centocelle (ROMA) 73 D3
Centocolle, Villa (CB) 77 F2
Cento Croci, Le (PS) 57 D1
Cento Croci, Passo di (PR) 44 C4
Cento (FE) 37 F2-3
Centofinestre (AN) 63 A4
Cento (FO) 55 A3
Centotontane, Ponte (VV) 104 D4
Centóia (AR) 61 C2
Céntola (SA) 96 C3-4
Céntola, Stazione di (SA) 96 C4
Centonze, Timpone (KR) 103 F2
Centora (PC) 34 C3
Centovalli [CH] 9 D1
Centóvera (PC) 34 D4
Centrale (TN) 13 D2
Centrale (VI) 25 B4
Centráche (CZ) 105 D1-2
Centro, Il (MT) 93 F1
Centrone, Cascinale (ROMA) 73 C1
Centro Turistico (FG) 79 D4
Centro Velico (SS) 127 B2
Centro (VR) 25 D2
Centurano (CE) 83 E2
Centúripe (EN) 120 B3
Ceola (TN) 13 D1
Ceolini (PN) 15 F2
Cepagatti (PE) 70 E4
Ceparana (SP) 45 E1
Ceparano, Torre di (RA) 48 E2
Cepic [YUI] 29 F3
Cepina (SO) 1 F3
Cepletischis (UD) 17 E1-2
Ceppaiano (PI) 52 E4
Ceppaloni (BN) 83 F4
Ceppáto (PI) 52 E4
Ceppeda (LO) 22 F3
Ceppeto, Cappella di (FI) 53 C4
Ceppo, Monte (IM) 41 F3
Ceppo Morelli (VB) 8 E1
Ceppo (TE) 69 B4
Ceprano (FR) 81 A3-4
Ceprano, Stazione di (FR) 81 A4
Ceradello (LO) 34 A4
Cerageto (LU) 46 E1
Ceraino (VR) 24 D4
Ceramida (RC) 114 B3
Cerami (EN) 111 F3
Cerami, Fiume 120 A1
Cerana di Roma (ROMA) 74 C2
Ceranesi (GE) 43 B2 3
Cerano (BR) 95 C2
Cerano (CO) 9 F3
Cerano (NO) 21 E3
Ceranova (PV) 22 F2
Cerasa (LU) 46 E1
Cerasa, Monte la (RI) 69 C1
Cerasa, Portella (ME) 112 E3
Cerasa (PS) 56 D4
Cerasaro, Ponte di (CL) 119 F4
Cerasella, Cantoniera (LT) 81 C1
Cerasia, Monte (RC) 114 E4
Cerasi (RC) 114 D2
Cerasito (CB) 76 F4
Cerasito, Monte (AV) 84 F3
Ceraso Capo (SS) 127 D3
Cerasola (PG) 68 A4
Cerasoli, Rifugio (FR) 74 D4
Cerasolo (RN) 56 B1
Cerasomma (LU) 52 C3
Ceraso, Monte (ROMA) 73 E4
Ceraso (SA) 96 B3
Ceraso, Serra (CS) 103 C1
Cerasulo, Monte (SA) 97 A1
Cerasuolo (FR) 82 A3
Cerasuolo Vecchio (IS) 76 F1
Ceratelli (MS) 45 D3
Cerbáia (FI) 53 D3
Cerbaia (SI) 60 D2
Cerbàie, Le (FI) 53 C1
Cerbaiola (PI) 59 B4
Cerbaiola (SI) 60 C1-2
Cerbaiolo (AR) 55 D2
Cerbiaia (SI) 60 B1-2
Cerbiolo, Monte (TN) 24 B4
Cerboli, Isola (LI) 58 D3
Cerboni (PG) 55 F3
Cerbus, Peschiera di Ba (CA) 134 CD3
Cercemaggiore (CB) 83 B4
Cercenasco (TO) 31 D2
Cercepiccola (CB) 83 B4
Cercetole (AR) 55 D2
Cercevesa, Fiume 5 E4
Cerchiáia (SI) 60 B3
Cerchiara di Calábria (CS) 98 E3
Cerchiara, La (PZ) 91 E2
Cerchiara (RI) 68 E3
Cerchiara (TE) 70 D1
Cerchiara, Torre (CS) 98 F4
Cérchio (AQ) 75 B2
Cerchiola (TE) 70 D2
Cercino (SO) 10 D2
Cercivento (UD) 5 F3-4
Cércola (NA) 88 B4
Cercomano (VR) 25 F1
Cerda (PA) 110 E2
Cerda, Stazione di (PA) 110 E2
Cerdomare (RI) 68 F3-4
Cerealto (VI) 25 C3
Cerea (VR) 37 B2
Cereda, Passo di (TN) 14 D2
Cereda (VI) 25 D3
Ceredello (VR) 24 D4
Ceredolo dei Coppi (RE) 46 B1
Cereglio (BO) 47 D1
Ceregnano (RO) 38 C3
Cereie (BI) 20 C3
Cerella, Monte (ROMA) 74 C1
Cerellaz (AO) 18 A4
Cerello, Cascina (TO) 19 F4
Cerello (MI) 21 D3
Ceremedaro, Valle (EN) 120 BC2
Cerendero (AL) 33 F4
Cerenova (ROMA) 72 C3
Cerentino [CH] 8 B4
Cerenzia (KR) 103 E1
Cerere, Tempio di (SA) 90 F1
Ceresale, Ponte (PZ) 91 B1-2
Ceresa, Monte (AP) 69 A3
Ceresara (BZ) 3 D2
Ceresara (MN) 36 A2
Cerese (MN) 36 B3-4
Ceresera (BL) 14 E4
Cereseto (AL) 32 B3-4
Cereseto (PR) 44 A4
Ceresetto (UD) 16 F3
Ceresola (AN) 63 B1
Ceresola (AP) 63 E4
Ceresola (BG) 22 A4
Ceresola (MO) 46 D2
Ceresole Alba (CN) 31 D4
Ceresole, Lago di (TO) 19 D1
Ceresole Reale (TO) 19 D1
Ceresolo, Scolo 38 C3
Ceresone, Fiume 26 DE2
Ceres (TO) 19 E1
Cereta (MN) 24 F3
Cerete Alto (BG) 23 A2 3
Ceretena (AP) 63 F4
Cereto (BS) 24 C1
Cereto, Case (BS) 23 F4
Cerétoli (MS) 45 C1-2
Ceretolo (BO) 47 C2
Ceretolo (PR) 45 B4
Ceretti (TO) 19 F3
Ceretto Lomellina (PV) 21 F2
Ceretto (TO) 31 D3
Cerezzola (RE) 46 B1
Cerefgnano (LE) 100 C4
Cerfone, Fiume 55 F1
Cergnago (PV) 33 A2
Cergnai (BL) 14 E2
Cergnala, Monte [YUI] (UD) 17 C1
Cergneu Superiore/Inferiore (UD) 16 E4
Ceriale (SV) 42 E2
Ceriana (IM) 51 C1
Ceriano Laghetto (MI) 21 C4
Cerignale (PC) 34 F2
Cerignola Campagna, Stazione di (FG) 85 C4
Cerignola (FG) 85 D4
Cerignone, Monte (PS) 55 C4
Ceriolo (CN) 41 A3
Ceri (ROMA) 72 C4
Cerisano (CS) 101 E4
Cerisey (AO) 6 F3
Cerisola (CN) 42 E1
Cerisola (GE) 44 B2
Cerkno [YUI] 17 F4
Cerlongo (MN) 24 F3
Cermenate (CO) 21 B4
Cérmes (Tscherms) (BZ) 2 E4
Cermignano (TE) 70 C2
Cermis (TN) 13 C3
Cermone (AQ) 69 E2
Cernauda, Rocca (CN) 40 B4
Cerneglons (UD) 16 F4
Cernitosa (PS) 55 C3
Cernobbio (CO) 22 A1
Cernobbio (CO) 9 F4
Cernusco Lombardo (RC) 22 B3
Cernusco sul Naviglio (MI) 22 D2
Ceró di Sopra di Sotto [YUI] 29 A1-2
Cerone (TO) 20 EF1
Cerqua, La (TR) 68 C1
Cerqueta (FR) 75 F1
Cerqueto (PG) 62 C4
Cerqueto (PG) 62 E1
Cerqueto, Pizzo (AP) 69 A3
Cerqueto (TE) 70 A1
Cerquito, Monte (RI) 69 E1
Cerratina (PE) 70 E4
Cerra (VR) 24 D4
Cerrè (RE) 45 D4
Cerredolo (RE) 46 C2
Cerreggio (RE) 45 C4
Cerrè Marabino (RE) 46 C1
Cerreta, Monte (AQ) 75 A2
Cerrete, Poggio (SI) 60 C2-3
Cerreto (AL) 33 E4
Cerreto Alto (LT) 80 B3
Cerreto (AP) 64 C1
Cerreto (AP) 64 F1
Cerreto (AV) 84 D3
Cerreto, Ca (CS) 101 B4
Cerreto, Colle (FR) 82 A1
Cerreto d'Asti (AT) 32 B2
Cerreto dell'Alpi (RE) 45 D4
Cerreto d'Esi (AN) 63 B1-2
Cerreto di Spoleto (PG) 63 F4
Cerreto (RN) 56 C2
Cerreto (GR) 66 B4
Cerreto Grue (AL) 33 D3
Cerreto Guidi (FI) 53 C2
Cerreto (IS) 76 E2
Cerreto (IS) 82 A3
Cerreto, Lago (RE) 45 D4
Cerreto Landi (PC) 35 D1
Cerreto Langhe (CN) 42 A2
Cerreto Laziale (ROMA) 74 C2
Cerreto, Monte (AQ) 69 D4
Cerreto, Monte (SA) 89 C2
Cerreto, Passo di (MS) (RE) 45 D3
Cerreto (PG) 62 F3
Cerreto (PI) 59 B3
Cerreto (PS) 56 F1
Cerreto Rossi (PC) 34 F3
Cerreto Sannita (BN) 83 CD3
Cerreto (TR) 67 A3
Cerretto (BI) 20 C3
Cerri, I (IS) 76 D2
Cerrina (AL) 32 B3
Cerrione (BI) 20 D2
Cerrisi (CZ) 105 A1
Cerrito, Masseria (BR) 95 B1
Cerrito Piano, Colle (ROMA) 74 C2
Cerro al Lambro (MI) 22 F2
Cerro (AQ) 69 F4
Cerro a Volturno (IS) 76 F1-2
Cerro Balestro (GR) 59 D4
Cerro Balestro, Poggio (GR) 59 D4
Cerro, Casa (GR) 66 B3
Cerro, Forca di (PG) 68 A3
Cerro, Il (FR) 82 A3
Cerro Maggiore (MI) 21 C4
Cerro, Monte del (IS) 76 D3
Cerrone, Monte (PG) 56 F1
Cerrone (VC) 20 F2
Cerro, Passo del (PC) 34 E3
Cerro (PG) 62 F1
Cerrosecco, Taverna (CB) 77 E2-3
Cerro Tanaro (AT) 32 D3-4
Cerro (VA) 8 F4
Cerro Veronese (VR) 25 D1
Cersosimo (PZ) 98 C3
Cersuta (PZ) 97 D2
Certaldo (FI) 53 E3
Certalto (PS) 55 C4
Certamussat [F] 40 A1-2
Certano, Fiume 56 F1
Certardola (MS) 45 E3
Certénoli (GE) 44 C2

Certica (AR) 54 D3
Certignano (AR) 54 E3
Certosa (BO) 47 A2
Certosa di Pavia (PV) 22 F1
Certosa di Pésio (CN) 41 D2-3
Certosa di Pisa (PI) 52 D3-4
Certosa di Vedana (BL) 14 D3
Certosa (FE) 37 E3
Certosa (FI) 53 D4
Certosa (Karthaus) (BZ) 2 D2
Certosa, La (VV) 105 F1
Certosa, La (LU) 52 B3
Certosino (PR) 36 DE1
Cerusa, Fiume 43 B1
Cerva (CZ) 105 A4
Cervandone, Monte (VB) 8 B2
Cerva (NO) 8 F1
Cervano, Fiume 14 F4
Cervara (AP) 69 A4
Cervara (MS) 45 C1
Cervara (PG) 63 F1
Cervara (PR) 35 DE4
Cervara, Torre (ROMA) 73 C3
Cervarese Santa Croce (PD) 26 E1
Cervarezza (RE) 45 C4
Cervaro, Borgo (FG) 85 B2
Cervaro, Campo (TV) 27 A2
Cervaro, Fiume 84 B2
Cervaro, Fiume 85 C2
Cervaro, Fiume 85 E4
Cervaro, Forcella di (FR) 82 B3
Cervaro (FR) 82 B3
Cervarola, Monte (MO) 46 E3
Cervarolo (RE) 46 D1
Cervarolo (VC) 8 F2
Cervaro, Monte (IS) 76 F1-2
Cervaro, Monte (PZ) 85 F2
Cervaro (TE) 69 C4
Cervasca (CN) 41 B1
Cervati, Monte (SA) 97 A1
Cervatto (VC) 8 F2
Cervellino, Monte (PR) 45 B2-3
Cervello, Cozzo (CS) 101 D4
Cerveno (BS) 11 E3
Cerventosa, Passo di (AR) 61 B3
Cervere (CN) 31 F4
Cerveeina (PV) 33 B4
Cerveteri (ROMA) 72 C4
Cerveyrette, Fiume 30 C1
Cervialto, Monte (AV) 90 B2
Cervia (RA) 49 E2
Cervia, Saline di (RA) 49 DE1
Cervi, Case (RE) 36 E2
Cervcati (CS) 101 B4
Cervidone (MC) 63 A3
Cerviéres [F] 30 C1
Cerviero, Monte (CS) 98 E1
Cervgliano, Monte (SA) 89 C2
Cervignano d'Adda (LO) 22 E3
Cervgnano del Friuli (UD) 28 C4
Cervi, Grotta dei (LE) 100 C4
Cervi, Monte dei (PA) 110 F3
Cervinara (AV) 83 F3
Cervinasco (CN) 31 E2
Cervinia, Punta (Hirzer/Sp.) (BZ) 3 D1
Cervnino (GE) 83 F2
Cervino, Monte (AO) 7 E2
Cervio, Fiume 10 D4
Cervo (BI) 20 B2
Cervo, Capo (IM) 51 C3
Cervo, Fiume 20 E4
Cervo, Fiume 51 C3
Cervognano (SI) 61 D2
Cervo (IM) 51 C3
Cervo, Pizzo (PA) 109 E3
Cervotto (TO) 32 A2
Cerzeto (CS) 101 C4
Cerzito, Monte (SA) 90 F3
Cerzullo, Cozzo (CS) 103 D2
Cesa (AR) 61 B1-2
Cesa (BL) 14 E3
Cesa (CE) 83 F1
Cesacástina (TE) 69 C3
Cesaiavutti, Monte (CE) 82 B4
Cesana Brianza (CO) 22 A2
Cesana Torinese (TO) 30 B1
Cesano (AN) 57 D1
Cesano Boscone (MI) 21 E4
Cesano, Fiume 56 E4
Cesano Maderno (MI) 22 C1
Cesano (ROMA) 73 B1
Cesano, Stazione di (ROMA) 73 B1
Cesano (TE) 69 A4
Cesaproba (AQ) 69 D2
Césara (VB) 8 F3
Cesaracchio (PZ) 91 C2-3
Cesarano (CE) 83 E1-2
Cesare, Masseria De (FG) 78 D2
Cesari [YUI] 29 E3
Cesáriis (UD) 16 D3
Cesaró (ME) 112 F1
Cesarolo (VE) 28 D2
Cesaro, Monte (PA) 109 D1
Cesate (MI) 21 C4
Ceschiatis, Sella di (UD) 16 B4
Cesclans (UD) 16 D2
Cesco Alto, Monte (AV) 83 F3
Cesco, Monte (BN) 83 D3
Cese (AQ) 69 E2
Cese (AQ) 74 B4
Ceselli (PG) 68 B3
Cesena (FO) 49 F1
Cesenatico (FO) 49 E2
Cesen, Monte (TV) 14 F2
Ceserano, Fiume 46 F1
Ceserano (MS) 45 E2
Cesi (MC) 63 E1
Césima, Monte (CE) 82 C3
Cesinali (AV) 89 A3-4
Cesine, Masseria (LE) 95 E4
Césio (IM) 41 F4
Cesiomaggiore (BL) 14 E2
Cesiominore (BL) 14 E2
Cesi (TR) 68 C2
Cesnola (TO) 19 C4
Cesole (MC) 63 BC3
Cesole (MN) 36 C3
Césoli (AQ) 75 C3
Ceson, Monte [YUI] 29 A3
Cesovo (BG) 23 B4
Cessalto (TV) 27 C3
Cessaniti (VV) 104 E3
Cessapalombo (MC) 63 D3
Cessole (AT) 32 F3
Cessuta, Lago (SA) 97 A3
Cesta (FE) 38 D2
Cesta, La (BL) 4 F3
Cestina, Fiume 47 E4
Cesto, Botro 54 E2
Cesto (NO) 21 D1
Cesuna (VI) 25 AB4
Cesure (MC) 63 E1
Cesurette, Forcella (BL) 14 C1-2
Cetara (SA) 89 D3
Cet (BL) 14 E4
Ceto (BS) 11 E3
Cetona, Monte (SI) 61 E2
Cetona (SI) 61 E2
Cetraro (CS) 101 C3
Cetta (IM) 41 F3
Ceva (CN) 42 C1
Ceva, Monte (PD) 26 F2
Cevedale,. Monte (Zufall/SP) (BZ) 1 F4
Cevedale, Passo di (BZ) 1 F4
Cevedale, Rifugio di (TN) 2 F1
Céves (BZ) 3 B2
Cévio [CH] 9 B1
Cevo (BS) 11 E4
Cevola (PR) 45 A4
Cevo (SO) 10 D3
Cévoli (PI) 52 E4
Cezza (CT) 121 C2
Chabaud (TO) 30 C2
Chaberton, Monte [F] 30 B1
Chabodey (AO) 18 A4
Chabriere, Rifugio (TO) 30 A2
Chajol, Monte [F] 41 E1-2
Chalais [CH] 7 B2
Chalamy, Fiume 19 B3
Chalchagn, Piz [CH] 11 A1
Chalets de Bise [F] 6 A1
Chalets de La Medille [F] 30 D2-3
Chalets des Ayes [F] 30 C1
Chaligne, Punta (AO) 19 A1
Challand (AO) 19 B4
Chalp, La [F] 30 D1
Chalp, La [F] 30 E2
Chalps, Les [F] 30 C1-2
Chalvet [F] 30 D2
Chambave (AO) 19 A3
Chambeyron, Aiguille de [F] 30 F1-2
Chambeyron, Monte (CN) 30 F2
Chambeyron, Refuge de [F] 30 F1-2
Cham de praz (AO) 19 B3
Chamencon (AO) 18 B4
Chamoille [CH] 6 D3
Chamois (AO) 7 F2
Chamonix Mont/Blanc [F] 6 E1
Chamonix, Val de [F] 6 E1-2
Chamoson [CH] 6 C3
Champagny [F] 18 C1
Champer, Lago di [CH] 10 A4
Champéry [CH] 6 C1-2
Champex [CH] 6 D3
Champex, Val [CH] 6 D3
Champfér [CH] 10 A4
Champlan [CH] 7 B1
Champlas du Col (TO) 30 B2
Champlas Seguin (TO) 30 B2
Champlong (AO) 19 A3
Champlong (AO) 19 B2
Champoluc (AO) 7 F2-3
Champorcher (AO) 19 B3
Champsec [CH] 6 D4
Champsil (AO) 20 A1
Chanavey (AO) 18 BC4
Chandolin [CH] 6 B4
Chandolin [CH] 7 B2
Chandonne [CH] 6 D3-4
Chanrion, Cab. de [CH] 7 E1
Chapelles, Les [F] 18 B1-2
Chapelue, La [F] 30 D1
Chapieux, Les [F] 18 A2
Chapisun Piz [CH] 1 C1-2
Charbonel, P.te du [F] 18 E3-4
Chardonnet, Lac du [F] 18 C2
Chardonnex, Aigle Du [CH] 6 E2-3
Chardonney (AO) 19 B3
Charlet, Refuge [F] 6 E2
Charniers, Rochers [F] 30 B1
Charny, Le [F] 6 C1
Charrat /Vison /Chenes [CH] 6 C3
Chartrian (AO) 7 F1-2
Charvensod (AO) 19 A1-2
Charvet, Grande [F] 30 B1
Charvie Cime de la [F] 30 C1
Chastellar, Refuge de [F] 40 D3
Chastelonnette [F] 40 D1
Chastillon, Refuge de [F] 40 D3
Chastillon, Vallon de [F] 40 D3
Chataignère (AO) 19 B4
Château (AO) 19 B3
Château Des Dames (AO) 7 E2
Châteauneuf de Contes [F] 50 CD1-2
Châteauneuf d'Entraunes [F] 40 D1
Château Queyras [F] 30 D1
Châtelair (AO) 6 F4
Châtelard [F] 18 B2
Châtelard P.te du [F] 18 E3
Châtel [F] 6 D1-2
Chatelet [CH] 6 D3
Châtel, Le [CH] 6 B3
Châtel, Le [F] 18 E2
Châtillon (AO) 19 A3
Chaudanne, La [F] 18 D1
Chauffé Mont [F] 6 A1
Chaux, Les [CH] 6 B3
Chavalard, Grand [CH] 6 C3
Chavonnes, Lac de [CH] 6 A3
Checchia, Masseria (FG) 78 F1
Chedina, Rifugio (TN) 12 DE2-3
Chelbi (TP) 116 A3
Chemin [CH] 6 D3
Chemonal (AO) 19 A4
Chénaille, Monte (AO) 6 F4
Chenal [F] 18 C3
Chéradi, Isole (TA) 93 E4
Cherarsco (CN) 31 F4
Chéremule (SS) 129 C1
Cherina, Nuraghe sa (SS) 129 AB3
Chermignon d'en Haut d' enbas [CH] 7 B1
Chero, Fiume 34 E4
Chero, Fiume 35 D1
Chero (PC) 35 D1
Chersogno, Monte (CN) 30 F2-3
Cherubine (VR) 37 B2
Chervoi [YUI] 29 F2
Chésey P.te de [F] 6 B1
Chésio (VB) 8 F3
Chessel [CH] 6 A2
Chesta (CN) 30 F4
Cheval Blanc Le [F] 6 D1-2
Cheverel (AO)18 A4
Cheville, Pas de [CH] 6 B4
Chevrere (AO) 19 B1
Chevril, L. du [F] 18 C3
Chevril, Le [F] 18 C3
Chezal (TO) 30 B2
Chez (AO) 19 A2-3
Chez (BL) 4 F1
Chiabrano (TO) 30 C3-4
Chiabreri (CN) 40 A4
Chia (CA) 135 F2
Chiadin, Monte (BL) 5 E2
Chiafele, Masseria (TA) 94 B1
Chiaiamari (FR) 75 F1
Chiaia (NA) 88 C1
Chiaiano (NA) 88 A3
Chiaicis (UD) 15 B4
Chiáio (CE) 83 D1
Chiaiolella (NA) 88 C2
Chialambertetto (TO) 19 E1
Chialamberto (TO) 19 E1
Chialina (UD) 5 F3
Chialvetta (CN) 40 A2
Chiamório (TO) 19 E2
Chiampetto (TO) 19 F1
Chiampo (VI) 25 D3
Chiampón, Monte (UD) 16 D3
Chianacce (AR) 61 C2
Chiana, Fiume 61 C2
Chianale (CN) 30 E3
Chiana, Val di (AR) (SI) 61 ABCD2
Chianca, Isola (FG) 79 C3
Chiancarelle (LT) 81 C2
Chiancarello, Masseria (TA) 93 C4
Chiancaro, Monte (BA) 92 A4
Chiancata, La (FG) 85 A2-3
Chiancatello, Poggio (CT) 120 F2
Chianca, Torre (LE) 95 D3
Chianca, Torre (LE) 95 F1
Chianche (AV) 83 F4
Chianche (BA) 86 D4
Chianciano (SI) 61 D2
Chianciano Terme (II) 61 D1
Chianconcello, Monte (FG) 79 D3
Chiancone, Monte (FG) 84 A3
Chiandarens (UD) 15 B2
Chianello, Monte (SA) 90 F2-3
Chiani (AR) 54 F4
Chianni (PI) 52 F4
Chianni, Pieve a (SI) 53 E2
Chianocco (TO) 18 F4
Chianti, Fiume 67 A3
Chianti, Monti del (SI) 54 F2
Chiantino, Croce di (SI) 60 B3-4
Chianti (SI) 54 F1-2
Chianzutan, Sella (UD) 15 C4
Chiapili di Sopra/di Sotto (AO) 18 D4
Chiapovano, Vallone di [YUI] 29 A2-3
Chiappa (GE) 43 CD4
Chiappa, Punta (GE) 43 CD4
Chiapparolo (AL) 33 F3
Chiappera (CN) 40 A2
Chiappi (CN) 40 B3
Chiappino (AL) 42 A4
Chiappino (LI) 52 F3
Chiappo, Monte (PV) 34 F1
Chiappozzo, Monte (GE) 44 C3
Chiapuzza (BL) 4 F3
Chiaramonte Gulfi (RG) 123 B3
Chiaramonte, Poggio (GR) 60 E2
Chiaramonti (SS) 126 F2
Chiaranda, Casa (CL) 123 A1
Chiaranda (UD) 16 C3
Chiarano (TV) 27 BC3
Chiara, Rifugio (CN) 41 D2
Chiara (TO) 19 C4
Chiaravalle (AN) 57 E2
Chiaravalle Centrale (CZ) 105 E2
Chiaravalle di Colomba (PC) 35 D2
Chiaravalle Milanese (MI) 22 E1-2
Chiareggio (SO) 10 B4
Chiarelli, Villa (PA) 108 D4
Chiarello, Pizzo (PA) 109 E4
Chiarentana (SI) 61 E1
Chiarescons, Monte (PN) 15 C2
Chiari (BS) 23 D2
Chiarini (AP) 64 F2
Chiarini (BS) 24 E1
Chiarmacis (UD) 28 C2-3
Chiaro, Fiume 63 B4
Chiaromonte (PZ) 98 C2
Chiarone (PC) 34 D2 3
Chiarone, Stazione di (GR) 66 E2
Chiarzo, Fiume 5 F4
Chiarzò, Fiume 15 C3
Chiáscio, Fiume 62 C3
Chiaserna (PS) 56 F2
Chiasiellis (UD) 28 B3
Chiasottis (UD) 28 A4
Chiassa (AR) 55 F1
Chiassaia (AR) 54 E3
Chiassa, Ponte alla (AR) 54 F4
Chiasso (CO) 21 A4
Chia, Stagno di (CA) 135 F2
Chiastre (PR) 45 B2
Chiatona (TA) 93 E3
Chia, Torre (CA) 135 F2
Chiatri (LU) 52 B3
Chiáuci (IS) 76 F3
Chiáulis (UD) 5 F4
Chiaulis (UD) 15 B4
Chiavals, Monte (UD) 16 BC3-4
Chiavano, Forca di (PG) 69 B1
Chiavano (PG) 69 B1
Chiavari (GE) 44 D2
Chiavazza (BI) 20 C2
Chiavelli (PA) 109 D3
Chiavenna, Fiume 35 C1
Chiavenna Landi (PC) 35 C1
Chiavenna, Rifugio (SO) 10 B2
Chiavenna Rocchetta (PC) 35 E1
Chiavenna (SO) 10 B2
Chiaverano (TO) 20 D1
Chiaveretto (AR) 55 E1
Chiáves (TO) 19 E2
Chiaviche, Le (MN) 36 C3
Chiaviche Roncagalli (RO) 38 C2
Chiavicone (PD) 38 A1
Chiavicone (RO) 37 D4
Chiavi, Le (SI) 61 F1
Chiavolino (BI) 20 C2
Chia (VT) 67 D4
Chiazzale (CN) 30 F2
Chiazzano (PT) 53 B2
Chibbò, Monte (PA) 119 BC1
Chibbò Nuovo (PA) 119 B1
Chiecco, Poggio Al (GR) 59 E2-3
Chiénes (Kiens) (BZ) 3 C4
Chienis (TN) 25 A1
Chienti, Fiume 63 D2 64 B2
Chientina (PI) 52 E4
Chieri (TO) 31 B4
Chiesa Bianca (PR) 35 F1
Chiesa (BL) 14 C3
Chiesa, Bric della (CN) 42 A2
Chiesa (BS) 24 D1-2
Chiesa (CN) 30 F3
Chiesa di Civitate (FG) 78 E1
Chiesa in giù (GR) 66 A2
Chiesa in Valmalenco (SO) 10 C4
Chiesa (ME) 112 E4
Chiesa (VB) 8 B3
Chiesa Nuova (BL) 14 F1
Chiesanuova di San Vito (MC) 63 B3-4
Chiesa Nuova (FE) 37 E3-4
Chiesanuova (FI) 53 D4
Chiesanuova (GE) 44 C2
Chiesanuova (LE) 100 C1
Chiesa Nuova (LT) 81 A1
Chiesa Nuova (RA) 48 B2
Chiesa Nuova (RI) 68 D3
Chiesanuova (TO) 19 D3
Chiesa Nuova (TP) 108 E2
Chiesanuova (VE) 27 D3
Chiesa, Pian della (GE) 44 B1
Chiesa (RA) 48 C4
Chiesa, Rifugio (TN) 24 B4
Chiesa (RO) 38 D1-2
Chiesa (RO) 38 D4
Chiesa (SP) 44 E4
Chiesa (SV) 42 E1
Chiesa, Toppa della (BN) 84 C1
Chiesa, Torre (CS) 98 F3
Chiesa (VC) 8 F2
Chiesazza (PD) 37 B4
Chies d' Alpago (BL) 15 D1
Chiese, Fiume 12 E1 24 A2
Chiesina (BO) 46 E4
Chiesina Uzzanese (PT) 53 C1
Chiesola (PR) 44 B3
Chiesol del Fosso (FE) 37 E4
Chiesone (VR) 37 B1
Chiessi (LI) 58 E1
Chiesuola (BS) 23 F3
Chiesuola (RA) 48 D4
CHIETI 71 E1
Chieti Scalo (PE) 70 E4
Chieve (CR) 22 F4
Chieve (SA) 89 C4
Chievo (VR) 24 E4
Chiéuti (FG) 78 D1
Chieúti, Stazione di (FG) 78 C1
Chiévolis (PN) 15 C3
Chifente, Fiume 64 F2
Chifenti (LU) 52 A4
Chiggiato, Rifugio (BL) 4 F4
Chiggiogna [CH] 9 A2
Chigiano (MC) 63 B2
Chignolo d' Isola (BG) 22 C4
Chignolo Po (PV) 34 B3
Chilivani (SS) 129 B2
Chimienti, Villa (LE) 95 D2
Chioano (PG) 68 A1
Chiocchio (FI) 53 E4
Chiocciolaio (GR) 65 A3
Chioda, Monte (FO) 48 F2
Chiodi Masseria i (LE) 95 F1
Chiodo, Punta del (SO) 1 F3-4
Chioggia, Porto di (VE) 39 A1
Chioggia (VE) 39 A1
Chiomonte (TO) 30 A3
Chiona, Fiume 62 E3
Chionea (CN) 41 E4
Chions (PN) 27 AB4
Chiosetto [CH] 9 C2
Chioso (VB) 8 B3
Chiostra, La (PI) 59 A3
Chiotti (CN) 41 BC1
Chiotti (CN) 41 C1
Chiotti (TO) 30 C4
Chiout, Fiume 16 C4
Chiozza (RE) 46 A3
Chiozzola (PR) 36 E1
Chippis [CH] 7 B2
Chirchia, Pizzo di (AG) 118 C2-3
Chirica, Monte (ME) 111 AB3
Chirignago (VE) 27 E1
Chiro, Casa (FG) 78 D3
Chironico [CH] 9 A2
Chirò, Masseria (FG) 78 D2
Chisari, Masseria (CT) 121 C1
Chisola, Fiume 31 C2
Chisone, Fiume 30 B3 31 C1
Chisone, Valle del (TO) 30 BC2-3-4
Chitignano (AR) 55 D1
Chiuduno (BG) 23 C1
Chiugiana (PG) 62 D1
Chiulano (PC) 34 E3-4
Chiuppano (VI) 25 B4
Chiuro (SO) 11 D1
Chiusa di Pésio (CN) 41 C3
Chiusa Ferranda (PR) 35 D3
Chiusaforte (UD) 16 C4
Chiusa (Klausen) (BZ) 3 E2-3
Chiusa, La (FI) 53 B4
Chiusa, La (RA) 48 C4
Chiusa, Masseria La (PA) 109 E1-2
Chiusanico (IM) 41 F4
Chiusano d' Asti (AT) 32 C2
Chiusano di San Domenico (AV) 89 A4
Chiusano (PV) 33 D4
Chiusa, Osteria alla (TN) 13 C3
Chiusa (RC) 115 B2
Chiusa San Michele (TO) 31 A1
Chiusa Sclafáni (PA) 117 B4
Chiusavecchia (IM) 41 F4
Chiusa Viarola (PR) 35 D3
Chiusdino (SI) 60 C1
Chiusella, Fiume 19 C4
Chiusi Chianciano Terme, Stazione di (SI) 61 E2
Chiusi della Verna (AR) 55 D1
Chiusi, Lago di (SI) 61 D2
Chiusi (SI) 61 E2
Chiusita (MC) 63 F1
Chiusita, Ponte di (PG) 63 F1
Chiuso (LC) 22 A3
Chiusola (SP) 44 D4
Chiusure (SI) 60 C4
Chivasso (TO) 20 F1
Chizzola (TN) 25 B1
Chizzoline (BS) 24 D2
Chomole, Lago di (AO) 19 B1
Chorio di San Lorenzo (RC) 114 E3
Chosalets, Les [F] 6 DE2
Chàble, Le [CH] 6 D3-4
Ciabattu (SS) 127 C1
Ciabaudo (IM) 51 C1
Ciabra, Colle della (CN) 40 A4
Ciacci, Casino (BA) 87 F3-4
Ciaculli (PA) 109 D3
Ciadra [YUI]17 E3
Ciaô Pais, Rifugio (TO) 30 B2
Ciagola, Monte (CS) 97 E3-4
Ciago (TN) 12 E4
Cilancia, Cima (CN) 40 C4
Cialancia, Punta (TO) 30 C3-4
Cialla (UD) 17 F1
Cialma, La (TO) 19 D2
Ciamarella, Uia di (TO) 18 E4
Ciambra (Villa) (PA) 109 D2-3
Ciampedie, Rifugio (TN) 13 B4
Ciampinoi (BZ) 3 F4
Ciampino (ROMA) 73 DE3
Ciana, Torre della (GR) 65 E4
Ciancamitì (VV) 104 E2
Cianciana (AG) 118 C1-2
Ciane, Fiume 124 B3
Cianna Vera (BN) 84 C1-2
Ciano (CZ) 104 E4
Ciano d' Enza (RE) 46 A1
Ciano (MO) 47 C1
Ciano (TV) 26 B4
Cian, Punta (AO) 7 F2
Ciantiplagna, Monte (TO) 30 AB3
Ciapela, Malga (BL) 14 B1-2
Ciapel, Monte (CN) 40 C4
Ciapé, Pizzo (VB) 8 D2
Ciappanico (SO) 10 C4
Ciappulla (EN) 120 A2
Cia Punta (TO) 19 D2
Ciaramella (AN) 63 A1
Ciarforon (AO) 19 C1
Ciaricelli, Villa (TE) 70 D2
Ciarleta, Casa (FG) 85 C4
Ciastellin, Monte (BL) 4 F4
Ciaudierona, Monte (BL) 4 F3
Ciaudon, Testa (CN) 41 D2
Ciaurlec, Monte (PN) 15 D3
Ciaval, Monte (CN) 40 C2
Ciavolo (TP) 116 A3
Ciazze, Le (GE) 43 A1

Cibali (CT) 121 C1
Cibario, Rifugio (TO) 18 F4
Cibeno (MO) 36 E4
Cibóttola (PG) 61 E4
Cibiana di Cadore (BL) 14 B4
Cibiana, Forcella (BL) 14 B4
Cicagna (GE) 44 C1
Cicala (CZ) 105 A2
Cicalda, Casa (ME) 111 E4
Cicalesi (SA) 89 C2
Ciccalento, Ponte (FG) 78 F4
Ciccia, Monte (ME) 113 B2-3
Cicciano (NA) 83 F3
Cicci, Masseria li (BR) 94 E4
Ciccobriglio (AG) 119 F1
Cicconi (MC) 63 D2
Cicengo (AL) 32 B2 3
Cicerale, Monte (SA) 90 F2
Cicerale (SA) 90 F2
Cicerata, Cocuzzo (PA) 110 D3
Cicerone, Tomba di (LT) 81 D4
Cicese (RO) 38 C3
Cichero (GE) 44 C2
Ciciano (SI) 59 C4
Cicignano (RI) 68 E1-2
Ciciliano (ROMA) 74 C1-2
Cicillanu, Bruncu (CA) 136 B2-3
Ciclopiche, Mura (LT) 81 D1
Ciclopi, Isole (CT) 121 C2
Ciclopi, Riviera dei (CT) 121 BC2
Cicónio (TO) 19 E4
Cicogna (AR) 54 E3
Cicogna, Cantoniera (ME) 111 F4
Cicogna, Colle (AQ) 69 F4
Cicogna, Fiume 14 E4
Cicognaia (AR) 55 C3
Cicogna (VB) 8 E4
Cicognara (CR) 36 D1
Cicogna (VI) 37 A4
Cicogni (PC) 34 DE2
Cicognola (LC) 22 B3
Cicognolo (CR) 35 B4
Cicola (BG) 23 C1
Cicolano (RI) 69 F1
Ciconicco (UD) 16 F3
Cicoria, Masseria (PZ) 91 A3
Cicio, Monte (PA) 109 E4
Cicuta Nuova (CL) 119 E2
Cicuta Vecchia (CL) 119 D2
Cidró, Monte (CA) 134 A3
Ciáccia, Villa (FG) 78 E1
Ciárdes (Tschars) (BZ) 2 DE2
Cifalco, Monte (FR) 82 A2
Cifalino (SR) 124 B3
Cifolo Monte (CS) 97 D3
Cigarello (RE) 46 C2
Ciggiano (AR) 61 A1
Cighino [YUI] 17 E2
Cigliano, Canale di 20 E3
Cigliano (FI) 53 D4
Cigliano (FI) 54 C3
Cigliano, Masseria (TA) 94 C1
Cigliano (MC) 64 C1
Cigliano, Monte (FG) 84 C4
Cigliano (VC) 20 E2
Ciglie Rocca (CN) 41 B4
Ciglione (AL) 32 F4
Ciglié (CN) 41 B4
Cignana, Lago di (AO) 7 F2
Cignano (AR) 61 C2
Cignano (BS) 23 F3
Cignano (FI) 48 F1
Cignano (PC) 35 C2
Cignato (FI) 47 F4
Cigno, Fiume 77 F3
Cigno (FO) 55 B1
Cignolo (PV) 34 E1
Cigno, Monte (BN) 83 C3
Cignone (CR) 23 F2
Cignoni, Fermata (NU) 132 C3
Cigole (BS) 23 F3-4
Cigoli (PI) 53 D1
Cilavegna (PV) 21 F2
Ciliano (SI) 61 C1
Cillo, Toppo di (PZ) 91 B1
Cimabanche (BL) 4 E2-3
Cima Canale (BL) 5 E1
Cima, (CO) 9 E3-4
Cima Colle di Coppi (RI) 74 B1
Cima delle Anime (Seelenkogl) (BZ) 2 C3
Cima di Bo (BI) 20 B2
Cima Dieci, Zehner/Spitze (BZ) 4 E1
Cimadolmo (TV) 27 B2
Cimadomo (BA) 86 D4
Cimadors Alto (UD) 16 C3
Cimafava (PC) 35 D1
Cimaferle (AL) 42 A4
Cima Forca (Gabelspitze) (BZ) A2
Cima Forestale (CS) 102 D4
Cimaganda (SO) 10 B1
Cima Gogna (BL) 4 F4
Cima, La (VB) 8 D4
Cimalmotto [CH] 8 B4
Cimamonte, Monte (TR) 67 C4
Cima, Monte (TN) 13 E3
Cima, Mont [F] 50 C1
Cimapiásole (TO) 19 E3
Cimarane, Monte (AQ) 74 B4
Cimarella, Villa (MC) 63 B4
Cima Sappada (BL) 5 E2
Cimata delle Serre (ROMA) 74 B1
Cimavalle (SV) 42 C4
Cimbergo (BS) 11 E4
Cimbro (VA) 21 B2
Cime Bianche, Colle sup. delle (AO) 7 E2
Cimego (TN) 12 F1
Cimena (TO) 31 A4
Cimetta, Colle (FR) 74 D3-4
Cimetta (TV) 27 A2
Ciminá (RC) 115 C1
Cimini, Monti (VT) 67 E3
Ciminna (PA) 109 F4
Cimino, Masseria (TA) 94 E1
Cimino, Monte (VT) 67 E3
Cimitero Americano (FI) 53 D4
Cimitero Canadese (CH) 71 E2
Cimitero Inglese (CH) 71 F3
Cimitero Militare Americano (ROMA) 80 B2
Cimitero Militare Britannico (FR) 82 B2
Cimitero Militare Britannico (ROMA) 80 B2
Cimitero Militare Tedesco (ROMA) 73 F2
Cimiti, Capo (KR) 106 B3
Cimitile (NA) 89 A1
Cimmo (BG) 23 C3
Cimoláis (PN) 15 C1
Cimoliana, Fiume 15 C1
Cimon di Val Moena (TN) 13 D3
Cimone, Il (VC) 8 F1
Cimone, Il (VI) 13 F3
Cimone, Monte (MO) 46 E3
Cimone, Monte (TV) 14 F4
Cimone, Monte (UD) 16 C4
Cimone, Monte (VI) 25 B4
Cimone (TN) 12 F4
Cimon, Monte (BL) 14 C4
Cimon, Monte (TN) 13 F1
Cimon, Monte (TV) 14 F2-3
Cimpello (PN) 27 A4
Cincelli (AR) 54 F4
Cinciano (SI) 53 F4
Cinecittà (ROMA) 73 D3
Cinelli, Casale (VT) 67 F1-2
Cineto Romano (ROMA) 74 B2
Cineto Romano, Stazione di (ROMA) 74 B2
Cináglio (AT) 32 C2
Cingia de' Botti (CR) 35 BC4
Cingino, Lago (VB) 8 D1
Cingla, Monte (TN) 24 B2
Cingoli (MC) 63 A3
Cingolina (PD) 26 F1-2
Cinigiano (GR) 60 F3
Cinisello Balsamo (MI) 22 CD1-2
Cinisi (PA) 109 C1
Cino, Fiume 102 B3
Cino (SO) 10 D2
Cinquale (MS) 52 A1
Cinquanta (BO) 47 A3
Cinque Archi, Ponte (CL) 119 DC2-3
Cinquecerri (RE) 45 D4
Cinque Croci, Passo (TN) 13 D3
Cinque Denti, Cala (TP) 116 E1
Cinque Faggi, Madonna dei (PG) 55 F4
Cinquefrondi (RC) 115 A1
Cinquegrana (CT) 120 D2-3
Cinquemiglia, Piano di (AQ) 75 D4
Cinque Querce, Monte (PG) 62 E2
Cinque Terre (SP) 44 EF4
Cinque Torri, Rilugio (BL) 4 F2
Cinta, La (NU) 127 F4
Cintano (TO) 19 D3
Cintello (VE) 28 C1
Cinte Tesino (TN) 13 E3
Cinto Caomaggiore (VE) 27 B4
Cinto Euganeo (PD) 38 A1
Cintoia (FI) 53 C4
Cintoia (FI) 54 E1
Cintola, Croda della (BZ) 2 B4
Cintola, Torre (BA) 87 B3-4
Cintolese (PT) 53 C1-2
Cinto (VI) 25 D3
Cinuos/Chel [CH] 1 D1
Cinzano (TO) 32 B1
Cioccale (AL) 33 E4
Ciochi [YUI] 29 B4
Ciociaria (FR) 74 E2-3-4
Cioffi (SA) 90 E1
Ciola Araldi (FO) 55 A3
Ciola Corniale (RN) 55 A4
Ciola (FO) 48 E3
Ciola (FO) 55 AB2
Ciol di Sass, Cima (PN) 15 C1-2
Ciolino (CL) 119 B2
Ciommi (CH) 76 A3
Ciorani (SA) 89 B3
Ciorlano (CE) 82 B4
Ciorneva, Monte (TO) 19 E1
Ciotti, Casa (VT) 67 E4
Cipolla, Casa (CZ) 103 F3
Cipolla, Cocuzzo (CL) 119 E2
Cipollaie (CR) 35 A4
Cipollaio, Galleria del (LU) 45 F4
Cipollazzo, Poggio (EN) 120 B3
Cippata (VB) 8 C3
Cippei, Monte (CO) 9 F4
Cipressa (IM) 51 C1-2
Cipressi (PE) 70 D3
Cipresso, Poggio (SI) 60 C3
Cipresso (TO) 31 B4
Ciraldo, Cappella P. (CT) 120 A3
Cirami, Monte (AG) 117 C3
Cirano (BG) 23 A2
Cirasa, Portella (ME) 111 F3
Circello (BN) 84 C1
Circe (LT) 81 D1
Circeo, Monte (LT) 81 D1
Circeo, Parco Nazionale del (LT) 80 C4
Circhina, Passo di [YUI] 17 F4
Cirdu, Stagno (CA) 134 D3
Cireggio (VB) 8 F3
Cireglio (PT) 53 A2
Cirella (CS) 101 A2
Cirella, Isola di (CS) 101 A2
Cirella, Punta di (CS) 97 F3
Cirella (RC) 115 C1
Cirella Vecchia (CS) 101 A2
Cirello (RC) 114 B3
Cirò Marina (KR) 103 D3
Cirò (KR) 103 D3
Ciriano (PC) 35 D1
Ciriè (TO) 18 E4
Ciriè, (TO) 19 F3
Cirifoddi, su (CA) 135 C2
Ciriga, Punta (RG) 124 E1-2
Cirigliano (MT) 92 F1
Cirignano (BN) 83 E3
Cirignano (FI) 53 A4
Cirimido (CO) 21 B4
Cirina, Pizzo (PA) 109 D2
Cirone, Passo (MS) 45 C2
Cirras, Fiume 132 F4
Cirvoi (BL) 14 E4
Cisano Bergamasco (BG) 22 B3
Cisano sul Neva (SV) 42 E2
Cisano (VR) 24 D3
Cisa, Passo della (PR) 45 B2
Ciserano (BG) 22 C4
Cisigliana (MS) 45 D2-3
Cislago (VA) 21 C4
Cislano (BS) 23 B3
Cisliano (MI) 21 D4
Cismon del Grappa (VI) 13 F4
Cismon, Fiume 13 E4
Cismon, Monte (BL) 14 F1
Cismon Val (TN) 14 D1
Cison di Valmarino (TV) 14 F3
Cisore (VB) 8 D2
Cispini, Fiume 131 B4
Cissone (CN) 42 A1
Cistella, Monte (VB) 8 C2 3
Cisterna, Bric (CN) 32 F2
Cisterna (CE) 83 D1
Cisterna d'Asti (AT) 32 D1
Cisterna di Latina (LT) 74 F1
Cisterna (FR) 75 F2
Cisterna, Timpa (MT) 92 EF2
Cisterna, Torre della (PZ) 85 F2
Cisterna (UD) 15 E4
Cisternino (BR) 94 B2
Cistio (FI) 54 B2
Cis (TN) 12 B4
Cistonaro, Masseria (BR) 94 D3
Cistri, Col di (TN) 14 D1
Citara, Spiaggia di (NA) 88 C1
Citelli, Rifugio (CT) 121 A1
Citerna, Monte (FI) 47 F2
Citerna, Monte (PG) 62 C3-4
Citerna (PG) 55 F2
Cittadella (BO) 47 A4
Cittadella del Capo (CS) 101 B2
Cittadella (PD) 26 C2
Cittanova (MO) 46 A4
Cittanova (RC) 115 B1
Cittanova (VE) 27 C3-4
Cittareale (RI) 69 C1-2
Cittíglio (VA) 9 F1
Città del Pieve (PG) 61 E3
Città del Pieve, Stazione di (PG) 61 E2-3
Città del Vaticano (ROMA) 73 C2
Città di Castello (PG) 55 F3
Città di Castiglia (CS) 102 B4
Città di Fiume Rifugio (BL) 4 F2
Città di Macerata, Rifugio (MC) 63 F3
Città di Milano, Rifugio (BZ) 1 F4
Città Ducale (RI) 68 E4
Città, La (BO) 47 B2
Città, Monte (PN) 14 C4
Città Povera (TP) 108 E2
Città Sant'Angelo (PE) 70 D4
Ciucchetta, La (IS) 76 F2
Ciuchesu (SS) 126 B4
Ciuffenna, Fiume 54 E3
Civago (RE) 46 DE1
Civalleri (CN) 41 B2
Civarina, Monte (VR) (VI) 25 D3
Civate (LC) 22 A2
Civello, Cima (VI) 25 A3-4
Civello (CO) 21 B4
Civenna (CO) 9 F4
Civetta, Casa (FG) 84 B3
Civetta, Monte (BL) 14 B2-3
Civette, Torre (GR) 59 F2
Civé (PD) 38 B4
Civezza (IM) 51 C2
Civiasco (VC) 20 A4
Cividate Camuno (BS) 11 F3
Cividale del Friuli (UD) 17 F1
Cividale di Rivarolo (MN) 36 C1
Cividale (MO) 37 D1
Cividate al Piano (BG) 23 D1
Cividino (BS) 23 C2
Civiglio (CO) 22 A1
Civignola (TO) 32 A1
Civinini, Capanna (GR) 59 F2-3
Civita (AQ) 74 B2
Civitacampomarano (CB) 77 E1-2
Civita Castellana (VT) 67 F4
Civita Castellano-Magliano Sabina, Stazione di (VT) 68 E1
Civita, Colle di (PE) 76 A1
Civita (CS) 98 E3
Civita d'Antino (AQ) 75 D1
Civita di Bagno (AQ) 69 E3-4
Civita, Forca di (PG) 69 B1
Civitaluparella (CH) 76 C3
Civitaluparella, Stazione (CH) 76 C3
Civita (MT) 91 D4
Civitanova Alta (MC) 64 B2
Civitanova di Sagno (IS) 76 F3
Civitanova Marche (MC) 64 B3
Civita (PG) 69 B1
Civita, Punta della (LI) 58 B1-2
Civitaquana (PE) 70 E3
Civitaretenga (AQ) 70 F1-2
Civita Superiore (CB) 83 B2
Civitatomassa (AQ) 69 E2
Civitavecchia (ROMA) 72 B2
Civitavecchia (FR) 75 F2
Civita (VT) 67 C2-3
Civitella Alfedena (AQ) 75 E4
Civitella Benazzone (PG) 62 C2
Civitella Casanova (PE) 70 E3
Civitella Cesi (VT) 67 F2
Civitella d'Agliano (VT) 67 C3
Civitella d'Arno (PG) 62 D2
Civitella de' Conti (TR) 61 F4
Civitella del Lago (TR) 67 B4
Civitella del Tronto (TE) 70 A1
Civitella di Romagna (FO) 55 A1
Civitella in Val di Chiana (AR) 61 A1
Civitella Licinio (BN) 83 C3
Civitella Marittima (GR) 60 E2
Civitella Messer Raimondo [CH] 76 B2
Civitella, Monte (AR) 55 F2
Civitella, Monte di (PG) 68 B4
Civitella, Monte (FR) 74 D4
Civitella, Monte (FR) 81 B3
Civitella, Monte (GR) 66 A4
Civitella, Monte (MC) 63 F1-2
Civitella, Monte (TE) 69 C2-3
Civitella Pagànico, Stazione (GR) 60 E2
Civitella, Poggio (SI) 60 D3 4
Civitella Ranieri (PG) 62 B1-2
Civitella (RI) 69 F2
Civitella (ROMA) 74 B1
Civitella Roveto (AQ) 75 C1
Civitella San Paolo (ROMA) 73 A3
Civitelle, Poggio delle (PG) 62 E2
Civitello, Monte (PG) 62 A2
Civorio (FO) 55 B2
Civo (SO) 10 D3
Civrari, Monte (TO) 19 F1
Cixerri (CA) 134 B4
Cixerri, Fiume 135 B2
Cizzago (BS) 23 E2
Cizzolo (MN) 36 C3
Claino (CO) 9 E3-4
Claï Superiore [F] 40 C2
Clairy, Ponte [F] 18 E2
Clans [F] 40 EF3
Clanzi [YUI] 29 C2
Clapier, Monte [F] 41 E1
Clara H. [A] 4 A3
Claro, Pizzo di [CH] 9 B3
Classe, Pineta di (RA) 49 D1
Clauiano (UD) 28 B4
Claus, Lago di (CN) 40 D4
Clautana, Forcella (PN) 15 C2
Cláut (PN) 15 C1
Clauzetto (PN) 15 D4
Clavais (UD) 5 F3
Clava, La (Kolben/Sp.) (BZ) 2 C4
Clavalite, Fiume 19 B2
Clavalité, Valle (AO) 19 AB2
Clávera, Cima di (BG) 23 A1-2
Clavesana (CN) 41 B4
Claviere (TO) 30 B1
Clea (TO) 30 B3-4
Clèbes [CH] 6 C4
Clegna, Fiume 11 E3
Clemgia, Fiume 1 D3
Cles, Monte di (TN) 12 B4
Cles (TN) 12 B4
Cleto (CS) 101 F4
Cléulis (UD) 5 E4
Cleva (PD) 15 C3
Clibbio (BS) 24 C1-2
Climiti, Monti (SR) 124 A2 3
Clitunno, Fonti di (PG) 62 F4
Clitunno, Tempio del (PG) 62 F4
Clivio (VA) 9 F2
Clódig (UD) 17 E2
Clotes Le (TO) 30 B2
Clotesse, Punta (TO) 30 B1
Cloz (TN) 12 B4
Cludinico (UD) 5 F3
Clusane sul Lago (BS) 23 C2
Clósio (Schleis) (BZ) 1 D4
Clusone (BG) 11 F1
Coa Margine, Monte (CA) 132 F3
Coaraze [F] 50 C2
Coarezza (VA) 21 B2
Coassolo Torinese (TO) 19 E2
Coatti bassa alta (RO) 37 D3-4
Coazhütte [CH] 10 B4
Coazze (MN) 36 D4
Coazze (TO) 31 B1
Coazzolo (AT) 32 E2
Cobale [YUI] 17 F1
Cobbia [YUI] 29 C3
Coca, Pizzo di (BG) 11 E1
Coccaglio (BS) 23 D2
Coccanile (FE) 38 D3
Cocca, Piz (CH) 9 B1
Coccau, di Sopra (UD) 17 B2
Cocche, Le (VR) 24 D4
Coccia, Guado di (CH) (AQ) 76 C1
Cóccia, Masseria (FG) 85 D4
Cóccia, Monte di (CB) 77 C3
Cóccia, Poggio di (VT) 67 F2
Cocciglia (LU) 46 F2
Coccolia (RA) 48 D4
Cóccolo, Masseria (BR) 94 B4
Cocconato (AT) 32 B2
Coccorano (PG) 62 C3
Cóccore (AN) 62 A4
Coccorinello (VV) 104 E2
Coccorino (VV) 104 E2
Coccovello, Monte (PZ) 97 C2-3
Cocetta (AL) 33 C2-3
Cocúmola (LE) 100 C3Cociansi (UD) 17 E1
Cocodain, Passo di (BZ) 4 D2
Cocolicchio (BR) 94 A1
Cocomaro di Cona (FE) 38 E1
Cocomaro di Focomorto (FE) 38 E1
Coco, Monte del (TP) 117 A1
Cocota, Poggio (CT) 120 C3-4
Cócquio (VA) 9 F1
Cocullo (AQ) 75 B3
Cocuzzi, Monte (CZ) 105 F2
Cocuzzo delle Puglie, Monte (SA) 90 F4
Cocuzzolo, Monte (CZ) 105 B2
Cocuzzo, Monte (CS) 101 E4
Cocuzzo, Monte (SA) 97 C2
Coda di Cavallo, Capo (NU) 127 E4
Coda di Volpe, Toppa (PZ) 98 B1
Coda, Punta (SS) 127 B2
Codarda (LT) 81 B1
Codaruina (SS) 126 D2
Coda (VR) 25 D1
Codelago, Lago (VB) 8 B3
Codemondo (RE) 36 F2
Codena (MS) 45 F3
Codera (SO) 10 C2
Codera, Val (SO) 10 C2
Coderno (UD) 15 E4
Codesino (LC) 10 E1-2
Codes, Nuraghe (SS) 129 D1
Codevigo (PD) 38 A4
Codevilla (CN) 41 C4
Codevilla (PV) 33 C4
Codigoro (FE) 38 E4
Codi Monte, Cantoniera (NU) 133 D2
Codi, Monte (NU) 133 D2
Codiponte (MS) 45 E3
Codisotto (RE) 36 D3
Codiverno (PD) 26 E3
Codogna (CO) 9 E4
Codogné (TV) 27 A2
Codogno (LO) 34 B4
Codogno (PR) 44 B4
Codolo (MS) 45 C1
Codovilla (CN) 41 B4
Codrea (FE) 38 E2
Codrignano (BO) 48 D1
Codroipo (UD) 15 F4
Codromaz (UD) 17 F2
Codrongianos (SS) 128 A4
Codroni [YUI] 29 B3
Codugnella (UD) 16 E3
Codula di Luna, Fiume 130 F3
Coduro (PR) 35 E3
Coeli Aula (FI) 53 D3
Coenzo (PR) 36 D1
Coetta, La (VR) 25 E1-2
Coette (VE) 38 B4
Coé, Osteria (TN) 25 A2
Cofano, Golfo di (TP) 108 C2
Cofano, Monte (TP) 108 D2
Coffia (AR) 54 C3
Coggiola (BI) 20 B3
Coghinas, Cantoniera (SS) 126 E3
Coghinas, Lago del (SS) 126 F3
Coghinas (SS) 126 F3
Coghinas, Stazione (SS) 126 E2
Coglians, Monte (UD) 5 E3
Cogliate (MI) 21 C4
Cóglio [CH] 9 C1
Cognas, Les [F] 50 D2
Cogne (AO) 19 B1
Cogne, Val di (AO) 19 B1-2
Cogni, Cima dei [CH] 9 A3-4
Cogno (BS) 11 F3
Cogno (PD) 26 D2
Cogno San Bassano (PC) 34 EF3
Cogno San Savino (PC) 34 F3
Cogolatzu, Nuraghe (NU) 129 E1
Cogoleto (GE) 43 C1
Cogoli (NU) 130 B2
Cogollo del Cengio (VI) 25 B4
Cogollo (RA) 48 C3
Cogollo (VR) 25 D2
Cogolo, Monte (VI) 25 B3
Cógolo (TN) 12 B2
Cogolonchio (PR) 35 E2-3
Cogorno (GE) 44 D2
Cogotis, Monte (CA) 135 E1-2
Cogozzo (BS) 23 C4
Cogozzo (BS) 24 D1-2
Cogozzo (MN) 36 D2
Cogruzzo (RE) 36 E2
Coiano (FI) 53 B3
Coiano (FI) 53 E2
Coi (BL) 14 B3
Cóimo (VB) 8 D3
Coiromonte (NO) 8 F4
Coisano (BZ) 2 E2
Cojamma, Fiume 132 C2
Colacurto, Masseria (BR) 94 B4
Colantónio, Masseria (CH) 76 B4
Colarandazzo, Monte (CT) 112 F3
Colasordo, Serra (AQ) 75 C4
Cola Vecchia, Masseria (BA) 86 D2
Colazza (NO) 21 A1
Colba, La (SS) 126 B4
Colba, Monte (SS) 126 B4
Colbassano (PG) 62 B4
Col Bel (TN) 3 F3-4
Col (BL) 14 D4
Colbordolo (PS) 56 C2
Colbricon, Lago di (TN) 13 C4
Colbricon (TN) 13 C4
Colbuccaro (MC) 63 C4

Colbu, Lu (SS) 126 C3
Colbu, Lu (SS) 126 E4
Colcavagno (AT) 32 B2
Colcellalto (AQ) 55 D3
Colcello (AN) 63 A1
Colcerasa (MC) 63 B3
Col Collon, Rifugio (AO) 7 E1
Coldapi (AN) 56 F3
Colda (SO) 11 D1
Coldazzo (PS) 56 C2
Col dei Boffat (BL) 14 F1
Coldellanoce (AN) 62 A4
Colderù (BL) 14 E2
Coldigioco (MC) 63 B2
Col di Pra (BL) 14 C2
Coldirodi (IM) 50 D4
Col di Villa (BZ) 3 F1-2
Coldragone (FR) 81 A4
Coldrano (BZ) 2 E2
Coldrerio [CH] 9 F2-3
Coleasca, Fiume 11 CD4
Coleazzo, Monte (BS) 11 C4
Colecchio, Monte (BZ) 2 F2
Colelli (RC) 114 C2
Colere (BG) 11 F2
Colesel, Val dell' acqua (TV) 26 B4
Colfano (MC) 63 D3
Colfelice (FR) 81 A4
Colferraio (MC) 63 B2
Colfiorito (PG) 63 E1
Colfiorito, Valico (PG) 63 E1
Colfosco (Kollfuschg) (BZ) 3 E3
Colfosco (TV) 27 B1
Col Francesco (PG) 62 BC2
Colfrancui (TV) 27 B2
Colignola (AR) 55 EF1
Coli (PC) 34 E2
Còlico (LC) 10 D2
Collabassa (IM) 50 C3
Collabasso, Monte (CT) 112 F3
Collacchia, Ca della (GR) 59 F3
Collacchia (GR) 59 E4
Colla [CH] 9 D3
Colla, Fiume 41 C2
Collagù, Santuario di (TV) 14 F3
Collagna (RE) 45 D4
Collalbo (Klopbenstein) (BZ) 3 F2
Collalbrigo (TV) 27 A1
Collalto (CB) 83 A3
Collalto (Hochgall) (BZ) 4 B2
Coll'Alto (IS) 76 F1
Collalto, Monte (TV) 26 B3
Collalto, Ponte (VV) 104 D4
Collalto Sabino (RI) 74 A2
Collalto (SI) 60 A1
Collalto (UD) 16 E3
Collalto [YUI] 29 F3
Collalunga, Cima di (CN) 40 C2-3
Colla Maffone (ME) 112 D3
Collamato (AN) 63 B1
Colla Micheri (SV) 42 F2
Colla (MN) 24 F2
Colla, Monte (CT) 112 E2
Colla, Monte sa (NU) 133 D1
Colla (MS) 45 E2
Colla Muggiasca (BG) 10 E3
Collardente, Passo di [F] 41 E2-3
Collarmele (AQ) 75 B2
Collatea (RI) 68 D3
Collattone (MC) 63 E1
Collazzone (PG) 62 F2
Colle Alberti (FI) 53 D2
Colle Alto (FR) 81 A4
Colle (AN) 62 B4
Colle (AN) 62 C4
Colle (AP) 63 E4
Colle (AP) 69 A4
Colle (AP) 69 B3
Colle Aprico (AN) 56 F4
Colle Aprico (PG) 63 D1
Colle (AQ) 69 D3
Colle (AQ) 69 E2
Collebaccaro (RI) 68 E3
Collebaldo (PG) 61 E4
Collebeato (BS) 23 CD4
Colleberardi (FR) 75 F1
Colle (Biche) (BZ) 3 C1
Colle Brianza (LC) 22 B3
Collebrincioni (AQ) 69 E3
Colle Calvo (AQ) 69 C2
Colle, Capo di (AQ) 70 F2
Collecarino (FR) 75 F2
Collecarise (IS) 76 F4
Colle, Case (MC) 63 C3
Collecchio (GR) 65 B4
Collecchio (PR) 35 F3-4
Collechiello (PR) 35 E3
Collecorvino (PE) 70 D4
Colle, Croce (PG) 63 D1
Colle d'Anchise (CB) 83 A3
Colledara (TE) 70 C1
Colle di Compito (LU) 52 C4
Colle di Corte (AN) 56 F4
Colle di Dentro (BZ) 4 C3
Colle di Fuori (BZ) 4 C3
Colle di Fuori (ROMA) 73 E4
Colle di Lucoli (AQ) 69 F3
Colledimàcine (CH) 76 C2
Colledimezzo (CH) 76 C3
Colle di Ròio (AQ) 69 E3
Colle di Tora (RI) 68 F4
Colle di Val d'Elsa (SI) 53 F3
Colle Don Bosco, Santuario (AT) 32 B1
Colledoro (TE) 70 D2
Colle, Dosso del (TN) 13 C1-2
Colle Farelli (AQ) 69 E2
Colleferro (ROMA) 74 E2
Colle Frácido (AQ) 69 E3
Collegalli (FI) 53 E2
Collegara (MO) 47 A1
Collegentilesco (RI) 69 C2
Collegiglioni (AN) 63 AB1
Collegio Il (PC) 34 D4
Collegiove (RI) 74 A2
Collegno (TO) 31 B2-3
Colle, Il (AQ) 75 B3
Colle, Il (BN) 83 C2
Colle Isarco (Gossensass) (BZ) 3 B2
Colle Licino (TR) 68 C2-3
Collelongo (AQ) 75 D1-2
Colle (LU) 45 F4
Colle (LU) 52 B4
Colleluce (MC) 63 C3
Collelungo (PI) 53 E1
Collelungo (RI) 68 F3-4
Collelungo, Torre di (GR) 65 B3
Collelungo (TR) 62 F4
Collelungo (TR) 67 B4
Colle Lupo, Fattoria (GR) 66 C2
Collemacchia (IS) 82 A3-4
Collemancio (PG) 62 E2
Colle Mastroianni (AQ) 75 F2
Colle Mattarello (FR) 75 F1
Colle (MC) 63 D3
Collemeto (LE) 100 B1
Collemezzano (LI) 59 A1
Collemincio (PG) 62 C3-4
Colleminuccio (TE) 70 B1-2
Collemontanino (PI) 52 F4
Colle, Monte di (BN) 84 C1
Collemoresco (RI) 69 B2
Collenasso (RI) 69 C1
Colle Paganello (AN) 63 B1
Colle Pagánica (AQ) 69 D2
Collepardo (FR) 74 E4
Collepasso (LE) 100 C1-2
Collepepe (PG) 62 F2
Colle (PG) 62 C4
Colle (PG) 62 E2
Colle (PI) 52 E4
Collepietra (BZ) 3 F2
Collepietro (AQ) 70 F2
Collepietro (TE) 70 B2-3
Collepino (PG) 62 E3
Collepizzuto (TR) 68 C1
Colle (PN) 15 D3
Colle (PN) 27 A4
Colleponi (AN) 63 A1
Colle Ponte (FR) 81 B4
Colleponte (TR) 68 B3-4
Colleposta (AQ) 75 F3
Colleredo (VI) 25 F4
Collere, Monte (GE) 44 B2
Collerctto Castelnuovo (TO) 19 D3
Colleretto Giacosa (TO) 19 D4
Collerin, Monte [F] 18 E4
Colleri (PV) 34 F2
Collerose (RI) 74 A4
Collesalvetti (LI) 52 E3
Colle San Giacomo (AQ) 74 B4
Colle San Lorenzo (PG) 62 E4
Colle San Magno (FR) 82 A1
Colle San Marco (AP) 64 F1
Colle Sannita (BN) 84 C1
Collesano (PA) 110 E3
Colle San Páolo (PG) 61 E4
Colle Santa Lucia (BL) 14 B2
Colle Sant'Angelo (TR) 68 C3
Collesanto (MC) 63 D3
Collesanto (PG) 61 C4
Collescipoli (TR) 68 C2
Collesecco (CH) 71 E1-2
Collesecco (PG) 62 F2
Collesecco (TR) 68 B1
Colle (SI) 60 C4
Collesino (MS) 45 D2
Collespada (RI) 69 B2
Collestatte (TR) 68 C3
Collestrada (PG) 62 D2
Colle, Torre del (CH) 76 A2
Colle, Torre del (PG) 62 E2-3
Colletorto (CB) 77 F3
Colle (TR) 61 F3
Colletta, Cappella della (TO) 31 B1
Colletta, Cima della (PV) 34 EF1-2
Colletta (CN) 41 D1
Colletta, La (CN) 30 E4
Collettara, Cave (AQ) 69 E2
Colle Umberto 1° (PG) 62 C1
Colle Umberto (TV) 14 F4
Collevalle (MC) 63 B2
Collevarucci (FI) 53 A4
Collevecchio (RI) 68 E2
Collevecchio (TE) 70 C1
Colleverde (RI) 69 C1
Colle Verrico (AQ) 69 C2
Colle, Voragine del (CN) 41 D3
Collinas (CA) 132 E1-2
Collèoli (PI) 53 E1
Colli Alti, I (FI) 53 C3
Colliano (SA) 90 C3
Colli (AQ) 69 D2
Colli a Volturno (IS) 76 F1
Colli, Bivio (AP) 64 F3
Collicelle (RI) 69 C2
Collicello (AQ) 69 D2
Colli del Tronto (AP) 64 F3
Colli di Fontanelle (NA) 89 D1
Colli di Monte Bove (AQ) 74 B3
Colli (FR) 75 F1
Colli (LU) 45 F4
Colli (MC) 63 B2
Collimena, Torre (TA) 94 F4
Collimento (AQ) 69 F3
Collina (AN) 57 F2
Collina (BO) 47 E1
Collina (FO) 55 B1
Collina (MC) 63 C2
Collina, Monte (FO) 54 A3-4
Collina Nuova (AP) 64 D1-2
Collina, Passo della (PT) 53 A2
Collina (PT) 53 B2
Collinasca (CH) 8 B4
Collina (UD) 5 F3
Collinello (FO) 48 F4
Collio (BS) 24 AB1
Collio (BS) 24 C2
Colli, Piano dei (MS) 45 E2
Colli (SP) 44 D3
Colli sul Velino (RI) 68 D3
Colli, Villa (LU) 52 B3
Collobiano (VC) 20 E4
Collodi (PT) 52 B4
Collombey [CH] 6 B2
Collombey, Le Grand [CH] 6 B2
Collonges [CH] 6 C3
Collongues [F] 40 F1
Collon, Mont [CH] 7 E1
Colloredda, Punta de (SS) 127 F3
Colloredo di Monte Albano (UD) 16 E3
Colloredo di Prato (UD) 16 F3
Colloredo (UD) 16 E4
Colloreto, Convento di (CS) 98 E2
Colloro (VB) 8 E3
Collura, Fosso della 108 F2-3
Collura, Ponte della (TP) 108 F2
Colma (BZ) 3 E2
Colma, La (VR) 24 B4
Colma, Monte (GE) 43 A1-2
Colma, Monte (IM) 51 C1
Colmano (FO) 48 F3
Colmata, Vasche di (FG) 85 A4
Colmegna (VA) 9 E1
Colmello (VE) 27 D1
Colmet, Monte (AO) 18 A3
Colmetta, Cima (VC) 8 F1
Colmirano (BL) 26 A3
Col, Monte [YUI] 17 D3
Colmurano (MC) 63 C4
Colnago (MI) 22 C3
Colobraro (MT) 98 B3-4
Colobria (PA) 118 AB2
Cologna [CH] 11 C2
Cologna (LC) 22 B2-3
Cologna (FE) 38 D3
Cologna in Giudicarie (TN) 12 F2
Cologna, Monte (PG) 62 E4
Cologna (SO) 11 CD3
Cologna Spiaggia (TE) 70 B3
Cologna (TE) 70 B3
Colognati, Fiume 102 B4
Cologna (TN) 12 F3
Cologna (UD) 16 D3
Cologna Veneta (VR) 25 F3
Cologne (BS) 23 D2
Cologni (CE) 82 C3
Cologno al Serio (BG) 23 D1
Colognola ai Colli (VR) 25 E2
Colognola (BG) 23 C2
Cológnola (MC) 63 A3
Colognola (PG) 62 C1
Colognole (LI) 52 F3
Colognole (PI) 52 C3
Cologno Monzese (MI) 22 D2
Colognora (LU) 52 A3
Colognora (LU) 53 AB1
Cologone, Sorgente su (NU) 130 E2
Colomars [F] 50 D1
Colombaia, Isola (TP) 107 E4
Colombaia (RE) 46 C2
Colombaie, Casa (PI) 52 F3 4
Colomba, Monte (PA) 118 B1
Colombano, Monte (TO) 19 F2
Colombano (RO) 37 BC4
Colombara (PS) 56 F2
Colombara, Secca (PA) 109 A1-2
Colombara (VC) 20 F2
Colombare (BS) 24 E2-3
Colombare (CR) 22 F4
Colombare, Le (MN) 24 F2
Colombare (PD) 37 B4
Colombare (VR) 36 A4
Colombaro (BS) 23 C2
Colombaro di Rossi (CN) 31 F2
Colombaro (MO) 46 B4
Colombarone (MO) 46 A3-4
Colombaro (TO) 32 A1
Colombassi (AL) 33 E4
Colombato, Masseria (TA) 93 D3
Colombella (PG) 62 C2
Colombi (CN) 42 B2
Colombiére (TO) 30 B2
Colombine, Monte (BS) 24 A1
Colombino, Alpe (TO) 30 B4
Colombo, Casa (RG) 123 E4
Colombo, Lago (BG) 10 E4
Colombo, Monte (TO) 19 D2
Colombè, Monte (BS) 11 E4
Colombus, Punta (CA) 132 E1
Colomion, Punta (TO) 30 AB1
Colonia (CA) 134 E3
Colonna, Capo (KR) 106 A3
Colonna (CO) 9 F4
Colonna, Monte (FE) 74 D4
Colonna, Monte (VA) 9 F1
Colonna (PS) 56 D2
Colonna (ROMA) 73 D4
Colonna (SI) 60 A2
Colonnata (FI) 53 C4
Colonnata (MS) 45 F3
Colonne (AL) 33 E4
Colonne, Canale delle (CA) 134 D2
Colonnella (TE) 64 F3
Colonnello, Casino (BA) 86 D4
Colonne, Punta delle (CA) 134 D2
Colonnetta (TR) 67 A3
Coloreta, Monte (FI) 47 F3
Coloretta (MS) 45 D1
Colorina (SO) 10 D4
Colorno (PR) 36 D1
Colosimi (CS) 102 F2
Colostrai, Stagno dei (CA) 136 D3
Colotto (MC) 63 C3
Colovrat [YUI] 17 E2
Colpalombo (PG) 62 C3
Colpetrazzo (PG) 68 B2
Col Piano [YUI] 17 C2
Col Piccione (PG) 61 C4
Col San Martino (TV) 26 A4
Colsento, Monte (BL) 14 D2
Coltano, Tenuta di (PI) 52 D3
Coltaro (PR) 35 D4
Coltavolino (PG) 62 C2
Coltignone, Monte (LC) 10 F1-2
Colti (SS) 126 C4
Coltondo (TN) 13 D4
Coltorondo (TN) 13 C4
Colturano (MI) 22 E2
Coltura (PN) 15 E1
Coltura (TN) 12 E2-3
Colà (VR) 24 E3
Colubrica, Colle (AQ) 75 D2
Colugna (UD) 16 F3
Columbargia, Torre (OR) 128 E3
Colunga (BO) 47 C3-4
Colvalenza (PG) 68 A1
Col [YUI] 29 B4
Colzaino (PG) 62 D4
Colzano (MI) 22 B2
Colzate Vertova (BG) 23 A1-2
Colza (UD) 15 B3-4
Colzé (VI) 26 E1
Comabbio, Lago di (VA) 21 AB2
Comabbio (VA) 21 A2
Comacchio (FE) 39 F1
Comacchio, Lidi di (FE) 39 F1
Comacchio, Valli di (FE) 48 A3-4
Comacina, Isola (CO) 9 F4
Comagna, Testa di (AO) 19 A4
Comano (MS) 45 D3
Comásine (TN) 12 C2
Comazzo (LO) 22 E3
Combai (TV) 14 F2-3
Combamala (CN) 40 A4
Combe Bremond [F] 30 F2
Combe (CN) 41 C3
Combe de l'A. [CH]6 E3
Combes (AO) 18 B4
Combes (TO) 30 A2
Combin, Grand [CH] 6 E4
Combolo, Monte [CH] 11 C2
Comeana (FI) 53 C3
Comeglians (UD) 5 F3
Comelico Superiore (BL) 4 E4
Comenduno (BG) 23 B1
Comero, Monte (FO) 55 E1
Comerzo (UD) 16 E2
Comérconi (VV) 104 E2
Comério (VA) 21 A2
Comezzano (BS) 23 E2
Comici, Rifugio (BZ) 4 E4
Comighello (TN) 12 E3
Comignago (NO) 21 B1
Comina, La (PN) 15 F2
Cómino (CH) 76 A2
Comiso (RG) 123 C3
Comitini (AG) 118 D3
Comitini, Stazione di (AG) 118 D3
Comiziano (NA) 89 A2
Commaldo, Torre di (SR) 124 D1
Commenda (VT) 67 D2
Commessaggio (MN) 36 C2
Commezzadura (TN) 12 C3
Comnago (NO) 21 A1
COMO 22 A1
Como (Lario) Lago di (CO) 10 DE1
Comologno [CH] 8 C4
Como, Monte (TN) 12 C4
Comoretta, Punta (NU) 130 C1
Como, Rifugio (CO) 9 C4
Compaccio (BZ) 2 D3
Comparni (VV) 104 F3
Compatsch (CH)1 B3
Compiérchio, Masseria (AV) 84 F4
Compiobbi (FI) 54 C1
Compito (AR) 55 D1
Compre, Le (FR) 75 E2
Compresso (PG) 62 C1
Comugni (AR) 54 EF3
Comunale, Monte (VI) 25 E4
Comunanza (AP) 63 E4
Comuna (BI) 20 E2
Comunelli, Fiume 122 A2
Comunelli, Lago (CL) 122 A3-4
Comunelli, Monte (CS) 102 F2-3
Comune, Pizzo (PA) 119 A1
Comune, Serra (FR) 75 E1
Comunéglia (SP) 44 C3
Comuni, Timpone i (CZ) 105 B3
Comunitore, Monte (AP) 69 B3
Comuni (VR) 37 A3
Comun Nuovo (BG) 22 C4
Cona Faiete (TE) 69 B4
Cona (FE) 38 E2
Cona (PD) 38 B3
Cona, Ponte di (VE) 38 B3
Conaredo (AL) 33 F4
Cona Rovara (AQ) 75 D2
Conca Casale (IS) 82 B3
Conca d'Albero (PD) 38 AB4
Conca dei Marini (SA) 89 D2
Conca della Campania (CE) 82 C3
Concadirame (RO) 38 C2
Conca d'Oro, Masseria (TA) 93 E3
Conca d'Oro (PA) 109 CD2-3
Conca, Fiume sa (SS) 129 A4
Concali, Monte su (CA) 135 C2
Concamarise (VR) 37 A2
Conca, Pizzo (PA) 110 F2
Concarabella, Cantoniera (SS) 126 F4
Concarena (BS) 11 E3
Conca (RI) 69 C1
Conca S'Egua (CA) 136 A1-2
Concas (NU) 130 A3
Conca S'Omu, Monte (CA) 134 A3-4
Concas, sas (NU) 129 D4
Conca, Taverna di (CE) 82 C3
Conca (VI) 25 AB4
Concei (TN) 12 F2
Concei Valle di (TN) 12 F2
Concenedo (LC) 9 F2
Concerviano (RI) 68 E4
Concesio (BS) 23 C4
Concessa (RC) 114 C1
Concetta, Ponte di (PA) 118 A3-4
Concezione, Masseria (BA) 93 AB1
Conchedda, Punta (SS) 127 F1
Conche, Monte (BS) 23 C4
Conche (PD) 38 A4
Conchia, Masseria (BA) 94 A1
Concio Longo (CS) 102 A1
Concio, Masseria del (MT) 99 B1
Concordia Saggittaria (VE) 28 C1
Concordia sul Secchia (MO) 37 D1
Concorezzo (MI) 22 C2
Concosu, Punta (NU) 129 F4
Concosu (SS) 127 C1
Conco (VI) 26 B1
Condamine (AO) 6 F4
Condamine Châtelard [F] 40 A1
Condemine, La [CH] 6 B2
Condino (TN) 24 A3
Condofuri Marina (RC) 114 F3
Condofuri (RC) 114 E3
Condoianni (RC) 115 C1
Condove (TO) 31 A1
Condró (ME) 113 C1
Conegliano (TV) 27 A1
Cone, Le (ROMA) 74 F2
Conero, Monte (AN) 57 EF4
Conetta (VE) 38 B3
Conócchia (IS) 76 F2
Confienza (PV) 21 E1
Configni (RI) 68 DE2
Configni (TR) 68 B1
Configno (RI) 69 C2
Confinale, Monte (SO) 1 F4
Confinale, Passo [CH] 11 B1
Confini (BN) 83 E4
Confino (AQ) 75 B3
Conflenti Inferiore/Superiore (CZ) 104 A4
Confreria (CN) 41 B2
Conga Agnelli, Masseria (FG) 85 B4
Congen, Monte (SO) 10 C2
Coniale (FI) 47 F3
Conicchio (BS) 23 D4
Conie, Le (SI) 61 E1
Conigliara, Masseria (SR) 121 F1
Conigli, Isola dei (LE) 95 F1
Conigli, Isole dei (AG) 122 F2
Conio (IM) 41 F4
Coniolo (AL) 32 A4
Coniolo (BS) 23 E2
Conna (SV) 42 F1
Consalvi (MC) 63 B4
Consandolo (FE) 48 A2
Conscente (SV) 42 E1-2
Conscenti (GE) 44 C2
Conscio (TV) 27 CD1
Conselice (RA) 48 B2
Conselve (PD) 38 A3
Consiglio di Rumo (CO) 10 D1
Consolazione Convento (FG) 85 D1
Consolazione (RC) 114 D2
Consovero (CN) 41 B3
Consuma (FI) 54 C3
Consuma, Passo della (FI) 54 C3
Contane (FE) 38 D4
Contarina (RO) 39 C1
Contarini (TV) 26 B4
Contea (FI) 54 BC2
Contea, La (BL) 37 F3
Conte Bosco, Poggio di (AG) 119 EF12
Conte, Casa del (PZ) 98 D2
Conte, Casa del (SA) 96 B1
Conte di Noia, Masseria (FG) 85 D3
Conte, Il (BO) 37 F2
Contei (SV) 42 C3
Contemplazione (ME) 113 B3
Conte, Porto (SS) 128 B1
Conte, Serra del (MT) 92 F1
Contes [F] 50 C2
Contessa, Cassa della (SR) 124 B2-3
Contessa, Casa (PG) 62 C1
Contessa Entellina (PA) 117 A3
Contessa Mannelli, Masseria (FG) 85 C3
Contessa, Monte (CZ) 105 C1
Contessa, Monte (GE) 43 B2
Contessa, Monte (SR) 123 A4
Contessa, Punta della (BR) 95 C2
Contesse (ME) 113 C3
Contúrbia (NO) 21 B1
Conthey [CH] 6 B4
Conti (AP) 63 E4
Conti, Casalecchio dei (BO) 47 C4
Contigliano (RI) 68 E3
Contignano (SI) 61 E1
Contile (PR) 35 F1-2
Conti (PI) 52 D4
Contone [CH] 9 D2
Contovello (TS) 29 D3
Contra [CH] 9 C2

Contrada (AV) 89 B3
Contrada (BS) 24 C2
Contrada (CN) 42 B2
Contrada Ebrei (AL) 33 D2
Contra de Revorte (NU) 129 D4
Contra d'Oschiri (SS) 129 D3-4
Contrapò (FE) 38 E2
Contrasto, Colle di (ME-EN) 111 F2
Contrin, Rifugio (TN) 14 B1
Controne (LU) 52 A4
Controne (SA) 90 E2-3
Contron (PN) 15 D1
Contru, Monte su (SS) 126 F2
Contu, Cuccuru (CA) 134 B4
Contura (ME) 112 D2
Contursi Terme (SA) 90 D3
Contursi / Terme, Stazione (SA) 90 D3
Convalle (LU) 52 B3
Conventazzo, Poggio (CT) 120 F3
Conventello (RA) 48 B4
Convento (EN) 119 D3
Convento (FG) 79 E3
Convento, Il (CB) 77 D4
Convento Passionisti (GR) 65 D4
Convento, Villa (LE) 95 E2
Conventu, Nuraghe su (OR) 132 DE1
Conversano (BA) 87 B2
Converselle (FO) 48 E3
Conza Andretta, Stazione di (AV) 90A3
Conza della Campania (AV) 90 B3
Conzano (AL) 32 C4
Conza, Sella di (AV) 90 B3
Cop di Breguzzo, Cima (TN) 12 E1
Cop di Casa, Cima di (TN) 12 E1-2
Coperchia (SA) 89 C3
Coperino, Montagna di (PZ) 91 E4
Copermio (PR) 36 B1
Copertino (LE) 95 F2
Copiano (PR) 44 B4
Copiano (PV) 34 A2
Coppa Castello. Masseria (FG) 78 F2
Coppa di Rose, Masseria (FG) 78 D1-2
Coppa Ferrata, Monte (FG) 78 D4
Coppa, Fiume 34 C1
Coppa, Monte (PZ) 98 A3
Coppa, Monte (SP) 44 C4
Copparì, Monte (VV) 105 D1
Copparo (FE) 38 D2
Coppa tre Miglia, Masseria (BA) 86 D2-3
Coppe di Maltempo, Masseria (BA) 86 E1
Coppe (TR) 68 D2
Coppetto, Pizzo (SO) 11 B3
Coppito (AQ) 69 E3
Coppo (AN) 57 F4
Coppola, Masseria (TA) 94 E3
Coppola, Villaggio (CE) 82 F3
Coppolo, Monte (BL) 13 E4
Coppolo, Monte (MT) 98 B4
Copreno (MI) 22 B1
Coprisca [YUI] 17 F3
Corace Fiume 105 C3
Córaci (CS) 102 F2
Corallo, Ca (CL) 123 A1
Corallo, Porto (CA) 134 B3
Corallo, Porto (CA) 138 A4
Corana (PV) 33 B3-4
Corano (GR) 66 C3
Corano (PC) 34 C2-3
Coratini, Fermata (TA) 93 C2
Corato (BA) 86 E4
Corazzo, Ponte (KR) 103 F2
Corbanese (TV) 14 F3-4
Corbara, Lago di (TR) 67 B3
Corbara (SA) 89 C2
Corbara (TR) 67 B3
Corbassiere, Glacier de [CH] 6 DE4
Corbella, Pizzo di [CH] 9 C2
Corbelli, Villa (RE) 46 A2
Corbeltaldo (TV) 26 A4
Corbesassi (PV) 34 F1-2
Corbetta (MI) 21 D3-4
Corbeyrier [CH] 6 A2
Corbiglia (TO) 31 B2
Corbiolo (VR) 25 D1
Corbola (RO) 38 C4
Corbolone (VE) 27 B4
Corborant, Fiume 40 C3
Corbos, Nuraghe (NU) 129 E2
Corcagnano (PR) 35 F4
Corcelli, Isola (SS) 127 A2
Corchiano (VT) 67 E4
Corchia (PR) 45 B2
Corciano (PG) 62 D1
Corcia (PG) 62 C4
Corcolle (ROMA) 73 C4
Corcrevá (RO) 38 C3-4
Corcò, Pizzo di (PA) 110 F4
Corda di Lana, Masseria (LE) 95 F1
Cordellon (BL) 14 F2-3
Cordenons (PN) 15 F3
Cordesco (TE) 70 B3
Cordevole, Fiume 14 C2
Cordigliano (PG) 62 C2
Cordignano (TV) 15 F1
Cordin, Monte (UD) 16 A3
Cordivino (MC) 63 AB2
Cordona, Monte (GE) 43 C4
Cordovado (PN) 28 C1
Córdova (TO) 31 B4
Cordra, Monte (CA) 136 B1
Córedo (TN) 12 B4
Coréggia (BA) 94 A1
Coreggio (FE) 38 E2
Coreglia Antelminelli (LU) 46 F2
Coreglia Ligure (GE) 44 C1
Corella (FI) 54 B3
Coremó (CA) 134 D4
Core, Monte (LT) 80 F2
Corenno Plinio (LC) 10 D1
Coreno Ausonio (FR) 82 C2
Corese, Passo (ROMA) (RI) 73 A3
Corese Terra (RI) 73 A3
Corezzana (MI) 22 C2
Corezzo (AR) 55 C1
Corfino (LU) 45 E4
Corgeno (VA) 21 B2
Corgna (PG) 61 C4
Corgnolaz (AO) 7 F2
Corgnolo (UD) 28 B3
Coriano (RN) 56 B1-2
Coriano (VR) 37 A3
Córica, Scogli (CS) 101 F4
Coriconi (AP) 63 E4
Coriglianeto, Fiume 102 B3
Corigliano Calabro (CS) 102 B3
Corigliano Calabro Stazione (CS) 102 AB3
Corigliano (CE) 82 D2-3
Corigliano d'Otranto (LE) 100 BC2
Cori (LT) 74 F1
Corinaldo (AN) 56 E4
Cório (TO) 19 E2
Corippo [CH] 9 C2
Coritenza di Plezzo [YUI] 17 D2
Coritenza, Fiume 17 C2
Coritis (UD) 17 D1
Corlaga (MS) 45 D2
Corlaiti (VR) 25 D1-2
Corleone (PA) 109 F2
Corleto (FG) 85 D2
Corleto Monforte (SA) 90 EF3-4
Corleto Perticara (PZ) 91 F4
Corleto (RA) 48 E3
Corletto (MO) 46 A4
Corlo (FE) 38 B3
Corlo (FE) 38 E2
Corlo Lago di (BL) 13 F4
Corlo (PG) 62 B1
Cormano (MI) 22 D1
Cormaré (TV) 27 A2-3
Cormelano, Monte (PG) 68 B2 3
Cormoney, Bec (AO) 19 C4
Cormons (TS) 29 A1
Cor, Monte (BL) 14 EF4
Cormor, Canale 28 C3
Cormòr (UD) 16 F3
Corna (BS) 23 A4
Cornacchiaia (FI) 47 F3
Cornacchia, Monte (AQ) (FR) 75 DE2
Cornacchia, Monte (FG) 84 C3
Cornacchia, Punta (NA) 88 C1
Cornacervina (FE) 38 E3
Cornachiano (TE) 70 A1
Corna di Campo Monte (SO) 1 F1
Cornaget, Monte (PN) 15 C2
Cornaggia, Monte (NO) 21 A1
Cornagiera, Pizzo (LC) 10 E2
Cornaglie (AL) 33 C1
Corna Grande (LC) 10 F2
Cornaiano (BZ) 3 F1
Corna Imagna (BG) 22 A4
Cornalba (BG) 23 A1
Cornalea (AT) 32 D3-4
Cornale (AL) 32 A3
Cornale (CN) 32 E2
Cornale (PV) 33 BC3
Cornaleto (CR) 35 A1
Cornaletto (CN) 40 C4
Cornappo (UD) 16 D4
Cornappo (UD) 16 E4
Cornaredo (MI) 21 D4
Cornaro (PC) 34 F2
Cornate d'Adda (MI) 22 C3
Cornate, Le (GR) 59 C4
Corne de Bouc, Punta de la [F] 41 E1
Cornedo all'Isarco (Karneid) (BZ) 3 F2
Cornedo Vicentino (VI) 25 C3
Cornegliana (PD) 25 F2-3
Cornegliano Laudense (LO) 22 F3
Cornei (BL) 15 DE1
Corneliano Bertário (MI) 22 D3
Corneliano d'Alba (CN) 32 E1
Cornello, Masseria (FG) 79 E1
Cornello, Passo (MC) 63 D1
Corneta, Monte (AR) 61 A3
Cornet, Monte (BG) 23 A3
Cornet, Monte (CN) 30 F4
Corneto (BS) 23 C3
Cornetole (RE) 36 E2
Cornettes de Bise, Les [CH] 6 A1
Cornetti (TO) 18 E4
Cornetto, Il (TN) 25 B2
Cornetto, Monte (PN) 15 C1
Cornetto (TN) 12 F4
Cornetto (TN) 13 F1
Cornácchia, Monte (AQ) 69 F3
Corné (RO) 38 C2
Corné (TN) 25 B1
Cornia, Fiume 59 E1
Corniana (PR) 45 A2
Corniani, Ca' (VE) 28 E1
Corniano (MN) 36 B3
Corniano (RE) 46 A1
Corni Bruciati (SO) 10 C4
Cornice (SP) 44 D4
Cornicolani, Monti (ROMA) 73 B4
Cornier, Grand [CH] 7 D2
Cornigian (BL) 14 B4
Corniglia (SP) 44 F4
Corniglio (PR) 35 F2
Corniglio (PR) 45 B2-3
Cornin, Dosso (SO) 11 C3
Cornino, Piano (RI) 69 E1-2
Cornino (TP) 108 D2
Cornino (UD) 15 D4
Corniola (FI) 53 D2
Corniolo (FO) 54 B4
Corniolo (PT) 47 F1
Cornio, Valle del (VE) 27 F1
Cornisello, Laghi di (TN) 12 CD2
Corno alle Scale (PT) (BO) 46 F3-4
Corno Cap. [CH] 8 A3-4
Corno, Castello di (RI) 69 E1-2
Cornocchia (SI) 60 C1
Corno d'Aola, Rifugio (BS) 12 C1
Corno di Rosazzo (UD) 29 A1
Corno, Fiume 28 B2
Corno, Fiume 68 B4
Corno Giovine (LO) 35 B1
Corno, Isola del (CA) 134 D1
Córnolo (PR) 44 A3
Córnolo (SO) 10 D3
Corno, Monte (BZ) 13 C2
Corno, Monte (IS) 82 B3
Corno, Monte (RI) 68 C4
Corno, Monte (TE) 69 D4
Corno, Monte (UD) 15 B3
Cornone (FG) 78 C2
Corno, Poggio (GR) 66 C3
Corno, Rocca di (RI) 69 E2
Corno, Sella di (AQ) 69 E2
Corno Stella, Monte (SO) 10 E4
Cornour, Punta (TO) 30 CD3
Corno, Vado di (TE) 69 D4
Cornovécchio (LO) 35 B1
Cornoviglio, Monte (SP) 45 D1
Corno (VR) 24 E4
Cornuda (TV) 26 B3
Cornu, L. [F] 6 E1
Cornus, Nuraghe (OR) 128 F3
Cornus (OR) 128 F3
Cornuto, Monte (GR) 65 B4
Coromedus, Monte (NU) 132 C3-4
Corona Alta, Punta (SS) 128 B4
Corona (AQ) 74 B4
Corona (BZ) 13 C1
Corona di Groppo (VB) 8 B3-4
Corona (GO) 29 B1
Corona Maria, Monte (CA) 134 C3
Corona, Monte (TN) 12 F1
Corona (MT) 92 C1
Corona Niedda, Scogli (OR) 128 E3
Corona, Nuraghe sa (CA) 132 F3
Coronas Arrubias, Monte (CA) 132 F2-3
Corona (SV) 42 C4
Coronato, Monte (LI) 59 D1-2
Coronella (FE) 37 E4
Coronella, Fiume 11 D2
Coroneo, Nuraghe (NU) 129 F4
Corone (PG) 63 F1
Corongedda (CA) 132 E4
Corongiu de' Mari (CA) 134 C4
Corongiuéra (NU) 132 C3-4
Corongiù, Punta (NU) 133 D2
Corongiù, Laghi di (CA) 136 D1
Corongiù, Ponte (NU) 133 D3
Coron, Monte (UD) 16 B4
Corpegani, Monte (VR) (VI) 25 D2
Corpi Santi (CH) 76 B2
Corpo di Cava (SA) 89 C3
Corpo (FE) 37 F3
Corpolò (RN) 55 A4
Corposano (PG) 55 E3
Corquet, Monte (AO) 19 B2
Corra Chérbina, Punta (NU) 129 D3
Corrasi, Monte (NU) 130 E2
Corrazzu, Nuraghe (NU) 132 D2-3
Correboi, Arcu (NU) 130 F1
Correggi (FE) 38 F2
Correggioli (MN) 37 C2
Correggio (RE) 36 F3
Correggioverde (MN) 36 D2
Correnti, Isola delle (SR) 124 F2
Corr'e Pruna (CA) 136 B3
Corrópoli (TE) 64 F3
Correzzola (PD) 38 A4
Correzzo (VR) 37 B1-2
Corrias, Case (CA) 134 B4
Córrido (CO) 9 E4
Corridónia (MC) 64 C1
Corridore del Pero (SR) 121 E1-2
Corriolo (ME) 113 C1
Corrubbio (VR) 24 E4
Corrubbio (VR) 25 D1
Corrugunele (SS) 127 F1
Corrulia, Nuraghe (CA) 133 F2
Corru Mannu, Punta (OR) 131 D3
Corsaglia (CN) 41 C4
Corsaglia, Fiume 41 C4
Corsagna (LU) 52 A4
Corsalone (AR) 54 D4
Corsalone, Fiume 55 D1
Corsano (LE) 100 E3
Corsano (SI) 60 C2
Corsari (LE) 99 B3
Córsico (MI) 22 E1
Corsiglia (GE) 44 B1
Corsignano (SI) 60 A3
Corsione (AT) 32 C2
Corsi, Pian dei (SV) 42 D3
Corsi, Rifugio (BZ) 2 F1
Corsi, Rifugio (UD) 17 C1
Corsonna, Fiume 46 F1-2
Corso, Sella di (UD) 15 B3
Cortabbio (LC) 10 E2
Cortaccia (Kurtatsch) (BZ) 13 C1
Cortafon, Monte (CO) 9 D4
Cortale (CZ) 105 C2
Cortale (UD) 16 E4
Cortandone (AT) 32 C2
Cortanieto (AT) 32 B2
Cortano (FO) 48 E4
Cortanze (AT) 32 B2
Cortazzone (AT) 32 C2
Corte (AT) 32 E3
Corte (BL) 14 B4
Corte Brugnatella (PC) 34 F2
Corte Centrale (FE) 38 F3-4
Corte Cerbus, Monte (NU) 132 B3
Corte de' Frati (CR) 35 A3
Corte d'Isola [YUI] 29 F2
Corte e Pórcus (NU) 133 D2
Corte Franca (BS) 23 C2
Corte/Fusero (BI) 20 B2
Cortella, Val (TN) 13 E4
Cortellazzo, Porto di (VE) 27 D4
Cortellazzo (VE) 27 D4
Cortelà (PD) 26 F1
Cortemaggiore (PC) 35 C2
Cortemilia (CN) 42 A2
Corte, Monte di (AQ) 75 D3-4
Cortenédolo (BS) 11 D3
Corteno Golgi (BS) 11 D3
Cortenova (LC) 10 E1
Corteno, Val di (BS) 11 D3
Cortenuova (BG) 23 D1
Cortenuova (FI) 53 D2
Corteolona (PV) 34 B2
Corte Palásio (LO) 22 F4
Corte (PD) 26 C2
Corte (PD) 26 F4
Corteranzo (AL) 32 B2
Corteréggio (TO) 19 E4
Cortesano (TN) 13 DE1
Corte Sant'Andrea (LO) 34 B3-4
Cortese (CR) 22 F2
Cortese, Monte (RG) 123 B4
Cortetano (CR) 35 AB2
Corte (VC) 8 F3
Corte Vecchia (GR) 66 B3
Corte Vetere, Masseria (LE) 95 F1
Corte (VI) 25 C4
Cortóghiana (CA) 134 C3
Corti (BG) 23 A3
Corti, Bivacco (SO) 11 E1
Corticato, Sella del (SA) 90 F4
Corticella (BO) 47 B3
Corticelle Pieve (BS) 23 E3
Corticiasca [CH] 9 D3
Corti (FI) 54 E1
Cortiglione (AT) 32 B2
Cortiglione (AT) 32 D4
Corti, Le (FI) 53 C1-2
Corti, Le (LU) 52 C3
Cortile (MO) 36 E4
Cortina d'Ampezzo (BL) 4 F2-3
Cortina (FI) 53 F4
Cortina (RA) 48 C3-4
Cortina Sulla Strada del Vino (Kurtinig) (BZ) 73 C1
Cortina (TN) 12 C2
Cortina Vecchia (PC) 35 D2
Cortine (BS) 23 D4
Cortino (TE) 69 C4
Corti, Poggio dei (PG) 61 DE4
Corti Rosas (CA) 133 E1
Corto, Casa del (SI) 61 F1
Cortogno (RE) 46 B1
Cortona (AR) 61 B3
Cortona, Ponte di (AR) 61 C2
Coròglio (NA) 88 B3
Coròngiu, Cantoniera (CA) 136 BC1
Corvaia (LU) 52 A2
Corva (PN) 27 A3
Corvara (BZ) 3 D1
Corvara in Badia (Kurfar) (BZ) 4 F4
Corvara in Passiria (Rabenstein) (BZ) 2 C4
Corvara (PE) 70 F2
Corvara (SP) 44 E4
Corvarola (MS) 45 D2
Corvaro (RI) 74 A4
Corvatsch, Piz [CH] 10 B4
Corvella (BO) 46 E4
Corvèglia (AT) 31 C4
Còrvia, Colle (ROMA) 74 D1
Corviale (ROMA) 73 D2
Corvi, Cima dei (BZ) 2 C1
Corvi (CN) 41 B3
Corvino, Monte dei (AN) 57 E3 4
Corvino San Quirico (PV) 34 C1
Corvione (BS) 23 F4
Corvo Ceresella, Monte (CT) 120 F3
Corvo, Monte di (PA) 111 F1
Corvo, Monte (PA) 109 E4
Corvo, Monte (PE) 75 A4
Corvo, Monte (TE) 69 D4
Corvo, Pietra di (PC) 34 E2
Corvo, Pizzo (ME) 112 D2
Corvo, Pizzo (TP) 107 E3
Corvo, Punta del (RG) 123 E3
Corvo, Punta (ME) 112 A2
Corvo, Rocca del (PA) 110 F2
Corvo, Valle del (PA) 109 E4
Corzano (BS) 23 E2-3
Corzes (BZ) 2 E1
Corzes, Monte di (BZ) 2 D1
Corziagno (AT) 32 B2
Corzonera (TO) 19 C2-3
Corzoneso [CH] 9 A2-3
Cosa (GR) 66 D1
Cosa, La, Fiume 90 E2
Cosana (CN) 42 B2
Cosana nel Còllio [YUI] 29 A1-2
Cosa (VB) 8 D3
Cosa (PN) 15 E4
Cosarsa [YUI] 17 E2-3
Cosasca (VB) 8 D3
Cosce, Monte (RI) 68 E2
Coscerno, Monte (PG) 68 B4
Coscia di Donna, Capo (SS) 125 D1
Coscile, Fiume 98 F3
Coscogno (MO) 46 C4
Cosdernoibe (BL) 4 F3-4
Coseano (UD) 16 F2
Coseat Bivio (UD) 15 F4
Cosentini (CT) 121 B1-2
Cosentino, Masseria (CS) 102 C2-3
COSENZA 102 E1
Cosenza, Case (RG) 123 B3
Cosérie, Fiume 102 B4
Cosimo, Pizzo (PA) 111 F1
Cosina (RA) 48 E3
Cósio di Arroscia (IM) 41 F3
Cósio Valtellina (SO) 10 D2
Cosizza (UD) 17 E2
Cosniga (TV) 27 A2
Cósola, Cappella di (PC) 34 F1
Cosoleto (RC) 114 C3
Cosona (SI) 60 D4
Cospaia (PG) 55 E2
Cossano Belbo (CN) 32 F2
Cossano Canavese (TO) 20 E1-2
Cossarello, Monte (VC) 20 A1-2
Cossato (BI) 20 C3
Cossatzu, Cantoniera (NU) 132 B4
Coss, Cime de [F] 41 F1
Cosséria (SV) 42 C2-3
Cossignano (AP) 64 E2
Cossogno (VB) 8 E4
Cossombrato (AT) 32 C2
Cossoine (SS) 128 C4
Cossovello [YUI] 29 C3
Cossu, su (NU) 130 A3
Costa (AL) 32 F4
Costa (AL) 33 F1
Costabella (SV) 42 C2
Costabella (TN) 14 B1
Costa Bianca (AN) 64 A2
Costabissara (VI) 25 D4
Costa (BL) 14 B3
Costa (BL) 4 F3
Costa (BL) 5 E1
Costabona (RE) 46 D1-2
Costabona [YUI] 29 F3
Costa Brunella, Lago di (TN) 13 D3
Costa (BS) 24 B3
Costa (BZ) 4 D1
Costa, Ca' della (BO) 47 E3
Costa Carnara (IM) 51 C2
Costa Cavalieri (PV) 34 D1
Costacciaro (PG) 62 B3-4
Costa (CN) 31 F3
Costa (CN) 42 A2
Costa de' Nobili (PV) 34 B2
Costa di Mezzate (BG) 23 C1
Costa di Rovigo (RO) 38 C1-2
Costa di Serina (BG) 23 A1
Costa d'Oneglia (IM) 51 C2
Costafontana (GE) 44 B1
Costa Galeazzi (PV) 34 D1
Costa (GE) 43 B4
Costa, La (AL) 33 F3
Costa, La (PG) 61 E3
Costa, La (PG) 68 B2
Costa, La (PR) 45 B2
Costa, La (PR) 45 B4
Costa, La (VR) 25 E1
Costalissoio (BL) 5 E1
Costalovaia (GE) 43 A3
Costalovara (BZ) 3 F2
Costalpino (SI) 60 B2
Costalta (BL) 5 E1
Costalunga, Passo di (Karerpass) (TN) 13 B3-4
Costalunga (TV) 26 A3
Costalunga (UD) 16 E4
Costalunga (VR) 25 E3
Costamagna (CN) 41 A4
Costa Masnaga (LC) 22 B2
Costa (MC) 63 C1-2
Costa (MC) 63 E1
Costa Merlata (BR) 94 A3
Costamezzana (PR) 35 E3
Costa Molini (BZ) 4 A1
Costa, Monte (BL) 14 E4
Costa, Monte della (CE) 83 CD1
Costa Montefedele (PV) 34 C2
Costanea delle Fùrie (ME) 113 B2
Costano (PG) 62 D2
Costantino (VV) 104 D3
Costantino, Monte (VV) 105 E1
Costanzana (VC) 20 F4
Costapaton, Casera (UD) 15 B2
Costa Pavesi (PR) 35 E3
Costa (PC) 34 C3
Costa (PG) 62 C4
Costa (PG) 62 E4
Costa, Pié di (ROMA) 73 B3
Costa (PN) 15 E2
Costa (PR) 45 B3
Costa (RA) 48 E1
Costarainera (IM) 51 C2
Costa (RG) 123 D2-3
Costarizza, Masseria (BA) 92 A2
Costa Rossa, Bric (CN) 41 D2
Costa San Savino (PG) 62 A3-4
Costa Sant'Abramo (CR) 35 B2
Costa Santo Stefano (AL) 33 F2
Costasavina (TN) 13 E1
Costa, Serra sa (NU) 132 B3
Costa Stradivari (PC) 35 E1
Costa (SV) 42 D3
Costa (SV) 42 E1-2
Costa (TO) 18 F3
Costa (TO) 31 BC1
Costa (UD) 17 E1
Costa Valle Imagna (BG) 22 A4
Costa Vescovato (AL) 33 E3
Costa (VI) 25 D3

Costa Volpino (BG) 23 A3
Costa (VR) 25 C1
Costazza (TN) 14 C1
Costeana, Fiume 4 F2
Coste Belle (TN) 13 C1
Coste del Manganello (CE) 83 C1
Costeggiola (VR) 25 E2
Coste, Le (MO) 46 C4
Coste, Monte (TS) 29 C3
Costerbosa (PR) 45 B1
Costermano (VR) 24 D3
Coste (TV) 26 B3
Coste (VT) 67 C2
Costi, Cuccuru del (NU) 130 C3
Costigliole Saluzzo (CN) 31 F1-2
Coston dei Laghi (TN) (VI) 25 A2
Costone (CO) 9 E4
Costone, Il (AQ) 74 A4
Costone, Poggio (GR) 66 D3
Coston, Rifugio di (BZ) 1 F4
Costo (VI) 25 D3
Costozza (VI) 25 E4
Cot di Rocca (BL) 14 B2
Côte d'Aime, La [F] 18 B1
Côte d'azur [F] 50 DE1-2-3
Côte La [F] 6 E1
Cotento, Monte (FR) 74 D4
Cotignola (RA) 48 D3
Cotilia, Terme di (RI) 69 E1
Cotone, Castello di (GR) 66 A2
Cotrébbia Nuova (PC) 34 B3
Cotroguerra (TE) 64 F3
Cotronei (CZ) 103 F1
Cotschen, Monte (SO) 1 F1
Cotschen, Piz [CH] 1 C2
Cottanello (RI) 68 E2-3
Cottignola (RA) 48 E2
Cottone (CT) 112 F4
Cotugno, Masseria (TA) 94 F3
Coupeau [F] 6 E1
Courbaton [F] 18 B2
Courchevel [Fl 18 D1
Cour, La [F] 18 C1
Courmayeur (AO) 6 F2
Covala (RC) 114 C3
Covecada, Punta (SS) 129 A4
Covelano (BZ) 2 E1-2
Covelo (TN) 12 E4
Coveyrand Vieux (AO) 18 B4
Covigliaio (FI) 47 F2-3
Coviolo (RE) 36 F2
Covo (BG) 23 D1
Covolo, Monte (BZ) 3 D2
Covolo (VI) 25 D3
Coxinadroxiu, Bruncu (CA) 136 B2
Coxinas, Fiume 132 F4
Cozzano (AR) 61 A2
Cozzano (PI) 53 F2
Cozzano (PR) 45 A3
Cozza, Serra (AV) 84 E2
Cozze (BA) 87 A2
Cozze, Stazione di (BA) 87 A2
Cozzile (PT) 53 B1
Cozzo (PV) 33 A1
Cozzo di Camposerra (KR) 103 C2
Cozzo Rose (SR) 124 C1
Cozzuolo (TV) 14 F4
Craba, Nuraghe (NU) 129 E1
Crabarida, Nuraghe (NU) 129 D1
Crabia, Nuraghe (OR) 131 A4
Crabiasca (BG) 11 E1
Crabiles, Monte (SS) 129 B3
Crabiolú, Ponte su (NU) 133 D2
Crabolu, Ponte (SS) 128 A1
Crabus, Punta is (CA) 135 E2
Crabùn, Monte (AO) 19 B4
Cracaxia, Ponte (OR) 131 E4
Craco (MT) 92 F3
Craco, Stazione di (MT) 92 F3-4
Cramalina, Pizzo [CH] 9 C1
Crana [CH] 9 C1
Crana (VB) 8 D4
Crandola Valsassina (LC) 10 E2
Crans [CH] 7 B1
Craoretto (UD) 17 F1
Crapinu, Punta (NU) 129 E4
Crasciana (LU) 53 A1
Crasena [YUI] 29 A1
Crastacane, Monte (NU) 130 D2-3
Crasta, Monte (SS) 128 B3
Crasto, Rocche del (ME) 112 D1
Crastu (NU) 132 C3
Crastu Rùju, Monte su (SS) 126 F3
Cras (UD) 17 E2
Cratere (ME) 112 A4
Crati, Fiume 102 C1
Crati, Ponte (CS) 102 C1
Crati, Ponte (CS) 98 F4
Crauglio (UD) 28 B4
Craunel (TN) 13 C1
Crava (CN) 41 B3
Cravagliana (VC) 8 F2
Cravanzana (CN) 42 A2
Cravaria, Ca' (AL) 33 F2
Cravasco (GE) 43 A2-3
Craveggia, Bagni di (VB) 8 C4
Cravegna (VB) 8 C3
Cravéggia (VB) 8 D4
Craviago, Monte (PR) 35 F1
Craviano (CN) 32 D2
Cravi, Monte (GE) 33 F4
Crea (AL) 32 B3
Crealla (VB) 8 D4
Cre (AO) 6 F4
Crea (VE) 26 E4
Creazzo (VI) 25 D4
Creccu, Genna (NU) 132 A3
Creda (BO) 47 E2
Credaro (BG) 23 C2
Credarola (PR) 44 A4
Creda (VR) 25 F2
Creda ,[YUI] 17 E1
Credera/Rubbiano (CR) 22 F4
Creino, Monte (TN) 24 A4
Crema (CR) 23 F1
Cremella (CO) 22 B2
Cremenaga (VA) 9 E2
Cremeno (LO) 10 F2
Cremezzano (BS) 23 E2-3
Cremia (CO) 9 D4
Cremignane (BS) 23 C3
Cremnago (CO) 22 B1-2
Cremolino (AL) 33 F1
CREMONA 35 B2-3
Cremona, Rifugio (BZ) 3 B1
Cremone, Fiume 64 C1
Cremosano (CR) 22 E4
Crenna (VA) 21 B3
Creola (PD) 26 E2
Crepacuore, Monte (FR) 74 D4
Crepaldo, Ponte (VE) 27 D4
Crepazza, Punta (ME) 111 B3
Crepegliano [YUI] 29 C3
Crep, Monte (TV) 14 F3
Creppo (IM) 41 F3
Crescentino (VC) 32 A2
Cresciano [CH] 9 C3
Cresciano San Sasso [CH] 9 C3
Crescimanno (CT) 120 F1-2
Cresia, Punta (CA) 135 E2
Cresole (VI) 25 D4
Crespadoro (VI) 25 C2
Crespano del Grappa (TV) 26 B2
Crespeina, Lago di (BZ) 3 E4
Crespellano (BO) 47 B1-2
Crespiano (MS) 45 D3
Crespi d'Adda (BG) 22 C3
Crespiática (LO) 22 F4
Crespignaga (TV) 26 B3
Crespina (PI) 52 E4
Crespino del Lamone (FI) 54 A2-3
Crespino (RO) 38 D2-3
Crespogno [CH] 9 A3
Crespole (PT) 53 A1
Cressa (NO) 21 B1
Cressino (TN) 12 C4
Cressogno (CO) 9 E3
Cresta [CH] 10 A2-3
Cresta di Pietramaggiore (AQ) 76 CD1
Cresta, Basilica (VV) 104 D4
Cresta degli Zungari (VV) 104 E2-3
Cresta Monte (RC) 115 A1
Crestegallo, Monte (CE) 82 E2-3
Cresti, Castello di (EN) 120 D1
Cresti (VB) 8 D2
Cresto, Monte (AO-BI) 20 B1
Crestoso, Monte (BS) 23 A4
Cresto (TO) 19 E1
Cretagna, Coste della (MT) 92 E3
Creta Grauzària (UD) 16 C3
Creta (PV) 34 C2
Crete, Le (SI) 60 B3-4
Creti (AR) 61 B2
Creto (GE) 43 B3
Creton (AO) 18 C4
Cretone (ROMA) 73 B4
Creto (TN) 12 F1
Creusa, La [CH] 6 C2
Crevacuore (BI) 20 B3
Crevalcore (BO) 37 F2
Creva (VA) 9 E1
Creverina (GE) 33 F3
Crevoladossola (VB) 8 D3
Crevola Sésia (VC) 20 A3
Crébbia (VB) 8 F3
Crépin (AO) 7 F2
Crévari (GE) 43 B2
Crichi (CZ) 105 B3
Cridola, Monte (BL) 15 B1
Criner Passo di [CH] 8 B4
Crisciléddu (SS) 126 C4
Crisignano di Zocco (VI) 26 E1
Crisimo, Monte (CT) 112 F3
Crispano (NA) 88 A4
Crispiano (TA) 93 D4
Crispiero (MC) 63 C2
Crispi, Monte (LT) 81 C3-4
Crispiniano, Monte (FG) 84 D4
Crispo, Rifugio (SO) 10 C4
Crispo, Serra di (PZ) 98 D2
Crissin, Monte (BL) 5 F1
Crissolo (CN) 30 E3-4
Crista d'Acri, Serra (CS) 102 B2
Cristallina, Cap. [CH] 8 A4
Cristallina [CH] 8 A4
Cristallo, Monte (BL) 4 E2-3
Cristallo, Punta (SS) 128 D1
Cristannes, Piz (BZ) 1 D3
Cristia, Castello (AG) 117 B4
Cristina, Monte (PR) 35 F1-2
Cristoforo Colombo, Aereoporto (GE) 43 BC2
Cristoglie [YUI] 29 F4
Cristo, Il (MO) 37 F1
Cristo, Masseria di (BA) 92 A2
Cristo, Masseria di (IS) 76 B2
Cristo, Masseria (LE) 100 E2
Cristo, Monte (AQ) 69 E4
Cristo, Monte (CS) 102 E2
Cristo, Monte (LT) 81 D4
Cristo (VB) 8 B3
Cristo Re (BA) 87 B2-3
Cristo, Timpa di (MT) 92 E2
Criva, Serra del (PZ) 91 E2
Crivelle (AT) 32 C1
Crivio, Monte (PZ) 97 D3
Crnice (Cernizza) [YUI] 29 B3
Crni Vrhr [YUI] 29 B4
Crnotice [YUI] 29 E4
Croara (BO) 47 C3
Croara (BO) 47 D4
Crobu, Punta su (NU) 132 D4
Crobus, Monte is (NU) 133 DE3
Crocca Manna, sa (CA) 134 D3
Crocca, Nuraghe is (CA) 133 F2
Crocci (TP) 108 E1-2
Crocco, Monte (VV) 105 F1
Croce al promontorio (ME) 113 B1
Croce Arcana, Passo di (MO) (PT) 46 F3
Croce (AV) 85 F1
Croce, Cappella della (PZ) 98 B1
Croce, Casa (CH) 76 C2
Croce, Castel di (AP) 64 F1
Croce (CO) 9 E4
Croce Cocuzzo della (EN) 111 F2
Croce Col (BL) 4 F4
Croce, Colle della (CT) 120 E3
Croce, Colle della [F] 30 D3
Croce, Colle la (CE) 82 B4
Croce, Colle la (IS) 73 A1
Croce, Costa la (SA) 90 E3
Coce Daniele (RA) 48 F1
Croce d'Aune (BL) 14 E1
Croce del Bosco, Monte (VI) 25 D3
Croce del Calvario, Monte (SA) 96 C4
Croce del Carmine (NA) 89 B1
Croce dello Scrivano, Passo (PZ) 91 D3
Croce di Longara (VI) 13 F3
Croce, di Marsico, Passo di (PZ) (SA) 91 F1
Croce di Muggio, Monte (LC) 10 E1
Croce di Panaro, Passo (VV) 105 EF1
Croce di Piave (VE) 27 C3
Croce di Pradole (BO) 47 D1
Croce di Prata Poggio (GR) 59 D4
Croce di Romeo, Cantoniera (RC) 114 D3
Croce di Salven (BS) 11 F2
Croce di San Vincenzo (AN) 57 F3
Croce di Serra, Monte (TR) 67 B4
Croce di Via (AP) 64 D1
Croce Domini, Passo di (BS) 11 F4
Croce, Dosso della (TN) 24 A2
Croce, Fattoria la (SI) 60 D4
Croce Ferrata, Passo (RC) (VV) 115 A2
Croceferro (PG) 68 A3
Crocefieschi (GE) 43 A4
Croce Fiorentina (SI) 53 F4
Crocefisso, Fermata (CS) 98 E2
Crocefisso (RC) 115 D1
Crocefisso, Santuario del (NO) 20 B4
Croce (RN) 56 B1-2
Croce (FR) 82 A2
Croce, Giogo della (BZ) 3 DE1
Croce Grande (TA) 93 C4
Croce, La (AL) 32 F4
Croce, La (AN) 57 D1
Croce, La (AP) 64 E2
Croce, La (AR) 61 B1
Croce, La (AV) 90 B2
Croce, Lago La (CH) 76 D3-4
Croce, La (RG) 123 D2
Croce, La (SI) 54 F1
Croce, La (TR) 61 F3
Croce, La (TV) 27 D1
Croce Lòbbia (PC) 34 F3
Crocelle, Passo delle (PZ) 91 B1
Croce Máncina, Monte (ME) 112 E3
Croce Máncina, Portella (ME) 112 E3
Crocemaróggia (PG) 68 B2
Croce, Masseria della (FG) 85 E2-3
Croce (MC) 63 D3
Croce (MC) 63 F2
Croce, Monte (CN) 41 C1
Croce, Monte (LC) 10 E1
Croce, Monte della (AR) 61 B3 4
Croce, Monte (FG) 84 B4
Croce, Monte (LT) 81 B4
Croce, Monte (PR) 45 A3
Croce, Monte (ROMA) 74 AB2
Croce, Monte (TN) 13 D2
Croce, Monte (VR) 24 F4
Croce Moschitto (LT) 81 A1
Crocenito (PC) 34 E3
Croce, Passo della (BZ) 3 D1
Croce, Passo di (UD) 16 E4
Crocepietra (VI) 25 F4
Croce, Pizzi della (AG) 117 D4
Croce, Pizzo della (BZ) 3 B3
Croce, Pizzo della (ME) 113 D1
Croce, Poggio della (TR) 61 F4
Croce, Pòggio di (PG) 63 F1
Croce, Portella della (PA) 118 A2
Crocera di Barge (CN) 31 E1
Croce (RE) 46 C1
Croce Rossa [F] (TO) 18 E4
Croce Santo Spirito (PC) 35 B2
Croce, Serra La (FG) 85 E2
Croce, Serra la (PZ) 91 A2
Crocetta (AT) 32 D4
Crocetta (BO) 37 F2
Crocetta (BO) 47 D3
Crocetta (BO) 48 C1
Crocetta del Montello (TV) 26 B4
Crocetta di Tarsogno (PR) 44 C4
Crocetta (MO) 46 C4
Crocetta, Monte della (SS) 125 D1
Crocetta, Passo (CS) 101 D4
Crocetta, Passo della [CH] 1 D3
Crocetta (PR) 35 E4
Crocetta (PV) 34 C2
Crocetta (RO) 37 C4
Crocetta (TO) 31 D3-4
Crocette (AN) 57 F4
Crocette, Goletto delle (BS) 24 A1
Crocette (MO) 46 D4
Croce Valanidi (RC) 114 E2
Croce Verde (PA) 109 D3
Croce Vicario (CT) 120 F2
Crocevie (TP) 108 D2
Crociarone (RA) 49 E1
Crocicche, Stazione delle (ROMA) 7 B1
Croci, Cima delle (VC) 7 F4
Croci di Acerno, Le (AV) 90 B1
Croci di Calenzano (FI) 53 B4
Crocifisso, Cappella del (BR) 94 D4
Crocifisso di Varano (FG) 79 D1
Crocifisso, Il (MC) 64 BC1
Crocifisso (VT) 67 E3
Crociglia (PV) 34 D1-2
Croci, Le (CZ) 105 C3
Croci, Le (FI) 53 A4
Croci, Le (GR) 60 E2
Crociletto (PR) 35 C3
Croci, Monte delle (PG) 62 D3
Crocina, La (AR) 54 E4
Crocino (LI) 52 E3
Crocione (FG) 84 B3
Croci, Vetta le (FI) 54 B1
Croda Cuz (BL) 14 B4
Croda del Becco (Seekofl) (BZ) 4 D2
Croda Nera (Schwarze Wd.) (BZ) 4 B2
Croda Nera (Schwarzwand/Sp.) (BZ) 2 B4
Croda Rossa (Rote Wand) (BZ) 4 C3
Crodarotta (BZ) 2 D2
Crode, Le (BZ) 2 F2
Crodolo, Monte (PR) 34 F4
Crodo (VB) 8 C3
Croésio (CN) 30 E4
Crogana, Nuraghe, (OR) 131 B4
Crognaleto (TE) 69 C4
Croiset (AO) 19 A3
Croix, Col de la [CH] 6 A3
Croix de Verdon [F] 18 D1
Croix, La [F] 40 EF1
Crone (BS) 24 B2
Cropalati (CS) 102 B4
Cropani Marina (CZ) 105 B4
Crópani (CZ) 105 B4
Cropáni (PZ) 98 C1-2
Croppo (VB) 8 D3
Crosa, Lago di [CH] 8 B4
Crosano (TN) 25 B1
Crosara, La (RO) 38 D1
Crosara L'Olmo (RO) 38 C2
Crosara (RO) 38 C2
Crosara (VI) 26 B1
Crosara (VI) 26 C1
Crosara (VI) 26 D1
Crosara (VR) 37 B3
Crosare (VR) 37 A3-4
Crosa (BI) 20 A4
Crosa (BI) 20 C3
Cros de Cagnes [F] 50 E1
Croselli, Pizzo di (VB) 8 B3
Croseraz, Monte (PN) 15 E1
Crosere (UD) 28 C2
Crosets, Les [CH] 6 BC1
Crosia (CS) 103 B1
Crósio di Varese (VA) 21 AB3
Crossetta, La (PN) 15 E1
Crostas (UD) 5 F2
Crostù (UD) 17 F1
Crostis, Monte (UD) 5 E3
Crostolo, Fiume 36 E2
Crostolo, Fiume 46 A2
Crot [CH] 10 A2
Crotone (KR) 103 F3
Crotta d'Adda (CR) 35 B1
Crotte (TO) 20 E1
Crot (TO) 18 F4
Crovara (GE) 43 B4
Crovara (RE) 45 B4
Crova (VC) 20 E3
Croveo (VB) 8 BC3
Croviana (TN) 12 B3
Crovi (GE) 43 B2
Croz d'Altissimo, Rifugio (TN) 12 D3-4
Crucca, La (SS) 125 F3
Cruci, Passo (AV) 90 B1
Crucitta, La (SS) 127 D1
Crucoli (KR) 103 C2
Crucoli Torretta (KR) 103 C3
Crècchio (CH) 71 F2
Crètaz (AO) 19 B1
Cròcchio, Fiume 105 A4
Cruppo (VB) 8 C3
Cruser in Destra di Reno (RA) 49 B1
Cruser (RA) 48 B4
Crusinallo (VB) 8 F3
Crussevizza di San Daniele [YUI] 29 C3
Cruxi, Genna (NU) 130 F2-3
Cruxi, Nuraghe Bruncu sa (CA) 132 E2
Cruzitta, Punta (SS) 126 C3
Cuâr, Monte (UD) 15 C4
Cuasso al Monte (VA) 9 F2
Cuasso al Piano (VA) 9 F2
Cuba, Fiume 136 C1
Cuba, Pantano (SR) 124 E2
Cuccana (UD) 28 B3
Cuccaro Monferrato (AL) 32 C4
Cuccaro, Monte (MT) 92 D2
Cuccaro Vetere (SA) 96 B3-4
Cuccavello (PC) 34 D3
Cucchiaio, Pizzo (BZ) 4 A3
Cucchiales (CN) 30 F3
Cucchiato, Fiume 101 B4
Cucchinadorza, Lago di (NU) 129 F4
Cucciago (CO) 22 B1
Cuccio, Monte (PA) 109 D2
Cuccioni, Masseria (CB) 77 D1
Cucco di Plava, Monte [YUI] 17 F1
Cucco, Foce il (MS) 45 E2
Cucco, Monte (BA) 92 A4
Cucco, Monte (VV) 105 E1
Cucco, Monte (GE) 44 C2
Cucco, Monte (PG) 62 B4
Cucco, Monte (UD) 17 B1
Cucco, Monte (UD) 5 F4
Cucco, Monte [YUI] 17 D2
Cucco o Borgallo, Monte (PR) (MS) 45 C1
Cuccumella (SR) 120 E4
Cuccu, Monte (SS) 126 F4
Cuccurano (PS) 56 C4
Cuccurdoni Mannu, Punta (CA) 135 AB1
Cuccuréddu, Monte (SS) 129 C1
Cuccureddu, Monte (NU) 129 E3
Cuccurreddus (CA) 131 F4
Cucuru e Paza (NU) 130 F1-2
Cucetto, Monte (TO) 30 B4
Cucéglio (TO) 19 E4
Cucolia, Monte (CZ) 105 F1-2
Cucolo, Monte (RC) 115 A1
Cucugliello, Ca (BA) 92 B3
Cucugliello, Masseria (BA) 92 B3
Cucullaro, Cocuzzo (PA) 119 A2-3
Cucullio, Monte (NU) 130 D1
Cuculllo, Monte (ME) 112 D2
Cucullo, Monte (PA) 110 EF3
Cúddia Attalora (TP) 116 F1-2
Cúddia, Fiume 108 F2
Cúddia, Ponte di (TP) 108 F2
Cuddie Rosse (TP) 116 EF1
Cuesta Spioleit (PN) 15 C3 4
Cufali, Montè (ME) 112 D2
Cuffiano (BN) 83 C4
Cuffiano (RA) 48 D2
Cuga, Fiume 128 B3
Cuggiono (MI) 21 D3
Cugliate (VA) 9 F2
Cúglieri (OR) 128 EF3-4
Cugnago (BL) 14 C3
Cugnana, Golfo di (SS) 127 C3
Cugnana, Punta (SS) 127 C2
Cugnan (BL) 14 D4
Cugnasco [CH] 9 C2
Cugnatu, Monte (SS) 127 E1
Cugni, Monte (SR) 121 F1
Cugno (BG) 10 F3
Cugnoli (PE) 70 E3
Cugno Mirlo (SR) 124 A2
Cuguttada, Monte (SS) 129 C1-2
Cuile Novo (SS) 125 E1-2
Cuirone (VA) 21 B2
Cujiaro, Monte (SS) 129 C1
Culaccio (LU) 45 F4
Culivardi, Casa (SI) 53 F23
Cullâri, Monte (UD) 16 B3
Culpiana [CH] 9 A2
Culto, Nuraghe (SS) 126 E2
Cultrera, Casa (SR) 124 C2
Culurgioni, Monte (CA) 135 E1
Culzei (UD) 5 F2
Cuma, Monte (NA) 88 B2
Cuma (NA) 88 B2
Cumia Inferiore (ME) 113 C2
Cumiana (TO) 31 B1
Cumignano sul Naviglio (CR) 23 F1
Cumino, Capo (NU) 130 B4
Cumone (SS) 128 D4
Cumulata (RI) 69 C1
Cumunaglia (PG) 61 B4
Cunardo (VA) 9 F2
Cuna (SI) 60 BC3
Cunazzo (EN) 120 C1
Cunegatti (VR) 25 D2
Cune (LU) 52 A4
CUNEO 41 B2
Cunevo (TN) 12 C4
Cuney, Oratorio di (AO) 7 F1
Cunico (AT) 32 B2
Cuoco, Monte (VT) 72 A3
Cuoni, Fiume 126 C4
Cuorgné (TO) 19 DE3
Cuori, Canale dei 38 B4
Cuotto (NA) 88 C1
Cuozzo, Masseria (SA) 90 B3
Cupa (CE) 82 D2-3
Cupa, Poggio la (TR) 67 A1
Cupari, Casa (FG) 79 D3
Cupazzi, Monte (BN) 84 B1
Cupello (CH) 77 B1
Cupello, Masseria (FG) 84 A2
Cupeta Palmieri, Masseria (FG) 78 F3
Cupetti, Punta (NU) 130 B3
Cupi (MC) 63 E2
Cupo (AN) 62 B4
Cupolicchio, Monte (PZ) 91 D4
Cupoli (PE) 70 D2
Cupra Marittima (AP) 62 E3-4
Cupramontana (AN) 57 F1
Cuquello (AL) 33 E3
Cura Carpignano (PV) 34 A2
Cura, Casa di (BA) 93 C1-2
Curadureddu, Cantoniera (SS) 126 E4
Cura Nuova (GR) 59 E3
Curatico (PR) 45 B3
Curatolo, Monte (CS) 97 D3
Cura (VT) 67 E2
Cúrcie, Monte le (TP) 108 D2
Curcio, Monte (CS) 102 D2
Cúrcio (PZ) 97 A3
Curciusa, Pizzo di [CH] 10 A1
Curcumello (AQ) 74 C4
Curcuraci (ME) 113 B3
Curcurica, Stagno de sa (NU) 130 C4
Curcuris (OR) 132 D1
Curdona, Canale 99 D1
Curéggio (NO) 21 B1
Curenna (SV) 42 E1
Curetta (AP) 64 D1

194 CURGO / DOVA SUPERIORE

Curgo (VC) 7 F4
Curiano (SI) 60 C3
Curicchi (RO) 38 C4
Curiè, Monte (BL) 5 E1
Curiglia con Monteviasco (VA) 9 E2
Curi, Monti sa (SS) 127 D2-3
Curinga (CZ) 105 C1
Curino (BI) 20 C3
Curio [CH] 9 E2
Curletti (PC) 34 F3
Curnasco (BG) 22 C4
Curno (BG) 22 BC4
Curogna [CH] 9 C2
Curogna (TV) 26 A3
Curone, Fiume 33 E4
Curon Venosta (Graun in Vintschgau) (BZ) 1 C4
Curos, Fiume 128 C3
Curoz, Punta de sos (NU) 130 F2
Currada (PR) 45 B4
Cursi (LE) 100 C3
Cúrsolo (VB) 8 D4
Curtarolo (PD) 26 D2
Curtatone (MN) 36 B3
Cúrteri (SA) 89 BC3
Curti (CE) 83 C2
Curti (CE) 83 E1
Curticelle (SA) 89 C4
Curtins [CH] 10 B4
Curt, Monte (TO) 19 F2
Curà (RO) 37 D4
Curuna, Serra (ME) 112 E1
Curò, Rifugio (BG) 11 E2
Curvale, Monte (IS) 76 F1
Cusago (MI) 21 DE4
Cusano Milanino (MI) 22 D1
Cusano Mutri (BN) 83 C3
Cusano (PN) 15 F3
Cusa, Rocche di (TP) 116 C4
Cusciano (TE) 69 C4
Cusercoli (FO) 55 A1
Cusiano (TN) 12 C2
Cusighe (BL) 14 D3-4
Cusignana (TV) 26 B4
Cusignano (PI) 53 D2
Cusinati (VI) 26 C2
Cusino (CO) 9 E4
Cusio (BG) 10 E3
Cusna, Monte (RE) 45 D4
Cussanio, Santuario di (CN) 31 F3
Cussignacco (UD) 16 F4
Cussorgia (CA) 134 D3
Custonaci (TP) 108 D2
Custoza (VR) 24 F3-4
Cute, Monte (PZ) 91 D3
Cute, Pizzo (ME) 112 E4
Cuti (CS) 102 F2
Cutigliano (PT) 46 F3
Cutino, Masseria (FG) 85 B3
Cuto, Fiume 112 F1
Cutoni (IS) 76 F2
Cutro (KR) 106 A2
Cutrofiano (LE) 100 C2
Cutro Scandale, Stazione di (KR) 106 A2
Cuturi, Masseria (RG) 123 D3
Cùpola, Masseria (FG) 85 A4
Cuvil, Monte (PN) 15 D1
Cúvio (VA) 9 F1
Cuviolo (BO) 47 D4
Cuzzago (VB) 8 E3
Cuzzano (VR) 25 D1
Cúzzego (VB) 8 D2-3
Cuzzia, La (PZ) 90 D1
Cuzzola (SS) 127 F2-3

D

Daberlenke [A] 4 B3
Dabernitzhöhe [A] 4 A4
Dàgala del Re (CT) 121 B2
Dagariato, Monte (AT) 32 E3-4
Dagariato, Monte (PA) 109 E3-4
Daglio (AL) 33 F4
Dagnente (NO) 21 A1
Daiano (TN) 13 C2-3
Daille [F] 18 C3
Dailley (AO) 6 F2
Daillon [CH] 6 B4
Daino, Cocuzzo del (PA) 119 B2
Daint, Piz [CH] 1 E2-3
Dairago (MI) 21 C3
Dalli Sotto e Sopra (LU) 45 E4
Dalmassi (TO) 31 B1
Dalmazzi (CN) 41 B3
Dalmine (BG) 22 C4
Dalmonte (SV) 42 C3
Dalpe [CH] 9 A2
Dama (AR) 55 D1
Dàmbel (TN) 12 B4
Damerio, Masseria (SR) 124 B4
Dandini (FR) 74 E3
Dandolo (PN) 15 E3
Dándrio [CH] 9 A3
Danerba, Cima di (TN) 12 E1
Dangio [CH] 9 A3
Daniele, Pizzo (ME) 112 E3
Daniele, Torre (TO) 19 C4
Danna, Borgata (CN) 30 F4
Danna [YUI] 29 D4
Danta (BL) 5 E1
D' Antunceddu (SS) 126 B4
Danza, Fiume 3 E2
Daone (TN) 12 F1
Daone, Val di (TN) 12 F1
Dara (TP) 107 F4
Dardagna, Fiume 46 E4
Dardago (PN) 15 E1-2
Darengo, Lago (CO) 9 C4
Darè (TN) 12 E2
Darfo Boario Terme (BS) 23 A4
Dárola (VC) 20 F3
Darzo (TN) 24 A2
Dasá (VV) 104 F4
Dascio (CO) 10 D2
Dasdana (BS) 24 A1
Dásio (CO) 9 E3
Dáttilo (TP) 108 E2
Daubensee [CH] 7 A2
Dáunia, Monti della (FG) (BN) 84 AB2-3
Davagna (GE) 43 B4
Daváras (UD) 15 B1
Davena (BS) 11 D4
Davério (VA) 21 A3
Davesco [CH] 9 E3
Davestra (BL) 14 C4
Davia [CH] 6 B2
Davino (AL) 32 C4
Daviso, Rifugio (AO) 18 D4
Davoli (CZ) 105 E2
Dázio (SO) 10 D3
Dazzei (BA) 86 C3
Debanttal [A] 5 B2
Debat, Monte (AO) 19 C3-4
Debba (VI) 25 E4
Debbia (RE) 46 C2
Debeli, Monte (GO) 29 C1-2
Debeli Rtic, Punta Grossa [YUI] 29 E2
Debéllis (UD) 16 D4
Debia, Monte (MS) 45 D2
De Biase, Masseria (FG) 86 C1
De Blasi, Casa (CT) 123 A2
Deccio (LU) 52 B4
Decima (BO) 37 F2
Decimomannu (CA) 135 B3
Decimoputzu (CA) 135 B2
Decollatura (CZ) 105 A1
Decorata (BN) 84 B1
De Costanzi (CN) 30 F3
De Crescenzio, Villa (BA) 87 E1
De Feo, Masseria (AV) 85 F2
Defereggental [A] 4 B3-4
De Franchis, Case (TP) 108 D3
Detregger/Hütte [A] 4 A4
Degano, Fiume 5 F3
De Gasperi, Rifugio (UD) 5 F2
Degenhorn Gr. [A] 4 C4
Deglio (IM) 42 F1
Dégioz (AO) 19 B1
Degna (SV) 42 F1
Degnone (BS) 24 B1
Degolla (IM) 42 F1
Dego, Monte (PC) 44 A2
Dego (SV) 42 B3
Déiva Marina (SP) 44 E3
Dekani (Villa Decani) [YUI] 29 E3
Del Bono, Case (VE) 27 DC4
Del Bono, Masseria (FG) 78 F4
Delebio (SO) 10 D2
De Leonardis, Villa (RC) 114 AB4
Delia (CL) 119 E1
Delianuova (RC) 114 C3-4
Delia, Stazione (AG) 119 E1
Delicata (FR) 75 F2
Deliceto (FG) 85 D1
Deliella, Casa (CL) 119 DE1
Delizia, Ponte della (PN) 15 F4
Dellach [A] 5 D4
Dellach [A] 5 E4
Dellacher A. [A] 17 A1
Dello (BS) 23 E3
Del Monte, Castel (BA) 86 E3
De Luca, Casa (FG) 78 E1
De Luca, Casino (BA) 87 B2
Del Vecchio-Vecchia/Nuova, Masseria (TA) 93 C2
Demani, Posta (FG) 85 A2
Demartini (AL) 33 C1
Demidof, Parco (FI) 54 C1
Demonte (CN) 40 C4
Demorta (VR) 36 A4
Denavolo, Monte (PC) 34 D3-4
Déndalo (CH) 71 F1
Déneri, Pizzi (CT) 121 A1
Denervo, Monte (BS) 24 B3
Dénice (AL) 32 F3
De Nittis, Masseria (FG) 85 B2
Denno (TN) 12 C4
Denore (FE) 38 E2
Dent Blanche, Cab. de la [CH] 7 D2
Dent de Nendaz [CH] 6 C4
Dent de Perroc [CH] 7 D1-2
Dent de Valére [CH] 6 B2
Dent d' Oche, La [F] 6 A1
Dente, Bric del (GE) 43 B1
Dente del Gigante (AO) 6 EF2
Dentolo, Fiume 71 EF1
Dentro, Monte (TN) 2 F4
Dents du Midi [CH] 6 C2
Denzano (MO) 46 C4
Denza, Rifugio (TN) 12 C2
De Palma, Masseria (FG) 84 B4
De Pascale, Masseria (MT) 92 E4
De Peppo, Casa (FG) 84 B4
Depressa (LE) 100 D3
Depretis, Canale 20 EF2
Derborence [CH] 6 B4
Derby (AO) 18 A4
Dercogna (GE) 43 B4
Dêpot (TO) 30 B3
Dermulo (TR) 12 C4
Dernice (AL) 33 E4
Deroma, Case (SS) 125 F2
Derovere (CR) 35 B4
Deruta (PG) 62 E2
Deruta, Stazione di (PG) 62 E2
Dervio (LC) 10 E1
Desana (VC) 20 F4
Dese, Fiume 27 D1
Desenzano del Garda (BS) 24 E2
Desertes (TO) 30 B1-2
Dese (VE) 27 D1
Desénico, Cima di (SO) 10 D2-3
Desio (MI) 22 C1-2
Desio, Monte (PR) 35 E2
Desio, Rifugio (SO) 10 C4
Desisa, Masseria (PA) 109 E1
Deskle (Descia) [YUI] 17 F2
Des Mesce, Lago [F] 41 E1-2
Dessous [CH] 6 A3
Destra, La (CS) 97 E4
Destro (CS) 102 C4
Désulo (NU) 132 A4
Désulo Tonara, Stazione (NU) 132 AB4
Desusino, Monte (CL) 122 A3
Deu, Monte (SS) 128 B4
Deu, Monti di (SS) 126 E4
Devero, A. (VB) 8 B2
Devero, Fiume 8 B3
Devero, Val di (VB) 8 BC3
Deversi (CN) 41 D4
Deveys (TO) 30 A2-3
Dezzo di Scalve (BG) 11 F2
Dezzo, Fiume 11 F2
Dho (CN) 41 C3
Diable, Cime du [F] 41 E1
Diablerets, Cab. des [CH] 6 A4
Diablerets, Les [CH] 6 A3-4
Diablerets, Les [CH] 6 AB3-4
Diablons, Les [CH] 7 C2-3
Diacceto (FI) 54 C2
Diaccialone (GR) 66 D2
Diacedda, Punta (CA) 135 E1-2
Diamante (CS) 101 A2
Diana (CT) 112 F4
Diano Arentino (IM) 42 F1
Diano Castello (IM) 51 C2
Diano d' Alba (CN) 32 F1
Diano Marina (IM) 51 C3
Diano San Pietro (IM) 51 C3
Diano, Vallo di (SA) 97 AB2
Diavel, Piz du [CH] 1 E1-2
Diavolezza [CH] 11 B1
Diavoli, Aia dei (PI) 59 C3
Diavolo, Ca del (PC) 34 D2-3
Diavolo di Tenda, Pizzo del (BG) 11 E1
Diavolo, Lago del (BG) 11 E1
Diavolo, Monte del (TA) 94 EF4
Diavolo, Passo del (AQ) 75 D3
Diavolo, Piana del (VT) 66 D4
Diavolo, Pizzo del (BG) 11 E2
Diavolo, Ponte del (SO) 11 B4
Diavolo, Torre del (CA) 135 E3
Dibona, Rifugio (BL) 4 F2
Dico, lo (PA) 110 F4
Dicomano (FI) 54 B2-3
Diddino, Ponte (SR) 124 A3
Didiero (TO) 30 C3
Diecimetri, Ponte (RI) 68 C4
Diecimo (LU) 52 AB3-4
Diegaro (FO) 48 F4
Diei, Pizzo (VB) 8 BC2
Dietro Isola, Punta (TP) 116 F2
Diérico (UD) 5 F4
Difensola, Masseria (FG) 78 E1-2
Difensola, Monte la (AQ) 75 B1
Difesa Grande, Bosco (BA) 92 BC2-3
Difesa, La (FG) 84 C3
Difesa, La (PZ) 91 E1
Difesa, Monte della (LT) 81 A1
Difesa, Rifugio (AQ) 75 E3
Difesa Vecchia, Masseria la (BA) 93 A2-3
Difesa, Villaggio (MT) 92 C2-3
Digapoli (SO) 1 E2-3
Digerbato (TP) 116 A3
Dignano (MC) 63 E1
Dignano (UD) 15 E4
Dignini (PC) 35 E1
Digny, Monte (AO) 19 C3
Digola, Passo del (BL) 5 F1
Digonera (BL) 4 F1
Digon, Fiume 5 E1
Di la Tione (VR) 37 A1
Diliella Grande, Ca. (CL) 119 F2
Diliella, Poggio (CL) 119 F2
Diligenza (RG) 123 C2
Dimaro (TN) 12 C3
Diminniti (RC) 114 D2
Dinami (VV) 104 F4
Dinazzano (RE) 46 B3
Dino [CH] 9 E3
Dino, Fiume 129 F4
Dino, Isola di (CS) 97 E3
Diolaguardia (FO) 49 F1
Diolo (PR) 35 D3
Diosi, Pizzo di (VB) 8 D3-4
Di Pietro, Casa (CT) 123 A3
Dipignano (CS) 102 E1
Dipilo, Pizzo (PA) 110 E3
Dirillo, Lago (CT) 123 A3
Dirillo, Ponte (RG) 123 B1
Dirillo, Stazione (RG) 123 B1
Disa, Poggio (EN) 120 C3
Disfida di Barletta, Monastero alla (BA) 86 D3
Disgrazia, Monte (SO) 10 C4
Diso (LE) 100 D3
Dispensa di Tatti (PI) 59 A4
Dispensa (NU) 130 E3
Disperata, Torre (BA) 86 F3
Dissimo (VB) 8 D4
Distacco, Masseria (TA) 93 D1
Di Stetano, Case (TP) 117 A1
Disueri, Lago di (CL) 119 F4
Disueri, Monte (CL) 119 F3
Disvetro (MO) 37 E1
Ditella (ME) 112 A3
Dittáino, Fiume 120 C1
Dittaino, Stazione di (EN) 120 C1
Divaca [YUI] 29 D4
Divedro, Val (NO) 8 C2
Divéria, Fiume 8 C2
Diversivo, Canale 65 A2-3
Divieto (ME) 113 B2
Divignano (NO) 21 B1-2
Divino Amore, Santuario del (ROMA) 73 E2-3
Divisa (PV) 21 F4
Dix, Cab. des [CH] 7 D1
Dixence, Fiume 7 C1
Dix, Lac des [CH] 7 D1
Dix, Val des [CH] 7 D1
Dizzasco (CO) 9 F3-4
Dobbiaco, Lago di (BZ) 4 D3
Dobbiaco Nuovo (New Toblach) (BZ) 4 D3
Dobbiaco (Toblach) (BZ) 4 D3
Doberdò del Lago (GO) 29 B1-2
Dober, Fiume 16 A3
Doblari [YUI] 17 F2
Dobratsch [A] 17 A2
Dobraule di Tomadio IYUI]29 C3
Doccia (FI) 54 C2
Doccia (MO) 47 B1
Dóccio (VC) 20 A3
Dóglia, Monte (SA) 90 E2
Dodici Apostoli, Rifugio (TN) 12 D3
Dodici, Cima (BL) 4 E4
Dodici, Cima (TN) 13 F2-3
Dódici Marie (FR) 74 E4
Dodici Morelli (FE) 37 E2-3
Dodici, Sasso dei (TN) 13 B4
Doey, La (CH) 6 B2
Dof, Monte (PN) 15 C1-2
Dogaletto (VE) 26 E4
Dogana (FI) 53 E2
Dogana, La (PG) 61 B4
Dogana Nuova (MO) 46 E2
Dogana Rossa, La (SI) 61 D2
Dogana (SP) 45 F2
Dogana, Villa (FI) 47 F2
Doganella (GR) 66 C1
Doganella (LT) 80 A4
Dogaro (MO) 37 E2
Dogato (FE) 38 F3
Doglia, Monte (SS) 128 AB1
Dogliani (CN) 41 A4
Dogliola (CH) 77 C1
Dóglio (PG) 67 A4
Dogli (SV) 42 B4
Dogna (BL) 14 C4
Dogna, Canale di 16 B4
Dogna di lôv (UD) 16 B4
Dogna (UD) 16 C4
Doirone (TO) 31 B2
Dol [YUI] 29 B3-4
Dolada, Monte (BL) 14 D4
Dolca, Fiume 20 D2
Dolceácqua (IM) 50 C4
Dolcecanto (BA) 92 B2
Dolcedo (IM) 51 C2
Dolcedorme, Serra (CS) 98 E2
Dolce, Monte (CT) 112 F3
Dolcetti, Masseria (CS) 98 F2-3
Dolcé (VR) 24 D4
Dolciano (SI) 61 D2
Dolegna del Collio (UD) 17 F1
Dolegnano (UD) 29 A1
Dolegna (UD) 17 E1
Dolegna [YUI]29 B4
Dolent, Mont [CH] 6 E2-3
Dolfertal [A] 5 A1
Dolfina (VE) 39 B1
Dolianova (CA) 135 AB4
Doliva, Cala (SS) 125 C2
Dolla [YUI] 17 E2
Döllach i. Mölltal [A] 5 A3
Dolmen di Chianca (BA) 86 D4
Dolmen di Scusi (LE) 100 C3 4
Dolmen Guargulante (LE) 95 F4
Dolmen Placa (LE) 95 F4
Dolmen (SR) 124 C3
Dolo, Costone (BS) 24 A2
Dolo, Fiume 46 CD2
Dolomiten [A] 5 D2-3
Dolomiti (BL) 14 A2 B1-2
Dolonne (AO) 6 F2
Dolo, Ponte (RE) 46 C2
Dolo (VE) 26 E4
Dölsach [A] 5 C3
Dolzago (LC) 22 B2
Domagnano [R.S.M.] 55 B4
Domanico (CS) 101 E4
Domanins (PN) 15 F3
Domaso (CO) 10 D1
Domazzano (LU) 52 B3
Dom [CH] 7 D4
Dome de l' Arpont [F] 18 E1-2
Dome du Goiter [F] 6 F1
Dôme, Le [F] 18 C3
Domegge di Cadore (BL) 4 F4
Domegliara (VR) 24 D4
Domestica, Cala (CA) 134 B2 3
Domicella (AV) 89 A2
Domingo, Monte (TP) 108 E3
Domiti a, Borgo (CE) 82 F3
Dom Nakomni [YUI] 17 D3
Domnütte [CH] 7 D3
Domo (AN) 63 A2
Domo (MC) 63 B3
Domobianca (VB) 8 D2
Domodossola (LO) 22 F2 3
Domodóssola (VB) 8 D2 3
Dom Savica [YUI] 17 D3
Domu de su para, sa (CA) 134 C3
Domu e s' Orcu, Nuraghe (CA) 135 D3
Domus de lana (SS) 129 B2
Domus de Maria (CA) 135 EF2
Domus, is (CA) 134 E4
Domusnóvas (CA) 134 B4
Domusnóvas, Canale 129 F1
Don (BL) 14 D2
Donada (RO) 39 C1
Donadone, Masseria (FG) 85 A2
Don Antonio, Masseria (FG) 86 C1
Donato (BI) 20 C1
Dondena (AO) 19 B3
Donegaglia (RN) 49 F2
Dónego (VB) 9 E1
Donetta (GE) 43 B4
Don Gennaro, Masseria (FG) 78 F4
Dongio [CH] 9 A3
Dongo (CO) 10 D1
Donicilio (FO) 55 C2
Donigala (CA) 132 E4
Donigala Fenughedu (OR) 131 B3
Donigalla (NU) 133 B3
Donna (AL) 33 E2
Donna Amalia, Masseria (CS) 98 C3-4
Donna Aurélia, Masseria (LE) 95 E1
Donnacori, Cantoniera (NU) 129 D4
Donnadolce, Casa (RG) 123 C3
Donnafugata (RG) 123 CD2
Donna Giácoma, Cocuzzo (PA) 109 F3
Donna Giúlia, Casa (BR) 94 D4
Donnalucata (RG) 123 E3
Donna, Monte di (FG) 78 E3
Donna, Punta sa (NU) 130 B1-2
Donnas (AO) 19 C4
Donnas, Las [F] 40 CD2
Donnerstein [A] 4 B4
Donniche, Terre (CS) 101 E4
Donnici, Bivio (CS) 102 E1
Donnici Inferiore (CS) 102 E1
Donnini (FI) 54 D2
Donoratico (LI) 59 C1
Donoratico, Torre (LI) 59 C1-2
Donori (CA) 135 A4
Dont (BL) 14 B3
Don (TN) 13 B1
Donzella, Isola della (RO) 39 D2
Donzella (RO) 39 D1-2
Doppi (PC) 35 D1
Doppo, Monte (BS) 23 C4
Dora Baltea, Fiume 18 A4
Dora Baltea, Fiume 19 B4 20 E1
Dora di Bardonecchia, Fiume 30 AB1-2
Dora di Ferret, Fiume 6 F2
Dora di Nivolet, Fiume 18 C4
Dora di Rhemes, Fiume 18 B4
Dora di Valgrisenche, Fiume 18 B4
Dora di Veny, Fiume 6 F2
Doran, Aigle [F] 18 E1
Dora, Piz [CH] 1 E3
Dora Riparia, Fiume 30 AB2
Dorata, Costa (SS) 127 E3-4
Dorca (VC) 8 F1
Dordolla (UD) 16 C3
Dordona, Passo di (BG) 10 E4
Dorénaz [CH] 6 C3
Dorfer See [A] 5 A1-2
Dorga (BG) 11 F2
Dorgagnano (FO) 48 F4
Dorgali (NU) 130 D3
Doria, Castello (SS) 126 E2
Dória (CS) 98 F3
Doria (GE) 43 B3
Dorigoni, Rifugio (TN) 2 F1
Dorigo (TV) 26 A4
Dório (LC) 10 D1
Dorizzo, Val (BS) 24 A2
Dormelletto (NO) 21 B1
Dorna (AR) 61 A1
Dornere (CN) 32 E2
Dorno (PV) 33 B3
Dorsino (TN) 12 E3
Dorà (TN) 13 C2
Dorzano (BI) 20 D2
Dosaip, Monte (PN) 15 C2
Dosazzo, Lago (BS) 11 D4
Dosdega (VR) 24 F4
Dosdè, Corno (SO) 11 B2
Dosimo (CR) 35 B3
Dosolo (MN) 36 D2
Dossena (BG) 10 F3
Dossi (CR) 23 F1
Dossi, I (AL) 33 B1
Dossi, I (BS) 35 A3
Dossi, I (VC) 20 E4
Dossi, Malga dei (BZ) 4 B2
Dossioli, Monte (TN) 24 B4
Dosso (BG) 11 F2
Dosso (BS) 23 B4
Dosso (BZ) 3 D1
Dosso dell' Inferno (MN) 37 D2
Dosso del Liro (CO) 10 D1
Dosso (Egg) (BZ) 3 C2
Dosso (FE) 37 F3
Dosso, Forca del (BZ) 3 AB4
Dosso (MN) 36 A4
Dosso, Monte (BS) 23 B4
Dosso, Monte (PR) 35 F1
Dosson (TV) 27 C1
Dota (AT) 32 E3
Dotterschrofen [A] 2 A3
Douane [F] 30 E2
Douay, La [CH] 6 D3
Doubia, Monte (TO) 19 E1
Doues (AO) 6 F4
Dovadola (FO) 48 F2
Dova Inferiore (AL) 33 F4
Dova, Monte su (NU) 130 E1
Dova Superiore (AL) 33 F4

DOVENA / FALLÈRE 195

Dovena (TN) 2 F4
Dovera (CR) 22 E3
Doviziosi (CS) 102 E1
Dovje [YU] 17 B4
Dozza (BO) 48 D1
Dozzano (MS) 45 C1
Drafú, Mole di (CL) 119 E1-2
Draghi (VI) 25 AB3
Dragofosso, Monte (EN) 120 E1
Dragonara, Castello di (FG) 77 E4
Dragoncello (MN) 37 D2
Dragoncello, Monte (BS) 23 D4
Dragonea (SA) 89 C3
Dragone, Colle del (CS) 98 E1-2
Dragone, Fiume 46 D2
Dragone, Fiume 89 C2
Dragone, Piano del (AV) 89 A4
Dragonetti (PZ) 91 B2
Dragone, Valle del (KR) 106 AB2
Dragonia, Fiume 29 F3
Dragoni (CE) 83 D1
Dragoniere (CN) 30 F4
Dragoni (LE) 95 F3
Draisi, Monte di (AG) 119 F1
Dra, Monte (AL) 43 AB2
Drance [CH] 6 E3
Drance de Bagnes, Fiume 6 D4
Drance, Fiume 6 E3
Drano (CO) 9 E3
Drap [F] 50 D2
Drápia (VV) 104 E2
Draschitz [A] 17 B2
Drasso (MN) 36 B4
Drau, Fiume 5 CD3
Drau Tal [A] 5 D4
Drauto (ME) 112 B3
Drava, Fiume 4 D4
Draye, La [F] 30 B1
Drena (TN) 12 F3
Drènchia (UD) 17 E2
Dresal (AO) 20 A1
Dresano (MI) 22 E2
Dresdner Hütte [A] 2 A4
Dresenza Picco [YU] 17 D2
Dresio (VB) 8 E3
Dreulach [A] 17 B2
Drine, Col di (AO) 19 B1
Driolassa (UD) 28 B3
Dritta, Punta (CA) 134 D3
Drizzona (CR) 35 B4
Droe (CN) 30 E4
Drône [CH] 7 B1
Drone, Monte (BZ) 2 C4
Dronero (CN) 41 A1
Drosi (RC) 114 A4
Dro (TN) 12 F3
Dru, Aigle du [F] 6 E2
Drubiaglio (TO) 31 A1-2
Druento (TO) 31 A2-3
Druges (AO) 19 B2
Drugolo (BS) 24 D2
Druogno (VB) 8 D3
Drusacco (TO) 19 D4
Drusco (PR) 44 B3
Dualchi (NU) 129 E2
Duanera la Rocca, Borgo (FG) 85 A1
Duan, Lac [CH] 10 B3
Duan, Piz [CH] 10 B3
Dubasso, Monte (CN) 41 E4
Dubbione (TO) 30 C4
Dubino (SO) 10 D2
Duca, Cima del (SO) 10 C4
Duca d' Abruzzi, Rifugio (AO) 7 E2
Duca degli Abruzzi, Rifugio (AQ) 69 D4
Duca di Pistóia, Rifugio (BZ) 13 B3
Duca, Masseria del (TA) 94 C2
Duca, Masseria il (LE) 100 B2
Ducato Fabriago (RA) 48 BC3
Ducenta (CE) 82 F4
Ducentola (BO) 47 A2
Ducentola (FE) 38 E2
Duchessa (CA) 134 B4
Duchessa, Lago della (RI) 74 A4
Duc (TO) 30 B2
Dudda (FI) 54 E1
Duddova (AR) 60 A4
Dudurri, Nuraghe (NU) 130 D3
Due Cossani (VA) 9 E2
Due Maesta (RE) 46 A2-3
Due Pizzi (UD) 17 B1
Due Ponti (PI) 52 F4
Due Rocche, Punta delle (AG) (CL) 122 AB2-3
Due Santi, Passo dei (PR) 44 C4
Due Santi (PG) 62 F2
Due Sture (AL) 32 A4
Due Torri, Masseria (BA) 87 B3
Due Torri (ME) 113 B1-2
Due Uomini, Lago dei (CS) 101 B3
Dueville (VI) 25 C4
Dufour, Punta [CH] (VB) 7 E3-4
Dugara (PC) 35 D1
Dugenta (BN) 83 E2
Dúglia (CS) 102 C2
Dúglia, Fiume 102 B2
Dugliolo (BO) 47 A4
Dugnano Paderno (MI) 22 C1
Dugny [CH] 6 C3
Duidduru, Nuraghe (NU) 132 C2-3
Duino (TS) 29 C2
Dulceri (TP) 116 B3
Dumenza (VA) 9 E2
Dunarobba (TR) 68 B1
Duno (VA) 9 F1
Duó (RO) 39 C1
Duomo (BS) 23 D3
Duomo (PC) 34 C4
Dura (Durreck), Cima (BZ) 4 B2
Durando, Masseria (FG) 85 C2-3
Duranno, Monte (PN) 15 C1
Duran, Fasso (BL) 14 C3
Duranus [F] 50 C1-2
Durasque, Cime de [F] 41 E2
Durazzanino (FO) 48 D4
Durazzano (BN) 83 EF2
Duria, Monte (CO) 9 C4
Durlo (VI) 25 C2
Durna in Selva (Durnwald) (BZ) 4 D3
Durnthal [A] 5 D3
Duro, Monte (RE) 46 B2
Durónia (CB) 76 F4
Durrá, Monte (AG) 119 F1
Dusino San Michele (AT) 32 C1
Dussoi (BL) 14 E3
Dutovlje (Duttogliano) [YU] 29 C3
Duverso, Fiume 114 B3

E

Eangfluehütte [CH] 7 D4
Eau Rousse (AO) 19 C1
Ebne [A] 1 A3
Eboli, Fontana d' (PZ) 79 B3
Eboli, Monti (SA) 90 D1
Eboli (SA) 90 D1
Ebro, Monte (AL) 34 F1
Eca (CN) 41 D4
Eccas, Monte (CA) 136 BC2
Ecce Homo (KR) 105 A4
Echaillon, L' [F] 18 C3
Echallod (AO) 19 B4
Echar, Cima (VI) 25 A4
Echelle, Ponte de 1' [F] 18 E1
Echessettes, Les [CH] 6 E3
Echevennoz (AO) 6 F3-4
Eclause (TO) 30 A2
Ecot, L' [F] 18 C4
Ederplan [A] 5 C3
Edifizio (TV) 26 BC3
Edolo (BS) 11 D3
Efisi, Nuraghe Don (CA) 132 E3
Egadi, Isole (TP) 107 E2-3
Ega sa Femmina, Monte S'(CA) 135 B2
Ega, Selva di (BZ) 13 B3
Egg [A] 16 A4
Egg [A] 5 B1
Eggenbach, Fiume 5 D2
Eggen [CH] 8 C1
Eggenkofel [A] 5 D2
Egger Alm [A] 16 A4
Eggerberg [CH] 7 B4
Eggi (PG) 68 A3
Eggischorn [CH] 8 A1-2
Egna (Neumarkt) (BZ) 13 C1-2
Egnazia (BR) 94 A2
Egnazia, Stazione (BA) 87 B3
Egola, Fiume 53 E2
Egro (VB) 20 A4
Eianina (CS) 98 E3
Eia (PR) 35 E4
Eichham [A] 4 A4
Eichhorn [A] 5 A3
Eira, Passo dell' (SO) 1 F2
Eischoll [CH] 7 B3
Eison [CH] 7 C1
Eisten [CH] 7 C4
Eita (SO) 11 B3
Elba , Isola d' (LI) 58 DE1-2
Elberfelder H. [A] 5 B2
Elce (TE) 69 B4
Elce, Toppo dell' (PZ) 91 A1
Elci, Monte (ROMA) 73 A4
Elcito (MC) 63 B2
Elefante, L' (SS) 126 E1
Eleme, Fiume S' (SS) 127 F1
Elena, Rifugio (AO) 6 E2-3
Eleutero, Fiume 109 E3
Elévaz (AO) 18 A3
Elia, Ca d' (SA) 90 E2
Elia, Monte (RC) 115 A2
Elice (PE) 70 D3
Elice, Villa (CH) 78 A3
Elicona, Fiume 112 D3
Elini, Fiume 133 B2
Eliodone, Monte s' (SS) 129 D2
Elio, Monte d' (FG) 76 C4
Elioterapico, Istituto (VI) 25 A4
Elisabetta, Rifugio (AO) 6 F1
Eliseddu, Fiume 133 D1
Élisis, Masseria d' (CB) 77 D2 3
Ellera, Stazione di (PG) 62 D1
Ellera (SV) 42 C4
Éllero, Fiume 41 C3
Ello (LC) 22 B3
Elmas (CA) 135 B3
Elmo (GR) 66 B4
Elmo (Helm) Monte (BZ) 4 D4
Elmo, Monte (GR) 66 B4
Elmo, Villa (TV) 26 C3
Eloisa, Serra (CS) 103 D1
Elpighia, Nuraghe (SS) 126 E1
Elsa, Fiume 53 F3 60 B1 66 C2
Elsa, Rifugio (LC) 10 F1
Eltica, Monte la (SS) 127 E1
Elto, Monte (BS) 11 E3
Elva (CN) 30 F3
Elva, Monte (SS) 125 E2
Elva, Pelvio d' (CN) 30 F3
Elvas (BZ) 3 D3
Elva, Vallone d' (CN) 30 F3
Elvo, Fiume 20 E3
Ema , Fiume 54 D1
Emarese (AO) 19 A4
Embd [CH] 7 C3
Embrisi, Monte (RC) 114 E2-3
Emet, Passo di [CH] 10 A2
Emet, Pizzo di [CH] 10 A2
Emiliano, Monte (MO) 46 E3 4
Emiliano, Torre (LE) 100 C4
Emilius, Monte (AO) 19 B2
Emmersdorf [A] 17 A2
Emosson, Lac D' [CH] 6 D2
Empoli (FI) 53 D2
Ena Arrubia, s' (OR) 131 C3
Ena Lenga, Casa (SS) 126 F2
Ena, Nuraghe s' (SS) 128 C4
Enas (SS) 127 E2
Enas, Stazione di (SS) 127 E2
Enciastraia, Monte (CN) 40 B2
Endine Gaiano (BG) 23 B2
Endine, Lago di (BG) 23 B2
Enego (VI) 13 F4
Enemonzo (UD) 15 B3-4
Énfola, Capo d' (LI) 58 E2
Engazza (VR) 37 A1
Engiloch [CH] 8 C1
Enguiso (TN) 12 F2
ENNA 119 C3
Enna, Fiume 10 F3
Enna, Nuraghe (NU) 132 C3
Enna (VI) 25 B3
Eno (BS) 24 C2
Ente, Fiume 60 E4
Entella, Fiume 44 D2
Entella Rocca d' (PA) 117 A3
Entesano (UD) 16 E3
Entrà (MO) 37 E2
Entracque (CN) 41 D1
Entrampo (UD) 5 F3
Entrata, Sella (RC) 114 D3
Entratico (BG) 23 B2
Entraunes [F] 40 D1
Entremont, Vallee d' [CH] 6 D3 E4
Entrevaux [F] 40 F1
Entréves (AO) 18 A3
Entréves (AO) 6 F2
Envers L' [F] 18 E2
Envie, Cappello d' (TO) 30 C3
Envie (CN) 31 E1
Enza, Fiume 36 E1 45 B4
Enzola (RE) 36 E1
Eolie o Lipari, Isole (ME) 111 BC2
Éores (BZ) 3 D3
Éores Passo di (BZ) 3 D4
Eores Val di (BZ) 3 DE3
Epicoun, Becca d' [CH] 7 E1
Epinassey [CH] 6 C2
Epinel (AO) 19 B1
Episcópio (SA) 89 B2
Episcopia (PZ) 98 C1
Epitaffio, Monte (BA) 91 A4
Epitaffio, Torre dell' (LT) 81 C2
Epomeo, Monte (NA) 88 C1
Equila, Cocuzzo di (PA) 119 A2-3
Equile Lipizzano [YU] 29 D4
Equi Terme (MS) 45 E3
Eraclea Mare (VE) 27 D4
Eraclea Minoa (AG) 117 E4
Eraclea (VE) 27 D4
Era, Fiume 52 D4 53 F1
Eranova (RC) 114 A3
Era (SO) 10 C2
Era Viva, Fiume 59 A4
Erba, Alpe (CO) 9 E4
Erbacen, Punta de s' (CA) 131 F3-4
Erba (CO) 22 A2
Erbaia (FI) 53 A4
Erbanno (BS) 11 F2
Erbesso (AG) 118 E1
Erbesso, Monte (SR) 123 B4
Erbetea Morgantina (EN) 120 D1
Erbezzo (UD) 17 E1
Erbezzo (VR) 25 C1
Erbognone Fiume 33 AB3
Erbè (VR) 37 A1
Erbusco (BS) 23 C2
Ercavallo, Punta di (BS) 12 C1
Erchia, Casino d' (BA) 87 F4
Erchie (BR) 94 E4
Erchie (SA) 89 D3
Erchie-Torre Santa Susanna, Stazione di (BR) 94 E4
Ercolano (NA) 88 B4
Ercole, Bivio (MC) 63 C1
Ercole, Casa d' (CH) 77 B1
Erde [CH] 6 D4
Eredita (SA) 90 F1
Erei, Monti (EN) 119 CD3-4
Erella, L' [F] 18 E2
Eremita, Monte (SA) 90 BC3
Eremita, Pizzo dell' (CT) 120 A3
Eremita (PS) 56 F1
Eremita (SV) 42 D3
Eremiti (SA) 96 B3
Eremo, Carceri (PG) 62 D3
Eremo (CN) 41 A1
Eremo (EN) 119 E4
Éremo (FI) 54 B3
Éremo, L' (TO) 31 B3 4
Eremo (RE) 46 C1
Éremo (SR) 124 C2
Eremo (VR) 24 D3
Ere, Passo di (BS) 24 B3
Érèsas (AO) 19 A4
Eretum (ROMA) 73 B3
Ereulas, Nuraghe (NU) 129 E3
Ergisch [CH] 7 B3
Erica, Valle dell' (SS) 127 B1
Erice Fico (TP) 108 D1
Erice (TP) 108 D1
Erighighine, Nuraghe (OR) 129 E2
Eri, Monte (SS) 126 E1
Erio, Monte (VI) 25 A3-4
Erli (SV) 42 E1-2
Erlsbach [A] 4 B3
Ermada, Monte (TS) 29 C2
Ermetta, Monte (SV) 43 B1
Ermo, Castell' (SV) 42 E1
Erna (LC) 10 F2
Ernen [CH] 8 A2
Ernici, Monti (FR) 74 D3-4
Erno (CO) 9 F4
Errano (RA) 48 E2
Erro, Fiume 42 A4
Erro, Ponte (AL) 42 A4
Erschmatt [CH] 7 B3
Ersel in Monte [YU] 29 C4
Erto (PN) 14 C4
Erula (SS) 126 F3
Erve (LC) 22 A3
Esanatóglia (MC) 63 C1
Ésaro, Fiume 102 A1 106 A2-3
Escalaplano (NU) 133 E1
Escarène, L' [F] 50 D2
Eschio (BZ) 2 E4
Escles [CH] 6 C3
Escolca (NU) 132 D3
Escovedu (OR) 132 C1-2
Esemon (UD) 15 B4
Esenta (BS) 24 E2
Esigo (VB) 8 B3
Esinante, Fiume 63 A2
Esine (BS) 11 F3
Esino, Fiume 57 F2- 63 C1
Esino Lario (LC) 10 E1
Esio (VB) 8 E4
Esmate (BG) 23 B3
Esperia (FR) 82 C1
Esperti Vecchi, Masseria (BR) 95 D1
Esporlatu (SS) 129 D2
Este (PD) 38 A1
Esterzili (NU) 132 C4
Esterzili, Stazione (NU) 132 C4
Estéron, Fiume 50 C1
Estibu, Monte (NU) 129 D2
Etache, Roche d' [F] 18 F2
Ete Morto, Fiume 64 C2
Ete, Ponte (AP) 64 D2
Eternon (AO) 6 F3-4
Ete Vivo, Fiume 64 D2
Etiache, Col d' [F] 18 F2
Etivaz, L' [CH] 6 A3 4
Etna (Mongibello), Monte (CT) 121 A1
Etra, Monte (AQ) 75 B2
Étroubles (AO) 6 F4
Etruschi, Riviera degli (LI) 59 ABCD1
Etrusco, Ponte (VT) 67 F2
Eucheria, Villa (FR) 82 A1
Euganei, Colli (PD) 26 F1-2
Eugio, Lago d' (TO) 19 D2
Eugio, Val d' (TO) 19 D2
Éula (CN) 41 C3
Eupilio (CO) 22 A2
Eurialo, Castello di (SR) 124 A3
E.U.R. (ROMA) 73 D2
Euseigne [CH] 7 C1
Evancon, Fiume 19 A4
Evangelista, Poggio (VT) 66 B4
Evangelo, Monte (RE) 46 B3
Eva, Punta (CA) 135 E2
Evettes, Lac des [F] 18 D4
Evigno (IM) 42 F1
Evigno, Pizzo d' (IM) (SV) 42 F1
Evionnaz [CH] 6 C2
Evoléne [CH] 7 C1-2
Evouettes, Les [CH] 6 A1-2
Excenex (AO) 19 A1
Exilles (TO) 30 A2
Exi, Monte (CA) 134 C4
Extrepieraz (AO) 19 A4
Eygliers, Chalets d' [F] 30 D2
Eyholz [CH] 7 B4
Eze [F] 50 D2
Eze (SV) 42 D3
Ezi (SS) 125 E2

F

Faak [A] 17 A3
Faaker S. [A] 17 A4
Fabbiano (LU) 52 A2
Fabbiano (PC) 34 C3
Fabbiano (PC) 34 D4
Fabbrecce (PG) 61 A4
Fabbrica (BO) 48 D1
Fabbrica (BS) 24 D2
Fabbrica Curone (AL) 33 E4
Fabbrica (FI) 53 E4
Fábbrica di Péccioli (PI) 53 F1
Fábrica di Roma (VT) 67 E4
Fabbriche di Vallico (LU) 52 A3
Fabbriche (GE) 43 B1-2
Fabbriche (LU) 52 A4
Fabbrico (RE) 36 E4
Fabbri (LU) 52 C4
Fabbri (PG) 62 F3
Fabbro II (PO) 53 A3
Fabiano (AL) 32 A3
Fabio (FI) 53 B4
Fabio, Lago (GR) 60 D2
Fabrezza (BS) 11 E4
Fabriano (AN) 63 B1
Fabrio (TN) 12 F3
Fabrizia (VV) 105 F1
Fabrizio (CS) 102 A3
Fabro (TR) 61 F3
Facchini, Masseria (CT) 120 C4
Facciadi, Trippa (BA) 94 A1
Facciano, Monte di (FO) 55 B2
Facen (BL) 14 EF1
Facito, Monte (PZ) 91 E2
Fadalto (TV) 14 E4
Fadnler Grande, Cima (BZ) 4 A1
Fado (GE) 43 B2
Faé (BL) 14 C2
Faé (BL) 14 CD4
Faé (TV) 27 B2
Faedis (UD) 16 E4
Faedo, Monte (VI) 25 C3
Faedo (PD) 38 A1
Faedo (TN) 13 D1
Faedo Valtellino (SO) 11 D1
Faedo (VI) 25 C3
Faéit, Monte (UD) 15 C4
Faella (AR) 54 E2
Faena, Fiume 61 F4
Faenza (RA) 48 E2 3
Faeta, Monte (LU) 52 C3-4
Faetano (R.S.M.) 55 B4
Faete, Monte (GR) 66 A2
Faeto (AR) 54 E3
Faeto (FG) 84 C3
Faeto (MO) 46 C3
Faeto, Monte (CS) 102 F1
Fagagna (UD) 16 F3
Fagaré della Battaglia (TV) 27 C2
Fagaria, Monte (CL) 119 C2
Fageto, Monte (PR) 45 C3
Fagge (RI) 69 F2
Faggeta, Monte la (FI) 47 F4
Faggeto Lario (CO) 9 F4
Faggetto, Monte (LT) 81 C4
Fággia (GR) 60 F4
Faggia, Monte di (FO) 55 B1-2
Faggiano (BN) 83 E3
Faggiano (TA) 94 E2
Faggiola, Monte (FI) 47 F4
Faggio (PR) 44 A4
Faggio, Rifugio (TN) 12 F2
Fággio Rotondo (FR) 75 E2
Fagiola, Monte (PT) 53 A1-2
Fagiolu, Fiume 127 C1
Fagnano, Castello (CS) 101 B3
Fagnano (MI) 21 E4
Fagnano Olona (VA) 21 B3
Fagnano (VR) 36 A4
Fagnigola (PN) 27 A3-4
Fago del Soldato (CS) 102 D2
Fagosa, La (PZ) 98 D1
Faiallo, Passo (GE) 43 B1
Faiano (SA) 89 CD4
Faiano (TE) 70 C1
Faiatella, Monte (SA) 97 A1
Faibano (NA) 89 A1
Faicchio (BN) 83 CD2
Faida (TN) 13 E1
Fai della Paganella (TN) 12 D4
Faidello (MO) 46 E2-3
Faie, Le (SV) 43 C1
Faiete (TE) 70 C2-3
Failungo (VC) 20 A2
Faiolo (TR) 61 F3
Faiti, Dosso [YU] 29 B2
Fáiti (LT) 80 B4
Faito, Monte (AQ) 74 B3-4
Faito, Monte (AQ) 75 B1
Faito, Monte (AV) 89 B4
Faito, Monte (NA) 89 C1
Faito, Vedute di (FR) 74 D4
Falapato, Monte (PZ) 97 B4
Falasca, Punta (IS) (CE) 82 B1
Falbeson [A] 2 A4
Falcade (BL) 14 B1
Falcemagna (TO) 18 F4
Falchera (LC) 10 F2
Falchetto (CN) 31 E4
Falchetto, Poggio del (BO) 47 D4
Falciano (AR) 55 E1
Falciano (CE) 82 E3
Falciano Mondragone, Stazione di (CE) 82 E3
Falciano [R.S.M.] 56 B1
Falcioni (AN) 63 A1
Falcognana di Sotto e di sopra (ROMA) 73 E2-3
Falco, Monte (FO) 54 D3-4
Falconara Albanese (CS) 101 E4
Falconara Alta (AN) 57 E2
Falconara, La (IS) 76 F1
Falconara, La (PZ) 98 D2-3
Falconara Marittima (AN) 57 E3
Falconara Sicula (CL) 122 A3
Falconara, Stazione di (CL) 122 A3
Falconara, Stazione di (CS) 101 E4
Falcone, Balza (PA-CL) 119 AB2
Falcone, Capo del (SS) 125 D1
Falcone, Masseria (TP) 108 F 3-4
Falcone (ME) 112 C3
Falcone, Monte (TP) 107 E1
Falconera, Porto (VE) 28 E2
Falcone, Torre (SS) 125 D1
Falconiera, Capo (PA) 109 A2
Falco, Serra di (SA) 90 F3
Faldo, Monte (VI) 25 D3
Faleco, Pizzo (ME) 113 D1
Falera (FO) 55 C2
Faleria (AP) 64 D1
Falerii Veteres (VT) 67 F4
Falerna (CZ) 104 B4
Falerna Marina (CZ) 104 B3
Falerna Scalo (CZ) 104 B3-4
Falerone (AP) 63 D4
Faleru Novi (VT) 67 F4
Falesina (TN) 13 E1-2
Faléria (VT) 68 F1
Falgano (FI) 54 C2
Falicetto (CN) 31 F2
Falier, Ca (TV) 26 B3
Fallaniá (CZ) 106 B1
Fallascoso (CH) 76 C2
Fallavécchia (MI) 21 F4
Fallena (FR) 75 F3
Fallera, Citta di (PG) 61 E4
Faller (BL) 14 E1
Fallére, Monte (AO) 6 F3

Falli Masseria (BR) 95 E1
Fallo (CH) 76 C3
Falmenta (VB) 8 D4
Faló, Monte (NO) 8 F4
Faloppio (CO) 21 A4
Falsettáio (GR) 60 E3
Falter [A] 5 B1
Falterona, Monte (FI) 54 BC3
Faltona (AR) 54 E4
Faltona (FI) 54 B1
Faltona, Fiume 54 E4
Falvaterra (FR) 81 B4
Falzarego, Passo di (BL) 4 F2
Falzeben (BZ) 2 D4
Falze di Piave (TV) 26 A4
Falzé (TV) 26 B4
Fálzes (Pfalzen) (BZ) 4 C1
Falzoni, Casa (CL) 119 D1
Falzoni (MN) 24 F3
Fama, Monte (VV) 104 F4
Famosa, Masseria (TA) 93 CD3
Fana, Bocchetta di (BZ) 4 C3
Fana, Corno (BZ) 4 C3
Fanale, Masseria (CB) 77 B2
Fanano (MO) 46 E3
Fanciullata (PG) 62 E1
Fandetta (FG) 85 B3
Fanella, Fiume 56 EF4
Fanesiana, La (ROMA) 72 A2
Fánes, Rifugio (BZ) 4 E2
Fáne, Val di (BZ) (BL) 4 E2
Fane (VR) 25 D1
Fangacci, Passo (AR) (FO) 54 C4
Fangaia (RE) 36 D3
Fang [CH] 7 B2
Fanghetto (IM) 50 C3
Fango (NA) 88 C1
Fango (TN) 13 B4
Fanna (PN) 15 D3
Fanny, Villa (PA) 109 C2
Fano a Corno (TE) 70 D1
Fano Adriano (TE) 69 C4
Fano (PS) 56 C4
Fantasina (BS) 23 B4
Fantecolo (BS) 23 C3
Fantella (FO) 54 A4
Fantina, Fiume 112 D4
Fantina (ME) 112 D4
Fantino (CS) 102 E4
Fantino (FI) 47 F4
Fantuzza (BO) 48 C1-2
Fanusi, Monte (PA) 110 F3
Fanzaghe (PD) 38 B2
Fanzarotta (CL) 119 C1
Fanzolo (TV) 26 C3
Fara, Casa (CA) 135 B2
Fara, Filorum Petri (CH) 71 F1
Fara Gera d' Adda (BG) 22 D4
Faraglione di Mezzogiorno (LT) 80 F1
Faraglione, Il (TP) 107 E3
Faraglione, Punta (GR) 65 E2
Faraglione, Punta (TP) 107 E3
Faraglioni, I (NA) 88 E4
Fara in Sabina (RI) 68 F3
Faraldi, Villa (IM) 42 F1
Fara, Monte (PN) 15 D2
Farano, Fiume 85 A2-3
Farano, Monte (CH) 77 C1
Fara Novarese (NO) 21 C1
Fara Olivana (BG) 23 D1
Fara Olivana con Sola (BG) 23 D1
Faraona (VA) 21 A2
Faraone Nuovo (TE) 70 A1
Fara Sabina, Monte Libretti (ROMA) 73 A3
Fara San Martino (CH) 76 B2
Farascuso (FG) 85 E3
Farau, Bruncu (NU) 132 B4
Fara Vicentina (VI) 25 B4
Farazzano (FO) 48 EF4
Fardella (PZ) 98 C2
Farfa, Fiume 68 F2
Farfanaro (PR) 44 A4
Farfanosa (GE) 44 B2
Farfa (RI) 68 F3
Farfengo (BS) 23 E2
Farténgo (CR) 35 A1
Fargno, Forcella del (MC) 63 E3
Farigliano (CN) 41 A4
Farinate (CR) 22 E4
Farindola (PE) 70 D2
Farine, Le (VT) 67 E2
Farini d' Olmo (PC) 34 F3-4
Farla (UD) 16 E2
Farma, Fiume 60 D2
Farnese (VT) 66 C4
Farneta (AR) 54 D4
Farneta (AR) 61 C2
Farneta (CS) 98 D3
Farneta (MO) 46 D2
Farnetella (SI) 61 B1
Farneto (BO) 47 C3
Farneto (BO) 47 D4
Farneto, Monte (FO) 55 A3
Farneto (PG) 62 C2
Farnitani, Ponte (SA) 97 B1
Faro (BA) 86 C3
Faro, Capo (ME) 111 A2
Faroma, Monte (AO) 7 F1
Faro Superiore (ME) 113 B3
Farra (BL) 14 E3
Farra d' Alpago (BL) 14 E4
Farra di Soligo (TV) 26 A4
Farra d' Isonzo (GO) 29 B1
Farra (TV) 26 B3
Farrò (TV) 14 F3
Fasana (KR) 103 E3
Fasana Polesine (RO) 38 C4
Fasanella, Fiume 90 EF3
Fasanella, Ponte (SA) 90 F3
Fasane (TO) 19 D3
Fasani (CE) 82 D2
Fasano (BR) 94 A1
Fasano (BS) 24 C2
Fasano, Casino (BA) 93 A1
Fasano (PA) 119 A2
Fasano Stazione (BR) 94 A2
Fasce (CN) 41 E3-4
Fáscia (GE) 44 A1
Fascia, Monte (GE) 44 B2
Fasciano (AR) 61 C2
Fassa, Val di (TN) 13 B4
Fassini, Villa (PA) 109 D1
Fastello (VT) 67 C2
Fastro (VI) 13 F4
Fate, Lago delle (VB) 7 E4
Fate, Monte delle (LT) 81 C2
Faticon [F] 50 D1
Fatima, Madonna di (SS) 129 B2
Fatlarspitze [A] 1 A3
Fattizze, Masseria (LE) 95 F1
Fattorale, Casa (VT) 66 D4
Faudo, Monte (IM) 51 C1
Faúglia (PI) 52 E3-4
Fauglis (UD) 28 B4
Faugnacco (UD) 16 F3
Faule (CN) 31 D2
Faulhorn [CH] 8 A2
Fava, Castello della (NU) 130 A4
Favalanciata (AP) 69 A3
Favale di Málvaro (GE) 44 B1
Favale (TE) 70 A2
Favali (CS) 102 F3
Favalto, Monte (PG) 61 A3
Favara (AG) 118 E3
Favaracchi, Monte (CE) 83 B1
Favarana, Convento di (LE) 95 E2
Favarella (CL) 119 D1
Favari (TO) 31 C4
Favarotta, Stazione di (AG) 119 F1
Favaro (BI) 20 C2
Favaro Veneto (VE) 27 D1
Favazzina, Fiumara 114 C2-3
Favazzina (RC) 114 C2
Favella, Bivio (CS) 102 A2
Favella, Punta (VI) 25 B2
Favella (TO) 19 F1
Faverga (BL) 14 E4
Faver (TN) 13 D1
Faverzano (BS) 23 E3
Favete (MC) 63 A2
Favélloni (VV) 104 E3
Faviano di Sopra (PR) 45 A4
Faviano (PR) 45 A4
Favignana, Isola (TP) 107 F3
Favignana (TP) 107 E3
Favischio (RI) 69 D1
Favogna di Sotto / di Sopra (BZ) 13 C1
Favone, Colle (CH) 76 D2
Favoritieri, Monte (PZ) 98 C1
Favort, Monte (TN) 13 E2
Favria (TO) 19 E3
Fay [F] 6 D1
Fays, Le [CH] 6 D2-3
Fazio, Ponte (AG-CL) 119 D1
Fazzano (MS) 45 E3
Fazzon, Malga (TN) 12 C2-3
Febbio (RE) 46 D1
Febo, Croce di (SI) 61 D1
Fécchio (CO) 22 B1
Fedaia, Lago di (TN) 3 F4
Fedaia, Passo di (BL) 4 F1
Fedele, Masseria (BR) 94 C2
Fedele, Monte (FG) 84 C4
Federa (TV) 27 A1
Feder (BL) 14 B1-2
Federia, Fiume 1 E1
Federici, Rifugio (CN) 41 E1
Federico, Masseria (AQ) 75 C4
Fedi (PT) 53 B2
Fédio (CN) 40 C4
Fegana, Fiume 46 F2
Fegina (SP) 44 E4
Feglino (SV) 42 B3
Fegotto, Cocuzzo (EN) 119 E4
Feisóglio (CN) 42 A2
Feistritz [A] 4 B4
Feistritz A.D. Gail [A] 17 A2
Feistritzer, Alm [A] 17 B1
Felascosa, Monte (AV) 90 B1
Felci, Fossa (ME) 110 A3
Felcino (PS) 55 DE3
Felcioni (AN) 62 A4
Feld [A] 4 B4
Feld [A] 5 B1
Feldsee [A] 5 A4
Feld (UD) 5 F2
Felegara (PR) 35 F3
Felettano Ara (UD) 16 E3
Felettis (UD) 28 B4
Feletto (TO) 19 E4
Feletto Umberto (UD) 16 F3
Felice, Ponte (RI) 68 E1
Feliciona, Masseria (CB) 77 C2
Feligara (PV) 34 E2
Felina (RE) 46 C1
Felino (PR) 35 F4
Felisio (RA) 48 D2-3
Felitto (SA) 90 F3
Felizzano (AL) 32 D4
Fellach [A] 17 A3
Fellamonica (PA) 109 E1
Fellegara (RE) 46 A3
Fellette (VI) 26 B2
Fellicarolo (MO) 46 E3
Felline, Le 100 E1
Fellino, Monte (NA) 83 F2-3
Felonica (MN) 37 D3
Felouse, La Grande [F] 18 E3-4
Felskinn [CH] 7 D4
Feltre (BL) 14 F1-2
Feltrino, Fiume 71 F2
Feltrone (UD) 15 B3
Fema, Monte (MC) 63 E2
Fematre (MC) 63 EF2
Femminamorta, Fiume 80 A3
Femminamorta, Monte (CZ) 102 F4
Femmina Morta, Monte (EN) 120 A1
Femmina Morta, Portella (ME) 111 E4
Femmine, Isola delle (PA) 109 C2
Femmine, Pizzo delle (ME) 110 A2
Fenaio, Punta (GR) 65 D2
Fenale [CH] 6 B2-3
Fendels [A] 2 A1
Fenegro (CO) 21 B4
Fenera, Monte (VC) 20 D4
Fenestrelle (TO) 30 B3
Fengo (CR) 35 B1
Fenicia Moncata (CT) 120 C4
Fenicia, Villa (BA) 86 E4
Feniglia, Tómbolo di (GR) 66 D1
Fenigli (PS) 56 E2
Fenile (PS) 56 C4
Fenile (SO) 10 E2-3
Fenile (TO) 31 D1
Feniletti (BG) 23 E1
Fenili Belagi (BS) 23 E3
Fenilone (CR) 35 C4
Fenils (TO) 30 B1-2
Fenis (AO) 19 A2
Fennau, Monte (NU) 130 F3
Fenogu, Nuraghe (OR) 132 C2
Fenosu, Stazione (SS) 126 F1
Fenugu, Nuraghe (NU) 132 AB2
Fenugu, Torre de su (CA) 136 D2
Feraxi, Stagno di (CA) 136 B3
Fercole (GR) 60 D2
Ferdana (SP) 45 E1
Ferden [CH] 7 A3
Ferdinandea (RC) 105 F1-2
Ferentilio (TR) 68 C3
Ferentino (FR) 74 E4
Ferentino Supino, Stazione di (FR) 74 F3-4
Ferentium, Rovine di (VT) 67 B2-3
Ferichhorn [CH] 7 C4
Férie (CR) 35 A1
Feriolo (VB) 8 F4
Feriolo (RE) 46 C1
Férion, Mont [F] 50 C1
Ferla (PA) 108 D4
Ferla (SR) 124 A1
Fermignano (PS) 56 D1-2
Fermo (AP) 64 C2-3
Fernazza, Monte (BL) 14 B2 3
Fernetti (TS) 29 D3
Férnia, Monte (RC) 114 D4
Ferno (VA) 21 C2
Feroleto Antico (CZ) 105 B1
Feroleto della Chiesa (RC) 104 F3
Feroleto, Masseria (MT) 93 F1
Feronia (NU) 130 A4
Ferpécle, Glacier de [CH] 7 D2
Ferpècle [CH] 7 D2
Ferrada (GE) 44 C1
Ferramosche (VR) 37 B2
Ferrandina (MT) 92 E3
Ferrandini, Stazione (MT) 92 E3
Ferrania, Fermata di (SV) 42 C3
Ferrania (SV) 42 C3
Ferrano (FI) 54 C2
Ferrano (SI) 60 C4
Ferrantello, Masseria (CB) 77 F3
Ferrante, Monte (BG) 11 F1
Ferranterusso, Masseria (LE) 100 B3
Ferranti, Masseria (FG) 85 CD3
FERRARA 38 E1
Ferrara, Abbazia di (CE) 82 C4
Ferrara (BZ) 4 D2
Ferrara, Colle (CS) 102 F2
Ferrara di Monte Baldo (VR) 24 C4
Ferrara, Masseria (TA) 94 D1
Ferrara (PN) 15 C3
Ferrara (Scmeiden) (BZ) 4 D4
Ferrara, Stabilimento (BA) 87 F1
Ferrara (TO) 30 D3
Ferraria (CL) 118 C4
Ferraria, Pizzo (AG) 118 C1
Ferrari (AV) 83 F3
Ferrari (SA) 90 C1
Ferraro (EN) 120 A2
Ferraro (RC) 115 B2
Ferrarosso, Masseria (BR) 94 B3
Ferrato, Capo (CA) 136 B3-4
Ferrato, Villaggio di Capo (CA) 136 B3
Ferrazzano (CB) 83 A4
Ferré, Pizzo [CH] 10 A1
Ferrera di Varese (VA) 9 F1-2
Ferrera Erbognone (PV) 33 B3
Ferrera (VC) 8 F2
Ferrere (AT) 32 D1
Ferrere (CN) 40 B2
Ferreri, Rifugio (TO) 18 D4
Ferret [CH] 6 E3
Ferret, Col. [CH] 6 E3
Ferretti, Masseria (MT) 93 D1
Ferretto (AR) 61 C2-3
Ferret, Val (AO) 6 F2-3
Ferret, Val [CH] 6 DE3
Ferriato, Mulino (AG) 117 B2
Ferriato, Villa (AG) 119 E1
Ferri, Casa (PI) 52 E3
Ferricini, Monte (TP) 108 E4
Ferriera, La (TO) 31 A2
Ferriere (GE) 43 B4
Ferriere, Le (LT) 80 A2-3
Ferriere (PC) 34 F3
Ferri, Masseria (BA) 87 F1
Ferri (MN) 24 F3
Ferro, Canale del 16 C4
Ferro, Capo (SS) 127 B2-3
Ferro, Cozzo del (CS) 103 D1
Ferro, Fiume 120 E2
Ferro, Fiume 98 D4
Ferro, Monte (BL) 5 E2
Ferro, Monte (PA) 110 F4
Ferrone, Il (FI) 53 D4
Ferro, Pizzo del (SO) 10 C3
Ferro, Ponte di (PG) 62 F2
Ferro, Porto (SS) 128 A1
Ferro, Rifugio (BL) 5 E2
Ferrá, Monte (RC) 115 A2
Ferruccia (PT) 53 B3
Ferruccio, Punta di (CH) 71 E2
Ferrucci (PI) 52 D4
Ferru Etzu, Castello di Monte (OR) 128 F4
Ferru, Monte (CA) 136 B3
Ferru, Monte (NU) 133 D3
Ferru, Monte (OR) 128 F4
Ferruzzano (RC) 115 E1
Ferruzzano, Stazione di (RC) 115 E1
Fersina, Fiume 13 E2
Fersinone (TR) 61 F4
Fer, Tête de [F] 40 B1-2
Fertilia (SS) 128 B2
Feruca, Masseria (FG) 85 B1
Feruci (CS) 102 E1-2
Ferulargiu, Punta (NU) 130 B3
Ferula, Sedda sa (NU) 130 D1
Feruli, Li (SS) 126 C4
Ferulosu, Monte (SS) 128 C4
Fescóggia [CH] 9 E2
Feschel [CH] 7 B3
Festá (MO) 46 C4
Festiona (CN) 40 C4
Festi Rasini (BG) 11 F1
Fé (TN) 12 E2
Fe (TO) 19 E2
Feto Capo (TP) 116 B3
Fetováia (LI) 58 F1
Fetováia, Punta di (LI) 58 F1
Feuchten [A]2 A1-2
Feudi, Poggio (PI) 59 A2
Feudo Grande (CT) 112 F4
Feudo Superiore-Inferiore, Masseria (BR) 94 CD3
Feurra, Monte (CA) 135 A1
Feutersoey [CH] 6 A4
Fex [CH] 10 B4
Fey [CH] 6 C4
Fezzana (FI) 53 D3
Fezzano (SP) 45 F1
Fiaiano (NA) 88 C1
Fiamenga (PG) 62 E3
Fiamignano (RI) 69 F1
Fiammante, Cima (BZ) 2 D3
Fiammoi (BL) 14 D4
Fianello (RI) 68 E2
Fiano (FI) 53 E3
Fiano (LU) 52 B3
Fiano Romano (ROMA) 73 A3
Fiano (TO) 19 F2
Fiara, Monte (VI) 13 F3
Fiascherino (SP) 45 F1
Fiaschetti (PN) 15 F1
Fiascone, Fiume 66 B2
Fiascus, is (CA) 134 E4
Fiastra, Abbazia di (MC) 63 C4
Fiastra, Fiume 63 C4
Fiastra, Lago di (MC) 63 D3
Fiastra (MC) 63 D2
Fiastrella, Fiume 63 D3-4
Fiastrone, Fiume 63 D3
Fiavé (TN) 12 F3
Fibbialla (PT) 53 D1
Fibbia, Monte val di (MC) 63 E2-3
Fibbiana (FI) 53 D2-3
Fibreno, Fiume 75 F2
Fibreno, Lago di (FR) 75 E2
Ficarazze, Rocca (AG) 118 D3
Ficarazzi (PA) 109 D3
Ficarella (TP) 108 D3
Ficarolo (RO) 37 D3-4
Ficarra (ME) 112 C2
Fico, Cala (CA) 134 D1
Ficogrande (ME) 112 A4
Ficola, Masseria (LE) 100 BC3-4
Ficominutilla (CT) 120 B4
Ficulle (TR) 61 F3
Ficuzza, Fiume 123 B2
Ficuzza (PA) 109 F3
Ficuzza, Pizzo (AG) 118 B3-4
Ficuzza, Rocca (AG) 117 C3
Fiden (ROMA) 73 C2
Fidenza (PR) 35 D3
Fié allo Sciliar (Völs am Sciliar) (BZ) 3 F2
Fiegni, Monte (MC) 63 D3
Fiego, Varco Serra del (CS) 102 D2
Fiélis (UD) 5 F4
Fiéry (AO) 7 F3
Fiemme, Val di (TN) 13 B4 C3-4
Fienili (MN) 37 C1
Fienili (PC) 35 C2
Fienilone (FE) 38 D4
Fiera di Primiero (TN) 14 D1
Fiera, Monte della (PA) 109 E1
Fieravécchia, Piano di (PA) 118 B2
Fierozzo (TN) 13 E2
Fier, Pizzo (SO) 1 E1
Fiesch [CH] 8 A2
Fieschertal [CH] 8 A2
Fieschi, Basilica di (GE) 44 CD2
Fiesco (CR) 23 F1
Fiesole (FI) 54 C1
Fiesse (BS) 35 A4
Fiesso (BO) 47 B4
Fiesso (RE) 36 E1
Fiesso Umbertiano (RO) 38 D1
Fietri (SI) 60 A4
Fietta (TV) 26 A2-3
Figaret d'Utelle, Le [F] 40 F4
Figaret, Fiume 40 F4
Figari, Capo (SS) 127 D3-4
Figarola, Monte (PZ) 91 E3
Figarole, Le (SP) 45 F1-2
Figarolo (GE) 44 C1
Figarolo, Isola di (SS) 127 D3
Figheri, Casone (VE) 26 F4
Fighille (PG) 55 F2
Fighine (SI) 61 F2
Figino [CH] 9 F1
Figino (MI) 21 D4
Figino (RI) 69 C1
Figino Serenza (CO) 22 B1
Figliaro (CO) 21 A4
Figliere (CN) 40 B4
Figline (FI) 53 B3
Figline Valdarno (FI) 54 E2
Figline Vegliaturo (CS) 102 E2
Figlioli (AV) 89 B3
Figliolo, Il (SA) 90 E3-4
Figne, Monte delle (AL) (GE) 43 A2
Fignola (MO) 46 D3
Figos, Monte (SS) 127 F1
Figu Niedda, Nuraghe (CA) 136 B3
Figu Niedda, Nuraghe (CA) 136 C3
Figu, Nuraghe Monte (OR) 132 C2
Figu (OR) 132 D2
Figurella, Masseria (FG) 78 F1-2
Figu Ruia, Cantoniera (SS) 128 B4
Filacciano (ROMA) 68 F2
Filadelfia (VV) 105 D1
Filadonna, Becco di (TN) 13 F1
Filaga (PA) 118 B2
Filago (BG) 22 C4
Filandari (VV) 104 E3
Filare (GR) 59 E3
Filattiera (MS) 45 D2
Filau, Monte (CA) 135 F2
Fildidonna, Stazione (CT) 120 E3-4
Fil di Remia [CH] 9 B3-4
Filetta (MS) 45 D2
Filetta (SA) 89 C4
Filetti, Case (SA) 90 E1
Filettino (FR) 74 D4
Filetto (AN) 57 E1
Filetto (AQ) 69 E4
Filetto (CH) 71 F1
Filetto, Lago di (AQ) 69 E4
Filettole (FI) 53 B3-4
Filettole (PI) 52 C3
Filetto (RA) 48 D4
Filiano (PZ) 91 B2
Filia (TO) 19 D3-4
Filicaia (LU) 45 F4
Filicudi, Isola (ME) 110 A4
Filicudi, Porto (ME) 110 A4
Filigatti, Monte (SA) 90 C2
Filighe, Nuraghe (OR) 132 A2
Filighera (PV) 34 A2
Filignano (IS) 82 A4
Filio, Pizzo (ME) 111 E3
Filippa (CZ) 103 F1
Filippis, Casa de (LT) 81 C3
Filippi (BI) 20 D2
Filippona (AL) 33 D2
Filipponi (AN) 63 A1
Filippo (SO) 10 B2
Fillar, Grand (VB) 7 E3-4
Filogaso (VV) 104 D4
Filone, Pizzo (SO) 1 F2
Filo (RA) 48 B3
Filorera (SO) 10 C3
Filorsi (CE) 82 D3
Filottrano (AN) 63 A4
Fil Rosso [CH] 9 A4
Filu e Lepere (SS) 127 F2
Fimberbach, Fiume 1 B2
Fimbertal [A] 1 A3 B2
Fim, Fiume 9 A2
Fimon, Lago di (VI) 25 E4
Fimon (VI) 25 E4
Finale di Rero (FE) 38 E2-3
Finale Emilia (MO) 37 E2
Finale Ligure (SV) 42 E3
Finale Marina (SV) 42 E3
Finale Pia (SV) 42 E3
Finale, Punta di (BZ) 2 C2
Finale (VI) 25 F4
Finanza, Torre di (SS) 125 D1-2
Finata, Masseria (MT) 98 B4
Findelngletscher [CH] 7 E3-4
Fine, Monte la (FI) 47 E3
Finero (VB) 8 D4
Finese, Monte (MT) 92 F3-4
Finestra, Colle di [F] 40 E4
Finestra, Passo di (BL) 14 DE2
Finestra, Varco d. (AV) (SA) 90 B1
Finestre, Colle di (TO) 30 A3
Finestrelle, Monte (TP) 117 A1-2
Finestre, Serra delle (CS) 102 A1
Finetti (VR) 25 D2
Finhaut [CH] 6 CD2
Finigeto (PV) 34 C2
Finita, Fiume 101 C4
Finócchio Borghesiana (ROMA) 73 D3-4
Finocchieto (TR) 68 D2
Finocchio, Fiume 108 E4
Finocchio, Masseria (FG) 86 C2
Finocchio, Monte (FO) 55 B2
Finocchito, Masseria del (FG) 78 F1
Finocchito (SA) 90 F1-2
Fino del Monte (BG) 11 F1
Fino, Fiume 70 D4

Fino Mornasco (CO) 21 B4
Finonchio, Monte (TN) 25 A2
Finstermünzpas [A] 1 B4
Fiobbo (BG) 23 B1
Fiobbo, Fiume 64 F3
Fiocche (SA) 90 D1
Fióio, Fiume 74 C3
Fioli (TE) 69 B4
Fionchi, Monte (PG) 68 B3
Fiondi (AL) 33 C2
Fiónica, Monte (CA) 135 B1
Fionnay [CH] 6 D4
Fiora, Fiume 66 E3
Fiorana (TO) 20 D1
Fiorano al Serio (BG) 23 B1-2
Fiorano Canadese (TO) 19 D4
Fiorano Modenese (MO) 46 B4
Fiordimonte (MC) 63 E2
Fiore, Ca di (BA) 93 C1
Fiore, Monte (PE) 70 E2
Fiorentina (BO) 48 B1
Fiorentina, Malga (BL) 14 B3
Fiorentine (SI) 60 B3
Fiorentini, Albergo (VI) 25 A3
Fiorentino, Castello (FG) 78 F1-2
Fiorentino [R.S.M.] 55 B4
Fiorenzuola d'Arda (PC) 35 D1
Fiorenzuola di Focara (PS) 56 B3
Fiore (PG) 67 A4
Fiorera, Pizzo (VB) 8 AB4
Fiori, Campo dei (VA) 9 F1
Fiori, Castel di (TR) 61 F3-4
Fiori, Montagna dei (TE) 69 A4
Fiorina, Cime di (CO) 9 E3
Fiorine (BG) 23 A2
Fiorino (GE) 43 B1-2
Fiorino, Monte (RE) 45 C4
Fiori (PR) 35 F1
Fiori (TO) 31 B1
Fiorito, Monte (MS) 45 D1
Fiori, Torre dei (PA) 109 F2
Fior, Monte (VI) 26 A1
FIRENZE 53 C4
Firenze, Rifugio (BZ) 3 E4
Firenze, Terme di (FI) 53 D4
Firenzuola (FI) 47 F3
Firenzuola (TR) 68 B2
Firmano (UD) 17 F1
Firmisanschneide [A] 2 C2-3
Firmo (CS) 98 F2
Fisch, Fiume 2 A3
Fischietto, Monte (CH) 76 C3
Fisciano (SA) 89 C3-4
Fisciolo, Serra (PZ) 97 B3
Fisrengo (NO) 21 E1
Fiss [A] 2 A1
Fissero, Canale 37 C1
Fisto (TN) 12 E2
Fitili (VV) 104 E2
Fittá (VR) 25 E2
Fittanzc, Passo della Sega (VR) 25 C1
Fiuggi Fonte (FR) 74 E3
Fiuggi (FR) 74 DE3
Fiugni (AQ) 69 D2
Fiumalbo (MO) 46 E2-3
Fiumana (FO) 48 F3
Fiumane (FO) 48 F2
Fiumara, Fiume 96 A2
Fiumara, Ponte (IS) 76 F1
Fiumara (RC) 114 C2
Fiumarella (CS) 103 B1
Fiumarella, Fiume 91 B3
Fiumarello, Fiume 77 F2
Fiumata (RI) 69 F1
Fiumazzo (RA) 48 B3
Fiumeclo, Fiume 11 C4
Fiumedinisi, Fiume 113 D1-2
Fiumedinisi (ME) 113 D1
Fiumefreddo Bruzio (CS) 101 E3
Fiumefreddo di Sicilia (CT) 112 F4
Fiume, I1 27 A3
Fiume (MC) 63 D1
Fiumenero (BG) 11 E1
Fiume Nicà, Punta (KR) 103 C2-3
Fiume (PG) 55 F3
Fiume (PG) 62 A3
Fiumesino (AN) 57 E2
Fiumesino (PN) 27 A4
Fiume Torto, Stazione di (PA) 110 E2
Fiumetto (LU) 52 B1
Fiume Veneto (PN) 15 F3
Fiumicello 93 D1
Fiumicello, Fiume 63 A3
Fiumicello (FO) 54 B4
Fiumicello (PD) 26 E3
Fiumicello (PZ) 97 D2
Fiumicello (UD) 29 C1
Fiumicino, Fiume 70 B1
Fiumicino (FO) 49 F2
Fiumicino, Lido di (ROMA) 72 E4
Fiumicino (ROMA) 72 E4
Fiuminata (MC) 63 C1
Fiumi Uniti 49 C1
Fiuschi, Masseria (LE) 95 E1
Fiuzzo, Castel di (CS) 97 E3
Fivizzano (MS) 45 E3
Flagel, Monte (PN) 15 C4
Flagogna (UD) 15 D4
Flaiani, Case (TE) 64 F4
Flaibano (UD) 15 E4
Flaipano (UD) 16 D3
Flambro (UD) 28 B3
Flambruzzo (UD) 28 B3
Flamignano (TE) 70 C1
Flaschberg [A] 5 D3
Flascio, Fiume 112-F2
Flattach [A] 5 B4
Flavetto Rovito (CS) 102 D2
Flavia, Porto (CA) 134 B3
Flavon (TN) 12 C4
Fleana [YUI] 29 A1
Flegrei, Campi (NA) 88 B3
Fleres di Dentro (Innerpflersea) (BZ) 3 B1
Fleri (CT) 121 B1
Flero (BG) 23 E4
Fles, Monte (BS) 11 F3
Flesso d'Artico (VE) 26 E3-4
Fless, Piz [CH] 1 C1
Fletschhorn [CH] 8 C1
Flávia, Torre (ROMA) 72 C3
Fléccia (TO) 30 C4
Fléres, Val di (BZ) 3 B1-2
Fliana, Piz [CH] 1 C1-2
Flixi Durci, Monte (CA) 133 F1
Floiten, Fiume 3 A4
Flores, Genna (NU) 132 A4
Floresta (ME) 112 E2
Floriano (TE) 70 A2
Floridia, Casa (RG) 123 D2
Florídia (SR) 124 AB3
Florínas (SS) 128 A4
Floripótena, Fiume 113 CD1
Floriz, Monte (UD) 5 E3
Floronzo (BZ) 3 C4
Fluchthorn [A] [CH] 1 B2
Fluchtkogl [A] 2 C1-2
Fluhalp [CH] 7 E3
Flumendosa, Fiume 132 C4
Flumendosa, Fiume 133 B1
Flumendosa Foce del (CA) 136 A3-4
Flmumendosa, Lago Alto de (NU) 133 B1-2
Flumendosa, Lago del (NU) 133 D1
Flmentepido, Fiume 134 C3
Flumentorgiu, Torre di (CA) 131 DE2
Flumeri (AV) 84 E3
Flumignano (UD) 28 B3
Flumineddu, Fiume 130 E2
Flumineddu, Fiume 133 D1
Flumineddu, Fiume 133 E1
Flumineddu, Fiume 135 A4
Fluminese (CA) 134 A3-4
Flumini (CA) 136 C3
Flumini, Fiume 132 C2-3
Fluminimaggiore (CA) 134 F3-4
Flumini Uri 136 A2-3
Fluno (BO) 48 C2
Flussio (NU) 128 E3
Fluvione, Fiume 63 F4
Fobello (VC) 8 F2
Focá (RC) 115 B3
Foccadoro, Monte (CB) 77 D1
Foce (AP) 63 F3
Foce (AQ) 69 E3
Foce dei Tre Confini (PR) (MS) (SP) 44 C4
Foce di Filo (FE) 48 AB3
Foce, La (MS) 45 E2
Foce, La (SI) 61 E1
Focene (ROMA) 72 D4
Foce (PS) 56 F2
Focette, Le (LU) 52 B1-2
Focetto, Monte (MS) 44 C4
Foce Verde (LT) 80 B3
Foci, Fiume 53 F3
Foci (IS) 76 F1
Foci, Monte (SS) 127 C1
Foci (TR) 68 C1
Focobon, Cima del (BL) 14 C1
Focolaccia, Passo del (MS) (LU) 45 F3
Fodara Vedla (BZ) 4 E2
Fodico (RE) 36 E2
Foen (BL) 14 E2
Fogare (MN) 36 D2
Fogari, Poggio (SI) 60 D1
Fogarole (PC) 35 B2
Fogarolo, Monte (BG) 23 A2
FOGGIA 85 B2
Foggia, Cima di (BI) 20 B2-3
Foggianello (PZ) 85 F2
Foggiano (PZ) 85 F2
Foggiano (RE) 46 B2-3
Foghe, Punta di (OR) 128 F3
Foglia, Fiume 55 D3
Foglia, Fiume 56 C1
Foglianise (BN) 83 E4
Fogliano, Lago di (LT) 80 BC3-4
Fogliano (LT) 80 D4
Fogliano Marina (RN) 56 A2
Fogliano (MO) 46 B4
Fogliano, Monte (VT) 67 E3
Fogliano (PG) 68 B2
Fogliano (PG) 69 B1
Fogliano (RE) 46 A2
Fogliano Redipuglia (GO) 29 B1
Fogliano, Torre di (LT) 80 C3-4
Foglizzo (TO) 19 F4
Fognano Alto (AQ) 70 F1
Fognano (FI) 54 D2
Fognano (PR) 35 E4
Fognano (PT) 53 B3
Fognano (RA) 48 E2
Fogolana, Passo della (PD) 38 A4
Foiana (Völlan) (BZ) 2 E4
Foiano della Chiana (AR) 61 BC2
Foiano di Valfortore (BN) 84 C2
Foi, Forcella di (BZ) 4 C3
Foi, Monti li (PZ) 91 D2
Foina (BS) 23 C3
Foi, Sella di (BZ) 4 C3
Folchi (CN) 41 D1-2
Folga, Cima (TN) 13 D4
Folgaria (TN) 13 F1
Folgarida (TN) 12 C3
Folgorito, Monte (MS) (LU) 52 A2
Folignano (AP) 70 A1
Folignano, Castello (AP) 70 A1
Folignano (PC) 34 D4
Foligno (PG) 62 E4
Follerato, Masseria (TA) 93 D2
Follettoso, Monte (ROMA) 74 B1
Follina (TV) 14 F3
Folli (PC) 34 F3
Follone, Fiume 101 B4
Follonica, Golfo di (GR) (LI) 59 EF1-2
Follonica (GR) 59 E2
Follo (SP) 45 E1
Follo (TV) 26 A4
Folsogno (VB) 8 D4
Folta (PR) 44 C4
Foltrone, Monte (TE) 70 B1
Folungo, Passo (VB) 8 E4
Fómbio (LO) 34 B4
Fomentara (MS) 45 C1
Fondachelli-Fantina (ME) 112 D4
Fondachelli (ME) 112 E4
Fondachello (CT) 121 A2
Fondachello (ME) 112 D2
Fondachello (ME) 113 B1
Fondachello (PA) 109 D4
Fondaco Margherito (CT) 112 F1
Fondaconuovo (ME) 113 B1
Fondaco Tavolacci (PA) 109 F4
Fondanina (GE) 44 A1
Fond de Peinin, Pic du [F] 30 D2
Fondello, Palude (VE) 39 A1
Fondiano (RE) 46 B2
Fondi, I (BG) 11 E3
Fondi, Lago di (LT) 81 C2-3
Fondi, Lido di (LT) 81 CD2-3
Fondi (LT) 81 C3
Fondiró (AG) 119 E1
Fondi Sperlonga, Stazione di (LT) 81 C3
Fondi (VI) 25 A3-4
Fondo Dominici (PA) 109 C2
Fondo, Il (RN) 55 A4
Fondo, Il (RN) 56 A1
Fondo (TN) 2 F4
Fóndola (CE) 83 D1
Fondotoce (VB) 8 EF4
Fondovalle (VB) 8 B4
Fondra (BG) 10 F4
Fondufaux (TO) 30 B3-4
Fongara (VI) 25 C2
Fongiaide, Monte (FG) 84 C4
Fonnesus, is (CA) 134 D4
Fonni (NU) 129 F4
Fontainemore (AO) 20 B1
Fontalcinaldo (GR) 59 D4
Fontana Bianca, Lago di (BZ) 2 F2
Fontana (BL) 5 E2
Fontana (BO) 47 C2
Fontana Bona (NU) 130 F1-2
Fontana Bona, Rifugio (TN) 12 D2
Fontanabona (UD) 16 E3
Fontana, Casa (LT) 74 F1-2
Fontana [CH] 8 B4
Fontana [CH] 9 B3
Fontana d' Ercole, Colle (ME) 112 D3
Fontana di Papa (ROMA) 73 F3
Fontanafredda (CE) 82 D3
Fontanafredda (FR) 75 E1
Fontana Fredda (PC) 35 D1
Fontanafredda (PD) 38 A1
Fontanafredda (PN) 15 F1-2
Fontana Lépore (FR) 75 E3
Fontana Liri, Superiore-Inferiore (FR) 75 F1-2
Fontanaluccia (MO) 46 D1-2
Fontana Lunga, Monte (PZ) 91 F2
Fontanamare (CA) 134 B3
Fontana Martina [CH] 9 D1
Fontana, Masseria (LE) 100 C2
Fontana Matta (VT) 66 F4
Fontanamela, Fermata (NU) 132 C3
Fontana (LO) 22 F3
Fontana Moneta (RA) 47 F4
Fontanamurata (PA) 118 A4
Fontana (NA) 88 C1
Fontana, Pala (PN) 15 E2
Fontana (PG) 62 D1
Fontana Pradosa (PC) 34 B3
Fontanaradina (CE) 82 D2-3
Fontana (RE) 36 F3 4
Fontanarossa (AV) 84 F2
Fontanarossa (CT) 121 D1
Fontanarossa (GE) 44 A1
Fontana Secca, Monte (BL) 14 F1
Fontana (TV) 26 A4
Fontana Vecchia (BN) 83 C3
Fontanazzo (TN) 3 F4
Fontane Bianche (SR) 124 C3
Fontane, Borgo di (TV) 27 C1
Fontane (BS) 23 D4
Fontane (CN) 41 D3-4
Fontanefredde (BZ) 13 C2
Fontanegli (GE) 43 B3-4
Fontanelice (BO) 47 E4
Fontanella (BG) 23 E1
Fontanella (BO) 47 C2
Fontanella (FI) 53 D2
Fontanella Grazioli (MN) 35 B4
Fontanella/Ozino (BI) 20 B3
Fontanellato (PR) 35 D3
Fontanelle (AR) 55 D1
Fontanelle (CE) 82 D3
Fontanelle (CN) 41 C2
Fontanelle di Sassovivo (PG) 62 E4
Fontanelle (LE) 100 B4
Fontanelle, Masseria (PZ) 98 B3
Fontanelle (PE) 71 D1
Fontanelle (PR) 35 D4
Fontanelle (TE) 70 C3
Fontanellette (TV) 27 B2
Fontanelle (TV) 27 A2
Fontanelle (VI) 26 B1
Fontane (PR) 35 E3
Fontanese (RE) 36 E2
Fontaneto d' Agogna (NO) 21 B1
Fontanetto Po (VC) 32 A3
Fontane (TV) 27 C1
Fontane, Villa delle (VT) 67 C1
Fontan [F] 41 F1-2
Fontaniale (AL) 32 E4
Fontanigorda (GE) 44 AB2
Fontanile (AT) 32 E4
Fontanino di Celentino (TN) 12 BC2
Fontaniva (PD) 26 C2
Fontarello (RI) 69 C1
Fontavignone (AQ) 69 F4
Fontazzi (SI) 60 C2
Fonte al Ronco (AR) 61 AB2
Fonteblanda (GR) 65 C4
Fontebuona (FI) 53 B4
Fontecchio (AQ) 70 F1
Fontecchio, Terme di (PG) 55 F3
Fontecellese, Monte (AQ) 74 B3
Fontechel (TN) 25 B1
Fontechiari (FR) 75 F2
Fonte Colombo, Santuario di (RI) 68 E3-4
Fontecorniale (PS) 56 D3
Fonte d' Amore (AQ) 75 B4
Fonte del Campo (RI) 69 B2
Fonte di Brescia (MC) 63 C1
Fonte di Papa (ROMA) 73 B3
Fonte d' Olio (AN) 57 F4
Fontegreca (CE) 82 B4
Fontelacasa, Sella [CH] 77 C1
Fonte, La (PI) 52 D3-4
Fontelunga (AR) 61 B2
Fonte Minerale (BS) 11 F3
Fonteno (BG) 23 B2-3
Fonte Nuova (CH) 76 C2-3
Fonte Paciano (PG) 61 D3
Fonterútoli (SI) 53 F4
Fonterosa, Borgo (FG) 85 B3-4
Fonte Rossi (CH) 76 B2
Fontesambuco (IS) 76 E3
Fontespina (MC) 64 B2-3
Fonte Alto (TV) 26 B3
Fonte Tana, Rifucio (TO) 30 C1-2
Fontevécchia, Stazione (BR) 94 A2-3
Fonte Vetica (AQ) 70 D2
Fonte Vetriana (SI) 61 E2
Fontevivola (VT) 67 F3
Fontevivo (PR) 35 E3
Fontgillarde [F] 30 E2
Fontia (MS) 45 F2
Fontiano (AR) 61 A2
Fonti, Cima (VI) 25 B4
Fontignano (PG) 61 E4
Fontigo (PV) 26 A4
Fonti (VB) 8 D2
Fontisterni (FI) 54 D2
Font/Sancte, Pic de [F] 30 F1
Fonts, Chalets des [F] 6 D1
Fonts, Les [F] 30 C2
Fonzaso (BL) 14 F1
Fop, Cima del (BG) 10 F4
Fópel, Cima del (SO) 1 E2
Foppa, Passo del (BS) 11 C3
Foppe, Monte (LC) 10 E1
Foppiano (GE) 44 A2
Foppiano (VB) 8 B3
Foppiano (PR) 44 B3-4
Foppiano (TN) 25 A1
Fóppolo (BG) 10 E4
Foradada, Isola (SS) 128 B1
Foraga, Forcella (BL) 14 B3
Forame, Passo di [YUI] 17 C3
Forame, Passo (SO) 11 C1
Forame (UD) 16 E4
Forane, Poggio (GR) 66 D1-2
Forani (CN) 40 C4
Forani, Scogli (SS) 125 E4
Forano, Convento di (MC) 63 AB4
Forano (RI) 68 F2
Fora, Sasso di (SO) 10 B4
Forato, Pizzo (SO) 10 B1
Forbici, Passo delle (RE) (LU) 46 E1
Forca, Bric della (PC) 34 F2
Forca di Penne (AQ) 70 F2
Forcaiezzi (CH) 76 B4
Forca, La (AQ) 69 F2
Forca, La (RI) 68 C4
Forca, La (RI) 69 C1
Forca, Monte (BZ) 3 D4
Forca, Pizzo (BL) 14 B1
Forca, Ponte della (RE) 36 E2-3
Forcarella di Lago [CH] 9 B3
Forca Risuni, Rifugio (AQ) 75 E4
Forcatella, La (BR) 94 A2
Forcatura (PG) 62 E4
Force (AP) 64 E1
Forcella del Picco, Rifugio (BZ) 4 A3
Forcella (FR) 75 E2
Forcella, La (GE) 44 B2
Forcella (MC) 63 E1
Forcella, Monte (SA) 97 B2
Forcella, Ponte d' Arli (AP) 69 A3
Forcella (RI) 68 E3
Forcella (TE) 70 C2
Forcelle (RI) 69 B2
Forcelli (BO) 47 A2
Forcello (CR) 35 B3
Forcello (MO) 37 E1
Forcellona, Passo (VI) 13 F4
Forcellone, Monte (FR) 75 F4
Forche, Monte delle (FO) 55 A1
Forche, Poggio delle (ROMA) 72 A4
Forchetta, Casa di (FG) 78 D4
Forchetta, La (FR) 74 D4
Forchetta Morrea (AQ) 75 D1
Forchetta, Válico di (CH) 76 C1-2
Forchez [CH] 6 B3
Forchia (BN) 83 F3
Forchia (CE) 83 F2
Forchia, Monte (UD) 5 F2-3
Forcis, Monte (UD) 17 E1
Forclaz, Col de la [CH] 6 D2
Forclaz, La [CH] 6 A3
Forclaz, La [CH] 7 D2
Forcola, La (BZ) 2 F1
Forcola, Passo della (SO) 10 B1
Forcola, Pizzo della (BZ) 1 E3-4
Forcola, Pizzo della (SO) 10 B1
Forcola, Rifugio (BZ) 1 E4
Fórcola (TO) 19 E2
Forcoletta, Passo della (VB) 8 C3
Fórcoli (PI) 53 E1
Forcora, La (VA) 9 D1-2
Forcuso, Monte (AV) 84 F3
Fordongiánus (OR) 132 AB1
Foreant, Pic [F] 30 E2-3
Foredór Sella (UD) 16 D3
Forenza (PZ) 91 B3
Forenza, Stazione di (PZ) 91 AB2
Foresta, Convento la (RI) 68 D4
Foresta (KR) 103 F1
Foresta del Timpone (CS) 98 D34
Foresta di Burgos (SS) 129 C2
Foresta (Forst) (BZ) 2 D3-4
Foresta (IS) 76 F1-2
Forestale, Casa (FG) 79 D2
Forestale di Garglione, Stazione (CZ) 102 F4
Forestale, Rifugio (SA) 90 E3
Foresta, Monte la (AV) 90 A1
Foresta, Val di (BZ) 4 D2
Foresta Vecchia (CT) 112 E1
Foresto (CN) 31 E3
Foresto (MN) 24 F3
Foresto Sésia (VC) 20 A3
Foresto Sparso Chiesa (BG) 23 BC2
Foresto (TO) 18 F4
Foresto (VE) 38 B4
Forette San Martino (VR) 25 F1
Forgaria del Friuli (UD) 15 D4
Fórgia, Fiume 108 D2
Forgiari, Monte (CS) 102 C3
Foriana, Masseria (CL) 119 D1-2
Foria (SA) 96 C4
Forino (AV) 89 B3
Forio (NA) 88 C1
Fork [A] 17 A2
Forlenza, Terme (SA) 90 D2-3
Forlinpopoli (FO) 48 E4
Forlì del Sánnio (IS) 76 EF2
FORLÌ 48 E3
Formaggio, Monte (CL) 119 F3
Forma, Monte (SA) 96 B2
Formazza (VB) 8 A3-4
Formazza, Val (VB) 8 AB3
Forme (AQ) 75 B1
Formeaso (UD) 5 F4
Formegan (BL) 14 E2
Formello (ROMA) 73 B2
Formeniga (TV) 14 F4
Fórmia (LT) 81 D4
Formica di Burano, Isola (GR) 66 E1
Formica, Isola (TP) 107 E4
Formica, Masseria (BR) 94 C4
Formiche, Castello delle (TR) 68 E1
Formiche, Le (LT) 80 F2
Formiche, Monte delle (BO) 47 D3
Formiche, Punta delle (SR) 124 E2
Formicola (CE) 82 B4
Formicola (CE) 83 D1
Formico, Pizzo (BG) 23 A2
Formiga, Nuraghe (NU) 132 C3
Formigara (CR) 35 A1
Formigine (MO) 46 B4
Formigliana (VC) 20 D3
Formignana (FE) 38 E2-3
Formignano (FO) 48 F4
Formigosa (MN) 36 B4
Formisia, Monte (ME) 112 E1-2
Formole (AR) 55 E1-2
Formone, Fiume 61 E1
Fornaca (CN) 31 E2
Fornaca (CN) 42 C1-2
Fornace (BO) 47 C2
Fornace (FI) 54 C3
Fornace (GR) 66 C2
Fornace, La (PS) 56 D3-4
Fornacella (SI) 60 A3
Fornacelle (PO) 53 B3
Fornace (SI) 60 C4
Fornace (TN) 12 D2
Fornace (TN) 13 E1
Fornacette (FI) 53 E3
Fornacette, Le (GR) 59 F4
Fornacette (PG) 62 B3
Fornacette (PI) 52 D4
Fornaci (BS) 23 D3
Fornaci di Barga (LU) 46 F1-2
Fornaci (EN) 119 E2
Fornaci, Le (FI) 53 B4
Fornaci (LO) 34 A3
Fornaci (LO) 34 A4
Fornaci (MN) 36 D3
Fornaci (NO) 21 C1
Fornaci (NO) 21 C1-2
Fornacino (TO) 31 A4
Fornaci, Passo delle (MC) 63 E2
Fornaci (TV) 27 C2
Forna, Le (LT) 80 F2
Fornàlis (UD) 17 F1
Fornaro, Coppa del (FG) 79 C2-3
Fornase (VE) 26 E4
Fornazzo (CT) 121 A1
Fornelli (IS) 76 F2
Fornelli, Rada di (SS) 125 D2

Fornelli (SA) 96 B1
Fornelli (SS) 125 D2
Fornelli (SV) 42 C3
Fornelli (UD) 28 C4
Fornello (AR) 54 D3
Fornello (FI) 54 A2
Fornello (FI) 54 C1-2
Fornello (PT) 53 C2
Fornero (VB) 8 F3
Forner (TV) 26 AB3
Fornesighe (BL) 14 B3
Fornet, Le [F] 18 D3
Fornets, Ponte des [F] 6 C1
Forni Avoltri (UD) 5 E2
Fornico (BS) 24 C3
Forni di Sopra (UD) 15 B2
Forni di Sotto (UD) 15 B2
Forni, I (LI) 59 D2
Forni, I (SO) 11 D1
Forni I (SO) 12 B1
Fornio (PR) 35 D2
Fornisco (TE) 69 B4
Forno Allione (BS) 11 E3
Forno Alpi Gráie (TO) 18 E4
Forno Canavese (TO) 19 E3
Forno, Capanna del (SO) 10 B4
Fornocchia (LU) 52 A2
Forno, Colle (FR) 74 E2-3
Forno della Gaiana (BO) 47 B4
Forno di Val (BL) 14 C2
Forno di Zoldo (BL) 14 C3
Forno d'Ono (BS) 24 B1
Forno, Fermata (MT) 92 B1
Forno, I1 (MO) 36 F4
Forno, Lago del (BZ) 2 B4
Fornole (TR) 68 C1
Fornoli (LU) 52 A4
Fornoli (MS) 45 D2
Fornolosa (TO) 19 D2
Forno Marina (ME) 111 C4
Forno, Monte [A] 17 B2
Forno, Monte del (SO) 10 B4
Forno, Monte (VB) 8 B3
Forno, Monte (VI) 13 F3
Forno (MS) 45 F3
Forno (NO) 8 E2-3
Forno, Pizzo [CH] 9 A2
Forno, Pizzo di (VB) 8 C3
Forno, Poggio del (VT) 67 F1
Forno (TN) 13 B3-4
Forno (TO) 19 F1
Forno (TO) 30 B4
Forno, Vedretta di [CH] 10 BC4
Fornovo di Taro (PR) 35 F3
Fornovolasco (LU) 52 A2-3
Fornovo San Giovanni (BG) 22 D4
Foro (CH) 71 E2
Foro, Fiume 70 F4
Foro, Fiume 71 E1
Foroglio [CH] 8 B4
Förolach [A] 17 A1
Foroni, I (MN) 24 F3
Foroni (VR) 24 F3
Forotondo (AL) 34 E1
Forte Buso, Lago di (TN) 13 C4
Forte dei Marmi (LU) 52 A1
Forte di Bibbona (LI) 59 B1
Forte, Monte (LT) 82 C1
Forte, Monte (SS) 125 F2
Forte (BI) 20 C3
Fortezza (Franzensfeste) (BZ) 3 C3
Fortezza, Monte della (LI) 58 D1
Fortino (PZ) 97 B2
Forti, su (CA) 136 C1
Fort, Monte [CH] 6 D4
Fortogna (BL) 14 D4
Fortore, Fiume 77 E4 78 D1 84 AB2
Fortore, Torre (FG) 78 C2
Fort, Punta del (TO) 18 F4
Fortullino (LI) 52 F2 3
Fortunago (PV) 34 D1
Fortuna, Passo di (ROMA) 74 C1
Forza d'Agro (ME) 113 E1
Forzellina, Cima (TN) 12 C1-2
Forzo, Rifugio di (TO) 19 C2
Forzo (TO) 19 C2
Foscagno, Monte (SO) 1 F2
Foscagno, Passo (SO) 1 F2
Foscalina (MS) 45 F3
Fosciandora (LU) 46 F1
Fosci, Fiume 59 A4
Fosco, Fiume 4 D2
Fosco, Groppo (PR) 45 C2-3
Fosdinovo (MS) 45 E2
Fosdondo (RE) 36 E3
Fosini (GR) 59 C4
Fosio (PR) 35 F2
Fosola, Monte (RE) 46 C1
Fossa (AQ) 69 F4
Fossa (BS) 24 E2
Fossa Capraia (CR) 36 D1
Fossa, Cascina la (ROMA) 80 A1
Fossacésia (CH) 71 F3
Fossacésia Marina (CH) 71 F3
Fossadalbero (FE) 38 D2
Fossa dell'Abate (LU) 52 B2
Fossa della Neve, Monte (ME) 112 D2
Fossa delle Felci, Monti (ME) 111 A2
Fossa, Fiume la 127 D2
Fossa, La (RE) 36 F1-2
Fossalon di Grado (GO) 29 D1
Fossalta di Piave (VE) 27 C3
Fossalta di Portogruaro (VE) 28 C2
Fossalta (FE) 38 E2
Fossalta Maggiore (TV) 27 BC3
Fossalta (MO) 46 A4
Fossalta (PD) 26 D3
Fossalto (CB) 76 F4
Fossalunga (TV) 26 C4
Fossa Maestra 37 BC2
Fossa (MO) 37 D1
Fossano (CN) 41 A3
Fossanova, Abbazia di (LT) 81 B1-2
Fossanova San Marco (FE) 38 E1
Fossa (PR) 35 C4
Fossaragna (PD) 38 A3
Fossarmato (PV) 34 A1
Fossateula, Monte sa (CA) 134 C4
Fossatillo (AQ) 69 D2
Fossato, Colle di (AN) (PG) 62 B4
Fossato dei Ferri 38 C4
Fossato di Vico (PG) 62 B4
Fossato (PO) 47 F1
Fossato Jonico (RC) 114 E2 3
Fossato (MN) 36 AB3
Fossato (PS) 56 F2
Fossa, Torre del (FE) 38 E1
Fossato Serralta (CZ) 105 B3
Fossaz (AO) 18 A4
Fossazza, Monte (ME) 113 D1
Fossazzo (ME) 112 C4
Fosse, Monte le (AG) 118 D2
Fosseno (NO) 21 A1
Fosseto (AL) 33 C1
Fosse (VI) 26 C1
Fosse (VR) 25 C1
Fossiata (CS) 102 D3-4
Fossi, Coppo dei (FG) 79 C2-3
Fossignano (LT) 80 A2
Fosso Cinnarello, Fiume 104 F3
Fosso del Lupo, Passo (CZ) 105 D1
Fosso Ghiaia, Fiume 49 C1
Fosso Grande, Fiume 63 BC3
Fossola (MS) 45 F2
Fossoli (MO) 36 E4
Fossombrone (PS) 56 D2-3
Fossona (PD) 26 F1-2
Fosso Reale, Fiume 52 E3
Fosso Rio 66 A1
Fosso (VE) 26 F4
Fostaga (BS) 24 CD1
Fosto (PS) 56 E1
Fouly La [CH] 6 E3
Foura, Punta (AO) 19 C1
Fourneaux [F] 18 F1
Four, Ponte du [F] 18 B2
Foxi (CA) 136 C1
Foxi, Canale de 134 E4
Foxi, Fiume 134 E4
Foxi Manna, sa (NU) 133 D3
Foxi Porto (CA) 135 D3
Foy Tarentaise Sainte [F] 18 B3
Foza (VI) 26 A1
Frabosa Soprana (CN) 41 C3
Frabosa Sottana (CN) 41 C3
Fraccano (PG) 55 F3
Fracce (VA) 9 F1
Fracchia (CR) 22 E3
Frachey (AO) 7 F3
Fraciata, Bric di (SV) 42 BC3
Fraciscio (SO) 10 B2
Fradiavolo, Masseria (BA) 93 A1
Fra di Modica, Fiume 123 D3 4
Fradusta, Cimon di (TN) 14 D1
Fradusto (BO) 47 E2-3
Fraelacco (UD) 16 E3
Fraele, Passo di (SO) 1 E2
Fraele, Scale di (SO) 1 F2-3
Fraforeano (UD) 28 C2
Fragagnano (TA) 94 E2-3
Fragaiolo (AR) 55 DE1
Fragalá, Convento di (ME) 112 D1
Fragantbach, Fiume 5 B4
Fragneto L'Abate (BN) 84 D1
Fragneto, Masseria (TA) 94 C1
Fragneto Monforte (BN) 83 D4
Fragno (PR) 45 A3
Fraiano, Castel (CH) 76 D3-4
Fraigarda, Nuraghe sa (CA) 136 C2
Fraigas, Stazione di (SS) 129 A2
Fraine (BS) 23 AB3
Fraine (CH) 76 CD4
Fraine di Sopra (VR) 24 C4
Fráire (CN) 31 E1
Fraisse (TO) 30 B3
Frais (TO) 30 A3
Fraita (TO) 30 C4
Fraiteve, Monte (TO) 30 B2
Frà, Monte (BS) 23 A4
Fram, Punta (TP) 116 F1
Framura (SP) 44 E3
Framura, Stazione (SP) 44 E3
Franca Messana, Casa (PA) 109 E1
Franca (PG) 62 E4
Francavilla al Mare (CH) 71 D1-2
Francavilla (AN) 57 D1
Francavilla Angitola (VV) 105 D1
Francavilla Angitola, Stazione di (VV) 104 D4
Francavilla Bisio (AL) 33 E2
Francavilla d'Ete (AP) 64 C1
Francavilla di Sicilia (ME) 112 E4
Francavilla Fontana (BR) 94 D3
Francavilla in Sinni (PZ) 98 C2
Francavilla Marittima (CS) 98 E3
Francenigo (TV) 27 A2
Francese, Cala (SS) 127 B1
Francese, Isola (CA) 134 D2-3
Francesi, Punta di li (SS) 126 B3
Franche, Forcella (BL) 14 D2
Franchella (SV) 42 D2
Franchini (AL) 32 C4
Franchi (PR) 35 F1
Francia (TO) 30 C4
Fráncisa (VV) 104 E3
Francocci (PG) 68 A2
Francofonte (SR) 120 F4
Francolino (FE) 38 D1
Francolise (CE) 82 D4
Francollini (TN) 25 A2
Franconalto (AL) 43 A2-3
Franscia (SO) 11 C1
Franz/Josefs/Höhe [A] 5 A2
Franzona, Tenuta (VE) 28 D1
Frapiero (PD) 38 B3
Frara, Pizzo di (ME) 113 C1
Frara (PR) 35 D4
Frasca, Capo della (CA) 131 D2
Frasca, Case (CT) 120 E1
Frasca, Masseria (BA) 86 E3
Frasca, Monte (CT) 120 E1-2
Frascaro (AL) 33 D1
Frascarolo (PV) 33 B2
Frascaro (PG) 69 B1-2
Frascaro (RE) 45 C4
Frascata (AL) 33 E4
Frascata, La (RA) 48 B2-3
Frascati (ROMA) 73 D3-4
Frasca, Torre (BA) 87 F1
Fraschette (FR) 74 E4
Fraschéia, Monte (VC) 20 B4
Frascineto (CS) 98 E2-3
Frasco [CH] 9 B2
Frascola, Monte (PN) 15 C2-3
Frascondino (AL) 33 C1
Frasnedo (SO) 10 C2
Frassanito (LE) 100 B3
Frassenè (BL) 14 C2
Frassenè (BL) 14 F1
Frassenedo (PD) 26 F3
Frassenetto (UD) 5 E2
Frassi, Colle dei (RI) 69 D1
Frassignoni (PT) 46 F4
Frassilongo (TN) 13 E2
Frassinara (PR) 36 E1
Frassinedolo (RE) 45 C4
Frassine, Fiume 38 A1
Frássine (GR) 59 D3
Frassinéit (PN) 15 C3
Frassinelle Polesine (RO) 38 CD1-2
Frassinello Monferrato (AL) 32 BC4
Frassine (PD) 37 A4
Frassinere (TO) 31 A1
Frassineta (AN) 56 F3
Frassineta (BO) 47 E3
Frassineti (MO) 46 D3
Frassineto (AR) 61 B2
Frassineto (BO) 47 D4
Frassineto (BZ) 3 E1
Frassineto (GE) 43 A4
Frassineto, Passo di (AR) 55 D2
Frassineto Po (AL) 33 B1
Frassineto (PR) 44 A3
Frassinetto (TO) 19 D3
Frassiney (AO) 18 B4
Frássini (ME) 112 D3
Frássini (SI) 60 C1
Frassino (CN) 30 F4
Frassino, Lago del (VR) 24 E3
Frassino (MN) 36 B4
Frassinoro (MO) 46 D2
Frassinoro (RI) 68 E4
Frassino (SV) 42 D2
Frassi (PC) 44 A2
Frasso Dugenta, Stazione di (BN) 83 E2
Frassoneta (SV) 42 B3
Frasso Sabino (RI) 68 F3
Frasso, Stazione di (LT) 81 C2
Frasso Telesino (BN) 83 E3
Frasso, Villa (CS) 102 A3
Fratelli Bandiera, Monumento (CS) 103 E1
Fratelli, Casa (CA) 134 B3
Fraterna (RO) 39 D2
Frati, Dosso dei (CR) 35 C4
Frati, Monte dei (AR) 55 D2
Fratinikbach, Fiume 4 B4
Frati, Torre dei (CN) 41 B2
Fratta (AR) 61 B2
Fratta, Fiume 37 B4
Fratta, Fiume 76 A4
Fratta (GO) 29 B1
Frattagula (TR) 61 F4
Fratta, La (SI) 61 C1
Frattamaggiore (NA) 88 A4
Frattaminore (CE) 83 F1
Fratta, Monte (RI) 69 F2
Fratta (PN) 15 D3
Fratta (PN) 15 F1
Fratta Polesine (RO) 38 C1
Frattarolo, Sciale (FG) 79 F2
Fratta, Terme (FO) 48 F4
Fratta Todina (PG) 62 F1
Fratta (TV) 14 F4
Fratta (TV) 26 C3
Fratta (VE) 28 C1-2
Fratte, Le (PN) 27 A4
Fratte (PD) 26 D3
Fratte (PG) 62 C1
Fratte, Punta (KR) 106 B3
Fratte Rosa (PS) 56 E3
Fratticciola (AR) 61 BC2
Fratticciola Selvático (PG) 62 C2
Frattina, Fiume 109 F2
Frattina (PN) 27 B3
Frattina, Ponte (PA) 109 F1
Frattócchie (ROMA) 73 E3
Frattuccia (TR) 67 C4
Frattura (AQ) 75 C4
Frau, Capo (CA) 134 D3
Fraulis, Punta (NU) 133 B3
Fraveggio (TN) 12 E4
Fraviano (TN) 12 C2
Frazzano (ME) 112 D1
Frédane, Fiume 84 F2
Freddo, Fiume 108 F4
Freddo, Monte (BN) 84 C1
Freddo, Monte (FO) 54 A4
Fregasoga, Monte (TN) 13 D2
Fregene (ROMA) 72 D4
Fregiolo (FO) 48 F2
Fregnanello (RA) 48 E2
Fregona (BL) 14 B2
Fregona (TV) 14 F4
Freidour, Monte (TO) 31 B1
Freinetto (TO) 31 B1
Freissons Saint Salins [F] 18 C1
Frejus, Colle del (TO) 18 F1
Frejus, Galleria del [F] (TO) 18 F1
Frejus, Traforo del [F] (TO) 18 F1
Fremamorta, Cima di [F] 40 D4
Frena (BZ) 4 D1
Frena, Monte (FI) 47 F3
Freney [F] 18 F1
Frenières [CH] 6 B3
Frentani, Monti dei (CH) 77 C1-2
Frere (CN) 40 A2-3
Frerola (BG) 23 A1
Frerone, Monte (BS) 11 F4
Fresagrandinaria (CH) 77 C1
Frescarolo (PR) 35 C3
Fresciano (AR) 55 D2
Fresine (BS) 11 E4
Frésis (UD) 15 B3
Fresonara (AL) 33 E1-2
Frety, Monte (AO) 6 F2
Frida (SS) 129 D2
Friddani (EN) 119 D3
Friderich [A] 3 A4
Frido, Fiume 98 C2
Friesenberghaus [A] 3 A3-4
Frigento (AV) 84 F3
Frigianu, Isola (SS) 126 DE1
Frigido, Monte [YUI] 29 A3
Frigintini (RG) 123 C4
Frignano (CE) 82 F4
Frignano (RE) (MO) 46 CD1-2-3
Frignone, Monte (LU) 45 E4
Frigole (LE) 95 E3
Frinco (AT) 32 C2 3
Frioland, Monte (CN) 30 DE4
Friola (VI) 26 C1
Frisa (CH) 71 F2
Frisanco (PN) 15 D3
Frise (CN) 40 B4
Frise, Fiume 40 B4
Frisoli, Masseria (FG) 85 B2
Frisolino (GE) 44 D2
Frisone, Fiume EF2
Frisoni (VI) 13 F4
Frisozzo, Monte (BS) 11 E4
Frodolfo (SO) 1 F3
Frohntal [A] 5 DE 2
Fromm, Albergo (BZ) 3 F3
Frondarola (TE) 70 C1
Frontale (MC) 63 B2
Frontale (SO) 11 B4
Frontano, Monte (PG) 55 F4
Fronti (CZ) 105 B1
Frontignano (BS) 23 E2-3
Frontignano (PG) 62 F2
Frontignano (SI) 60 C2
Frontin (BL) 14 E3
Frontino (PS) 55 D3-4
Frontone (PS) 56 F2
Front (TO) 19 E3
Fronzola (AR) 54 D4
Froppa, Cimon (BL) 4 F3-4
Frósini (SI) 60 C1
FROSINONE 74 F4
Frosinone, Rifugio (FR) 74 D4
Frosinone, Stazione di (FR) 74 F4
Frosolone (IS) 76 F4
Frossasco (TO) 31 C1
Frua, La (VB) 8 A3
Frua Rifugio (BG) 10 F4
Frudiere, Becca (AO) 19 B4
Frugarolo (AL) 33 D1-2
Frugna, Fiume 85 E1
Frugna, Monte (PN) 15 D1
Fruit, Aigle du [F] 18 D1
Fruit, Chalet du [F] 18 D1
Fruncu Erente (NU) 130 E1
Fruncu Mannu (NU) 130 E3
Frusci (PZ) 91 B2
Frusciu, Monte (SS) 128 C4
Fruscus, Nuraghe (OR) 132 A1
Ftan [CH] 1 C2
Fubina (TO) 19 F2
Fubine (AL) 32 C4
Fucécchio (FI) 53 D1
Fucecchio, Padule di (PT) 53 C1
Fucignano (TE) 70 A1
Fucine (SV) 42 C2
Fucine (TN) 12 C2
Fucine (TO) 19 F1
Fucino, Fiume 69 C3
Fucino, Piana del (AQ) 75 BC1
Fucito (FG) 79 D2
Fuga, Monte (LT) 82 C2
Fugazzolo (PR) 45 B2
Fuile Mare (NU) 130 C4
Fuipiano al Brembo (BG) 22 A4
Fuipiano Valle Imagna (BG) 22 A4
Fulcada, Casa (NU) 128 D3
Fulcheri (CN) 41 B2
Fuldera [CH] 1 E3
Fulgatore (TP) 108 E2
Fullo, Case (SR) 124 D2
Fully [CH] 6 C3
Fully, Lac de [CH] 6 C3
Fumacino, Monte (PG) 68 B4
Fumai, Monte (NU) 130 F1-2
Fumaiolo, Monte (FO) 55 C2
Fumaiolo, Monte (VT) 66 D3
Fumane (VR) 24 D4
Fumeri (GE) 43 A3
Fumeri (TO) 31 D3
Fumero (SO) 11 B4
Fumo, Monte (PS) 55 F3-4
Fumo, Monte (Rauchkkofl) [A] 4 A2
Fumo, Monte (TN) 12 D1
Fumone (FR) 74 E4
Fumo (PV) 34 C1
Fumo, Val di (TN) 12 DE1
Funari (CE) 83 D1
Fundore, Monte (SS) 126 F3
Fúndres, Passo di (BZ) 3 B3
Fúndres (Funders) (BZ) 3 B3
Funer (BL) 26 A3
Funes (BL) 15 D1
Funes, Fiume 3 E4
Funesu, Monte (CA) 131 E3
Funes (Villnöss) (BZ) 3 E3
Fungaia, Monte (AR) 55 E1-2
Fungáia (SI) 60 B2
Funo (BO) 47 A3
Funtana Coberta (CA) 133 E1
Funtana Congiada, Punta (NU) 132 B4
Funtana Niedda, Stazione (SS) 125 F4
Funtana, Raminosa (NU) 132 BC4
Funtaneddas, Monte (NU) 129 D4
Fuons Fréia, Cime de [F] 40 E4
Fuorcla Surlej [CH] 11 A1
Fuori, Monastero di (IS) 82 B4
Fuori, Monte di (BZ) 2 E3-4
Fuorn, Il [CH] 1 D2
Fuorni (SA) 89 D4
Furato (MI) 21 D3
Furau, Bruncu (NU) 132 B4
Furbara, Stazione di (ROMA) 72 C3
Furci (CH) 77 C1
Furci, Monte (ME) 111 D4
Furci Siculo (ME) 113 E1-2
Fúrcia (Furkelh) (BZ) 4 D1
Furgle [A] 1 A4
Furiano, Fiume 111 D3
Furlo, Gola del (PS) 56 E2
Furlo (PS) 56 E2
Furnari (ME) 112 D4
Furnatsch [CH] 10 A3
Furnolo (CE) 82 D3
Furone Mannu, Monte (CA) 131 F4
Furore, Masseria (AG) 118 F4
Furore (SA) 89 D2
Furtei (CA) 132 EF2
Furtschagi/H [A] 3 A4
Fusano, Castel (ROMA) 73 E1
Fusanti, Monte (BN) 83 E2-3
Fusara (SA) 89 C3
Fusaro, Lago del (NA) 88 B2
Fuscaldo (CS) 101 C3
Fuscaldo, Monte (KR) 103 F2
Fuschi (BN) 83 C4
Fuscoli (NA) 89 C2
Fusco, Masseria (BN) 83 D3
Fusea (UD) 15 B4
Fusignano (RA) 48 C3
Fusina (VE) 27 E1
Fusine (BL) 14 B3
Fusine, Foresta di (UD) 17 B2
Fusine in Valromana (UD) 17 B2
Fusine, Laghi (UD) 17 B2
Fusine (SO) 10 D4
Fusine (VI) 25 B2
Fusino (SO) 11 C3
Fusio [CH] 9 A1
Fuso, Monte (PR) 45 B4
Fusshorn, Gr [CH] 8 A1
Futani (SA) 96 B4
Futa, Passo della (FI) 47 F2-3
Futschöl Pass [A] 1 B2

G

Gabba (BO) 46 E4
Gabbara, Monte (CL) 119 C1
Gabberi, Monte (LU) 52 A2
Gàbbia (AQ) 69 D2
Gàbbia, Monte (AQ) 69 D2
Gabbiana (MN) 36 B2-3
Gabbiana (MS) 45 D2
Gabbiani, Baia dei (FG) 79 E3-4
Gabbiano (AP) 64 C1
Gabbiano (BO) 47 E2
Gabbiano (FI) 54 A1
Gabbiano (PC) 34 D2
Gabbiano Vecchio (AR) 61 C2
Gabbia, Poggio a (PI) 59 B3
Gabbia (VR) 37 A1
Gabbione (PV) 34 C1
Gabbioneta (CR) 35 A4
Gabbro (LI) 52 F3
Gabbro, Monte (SI) 59 C4
Gabella (AN) 57 E2
Gabella (CZ) 104 B4
Gabella Grande (KR) 103 F3
Gabella Nuova (MC) 63 D3
Gabellata (TR) 68 C2
Gabelletta, La (VT) 67 F4
Gabelletta (VT) 66 D4
Gabellina, La (RE) 45 D4
Gabellino (GR) 59 D4
Gabesitten [A] 4 C4
Gabetti (CN) 31 F4
Gabiano (AL) 32 A3
Gabiano (TE) 69 A4
Gabicce Mare (PS) 56 B2-3
Gabicce, Monte (PS) 56 B3
Gabiet, Lago (AO) 7 F3
Gabiet, Rifugio (AO) 7 F3
Gabii (ROMA) 73 D4
Gabiolo (TN) 13 E1
Gabrce [YUI] 29 D4
Gabria di Tolmino [YUI] 17 E2-3

Gabria (GO) 29 B1-2
Gabria [YUI] 29 B4
Gabrielassi (CN) 31 D3-4
Gabrieli, Villa (BA) 93 B4
Gabrovec [YUI] 17 D1
Gabrovizza San Primo (TS) 29 D2-3
Gabrovizza [YUI] 29 C3
Gabrovizza [YUI] 29 E3-4
Gabutti (CN) 42 B2
Gaby (AO) 20 B1
Gada, Monte (CS) 97 D4
Gaddau, Cantoniera (SS) 126 E4
Gadera, Fiume 3 D4
Gadesco (CR) 35 B3
Gadinica, Pizzo (AG) 118 C3
Gadoni (NU) 132 B4
Gad (TO) 30 B2
Gaeta, Golfo di (LT) 82 D1
Gaeta (LT) 81 D4
Gaffe, Torre di (AG) 122 A1
Gaffuro (MN) 36 B2
Gagéla, Cima de [CH] 9 B4
Gaggiano, Casa (FG) 78 D3-4
Gaggiano (MI) 21 E4
Gaggi (ME) 112 F4
Gaggina (AL) 33 F1
Gaggino (CO) 21 A4
Gaggio (BO) 47 A1
Gaggiolo (VA) 21 A3
Gaggio (MO) 47 A1
Gaggio Montano (BO) 46 E4
Gaggio (VE) 27 D1
Gaglianico (BI) 20 C2
Gagliano Aterno (AQ) 75 AB2
Gagliano Castel'Ferrato (EN) 120 AB1-2
Gagliano del Capo (LE) 100 E3-4
Gagliano, Fiume 120 B2
Gagliano (TE) 70 A1
Gagliano (UD) 17 F1
Gaglianvécchio (MC) 63 B3
Gagliardi, Masseria (LE) 95 D2-3
Gagliardone, Rifugio (CN) 30 E3
Gagliato (CZ) 105 DE2
Gagliétole (PG) 62 F2
Gàgliole (MC) 63 C2
Gagnago (NO) 21 B1
Gagnone, Cima di [CH] 9 B2
Gagnoni, Villa (SI) 61 D1
Gaiana (BO) 47 C4
Gaianello (MO) 46 D3
Gaiano (PR) 35 F3
Gaiano (RA) 48 D2
Gaiano (SA) 89 C4
Gaiarine (TV) 27 A2
Gaiato (MO) 46 D4
Gaibana, Castel (TN) 25 C1-2
Gaibana (FE) 38 F1
Gaibanella (FE) 38 F1
Gaiba (RO) 37 D4
Gaibola (BO) 47 C3
Gaico (AP) 63 F4
Gaido, Monte (PZ) 98 D1
Gaifana (PG) 62 C4
Gailbergsattel [A] 5 D3-4
Gail, Fiume 5 D1 E4
Gaina (BS) 23 C3
Gainago (PR) 36 D1
Gaini (AL) 32 F4
Gainiga (VE) 27 C3
Gaino (BS) 24 C2-3
Gaiola (CN) 41 C1
Gaiola (NA) 88 B3
Gaiole in Chianti (SI) 54 F2
Gaione (PR) 35 EF4
Gàio (PN) 15 DE4
Gairo, Baia (NU) 133 D3
Gairo, Marina di (NU) 133 D3
Gairo (NU) 133 C2
Gairo S. Elena (NU) 133 C2
Gairo Taquisara (NU) 133 C1-2
Gais (BZ) 4 C1
Gaislehnkogl [A] 2 A3
Galade (AL) 33 D2
Galaino (PZ) 91 F2
Gala, La (ME) 112 C4
Galamberto, Case (PZ) 97 B3
Galante, Masseria (CB) 83 B4
Galante, Masseria (MT) 92 F2
Galanti (AL) 43 A1
Galassi, Casa (FG) 78 E3
Galassi, Rifugio (BL) 4 F3
Galati Inferiore (ME) 113 C2
Galati Mamertino (ME) 112 D1
Galati Marina (ME) 113 CD2
Galatina (LE) 100 B2
Galati (RC) 114 F4
Galátone (LE) 100 C1
Galatrella, Fiume 102 B2
Galatrona (AR) 54 F2-3
Gálatro (RC) 115 A1
Galbato (ME) 112 C2
Galbiate (CO) 22 A3
Galciana (PO) 53 B3
Galdo (SA) 90 D4
Galdo (SA) 96 D2
Galdo Stazione di (SA) 90 D3 4
Galeasi, Villa (TA) 94 D2
Galeata (FO) 55 A1
Galeazza (BO) 37 E2
Galeotta, Isola (TP) 107 F3
Galera, Capo (SS) 128 B1
Galera, Isola (TP) 107 F3
Galera (PG) 62 B1
Galera, Punta (SS) 127 A2
Galera, Puntone (RC) 114 D4
Galera, Scoglio (VV) 104 D2-3
Galera, Serra (CL) 123 B1
Galeria, Ponte (ROMA) 73 D1
Galeria (ROMA) 73 B1
Galero, Monte (CN) 42 E1
Galfa, Monte (ME) 112 E4
Galfione (BI) 20 C2
Galgagnano (LO) 22 E3
Galgata (PG) 62 C2
Galiello, Monte (PA) 109 F1-2
Galiga (FI) 54 C2
Galisia, Passo di [F] 18 D4
Gallaneto (GE) 43 B2
Gallano (PG) 62 E4
Gallarate (VA) 21 B2-3
Gallareto (AT) 32 B2
Gallazzano (MC) 63 D2
Galleana (PC) 34 C4
Galleggione, Pizzo (SO) 10 B2
Gallena (SI) 60 B1
Galleno (BS) 11 D3
Galleno (FI) 53 C1
Galleráie, Bagni di (SI) 59 C4
Galleria del Passo della Morte (UD) 15 B2
Galleriano (UD) 28 A3
Gallese, Stazione (VT) 67 E4
Gallese (VT) 67 E4
Galletti (SV) 42 B3
Galliana (FI) 48 F1-2
Galliano (CZ) 105 B2
Galliano (FI) 54 A1
Gallianta (VE) 38 B4
Gallia (PV) 33 B3
Galliate Lombardo (VA) 21 A3
Galliate (NO) 21 D2
Galliavola (PV) 33 B2 3
Gallicano (LU) 46 F1
Gallicano nel Lazio (ROMA) 73 D4
Gallicchio (PZ) 98 A1-2
Galliciano (RC) 114 E3
Gallico, Marina (RC) 114 D1
Gallico (RC) 114 D2
Galli (CZ) 105 B1
Gallidoro, Monte (AG) 122 A2
Galliera (BO) 37 F3
Galliera Veneta (PD) 26 C2
Gallignano (AN) 57 E2 3
Gallignano (CR) 23 E1
Galli, Li (NA) 89 D1
Gallina, Capo della (PN) 15 E1
Gallina, Cima (BZ) 3 B2
Gallina, Punta della (BZ) 2 B1
Gallinara, Isola (SV) 42 F2
Gallinara, Monte (PR) 45 A2
Gallina (RC) 114 D2
Gallinaro, Bivio (FR) 75 F3
Gallinaro (FR) 75 F3
Gallinaro, Pizzo (PA-AG) 118 B1
Gallina (SI) 61 E1
Gallinazza (UD) 28 C4
Gallinola, La (CE) 83 B2
Gallio (VI) 25 A4
Gallipoli (LE) 99 D3 4
Gallipoli (MT) 91 E4
Galliporo, Val (CZ) 105 E2
Gallisterna (RA) 48 D1
Gallitana, Monte (CL) 119 E2
Gallitello, Stazione di (TP) 108 F4
Galli (UD) 28 C3
Gallivaggio (SO) 10 B2
Galli (VC) 32 A2
Gallo (AQ) 74 B4
Gallo (BO) 47 C4
Gallo, Capo di (TA) 93 B4
Gallo, Capo (PA) 109 C2
Gallo, Casino (CS) 98 F2-3
Gallo (CE) 83 B1
Gallo (CN) 32 F1
Gallodoro (ME) 113 E1
Gallo (FE) 37 F4
Gallo, Fiume 118 D3
Gallo, Fiume 70 C3-4
Gallo (FO) 48 F4
Gallo, Lago del (CE) 83 B1
Gallo, Lago del (SO) 1 E2
Gallo (ME) 112 C2-3
Gallo, Monte (BS) 24 C2
Gallo, Monte (PA) 109 C2
Gallo, Monte (RC) 115 A3
Gallopani, Bosco di (CS) 102 C3
Gallo, Pizzo del (TP-PA) 117 A2 3
Gallo, Ponte del (SO) 1 E2
Gallo (PS) 56 C2
Gallo (RE) 36 F1
Galloro, Monte (PG) 68 A4
Galluccio (CE) 82 C3
Galluffi (ME) 113 D1
Gallöppa, Serra di (KR) 103 F2-3
Gallura (SS) 126 B4
Gallura (SS) 127 C1-2
Galluzzo, Borgo (AN) 57 D1
Galluzzo (FI) 53 D4
Galtelli (NU) 130 D3
Galtür [A] 1 A2
Galugnano (LE) 95 F3
Galvagnina (MN) 36 D4
Galzignano Terme (PD) 26 F2
Gamagna (RI) 69 F1
Gamalero (AL) 33 E1
Gamba, Ca' (VE) 27 D3-4
Gambara (BS) 35 A4
Gambarana (PV) 33 C2
Gambarare (VE) 26 E4
Gambárie (RC) 114 D3
Gambaro (PC) 44 A3
Gambaro (RO) 37 D4
Gambasca (CN) 31 F1
Gambassi Terme (FI) 53 E2
Gambatesa (CB) 83 AB1-2
Gambellara (RA) 48 D4
Gambellara (VI) 25 E3
Gamberaldi (FI) 47 F4
Gamberáia (SI) 61 C1
Gamberale (CH) 76 D2
Gambettola (FO) 49 F1-2
Gambina (AL) 33 F1-2
Gambolò (PV) 21 F3
Gambugliano (VI) 25 D4
Gambulaga (FE) 38 F2
Gameli, Serra di (CS) 101 B3
Gamellona (CN) 42 B2
Gammauta, Lago di (PA) 117 B4
Gamogna, Monte di (FI) 54 A3
Gampel [CH] 7 B3
Gampinen [CH] 7 B3
Gamsa, Fiume 7 BC4
Gamsen [CH] 7 B4
Ganaceto (MO) 36 F4
Ganani, Cima (TN) 12 B2
Gana, Pizzo [CH] 9 A1
Gana Rossa, Cima di [CH] 9 A3
Ganda di Martello (BZ) 2 E1-2
Gandaiole, Pizzo [CH] 10 BC1
Gandazzolo (FE) 38 F1
Gandegghütte [CH] 7 E3
Gandellino (BG) 11 EF1
Gandino (BG) 23 A2
Gandolfo, Case (TP) 107 E3
Gandosso (BG) 23 C2
Ganfardine (VR) 24 F4
Gangagliettì Inferiore/Superiore (CN) 31 D3
Ganghereto (AR) 54 E3
Gangi, Fiume 119 B3
Gangio, Monte (SR) 121 F1
Gangi (PA) 111 F1
Gangi (PA) 119 A2
Gangitano, Villa (AG) 118 E4
Gannano, Lago di (MT) 98 A3 4
Ganna (VA) 9 F2
Ganzanigo (BO) 48 C1
Ganzirri (ME) 113 B3
Gaon (VR) 24 C4
Garabiolo (VA) 9 E1
Garadassi (AL) 33 E4
Garagliano (SA) 97 C1
Garagnone, Castello di (BA) 86 F3
Garaguso, Bosco di (MT) 92 E2
Garaguso (MT) 92 D1-2
Garavagna (CN) 41 C3
Garavati (VV) 104 E3
Garave, Monte (PV) 34 F1
Garaventa (GE) 44 B1
Garavicchio (GR) 66 D2
Garavóglie (VC) 20 F2
Garbagna (AL) 33 E3
Garbagna Novarese (NO) 21 E2
Garbagnate (CO) 22 B2
Garbagnate Milanese (MI) 21 C4
Garbana (PV) 21 F3
Garbarini Aveno (GE) 44 C1
Garbarino (GE) 44 A2
Garbatella (ROMA) 73 D2
Garbátola (MI) 21 CD4
Garbo, Ponte del (SI) 60 BC4
Garcia (CL) 119 C2
Garda (Benaco), Lago di (VR) (BS) 24 BCD2-3-4
Garda (BS) 11 D4
Garda, Isola di (BS) 24 D2-3
Garda, Monte (BL) 14 F2
Garda (VR) 24 D3
Garde de Bordon [CH] 7 CD2
Garde, La [F] 50 C2
Gardéccia, Rifugio (TN) 3 F3
Gardenaccia, La (Gardenazza) (BZ) 3 E4
Gardena, Fiume 3 E3
Gardena, Passo di (Grödner J.) (BZ) 3 E4
Gardetta, Passo della (CN) 40 B2
Gardigiano (VE) 27 D1
Gardile, Monte (ME) 113 D1
Gardola (BS) 24 B3
Gardolo (TN) 13 E1
Gardona, Castello di (BL) 14 C4
Gardoncino (BS) 24 D2
Gardone, Riviera (BS) 24 C2 3
Gardone Val Trompia (BS) 23 C3-4
Gardu, Nuraghe su (NU) 130 D3
Garega, Cima (TN) 25 B2
Garella (BI) 20 D3
Garelli, Rifugio (CN) 41 D2-3
Gares (BL) 14 C2
Garéssio (CN) 42 D1
Garetta (CT) 112 F2
Garezzo, Capo (IM) 41 F3
Garfagnana (LU) 46 EF1-2
Garga, Fiume 98 F2
Gargagnago (VR) 24 D4
Gargallo (MO) 36 F4
Gargallo (NO) 20 B4
Gargalupo, Monte (AG) 117 C4
Gargani (NA) 83 F3
Gargaro [YUI] 29 A2
Gargaruso, Monte (PZ) 91 F1
Gargazzone (Gargazon) (BZ) 2 E4
Gargioli, Cocuzzo (PA) 118 A1-2
Gargnano (BS) 24 C3
Gargonza (AR) 61 B1
Garibaldi A., Capanna di (RA) 49 C1
Garibaldi, Casa di (SS) 127 B2
Garibaldi, Cippo di (RA) 49 B1
Garibaldi, Monumento a (RC) 114 C3
Garibaldi, Rifugio (TE) 69 D4
Garibaldi, Rifugio (TN) 24 A3
Garibaldi, Tomba di (SS) 127 B2
Gariffi, Pantano (RG) 124 E1
Gari, Fiume 82 B2
Garigliano, Fiume 82 D2
Gariglione, Monte (CZ) 102 F4
Garipoli (SR) 121 F2
Garisi (PA) 119 B1
Garitta Nuova,Torretta di (CN) 30 F4
Garlasco (PV) 33 A3
Garlate (LC) 22 A3
Garlate, Lago di (Lc) 22 A3
Garlenda (IM) 41 E3
Garlenda (SV) 42 F1
Garna (BL) 15 D1
Garnier (TO) 30 B4
Garniga (TN) 12 F4
Garnitzenbach, Fiume 16 A4
Garófali (CE) 82 D3
Garófali, Piano (CT) 120 E3
Garofalo (RO) 38 D2
Garofano (MO) 47 C1
Garolda (MN) 36 B4
Garrano (TE) 70 B1
Garriano (AL) 32 B4
Garrufo (TE) 70 A2
Garrufo (TE) 70 B1
Garruppu, Gola su (NU) 130 E2
Gartnekofel [A] 16 A4
Garulla (AP) 63 E3
Garza (BS) 23 C4
Garzano (CE) 83 E2
Garzeno (CO) 9 D4
Garziere (VI) 25 B3-4
Garzigliana (TO) 31 D1
Garzirola, Monte (CO) 9 D3
Garzonè, Lago (TN) 12 D2
Gaschurn [A] 1 A1
Gasparella (RG) 123 C1
Gasperina (CZ) 105 D2
Gasperi, Rifugio de (PZ) 98 E1
Gasponi (VV) 104 E2
Gassano (MS) 45 E3
Gàssino Torinese (TO) 31 A4
Gastaldi, Rifugio (TO) 18 E4
Gastea, Monte (NU) 132 C4
Gastra (AR) 54 D3
Gastra, Varco di (AR) 54 D3
Gatlano (MC) 63 E2
Gattaia (FI) 54 A2
Gattano, Fiume 122 A4
Gattara (PS) 55 D2
Gatta (RE) 46 C1
Gattarella (FG) 79 D4
Gattatico (RE) 36 E1
Gatteo a Mare (FO) 49 EF2
Gatteo (FO) 49 F2
Gattera, Casa (PI) 59 A3
Gattico (NO) 21 B1
Gattières [F] 50 D1
Gatti, Masseria (FG) 78 F2
Gattina, Monte la (SA) 97 A3
Gattinara (VC) 20 C4
Gatti, Serra dei (FG) 84 C4
Gatti, Villa (AL) 32 F4
Gattolino (FO) 49 EF1
Gatto, Osteria del (PG) 62 D4
Gattorna (GE) 44 C1
Gaude, Flading (BZ) 2 C4
Gaude, La [F] 50 D1
Gaudella, Masseria (MT) 93 E1
Gaudella, Masseria (TA) 93 D2
Gaudènzio, Masseria (BA) 93 A2
Gaudianello, Sorgente (PZ) 91 A1
Gaudiano, Borgata (PZ) 85 E4
Gaudiano, Posta di (PZ) 85 E4
Gaudiano (PZ) 85 E4
Gaudioso, Casa (SR) 124 E2
Gaudo, Casone del (SA) 90 C2
Gàuna (TO) 19 D4
Gauro (SA) 90 C1
Gavacci, Nuraghe (NU) 132 D4
Gavala, Castello di (VC) 20 A3
Gavardo (BS) 24 D1-2
Gavarno (BG) 23 B1
Gavaseto (BO) 37 F3
Gavassa (RE) 36 F3
Gavassето (RE) 46 A3
Gavaz (BL) 14 C3
Gavazzana (AL) 33 E3
Gavazzo (PR) 45 A4
Gavelle (VI) 26 A1
Gavelli (PG) 68 D4
Gavello (MO) 37 D2
Gavello (RO) 38 C3
Gavénola (IM) 41 E4
Gaverina Terme (BG) 23 B2
Gavi (AL) 33 F2
Gavia, Monte (BS) 11 B4
Gavia, Passo di (BS) 11 B4
Gavia, Rifugio (BS) 11 B4
Gavia, Val (SO) 11 B4
Gavignano (AR) 60 A4
Gavignano (RI) 68 F2
Gavignano (ROMA) 74 E2
Gavignano (SI) 53 F4
Gavi, Isola di (LT) 80 F2
Gaville (AN) 62 A4
Gaville (FI) 54 E2
Gavi, Monte (PC) 34 E3
Gavinana (PT) 46 F3-4
Gavin, Bec (AO) 19 B3
Gavirate (VA) 9 F1
Gavitella, Casa (FG) 85 C3
Gavoi (NU) 129 F4
Gavonata (AL) 32 E4
Gavorrano (GR) 59 E3-4
Gavorrano, Stazione di (GR) 59 E4
Gay, Becca di (TO) 19 C1
Gazoldo degli Ippoliti (MN) 36 B2
Gazon, Cason [YUI] 29 E2
Gazon, Pic du [F] 30 D1
Gazzada (VA) 21 A3
Gazza, Monte (TN) 12 E4
Gazzane (BS) 24 C1
Gazzane (BS) 24 C2
Gazzaniga (BG) 23 B1
Gazzano (RE) 46 D1-2
Gazzaro (RE) 36 F1
Gazzarro, Monte (FI) 47 F2-3
Gazzelli (IM) 41 F4
Gazzena (CT) 121 BC2
Gazzi (ME) 113 C3
Gazzo (CR) 35 B3-4
Gazzo (IM) 41 E4
Gazzola (PC) 34 C3
Gazzoli (PC) 34 D3
Gazzoli (VR) 24 D3-4
Gazzolo (AL) 33 C3
Gazzolo (GE) 43 B2
Gazzolo (RE) 45 C4
Gazzolo (VR) 25 F3
Gazzo (MN) 36 B4
Gazzo (MN) 36 C4
Gazzo (PD) 26 D2
Gazzo (PR) 34 F4
Gazzo (SV) 42 E1
Gazzo Veronese (VR) 37 B1
Gazzuoli (MN) 36 AB1
Gazzuolo (MN) 36 C2
Geant, Glacier du [F] 6 E2
Geat, Rifugio (TO) 30 B4
Gebbia, Valle di (PA) 118 C1
Gebbo (VB) 8 C2
Geddai, Fiume 133 BC1
Gefrorne Wandspitzn [A] 3 A3
Geigenkamm [A] 2 A2
Geiger Gr. [A] 4 A3
Geiselkopf [A] 5 A4
Gela (CL) 122 B4
Gela, Fiume 122 A4
Gela, Golfo di (AG-CL) 122 B2-3
Gelas, Cima di (CN) 41 E1
Gelato, Lago (TN) 12 C2
Gelato, Lago (TO) 19 C2
Gelato, Passo (BZ) 2 D3
Gelegna / Bassa / Alta (MC) 63 D1-2
Gele, M. [CH] 6 D4
Gelisia, Punta di (AO) 18 D4
Gelkhamar, Monte (TP) 116 F1
Gello (AR) 55 D1
Gello (AR) 55 F1
Gello Biscardo (AR) 54 E4
Gello (PI) 52 C3
Gello (PI) 52 D4
Gello (PI) 52 EF4
Gello (PI) 53 E1
Gello (PI) 59 A2
Gello (PT) 53 B2
Gelo, Serra del (CZ) 105 C1
Gelso (ME) 111 C3
Gelsomini, Costa dei (RC) 115 EF1
Gemelli, Lago (BG) 10 F4
Gemelli, Monte (FO) 54 B4
Gemerello (TO) 31 D1
Gemini, Isola (LI) 58 F2-3
Gemini (LE) 100 E2
Gemma, Monte (FR) 74 F3
Gemmano (FO) 56 B1
Gemmarella, Ca (BA) 93 B3
Gemmipass [CH] 7 A2
Gemona (UD) 16 D3
Gemonio (VA) 9 F1
Gena Alta (BL) 14 D2-3
Gena Bassa (BL) 14 D2
Genazzano (ROMA) 74 D1-2
Génépi, Le [CH] 6 D2-3
Genepreto (PC) 34 D2
Generoso, Monte (CO) 9 F3
Genestrello (PV) 33 C4
Genga (AN) 63 A1
Genisi, Stazione di (RG) 123 C3
Genis, Monte (CA) 136 A1
Genna Cresia, Cantoniera (NU) 133 C2-3
Genna e Medau (NU) 133 BC1
Genna Limpia, Monte (CA) 131 E3
Genna Maria, Monte (CA) 132 E1-2
Gennamari (CA) 131 F3
Gennano del Monte (MT) 92 F3
Gennano, Stagno di (SS) 125 E2
Gennargentu, Monti del (NU) 132 AB4
Gennaro, Casa (RG) 124 E1
Gennaro, Monte (ROMA) 73 B4
Genna Scalas, Cantoniera (NU) 130 F3
Genna Silana, Cantoniera di (NU) 130 F2
Gennas, Punta is (CA) 131 E3
Genna su Ludu (NU) 133 D2
Genna Uassa, Cantoniera (NU) 132 C4
Genn'e Spina, Casa (CA) 136 C3
Genniomius (CA) 135 E1
Genola (CN) 31 F3
Genoni (NU) 132 C3
GENOVA 43 C3
Genova, Golfo di (GE) 43 CD2
Genova, Rifugio (BZ) 3 E4
Genova, Rifugio (CN) 40 D4
Genova, Val di (TN) 12 D2
Genovese, Grotta del (TP) 107 E3
Genovese, Punta (TP) 107 E3
Gentile, Col (UD) 5 F2
Gentile, Fermata (BA) 87 D2
Gentile, Torre (PG) 67 B4
Gentschach [A] 5 D3-4
Genuardo, Monte (AG-PA) 117 B3
Genuri (CA) 132 D2
Genzana, Monte (AQ) 75 C4
Genzano (AQ) 69 E3
Genzano di Lucania (PZ) 91 B4
Genzano di Roma (ROMA) 73 E3
Genzano, Stazione di (PZ) 91 B4
Genziana, Monte (NU) 133 A1
Genzone (PV) 34 A2

200 GEPATSCHHAUS / GORGOGLIONE

Gepatschhaus [A] 2 B1
Geppa (PG) 68 A3-4
Geracello (EN) 119 D3
Gerace, Monte (EN) 119 D3
Gerace (RC) 115 C2
Gerace, Torre di (RC) 115 C2
Geraci Siculo (PA) 111 F1
Geraer H [A] 3 A3
Gera, Fiume 11 F1
Gera Lario (CO) 10 D1
Gerano (ROMA) 74 C2
Gerba (AT) 32 D3
Gerbi (CN) 41 A2
Gérbidi (VC) 20 F2
Gérbido di Costagrande (TO) 31 C1
Gerbido (PC) 35 C1
Gerbido (TO) 31 B3
Gerbini (CT) 120 D3 4
Gerbo (CN) 41 A3
Gerbola (CN) 31 F2
Gérbola (CN) 41 A2
Gérchia (PN) 15 D4
Gereit [A] 3 A1
Gerémeas (CA) 136 C2
Gerémeas, Fiume 136 C2
Gerenzago (PV) 34 A2
Gerenzano (VA) 21 C4
Gerfalco (GR) 59 C4
Gergei (NU) 132 D3
Gericómio (ROMA) 74 C1
Gerione, Ruderi del (CB) 77 E3
Gerla, La (BZ) 3 A3
Gerlo, Pizzo (SO) 10 D4
Gerlotto (AL) 33 C1
Germagnano (TO) 19 F2
Germagno (VB) 8 F3
Germanasca, Fiume 30 C3
Germanedo (LC) 22 A3
Germano (CS) 102 D4
Germasino (CO) 10 D1
Germignaga (VA) 9 E1
Germino, Monte (PR) 35 E2
Gerocarne (VV) 104 E4
Gerola Alfa (SO) 10 E3
Gerolanuova (BS) 23 E2
Geroli (TN) 25 A2
Gerosa (BG) 22 A4
Gerra [CH] 9 D2
Gerra Verzasca [CH] 9 B2
Gerre de' Caprioli (CR) 35 B2 3
Gerrei (CA) 133 F1
Gerrone (LO) 35 B1
Gers, Lac de [F] 6 D1
Gesero, A di [CH] 9 D4
Gesero, Corno di [CH] 9 C4
Gésico (CA) 132 E3
Gesico, Fermata (CA) 132 E3 4
Gessaro, Colle (CB) 77 C2
Gessate (MI) 22 D3
Gessi (AT) 32 B3
Gessi, I (GR) 60 D1
Gesso (BO) 47 C2
Gesso (BO) 47 D4
Gesso della Barra, Fiume 41 D1
Gesso di Valletta, Fiume 40 CD4
Gesso, Fiume 41 B2
Gesso (ME) 113 B2
Gessopalena (CH) 76 B2
Gesso (PS) 56 B1
Gésturi (CA) 132 D3
Gesturi, Giara (NU-CA) 132 CD2
Gesualdo (AV) 84 F2-3
Gesuini, Masseria (LE) 95 F3
Gesuiti (CS) 101 D4
Gesuiti, Torre dei (TP) 116 C3-4
Gettaz (AO) 19 B3
Gettina, Bric (SV) 42 D2
Ghedi (BS) 23 E4
Ghega, Corno di (BZ) 3 A4
Ghéglio (VA) 21 A2
Ghemme (NO) 20 C4
Gherardi (FE) 38 E3
Gherardo, Monte (PS) 56 E3
Gherghenzano (BO) 37 F3
Gherio, Fiume 23 B2
Gherra, Monte 128 B4
Ghévio (NO) 21 A1
Ghez, Cima (TN) 12 D3
Ghezzano (PI) 52 D3
Ghezzi (AL) 33 D2
Ghiaie di Corana (PV) 33 D3
Ghiandone, Fiume 31 E1
Ghiaie (PR) 45 D4
Ghibullo (RA) 48 D4
Ghireto, Ponte (FI) 53 A4
Ghietta, Masseria (LE) 95 E3
Ghiffa (VB) 9 E1
Ghiffi, Monte (PR) 44 B4
Ghigliani (CN) 41 B4
Ghigo, Cascina (CN) 31 D2
Ghigo (TO) 30 C3
Ghilarza (OR) 129 EF1-2
Ghilié, Cima [F] 40 D4
Ghila, Cozzo di (CS) 101 BC4
Ghimbegna, Passo (IM) 50 C4
Ghinghetta, Scoglio la (CA) 134 C2
Ghinivert, Bric (TO) 30 B3
Ghirano (PN) 27 AB3
Ghirlanda (GR) 59 D3-4
Ghirlo (BL) 14 C2
Ghisalba (BG) 23 C1
Ghisalero (BG) 22 A4
Ghisciera, Punta della (SS) 128 A1
Ghisiolo (MN) 36 B4
Ghisione (MN) 37 C1
Ghislarengo (VC) 20 D4
Ghisola (CN) 30 E4
Ghivizzano (LU) 52 A4
Ghizzano (PI) 53 E1
Ghorio (RC) 114 E3
Giacalone (PA) 109 D2
Giacciano (RO) 37 C4
Giaccone, Casa (AG) 117 B2
Giaccuse, Casa (AG) 117 D4
Giacólo, Ponte (PZ) 91 C1
Giacopiane. Lago di (GE) 44 B2
Giafaglione, Monte (AG) 118 D2
Giafante, Scoglio (ME) 110 A3
Giaf, Rifugio (UD) 15 B1
Giaglione (TO) 18 F3
Giaiangino (PD) 26 D1
Giaia (PA) 119 A2
Giaiette (GE) 44 C3
Giaire (SV) 42 D2
Giais, Forcella di (PN) 15 E2
Giais (PN) 15 E2
Giai (VE) 27 B4
Giai (VE) 28 C1
Gialin, Monte (TO) 19 C2
Gialorgues, Fiume 40 C1
Giammaria, Monte (PA) 117 A3-4
Giammartino (TE) 70 B3
Giammatura, Monte (AP) 69 A4
Giammoro (ME) 113 C1
Giamosa (BL) 14 E3
Giampilieri Marina (ME) 113 D2
Giampilieri Superiore (ME) 113 D2
Giandeto (RE) 46 B2
Giandola, La [F] 41 F1
Gianetti, Rifugio (SO) 10 C3
Gianforma (RG) 123 C4
Giangianese, Monte (CL) 118 B4
Giannico (BS) 23 A4
Giannavi, Casa (SR) 123 B4
Giannella, Tómbolo di (GR) 65 D4
Giannelli, Masseria (LE) 100 D1
Gianni, Casa (PA) 111 F1
Giannutri, Isola di (GR) 65 F4
Giano dell'Umbria (PG) 62 F3
Gianola, Torre (LT) 82 D1
Gianoli (CN) 32 D1
Giano, Monte (RI) 69 D1
Giano Vetusto (CE) 82 D4
Giaon (BL) 14 E3
Giara bassa (PD) 26 D2
Giara, sa (NU) 132 D3
Giara (VR) 25 E2
Giardina Gallotti (AG) 118 E2
Giardinello, Masseria (PA) 117 A4
Giardinello (PA) 109 D1
Giardinello (PA) 109 F3
Giardinetti, Torre (RG) 123 D2
Giardinetto (FG) 85 C1
Giardinetto, Il (AL) 33 C1
Giardini, Capanna (VI) 25 A4
Giardini (CS) 98 E4
Giardini-Náxos (ME) 113 F1
Giardini (SI) 60 D4
Giardino (BO) 48 C1
Giardino Buonaccorsi (MC) 64 B2
Giardino, Casa del (LU) 45 F3
Giardino, Il (GR) 66 D1
Giardino, Masseria (FG) 85 C2
Giardo, Cantoniera (PA) 118 A1-2
Giardonda, Monte (RE) 46 D1
Giardone, Nuraghe (CA) 136 D2
Giare, Cá (VE) 26 F4
Giare, Le (RO) 37 C4
Giare (VC) 20 A4
Giare (VR) 25 D1
Giarnera Grande, Masseria (FG) 85 D1-2
Giarola (PR) 35 F3
Giarola (RE) 45 D4
Giarole (AL) 33 B1
Giarolo (AL) 33 E4
Giarolo, Monte (AL) 33 F4
Giaroni (BL) 14 F1
Giarratana (RG) 123 B4
Giarre (CT) 121 A2
Giarsun [CH] 1 C2
Gias d'Ischietto (CN) 41 D1
Giase, Monte (CL) 119 F4
Giassico (GO) 29 A1
Giau, Passo di (BL) 4 F2
Giavenale (VI) 25 C3
Giaveno (TO) 31 B1
Giavera del Montello (TV) 26 B4
Giave (SS) 123 C1
Giavone (VR) 37 A3
Giavons (UD) 15 E4
Giazza (VR) 25 C2
Giazzera (TN) 25 A2
Giba (CA) 134 D4
Gibais Abis (CA) 133 F2
Gibas, Castello (CA) 138 A3-4
Gibbesi (AG) 119 E1
Gibbesi, Monte (AG) 119 E1
Gibbessi, Fiume 119 E1
Gibellina, Monti di (TP) 108 F1-2-3
Gibellina (TP) 117 A2
Gibelè, Monte (TP) 116 F1-2
Gibil Gabel, Monte (CL) 119 D2
Gibilmanna, Santuario di (PA) 110 E3
Gibilmesi, Monte (PA) 109 D2
Gibli, Monte (CL) 119 EF3
Gibliscemi, Casa (CL) 119 F3
Gibliscemi, Monte (CL) 119 F3
Gidolo, Fiume 133 D2
Giete, La [CH] 7 D1
Giettes, Les [CH] 6 B2
Giétes, Les [CH] 7 B2
Giezza, Pizzo (VB) 8 C2
Gifflenga (VC) 20 D3
Giffone (RC) 115 A1
Giffoni Sei Casali (SA) 89 C4
Giffoni Valle Piana (SA) 89 C4
Gigalitz [A] 4 A1
Gigante, Masseria (BA) 93 B2
Giganti, Tomba dei (NU) 133 A1
Gigliana (MS) 45 CD2
Giglio, Botro del 54 F2
Giglio Castello (GR) 65 E2
Giglio, Isola del (GR) 65 E2 3
Gigliola (FE) 39 E1
Gigliola (FI) 53 E3
Giglio, Porto (GR) 65 E2 3
Giglio, Punta del (SS) 128 B1
Gignese (VB) 8 F4
Gignod (AO) 6 F4
Gilba (CN) 31 F1
Gilba, Colle di (CN) 30 F4
Gilba, Fiume 31 F1
Gilba Superiore (CN) 30 F4
Gilberti, Rifugio (UD) 17 C1
Gildone (CB) 83 A4
Gildone, Monte di (CB) 83 B4
Gilette [F] 50 C1
Gillo (TO) 30 A4
Gilodi, Rifugio (VC) 20 A3
Gimello (ME) 113 C2
Gimigliano (AP) 64 F1
Gimigliano (CZ) 105 B2
Gimillan (AO) 19 B1-2
Gimont, Monte [F] 30 C1
Gimont, Rifugio (TO) 30 C1
Ginestra (BN) 84 E1
Ginestra, Bosco (FG) 79 D3
Ginestra degli Schiavoni (BN) 84 CD2
Ginestra Fiorentina (FI) 53 D3
Ginestra, Fiume 84 D2
Ginestra, Portella (PA) 109 E2
Ginestra (PZ) 91 A2
Ginestra (RI) 68 F3-4
Ginestreto (FO) 55 B3
Ginestreto (PS) 56 C3
Ginestreto (SI) 60 B2
Ginestro, Passo di (IM) 41 F4
Ginevra, Lago di [CH] 6 A1-2
Ginezzo, Monte (AR) 61 B3
Ginistrelli, Masseria (PZ) 85 E4
Ginnetti, Castel (LT) 74 F1
Ginnircu, Punta (NU) 133 A3
Ginosa (TA) 93 D1
Ginostra (ME) 112 A3-4
Ginèr, Cima (TN) 12 C2
Giogaia di Tessa (Texelgruppe) (BZ) 2 D3-4
Giogo Alto, Monte (BZ) 1 D4
Giogoli (FI) 53 D4
Giogo Lungo, Rifugio (BZ) 4 A3
Giogo, Monte del (MS) 45 D3
Giogo Tasca (Taschel Jöchl) (BZ) 2 D2
Gioia, Casino di (BA) 86 D3-4
Gioia, Castello di (CE) 83 C2
Gioia dei Marsi (AQ) 75 C3
Gioia del Colle (BA) 93 B2
Gioia del Tirreno (VV) 104 F2
Gioia, Golfo di (CZ) (RC) 104 F1-2
Gióia Sannitica (CE) 83 C2
Gioia Tauro (RC) 114 A3
Gioia Vecchio (AQ) 75 D3
Gioiella (PG) 61 D2-3
Gioiello (PG) 61 A4
Gioiosa, Giardini di (RC) 115 B2
Gioiosa Guardia, Monte (CA) 135 C1
Gioiosa Jónica (RC) 115 B2
Gioiosa Marea (ME) 112 C2
Gioiosa Vecchia (ME) 112 C2
Gioiotti (PA) 119 A2
Gioi (SA) 96 A3
Giomici (PG) 62 C3
Giona di Sotto (AR) 54 D4
Giona, Fiume 9 D2
Gionghi (TN) 13 F1-2
Gionzana (NO) 21 D1
Giordanino (TO) 19 F2
Giordano, Capo (CA) 134 C2
Giordano, Masseria (BA) 93 B3
Giordano, Monte (CN) 40 B2-3
Giorgia, La (AQ) 75 C1
Giorgi, Casa di (TP) 116 C4
Giorgina, La (AQ) 74 B4
Giorgino (CA) 135 C3 4
Giornico [CH] 9 A2
Giorsetti (CN) 40 A4
Giorzi Massone, Nur (SS) 128 B4
Gioscari, Nuraghe di (SS) 128 A3-4
Giovagallo (MS) 45 E1
Giovannicchio, Monte (FG) 79 D2
Giovannicheddu (SS) 127 C2
Giova, Passo di (PV) 34 F1
Giove Anxur, Tempio di (LT) 81 CD2
Giovecca (RA) 48 B2-3
Giove Monte, Eremo di (PS) 56 C4
Giove, Monte (VB) 8 B3
Giove, Monte (TE) 70 C2
Giovenco, Fiume 75 BC2
Gioveretto, Lago di (BZ) 2 F1
Gioveretto (Zufritt/Spitze) (BZ) 2 F1-2
Giove (TR) 67 D4
Giovetti, Colle Dei (SV) 42 CD2
Gioviano (LU) 52 A4
Giovi (GE) 43 A3
Giovi, Monte (FI) 54 B2
Giovinazzi, Pineta (TA) 93 E2
Giovinazzo (BA) 87 D2
Giovine, Masseria di (FG) 84 A4
Giovi, Passo di (GE) 43 A3
Giovo, Colle di (SV) 42 B4
Giovo, Foce a (MO) 46 F2
Giovo, Foce del (MS) (LU) 45 F3
Giovo, Il (SV) 42 B4
Giovo, Monte (LU) (MO) 46 F2
Giovo (TN) 13 D1
Gioz (BL) 14 D3
Gipodero, Cozzo (CS) 103 BC1
Giralba (BL) 4 E4
Giramondo, Passo (UD) 5 E3
Girardi Bellavista (ROMA) 73 B3
Girard, Punta [F] 18 D4
Girasole (NU) 133 B3
Giratola (FI) 53 A4
Giraud, Mont [F] 40 E3
Giresi, Monte (EN) 120 D1-2
Girgenti (RI) 69 F1
Girifalco (CZ) 105 C2
Girifalco (TA) 93 E1
Girini (SV) 42 B3
Giroconzoláu, Cantoniera (NU) 132 BC4
Girone, Monte (FO) 54 A4
Girónico al Monte / al Piano (CO) 21 A4
Girotte, Lac de la [F] 18 A1
Gisira Grande (SR) 124 D1
Gisira Pagana (RG) 124 C1
Gissi (CH) 76 B4
Gisuole (CN) 42 A2
Giubiasco [CH] 9 D3
Giudecca (VE) 27 E1
Giudica, Cocuzzo (CL) 119 D1
Giudicarie, Valli (TN) 12 E2 F1-2
Giudice Giorgio (LE) 95 F2
Giuggianello (LE) 100 C3
Giugliano in Campania (NA) 88 A3
Giugliano Qualiano, Stazione di (NA) 88 A3
Giugnola (FI) 47 E3
Giulfo, Monte (EN) 119 B3
Giuliana (PA) 117 B4
Giulianello, Lago di (LT) 74 F1
Giulianello (LT) 74 F1
Giulianello, Masseria (TA) 94 D2
Giuliani (NA) 89 B1-2
Giuliano di Lecce (LE) 100 E3
Giuliano di Roma (FR) 81 A2
Giuliano (PZ) 91 C2
Giuliano Teatino (CH) 71 EF1
Giulianova Lido (TE) 70 A3
Giulianova (TE) 70 B3
Giulia, Torre (FG) 85 C4
Giulióplli (CH) 76 C3
Giulio, Ponte del (PN) 15 E2-3
Giulio, Ponte (TR) 67 A2
Giulis, Fiume 12 F1
Giumáglio [CH] 9 C1
Giumarra (CT) 120 D2
Giumella, Passo di [CH] 9 B3-4
Giumenta, Serra della (CS) 102 D3
Giumenta, Serra la (SA) 97 B2-3
Giummarraro, Ponte (AG) 118 F3
Giummello, Pizzo (AG) 118 E4
Giuncano Scalo (TR) 68 B2
Giuncárico, Stazione di (GR) 59 E4
Giuncata, Masseria (BA) 86 F3
Giuncugnano (LU) 45 E4
Giungano (SA) 90 F2
Giungárico (GR) 59 F4
Giunturas, Fiume 126 F2
Giunzano (PV) 22 F1
Giuranna, Masseria (LE) 100 E2
Giurdignano (LE) 100 C3
Giusalet [F] 18 F3
Giusina, Monte (PA) 109 F2
Giussago (PV) 22 F1
Giussago (VE) 28 C2
Giussano (MI) 22 B2
Giussin (TV) 26 A4
Giustenice (SV) 42 E2-3
Giusti, Casa (PI) 59 B1
Giusti (CE) 82 D3
Giusti, Grotta (PT) 53 B2
Giustimana (AP) 69 A3
Giustiniana (ROMA) 73 C2
Giustino (TN) 12 D2 3
Giustizieri, Cantoniera (NU) 130 F2-3
Giusto, Monte (LT) 81 C2
Giusvalla (SV) 42 B3 4
Giuvigiana, Monte (FI) 54 A2
Givezzano (TN) 13 E1
Givigliana (UD) 5 E3
Givoletto (TO) 31 A2
Gizio, Fiume 75 C4
Gizzeria (CZ) 104 B4
Gizzeria Lido (CZ) 104 B4
Gizzi (RI) 68 C4
Glacier (AO) 6 F4
Glacier, Monte (AO) 19 B3
Glaciers, Aigle des [F] 6 F1
Glaciers, La Villa des [F] 18 A2
Glanz [A] 5 C2
Glarey, Le [CH] 6 B3
Glaunicco (UD) 28 B2
Gleises (TO) 30 A1
Gleno (BZ) 13 C2
Gleno, Monte (BG) 11 E2
Glera (PN) 15 E2
Gleris (PN) 28 B1
Glerus, Monte (UD) 16 B3 4
Glésie, La (UD) 16 B4
Gletscherhorn (CH) 10 B3
Gliáca (ME) 112 C2
Glière Lago de la [F] 18 D2
Gliondini (BI) 20 B2
Glis [CH] 7 B4
Glishorn [CH] 7 B4
Globogiag [YUI] 17 E2
Globon, Passo [YUI] 17 D3
Glocknerwand [A] 5 A2
Glockturm [A] 2 B1
Glockturmkamm [A] 2 AB1
Glorenza (Glurns) (BZ) 1 D4
Gloria, Abbazia della (FR) 74 E3
Gloriani (CE) 82 D4
Glorie (RA) 48 C4
Glorioso, Casa (PA) 111 F1
Gluringen [CH] 8 A2
Glüschaint, P. [CH] 10 B4
Gnifetti, Punta (NO) 7 E3-4
Gnifetti, Rifugio (AO) 7 F3
Gnignano (MI) 22 F2
Gnignero, Masseria (TA) 94 B1
Gniva (UD) 16 C4
Gnivizza, Stauli (UD) 16 D4
Gnocca (RO) 39 E1-2
Gnocchetta (RO) 39 E2
Gnocchetto (AL) 43 A1
Gnosca [CH] 9 C3
Goau, Nuraghe (OR) 131 B3-4
Gobba di Rollin (AO) 7 E3
Gobbera, Passo di (TN) 13 D4
Gobbera (TN) 13 D4
Goce [YUI] 29 C4
Gocéano, Catena del (SS) 129 CD2-3
Godega di Sant'Urbano (TV) 15 F1
Godenella (VI) 13 F4
Godezza (RE) 36 E2
Godiasco (PV) 33 D4
Godia (UD) 16 F4
Godi, Monte (AQ) 75 D4
Godino (TP) 116 B3
Godi (PC) 35 D1
Godnach [A] 5 C3
Godo (RA) 48 C4
Godrano (PA) 109 F3
Goduti, Masseria (FG) 84 B3-4
Goffredo, Castel (MN) 24 F1-2
Goffredo, Masseria (FG) 84 C4
Goga, La (PG) 61 C4
Goggianello (BO) 48 D1
Goggina, Genna (NU) 133 A2-3
Goglio (VB) 8 B2
Gogna, Bagni di (BL) 4 F4
Gogna, Fiume 76 A3
Gognano (RO) 38 C1
Goiaci [YUI] 29 B3
Góido (PV) 33 B2
Goillet, Lago (AO) 7 E2
Goito (MN) 36 A3
Gola (BZ) 3 E3
Gola dell' Infernaccio (AP) 63 F3
Gola di Rossa (AN) 63 A1-2
Gola, Passo di (BZ) 4 AB2
Golasecca (VA) 21 B2
Golaso (PR) 35 F1
Golbnerjoch [A] 5 C1
Gole del Velino (RI) 69 D1
Golena (RO) 38 C4
Goletta (CN) 40 C4
Golette, Grand (AO) 18 A3
Golferenzo (PV) 34 C2
Golfo Aranci (SS) 127 D3
Golfo di La Spezia (SP) 45 F1
Golia, Timpone (CS) 102 D3
Golino [CH] 9 C1
Golliaz, Grande (AO) 6 F3
Golometto (GO) 29 D1
Golon, Mont [F] 6 C1
Golzentipp [A] 5 D1
Gomagoi (BZ) 1 E4
Gomarolo (VI) 26 B1
Gombio (BS) 23 C3
Gombio (RE) 46 B1
Gombitelli (LU) 52 B3
Gombito (CR) 23 F1
Gombola, Ponte di (MO) 46 C3
Gombo (PI) 52 D2
Gomito, Monte (PT) 46 F2
Gonars (UD) 28 B3-4
Gond, M. [CH] 6 B4
Gondo [CH] 8 C2
Gondrau [F] 30 C1
Gonella (AT) 32 D2
Gonella, Rifugio (AO) 6 F1
Gonengo (AT) 32 B1
Goni (CA) 133 E1
Goni, Nuraghe (CA) 133 E1
Gonnella, Masseria (BA) 93 A2-3
Gonnelli, Masseria (BA) 87 F4
Gonnesa (CA) 134 C3
Gonnesa, Golfo di (CA) 134 B3
Gonnoscodina (OR) 132 D1-2
Gonnosfanádiga (CA) 131 F4
Gonnosno (OR) 132 D2
Gonnostramatza (OR) 132 D1-2
Gonte (VB) 9 E1
Gonzaga (MN) 36 D4
Gonzagone (MN) 36 C3
Goppenstein [CH] 7 A3
Goppisberg [CH] 8 A1
Goraiolo (PT) 53 B1
Gorasco (MS) 45 E2
Gorbio [F] 50 D2
Gordana, Fiume 45 C1
Gordena (AL) 33 F4
Gordévio [CH] 9 C1
Górdola [CH] 9 C2
Gordolasque, Fiume 40 E4
Gordona (SO) 10 C1
Gorduno [CH] 9 C3
Goregna di Canale [YUI]17 F2
Gorfigliano (LU) 45 E3-4
Gorgacce, Monte delle (PG) 62 A1
Gorga (ROMA) 74 F2-3
Gorga (SA) 96 A3
Górgati (AR) 54 E3
Gorges de Bergues [F] 41 F2
Gorghe, Le (AR) 61 B1
Gorgia Cagna Cima (CN) 40 C4
Gorgo al Monticano (TV) 27 B3
Gorgo Cerbara (PS) 56 E1
Gorgo dei Molini (TV) 27 B3
Gorgo della Chiesa (TV) 27 B3
Gorgo (FE) 38 F1
Gorgoglione, Fiume 92 F1
Gorgoglione, Monte (LT) 74 F2

Gorgoglione (MT) 92 F1
Gorgo, Lago (AG) 117 D4
Gorgo (LI) 52 F3
Gorgo (MN) 36 C4
Gorgona, Isola di (LI) 58 A1
Gorgonzola (MI) 22 D3
Gorgo (PD) 38 A3
Gorgo Salato, Punta (PA) 109 A1-2
Gorgo Secco, Monte (CT) 112 E2
Gorgo (UD) 28 C2
Gorgo (VE) 28 C1
Gorgusello (VR) 24 C4
Göriach [A] 17 B2
Goriano Sicoli (AQ) 75 B3
Goriano Valli (AQ) 75 A2
Goriansko, Goriano [YUI] 29 C2-3
Goricizza (UD) 15 F4
Gorie [YUI] 17 C4
Gorino Ferrarese (RO) 39 E1-2
Gorino Veneto (RO) 39 E1-2
GORIZIA 29 A2
Gorizzo (UD) 15 F4
Gorlago (BG) 23 C1
Gorla Maggiore (VA) 21 BC3
Gorla Minore (VA) 21 C3
Gorle (BG) 23 B1
Gornalunga, Fiume 120 D4
Gornalunga, Lago (CT) 121 D1
Gornate Olona (VA) 21 B3
Gornergrat [CH] 7 E3
Gornergletscher [CH] 7 E3
Gornerseen [CH] 7 E3
Gornji Trebusa [YUI] 17 F3
Gorno (BG) 23 A1
Goro (FE) 39 E1
Goro, Sacca di (FE) 39 E1
Gorra (CN) 41 A4
Gorra, Fiume 44 C4
Gorra (TO) 31 C3
Gorré (CN) 41 B1
Gorrei, Bric dei (AL) 43 A1
Gorreto (GE) 44 A2
Gorrino (CN) 42 A2
Gorropis, Nuraghe (NU) 130 B4
Gorro (PR) 45 B1
Gortipohl [A] 1 A1
Gortomedda, Punta (NU) 130 B3
Gortschach [A] 17 A1
Gortschacher B. [A] 17 A1
Gorzago (MO) 46 C2
Gorzano (AT) 32 D1
Gorzano (MO) 37 E1-2
Gorzano (MO) 46 B4
Gorzano, Monte (TE) 69 C3
Gorzegno (CN) 42 A2
Gorzente, Fiume 43 A2
Gorzone (BS) 11 F2
Gorzone, Canale 38 B1-2
Gosaldo (BL) 14 D2
Gosbana nel Cóllio [YUI] 17 F1
Gossering, Fiume 16 A4
Gössnitz [A] 5 B4
Gössnitzschärtörl [A] 5 B2
Gossnitztal [A] 5 AB2
Gossolengo (PC) 34 C4
Gotra (PR) 44 B4
Gottano (RE) 45 C4
Gottasecca (CN) 42 B2
Gottero, Monte (SP) 44 C4
Gottolengo (BS) 23 F4
Gottro (CO) 9 E4
Goula, La [F] 18 E3
Gourdan, Mont de [F] 40 F1
Gova (RE) 48 D2
Governolo (MN) 37 C1
Govine (BS) 23 B3
Govone (CN) 32 D2
Govoni (CN) 41 B4
Govossai, Lago di (NU) 130 F1
Gozzano (NO) 21 B1
Gozzolette (BS) 23 F3
Gozzolina (MN) 24 F2
Gozzo, Masseria (SR) 124 B2
Grabello, Punta su (NU) 130 C3
Gracciano dell' Elsa (SI) 60 A1
Gracciano (SI) 61 D1-2
Grächen [CH] 7 C4
Gradara, Monte (PA) 109 D1
Gradara (PS) 56 B2
Gradaro (MN) 36 BC4
Gradella (CR) 22 E3
Gradenbach, Fiume 5 B3
Gradental [A] 5 B2-3
Gradesella (SO) 10 C1
Gradez/K. [A] 5 A1
Gradicioli, Monte [CH] 9 D2
Gradin, Gradina [YUI] 29 F3
Gradisca d'Isonzo (GO) 29 B1
Gradisca, Monte (VA) 9 E2
Gradisca (PN) 15 E4
Gradisca (UD) 15 F4
Gradiscutta (UD) 28 B2
Gradizza (FE) 38 E2
Grado (GO) 28 D4
Grado, Laguna di (GO) 28 D4
Gràdoli (VT) 67 B1
Grado, Masseria (EN) 120 C1
Grafendorf [A] 5 C2
Graffer, Rifugio (TN) 12 D3
Graffignana (LO) 34 A3
Graffignano (VT) 67 C3
Grággia Piana (VB) 8 F4
Graglia, Santuario di (BI) 20 C1
Graglia (BI) 20 C1-2
Gráglio (VA) 9 D1-2
Gragnana (LU) 45 E4
Gragnana Trebbiense (PC) 34 C3
Gragnanino (PC) 34 C3-4
Gragnano (AR) 55 E2
Gragnano (LU) 52 B4
Gragnano, Monte di (PG) (PS) 55 F4
Gragnano (MS) 45 F2 3
Gragnano (NA) 89 C1
Gragnola (MS) 45 E2-3
Grahovo [YUI] 17 E3
Graiana (PR) 45 B2
Graine (AO) 19 A4
Graine, Castello di (AO) 19 A4
Gramázio, Masseria (FG) 85 A4
Gramignana (CR) 23 F1
Gramignazzo (PR) 35 C4
Gramizza, Fiume 44 B2
Gramizzola (PC) 44 A2
Grammatica (PR) 45 C3
Grammichele (CT) 120 F2
Grammondo, Monte (IM) 50 C3
Grammont, Le [CH] 6 A1
Gramolazzo (LU) 45 E3
Grampa (VC) 20 A2
Gramugnana (PI) 52 E4
Grana (AT) 32 C3
Grana, Fiume 31 E1 33 B1 40 B4 41 B1
Granaglione (BO) 46 F4
Granaiola (LU) 52 A4
Granaiolo (FI) 53 D2
Gradisca (UD) 15 F4
Gradiscutta (UD) 28 B2
Gradizza (FE) 38 E2
Grado (GO) 28 D4
Grado, Laguna di (GO) 28
Gradoli (VT) 87 B1
Grado Masseria (EN) 120
Grafendorf [A] 5 C2
Graffer, Rifugio (TN) 12 D
Graffignana (MI) 34
Graffignano (VT) 67 C3
Graglia Piana (NO) 8 F4
Graglia, Santuario di (VC)
Graglia (VC) 20 C1-2
Graglio (VA) 9 D1-2
Gragnana (LU) 45 E4
Gragnana Trebbiense (PC) 34 C3
Gragnanino (PC) 34 C3-4
Gragnano (AR) 55 E2
Gragnano (LU) 52 B4
Gragnano, Monte di (PG) (PS) 55 F4
Gragnano (MS) 45 F2 3
Gragnano (NA) 89 C1
Gragnola (MS) 45 E2-3
Grahovo [YUI] 17 E3
Graiana (PR) 45 B2
Graine (AO) 19 A4
Graine Castello di (AO) 1
Gramazio Masseria (FG)
Gramignana (CR) 23 F1
Gramignazzo (PR) 35 C4
Gramizza Fiume 44 B2
Gramizzoia (PC) 44 A2
Grammatica (PR) 45 C3
Grammichele (CT) 120 F2
Grammondo, Monte (IM) !
Grammont Le [CH] 8 A1
Gramolazzo (LU) 45 E3
Grampa (VC) 20 A2
Gramugnana (PI) 52 E4
Grana (AT) 32 C3
Grana, Fiume 31 E133 B1 B1
Granaglione (BO) 46 F4
Granaiola (LU) 52 A4
Granaiolo (FI) 53 D2
Granaione (GR) 60 F2
Granali (MC) 63 C3
Granare (BO) 48 C1
Granari (RI) 68 F2
Granarola (PS) 56 B3
Granarolo dell'Emilia (BO) 47 B4
Granarolo (RA) 48 D3
Granaro, Monte (CH) 76 B4
Granarone (RO) 37 C3
Granate, Corno del (BS) 11 D4
Granatello (TP) 108 F1
Granato, Cozzo (CS) 103 C1
Granato, Pizzo (PC) 34 F4
Gran Bagna (TO) 30 A1
Gran Bosco di Salbertrand,
Parco Naturale del (TO) 30 AB2
Grancare (VI) 25 E4
Grancetta (AN) 57 E2
Grancia (GR) 65 A4
Grancia, La (AQ) 75 D1
Granci, Case (EN) 119 D3
Grancona (VI) 25 E-4
Gran Cratere (ME) 111 B3
Gran Cucco [YUI] 17 D3
Grand Assaly (AO) 18 B3
Grandate (CO) 21 B4
Grand Ayerne [CH] 6 A2-3
Grand Croix [F] 18 F3
Grande Buttigliera (TO) 18 F3
Grande, Cala, Punta (GR) 65 D3
Grande, Casa (AG) 117 B2
Grande, Croda (BL) 14 D2
Grande di Viso, Lago (CN) 30 E3
Grande, Fiume 117 A1
Grande, Fiume 68 C1
Grande, Isola (TP) 107 F4
Grande, Lago (BL) 4 E2
Grande, Lago (CH) 8 A4
Grande, Lago (TO) 31 B1
Grande, Masseria (LE) 100 C2
Grande, Masseria (LE) 100 E2
Grande Maye, La [F] 30 C1
Grande, Montagna (AQ) 75 D3
Grande, Montagna (TP) 108 F2-3
Grande, Montagna (TP) 116 F1-2
Grande, Monte (AG) 118 F3
Grande, Monte (BO) 47 D4
Grande, Monte (EN) 119 D2
Grande, Monte (FG) 79 CD2
Grande, Monte (FR) 81 A4
Grande, Monte (IM) 41 F3 4
Grande, Monte (LT) 81 C3 4
Grande, Monte (ROMA) 72 B3
Grande, Monte (TR) 67 A3
Grande, Monte [YUI] 17 D2
Grande, Naviglio 21 EF4
Grande o Imera Settentrionale,
Fiume 110 EF2
Grande, Pantano (SR) 124 D2-3
Grande, Piano (PG) 69 A2
Grande, Ponte (NO) 8 E2
Grande, Ponte (PA) 110 E2
Grande, Ponte (PG) 62 D3
Grande, Porta [YUI] 17 D3
Grande, Porto (SR) 124 B4
Grande, Punta (AG) 118 F2
Grande San Pietro, Torre di (TO)
19 C2
Grandes Ottans, Les [CH] 6 D2
Grande, Val (BL) 4 E2
Grande, Val (BS) 11 C4
Grande, Valle (CN) 41 D1-2
Grande, Valle (UD) 5 E3-4
Grande, Valle (VE) 28 D2
Grande, Val (TO) 19 DE1
Grande, Val (VC) 20 A2-3
Grandini, Serra (CS) 101 E4
Grandi Veronesi, Valli (VR) 37 B2 3
Grandola ed Uniti (CO) 9 E4
Granduca Tomba del (SI) 61 DE2-3
Grand Villa (AO) 7 E1-2
Granella (VI) 26 C2
Granerolo (VB) 8 F3
Granero, Monte (CN) 30 E3
Granero, Rifugio (TO) 30 E3
Granezza, Rifugio (VI) 25 B4
Gran Faetto (TO) 30 B4
Grange di Brione (TO) 31 A2
Grange di Front (TO) 19 F3-4
Grange di Nole (TO) 19 F3
Grange, Mont de [F] 6 B1
Granges [CH] 7 B1
Granges de la Brasque [F] 40 F4
Granges, Les [CH] 6 C2
Granges, Les (TO) 30 A1
Grange (TO) 19 F2
Grangettes, Les [CH] 6 D3
Grangia, La (CN) 31 EF2
Grángia (TO) 31 A1-2
Grangie (CN) 40 B2
Grángie (TO) 30 B2
Cran Giglione [YUI] 29 B3
Granier [F] 18 B1
Granieri (CT) 123 A2
Granieri, Masseria (TA) 94 F4
Granieri, Monte (RC) 115 A2
Granieri (PA) 119 B2
Granigo (TV) 26 A3
Granile [F] 41 E2
Granilla (CT) 120 C2
Graniti (ME) 112 E4
Granitola, Punta (TP) 116 C4
Granitola (TP) 116 C4
Gran Ladro, Il (BZ) 2 E2
Gran Lago (AO) 19 B3
Gran Lago (AO) 7 E2
Gran Monte (UD) 16 D4
Granois [CH] 6 B4
Granon, Chalets de [F] 30 B1
Grano Vecchio, Monte (AG) 118 E1
Granozzo con Monticello (NO) 21 E1
Granozzo (NO) 21 E1
Gran Pace, Rifugio (TO) 30 C1
Gran Paradiso, Parco Nazionale del
(AO) 19 C1
Gran Paradiso (TO) (AO) 19 C1-2
Gran Pilastro (Hochfeile) (BZ) 3 B4
Gran Puy (TO) 30 B2 3
Gran Queyron (TO) [F] 30 C3
Gran San Bernardo, Colle del (AO)
6 EF3
Gran San Bernardo, Val del (AO)
6 F3-4
Gran Sasso d' Italia (AQ) (TE) 69 D3-4
Gran Serra (AO) 19 C1
Granta Parei (AO) 18 C4
Grantola (VA) 9 E1
Grantortino (PD) 26 D1
Grantorto (PD) 26 D2
Gran Truc (TO) 30 C4
Gran Vernel (TN) 3 F4
Granvilla (BL) 5 E2
Granza (PA) 110 F2
Gran Zebrù (Königsspitze) (BZ) 1 F4
Granze Frassenelle (PD) 26 F1
Granze (PD) 37 B3 4
Granze (PD) 38 A2
Granze (PD) 38 B2
Granze (RO) 38 C2
Granzetta (PD) 38 B1-2
Grappa, Borgo (LE) 95 D3
Grappa, Monte (VI) 26 A2
Grassaga (VE) 27 C3
Grassa, Monte della (EN) 111 F1-2
Grassano, Chiesa di (RE) 46 A1
Grassano Garacuso, Stazione di (MT)
92 D2
Grassano (MT) 92 D2
Grasse [A] 2 A1
Grassina (FI) 53 D4
Grassi, Rifugio (LC) 10 E2
Grassobbio (BG) 23 C1
Grassona (VB) 20 A4
Grassura (VC) 8 F2
Gratacasolo (BS) 23 A3-4
Graticelle (BS) 23 B4
Gratosoglio (MI) 22 E1
Grattacoppa (RA) 48 B4
Gratteria (CN) 41 B4
Gratteri (PA) 110 E3
Gráuno (TN) 13 CD2
Grauson, Monte (AO) 19 B2
Grauzaria (UD) 16 C3
Grava (AL) 33 C2
Grava, Cima (BZ) 3 B3
Gravagna (MS) 45 C2
Gravedona (CO) 10 D1
Gravéglia (GE) 44 C2
Gravéglia (SP) 45 E1
Grave, La [F] 50 D2
Gravellino (TO) 20 E1
Gravellona Lomellina (PV) 21 EF2
Gravellona, Rifugio Cai (VB) 8 E3
Gravellona Toce (VB) 8 F3 4
Gravellone (PV) 34 A1
Gravere (TO) 30 A3
Gravesano [CH] 9 E2
Graves (PN) 15 D4
Gravie, Rifugio di (TO) 30 A4
Graviglione, Masseria (BA) 93 B1
Gravina, Casa (FG) 78 E3
Gravina di Catania (CT) 121 C1
Gravina di Laterza, Fiume 93 D2
Gravina di Picciano, Fiume 92 C3
Gravina in Puglia (BA) 92 B3
Gravina, Villa (CT) 120 F1
Gravinola, Masseria (TA) 93 D4
Grawand/H. [A] 3 A4
Graziani (AG) 118 D4
Grazian, Mont [F] 50 C3
Graziano, Capo (ME) 110 A4
Grazia, Villa (RG) 123 D4
Grazie, Le (AN) 57 E3
Grazie, Le (BL) 14 B2
Grazie, Le (MC) 63 C3
Grazie, Le (NU) 133 CD2
Grazie, Le (SR) 124 B1
Grazie, Madonna delle (FR) 81 A2
Grazie (MN) 36 B3
Grazioli Propito (MN) 24 F3
Grazioso, Poggio (CL) 119 F2
Grazzanise (CE) 82 E4
Grazzano Badoglio (AT) 32 B3
Grazzano Visconti (PC) 34 D4
Grea (BL) 4 F4
Greca, Cala (SS) 127 D3
Grecale, Capo (AG) 122 F3
Grecchia (BO) 46 E4
Grecciano (LI) 52 DE3
Gréccio (RI) 68 D3
Gréccio, Stazione di (RI) 68 D3
Greci (AV) 84 D3
Greci (CS) 101 F4
Greco, Masseria (BN) 84 B1
Greco, Masseria (CB) 77 D2
Greco, Monte (AQ) 75 E4
Greco, Posta del (FG) 85 A2 3
Greggio (VC) 20 D4
Gregoriano, Ponte (VT) 67 A1
Grego, Rifugio (UD) 17 C1
Gregòrio, Monte (TO) 19 C4
Greicheralp [CH] 8 A1
Greizer H. [A] 3 A4
Grelch [CH] 8 A1
Grello (PG) 62 C4
Grem, Cima di (BG) 10 F4
Gremiasco (AL) 33 E4
Gremi, Monte (RC) 115 A2
Grenairon, Le [F] 6 D1
Grengiols [CH] 8 B1-2
Greppolischieto (PG) 61 E4
Greppon Blanc [CH] 6 C4
Greppo, Villa (SI) 60 D4
Gressa (AR) 54 D4
Gressan (AO) 19 A1
Gresso [CH] 9 C1
Gressoney la Trinité (AO) 7 F3
Gressoney Saint Jean (AO) 20 A1
Gressoney, Val di (AO) 20 AB1
Gretano, Fiume 60 E2
Grette, Le (AQ) 75 C3
Grevasalvas, Punta [CH] 10 AB3-4
Greve, Fiume 53 E4
Greve in Chianti (FI) 54 E1
Grevo (BS) 11 E3 4
Grezzago (MI) 22 C3
Grezzana (VR) 25 D1
Grezzano (FI) 54 A2
Grezzano, Monte (MS) 45 C1
Grezzano (VR) 24 F4
Grezzo (PR) 44 A4
Griante (CO) 9 E4
Griaz, La [F] 6 E1
Gribbio [CH] 9 A2
Gricciano (FI) 53 D2 3
Gricigliana (PO) 53 A3-4
Gricignano (AR) 55 F2
Gricignano di Avellino (CE) 83 F1
Gricignano (FI) 54 B1
Gricignano Teverola, Stazione di (CE)
83 F1
Gricuzzo, Monte (CL) 119 F3
Gridone, Rocce del (VB) 9 D1
Griecas, Cala (SS) 128 C2
Griedlfopf, Gr. [A] 5 C4
Gries [A] 2 A3
Gries [A] 4 A4
Gries Am Brenner [A] 3 A2
Gries, Passo di (VB) 8 A3
Gries (TN) 3 F4
Griffoglieto (GE) 33 F3
Grifitzbühel [A] 5 D3
Grifone, Monte (PA) 109 D3
Grighini, Monte (OR) 132 B1
Grigia, Testa (AO) 7 F3
Grigna, Fiume 11 F3
Grigna Meridionale (LC) 10 F1-2
Grignani (TP) 108 F1
Grignano (AV) 84 E2-3
Grignano (BG) 22 C4
Grignano Polesine (RO) 38 C2
Grignano (TS) 29 D2
Grignasco (NO) 20 B4
Grigna Settentrionale (LC) 10 F1-2
Grignella, Ca' (VE) 38 C4
Grigno, Fiume 13 E4
Grigno (TN) 13 EF4
Grillara (RO) 38 D4
Grillo, Pizzo (SO) 10 C2
Grillo, Ponte del (ROMA) 73 B3
Grillo, Timpa del (PA-ME) 111 F1
Grimacco (UD) 17 E2
Grimaldi (CS) 102 F1
Grimaldi (IM) 50 D3
Grimaldi, Villa (RG) 123 E4
Grimentz [CH] 7 C2
Grimesi, Torre (TP) 116 B4
Grimisuat [CH] 7 B1
Grino, Croce di (SV) 42 B4
Grinta di Plezzo, Monte [YUI] 17 C2
Grinzane Cavour (CN) 32 F1
Grinzano (CN) 31 F3
Grione, Monte (BG) 23 A2
Grions (UD) 15 E4
Grions (UD) 16 F4
Grisari, Bonifica (SR) 121 E1
Grisciano (RI) 69 B2
Grisignano (FO) 48 E3
Grisoglio (TO) 32 AB2
Grisola Santa Maria, Stazione di (CS)
97 F3
Grisolia (CS) 97 F3-4
Grisì (PA) 109 E1
Grìs (UD) 28 B3
Gritta, Colla di (SP) 44 E4
Grive, Aigle [F] 18 C2
Grivola, La (AO) 19 B1
Grivò, Canal di (UD) 16 E4
Grizzana (BO) 47 DE1-2
Grizzo (PN) 15 D2
Grizzuti, Masseria (CS) 98 C4
Grober, Punta (VB) 7 E4
Groder [A] 5 A2
Grognardo (AL) 32 F4
Grole (MN) 24 F2
Gromignana (LU) 46 F2
Gromo (BG) 11 F1
Grómola (SA) 90 E1
Gromo San Marino (BG) 11 E1
Grompa (PD) 38 B1
Grona (CO) 9 E4
Gron (BL) 14 D3
Gronda (MS) 45 F3
Grondo, Fiume 101 A4
Grondola (MS) 45 C1
Grondona (AL) 33 F3
Grondone (PC) 34 F3
Grondo (VC) 8 F2
Grone (BG) 23 B2
Grone [CH] 7 B1
Gronlait, Monte (TN) 13 E2
Grono [CH] 9 C4
Grono, Val [CH] 9 C4
Grontardo (CR) 35 A3
Grontorto (CR) 23 F1
Gropada (TS) 29 D3
Gropà, Monte (AL) 33 F4
Gropello Cairoli (PV) 33 A4
Gropina (AR) 54 E3
Groppa d'Anzi, Monte (PZ) 91 D3
Groppallo (PC) 34 F4
Gropparello (PC) 34 E4
Groppello d'Adda (MI) 22 D3
Groppera, Pizzo (SO) 10 B2
Groppi, Monte (GE) 44 D3
Groppizioso (PR) 45 B3
Groppo d'Albero (PR) 45 B2
Groppoli (MS) 45 D1
Groppo (MS) 45 D1
Groppo (MS) 45 D2
Groppo (PR) 44 C4
Groppo Visdomo (PC) 34 E4
Groppovisdomo (PC) 34 F4
Groscavallo (TO) 19 D1
Grosina, Val (SO) 11 B3
Grosio (SO) 11 C3
Grosotto (SO) 11 C3
Gros Passet (TO) 30 B3
Grossa, Testa (ME) 111 B3
Grosschober [A] 4 A3
Grossdorf [A] 5 A1
GROSSETO 65 A3-4
Grosseto, Formiche di (GR) 65 C2
Grossglockner [A] 5 A2
Grosshapp [A] 4 A3-4
Grosso, Capo (ME) 111 B3
Grosso, Capo (PA) 109 D4
Grosso, Capo (SA) 96 D4
Grosso, Capo (TP) 107 E3
Grosso, Monte (EN) 119 B4
Grosso, Monte (FO) 55 A1
Grosso, Monte (LI) 58 E3
Grosso, Monte (MT) 93 C1
Grosso, Monte (PZ) 91 D3
Grosso, Monte (SR) 124 A2
Grosso (TO) 19 F3
Grosswasser, Fiume 8 CD1
Grostè, Cima (TN) 12 D3
Grottacalda (EN) 119 D4
Grotta Calda, Portella (EN) 119 D4
Grotta, Cozzo della (PA) 109 D4
Grotta del Pienoro (ROMA) 73 A1
Grotta di Sant'Eustàcchio (MC) 63 C2-3
Grotta di Tiberio (LT) 81 D3
Grottaferrata (ROMA) 73 E3

Grotta Gigante, Borgo (TS) 29 D3
Grottaglie (TA) 94 D2
Grotta (ME) 113 B3
Grottaminarda (AV) 84 E2
Grottammare (AP) 64 E3
Grotta (PR) 35 E2
Grotta Rossa, Monte (CL) 119 D1
Grotta Rossa, Monte (TN) 11 F4
Grotta Scura, Monte (EN) 119 D4
Grottazza, Punta (ME) 111 A2
Grottazze, Cocuzzo le (PA) 117 B2-3
Grottazzolina (AP) 64 D2
Grotte (AG) 118 D3
Grotte di Castro (VT) 67 B1
Grotte di Frasassi (AN) 63 A1
Grotte di Santo Stéfano (VT) 67 D3
Grotte (GR) 65 DE4
Grotte Grande del Vento (AN) 63 A1
Grotte, Le (CS) 97 E3
Grotte, Le (FG) 78 F4
Grotte, Le (LI) 58 E2
Grottella Convento la (LE) 95 F2-3
Grotte, Masseria le (TA) 93 D2
Grotte, Masseria (TA) 93 C3
Grotte (ME) 112 D3
Grotte (ME) 113 E1
Grotte, Mulino delle (CT) 120 E3
Grotteria (RC) 15 B2
Grotticelle, Monte (AG) 118 E4
Grotti [CH] 9 C1-2
Grottini (ROMA) 72 B2
Grotti (PG) 68 A3
Grotti (RI) 68 E4
Grotti (RI) 74 A3
Grotti (SI) 60 C2
Gróttola (CE) 82 C3
Grottole (BN) 83 C2-3
Gróttole (MT) 92 D3
Grottone (FG) 79 E2-3
Grottonella (AV) 84 F1
Grottoni, I (GR) 65 F3
Grovella (VB) 8 A3-4
Groven, Pizzo di [CH] 9 B4
Grovo, Monte (AL) 33 F3
Gruaro (VE) 28 C1
Gruben [A] 5 A1
Grue, Fiume 33 D3
Gruf, Monte (SO) 10 C2
Grugliano, Monte (ROMA) 74 F1-2
Grugliasco (TO) 31 B2-3
Grugnay [CH] 6 B4
Grugnola (VA) 21 B2
Grugno (PR) 35 D4
Grugua (CA) 134 AB3
Grumale (PG) 55 F3
Grumale (PS) 56 F2
Grüm, Alpe [CH] 11 B2
Grumauer Bg. [A] 4 C4
Grumello (BS) 11 E3
Grumello Cremonese (CR) 35 A1
Grumello del Monte (BG) 23 C2
Grumene, Cantoniera su (NU) 129 E4
Grumento Nova (PZ) 97 A3
Grumentum (PZ) 97 A4
Grumes (TN) 13 B1-2
Grum, Monte (CN) 40 B4
Grumo Appula (BA) 87 F2
Grumo [CH] 9 A2
Grumo [CH] 9 A3
Grumolo dell'Abbazia (VI) 26 D1
Grumolo Pedemonte (VI) 25 BC4
Grumolo (VR) 25 E2-3
Grumo Nevano (NA) 88 A4
Grünalpenbach, Fiume 5 B1
Grunici, Monte (EN) 120 D1
Grupa (CS) 102 E2
Grupignano (UD) 16 F4
Gruppa, Fiume 133 F2
Gruppo di Tessa, Parco Naturale (BZ) 2 CD3-4
Gruppo, Monte (H. Grubbach/Sp.) (BZ) 3 B4
Gruttas, Punta is (NU) 130 F2
Grutti (PG) 62 F2
Grux'e Marmuri, sa (CA) 135 D3
Gryon [CH] 6 B3
Gsallkopf [A] 2 A2
Gschnitz [A] 3 A1
Gschnitz, Fiume 3 A2
Gschnitztal [A] 3 A1
Gspon [CH] 7 C4
Gsteig [CH] 6 A4
Gstein [CH] 8 C1
Guaccero, Casino (BA) 87 F1
Guacci, Molino (CB) 83 A3-4
Guadagnolo (ROMA) 74 C1-2
Guadamello (TR) 68 D1
Guadine (MS) 45 F3
Guado Mistongo (BN) 84 B1
Guá, Fiume 25 E3
Guagnano (LE) 95 E1-2
Guaiane (VE) 27 C3
Guaitarola, Monte (SP) 44 E3-4
Gualdo (AR) 54 C3
Gualdo (BZ) 3 D2
Gualdo Cattaneo (PG) 62 F2-3
Gualdo (FE) 38 F2
Gualdo (FO) 48 F3-4
Gualdo, Forca di (MC) 63 F3
Gualdo (LU) 52 B3
Gualdo (MC) 63 D3-4
Gualdo (MC) 63 F2-3
Gualdone, Monte (PG) 69 A2
Gualdo Tadino (PG) 62 C4
Gualdo (TR) 68 D1
Gualtieri, Fiume 113 C1
Gualtieri (RE) 36 D2-3
Gualtieri Sicamino (ME) 113 C1
Guamaggiore (CA) 132 E3
Guamo (LU) 52 C3-4
Guantai (NA) 88 B3
Guanzate (CO) 21 B4
Guárceto, Torre (BR) 94 B4
Guarcino (FR) 74 E4
Guarda (BO) 47 D3
Guardabosone (VC) 20 B3
Guarda [CH] 1 C2
Guarda (FE) 38 D2
Guardamiglio (LO) 34 B4
Guardamonte (AL) 33 E4
Guarda Monte [YUl] 17 D1
Guardapasso (ROMA) 73 F1-2
Guardasone (PR) 46 A1
Guardavalle (CZ) 105 F3
Guardavalle, Stazione di (CZ) 105 F3
Guardavalle, Valle di (CZ) 105 F2 3
Guarda Veneta (RO) 38 D2
Guardea (TR) 67 C4
Guardia Alta (Hochwart) (BZ) 2 E3
Guardia Alta (Hohe Warte) (BZ) 3 C1
Guardia Alta, Monte (BZ) 3 B3-4
Guardiabruna (CB) 76 D4
Guardia, Cocuzzo (CL) 119 E2
Guardia, Colle della (CB) 84 A1
Guardia (CT) 121 B2
Guardia (CT) 121 C2
Guardia dei Mori, Monte (CA) 134 CD2
Guardia de is Morus (CA) 135 F2-3
Guardia dei Turchi, Monte (PA) 109 A1
Guardiagrele (CH) 76 A2
Guardiagrele, Stazione di (CH) 76 A2-3
Guardia, La (AL) 33 F1
Guardia, La (AQ) 75 D2
Guardialfiera (CB) 77 D2
Guardialfiera, Lago di (CB) 77 D2
Guárdia Lombardi (AV) 84 F4
Guardia, Monte della (CL) 122 A4
Guardia, Monte la (EN) 119 AB4
Guardia, Monte (LT) 80 F2
Guardia, Monte (ME) 111 B3
Guardia, Monte (PR) 45 B3-4
Guardia, Monte (ROMA) 74 B1
Guardiani, Casa dei (AQ) 75 C1
Guardiano, Toppa di (BN) 84 D1
Guardianu, Monte (CA) 134 B3
Guárdia Perticara (PZ) 92 F1
Guàrdia Piemontese (CS) 101 C3
Guàrdia Piemontese Marina (CS) 101 C3
Guardia, Pizzo della (PA) 110 F2
Guardia, Poggio la (GR) 59 F3
Guardia Preposti (SS)127 AB1
Guardia, Punta della (LT) 80 F2
Guardia, Punta la (SS)127 E4
Guardiaregia (CB) 83 B3
Guardiarégia, Stazione di (CB) 83 B3
Guàrdia, Sanframondi (BN) 83 D3
Guardia, Serra la (AG) 118 F4
Guardia, Serra la (CS) 102 D2
Guardia (TN) 13 F1
Guardia Vecchia (SS)127 B2
Guardia Vomano (TE) 70 B3
Guardie, Poggio alle (GR) 59 D4
Guardiola Coppa (FG) 79 E2
Guardiola, Cozzo della (PZ) 98 B2
Guardiola, La (FG) 84 A4
Guardiola, Masseria (CH) 77 C1
Guardiola, Monte (ME) 112 D2
Guardiola, Poggio della (VT) 67 F1
Guardiola, Serra (CB) 77 DE2
Guardistallo (PI) 59 B1-2
Guarene (CN) 32 E1-2
Guarenna Nuova (CH) 76 AB3
Guareo, Monte (NU) 129 E3
Guarisca, Cocuzzo (AG) 117 B4
Guarnácchia, Masseria (BR) 95 E1
Guarráia (PA) 119 A2
Guarrato (TP) 108 E1
Guasila (CA) 132 EF3
Guastalla (RE) 36 D2
Guastaméroli (CH) 71 F2
Guasticce (LI) 52 E3
Guasto (IS) 83 A3
Guazzarano, Monte (EN) 120 C3
Guazzino (SI) 61 C1
Guazzolo (AL) 32 B3
Guazzora (AL) 33 C3
Gubbio (PG) 62 B3
Guddemi, Vallone di (PA) 109 F3
Guddetorgiu, Arcu (NU) 132 A4
Gudo [CH] 9 D3
Gudo Gambaredo (MI) 22 E1
Gudon (BZ) 3 E3
Gudo Visconti (MI) 21 E4
Guella, Rifugio (TN) 24 A3
Guello (CO) 9 F4
Guercet, Le [CH] 6 C3
Guerrieri, Masseria (MT) 92 D3
Guerriero, Masseria (PZ) 98 B3
Guerro, Fiume 46 B4
Guffone, Monte (FO) 54 B4
Guggenen [CH] 8 C1
Gugliano (LU) 52 B3
Guglielmi, Palazzo (PG) 62 C1
Guglielmi, Villa (PG) 61 C3
Guglielmo, Monte (BS) 23 B3-4
Guglionesi (CB) 77 C3
Guglionesi Portacannone, Stazione (CB) 76 C3
Gugnana, Porto di (SS)127 CD2
Gugnano (PV) 22 F2
Gugni, Case (SR) 124 BC2 3
Guia (TV) 26 A4
Guidizzolo (MN) 24 F2
Guido, Castello di (ROMA) 73 CD1
Guidomandri Inferiore (ME) 113 D2
Guidomandri Marina (ME) 113 D2
Guidomandri Superiore (ME) 113 D2
Guidonia (ROMA) 73 C4
Guiducci, Masseria (FG) 85 AB2
Guietta (TV) 14 F2-3
Guiglia (MO) 46 C4
Guil, Fiume 30 E1
Guillaumes [F] 40 DE1
Guillestre [F] 30 E1
Guilmi (CH) 76 C4
Guinza (PS) 55 E3
Guiraz, La [F] 18 C2-3
Guisa Pepoli (BO) 37 F2
Guistrigona (SI) 60 B3 4
Guizze (PD) 26 D3
Gulana, Punta (NU) 129 F3
Gula (VC) 8 F2
Gulfa o dei Saraceni, Grotte della (PA) 118 A4
Gulfi (CL) 119 D2
Gulino, Monte (PA) 109 E3
Gullo (KR) 103 F2
Gummario, Cozzo (CS) 97 E3
Guncinà (BZ) 3 F1
Gurgital [A] 2 BC3
Gurmara, Monte (PZ) 97 B3
Gurnazza, Lago (CT) 121 D1
Gurro (VB) 8 D4
Gurtúrgius, Punta (NU) 130 B3-4
Gurue (NU) 132 A2
Gurzone (RO) 37 D4
Gurzu, Nuraghe (SS)129 C3
Gusana, Lago di (NU) 129 F4
Gusano (PC) 34 E4
Gusciola (MO) 46 D2
Guselli (PC) 34 F4
Guspini (CA) 131 F4
Gussago (BS) 23 D3-4
Gussola (CR) 35 C4
Gutturgios, Monte (NU) 130 E2
Güz, Piz [CH] 10 B4
Guzzafame (LO) 34 B4
Guzzano (BO) 47 CD3
Guzzano Inferiore (TE) 70 B2
Guzzini, Monte (NU) 132 D4
Guzzurra, Cantoniera (NU) 130 B3
Guzzurra (NU) 130 C2
Gwabl [A] 5 B2

H

Habicht [A] 3 A1
Habigen [A] 1 A3-4
Habmesköpfe [A] 2 A2
Halaesa (ME) 111 E1
Hangerer [A] 2 C3
Haslach [A] 5 B1
Haudéres, Les [CH] 7 D1
Haury, Grand (AO) 18 B4
Haut de Cry [CH] 6 B4
Haute [CH] 6 C4
Haute Cime [CH] 6 C2
Hauteluce [F] 18 A1
Hauteville [F] 18 B2
Hautforts, Les [F] 6 C1
Haut, Pont [F] 40 C2
Havis de Giorgio, Rifugio (CN) 41 D3
Heiligenblut [A] 5 A2-3
Heiligkreuz [CH] 8 B2
Helsenhorn (VB) 8 B2
Helvia Ricina (MC) 63 B4
Hera Argiva, Santuario (SA) 90 E1
Heracleum Promontorium (RC) 115 F1
Hera Lacinia, Tempio di (KR) 106 A3
Herbetet, Punta (AO) 19 C1
Herbriggen [CH] 7 CD3
Herdoniae (FG) 85 C2
Hérémence [CH] 7 C1
Hèrens Val d [CH] 7 CD1
Hermagor [A] 16 A4
Hetzwald [A] 4 C4
Hexenkopf [A] 1 A4
Hidalgo, Punta (GR) 59 F2
Hildesheimer H. [A] 2 A3-4
Hint. Brunnenkogl [A] 2 A2
Hinterbichl [A] 4 A3-4
Hinterer Brunnenkogl [A] 2 A3-4
Hipponion (VV) 104 DE4
Hochalmspitze [A] 4 B4
Hocharn [A] 5 A3
Hocheck [A] 5 D1
Hochfinstermünz [A] 1 B4
Hochgrabe [A] 4 C4
Hochjoch [A] 2 A1
Hochjochhospiz [A] 2 C2
Hochkreuz [A] 5 C4
Hochschober [A] 5 B2
Hochschober H. [A] 5 B2
Hochstadel [A] 5 D3
Hochstein H. [A] 5 C2
Hochtor [A] 5 A3
Hochvernagt/Sp. [A] 2 A2
Hochweisstein H. [A] 5 E2
Hochwipfel [A] 16 A3
Hofer, Cappella Andrea (BZ) 2 C4
Höfling [A] 5 D4
Hohberghorn [CH] 7 D3-4
Hoheé Warte [A] 3 A3
Hohe Gelge [A] 2 A2
Hohe Mutt [A] 2 C3
Hohenthurn [A] 17 B2
Hoher Riffler [A] 3 A3
Hohes Rad [A] 1 B1-2
Hohes Riff [A] 2 A1
Hohe Warte [A] 4 A2
Hohmatte [CH] 8 C1
Hohtenn [CH] 7 B3
Hòne (AO) 19 C4
Hongrin, Lac de L [CH] 6 A3
Hopfgarten/I' Def [A] 5 B1
Hörnli/Hôt (CH) 7 E2
Hospiz [CH] 8 C1
Hôtel [A] 17 B1
Höt Plöcken [A] 5 E3
Hot Poludnig [A] 17 A1
Houches, Les [F] 6 E1
Hruckenkopf [A] 5 B3-4
Hrusica [YUl] 17 C4
Huben [A] 2 A3
Huben [A] 5 B1
Huben [A] 5 D1-2
Hübschhorn [CH] 8 C1
Huémoz [CH] 6 B3
Hutteg [CH] 7 C4

I

Iaconicella, Santuario della (PE) 70 F4
Iacono, Casa (RG) 123 BC2 3
Iacono, Fiume 118 E3
Iacotenente, Monte (FG) 79 D2-3
Iacovizzo, Monte (FG) 79 D2
Iacurso (CZ) 105 C1
Iadanza, Masseria (BN) 83 D4
Ialmicco (UD) 28 B4
Iamano (GO) 29 C2
Iammeddari, Monte (NU) 129 D2
Ianara, Monte (CE) 83 B1
Ianaro, Fiume 83 D3
Ianich (UD) 17 F1
Iannas, Nuraghe (SS)129 B2
Iannazzo (PZ) 97 C4
Iannucci, Masseria (FG) 78 F1
Iannuzzo, Scoglio (RG) 124 E2
Iano (FI) 53 F2
Iano, Monte (ROMA) 73 E4
Iano (PT) 53 A2
Iano (RE) 46 A2-3
Ianzo, Ca' di (VC) 7 F4
Iato, Fiume 109 D1 108 D4
Iato, Monte (PA) 109 E1
Iauer, Monte (UD) 16 E4
Iavrè (TN) 12 E2
Iazzi Cima di (VB) 7 E3
Iazzitelli, Cozzo (MT) 98 A4
Iazzo Canonico (SA) 96 C4
Iazzo Vecchio, Monte (AG) 118 D2
Iba Manna, Nuraghe sa (NU) 103 C3
Ibriganti (KR) 102 E4
Icaro, Rifugio (BZ) 3 EF3
Icciano (PG) 68 B2
Icogne [CH] 7 B1
Idalpe [A] 1 A3
Idda, Monte (CA) 136 B2-3
Iddiano (MO) 46 D4
Idice (BO) 47 C3
Idice, Fiume 47 D3 48 B2
Idolo, Monte (NU) 133 B2
Idresca D' Isonzo [YUl] 17 E2
Idria di Sotto [YUl] 17 F4
Idria, Fiume 29 A4
Idria Passo d' [YUl] 17 F4
Idrija [YUl] 29 A4
Idrijca, Fiume 17 F4
Idro (BS) 24 B2
Idro (Eridio), Lago d' (BS) 24 B2
Idroscalo (MI) 22 DE2
Idu Monte (CA) 135 E1
Ienne (ROMA) 74 D3
Iermanata (RC) 114 E4
Ierna (PG) 61 E3
Iôf di Miezegnot (UD) 17 B1
Iôf di Montasi (UD) 17 C1
Iôf Fuart (UD) 17 C1
Iesizza (UD) 17 EF2
Iévoli (CZ) 105 B1
Iório, Rifugio (AQ) 75 E3
Iúdica, Torre (SR) 124 B1
Iffigenhorn (CH) 7 A1
Igea Marina (RN) 49 F2-3
Iggio (PR) 35 F1
Igino, Monte (MT) 92 CD3
Iglesiente (CA) 134 AB4
Iglésias (CA) 134 B4
Igliano (CN) 42 B1
Igna, Fiume 25 C4
Ignago (VI) 25 D4
Ignatius/H. [A] 4 B4
Igne (BL) 14 C4
Igno, Monte (MC) 63 D1
Ilbono (NU) 133 B2
Il Carmine (KR) 103 F3
Il Ciocco (LU) 46 F1
Ilci (PG) 62 F2
Iiles, Les [F] 6 E2
Il Fiume, Fiume 46 E1
Il Gruso, Fiume 92 E3
Iliciazzo (SR) 124 B1
Illasi, Fiume 25 E2
Illasi, Valle d' (VR) 25 DE2
Illasi (VR) 25 E2
Illégio (UD) 16 C2
Illhorn [CH] 7 B2
Illica (PR) 44 A4
Illica (RI) 69 B2
Illice (AP) 63 F4
Illiez, Val d' [CH] 6 C1-2
Illirio, Colle (LT) 74 E1
Illorai (SS)129 D2-3
Illudei, Nuraghe (NU) 129 E3
Il Navilotto, Fiume 20 E2
Ilole, Nuraghe (NU) 130 E1
Ilonse [F] 40 E3
Il Piano, Masseria (BA) 86 F3-4
Il Progno, Fiume 24 D4
Il Rio, Fiume 64 D2
Il Rio, Fiume 77 E2
Ilsee [CH] 7 B2
Ilteris, Casino (BA) 87 E1
Il Vittoriale (BS) 24 C2
Imagna, Fiume 22 B4
Imagna, Val (BG) 22 AB4
Imbersago (BG) 22 B3
Imbertiche, Nuraghe (NU) 129 E1
Imbessu, Fiume Mannu 132 BC2
Imbrecciata (AN) 63 A4
Imbriaca (PA) 118 A1
Imbriaca, Portella (PA) 118 A1
Imele, Fiume 74 B4
Imelle, Fiume 68 E12
Imera Meridionale, Fiume 119 B2
Imera (PA) 110 E2
Imera, Rovine di (SR) 124 D2-3
Imera, Stazione d' (CL) 119 C2
Imer (TN) 14 D1
Immacolata, L' (ROMA) 72 B4
Imola (BO) 48 D1
Impalata (BA) 94 A1
Impeddau, Monte s' (CA) 134 F4
Imperatore, Campo (AQ) 70 DE1-2
Imperatore, Punta (NA) 88 C1
IMPERIA 51 C2
Império (NO) 21 C1
Impiano (AR) 54 F3-4
Impiccia, Masseria (FG) 84 B4
Impiombato, Casa (FG) 79 E2
Impiso, Colle d' (PZ) 98 D2
Impiso, Monte dell' (PZ) 91 E4
Impiso, Portella (PA) 109 D2
Impiso, Torre dell' (TP) 108 C3
Imponzo (UD) 16 B4
Imposte (TE) 69 B4
Impostino (GR) 66 B1
Imposto, I' (GR) 60 E2
Imposto, I' (SI) 60 D2
Impostu, Marina di Iu (NU) 127 E4
Improsta (SA) 90 D1
Impruneta (FI) 53 D4
Inaquata, Masseria (FG) 85 B4
Inarzo (VA) 21 A2
Incaffi (VR) 24 D3
Incatena, Portella (PA) 118 A4
Incatesimo, Lido (NA) 89 C1
Incenso, Punta dell' (LT) 80 F2
Incirano (MI) 22 C1
Incisa in Val d' Arno (FI) 54 D2
Incisa, Passo dell' (FO) 55 C2
Incisa Scapaccino (AT) 32 DE4
Incisioni Rupestri, Parco Nazionale (BS) 11 E3-4
Incliousa, Lac de L' (AO) 6 F4
Incontro (FI) 54 CD1
Incoronata (CH) 77 A1
Incoronata (FG) 85 B3
Incoronata (IS) 83 A2
Incoronata, Ponte dell' (FG) 85 B2
Incoronata' Santuario dell' (FG) 85 BC2
Incoronata, Stazione (FG) 85 B2-3
Incorvera, Posta (FG) 85 D4
Incrociata (PC) 34 B4
Incudine al Vago (BS) 11 D4
Incugnate (MI) 22 D3
Inden [CH] 7 A2
Indémini [CH] 9 D2
Indicatore (AR) 54 F4
Indiprete (IS) 83 A1
Indiritto (TO) AB1
Indisi, Monte d' (PA) 118 B1
Indorata, Masseria (MT) 92 F3
Indovero (LC) 10 E1
Indren, Punta (AO) 7 F3-4
Induno Olona (VA) 9 F2
Inferiore, Lago (AO) 19 B2
Inferiore, Lago (MN) 36 B4
Inferno, Cala d' (LI) 58 E3
Inferno, Cala d' (SS)128 B1
Inferno, Lago dell' (SO) 10 E2
Inferno, Pizzo d' [CH] 10 B2
Inferno, Ponte (SA) 97 B1
Inferno, Punta d' (ME-CT) 112 E2
Infocata, Toppa (BN) 83 D4
Infreschi, Porto degl' (SA) 96 D4
Infreschi, Punta degl' (SA) 96 D4
Inganno, Fiume 111 D4
Ingarano, Passo di (FG) 78 D3
Ingent Gr.[A] 3 A4
Inglagna (PN) 15 C3
Ingria (TO) 19 D3
Ingrosso, Masseria (LE) 95 E3
Inguanti, Case (RG) 123 B4
Ingurtosu (CA) 131 F3
Inici, Castello d' (TP) 108 E3
Inici, Monte (TP) 108 E3
Innerferrera [CH] 10 A2
Innerfragant [A] 5 B4
Innervillgraten [A] 4 C4
Inn, Fiume 1 A4
Inn, Fiume 1 C3 D1
Inno (FI) 53 D3
Inn. Schwarze Schneid [A] 2 B2-3
Inserraglio, Torre dell' (LE) 99 B3
Intavolata (CS) 101 C3
Intermesole, Monte d' (TE) 69 D4
Intermesoli (TE) 69 C4
Interneppo (UD) 16 D3
Intestadura (VE) 27 D3
Intórcia (TP) 116 A2
Intimiano (CO) 22 B1
Intissans (UD) 15 B4
Intragna (CH) 9 C1
Intragna (VB) 8 E4
Intralio, Grotta di (CT) 120 A4
Intra (VB) 8 F4
Intrilleo, Pizzo d' (ME) 111 F4
Intróbio (LC) 10 EF2
Introd (AO) 19 B1
Introdáqua (AQ) 75 C4
Intronata, Cocuzzo (PA) 118 A3
Introzzo (LC) 10 D1

Inus, Nuraghe de (OR) 132 D1
Inverigo (CO) 22 B2
Inverno, Monte (PR) 35 F2
Inverno (PV) 34 A2
Inverso Pinasca (TO) 30 C4
Inverso Porte (TO) 30 C4
Inverso (TO) 19 D4
Inveruno (MI) 21 D3
Invózio (VC) 20 B4
Invillino (UD) 15 B4
Inviolata Cascinale dell' (ROMA) 73 C3
Invorió/superiore/inferiore (NO) 21 A1
Inzago (Mi) 22 D3
Inzino (BS) 23 BC4
Ioánaz, Monte (UD) 17 E1
Ioanella (TE) 70 B1
Ioanneddu, Punta (NU) 130 B4
Ioannis (UD) 28 B4
Iofri, Monte (RC) 114 D4
Ioggi (CS) 101 C4
Iogu, Na [YUI] 17 C3
Iola (MO) 46 E4
Iolo (PO) 53 BC3
Iovet, Monte (UD) 16 C4
I Palazzi (RO) 38 D1-2
Ipogeo di Petruscio, Villa (TA) 93 D3
Ippari, Fiume 123 C2
Ipplis (UD) 17 F1
Ippodromi (TO) 31 C3
Ippolito, Torre di (VV) 104 F2
Iragna [CH] 9 B3
Iragna, Fiume 9 B3
Iral (BL) 14 B3
Irgoli (NU) 130 C3
Irial, Casa (NU) 130 D3
Iria (ME) 111 D4
Irma (BS) 23 B4
Irminio, Fiume 123 C4
Irpina, Fonte (AV) 90 B1
Irpinia (AV) 90 A1
Irsi, Monte (MT) 92 C2
Irsina (MT) 92 C2
Irsina, Stazione di (MT) 92 B2
Irveri, Monte (NU) 130 D3
Isabella (TA) 93 BC3
Isallo (SV) 42 D2
Isarco (Eisack), Fiume 3 AB2
Isarco, Val (BZ) 3 C2-3
Isarno (NO) 21 D1
Isasca (CN) 31 F1
Isca del Ponte, Masseria (MT) 92 E3
Isca de sa mela, Valico s' (NU) 132 A3-4
Isca, Fiumara 91 C1
Isca, Fiume 132 D1
Iscala, Fiume 128 B2-3
Iscala Mala, Fiume 128 B2-3
Isca Marina (CZ) 105 E3
Isca, Ponte (CA) 135 D1
Isca Sant'Jónio (CZ) 105 E2
Isca, Scogli (CS) 101 F3
Ischgl [A]1 A3
Ischia di Castro (VT) 66 C4
Ischia, Fosso (CB) 83 A3
Ischia, Isola d' (NA) 88 C1
Ischia (NA) 88 C2
Ischia Ponte d' (PZ) 91 E1
Ischia Porto (NA) 88 C2
Ischia (TN) 13 E1
Ischia, Torre d' (VT) 72 A4
Ischiator, Vallone (CN) 40 C2-3
Ischitella (FG) 79 C1-2
Ischitella, Stazione di (FG) 79 C1
Iscoba, Monte (SS) 126 F1
Iscra, Stazione (SS) 129 D3
Iscudo, Monte d' (NU) 132 A4
Iselberg [A] 5 C3
Isel, Fiume 4 A3 5 B1
Iselle (VB) 8 C2
Iselle, Nuraghe (SS) 129 B4
Isengo (CR) 23 E1
Iseo (BS) 23 C3
Iseo, Sebino, Lago d' (BG) (BS) 23 BC2-3
Isérables [CH] 6 C4
Iseran, Col de 1' [F]18 D3
Iseran M. [F] 18 D3-4
Isera (TN) 25 A1
Isére, Val d' [F]18 D3
ISERNIA 76 F2
Isiata (VE) 27 D3
Isili (NU) 132 D3
Isnello (PA) 110 E3
Isola Bella (LT) 80 A3
Isolabella (TO) 31 C4
Isolabona (IM) 50 C4
Isola (BS) 11 E4
Isolabuona (GE) 43 A3
Isolaccia (SO) 1 F2-3
Isola [CH]10 B4
Isola (CN) 41 A4
Isola (CO) 9 E4
Isola d'Arbia (SI) 60 B3
Isola d'Asti (AT) 32 D2-3
Isola degli Olivi, Masseria (FG) 85 B4
Isola del Cantone (GE) 33 F3
Isola del Gran Sasso d'Italia (TE) 70 D1
Isola della Scala (VR) 37 A1
Isola delle Femmine (PA) 109 C2
Isola del Piano (PS) 56 D2
Isola di Capo Rizzuto (KR) 106 B3
Isola di Capo Rizzuto, Stazione di (KR) 106 A2
Isola di Fano (PS) 56 E3
Isola di Fondra (BG) 10 F4
Isola di Liri (FR) 75 F2
Isola Dovarese (CR) 35 B4
Isola Farnese (ROMA) 73 B2
Isola (FO) 54 B4
Isola Fossara (PG) 62 A4
Isola (GE) 44 A1
Isola Grande (SV) 42 C2
Isola (IM) 41 E3
Isola, L' (FG) 78 C4
Isola, L' (MC) 64 B1
Isolalta (VR) 24 F4
Isola Mantegna (PD) 26 D2
Isola (MC) 63 B2
Isola, Monte (BS) 23 B3
Isola, Monte (ROMA) 72 A3
Isola Morosini (GO) 29 C1
Isola Perosa (CN) 41 DE4
Isola Pescaroti (CR) 35 C3-4
Isola (PG) 62 CD4
Isola (PI) 52 C2
Isola (PR) 44 B4
Isola (PR) 45 BC3
Isola (RA) 48 E1
Isola Rizza (VR) 37 A2
Isola Rotonda (GE) 44 B2
Isolasanta (LU) 45 F4
Isola Sant'Antonio (AL) 33 C3
Isola (SO) 10 A1
Isola (SP) 45 F2
Isolato (SO) 10 A1
Isola (VC) 8 F2
Isola Vicentina (VI) 25 C4
Isolello (CR) 35 B4
Isole Tremiti (FG) 78 A3
Isoletta (FR) 81 A4
Isoletta (SV) 42 C2
Isoletta (VC) 20 B3
Isollaz (AO) 19 B4
Isolona (GE) 44 C1-2
Isolotto, L' (GR) 65 E4
Isone [CH] 9 D3
Isonzo, Fiume 17 C2 29 C1
Isonzo, Sorgente dell' [YUI] 17 C2
Isorella (BS) 23 F4
Isorella, Naviglio 23 EF4
Isorno, Fiume 8 C3 9 C1
Isoverde (GE) 43 B3
Ispani (SA) 97 C1
Ispica, Cava d' (RG) 123 D4
Ispica (RG) 124 D1
Ispinigoli, Grotta di (NU) 130 D3
Ispiridu Santo (SS) 126 F1-2
Ispra (VA) 21 A2
Ispuligi, Punta (NU) 130 F3-4
Issengo (Issing) (BZ) 3 C4
Issert [CH] 6 D3
Issiglio (TO) 19 D4
Issine (AO) 20 B1
Issi (SS) 125 E2
Isso (BG) 23 D1
Issogne (AO) 19 B3-4
Istana, Porto (SS) 127 E3
Istatu, Punta s' (SS) 126 F1
Istelai, Nuraghe (SS) 130 C1
Istia d'Ombrone (GR) 65 A4
Istiddi, Broncu (NU) 132 B3-4
Istiria (CN) 40 B4
Istrago (PN) 15 E4
Istra (Istria) [YUI] 29 F2-3-4
Istrana, Torre sa (SS) 127 D2
Istrana (TV) 26 C4
Istria, Nuraghe (NU) 132 C4
Isuledda (SS) 127 B2
Itala (ME) 113 D2
Italia, Albergo (AO) 6 F3
Itieli (TR) 68 D2
Itri (LT) 81 C4
Itri, Stazione di (LT) 81 D4
Ittia, Punta (SS) 127 F2
Ittireddu (SS) 129 B2
Ittiri, Cala (NU) 128 D2
Ittiri (SS) 128 B4
Iudeca, Monte (CL) 119 F2-3
Iudica, Casa (SR) 124 B1
Iudica, Fattoria (SR) 124 C1
Iudica, Monte (CT) 120 C2
Iudrio, Fiume 17 F2 29 A1
Iunchi (RC) 115 B2
Iuncu, Cantoniera (SS) 126 D3
Iurentino, Monte (CS) 102 C4
Iutizzo (UD) 15 F4
I Vaccari (PC) 35 C1
Ividori, Monte (FG) 78 F4
Ivigna, Picco d' (BZ) 2 D4
Ivozio (TO) 20 C1
Ivrea, Capanna (TO) 19 C1
Ivrea Naviglio d', Fiume 20 E1
Ivrea, Serra d' (TO) 20 D1-2
Ivrea (SV) 43 C1
Ivrea (TO) 20 D1
Ixi, Monte (CA) 132 F4
Izano (CR) 23 F1
Izoard, Col d' [F] 30 D1
Izola, isola d'Istria [YUI] 29 E2
Izzálini (PG) 67 B4
Izzana, Nuraghe (SS) 126 D3
Izzo, Punta d' (SR) 121 F3

J

Jafferau, Monte (TO) 30 A12
Jagdhaus [A] 4 A2-3
Jagihorn [CH] 7 A1
Jambach, Fiume 1 B2
Jamtal [A]1 B2
Janna e Rughe (NU) 130 BC2-3
Janus, Monte [F] 30 C1
Jausiers [F] 40 AB1
Javerne [CH] 6 B3
Javornik [YUI] 17 C4
Jazzo Nuovo, Masseria (CS) 98 D4
Jelovice [YUI] 29 F4
Jelsi (CB) 84 A1
Jeneltigen [CH] 7 C3
Jerago (VA) 21 B3
Jereka [YUI]17 D4
Jerener (TO) 19 D1
Jervis di Prà, Rifugio (TO) 30 D3
Jervis, Rifugio (TO) 18 D4
Jerzu (NU) 133 C2
Jesenice [YUI] 17 C4
Jesi (AN) 57 F1
Jesi, Torre di (AN) 57 F2
Jesolo (VE) 27 D3
Joanne Abbas, Cantoniera (SS) 125 F2
Johannis Hütte [A] 4 A4
Jolanda di Savoia (FE) 38 E3
Jonadi (VV) 104 E3
Joppolo (VV) 104 E2
Jóppolo Giancáxio (AG) 118 E2
Jorasses, Grs. [F] 6 E2
Joseray, Le [F]18 D3
Joussaud (TO) 30 B2-3
Jouvenceaux (TO) 30 B2
Joux, Colle di (AO) 19 A4
Joux, La [F] 6 A1
Jovencan (AO) 19 A1
Jovet, Monte [F] 18 C1
Jovis, Villa (NA) 88 D4
Juanne Osile, Punta (SS) 129 A4
Judenbrücke [A] 5 A3
Juf [CH] 10 A3
Jukbühel [A] 5 D4
Julia, Fiume 10 A3
Julia, Rifugio (UD) 17 C1
Julierpass [CH] 10 A4
Julier Piz [CH] 10 A4
Jumeaux, Les (AO) 7 E2
Jungfrau Hôtel (CH) 8 A2
Juppa [CH] 10 A3

K

Kággio, Masseria (PA) 109 E2
Kahlkogel [A] 17 B4
Kaisers [A] 2 A3
Kal (Cal) [YUI] 17 F3
Kalkstein [A] 4 C3-4
Kalpetran [CH] 7 C4
Kals [A] 5 A1-2
Kalsertal [A] 5 AB1
Kals/Matreier Törl [A] 5 A1
Kanal (Canale D'Isonzo) [YUI] 17 F2
Kapaun [A] 5 C3
Kappl [A] 1 A3
Karlsbader H. [A] 5 D2
Karl/Sp [A] 2 A1
Kartirscher Sattel [A] 5 D1
Kartitsch [A] 5 C1
Karuscia, Punta (TP) 116 E1
Kastal [A] 4 B4
Katalape [A] 5 A1
Kaunergrat [A] 2 A1 B1
Kaunertal [A] 2 A1
Kellerberg [A] 17 A2
Kendispitze [A] 5 A1
Kerachspitze [A] 2 A4
Kerschbaumer A. [A] 5 D2
Kerschdorf [A] 17 A1-2
Kessihorn [CH] 8 C1
Khamma (TP) 116 F2
Kind, Rifugio (TO) 30 B2
Kinhutte [CH] 7 D3
Kippel [CH] 7 A3
Kirchbach [A] 16 A3
Kirchdachspitze [A] 3 A1
Klanec [YUI] 29 E4
Klebas [A] 5 D2
Klecica [YUI] 17 C4
Kleinspitze [A] 4 A2
Kl/Greiner [A] 3 A3-4
Kneza [YUI] 17 E3
Kobarid (Caporetto) [YUI] 17 D1-2
Koca na Gozdu [YUI] 17 C3
Koca P. Skalara (Rif. Timeus) [YUI] 17 D1
Kölnei/H. [A] 1 A4
Komen, Comeno [YUI] 29 C3
Koper, Capodistria [YUI] 29 E2-3
Kostanjevica, Castagnevizza [YUI] 29 C2
Köstenberg [A] 17 A4
Kötschach [A] 5 D4
Kozina [YUI] 29 E4
Krainberg [A] 17 B3
Kranjska Gora [YUI] 17 B3
Kraülspitze [A] 2 A4
Kreuth [A] 17 A2
Kreuzberg [Al 4 B4
Kreuzecke [A] 5 B2
Kreuzeck Gruppe [A] 5 C4
Kreuzen [A] 17 A1-2
Kreuzjöchl [A] 3 A1
Kreuzkofel [A] 5 D2
Kreuzspitze [A] 2 C2
Kreuzspitze [A] 4 A4
Kreuzspitze [A] 5 B1-2
Kriselachspitze [A] 4 AB3-4
Kristallkopf [A] 4 A4
Kristeinbach, Fiume 5 C1
Kriz, Croce [YUI] 29 C3
Krössbach [A] 3 A1
Krummbach, Fiume 8 C1
Kubed, Covedo [YUI] 29 E3-4
Kuchenspitze [A] 1 A2
Kuk, Monte [YUI] 17 E2
Kumeta (PA) 109 E2

L

Laas [A] 5 D4
Labante (BO) 47 E1
L'Abbiadori (SS) 127 C2-3
Labbro, Monte (GR) 60 F3-4
La Bessa, Riserva naturale (VC) 20 D2
Labiata (SR) 120 E4
Làbico (ROMA) 74 E1
Labiolo, Nuraghe (SS) 128 A3
La Bolline [F] 40 E3
La Brigue, Briga Marittima [F] 41 E2
La Buca (BO) 37 F2
La Burraia, Rifugio (AR) 54 C3-4
La Buse, dei Veris (UD) 16 F4
La Canala, Fiume 49 C1
La Canala, Fiume 92 E4
La Carlona (AL) 33 F2
Lac, Becca du (AO) [F] 18 B3
Lacchiarella (MI) 22 F1
Lac, Cima (TN) 12 B3
Laccio (GE) 43 B4
Lacco Ameno (NA) 88 C1-2
Lacco (ME) 112 C2
Laccu Canu, su (SS)127 F2
Laccuneddas, Monte is (CA) 135 D2-3
Laccu sa Vitella, Punta (OR) 132 C1
Lacedonia (FG) 85 F1
Laceduzza, Masseria (BR) 94 C3
Laceno, Lago di (AV) 90 B2
Laceno, Piano (AV) 90 B2
Lacerno, Fiume 75 E2
Lacerone, Monte (TR) 68 D2
Lacersa, Casa (PZ) 98 B3
Láces (Latsch) (BZ) 2 E2
Lachat, Monte [F] 6 E1
Lachau [F] 30 C1
Lachelle (VC) 20 F3
Lachésos, Monte (SS) 129 B1
Lacinigo (BZ) 2 E2
La Clarée, Fiume 30 B1
Lacona, Golfo di (LI) 58 EF2
Lacona (LI) 58 E2
Laconia (SS) 127 BC2
Laconi (NU) 132 C3
Lacore, Laghi (AQ) 76 D1
Lacque, Le (MC) 63 B3
La Cróccia, Monte (MT) 92 E1
Lacugnano (PG) 62 D1
Laculo (RI) 69 D1
La, Diosaz, Fiume 6 DE1
Ladíspoli (ROMA) 72 C3
Lad, Piz [CH] 1 E3
Ladra [YUI] 17 E2
Ladstatt [A] 4 B3
L'Aduento, Fiume 83 CD2
Laerru (SS) 126 E2
Lafairsch [A] 1 A4
La Fara, Fiume 6 C4
La Fiora, Stazione di (LT) 81 C2
La Fiumarella, Fiume 91 B4
La Foce (SP) 45 EF1
La Forma (FR) 74 D2
Lagacci (PT) 46 F4
Lagagnolo (PV) 34 D1-2
Laga, Monti della (TE) 69 BC3-4
Laganadi (RC) 114 CD2
Lagarella, Monte (PG) 62 F4
Lagarina, Val (VR) (TN) 25 ABC1-2
Lagaro (BO) 47 E2
La Gazuoi (BL) 4 F2
Lagdei (PR) 45 C2
Lagginhorn [CH] 7 C4
Laggintal [CH] 8 C1
Lággio di Cadore (BL) 4 F4
Laghet [F] 50 D2
Laghetto [CH] 9 A2
Laghetto (LC) 10 D1
Laghetto (ROMA) 73 D4
Laghi (VI) 25 B3
Laghi (VI) 26 C2
Láglio (CO) 9 F3-4
Lagna (NO) 20 A4
Lagnano, Masseria (FG) 85 D3
Lagnasco (CN) 31 F2
Lago Bianco, Punta (Weiss Sess Spitze) (BZ) 2 C1
Lago, Ca' del (VR) 37 A2
Lago, Cima del (BZ) 2 C3
Lago, Croda da (BL) 4 F2
Lago (CS) 101 F4
Lago di Bolsena (VT) 67 C1
Lagoforano, Bosco di (PZ) 98 D3
Lago (GE) 43 C4
Lago Gelato, Pizzo del (VB) 8 C4
Lago Lentini, Bonifica (SR)120 E4
Lago, Monte (SO) 10 E3
Lagonegro (PZ) 97 C3
Lagone, Il (PD) 38 A4
Lagoni del Sasso (PI) 59 C3
Lagoni (GR) 59 C4
Lagoni, I (PR) 45 C2
Lagoni Rossi (PI) 59 C3
Lago Patrono (AL) 33 F4
Lago (PC) 34 F2
Lago, Pizzo del [CH] 10 B2
Lago (PR) 45 B2-3
Lagorai, Catena dei (TN) 13 C4 D3
Lagorai, Cima di (TN) 13 D3
Lagorai, Lago (TN) 13 CD3
Lagosanto (FE) 38 F4
L'Ago (SP) 44 E4
Lago (TN) 13 C3
Lago (TV) 14 F3-4
La Gougra, Fiume 7 C2
Lago (VI) 25 B3
Lago (VI) 25 E4
Lagrev, Piz [CH] 10 A4
Lagrimone (PR) 45 B4
Laguna Veneta (VE) 27 F1
Lagundo (Algund) (BZ) 2 D3-4
Lagune (BO) 47 C2
Lahnberg [A] 4 C4
L'Aia, Fiume 68 D1
Laiano (BN) 83 E3
Lai da Rims [CH]1 E3
Laietto (TO) 31 A1
Laiático (PI) 53 F1
Laiguéglia (SV) 42 F2
Lainach [A] 5 C3
Lainate (MI) 21 C4
Laini, Casa (VI) 25 C4
Laino Borgo (CS) 97 D4
Laino Borgo, Stazione di (CS) 97 D4
Laino Castello (CS) 97 D4
Laino (CO) 9 E3
Láio, Fiume 76 A2
Laione, Monte (AL) 32 F4
Laion (Lajen) (BZ) 3 E3
Laipacco (UD) 16 F4
Laise (CS) 101 A2
Laisonnay [F]18 C2
Láives (Leifers) (BZ) 13 B2
Lalatta (PR) 45 C3
L'Albigna, Lago [CH] 10 B3
Lalden [CH] 7 B4
Lállio (BG) 22 C4
Lalumia, Villa (PA) 110 E2
Lama (AR) 55 E1
Lama Balice, Fiume 87 E2
Lama Caminata, Masseria (BA) 86 E2-3
Lamaccione, Podere (GR) 66 B1-2
Lamacupa, Monte (BA) 86 F2
La Maddalena (NU) 135 D3
Lama dei Peligni (CH) 76 B2
Lama del Monte, Masseria (BA) 92 A3
Lama di Carro, Masseria (BA) 86 DE3
Lama di Corvo, Masseria (BA) 86 E2
Lama di Monchio (MO) 46 C3
Lama di Reno (BO) 47 D2
Lama di Rose, Masseria (TA) 93 C3-4
Lama di Setta (BO) 47 D2
Lamafico, Masseria (BA) 87 B2-3
Lama, La (FO) 54 C4
Lama, La (TA) 94 E1
Lamalesa (SI) 60 B2
Lamalunga (BA) 86 E1
Lama Mocogno (MO) 46 D3
Lamandia (BA) 87 B3-4
Lamapera, Múrgia di (BA) 92 A2
Lama (PG) 55 F3
Lama Polesine (RO) 38 C3
Lama (PV) 34 F2
Lamarda, Masseria (PZ) 92 B1
Lama (SI) 60 D4
Lama (SP) 45 F2
Lambara (VI) 13 F4
Lambertenghi, Rifugio (UD) 5 F3
Lambertúccia (MC) 63 D3
Lambin, Fiume 12 D4
Lambrate (MI) 22 D2
Lambrinia (PV) 34 B3
Lambro, Fiume 34 A3
Lambro, Fiume 96 C4
Lambroi (RI) 68 D3
Lambro Meridionale, Fiume 22 F2
Lambrugo (CO) 22 B2
Lame, Masseria le (LE) 95 F4
Lamen (BL) 14 E1
Lame (TE) 69 C4
Lamet, Mont [F] 18 F3
Lamezia, Aeroporto di (CZ) 104 B4
Lamezia Terme (CZ) 105 B1
Lamia, Masseria (BR) 95 E1
Lámia, Masseria (FG) 85 C1
Lammari (LU) 52 B4
Lamole (FI) 54 E1
Lámoli (PS) 55 E3
La Molo, Fiume 72 B4
Lamon (BL) 13 E4
Lamone [CH] 9 E2-3
Lamone, Fiume 47 F4 48 E1 49 B1
Lamone, Selva del (VT) 66 C3-4
Lamosano (BL) 15 D1
Lampazzone (VV) 104 E2
Lampedusa (AG) 122 F3
Lampedusa, Isola di (AG) 122 F2
Lampedusa, Santuario (IM) 51 C1
Lampertico, Borgo (VI) 25 C4
Lampietro, Masseria (BN) 84 C2-3
Lampione, Isola (AG) 122 E1
Lampone, Cima (VC) 7 F4
Lamporecchio (PT) 53 C2
Lamporo (VC) 20 F2
Lampo, Serra (PZ) 98 B2
Lampu, Serra su (NU) 132 A3
Lana (BZ) 2 E4
Lana, Col di (BL) 4 F1
Lana, Fiume 62 A1
Lanari (VI) 26 AB2
Lanaro, Monte (TS) 29 C3
La Navisence, Fiume 7 BC2
Lanca (NO) 21 C2
Lancenigo (TV) 27 C1
Lanciano (CH) 71 F2
Lanciano, Passo di (CH) 76 A2
Lanciatoio (AP) 63 F3-4
Lancia, Vincenzo Rifugio (TN) 25 B2
Lanciáia (PI) 59 B3-4
Lan, Cima di (BL) 13 F4
Lanciole (PT) 53 A1
Lancio, Monte (MO) 46 E3
Lancisa (PT) 46 F3
Landarenca [CH] 9 B3-4
Landecksäge [A] 5 A1
Landiona (NO) 20 D4
Landiragi (CA) 136 A1
Landiri, Bruncu su (NU) 133 D3
Landriano (PV) 22 F2
Landriga, La (SS) 125 F3
Landris (BL) 14 E3
Landro (BZ) 4 E3

Landro, Lago di (BZ) 4 E3
Landro (ME) 112 C2
Landro (PA) 119 B1
Landry [F]18 B2
Landò (BS) 11 D3
Lanessi, Fiume 132 E2-3
Lanfredi (SV) 42 F1-2
Langan, Capo di (IM) 41 F2-3
Langasco (GE) 43 B3
Langhe (CN) (AT) 42 A2-3
Langhes, Les [F] 18 C2
Langhirano (PR) 45 A4
Langosco, Canale 21 DE3
Langosco (PV) 21 F1
Langschneid [A] 4 B3-4
Languard, Piz [CH] 1 F1
Lannaz [CH] 7 C1
Lano (SI) 60 A1
Lanslebourg Mont./Cenis. [F] 18 E2
Lanslevillard [F] 18 E3
Lantana (BG) 11 F2
Lantana, Monte (BS) 11 F2
Lanteri (SR) 124 A1
Lantosque [F] 40 F4
Lanusei (NU) 133 BC2
Lanuvio (ROMA) 73 F4
Lanvario (BI) 20 C3
Lanzada (SO) 11 C1
Lanzago (TV) 27 C1
Lanzano (MI) 22 E2
Lanzara (SA) 89 B2-3
Lanzarite, Serro (ME) 112 E2-3
Lanza (TN) 2 F3
Lanzetta (PD) 26 F1
Lanzé (VI) 26 D1
Lanzi, Palazzo (LI) 59 D1-2
Lanzo (AT) 32 E2
Lanzo d'Intelvi (CO) 9 E3
Lanzone, Monte (AL) 33 F2
Lanzone, Pizzo (PA) 118 A2
Lanzoni (VE) 27 D2
Lanzo Torinese (TO) 19 E2
Lao, Fiume 97 F3
Laorca (LC) 10 F1
La Pace (FG) 79 F2
Lapanu, Monte (CA) 135 F1
Lapedona (AP) 64 D3
La Penne [F] 40 F1-2
Lapera, Monte (CA) 135 E1-2
Lapillo, Torre (LE) 95 F1
Lápio (AV) 84 F2
Lapio (VI) 25 E4
Laponisalm [A] 3 A1
La Porta, Masseria (FG) 78 E1
Lappago (Lappach) (BZ) 3 B4
Lappano (CS) 102 D1
La Printse, Fiume 6 C4
La Quiete (MO) 37 E2-3
L'AQUILA 69 F3
Larai, Cantoniera (SS) 127 E1
Laranza (BZ) 3 E2
Larasèit, Forcella (UD) 15 B2
La Rava, Fiume 82 A4
Lärch [CH] 7 D3
Larche, Col de [F] 40 B2
Larche [F] 40 A1-2
Larciano (FO) 55 C1
Larciano (PT) 53 C2
Lardara (LO) 35 B1
Lardaro (TN) 12 F2
Larderello (PI) 59 BC3
Larderia Superiore (ME) 113 C2
Lardina, Fonte (MC) 63 E3
Lardine, Cantoniera (NU) 129 D4
Lardirago (PV) 34 A1-2
Larécchio, Lago di (VB) 8 C3-4
Larenta, Monte (SS) 128 C4
Láres, Crozzon di (TN) 12 D1-2
Larganza, Fiume 13 E2
Largario [CH] 9 A3
Larghetto (RI) 68 E3
Largisi (CE) 83 E1
Lariano (ROMA) 74 E1
Larici (BZ) 4 D2
Larié, Cima (VB) 8 D2
Larino (CB) 77 D3
Lari (PI) 52 E4
Larizzate (VC) 20 F4
Larniano (AR) 54 D3-4
Larniano (SI) 53 F2
La Rocca (ME) 112 D1
La Roccheure, Fiume 18 D2-3
La Roiuzza, Fiume 15 E3
Larone, Monte (VB) 8 C3
La Rotta (FE) 38 F3
Laroussa, Monte (CN) 40 C2-3
Lartió, Nuraghe (NU) 130 F1
Larzana (TN) 12 E2
Lasa (Laas) (BZ) 2 E1
La Sacca (VB) 8 F4
La salute di Livenza (VE) 28 D1
Lasanca, Fiume 3 D4
Lasa, Punta di (Laase Sp.) (BZ) 2 E1
Láscari (PA) 110 E3
Lascari, Stazione di (PA) 110 DE3
Laschadurella, Piz [CH] 1 D2
La Selva (SI) 60 B1
Lasen (BL) 14 E2
La Serra, Monte (FG) 78 E4
La Serra (PZ) 97 B2
Laserztörl [A] 5 D2-3
Lasès (TN) 13 D1
Lasina, Piano (CA) 132 F3
Lasinetto (TO) 19 C2
Lasin, Lago (TO) 19 D2
Lasino (TN) 12 E4
Lasizze [YUI] 17 F2
Lasnigo (CO) 9 F4
Lasörling [A] 4 B4
LA SPEZIA 45 E1
Lassach [A] 5 B3
Lassini, Fiume 135 A4
Lassini, Monte (EN) 119 D3
Lassolaz (AO) 19 A3
Lasta Alta (BZ) 3 C1
Lasta, La (BZ) 2 D1
Lastebasse (VI) 13 F1
Laste (BL) 4 F1
Laste (BZ) 3 C2
Lastè delle Sute (TN) 13 D3
Laste, Le (BZ) 3 BC3-4
La Stella (RE) 46 B2
Laste, Punta delle (BZ) 3 C1
Lastra a Signa (FI) 53 C3
Lastra (BL) 14 E4
Lastra, La (FI) 53 C4
Lastron, Monte (BL) 5 E2
La Svolta (RE) 46 B1
Latari, Punta (SS) 130 A1
Lateis (UD) 5 F2
Latemar (BZ) 13 B3
Latera (FI) 53 B4
Látera (VT) 67 BC1
Laterina (AR) 54 F3
Laterza (TA) 93 D1-2
Latiano (BR) 94 D4
Laticastelli (SI) 60 B4
Latignano (PI) 52 D4
Latilla, Masseria (BA) 87 F3
LATINA 80 B4
Latina (CE) 83 C1
Latina Scalo (LT) 80 A4
Latisana (UD) 28 C2
Latisanotta (UD) 28 C2
Latomie, Fermata (TP) 117 C1
La Torre, Masseria (BN) 83 D4
Lato, Torre del (TA) 93 E3
Lat, Piz [CH] 1 C4
La Trinità (PR) 35 E1
Latrónico (PZ) 98 C1
Latschach [A] 17 B4
Lattanzi, Lago (FR) 74 E4
Lattárico (CS) 101 C4
Latzendorf [A] 5 B4
Láuco (UD) 15 B4
Láudes (Laatsch) (BZ) 1 D4
Lauenen [CH] 7 A1
Lauenensee [CH] 6 A4
Laugera, Punta (VB) 8 E1
Laura D., Masseria (LE) 100 C2
Láura (PI) 52 E3
Laura (SA) 90 E1
Laurasca, Cima del (VB) 8 D4
Laura, Villa (TR) 67 A3
Laura [YUI] 29 F3
Laureana Cilento (SA) 96 A2
Laureana di Borrello (RC) 104 F2
Lauregno (BZ) 2 F3
Lauréntis, Masseria De (BA) 93 B1
Laurentum (ROMA) 73 E1
Laurenzana, Fiume 103 C1
Laurenzana (PZ) 91 E4
Laureto (BR) 94 A1
Lauretta, Casa (RG) 123 C3-4
Lauria, Masseria (FG) 78 DE1
Lauriano (TO) 32 A1
Lauria (PZ) 97 C3
Laurignano (CS) 102 E1
Laurino (SA) 96 A4
Laurito, Masseria (BR) 94 D3
Laurito (SA) 96 B4
Lauro (AV) 89 AB2
Láuro (CE) 82 D2
Láuro (FG) 78 C3
Lauro, Monte (SR) 123 A4
Laurópoli (CS) 98 F3
Lauro, Torre del (ME) 111 D3
Lauro (TV) 26 B3
Lausdomini (NA) 89 A1
Lausetto, Cima di (CN) 40 D4
Lausetto (CN) 40 A2
Laus, Le [F] 30 C1
Lauson, Colle (AO) 19 C1
Lauson, Colle di (TO) 30 B2
Lau, su (NU) 132 C3
Lautoni (CE) 83 D1
Laux (TO) 30 B3
Lauzacco (UD) 28 A4
Lauze, Ponte de la [F] 30 D2
Lauzo, Monte (LT) 81 D3
Lauzzana (UD) 16 E3
Lavacelli, Monte (MC) 63 BC2
Lavachey (AO) 6 F2
Lavadè, Monte (LC) 10 D1-2
Lavaggio, Cima (VC) 8 F2
Lavaggiorosso (SP) 44 E3-4
Lavagna, Fiume 44 C2
Lavagna (GE) 44 D2
Lavagna (LO) 22 DE3
Lavagnina, Lago (AL) 33 F2
Lavagno (VR) 25 E2
Lavaiana, Fiume 34 F3-4
Lavaiano (PI) 52 E4
Lavalla, Monte (CZ) 105 C1
La Valle, Fiume 65 A2
La Valle (PC) 34 E2
La Valle (PR) 35 E2
Laval (TO) 30 B2
Lavancher, Le [F] 6 E2
Lavanech, Monte (TN) 12 F1
Lavane, Monte (FI) 54 A3
Lavant [A] 5 C2-3
Lava Nuova (NA) 89 B1
Lavara, Monte (UD) 16 D3
Lavarda (VI) 26 B1
Lavardêt, Casera (UD) 5 F1-2
Lavardêt, Forcella (BL) 5 F1
Lavaredo, Rifugio (BL) 4 E3-4
Lavariano (UD) 28 A3
Lavarone (TN) 13 F1-2
Lavazze, Passo di (TN) 13 B3
Lavello, Fattoria (FI) 53 B3
Lavello (PZ) 85 F3-4
Lavena Ponte Tresa (VA) 9 E-F2
Laveno (BS) 11 F3
Lavenone (BS) 24 B1
Laveno (VA) 8 F4
Laverda (VI) 26 B1
Laveria (CA) 135 C1
Laverino (MC) 63 D1
La Verna (MO) 46 D2
Lavertezzo [CH] 9 C2
Lavey [CH] 6 B3
Lavezzola (RA) 48 B2
Laviano (PG) 61 D2
Laviano (SA) 90 B3
Lavina (BL) 15 D1
Lavina (IM) 41 F4
Lavin [CH] 1 C1-2
Lavinio (ROMA) 80 A1-2
Lavinium (ROMA) 73 F2
Lavino di Mezzo (BO) 47 B2
Lavino di Sopra (BO) 47 B2
Lavino di Sotto (BO) 47 B2
Lavino, Fiume 47 C2
Lavino, Fiume 70 F3-4
Lavis (TN) 13 D1
Lavizza M. (Hochsteller) [A] 3 A3-4
Lavizzara, Val [CH] 9 AB1
Lavoir, Refuge Le [F] 18 F1
Lavone (BS) 23 B4
Lavorate (SA) 89 B2
Lavorgo [CH] 9 A2
Lavoria (PI) 52 E4
Lax [CH] 8 A2
Lazfons (BZ) 3 D2-3
Lazise (VR) 24 D3
Lazzarello, Monte (PC) 34 D2
Lazzaretti (VI) 26 A1
Lazzaretto (BO) 47 A2
Lazzaretto (BS) 23 B4
Lazzaretto (FI) 53 C2
Lazzaretto (SS) 128 B1
Lazzaretto, Torre del (GR) 65 E2
Lazzaretto (TS) 29 E2-3
Lazzaretto (VE) 27 D3
Lazzaro, Monte (PC) 34 D2-3
Lazzaro (RC) 114 E2
Lazzate (MI) 21 B4
Lazzati (PV) 34 D2
Lazzotto, Bivio (CT) 121 DE1
Leale, Fiume 15 C4
Leano, Monte (LT) 81 C2
Leano, Poggio (SI) 61 F1
Leanzi, Masseria (BR) 95 D2
Leardo, Monte (PA) 109 E2-3
Leari, Nuraghe (OR) 128 E4
Le Boline (MN) 37 D1
Lebrino (CT) 121 CD1
Le Capannacce (AR) 61 B2
Le Caserine (AQ) 75 C2
Leca (SV) 42 F2
Lecca, Fiume 44 A4
LECCE 95 E3
Lecce nei Marsi (AQ) 75 C2
Lecce nei Marsi (AQ) 75 D2-3
Lecceto (SI) 60 B2
Lecchiore (IM) 51 C1-2
Lecchi (SI) 53 F4
Lecchi (SI) 54 F1
Leccia, Palazzo (FG) 79 E1
Léccia (PI) 59 C3
Léccio (GR) 60 D2
Lecci (LU) 52 C4
Leccio (FI) 54 D2
Leccio (PI) 53 E2
Léccio, Poggio di (GR) 66 D1
Leccio, Porto (SS) 126 C2-3
LECCO 22 A3
Lecco, Lago di (LC) 10 F1
Léchaud, Punta [F] (AO) 18 A2
Lechére (AO) 7 E1
Lecinone, Monte (ROMA) 73 C4
Leco, Monte (AL) 43 A3
Lecore (FI) 53 C3
Le Corsicchie, Poggio (FO) 55 E1-2
Le Crepe, Rifugio (BL) 4 F2
Ledine [YUI] 17 F4
Ledis, Monte (UD) 16 D3
Ledra, Fiume 16 F3
Ledro, Lago di (TN) 24 A3
Ledro, Val di (TN) 24 A3-4
Ledù, Pizzo (CO) 10 C1
Leffe (BG) 23 B2
Le Forme dell' Aquino, Fiume 82 B1
Lega Monte (IM) 41 F2
Leggia [CH] 9 C4
Leggiana (PG) 62 E4
Leggio (PC) 34 E3
Leggi, Poggio (GR) 65 B3
Leggiuna, Fiume 9 B3
Leggiuno (VA) 9 F1
Leghe (VI) 26 B1
Le Ghiare (PR) 45 B3
Legino (SV) 42 C4
Legnago (VR) 37 B3
Legnaiolo, Porto (SS) 127 E3
Legnano (MI) 21 C3
Legnano (TE) 70 C1
Legnaro (PD) 26 F3
Legnaro (SP) 44 E4
Legnone, Monte (LC) 10 D2
Legnone, Monte (VA) 9 F1-2
Legogne, Monte di (PG) 69 A1
Légoli (PI) 53 E1
Legos (TN) 24 A4
Le Grazie (SP) 45 F1
Lc Griffe, Fiume 6 D1
Legri (FI) 53 B4
Leguzzano (VI) 25 C3
Leia, Fiume 67 D1
Leibnitzbach, Fiume 5 B1-2
Leinberg [A] 5 C3
Leini (TO) 19 F3
Lei (NU) 129 D2
Leisach [A] 5 C2
Leisse, Vallon de la [F] 18 D2
Leit, Cap. [CH] 9 A1
Leiten [A] 5 D1
Leitertal [A] 5 A2
Leitnerberg [A] 3 A2
Léivi (GE) 44 C2
Lélgio [CH] 9 D3
Lella, Casa La (TA) 94 E4
Lella, Masseria (TA) 94 C2
Lelo, Monte (KR) 103 CD2
Lema, Monte [CH] 9 E2
Leman, Lac [CH] 6 A2
Lemene, Fiume 28 D1
Leméglio (GE) 44 D3
Lémie (TO) 19 F1
Lemignano (PR) 35 E4
Lemina, Fiume 31 CD1-2
Lemma (CO) 22 A1
Lemme, Fiume 33 EF2
Lemme, Fiume 43 A3
Lemmi (AL) 33 F4
Le Mose (PC) 35 C1
Lempa (TE) 70 A1
Lemprato (BS) 24 B2
Lemura (PG) 61 D3
Lena, Punta (ME) 112 A4
Lenardedu, Monte (NU) 130 E1
Lenca, Monte (AQ) 69 D3-4
Lendeno, Corno (BS) 11 E4
Lendinara (RO) 38 C1
Leni, Fiume 135 A1
Leni (ME) 111 A2
Lenna (BG) 10 F3
Lenno (CO) 9 E4
Lenno, Monte di (CO) 9 E4
Leno (BS) 23 F4
Lénola (LT) 81 B3
Lens [CH] 7 B1
Lensone (SV) 42 E1
Lenta Fiume 83 CD3
Lentate Seveso (MI) 22 B1
Lentate Verbano (VA) 21 A2
Lenta (VC) 20 C4
Lente, Fiume 66 BC3
Lentella (CH) 77 C1
Lentiai (BL) 14 E2
Lentigione (RE) 36 E1-2
Lentina, Ponte (TP) 108 D2
Lentini, Fiume 121 E1
Lentini, Masseria (TA) 94 C2
Lentini (SR) 121 E1
Lentiscosa (SA) 96 D4
Lenzari (IM) 41 E4
Lenzima (TN) 25 A1
Lenzi (TN) 13 D2
Lenzi (TP) 108 E1
Lenzone (UD) 5 F3
Lenzu, Case (CA) 134 B4
Lenzumo (TN) 12 F2
Leofara (TE) 69 B4
Leo, Fiume 46 E4
Leoifreni (RI) 74 A3
Leonacco (UD) 16 EF3
Leone, Canale (FE) 38 DE3-4
Leone, Monte (VB) 8 C1-2
Leone, Pizzo del (PA) 109 E4
Leone, Serra del (PA) 118 B2
Leonesi, Rifugio (TO) 18 D4
Leonessa (RI) 68 C4
Leonessa, Sella di (RI) 69 D1
Leonetti, Masseria (BA) 86 DE3
Leonforte (EN) 119 B4
Leoni, Monte (GR) 60 EF1
Leóntica (CH) 9 A2-3
Leopardi (NA) 89 C1
Leo, Pizzo (ME) 112 E2-3
Lepena [YUI] 17 D2
Lepini, Monti (LT) (ROMA) 81 A1
Leporano (CE) 83 E1
Leporano (TA) 94 E1
Lepre, Monte [YUI] 29 C3
Lepre, Serra della (CS) 97 F4
Lepri, Cima (RI) (TE) 69 B3
Le Quattro Masserie (FG) 86 C1-2
Léquile (LE) 95 F3
Lequio Berria (CN) 32 F2
Léquio Tananaro (CN) 41 A4
Lera, Monte (TO) 18 F4
Lera, Monte (TO) 19 F2
Lerca (GE) 43 C1
Lercara Bassa, Stazione di (PA) 118 A3
Lercara Friddi (PA) 118 A3
Lercaro, Ospizio (AL) 33 F1
Lerchi (PG) 55 F4
Le Regine (PT) 46 F3
Leri (VC) 20 F3
Lérici (SP) 45 F1
Lerino (VI) 26 D1
Lerma (AL) 33 F2
Lerno, Monte (SS) 129 B4
Lernu su, Fiume 127 F3
Lerpa (BL) 5 F1-2
Lesach [A] 5 B1
Lesachbach, Fiume 5 B2
Lesacher H. [A] 5 B2
Lesachtal [A] 5 D1-2-3
Lesa (NO) 21 A1
Lese, Fiume 102 D4
Lesegno (CN) 41 B4
Les Fleures (AO) 19 A1
Lesignano de' Bagni (PR) 45 A4
Lesignano Palmia (PR) 45 A3
Lesima, Monte (PC) 34 F1
Lésina (FG) 78 D2
Lésina, Lago di (FG) 78 CD2-3
Lesina, Stazione di (FG) 78 D2
Lesina, Val (SO) 10 D2
Lesis (PN) 15 C3
Lesmo (MI) 22 C2
Lessini, Monti (VR) 25 C1-2
Lessolo (TO) 19 D4
Lessona (BI) 20 C3
Lestans (PN) 15 D4
Le Stellere, Monte (CN) 40 C3
Lesti o Grosso, Monte (RC) 114 E4
Lestizza (UD) 28 A3
Letegge (MC) 63 C2
Letegge, Monte (MC) 63 C2
Lete, Grotte del (CE) 83 B1
Letimbro, Fiume 42 C3-4
Letino (CE) 83 B1
Letino, Lago di (CE) 83 B1
Letizia (CE) 82 F3
Letojanni (ME) 113 F1
Le Torri, Villa (BA) 87 B2
Leto, Stazione di (EN) 120 B3
Lettere (NA) 89 C2
Lettomanoppello (PE) 70 F4
Lettopalena (CH) 76 C2
Léuca (LE) 100 F3
Leucáspide, Masseria (TA) 93 D4
Leuk [CH] 7 B2
Leukerbad [CH] 7 A2-3
Léupa, Pieve di [YUI] 17 F2-3
Levà (VI) 25 C4
Levá (VR) 37 B2
Levada (PD) 26 CD4
Levada (TV) 26 A3
Levada (TV) 27 B2
Levada (VE) 28 C1
Levade (TV) 27 B2
Levaldigi (CN) 31 F2-3
Leva, Monte di (ROMA) 73 E2
Lévane (AR) 54 F3
Levanella (AR) 54 F2-3
Levanna Centrale [F] 18 D4
Levanna Occidentale (TO) 18 D4
Levanna Orientale (TO) 18 D4
Levante (BG) 22 C4
Levante, Cala di (SS) 127 D4
Levante, Cima (TN) 25 B1-2
Levante, Porto di (ME) 111 B3
Levante, Porto di (RO) 39 C2
Levante, Riviera di (GE) 44 EF2-3
Levante, Riviera di (ME)113 C1
Levanto (SP) 44 E3
Levanzo, Isola di (TP) 107 E3
Levanzo (TP) 107 E3
Levata (AL) 33 D2
Levata (CR) 35 AB3
Levata (MN) 36 B3
Lévegno (BL) 14 D4
Levens [F] 50 C1
Leventina, Val [CH] 9 AB1-2-3
Leverano (LE) 95 F2
Leverone (IM) 41 E4
Leverone, Passo di (SO) 1 F1
Leverone, Pizzo di (SO) 1 F1
Lévice (CN) 42 A2
Levice, Ponte di (CN) 42 A2
Levico, Lago di (TN) 13 E1-2
Levico Terme (TN) 13 E2
Levigliani (LU) 52 A2
Le Villard, de B. [F] 18 Cl
Levi, Rifugio (TO) 30 A2
Levizzano Rangone (MO) 46 B4
Levizzano (RE) 46 C2
Levone (TO) 19 E3
Levo (VB) 8 F4
Levrange (BS) 24 B1
Levron [CH] 6 C3
Leysin [CH] 6 A2
Leytron [CH] 6 C4
Lezza (BS) 11 D3
Lezzaruolo (GE) 43 B4
Lézzeno (CO) 10 E1
Lezzeno (LC) 9 F4
Lezze (VE) 38 B4
Liamau, Lago (TO) 19 C3
Liano (BO) 47 CD4
Liano (BS) 24 C3
Liariis (UD) 5 F3
Libano (BL) 14 D3
Libbiano (PI) 53 E1
Libbiano (PI) 59 B3
Libbiano (SI) 53 F2-3
Liberi (CE) 83 D1
Libertina, Stazione (EN) 120 C2
Libertinia (CT) 120 C2
Libertà, Borgo (FG) 85 D3
Libertà, Ponte della (VE) 27 E1
Libéccio, Punta (LI) 58 C1
Libéccio, Punta (TP) 107 E1
Libiano (PS) 55 C3
Libiola (GE) 44 D3
Libiola (MN) 37 C1
Libolla (FE) 38 F3
Libono (NU) 133 B2
Libra, Monte (CT) 120 CD1-2
Librari (TA) 94 F3
Libri, Ponte dei (SA) 89 D1
Librizzi (ME) 112 D2
Librizzi (PA) 119 A2
Libro Aperto (MO) 46 E3
Libussina [YUI] 17 E2
Licata (AG) 122 B2
Licciana Nardi (MS) 45 D2
Liccia, Porto (SS) 127 C3
Licciardi, Casa (CT) 123 A3

LICCIO / LUCIFERO 205

Liccio, Casa (RG) 123 E4
Licciola, La (SS) 127 B1
Licenza (ROMA) 74 B1
Licignano di Napoli (NA) 88 A4
Licinici, Monti (SA) 89 C4
Licodia Eubea (CT) 123 A3
Licola Mare (NA) 88 B2
Licone, Lago (AO) 6 F2
Liconi (AO) 6 F2
Licosa, Isola (SA) 96 B1
Licosa, Monte (SA) 96 B1
Licosa, Punta (SA) 96 B1
Licosa (SA) 96 B1
Licusati (SA) 96 C4
Lidarno (PG) 62 D2
Liddes [CH] 6 D3
Lido Adriano (RA) 49 C1
Lido Arenella (SR) 124 B3-4
Lido Azzurro (TA) 93 E4
Lido Bruno (TA) 93 F4
Lido degli Estensi (FE) 49 A1
Lido degli Scacchi (FE) 39 F1
Lido dei Gigli (ROMA) 80 A1
Lido dei Pini (ROMA) 80 A1
Lido del Golfo (CZ) 105 C3
Lido delle Nazioni (FE) 39 F1
Lido delle Sirene (ROMA) 80 B1
Lido dello Scanzano (MT) 99 A2
Lido del Savio (RA) 49 D1-2
Lido di Avola (SR) 124 C3
Lido di Bonelli (RO) 39 E2-3
Lido di Camaiore (LU) 52 B1-2
Lido di Cincinnato (ROMA) 80 B1
Lido di Classe (RA) 49 D1-2
Lido di Copanello (CZ) 105 D3
Lido di Dante (RA) 49 C1-2
Lido di Enea (ROMA) 80 B1
Lido di Fermo (AP) 64 C3
Lido di Foce Verde (LT) 80 B3
Lido di Gándoli (TA) 94 E1
Lido di Jesolo (VE) 27 E3-4
Lido di Latina (LT) 80 B3
Lido di Lavinio, Fermata (ROMA) 80 AB2
Lido di Lollia (ROMA) 80 A1
Lido di Lonato (BS) 24 D2
Lido di Metaponto (MT) 93 F2
Lido di Monvalle (VA) 8 F4
Lido di Noto (SR) 124 D2-3
Lido di Ostia (ROMA) 73 E1
Lido di Palmi (RC) 114 B3
Lido di Panzano (GO) 29 C1-2
Lido di Plaia (CT) 121 CD1
Lido di Policoro (MT) 99 B1-2
Lido di Pomposa (FE) 39 F1
Lido di Sabáudia (LT) 80 CD4
Lido di S. Giuliano (TP) 108 D1
Lido di Spina (FE) 49 A1
Lido di Squillace (CZ) 105 D3
Lido di Torre Mileto (FG) 78 C4
Lido di Tortora (CS) 97 E3
Lido di Volano (FE) 39 E1
Lido, Litorale di (VE) 27 EF2
Lido Marausa (TP) 107 E4
Lido Marchesana (ME) 112 C4
Lido Mortelle (ME) 113 B3
Lido Ponticello (TP) 116 A2
Lido, Porto di (VE) 27 E2
Lido Riccio (CH) 71 E2
Lido Rossello (AG) 118 E2
Lido San Nicolò [YUI] 29 E2-3
Lido Sant'Angelo (CS) 102 A4
Lido Signorino (TP) 116 A2
Lido Silvana (TA) 94 F2
Lido (VE) 27 E2
Liedolo (TV) 26 B2
Lieggio, Monte (SA) 89 C4
Liene, Fiume 7 B1
Lienz [A] 5 C2
Lienzer [A] 5 D2
Lienzer Dolomiten/H. [A] 5 C2
Lienzer H. [A] 5 B2
Lierna (AR) 54 CD4
Lierna (LC) 10 F1
Liesins [A] 5 D2-3
Lieto, Monte (LU) 52 A2
Lieto, Monte (MC) 63 F2-3
Liettoli (VE) 26 F3-4
Lieuche [F] 40 EF2
Lievoli Monte (VV) 115 A2
Li Foi di Picerno, Monti (PZ) 91 CD2
Liga [YUI] 17 F2
Lignano, Monte (AR) 61 A2
Lignano Pineta (UD) 28 D3
Lignano, Porto (UD) 28 D3
Lignano Sabbiadoro (UD) 28 D3
Lignano Sud (UD) 28 D3
Lignano (VC) 20 F4
Lignera (CN) 42 B2
Lignod (AO) 7 F2
Ligonchio (RE) 45 D4
Ligoncio, Pizzo (SO) 10 C2-3
Ligonto, Croda di (BL) 4 E4
Ligornetto [CH] 9 F2-3
Ligosullo (UD) 5 F4
Ligo (SV) 42 F1
Ligugnana (PN) 15 F4
Lilla (TO) 19 D1
Lillaz (AO) 19 C2
Lillianes (AO) 20 B1
Lilliano (SI) 53 F4
Lima, Fiume 46 F3 52 A4
Lima, La (PT) 46 F3
Limana (BL) 14 E3
Limana, Fiume 14 E3
Limano (LU) 46 F2-3
Limata (CE) 82 E3
Limbadi (VV) 104 F2-3
Limbara, Monti (SS) 126 E4
Limbiate (MI) 22 C1
Lime (CN) 41 B3
Limena (PD) 26 E2
Limentra di Sambuca, Fiume 46 F4
Limentra Inferiore, Fiume 47 F1
Limentrella di Treppio, Fiume 47 F1
Limes (TN) 12 F1
Limátola (BN) 83 E2
Limidario, Monte (VB) 9 D1
Limidi (MO) 36 F4
Limido Comasco (CO) 21 B4
Limido (PR) 35 F3
Limignano (PG) 62 E2-3
Limina (ME) 113 E1
Limina, Monte (RC) 115 B1
Limina, Piano della (RC) 115 A1
Limisano (FO) 48 F2
Limite sull'Arno (FI) 53 C2
Limiti di Gréccio (RI) 68 D3
Limito (MI) 22 D2
Limone (BS) 24 D2
Limone Piemonte (CN) 41 D2
Limone sul Garda (BS) 24 B4
Limonetto (CN) 41 D2
Limonta (LC) 9 F4
Limo, Passo di (BZ) 4 E2
Limosano (CB) 77 F1
Limpa, Cozzo la (CS) 101 B3
Limpida, Serra la (CS) 97 E3
Limpiddu (NU) 127 F4
Limpidi (VV) 104 F4
Linard/H. [CH] 1 C1
Linard, Piz [CH] 1 C1
Linari (FI) 53 F3
Linari (SI) 54 F2
Linaro (BO) 48 D1
Linaro, Capo (ROMA) 72 B2
Linaro (FO) 55 A2
Linarolo (PV) 34 B2
Linas, Monte (CA) 134 A4
Linate, Aereoporto di (MI) 22 E2
Linate (MI) 22 E2
Lind [A]17 A4
Lind [A] 17 B3
Lindarets, Les [F] 6 B1
Lindinuso (BR) 95 D2-3
Linea Pio (VI) 81 C1
Linera (CT) 121 B2
Linéscio [CH] 8 B4
Linguada (PR) 34 F4
Linguaglossa (CT) 112 F4
Linguaglossa, Rifugio (CT) 112 F3
Lingua (ME) 111 A2
Linguaro, Monte (MC) 63 D1
Lingueglietta (IM) 51 C2
Lingustino, Monte (BN) 83 C4
Linnas (OR) 131 D3
Linosa (AG) 122 F4
Linosa, Isola di (AG) 122 F4
Linu, Nuraghe su (CA) 132 E3
Linziti (CT) 120 E4
Liocca, Fiume 45 CD3
Lioni (AV) 90 AB2
Lioni, Lu (NU) 127 F3
Lion (PD) 26 F3
Lio Piccolo (VE) 27 E2
Lioson, Lac [CH] 6 A3
Liotta (TP) 117 B1
Lipari, Isola (ME) 111 AB3
Lipari (ME) 111 B3
Lipomo (CO) 22 A1
Lippa di Com. [YUI] 29 B2
Lipperi, Casa (SS) 129 A2
Lippiano (PG) 55 F2
Lippone, Timpano (TP) 116 A4
Liprando, Monte (GE) 43 AB4
Lipuda, Fiume 103 D3
Liri, Fiume 74 C4 75 F1 81 B4
Liri, Fiume 82 B2
Lirio (PV) 34 C1-2
Liro, Fiume 10 AB1
Liro, Fiume 9 D4
Lisandro, Pizzo (TP) 107 E1
Liscate (MI) 22 D3
Lischana, Piz [CH] 1 C3
Lischlazze (UD) 16 D4
Liscia Bianca, Isola (ME) 112 A3
Liscia (CH) 76 C4
Liscia di Vacca (SS) 127 B2
Liscia, Fiume 127 B1
Liscia, Lago di (SS) 127 D1
Lisciano (AP) 64 F2
Lisciano di Colloto (AP) 69 A4
Lisciano Niccone (PG) 61 BC4
Lisciano (RI) 68 D4
Liscia, Porto (SS) 127 B1
Liscione, Ponte (CB) 77 D2
Liscoi, Fiume 129 E3
Lis, Colle di (TO) 19 F1
Lisiera (VI) 26 D1
Lisignago (TN) 13 D1
Lisio (CN) 41 C4
Lisone, Monte (CA) 134 A4
Lison (VE) 27 B4
Lisorno (SP) 44 D4
Lissago (VA) 21 A3
Lissano (BO) 47 A1
Lissaro (PD) 26 E2
Lisser, Monte (VI) 13 F4
Lissone (MI) 22 C2
Listino, Monte (BS) 11 F4
Listolade (BL) 14 C2
Liternum, Scavi di (NA) 88 A2
Litorale di Pellestrina (VE) 39 A1
Litos, Cantoniera (NU) 129 E4
Litro [CH] 6 D2
Litta, Casa (LE) 100 C2
Littichedda (SS) 126 B4
Littigheddu, Monte (SS) 126 D3
Littigheddu (SS) 126 E2
Litto, Monte (ME) 112 C3
Littu Petrosu, Punta (SS) 127 D1-2
Litzbach, Fiume 1 A1
Litzner Gr. [A] 1 B1
Liuru, Monte (CA) 136 B3
Lius, Forcella di (UD) 5 F4
Livagni, Monte (FG) 85 C1
Livata, Monte (ROMA) 74 C3
Livek (Luico) [YUI] 17 E2
Livello (RO) 38 C3
Livemmo (BS) 24 B1
Livenza, Fiume 15 F1
Livenza, Fiume 27 C4 28 D1
Livera (VC) 20 C3
Livergnano (BO) 47 D3
Liveri (NA) 89 A2
Lividónia, Punta (GR) 65 D3-4
Liviera (VI) 25 C3
Livignano (LU) 45 E4
Livigno, Forcola di (SO) 1 F1
Livigno (SO) 1 F2
Livigno, Val di (SO) 1 F1-2
Livinallongo del Col di Lana (BL) 4 F1
Livo (CO) 10 D1
Livolo, Monte (Liffel/Sp.) (BZ) 3 D2
LIVORNO 52 E2
Livorno Ferraris (VC) 20 F2
Livo (TN) 12 B4
Livo, Val di (CO) 10 CD1
Livraga (LO) 34 A3
Livrasco (CR) 35 AB2
Livrio, Fiume 10 E4
Livrio, Rifugio (BZ) 1 F4
Lizerne, Fiume 6 B4
Lizzana (TN) 25 A1
Lizzanello (LE) 95 F3-4
Lizzano (FO) 48 F4
Lizzano in Belvedere (BO) 46 E4
Lizzano (PT) 46 F3
Lizzano (TA) 94 E2
Lizzo (BO) 47 EF1
Lizzola Alta (BG) 11 E1
Lizzola Bassa (BG) 11 E1
Ljubinj [YUI] 17 E3
Loano (SV) 42 E2-3
Loazzolo (AT) 32 F3
Lobbia, Cima di (VR) (VI) 25 C2
Lobbi (AL) 33 C2
Lóbbia (CH) 10 B3
Lobbia (TN) 12 D1
Lobbie, Cima delle (CN) 30 EF3
Lobia (PD) 26 D2
Lobia (VR) 25 E3
Lobra Marina di (NA) 88 D4
Locadii (ME) 113 F1
Locana (TO) 19 D2
Locana, Valle (TO) 19 D1-2
Locara (VR) 25 E3
Locarno [CH] 9 D2
Locarno (VC) 20 A3
Locasca (VB) 8 D2
Locate Bergamasco (BG) 22 B4
Locatelli, Rifugio (BZ) 1 F4
Locatelli, Rifugio (BZ) 4 E3
Locatello (BG) 22 A4
Locatello, Ponte (BO) 47 E2
Locate Triulzi (MI) 22 E2
Locate Varesino (CO) 21 B4
Locati (PA) 119 A2
Locavizza di Aiduss [YUI] 29 B3-4
Locca (TN) 24 A3
Loccia di Peve, Monte (VB) 8 C3
Loccis, is (CA) 134 D4
Loceri (NU) 133 C2-3
Lochirio, Nuraghe (NU) 129 F4
Lochkogel [A] 2 A2
Loco [CH] 9 C1
Loco (GE) 44 A1
Locogrande (TP) 108 E1
Locone, Fiume 86 F1
Locone, Posta (BA) 86 D1
Locorotondo (BA) 94 B1
Locri Epizefiri (RC) 115 C1-2
Locri (RC) 115 C2
Loculi (NU) 130 C3
Locullo, Fonte di (LT) 81 D1
Locum [F] 6 A1
Locònia (BA) 86 E1
Locus Feroniae (ROMA) 73 A3
Lòdano [CH] 9 C1
Lodano, Fiume 59 D2
Loddune, Nuraghe (NU) 130 D1
Loderio [CH] 9 B3
Lodesana (PR) 35 E2
Lodetto (BS) 23 D2-3
Lodé (NU) 130 B2
LODI 22 F3
Lodina, Monte (PN) 15 C1
Lodine (NU) 129 F4
Lodin, Monte (UD) 5 E4
Lodisio (SV) 42 B3
Lodi Vecchio (LO) 22 F3
Lodolo (MN) 24 F2
Lodonero (RI) 69 D1
Lodra (AL) 33 D2
Lodrignano (PR) 45 B4
Lodrignano, Sella di (PR) 45 B4
Lodrino (BS) 23 B4
Lodrino [CH] 9 B3
Lodrone (TN) 24 A2
Lodurru (SS) 127 F2
Loelle, Nuraghe (SS) 130 B1
Logastrello, Passo (MS) 45 D3
Loggia, La (PZ) 91 F4
Loggia, La (TO) 31 C3
Loggia, Villaggio la (AG) 118 F3-4
Lóggio, Monte (PS) 55 C2
Logiano (CH) 9 D4
Lognan, Chalet [FI 6 E2
Logna (PG) 69 B1
Lograto (BS) 23 D3
Logudoro (SS) 129 B1-2
Logula, Altare de (NU) 129 E3-4
Loiano (BO) 47 D3
Loi, Casa (CA) 136 A3
Loi, Case (CA) 131 F4
Loi, Orti su (CA) 135 D3
Loiri (SS) 127 E2
Lóita (VB) 6 F4
Loi, Torri su (CA) 135 D3
Loka IYUI] 29 E3-4
Lokev, Corgnale [YUI] 29 D4
Lokovec [YUI]17 F3
Lokve, Lóqua [YUI] 29 A3
Lollove, Monte (NU) 130 D1
Lollove (NU) 130 D1
Lomagna (LC) 22 C2-3
Lomaso (TN) 12 E3
Lomatto (AO) 20 A1
Lomazzo (CO) 21 B4
Lombai (UD) 17 E2
Lombarda, Colle della (CN) 40 D3
Lombard, Chalets de [F] 30 D2
Lombardi, Ca (PS) 55 C3
Lombardi, Casa (EN) 119 C4
Lombardi (VT) 72 A1
Lombardore (TO) 19 F4
Lombriasco (TO) 31 D3
Lombrici (LU) 52 B2
Lom di Canale [YUI] 17 F3
Lomellina (PV) 33 AB2-3
Lomello (PV) 33 B2
Lomnago (VA) 21 A2-3
Lom, Sella di (UD) 17 B1
Lonaro (AQ) 69 D2
Lonas, Plagna (UD) 16 B4
Lonate Ceppino (VA) 21 B3
Lonate Pozzolo (VA) 21 C2
Lona (TN) 13 D1
Lonato (BS) 24 E2
Lonca (UD) 15 F4
Loncon, Bonifica (VE) 28 D1
Loncon, Fiume 27 BC4
Loncon, Fiume 28 D1
Loncon (VE) 27 B4
Londa (FI) 54 C2-3
Londa (VI) 26 A1
Londro, Cozzo (CS) 101 E4
Loneriacco (UD) 16 E3-4
Lone (SA) 89 D2
Longa, Montagna (PA) 109 CD1
Longana (RA) 48 D4
Longano (BL) 14 E3
Longano (IS) 83 A1
Longano, Monte (CE) 83 E2
Longa, Punta (TP) 107 F3
Longara (BO) 47 B2-3
Longara (VI) 25 DE4
Longardore (CR) 35 B3
Longare (VI) 26 E1
Longarini, Pantano (SR) 124 E2
Longarone (BL) 14 C4
Longa, Serra (SA) 97 A2
Longastrino (FE) 48 B3-4
Longa (VI) 26 C1
Longe Côte [F] 18 F2
Longefoy [F] 18 B2
Longefoy [F] 18 C1
Longega (BZ) 4 D1
Longerin, Crode del (BL) 5 E1
Longhena (BS) 23 E3
Longhere (TV) 14 F4
Longhi (VI) 25 A3
Longiano (FO) 49 F1
Longiarú (Campill) (BZ) 3 E4
Longi (ME) 112 D1
Longobardi (CS) 101 E4
Longobardi Marina (CS) 101 E3
Longobucco (CS) 102 C4
Longomoso (BZ) 3 EF2
Longone al Segrino (CO) 22 A2
Longone (LI) 58 E3
Longone Sabino (RI) 68 F4
Longoni, Rifugio (SO) 10 A4
Longo, Rifugio (BG) 11 E1
Longosardo, Porto (SS) 126 A4
Longostagno (Lengstein) (BZ) 3 E2
Longo, Villa (MT) 92 C4
Longo [YUI] 17 E1
Longu, Nuraghe (CA) 136 B1
Longu, Nuraghe (SS) 128 D4
Lonigo (VI) 25 F3
Lonnano (AR) 54 C4
Lonno (BG) 23 B1
Lon (TN) 12 E4
Lonza, Fiume 7 A4
Lonza, Monte (UD) 16 E4
Lonzano (GO) 29 A1
L'Opaco (FI) 54 C1
Loparo [YUI] 29 F3
Lopellai, Nuraghe (NU) 130 F3
Lopez, Masseria (BA) 92 B2
Lopi (PG) 61 D3
Loppeglia (LU) 52 B3
Loppelie, Nuraghe (NU) 133 A3
Loppia (LU) 46 F1
Loppiano (FI) 54 D2
Loppio, Alveo del Lago di (TN) 24 A4
Loppio (TN) 25 A1
Lo Presti, Casa (SR) 124 E2
Loquizza Seghetti [YUI] 29 B2
Loranzé (TO) 19 D4
Lora, Passo (TN) (VI) 25 C2
Lora (RE) 36 E2
Lora (BI) 20 B3
Lorcken, Cima (BZ) 2 F1
Lorda, Fiume 82 A4
Lorda, Fiume 83 A1
Lorda, Ponte della (IS) 82 A4
Lordichella, Monte (AG) 118 C2
Loreggia (PD) 26 D3
Loreggiola (PD) 26 D3
Loreglia (VB) 8 F3
Lorengo (BS) 11 DE3
Lorentino (LC) 22 AB3
Lorentino [CH] 9 B2
Lorenzaga (TV) 27 B3
Lorenzago di Cadore (BL) 4 F4
Lorenzana (PI) 52 E3-4
Lorenzatico (BO) 47 A2
Lorenzen Sankt [A] 16 A4
Lorenzi, Rifugio (BL) 4 E3
Lorenzo, Fiume 84 B4
Loreo (RO) 38 C4
Loretello (AN) 56 E4
Loreto (AN) 64 A2
Loreto Aprutino (PE) 70 D3
Loreto (AT) 32 E2
Loreto, Isole (BS) 23 B3
Loreto (NO) 21 C2
Loreto (PG) 62 F2
Loria (TV) 26 BC3
Lorica (CS) 102 E3
Lorie (CN) 41 C4
Lori, Monte (AR) 54 E3
Lorio, Monte (NU) 128 E3
Lorio, Monte (SO) 11 E2
Loritto (BS) 11 D3
Lornano (SI) 60 A2
Loro [CH] 9 D3
Loro Ciuiffenna (AR) 54 E3
Loro (VB) 8 E2
Loro Piceno (MC) 63 C4
Lórsica (GE) 44 BC1-2
Losanche (AO) 7 F2
Losa, Nuraghe (OR) 129 F1
Losco, Ponte (MO) 47 A1
Lóscove (AR) 54 D3-4
Losego (BL) 14 D4
Loseto (BA) 87 E3
Losine (BS) 11 F3
Losone [CH] 9 D1
Losson della Battaglia (VE) 27 C2
Losso (PC) 34 F2
Lostallo [CH] 9 B4
Lotschberger Tunnel [CH] 7 A3
Lötschenpass [CH] 7 A3
Lötschental [CH] 7 A3-4
Lottano (CN) 40 A4
Lottigna [CH] 9 A3
Lóttulo (CN) 40 A4
Lotzi, Monte (OR) 129 F2-3
Lotzorai (NU) 133 B3
Lourtier [CH] 6 D4
Loutra [F] 18 F1
Lovadina (TV) 27 B1
Lovara (VI) 25 D3
Lovari (PD) 26 C2
Lovati (VI) 25 C2
Lova (VE) 26 F4
Lovea (UD) 5 F4
Lovegno (IM) 41 EF4
Lovello, Monte (Gr. Löfler) (BZ) 4 A1
Loveno (BS) 11 E3
Loveno (CO) 9 E4
Lovere (BG) 23 A3
Lovero (SO) 11 C3
Lovertino (VI) 26 F1
Lover (TN) 12 C4
Lovária (UD) 28 A4
Lovi, Canale 28 D2
Lovino, Ca (BA) 86 E4
Lovoleto (BO) 47 B3-4
Lovolo (VI) 26 F1
Loza, La [F] 18 E2
Lozen, Fiume 14 D1
Lozio (BS) 11 EF3
Lozza (VA) 21 A3
Lozze, Monte (VI) 13 F3
Lozzo Atestino (PD) 38 A1
Lozzo di Cadore (BL) 4 F4
Lozzolo (VC) 20 C4
Lozzo (VA) 9 D2
Lu (AL) 32 C4
Lü [CH] 1 E3
Luas, Nuraghe (OR) 132 C2
Lubiara (VR) 24 D4
Lubriano (VT) 67 B2-3
Lubrichi (RC) 114 C4
Luca, Colle di (CN) 30 F3-4
Luca G., Masseria (LE) 100 C2
Lucagnano (PI) 52 E4
Luca, Masseria (FG) 85 E1-2
Luca, Masseria (PZ) 98 A1
Luca, Nuraghe (SS) 129 D3
Lucardo (FI) 53 E3
Lucarelli (SI) 53 F4
LUCCA 52 B3
Lucca Sicula (AG) 117 C4
Luc [CH] 7 B1
Lucchese, Macchia (LU) 52 C2
Lucchi (CN) 31 F4
Lucchio (LU) 46 F3
Lucchio, Pian di (PS) 56 F2
Lucciana (SI) 59 A4
Lucciano (MC) 63 D2
Lucenta, Fiume 46 BC2
Lucente (FI) 54 C2
Lucenteforte (IS) 82 B4
Lucera (FG) 84 A4
Lucerena (SI) 60 B1
Lucerto, Monte (PA) 117 B4
Lucédio (VC) 20 F3
Lucéram [F] 50 C2
Luciana (PI) 52 E3
Lucia, Punta (CT) 121 A1
Lucifero, Ponte (FG) 84 C3

Lucigliano (FI) 54 A1
Lucignana (LU) 46 F2
Lucignano (AR) 61 B1
Lucignano d' Arbia (SI) 60 C3
Lucignano d' Asso (SI) 60 D4
Lucignano (FI) 53 E3
Luci, Masseria (MT) 92 F2
Lucinasco (IM) 41 F4
Lucinella (SA) 90 F1
Lucinico (GO) 29 B2
Lucito (CB) 77 E1
Luckner/H. [A] 5 A2
Luco dei Marsi (AQ) 75 C1
Lu Colbu (SS) 126 E4
Lucolena (FI) 54 E1
Lúcoli (AQ) 69 F3
Lucoli Alto (AQ) 69 F3
Luco, Monte (AQ) 69 E3
Luco Mugello (FI) 54 A1
Luco (SI) 53 F4
Lucretille, Monte (ROMA) 74 B1
Lucrezia, Masseria della (BR) 94 C3
Lucrezia (PS) 56 C3-4
Lucugnano (LE) 100 E3
Ludária (UD) 5 EF3
Ludiano [CH] 9 A3
Ludriano (BS) 23 E2
Ludrigno (BG) 11 F1
Ludurioe, Nuraghe (NU) 129 E3-4
Ludurru, Nuraghe (SS) 129 B4
Luduruiu, Nuraghe (NU) 130 D2
Lueg [A] 3 A2
Luette, La [CH] 7 C1
Lugagnano Val d' Arda (PC) 35 E1
Lugagnano (VR) 24 E4
Luganas (BS) 24 E2-3
Lugano [CH] 9 E3
Lugano, Lago (Ceresio) [CH] (VA) 9 E3 F2-3
Lugággia [CH] 9 E3
Luggau [A] 5 D2
Luggerras, Cuccuru (NU) 133 E2
Lugherras, Nuraghe (OR) 129 F1
Lugherres, Monte (SS) 126 F1
Lughignano (TV) 27 C1-2
Lugliano (LU) 52 A4
Lugnacco (TO) 19 D4
Lugnano in Teverina (TR) 67 C4
Lugnano (PG) 61 AB4
Lugnano (RI) 68 D4
Lúgnola (RI) 68 D2
Lugo di Vicenzo (VI) 25 B4
Lugo, Monte (VT) 67 B2
Lugo, Ponte de [F] 41 F2
Lugo (RA) 48 C3
Lugo (RE) 46 C2
Lugo (VE) 26 F4
Lugo (VR) 25 D4
Lugugnana (VE) 28 D2
Luicciana (PO) 53 A3
Luigiane, Terme (CS) 101 C3
Luignano (CR) 35 A2
Luincis (UD) 5 F3
Luino (VA) 9 E1
Luint (UD) 5 F3
Luisago (CO) 21 B4
Luken/Kg. [A] 5 A1
Lula (NU) 130 C2
Lumarzo (GE) 43 BC4
Lumbaldo (SS) 126 E3
Lumbreda, Pizzo (CH) 9 A4
Lumellogno (NO) 21 E1
Lume (RC) 114 E2
Lumezzane (BS) 23 C4
Lumiago (VR) 25 D1
Lumiei, Fiume 5 F2
Lumiere (LI) 59 D1
Lumignacco (UD) 28 A4
Lumignano (VI) 25 E4
Luminaria, Pizzo (ME) 111 E3
Luminario, Cocuzzo (PA) 110 E4
Luminasio (BO) 47 D2
Lumini (VR) 24 C3
Lumino [CH] 9 C3
Lumkofel [A] 5 D3
Luna, Alpe della (AR) 55 D2-3
Luna, Cala de (NU) 130 F3
Luna, Cúccuru de (NU) 130 A3
Luna, Col della (PN) 15 C3
Luna, Cá (AL) 33 DE2
Lunamatrona (CA) 132 E2
Lunano (PS) 55 D4
Lunata (LU) 52 B4
Lunavera, Punta e sa (NU) 130 D2
Lúncolo, Monte (SA) 97 B2
Lundo (TN) 12 E3
Lunecco (VB) 8 D1
Lunella, Punta (TO) 18 F4
Lunesey, Becca de (AO) 7 F1
Lunetta, Fiume 34 D3
Lunga, Cala (CA) 134 E2
Lungafame (AL) 33 D1-2
Lungagnana (FI) 53 E3
Lunga, Punta (FG) 79 C3
Lunga, Punta (TP) 108 D2
Lunga, Serra (AQ) 75 D2
Lungavilla (PV) 33 C4
Lunghezzano (VR) 25 D1
Lunghezza (ROMA) 73 C3
Lunghin, Piz [CH] 10 B3
Lúngis (UD) 15 B3
Lungo, Lago (AO) 19 B2
Lungo, Lago (BZ) 2 D3
Lungo, Lago (GE) 43 A2
Lungo, Lago (LT) 81 D3
Lungo, Lago (RI) 68 D4
Lungo, Lago (TN) 2 F1
Lungo, Lago (TO) 30 E3
Lungo, Monte (CB) 76 E4
Lungo, Monte (VI) 26 E1
Lungo, Ponte (SO) 1 F1-2
Lungro (CS) 98 F1
Lunigiana (MS) 45 CDE1-2
Luni (SP) 45 F2
Luogo, Bivio (EN) 119 D3
Luogo (GR) 66 B1
Luogomano (PO) 53 A3
Luogosano (AV) 84 F2
Luogosanto (SS) 126 C4
Lupara (BO) 47 B4
Lupara, Casa (PG) 62 A3
Lupara (CB) 77 E1-2
Lupara (FG) 85 B4
Lupara, Masseria (PZ) 86 F1
Lupara, Monte (CE) 82 D3
Lupara, Torre (CE) 82 E4
Luparella, La (FG) 85 B4
Luparo, Monte (AQ) 75 B3
Lupazzano (PR) 45 B4
Lupia (CS) 102 F1
Lupiana Magliano (LU) 46 F1-2
Lupia (VI) 26 C1
Lupocaruso, Masseria (BR) 94 C4
Lupoli, Masseria (TA) 94 C2
Lupo, Monte (BZ) 2 E3
Lupo, Monte del (AG) 118 D1
Lupo, Monte (PN) 15 D2
Lupompesi (SI) 60 C3
Lupone, Monte (IS) 76 E3
Lupone, Monte (LT) (ROMA) 74 F2
Lupo, Pizzo (PA) 118 B2-3
Lupo, Portella del (PA) 118 A3-4
Lupo, Serra (EN) 120 B2
Lupotto, Masseria (PA) 109 E2-3
Luppa (AQ) 74 B4
Luppa, Grotte di (AQ) 74 B3
Luppino (TP) 108 D2
Lura (CO) 9 EF3
Lura, Fiume 21 B4
Lurago d'Erba (CO) 22 B1-2
Lurago Marinone (CO) 21 B4
Lurano (BG) 22 D4
Lúras (SS) 126 D4
Lurate Caccivio (CO) 21 B4
Luriano (SI) 60 D1
Luri (OR) 131 D3
Lurisia (CN) 41 C3
Lurisia, Fiume 41 C3
Lüsai [CH] 1 E3
Lusana (MS) 45 D2
Lusa, Rifugio (BL) 14 E1
Lusciano (NA) 88 A3
Luscignano (MS) 45 E3
Lusei, Monte (NU) 133 C1
Luseney, Lago [CH] 7 F1
Luserna, Fiume 30 D4
Luserna San Giovanni (TO) 30 D4
Luserna (TN) 13 F2
Lusernetta (TO) 30 D4
Lusévera (UD) 16 D4
Lusiana (VI) 25 B4
Lusia, Passo di (TN) 13 C4
Lusia (RO) 38 C1
Lusigliè (TO) 19 E4
Lusignana (MS) 45 C2
Lusignano (SV) 42 F2
Lusino, Monte (RE) 46 B2
Lusón (Lüsen) (BZ) 3 D4
Lusón, Passo di (BZ) 3 D4
Lusón, Val di (BZ) 3 D4
Lussello (AL) 32 B3
Lussert, Laghi (AO) 19 B2
Lussie (TO) 30 C4
Lussito (AL) 32 F4
Lustignano (PI) 59 C3
Lustra (SA) 96 A2
Lusuolo (MS) 45 D1-2
Lusurasco (PC) 35 D2
Lutago di Sopra (BZ) 4 B1
Lutago (Luttach) (BZ) 4 B1
Luta, Monte (BZ) 4 C2
Luta, Monte (CS) 101 D4
Lutiano Vecchio - Nuovo (FI) 54 B1
Lutirano (FI) 48 F1
Lutrano (TV) 27 B2
Luvara, Coppe di (FG) 84 A4
Luvigliano (PD) 26 F1-2
Luvinate (VA) 9 F2
Luziano, Monte (TP) 108 E2
Luzzana (BG) 23 B2
Luzzani, Nuraghe li (SS) 125 F3-4
Luzzano (BN) 83 EF3
Luzzano, Monte [YUI] 29 EF2
Luzzara (RE) 36 D3
Luzzena (FO) 55 A2
Luzzi (CS) 102 C1
Luzzogno (VB) 8 F3
Lys, Colle del (AO) 7 E3
Lys, Fiume 20 B1
Lys, Ghiacciaio del (AO) 7 EF3
Lyskamm [CH] 7 E3

M

Macaion, Monte (BZ) 2 F4
Macallé, Masseria (FG) 78 F4
Macalone, Punta del (LE) 100 E2
Macario, Masseria (BA) 87 E4
Macario, Masseria (BA) 87 F2-3
Macari (TP) 108 D2
Maccabei (BN) 83 E4
Maccacari (VR) 37 B2
Maccagno Superiore (VA) 9 E1
Maccarese, Bonifica di (ROMA) 72 D4
Maccarese (ROMA) 72 D4
Maccarese, Stazione (ROMA) 72 D4
Maccarese, Torre di (ROMA) 72 D4
Maccaretolo (BO) 37 F3-4
Maccari, Casa (SR) 124 D2
Maccarone, Monte (BA) 86 E3
Maccarone, Ponte del (EN-CT) 120 B3-4
Maccastorna (LO) 35 B1
Macchia al Toro (GR) 59 D3
Macchia Casella, Poggio (GR) 66 B2
Mácchia, Coppa della (FG) 79 E1
Mácchia (CS) 102 B2
Macchia (CT) 121 A2
Macchia da Sole (TE) 69 AB4
Macchia di Acquara (SA) 90 E3
Macchia di Mezzo (RI) 68 B3
Macchia di Monte (BA) 94 A1
Macchia di Rossano, Monte (PZ) 91 C3
Macchia d'Isernia (IS) 82 A4
Macchiagodena (IS) 83 A2
Macchialunga, Monte (TR) 68 D2-3
Macchia, Masseria la (FG) 86 C1
Macchia, Monte (PZ) 91 B4
Macchia Nuova (MT) 93 F1-2
Macchia Piana, Lago (TA) 93 E2
Macchiareddu (CA) 135 C3
Mácchia (RI) 69 B2
Macchia Rotonda (FG) 85 B3
Macchiascandona (GR) 59 F4
Macchia (TO) 19 E3
Macchiatornella (TE) 69 C3-4
Macchie (BA) 67 E2
Macchie, Fiume 7 C4
Mácchie (MC) 63 D4
Mácchie (MC) 63 F3
Macchie, Monte le (PG) 63 E1
Macchie (PG) 61 D3
Mácchie (TR) 67 C4
Macchietto (BL) 14 B4
Macchina Laganà (RC) 114 B4
Macchioni (FR) 81 B2
Macciadosa, Nuraghe (SS) 125 F3
Macciano (PG) 62 F3
Macciano (SI) 61 D2
Máccio (CO) 21 A4
Macconi, i (RG) 123 C1
Macello (TO) 31 D1
Macenano (TR) 68 B3
Macera della Morte (AP) 69 B3
MACERATA 64 B1
Macerata Campania (CE) 83 F1
Macerata Feltria (PS) 55 C4
Macerata (PI) 52 D3
Maceratola (PG) 62 E3
Mácere (ROMA) 74 E1
Macereto, Santuario di (MC) 63 E2
Macerino (TR) 68 B2
Macerone (FO) 49 F1
Macerone, Il (IS) 76 F2
Macerone, Masseria (BA) 86 D2
Macesina (BS) 24 D1-2
Machaby (AO) 19 B4
Mâche [CH] 7 C1
Machério (MI) 22 C2
Maciano (PS) 55 C3
Macina (BS) 23 E4
Macina, Colle di (FG) 77 D4
Macina (MC) 64 C1
Macinare, Monte (PG) 55 F4
Mácine (AN) 56 F4
Maciolla (PS) 56 D1
Maciona, La (SS) 127 D1
Macioni, Monte (CA) 136 C3
Maclodio (BS) 23 E3
Macomér (NU) 129 E1
Macot [F] 18 B1
Macra (CN) 40 A3-4
Macugnaga (VB) 7 E4
Madama, Corte (CR) 23 F1
Madau, Fiume 130 F1
Madau, Nuraghe (OR) 129 F1
Madau, Tenuta (SS) 126 F2
Maddalena (CN) 30 F3
Maddalena (CN) 40 A3
Maddalena, Colle della (TO) 31 B3-4
Maddalena, Isola della (SS) 127 A2
Maddalena, Isola (SS) 128 B2
Maddalena, La (AQ) 74 B4
Maddalena, La (MC) 63 D2
Maddalena, La (ROMA) 74 C2
Maddalena, La (SR) 124 B3-4
Maddalena, La (SS) 127 B2
Maddalena, Monte (BS) 23 D4
Maddalena, Monti della (SA) 91 F1-2
Maddalena, Penisola della (SR) 124 B4
Maddalena, Ponte della (LU) 52 A4
Maddalena, Ponte della (VI) 37 A4
Maddalena, spiaggia (CA) 135 D3
Maddalena (SV) 42 B4
Maddalena (TO) 31 B1
Maddalena (VA) 21 B2
Maddalene (CN) 41 A3
Maddalene (TO) 19 F2
Maddaloni (CE) 83 F2
Madererspitze [A] 1 A1
Maderno (BS) 24 C2-3
Madesimo (SO) 10 A2
Madicacchio, Masseria (MT) 92 F1
Madignano (CR) 23 F1
Madlain, Piz [CH] 1 D3
Madlener H. [A] 1 B1
Madone (BG) 22 C4
Madone [CH] 9 C2
Madone de Fenetre [F] 40 E4
Madone di Camedo [CH] 8 B4
Madone di Giovo [CH] 9 C1-2
Madone d'Utelle [F] 40 F3-4
Madone Grosso [CH] 9 B2
Madone, Monte [CH] 9 C2-3
Madonie, Le (PA) 110 F2-3
Madonin Rtic, Punta Madonna [YUI] 29 E1-2
Madoni [YUI] 17 F2
Madonna Addolorata (TE) 70 C4
Madonna (AT) 32 DE3-4
Madonna Borgato (CN) 41 C2
Madonna Bruna (AP) 64 D2-3
Madonna Bruna (CN) 41 C1
Madonna Candelécchia (AQ) 75 C1
Madonna d'Adónai (SR) 121 E2
Madonna d'Arco (NA) 89 B1
Madonna degli Angeli (AV) 90 A2
Madonna degli Angeli (CN) 41 B2
Madonna degli Angeli (FG) 78 DE2
Madonna degli Angeli (FR) 75 E2
Madonna degli Angeli (PA) 110 F2
Madonna degli Angeli (PE) 70 D3
Madonna degli Angeli (RI) 68 E1
Madonna degli Angeli (TO) 30 B4
Madonna degli Archetti (AP) 64 D2
Madonna dei Balli (LE) 95 F2
Madonna dei Boschi (BO) 47 E3
Madonna dei Boschi (FE) 37 E4
Madonna dei Fanghi (IM) 41 E4
Madonna dei Fiori (CN) 31 E4
Madonna dei Fornelli (BO) 47 E2
Madonna dei Fossi (FI) 54 C3
Madonna dei Furi (PA) 109 C1
Madonna dei Laghi (TO) 31 B1
Madonna dei Malati (CT) 121 C1
Madonna dei Malati (SR) 121 E1
Madonna dei Miracoli, Santuario (CH) 77 A1
Madonna doi Monti (LT) 74 F1
Madonna dei Monti (PG) 62 B2
Madonna dei Pini (TR) 67 C4
Madonna dei Ronchi (CN) 41 B4
Madonna del Bagno (PG) 62 E2
Madonna del Balzo (PA) 117 B4
Madonna del Barco (VT) 67 F3-4
Madonna del Bosco (BA) 86 F1-2
Madonna del Bosco (CN) 41 AB1-2
Madonna del Bosco (LV) 22 B3
Madonna del Bosco (RA) 48 B4
Madonna del Briano (CE) 82 F4
Madonna del Buon Cammino (BA) 92 B4
Madonna del Buon Consiglio (CH) 76 B4
Madonna del Burgarito (PA) 119 B2
Madonna del Campo (PV) 21 F2
Madonna del Carmine (AP) 64 E2
Madonna del Carmine (AQ) 75 D4
Madonna del Carmine (CH) 71 E1
Madonna del Carmine (CS) 101 B4
Madonna del Carmine (VV) 104 E2
Madonna del Carmine (FG) 84 D4
Madonna del Carmine (MT) 92 DE4
Madonna del Carmine (SA) 90 E4
Madonna del Carmine (SA) 97 B1
Madonna del Carmine (SV) 42 B4
Madonna del Carmine (TA) 93 C2
Madonna del Cerro (VT) 66 D4
Madonna del Colletto (CN) 41 C1
Madonna del Cuore (RI) 68 DE4
Madonna del Deserto, Santuario (SV) 42 C2
Madonna del Frassino (MN) 24 E3
Madonna del Ghisallo (CO) 9 F4
Madonna del Giglio (RI) 68 E1
Madonna del Giubino (TP) 108 E3
Madonna della Catena (RC) 115 B1
Madonna della Cava (EN) 119 D3
Madonna della Cava (TP) 108 F1
Madonna dell'Acero (BO) 46 EF3
Madonna della Cona (TE) 70 B1
Madonna della Consolazione (LE) 100 C1
Madonna dell'Acqua (PI) 52 C3
Madonna dell'Acqua dolce (KR) 103 E2
Madonna della Croce (PE) 70 F3
Madonna della Difesa, Rifugio (BL) 5 F1
Madonna della Difesa, Santuario (CB) 77 E2
Madonna della Foresta (PZ) 85 F4
Madonna della Grotta, Masseria (BR) 94 C3
Madonna della Guardia (GE) 43 B2-3
Madonna della Guardia, Santuario (GE) 44 D3
Madonna della Guardia (SV) 42 D2-3
Madonna dell'Albero (RA) 48 D4
Madonna della Libera (CE) 83 C2
Madonna della Libera (IS) 82 B3
Madonna dell'Altare (CH) 76 C1
Madonna dell'Alto Mare (TA) 94 F3
Madonna dell'Alto (TP) 108 E4
Madonna dell'Alto (TP) 116 B3-4
Madonna della Luce (LE) 100 E1
Madonna della Luce (RI) 68 D3
Madonna della Mazza (CH) 76 A1-2
Madonna dell'Ambro (AP) 63 E3
Madonna della Neve (AV) 84 E2
Madonna della Neve (AV) 89 B2
Madonna della Neve (CN) 42 A1
Madonna della Neve (FE) 37 E4
Madonna della Neve (PG) 69 B1
Madonna della Neve (RA) 49 E1
Madonna della Neve, Rifugio (BG) 10 E3
Madonna della Neve (SS) 129 D3
Madonna dell'Angelo (PZ) 91 E1-2
Madonna dell'Angelo (VE) 28 E1-2
Madonna dell'Annunziata (BA) 93 B3
Madonna della Noce (EN) 119 D4
Madonna della Pace (PE) 70 D4
Madonna della Pace (ROMA) 74 C2
Madonna della Pace (TO) 30 B4
Madonna della Penna (SA) 90 E3-4
Madonna della Pietá (PA) 110 F4
Madonna della Pieve (TN) 24 B4
Madonna della Querce (AR) 61 B1
Madonna della Querce (PZ) 105 A1
Madonna della Querce (SI) 60 E4
Madonna della Querce (SI) 61 D2
Madonna della Querce (VT) 67 D3
Madonna della Quercia (RI) 74 A1
Madonna dell'Arco (TA) 94 B1-2
Madonna della Rena (MT) 92 C4
Madonna della Rocca (AG) 118 C2
Madonna della Salute (CZ) 105 E2-3
Madonna della Salute (VT) 67 C1
Madonna della Sanità (MT) 92 F4
Madonna della Scala (BA) 93 B3
Madonna della Scala, Santuario della (TA) 93 D4
Madonna della Scala (TO) 31 BC4
Madonna della Scala (TP) 108 D3
Madonna dell'Ascensione (AP) 64 F1
Madonna della Scoperta (BS) 24 E2
Madonna della Serra (LE) 100 C3
Madonna della Spiga (VT) 67 D2-3
Madonna dell'Assunta (IS) 76 EF2
Madonna della Stella (BA) 87 F4
Madonna della Stella (FG) 77 F4
Madonna della Stella (FR) 75 E2
Madonna della Stella (PG) 62 F3
Madonna della Stella (PZ) 98 A1
Madonna della Stella (TA) 93 D3
Madonna della Torre (BA) 87 F2-3
Madonna del Latte (LE) 95 E1
Madonna dell'Auricola (FR) 81 B2-3
Madonna della Valle (AV) 84 E2
Madonna della Villa (AL) 33 F1
Madonna delle Ferrate (VC) 8 F1
Madonna delle Fonti (PZ) 91 CD4
Madonna delle Grazie (AQ) 76 E1
Madonna delle Grazie (AV) 84 F2
Madonna delle Grazie (BA) 87 E1-2
Madonna delle Grazie (BA) 93 B3
Madonna delle Grazie (BR) 95 D1
Madonna delle Grazie (CN) 32 D1
Madonna delle Grazie (CN) 41 A1
Madonna delle Grazie, Convento (AG) 117 B2
Madonna delle Grazie (CS) 102 B4
Madonna delle Grazie (FR) 74 E3
Madonna delle Grazie (FR) 75 F2
Madonna delle Grazie (GE) 44 D1-2
Madonna delle Grazie (LE) 100 BC1
Madonna delle Grazie (LI) 58 EF2-3
Madonna delle Grazie (PZ) 85 F3
Madonna delle Grazie (PZ) 91 D4
Madonna delle Grazie (PZ) 91 E1-2
Madonna delle Grazie (PZ) 97 A4
Madonna delle Grazie (ROMA) 73 B1
Madonna delle Grazie (SI) 60 B2
Madonna delle Grazie (SI) 61 D1
Madonna delle Grazie (TA) 94 D2-3
Madonna delle Grazie (TA) 94 E1
Madonna delle Grazie (TO) 19 E4
Madonna delle Grazie (TP) 117 A2
Madonna delle Grázie (GR) 66 B3
Madonna delle Grázie (ROMA) 68 F1
Madonna delle Grázie (TE) 70 C4
Madonna delle Grázie (TP) 116 F1
Madonna delle Grotte (CS) 97 E3
Madonna delle Grotte (RI) 69 E1
Madonna delle Milizie, Santuario (RG) 123 D3
Madonna delle Mosse (VT) 66 D4
Madonna delle Rocche (AL) 43 A1
Madonna dell'Eschio (VT) 66 C4
Madonna delle Vigne Piane (FR) 75 F2
Madonna dell'Incoronata (FG) 78 D3
Madonna dell'Oleandro (RC) 114 E2
Madonna dell'Olio (AG) 118 C1
Madonna dell'Olio (VT) 67 E1
Madonna dell'Olivo (MT) 92 D1
Madonna dell'Olmo (CN) 41 B2
Madonna del Mellitto (BA) 87 F1-2
Madonna del Monte (AQ) 74 C4
Madonna del Monte (FR) 74 D3
Madonna del Monte (LI) 58 E1
Madonna del Monte (MC) 64 B1
Madonna del Monte (MT) 92 D2
Madonna del Monte (PE) 70 F3
Madonna del Monte (SA) 90 F3
Madonna del Palmeto (PA) 110 E4
Madonna del Pantano (PZ) 91 D2
Madonna del Parto (VT) 67 E4
Madonna del Passo (RI) 68 D4
Madonna del Pergamo (MT) 92 F1
Madonna del Pergolaio (VR) 24 D3
Madonna del Piano (CT) 120 F2
Madonna del Piano (FR) 74 F3
Madonna Del Piano (FR) 81 A3
Madonna del Piano (FR) 82 C1
Madonna del Piano (GR) 66 B4
Madonna del Piano (IS) 82 A4
Madonna del Piano (PG) 62 D2
Madonna del Piano (PS) 56 E3
Madonna del Piano (SA) 90 F3
Madonna del Piano (VT) 67 F3
Madonna del Pianto (MC) 64 B1-2
Madonna del Piave (MN) 24 F2-3
Madonna del Pilone (CN) 31 D4
Madonna del Pilone (CN) 31 E3
Madonna del Pilota (PE) 70 D3
Madonna del Pino, Oratorio (RA) 49 B1
Madonna del Pino (RA) 49 DE1
Madonna del Poggio (BO) 47 A2
Madonna del Ponte (LT) 81 B2
Madonna del Ponte (PA) 108 D4
Madonna del Ponte (PS) 56 C4
Madonna del Pozzo (AL) 33 C1
Madonna del Pozzo (TA) 94 C1
Madonna del Prato (GE) 44 B2
Madonna del Prato (TA) 94 D2
Madonna del Ratto (AL) 43 A1
Madonna del Rimedio (NU) 130 D3

Madonna del Rosario (VB) 8 C4
Madonna del Roseto (CH) 76 B2
Madonna del Rosário (TP) 116 F1
Madonna del Rovere, Santuario (IM) 51 C3
Madonna del Sabato (BA) 86 E1
Madonna del Salto (SV) 42 C4
Madonna del Sasso (FI) 54 BC1-2
Madonna del Sasso (VB) 20 A4
Madonna del Soccorso (KR) 103 F2
Madonna del Soccorso (PG) 61 CD4
Madonna del Soccorso (PG) 61 D3
Madonna del Soccorso (PZ) 97 A4
Madonna del Soccorso (PZ) 97 D3
Madonna del Soccorso (SO) 1 F2
Madonna del Sole (AN) 57 E1
Madonna del Sorbo, Santuario (ROMA) 73 B2
Madonna del Verde (TA) 94 F3
Madonna del Vetrano (MT) 93 E1
Madonna del Vitellino (PG) 61 D3
Madonna di Avigliano (SA) 90 C2
Madonna di Baiano (PG) 68 B2
Madonna di Barcaglione (AN) 57 E3
Madonna di Boden (VB) 8 E3
Madonna di Bosci (PA) 109 E2
Madonna di Bracciano (ROMA) 73 BC1-2
Madonna di Brecciaro (ROMA) 74 C2
Madonna di Buonconsiglio (CL) 123 A1-2
Madonna di Buon Consiglio (RC) 114 DE2
Madonna di Busso (PG) 61 D3
Madonna di Campiglio (TN) 12 C3
Madonna di Canóscio (PG) 61 A4
Madonna di Canneto (CB) 77 D1
Madonna di Canneto (FR) 75 F4
Madonna di Caravaggio (GE) 44 C1
Madonna di Caravaggio (TV) 26 BC 3-4
Madonna di Casale (LE) 100 E2
Madonna di Castiglione (AP) 64 C3
Madonna di Catalovier (TO) 30 B2
Madonna di Catena (CS) 102 E1
Madonna di Cava (CZ) 105 B3
Madonna di Cima (PG) 62 A3
Madonna di Civita (LT) 81 C4
Madonna di Condollo (KR) 103 F2
Madonna di Crispino (ME) 113 C2
Madonna di Cristo (FG) 78 F4
Madonna di Fossatello (TR) 67 B3
Madonna di Fucinaia (LI) 59 D2
Madonna di Galiano (BR) 95 D2
Madonna di Gallano (BR) 94 D4
Madonna di Gallo (SI) 61 C1
Madonna di Gaspereano (MC) 63 E1-2
Madonna di Gazzo (GE) 43 B2
Madonna di Gelata (NO) 20 B4
Madonna di Lago (AP) 64 E1
Madonna di Lago Nero (TO) 30 C2
Madonna di Lanna (AQ) 75 D2
Madonna di Lenne (TA) 93 D3
Madonna di Libera (BN) 83 E2-3
Madonna di Libera (FG) 79 E2
Madonna di Libera (TP) 117 A1-2
Madonna di Loreto (BA) 87 E4
Madonna di Loreto (FG) 79 C2-3
Madonna di Loreto (FR) 74 E4
Madonna di Loreto (FR) 81 B4
Madonna di Loreto (IS) 76 D2-3
Madonna di Loreto (PZ) 97 B3
Madonna di Loreto (SA) 90 E4
Madonna di Loreto (SA) 90 F2
Madonna di Loreto (VT) 67 F2-3
Madonna di Losa (TO) 30 A3
Madonna d'Iltri (KR) 103 D3
Madonna di Luciago (NO) 8 F3
Madonna di Macera (PZ) 85 F3
Madonna di Manipúglia (KR) 103 C2-3
Madonna di Mare (KR) 103 CD3
Madonna di Mezzo Agosto (LT) 81B1-2
Madonna di Mezzo, Castello di (IS) 76 E2
Madonna di Mompilieri (CT) 121 B1
Madonna di Mongiovino, Santuario di (PG) 61 E4
Madonna di Monserrato (CA) 132 E2-3
Madonna di Monserrato (LI) 58 E3
Madonna di Monserrato (PZ) 97 A3
Madonna di Monteforte (PZ) 91 E2-3
Madonna di Monte la Tèglia (CB) 77 C1-2
Madonna di Montenero (SP) 44 F4
Madonna di Monte Saraceno (PZ) 91 F3
Madonna di Monte Tranquillo (AQ) 75 E3
Madonna di Montevetro (FR) 81 BC4
Madonna di Montone (AP) 64 D2
Madonna di Moretta (CN) 32 E1-2
Madonna di Neve (FR) 74 F4
Madonna di Niella (CN) 42 AB2
Madonna di Novi Velia (SA) 96 B4
Madonna di Nozzarego (GE) 44 D1
Madonna di Palazzo (BA) 87 F4
Madonna di Pasano (TA) 94 E2-3
Madonna di Perrero (TO) 19 F3
Madonna di Pettoruto (CS) 101 A3
Madonna di Picciano (MT) 92 C3
Madonna di Pietrabona (AQ) 75 B3
Madonna di Pietralba (BZ) 13 B2
Madonna di Pietravolta (MO) 46 DE2
Madonna di Pietà (LE) 95 F3-4
Madonna di Pollino (PZ) 98 D2
Madonna di Pompei (PZ) 98 C2
Madonna di Ponte (NO) 9 D1
Madonna di Pozzo Faceto (BR) 94 A2
Madonna di Pugliano (PS) 55 BC4
Madonna di Puianello (MO) 46 C4
Madonna di Ravere (BS) 24 F1
Madonna di Riguardo (SI) 60 D4
Madonna di Rimedio (OR) 131 B3
Madonna di Ripalta (FG) 85 D4
Madonna di Rose (BA) 87 D1
Madonna di Roseto (BN) 83 D3
Madonna di San Clemente (MO) 37 F1
Madonna di Santa Lucia (BO) 47 C3
Madonna di Senales (Unser Frau in Schnals) (BZ) 2 D2
Madonna di Sirino (PZ) 97 C3
Madonna di Sito Alto (SA) 91 F1
Madonna di Soviore (SP) 44 E4
Madonna di Spineto (CH) 76 C2-3
Madonna di Sterpeto (BA) 86 C3
Madonna di Stignano (FG) 78 E3-4
Madonna di Tirano (SO) 11 CD2
Madonna di Trapani (PA) 109 CD1
Madonna di Trapani (TP) 117 BC1
Madonna di Trápani (TP) 117 B1-2
Madonna di Trezzo (SP) 44 E4
Madonna d'Itria (CA) 132 F3
Madonna di Valverde (NU) 130 D1
Madonna di Viatosto (AT) 32 C3
Madonna di Viggiano (PZ) 91 F3
Madonna di Zappino (BA) 87 D1
Madonna d'Ossi (AP) 64 E2
Madonna, Fosso della 92 F2-3
Madonna Giulia, Piano (PZ) 91 A4
Madonna Grumentina (PZ) 97 A3-4
Madonna in Cima al Moscardo (UD) 5 E4
Madonna, La (SI) 60 F4
Madonna Leco (AL) 43 A3
Madonna le Selette (AQ) 75 E2
Madonna Mora (VE) 26 E3-4
Madonna Pasco (CN) 41 C3
Madonna (PE) 71 D1
Madonna Peráries (UD) 15 B3-4
Madonna Potentissima (PZ) 91 E3
Madonna Pradoro (ROMA) 74 EF2
Madonna, Punta della (SP) 44 E3
Madonna Rocella (CL) 119 D1
Madonna Santissima dell'Assunta (AP) 64 F2
Madonna San Zeno (AL) 33 C1-2
Madonna Saritella (FG) 84 B3
Madonna Serre (PI) 53 E1
Madonna (SO) 11 D2
Madonna (UD) 16 E3
Madonna Val Radice (FR) 75 E2
Madonna (VI) 25 F3
Madonnella, La (VT) 66 E4
Madonnetta (SS) 127 B1
Madonnetta (TV) 27 D1
Madonnina, Castello della (RE) 36 F2-3
Madonnina, La (BZ) 3 E2
Madonnina, La (FR) 74 F4
Madonnina, La (OR) 128 F4
Madonnina, La (PI) 53 F2
Madonnina, La (RE) 36 E2
Madonnina (TO) 32 A1-2
Madonnino, Bivio del (SI) 60 C1
Madonnino (SI) 61 C1
Madra [CH] 9 A3
Madrano (TN) 13 E1
Madrásovici, Gr. [YUI] 29 B3
Madrignano (SP) 45 E1
Madrione, Segheria il (FG) 79 C3
Madriser Rhein, Fiume 10 AB2
Madrisio (UD) 15 E4
Madrisio (UD) 28 B2
Maë (AO) 19 A4
Maé, Fiume 14 B3
Maéggio (SR) 124 B3
Maen (AO) 7 F2
Maenza (LT) 81 A1
Maerne (VE) 26 D4
Maestà (AN) 56 F4
Maestà Bianca, Monte (RE) 46 B2-3
Maestà (MC) 63 C4
Maestra, Cala (LI) 58 D1
Maestra Fornelli, Punta (SS) 125 D2
Maestrale, Stagno di (CA) 134 E4
Maestre Maestre, Punta (SS) 125 C2
Maestro, Fiume 61 C2
Mafalda (CB) 77 C1-2
Maffiotto (TO) 18 F4
Mafrollo, Casa (FG) 79 D3
Maga Circe, Grotta della (LT) 80 D4
Magadino [CH] 9 D2
Magadino, Piana di [CH] 9 D2
Magaggiaro, Monte (AG) 117 B2
Maganoce, Monte (PA) 109 E2
Magara, Croce di (CS) 102 D3
Magara, Timpone del (CS) 98 F1
Magari, Monte (EN) 120 B2
Magasa (BS) 24 B2-3
Magazzinazzi, Tonnara (TP) 108 E4
Magazzinazzo (CL) 118 A4
Magazzinazzo (EN) 120 B1
Magazzino (MO) 47 B1
Magazzolo, Fiume 117 D4 118 C1
Magazzolo, Stazione di (AG) 117 D4
Magdaleine, La (AO) 7 F2
Magdeleine, La [F] 18 E3
Magenta (MI) 21 D3
Mággia [CH] 9 C1
Maggia, Fiume 9 A1
Maggiana (CO) 9 D4
Maggiano (LU) 52 B3
Maggiano (SI) 60 B1
Maggiate Superiore/Inferiore (NO) 21 B1
Maggia, Valle [CH] 9 B1 C1-2
Maggiánico (LC) 22 B3
Mággio (BO) 47 C4
Maggio (LC) 10 F2
Mággio, Colle (TR) 68 C1
Maggioe, Monte (AR) 55 E2-3
Maggio, Fiume 55 BC2
Maggio, Monte (AN) 62 B4
Maggio, Monte (FO) 48 F4
Maggio, Monte (PG) 68 A4
Maggio, Monte (SI) 60 A2
Maggio, Monte (TN) 25 A2
Maggiora (NO) 20 B4
Maggiorasca, Monte (PR) 44 AB3
Maggiore, Colle (PG) 62 C3
Maggiore, Fiume 73 C1
Maggiore, Isola (PG) 61 C3
Maggiore, Lago (VA) 9 D1
Maggiore, Monte (CE) 82 BC3
Maggiore, Monte (CE) 83 D1
Maggiore, Monte (FG) 84 C4
Maggiore, Monte (FG) 85 E3
Maggiore, Monte (PO) 53 B4
Maggiore, Monte (GR) 66 D3
Maggiore, Monte (MS) 45 F3
Maggiore, Monte (PG) 63 F1
Maggiore, Monte (VR) 24 C4
Maggiore, Palude (VE) 27 D2-3
Maggiore, Punta (CA) 134 D2
Maggiore, Punta (NU) 127 F3
Maggiore, Selva (FR) 81 A4
Maggiore, Serra (CS) 98 C4
Maggiore, Villa (TE) 70 C1
Magherno (PV) 34 A2
Magino, Monte (CH) 9 DE2
Magioncalda (AL) 44 A1
Magione (BO) 47 C4
Magione (PG) 61 D4
Magisano (CZ) 105 A3
Maglern [A] 17 B2
Magliacane, Case (CZ) 106 B1
Maglia, Fiume 97 B4
Magliana (ROMA) 73 D2
Maglianello Alto/Basso (RI) 68 E3-4
Magliano Alfieri (CN) 32 E2
Magliano Alpi (CN) 41 B3-4
Magliano de' Marsi (AQ) 74 B4
Magliano di Tenna (AP) 64 D1
Magliano in Toscana (GR) 66 C1
Magliano (LE) 95 E2
Magliano (MS) 45 D2
Magliano Nuovo (SA) 90 F3
Magliano (PS) 56 C4
Magliano Romano (ROMA) 73 A2
Magliano Romano, Stazione di (ROMA) 73 A2
Magliano Sabina (RI) 68 E1
Magliano, Torre (CB) 77 E3
Magliano Vétere (SA) 90 F2-3
Magliaso [CH] 9 E2
Magliati, Masseria (TA) 93 E2
Magli (CS) 102 E1-2
Magli (MC) 63 D4
Máglie (LE) 100 C2-3
Maglio (AP) 64 E1
Maglio (BO) 48 D2
Maglioggio (VB) 8 C3
Magliolo (SV) 42 D2
Maglio (MN) 36 A3
Maglione/Crosa (BI) 20 C3
Maglione (TO) 20 E2
Maglio (PD) 26 C2
Maglio, Ronco di (SV) 42 C2
Maglio Superiore (VI) 25 C2-3
Máglio (VI) 25 C4
Magnacavallo (MN) 37 C2
Magnadorsa (AN) 56 F4
Magnago (MI) 21 C3
Magnalardo (RI) 68 F4
Magnanella (TE) 70 B1
Magnanévolo (BI) 20 D2
Magnanins (UD) 5 F3
Magnano (CE) 82 C3-4
Magnano In Riviera (UD) 16 E3
Magnano (LU) 45 E4
Magnano (PC) 35 E1
Magnano (PZ) 98 C1
Magnano (BI) 20 D2
Magnasco (GE) 44 B2
Magnisi, Penisola (SR) 124 A3
Magno (BS) 23 B4
Magnola, Monte della (AQ) 75 ABI
Magnolina (RO) 38 C3
Magnolini, Rifugio (BG) 23 A3
Magno, Monte (BS) 24 BC3
Magnone (SV) 42 D3
Magno, Pizzo [CH] 9 B3
Magnot [CH] 6 B4
Magognino (VB) 8 F4
Magomadas (NU) 128 E3
Magonfia (RE) 46 C1
Mago (TO) 31 B1
Magra, Fiume 45 F1
Magrano, Palazzo (PG) 62 C3
Magreta (MO) 46 A3-4
Mágras (TN) 12 B3
Magrédis (UD) 16 E4
Magréglio (CO) 9 F4
Magri (AG) 118 C3
Magrignana (MO) 46 E3
Magrè sulla strada del Vino (Margreid) (BZ) 13 C1
Magrè (VI) 25 C3
Magugnano (VR) 24 C3
Magugnano (VT) 67 D3
Magusu, Monte (CA) 134 A4
Maguzzano (BS) 24 E2
Maiano, Fiume 66 A1
Maiano Monti (RA) 48 C3
Maiano (PG) 68 A2
Maiano (PS) 55 B2-3
Maiaso (UD) 15 B4
Maiatico (PR) 35 F3
Maida (CZ) 105 C1
Maida Marina (CZ) 104 C4
Máie (CN) 41 B4
Maiella, Montagna della (PE) (AQ) 76 AB1
Maielletta (PE) 76 A1-2
Maierato (VV) 104 D4
Maiero (FE) 38 F2
Maierspitze [A] 2 A4
Maime, Masseria (BR) 95 CD2
Maimoni, Punta (OR) 131 B2
Mai, Monte (SA) 89 B4
Maina, La (UD) 5 F2
Mainarde, Le (FR) 75 F4
Maiocca (LO) 34 A4
Maiolati Spontini (AN) 57 F1
Maioletto Rocca di (PS) 55 B3
Maiolo (PC) 34 E3-4
Maiolo (PS) 55 C3
Maiolo, Serra di (PS) 55 B3
Maio, Monte (FR) 82 B3
Máio, Monte (CE) 83 B2
Máio, Monte (FR) 82 C2
Maio (NA) 88 C1
Maione (CS) 102 F1
Maiorani (ME) 113 C2
Máira, Valle (CN) 40 A3-4
Maiore, Cala (SS) 127 A2
Maiore, Grotta Monte (SS) 128 BC4
Maiore, Monte (SS) 128 B3
Maiori, Monte (OR) 132 D2
Maiori, Nuraghe (SS) 126 D4
Maiori, Pauli (NU) 132 D2
Maiori (SA) 89 D2
Maiot, Col (PN) 15 F1
Maio (VI) 25 B2
Maira, Fiume 10 B3
Mairago (LO) 22 F4
Mairano (BS) 23 E3
Mairano (LO) 21 E4
Mairano (LO) 22 F2
Mairano (PV) 34 C1
Mairengo [CH] 9 A2
Mairis, Refuge de la [F] 40 E4
Mairu, Punta (CA) 131 F3
Maisano (CO) 10 F1
Maisonméane [F] 40 A2
Maison (TO) 19 D1
Maissana (SP) 44 C3
Maiulo, Monte (CE) 83 E1
Majano (UD) 16 E3
Majori, Monte (CA) 131 E3
Majouls, Les [F] 40 F1
Malabocca, Masseria (TA) 92 F4
Malacalzetta (CA) 134 B4
Malacappa (BO) 47 A3
Malacosta (MS) 45 E2
Maladécia, Punta (CN) 40 C3
Maladromi, Monte (SS) 127 DE3
Maladroxia, Cala (CA) 134 E3
Malafesta (VE) 28 C2
Malafrasca (SI) 53 F4
Malagnino (CR) 35 B3
Malagrotta (ROMA) 73 D1
Malaguardia (SO) 10 C2
Malaina, Monte (ROMA) 74 F3
Malalbergo (BO) 37 F4
Malamerenda, Colle (SI) 60 B2-3
Malamocco, Porto di (VE) 27 F1-2
Malamocco (VE) 27 F1
Malamocco (VE) 28 D2
Malamot, Mont [F] 18 F2-3
Malandra, Masseria (CH) 70 F4
Malandriano (PR) 36 F1
Malandroni (AT) 32 C2
Malanággio (TO) 30 C4
Malanghero (TO) 19 F3
Malapesa (SI) 61 E2
Malarizza, Masseria (TA) 93 C3
Malaspina, Monte (ME) 111 F2-3
Mala (TN) 13 E1
Malatray [CH] 6 A2
Malaura, Colle (TO) 30 D3
Malaussene [F] 40 F3
Malavicina (MN) 24 F3-4
Malavidos, Fontana sos (NU) 129 E4
Malavista, Colle (CZ) 105 A3-4
Malbe, Monte (PG) 62 D1
Mal Borghetto, Casa (ROMA) 73 B2
Malborghetto di Boara (FE) 38 E1
Malborghetto (FE) 38 E2
Malborghetto (UD) 17 B1
Malborghetto, Vallone di (UD) 17 B1
Malcantone (FE) 37 D3
Malcantone (MN) 37 D1-2
Malcatone (RA) 48 C2
Malcesine (VR) 24 B4
Malchina (TS) 29 C2
Malchittu, Nuraghe (SS) 127 C2
Malciaussià, Lago di (TO) 18 F4
Malcontenta (VE) 27 E1
Mal di Ventre, Isola di (OR) 131 B1-2
Malegno (BS) 11 F3
Malello (AR) 55 E2
Malenco, Val (SO) 11 CD1
Malene (TN) 13 E3
Maleo (LO) 35 B1
Malesco (NO) 8 D4
Malesino, Fiume 19 E4
Maletto (CT) 112 F2
Maletto, Monte (CT) 112 F2
Malé (TN) 12 B3
Malfa (ME) 111 A2
Malfatano, Capo (CA) 135 F2
Malfatano, Porto di (CA) 135 F2
Malfidano (CA) 134 A3
Malga Bissina, Lago di (BS) 11 E4
Malga Boazzo, Lago di (TN) 12 EF1
Malga del Giogo (BZ) 3 F3
Malga Fana (BZ) 3 B3
Malgasot (BZ) 2 F4
Malga, Val (BS) 11 D4
Malgesso (VA) 21 A2
Malghera (SO) 11 B2
Malgina, Fiume 11 D2
Málgolo (TN) 12 B4
Malgrate (LC) 22 A2-3
Malgrate (MS) 45 D2
Malhamspitzen [A] 4 A3
Malignano (SI) 60 B2
Malija, Monte Malio [YUI] 29 F2
Malina, Fiume (UD) 16 F4
Malintrada (TV) 27 B3
Malinvern, Rifugio (CN) 40 D3-4
Malinvern, Testa (CN) 40 D3-4
Malisana (UD) 28 C4
Maliscia (AP) 64 E2
Maliseti (PO) 53 B3
Malito (CS) 102 F1
Malito, Valle di (RI) 69 F2
Mállare (SV) 42 D3
Mállero, Fiume 11 CD1
Mallestig [A] 17 B3
Mallestiger [A] 17 B3-4
Malles Venosta (Mals) (BZ) 1 D4
Mallevona, Monte (AQ) 75 B1
Malmantile (FI) 53 D3
Malmare, Monte (CS) 102 CD4
Malnago (LC) 22 A3
Malnate (VA) 21 A3
Malnisio (PN) 15 D2
Malnome Castel (ROMA) 73 D1
Malnome, Val (SA) 90 E2
Maló (ME) 112 C1
Malocco (BS) 24 E2
Maloja [CH] 10 B3
Maloja, Passo della [CH] 10 B4
Malomo, Monte (PZ) 91 F3-4
Malone, Fiume 19 F4
Malonno (BS) 11 D3
Malopasseto, Passo (ME-EN) 111 F1-2
Malopasso, Punta (ME) 110 A2
Malopirtusillo (CL) 118 C4
Maloqueste, Pic de [F] 30 D2-3
Malora, Pizzo [CH] 9 AB1
Malosco (TN) 2 F4
Malo Vicentino (VI) 25 C3
Malpaga (BG) 23 C1
Malpaga (BS) 23 F4
Malpasso, Casa (GR) 65 C4
Malpasso (CT) 121 B1
Malpasso, Monte (PR) 45 C3
Malpasso, Osteria (ROMA) 73 E2
Malpasso (PA) 109 F2
Malpasso (SV) 42 E3-4
Malpertuso, Monte (SP) 44 E4
Malpertus (TO) 30 D3
Malrif [F] 30 D2
Maltese, Casa (RG) 123 C2
Maltignano (AP) 64 F2
Maltignano (PG) 69 B1
Malti (SS) 126 C4
Malu, Fiume 132 E1
Malu, Fiume 135 A3
Malváglia [CH] 9 B3
Malváglia, Val [CH] 9 A3
Malváglio (MI) 21 D3
Malvagna (ME) 112 E3
Malva, Isola di (LE) 95 F1
Malvarano, Colle (AQ) 76 B1
Malvezza (BO) 48 A1
Malvezzi, Masseria (MT) 92 C4
Malviano (AN) 57 E1-2
Malvicino (AL) 42 A4
Malvito (CS) 101 B3-4
Malvizza (AV) 84 D3
Malvizzo (AG) 118 E3-4
Malvizzo, Monte (AG) 118 F3
Mamago (PC) 34 C4
Mama (VR) 24 C4
Mambretti, Rifugio (SO) 11 E1
Mambrotta (VR) 25 F2
Mamerto (RC) 114 B4
Mamiano (PR) 35 F4
Mamma, Case (ME) 111 E4
Mammiano basso (PT) 46 F3
Mammiano (PT) 46 F3
Mammi (AR) 61 B2
Mammicómito, Monte (RC) 115 A3
Mámmola (RC) 115 B1-2
Mamoiada (NU) 130 E1
Mamone (NU) 130 B2
Manacore (FG) 79 C3
Managu, Porto (NU) 128 D2-3
Manara, Case (FE) 39 F1
Manara, Punta (GE) 44 D2
Manarola (SP) 44 F4
Manasúddas, Cantoniera (NU) 130 D2
Manasúddas, Monte (NU) 130 D2
Manatecco, Bosco (FG) 79 D2-3
Manazzons (PN) 15 D4
Manca di Sopra (PZ) 98 C1
Manca, Serra della (PZ) 98 D1
Manca, Serra La (SA) 90 F4
Manche, Fiume 6 C1
Manchet, Le [F] 18 D3
Manchi (CL) 119 C1
Manciano (AR) 61 B2
Manciano (GR) 66 C2-3
Mancina, Torre (ROMA) 73 B3
Mancinello, Monte (MO) (BO) 46 E3-4
Mancine (PZ) 98 D2
Mancini (CH) 71 F2
Mancuso, Monte (CZ) 104 A4
Mancuso, Villaggio (CZ) 105 A2
Mandanici (ME) 113 D1
Mandara Doni (VV) 104 E2-3
Mandarfen [A] 2 AB2
Mandarini, Portella di (PA) 110 F4
Mandas (CA) 132 E3
Mandela (ROMA) 74 B1
Mandello del Lario (LC) 10 F1

Mandello (PC) 34 C2
Mandello Vitta (NO) 21 D1
Mandia (SA) 96 B3
Mandorandoni (CZ) 104 EF2-3
Mándorli (FI) 53 D3
Mandragiumenta, Masseria (PA) 119 A1
Mandra Murata (AQ) 75 A3
Mandrano-Centuripe, Stazione di (EN) 120 B3
Mandranova, Ponte di (AG) 122 A1
Mandra, Petto di (CZ) 102 F4
Mandras, Stazione (SS) 127 F1
Mandrazzi, Portella (ME) 112 E4
Mandre (TV) 27 B1
Mandria, Cascinale di (ROMA) 73 F3
Mandria Luci (CS) 102 A1-2
Mandria, Parco Regionale la (TO) 19 F2-3
Mandria (PD) 26 F2
Mandria (TO) 20 F1
Mándria, La (GR) 66 B2
Mándria (TO) 31 A3
Mandriccio, Passo (BZ) 2 F1
Mandrielle, Malga (VI) 13 F3
Mandriola, Cala (LI) 58 D3
Mandriola (PD) 26 F2-3
Mandriola, Porto (OR) 131 A2
Mandriola (ROMA) 73 E2
Mandriole (RA) 49 B1
Mandrioli, Passo dei (FO) (AR) 55 C1
Mandriolo, Cima (TN) 13 F2
Mandrione, Nuraghe su (SS) 127 EF1
Mandrio (PV) 22 F1-2
Mandrio (RE) 36 E3-4
Mandrogne (AL) 33 D2
Mandrolisai (NU) 132 A3
Mandrone, Monte (BS) 12 D1
Mandrone, Monte del (FR) 81 B4
Mandrone, Rifugio (BS) 12 D1
Manduria (TA) 94 E3
Manerba del Garda (BS) 24 D2
Manerbio (BS) 23 F3
Manfredónia (FG) 79 F1-2
Manfredonia, Golfo di (FG) 79 F3-4
Manfredonico, Castello (CL) 118 C4
Manfria (CL) 122 A3
Manfriana, Monte (CS) 98 E2
Mangalaviti, Bosco di (ME) 112 E1
Manganello, Monte (EN) 119 D3-4
Manganile, Serra (CS) 98 D4
Mangano (CT) 121 B2
Mangano, Torre del (PV) 21 F4
Mangararo, Cocuzzo di (EN) 119 E3
Mangart, Monte (UD) 17 C2
Mangartom log pod (Bretto) [YUI] 17 C2
Mangia, Fiume 44 CD4
Mangiante, Portella (PA) 118 A4
Mangiarde, Monte [F] 40 F3
Mangiatoriello, Pizzo (PA) 109 E3-4
Mango (CN) 32 F2
Mangona (FI) 53 A4
Mangone (CS) 102 E2
Mangone, Monte (EN) 119 E4
Maniace, Abbazia di (CT) 112 F1-2
Maniago (PN) 15 D2-3
Mania Nuova, Masseria (MT) 92 F2-3
Manichelle, Cocuzzo (AG) 117 C3
Manicor (BZ) 13 B1
Manieri, Masseria (LE) 100 B1
Manie (SV) 42 D3
Maniáglia (UD) 16 D3
Maniga (CN) 31 E3
Manigi (PG) 69 B1
Maniglia, Monte [F] (CN) 30 F2
Manimundu, Sedda (NU) 129 F3
Maniva, Giogo del (BS) 24 A1-2
Maniva, Monte (BS) 24 A1
Manna, Punta (NU) 130 B2-3
Mannara, Masseria (TA) 94 C2
Manna Salina (NU) 130 B4
Mannau, Grotta de su (CA) 134 A3-4
Mannaulacche, Monte (SS) 129 D3
Manna, Valle di (EN) 119 BC3-4
Manno [CH] 9 E2
Manno (RE) 46 C2
Mannu (CA) 134 C2
Mannu, Capo (OR) 131 A2
Mannu, Capo (SS) 125 F1
Mannu de Pattada, Fiume 129 B3
Mannu di Reale, Porto (SS) 125 C2
Mannu d' Ozieri, Fiume 129 B2
Mannu, Fiume 125 F3
Mannu, Fiume 126 F4
Mannu, Fiume 128 A3
Mannu, Fiume 128 D4
Mannu, Fiume 129 B4
Mannu, Fiume 130 B2
Mannu, Monte (CA) 132 F2
Mannu, Monte (NU) 128 D2-3
Mannu, Nuraghe (SS) 126 F4
Mannu, Nuraghe (SS) 128 C3-4
Mannu, Piano (SS) 125 C2
Mannu, Pizzo (NU) 132 D3-4
Mannu, Scoglio (CA) 134 C2
Manocalzati (AV) 89 A4
Manolfo, Pizzo (PA) 109 C2
Manoppello (PE) 70 F4
Manoppello Scalo (PE) 70 F4
Manos, Monte (BS) 24 B2
Mansué (TV) 27 B3
Manta (CN) 31 F1-2
Mantana (Monthal) (BZ) 3 C4
Mantegazza (MI) 21 D4
Mantello, Bonifica del (FE) 48 AB3-4
Mantello (SO) 10 D2
Mante (MT) 98 B4
Mantena (BZ) 4 B1
Mantié (VC) 33 A1
Mantineo (VV) 104 DE3
MANTOVA 36 B3-4
Mantovana (AL) 33 E1
Mantovana, La (VR) 37 C3
Manune (VR) 24 D4
Manusi (SS) 127 F2
Manzana (TV) 14 F4
Manzan, Manzano [YUI] 29 EF3
Manzano (AR) 61 C2
Manzano (PR) 45 A4
Manzano (UD) 28 A4
Manzanu, Monte (NU) 129 DE1
Manza, Punta della (LI) 58 B1
Manzari, Villa (FG) 85 C3
Manziana (ROMA) 72 A4
Manzi (AR) 55 E1
Manzinello (UD) 28 A4
Manzi, Pian dei (GE) 44 C2
Manzolino (MO) 47 A1-2
Manzoni (CN) 31 F4
Maomor, Monte (VR) 24 F3
Maoro, Bruncu (NU) 133 B3
Mapello (BG) 22 B4
Mappa (CL) 118 C4
Maracalagónis (CA) 135 B4
Maracchino (VI) 25 D4
Maraconis, Monte (CA) 133 E1
Mara, Corno (SO) 11 C1
Marafó, Cantoniera (ME) 111 E2
Maragani, Casa (AG) 117 C2
Maragnole (VI) 26 C1
Maraldi (PN) 15 D3
Maralunga, Punta (SP) 45 F1
Marana (AQ) 69 D2
Marana Capacciotti, Fiume 85 DE4
Marana, Cima di (VI) 25 C2
Marana, La (FG) 85 E2
Marana (VI) 25 C2
Marane (AQ) 75 B4
Maranello (MO) 46 B4
Marangana (NO) 21 D1
Maranghetto, Ponte (VE) 28 D1
Marangone, Fiume 72 B2
Marangone, Torre (ROMA) 72 B2
Maranise (CZ) 105 A2-3
Marano (BO) 47 B4
Marano (BO) 47 E1
Marano dei Marsi (AQ) 74 AB4
Marano di Napoli (NA) 88 A3
Marano di Valpolicella (VR) 24 D4
Marano Equo (ROMA) 74 C2
Marano, Fiume 2 E3
Marano, Fiume 56 AB1
Marano, Laguna di (UD) 28 CD3
Marano Lagunare (UD) 28 C3
Maranola (LT) 81 D4
Marano Marchesato (CS) 101 D4
Marano, Monte (LT) 81 C3
Marano, Poggio (BN) 84 B2
Marano (PR) 35 F4
Marano Principato (CS) 101 D4
Marano sul Panaro (MO) 46 C4
Marano Ticinese (NO) 21 C2
Marano (TN) 25 A1
Marano (VE) 26 E4
Marano Vicentino (VI) 25 C4
Maranza (BZ) 3 C3
Maranzana (AT) 32 E4
Maraone, Isola (TP) 107 E4
Marargiu, Capo (NU) 128 D2
Mararosa, Monte (MT) 98 A4
Maras (BL) 14 E2-3
Marasca, Colle (CB) 77 E1
Mara (SS) 128 C4
Maratea Castrocucco (PZ) 97 DE2-3
Maratea, Grotta di (PZ) 97 D3
Maratea (PZ) 97 D2-3
Maratello (FO) 48 F3-4
Maráusa (TP) 108 E1
Marazzino (SS) 126 B4
Marcador (BL) 14 E3
Marcaglione, Monte (MT) 92 F3
Marcallo (MI) 21 D3
Marcanzotta, Fiume 108 F1
Marcaria (MN) 36 B2
Marcarolo, Capanne (AL) 43 A2
Marcasita, Monte (EN) 119 C2-3
Marcato Bianco (EN) 119 D2-3
Marcatobianco (PA) 118 A3
Marcatobianco, Stazione di (PA) 118 B3
Marcato del Rivo (CL) 119 D2
Marceddi (OR) 131 D3
Marceddi, Stagno di (OR) 131 D3
Marcedusa (CZ) 106 A1
Marcella (PG) 62 E1
Marcelli (AN) 57 F4
Marcellinara (CZ) 105 B2
Marcellina (ROMA) 73 B4
Marcellino (CS) 97 F3
Marcellino, Fiume 121 F1
Marcellise (VR) 25 E1-2
Marcemigo (VR) 25 D2
Marcena (AR) 54 E4
Marcena (TN) 2 F3
Marcesina, Albergo (VI) 13 F3-4
Marcetelli (RI) 69 F1
Marcheno (BS) 23 B4
Marchesa, La (FG) 84 A4
Marchesa, Masseria La (FG) 78 E1
Marchesa, Masseria la (PZ) 85 E4
Marchesana Marina (ME) 112 C4
Marchesato (CZ) 106 AB1-2
Marchesa, Torre della (CZ) 102 F4
Marchese, Colle del (PG) 68 A2
Marchese, Podere del (LI) 58 C1
Marchese, Punta del (LI) 58 C1
Marchese, Villa del (SR) 124 B3
Marchesini, Casa (EN) 120 A2
Marchesino (VR) 25 F1
Marchetti, Rifugio (TN) 12 F3-4
Marchiazza, Fiume 20 D4
Márchio, Masseria (BA) 86 F2
Marchione, Castello (BA) 93 A4
Marchioni, Masseria (LE) 95 F1-2
Marchirolo Ardena (VA) 9 EF2
Marchisones, Cantoniera (SS) 128 C3
Marcia, Corna (BG) 22 B4
Marciaga (VR) 24 D3
Marcia, La [CH] 9 B2
Marcialla (FI) 53 E3
Marcia Morta (SI) 53 F4
Marciana (LI) 58 E1
Marciana Marina (LI) 58 E2-3
Marciana (PI) 52 D3-4
Marcianise (CE) 83 F1
Marciano (AR) 54 D4
Marciano della Chiana (AR) 61 B1
Marciano (NA) 88 D4
Marciano (SI) 60 B2
Marciaso (MS) 45 E2-3
Marcignana (FI) 53 D2
Marcignano (PG) 61 A4
Marcignano (PV) 21 F4
Marcinaie (GR) 60 F4
Marciola (FI) 53 D3
Marcio, Lago (BG) 10 E4
Marcolano, Monte (AQ) 75 D2-3
Marco, Masseria De (CH) 76 B4
Marconi (BG) 22 B4
Marconi, Monumento a (BO) 47 C2
Marcon (VE) 27 D1
Marcónia, Stazione di (MT) 93 F1
Marcónia, Villaggio (MT) 93 F1
Marco Polo, Aeroporto (VE) 27 E1-2
Marcorengo (TO) 32 A2
Marco (TN) 25 A1
Marcottini (GO) 29 B1
Marcusa, Punta (NU) 132 B4
Mardimago (RO) 38 BC2
Marebbe (Enneberg) (BZ) 4 D1
Marebello (RN) 56 A1-2
Mare, Campo di (ROMA) 72 C3
Mare, Casa (LE) 95 F4
Marecchia, Fiume 55 A4
Marechiaro, Lido di (ROMA) 80 B1-2
Marechiaro (NA) 88 B3-4
Marécottes Les [CH] 6 C2
Mare Foghe, Fiume 131 B3
Marega (VR) 37 B3
Maregge (VR) 25 C1
Mare Grande (TA) 93 E4
Mare, Malga del (TN) 12 B2
Maremma, Parco Naturale della (GR) 65 BC3-4
Mare, Monte (IS) 76 F1
Marendole (PD) 38 A1-2
Marene (CN) 31 F3
Mareneve (CT) 112 F3
Marengo (AL) 33 D1-2
Marengo (CN) 32 F1
Marengo (MN) 36 A3
Mareno di Piave (TV) 27 B1-2
Marentino (TO) 31 B4
Mare Piccolo (TA) 94 E1
Mare, Portella di (PA) 110 F3
Marepotamo, Fiume 104 F3
Maresca (PT) 46 F4
Maresciallo, Masseria del (MT) 98 B4
Marescotto, Castello di (ME) 111 E4
Mareson (BL) 14 B3
Maresse, Cima (TN) 12 F1
Maresso (LC) 22 B2
Mareta (Marett) (BZ) 3 B1
Mareto (PC) 34 F3
Mare, Torre del (SV) 42 D4
Maréttimo, Isola (TP) 107 E1
Maréttimo (TP) 107 E1-2
Maretto (AT) 32 C2
Mare (Vi) 25 B4
Marezige, Maresego [YUI] 29 EF3
Marga (BZ) 3 C4
Margana, Valle di (PA) 118 A2
Margarita (CN) 41 B3
Marghella, Pantano (SR) 124 E3
Marghera, Porto (VE) 27 E1
Marghera (VE) 27 E1
Margherita, Colle (CN) 40 B4
Margherita di Savóia (FG) 86 BC2
Margherita di Savóia-Ofantino, Stazione di (FG) 86 C2
Margherita, Masseria (MT) 93 F1
Margherita (PC) 34 E3
Margherita, Rifugio (CN) 41 C3
Margherita, Rifugio (VB) 7 E4
Margherita, Villa (LI) 59 C1
Margherito Soprano (CT) 120 E2
Margherito Sottano (CT) 120 DE2
Marghine, Catena del (NU) 129 D1-2
Marghine, Rocca sa (SS) 126 F1
Margiani, Monte (CA) 131 F4
Margiani Pobusa, Punta (NU) 133 B1
Margia Schiavone, Ponte (CB) 77 E1-2
Margi, Fiume 120 F4
Margi, Masseria (CT) 120 E3
Margine di Momigno (PT) 53 A1-2
Margine Rosso (CA) 135 C4
Marginetto (SS) 127 A2
Margini, Conca (OR) 132 D1
Marginone (LU) 53 C1
Margione (RG) 123 C4
Margiotto, Masseria (MT) 98 B3
Margi, Ponte (SR) 120 F4
Margna, Piz de la [CH] 10 B4
Margno (LC) 10 E1
Margnier (AO) 19 A3
Margone, Nuraghe (SS) 125 EF2
Margone (TO) 18 F4
Marguaréis, Punta [F] (CN) 41 D2-3
Maria Addolorata (RC) 114 B4
Maria, Casa Marianis (UD) 28 C3
Maria Gail [A] 17 A3
Maria Incantada, Nuraghe (NU) 132 B3
Maria Luisa, Rifugio (VB) 8 A3-4
Maria, Monte (CA) 135 E2
Maria, Monte (CA) 136 C2
Mariana Mantovana (MN) 36 B2
Mariani, Casa (SS) 129 D2
Marianitto (RI) 69 C2
Mariannáccia, Casa (GR) 66 C1-2
Mariannina, Villa (PZ) 85 F2-3
Mariano al Brembo (BG) 22 C4
Mariano Comense (CO) 22 B1
Mariano del Friuli (GO) 29 B1
Marianópoli (CL) 119 C1
Marianopoli, Galleria di (CL) 119 C1
Marianopoli, Stazione di (PA) (CL) 119 B1
Mariano (PR) 45 A1
Mariano, Villa (VT) 67 E4
Marie [F] 40 E3
Marierá (CS) 97 F3
Mari Ermi (OR) 131 B2
Marie Valerie H. [A] 5 A4
Marighella, Borgo (FE) 38 E1
Mariglianella (NA) 89 A1
Marigliano (NA) 89 A1
Marignana (PN) 27 A4
Marignolle (FI) 53 D4
Marigosa, Ca (CA) 131 F3-4
Marigosa, sa (OR) 131 A2
Marija Na Krasu (Madonna del Carso) [YUI] 29 F2
Marilleva (TN) 12 C3
Marina, Cala di (CA) 136 C3
Marina dei Ronchi (MS) 52 A1
Marina del Cantone (NA) 89 D1
Marina del Sant' Ilario dello Jonio (RC) 115 C2
Marina di Acquappesa (CS) 101 C2-3
Marina di Alberese (GR) 65 B3
Marina di Amendolara (CS) 99 D1
Marina di Andora (SV) 51 C3
Marina di Andrano (LE) 100 D3-4
Marina di Arbus (CA) 131 E2-3
Marina di Avola (SR) 124 C3
Marina di Belmonte (CS) 101 F3-4
Marina di Belvedere (CS) 101 B2
Marina di Bibbona (LI) 59 B1
Marina di Camerota (SA) 96 D4
Marina di Campo (LI) 58 EF2
Marina di Carrara (MS) 45 F2-3
Marina di Castagneto / Donoratico (LI) 59 C1
Marina di Caulónia (RC) 115 B3
Marina di Cecina (LI) 59 B1
Marina di Cetraro (CS) 101 C2-3
Marina di Chiéuti (FG) 78 C1
Marina di Dávoli (CZ) 105 E3
Marina di Equa (NA) 89 CD1
Marina di Fuscaldo (CS) 101 CD3
Marina di Ginosa (TA) 93 E2
Marina di Gioiatauro (RC) 114 A3
Marina di Gioiosa Jónica (RC) 115 B2
Marina di Grosseto (GR) 65 B3
Marina di Lago di Patria (NA) 88 A2
Marina di Mancaversa (LE) 100 D1
Marina di Maratea (PZ) 97 D2
Marina di Marittima (LE) 100 D3-4
Marina di Massa (MS) 52 A1
Marina di Massignano (AP) 64 D3-4
Marina di Melilli (SR) 124 A3
Marina di Minturno (LT) 82 D1
Marina di Modica (RG) 123 E4
Marina di Montemarciano (AN) 57 DE2
Marina di Nováglie (LE) 100 E3
Marina di Orosei (NU) 130 D4
Marina di Ostuni (BR) 94 A3
Marina di Palmi (RC) 114 B3
Marina di Paola (CS) 101 D3
Marina di Patti (ME) 112 C2-3
Marina di Pesco Luse (LE) 100 F2
Marina di Péscia Romana (VT) 66 E2
Marina di Pietrasanta (LU) 52 B1-2
Marina di Pisa (PI) 52 D2
Marina di Pisciotta (SA) 96 C3
Marina di Pulsano (TA) 94 E2
Marina di Ragusa (RG) 123 D2
Marina di Ravenna (RA) 49 C1
Marina di Salivoli (LI) 59 E1
Marina di San Lorenzo (RC) 114 F3
Marina di San Lorenzo (ROMA) 80 A1
Marina di Sant'Antonio (CZ) 105 F3
Marina di San Vito (CH) 71 E2-3
Marina di Sorso (SS) 125 E4
Marina di Strongoli (KR) 103 E3
Marina d'Itala (ME) 113 D2
Marina di Vasto (CH) 77 B2
Marina di Vietri (SA) 89 CD3
Marina di Zambrone (VV) 104 D2
Marina Faleriense (AP) 64 C3
Marina (GR) 65 D4
Marina Grande (NA) 88 D4
Marina Iulia (GO) 29 C1
Marina, Masseria della (TA) 94 F3-4
Marina, Monte della (TA) 94 F4
Marina Palmense (AP) 64 D3
Marina Piccola (NA) 88 E4
Marina, Pineta della (TA) 93 E2
Marina Romea (RA) 49 B1
Marina Roseto (CS) 99 D1
Marina San Giovanni (LE) 100 E1
Marina Schiavonea (CS) 102 A3
Marinasco (SP) 45 E1
Marina Serra (LE) 100 E3-4
Marina (VE) 28 D2
Marina Velca (VT) 66 F3-4
Marine (AO) 19 B4
Marinella di Sarzana (SP) 45 F2
Marinella, Fermata (SS) 127 D3
Marinella, Golfo di (SS) 127 CD3
Marinella, Masseria (BA) 92 B4
Marinella, Masseria (TA) 93 F2
Marinella (PS) 56 C4
Marinella (TP) 117 C1
Marinella (VE) 28 D2
Marinelli, Rifugio (VB) 7 E4
Marinelli, Rifugio (SO) 11 B1
Marinelli, Rifugio (UD) 5 E3
Marinello (BR) 94 B2
Marineo, Casa (CT) 120 F2-3
Marineo (PA) 109 E3
Marini (LE) 100 E2
Marini, Rifugio (PA) 110 F4
Marini (VI) 26 B2
Marino del Tronto (AP) 64 F2
Marino, Masseria (MT) 99 B1
Marino, Monte (AL) 32 F4
Marino, Monte (FO) 54 B4
Marino, Monte (PR) 45 B2
Marinoni (BG) 11 F1
Marino (ROMA) 73 E3
Marino (TP) 107 E4
Marins (PN) 15 C4
Marinà di Palma (AG) 122 C1-2
Mario, Monte (ROMA) 73 C2
Mariotto (BA) 87 E1
Marischio (AN) 63 B1
Maristella (SS) 128 B1
Maritani (SV) 42 D2
Marittima (LE) 100 D3
Marittima, Stazione (SS) 127 D2-3
Maritza (SS) 125 E4
Marizza Santa (UD) 28 B2
Marjelensee [CH] 8 A2
Markovscina (Marcossina) [YUI] 29 E4
Marlengo, Giogo di (BZ) 2 DE3
Marlengo (Marling) (BZ) 2 DE3-4
Marlia (LU) 52 B4
Marliana (PT) 53 B1
Marliano (FI) 53 D3
Marmagna, Monte (MS) 45 C2
Marmarole, Gruppo d. (BL) 4 F3-4
Marmentino (BS) 23 B4
Marmigliáio (LI) 52 F3
Marmi, Grotta dei (FG) 79 D4
Marmirolo (MN) 36 A3
Marmirolo (RE) 46 A3
Marmolada (TN) 3 F4
Marmontana, Monte [CH] 9 D4
Marmora (CN) 40 A3
Marmora, Punta la (NU) 133 AB1
Marmoraia, Isole (SS) 127 A1
Marmorata, Punta (SS) 127 A1
Marmorata, Spiaggia (SS) 127 A1
Marmora, Vallone di (CN) 40 B3
Marmore, Cascata delle (TR) 68 C3
Mármore, Fiume 7 E2
Marmóreo, Porto (SR) 124 B4
Marmóreo (SV) 42 F1
Marmorera [CH] 10 A3
Marmorerasee [CH] 10 A3
Marmoreto (RE) 45 C4
Marmore (TR) 68 C3
Marmoráia (SI) 60 B2
Marmorito (AT) 32 B1-2
Marmorta (BO) 48 A2
Marmottere, Punta [F] 18 F3-4
Marmuri, Grotta su (NU) 133 C 2
Marnate (VA) 21 C3
Marniga (VR) 24 C4
Marnio (CO) 10 E2
Marocchi (TO) 31 C4
Marocco, Podere (SI) 60 B4
Marocco (TV) 27 D1
Maroggia [CH] 9 F2-3
Maroglio, Fiume 123 A1
Marogna, Ponte di (BL) 4 E3
Marola (RE) 46 B1
Marola (SP) 45 F1
Marola (VI) 26 D1
Marolta [CH] 9 A2-3
Marona, Pizzo (VB) 8 E4
Marone (BS) 23 B3
Marone (VB) 8 D3
Maron (PN) 27 A3
Maronti, Lido di (NA) 88 C1
Maro, Passo di (IM) 41 F4
Marópati (RC) 115 A1
Maro (RE) 46 C1
Marostica (VI) 26 B1
Marotta (PS) 57 CD1
Marozzo (FE) 38 EF4
Marrada, Fiume 136 A1
Marradi (FI) 47 F4
Marrara (FE) 38 F1
Marre, Fiume 130 D2
Marreri, Ponte (NU) 130 D1-2
Marrúbiu (OR) 131 D4
Marri (CS) 101 C4
Marro, Fiume 114 B4
Marroneto (GR) 60 F4
Marruccheto (GR) 65 A3
Marruchetone, Casa (GR) 66 D2
Marságlia (CN) 42 B1
Marságlia (PC) 34 F2
Marságlia (TO) 19 F3
Marsaglia, Castello di (TO) 31 C2
Marsala, Fiume 116 A3
Marsala, Punta (TP) 107 F3-4
Marsala (TP) 116 A2
Marsango (PD) 26 D2
Marsan (VI) 26 B1
Marsciano (PG) 62 F1
Marser, Monte (BS) 11 E4
Marsia (AP) 63 F4
Marsia (AQ) 74 B3
Marsiai (BL) 14 E2
Marsica (AQ) 75 CD3

Marsicano, Monte (AQ) 75 E3-4
Marsiconuovo (PZ) 91 F2
Mársicovetere (PZ) 91 F2-3
Marsiglia (GE) 43 B4
Marsignano (FO) 48 F3
Marsiliana, Castello della (GR) 59 D3
Marsiliana, Fattoria (GR) 59 D3
Marsiliana (GR) 66 C1-2
Marsitetti (MN) 36 A3
Mars, Monte (AO) 20 B1
Marsullo, Masseria (BN) 84 C2
Marsure di Sopra di Sotto (UD) 16 EF4
Marsure (PN) 15 E2
Marta, Cantoniera (NU) 129 D4
Marta, Fiume 67 D1
Marta, Monte di (VT) 67 C1
Martana, Isola (VT) 67 C1-2
Martani, Monti (TR) 68 B2
Martano (LE) 100 B3
Martano, Monte (PG) 68 A2
Martassina (TO) 19 E1
Marta (VT) 67 C1
Marte, Cime de [F] 41 F2
Martellago (VE) 26 D4
Martellese, I1 (CH) 76 B2
Martelli, Casa (FG) 84 C4
Martelli (FR) 74 E3
Martello, Fiume 112 EF1
Martello (Martell) (BZ) 2 E1-2
Martello, Pizzo [CH] 9 C4
Martellotta, Masseria (TA) 93 D3
Marte, Pian di (PG) 61 C4
Marter (TN) 13 E2
Martica, Monte (VA) 9 F2
Martignacco (UD) 16 F3
Martignana di Po (CR) 36 C1
Martignano, Lago di (ROMA) 73 B1
Martignano (LE) 95 F4
Martignano (TN) 13 E1
Martignone (BO) 47 B2
Martigny / Ville / Bourg [CH] 6 CD3
Martina (BO) 47 E3
Martina Franca (TA) 94 B1
Martina, La (CN) 42 A1
Martina, Martinsbruck [CH] 1 B3-4
Martina Olba (SV) 43 B1
Martina, Punta (GR) 59 F2
Martinazzo (UD) 16 E3
Martincelli (TN) 13 F4
Martinella, Dosso della (TN) 25 A2
Martinella, Monte (CS) 101 C4
Martinelle (VE) 38 B4
Martinengo (BG) 23 D1
Martine, Nuraghe (SS) 129 A1
Martinetti (TO) 30 A4
Martinetto (SV) 42 E2
Martinez (CL) 119 D2
Martiniana Po (CN) 31 F1
Martini (ME) 112 D2
Martino, Case di (RG) 124 E1
Martino, Poggio (VT) 66 E4
Martino, Punta (SS) 127 C2
Martino, Punta (TP) 107 E1
Martin, Pizzo (GE) 43 B2
Martinsicuro (TE) 64 F4
Marti (PI) 53 D1
Martirano (CZ) 104 A4
Martirano Lombardo (CZ) 104 A4
Martisberg [CH] 8 A1-2
Martis (SS) 126 F2
Mártone (RC) 115 B2
Martorano (FO) 49 EF1
Martorano (PR) 36 EF1
Martucci, Masseria (BR) 94 BC3
Martucci, Masseria (BR) 94 D4
Marucolo, Colma di (BS) 23 B4
Marudo (LO) 22 F2
Maruggio, Monte (PZ) 91 E2
Marùggio (TA) 94 F3
Marzabotto (BO) 47 D2
Marzaglia (MO) 46 A3-4
Marzagàglia, Casino Eramo a (BA) 93 B2
Marzalengo (CR) 35 A2
Marzalesco (NO) 21 B1
Marzamemi (SR) 124 E3
Marzana (ME) 112 D2
Marzanata (RO) 37 C3
Marzana (VR) 25 D1
Marzanego, Fiume 26 D4
Marzanello (CE) 82 C4
Marzano Appio (CE) 82 C3-4
Marzano (AV) 83 F4
Marzano, Canale 23 F1
Marzano di Nola (AV) 89 A2
Marzano (GE) 43 B4
Marzano (LO) 22 E3
Marzano, Monte (SA) 90 C3
Marzano (PV) 22 F2
Marza (PV) 33 A2
Marza (RG) 124 E1-2
Marzeno (RA) 48 E2-3
Marzettelle (MN) 36 D4
Marzette (MN) 36 D4
Marziai (BL) 14 F2
Marziano (BA) 86 E2
Marzi (CS) 102 F2
Marzinis (PN) 15 F3
Marzio (VA) 9 F2
Marzocca (AN) 57 D2
Marzocco, Torre del (LI) 52 E2
Marzo, Col di (PG) 62 C2
Marzola, La (TN) 13 E1
Marzolana, Monte (PG) 61 D4
Marzolo, Il (BZ) 2 D2
Marzo, Montagna di (EN) 119 D3-4
Marzo, Monte (TO) 19 C3
Marzotto (VE) 28 C1-2
Masainas (CA) 134 DE4
Masainas, Cantoniera (CA) 135 A2
Masana (BG) 22 D4
Masaniello, Villaggio (CL) 118 D3
Masanti di Sopra di Sotto (PR) 44 A4
Masareddu, Cocuzzo (CL) 119 C1-2
Masarólis (UD) 17 E1
Masariè (BL) 14 B4
Masarè (BL) 14 B2
Masate (MI) 22 D3
Mas (BL) 14 B2
Mas (BL) 14 D3
Mascali (CT) 121 A2
Mascalucia (CT) 121 C1
Mascarella Acque Alte, Fiume 80 AB3
Maschia, Casa (FG) 78 F2
Maschio di Faete (ROMA) 73 E4
Maschio di Lariano (ROMA) 73 E4
Maschito (PZ) 91 A3
Masciaga (BS) 24 D1
Masciago Primo (VA) 9 F1
Masci, Casa (FG) 77 E4
Mascione (CB) 83 B4
Mascioni (AQ) 69 C3
Mase [CH] 7 C1
Masella (RC) 114 E2
Masenzias, Punta (CA) 136 A2
Maserada sul Piave (TV) 27 B1
Masera di Padova (PD) 26 F2-3
Masera, La (BO) 46 E4
Maserallino (PD) 38 A2
Masera (VB) 8 D3
Masereto (PR) 45 A2
Maseriis (UD) 15 E4
Maserno (MO) 46 E4
Maser (TV) 26 B3
Masi di Cavalese (TN) 13 C3
Masiera (RA) 48 C3
Masiénnera, Punta (SS) 129 C3
Masi, I (FR) 81 A3
Masino, Fiume 10 CD3
Masino, Ponte di (FI) 53 C2
Másino (SO) 10 D3
Masino (TO) 20 E1-2
Masino, Val (SO) 10 C3
Masio (AL) 32 D4
Masio (TO) 31 C4
Masi (PD) 37 B4
Masi (PZ) 91 D2
Masi San Giacomo (FE) 38 F2
Masi Torello (FE) 38 E2
Masliánico (CO) 21 A4
Masnago (VA) 21 A3
Maso Corto, Albergo (BZ) 2 C1-2
Maso, Fiume 13 D2-3
Masogelato (BZ) 2 D3
Masonedili, Cantoniera (NU) 133 E2-3
Masone (GE) 43 B2
Masone Pardu (CA) 136 C2-3
Masone, Ponte di (VB) 8 E2
Masone, Ponte (MT) 98 A4
Masone (RE) 36 F3
Masoni, Monte (BG) 10 E4
Masoni Nostu, Ponte de (CA) 132 F2
Mason Vicentino (VI) 26 C1
Maso (VE) 26 F4
MASSA 45 F3
Massa Annunziata (CT) 121 C1
Massa (BN) 83 D2-3
Massaciuccoli, Lago di (LU) 52 C2
Massaciuccoli (LU) 52 C3
Massa d'Albe (AQ) 75 B1
Massa del Tuno (VC) 8 F2
Massa di Somma (NA) 89 B1
Massa Fermana (AP) 64 D1
Massa (FI) 54 D2
Massa Finalese (MO) 37 E2
Massa Fiscaglia (FE) 38 E3-4
Massa (FO) 48 E3
Massa (FO) 48 F4
Massa (FO) 49 F1
Massa (FO) BC2
Massafra (TA) 93 D3-4
Massalengo (LO) 22 F3
Massa Lombarda (RA) 48 C2
Massa (LU) 46 E1
Massa Lubrense (NA) 88 D4
Massama (OR) 131 B3-4
Massa Marittima (GR) 59 D3
Massa Martana (PG) 68 A1-2
Massa Martana, Stazione di (PG) 68 B2
Massa (MC) 63 C1
Massanova, Masseria (PZ) 98 C3
Massanzago (PD) 26 D3
Massa, Ponte (GR) 65 A4
Massaprofóglio (MC) 63 D1
Massa (PS) 56 F1
Massa (PT) 53 B1
Massa (PZ) 97 D3
Massaquano (NA) 89 C1
Massa (RA) 48 E4
Massa (RE) 46 C2
Massarella (FI) 53 C1
Massari (BN) 83 D2
Massari (CB) 83 B2-3
Massari, Pizzo [CH] 9 A1
Massaro, Punta di (BZ) 2 B4
Massarosa (LU) 52 B2
Massarotto, Casa (FG) 79 E1
Massa (SA) 96 B3
Massascusa (SA) 96 B3
Massazza (BI) 20 D3
Masselli (VR) 25 C1
Massello (TO) 30 C3
Massenzatica (FE) 38 D4
Massenzatico (RE) 36 F3
Massera, Fiume 59 C2
Masseranga (BI) 20 B3
Masserano, Stazione di (BI) 20 C3
Masserano (BI) 20 C3
Masserecci, Poggio (AR) 54 E3
Masseria (Maiern) (BZ) 2 B4
Masseria (BI) 20 E2
Masseriola, La (FG) 85 B2
Masseto (FI) 54 C2
Massicaia, Monte (FI) 54 B3
Massicelle (SA) 96 C4
Mássico, Monte (CE) 82 E2-3
Massignani (VI) 25 C3
Massignano (AN) 57 F4
Massignano (AP) 64 D3
Massimbona (MN) 36 A3
Massimeno (TN) 12 D2-3
Massimino (SV) 42 C1
Massimo, Porto (SS) 127 A2
Massimo Visconti (NO) 21 A1
Massino, Fiume 62 B2
Massiola (VB) 8 F3
Massi, Poggio ai (SI) 60 C1-2
Massoins [F] 40 F3
Massoncello, Monte (LI) 59 E1
Massone, Monte (NO) 8 E3
Massone (TN) 12 F3
Massongex [CH] 6 B2
Massumatico (BO) 37 F3
Mastangelo, Monte (ME) 112 D2
Mastanico (BS) 24 C1-2
Mastari (PE) 70 D3
Mastaun (BZ) 2 D2
Mastellari, Casoni (BL) 15 E1
Mastellone, Fiume 8 F1-2
Mastixi, Punta su (NU) 133 C4
Mastrati (CE) 82 B4
Mastri (TO) 19 E4
Mastromarco (PT) 53 C2
Mastro San Giovanni, Ponte (PZ) 91 C2
Masua (CA) 134 B3
Masua, Forte (VR) 24 D4
Masucci (AV) 89 A3
Masuccio, Monte (SO) 11 C2-3
Masul, Fiume 2 D4
Masúllas (OR) 132 D1
Masures, Les [F] 18 B3
Matajûr, Mont (UD) 17 E1
Matalla, Monte (PR) 45 C3
Matanna, Monte (LU) 52 A2-3
Matarazzo, Monte (CL) 119 B2
Matarocco (TP) 108 F1
Matassaro Renna, Monte (PA) 109 DE1-2
Matassone (TN) 25 B1
Matélica, Masseria (LE) 100 B2
Matélica (MC) 63 BC1
MATERA 92 C4
Mater Domini (AV) 90 B2-3
Mater Domini (BA) 87 E2
Mater Domini (LE) 95 E3
Materdomini (SA) 89 C3
Materija [YUI] 29 E4
Mater, Monte (SO) 10 A2
Maternigo (VR) 25 D2
Matese, Lago del (CE) 83 B2
Matese, Monti del (IS) (CB) 83 B1-2-3
Matese, Punta (PA) 109 C2
Mathi (TO) 19 F2
Mathon [A] 1 A2
Matigge (PG) 62 F4
Matina, La (CS) 101 B4
Matinella (SA) 90 E1-2
Matino (LE) 100 D2
Matolda, Tomba di (TO) 19 F1
Matonti (SA) 96 A2
Matoschi (PC) 34 E2
Matraia (LU) 52 B4
Matrei In Osttirol [A] 5 A1
Matrice (CB) 77 F2
Matro [CH] 9 A3
Matrona, Casa (AG) 118 E3-4
Mattaciul, Cima (BS) 11 C4
Matta Masonis, Cuccuru (CA) 135 B4
Mattarana (SP) 44 D4
Mattarelle, Torre (BR) 95 C2
Mattarello (TN) 13 F1
Matt'e Abramu, sa (CA) 133 F2
Mattei, Casa (ROMA) 73 D2
Matterello, Cocuzzo (PA-CL) 118 B4
Mattertal [CH] 7 CD3
Matter Vispa, Fiume 7 D3
Matti, Casa (PV) 34 E2
Mattie (TO) 30 A4
Mattina, Monte (AV) 85 F1
Mattinata (FG) 79 E2-3
Mattinata, Porto di (FG) 79 E3
Mattinella (AV) 90 A3
Mattling [A] 5 D3
Mattmarksee [CH] 7 D4
Matto, Ca' del (PV) 34 D1
Matto, Monte (BS) 24 A1
Matto, Monte (CN) 40 D4
Mattone, Fiume su 128 A2-3
Mattone, Monte (AQ) 75 C4
Mattone, Monte (AQ) 75 E4
Mattoni, Casa (FR) 81 A3
Mattoni, Monte (BS) 11 F4
Mattoni, Torre (TA) 93 F2
Mattsand [CH] 7 C3
Matzaccara (CA) 134 D3
Maucini (SR) 124 E2
Maudino, Ponte (FE) 38 E4
Maudit, Mont [F] 6 F1-2
Maugeri (CT) 121 BC1-2
Mauletta (NO) 20 C4
Maurer Törl [A] 4 A3
Mauria, Passo di (BL) 5 F1
Maurin, Colle de (CN) 30 F2
Maurin [F] 30 F1-2
Maurin, Valle del (CN) 30 F2
Maurioun [F] 41 F1
Mauro, Monte (BN) 83 E3-4
Máuro, Monte (CB) 67 D1
Mauro, Serra Di (PZ) 98 D1
Mauro, Val di (PZ) 98 D1
Mauthen [A] 5 DE3-4
Mautino, Rifugio (TO) 30 C1
Mauvoisin [CH] 6 E4
Mauvoisin, Lac de [CH] 6 E4
Mavella, Masseria (FG) 85 C4
Mavigna (SO) 11 D2
Mavone, Fiume 70 C2
Maxia, Casa (CA) 135 A2
Maxia, Punta (CA) 135 D2
Mayoux [CH] 7 C2
Mayt, Colle di (TO) 30 C3
Mazara del Vallo (TP) 116 B3
Mazaro, Fiume 116 B3
Mazembros [CH] 6 C3
Mázia (Matsch) (BZ) 2 D1
Mazia, Val di (Matschtal) (BZ) 2 D1
Mazonzo E., Punta (NU) 129 D4
Mazzabue (PR) 36 D1
Mazzaglia (CT) 120 B4
Mazzagullo, Monte (KR) 103 D2
Mazzangrugno (AN) 57 F2
Mazzano (BS) 24 D1
Mazzantica (VR) 25 F1
Mazzarelli (AL) 33 F2
Mazzarino (CL) 119 E3
Mazzarino, Monte (SR) 120 F4
Mazzaro (ME) 113 F1
Mazzarone, Monte (NO) 8 F3
Mazzarone, Poggio (CT) 123 B2
Mazzarrà, Fiume 112 D3-4
Mazzarrá S. Andrea (ME) 112 D4
Mazzarrone (CT) 123 B2
Mazzaspitz [CH] 10 A3
Mazze, Monte (VI) 25 B4
Mazzeni, Rifugio (UD) 17 C1
Mazzeo (ME) 113 F1
Mazzetta, Masseria (LE) 95 E1
Mazzé (TO) 20 E1
Mazzi (FO) 55 C2
Mazzin (TN) 3 F3
Mazzi (VR) 24 F3
Mazzocco, Fiume 55 BC4
Mazzo di Valtellina (SO) 11 C3
Mazzolada (VE) 27 B4
Mazzolano (RA) 48 D2
Mazzolla (PI) 59 A3-4
Mazzolu, Monte (SS) 127 C1
Mazzoni (CE) 82 E3-4
Mazzorbo (VE) 27 E2
Mazzorno (RO) 38 C4
Mazzorno Sinistro (RO) 38 C4
Mazzucco, Oratorio (RO) 39 C1-2
Mazzucolo, Monte (VV) 105 E1
Mazzucone, Monte (VB) 8 F3
Mazzurega (VR) 24 D4
Meana, Casa (ROMA) 73 A3
Meana di Susa (TO) 30 A3
Meana Sardo (NU) 132 B3
Meana, Stazione (NU) 132 B3
Meano (BL) 14 E3
Meano (BS) 23 E2
Meano (TN) 13 E1
Meano (TO) 30 B4
Mea (RO) 39 C1
Meati (LU) 52 C3
Meatta, Monte (VI) 13 F3
Mecca (TO) 19 E2
Méchel (TN) 12 B4
Medadu, Monte (NU) 130 E1
Meda, Forca del (PN) 15 C2
Medaglia, Cima di [CH] 9 D2-3
Medalghes, Furcia di (BZ) 3 E4
Meda (MI) 22 C1
Medana [YUI] 29 A1
Medaris, Punta (SS) 129 C4
Medaro, Punta (VB) 8 C4
Medau Zirimilis, Lago di (CA) 135 C2
Meda, Val della (FI) 54 A3
Meda (VI) 25 B3
Meddas, is (CA) 135 D1
Medea (GO) 29 B1
Medea, Monte (GO) 29 B1
Medeazza (TS) 29 C2
Medéglia [CH] 9 D3
Medelana (BO) 47 C2
Medelana (FE) 38 F3
Mede, Piz di (UD) 5 E3
Mede (PV) 33 B2
Medesana (PR) 35 EF3
Medeuzza (UD) 28 B4
Mediano (PR) 45 B4
Mediatore, Monte (SA) 90 B3
Medicina (BO) 48 C1
Medico, Scoglio del (PA) 109 A1
Mediéres [CH] 6 D4
Mediglia (MI) 22 E2
Mediis (UD) 15 B3
Medil (TN) 13 B4
Medolago (BG) 22 C3
Medole (MN) 24 F2
Medolla (MO) 37 E1
Meduna di Livenza (TV) 27 B3
Meduna, Fiume 15 C3 F3
Meduno (PD) 15 D3
Medusa, Castello (OR) 132 B2
Megara-Giannalena, Stazione di (SR) 121 F2
Megara Hyblaea (SR) 121 F2
Megarese, Porto (SR) 121 F2
Meggiano (VR) 25 E2-3
Meghe, Cima (BS) 24 B1-2
Megliadino San Fidenzio (PD) 37 B4
Megliadino San Vitale (PD) 37 B4
Megli (GE) 43 C4
Megna, Monte (PC) 44 A3
Megno (BS) 11 D3
Megolo / di Cima / di Fondo (VB) 8 E3
Méia, Frate del (VC) 20 A1
Meianiga (PD) 26 E3
Méia, Rocca la (CN) 40 B3
Meiden [CH] 7 C3
Meillerie [F] 6 A1
Méina (NO) 21 A1
Melacce, Fiume 60 F2-3
Mela, Fiume 113 C1
Melago (BZ) 2 C1
Melago, Passo di (BZ) 2 C1
Mela, Monte di (AG) 118 D2
Mela, Monte (NU) 133 C1
Melandro (FG) 84 A4
Melano (AN) 62 B4
Melano [CH] 9 F3
Mela, Poggio di (PI) 59 A2
Melara (RO) 37 C2
Melarolo (UD) 28 A4
Mela, sa (SS) 126 F3
Melas, Fiume 128 B4
Melazzo (AL) 32 F4
Mel (BL) 14 E3
Meldola (FO) 48 F4
Mele (GE) 43 B2
Mele, Capo (SV) 42 F2
Meledo (VI) 25 E3-4
Melédrio, Val (TN) 12 C3
Melegnanello (LO) 34 A4
Melegnano (MI) 22 E2
Mele, Monte (AG) 118 E2
Melendugno (LE) 95 E4
Mele, Serra di (BA) 92 B3
Mele, Stazione di (GE) 43 B2
Meleta (GR) 59 D4
Meletello (GR) 66 C3
Meleti (LO) 35 B1
Meleto (AR) 54 E2
Meleto (RN) 56 C2
Meletole (RE) 36 E2
Meleto (SI) 54 F2
Meletta di Gallio, Monte (VI) 13 F3
Melézen [F] 30 F1
Mélezet, Cime du [F] 30 E1-2
Mélezet (TO) 30 A1
Melezzo, Fiume 8 D4
Melézzole (TR) 67 B4
Melfa, Fiume 75 F4
Melfa, Fiume 81 A4
Melfa (FR) 82 A1
Melfi, Case (RG) 123 AB3
Melfi (PZ) 85 F3
Melia (ME) 113 E1
Melia (RC) 114 C2
Meliciano (AR) 54 F4
Melicuccá (VV) 104 F4
Melicuccá (RC) 114 B3
Melicucco (RC) 114 A4
Melide [CH] 9 F2
Melignon (AO) 18 B4
Meli, Isola di (CA) 134 C2
Melilli, Casa (SR) 124 A2
Melilli (SR) 121 F1-2
Melillo, Monte (BA) 86 E1
Melillo, Monte (CS) 102 E3
Melirolo [CH] 9 D3
Meliscio, Villa (CS) 97 E4
Melisenda (NU) 133 DE3
Melissa (KR) 103 D2-3
Melissano (LE) 100 D2
Melitello (CZ) 105 A2
Melito di Napoli (NA) 88 A4
Mélito, Fiumara di 114 EF3
Melito Irpino (AV) 84 E2
Mélito, Porto Salvo (RC) 114 F2
Melizzano (BN) 83 E2
Mella, Fiume 23 B4 F3
Mella, Fiume 31 F3
Mellame (BL) 13 F4
Mella, Monte di (MT) 92 E1-2
Mellana (CN) 41 C2
Mellaredo (VE) 26 E3
Mellarolo (SO) 10 D2
Mellaro, Torre (CS) 102 E2-3
Mellasc, Pizzo (LC) 10 E2
Mellea (CN) 41 A2
Melli Case (RE) 36 E2
Mellicciano (FI) 53 D2
Mellier (AO) 19 B3
Mellitto, Stazione (BA) 87 F1
Mello (SO) 10 D2-3
Mello, Val di (SO) 10 C3
Melognara, Timpa (KR) 103 D2
Melogno, Colle di (SV) 42 D2
Melogno (SV) 42 D2
Melonta, Monte di (TR) 61 F4
Melo (PT) 46 F3
Meloria, Torre della (LI) 52 E2
Melotta (CR) 23 E1
Melpignano (LE) 100 BC3
Mels (UD) 16 E3
Méltina (Mölten) (BZ) 2 E4
Méltina, Monte di (BZ) 3 F1
Meluzzo, Lago di (PN) 15 B1
Melzo (MI) 22 D3
Memise, Pic de [F] 6 A1
Memmenano (AR) 54 D4
Memmo (BS) 23 B4
Mená (VR) 37 C3
Menabue Cascine (CR) 35 A3-4
Menággio (CO) 9 E4
Menai (CN) 31 F3
Menair (BZ) 87 E2
Menarola (SO) 10 B1
Menate (FE) 48 AB3
Mena (UD) 16 D2
Mencónico (PV) 34 E1-2

Mendática (IM) 41 E3
Mendicino (CS) 101 E4
Mendola, Fiume 118 A2
Mendola, Passo di (TN) 13 B1
Mendola (TP) 108 E2
Mendrisio [CH] 9 F3
Menegosa, Monte (PC) 34 F4
Menestrello (PG) 62 C1
Menezzo (SV) 42 E1
Menfi (AG) 117 C2
Mengaccini (AR) 61 B4
Menga, Punta (CA) 134 E4
Mengara (PG) 62 B3
Menin (BL) 14 E2
Menna, Cima di (BG) 10 F4
Menna, Masseria (CH) 76 B4
Mennella (IS) 82 A4
Menniti (VV) 105 D1
Mennola, Monte (KR) 103 D2-3
Menócchia, Fiume 64 E3
Menócchia, Ponte (AP) 64 E3
Menodre, Fiume 63 E1
Menogno (VB) 8 D3
Menolecchia, Masseria (PZ) 85 F3
Menólzio (TO) 30 A3-4
Mensanello (SI) 60 A1
Mensano (SI) 59 B4
Mensa (RA) 49 E1
Mentana (ROMA) 73 B3
Menta, Pizzo della (ME) 111 E3
Menta (PR) 44 C3
Menta, Punta la (SS) 126 E1
Menton [F] 50 D3
Mentoulles (TO) 30 B3-4
Menzago (VA) 21 B2-3
Menzano (AQ) 69 E2
Menza, Rifugio (CT) 121 A1
Menzino (BS) 23 C3
Menzonio [CH] 9 B1
Meolo (VE) 27 CD2
Mera, Alpe di (VC) 20 A2-3
Mera, Fiume 10 B2
Mera, Monte (IM) 50 C4
Merana (AL) 42 A3
Merangeli (CE) 83 D1
Merangeli di Monte (CE) 83 D1
Merano 2000 (BZ) 2 D4
Merano (Meran) (BZ) 2 D4
Merate (LC) 22 B3
Meraviglia, Monte (PG) 69 B1
Merbe, Passo (BZ) 4 A2
Mercadante, Casa (ME) 111 F3
Mercaldo Nuovo, Masseria (FG) 78 F4
Mercallo (VA) 21 B2
Mercantelli, Pizzo (SO) 10 C3
Mercante, Passo del (RC) 115 B1
Mercanti, Toppa dei (PZ) 98 C2
Mercatale (AR) 61 B3-4
Mercatale (BO) 47 C3
Mercatale (PO) 53 A3-4
Mercatale (FI) 53 E4
Mercatale (FI) 55 C4
Mercatale (FO) 55 A1
Mercatale (RA) 47 E4
Mercatale Valdarno (AR) 54 F2
Mercatello, Passo di (PC) 34 F2-3
Mercatello (PG) 61 E4
Mercatello (PG) 62 F3
Mercatello (SA) 89 D3
Mercatello sul Metauro (PS) 55 E3-4
Mercatino, Conca (PS) 56 C1
Mercato, Ponte (ROMA) 73 A4
Mercato (PR) 45 B4
Mercato (PS) 56 B2-3
Mercato (RI) 69 F1
Mercato (SA) 89 C4
Mercato (SA) 96 A2
Mercato San Severino (SA) 89 B3
Mercato Saraceno (FO) 55 B3
Mercato Vecchio (PS) 55 C4
Mercato Vecchio (TV) 26 B3-4
Mercenasco (TO) 19 E4
Mercera, Capo [F] 40 D3
Merchis, Fiume 129 E1
Merciano [YUI] 29 D4
Merciantàira, Punta (TO) 30 C2
Mercogliano (AV) 89 A3
Mercore (PC) 35 D2
Mercurago (NO) 21 B1
Mercurio, Monte (FO) 55 A2
Merella (AL) 33 E2
Mereo, Nuraghe (CA) 135 E3
Mereta (SV) 42 D2
Mereto di Capitolo (UD) 28 D4
Mereto di Tomba (UD) 16 F2
Meretto (PO) 53 B4
Mergóscia [CH] 9 C2
Mergnano San Pietro (MC) 63 C2
Mergnano San Savino (MC) 63 C2
Mergo (AN) 56 F4
Mergozzo, Lago di (VB) 6 E3-4
Mergozzo (VB) 8 E3
Meria, Monte (AQ) 75 C2
Meriano, Bric (CN) 42 D1
Méribel [F] 18 D1
Meride [CH] 9 F2-3
Mérie, Pian du (PN) 15 D2
Merí, Fiume 43 A1
Merí (ME) 112 C4
Merine (LE) 95 E3
Merinum (FG) 79 C3
Merisce, Merische [YUI] 29 F2
Merizzo (MS) 45 D2
Merlana (UD) 28 B4
Merlano (BO) 47 C1
Merlara (PD) 37 B4
Merlazza (AT) 32 D2
Merlengo (TV) 27 C1
Merlet (CN) 41 D2
Merlini (AT) 32 F3
Merlino, Castel (VC) 20 F3
Merlino (LO) 22 E3
Merli (VR) 25 C1
Merlo, Becca del (AO) 18 B4
Merlo (CN) 41 B3
Merlo, Il (VI) 26 A1
Mernicco (UD) 17 F1
Merone (CO) 22 B2
Merse, Fiume 60 D2
Mersino (UD) 17 E1
Merso di Sopra (UD) 17 F1
Merula, Fiume 42 F1
Meruzzano (CN) 32 F2
Merveilles, Val des [F] 41 E1
Merzli, Mont [YUI] 17 E2
Mesa de s'Attendu, sa (SS) 128 C2
Mesagne (BR) 95 C1
Mesa (LT) 81 C1
Mesa, Punta sa (SS) 129 A4
Mesau, Cantoniera (CA) 135 E2
Mesca, Ponte (CS) 102 C1
Mesce, Lago des [F] 41 E1-2
Mescia, Pont de la [F] 40 F3
Mescolino Minelle (TV) 14 F4
Mescolino, Monte (FO) 55 B1
Mesco, Punta di (SP) 44 E3-4
Mesenzana (VA) 9 F1
Mésero (MI) 21 D3
Mese (SO) 10 BC2
Mesiano (VV) 104 E3
Mesima, Fiume 104 F2
Mesocco [CH] 9 B4
Mesola, Bosco della (FE) 39 E1
Mesola (FE) 39 D1
Mesolcina, Val [CH] 9 BC4
Mesole, Masseria (TA) 93 D4
Mesonette (TO) 19 D1-2
Mesoraca (KR) 103 F1
Messapi, Campo del (TA) 94 F4
Messa, Ponte (PS) 55 C3
Messari [YUI] 29 B3
Messercola (CE) 83 F2
Messer, Monte (PN) 15 D1
Messigna di (RC) 114 B4
MESSINA 113 C3
Messina, Masseria (CT) 121 D1
Messina, Monte (PZ) 97 D3
Messinese, Punta (ME) 112 B4
Messori, Ca (BA) 86 E3-4
Mestre (VE) 27 E1
Mestriago (TN) 12 C3
Mestrino (PD) 26 E2
Mesu' e Roccas, Monte (OR) 128 F4
Mésule, Monte (BZ) 3 A4
Mesumundu (SS) 129 B1
Meta (AQ) 75 D1
Meta, Fiume 55 E3
Meta, La (FR) 75 F4
Métailler, Le [CH] 7 CD1
Metallifere, Colline (PI) (SI) 59 C2-3-4
Meta, Monti della (AQ) 75 E4
Meta (NA) 89 D1
Metanopoli (MI) 22 E2
Meta, Pizzo di (MC) 63 E3
Metaponto (MT) 93 F2
Metapontum (MT) 93 F2
Meta, Serra (RG) 123 CD4
Metato (PI) 52 C3
Metato, Poggio (PI) 59 AB4
Metaurilia (PS) 56 C4
Metauro, Fiume 55 DE4
Metauro, Fiume 56 D3
Metilde, Casa (FG) 78 C4
Metra (LU) 45 E3
Métrano, Fiume 115 A1
Metrano (NA) 88 D4
Mettéglia (PC) 34 F2-3
Metti (MS) 45 E1
Metti (PR) 35 F1
Meugliano (TO) 19 D4
Meula (VC) 8 F2
Meurreddu, Bruncu (CA) 136 B2
Mex [CH] 6 C2
Méyriés [F] 30 D1-2
Meyronnes [F] 40 A1
Mezzago (MI) 22 C3
Mezzalama, Rifugio (AO) 7 E3
Mezzalora, Casa (ME) 111 F4
Mezzaluna, Cala (CA) 134 D2
Mezzaluna, Pizzo (PA) 109 F3-4
Mezzana Bigli (PV) 33 B3
Mezzana Casali (LO) 35 B1
Mezzana, Cima (TN) 12 B3
Mezzana Corti (PV) 34 B1
Mezzana della Quercia, Masseria (FG) 78 E3
Mezzana (PO) 53 BC3-4
Mezzanagrande, Masseria (FG) 78 F3
Mezzana Grande, Masseria (FG) 84 B4
Mezzana Loria (MN) 36 C2
Mezzana, Monte (AQ) 75 C3
Mezzana Mortigliengo (BI) 20 C3
Mezzana (PI) 52 D3
Mezzana Rabattone (PV) 33 B4
Mezzana (RO) 38 C3
Mezzana Salice / Frido (PZ) 98 D2
Mezzana (TN) 12 C3
Mezzana (TN) 25 B1-2
Mezzane (BS) 24 F1
Mezzane di Sopra (VR) 25 E2
Mezzane di Sotto (VR) 25 E2
Mezzanego (GE) 44 C2
Mezzanego, Prati di (GE) 44 C2
Mezzane, Le (FG) 89 A2
Mezzanelle, Masseria (FG) 84 B4
Mezzanino (AL) 33 C2
Mezzanino (MI) 35 B1
Mezzanino (PV) 34 B1
Mezzani (PR) 36 D1
Mezzano (AL) 33 D1
Mezzano Inferiore (PR) 36 D1-2
Mezzano, Lago di (VT) 66 C4
Mezzano (LO) 35 B1
Mezzano, Monte (PR) 35 E1
Mezzano, Monte (VA) 9 E2
Mezzanone, Borgo (FG) 85 B3
Mezzano (PV) 34 D3
Mezzano (RA) 48 D4
Mezzano Rondani (PR) 36 D1
Mezzano Scotti (PC) 34 E2-3
Mezzano Siccomario (PV) 34 B1
Mezzano Superiore (PR) 36 D1
Mezzano (TN) 14 D1
Mezzanotte (PS) 56 E3
Mezzano, Valle del (FE) 38 F3
Mezzano Vigolzone (PC) 34 B4
Mezzano (VT) 88 C4
Mezzaselva di Roana (VI) 25 A4
Mezzaselva (Mittewald) (BZ) 3 C3
Mezzate (MI) 22 E2
Mezzavalle (GE) 44 C2
Mezzavalle (TN) 13 C3
Mezzavia (AR) 61 B2
Mezzavia, Campo di (VI) 25 B4
Mezzavilla (TV) 14 F4
Mezzavilla (VR) 25 E2
Mezzegra (CO) 9 E4
Mezzema (SP) 44 D3
Mezzenile, Punta [F] (TO) 18 D4
Mezzenile (TO) 19 E1
Mezzeno (RA) 48 D3
Mezzocampo (KR) 103 D1
Mezzocanale (BN) 14 C4
Mezzo Canale, Ponte (PN) 15 D1
Mezzocasale (VV) 104 E3-4
Mezzocolle, Parro di (BO) 48 B1
Mezzo, Coppa di (FG) 79 E1
Mezzocorona (TN) 12 D4
Mezzodì, Guglia di (TO) 30 B1
Mezzodì, Punta del (UD) 15 B2
Mezzodì, Beccas dei (CN) 40 B4
Mezzodì, Cime di (BL) 14 C3
Mezzodì, Parco del (UD) 15 B2
Mezzodì, Parco di (UD) 16 C4
Mezzodì, Parco di (UD) 17 C2
Mezzodì, Sasso di (BL) 14 C4
Mezzo Franco, Punta di (GR) 65 E2
Mezzogiorno, Pizzo (CT) 112 F1
Mezzogoro (FE) 38 D4
Mezzo Gregorio (SR) 124 C1
Mezzojuso (PA) 109 F3-4
Mezzo, Lago di (MN) 36 B3-4
Mezzolago (TN) 24 A3-4
Mezzola, Lago di (CO) 10 CD2
Mezzolara (BO) 47 B4
Mezzoldo (BG) 10 E3
Mezzolombardo (TN) 12 D4
Mezzomerico (NO) 21 C1-2
Mezzomonreale (PA) 109 D2
Mezzo, Montagna di (EN) 119 B4
Mezzo, Monte di (FG) 79 D2
Mezzo, Monte di (IS) 83 A1
Mezzo, Monte di (TE) 69 C3
Mezzomonte (PN) 15 E1
Mezzo, Punta di (BZ) 1 C4
Mezzo, Torre di (TP) 107 E4
Mezzovico [CH] 9 D2
Mezzo, Villa di [YUI] 17 E2
Mezzullo, Monte (BS) 11 F4
Miage, Chalet du (AO) 6 F1
Miage, Ghiacciaio del (AO) 6 F1
Miagliano (BI) 20 C2
Miale Ispina, Monte (SS) 128 A3
Mia, Monte (UD) 17 E1
Miane (TV) 14 F3
Miano (FO) 48 F2
Miano, Monte (FG) 84 A2
Miano (NA) 88 B4
Miano (PR) 35 F3
Miano (PR) 45 B3
Miano (TE) 70 C1-2
Miasino (NO) 21 A1
Miazzina (VB) 8 E4
Micciano (AR) 55 E2
Micciano (PI) 59 B3
Micciché, Casa (AG) 118 E3
Miccio, Monte (PA) 110 F4
Micengo (AL) 32 A3
Micóttis (UD) 16 D4
Micheletta, Monte (RC) 114 D3
Michellorie (VR) 37 A3
Micigliano (RI) 69 D1
Middonna, Masseria (CE) 83 E1
Midi, Aigle du [F] 6 E1-2
Midia, Monte (AQ) 74 B3
Midi o Muret, Punta (TO) 30 B3-4
Midi, Ouille du [F] 18 E4
Miega (VR) 37 A3
Miege [CH] 7 B2
Mieli (CE) 82 C3
Miemo (PI) 59 A2
Miéville [CH] 6 C2
Migáido, Torre (ME) 111 E1
Miggiano (LE) 100 D3
Miggiano, Torre di (LE) 100 D4
Migiana di Monte Tezio (PG) 62 C1-2
Migianella, Monte (PG) 62 B1
Migiondo (SO) 11 C3
Migliana (PO) 53 A3
Migliandone (VB) 8 E3
Miglianella di Marchesi (PG) 61 B4
Migliánico (CH) 71 E1
Migliano (AV) 89 A4
Migliano (CR) 35 B2
Migliano (PG) 61 E4
Migliara (RE) 46 B1
Migliardo (ME) 112 C4
Migliarina (AR) 54 F3
Migliarina (GE) 43 A3
Migliarina (MO) 36 E4
Migliarino (FE) 38 F3
Migliarino, Macchia di (PI) 52 C2
Migliarino (PI) 52 C2
Migliaro (FE) 38 E3
Miglieglia [CH] 9 E2
Miglierina (CZ) 105 B2
Miglio Federici, Masseria (MT) 99 A1
Miglio, Izzo Masseria (MT) 99 A1
Miglio, Monte (AQ) 75 C3
Miglio, Monte (IS) 76 E2
Migliónico (MT) 92 D3
Migliónico, Stazione di (MT) 92 D3-4
Migliorero, Rifugio (CN) 40 C2-3
Migliore (TO) 19 E1
Migliorini (PT) 53 A1
Migliuso (CZ) 105 B2
Mignagola (TV) 27 C1-2
Mignanego (GE) 43 B3
Mignano (AR) 55 D1
Mignano, Lago di (PC) 35 E1
Mignano, Monte (GE) 44 C2
Mignano, Monte Lungo (CE) 82 BC3
Mignegno (MS) 45 C1
Mignete (LO) 22 E3
Mignone (BS) 24 B3
Mignone, Colle di (BS) 11 F2-3
Mignone, Fiume 67 F1
Mignone, Il (BS) 11 F3
Mignone (VT) 72 A2
Mihov Dom [YUI] 17 C3
Milanere (TO) 31 A2
Milanesi (RC) 114 C2
Milanesi, Tetti dei (CN) 31 E4
MILANO 22 D1
Milano-Cremona-Po, Canale 35 A1
Milano Marittima (RA) 49 E2
Milazzese, Punta (ME) 112 B2-3
Milazzo, Capo di (ME) 112 B4
Milazzo, Golto di (ME) 113 B1
Milazzo (ME) 112 B4
Milena (CL) 118 D4
Mileo (PZ) 98 C1
Mileto (VV) 104 E3
Miletto, Monte (IS) 83 B1-2
Milia, Casa (CT) 120 B4
Milia, Fiume 59 D2
Milianni (ME) 111 D1
Milicia, Fiume 109 D4
Milici (ME) 112 D4
Milies (TV) 14 F2
Mili Marina (ME) 113 C2
Milingiana, Montagna (CL) 119 F2
Milione, Cocuzzo (AG) 118 E2
Mili S. Marco (ME) 113 C2
Milis (OR) 131 A4
Mili S. Pietro (ME) 113 C2
Militello in Val di Catania (CT) 120 EF3
Militello Rosmarino (ME) 111 D4
Militino, Serra (KR) 103 E2
Millan (BZ) 3 D3
Millecampi, Valle (PD) 38 A4
Miller, Corno (BS) 11 D4
Millesimo, Fiume 32 F3
Millesimo (SV) 42 C2
Millicucco (CT) 112 F4
Millifret, Monte (TV) 14 E4
Milliscola, Spiaggia di (NA) 88 BC2-3
Milocca, Torre di (SR) 124 B3-4
Milocco, Monte (PA) 110 E4
Milo (CT) 121 A1-2
Milo, Stazione di (TP) 108 E1
Milzanello (BS) 23 F4
Milzano (BS) 23 F3-4
Mimiani, Monte (CL) 119 C1
Mimiani-S. Cataldo, Stazione di (CL) 119 C1
Mimoias, Casera (UD) 5 F1-2
Mimola, Cantoniera (AQ) 75 D4
Minchun, Piz [CH] 1 C2
Mincio, Fiume 24 F3
Mincio, Fiume 36 BC4
Mindino, Bric (CN) 41 D4
Mindino (CN) 41 D4
Minecce, Casino (BA) 87 F3
Mine, Monte delle (SO) 1 F2
Mineo (CT) 120 F3
Mineo, Stazione di (CT) 120 F3
Minerale, Sorgente (VT) 66 E4
Minerbe (VR) 37 A3
Minerbio (BO) 47 A4
Minerva, Monte (SS) 128 C3
Minerva, Palazzo (SS) 128 C3
Minervico di Lecce (LE) 100 C3
Minervini (BA) 86 E1-2
Minervino, Le Murge di (BA) 86 E2
Minervino Murge (BA) 86 E2
Minestrone, Fiume 61 F1
Minóprio (CO) 21 B4
Mingardo, Fiume 95 C4
Miniera di Zolfo (FO) 48 F4
Minniminni, Monte (CA) 136 C2-3
Minniti (EN) 119 D2
Minore, Fiume 130 B2
Minore, Isola (PG) 61 C3
Minori (SA) 89 D2
Minor, Piz [CH] 1 F1
Minozzo (RE) 46 D1
Minschuns, Piz [CH] 1 E4
Mintina, Bivio (CL) 119 E1
Minturnae (LT) 82 D1-2
Minturno (LT) 82 D1-2
Minucciano (LU) 45 E3
Minusio [CH] 9 C2
Mioglia (SV) 42 B4
Miogliola (AL) 42 AB4
Miola (TN) 13 E2
Miola, Truc di (TO) 19 F2
Mione (TN) 2 F3
Mione (UD) 5 F3
Mio, Roche de [F] 18 C1-2
Miosa (TO) 31 A2
Mirabella Eclano (AV) 84 F2
Mirabella Imbáccari (CT) 120 E1
Mirabella, Pizzo (PA) 109 E2
Mirabella (VI) 25 C4
Mirabello Ciria (CR) 23 F2
Mirabello di Pavia (PV) 34 A1
Mirabello (FE) 37 E3-4
Mirabello Monferrato (AL) 33 B1
Mirabello, Monte (VR) 25 E2
Mirabello San Bernardino (LO) 34 B4
Mirabello Sannitico (CB) 83 AB4
Miracolo, Il (NU) 130 C1-2
Miradolo, Terme di (PV) 34 A3
Miradolo Terme (PV) 34 AB3
Miradolo (TO) 31 C1
Mirafiori (TO) 31 B3
Miralago [CH] 11 C2
Miralago, Passo di (CE) 83 BC2
Miramare, Castello di (TS) 29 D2
Miramare (RN) 56 A2
Miramonti, Albergo (BZ) 3 C3
Miranda (IS) 76 F2-3
Miranda (TR) 68 C2-3
Mirandola (BS) 23 D2
Mirandola (MO) 37 E1
Mirano (VE) 26 E4
Mirante, Masseria (TA) 94 F3
Mirasole (MN) 37 C1
Mirasole (NO) 21 C1
Miratoio (PS) 55 CD3
Mirauda, Punta (CN) 41 D2
Miravalle, Albergo (AO) 7 F2
Miravalle (BO) 48 B1
Mira (VE) 26 E4
Miravidi, Monte [F] 18 A2
Miren, Merna [YUI] 29 B2
Mirenu, Fiume 133 B3
Mirio, Cocuzzo (EN) 119 B3-4
Miroglio (CN) 41 C3
Miroir, Le [F] 18 B3
Mirra, Monte sa (CA) 135 D2
Mirrino, Poggio (CT) 120 D3
Mirteto (MS) 45 F3
Mirto Crosia (CS) 103 B1
Mirto di Siderno (RC) 115 B2
Mirto (ME) 112 D1
Mirto, Monte (PA) 109 DE1
Misa, Fiume 57 D1
Misa, Monte (BS) 11 F4
Misa Necrópoli Etrusca (BO) 47 D2
Misano Adriatico (RN) 56 B2
Misano Gera d' Adda (BG) 22 DE4
Misano, Monte (RN) 56 B2
Mis (BL) 14 D3
Miscano, Fiume 84 D2
Misceccο [YUI] 17 F1-2
Mischabel [CH] 7 C4 D3
Mischabel/H. [CH] 7 D4
Misciano (AR) 55 E2
Misciano (AR) 55 F1
Misciano (AV) 89 B3
Miscilli, Masseria (FG) 79 F1
Misciotto, Monte (PA) 110 F1
Miscoso (RE) 45 C3
Miseno, Capo (NA) 88 BC3
Miseno (NA) 88 B3
Misericordia, Quadrivio della (EN) 119 C3-4
Miserin, Lago (AO) 19 C2
Miséria, Masseria (TA) 93 C1
Mis, Fiume 14 D2
Misilbesi, Portella (AG) 117 B2
Misilifurme, Piana Grande di (AG) 117 C3
Misilifurme, Piana Piccola di (AG) 117 C3
Misilmeri (PA) 109 D3
Misinto (MI) 21 C4
Mis, Lago (BL) 14 D3
Misma, Monte (BG) 23 B1
Misone, Monte (TN) 12 F3
Missanello (PZ) 98 A2
Missano (GE) 44 D3
Missano (MO) 46 D4
Missano (PC) 34 E4
Misságlia (LC) 22 B2
Missério (ME) 113 E1
Missiano (BZ) 2 F4
Missiano (PG) 61 E3
Mission [CH] 7 C2
Misterbianco (CT) 121 C1
Mis (TN) 14 D2
Mistras, Stagno di (OR) 131 BC2-3
Mistretta, Bosco di (ME) 111 E3-4
Mistretta (ME) 111 E2
Mistris, I (PN) 15 D3
Misurina (BL) 4 E3
Misurina, Lago di (BL) 4 E3
Mita, Masseria (TA) 94 C1-2
Mita (PG) 61 B4
Mitschig [A] 16 A4
Mittaghorn [CH] 8 A2-3
Mittagskofel [A] 5 E2-3
Mittags Kogel [A] [YUI] 17 B4
Mittagskogl [A] 2 B2
Mitta (ME) 113 E1
Mitteldorf [A] 4 A4
Mitterberg [A] 2 B2
Mitterolano /di Mezzo /di Sotto /di Sopra (BZ) 4 CD2
Mittewald a.d. Drau [A] 5 D1
Mizofato, Fiume 102 B2
Mizzana (FE) 37 E4
Mizzole (VR) 25 E1

Mjchlbachtal [A] 5 BC1
Moano (IM) 41 E4
Moarda, Punta della (PA) 109 D2
Moasca (AT) 32 E3
Mocáio, Fattoria (PI) 59 A2
Mocasina (BS) 24 D1
Mócchie (TO) 31 A1
Moccone (CS) 102 D2
Mocenigo (TN) 2 F3
Mocogno (MO) 46 D3
Mocogno, Monte (MO) 46 D3
Mocónesi (GE) 44 B1
Mocrone (MS) 45 D2
Modane [F] 18 F1
Modanella (SI) 61 B1
Moda, Pizzo di (ME) 113 CD2
Modditonalza (SS) 126 E2-3
Modditzi, Punta sa (CA) 133 F3
Moddèmesi, Monte (CL) 119 F2
Modeano (UD) 28 C2
MODENA 46 A4
Modégiu, Cantoniera (SS) 128 C4
Modica, Casale (SR) 124 D2
Modica, Casa (SR) 124 D2
Modica (RG) 123 D4
Modica, Villa (RG) 124 D1
Modighina, Punta (NU) 132 B2
Modigliana (FO) 48 F2
Modignano (LO) 22 F3
Modine (AR) 54 E3
Modino, Monte (MO) 46 D2
Modolena (RE) 36 F2
Modolo (NU) 128 E3
Modreja (Modrea) [YUI] 17 E3
Modreuzza [YUI] 17 E3
Modugno (BA) 87 E2
Moena (TN) 13 B4
Moerna (BS) 24 B2
Moésa, Fiume 9 C3
Moésola, Pizzo [CH] 9 A4
Moesola, Lago [CH] 9 A4
Mogessa (UD) 16 C3
Moggiano (AR) 55 D2
Móggio (LC) 10 F2
Moggio, Fiume 13 EF3
Moggiona (AR) 54 C4
Moggio Udin di Sotto (UD) 16 C3
Moghegno [CH] 9 C1
Moglia (BS) 24 C2
Moglia (GE) 44 A1
Moglia (MN) 36 D4
Moglia (MN) 37 C2
Mogliano (MC) 64 C1
Mogliano Veneto (TV) 27 D1
Móglie (PV) 33 D4
Móglio (SV) 42 F2
Mognata (VB) 8 C3
Mogne (BO) 47 EF1
Mogno [CH] 9 A1
Mognod (AO) 7 F2
Mogorella (OR) 132 C1
Mogoro, Fiume 131 D4
Mogoro (OR) 132 D1
Moiana (CO) 22 A2
Moiano (BN) 83 E3
Moiano (NA) 89 D1
Moiano (PG) 61 E3
Moia (SO) 11 D1
Moiazza, Monte (BL) 14 C2-3
Moi, Col de (BL) 14 F3
Móie (AN) 57 F1
Móie (BL) 4 E4
Moietto (TN) 25 A1-2
Moimacco (UD) 16 F4
Móio de Calvi (BG) 10 F3
Móio della Civitella (SA) 96 B3-4
Moiola (CN) 41 C1
Móio, Monte (SA) 90 C4
Moio, Stazione (CT) 112 F3
Moirano (AL) 32 EF4
Mójo Alcantara (ME) 112 E3
Moiry, Cab. de [CH] 7 D2
Moiry, Glacier de [CH] 7 D2
Moiry, Lac de [CH] 7 C2
Moiry, Val de [CH] 7 C2
Mojstrana [YUI] 17 C4
Mokarta, Castello di (TP) 116 A4
Mola (BG) 11 E1
Mola di Bari (BA) 87 A2
Moladi (VV) 104 E3
Mola di Geracello, Cocuzzo (EN) 119 D3
Molafa, Stazione (SS)128 A3
Mola, Ponte della (FR) 81 A3
Mola, Portella (PA) 118 B2
Molara, Isola (SS)127 E4
Molara, Monte (AV) 84 E4
Molara (PA) 109 D2
Molard, Le [F] 18 E3
Molare (AL) 33 F1
Molare [CH] 9 A2
Molare, Pizzo [CH] 9 A2
Molaretto (TO) 18 F3
Molarotto, Isola (SS)127 E4
Molassana (GE) 43 B3
Molassa (PN) 15 D2
Molato, Lago di (PC) 34 D2
Molazzana (LU) 46 F1
Molella (LT) 81 D1
Móleno [CH] 9 C3
Molentargius, Stagno di (CA) 135 C4
Moleti (ME) 113 C2
Moleto (AL) 32 B4
Moletta, Fiume 80 A1
Molevana (PN) 15 D4
Molétis, Punta (CA) 136 D3
Molére (AO) 19 B1
Molezzano (FI) 54 A2
Molfetta (BA) 87 D1
Moliasset [F] 30 F1-2
Molicciara (SP) 45 F2
Molina (AO) 19 AB2
Molinaccio Umbro (PG) 63 C1
Molina (CO) 22 A1
Molina del Pallone (PT) 46 F4
Molina di Fiemme (TN) 13 C2-3
Molina di Ledro (TN) 24 A4
Molina di Quosa (PI) 52 C3
Molinara (BN) 84 C2
Molinatico, Monte (PR) 45 B1
Molina (TN) 13 C2
Molinat (PN) 15 E3
Molina (VI) 25 C4
Molina (VR) 24 C4
Molinazzo [CH] 9 C3
Molinazzo, Torre (PA) 109 C1
Moline (BL) 13 E4
Moline (CN) 41 C4
Moline, Le (PC) 34 F3
Moline, Le (PV) 34 D2
Molinella (BO) 48 A1
Molinella (RO) 38 C1
Molinelli (AR) 55 F1
Molinello Piani (RA) 48 C2
Molinera, Pizzo di [CH] 9 C3
Molines en Queyras [F] 30 D1-2
Molinetto (BS) 24 D1
Molinia, Case (CT) 123 A2-3
Molini (AL) 43 A2-3
Molini di Triora (IM) 41 F3
Molini (IM) 51 C2
Molini (Mühlen) (BZ) 4 B1
Molni (PG) 63 F1
Molini (PV) 21 F3
Molinis (UD) 16 E3
Molino Aterno (AO) 75 A3
Molino Camporilli (FR) 74 E4
Molino del Conte (PV) 21 E3
Molino del Conte (PV) 33 D4
Molino del Piano (FI) 54 C2
Molino de Torti (AL) 33 C3
Molino, I1 (AP) 64 C3
Molino Nuovo (GE) 43 C4
Molino Nuovo (PT) 53 BC1
Molino Paderi, Case (CA) 132 E2-3
Molino, Ponte (SS) 129 B3
Molino, Rifugio di (AO) 75 E3
Molino Sasso (PG) 55 F3
Molino (SV) 42 B3
Molino (TO) 31 B1
Molino (UD) 16 D3
Molino (VC) 7 F4
Molino (VE) 27 C2
Molino Vecchio (GE) 43 A3
Molin Rotto (VE) 26 E4
Molise (CB) 76 F4
Moliterno (PZ) 97 B3
Molla, Canale 65 A3
Molla, Capo (SS) 125 C2
Molla, La (SI) 61 E2
Mollaro (TN) 12 C4
Mollasco, Fiume 30 F2
Mollens [CH] 7 B2
Molleone (PS) 56 E2
Mollette (TO) 30 A4
Mollette (VI) 25 C3-4
Möll, Fiume 5 B3
Móllia (VC) 8 F1
Mollieres, Fiume 40 D3
Molliéres (TO) 30 B2
Mollières [F] 40 D3
Mollo, Fiume 75 F3
Mölltal [A] 5 AB3
Mölltal [A] 5 B3-4
Molochio (RC) 114 B4
Molo di Borbera (AL) 33 E3-4
Molpa, Castello di (SA) 96 D4
Moltedo (IM) 51 C2
Molteno (LC) 22 B2
Moltone, Monte (PZ) 91 C4
Moltrásio (CO) 9 F3
Moltrone (LU) 52 A3
Molvena (VI) 26 B1
Molveno, Lago (TN) 12 E3
Molveno (TN) 12 D3-4
Molviano (TE) 70 A1
Mombaldone (AT) 42 A3
Mombarcaro (CN) 42 B1-2
Mombaroccio (PS) 56 C3
Mombarone (AT) 32 C2
Mombarone, Colma di (BI) (TO) 20 C1
Mombaruzzo (AT) 32 E4
Mombelli (PV) 34 D1-2
Mombello di Torino (TO) 32 B1
Mombello (MI) 22 C1
Mombello Monferrato (AL) 32 A3
Mombello (VA) 9 F1
Mombello (BI) 20 C3
Mombercelli (AT) 32 D3
Mombianco (TO) 19 D3
Mombisaggio (AL) 33 D3
Momeliano (PC) 34 D3
Momigno (PT) 53 A2
Momjan [YUI] 29 F2-3
Mommio (LU) 52 B2
Mommio (MS) 45 DE3
Momo (NO) 21 C1
Mompantero (TO) 18 F3-4
Mompellato (TO) 19 F1-2
Mompeo (RI) 68 F3
Mompiano (BS) 23 D4
Monaca, Timpone della (KR) 102 E4
Monacelle, Le (BA) 87 F3
Monacelli, Masseria (LE) 95 D3
Monache, Le (LT) 81 B2
Monachelle, Le (CS) 102 C2
Monache, Masseria (BR) 95 D2
Monache, Masseria delle (BA) 93 A2
Monache, Masseria (TA) 94 E3
Mónache, Serra delle (PZ) 97 A4
Monachiello, Masseria Pozzo (FG) 85 D3-4
Monachina, La (ROMA) 73 D1
Monachino (PT) 53 A3
Monaciano (SI) 60 A2-3
Monaci, Cocuzzo dei (PA) 118 A1-2
Monaci, Fiume 120 D3
Monaci, Isola (SS) 127 B2-3
Monaci, Lago dei (LT) 80 C4
Mónaci, Masseria i (TA) 93 C4
Mónaci, Serra dei (CS) 101 B3
Monacilioni (CB) 77 F2
Monaci, Masseria dei (TA) 94 E3
Monaci, Masseria (LE) 100 D3
Monaci, Masseria (LE) 95 E1
Monaci, Masseria (LE) 95 F2
Monaci, Parco dei (MT) 93 D1
Monaci, Passo dei (IS) 75 F4
Monaci, Ponte dei (CT) 120 E3
Monaci, Pozzi (SA) 97 B2
Monacizzo (TA) 94 F2
MONACO 50 D2-3
Monaco, Cappelle (FG) 78 F3
Monaco, Casa (FG) 84 A4
Monaco, Colle del (VV) 105 E1
Mónaco di Gioia, Monte (BN) 83 C2-3
Mónaco, Masseria di pozzo (FG) 85 D4
Mónaco, Monte (CE) 83 C1
Monaco, Monte (TP) 108 C2
Monaco, Pizzo (PA) 109 F4
Monaco, Pizzo (TP) 107 E3
Monaco, Portella del (EN) 120 A2
Mónaco, Serra del (MT) 92 B1
Monaco, Torre del (CE) 82 F4
Monale (AT) 32 C2
Monasterace Marina (RC) 115 A4
Monasterace (RC) 115 A4
Monasteri, di Sopra /di Sotto (SR) 124 B3
Monastero, Abbazia (SI) 60 B4
Monastero (AR) 54 F2
Monastero Bormida (AT) 32 F3
Monastero (CN) 41 A1
Monastero di Fonte Avellana (PS) 56 F2
Monastero di Lanzo (TO) 19 E2
Monastero di Praglia (PD) 26 F2
Monastero di San Benedetto (ROMA) 74 C3
Monastero di Vasco (CN) 41 C4
Monastero d'Ombrone (SI) 60 B4
Monasterolo Casotto (CN) 41 C4
Monasterolo (CR) 23 F3
Monasterolo (CR) 35 C4
Monasterolo del Castello (BG) 23 B2
Monasterolo di Savigliano (CN) 31E3
Monasterolo Torinese (TO) 19 F2
Monastero (MC) 63 D3
Monastero (PS) 55 D4
Monastero Santa Maria degli Angeli (PZ) 91 A1
Monastero (SO) 10 C2
Monastero (SO) 10 D4
Monastero (SV) 42 E2
Monastero, Villa (PC) 34 D4
Monastier di Treviso (TV) 27 C2
Monastir (CA) 135 AB3
Monate, Lago di (VA) 21 A2
Monate (VA) 21 A2
Monbasiglio (CN) 42 C1
Moncader, Monte (TV) 26 A4
Moncalieri, Rifugio (CN) 41 D1
Moncalieri (TO) 31 B3
Moncalvo (AT) 32 B3
Moncenisio, Colle del [F] 18 E2
Moncenisio, Lago del [F] 18 EF2-3
Moncenisio, Massiccio de [F] 18 E2-3
Moncenisio (TO) 18 F3
Moncerrato (MO) 46 C3
Moncestino (AL) 32 A2-3
Monchiero (CN) 31 F4
Monchio delle Corti (PR) 45 C3
Monchio delle Olle (RE) 46 B1
Monchio (MO) 46 C2
Moncigoli (MS) 45 E2-3
Moncioni (AR) 54 F2
Moncorona [YUI] 29 A2
Moncrivello (VC) 20 E2
Moncucco (MI) 21 F4
Moncucco (VB) 8 D2
Moncuzzo Torinese (AT) 32 B1
Mondadizza (SO) 11 C4
Mondagnola (CN) 41 C3-4
Mondaino (RN) 56 C2
Mondaniga Vida (RA) 48 C2
Mondarello (CN) 31 E1
Mondaro (BS) 23 B4
Mondavio (PS) 56 D4
Mondelli (VB) 8 E1
Mondello, Masseria (PA) 108 F4
Mondello (PA) 109 C2-3
Mondello, Pizzo (PA-AG) 118 B1
Mondello, Torre (PA) 109 C2-3
Mondini (CN) 31 F3
Mondolé, Monte (CN) 41 D3
Mondolfo (PS) 57 D1
Mondondone (PV) 33 C4
Mondoni (CN) 42 B1
Mondonico (VA) 9 F2
Mondonio San Domenico Savio (AT) 32 B1
Mondonuovo (BO) 48 A1
Mondonuovo (LE) 100 C1
Mondotorriccio (CS) 103 C1
Mondotorriccio, Staz. (CS) 103 B2
Mondoví (CN) 41 B3-4
Mond'Ovile (AL) 43 A2
Mondragone (CE) 82 E2
Mondrone, Úia di (TO) 19 E1
Mondrone (TO) 19 E1
Monega, Monte (IM) 41 F3
Monesiglio (CN) 42 B2
Monesi (IM) 41 E3
Monestirolo (FE) 38 F1-2
Moneta, Monte (LT) 81 D3-4
Moneta, Palazzo (VR) 25 F2
Moneta, Passo della (SS) 127 B2
Moneta, Serra della (AG) 118 C2
Moneta (SS) 127 B2
Money, Le (AO) 19 C1
Money, Punta (AO) 19 C1
Money, Rifugio (AO) 19 C1
Monéglia (GE) 44 DE3
Monfalcone (GO) 29 C1
Monfalcone (UD) 15 B1
Monfallito (AT) 32 D3
Monfandi (TO) 19 C3
Monferrato (CN) (AT) 32 CD1-2-3
Monfestino (MO) 46 C3-4
Monfol (TO) 30 B2
Monforte d'Alba (CN) 32 F1
Monforte, Marina (ME) 113 BC1
Monforte S. Giorgio (ME) 113 C1
Monfret, Cima [F] (TO) 18 DE4
Monfumo (TV) 26 B3
Mongardino (AT) 32 D3
Mongardino (BO) 47 C2
Mongerbino, Capo (PA) 109 D4
Mongerbino, Torre (PA) 109 D3-4
Monghezzo (BZ) 3 C4
Monghidoro (BO) 47 E3
Móngia, Fiume 42 C1
Mongiana (VV) 105 F1
Mongiardino (AL) 33 F1-2
Mongiardino Ligure (AL) 33 F4
Mongióia (CN) 30 F2
Mongióie, Monte (CN) 41 D3
Monginevro, Colle di [F] 30 B1
Mongione (ME) 112 C3
Mongiuffi (ME) 113 E1
Mongivacche, Monte (ME) 112 E4
Mongivetto, Castello (BI) 20 D2
Monglassico (TN) 12 B3
Mongrando (BI) 20 C2
Mongrassano Cervicati, Stazione di (CS) 102 B1
Mongrassano (CS) 101 B4
Mongreno (TO) 31 B4
Monguelfo (Welsberg) (BZ) 4 D2-3
Monguzzo (CO) 22 B2
Monica, Ca (PR) 35 EF2
Monica, Isola (SS) 126 A4
Moni, Casa (RG) 124 E1
Moniego (VE) 26 D4
Moniga del Bosco (BS) 24 D2
Moniga del Garda (BS) 24 D2
Monistero (AR) 61 A2
Monleale (AL) 33 D3
Monleone (GE) 44 C1
Monna Casale, Monte (FR) 82 A3
Monna, La (FR) 74 DE4
Monna, Monte (SA) 89 C4
Monna Rapanella (AQ) 75 D2
Monno (BS) 11 D3
Monnola (CH) 77 C1
Monocchia, Fiume 63 A4
Monópoli (BA) 87 B4
Monperone (AL) 33 D4
Monpiano (CN) 32 F2
Monreale, Castello di (CA) 132 E1
Monreale, Castello di (TN) 13 D1
Monreale (PA) 109 D2
Monrupino (TS) 29 D3
Monsagrati (LU) 52 B3
Monsampolo del Tronto (AP) 64 F3
Monsano (AN) 57 E1-2
Monsanpietro Morico (AP) 64 D1
Monsanto (FI) 53 F4
Monselice (PD) 38 A2
Monserrato (CA) 135 C4
Monsigliolo (AR) 61 C2
Monsignore, Casino di (BA) 86 D3-4
Monsola (CN) 31 F2
Monsole (PD) (VE) 38 B4
Monsoreto (VV) 104 F4
Monsummano Terme (PT) 53 B1-2
Montabone (AT) 32 E4
Montacchita (PI) 52 E4
Monta (CN) 32 D1
Montacuto (AL) 33 E4
Montacuto (AN) 57 E3-4
Montacuto (PG) 62 B2
Montacuto (SI) 60 C3
Montafia (AT) 32 C1-2
Montagna (AR) 55 E2
Montagna (CS) 97 E4
Montagna, Cà (VR) 24 C3
Montagna (EN) 119 D4
Montagna Grande (ME) 112 E4
Montagna Grande (PA) 109 D3
Montagna in Valtellina (SO) 11 D1
Montagna, La (AV) 84 D4
Montagna, La (CL) 119 E1-2
Montagna, La (CT) 120 DE2
Montagna, La (PA) 118 A3-4
Montagna, La (VT) 67 C1
Montagna (Montan) (BZ) 13 C2
Montagna (FI) 53 D3
Montagnana (MO) 46 B3-4
Montagnana, Monte (PR) 45 B3
Montagnana (PD) 37 A4
Montagnana (PT) 53 B1-2
Montagnana (TN) 13 E1
Montagnano (AR) 61 B2
Montagna, Poggio (CT) 120 EF1
Montagna, Punta (PA) 111 F1
Montagnareale (ME) 112 C2
Montagna (SV) 42 D3
Montagna (TP) 117 B1
Montagne della Duchessa (RI) (AQ) 74 A4
Montagne (TN) 12 E2
Montagnier [CH] 6 D4
Montagnola (AG) 118 BC4
Montagnola (AG) 118 C3
Montagnola (AQ) 75 E4
Montagnola, Cantoniera (AQ) 75 D4
Montagnola (CL) 118 BC4
Montagnola, La (AQ) 75 E4
Montagnola, La (AQ) 76 E2
Montagnola, La (CH) 76 B4
Montagnola, La (CT) 121 A1
Montagnola, La (IS) 76 F3
Montagnola, La (PA) 109 E2
Montagnola, La (PA) 109 F1
Montagnola, La (PA) 110 F1
Montagnola, La (PA) 118 A2
Montagnola, La (PS) 56 EF1
Montagnola, La (TR) (RI) 68 D3
Montagnola (PG) 69 B1
Montagnola (PZ) 97 C4
Montagnola (RA) 48 C4
Montagnola (SI) 60 B1-2
Montagnola, Villa (PG) 62 E2
Montagnon [CH] 6 C3-4
Montagnone (BS) 23 C4
Montagnone, Il (PZ) 91 F2
Montaguto (AV) 84 D4
Montaguto, Stazione di (AV) 84 D4
Montaiate (PS) 56 F2-3
Montaio (AR) 54 F2
Montaio, Poggio (GR) 60 F1-2
Montalbano (BR) 94 B2
Montalbano, Casa (PA) 109 F1
Montalbano Elicona (ME) 112 D3
Montalbano (FE) 37 F4
Montalbano (RN) 55 A4
Montalbano (RN) 56 B2
Montalbano Jonico (MT) 98 A4
Montalbano Jonico, Stazione di (MT) 99 A1-2
Montalbano, Masseria (BR) 94 B2
Montalbano (MO) 46 D4
Montalbano, Stazione di (MT) 98 A4
Montalbo (PC) 34 C2
Montalceto, Villa (SI) 60 C4
Montalcinello (SI) 60 C1
Montalcino (SI) 60 D3
Montaldeo (AL) 33 F2
Montaldo (AL) 32 B3
Montaldo (AL) 42 A3
Montaldo Bormida (AL) 33 F1
Montaldo di Cosóla (AL) 34 F1
Montaldo di Mondoví (CN) 41 C4
Montaldo (GE) 43 B4
Montaldo Roero (CN) 31 E4
Montaldo Scarampi (AT) 32 D3
Montaldo Torinese (TO) 31 B4
Montaldo (BI) 20 C3
Montale (AN) 56 F4
Montale Celli (AL) 33 E3
Montale (MO) 46 B4
Montale (MS) 45 C2
Montale (MS) 45 D3
Montalenghe (TO) 19 E4
Montale (PT) 53 B3
Montalera, Castello di (PG) 61 D3-4
Montale (RE) 46 B1
Montalero (AL) 32 B3
Montale (SP) 44 D4
Montaletto (FO) 49 E1
Montalfina (TR) 67 B1-2
Montalfoglio (PS) 56 E3
Montalfoni (AR) 54 F3-4
Montali (PG) 61 D4
Montalla (AR) 61 B3
Montallegro (AG) 118 DE1
Montallese (SI) 61 D2
Montallo (RE) 46 B2
Montalone (AR) 55 D1
Montaltino (BA) 86 C3
Montaltino (FG) 86 B1
Montalto, Castello di (SI) 60 A4
Montalto, Chiesa di (CT) 120 B4
Montalto (CS) 101 A3
Montalto delle Marche (AP) 64 E2
Montalto di Castro (VT) 66 E3
Montalto di Nova (BZ) 3 F2
Montalto Dora (TO) 20 D1
Montalto (FO) 54 AB4
Montalto (IS) 76 E2
Montalto Ligure (IM) 51 C1
Montalto Marina (VT) 66 E3
Montalto (MC) 63 D3
Montalto Pavese (PV) 34 C1
Montalto (PG) 62 B1
Montalto, Pizzo (VB) 8 D1-2
Montalto (PZ) 91 B2
Montalto (RC) 114 D3-4
Montalto Rose, Stazione di (CS) 102 D1
Montalto, Stazione di (VT) 66 E3
Montalto Tarugo (PS) 56 E3
Montalto Uffugo (CS) 101 D4
Montaltuzzo, Villa (AR) 61 A1
Montana [CH] 7 B1-2
Montana, Colonia (MT) 92 E1
Montana, Colonia (NU) 128 E4
Montanara (CR) 35 B3
Montanara (MN) 36 B3
Montanare (AR) 61 B3
Montanari, Masseria (FG) 79 C1
Montanaro (CE) 82 D4
Montanaro, Masseria (TA) 93 C3
Montanaro (PC) 35 D1
Montanaro (TO) 19 F4
Montanaso Lombardo (LO) 22 F3
Montana Vermala [CH] 7 B1

Montanello (MC) 63 B4
Montanello, Pizzo (PA) 109 D1
Montanera (CN) 41 B3
Montaner (TV) 15 F1
Montanes (BL) 15 D1
Montanina (AR) 54 E4
Montanino (FI) 54 D2
Montanitz [A] 5 A1
Montano Antilia (SA) 96 C4
Montano/Lucino (CO) 21 A4
Monta (PD) 26 E2
Montaperti (PI) 53 F2
Montaperti (SI) 60 B3
Montaperto (AG) 118 E2
Montaperto (AV) 84 F1
Montappone (AP) 63 D4
Montaquila (IS) 82 A4
Montarale (PG) 61 E3
Montaratro Masseria (FG) 84 B4
Montardone (MO) 46 C3
Montarice (MC) 64 A2
Montariolo (AL) 33 C2
Montariolo (PV) 33 B2
Montarlone, Monte (GE) 44 A2
Montarolo (VC) 20 F3
Montarone (IS) 76 E3
Montarossa (CN) 31 F3
Montarsiccio (PR) 44 B3
Montarso (BZ) 2 B4
Montasico (BO) 47 D2
Montaspro, Torre (PA) 110 E3-4
Montata, La (RE) 46 B1
Montattico (FR) 75 F2-3
Montauto (SI) 53 F3
Montauto (SI) 60 A2
Montavuto, Serra (MT) 92 B1
Montbardon [F] 30 D1
Montbas [CH] 6 B4
Mont, Col du (AO) 18 B3
Montea (CS) 101 A3
Monte Acuto (BO) 46 F4
Monte Acuto (CE) 83 C1
Monteacuto, Fiume 81 A2
Monteacuto Ragazza (BO) 47 E2
Monteacuto Vallese (BO) 47 E2
Monteaguzzo (FO) 55 A3
Monte (AL) 33 B1
Monte Altavellio (PS) 55 C4
Montealtino, Masseria di (FG) 79 D1
Monte Amiata (SI) 60 E4
Monte Antico (GR) 60 E3
Monte Antico, Stazione di (GR) 60 E2-3
Monte Aperta (UD) 16 D4
Monte a Pescia (PT) 53 B1
Montebaranzone (MO) 46 B3
Montebello (AL) 33 E3
Montebello della Battaglia (PV) 33 C4
Montebello di Bertona (PE) 70 E3
Montebello (FI) 53 E3
Montebello (FO) 55 B4
Montebello Jónico (RC) 114 E3
Montebello (PG) 62 D2
Montebello (PS) 56 D3-4
Montebello (SP) 45 E1
Montebello sul Sangro (CH) 76 C3
Montebello Vicentino (VI) 25 E3
Montebello (VT) 67 E1
Montebelluna (TV) 26 B3-4
Monte Benedetto (PS) 55 C3
Monte Benichi (AR) 60 A4
Monte Berico, Basilica (VI) 25 D4
Montebámboli (GR) 59 D3
Montebibico (PG) 68 B3
Montebollo (PG) 62 A4
Montebonello (MO) 46 C3
Montebradoni (PI) 59 A3
Montebruno Vallescura (GE) 44 B1-2
Monte (BS) 11 E4
Montebudello (BO) 47 BC1
Montebufo (PG) 69 A1
Montebuglio (VB) 8 F3
Montebuoni (FI) 53 D4
Montebuono (GR) 66 B3
Monte Buono (PG) 61 D4
Montebuono (RI) 68 E2
Monte (BZ) 2 F4
Montecagnano (SI) 60 B2
Montecagno (RE) 45 D4
Monte Calderaro (BO) 47 D4
Montecalende (PS) 56 CD1
Montecalvello (VT) 67 C3
Montecalvo (BA) 93 B3
Monte Calvo (BO) 47 C3
Montecalvo Buonalbergo, Stazione (AV) 84 D2-3
Montecalvo in Foglia (PS) 56 C2
Montecalvo Irpino (AV) 84 D2
Montecalvoli (PI) 52 D4
Montecalvo Versiggia (PV) 34 C2
Monte Campano (TR) 68 D1
Montecanepino (MC) 64 AB2
Montecani (CA) 134 B3
Montecanne (GE) 33 F3
Monte, Capo di (LI) 59 C1-2
Montecapraro (AL) 34 E1
Monte Carafa, Masseria (BA) 86 D2
Monte Carasso [CH] 9 C3
Montecarelli (FI) 47 F2
Montecarlo, Convento di (AR) 54 E2
Montecarlo (LU) 52 C4
Monte-Carlo [MC] 50 D2-3
Montecarotto (AN) 56 F4
Montecarulli (SI) 53 F2
Monte Casale, Convento di (AR) (PG) 55 E2-3
Montecassiano (MC) 63 B4
Montecassino, Abbazia (FR) 82 B2
Montecastelli (PG) 61 B4
Montecastelli (PI) 59 D4
Montecastello (AL) 33 C2
Montecastello di Vibio (PG) 62 F1
Montecastello (PI) 53 D1
Montecastrilli (TR) 68 B1
Montecatini Terme (PT) 53 B1
Montecatini Val di Cécina (PI) 59 A2-3
Montecatini Val di Nievole (PT) 53 B1
Monte Catone (BO) 48 D1
Monte Cavallo (MC) 63 E1-2
Montecavolo (RE) 46 A2
Montecchia di Crosara (VR) 25 E2
Montecchio (AP) 64 E1
Montecchio (AR) 61 CD2
Montecchio (BS) 23 A4
Montecchio (FO) 55 A3
Montecchio Maggiore (VI) 25 D3-4
Montecchio (NO) 21 B1
Montecchio (PG) 62 C4
Montecchio (PG) 62 F2
Montecchio (PI) 53 EF1
Montecchio, Poggio (GR) 66 C2
Montecchio Precalcino (VI) 25 C4
Montecchio (PS) 56 C2
Montecchio (RA) 48 E2
Montecchio (SI) 60 B2
Montecchio (VR) 25 D1
Montecelio (ROMA) 73 B4
Montecenere (MO) 46 D3
Montecérboli (PI) 59 B3
Montecósaro (MC) 64 B2
Monte [CH] 9 F3
Montechiaro Alto (AL) 32 F4
Montechiaro, Castello di (AG) 118 F3
Montechiaro d'Acqui (AL) 32 F3-4
Montechiaro d'Asti (AT) 32 BC2
Montechiaro (Lichtenberg) (BZ) 1 E4
Montechiaro (SI) 60 B3
Montechiarugolo (PR) 36 F1
Montechino (PC) 34 E4
Monteciccardo (PS) 56 C3
Montecilfone (CB) 77 C2
Monte, Cima del (LI) 58 E3
Monteclana (BS) 23 D4
Montecodes, Nuraghe (NU) 128 E4
Monte Codi, Cantoniera (NU) 133 D2
Montecodruzzo (FO) 55 A3
Montecolognola (PG) 61 C4
Monte Colombo (RN) 56 B1
Montecompatri (ROMA) 73 D4
Montecopiolo (PS) 55 C3-4
Montecorice (SA) 96 B1-2
Monte Corona (PG) 62 B1
Montecoronaro (FO) 55 C2
Montecoronaro, Valico di (FO) 55 C1
Monte Corone (MO) 47 C1
Montecorvino, Fiume 84 A3-4
Montecorvino Pugliano (SA) 89 CD4
Montecorvino Rovella (SA) 90 C1
Montecorvino, Torre (FG) 84 A3
Montecorvo, Masseria (FG) 85 D2
Monte Cremasco (CR) 22 E4
Montecrestese (VB) 8 C3
Montecreto (MO) 46 E3
Montecristo, Isola di (LI) 58 D1
Montecroce (BZ) 3 A2
Monte Croce di Comelico, Passo (Kreuzberg) (BZ) 4 E4
Monte Croce (Plockempass) (UD) 5 E3
Montecroce (TN) 14 E1
Montecucciolo (MO) 46 D3-4
Monte Cucco (GR) 60 F2
Montecuccoli (FI) 53 A4
Montecòccioli (FR) 75 F2
Montecurto (MS) 45 E2-3
Montedale (PS) 55 E3
Monte d'Arena (TA) 94 F1-2
Monte de' Bianchi (MS) 45 E3
Monte del Lago (PG) 61 CD4
Monte di Malo (VI) 25 C3
Montedinove (AP) 64 E2
Monte di Terlago (TN) 12 E4
Monte di Tora (RI) 74 A2
Montedivalli (MS) 45 E1
Monte Domenico (GE) 44 D2-3
Monte Donato (BO) 47 C3
Montedoro (CL) 118 D4
Montedoro (FG) 78 F2
Monteduro (RE) 45 C4
Montefalcione (AV) 84 F1-2
Montefalcone Appennino (AP) 63 E4
Monte Falcone di Val Fortore (BN) 84 C2
Montefalcone (PI) 53 D1
Montefalco (PG) 62 F3
Montefalco (ROMA) 74 B1
Montefalfone nel Sánnio (CB) 77 D1
Montefano (MC) 63 A4
Montefano Vécchio (MC) 63 A4
Monte Fatúcchio (AR) 55 D1
Montefegatesi (LU) 46 F2
Montefelcino (PS) 56 D3
Montefeltro (PS) 55 BC2-3-4
Monteferrante (CH) 76 C3
Montefiascone (VT) 67 C2
Montefesole (FI) 54 C2
Montefino (TE) 70 C2-3
Montefiorale (FI) 53 E4
Montefiore, Castello di (MC) 63 A4
Montefiore Conca (RN) 56 B1-2
Montefiore dell'Aso (AP) 64 D3
Montefiorello (PG) 68 A4
Montefiore (MS) 45 E3
Monte Fiorentino, Convento di (PS) 55 D4
Montefiorino (MO) 46 D2
Montefiridolfi (FI) 53 E4
Monte Flavio (ROMA) 74 B1
Montefollónico (SI) 61 D1
Monte Fort, Cab. [CH] 6 D4
Monteforte Cilento (SA) 90 F2
Monteforte Irpino (AV) 89 A3
Montefortino (AN) 56 F3-4
Montefortino (AP) 63 E3-4
Montefosca (UD) 17 E1
Montefoscoli (PI) 53 E1
Montefotogno (PS) 55 B4
Monte Franco (TR) 68 C3
Montefreddo (SV) 42 C3
Montefreddo, Villa (PG) 61 DE4
Montefredente (BO) 47 E2
Montefresco (SI) 60 C4
Montefrédane (AV) 84 F1
Monte Fulcadu, Cantoniera (SS) 128 C2
Montefumo, Passo di (BS) 11 D4
Montefusco (AV) 84 F1
Montegabbione (TR) 61 EF3
Montegaldella (VI) 26 E1
Monte Gallo (AN) 57 F3
Montegallo (AP) 63 F3-4
Montegaudio (PS) 56 C2-3
Montegelli (FO) 55 B3
Montegémoli (PI) 59 B2-3
Monteggiori (LU) 52 B2
Montegibbio (MO) 46 B3
Monte Giberto (AP) 64 D2
Montegiórgio (AP) 64 D1
Montegioco (AL) 33 DE3
Montegiordano (CS) 98 C4
Montegiordano Marina (CS) 99 C1
Montegiove (TR) 61 F4
Montegiovi (AR) 55 E1
Montegiovi (GR) 60 EF4
Montegiovo, Passo di (Jaufenpass) (BZ) 3 C1
Montegonzi (AR) 54 F2
Montegranaro (AP) 64 C2
Monte Granata, Posta (FG) 78 F4
Montegranelli (FO) 55 B1
Montegrazie (IM) 51 C2
Montegridolfo (RN) 56 C2
Montegrimano (PS) 55 C4
Montegrino Valtraváglia (VA) 9 E1
Montegroppo (PR) 44 C4
Montegrosso (AT) 32 C2
Montegrosso (BA) 86 D2
Montegrosso d'Asti (AT) 32 D3
Montegrosso (GE) 44 B2-3
Montegrosso Pian Latte (IM) 41 E3
Montegrosso (TO) 31 B1
Montegrotto Terme (PD) 26 F2
Monte Gualtieri (TE) 70 C2
Monteguidi (FO) 55 B1
Monteguidi (SI) 59 B4
Monteguiduccio (PS) 56 C2-3
Monteiasi (TA) 94 D1-2
Monte, Il (CH) 76 D4
Monte, Il (CH) 77 D1
Monte, Il (IS) 76 E3
Monte, Il (MO) 46 D2
Montelabate (PG) 62 C2
Montelabbate (PS) 56 C3
Montelabreve (AR) 55 D3
Montelago (AN) 62 A4
Montelago (RE) 46 C2
Montelaguardia (CT) 112 F3
Montelanico, Campo di (ROMA) 74 F2
Montelanico (ROMA) 74 F2
Montelapiano (CH) 76 C3
Monte la Pieve (BO) 47 D4
Montelaterone (GR) 60 F3
Monte Lattaia (GR) 60 E1
Monte Laura [CH] 9 C4
Monteleone, Castello di (NA) 88 A3
Monteleone di Fermo (AP) 64 D1
Monteleone di Puglia (FG) 84 E4
Monteleone di Spoleto (PG) 68 B4
Monteleone d' Orvieto (TR) 61 F3
Monteleone (FO) 55 A3
Monteleone (PV) 34 A2-3
Monte Leone Rocca Doria (SS) 128 C4
Monteleone Sabino (RI) 68 F4
Montelepre (PA) 109 D1
Montelera (TO) 19 F2
Monteleto (PG) 62 A2
Montelibretti (ROMA) 73 A4
Montelicciano (PS) 55 B4
Montelifrè (SI) 60 C4
Montella (AV) 90 B1
Montelli, Masseria (BA) 93 B3
Montello (BG) 23 C1
Montello, Il (TV) 26 B4
Montelongo (CB) 77 E3
Montelongo, Pizzo (TP) 108 E4
Montelopio (PI) 53 F1
Monte Lottone (FO) 55 A2
Montelovesco (PG) 62 B2
Monteluco (PG) 68 B3
Montelungo, Mura di (ROMA) 74 F2
Montelungo Superiore/Inferiore (MS) 45 C1
Montelupo Albese (CN) 32 F1
Montelupo Fiorentino (FI) 53 D3
Montelupone (MC) 64 B1
Monte Madre, Masseria (BR) 94 C4
Montemaggio, Castello di (PS) 55 B4
Montemaggio (GE) 43 A3
Montemaggio (GE) 44 C2
Montemaggio (PS) 55 B4
Montemaggiore, Abbazia di (PG) 55 F4
Montemaggiore al Metauro (PS) 56 D4
Montemaggiore Belsito (PA) 110 F2
Montemaggiore (BO) 47 C1-2
Montemaggiore (FO) 48 F3
Montemaggiore (ROMA) 73 A3-4
Montemaggiore, Stazione di (PA) 110 F1
Montemaggiore (UD) 16 D4
Montemaggiore (UD) 17 E1
Montemagno (AT) 32 C3
Montemagno (PI) 52 D4
Monte Magré (VI) 25 C3
Monte Maiore, Grotta (SS) 128 B4
Montemale di Cuneo (CN) 41 B1
Montemanno (AL) 33 F4
Montemarano (AV) 90 A1
Montemarcello (SP) 45 F1-2
Montemarciano (AN) 57 E2
Montemarciano (AR) 54 E3
Monte Marenzo (LC) 22 B3
Montemarino (AP) 64 C3
Montemartano (PG) 68 A2
Monte Martello (PS) 56 E2
Montemartino (PC) 34 D2
Montemarzino (AL) 33 D3-4
Montemarzo (AT) 32 D3
Montemassi (GR) 59 E4
Montemelino (PG) 61 D4
Montemerano (GR) 66 C2
Montemerlo (PD) 26 F1-2
Montemésola (TA) 94 D1
Montemezzo (CO) 10 D1
Montemicciòli, Torre di (PI) 59 A4
Montemignaio (AR) 54 D3
Montemiletto (AV) 84 F2
Montemilone (BA) 86 F1
Montemiscoso (RE) 45 C4
Montemitro (CB) 77 D1
Montemolino (MO) 46 D2-3
Montemolino (PG) 62 F1
Monte Monaco (AP) 63 F4
Montemontanaro (PS) 56 D3
Monte Mori, Fattoria (SI) 60 C4
Monte Moro (IM) 41 F4
Monte Moro (SV) 42 C3-4
Montemurlo (PO) 53 B3
Montemurlo (GR) 59 C4
Montemurro (PZ) 97 A4
Montemurro, Serra di (PZ) 91 F3-4
Montenars (UD) 16 D3
Montenero (CS) 102 E3-4
Montenero di Bisaccia (CB) 77 C2
Montenerodomo (CH) 76 C2
Montenero (FG) 78 E4
Montenero (GR) 60 E3
Montenero, Grotta di (FG) 78 E4
Monte Nero, Lago di [YUI] 17 D2
Montenero (LI) 52 F2
Montenero, Marina di (CB) 77 B2
Montenero (PG) 68 B1
Montenero, Portella di (PA) 110 E4
Monte Nero, Rifugio (TO) 30 C3
Montenero (SA) 90 C2
Montenero Sabino (RI) 68 F3
Montenero, Stazione di (AQ) 76 E1
Montenero Valcocchiara (IS) 76 E1
Monte Nibbio, Valico di (TR) 61 F3
Montenotte Inferiore (SV) 42 BC4
Montenotte Superiore (SV) 42 C4
Montenovo (FO) 55 A3
Monte Nuovo (MC) 64 B1
Monte, Nuraghe su (SS) 129 CD1
Montenvers, Le [F] 6 E2
Monteodorisio (CH) 77 B1
Monte Oliveto Maggiore, Abbazia di (SI) 60 C4
Monte Oliveto (SI) 53 F3
Monte Olivo (PS) 56 D1
Monteombraro (MO) 47 C1
Monteortone (PD) 26 F2
Montepagano (TE) 70 B3
Monte Paganuccio (PS) 56 E2
Monte Pana (BZ) 3 F3
Montepaone (CZ) 105 D2
Montepaone Lido (CZ) 105 D2-3
Monteparano (TA) 94 E2
Montepastore (BO) 47 CD1
Monte Pedrosu, Cà di (SS) 129 BC2
Montepennino (PG) 62 F3
Monte Pergola (SR) 121 F2-3
Montepertuso (SA) 89 D1
Montepescali (GR) 60 F1
Montepescali, Stazione di (GR) 59 F4
Montepescini (SI) 60 D2-3
Montepetra (FO) 55 B2-3
Monte Petriolo (PG) 61 E4
Monte Petrosu (NU) 127 E3-4
Montepó, Castello (GR) 66 A2
Monte Pórzio Catone (PS) 56 D4
Montepiano (PO) 47 F2
Monte Piselli, Rifugio (TE) 69 A4
Monteplair (BZ) 1 C4
Montepolesco (AN) 57 F2
Monte Polo (PS) 56 D2
Monteponi (CA) 134 B3
Monteponi, Lago (CA) 134 B3
Monte Porzio Catone (ROMA) 73 D4
Monteprandone (AP) 64 F3
Monteprandone, Stazione di (AP) 64 F3
Monteprato (UD) 16 E4
Monte (PS) 55 B4
Montepulciano, Lago di (SI) 61 D2
Montepulciano (SI) 61 D1
Montepulciano, Stazione (SI) 61 D2
Monterado (AN) 57 D1
Monterado (VT) 67 C2
Monterano, Poggio (AR) 55 D3
Monterano (ROMA) 72 A3
Monterappoli (FI) 53 D2
Monte Raschio (PC) 34 D3-4
Monterchi (AR) 55 F2
Montereale (AQ) 69 D2
Montereale (FO) 49 F1
Monte Reale, Masseria (BR) 94 B2
Montereale Valcellina (PN) 15 D2
Montereggi (FI) 54 C1
Monterenzio (BO) 47 D3
Monteréggio (MS) 45 D1
Montericco (RE) 46 A2
Monteriggioni (SI) 60 A2
Monte Rinaldo (AP) 64 E1
Monterivoso (TR) 68 C3
Monte Roberto (AN) 57 F1
Monterocchetta (AV) 84 F1
Monteroduni (IS) 82 A4
Monterolo (PS) 56 E3
Monte Romano (VT) 67 F1
Monterone (AR) 55 D4
Monterone (AV) 84 E1
Monterone (NA) 88 C1
Monterongriffoli (SI) 60 C4
Monteroni d' Arbia (SI) 60 C3
Monteroni di Lecce (LE) 95 E3
Monterosi, Lago (VT) 67 F3-4
Monterosi (VT) 67 F3-4
Monterosso (AL) 33 E3
Monterosso al Mare (SP) 44 E4
Monterosso Almo (RG) 123 B3-4
Monterosso (AN) 56 F3
Monterosso (BZ) 2 D3
Monterosso Calabro (VV) 105 D1
Monterosso, Case (SR) 124 B3
Monterosso Grana (CN) 40 B4
Monterosso, Torre di (AG) 118 E1
Monterotondo (AL) 33 F2-3
Monterotondo (BS) 23 C3
Monterotondo Marittimo (GR) 59 C3
Monterotondo (PS) 55 C2
Monterotondo (ROMA) 73 B3
Monterotondo Scalo (ROMA) 73 B3
Monterotto (PS) 55 C4
Monterovero (CB) 84 A1-2
Monterozzi, Case (VT) 66 D3-4
Monterrone, Masseria (BA) 87 F4
Monterubbiano (AP) 64 D2-3
Monterubiáglio (TR) 67 A2
Monteruga, Masseria (LE) 95 E1
Monterumici (BO) 47 D2-3
Monte Salaiole, Casa (PG) 62 B2
Montesalso (PR) 35 F2
Monte San Biagio (LT) 81 C2
Monte San Giacomo (SA) 91 F1
Monte San Giovanni (BO) 47 C2
Monte San Giovanni in Sabina (RI) 68 E3
Monte San Giusto (MC) 64 C1-2
Monte San Lorenzo (VI) 25 D4
Monte San Martino (MC) 63 DE4
Montesano, Casa (RG) 123 B4
Montesano (PV) 34 A2
Montesano Salentino (LE) 100 D3
Montesano Scalo (SA) 97 A2
Montesano sulla Marcellana (SA) 97 A2
Monte San Pietro (BO) 47 C2
Monte San Pietro (BZ) 13 B2
Monte San Savino (AR) 61 B1
Monte Santa Maria in Sabina (RI) 68 F3
Monte Santa Maria (PS) 56 C3
Monte Santa Maria Tiberina (PG) 61 A4
Monte Sant' Ángelo (FG) 79 E2
Monte Santi Pietrangeli (AP) 64 C1
Monte Santissime Marie (SI) 60 B4
Montesanto (FE) 38 F2
Montesanto (PG) 63 F1
Monte San Vito (AN) 57 E2
Monte San Vito (PG) 68 B4
Montesarchio (BN) 83 EF3-4
Montesardo (LE) 100 E3
Monte Sasso (FO) 55 B2
Montescaglioso (MT) 93 D1
Montescaglioso, Stazione di (MT) 93 D1
Montescano (PV) 34 C2
Montescheno (VB) 8 D2
Monte Scorra (CA) 134 B3
Montescudaio (PI) 59 B2
Montescudo (RN) 56 B1
Montesecco (PS) 56 E3
Montesegale (PV) 33 D4
Montese (MO) 46 D4
Monte Senario, Convento (FI) 54 B1
Monte Serre, Col di (AQ) 70 E2
Montesicuro (AN) 57 EF3
Monte Sierra, Rifugio (BL) 5 F2
Montesilvano, Colle (PE) 70 D4
Montesilvano Marina (PE) 71 D1
Montesilvano (PE) 70 D4
Montesiro (MI) 22 B2
Montesoffio (PS) 56 D1
Montesolaro (CO) 22 B1
Monte Sopra Rondine (AR) 54 F4
Montesoro (VV) 105 C1
Monte Spaccato (ROMA) 73 CD2
Montespecchio (MO) 46 D4
Monte Sperello (PG) 61 D4
Montespertoli (FI) 53 D3
Montespino [YUI] 29 B3
Montespluga, Lago di (SO) 10 A1
Montespluga (SO) 10 A1-2
Montessoro (GE) 33 F3
Montes (SS) 128 A4
Montestigliano (SI) 60 C2
Montestrutto (TO) 19 C4
Monte Tauro, Castello (RN) 56 B1
Montetiffi (FO) 55 B3
Monteti (GR) 66 D2
Monteti, Torre del (BA) 86 E4
Montetorte d' Alpone (VR) 25 E3
Montetortore (MO) 47 D1
Montets, Aigle des Grands [F] 6 E2
Montets, Col des [F] 6 D2
Montette, La [F] 30 CD2-3
Monteu da Po (TO) 32 A2
Monte Urano (AP) 64 C2
Monteu Roero (CN) 31 E4
Montevaca, Passo di (PR) 44 B4
Montevago (AG) 117 B2
Montevarchi (AR) 54 F3
Monte (VC) 20 F2

Montevecchia (CO) 22 B3
Montevecchio (CA) 131 F3
Montevecchio (CB) 83 B3-4
Montevecchio, Fiume 131 E4
Montevecchio, Marina (CA) 131 E2-3
Montevecchio, Pizzo (VB) 7 F4
Montevecchio (PS) 56 E3
Monteveglio (BO) 47 C1
Monteveneroso (PV) 34 C2
Monteverde (AP) 64 D1
Monteverde (CB) 83 AB2
Monteverde (PG) 62 C3
Monteverde (PZ) 85 F2
Monteverde, Stazione di (PZ) 85 F2
Monteverdi Marittima (PI) 59 C2
Montevergine (NA) 88 C1
Monte Vergine, Santuario di (AV) 89 A3
Monte Vergine, Santuario di (LE) 100 C3
Montevescovo (FO) 48 F4
Montevettolini (PT) 53 B2
Montevécchio (CA) 131 F3
Monteviale (VI) 25 D4
Monte Vibiano Vecchio (PG) 61 E4
Monte Vidon Combatte (AP) 64 D2
Monte Vidon Corrado (AP) 64 D1
Monte, Villa del (SI) 53 F3
Montevirginio (ROMA) 72 A4
Montevitozzo (GR) 66 A4
Monte (VR) 24 D4
Monte [YUI] 29 F1
Montágano (CB) 77 F1
Montáione (FI) 53 E2
Montásola (RI) 68 E2-3
Montáuro (CZ) 105 D2
Montáuro (FG) 84 B3
Montáuto Castello di (AR) 55 E1
Montázzoli (CH) 76 C3-4
Montécchio Emilia (RE) 36 F1
Montécchio (TR) 67 B4
Montéggio [CH] 9 E2
Montícchio (MT) 98 A3
Montélparo (AP) 64 E1
Montezémolo (CN) 42 C2
Montódine (CR) 22 F4
Montóggio (GE) 43 B4
Montópoli di Sabina (RI) 68 F3
Montório al Vomano (TE) 70 C1
Montório (GR) 66 A4
Montório nei Frentani (CB) 77 E3
Montório Romano (ROMA) 73 A4
Montú Beccaria (PV) 34 C2
Montú Berchielli (PV) 34 C1
Montgenèvro [F] 30 C1
Montgirod [F] 18 C1
Monthey [CH] 6 B2
Montialvu, Punta (SS) 126 E4
Monti (AN) 57 F2
Montiano (FO) 49 F1
Montiano (GR) 65 B4
Monticano, Fiume 27 A2
Monticchio (AQ) 69 E3-4
Monticchio Bagni (PZ) 91 A1
Monticchio, Laghi di (PZ) 91 A1
Monticchio, Stazione di (AV) 90 A4
Monticelle (BS) 23 D2
Monticelli (AL) 33 D4
Monticelli (BR) 94 A3
Monticelli Brusati (BS) 23 C3
Monticelli d' Oglio (BS) 23 F3
Monticelli D'Ongina (PC) 35 B2
Monticelli (FE) 38 D4
Monticelli (FR) 82 B1
Monticelli (LO) 34 A4
Monticelli Pavese (PV) 34 B3
Monticelli Ripa d' Oglio (CR) 35 B4
Monticelli (SA) 90 D1
Monticelli Sillaro (LO) 34 A3
Monticelli Terme (PR) 36 F1
Monticelli (VI) 25 F3-4
Monticello Amiata (GR) 60 F3
Monticello (AR) 54 F3
Monticello Brianza (LC) 22 B2
Monticello Conte Otto (VI) 25 D4
Monticello d' Alba (CN) 32 E1
Monticello di Fara (VI) 25 E3
Monticello (FR) 75 F2
Monticello, Masseria (BR) 95 D1
Monticello, Masseria (LE) 95 E3-4
Monticello (NO) 21 E1
Monticello (PC) 34 D3
Monticello (PG) 62 D2
Monticello (PZ) 97 A3
Monticello (TN) 13 C1
Monticello (UD) 16 C3
Monticello (BI) 20 C2
Monticello (VI) 25 F4
Montichiari (BS) 24 E1
Montichiello (SI) 61 D1
Monticiano (SI) 60 C1-2
Monticino, Il (FO) 55 C2
Monticolo (BZ) 13 B1-2
Monticolo, Lago di (BZ) 13 B1
Monti di San Carlo [CH] 9 AB1
Monti di Villa (LU) 46 F2
Montiego, Monte di (PS) 56 E1
Montieri (GR) 59 CD4
Montieri, Poggio di (GR) 59 D4
Montiglio (AT) 32 B2
Montignano (AN) 57 D2
Montignano (FI) 53 C4
Montignano (PG) 68 B1
Montignoso (FI) 53 F2
Montignoso, Marina di (MS) 52 A1
Montignoso (MS) 52 A1-2
Monti Grossi, Rifugio (BO) 46 F4
Monti, I (GR) 60 C1-2
Montilgallo (FO) 49 F1-2
Montilongu, Punta di (SS) 127 C1-2
Monti (MS) 45 C1
Montinelle (BS) 24 D2
Montingégnoli (SI) 59 C4
Montione, Poggio (VT) 66 C4
Montioni (LI) 59 D2
Monti Pallidi, Rifugio (TN) 3 F4
Montirone (BS) 23 E4
Monti (SI) 53 F3
Montisi (SI) 60 C4
Monti (SS) 127 E1
Monti (SV) 42 B2
Monti Telti, Stazione (SS) 127 E1
Monti (TO) 19 E1
Monti Uri, Cantoniera (SS) 129 A3
Montjovet (AO) 19 A3
Mont, Le [F] 6 C1
Montocchio, Masseria (PZ) 91 C2
Montonate (VA) 21 B3
Montone (BZ) 4 C2
Montone, Fiume 48 F3 54 A4
Montone (PG) 62 AB1
Montone, Poggio al (GR) 59 D4
Montonero (VC) 20 F4
Montone (TE) 70 A3
Montopoli in Val d' Arno (PI) 53 D1
Montorfano (CO) 22 A1
Montorgiali (GR) 66 A1
Montorio (BO) 47 E2
Montorio in Valle (RI) 74 A2
Montorio Veronese (VR) 25 E4
Montoro (AN) 57 F2-3
Montoro Inferiore (AV) 89 B3
Montoro Superiore (AV) 89 B4
Montoro (TR) 68 D1
Montorsáio (GR) 60 F1-2
Montorso, Galleria di (LT) 81 C2
Montorsoli (FI) 53 C4
Montorso (MO) 46 D4
Montorso (VI) 25 E3
Montoso (CN) 30 D4
Montosoli (SI) 60 D3
Montotto (AP) 64 CD2
Montottone (AP) 64 D1-2
Montozzi (AR) 54 F3
Montresta (NU) 128 D3
Montriond, Lac de [F] 6 B1
Montuolo (LU) 52 C3
Montursi (BA) 93 C2
Montvalenzan [F] 18 B2
Monumento a Caio Menio Basso (ROMA) 74 C1
Monvalle (VA) 9 F1
Monveso di Forzo (TO) (AO) 19 C2
Monviso (CN) 30 E3
Monzambano (MN) 24 EF3
Monza (MI) 22 C2
Monzanaro, Masseria (EN) 119 B3
Monza, Rifugio (BZ) 3 B3
Monzesi, Rifugio (LC) 22 A3
Monzino, Rifugio (AO) 6 F1
Monzone (CS) 98 E2
Monzone (MO) 46 D3
Monzone (MS) 45 E3
Monzon (TR) 3 F3
Monzoro (MI) 21 D4
Monzuno (BO) 47 D2
Mooshof A. [A] 4 C4
Mooskofel [A] 5 E3
Mopolino (AQ) 69 D3
Morachi (CS) 102 F2
Moraduccio (BO) 47 E4
Moranda (TO) 31 B2
Moranego (GE) 43 B4
Morano Calabro (CS) 98 E1-2
Morano, Osteria di (PG) 62 C4
Morano sul Po (AL) 32 A4
Moranzani (VE) 27 E1
Mora (PG) 62 D3
Moraro (GO) 29 B1
Moraro, Valle del (RO) 39 C1
Morasco, Lago di (VB) 8 A3
Morasengo (AT) 32 A2
Morazzone (VA) 21 B3
Morbegno (SO) 10 D3
Morbello Caldasio (AL) 42 A4
Morbio [CH] 9 F3
Morbo, Bagno al (PI) 59 C3-4
Morchengo (NO) 21 D1
Morciano di Léuca (LE) 100 E3
Morciano di Romagna (RN) 56 B2
Morcicchia (PG) 68 A2
Morcles [CH] 6 B3
Morcles, Dent de [CH] 6 C3
Morcone (BN) 83 C3-4
Morcote [CH] 9 F2
Mordano (BO) 48 C2
Mordolossa (BS) 23 D3-4
Morea, Masseria (BA) 93 B3
Morefreddo, Monte (TO) 30 B3
Moregnano (AP) 64 D2
Mörel [CH] 8 B1
Morella, Casa (PG) 62 C3
Morelle (GR) 66 C1
Morelli, Casa (CS) 102 D2
Morelli (MC) 63 E3
Morelli, Rifugio (CN) 40 D4
Morello (AN) 56 F3
Morello, Casa (LE) 95 E4
Morello (FI) 53 B4
Morello, Fiume 119 C3
Morello, Monte (FI) 53 B4
Morena (CN) 30 E4
Morena, Parrocchia di (PG) 55 F4
Morena Ponte Linari (ROMA) 73 D3
Morengo (BG) 23 D1
Moreri, Cappella (TO) 31 D1
Moresco (AP) 64 D3
Mores, Rifugio (VB) 8 A3
Mores (SS) 129 B1
Moretta (CN) 31 DE2
Moretta, Monte (CA) 132 E4
Moretta (PC) 34 C3
Moretti (AL) 42 A4
Morfasso (PC) 34 F4
Morfreid, Monte (CN) 30 F3
Morgano (TV) 26 C4
Morge (AO) 6 F3
Morge, Fiume 6 B4
Morge, Le (CH) 71 F3
Morgex (AO) 6 F2
Mórgia, La (CH) 76 B2-3
Morgino [CH] 6 B2
Morgins, Pas de [CH] 6 B2
Morgins, Val de [CH] 6 B1-2
Morgnano, Castello di (PG) 68 A2
Morgnes, Les [CH] 6 D4
Morgo, Isola (GO) 28 D4
Morgonaz (AO) 19 A2
Morgongiori (OR) 132 D1
Moriago della Battaglia (TV) 26 A4
Morialdo (AT) 32 B1
Moriano (FI) 54 D1
Moriano (PG) 62 F3
Mória (PS) 56 F1
Morichella (MC) 63 D3
Morico (MC) 63 D3
Moricone, Monte (PG) 63 F2
Moricone, Osteria (ROMA) 73 B3
Moricone (ROMA) 73 B4
Moriedda, Torre (CZ) 106 A3
Morigallo, Monte (CO) 10 F1
Morigerarti (SA) 97 C1
Morigino (LE) 100 C3
Moriglione (CN) 31 F4
Morignano (AP) 64 F1
Morignole [F] 41 E2
Morignone (SO) 11 B3-4
Morimondo (MI) 21 E3
Morini (MN) 36 A2
Morino (AQ) 75 D1
Morino Vecchio (AQ) 75 D1
Moriondo (TO) 32 A1
Moriondo Torinese (TO) 32 B1
Morion, Monte (AO) 6 F4
Morion, Monte (AO) 7 F1
Mori (TN) 25 A1
Mori Vecchio (TN) 25 A1
Morléschio (PG) 62 C2
Morliere (TO) 30 A3
Morlupo (ROMA) 73 A2
Morlupo, Stazione (ROMA) 73 A2
Mormanno (CS) 97 E4
Mormorola (PR) 45 A1
Mornago (VA) 21 B2
Mornese (AL) 33 F4
Mornico al Sério (BG) 23 C1
Mornico Losana (PV) 34 C1
Mornico (PV) 34 C1
Morno [YUI] 29 F1-2
Moro, Capo di (AQ) 75 B2
Moro, Fiume 71 F2
Moro, Lago (BG) 10 E4
Moro, Lago (BS) 23 A3
Morolo, Fermata di (ROMA) 73 A2
Morolo (FR) 74 F3
Morolo, Stazione (FR) 74 F3
Moro, Monte (CH) 77 C1
Moro, Monte (CN) 41 D3
Moro, Monte del (ME) 112 E2
Moro, Monte (GE) 43 C4
Moro, Monte (RI) 69 EF1
Moro, Monte (SS) 127 C2
Moro, Monte (TR) 68 C3
Moron (AO) 19 A3-4
Moronico (RA) 48 E2-3
Moroni, Ponte (SS) 127 E2
Moro, Passo di Monte (VB) 7 E4
Moro, Pizzo (VB) 8 B2
Moro, Punta del [YUI] 29 F1
Moro, Sasso (SO) 11 C1
Morosini, Ca' (PD) 38 B1
Morosolo (VA) 21 A2-3
Moross, Rocca (TO) 19 E1
Morozzo (CN) 41 B3
Morra De Sanctis (AV) 90 A3
Morra di Villar (CN) 41 A1
Morra, La (CN) 31 F4
Morra, Monte la (TE) 69 B4
Morra, Monte (ROMA) 74 B1
Morrano Vecchio / Nuovo (TR) 67 A3
Morra (PG) 61 A4
Morra (RE) 46 C2
Morra San Giovanni/San Bernardo (CN) 41 A1
Morra-Teora, Stazione di (AV) 90 A3
Morrea (AQ) 75 D1
Morres Ittireddu, Stazione (SS) 129 B2
Morre (TR) 67 B4
Morrice (TE) 69 B3-4
Morrocco (FI) 53 E4
Morro d' Alba (AN) 57 E1
Morro d' Oro (TE) 70 B3
Morro (MC) 63 D1-2
Morrona (PI) 52 E4
Morrone, Colle (VV) 105 E1
Morrone del Sannio (CB) 7 E2
Morrone, Il (RI) 74 A4
Morrone, Montagne del (PE) 75 A4
Morrone, Monte (AQ) 75 B4
Morrone, Monte (FR) 75 F1
Morrone, Monte (FR) 75 F3
Morrone, Monte (MT) 92 E3
Morrone, Monte (PE) 70 E2
Morro Reatino (RI) 68 CD3
Morrovalle (MC) 64 B2
Morsano al Tagliamento (PN) 28 B2
Morsano di Strada (UD) 28 B3
Morsara, Múrge di (BA) 93 B1
Morsasco (AL) 33 F1
Morsella (PV) 21 F3
Morsone (BS) 24 D2
Mortaiolo (LI) 52 E3
Mortale (FR) 75 F3
Mortano (FO) 55 B1
Mortara (PV) 21 F2
Mortara, Rifugio (VC) 7 F4
Mortaso (TN) 12 E2
Mortegliano (UD) 28 B3
Morte, Monte La (BR) 94 B3
Morteratsch [CH] 11 D1
Morteratsch, Piz [CH] 11 B1
Morter (BZ) 2 E2
Morterone (LC) 10 F2
Morti, Dosso dei (TN) 12 F1
Mortigliano (LI) 58 E1
Morti, Isola dei (TV) 26 B4
Mortillaro (PA) 109 C2
Mortisa (VI) 25 B4
Morti, Serra dei (CL) 118 D3
Mortizza (PC) 35 BC1
Mortizzuolo (MO) 37 E2
Mort, Lago (AO) 7 E1
Mortola, Colle (IM) 50 D3
Morto, Lago (TV) 14 E4
Mortola Inferiore (IM) 50 D3
Morto, Portella del (CL-PA) 119 B2
Mortore, Casa (FG) 78 F2
Mortório, Isola (SS) 127 C3
Mortorio, Torre (CA) 136 C1
Mörtschach [A] 5 B3
Moru, Nuraghe (NU) 133 C3
Moruri (VR) 25 D2
Moruzze (TR) 67 B4
Moruzzo (UD) 16 F3
Morzano (BI) 20 E2
Morzine [F] 6 C1
Morzola (PR) 36 F1
Morzone, Monte (IS) 83 B1
Mosca, Cala (CA) 135 C4
Mosca, Masseria (LE) 100 C1
Moscano (AN) 63 A1
Moscardo (UD) 5 EF4
Mosca (VI) 25 A3
Mosca (VI) 25 B4
Moscazzano (CR) 22 F4
Mosche di Bramante, Masseria le (FG) 78 F4
Moschella, Villaggio (FG) 85 E4
Moschereto, Monte (CS) 98 E3
Moscheri (TN) 25 A1-2
Moschesin, Forcella (BL) 14 C3
Moschetta (RC) 115 C2
Moschiano (AV) 89 AB2-3
Moschiaturo, Monte (BN) 83 C3
Moschin, Col (VI) 26 A1-2
Moschini (AL) 33 D2
Moschitta, Monte (CT) 120 F1
Moscia, Fiume 54 C3
Mosciano (FI) 53 D4
Mosciano Sant'Angelo (TE) 70 AB2-3
Moscio, Fiume 73 B4
Moscona (CR) 23 F1
Moscona, Poggio di (GR) 60 F1
Moscosi (MC) 63 B2-3
Moscufo (PE) 70 D4
Mosè, Villaggio (AG) 118 F3
Mosezzo (NO) 21 D1
Mosio (MN) 36 B1-2
Mosnigo (TV) 26 A4
Mosogno [CH] 9 C1
Moso in Passiria (Moos in Passeter) (BZ) 2 C4
Moso (Moos) (BZ) 4 D4
Mosorrofa (RC) 114 D2
Mossa (GO) 29 B1-2
Mossale (PR) 45 C2
Mossano, Ponte di (VI) 26 E1
Mossano (VI) 25 E4
Mosses, Col des [CH] 6 A3
Mosses, Les [CH] 6 A3
Mosse (VT) 67 C2
Mosso, Monte (PC) 34 E2
Mosson (VI) 25 B3-4
Mosso Santa Maria (BI) 20 B3
Mosso Superiore (BI) 20 B3
Mostarico, Monte (CS) 98 E4
Mosto, Masseria Ca di (LE) 95 D3
Motegu, Fontana (CA) 132 E3
Motella (BS) 23 F2
Mótola, Monte (PG) 68 B4
Motolano (AR) 55 D3
Motot [CH] 7 D1
Mottrone di Versilia (LU) 52 B1-2
Motta (AT) 32 D2
Motta Baluffi (CR) 35 C4
Motta Caggiano, Colle (CH) 77 C1
Motta Camastra (ME) 112 E4
Motta, Casa La (EN) 119 A4
Motta [CH] 9 C2
Motta (CN) 31 E4
Mottác, Pizzo (VB) 8 D3
Motta (CS) 102 E1
Motta d'Affermo (ME) 111 E1-2
Motta de Conti (VC) 33 A1
Motta di Livenza (TV) 27 B3
Motta, Fattoria della (RG) 123 B2-3
Motta Filocastro (VV) 104 F3
Motta, Fiumara di 84 A3
Mottafollone (CS) 101 A3-4
Motta Gastaldi (CN) 31 E3
Motta G. Rifugio (VB) 8 B3
Mottaiola (CR) 35 B4
Motta, La [CH] 11 B2
Motta, Lago di (TO) 19 D2
Mottalciata (BI) 20 D3
Motta Masonis (CA) 133 F1
Motta, Masseria Panetteria (FG) 78 F3
Motta (MN) 36 A2-3
Motta (MO) 37 E1
Motta Montecorvino (FG) 84 A3
Motta, Monte La (VV) 104 E4
Motta, Monte (SO) 11 C1
Motta Naluns [CH] 1 C2-3
Motta (PD) 38 B1
Motta, Pizzo (SO) 10 A2
Motta (PR) 35 C3
Mottarelle (PD) 38 B1
Mottarone (VB) 8 F3
Motta S. Anastasia, (CT) 120 C4
Motta S. Anastasia, Stazione (CT) 120 D4
Motta San Damiano (PV) 34 A1
Motta San Fermo (CR) 36 C1
Motta San Giovanni (RC) 114 E2
Motta Santa Lucia (CZ) 102 F1
Motta (SO) 10 A2
Motta (SO) 11 D2
Motta (TO) 19 C2
Motta (TO) 31 D3
Motta (VI) 25 D4
Motta Vigana (LO) 22 F3
Motta Visconti (MI) 21 F4
Mottaziana (PC) 34 C3
Mottec [CH] 7 C2
Motteggiana (MN) 36 C3
Motte, Grand [F] 18 D2
Motte, Le (CR) 35 AB4
Mottella (MN) 36 B4
Motticella, La (FG) 85 A1
Motticella (RC) 114 E4
Motti, I (VI) 25 E3
Mottinello Nuovo (PD) 26 C2
Mottiscia, Punta (VB) 8 B2
Motto [CH] 9 A3
Móttola (TA) 93 D3
Mottolone, Monte (VI) 25 E4
Mottone, I1 (SO) 10 C1
Mottura (TO) 31 D2
Motturone (CN) 31 E3
Motunato, Castello di (TA) 94 E4
Motòla, Monte (AQ) 75 A3
Moulin (AO) 7 F2
Moulinet [F] 41 F1
Moulins, Les [F] 30 D1
Mounier, Monte [F] 40 D2
Mountet, Cab. du [CH] 7 D2
Mozia (TP) 107 F4
Mozzacatena (MC) 63 B2-3
Mozzagrogna (CH) 71 F2-3
Mozzanica (BG) 22 D4
Mozzano (AP) 64 F1
Mozzano, Monte (AQ) 69 D2-3
Mozza (RI) 69 E1
Mozzate (CO) 21 B4
Mozza, Torre (LE) 100 E2
Mozza, Torre (LI) 59 E2
Mozzecane (VR) 24 F4
Mozzio (VB) 8 C3
Mozzo (BG) 22 B4
Mu (BS) 11 D3-4
Mucchia (AR) 61 C3
Múccia (MC) 63 D2
Mucciafora (PG) 68 A4
Mucciano (FI) 54 A2
Muccia, Pizzo di [CH] 9 A4
Mucciatella (RE) 46 A2
Mucci, Palazzo dei (PS) 55 D3
Muceno (VA) 9 E1
Mucigliani (SI) 60 B3-4
Mucinasso (PC) 34 C4
Mucone, Fiume 102 D2-3
Mucrone, Monte (BI) 20 C1
Muculúfa, La (CL) 119 F1-2
Muda (BL) 14 D3
Muda, Malga la (BL) 14 C3
Muddetru, Monte (SS) 127 D1
Muddizza, La (SS) 126 E2
Mudregu, Monte (OR) 129 F2-3
Mèan Martin, Ponte de [F] 18 D3
Mufa, La (CS) 98 F1
Mufara, Monte (PA) 110 F4
Muffa (BO) 47 B1
Muffetto, Monte (BS) 23 A4
Mufloni, Cuccuru e (NU) 133 B1-2
Mugarone (AL) 33 C2
Mugello (FI) 54 B1-2
Mugena [CH] 9 E2
Muggia, Baia di (TS) 29 DE3
Muggiano (SP) 45 F1
Muggia (TS) 29 E3
Múggio [CH] 9 F3
Muggió (MI) 22 C2
Mughera, Cima di (BS) 24 B3
Muglia (EN) 120 C3
Mugliano (AR) 61 A1
Muglia, Stazione di (EN) 120 C3
Mugnai (BL) 14 F1
Muanano del Cardinale (AV) 89 A2-3
Mugnano di Napoli (NA) 88 A3-4
Mugnano (PG) 61 D4
Mugnano (SI) 60 B2
Mugnano (VT) 67 D3-4
Mugniva (CN) 30 DE4
Mugnone, Fiume 53 C4
Mugnone, Punta (TP) 107 E1
Mugoni (SS) 128 B1
Mühlbach, Fiume 5 CD1
Mühlebach [CH] 8 A2
Muina (UD) 5 F3
Mulara, Serra (KR) 103 E3
Mulargia, Fiume 132 E4
Mulárgia, Lago (NU-CA) 132 E4
Mulargia (NU) 129 E1
Mulaz, Rifugio (BL) 14 C1
Mulazzana (LO) 22 E2-3
Mulazzana (LO) 34 A4
Mulazzano (RN) 56 A4

214 MULAZZANO / NOLA

Mulazzano (PR) 45 A4
Mulazzo (MS) 45 D1
Múles (Mauls) (BZ) 3 C2-3
Mulinello, Ponte (SA) 89 C4
Mulinello, Stazione di (EN) 119 C4
Mulini (CE) 83 F2
Muliparte (TV) 26 B3
Muli, Serra dei (CS) 101 C4
Mulleter [A] 5 B2-3
Mullitztal [A] 4 B4
Multeddo (SS) 126 E1
Multedo (GE) 43 B2
Mummuiola (MC) 63 A3
Mummuzzola, Nuraghe (OR) 132 C2
Mumullónis, Punta (CA) 131 F2
Munciarrati, Casa (PA) 110 E3
Muncinale, Bruncu (NU) 132 A4
Mund [CH] 7 B4
Mundúgia, Monte (NU) 133 A2
Mundin, Piz [CH] 1 B3-4
Mungianeddu, Punta (NU) 132 A4
Mungivacca, Stazione (BA) 87 E3
Muntigghione (SS) 126 D4
Muntiggioni (SS) 126 D2
Muottas Muaragl (CH) 11 A1
Mura (BS) 24 B1
Mura (BS) 24 D2
Muraccio, I1 (ROMA) 72 C4
Muradello (PC) 35 C1
Muradolo (PC) 35 C1
Mura (FI) 53 E2
Muraglia (PS) 56 B3-4
Muraglione, Passo del (FI) 54 B3
Muragl, Piz [CH] 11 A1
Muralduolo (PG) 62 D2
Muralto [CH] 9 D2
Murano (AN) 63 A1
Murano (VE) 27 E2
Murata (FR) 81 A4
Muratella (BG) 23 C1
Muratello (BS) 23 D4
Mura (TV) 14 F2
Mura (TV) 27 B3
Muravalle (TN) 25 B1
Muravera (CA) 136 A3
Muraz [CH] 6 B2
Murazzano (AN) 63 A1
Murazzano (CN) 42 B1
Murazzo (CN) 41 A2-3
Murci (GR) 66 A2-3
Murcova, Fiume 33 A1
Murelle (PD) 26 E3
Murelli, I (PG) 62 D2
Murello (CN) 31 E2-3
Murenz (CN) 40 B2
Mure (PN) 28 C1
Muretto, Monte [CH] 10 B4
Murge, Le (BA) 92 AB2-3-4
Murge, Le (KR) 103 E2
Murge, Le (PZ) 91 D4
Murgetta, Masseria (BA) 86 E3
Murgia, Ca (CA) 131 EF4
Murgia, Ca (OR) 131 E4
Murgia, Casa (CA) 132 F1
Murgo, Monte (SR) 121 E1
Muriáglio (TO) 19 D4
Murialdo (SV) 42 C2
Murie, Nuraghe (NU) 130 C4
Murisacco (PV) 33 D4
Murisenghi (TO) 31 C1-2
Murisengo (AL) 32 B2
Muristene, Nuraghe (NU) 130 D2-3
Múris (UD) 15 D4
Murittu, Punta (NU) 130 D2
Murle (BL) 14 E2
Murlis (PN) 15 F3
Murlo, Miniera di (SI) 60 C3
Murlo, Monte (GR) 59 E4
Murlo, Monte (PG) 61 BC4
Murlo (SI) 60 C3
Murmari, Case (ME) 112 D3
Muro, Ca de (CA) 132 F4
Muro, Fiumara di 90 C4
Muro Leccese (LE) 100 C3
Muro Lucano (PZ) 90 C4
Muro, Masseria (BR) 94 D4
Muro, Masseria (BR) 95 D1
Muro (Maurer K.), Monte (BZ) 4 D2
Muro Pizzo (RI) 68 F4
Muros, Monte (SS) 126 E3
Muros (SS) 128 A4
Muro (VC) 20 A2-3
Murri, Masseria (BR) 94 D4
Murro di Porco, Capo (SR) 124 B4
Murro, Monte (FI) 54 D1
Mursecco Careffi (CN) 42 D1
Mursia Albanese, Masseria (BA) 93 C3-4
Mursia (TP) 116 F1
Murta (GE) 43 B3
Murtas, Scoglio di (CA) 133 F3
Múrtas Torre di (NU) 133 F3
Murtazzolu, Fiume 129 E2
Murter, Piz [CH] 1 D2
Muru Traessu (SS) 126 F2-3
Musadino (VA) 9 E1
Musano (TV) 25 C4
Muscarà, Casa (EN) 120 D2
Muscas, Casa (OR) 131 A4
Muschiada, Cima di (LC) 10 F2
Muschiaro (FG) 79 C1
Muschieto (SV) 42 D2
Musciu, Nuraghe (NU) 133 C3
Muscletto (UD) 28 B2
Muscoline (BS) 24 D1-2
Muscoli (UD) 28 C4
Museddu (NU) 133 C3
Musei (CA) 135 B1
Musella (FO) 55 B2
Musellaro (PE) 75 A4
Muserale (PG) 61 DE4
Musestre (TV) 27 D2
Musiara (PR) 45 B3
Musi, Cime del Monte (UD) 16 D4
Musi, Forcella (UD) 16 D3-4
Musigliano (PI) 52 D3
Musignano (VT) 66 D4
Musile di Piave (VE) 27 D3
Musinè, Monte (TO) 31 A2
Musione (BS) 24 BC3
Musiti, Cocuzzo (AG) 117 C4
Musi (UD) 16 D4
Muso di Porco (PA) 108 D4
Musone (AN) 57 F4
Musone, Fiume 26 B3
Musone, Fiume 57 F2-3
Musone, Masseria (BR) 94 C3
Mussam, Pian del (TO) 18 E4
Mussatico (PR) 45 B4
Mussi (CN) 41 C3
Mussingina (NU) 129 D3
Musso, Fattoria (RG) 123 B4
Mussolente (VI) 26 B2
Mussomeli (CL) 118 C4
Mussons (PN) 28 B2
Müstair [CH] 1 E3
Müstair, Val [CH] 1 E3
Mustazzori, Nuraghe (OR) 132 D1
Mustille, Casa (RG) 123 C2
Muta (Haidersee), Lago della (BZ) 1 C4
Mutata, Masseria (TA) 94 C1-2
Mutigliano (LU) 52 B3
Mutignano (TE) 70 C4
Mutmalspitze [A] 2 C2
Muto, Casa (ME) 111 E4
Muto, Tempa del (MT) 92 F3
Mútria, Monte (BN) 83 C3
Mutrucone, Cantoniera (NU) 130 C4
Mutta, La (BZ) 4 D4
Mutta, Monte (BZ) 3 C4
Muttgletscher, z' [CH] 7 E2
Mutti, Poggio (GR) 59 C3-4
Muttler [CH] 1 B3
Mutucrone, Punta su (NU) 130 B3
Múrgia di Ceraso (BA) 86 F4
Múrgia Lampazzo (BA) 86 F3
Múrgia Serraficáia (BA) 86 F3-4
Múrgia Suagna (BA) 87 F1-2
Muveran, Gr. [CH] 6 B3
Muxarello, Masseria (AG) 118 D3
Muzinu, Fiume 128 D4
Muzio (IM) 41 F4
Muzza, Canale 22 F4
Muzza, Masseria (LE) 100 B4
Muzzana del Turgnano (UD) 28 C3
Muzzano (BI) 20 C2
Muzza Sant'Angelo (LO) 22 F3
Muzza, Torre (PA) 109 C1
Muzzolan (VI) 25 C3

N

Nacciarello (SI) 60 D3
Nadelhorn [CH] 7 D4
Nadore, Rocca (AG) 117 C3
Nadro (BS) 11 E3-4
Nagasó, Santuario di Eca (CN) 41E4
Nago, Monte di (PN) 24 A4
Nagonalni Park [YUI] 17 D3
Nago (TN) 24 A4
Naia, Fiume 68 B1
Naiarda, Monte (PN) 15 C2-3
Nai, Monte (CA) 136 BC3
Nair, Piz [CH] 10 A4
Nair, Piz [CH] 1 D2
Nalles (Nals) (BZ) 2 F4
Nambino, Monte (TN) 12 C2-3
Nancroiz [F] 18 C2
Nani (AL) 32 C4
Nanno (TN) 12 C4
Nantaux, Ponte de [F] 6 D1
Nant, Le [F] 6 D2
Nanto, Ponte di (VI) 26 E1
Nanztal [CH] 7 BC4
Naole, Punta di (VR) 24 C4
Napi, Monte (RC) 115 A3
Napola (TP) 108 E2
Napoleone, Poggio (SI) 60 C3
Napoleone, Villa (LI) 58 E2
Napoleon, Refuge [F] 30 D3
NAPOLI 88 B4
Napoli, Golfo di (NA) 88 C3-4
Napoli, Monte (CZ) 105 C2
Napolitano, Villa (FG) 85 B1
Naracáuli (CA) 131 F3
Narano (BZ) 2 E4
Narba, Monte (CA) 136 A3
Narbolia (OR) 131 A3
Narbona (CN) 40 B4
Narbore, Fattoria (AG) 118 F3-4
Narcao (CA) 135 C1
Narcao, Monte (CA) 134 D4
Nardi, Casa (CH) 76 D2
Nardi (PI) 53 C1
Nardo Centrale, Stazione di (LE) 100 C1
Nardodipace (VV) 105 F1
Nardodipace Vécchio (VV) 115 A2
Nardò (LE) 100 B1
Nardozza, Masseria (PZ) 91 A3
Naret, Lago di [CH] 8 A4
Naret, Passo di [CH] 8 A4
Nargius, Nuraghe (OR) 128 F4
Narnali (PO) 53 B3
Narni Scalo (TR) 68 C1-2
Narni (TR) 68 D1
Naro, Abbazia di (PS) 56 E1
Naro (AG) 118 E4
Naro, Fiume 118 E3
Naro, Portella di (AG) 119 F1
Narro (LC) 10 E1
Narzole (CN) 31 F4
Nasari (CN) 41 AB1
Nasca (VA) 9 F1
Nasci, Casa (CH) 77 A1
Nascio (GE) 44 C3
Nasco, Timpano (TP) 108 F1
Nasidi (ME) 112 D2
Nasino (SV) 42 E1
Nasisi, Fermata (TA) 93 E4
Naso, Fiume 112 C1
Nasolino (BG) 11 F1
Naso (ME) 112 C1
Nassfeld-H. [A] 16 B4
Nasuti (CH) 71 F2
Naters [CH] 8 B1
Nat Golon, P. de [F] 6 C1
Natile Nuovo (RC) 115 C1
Natile (RC) 114 C4
Natisone, Fiume 17 E1 28 AB4
Naturno (Naturns) (BZ) 2 D3
Nauderer H. [A] 1 B4
Nauders [A] 1 B4
Nauque, Cime de la [F] 41 E2
Nava (LC) 22 B3
Nava, Colle di (IM) 41 E4
Nava (IM) 41 E4
Navarons (PN) 15 D3
Navate (BS) 23 D3
Navazzo (BS) 23 C3
Navazzo (BS) 24 C3
Nave (BL) 14 E3
Nave (BS) 23 D4
Navedano (CO) 22 B1
Navegna, Monte (RI) 74 A2
Nave, La (AR) 61 B2
Navelli (AQ) 70 F2
Nave (LU) 52 BC3
Nave, Monte la (CT) 112 F2
Navene, Bocca di (VR) 24 B4
Navene (VR) 24 B4
Navert, Monte (PR) 45 C2
Nave San Felice (TN) 13 D1
Nave San Rocco (TN) 12 D4
Navetta (TO) 19 D3
Naviante (CN) 41 A4
Navicelli, Canale 52 DE2
Navicello (MO) 37 F1
Naviera, Serra la (PZ) 91 D3
Naviglio, Canale 48 BC3-4
Navolé (TV) 27 B3
Navone, Monte (EN) 119 E3
Navono (BS) 23 B4
Navrino, Monte (NU) 128 D3
Navàcchio (PI) 52 D3-4
Nax [CH] 7 B1
Naxos (ME) 113 F1
Naz (Natz) (BZ) 3 D3
Nazzano (PV) 33 D4
Nazzano (ROMA) 68 F2
Nazzaro (BN) 84 F1
Nebbia, Monte della (RI) 74 A3
Nebbiano (AN) 63 A1
Nebbiano (FI) 53 E2-3
Nebbione (VC) 20 D3
Nebbiù (BL) 14 B4
Nebbiuno (NO) 21 A1
Nébida (CA) 134 B3
Nebin, Monte (CN) 30 F3-4
Nebius, Monte (CN) 40 B3
Necropoli di Spina (FE) 38 F4
Necropoli (TP) 117 C1
Neduna, Fiume 15 E3
Negarine (VR) 24 D4
Ne (GE) 44 C2
Negi (IM) 50 C4
Neglia, Torre di (BA) 86 F3
Negra, Punta (SS) 125 A1
Negrar (VR) 24 D4
Negra, Torre (SS) 128 A1
Negre, Lago [F] 40 D4
Negrisia (TV) 27 B2
Negro, Col (BL) 4 F4
Negro, Lago (BS) 11 B4
Negro, Lago [CH] 11 B2
Negro, Lago (CH) 76 C3
Negrone, Fiume 41 E3
Negruzzo (PV) 34 F1
Neiller, Monte [F] 40 E4
Neirone (GE) 44 B1
Neir, Pizzo [CH] 10 A3-4
Néive (CN) 32 E2
Nembro (BG) 23 B1
Nemi, Lago di (ROMA) 73 E4
Nemi (MC) 63 E2
Nemi (ROMA) 73 E4
Nemoli, Fermata di (PZ) 97 C3
Némoli (PZ) 97 C3
Nendaz [CH] 6 C4
Nendaz, Val de [CH] 6 C4
Nenno (GE) 43 A4
Neoneli (OR) 132 A2
Nepezzano (TE) 70 B2
Nepi (VT) 67 F4
Nera, Cima (BZ) 2 D3-4
Nera, Fiume 68 C3 63 F2
Neraissa, Superiore/Inferiore (CN) 40 C3
Nera Montoro (TR) 68 D1
Nerano (NA) 88 D4
Nera, Punta (BZ) 4 A2
Nera, Punta [F] 18 F1
Nera, Punta (LI) 58 E1
Nera, Punta (NU) 130 D4
Nera, Punta (TO) 19 C2
Nérbisci (PG) 62 B2
Nercone, Monte Su (NU) 130 F2
Nere, Cime (BZ) 2 C2
Nereto (TE) 70 A2
Nerito (TE) 69 C4
Nero, Capo (IM) 50 D4
Nero, Colle (FR) 75 F3-4
Nero, Corno (TN) 13 C2-3
Nero, Lago (BG) 11 E1
Nero, Lago [CH] 11 A2
Nero, Lago [CH] 8 A4
Nero, Lago (SO) 10 B2
Nero, Lago (TN) 11 F4
Nero, Lago (VC) 7 F4
Nerola (ROMA) 73 A4
Nero, Monte (GR) 66 C3
Nero, Monte (LI) 52 F3
Nero, Monte (LT) 81 A1
Nero, Monte (PR) (GE) 44 B3
Nero, Monte [YUI] 17 D2
Nerone, Palazzo di (ROMA) 74 D3
Nero, Sasso (SO) 11 D1
Nerucci, Monte (CA) 131 E3
Nervesa della Battaglia (TV) 27 B1
Nerviano (MI) 21 D4
Nervi (GE) 43 C3-4
Nesce (RI) 74 A3
Nese (BG) 23 B1
Nese, Fiume 62 C1
Nese, Monte di (BG) 23 B1
Nese, Piano di (PG) 62 C1
Nésima (CT) 121 C1
Nespoledo (UD) 28 A2-3
Nespoli (FO) 55 A1
Néspolo (RI) 74 A2
Nespolo (PT) 53 B2
Nesso (CO) 9 F4
Nestore, Fiume 61 A4
Nestore (PG) 61 B4
Nestore (PG) 61 E4
Neto, Cappella (CS) 102 D4
Neto, Fiume 102 D4
Neto, Fiume 103 E3
Neto Valente (CS) 102 D3
Netro (BI) 20 C1
Netti, Masseria (BA) 93 B1
Netto, Monte (BS) 23 E3
Nettuno, Grotta (SS) 128 B1
Nettuno (ROMA) 80 B2
Nettuno, Tempio di (SA) 90 F1
Neue Barmer Hütte [A] 4 B3
Neue Essener Hütte [A] 4 A3
Neuhaus [A] 17 B3
Neula, Monte della (SS) 127 E1
Neullache, Ponte (NU) 130 D1-2
Neurur [A] 2 A2
Neuve, Cab. de l'A. [CH] 6 E3
Neva, Fiume 42 E2
Nevea, Sella (UD) 17 C1
Nevegal (BL) 14 E4
Nevegal, Rifugio (BL) 14 E4
Neveia, Monte (IM) 51 C1
Neve, Madonna della [YUI] 17 F2-3
Neve Samoar H. [A] 2 C2
Néves, Forca di (BZ) 3 B3
Neves, Lago di (BZ) 3 B4
Néves, Passo di (BZ) 3 B4
Nevia, Fiume 50 C4
Neviano degli Arduini (PR) 45 A4
Neviano de' Rossi (PR) 35 F3
Neviano (LE) 100 C1
Neviera, Pizzo (PA) 109 D3
Neviera, Timpone del (PZ) 98 D3
Neviglie (CN) 32 E2
Nevola, Fiume 57 E1
Nevoso, Monte (BZ) 4 B2
Neyran (AO) 19 A2
Niada, Bruncu (NU) 133 D1-2
Niana (AO) 20 B1
Niardo (BS) 11 F3
Nibani, Isole di li (SS) 127 BC3
Nibbiáia (LI) 52 F3
Nibbia (NO) 21 D1
Nibbiano (PC) 34 D2
Nibbio, Cima del (LT) 81 B3
Nibbiola (NO) 21 E2
Nibbio (NO) 8 E3
Nibbio, Poggio (VT) 67 E3
Nibionno (LC) 22 B2
Niblè, Monte (TO) 18 F2
Nicastrello (VV) 105 D1
Nicastro (CZ) 105 B1
Nicchiara (CT) 120 F3
Nicciano (LU) 45 E4
Niccioleta (GR) 59 D4
Niccone, Fiume 61 B4
Niccone (PG) 62 B1
Nice, Col de [F] 50 C2
NICE [F] 50 E1
Niceto, Fiume 113 C1
Nichelino (TO) 31 B3
Nichesola (VR) 37 B3
Nicola Bove, Monte (CA) 136 C2
Nicola, Monte (FG) 79 D3
Nicola, Serra (SA) 90 E4
Nicola (SP) 45 F2
Nicoletti, Lago (EN) 119 B4
Nicoletto, Masseria (BR) 95 C1
Nicolia, Masseria (TA) 93 C3
Nicolino, Serra (CS) 101 C3-4
Nicolosi (CT) 121 B1
Nicolosi, Pizzo (PA) 109 F2-3
Nicorvo (PV) 11 F2
Nicosia (EN) 119 A4
Nicosia, Portella di (EN) 111 F3
Nicotera (VV) 104 F2
Nicotera Marina (VV) 104 F2
Nidastore (AN) 56 E4
Nider/Mauern [A] 4 A4
Nido di Corvo, Pizzo (FG) 78 D4
Nidos, Punta sos (NU) 130 E2
Nieddio, Nuraghe (NU) 129 F4
Nieddu di Ottana, Monte (NU) 129 E3
Nieddu, Fiume M. 135 D2
Nieddu Mannu, Monte (CA) 136 A3
Nieddu, Monte (CA) 136 C2
Nieddu, Monte (NU) 127 F3
Nieddu, Monte (NU) 133 D1
Nieddu, Nuraghe (SS) 128 A4
Nieddu, Pizzo (NU) 133 E2
Niederernen [CH] 8 A2
Nieder/Grächen [CH] 7 C3-4
Niedertal [A] 2 C3
Niederwald [CH] 8 A2
Niel (AO) 20 B1
Niella Belbo (CN) 42 A1-2
Niella Tanaro (CN) 41 B4
Niera, Roc de la (CN) 30 E2
Niergesteln [CH] 7 B3
Nievole (PT) 53 B1
Nigolaeddu (SS) 126 D3
Nigoline Bonomelli (BS) 23 C2
Nigra, Passo (BZ) 3 F3
Nigri, Masseria (TA) 94 B1
Nikolsdorf [A] 5 C3
Nimis (UD) 16 E4
Ninci, Villa (AR) 61 A1
Ninfa, Lago della (MO) 46 E3
Ninfa (LT) 80 A4
Ninfeo, Masseria (LE) 100 E1
Niosa (SV) 42 B3
Niouc [CH] 7 B2
Niquidetto (TO) 19 F1
Nirone (PR) 45 C3
Nisca, Monte (UD) 16 D4
Niscemi (CL) 123 A1
Niscima, Masseria (CT) 120 EF2
Nisida, Isola di (NA) 88 B3
Nisi, Masseria (BR) 94 BC2
Nisi, Masseria (FG) 78 D2
Nismozza (RE) 45 C4
Nisportino (LI) 58 E3
Nissoria (EN) 120 B1
Niva [CH] 8 B4
Niviano (MO) 46 D4
Niviano (PC) 34 D4
Niviere, Pizzo di (TP) 108 E3
Nivo [CH] 9 A2
Nivolet, Colle di (AO) (TO) 18 C4
Nizza di Sicilia (ME) 113 E2
Nizza, Fiume 32 E3
Nizza Monferrato (AT) 32 E3-4
Nizza, Ponte (PV) 33 D4
Nizza Superiore (PV) 34 D1
Nizza, Valle di (AT) 32 E3
Nizzolina (VA) 21 C3-4
Noale (VE) 26 D4
Noasca (TO) 19 D1
Nobile, Casa (RG) 124 C1
Nobile (CO) 22 B2
Noble Mont [CH] 7 C1-2
Noboli (BS) 23 C4
Nocara (CS) 98 C4
Nocchi (LU) 52 B2-3
Nocciano (PE) 70 E3
Nocciola (AT) 32 C2
Noce (FI) 53 E4
Noce, Fiume 12 BC1 C4
Nocegrossa (MN) 36 C2
Nocella (TE) 70 B1
Nocelle, Torre le (AV) 84 F1-2
Nocelletto (CE) 82 E3
Noce, Monte della (CS) 102 C2
Noce (MS) 45 C1
Nocera Inferiore (SA) 89 C2
Nocera, Stazione di (PG) 62 D4
Nocera Superiore (SA) 89 C3
Nocera Terinese (CZ) 104 A4
Nocera Terinese, Stazione di (CZ) 104 AB3
Nocera Umbra (PG) 62 D4
Noce Secca, Cantoniera (NU) 130 E3
Noceto (GE) 43 A4
Nocetolo (RE) 36 E2
Noceto (PR) 35 E3
Nociazzi (PA) 110 F4
Noci (BA) 93 B4
Nociforo (CT) 120 F3
Noci Garioni (CR) 35 A3
Noci (GE) 43 B4
Nociglia (LE) 100 D3
Nocilla, Ponte (PA) 110 F4
Noci, Piano delle (CO) 9 E3
Nocivéglia (PR) 44 B4
Nocolino (PI) 59 A1-2
Nocria (MC) 63 F2
Nodica (PI) 52 C3
Nodigheddu (SS) 125 E2
Noduladu, su (SS) 126 F4
Noemi (LI) 59 E1
Noépoli (PZ) 98 C3
Nogara (VR) 37 B1
Nogaredo al Torre (UD) 28 B4
Nogaredo di Corno (UD) 15 E4
Nogaredo di Prato (UD) 16 F3
Nogaredo (TN) 12 F4
Nogarè (TN) 13 E1
Nogaré (TV) 26 B4
Nogarole Rocca (VR) 24 F4
Nogarole Vicentino (VI) 25 D3
Nogarolo (TV) 14 F4
Nogaro (UD) 28 C3-4
Noghera (VE) 27 D1-2
Nogheredo (PN) 15 F2
Noha (LE) 100 C2
Noicattáro (BA) 87 F4
Noiello, Masseria (CS) 98 C4
Noiáris (UD) 5 F3-4
Noire, Grand Roc [F] 18 E2-3
Noir, Lac [F] 18 B3
Nola, Masseria Di (BA) 93 B1
Nola (NA) 89 A2

NOLE / ORDITANO 215

Nole (TO) 19 F3
Nolfi, Torre dei (AQ) 75 B4
Noli, Capo di (SV) 42 D3-4
Noli (SV) 42 D3-4
Nollenhorn [CH] 7 D4
Nolza, Nuraghe (NU) 132 B3
Nomadelfia (GR) 60 F1
Nomenon, Grande (AO) 19 B1
Nomáglio (TO) 20 C1
Nomi (TN) 12 F4
Nommisci (RI) 69 C2
Nona (BG) 11 E2
Nonantola (MO) 37 F1
Nona, Pizzo (VC) 8 E2
None (TO) 31 C2
Nongruella (UD) 16 E4
Nonio (VB) 8 F3
Nonno, Timpano del (TP) 108 F3
Non, Val di (TN) 12 BC4
Nora (CA) 135 E3
Nora, Fiume 70 E3-4
Noragúgume (NU) 129 E2
Norántola [CH] 9 C4
Norba (LT) 74 F1
Norbello (OR) 129 F1-2
Norcen (BL) 14 E1-2
Norcia (PG) 69 A1
Nórcia (VT) 67 E1
Nörderkogl [A] 2 B3
Nordio, Rifugio (UD) 17 B1
Nördl./Mörchen/Sch. [A] 3 A4
Nórea (CN) 41 C3
Norma (LT) 80 A4
Noroni, Monte (VR) 24 D4
Nörsach [A] 5 CD3
Nortiddi (NU) 130 B2
Nortosce (PG) 68 A4
Nosadello (CR) 22 E3
Nosate (MI) 21 C2
Nosedole (MN) 37 B1
Nosellari (TN) 13 F1
Nossberger H. [A] 5 B2
Nostra [A] 5 D3
Nostra Signora Balu Virde (NU) 130 D3
Nostra Signora Bonária (CA) 133 F1
Nostra Signora de Cabu Abbas (SS) 129 C1
Nostra Signora degli Angeli (NU) 130 D2-3
Nostra Signora de is Grazias (CA) 134 D4
Nostra Signora del Buon Cammino (CA) 134 B3-4
Nostra Signora del Buon Cammino (NU) 130 E2-3
Nostra Signora del su Monte (NU) 129 F4
Nostra Signora del su Monte (SS) 127 D3
Nostra Signora de Paulis (SS) 128 A3
Nostra Signora de su Monte (NU) 130 D1
Nostra Signora de su Monte (SS) 127 D3
Nostra Signora di Bonária (SS) 126 F1
Nostra Signora di Buon Cammino (NU) 133 C3
Nostra Signora di Castro (SS) 126 F3
Nostra Signora di Coros (SS) 126 F3
Nostra Signora di Coros (SS) 128 B4
Nostra Signora di Gonari (NU) 129 E4
Nostra Signora di Interriors (SS) 128 C3
Nostra Signora di Loreto (NU) 130 E1
Nostra Signora di Monserrato (NU) 133 E2
Nostra Signora di Montallegro (GE) 44 C1
Nostra Signora di Otti (SS) 126 F4
Nostra Signora di Solitudine (NU) 130 D1
Nostra Signora d'Itliri (OR) 132 C2
Nostra Signora di Todocco (CN) 42 A2
Nostra Signora d'Itria (NU) 129 F4
Nostra Signora Liscoi (NU) 129 E3
Nostra Sisnora Sinni (NU) 129 DE3
Nota, Passo di (TN) 24 A3-4
Notaresco, Stazione di (TE) 70 B3
Notaresco (TE) 70 B3
Noto Antica (SR) 124 C2
Noto, Golfo di (SR) 124 C3
Noto (SR) 124 C2
Notre Dame de Clausis [F] 30 E2
Notre Dame de la Menour [F] 41 F1
Notre Dame di Fontaines [F] 41 E2
Nötsch [A] 17 A2
Notteri, Stagno (CA) 136 D3
Nottola (SI) 61 D1-2
Novacella (BZ) 3 D3
Novafeltria (BS) 55 B3
Novaggio [CH] 9 E2
Novaglie (VR) 25 E1
Novagli, Mattina/Sera (BS) 24 EF1
Novaglio (VB) 9 E1
Nova Gorica [YUI] 29 AB2
Novake [YUI] 17 E4
Nova, La, Fiume 66 C4
Novalba del Cardinale (CZ) 105 E1-2
Novale (BZ) 13 B3
Novale (BZ) 2 EF4
Novale (BZ) 4 D2
Novale di Fuori, Monte (Eisatz) (BZ) 4 C2-3
Novaledo (TN) 13 E2
Novale (Ried) (BZ) 3 B2
Novalesa (TO) 18 F3
Nova Levante (Welschnofen) (BZ)13 B2
Novale (VI) 25 C3
Nova Milanese (MI) 22 C1-2
Nova Ponente (Deutschnofen) (BZ) 13 B3
NOVARA 21 D1-2
Novara di Sicilia (ME) 112 D4
Novara, Fiume 112 D4
Novara, Rocca (ME) 112 D4
Novaretto (TO) 31 A1
Novaro, Rifugio (IM) 41 E3
Nova Siri (MT) 98 B4
Nova Siri Scalo (MT) 99 C1
Novate Mezzola [CH] 10 C2
Novate Milanese (MI) 22 D1
Novazza (BG) 11 F1
Novazzano [CH] 21 A4
Nove, Cima (BZ) 4 D3
Novedrate (CO) 22 B1
Noveglia (PR) 45 A1
Novegno, Monte (VI) 25 B3
Novella, Fiume 2 F4
Novella, La (SI) 61 F1
Novellara (PS) 56 C3
Novellara (RE) 36 E3
Novelle (BS) 11 E3
Novello (CN) 31 F4
Novello, Pian di (PT) 46 F3
Novello [YUI] 29 B2
Novena, Passo di (Neufenenpass) [CH] 8 A3
Noventa di Piave (VE) 27 C3
Noventa Padovana (PD) 26 E3
Noventa Vicentina (VI) 37 A4
Noverrina, Rifugio (VR) 24 C4
Nove (TV) 14 E4
Nove (VI) 26 C1
Novéglia, Fiume 44 A4
Novi di Modena (MO) 36 D4
Noviglio (MI) 21 E4
Novi Ligure (AL) 33 E3
Novilla [CH] 6 A3
Novito, Fiume 115 C2
Novi Vélia (SA) 96 B3-4
Novoledo (VI) 25 C4
Nóvoli (FI) 54 B1
Nóvoli (LE) 95 E2
Novo S. Giovanni, Monte (NU) 130 F2
Nozza (BS) 24 C1
Nozza, Fiume 23 C4
Nozzano (LU) 52 C3
Núbia, Torre (TP) 107 E4
Núbia (TP) 107 E4
Nuccio, Casa (PS) 55 D3
Nuccio (TP) 116 A3
Nucetto (CN) 42 C1
Nuche, Monte sa (NU) 130 C3-4
Nuchis (SS) 126 D4
Nuchis, Stazione (SS) 126 E4
Nuda, Monte della (SA) 90 E3
Nuda, Monte la (MS) (RE) 45 D3-4
Nuda, Serra (SA) 90 E3-4
Nudo, Col (PN) 15 D1
Nudo, Crepaccio (PN) 15 D1
Nudo, Monte (VA) 9 F1
Nughedu di S. Nicolò (SS) 129 B3
Nughedu S. Vittoria (OR) 129 F2-3
Núgola (LI) 52 E3
Nule (SS) 129 C4
Nulvi (SS) 126 F1
Numana (AN) 57 F4
Nuna, Piz [CH] 1 D2
Nunnale, Nuraghe (NU) 130 D1
Nunziata (CT) 121 A2
Nunziatella (GR) 66 D1
NUORO 130 D1
Nuova, Casa (PS) 55 E4
Nuova Cliternia (CB) 77 D4
Nuova, Cliternia, Fermata (CB) 77 C4
Nuova del Duca, Masseria (BA) 86 F4
Nuova Giuliat (BL) 13 F4
Nuova, Masseria (BA) 86 E1
Nuova, Masseria (FG) 85 C3
Nuova, Masseria (LE) 100 C2
Nuova, Masseria (LE) 100 D3
Nuova, Montagna (VI) 26 AB1
Nuova Olónio (SO) 10 D2
Nuova, Osteria (MC) 63 A4
Nuova, Osteria (PS) 55 E4
Nuova, Posta (FG) 85 C1
Nuova, Torre (CA) 131 D3
Nuova, Torre (CL) 123 A1
Nuove, Cascine (PI) 52 D2
Nuove Russe, Case (ME) 112 C3
Nuovo, Cascinale (ROMA) 73 AB3
Nuovo, Monte (SA) 97 A1-2
Nuovo, Podere (GR) 60 E3
Nuovo, Ponte (CA) 135 CD3
Nuovo, Ponte (FG) 85 C2
Nuovo, Ponte (FR) 81 B2
Nuovo, Ponte (IS) 76 F1
Nuovo, Ponte (MC) 63 F1-2
Nuovo, Ponte (MI) 21 D3
Nuovo, Porto (RC) 114 D1
Nuracale, Nuraghe (OR) 128 E4
Nuracciolu, Punta (CA) 131 F3
Nurachi (OR) 131 B3
Nuraciana, Nuraghe (OR) 131 C4
Nuradeo, Nuraghe (NU) 128 D4
Nuragheddu (NU) 127 E3
Nuraghe (NU) 132 D4
Nuraghi, Valle dei (SS) 129 C1
Nuragus (NU) 132 CD3
Nurallao (NU) 132 C3
Nuraminis (CA) 135 A3
Nuraxi de Mesu, Cantoniera (CA) 135 EF1-2
Nuraxi Figus (CA) 134 C3
Nuraxinieddu (OR) 131 B3-4
Nuraxi, Villaggio Nuragico su (CA) 132 D2-3
Nurchidda, Nuraghe (SS) 129 C3
Nureci (OR) 132 C2
Nure, Fiume 34 E4
Nurietta, Monte (RI) 69 E1
Nuritzi, Monte (CA) 132 E3
Nürnberger H. [A] 2 A4
Núria, Monte (RI) 69 E1
Nurra, La (SS) 128 A2
Nurra, Monte (SS) 125 F2
Nurres, Monte (NU) 130 A3
Nurri (NU) 132 D4
Nurta, Nuraghe (NU) 133 B3
Nus (AO) 19 A2
Nuschele, Monte (NU) 129 D4
Nusco (AV) 90 A2
Nusco, Montagnone di (AV) 90 B2
Nusco, Stazione di (AV) 90 B1-2
Nusenna (SI) 54 F2
Nuvolau (BL) 4 F2
Nuvolato (MN) 37 C1
Nuvolento (BS) 24 D1
Nuvolera (BS) 24 D1
Nuxis (CA) 135 D1
Nux, Monte (CA) 132 E4

O

Obachelle, Monte (FR) 82 A1
Ober [A] 2 A3
Oberaletsch (CH) 8 A1
Oberdrauburg [A] 5 D3-4
Oberdrautal [A] 5 C3-4
Oberdrum [A] 5 C2
Oberems [CH] 7 B3
Oberes Gabelhorn [CH] 7 D2
Oberes Laubhorn [CH] 7 A1
Obergailtal [A] 16 A1-2 -3
Obergurgl [A] 2 C3
Oberlienz [A] 5 C2
Obermauern [A] 4 A4
Obernberg a. Brenner [A] 3 A2
Obernberger See [A] 3 A2
Oberried [CH] 7 A1-2
Oberring [A] 5 D3
Oberschütt [A] 17 B3
Obersee [A] 4 B3
Obersee (VB) 8 A3
Oberseitsee [A] 4 B3
Obertilliach [A] 5 D1
Obertilliachertal [A] 5 D1
Obolo, Monte (PC) 34 E4
Obstansersee [A] 5 D1
Oca, Bric dell' (SV) 43 B1
Oca (RO) 39 E1
Occa (CN) 31 E1
Occagno (CO) 9 F3
Occhieppo Superiore/Inferiore (BI) 20 C2
Occhiobello (RO) 37 D4
Occhio, Monte (FR) 82 A1
Occhione, Punta (SS) 127 C2
Occhito, Lago di (CB) (FG) 84 A2
Occiano (SA) 89 C4
Occido, Fiume 101 A4
Occimiano (AL) 32 B4
Oche, Punta delle (CA) 134 C2
Ochsner [A] 3 A4
Ocosce (PG) 68 B4
Ocre (AQ) 69 F3-4
Ocre, Monte (AQ) 69 F3
Ocre (RI) 68 C4
Ocriculum (TR) 68 E1
Odalengo Grande (AL) 32 B3
Odalengo Piccolo (AL) 32 B3
Oddastru, Fiume 127 C1
Oddastru, Stazione (SS) 127 C1
Oddeu, Monte (NU) 130 E2
Oddie, Monte (NU) 130 C3
Oddini, Bagni (NU) 129 D3
Odecla (BS) 11 D3
Ode, Monte (RI) 68 F3
Odeno (BS) 24 B1
Oderzo (TV) 27 B2-3
Odescalchi, Castello (ROMA) 72 C4
Odle, Le (Geisler/Spitze) (BZ) 3 E4
Odolo (BS) 24 C1
Oetting [A] 5 D3
Ofanto, Fiume 85 F2 86 CD1-2 90 A4
Ofanto, Foce dell' (BA) 86 C2-3
Ofena (AQ) 70 E2
Offagna (AN) 57 F3
Offanengo (CR) 23 E1
Offermo, Monte (AQ) 70 F1
Offida (AP) 64 E2
Offlaga (BS) 23 E3
Oga (SO) 1 F3
Oggébbio (VB) 9 E1
Oggiogno (VB) 9 E1
Oggiona (VA) 21 B3
Oggiono (LC) 22 A2
Ogliánico (TO) 19 E3
Ogliano (TV) 14 F4
Ogliara, Castello di (SA) (AV) 89 B4
Ogliara (SA) 89 C3
Ogliastra, Isola dell' (NU) 133 AB3-4
Ogliastra (NU) 133 BC2-3
Ogliastri, Cocuzzo (SR) 121 F1
Ogliastro Cilento (SA) 90 F1
Ogliastro (CT) 120 E2
Ogliastro, Lago di (EN-CT) 120 D2
Ogliastro Marina (SA) 96 B1
Ogliastro (PZ) 97 D2
Ogliastro, Villa (CT) 120 E4
Oglio, Fiume 11 EF3 23 E2 35 B4
Oglio, Fiume 36 C2
Ogliolo, Fiume 11 D3
Ogna, Fiume 11 F1
Ogna, Fontana d' (BA) 92 A2
Ogna, Monte (SA) 90 C3
Ognato (BS) 23 E3
Ógnina, Capo (SR) 124 B3-4
Ógnina (CT) 121 C2
Ógnina (SR) 124 B3-4
Ognissanti (CR) 35 B4
Oia (CN) 31 D3
Oira (VB) 8 C3
Oitana (TO) 31 C2
Okroglica, Sambasso [YUI] 29 B2-3
Olaca (MT) 98 B4
Oladri, Monte (CA) 135 B3
Olántreghe (BL) 14 C4
Ola, Nuraghe (NU) 129 D4
Olbia, Golfo di (SS) 127 D3
Ólbia (SS) 127 D2
Olbicella (AL) 43 A1
Olcella (MI) 21 C3
Olcenengo (VC) 20 E4
Olcio (CO) 10 F1
Olda (BG) 10 F1
Oldenhorn [CH] 6 A4
Oldenico (VC) 20 E4
Oldesio (BS) 24 B3
Oleggio Castello (NO) 21 B1
Oleggio (NO) 21 C2
Oleis (UD) 28 A4
Olena (FI) 53 F4
Olen, Col d' (VC) 7 F4
Olengo (NO) 21 E2
Olera (BG) 23 B1
Oletto (SS) 129 C3
Olevano di Lomellina (PV) 33 A2
Olevano Romano (ROMA) 74 D2
Olevano Romano, Stazione di (ROMA) 74 D2
Olévano sul Tusciano (SA) 90 CD1
Olévola, Torre (LT) 81 D1
Olévole (TR) 61 F3
Oley (AO) 19 B3
Olfine (MN) 24 F3
Olgia (VB) 8 B4
Olgiasca (LC) 10 D1
Olgiata (ROMA) 73 B1
Olgiate Comasco (CO) 21 A4
Olgiate Molgora (LC) 22 B3
Olgiate Olona (VA) 21 C3
Olginate (LC) 22 A3
Olginate, Lago di (BG) (LC) 22 A3
Olginate (VA) 9 F1
Olia, Monte (SS) 127 F1
Olia Speciosa (CA) 136 B3
Oliena, Fiume 130 D2
Oliero (VI) 26 A1
Olina (MO) 46 D3
Olinie, Monte (NU) 133 A2
Oliosi (VR) 24 E3
Olippo, Pizzo (ME) 111 E3
Oliva (AL) 33 E3
Oliva, Cala di (SS) 125 C2
Olivadi (CZ) 105 D2
Oliva Gessi (PV) 34 C1
Oliva, Masseria L' (FG) 86 C2
Olivarella (ME) 112 C4
Oliva, Villa (SR) 124 C2
Olivella (FR) 82 A2
Olivella, Monte (SA) 97 C2
Olivera, Cantoniera (NU) 128 D4
Oliveri (ME) 112 C3
Oliveti, Villa (PE) 70 E4
Oliveto (AR) 61 A1
Oliveto (BO) 47 C1-2
Oliveto Citra (SA) 90 C2-3
Oliveto, Fattoria (FI) 53 E2-3
Oliveto, Fiume 114 E2
Oliveto Lario (CO) 9 F4
Oliveto Lucano (MT) 92 E1
Oliveto (RC) 114 E2
Oliveto (RI) 68 F4
Olivetta (IM) 50 C3
Olivetta San Michele (IM) 50 C3
Olivé (VR) 25 E1
Olivo, Isola dell' (VR) 24 B4
Olivoia (AL) 32 B4
Olivola, Masseria (BN) 83 D4
Olivola (MS) 45 E2
Olivo, Ponte (CL) 122 A4
Ollano (SV) 42 C3
Ollastra Simaxis (OR) 131 B4
Ollastu, Conca s' (OR) 131 D4
Ollastu, Fiume 136 A2
Olle (TN) 13 E3
Ollollai (NU) 129 F4
Ollomont (AO) 6 F4
Ollon (CH) 6 B2-3
Ollon [CH] 7 B1
Olmedo (SS) 128 A2
Olmeneta (CR) 35 A2
Olmeto (PG) 62 E1
Olme (TV) 27 D1
Olmi (CH) 76 C4
Olmi, Monte degli (BZ) 2 F3
Olmi (PT) 53 B2-3
Olmi (TV) 27 C1-2
Olmo al Brembo (LO) 10 F3
Olmo (AT) 32 E2
Olmo (FI) 54 BC1
Olmo Gentile (AT) 32 F3
Olmo, L' (PG) 62 D1
Olmo, Masseria (CT) 120 D3
Olmo (LO) 22 F3
Olmo, Monte dell' (VT) 73 A1
Olmo (NA) 88 C2
Olmo (PC) 34 F3-4
Olmo (PD) 26 F3
Olmo (PD) 38 B2
Olmo (RE) 36 E2
Olmo, Serra dell' (BR) 94 C2
Olmo (SO) 10 B1
Olmo (TV) 26 B2
Olocchia, Fiume 8 E1
Olólvica, Punta (SS) 130 B1
Olona, Fiume 21 B3 22 F1
Olperer [A] 3 A3
Olperer H. [A] 3 A3
Olpeta, Fiume 66 C3
Oltrefiume (VB) 8 F4
Oltre il Colle (BG) 10 F4
Oltresónzia, Loga di [YUI] 17 D1
Oltresónzia [YUI] 17 D1-2
Oltressenda Alta (BG) 11 F1
Oltris (UD) 15 B3
Oltro, Cima d' (TN) 14 D2
Oltrona di San Manette (CO) 21 B4
Olzai (NU) 129 EF4
Olzano (CR) 23 F1
Olza (PC) 35 B2
Omate (MI) 22 C3
Ombriano (BS) 23 B4
Ombriano (CR) 22 E4
Ombria (PR) 45 A1
Ombrone, Fiume 53 C3 60 E2 65 A4
Ome (BS) 23 D3
Omegna (VB) 8 F3
Omero (IS) 76 F1
Omero, Rio dell' (IS) 76 F1
Omignano (SA) 96 B2
Omignano Scalo (SA) 96 D2-3
Omio, Rifugio (SO) 10 C3
Omodeo, Lago (OR) 129 F2
Omo, Monte (CN) 40 B3
Omomorto, Serra (AG) 118 E1
Omonts,Valle des [CH] 6 A3
Omu, Nuraghe s' (NU) 133 C2
Onamarra, Punta (NU) 130 E3
Onani (NU) 130 C2
Onano (VT) 67 B1
Onara (PD) 26 C2
O.N.C. (CA) 132 F1-2
Oncédis (UD) 16 D2
Oncino (CN) 30 E4
Oneda (VA) 21 B2
Oneglia (IM) 51 C2
Onelli (PG) 69 B1
Onerzio, Vallone (CN) 40 A2-3
Oneta (BG) 23 A1
Oneto (GE) 44 C1
Oné di Fonte (TV) 26 B2
Onferno (RN) 56 C1
Ongarie (TV) 26 C4
Ongaro Inferiore, Bonifica (VE) 27 D4
Ongina, Fiume 35 D2
Ongina (PC) 35 C2
Onifai (NU) 130 C3
Oniferi (NU) 129 E4
Oniferi, Stazione di (NU) 129 D4
Onigo di Piave (TV) 26 A3
Oni (VR) 37 B3
Onna (AQ) 69 E4
Onno (LC) 10 F1
Ono Degno (BS) 24 B1
Onoranza (FG) 85 AB3
Onore (BG) 11 F1
Ono San Pietro (BS) 11 E3
Onsernone, Val [CH] 9 C1
Ontagnano (UD) 28 B4
Ontaneta (FO) 54 A4
Ontani, Pian degli (PT) 46 F3
Ontignano (FI) 54 C1
Onzato (BS) 23 DE3
Onzo (SV) 42 E1
Opatje Selo, Opacchia Sella [YUI] 29 B2
Ópera (MI) 22 E1
Opi (AQ) 70 F1
Opi (AQ) 75 E3
Oppeano (VR) 25 F2
Oppia Nuova (SS) 129 B2
Oppidi (SA) 90 D2
Óppido Lucano, Fermata (PZ) 91 B4
Óppido Lucano (PZ) 91 BC4
Oppido Mamertina (RC) 114 BC4
Oppioli (VR) 37 B3
Oppio, Passo di (PT) 53 A1-2
Oppi (VR) 25 F3
Oppi (VR) 37 B2
Ora (Auer) (BZ) 13 BC2
Orago (VA) 21 B3
Oramara, Monte (GE) 44 A2
Orani (NU) 129 E4
Orasso (NO) 8 D4
Orata, Fiume 90 A3
Oratiddo, Nuraghe (OR) 128 F3
Oratino (CB) 77 F1
Oratóio (PI) 52 D3
Orazio, Villa D' (ROMA) 74 B1
Orba, Fiume 33 E143 B1
Orbai (CA) 135 C1
Orbassano (TO) 31 B2
Orbetello (GR) 65 D4
Orbetello, Laguna di (GR) 65 D4
Orbetello Scalo (GR) 66 D1
Orbicciano (LU) 52 B3
Orcenico (PN) 15 F3
Orcenico Superiore (PN) 15 F3
Orcesco/Gragnone (VB) 8 D3
Orchi (CE) 82 C3
Orcia, Fiume 60 E3 61 E1
Órcia, Ripa d' (SI) 60 E4
Orciano di Pesaro (PS) 56 D4
Orciano Pisano (PI) 52 F3-4
Orciático (PI) 53 F1
Orco, Fiume 18 D4 19 E4
Orco (SV) 42 D3
Ordóna (FG) 85 C2
Ordignai, Nuraghe (NU) 130 D3-4
Ordini, Monte (CA) 133 F2-3
Orditano, Monte (AL) 43 B2

216 ORECCHIA / PALA DI SANTA

Orecchia, L' (Hasenohn) (BZ) 2 E2
Oregone, Passo dell' (UD) 5 E2
Orello, Monte (LI) 58 E2
Oreno (MI) 22 C2
Orentano (PI) 52 C4
Orero, Croce d' (GE) 44 C2
Orestano, Rifugio (PA) 110 EF3
Oreto, Fiume 109 D2
Oreto (GE) 43 B3
Orezzo (BG) 23 AB1
Orezzoli (PC) 44 A2
Orfano, Monte (VB) 8 E3
Orfengo (NO) 21 E1
Orfento, Fiume 76 A1
Orgiano (VI) 25 F4
Orgia (SI) 60 C2
Orgnano (UD) 28 A3
Orgnano (VE) 26 E4
Orgnano (VR) 25 E2
Orgnese (PN) 15 D3
Orgoru, Nuraghe di (NU) 129 EF4
Orgosolo (NU) 130 E1
Orguda, Monte (NU) 133 AB2
Oria (BR) 94 D4
Oria (CO) 9 E3
Oriago (VE) 26 E4
Oriano (PR) 35 F2
Oriano Ticino (VA) 21 B2
Oricola (AQ) 74 B2
Oricola Pereto, Stazione (AQ) 74 B2
Oridda (CA) 134 A4
Origgio (VA) 21 C4
Orimini, Masseria (TA) 93 C4
Orimini, Masseria (TA) 94 C1
Ori, Monte (TN) 2 F3-4
Orino, Fiume 9 A3
Orino, Punta (VA) 9 F1
Orino (VA) 9 F1
Orio al Serio (BG) 22 C4
Ório Canavese (TO) 19 E4
Ório Litta (LO) 34 B3-4
Oriolo (BS) 24 C1
Oriolo (CS) 98 C4
Oriolo (PV) 33 C4
Oriolo Romano (VT) 72 A4
Oriomosso (BI) 20 B2
Óris (Eyrs) (BZ) 2 E1
ORISTANO 131 BC3
Oristano, Golfo di (OR) 131 C2-3
Oritti, Nuraghe (NU) 129 F3
Orizanna, Nuraghe (NU) 129 D4
Orlandi (VI) 26 B1-2
Orlando, Capo d' (ME) 112 C1
Orlando, Guárdia d' (AQ) 74 B3
Orlando, L' (AQ) 69 D3
Orlando, Torre (LT) 81 D4
Orle [YUI] 29 D3
Ormea (CN) 41 E4
Ormea, Pizzo d' (CN) 41 D3
Orme, Col de 1' [F] 50 C2
Orme, Fiume 53 D2
Ormelle (TV) 27 B2
Ormelune, Mont [F] (AO) 18 B3
Orme, Monte (SV) 42 C3-4
Ormeto, Fiume 73 B3
Ormona [CH] 6 B4
Ormont [CH] 6 A3
Or, Mt. D' [CH] 6 A3
Ornago (MI) 22 C3
Ornano Grande (TE) 70 C1
Ornaro (RI) 68 F4
Ornavasso (BI) 8 E3
Orneca (VI) 13 F4
Ornella (BL) 4 F1
Orneta (AV) 84 E3
Ornetto (SP) 44 C4
Ornica (BG) 10 E3
Ornito (SA) 89 C4
Orny, Cab d' [CH] 6 D3
Orocco, Monte (PR) 44 B3
Oro, Cima d' (TN) 24 A4
Oro, Colle d' (ROMA) 73 F4
Oro, Monte d' (FR) 82 B1
Oro, Monte d' (PA) 110 E3
Oro, Monte d' (PS) 56 D1
Oro, Monte d' (SR) 124 C3
Oro, Monte d' (VT) 67 D2
Oronaye, Monte (CN) 40 A2
Oropa, Santuário d' (BI) 20 B2
Oro (PG) 61 E4
Orosei, Golfo di (NU) 130 E3-4
Orosei, Monte (NU) 130 F2-3
Orosei (NU) 130 D4
Oro, Serra d' (MT) 98 A2-3
Orotelli (NU) 129 D3
Orotelli, Serra di (SS) 129 D3
Orria, Nuraghe (SS) 126 F1-2
Órria (SA) 96 A3
Orri, Lido (NU) 133 B3
Orri, Monte (CA) 135 C1
Orriola, Monte (SS) 126 F4
Orrisezzo, Monte (OR) 132 A2
Orri, Villa d' (CA) 135 D3
Orroli (NU) 132 D4
Orrubiu, Monte (NU) 132 B4
Orru, Cuccuru (CA) 132 F4
Orrú, Monte (NU) 133 C1
Orsago (TV) 15 F1
Orsaiola (PS) 56 E1
Orsalia, Pizzo [CH] 8 B4
Orsano (NA) 89 C2
Orsano (PG) 62 F4
Orsara (BO) 47 E4
Orsara Bormida (AL) 33 F1
Orsara di Puglia (FG) 84 CD4
Orsaria (UD) 16 F4
Orsaro, Monte (MS) 45 C2
Orsaro, Monte (RE) 46 D1
Orsa, Torre dell' (PA) 109 C1
Orselina [CH] 9 C2
Orsello, Monte (AQ) 69 F3
Orsello, Monte (MO) 46 C4
Orsenigo (CO) 22 B1
Orsetti, Monte (TA) 93 C3
Orsia (AO) 7 F3
Orsi (CZ) 105 A1
Orsiera, Monte (TO) 30 B3-4
Orsiera-Rocciarrè, Parco Naturale (TO) 30 AB3-4
Orsieres [CH] 6 D3
Orsigliadi (CZ) 104 E2
Orsigliadi (VV) 104 E3
Orsigna, Monte (BO) (PT) 46 F4
Orsigna (PT) 46 F4
Orsino, Monte (PA) 108 F4
Orsino, Ponte (FR) 74 D2
Orsire, Bosco di Monte (PZ) 91 C4
Orso, Capo d' (SA) 89 D3
Orso, Capo d' (SS) 127 B2
Orso, Colle dell' (AQ) 75 A1
Orso, Colle dell' (BL) 26 A2
Orso, Colle dell' (IS) 76 F3
Orsogna (CH) 71 F1
Orsoleto (RN) 49 F2-3
Orsolina, Casa (BL) 4 F3
Orsolina, Case (BL) 4 E4
Orsomarso (CS) 97 F4
Orso, Monte (LT) 81 C4
Orsone, Monte (VT) 67 C2
Orso, Torre dell' (LE) 100 A3-4
Orso, Vetta dell' [YUI] 29 A3-4
Ortacesus (CA) 132 F3
Orta, Cusio, Lago d' (NO) 20 A4
Orta di Atella (CE) 88 A4
Ortanella (LC) 10 E1
Ortano, Capo (LI) 58 E3
Orta Nova, Ponte (FG) 85 C3
Orta Nova, Stazione di (FG) 85 C3
Orta Nuova (FG) 85 C3
Orta, Passo d' (FG) 85 C3
Orta San Giulio (NO) 20 A4
Orte, Fiume 75 A4
Ortelle (FR) 74 F3
Ortelle (LE) 100 D3
Orte Scalo (VT) 67 D4
Orte (VT) 67 D4
Ortezzano (AP) 64 E2
Orti (AL) 33 C1
Ortiano, Fiume 102 C4
Orti, Ca 1' (GR) 66 A1
Orticelli (RO) 38 C4
Ortigara, Monte (TN) 13 F3
Ortighera, Monte (BG) 10 F3
Ortiglieto, Lago di (AL) (GE) 43 A1
Ortignano (AR) 54 D4
Orti Inferiore/Superiore (RC) 114 D2
Ortimino (FI) 53 E3
Ortisei (Sankt Ulrich) (BZ) 3 E3
Orti (VR) 37 A3
Órtles (Ortler) (BZ) 1 F4
Ortobene, Monte (NU) 130 D1-2
Orto Liuzzo (ME) 113 B2
Ortolu, Nuraghe (SS) 128 B4
Ortona (CH) 71 E2
Ortona dei Marsi (AQ) 75 C3
Ortonovo (SP) 45 F2
Orton (PN) 15 C4
Ortovero (SV) 42 F1
Ortsiva, Roc d' [CH] 7 C2
Ortu (CA) 131 E4
Ortuábis, Cantoniera (NU) 132 B3-4
Ortuábis, Stazione d' (NU) 132 B3
Ortúcchio (AQ) 75 C2
Ortueri, Fiume 132 AB3
Ortueri (NU) 132 A2
Orturano (MS) 45 D2
Orune (NU) 130 C1
Orvieto (TR) 67 B2
Orvili, Cantoniera (NU) 130 A4
Orvínio (RI) 74 A1-2
Orzaglia (LU) 45 E4
Orzale (AR) 61 B3
Orzano (UD) 16 F4
Orzes (BL) 14 DE3
Orzili, Monte (NU) 133 B2-3
Orzinuovi (BS) 23 E2
Orzivecchi (BS) 23 E2
Osacca (PR) 45 AB1
Osa, Fiume 65 C4
Osa, Fiume 73 CD3
Osais (UD) 5 F2
Osalla, Caletta di (NU) 130 D3-4
Osa, Osteria dell' (ROMA) 73 D3
Osarella (TR) 67 B3
Osasco (TO) 31 D1
Osasio (TO) 31 D3
Osaspera, Cantoniera (SS) 129 B4
Osa (TR) 67 B3
Oscano (PG) 62 C1
Oscasale (CR) 35 A1
Oscata (AV) 84 F4
Oscata Inferiore (AV) 84 F4
Oscato (SA) 89 C3
Oschiena (VC) 20 F3
Oschieri, Fiume 129 A3
Oschina, Nuraghe (OR) 132 A1
Oschiri, Monte (SS) 126 E1
Oschiri (SS) 126 F4
Oscurus [YUI] 29 F3
Oseacco (UD) 16 C4
Ose, Fiume 62 E3
Osegne (BL) 14 E3
Oseli, Monte (NU) 130 F3
Oselin, Canale dell' (VE) 27 E1
Oselle (TO) 31 D3
Osellin (RO) 39 C1
Osento, Fiume 76 A4 85 F2
Osero, Monte (PC) 34 E3
Oserot, Monte (CN) 40 B2
Osesa, Monte (AL) 33 F4
Osidda (NU) 129 B4
Osiglia (SV) 42 D2
Osigo (CO) 9 F4
Osigo (TV) 14 F4
Ósilo (SS) 125 F4
Osimo (AN) 57 F3
Ósimo, Stazione (AN) 57 F3
Osini (NU) 133 C2
Ósio Sopra/Sotto (BG) 22 C4
Oslavia (GO) 29 A2
Osmannoro (FI) 53 C4
Osmate (VA) 21 A2
Osnago (LC) 22 B3
Osogna [CH] 9 B3
Osola, Val d' [CH] 9 B1-2
Ósoli (AP) 63 F4
Osoppo (UD) 16 E2
Ospedale, Masseria (LE) 95 E3
Ospedaletti (IM) 50 D4
Ospedaletto d'Alpinolo (AV) 89 A3
Ospedaletto Euganeo (PD) 38 A1
Ospedaletto (FO) 48 E4
Ospedaletto (RN) 55 B1
Ospedaletto (RN) 56 B1
Ospedaletto Lodigiano (LO) 34 AB3-4
Ospedaletto (PI) 52 D3
Ospedaletto (RE) 46 A3
Ospedaletto (TN) 13 E3
Ospedaletto (TR) 61 F4
Ospedaletto (TV) 26 C4
Ospedaletto (UD) 16 D3
Ospedalicchio (PG) 62 D2
Ospiate (MI) 22 D1
Ospitale di Brenta (PD) 26 C2
Ospitale di Cadore (BL) 14 C4
Ospitale (FE) 37 E3-4
Ospitale (MO) 46 E3
Ospitale Monacale (FE) 48 A1-2
Ospitaletto (BS) 23 D3
Ospitaletto (MN) 36 B2
Ospitaletto (MO) 46 C4
Ospitaletto (RE) 45 D4
Ospitaletto (RO) 37 D4
Ospitaletto (VI) 25 D4
Ospizio [CH] 11 B2
Ospizio [CH] 9 A4
Ospizio (SI) 61 F2
Ospo [YUI] 29 E3
Ossago Lodigiano (LO) 34 A3-4
Ossana (TN) 12 C2
Ossanesga (BG) 22 B4
Ossano, Masseria (LE) 95 F3
Ossano (RA) 48 D2
Ossario (AN) 57 F4
Ossario (MN) 24 F2
Ossario, Monumento (TN) 12 C1
Ossario (TP) 108 F3
Ossario (VI) 25 A4
Ossario (VI) 25 B2-3
Ossario (VI) 26 A2
Ossario (VR) 24 F4
Ossecca [YUI] 29 B3
Ossegna (SP) 44 C3
Ossena, Fiume 120 F4
Ossenigo (VR) 25 C1
Osservatorio (BL) 26 A2
Osservatorio Geofisico (PA) 110 E4
Ossáia (AR) 61 C3
Ossiach [A] 17 A4
Ossiacher See, Fiume 17 A4
Ossimo Inferiore (BS) 11 F3
Ossi (SS) 128 A4
Osso, Campo dell' (ROMA) 74 C3
Ossolaro (CR) 35 A2
Ossola, Val d' (VB) 8 BCD3
Ossolengo (CR) 35 B2
Ossona (MI) 21 D3
Ossoni, Monte (SS) 126 E1
Osso (VB) 8 B3
Ossuccio (CO) 9 E4
Osta (AL) 32 A3
Ostana (CN) 30 E4
Ostanetta, Punta d' (CN) 30 E4
Ostano, Monte (VC) (VB) 8 F2-3
Oste (PO) 53 B3
Ostellato (FE) 38 F3
Ostello (RC) 115 B1
Osteno (CO) 9 E3
Osteria (BZ) 4 D1
Osteriaccia, L' (TR) 61 F2
Osteria (CN) 32 EF2
Osteria Grande (BO) 47 C4
Osteria, 1' (CA) 135 D1
Osteria Nuova (FI) 54 D1
Osteria Nuova (PS) 56 C3
Osteria Nuova (ROMA) 73 B1
Osteria, Pian d' (BL) 15 E1
Osteriola (BO) 47 B3
Osternig, Monte [A] 17 B1
Ostia Antica (ROMA) 73 E1
Ostiano (CR) 35 A4
Ostia (PR) 45 B1
Ostia (ROMA) 73 E1
Ostia, Torre di Cala d' (CA) 135 E3
Ostiglia (MN) 37 C2
Ostigliano (SA) 96 A2-3
Ostina, Cala (SS) 126 DE1
Ostina (FI) 54 D2
Ostini [YUI] 29 B3
Ostra (AN) 57 E1
Ostra Antica (AN) 57 E1
Ostra Vétere (AN) 56 E4
Ostuni (BR) 94 B3
Otemma, Glacier d' [CH] 7 E1
Otemma, Ponte d' [CH] 7 E1
Óten, Monte d' (BL) 4 F3
Óten, Val d' (BL) 4 F3-4
Otra (VB) 8 EF2
Otranto, Capo d' (LE) 100 C4
Otranto (LE) 100 C4
Otra (VC) 20 A2
Otricoli (TR) 68 D1
Otro, Val d' (VC) 7 F4
Ottaggi (PG) 63 F1
Ottana (NU) 129 E3
Ottano (IM) 41 E3-4
Ottati (SA) 90 E3
Ottava (SS) 125 F3
Ottávia (ROMA) 73 C2
Ottaviano (NA) 89 B1
Ottaviano, Villa (RG) 123 D3
Ottavio, Monte (CL) 118 D4
Ottavo (FI) 54 E1
Ottiglio (AL) 32 B3
Ottignana (FO) 48 F1
Ottiolu (NU) 127 F4
Ottiolu, Punta (NU) 127 F4
Ottobiano (PV) 33 A3
Ottomila, Borgo (AQ) 75 C1
Ottone (LI) 58 E2
Ottone (PC) 44 A2
Ötztal [A] 2 A3
Ouille, Monte (AO) 18 A3
Ouille Noire [F] 18 D4
Oulme (TO) 30 A2
Oulx (TO) 30 B2
Ova (AL) 33 C3
Ovada (AL) 33 F1
Ovaga o Res, Bec d' (VC) 20 A3
Ovanengo (BS) 23 E2
Ovara, Serra (NU) 130 F3
Ovarda, Torre d' (TO) 18 E4
Ovaro (UD) 5 F3
Ova Spin [CH] 1 D2
Ovasta (UD) 5 F3
Ovedasso (UD) 16 C3
Ovesca, Fiume 8 D2
Ovette, Malu (NU) 130 F1-2
Oviglia (TO) 31 C4
Oviglio (AL) 32 D4
Ovíndoli (AQ) 75 A1
Ovo, Castello dell' (NA) 88 B4
Ovodda (NU) 129 F4
Ovolaccio (NU) 132 A4
Ovoledo (PN) 15 F3
Ovo, Torre dell' (TA) 94 F2-3
Ovrano (AL) 32 F4
Ovrasio (CO) 9 F3
Ovronnaz [CH] 6 C3
Oxentina, Fiume 51 C1
Oyace (AO) 6 F4
Ozegna (TO) 19 E4
Ozein (AO) 19 B1
Ozelijan, Osségliano [YUI] 29 B3
Ozieri, Campo di (SS) 129 A2-3
Ozieri (SS) 129 B2
Ozol, Monte (TN) 12 B4
Ozzano dell'Emilia (BO) 47 C4
Ozzano Monferrato (AL) 32 B4
Ozzano Taro (PR) 35 F3
Ozzastru, Nuraghe (SS) 128 B4
Ozzero (MI) 21 E3
Ózzola (PC) 34 F2

P

Pabillónis (CA) 131 E4
Pabillónis, Stazione (CA) 131 E4
Pace, Casa di (FG) 86 C2
Paceco (TP) 108 E1
Pace del Mela (ME) 113 C1
Pace, La (AR) 61 B1
Pace, La (MC) 63 B4
Pace (ME) 113 B3
Pace, Monte (ME) 113 B2
Pacengo (VR) 24 E3
Pacentro (AQ) 75 B4
Pace (RI) 69 F1
Pace, Santuario della (SV) 42 C4
Pachino (SR) 124 E2
Paciano (PG) 61 E3
Pácina (SI) 60 B3
Pacini, Rifugio (PO) 53 A3
Paci, Rifugio (AP) 69 A4
Padano Polesano, Collettore 39 C1
Padedda, Punta (SS) 125 F1
Padenghe sul Garda (BS) 24 D2
Pade, Punta sa (NU) 130 C1
Padergnone (TN) 12 E4
Paderna (PC) 35 D1
Paderna (RE) 46 B2-3
Paderna Superiore (AL) 33 E3
Padernello (BS) 23 F2
Padernello (TV) 26 C4
Paderno (BG) 23 C1
Paderno (BL) 14 E3
Paderno (BO) 47 C3
Paderno d'Adda (LC) 22 BC3
Paderno del Grappa (TV) 26 B2-3
Paderno (FO) 48 F4
Paderno (FO) 55 B3
Paderno Franciacorta (BS) 23 D3
Paderno Ponchielli (CR) 35 A2
Paderno (TV) 27 C1
Paderno (UD) 16 F4
Padiglione (AN) 57 F3
Padiglione, Bosco del (LT) 80 A2
Padiglione, Monte (AQ) 73 C3-4
Padiglione, Stazione (ROMA) 80 A2
Padivarma (SP) 44 E4
Padna, Padena [YUI] 29 F2
Padola (BL) 4 E4
Padola, Val (BL) 4 E4
Pado (ME) 112 D1
Padonchia (AR) 55 F2
Padon, Monte (BL) 4 F1
PADOVA 26 EF2
Padovano, Posta (FG) 79 E1
Padova, Rifugio (BL) 15 B1
Padrami, Isola di (NU) 127 F4
Pádria (SS) 128 D4
Padriciano (TS) 29 D3
Padri, I (VI) 25 B3
Padrogiano, Fiume 127 E2
Padrogiano (SS) 127 DE3
Padru Maggiore, Nuraghe (OR) 128 F3
Padru Mannu (NU) 129 D1
Padru, Monte (SS) 127 C1
Padru (SS) 127 F2-3
Padula (SA) 91 F1-2
Padulas Francu (NU) 130 E1
Padula (TE) 69 C4
Paduledda (SS) 126 D2
Padule (FI) 54 B2
Padule (PG) 62 B3
Paduli (BN) 84 E1
Paduli, Lago (MS) 45 D3
Paouli, Stazione di (BN) 84 E1
Padulle (BO) 47 A2
Padulo, Cantoniera (SS) 126 D4
Paesana (CN) 30 E4
Paese (TV) 26 C4
Paestum, Ponte (SA) 90 E2
Paestum (SA) 90 F1
Paestum, Stazione di (SA) 90 F1
Paestum, Torre di (SA) 90 F1
Pagana, Poggio della (GR) 65 E2
Paganella, La (TN) 12 D4
Paganella, Monte (CS) 102 E2
Pagania (CS) 102 B2
Pagànica (AQ) 69 E4
Paganica, Stazione di (AQ) 69 E4
Pagánico (FO) 55 C1
Pagánico (GR) 60 E2
Paganico Sabino (RI) 74 A2
Pagani, Masseria (LE) 100 C1
Paganina (PI) 59 B4
Pagani (SA) 89 C2
Pagano, Dosso (TN) 12 F4
Pagano, Monte (AQ) 76 E2
Pagano, Monte (BS) 11 C3-4
Pagano, Monte (ME) 111 E2
Pagano, Serra (CS) 101 A2
Paganuccio, Monte (PS) 56 E2-3
Pagazzano (BG) 22 B4
Pagazzano (PR) 45 B2
Paggese (AP) 69 A3
Paggi (GE) 44 C2
Paghera (BS) 11 F4
Pagino (PS) 56 D2
Paglia, Fiume 67 A1
Pagliaia (CZ) 105 A1
Pagliáccia, Pieve (PG) 62 CD2
Pagliana, Cascina (PI) 52 EF3
Pagliana (FI) 47 F3
Paglian Casale (ROMA) 73 E3
Pagliano (MC) 63 B1
Paglia, Portella di (PA) 109 E2
Pagliara (AQ) 73 C4
Pagliara, La (NA) 83 F2
Pagliara (ME) 113 E1
Pagliare (AP) 64 F3
Pagliare (AQ) 69 E3
Pagliare (AQ) 70 F2
Pagliarella, Trivio (KR) 103 D3
Pagliarelle (KR) 102 F4
Pagliarelle, Le (PN) 83 C3
Pagliarelli (CH) 77 A1
Pagliaro Inferiore/Superiore (AL) 33 F4
Pagliaroli (TE) 69 BC4
Pagliaro, Monte (GE) 44 B1-2
Pagliaro, Monte (ROMA) 74 C1
Pagliarone, Masseria (FG) 85 D3
Pagliarone, Monte (FG) 84 B3
Pagliarone, Ponte di (CE) 82 C4
Paglicci, Grotta (FG) 78 F4
Paglierìccio (AR) 54 D3
Paglierone, Masseria (PZ) 98 B3
Paglieta (CH) 76 A4
Pagliete, Bonifica delle (ROMA) 72 CD4
Pagliérees (CN) 40 A4
Paglino (NO) 8 C2
Paglione, Monte [CH] 9 D2
Pagliosa, Isola (NU) 128 D2
Pagli, Sasso di [CH] 9 C4
Paglita (NO) 21 E1
Pagnacco (UD) 16 F3
Pagnana (FI) 53 D2
Pagnano (TV) 26 B3
Pagno (CN) 31 F1
Pagno (FO) 55 BC2
Pagnona (LC) 10 E2
Pago del Vallo di Lauro (AV) 89 A2
Pago, Il (AQ) 69 D3
Pago, Monte lo (AQ) 74 B4
Pago Veiano (BN) 84 D1
Paiano, Monte (ME) 112 E4
Paidorzu, Monte (SS) 129 BC3
Paiere (TO) 31 B1
Paiesco (VB) 8 D3
Paimieri, Rifugio (BL) 4 F2
Páina (MI) 22 C2
Pairana (PV) 22 F2
Paisco (BS) 11 E3
Paisco, Val (BS) 11 E3
Paitone (BS) 24 D1
Pai (VR) 24 C3
Pala Barzana, Forcella di (PN) 15 D2
Palaceris, Casa (CA) 135 E2
Pala, Cimon della (BL) 14 C1
Palade, Le (BZ) 2 F3
Paladina (BG) 22 B4
Paladini (LE) 95 E3
Paladino, Monte (CZ) 105 D2
Pala di Santa (TN) 13 C3

Pala e Rughes (SS) 129 D3
Palagano (MO) 46 D2
Palagianello (TA) 93 D3
Palagiano Chiatona, Stazione di (TA) 93 E3
Palagiano Mottolo, Stazione (TA) 93 D3
Palagiano (TA) 93 D3
Palágio (FI) 53 F2
Palagnedra [CH] 9 D1
Palagogna, Masseria (BR) 94 C3
Palagonia (CT) 120 E3
Palagonia, Stazione di (SR) 120 E4
Pálaia (PI) 53 E1
Palai, Punta (NU) 129 D2
Palamara, Timpone (CS) 98 D4
Pala, Monte (BL) 14 D3
Palancane, Masseria (FG) 78 F4
Palanfrè (CN) 41 D1-2
Pala (VB) 8 E4
Palanuda, Monte (CS) 97 E4
Palanzano (PR) 45 C3
Palanzone, Monte (CO) 9 F4
Palar, Fiume 16 D2
Palà (RO) 38 C3
Palascia, La (LE) 100 C4
Palata (BO) 37 E2
Palata (CB) 77 D2
Palata, Masseria (FG) 85 B3
Palatimone, Monte (TP) 108 D2
Pálau (SS) 127 B2
Palavas, Monte [F] 30 D2-3
Palazza (BO) 48 C1
Palazzago (BG) 22 B4
Palazza, La (AR) 55 E2
Palazzata (MC) 63 B2-3
Palazzelli (SR) 120 E4
Palazzello (CS) 101 C4
Palazzetta (SI) 60 C3-4
Palazzetto, Case (MN) 37 B1
Palazzetto (SI) 60 C1
Palazzetto (VE) 27 D3
Palazzi (AR) 55 D3
Palazzi di Diamantina (FE) 37 DE4
Palazzina d'Ete (AP) 64 D3
Palazzina, La (CE) 83 B1-2
Palazzina, La (PI) 52 D2
Palazzina, La (SI) 61 F1
Palazzina (SI) 60 C2-3
Palazzina (VR) 25 E1
Palazzi (PI) 52 D3
Palazzi (PS) 55 E4
Palazzo Adriano (PA) 118 B1
Palazzo (AL) 33 D3
Palazzo (AN) 56 F3
Palazzo Bovarino (TR) 61 F4
Palazzo Canavese (TO) 20 D1-2
Palazzo del Pero (AR) 61 A2-3
Palazzo, I1 (FI) 54 B3
Palazzo (LI) 58 F3
Palazzolo Acréide (SR) 124 B1
Palazzolo dello Stella (UD) 28 C2
Palazzolo (FI) 54 D1-2
Palazzolo (MI) 22 C1
Palazzolo (PG) 62 B4
Palazzolo (PZ) 91 E2
Palazzolo sull'Oglio (BS) 23 C2
Palazzolo Vercellese (VC) 32 A3
Palazzolo (VR) 24 E4
Palazzo Mancinelli (PG) 62 BC4
Palazzo (MC) 63 C1
Palazzone (PG) 61 A4
Palazzone (SI) 60 D4
Palazzone (SI) 61 F2
Palazzo (PG) 62 D3
Palazzo Pignano (CR) 22 E4
Palazzo, Punta (PA) 109 E2
Palazzo San Gervasio (PZ) 91 A3-4
Palazzuolo Alto (AR) 60 A4
Palazzuolo (AR) 61 A1
Palazzuolo (NA) 89 A1
Palazzuolo sul Senio (FI) 47 F4
Palcano (PS) 56 F1
Pal, Cap de [F] 40 D1
Palchisce (GO) 29 B2
Pal, Cime de [F] 40 CD1
Palco, Monte (CL) 119 D1
Pal Doria (SV) 42 C4
Pale (PG) 62 E4
Pale di Menotto (BL) 4 E3
Palena (CH) 76 C2
Palena, Stazione di (CH) 76 C1
Palente, Fiume 63 CD2
Paléparto, Monte (CS) 102 C3
Palermiti (CZ) 105 D2
PALERMO 109 D3
Palermo, Aeroporto Internazionale di (PA) 109 D2
Palermo, Golto di (PA) 109 C3-4
Palermo, Portella (PA) 119 B1
Palermo Punta Ráisi, Aeroporto Internazionale di (PA) 109 C1
Palermo, Torre (FG) 79 D3
Palermo (TP) 116 A3
Palese (BA) 87 D2
Palesella (VR) 37 A2
Palese, Serra (MT) 92 C3
Palestrina (ROMA) 74 D1
Palestrina, Stazione di (ROMA) 74 D1
Palestron (BZ) 4 D1
Palestro (PV) 21 F1
Palevierte, Monte (UD) 5 F4
Paliano (FR) 74 D2
Paliano, Stazione di (FR) 74 D2
Palidano (MN) 36 D3
Palidoro, Marina di (ROMA) 72 C4
Palidoro (ROMA) 72 C4
Pali, Masseria i (LE) 100 E2
Palino, Masseria (FG) 85 E1
Palino, Monte (SO) 11 C1
Palinudo (CS) 102 F2
Palinuro, Capo (SA) 96 D3
Palinuro (SA) 96 D3
Palistro, Fiume 96 B3
Palizzi Marina (RC) 114 F4
Palizzi (RC) 114 E4
Palla Bianca (Weisskugel) (BZ) 2 C1
Pallagorio (KR) 103 D2
Palla, Monte (TV) 26 A2
Pallano, Monte (CH) 76 B3
Pallanza (VB) 8 F4
Pallanzeno (VB) 8 D2
Palla Palla (CS) 102 E4
Pállare (SV) 42 C3
Pallareta, Monte (PZ) 98 C1
Pallavicino (PA) 109 C2-3
Pallera (TO) 31 C3
Palleroso (LU) 46 F1
Pallone del Badile (VB) 7 E4
Pallon, Monte (TV) 26 A3
Pallosu, Cala su (OR) 131 A2
Pallosu, su (OR) 131 A2
Pallusieux (AO) 6 F2
Palma (TP) 108 E1
Palma Campania (NA) 89 B2
Palma, Castello di (AG) 122 A1
Palma di Montechiaro (AG) 118 F4
Palmadula (SS) 125 F1
Palma, Fiume 122 A1
Palmaiola, Isola (LI) 58 D2
Palma, Monte (CA) 134 B3
Palmano, Masseria (RG) 123 C4
Palmanova (UD) 28 B4
Palmaria, Isola di (SP) 45 F1
Palmariggi (LE) 100 C3
Palmaro (GE) 43 B2
Palmaröla, Isola (LT) 80 E1-2
Palmas Arborea (OR) 131 C4
Palmas (CA) 134 D4
Palmas, Fiume 134 D4
Palmas, Golfo di (CA) 134 E3-4
Palmas, Porto (CA) 131 E2
Palmas, Porto (SS) 125 F1
Palmático (CZ) 105 B1
Palmavera, Nuraghe (SS) 128 B1
Palmerini (BR) 95 C1
Palmeto, Monte (PA) 109 D1
Palmiano (AP) 63 F4
Palmina, Monte (BL) 14 C1-2
Palmirano (FE) 38 F1
Palmi (RC) 114 B3
Pálmoli (CH) 76 C4
Palmori (FG) 85 A1
Pal Nuraghi (NU) 132 C4
Palo Alzíum (ROMA) 72 C4
Palobbia, Fiume 11 F4
Paló (TN) 12 F2
Palo del Colle (BA) 87 E2
Palodina, Monte (LU) 52 A3
Palomba, Fiume 74 D2
Palombaio (BA) 87 E1
Palomba, Posta (BA) 86 D2
Palombara Marcellina, Stazione di (ROMA) 73 C4
Palombara, Masseria (BR) 94 D4
Palombara, Masseria la (BR) 94 D3-4
Palombara, Osteria (FR) 81 A2
Palombara Sabina (ROMA) 73 B4
Palombara (TR) 61 F3
Palombara (TR) 68 C1
Palombare (TR) 68 C3
Palombaro (CH) 76 B2
Palombaro, Torre del (CZ) 105 D3
Palombe, Grotta delle (CT) 112 F3
Palombi (MC) 63 E4
Palombina Vecchia/Nuova (AN) 57 E3
Palombino, Cima (BL) 5 E1
Palombino, Passo (BL) 5 E1
Palombo, Monte (AQ) 75 D3
Palomonte, Bivio (SA) 90 D3
Palo, Monte (BS) 23 B4
Palomonte (SA) 90 C3
Palon, Cima (TN) (VI) 25 B2
Palone, Cima del (LC) 10 EF1-2
Palone, Il (LI) 59 C1
Palone, I1 (TN) 12 E4
Paloni, Cima (VR) 24 C4
Palon, Monte (TO) 18 F4
Palon (TN) 12 F4
Palosco (BG) 23 D1
Palo (SV) 43 B1
Palotto (BS) 23 B4
Palse (PN) 15 F2
Paltrático (LI) 52 F3
Palu (BZ) 4 C1
Palú (PD) 38 B3
Palù (TN) 13 D1
Palú (VR) 25 F2
Palù, Cima (TN) 12 C2
Palù del Fersina (TN) 13 E2
Palù, Lago (SO) 11 C1
Palù, Picco (BZ) 4 B2
Palù, Pizzo [CH] 11 B1
Paluda (VE) 27 D3
Paludea (PN) 16 D4
Palude (BS) 24 D2
Paludi, Cantoniera (NU) 130 D2-3
Paludi (CS) 102 B4
Paludo di Latisana (UD) 28 C2
Palue (BL) 14 B2
Paluello (VE) 26 E4
Palugana (PD) 38 B1
Palumbo (FR) 82 B2
Palumbo, Masseria (BN) 84 D2
Palumbo, Masseria (CB) 77 C2
Palumbo (PZ) 91 BC4
Palumbo (TA) 94 E1
Paluri, Serra (KR) 103 E1
Palus (BL) 4 F3
Paluzza (UD) 5 F4
Pampalú, Monte (TO) 18 F3
Pampaluna (UD) 28 B3
Pamparato (CN) 41 CD4
Pampeago (TN) 13 C3
Pampuro (VR) 37 B1
Panaia (VV) 104 E2
Panarea, Isole (ME) 112 AB2
Panarella (RO) 38 C4
Panareo, Masseria (LE) 95 E2-3
Panargen [A] 4 B3
Panaro, Fiume 37 E3
Panaro, Fiume 46 D4
Panaro, Fiume 47 B1
Panaro, Monte (TR) 67 B2
Panarotti (VR) 25 D2
Pancalieri (TO) 31 D2
Pancali, Monte (SR) 121 F1
Pancallo, Villa (EN) 111 F3
Pancarana (PV) 33 B4
Pancaro, Ca (CS) 101 A4
Panchià (TN) 13 C3
Panco, Cima (PG) 68 B2
Pancole (GR) 66 B1
Páncole (SI) 53 F3
Pandi, Masseria (BR) 95 C2
Pandino (CR) 22 E4
Pan di Zucchero, Scoglio (CA) 134 B2-3
Pándola (SA) 89 B3
Pandolfina, Torre (AG) 117 B3
Pandolina (SI) 61 C2
Pandora, Masseria (TA) 93 C3
Panebianco, Fiume 121 E1
Pane e Vino, Fiume 80 A3
Panella (CE) 83 C1
Panemolle, Masseria (BR) 94 D3
Panesi (GE) 44 C2
Panetti (CZ) 105 A1
Panettieri (CS) 105 A2
Panevéggio (TN) 13 C4
Panevino, Masseria (MT) 99 B1
Panfalo, Punta (TP) 107 F3
Pania di Corfino (LU) 45 E4
Pania di Croce (LU) 45 F4
Pania, Rifugio (LU) 45 F4
Panicaglia (FI) 54 A1-2
Panicale (PG) 55 F3
Panicale (PG) 61 E3
Panicale, Stazione di (PG) 61 D3
Panicarola (PG) 61 D3
Panico (BO) 47 D2
Panigada (LO) 34 A3
Panigai (PN) 27 B4
Panigheto, Monte (FO) 48 F1-2
Paniqua di Ses. [YUI] 29 C3
Panna (FI) 47 F2-3
Pannáconi (VV) 104 D3
Pannarano (BN) 83 F4
Pannesi (GE) 43 C4
Panni (FG) 84 D4
Panni (PZ) 91 B3
Pannone (TN) 25 A1
Panocchia (PR) 35 F4
Pano, Monte (PZ) 91 D2
Panossière, Cab. de [CH] 6 D4
Pantaleo (CA) 135 D1-2
Pantalica, Necropoli (SR) 124 A2
Pantaliello (IS) 76 F3
Pantalla (PG) 62 F2
Pantalonata, Serra (CS) 101 C3-4
Pantana (PS) 56 F3
Pantana (RI) 68 F4
Pantanella (BA) 92 A2
Pantanelle, Passo delle (CL) 123 B1
Pantanello (CS) 97 F4
Pantaniello (IS) 83 A1
Pantano Borghese (ROMA) 73 D4
Pantano, Bosco del (MT) 99 B1
Pantano, Casa Bocche di (AQ) 75 D4
Pantano, Case (VT) 72 A1-2
Pàntano (CE) 83 D1
Pantano di Lentini, Bonifiche del (SR) 121 E1
Pántano (FR) 74 D4
Pantano (IS) 82 A3
Pantanolungo (CS) 101 E4
Pantano, Masseria (TA) 93 C1
Pantano, Monte (IS) 82 A3
Pantano (MT) 98 A2-3
Pantano (PG) 62 C1
Pantano (RE) 46 B2
Pantanoscuro, Casa (ME) 111 E3
Pantasina (IM) 51 C2
Pantelleria, Isola di (TP) 116 E1
Pantelleria (TP) 116 E1
Pantianicco (UD) 28 A2
Pantiara (LO) 34 A3
Pantiere (AN) 57 F1
Pantigliate (MI) 22 E2
Pantigliate (LO) 34 A3
Panza (NA) 88 C1
Panzano (FI) 53 E4
Panzano (GO) 29 C1
Panzano, Golfo di (TS) (GO) 29 C1-2
Panzano (MO) 36 F4
Panzano (MO) 47 A1
Panzendorf [A] 4 D4
Panzo del Cavaliere, Masseria (BA) 93 B2
Paola, Cóppola di (PZ) 98 E1
Paola (CS) 101 D3-4
Paolantonio (TE) 70 A2
Paola, Torre (LT) 80 D4
Paolecchio (FE) 37 D4
Paolelli (VT) 67 F4
Paolillo, Masseria (BA) 86 D3-4
Paolillo, Masseria (FG) 85 C3
Paolini (TP) 108 F1
Paolino, Masseria (FG) 79 E2
Paolino, Monte (FR) 82 C2
Paolino (RO) 38 CD1
Paolino, Serra (FG) 85 D1
Paolisi (BN) 83 F3
Paolório (CN) 31 E4
Papa, Casa (RG) 123 C4
Papaglionti (VV) 104 E3
Papalai, Punta (NU) 129 E3
Papallo, Monte (RC) 104 F4
Papa, Monte del (PZ) 97 C3
Papanice (KR) 106 A2
Paparano, Monte (ROMA) 72 B4
Paparella (TP) 108 D2
Papa, Rifugio (TN) 25 B2
Papa, Rocca di (PA) 109 D4
Paparotti (UD) 28 A4
Papá, Serro (RC) 115 D1
Papasidero (CS) 97 E3-4
Papatonno, Masseria (TA) 93 D2
Pape, Cima di (BL) 14 C2
Paperino (PO) 53 C3
Papiano (AR) 54 C3-4
Papiano-Castello delle Forme, Stazione (PG) 62 E1
Papiano (PG) 62 E1
Papigno (TR) 68 C2
Paponi Torre (IM) 51 C2
Pappiana (PI) 52 C3
Paquier (AO) 7 F2
Parabiago (MI) 21 C3-4
Parabita (LE) 100 D1-2
Paradiso [CH] 9 E3
Paradiso, Cima (SO) 1 E2
Paradiso, Costa (SS) 126 C3
Paradiso, Masseria (BR) 94 D4
Paradiso (ME) 112 B4
Paradiso (ME) 113 B3
Paradiso, Monte (ROMA) 72 B2
Paradisoni (VV) 104 D3
Paradiso, Piccolo (AO) 19 C1
Paradiso (RC) 115 A2
Paradiso, Scoglio (FG) 79 C3
Paradiso (UD) 28 B3
Paradiso (VI) 25 F4
Para, Fiume 55 C2
Para (FO) 48 F4
Paraggi (GE) 44 D1
Paramont, Monte (AO) 18 B3-4
Parana (MS) 45 D1
Paranesi (TE) 69 B4
Parantoro (CS) 101 D4
Parasacco (FE) 38 E2
Parasacco (PV) 33 A3-4
Parasano, Monte (AQ) 75 C2-3
Paras, Nuraghe (NU) 132 B3
Paratico (BS) 23 C2
Paratiello, Monte (PZ) 90 C4
Paratore, Fiume 112 D3
Paratore, Ponte (PA) 110 E4
Paravati (VV) 104 E3
Paravento (PS) 56 F2
Parazzuolo (GE) 44 B2
Parcellara, Pietra (PC) 34 D3
Parchetto, I1 (FG) 79 D2
Parchiule (PS) 55 E3
Parcines (Partschins) (BZ) 2 D3
Parc National du Mercanton [F] 40 CD1-2
Parco (CN) 31 D3
Parco Regionale (BG) 22 B4
Parco Regionale (MI) 22 CD1
Pardella (BO) 47 D3
Pardesca (RC) 115 D1
Pardis, Monte (NU) 132 E4
Pardu, Atzei (CA) 131 E3
Pardu, Fiume 133 C2
Pardu, Monte (CA) 133 F1
Pareat, La (TO) 30 D3
Pare (LC) 22 A2-3
Parei, Monte (BL) 4 E2
Parella (TO) 19 D4
Paré Monte (BG) 11 F1
Parenti (CS) 102 F2
Parenti, Stazione di (CS) 102 F2
Páres, Monte (BZ) 4 D1
Parete Bianca (Vveisswand/Sp.) [A] 3 A1
Parete (NA) 88 A3
Pareti (LI) 58 F3
Pareti (SA) 89 C2-3
Pareto (AL) 42 AB3-4
Paretone, Masseria (TA) 94 BC2
Paretone, Monte (TA) 94 B2
Paré (TV) 27 A1
Parghelia (VV) 104 E2
Pariana (LU) 52 B4
Pari, Cima (TN) 12 F2-3
Pari (GR) 60 D2
Parina, Fiume 10 F3
Paringianu (CA) 134 C3
Parisa, Masseria (FG) 84 A4
Parisata (PD) 37 B4
Parisi, Case (EN) 119 E4
Paris, Monte sos (SS) 126 EF1
Pariti Masseria (FG) 79 F1
Park National [CH] 1 D1-2
Parlanti, Terme (PT) 53 B2
Parlapiani (BN) 83 C4
Parláscio (PI) 52 F4
Parlasco (LC) 10 E1
Parlati (VI) 25 C2
Parlesca (PG) 62 C1-2
Parletoa (AO) 19 A4
PARMA 35 E4
Parma, Fiume 35 F4
Parmetta (PR) 36 D1
Parmezzana Calzana (BS) 23 C3
Parnacciano (PG) 55 E3
Parodi (AL) 33 D2
Parodi Ligure (AL) 33 F2
Parola, Fiume 35 E2
Parola (PR) 35 E3
Paroldo (CN) 42 BI-2
Paroletta (PR) 35 D3
Parolise (AV) 89 A4
Parolito (MC) 63 C3
Parona del Valpolicella (VR) 25 E1
Parona (PV) 21 F2
Parone (VC) 20 A3
Parpanese (PV) 34 B2-3
Parrachée, Dent la [F] 18 E2
Parrana San Giusto (LI) 52 EF3
Parrana San Martino (LI) 52 E3
Parrano (PG) 62 D4
Parrano (PG) 62 F4
Parrano, Ponte (PG) 62 D4
Parrano (TR) 61 F3
Parrara, Monte (AO) (CH) 76 C1
Parravicini, Bivacco (SO) 11 B1
Parravicino (CO) 22 A2
Parre (BG) 23 A2
Parrelle, Piano (AV) 89 B4
Parrédis, Monte (CA) 133 F2
Parrina, La (GR) 66 D1
Parrinello, Ponte (PA) 111 E1
Parrini (PA) 109 D1
Parrini (TP) 116 B2
Parrino, Pizzo (PA) 109 E3
Parrino, Punta (TP) 116 B2
Parrino, Serre del (PA) 109 F1
Parrocchia (TN) 25 B2
Parrozzo, Ponte (FG) 85 D2
Parrutta (PZ) 97 D3
Partanna (PA) 109 C2
Partanna (TP) 117 B1
Partémio, Masseria (BR) 94 C4
Partenen [A] 1 A1
Partidor (PN) 15 E2
Partigliano (LU) 52 B3
Partina (AR) 54 D4
Partinico (PA) 109 D1
Partino (PI) 53 E1
Partistagno (UD) 16 E4
Partite, Valle (MO) 37 D2
Partitore (RE) 36 F1
Paruzzaro (NO) 21 AB1
Parzanica (BG) 23 B3
Parzano (CO) 22 A1-2
Parzano (PV) 33 B2
Pasa (BL) 14 E3
Pascalicchio, Casa (PZ) 97 C4
Pascaretto (TO) 31 C1
Pascellata (TE) 69 B4
Pascelupo (PG) 62 A4
Paschera San Carlo/San Defendente (CN) 41 B1
Paschero (CN) 40 A3
Paschero (TO) 19 F2
Paschero (TO) 31 C1
Pascolet, Monte (BL) 14 E4
Páscoli (BL) 14 D3
Pascoli, I (MO) 37 D1
Pascolo, Monte di (BZ) 3 D3
Pascomonti (CN) 41 B4
Pascoso (LU) 52 A3
Pasiano di Pordenone (PN) 27 A3
Pasian, Prato di (UD) 16 F3
Paspardo (BS) 11 E4
Pasquale (SV) 42 D1-2
Pasquarielli (BN) 83 F4
Pasquaro (TO) 19 E3-4
Pasquasia, Monte (EN) 119 C3
Pasquero (CN) 41 B3
Pasquier, Le [F] 30 D1
Pasquilio, Rifugio,Albergo (MS) (LU) 45 F3
Passaggio d'Assisi (PG) 62 E3
Passaggio (PG) 62 E2
Passaggio, Punta del (PA) 109 C2
Passa Madonna, Ponte (AG) 118 F3
Passanetello, Fiume 120 F3-4
Passano (RN) 56 B1
Passante, Serbatoio del (CZ) 102 F3
Passanti (NA) 89 B1-2
Passarella di Sotto (VE) 27 D3
Passarella (VE) 27 D3
Passarello (AG) 119 F1
Passarera (CR) 22 F4
Passariano (UD) 16 F4
Passatempo (MC) 63 A4
Passatore (CN) 41 B1-2
Pass dal Fuorn (Ofenpass) [CH] 1 D2-3
Passeggio, Monte del (FR) 65 D1
Passerano (AT) 32 B1-2
Passerano (ROMA) 73 D4
Passerelli, Masseria (BN) 84 B1
Pássero, Capo (SR) 124 E3
Passetti, Passo [CH] 9 A4
Passetto (RO) 38 D3
Passetto (VE) 38 C4
Passiano (SA) 89 C3
Passignano, Monte (LT) 81 C3
Passignano sul Trasimeno (PG) 61 C4
Passionata (GE) 43 B2
Passionisti (MC) 64 B1
Passirana (MI) 21 D4
Passirano (BS) 23 C3
Passiria, Val (Passeiertal) (BZ) 2 CD4
Passirio, Fiume 2 D4
Passobreve (BI) 20 B2
Passo Brizie, Rifugio (BS) 11 D4
Passo Colla (PR) 44 B4
Passo, Corno del (BZ) 2 B3-4
Passo dei Pecorai (FI) 53 E4
Passo del Ladro, Cugno (SR) 124 B2
Passo del Lupo, Monte (TP) 108 D2-3
Passo di Mirabella (AV) 84 F2
Passo di Pompòsa (FE) 38 E4

Passo di Rigano (PA) 109 C2
Passo di Riva (VI) 25 C4
Passo di Treia (MC) 63 B3-4
Passogatto (RA) 48 B3
Passo, Il (BZ) 3 B4
Passo Lobbia Alta, Rifugio (TN) 12 D1
Passo Martino, Stazione di (CT) 121 D1
Passomasseria (RC) 114 E3
Passone di Sotto (LO) 35 B1
Passone, Il (RE) 46 D1
Passo (VB) 8 B3
Passons (UD) 16 F3
Passo Oscuro (ROMA) 72 CD4
Passopisciaro (CT) 112 F3
Passo (PS) 56 C3
Passo Sant'Angelo (MC) 63 D4
Passo Segni (BO) 37 F4
Passo (TE) 70 A1
Pastegae, Monte (PN) 15 BC1
Pastelletto, Monte (VR) 24 C4
Pastello, Monte (VR) 24 D4
Pástena (FR) 81 B3
Pastena, Grotte di (FR) 81 B3-4
Pastena (IS) 83 A1
Pastena (SA) 89 CD3
Pástene (BN) 84 E1
Pástina (PG) 62 C4
Pástina (PI) 52 F4
Pástine (FI) 53 F3
Pastinelle, Le (FR) 82 B2
Pastorano (BN) 83 E3
Pastorano (CE) 82 D4
Pastorello (PR) 45 B3-4
Pastrengo (VR) 24 E4
Pastéria Lapide (CT) 112 F4
Pasturago (MI) 21 F4
Pasturana (AL) 33 E2
Pasturo (LC) 10 F2
Pasubio (TN) 25 B2
Pasubio, Valli di (VI) 25 B2-3
Patalécchia, Monte (IS) 83 A1
Paternale, Fiume 66 C4
Paternópoli (AV) 84 F2
Paterno (AN) 63 B1
Paterno (AQ) 75 B1
Paterno Calabro (CS) 102 E1
Paterno d'Ancona (AN) 57 E2-3
Paterno (FI) 53 B4
Paterno (FI) 53 D2
Paterno (FI) 54 CD2
Paterno (MC) 63 B3
Paterno (MC) 63 C3-4
Paterno, Monte (RI) 68 E4
Paterno (PZ) 91 F2
Paterno (RI) 69 E1
Paterno (SA) 89 C2
Paterno (TE) 70 A1-2
Paternò (CT) 120 C4
Paticchi, Masseria (BR) 95 C1
Patigno (MS) 45 C1
Patino, Monte (PG) 63 F2
Patria, Lago di (NA) 88 A2
Patriasdorf [A] 5 C2
Pátrica (FR) 74 F3
Patri, Fiume 112 C4
Patrignano (PG) 62 D2
Patrignolo (MC) 63 B2
Patrignone (AP) 64 E2
Patro (AT) 32 B3
Patscher H. [A] 4 B3
Pattada, Nuraghe (NU) 129 E2
Pattada, Nuraghe sa (SS) 125 F4
Pattada, Nuraghe sa.(SS) 129 B3-4
Pattada, Rocca sa (OR) 128 F4
Pattada (SS) 129 B3
Pattano (SA) 96 B3
Patteriol, Monte [A] 1 A2
Patti, Golfo di (ME) 112 C3
Patti (ME) 112 C2
Patti (PA) 109 C2
Patù (LE) 100 E3
Pauceris, is (CA) 135 D2
Pauceris Mannu, Monte is (CA) 135 D2
Pau, Fiume 135 A1
Paularo, Monte (UD) 5 E4
Paularo (UD) 5 F4
Paule, Case (SS) 129 B1
Paule, Monte (SS) 129 B4
Paulera, Monte (ME) 112 E3
Pauli Arbarei (CA) 132 E2
Pauli Crechi (OR) 131 A3
Paulilatino, Cantoniera (OR) 131 A4
Paulilatino (OR) 129 F1
Pauli Maiori (NU) 131 C4
Pauli Murtas (NU) 131 B3
Paulinu, Punta (NU) 133 A1
Paulis, Monte (NU) 133 C2
Paulli (RE) 36 E1
Paullo (MI) 22 E3
Pauloni, Monte (SS) 129 B4
Pau, Nuraghe (CA) 132 F2-3
Pau (OR) 132 C1
Paupisi (BN) 83 D3-4
Paura, Corno della (TN) 25 B1
Paura, La (LT) 81 B1
Paurano (SI) 60 A1
Paur, Rocca la (CN) 40 CD4
Pausa Alta [A] 4 C4
Pausabella, Monte (BZ) 13 B2
Pautasso (TO) 31 C3
Pavaglione, Monte (GE) 43 AB1
Pavaglione (TO) 18 F4
Pavana (PT) 47 F1
Pavarano (VI) 25 F4
Pavarolo (TO) 31 B4
Pavereto (SP) 44 D3
PAVIA 34 A1
Pavia di Udine (UD) 28 A4
Pavia, Naviglio di 22 F1
Pavicolo (BZ) 2 E3-4
Pavignane (MO) 37 E2
Pavignano (BI) 20 C2
Paviole (RO) 38 D1
Pavione, Monte (BL) 14 E1
Pavona, La (VC) 20 C4
Pavonara, La (FE) 38 E1
Pavona (ROMA) 73 E3
Pavone, Bivio del (ROMA) 73 A1
Pavone (BS) 24 C1-2
Pavone Canavese (TO) 19 D4
Pavone, Cocuzzo il (AG) 117 C3
Pavone d'Alessandria (AL) 33 C2
Pavone della Mella (BS) 23 F4
Pavone, Fiume 59 C3-4
Pavoni, Masseria I (FG) 85 D4
Pavullo nel Frignano (MO) 46 D3-4
Payer, Rifugio (BZ) 1 F4
Paza Monte, Isola (OR) 129 F2
Pazienza, Masseria (FG) 78 F1
Paznaun [A] 1 A2-3
Paznauntal [A] 1 A2-3
Pazzallo [CH] 9 E2-3
Pazzano di Sopra (MO) 46 C4
Pazzano (RC) 105 F2
Pazzi, Isola (LE) 100 E1
Pazzon (VR) 24 C4
Pazzosa, seno de sa (SS) 128 C2
Peagna (SV) 42 E2
Pebellalm [A] 4 A3-4
Pecchiona (RE) 46 A3
Peccia, Fiume 82 B2-3
Péccia [CH] 9 A1
Péccia, Fiume 9 A1
Péccioli (PI) 53 E1
Peccioni, Poggio dei (PI) 59 C3
Pecco (TO) 19 D4
Pecetto di Valenza (AL) 33 C2
Pecetto (VB) 7 E4
Pecetto Torinese (TO) 31 B4
Peci (GO) 29 B2
Peci, Monte (MS) 45 E3
Pecol (BL) 14 B3
Pecol Casa (PN) 15 C4
Pecora, Capo (CA) 134 A2-3
Pécora, Fiume 59 E3
Pecora, Isola (SS) 127 B2
Pecorara, Masseria (LE) 100 C3
Pecorara (PC) 34 D2
Pecorari, Colle dei (RC) 105 F1
Pecorari, Ponte dei (AV) 84 D3
Pecoraro, Monte (CE) 82 D3
Pecoraro, Monte (PA) 109 C1
Pecoraro, Monte (RC) 105 F1-2
Pecoraro (SA) 89 C3
Pecorella, Monte (EN) 119 C4
Pecorelli, Casa (MT) 92 F4
Pécore, Pizzo di [CH] 9 B1
Pecorini (ME) 110 A3
Pecorone (PZ) 97 C3
Pecorone (TR) 67 B1
Pedagaggi (SR) 120 F4
Pedaggera (CN) 32 F1-2
Pedaggera, La (CN) 42 B1
Pedagne, Isole (BR) 95 C2
Pedalino (RG) 123 B2
Pedali (PZ) 98 D1
Pedalta, Dosso (BS) 23 B3-4
Pedana (AP) 69 A4
Pedara (AP) 63 F4
Pedara (CT) 121 B1
Pedaso (AP) 64 D3
Pedavena (BL) 14 E1
Peddi de Cani, Fontana (NU) 133 E1-2
Peddis, Ca (CA) 135 E1
Pedeguarda (TV) 14 F3
Pedemonte [CH] 9 B3
Pedemonte (GE) 43 B3
Pedemonte (VB) 8 F3
Pedemonte (PN) 15 E2
Pedemonte (SO) 10 B3-4
Pedemonte (VC) 7 F4
Pedemonte (VI) 13 F2
Pedemonte (VR) 24 DE4
Peden (BL) 14 C2
Pedenosso (SO) 1 F3
Pedergnano (BS) 23 CD2
Pederguana Oriana (BS) 23 F3
Pederiva di Biandene (TV) 26 B4
Pederiva (VI) 25 E4
Pederoa (BZ) 4 E1
Pederobba (TV) 26 A3
Pedescala (VI) 25 A3
Pedesina (SO) 10 E2
Pediano (BO) 48 D1
Pedicciano (AQ) 69 F4
Pedicino, Monte (FR) 65 E1
Pédina (PC) 35 F1
Pedivigliano (CS) 102 F1
Pedocchio (VI) 25 E4
Pedogna, Fiume 52 AB3
Pedogna (LU) 52 A3
Pedona (LU) 52 B2
Pedone, Masseria (FG) 85 A2
Pedone, Masseria (FG) 85 B3
Pedone, Monte (LU) 52 B3
Pedrabianca sa (SS) 130 A2
Pedráces (Pedratsches) (BZ) 3 E4
Pedra Ettori (SS) 128 C3
Pedraia, La (SS) 125 F1
Pedralonga, Monte (SS) 129 A3
Pedra Longa, Punta (NU) 133 A3-4
Pedralonga, Punta sa (SS) 127 F2
Pedralta, Case (NU) 128 D3
Pedra Sciolta (SS) 126 E1
Pedras de Fogu (SS) 125 E4
Pedras Nieddas, Cuccuru sas (NU) 130 B2-3
Pedredu, Cantoniera (SS) 126 F4
Pedrengo (BG) 23 B1
Pedreso, Castello (SS) 127 E2
Pedriazzi, Cantoniera li (SS) 125 EF3
Pedri Loi, Nuraghe (NU) 133 E3
Pedrinate (CO) 21 A4
Pedrocca (BS) 23 D3
Pedrolara (RN) 56 B1
Pedrosa, Monte (SS) 129 A3
Pedros (BZ) 1 C4
Pedrosola (RA) 48 F1
Pedrosu, Monte (SS) 126 F1
Pedrosu, Nuraghe (NU) 129 D4
Pedrotti, Rifugio (TN) 14 C1
Pedru Ghisu, Punta (SS) 125 F2
Pedrumalu, Case (SS) 126 E2
Pedruna, Passo di (SO) 11 C2
Pedun (VB) 8 E4
Peghera (BG) 22 A4
Pegherolo, Monte (BG) 10 C4
Pegli (GE) 43 BC2
Péglia, Monte (TR) 61 F4
Peglio (CO) 10 D1
Peglio (FI) 47 F3
Péglio, Fiume 97 A1
Peglio (PS) 55 D4
Pegnat [CH] 6 B3-4
Pegno, Passo di (BZ) 3 D1
Pegognaga (MN) 36 CD4
Pegola (BO) 37 F4
Pegolotte (VE) 38 B4
Peia (BG) 23 B2
Peidru Nuraghe (SS) 128 D4
Peille [F] 50 CD2
Peinin [F] 30 D2
Pei (PC) 34 F1
Peira Cava [F] 40 F4
Peïra Cava, Cime de [F] 40 F4
Peischlach [A] 5 B1
Peischlachtörl [A] 5 A2
Peisey [F] 18 C2
Péjo (TN) 12 B2
Pèjo, Val di (TN) 12 BC2
Pelagia, Monte (LC) 10 F1
Pelagie, Isole (AG) 122 F3
Pèlago (FI) 54 C2
Pelago, Monte [F] 40 DE4
Pélasque [F] 40 F4
Pelato, Colle (TE) 70 D1
Pelato, Monte (LI) 52 F3
Pelato, Monte (PG) 62 C3-4
Pelato, Monte (PR) 35 F2
Pelato, Monte (PZ) 97 C4
Pelato, Monte (PZ) 98 D2
Pelato, Monte (TR) 67 C4
Pelato, Poggio (VT) 67 D4
Pelau, Fiume 133 C3
Pelau, Monte (SS) 129 B1
Peledo (CO) 10 D2
Pélerins, Les [F] 6 E1
Pelevo, Monte [F] 40 D2
Pelf, Monte (BL) 14 D3-4
Pelingo (PS) 56 E2
Pelizzare (RO) 37 D4
Pelizzone, Passo di (PC) 34 F4
Pellaloco (MN) 36 A4
Pella (NO) 20 A4
Pèllare (SA) 96 B3
Pellarini, Rifugio (UD) 17 C1
Pellaro, Punta di (RC) 114 E1
Pellaro (RC) 114 E1-2
Pellecchia, Monte (RI) 74 B1
Pellegal (BL) 14 E3
Pellegrina, Punta (SS) 129 C2
Pellegrina (VR) 37 A1
Pellegrini (CS) 98 F2
Pellegrini, Fermata (FG) 85 B1
Pellegrini (RC) 114 B3
Pellegrino, Cozzo (CS) 98 F1
Pellegrino, Masseria (BR) 94 C4
Pellegrino (ME) 113 C1
Pellegrino, Monte (CS) 101 F4
Pellegrino, Monte (LT) 80 E2-3
Pellegrino, Monte (PA) 109 C3
Pellegrino Parmense (PR) 35 F2
Pèller, Monte (TN) 12 C3-4
Pellescritta (AQ) 69 D2
Pellestrina (VE) 39 A1
Pellezzano (SA) 89 C3
Pellicciari, Fermata (BA) 92 B2
Pellicciari, Masseria (BA) 92 A3
Pellicciari, Múrgia (BA) 92 B3
Pelliccia, Serra (PZ) 91 B1-2
Péllice, Fiume 30 D4
Pellice, Fiume 31 D2
Péllio Intelvi (CO) 9 E3
Pellizzano (TN) 12 C2
Pellizzari (AL) 33 C2
Pellizzari (VI) 26 B4
Pelly, Le [F] 6 D1
Pelmo, Monte (BL) 14 B3
Pelone, Monte (BL) 69 B3
Peloritani, Monti (ME) 113 CD 1-2
Peloro, Capo (ME) 113 B3
Pelosa (BR) 44 C3
Pelosa, Spiaggia di (SS) 125 D1-2
Pelosa, Torre (SS) 125 D1
Pélos di Cadore (BL) 4 F4
Pelosi (VR) 25 C2
Peloso, Monte (CB) 77 D2
Peloso, Pizzo [CH] 9 C1
Pelpi, Monte (PR) 44 B4
Pelůdnig [A] 17 AB1
Pelugo (TN) 12 E2
Pelvo, Cima del (TO) 30 C2
Pelvo, Monte (TO) 30 B3
Pelvoz, Monte [F] 18 D2
Penango (AT) 32 B3
Penavara (FE) 38 F1
Pendenza (RI) 69 E1
Pendinello, Masseria (LE) 95 F2
Pendola, Monte (BG) 23 B2-3
Pène Blanche, Monte (AO) 19 B2
Penega, Monte (TN) 2 F4
Peneto (AR) 55 F1
Penia (TN) 3 F4
Pénice, Monte (PV) 34 E2
Pénice, Passo di (PC) 34 E2
Penna (AR) 54 E3
Penna (AR) 54 F3-4
Pennabilli (PS) 55 C3
Pennacchiera (FE) 38 D3
Penna di Lucchio (LU) 53 A1
Pennadomo (CH) 76 C3
Penna, Fermata della (TA) 94 D1
Penna, Fiume 44 C2
Penna Grossa, Punta (BR) 94 B4
Penna in Teverina (TR) 67 D4
Penna, La (IS) 76 E2
Penna, Monte (AR) 55 D1
Penna, Monte (BL) 14 B3
Penna, Monte della (MO) 46 D3
Penna, Monte (PG) 62 C1
Penna, Monte (PG) 62 C4
Penna, Monte (PR) 44 B3
Penna, Monte (RE) 46 D1-2
Pennapiedimonte (CH) 76 A2
Pennapizzuto, Colle (CH) 76 C2-3
Penna, Punta della (CH) 77 A2
Pennarone, Monte (PZ) 97 B2-3
Pennar (VI) 25 A4
Penna San Giovanni (MC) 63 D4
Penna Sant'Andrea (TE) 70 C2
Penna, Serra la (CS) 101 B3
Penna (TE) 70 AB2
Pennati, Pizzo (ME) 113 D1
Penna Váira, Fiume 42 E1
Penne, Lago di (PE) 70 D3
Pennella, Masseria (LE) 100 B1
Penne (PE) 70 D3
Penne, Pizzo di (SV) 42 E1
Penne, Punta (BR) 95 B1-2
Pennes, Passo di (Penser J.) (BZ) 3 C2
Pènnes (Pens) (BZ) 3 C2
Pennino, Monte (PG) (MC) 63 D1
Pennisi (CT) 121 B2
Penta (SA) 89 C3
Péntema (GE) 43 AB4
Pentidáttilo (RC) 114 F2
Pentimele (RC) 114 D1-2
Péntine, Monte (BN) 83 D3
Pentolina (SI) 60 C1-2
Pentone (CZ) 105 B3
Peolet, Aigle de [F] 18 E1
Peone [F] 40 D2
Peónis (UD) 16 C4
Péouvou [F] 30 E2
Pepe, Casa (FG) 85 C2
Pepouiri, Monte [F] 40 E3-4
Pera (AP) 63 E4
Pera (BO) 48 C2
Peraga (PD) 26 E3
Peralba, Monte (BL) 5 E2
Pera, Monte (BL) 15 B1
Perano (CH) 76 B3
Perarolo di Cadore (BL) 14 B4
Perarolo (PD) 26 E3
Perarolo (VI) 25 E4
Perascritta, Colle di (TO) 19 E2
Pera (TN) 13 B4
Perazza, Case (TR) 67 B2
Perazze, Le (FG) 85 B3
Perazzete, Poggio le (GR) (SI) 60 F4
Perazzone (BN) 84 B2
Perca (BZ) 4 C1
Perciata, Casa (AG) 118 B3-4
Perciato (ME) 110 A2
Perciato, Punta (ME) 110 A3
Perciato, Punta (ME) 111 A2
Percile (ROMA) 74 B1
Percivalle, Ca' (PV) 34 C1
Percoto (UD) 28 A4
Percozzone (PS) 56 F3
Perda Bulici (NU) 133 D1
Perda d'Aira (NU) 133 B2
Perda de sa Mesa, Punta (CA) 134 A4
Perdaia, Monte (CA) 135 E2
Perdaiola (CA) 134 E4
Perda is Furonis (NU) 133 E1
Perda Liana, Monte (NU) 133 B1
Perda Longa, sa (CA) 135 F2
Perda Pera sa (NU) 133 CD3
Perda, Punta sa (CA) 134 D3
Perdas de Fogu (CA) 134 E3
Perdasdefogu (NU) 133 D2
Perdas de is Ominis (CA) 134 E3
Perdas Marmuradas (NU) 128 E4
Perdaxius (CA) 134 CD4
Perda Zaira, Bruncu (NU) 132 B3
Perdedu, Monte (NU) 132 B4
Perdenzano (TN) 12 F4
Perd'e Sali (CA) 135 E3
Perd'e Sali, Punta (CA) 135 E3
Perdifumo (SA) 96 A2
Perdighisi, Nuraghe (OR) 131 A3
Perdioni (CN) 40 C4
Perdosa, Fiume su 136 B2
Perdosu, Nuraghe (CA) 135 D1
Perdu Cannas, Monte (CA) 133 E1-2
Perdu Carta (CA) 134 B4
Perdu Loci, Fiume 135 B1
Pere, Colle di (MC) 63 C1-2
Peregallo (MI) 22 C2
Perego (LC) 22 B2-3
Père Laurent, Monte (AO) 19 B2
Perentile, Monte (ROMA) 74 F2
Perer (BL) 13 F4
Perer (TV) 26 B3
Peressine (PN) 27 A2
Pereta (GR) 66 B1
Peretola (FI) 53 C4
Pereto, Monte (LI) 58 E2
Pereto (PS) 55 C2
Pereto (ROMA) 74 B3
Peretti (TO) 31 C3
Perfetti Ca (BA) 86 E3
Perfugas (SS) 126 E2
Pergatti (AT) 32 C4
Pérgine Valdarno (AR) 54 F3
Pergine Valsugana (TN) 13 E1-2
Pergo (AR) 61 B3
Pergolacce, Ca (GR) 66 C3
Pergola, La (TP) 108 E1
Pergola, Montagna (TP) 117 A2
Pérgola (PS) 56 E3
Pérgola (PZ) 91 EF2
Pergola (RA) 48 DE2
Pergusa (EN) 119 C4
Pergusa, Lago (EN) 119 C3
Periasc (AO) 7 F2
Pericnik [YU] 17 C3
Perignano (PI) 52 E4
Perilli, Colli I (CS) 102 E3
Perinaldo (IM) 50 C4
Perinera (TO) 18 F4
Perino (PC) 34 E3
Perino (TP) 108 F1
Perito (SA) 96 A2-3
Peri (VR) 24 C4
Perla, Colle di (CN) [F] 41 D2
Perledo (LC) 10 E1
Perletta (CN) 42 C1
Perletto (CN) 32 F2
Perletto, Ponte di (CN) 32 F2
Perlo (CN) 42 C1-2
Perlo, Monte (TV) 26 A3
Perloz (AO) 19 B4
Perlà (TO) 30 D4
Perna, Cascina di (ROMA) 73 E2
Pernasca (NO) 21 E1
Pernate (NO) 21 D2
Pernice, Monte (AG) 118 D3
Pernice, Monte (AG) 118 E4
Pernice (PA) 109 F1
Pernice, Ponte (PA) 109 F1
Pernici, Rifugio (TN) 12 F2
Perni, Monte (CL) 119 E2
Pernocari (VV) 104 E3
Perno (CN) 32 F1
Perno Inferiore (AL) 32 B3
Pernosano (AV) 89 A2
Pernumia (PD) 38 A2
Pero dei Santi (AQ) 75 D1
Pero, Golfo (SS) 127 BC3
Pero, I1 (FI) 53 E2-3
Perolla (GR) 59 D4
Pero (MI) 21 D4
Pero (MN) 36 A3
Peron (BL) 14 B4
Peron (BL) 14 D3
Peroni, Poggio (GR) 65 A1-2
Perosa Argentina (TO) 30 C4
Perosa Canavese (TO) 19 D4
Perosso (MN) 24 F2
Pero (SV) 42 C4
Perotta (PG) 62 CD1
Pero (TV) 27 C2
Peroulaz (AO) 19 B1
Perpoli (LU) 46 F1
Perral (AO) 19 A3-4
Perre, Les (AO) 7 E2
Perrero (TO) 30 C3
Perriere, La [F] 18 C1
Perrillo (BN) 84 E1
Perrone, Case (TA) 93 E2
Perrone, Sella di (CB) (CE) 83 B2
Perrotta, Monte (KR) 106 A3
Pers, Aigle [F] 18 D4
Persano (SA) 90 E4
Persereano (UD) 28 A4
Persi (AL) 33 E3
Persiana (VE) 27 B4
Persichello (CR) 35 B3
Persico (CR) 35 B3
Persico Dosimo (CR) 35 B3
Persignano (AR) 54 E2
Persone (BS) 24 B2
Personico [CH] 9 B2
Pers (UD) 16 E3
Pertegada (UD) 28 D2-3
Pertengo (VC) 20 F4
Perteole (UD) 28 BC4
Pertica Alta (BS) 23 B4
Pertica Bassa (BS) 24 B1
Pertica, Monte (VI) (BL) 26 A2
Perticano (AN) 82 A4
Perticara, Monte (PS) 55 B3
Perticara (PS) 55 B3
Pertosa (SA) 90 DE4
Pert (PN) 16 C4
Pertusa, Portella (ME) 112 E4
Pertusella (VA) 21 C4
Pertusillo, Lago di (PZ) 97 A4
Pertusio (TO) 19 E3
Pertuso (AL) 33 E4
Pertuso (PC) 44 A3
Perucca (CN) 41 B3
PERUGIA 62 D1-2
Perugini, Bivacco (PN) 15 B1
Peruledda (SS) 125 E4
Pérus, Col du [F] 50 C3
Peruzzo, Casa (GR) 59 E4
Peruzzo, Villaggio (AG) 118 F3
Perzacco (VR) 25 F2
Pesa, Fiume 53 E4
Pesa, Fiume 54 F1
Pesa, La (VR) 37 A2
Pesanis (UD) 5 F2

Pesarina, Fiume 5 F2
Pesarina, Val (UD) 5 F2
PESARO 56 B3-4
Pesatero, Monte (AQ) 70 E2
Pescaia (AR) 61 B1
Pescaia (LU) 52 A3
Pescallo (CO) 9 E4
Pescantina (VR) 24 E4
PESCARA 71 D1
Pescara (AP) 69 A2
Pescara, Fiume 70 E4
Pescara (FR) 81 A2
Pescariello, Fermata (BA) 92 A4
Pescarola (MO) 46 C3
Pescarola (NA) 83 F1
Pescarola (UD) 28 C3
Pescarolo ed Uniti (CR) 35 A3-4
Pescasséroli (AQ) 75 D3
Pescate (LC) 22 A3
Pescatori, Casotto dei (GR) 65 A3
Pescatori, Rifugio dei (FG) 79 A1
Pescau (CO) 9 F4
Pescegallo, Lago di (SO) 10 E3
Pesce, Torre del (LT) 81 C2
Pesce, Villa (BA) 86 D2
Pescáia, La (GR) 60 E1
Pesche (IS) 76 F3
Péschici (FG) 79 C2
Pèschici, Stazione di (FG) 79 C2
Peschiera Borromeo (MI) 22 E2
Peschiera del Garda (VR) 24 E3
Peschiera Maraglio (BS) 23 C3
Peschiera, Monte (FI) 54 B3
Peschiera Pontis (OR) 131 B3
Peschiere, Le (BI) 20 C3
Peschiola (AQ) 69 F2
Peschiola (CH) 76 B4
Péschio, Monte (LT) 81 C2
Péschio, Monte (ROMA) 73 E4
Pèscia Fiorentina (GR) 66 D2
Pescia, Fiume 53 C1
Péscia, La (FG) 85 B3
Péscia (PG) 69 B2
Pesciano (PG) 68 B1
Pescia (PT) 53 B1
Péscia Romana (VT) 66 E2
Pescina (AQ) 75 BC2
Pescina (FI) 53 B4
Pescina (FI) 54 E1
Pescina (GR) 60 E4
Pescina (PC) 34 F3
Pescincanna (PN) 15 F3
Pescine, Poggio delle (SI) 60 C2
Pescione, Toppo (PZ) 90 A4
Pescocanale (AQ) 75 C1
Pescocostanzo (AQ) 76 D1
Pescocostanzo Rivisòndoli, Stazione di (AQ) 76 D1
Pesco, Cozzo di (CS) 102 B3
Pesco (CS) 101 C3
Pescocupo (IS) 76 F3
Pesco della Carta (CB) 84 B1
Pesco del Tesoro (CB) 84 AB1
Pescogrosso, Masseria (LE) 100 D3
Pesco la Messa, Monte (IS) 76 F3
Pescolanciano (IS) 76 F3
Pescomaggiore (AQ) 69 E4
Pescone (VB) 8 F3
Pescopagano (PZ) 90 B4
Pescopagano, Torre di (CE) 82 EF2
Pescopennataro (IS) 76 D3
Pescorocchiano (RI) 689 F1
Pesco Sannita (BN) 84 D1
Pesco Sansonesco (PE) 70 F3
Pescosolido (FR) 75 E2
Pescul (BL) 14 B3
Pese di Grozz [YUI] 29 DE4
Peseggia (VE) 26 D4
Pesina (VR) 24 D3
Pesio, Fiume 41 C2-3
Pésipe, Fiume 105 C1
Pessano (MI) 22 D2-3
Pessey, Pian (AO) 19 C1
Pessina Cremonese (CR) 35 B4
Pessina (VA) 9 E1
Pessinea (TO) 19 F1
Pessinetto (TO) 19 E2
Pessione (TO) 31 C4
Pessola, Fiume 35 F2
Pessola (PR) 45 A1
Pesta, La (GR) 59 E3
Pestarena (VB) 7 E4
Pestrino (PS) 56 DE2
Pésus (CA) 134 D4
Petacciato (CB) 77 B2
Petano, Monte (TR) 68 C3
Petelia (KR) 103 E3
Petezzano (PG) 62 A2
Petília Policastro (KR) 103 F1
Petina, Monte (CZ) 105 E2
Petina (SA) 90 E4
Petit Belvedere [F] 30 DE2-3
Petit Combin [CH] 6 E4
Petracca, Case (SR) 124 B2
Petrace, Fiume 114 B3
Petraiolo, Masseria (FG) 84 A4
Petralia (PA) 110 F4
Petralonga, Pizzo (AG) 119 E1
Petra Maina, Serra di (SS) 126 E3-4
Petrana (RI) 69 B2
Petrano, Monte (PG) 56 F1-2
Petrara, Cozzo (CS) 97 E3
Petrara (IS) 76 F1-2
Petrara (PS) 56 F2
Petrarca, Rifugio (BZ) 2 D3
Petrarvella, Monte (PG) 61 E3
Petrazzi (FI) 53 E3
Petreddu, Monte (SS) 127 D1
Petrella Guidi (PS) 55 C3
Petrella Liri (AQ) 74 BC4
Petrella Massana (AR) 55 D3
Petrella, Monte (CE) 82 C1
Petrella, Monte (SA) (BZ) 90 B3
Petrella Salto (RI) 69 F1
Petrella Tiferina (CB) 77 EF1
Petrelle (PG) 61 B4
Petriano (PS) 56 C2
Petricci (GR) 66 A3
Petriccio, Poggio (GR) 65 A2
Petrignacola (PR) 45 B3
Petrignano del Lago (PG) 61 C2
Petrignano (PR) 36 E1
Petrigna [YUI] 29 E4
Petrino, Monte (CE) 82 E3
Petriolo, Bagni di (SI) 60 D2
Petriolo, Fattoria (SI) 61 C1
Petriolo (FI) 54 D2
Petriolo (MC) 63 C4
Petrisi, Pizzo (CT) 120 A4
Petritoli (AP) 64 D2
Petrizia, la (CZ) 105 B4
Petrizza, Serra (MT) 92 F2
Petrizzi (CZ) 105 D2
Petrofiani, Masseria (FG) 78 F1
Petrognano (FI) 53 EF3-4
Petrognano (FI) 54 B3
Petrognano (LU) 52 B4
Petrognano (PG) 68 A3
Petróia, Pieve (PG) 62 C1
Petroio (SI) 60 A2-3
Petroio (SI) 61 C1
Petrolla, Toppa (MT) 92 F4
Petronà (CZ) 105 A4
Petrona (FI) 54 B1
Petrone (BA) 86 D2
Petrone, Monte (PZ) 91 F3
Petrónico, Fiume 70 C2
Petroro (PG) 62 F2
Petrosa (SA) 96 B3
Petrose, Masseria le (TA) 94 E3
Petrosino, Masseria (BA) 93 A3
Petrosino, Ponte (FG) 78 F4
Petrosino, Stazione (TP) 116 B2-3
Petrosino (TP) 116 B2
Petroso, Fiume 83 A2
Petroso, Monte (AQ) 75 E4
Petrosu, Cima di Monte (NU) 127 E4
Petrovija [YUI] 29 F2
Petrovo Brdo [YUI] 17 E4
Petrucci (PT) 53 A2
Petrulla, Monte (AG) 122 A2
Petrulli, Masseria (FG) 78 F1
Petrulli, Passo dei (RC) 114 D2-3
Petrulo (CE) 82 D4
Petruro (AV) 84 F1
Petruro Irpino (AV) 84 F1
Pettenadu, Monte (SS) 128 B2
Pettenasco (NO) 20 A4
Pettinascura, Monte (CS) 102 D4
Pettinengo (BI) 20 C2-3
Pettineo (ME) 111 E2
Petto di Mandra (KR) 102 F4
Pettoranello del Molise (IS) 83 A1
Pettorano sul Gizio (AQ) 75 C4
Pettorazza Papafava (RO) 38 B3
Petto, Villa (TE) 70 C2
Peturo (AV) 89 B3
Petzek [A] 5 B2
Peàio (BL) 14 B4
Peuschelkopf [A] 2 A2
Peuty, Le [CH] 6 D2
Peveragno (CN) 41 C2
Peveranza (VA) 21 B3
Pez (BL) 14 E2
Pezzalunga, Balza di (PA) 119 A3
Pezza, Masseria (CE) 82 D4
Pezza, Monte (BL) 14 B2
Pezzana (VC) 21 F1
Pezzano (SA) 89 C4
Pezzan (TV) 26 C4
Pezzan (TV) 27 C1
Pezza, Piano di (AQ) 75 A1
Pezzaro (ME) 112 DE4
Pezzatti (TN) 25 B2
Pezza, Vado di (AQ) 75 A1
Pezzaze (BS) 23 B4
Pezzeda (BS) 24 C1
Pezze di Greco (BR) 94 A2
Pezze di Speziale (BR) 94 A2
Pezzeit (UD) 16 C4
Pezzo (BS) 12 C1
Pezzo di Stella, Colle (IS) 83 A1-2
Pezzo la Corte (PZ) 98 D1
Pezzoli (RO) 38 C3
Pezzolo (ME) 113 D2
Pezzolo (RA) 48 D3
Pezzolo Valle Uzzone (CN) 42 A2
Pezzo, Pizzo del (CT) 112 F1
Pezzoro (BS) 23 B4
Pfanges [A] 1 A1
Pfroslkopfd [A] 2 A1
Pfunds/Dorf [A] 1 B4
Pfunds/Stuben [A] 1 AB4
Pfyn [CH] 7 B2
Piacentina (RO) 38 D1
PIACENZA 34 C4
Piacenza d'Adige (PD) 37 B4
Piadena (CR) 35 B4
Pia [F] 41 E2
Piagge (AN) 57 F1
Piagge (AP) 64 F1
Piagge (PG) 62 C4
Piagge (PS) 56 D4
Piaggetta, La (LU) 52 C2
Piaggia (AQ) 69 F3
Piággia (CN) 41 E3
Piaggia (VB) 8 E4
Piaggia (PG) 63 F1
Piaggine (SA) 90 F4
Piaggiogna (VC) 8 F1
Piaggione (LU) 52 B4
Piaggori (LU) 52 B4
Piaghedo (CO) 9 D4
Piagna (MS) 45 D1
Piagú, Cime [F] 40 E4
Piai (TO) 32 A2
Piai (TV) 14 F4
Piale (RC) 114 C2
Pialpetta (TO) 19 D1
Piamaggio (BO) 47 E2-3
Piambello, Monte (VA) 9 F2
Piamborno (BS) 11 F2-3
Piampaludo (SV) 43 B1
Piamprato (TO) 19 C3
Piana (AL) 32 F3
Piana Battolla (SP) 45 E1
Pianacce (LU) 52 B4
Pianaccio (BO) 46 F4
Piana, Cima (AO) 19 B3
Piana (CN) 31 F1
Piana Comune, Masseria (EN) 119 C4
Piana Crixia (SV) 42 B3
Piana degli Albanesi, Lago (PA) 109 E2
Piana degli Albanesi (PA) 109 E2
Piana dei Monaci, Casa (SR) 121 F1
Pianadetto (PR) 45 C2-3
Piana di Caiazzo (CE) 83 E1
Piana di Forno (VB) 8 F2
Piana di San Raffaele (TO) 31 A4
Piana di Spagna (CO) 10 D2
Piana Ederas (SS) 126 E1
Piana, Isola (CA) 134 C2
Piana, Isola (SS) 125 D1
Piana, Isola (SS) 127 A2
Piana, Isola (SS) 127 E3
Piana, Isola (SS) 128 B1
Piana, La (LT) 80 F2
Pianali, Podere (LI) 59 C1
Piana, Masseria (CB) 83 A3
Piana (ME) 112 C1
Piana Monte (BL) 4 E3
Pianano (VT) 66 D4
Piana (PG) 61 CD3
Piana, Pieve di (SI) 60 C3
Piana, Podere (PG) 62 D2
Piana, Posta (BA) 85 E4
Piana, Posta (FG) 85 A3
Piana (PV) 33 C4
Pianargia, Monte sa (NU) 133 D1
Piana (VC) 25 D3
Piana (VC) 8 F1
Pianavia (IM) 41 F4
Pianaz (BL) 14 B3
Pianazze, Passo di (PR) 34 F4
Pianazzo (PR) 44 B3
Pianazzo (SO) 10 A1
Pian (BL) 4 F2
Piancada (UD) 28 C3
Piancaldoli (FI) 47 E3
Pian Camune (BS) 23 A3-4
Piancarani (TE) 70 B1-2
Piancasale (PC) 34 E2-3
Piancascia, Pizzo (CH) 9 B1
Pian Castagna (AL) 43 A1
Piancastagnáio (SI) 61 F1
Piancavallone (VB) 8 E4
Pianceri Alto (BI) 20 B3
Piancerreto (AL) 32 B3
Pianche (CN) 40 C3
Pianchiosso (CN) 42 D1
Pianciano, Monte (PG) 68 A3-4
Piancogno (BS) 11 F2-3
Piancone (BI) 20 B3
Pian d'Alma (GR) 59 F3
Pian d'Audi (TO) 19 E2
Piandeipreti (GE) 43 BC4
Pian dei Ratti (GE) 44 C1-2
Piandelagotti (MO) 46 E2
Pian del Colle (TO) 30 A1
Pian della Regina (BS) 11 D4
Pian della Serra (PG) 55 F4
Pian delle Vigne Camigliano, Stazione (SI) 60 E3
Pian del Macinare (PG) 62 A4
Pian del Moro (IM) 41 F3
Pian de Lobbia (BL) 4 F1
Piandera [CH] 9 D3
Pian de Sorres (SS) 125 F3
Pian di Barca (SP) 44 E4
Pian di Bozzo, Cima (VB) 8 C4
Pian di Casale (BO) 47 E1
Piandicastello (PS) 56 C1
Pian di Cerreto (LU) 45 F4
Pian di Lach (BL) 14 E1
Pian di Leone, Lago (PA) 118 B2
Pian di Macina (BO) 47 C3
Pian di Maggio, Monte (AR) 55 F1
Pian di Maia, Ex Bagni di (BZ) 4 D3
Piandimeleto (PS) 55 D4
Pian di Molino (PS) 55 E4
Pian di Morrano (GR) 66 C3
Pian di Nappa, Monte (TR) 67 C4
Pian di Rocca, Fattoria (GR) 59 F3
Pian di San Martino (PG) 67 A4
Pian di Scò (AR) 54 E2
Piandisetta (BO) 47 E2
Pian di Spille (VT) 66 F3-4
Pian di Vedoia (BL) 14 D4
Pian di Venola (BO) 47 D2
Pian di Ventena (RN) 56 B2
Pian di Vico, Fiume 66 DE4
Piandoli (PG) 68 A4
Piane (AP) 63 E4
Piane Crati (CS) 102 E2
Pianedda, Monte sa (SS) 127 F2
Pianedda, Punta (CA) 135 F1
Piane di Falerone (AP) 64 D1
Piane di Mocogno (MO) 46 D2-3
Piane, Le (AP) 64 D2
Piane, Le (CH) 71 F1-2
Pianella (PE) 70 E4
Pianella (PG) 62 D2
Pianella (SI) 60 A3
Pianelle, Bosco delle (TA) 93 C4
Pianello (AN) 57 EF1
Pianello del Lario (CO) 9 D4
Pianello (PA) 119 A2
Pianello (PS) 56 F1
Pianello Val Tidone (PC) 34 D2-3
Piane (MC) 63 B1-2
Pianengo (CR) 22 E4
Piane (PV) 34 B2
Piane, Sesia (VC) 20 B4
Piane (TO) 20 D2
Pianetti (AT) 32 D2
Pianetti (GR) 60 F2
Pianetto (CN) 41 C1
Pianetto (FO) 55 A1
Pianettole (AR) 55 F1
Pianetto, Portella del (PA) 109 D3
Pianetto, Portella del (PA-AG) 117 B3
Pianetto (TO) 18 F4
Pianetto (TO) 19 C3
Pianezza (GE) 44 C1
Pianezza (RI) 69 C1
Pianezza (TO) 31 A2
Pianezze (TV) 14 F2
Pianezze (VI) 26 B4
Pianezzo [CH] 9 D3
Pianezzoli (FI) 53 D2
Pianezzo (MO) 46 D2
Pianfei (CN) 41 BC3
Pian Fugazze, Passo (TN) (VI) 25 B2
Pian Gelassa (TO) 30 A3
Piangipane (RA) 48 C4
Pian Grande, Pizzo [CH] 9 A4
Piani (CN) 41 C4
Pianico (BG) 23 A3
Piani di Bobbio (CO) 10 F2
Piani di Là (UD) 17 C1
Piani di Luzza (UD) 5 E2
Piani di Poggio Fidoni (RI) 68 E3
Pianiga (VE) 26 E4
Piani, I (AL) 32 F3
Piani (IM) 51 CD2
Piani, I (PN) 15 CD3
Piani, I (SS) 128 A2
Pianillo (NA) 89 D2
Pianissolo (SV) 42 C2
Piani (TO) 19 D2
Piani (UD) 16 C3
Pianizza di Sopra / di Sotto (BZ) 2 F4
Pianlargo (BZ) 2 C4
Pian Martino (MC) 63 A3
Pian Mùcini, Podere (GR) 59 D3
Pian Muné (CN) 30 EF4
Piano Alastre (TP) 108 D2
Piano (AN) 56 F3
Piano (AP) 63 F4
Piano Api (CT) 121 B2
Piano (AT) 32 D2
Piano (BG) 23 B2
Piano, Casa del (GR) 66 C1
Piano Cavallo, Cima di (IM) 41 E3
Piano [CH] 8 B4
Piano (CN) 41 C4
Piano (CN) 42 C1
Pianoconte (ME) 111 B3
Piano (CT) 121 BC1
Piano d'Arci (CT) 121 D1
Pianodardine (AV) 89 A3
Piano d'Arta (UD) 5 F4
Piano dei Foni (CH) 76 A3
Piano dei Peri (PZ) 97 D3
Piano del Conte (PZ) 91 B2
Piano del Conte, Stazione (PZ) 91 B2
Piano della Fiera (CL) 119 F3
Piano delle Cascine [CH] 8 C4
Piano delle Vigne (CH) 76 C4
Piano dell'Ospedale (CH) 67 B1
Piano del Preit (CN) 41 DE1
Piano del Voglio (BO) 47 E2
Piano di Chiavenna (SO) 10 C2
Piano di Coreglia (LU) 46 F1-2
Piano di Follo (SP) 45 E1
Piano di Guerra (CS) 103 D1
Piano di Monaco, Masseria (BA) 86 EF2-3
Piano di Péccia [CH] 9 A1
Piano di Sorrento (NA) 89 D1
Piano Grande (TE) 70 B1
Piano, Il (AQ) 70 EF2
Piano, Il (MO) 46 D3
Piano, Il (VT) 67 D4
Piánola (AQ) 69 E3
Piano (LU) 52 B2
Piano Maggiore (TE) 69 B4
Piano Mezzapelle (TP) 116 B3
Piano, Monte (CB) 76 E4
Piano, Monte (FO) 55 C1
Piano, Monte (ME) 111 E2
Piano, Monte (MT) 92 D2
Piano, Monte (TE) 69 C3
Pianone (BG) 23 A2
Piano, Palazzo al (SI) 60 B1
Piano, Palazzo del (PS) 56 D2
Pianopantano (AV) 84 E2
Piano, Pizzo (BN) 83 E3
Piano Porlezza (CO) 9 E4
Piano (PS) 55 E4
Pianora (AR) 55 D1
Pianore (LU) 52 B2
Pianore (PI) 52 C4
Piano Ristéccio (TE) 70 A1
Piano (RO) 39 D1
Pianoro (BO) 47 CD3
Pianorso (MO) 46 D3
Piano (SA) 96 A3
Pianosa, Isola (FG) 79 A1
Pianosa, Isola (LI) 58 C1-2
Pianosa (LI) 58 C1
Piano San Pietro (TE) 70 A1
Piano (SI) 61 C1
Pianosinatico (PT) 46 F3
Piano (SV) 42 C2
Piano, Tetto (CN) 41 C1
Piano (TO) 18 F3
Piano (TO) 30 C4
Pian Palù, Lago di (TN) 12 C1-2
Pian Paradiso, Stazione (VT) 68 F1
Pian San Giacomo [CH] 9 A4
Piansano (VT) 67 D1
Pian Soprano (SV) 42 D2-3
Pian Sottano (SV) 42 D2
Pianta (BO) 48 C1
Piantedo (SO) 10 D2
Piante (PN) 15 E2
Piantivello (AT) 42 A3
Piántoli (CE) 82 C3
Piantonetto, Val di (TO) 19 CD1-2
Piantonia (PR) 35 F3
Piantoni (VE) 26 EF4
Piantorre (CN) 42 B1
Piantravigne (AR) 54 E2-3
Pian Trevisan (TN) 3 F4
Pianu, Cantoniera (SS) 128 B4
Pianu Ladu, Cantoniera (SS) 129 A2
Pianòpoli (CZ) 105 B1
Pianura (NA) 88 B3
Pian Zaeta, Monte (RI) 69 B2-3
Pianzano (RE) 46 C2
Pianzano (TV) 15 F1
Piario (BG) 11 F1
Piasco (CN) 31 F1
Piastra, Lago di (CN) 41 D1
Piastra (MS) 45 F3
Piastre, Le (PT) 53 A2
Pia (SV) 42 E3
Piatta, Cima (BZ) 3 C3
Piatta (CN) 40 B4
Piatta (SO) 10 D4
Piatta (SO) 1 F3
Piatto, Lago (PT) 46 F2
Piatto, Monte (CO) 22 A1
Piatto, Monte (TR) 67 A3
Piattoni (AP) 64 F2
Piatto (BI) 20 C3
Piave di Rosa (UD) 28 B2
Piave di Visdende, Fiume 5 E1-2
Piave, Fiume 5 F114 D4 26 A4 27 C2
Piavenna (BZ) 1 D4
Piave Nuova, Ca' (VE) 27 D3
Piave Vecchia, Case (VE) 27 D3
Piave Vecchia, Porto di (VE) 27 E3
Piave Vecchia (VE) 27 D3
Piavon (TV) 27 B3
Piazza (AL) 32 F
Piazza al Serchio (LU) 45 E4
Piazza Armerina (EN) 119 E4
Piazza (BG) 23 A3
Piazza Brembana (BG) 10 F3
Piazza (BS) 23 C3
Piazza (BS) 24 D1
Piazza Caduti (BG) 22 B3
Piazza, Casa (PV) 34 E2
Piazza (CE) 83 D1
Piazza [CH] 10 B2
Piazza (CN) 41 B4
Piazza dei Torri, Poggio (GR) 66 C3
Piazza del Gobo (BL) 4 F4
Piazza di Brancoli (LU) 52 B4
Piazza di Pandola (AV) 89 B3
Piazza di Sabbione, La (RE) 46 A3
Piazza di Siena (Si) 61 C1
Piazza Fontana (AV) 90 B1
Piazza, La (MS) 45 F2
Piazza (NA) 83 F3
Piazza (NA) 89 C1-2
Piazzanello (LU) 52 A3
Piazzano (AL) 32 A3
Piazzano (CH) 76 AB3-4
Piazzano (LU) 52 B3
Piazzano, Villa di (PG) 61 C3
Piazzanuova (RE) 36 D2
Piazza (PI) 52 E4
Piazza (PR) 35 F4
Piazza (PT) 53 A2
Piazza Roma (NA) 89 C2
Piazza (SI) 53 F4
Piazza (SO) 1 F3
Piazza (SP) 44 D3
Piazza (SP) 45 D1
Piazza (TN) 25 A2
Piazza (TO) 31 B2
Piazzatore (BG) 10 E3-4
Piazza Vecchia (VE) 26 E4
Piazza (VI) 13 F4
Piazza (VI) 25 B4
Piazze, Lago delle (TN) 13 D1-2
Piazze, Le (TN) 13 D1-2
Piazze (SI) 61 F2
Piazzette (TO) 19 F1
Piazzi, Cima de' (SO) 11 B3
Piazzo (GE) 33 F3-4
Piazzogna [CH] 9 D2
Piazzola sul Brenta (PD) 26 D2
Piazzola (TN) 12 D3
Piazzolla (NA) 89 A1
Piazzolo (BG) 10 EF3
Piazzo (TN) 13 D1
Piazzo (TO) 32 A1
Pibir, Casa (NU) 133 E1
Picarelli (AV) 89 A3
Piccalinna (CA) 131 F3
Picca, Monte (PE) 70 F2

Piccardi, Masseria (FG) 85 A4
Piccarello (GE) 43 B3
Picchetta (NO) 21 D2
Picchiara, Monte (MS) 45 D1
Picciano (PE) 70 D3
Picci, Casa (CA) 136 A3
Picciche (PG) 62 F3
Piccilli (CE) 82 C3
Picciola (SA) 89 D4
Piccionello (PE) 70 D3
Piccione (PG) 62 C2
Piccirella, Masseria (FG) 78 F4
Picco, Forcella del (BZ) 4 A3
Piccola, Bocca (NA) 88 E4
Piccoli, Masseria (TA) 93 C4
Piccolini (PV) 21 F3
Piccolino (BZ) 4 D1
Piccoli (PC) 34 E3
Piccolo, Corno (TE) 69 D4
Piccolo, Lago di (BS) 11 E3
Piccolo, Lago (TO) 31 B1
Piccolo Madrasovici [YUI] 29 B3
Piccolo Moncenisio, Lago del [F] 18 F2
Piccolo (UD) 16 E3
Picedo (BS) 24 D2
Picentini, Monti (SA) (AV) 90 BC1
Picentino, Fiume 89 C4
Picerno (PZ) 91 D1
Pichères, Mont des [F] 18 C2
Piciât, Monte (UD) 16 C4
Picinisco (FR) 75 F4
Picocca, Fiume sa 136 B3
Picocca, Masseria (FG) 86 C1
Pico (FR) 81 B4
Picognola, Casa (PG) 62 A3
Picógnola, Monte (PG) 62 A3
Picone, Masseria (PZ) 98 B2
Pideura (RA) 48 E2
Pidócchio, Monte (CH) 76 C2
Pidone, Villa (EN) 120 A1
Piea (AT) 32 B2
Piecorto (SI) 53 F4
Piedelpóggio (RI) 68 C4
Piedelsasso (MC) 63 E1
Piedepiccolo, Masseria (BA) 86 F3
Piedicavallo (BI) 20 B2
Pié di Colle (MC) 63 E2-3
Piè del Pecol (UD) 5 F3
Piedicolle (PG) 62 F2
Piedicolle (PG) 63 F2
Piedicolle (RI) 68 D4
Piedigrotta, Chiesa di (VV) 104 D4
Piedigrotta, Sant. di (PA) 118 B2-3
Piedilago (VB) 8 B3
Piedilama (AP) 69 A2-3
Piediluco, Lago di (TR) 68 D3
Piediluco (TR) 68 C3
Piedim [A] 5 F4
Piedimeggiana (VC) 20 A2
Piedimonte, Alta (FR) 82 AB1
Piedimonte Etneo (CT) 112 F4
Piedimonte (FI) 47 F4
Piedimonte, Germano (FR) 82 B1
Piedimonte, Massicano (CE) 82 DE3
Piedimonte Matese (CE) 83 C2
Piedimonte (NA) 88 C1-2
Piedimonte (SA) 89 C2-3
Piedimulera (VB) 8 E2
Piedipaterno sul Nera (PG) 68 A4
Piediripa (MC) 64 B1
Piediripa (PG) 69 B1
Piedivalle (PG) 63 F2
Pie di Via (PR) 35 E2
Pied Montet [F] 18 D3
Piedo, Monte (BL) 5 F1
Pié Falcade Molina (BL) 14 C1
Piega (PS) 55 B3
Piegaio (AR) 61 B3
Piegáio (LU) 52 B3
Piegaro (PG) 61 E3
Pieggio (VB) 9 E1
Piegolelle (SA) 89 C4
Pié La Costa (AQ) 69 E2
Pièltinis, Monte (UD) 5 F2
Pielungo (PN) 15 C4
Piene Basse [F] 50 C3
Pienza (SI) 61 D1
Piepasso (AL) 32 C4
Pierabec (BL) 5 E2
Pieracci, I (PG) 61 C3
Pieranica (CR) 22 E4
Pierantónio (PG) 62 B1
Piera, Ponte alla (AR) 55 E1
Piercy, Villa (NU) 129 D2
Pieria (UD) 5 F2
Pieris (GO) 29 C1
Pieri, Villa (VT) 67 D1
Pierlas [F] 40 E2
Pierle (AR) 61 B3
Pierno, Monte (PZ) 91 B1
Pierosa (BL) 4 E2
Pierosara (AN) 63 A1
Pierre a Berard, Chalet Hôtel de [F] 6 D1
Pierre Avoi [CH] 6 C3-4
Pierre Bianche [F] 40 D3
Pierre/Grosse [F] 30 DE2
Pierremenaud (TO) 30 B1-2
Pietà Casa (SA) 96 B1
Pietà, La (FG) 79 D3
Pietà, La (ME) 111 E2
Pietole (MN) 36 B4
Pietra Appesa (FG) 79 D3
Pietra Aspra, Monte (AQ) 70 E2
Pietrabbondante (IS) 76 E3-4
Pietra Bismantova (RE) 46 C1
Pietrabissara (GE) 33 F3
Pietrabruna (IM) 51 C1
Pietrabuona, Cala di (GR) 65 E2
Pietrabuona (PT) 53 B1
Pietracamela (TE) 69 D4
Pietracatella (CB) 77 F3
Pietra Cavallara, Serra (CS) 102 B4
Pietra Cavallera, Monte (CZ) 105 E2
Pietracipolle, Masseria (FG) 78 E2
Pietracolora (BO) 47 E1
Pietracupa (CB) EF4
Pietracupa (FR) 81 A3
Pietra Cupa, Monte (SA) 96 A3
Pietracuta (PS) 55 B1
Pietradefusi (AV) 84 F1-2
Pietra del Caricatore (VV) 105 F1
Pietra de' Giorgi (PV) 34 C1
Pietra dell' Uso (FO) 55 B3
Pietra Ferrazzana (CH) 76 C3
Pietraferruggia (CS) 101 E4
Pietrafiore, Monte (TP) 108 E2-3
Pietrafitta (CS) 102 E2
Pietrafitta (FR) 75 F3
Pietrafitta, Masseria (FG) 85 B1
Pietrafitta (PG) 61 E4
Pietrafitta (SI) 53 F4
Pietra Forte (RI) 74 A2
Pietrafráccia (GE) 43 A3
Pietragalla (PZ) 91 C3
Pietragalla, Stazione di (PZ) 91 C2-3
Pietragavina (PV) 34 D1
Pietra Gentile, Monte (AQ) 75 D3
Pietra Grande, Scoglio la (CZ) 105 D3
Pietra Grande (TN) 12 C3
Pietragrossa, Fermata di (CS) 97 E4
Pietragrossa, Monte (AQ) 75 A2
Pietráia (AR) 61 C2
Pietráia (PG) 61 D4
Pietralacroce (AN) 57 E3-4
Pietralata, Monte (PS) 56 DE2
Pietra, La (TO) 32 A2
Pietralavezzara (GE) 43 A3
Pietra Ligure (SV) 42 E3
Pietraliscia, Serra (CT) 120 E2
Pietralonga (CS) 101 E4
Pietralta (TE) 69 B3-4
Pietralunga (CT) 120 C3-4
Pietralunga, Fiume 109 E2
Pietralunga, Passo di (CT) 120 C3-4
Pietralunga (PG) 55 F4
Pietralunga, Ponte di (KR) 103 E2
Pietralunga, Villa (EN) 120 A1
Pietramala (FI) 47 F3
Pietra Marazzi (AL) 33 C1-2
Pietramarina (CT) 112 F3
Pietramaura (PS) 55 B4
Pietramelara (CE) 82 D4
Pietramelara Riardo, Stazione di (CE) 82 D4
Pietramelina (PG) 62 B2
Pietramogolana (PR) 45 A2
Pietramonte (BN) 84 C1-2
Pietramontecorvino (FG) 84 A3
Pietra, Monte (FO) 55 B2
Pietramora (RA) 48 E2
Pietramurata (TN) 12 E3-4
Pietranera (GE) 44 A2
Pietranera, Punta (FG) 78 C2
Pietranico (PE) 70 F3
Pietransieri (AQ) 76 D1-2
Pietra Palomba, Monte (AV) 85 F1
Pietrapaola (CS) 103 C1
Pietrapaola, Stazione (CS) 103 B1
Pietra Patella, Scogli di (AG) 118 F3
Pietrapazza (FO) 54 C4
Pietra (PD) 38 B3
Pietrapennata (RC) 114 E4
Pietrapertosa (PZ) 91 E4
Pietra Pertusa, Monte (LU) 52 B4
Pietraperzia (EN) 119 D2-3
Pietrapiana (FI) 54 D2
Pietra Pizzuta (CT) 120 C1-2
Pietra, Ponte della (FO) 49 F1
Pietra Porci (LT) 81 C2
Pietraporzio (CN) 40 B2-3
Pietra Posta, Monte (CZ) 102 F3
Pietrarada (PR) 45 A1
Pietra (RC) 115 A3
Pietrarója (BN) 83 C3
Pietrarossa, Fiume 120 E2
Pietra Rossa, Lago di (AO) 18 A3-4
Pietra Rossa, Punta di (BS) 11 C4
Pietrarubbia (PS) 55 C4
Pietra Ruia, Cala di (SS) 127 C3
Pietrarva, Colle (CS) 102 F3
Pietrasanta (LU) 52 A2
Pietrascritta, Monte (AQ) 75 C2
Pietrasecca (AQ) 74 A3
Pietra Spada, Passo di (VV) 105 F1
Pietraspesce, Masseria (EN) 120 D1
Pietrastornina (AV) 83 F4
Pietra stretta (TE) 69 B4
Pietra (SV) 42 E2
Pietratagliata (UD) 16 B4
Pietrategliate (TP) 108 E1
Pietra, Torre (FG) 86 B1
Pietrauta (PG) 62 F3
Pietravairano (CE) 82 C4
Pietravecchia, Monte (IM) 41 F2
Pietraviva (AR) 60 A4
Pietrebianche (CZ) 104 A4
Pietre Cadute (PA) 118 B3
Pietrelcina (BN) 84 D1
Pietrelcina, Stazione di (BN) 84 D1
Pietre, Pizzo delle (BZ) 4 D1-2
Pietreréie, Colle (IS) 76 F2-3
Pietre (SA) 89 C2
Pietro Cusico (MI) 21 E4
Pietrogalo [YUI] 29 B4
Pietroso, Monte (PA) 109 EF1
Pieve a Elici (LU) 52 B2-3
Pieve (AL) 33 F1-2
Pieve Albignola (PV) 33 B3
Pieve al Toppo (AR) 61 A2
Pieve a Maiano (AR) 54 F4
Pieve a Nievi (PT) 53 B1
Pieve a Pitiana (FI) 54 D2
Pieve a Pitti, Villa (PI) 53 F1
Pieve a Presciano (AR) 54 F3
Pieve Asciata (SI) 60 A3
Pieve Bovigliana (MC) 63 D2
Pieve (BS) 23 C4
Pieve (BS) 23 D2
Pieve (BS) 24 B3
Pieve (BS) 24 C1
Pieve (BS) 24 F1
Pieve Caina (PG) 61 E4
Pieve, Castello della (PS) 55 D3
Pievecchia (FI) 54 C2
Pieve (CR) 35 A3
Pieve d'Alpago (BL) 14 D4
Pieve del Cáiro (PV) 33 B2
Pieve Delmona (CR) 35 B3
Pieve del Pino (BO) 47 C2-3
Pieve di Bono (TN) 12 F1
Pieve di Budrio (BO) 47 B4
Pieve di Cadore (BL) 15 B1
Pieve di Cadore, Lago di (BL) 15 B1
Pieve di Cagna (PS) 56 CD1
Pieve di Campi (PR) 44 B4
Pieve di Casio (BO) 47 E1
Pieve di Castevoli (MS) 45 D1
Pieve di Cento (BO) 37 F3
Pieve di Cesato (RA) 48 D3
Pieve di Chio (AR) 61 B3
Pieve di Compresseto (PG) 62 C3
Pieve di Concesio (BS) 23 C4
Pieve di Coriano (MN) 37 C1
Pieve di Cusignano (PR) 35 E3
Pieve di Gaifa (PS) 56 D2
Pieve di Gusaliggio (PR) 45 A1
Pieve di Ledro (TN) 24 A3-4
Pieve di Livinallongo (BL) 4 F1
Pieve di Marebbe (BZ) 4 D1
Pieve di Monti (MS) 45 D2
Pieve di Panzano (FI) 53 F4
Pieve di Rigutino (AR) 61 A2
Pieve di Romena (AR) 54 C3-4
Pieve di Santa Luce (PI) 52 F3-4
Pieve di Sant'Andrea (BO) 47 D4
Pieve di Scalenghe (TO) 31 C2
Pieve di Soligo (TV) 26 A4
Pieve di Stadera (PC) 34 D2
Pieve di Teco (IM) 41 F4
Pieve di Zignago (SP) 44 D4
Pievedizio (BS) 23 E3
Pieve d'Olmi (CR) 35 B3
Pieve Dugliara (PC) 34 D4
Pieve Emanuele (MI) 22 E1
Pievefavera (MC) 63 D3
Pieve (FI) 53 B4
Pieve Fissigara (LO) 22 F3
Pieve (GE) 43 A3
Pieve, La (AR) 54 D3
Pieve, La (GR) 66 B1
Pieve, La (MC) 63 B4
Pieve, La (SI) 60 E3
Pieve, La (UD) 16 B4
Pievelbelvicino (VI) 25 C3
Pieve Ligure (GE) 43 C4
Pieve (LU) 52 B2
Pieve (LU) 52 C4
Pievelunga (TR) 61 F4
Pieve (MC) 63 E2
Pieve, Monte della (VT) 67 D1
Pieve (MS) 45 D2
Pieve Ottoville (PR) 35 C3
Pieve (PD) 26 D2
Pievepelago (MO) 46 E2
Pieve, Piano del (PG) 62 D3
Pieve (PN) 15 F2
Pieve Porto Morone (PV) 34 B3
Pieve Posciana (LU) 46 F1
Pieve (PR) 45 A1
Pievequinta (FO) 48 E4
Pieve (RE) 36 D3
Pieve Rossa (RE) 36 E3
Pieve Saliceto (RE) 36 D2
Pieve Salutare (FO) 48 F3
Pieve San Giacomo (CR) 35 B3
Pieve San Lorenzo (LU) 45 E3
Pieve San Nicolò (PG) 62 D3
Pieve Santo Stefano (AR) 55 D2
Pievescola (SI) 60 B1
Pieve Sestina (FO) 49 E1
Pieve (SI) 61 C1
Pieve Terzagni (CR) 35 B4
Pieve Tesino (TN) 13 E3-4
Pieve Torina (MC) 63 D2
Pieve Trebbio (MO) 46 C4
Pievetta (CN) 42 B1
Pievetta (GE) 44 B2
Pievetta (PC) 34 B3
Pieve (TV) 26 A3
Pieve Vecchia (AR) 61 B1
Pieve Vecchia (BS) 24 D2
Pieve Vecchia (GR) 60 F2
Pieve Vecchia (PI) 52 F3
Pieve Vergonte (VB) 8 E2
Pieve (VR) 25 E2
Pievina (SI) 60 B3-4
Pigazzano (PC) 34 D3
Pigge (PG) 62 F4
Piglimó, Corno (VC) 7 F4
Piglio (FR) 74 D3
Piglione, Monte (LU) 52 A3
Pigna, Cima di (CN) 41 D3
Pigna Flóres, Masseria (BR) 95 C1
Pigna (IM) 41 F2
Pignano (AN) 63 A1
Pignano (AV) 89 B2
Pignano (FR) 74 EF4
Pignano (PI) 59 A4
Pignano (UD) 15 D4
Pignan (PD) (TV) 26 C4
Pigna (SV) 42 F2
Pignatarello (CZ) 105 C2-3
Pignataro Interanna (FR) 82 B2
Pignataro Maggiore (CE) 82 D4
Pignatella, Masseria (FG) 85 D4
Pignatelli, Case (TP) 117 C1
Pignatelli, Cocuzzo (PA) 109 F2
Pigne de la Le [CH] 7 D2
Pigno, Cocuzzo (TP-PA) 108 F4
Pignola (PZ) 91 D2
Pignona (SP) 44 D4
Pignone (SP) 44 E4
Pigno (PS) 56 E2
Pigozzo (VR) 25 E1
Pigra (CO) 9 F3-4
Pila, La (FG) 85 C4
Pila, La (LI) 58 E2
Pila, La (RO) 39 D2
Pilano, Masseria (TA) 94 C1
Pila (PG) 62 D1
Pilarciano (FI) 54 B2
Pila Rocca, Monte (FR) 74 D3
Pilastrello (FE) 37 E3
Pilastri (FE) 37 D3
Pilastrino (BO) 47 C1
Pilastro (MN) 36 B2-3
Pilastro (PR) 35 F4
Pilastro (RA) 48 D4
Pilastro (RO) 39 C1
Pilastro (VI) 25 F4
Pilastro (VR) 37 A3
Pilati (RC) 114 F3
Pilato, Grotta di (LT) 80 F2
Pilato, Lago di (AP) 63 F3
Pilato, Pizzo (ME) 111 E3
Pila (VC) 20 A2
Pilaz (AO) 19 B1
Pilcante (TN) 25 B1
Piletta (BI) 20 D2
Pilónico Paterno (PG) 62 C2
Pili (CH) 76 B4
Pilieri (PA) 109 C1
Pilla, Fiume 105 C1
Pilla, Masseria la (PZ) 91 D1
Pilla, Monte della (AV) 85 F1
Pille (MN) 24 F3
Pillerone, Monte (PC) 34 D3
Pilli, Fattoria (OR) 128 F4
Pillo (FI) 53 E2
Pillon, Col du [CH] 6 A4
Pillonis, is (CA) 134 DE4
Pilone di Piovale (CN) 30 DE4
Pilone, Masseria (CB) 83 B3
Pilone (PS) 56 C4
Pilonico Materno (PG) 62 E1
Piloni (GR) 60 DE1
Piloni (TR) 68 D1
Pilo, Stagno di (SS) 125 E2
Pilota (RE) 36 E2
Pilotti (MC) 63 D4
Piludu, Fiume 129 D1
Pimentel (CA) 132 F3
Piminoro (RC) 114 C4
Pimonte (NA) 89 C1-2
Pimpisu (CA) 132 F2
Pinalto, Fiume 2 D2
Pinarella (RA) 49 E2
Pinarolo Po (PV) 34 B1
Pinasca (TO) 30 C4
Pincaldo, Monte (TN) 13 D1
Pincara (RO) 38 D1
Pinci, Corona dei [CH] 9 D1
Pinci, Poggio (SI) 60 C4
Pincàscia, Fiume 9 BC2
Pineda (UD) 28 D3
Pinedo (PN) 15 C1
Pinei (BL) 14 D3
Pinerol, Monte (TO) 30 C3
Pinerolo (TO) 31 C1
Pineta Grande (CE) 82 F3
Pineta (LI) 59 BC1
Pineta (PE) 71 D1
Pineta (RA) 49 ED1
Pinete (FI) 53 C1
Pineto (TE) 70 C4
Pinidello (TV) 15 F1
Pini, Monte dei [YUI] 29 D3
Piniè (BL) 4 F4
Pin, Monte (FO) 2 F3
Pinocchio (AN) 57 E3
Pino Collito (CS) 102 E3
Pino d'Asti (AT) 32 B1
Pino Grande, Villaggio (VV) 102 D4
Pino, Il (FI) 53 E3
Pino, Il (ROMA) 73 C2
Pino, Monte (SS) 127 D1-2
Pino (SI) 61 C1
Pino Solitario (TA) 93 E4
Pino Torinese (TO) 31 B4
Pino (VA) 9 D1
Pinsec [CH] 7 C2
Pintas, Monte (TO) 30 A3
Pinta, Timpa la (PZ) 97 C4
Pinto, Masseria (BR) 94 B3
Pinto (MC) 63 C4
Pinzano al Tagliamento (PN) 16 D4
Pinzano (BZ) 3 D3
Pinzano (MI) 22 C1
Pinzat, Monte (PN) 15 C2
Pinzolo (TN) 12 B2
Pióbbico (MC) 63 E3
Piobbico (PS) 56 E1
Piobesi d'Alba (CN) 32 E1
Pióbesi Torinese (TO) 31 C2-3
Pioda di Crana (VB) 8 C4
Pioda (VB) 8 C3
Piode (VC) 20 A2
Piodina [CH] 9 D1
Piogera, Monte (VB-VC) 8 F3
Piola, Fiume 43 A2
Piolanas (CA) 134 C4
Piolo (RE) 45 D4
Pioltello (MI) 22 D2
Pioltone, Pizzo (VB) 8 C2
Piomba, Fiume 70 C3-4
Piombana, Monte (UD) 16 C4
Piombino, Canale di (LI) 59 EF1
Piombino Dese (PD) 26 D3
Piombino (LI) 59 E1
Piombino, Monte (PA) 110 F3
Piombo, Cala (CA) 134 F4
Piombo, Punta di cala (CA) 134 F4
Piombo, Torre di (RG) 123 D2
Piona, Abbazia di (LC) 10 D1
Pionca (PD) 26 E3
Pione (PR) 44 A4
Pioppa (MO) 37 E1
Pioppino (MN) 36 B2
Pioppo (PA) 109 D2
Pio (RO) 37 C3
Pióraco (MC) 63 C1
Piósina (PG) 55 F2
Piossasco (TO) 31 B2
Piota, La (VB) 8 D4
Piot, Piz [CH] 10 B3
Piovacqua, Masseria (TA) 93 C4
Piova, Fiume 5 F1
Piova Massaia (AT) 32 B2
Piovani (CN) 41 A2
Piove di Sacco (PD) 38 A3
Piovega (PD) 26 F3-4
Piovene (VI) 25 B3-4
Piovera (AL) 33 C2
Piovere (BS) 24 B3
Pioverna, Fiume 10 EF2
Pioverno (UD) 16 D3
Piovezzano (VR) 24 D4
Pio XI, Rifugio (BZ) 2 C1
Piozzano (PC) 34 D3
Piozze (VR) 24 C3
Piozzo (CN) 41 A4
Pipinari, Monte (NU) 130 F1
Pipitone, Pizzo (PA) 110 F1
Pippiete (AP) 63 E4
Pira, Cala (CA) 136 C3
Pira de' Onni, Cantoniera (NU) 133 A1
Pirago (BL) 14 C4
Piràino (ME) 112 C2
Pirami, Ca' (VE) 27 D3-4
Piramide Vincent (AO) 7 F3-4
Pira, Monte La (SS) 126 E4
Pirano, Vallone di [YU] 29 F1
Piran, Pirano [YUI] 29 E1-2
Pira, Nuraghe (SS) 129 B4
Pirarba, Nuraghe (OR) 132 B2
Pirari, Case (NU) 129 D4
Piras, Cantoniera sa (SS) 129 A3
Piras (SS) 130 A2
Pirastru, Fiume 126 D3
Pirastru, su (SS) 126 A2
Pirastru Trottu, Arcu (NU) 133 B1-2
Pirastu, Porto (CA) 136 B3
Piratello (BO) 48 D1
Pirato, Stazione di (EN) 119 C4
Pirazzolu (SS) 127 C1
Pircazzi, Cocuzzo (SR) 124 D2
Pireddas, is (CA) 135 D1
Pires (CA) 131 F4
Piretto (CS) 101 C4
Pirillo (CZ) 102 F2
Pirkach [A] 5 D3
Piroi, Monte su (CA) 133 F2
Pirola, Lago (SO) 10 C4
Pirri (CA) 135 C4
Pirro, Casino (BA) 87 F3
Pirtussiddu, Cocuzzo (CL-PA) 118 B4
PISA 52 D3
Pisacane Carlo, Cippo (SA) 97 AB1
Pisana, Cala (AG) 122 F3
Pisana, Ca (NU) 133 B3
Pisana, La (ROMA) 73 D1-2
Pisana (PD) 38 B2
Pisaneddu, Monte (NU) 130 F2
Pisani, Abbazia (PD) 26 CD2-3
Pisanino, Monte (LU) 45 EF3
Pisano (CT) 121 B1
Pisano, Monte (PI) 52 CD4
Pisano (NO) 21 A1
Pisanu Mele, Monte (NU) 129 EF4
Pisanu, Punta de lu (SS) 125 F1
Pisa, Rifugio (MS) 45 F3
Pisari, Masseria (LE) 100 D2
Pischa Horn [CH] 1 C1
Pischiello (PG) 61 C4
Pischinaccia (SS) 126 E4
Pischina Tereme, Case (SS) 129 B1
Pisciacane, Monte (CL) 119 D1-2
Pisciadu, Rifugio (BZ) 3 F4
Pisciarelli (ROMA) 72 A4
Pisciarello, Fiume 49 EF2
Piscicelli, Masseria (FG) 77 E4
Piscina Rei (CA) 136 B3
Piscina Rubia, Nuraghe (OR) 131 B2
Piscinas (CA) 135 D1
Piscinas, Fiume 131 F3
Piscina (TO) 31 C1-2
Piscinni, Porto di (CA) 135 F1
Piscino, Monte (SO) 10 D3
Pisciolo, Fermata di (PZ) 85 F2
Pisciotta Palinuro, Stazione (SA) 96 B3
Pisciotta (SA) 96 C3
Piscità (ME) 112 A4
Piscitello, Masseria (FG) 85 E3
Pisconti, Nuraghe (CA) 132 D2-3
Piscopio (VV) 104 E4

Piscopio, Masseria (LE) 100 C2
Piseddu, Fiume 136 C3
Pisenti (PG) 62 E4
Pisignano (FI) 53 D4
Pisignano (LE) 95 F4
Piàia (BL) 14 B2
Piè di Moggio (RI) 68 B3
Pisignano (RA) 49 E1
Pisimoni, Monte (UD) 16 C3-4
Pisnengo (NO) 21 E1
Pisoc, Piz [CH] 1 CD2-3
Pisogne (BS) 23 B3
Pisogneto (BS) 11 D3
Pisogno (NO) 21 A1
Pisone, Cozzo (MT) 98 A3
Pisonet, Monte (AO) 7 F1
Pisoniano (ROMA) 74 D2
Pispisa, Fiume sa 136 C1
Pissacqua, Monte (GE) 44 C2
Pissatola (RO) 37 C4
Pissavini, I (CH) 76 A2
Pisse, Bocchetta delle (VC) 7 F4
Pissignano (PG) 62 F4
Pisterzo (LT) 81 B2
Pisticci, Marina di (MT) 99 A2
Pisticci (MT) 92 F4
Pisticci, Stazione di (MT) 92 E4
Pistillo, Timpa (SA) 96 D4
PISTOIA 53 B2
Pistolesa, Valle (BI) 20 B2-3
Pistone, Monte (SP) 44 E4
Pistone, Varco del (SA) 90 BC1
Pistrino (PG) 55 F2
Pistunina (ME) 113 C2-3
Pistuolo, Monte (CS) 101 C3
Pisu, Bruncu e (NU) 130 F3-4
Pisucerbu, Bruncu e (NU) 133 A2
Piteccio (PT) 53 A2
Piteglio (PT) 53 A1
Pitelli (SP) 45 F1
Piticchio (AN) 56 F4
Pitigliano (GR) 66 B3
Pitigliano (PG) 55 F3
Pitino (MC) 63 B3
Pito (AP) 69 B3
Pitocche, Le (PD) 26 D3
Pito, Monte (ME) 112 D3
Pitrigrinosu, Monte (SS) 126 C3
Pitrizza (SS) 127 B2
Pittada, Monte (NU) 128 B3
Pittaus, is (CA) 135 D1
Pitte, Col delle (PN) 15 CD1
Pittinuri, Torre (OR) 128 F3
Pittolongu, Lido di (SS) 127 D3
Pittolo (PC) 34 C4
Pittuini (LE) 95 F1
Pittu, Monte (SS) 129 A1-2
Pitzbach, Fiume 2 A2
Pitziu (OR) 132 A1
Pitzone (BS) 23 C3
Pitztal [A] 2 A2
Pitztaler Jöchl [A] 2 B2
Piubega (MN) 36 A2
Piuma (GO) 29 A2
Piumazzo (MO) 47 B1
Piumesana (PV) 33 D4
Piumogna, Fiume 9 A2
Piuro (SO) 10 B2
Piuzzo (AL) 33 F4
Piverone (TO) 20 D2
Piz Boé (TN) 3 F4
Piz, Cimon del (BL) 14 D2
Pizi, Monti (CH) 76 C2
Piz, Vallone del (CN) 40 BC2-3
Pizzago (BZ) 3 E3
Pizzale (PV) 33 C4
Pizzalto, Monte (AQ) 76 C1
Pizzanca (TN) 13 C3
Pizzano (BO) 47 D3
Pizzano (TN) 12 C2
Pizzarosto (VC) 21 F1
Pizzautolo, Punta di (SA) 89 B4
Pizzetto (VB) 8 E1
Pizzica, Masseria la (TA) 93 D4
Pizzichettone (CR) 35 A1
Pizziferro, Masseria (TA) 93 D4
Pizziferro Monsignore (TA) 93 C3
Pizzi, I (AQ) 69 D2
Pizzillo, Monte (CT) 112 F3
Pizzi, Monte (IS) 76 E2-3
Pizzini, Capanna (SO) 1 F4
Pizzinni (VV) 104 E3
Pizzinnu, Fiume 129 B1
Pizzinnu, Monte (SS) 128 C4
Pizzino (BG) 10 F3
Pizziogu, Monte (NU) 132 D4
Pizzocalvo (BO) 47 C3
Pizzocco, Monte (BL) 14 DE2
Pizzoc, Monte (TV) 14 E4
Pizzocolo, Monte (BS) 24 C2
Pizzocorno (PV) 33 D4
Pizzo (VV) 104 D4
Pizzoferrato (CH) 76 C2
Pizzofreddo (PR) 45 A2
Pizzofreddo (PV) 34 C2
Pizzo Guerrino (BO) 48 C2
Pizzo, I1 (PA) 109 F4
Pizzo, I1 (PZ) 91 D4
Pizzolato (TP) 116 B2
Pizzoli (AQ) 69 D2-3
Pizzolungo (TP) 108 D1
Pizzo, Monte (CS) 101 B4
Pizzone (CE) 82 E3-4
Pizzone (IS) 76 F1
Pizzone (VR) 24 C3
Pizzoni (VV) 104 E4
Pizzoni (PD) 38 B2
Pizzon, Monte (BL) 14 D2-3
Pizzorne, Le (LU) 52 AB4
Pizzorusso, Villa (BR) 94 D4
Pizzo, Stazione di (VV) 104 D4
Pizzo, Torre di (LE) 99 D3-4
Pizzu e Monte (NU) 133 C2-3
Pizzuri, Monte (NU) 129 F4
Pizzuta, La (PA) 109 E2
Pizzuta, Serra (MT) 92 D4
Pizzuta, Toppa (MT) 91 D3-4
Pizzuto, Colle (TE) 69 C4
Pizzuto, Masseria (EN) 119 C3
Pizzuto, Monte (CH) 76 D4
Pizzuto, Monte (CS) 102 E2
Pizzuto, Monte (EN) 119 D3
Pizzuto, Monte (FR) 81 B3
Pizzuto, Monte (MC) 63 E1
Pizzuto, Monte (RI) 68 E3
Pizzuto, Monte (SA) 90 E3
Pizzuto, Monte (TA) 94 D2
Place Moulin, Lago de (AO) 7 E1
Placánica (RC) 115 A3
Plaesano (RC) 104 F3
Plaghera Alta (SO) 11 B4
Plagna [A] 16 A4
Plagne, La [F] 18 C1
Plagne, Lago de la [F] 18 C2
Plagnes/de/Charmy, Les [F] 6 B1
Plaia, Capo (PA) 110 D3
Plaia, Grande (RG) 123 DE2-3
Plaino (UD) 16 F3
Plampinet [F] 30 B1
Plana (AO) 20 B1
Planachaux [CH] 6 C1
Planargia, Nuraghe (NU) 133 A3
Planaval (AO) 18 B4
Planay [F] 18 D1
Planca di Sopra (BZ) 4 C3
Planca di Sotto (Unterplanken) (BZ) 4 C3
Plancios (BZ) 3 D4
Plan de Corones (Kronplatz) (BZ) 4 D1
Plan de Gralba (BZ) 3 F4
Plan del Jôf (UD) 16 E4
Plan di Ponte (AR) 54 C4
Plan du Lac [F] 6 CD1-2
Planey, Le [F] 18 A1
Planey, Le [F] 18 B2
Planey, Le [F] 18 F2
Plangeross [A] 2 A2
Planica [YUI] 17 B3
Planinana Kraiu [YUI] 17 D3
Planina [YUI] 17 D1
Planina [YUI] 17 F4
Planina [YUI] 29 B4
Planoi, Val di (BZ) 1 D4
Planol, Passo di (BZ) 2 C1
Planol (Planeil) (BZ) 1 D4
Plan Pincieux (AO) 6 F2
Plan (Plan) (BZ) 3 EF4
Planpraz [F] 6 E1
Plan (Rfeldes) (BZ) 2 C3-4
Plan, Rifugio di (BZ) 2 C3
Plans, Les [CH] 6 B3
Plan (TO) 30 B2
Planu Ollisa, Nuraghe (OR) 132 B2
Planu Senis, Cantoniera (CA) 132 E4
Plaséncis (UD) 16 F3
Plássas, Las (CA) 132 D2-3
Plata (BZ) 2 C4
Plataci (CS) 98 E4
Platamona Lido (SS) 125 E3
Platania (CZ) 105 A1
Platania, Villino (CT) 121 B1
Platani, Fiume 118 D1
Platani o Fanaco, Lago dei (PA) 118 B2
Platano, Fiume 91 C1
Plateda Centro (SO) 11 D1
Plateda (SO) 11 D1
Plate, P. de [F] 6 D1
Plati (RC) 114 C4
Platischis (UD) 16 E4
Plat, Monte (BZ) 4 C1
Plator, Cime di (SO) 1 EF2
Platta, Piz [CH] 10 A3
Plattenhörner [CH] 1 C1
Plattenspirtze [A] 1 B1
Plattjen, Hotel [CH] 7 D4
Plau'e Sartu, Monte (NU) 133 F1
Pláuris, Monte (UD) 16 C3
Plaus (BZ) 2 D3
Plave (Plava) [YUI] 17 F2
Plavna Dadaint, Piz [CH] 1 D2
Plaze, La (AO) 19 B3
Plazzano (FI) 54 B2
Plazzoles (Platzers) (BZ) 2 E3-4
Plebi, Monti (SS) 127 D2
Plemo (BS) 11 F3
Plenge [A] 5 E3
Pléros, Monte (UD) 5 F2
Plésio (CO) 9 E4
Plessiva (GO) 29 A1
Pletto (VC) 20 B4
Pleureur, Monte [CH] 7 D1
Pleyne (CN) 30 F3
Plezzut (UD) 17 B2
Plima, Fiume 2 E1-2
Plinio, Colle (PG) 55 F3
Plinio, Villa di (ROMA) 73 E1
Pliscia (BZ) 3 B4
Pliscovizza della Madonna [YUI] 29 C3
Ploaghe (SS) 129 A1
Plodio (SV) 42 C2-3
Ploneta, Monte (FO) 48 F1-2
Plose, Cima del (Plose/B.G.) (BZ) 3 D3-4
Plose, La (BZ) 3 B4
Plout (AO) 19 A2
Plout (AO) 19 B4
Pluda (BS) 23 F4
Pluzna [YUI] 17 D1
Po Bandino (PG) 61 E3
Pobbia (MI) 21 D4
Pobbia (TO) 20 D1-2
Pobbio (AL) 33 F4
Pobegi, Pobechi [YUI] 29 E3
Pobietto (AL) 32 A3-4
Pocáia (AR) 55 F2
Pocápaglia (CN) 31 E4
Pocchiano, Monte (MT) 92 DE3
Pocenia (UD) 28 C3
Pochettino (TO) 31 C3
Pochi (BZ) 13 C1
Pockau [A] 17 B3
Pockhorn [A] 5 A3
Po, Croda (BL) 4 F4
Podalla (MC) 63 D3
Podargoni (RC) 114 D2
Podbrdo [YUI] 17 E4
Poddighe, Nuraghe (SS) 129 C2
Po della Pila 39 D2
Po delle Tolle 39 D2
Podenzana (MS) 45 E1-2
Podenzano (PC) 34 D4
Podenzoi (BL) 14 C4
Podere Venanzi (AR) 61 B2
Poderia (SA) 96 C4
Podesteria, Rifugio (VR) 25 C1
Podgorje [YUI] 29 E4
Podiclanzi [YUI] 17 D2
Po di Donzella o Gnocca 39 DE1
Podigliano (AL) 33 E3
Po di Goro 38 D4 39 E1
Po di Maistra 39 CD2
Po di Maistra, Foce del 39 C2
Podio (CN) 31 F4
Po di Pila, Bocche del (RO) 39 D3
Po di Venezia 39 D2
Po di Volano 38 E4
Podkoren [YUI] 17 B3
Podlanig [A] 5 D3
Podlanisce [YUI] 17 F4
Podnanos [YUI] 29 C4
Podona, Monte (BG) 23 B1
Podpec [YUI] 29 E4
Podresca (UD) 17 F1-2
Pod Spigko, Zav (Rifugio De Simon) [YUI] 17 C2
Poetto (CA) 135 C4
Poffabro (PN) 15 D2
Pofi (FR) 81 A3
Po, Fiume 31 C3
Po, Fiume 32 A2
Po, Fiume 33 B3 34 B4 36 CD3 37 C3
Po, Foci del (RO) 39 CD3
Poggetello (AQ) 73 B3-4
Poggeto (MC) 63 B2
Poggetti, Casa (GR) 59 D3
Poggetto (BO) 37 F3
Poggetto (PO) 53 C3
Poggetto (PS) 56 F2-3
Poggetto (VT) 67 C2
Poggiale, Il (GR) 65 A3
Poggiale (RA) 48 E1
Poggi Alti (GR) 66 A2
Poggialti (GR) 66 D2
Póggia, Monte la (LI) 52 E3
Poggiana (TV) 26 C3
Poggiardo (LE) 100 C3
Poggiarello (SI) 60 E4
Poggibano (GR) 59 E4
Poggibonsi (SI) 53 F3
Poggi, Cima (GR) 65 B4
Poggi del Sasso (GR) 60 F2
Poggi (IM) 51 C2
Poggio a Caiano (PO) 53 C3
Poggio (AL) 32 F4
Poggio alla Croce (FI) 54 D1
Poggio alla Lastra (FO) 55 B1
Poggio alle Mura (SI) 60 E3
Poggio alla Malva (PO) 53 C3
Poggio (AN) 57 E4
Poggio (AP) 63 F4
Poggio Aquilone (TR) 61 F4
Poggio Bandinelli, Casa (SI) 61 E1
Poggio Berni (RN) 55 A4
Poggio Bianco (CT) 120 C3-4
Póggio (BO) 46 F4
Poggio (BO) 47 C4
Póggio Bustone (RI) 68 D4
Poggio Cancelli (AQ) 69 C3
Poggio Canoso (AP) 64 E1
Poggio Catino (RI) 68 F2-3
Poggio Cinólfo (AQ) 74 B2
Poggio Cono (TE) 70 B2
Poggio Cupro (AN) 57 F1
Poggio d'Acona (AR) 55 E1
Poggio dei Tre Véscovi (PS) 55 D2
Poggio delle Rose (TE) 70 C2
Poggio di Chiesanuova [R.S.M.] 55 B4
Poggio di Loro (AR) 54 E3
Póggio di Róio (AQ) 69 E3
Poggio di Sanremo (IM) 51 CD1
Poggiodomo (PG) 68 B4
Poggio Ferrato (PV) 34 D1
Poggioferro (GR) 60 E4
Poggioferro (GR) 66 B2
Póggio Fidoni (RI) 68 E3
Póggio Filippo (AQ) 73 B4
Poggiofiorito (CH) 71 F2
Póggio (FO) 48 DE4
Poggiofranco, Masseria (BA) 86 D2
Poggio (GR) 66 A3
Poggio, Il (FO) 54 A3
Poggio, Il (GR) 59 D3
Poggio Imperiale (FG) 78 D2
Poggio Imperiale, Stazione (FG) 78 D2
Poggiola (AR) 54 F4
Poggiolforato (BO) 46 E3-4
Poggioli, I (PC) 34 F3
Poggiolo (AR) 54 F2
Poggiolo (BO) 47 D3
Poggiolo (CN) 42 B2
Poggiolo (FI) 54 B1
Poggiolo (PV) 34 C2
Poggiolo (SI) 60 A2
Poggiolo (SI) 61 C1
Poggiolo (TR) 68 D2
Poggio (LU) 45 E4
Poggio Lungo (CL) 122 A3
Poggiolungo (GR) 60 F4
Poggiomarino (AV) 89 B1-2
Poggio (MC) 63 D1
Póggio Mirteto (RI) 68 F2
Poggio Mirteto, Stazione di (RI) 68 F2
Póggio Moiano (RI) 74 A1
Poggio Montone (TR) 67 A2
Póggio Morello (TE) 70 A2
Póggio Morico (PG) 62 C3
Poggio Murella (GR) 66 B3
Póggio Nativo (RI) 68 F3
Poggione, Il (GR) 59 E2
Poggione, Il (GR) 60 E2
Poggione, Il (GR) 65 A4
Poggioni (AR) 61 B3
Poggio Nuovo (TR) 67 B4
Poggio Parrano (PG) 62 D4
Poggio Perugino (RI) 68 E3
Poggio Pian dei Sette (TR) 61 F3-4
Poggio piccolo (BO) 48 C1
Poggio Pietraporciana (SI) 61 E1-2
Póggio (PI) 53 D2
Póggio Picenze (AQ) 69 E4
Poggio reale, Masseria (BR) 94 B4
Poggioreale (NA) 88 B4
Poggioreale (TP) 117 A2
Poggio Renatico (FE) 37 F4
Poggio Rondino (PC) 34 F2
Poggiorsini (BA) 92 A2
Poggiorsini Gravina, Stazione (BA) 92 A2
Poggio Rusco (MN) 37 D1-2
Poggio Salvi (SI) 60 D3
Póggio San Lorenzo (RI) 68 F3-4
Poggio San Marcello (AN) 56 F4
Poggio Sannita (IS) 76 E4
Póggio San Romualdo (AN) 63 B2
Póggio Santa Cecilia (SI) 60 B4
Póggio Santa Maria (AQ) 69 E2-3
Póggio San Vicino (MC) 63 A2
Poggio Siena Vècchia (SI) 60 C2
Póggio Sommavilla (RI) 68 F1
Poggio (TE) 69 B4
Poggio Terme (LI) 58 E1-2
Poggio Terzarmata (GO) 29 B1
Poggio (TR) 68 D2
Poggio Valle (GR) 61 F2
Póggio Vittiano (RI) 69 F1
Poggiridenti (SO) 11 D1
Poggitazzi (AR) 54 E3
Pogi (AR) 54 F3
Pogliana (VA) 9 F2
Pogliano Milanese (MI) 21 D4
Pogliasca (SP) 44 D4
Pogliola (CN) 41 B3
Pogli (SV) 42 F1
Pognana Lario (CO) 9 F4
Pognana (MS) 45 D3
Pognano (BG) 22 C4
Pogno (NO) 20 A4
Pogricci [YUI] 29 C4
Poia, Fiume 11 E4
Poiana di Granfion (VI) 26 E2
Poiana Maggiore (VI) 37 A1
Poiane (BS) 23 F4
Poianella (VI) 26 C1
Poiano (MN) 24 F1
Poiano (VR) 25 E1
Poidomani, Casa (SR) 124 C1
Poincicco (PN) 15 F3
Pointe, La [F] 50 D2
Pointes du Tsaté [CH] 7 D2
Poira, Portella di (PA) 109 F2
Poirino (TO) 31 C4
Polacco, Bivio (SI) 61 F1
Polaggia (SO) 10 D4
Polá, Monte [CH] 9 D2
Pola, Monte (FR) 81 B4
Polanesi (GE) 43 C4
Polava (UD) 17 E2
Polaveno (BS) 23 C3
Polazzo (GO) 29 B1
Polcanto (FI) 54 B1
Polcenigo (PN) 15 F1
Polegge (VI) 25 D4
Polenaco (TR) 68 B2
Polengo (CR) 35 A2
Polenta (FO) 48 F4
Polentes (BL) 14 E3
Polentuccio (MC) 63 D1-2
Poleo (VI) 25 B3
Polesella (RO) 38 D2
Polesine Camerini (RO) 39 D2
Polesine, Isola di (RO) 39 D2
Polesinello (RO) 39 D1
Polesine (MN) 36 D4
Polesine Parmense (PR) 35 C3
Polesine (RO) 38 CD1-2-3-4
Polésio (AP) 64 E1
Poletici [YUI] 29 F3-4
Poletto (MN) 37 C1
Polgeto (PG) 62 B1
Polia (VV) 105 D1
Policaretto, Serra di (CS) 102 C2
Policastrello (CS) 101 A3-4
Policastro Bussentino (SA) 97 C1
Policastro, Golfo di (SA) 97 CD1
Policiano (AR) 61 A2
Policoro (MT) 99 B1
Policorvo (CH) 76 B4
Polignano a Mare (BA) 87 A3
Polignano (PC) 35 C2
Polignano (PC) 35 E1
Polinago (MO) 46 D3
Polinik [A] E3-4
Polino, Monte (EN) 119 D3
Polino (TR) 68 C4
Poli (ROMA) 74 D1
Polistena (RC) 114 A4
Polita (PR) 45 C2
Polito, Masseria (BR) 95 D1
Polizzello (CL) 118 C4
Polizzi Generosa (PA) 110 F3
Polizzo, Monte (TP) 108 F3
Pollano, Monte (PR) 44 C3
Pollara (ME) 111 A2
Pollaro, Monte (AV) 90 B2
Polla (SA) 90 E4
Pollastra (AL) 33 D2
Pollegio [CH] 9 B3
Pollein (AO) 19 A2
Pollella (CS) 101 D3
Pollena (NA) 89 B1
Pollenza (MC) 63 B4
Pollenza, Stazione di (MC) 63 C4
Pollenzo (CN) 31 E4
Pollica (SA) 96 B2
Polligrone (KR) 103 E2
Polligrone, Serra (KR) 103 E2
Pollina, Fiume 110 E4
Pollina (PA) 110 E4
Pollina, Stazione di (PA) 111 D1
Pollino, Monte (PZ) 98 E2
Pollino (VB) 8 E4
Pollone (BI) 20 C2
Polluce, Masseria (FG) 78 F4
Polluce, Punta (AO) 7 E3
Pollutri (CH) 77 A1
Polo di Piave (TV) 27 B2
Pologar [YUI] 17 E2
Polo, Monte (PR) 45 B2
Polonghera (CN) 31 D2-3
Polonig [YUI] 17 D1
Polosa (PZ) 91 B3
Polpenazze del Garda (BS) 24 D2
Polpet (BL) 14 D4
Polpresa (TO) 19 F1
Polset, Aigle de [F] 18 E1
Polsi, Santuario di (RC) 114 D4
Poltolu, Nuraghe (SS) 129 C1
Polvano (AR) 61 B3
Polverácchio, Masseria (FG) 79 F1
Polverácchio, Monte (SA) 90 C2
Polveráia (GR) 66 A1
Polveraia, Punta (LI) 58 E1
Polverara (PD) 26 F3
Polverara (SP) 45 E1
Polverello (ME) 112 E2
Polverigi (AN) 57 F2
Polverina (AP) 63 F4
Polverina, Lago di (MC) 63 D2
Polverina (MC) 63 D2
Polverini (CZ) 105 B1-2
Polverosa, La (GR) 66 C1
Polvese, Isola (PG) 61 D3-4
Polvica (CE) 83 F2
Polvica (SA) 89 C2
Pomagagnon (BL) 4 E2
Pomáia (PI) 52 F4
Poma, Lago (PA) 109 E1
Poma, Passo di (BZ) 3 E4
Pomara (MN) 36 C2
Pomarance (PI) 59 B3
Pomaretto (TO) 30 C4
Pomárico (MT) 92 E4
Pomárico, Stazione di (MT) 92 D4
Pomárico, Vecchio (MT) 92 E4
Pomaro (AP) 69 A3
Pomarolo (TN) 12 F4
Pomaro Monferrato (AL) 33 B1
Pomaro, Monte (ME) 112 D4
Pomaro, Monte (ME) 112 E4
Pombia (NO) 21 C2
Pomerolo (CN) 31 F2
Pometo (PV) 34 D2
Pomézia (ROMA) 73 F2
Pomezia, Stazione di (ROMA) 73 E3
Pomieri, Serra (CS) 102 C4
Pomigliano d'Arco (NA) 89 A1
Pomino (FI) 54 C2-3
Pomjan, Paugnano [YUI] 29 F3
Pomonte, Fattoria (GR) 66 B2
Pomonte (LI) 58 E1
Pomonte (PG) 62 E2
Po Morto di Primaro, Fiume 38 F1
Pompagnano (PG) 68 B2-3
Pompeano (MO) 46 C3
Pompegno, Monte (FO) 48 F2
Pompeiana (IM) 51 C1
Pompei (NA) 89 C1
Pompeo, Terme (FR) 74 F3-4
Pompiano (BS) 23 E2
Pompogias (OR) 131 D3
Pomponesco (MN) 36 D2
Pomposa (FE) 38 E4
Pompu (OR) 132 D1
Poncarale (BS) 23 E3
Ponchiera (SO) 11 D1
Poncione d'Alnasca [CH] 9 B2
Poncione dei Laghetti [CH] 9 C2-3
Poncione Rosso [CH] 9 B2-3
Pondel (AO) 19 B1
Ponderano (BI) 20 C2
Ponente, Capo (AG) 122 F2
Ponente, Porto di (ME) 111 B3
Ponente, Riviera di (ME) 112 BC4
Ponente, Riviera di (SV) 42 EF3-4
Pongelli (AN) 56 E4
Ponina (AR) 54 E4
Ponna Superiore (CO) 9 E3

222 PONSACCO / POZZUOLO

Ponsacco (PI) 52 E4
Ponso (PD) 37 B4
Pont (AO) 18 C4
Pont (BL) 14 E2
Pontasio (BS) 23 B3
Pontasserchio (PI) 52 C3
Pontassieve (FI) 54 C2
Pontassio (PT) 53 B2
Pontboset (AO) 19 C3
Pont de Nant [CH] 6 B3
Ponte a Cappiano (FI) 53 C1
Ponteacco (UD) 17 E1
Ponte Adunata (TR) 67 B3
Ponte a Egola (PI) 53 D1
Ponte a Elsa (PI) 53 D2
Ponte a Ema (FI) 54 D1
Ponte a Greve (FI) 53 C4
Ponte al (BZ) 3 D1
Ponte Alto (BL) 14 C2
Ponte Alto (SI) 60 B3
Ponte a Moriano (LU) 52 B4
Ponte a Signa (FI) 53 C3
Ponte a Tressa (SI) 60 B3
Pontebbana, Fiume 16 B4
Pontebba (UD) 16 B4
Pontebernardo (CN) 40 B2-3
Ponte Binuara (TP) 108 E2
Ponte Biro (TP) 108 D2-3
Ponte (BN) 83 D4
Ponte, Borgo (CN) 42 D1
Ponte (BS) 11 E4
Ponte Buggianese (PT) 53 C1
Pontecagnano (SA) 89 D4
Ponte Calcara (PG) 62 A3-4
Pontecaliano (AR) 54 E4
Pontecasale (PD) 38 AB3
Pontecasali (VE) 28 C1
Ponte, Casa (ME) 111 E2
Pontecchio, Archi di (VT) 66 E3-4
Pontecchio (BO) 47 C2
Pontecchio Polesine (RO) 38 C2
Ponteccio (LU) 45 E4
Ponte (CE) 82 D3
Ponteceno di Sopra (PR) 44 A4
Ponteceno (PR) 44 B3-4
Pontecentésimo (PG) 62 E4
Pontechianale (CN) 30 E2-3
Ponte Chiasso (CO) 21 A4
Pontecorvo (FR) 82 B1
Pontecurone (AL) 33 C3
Ponte d'Arbia (SI) 60 C3
Pontedassio (IM) 51 C2
Ponte d'Assi (PG) 62 B3
Pontedazzo (PS) 56 F2
Pontedecimo (GE) 43 B3
Ponte della Lasta, Cantoniera (BL) 5 F1
Ponte della Valle (FI) 54 A3
Ponte dell'Olio (PC) 34 D4
Pontedera (PI) 52 D4
Ponte di Barbarano (VI) 25 F4
Ponte di Ghiaccio, Passo (BZ) 3 B4
Ponte di Legno (BS) 11 C4
Ponte di Liso (BA) 86 D2
Ponte di Nava (IM) 41 E4
Ponte di Neto (KR) 103 E1
Ponte di Piave (TV) 27 C2
Ponte due Acque (VC) 8 F2
Ponte Felcino (PG) 62 D2
Ponte Fontanelle, Lago di (PZ) 91 DE4
Ponte Gardena (BZ) 3 E2-3
Pontegatello (BS) 23 E3
Ponteginori (PI) 59 B2
Pontegrande (CZ) 105 B3
Pontegrande (VB) 9 E2
Pontegrosso (PR) 35 E2
Ponte in Valtellina (SO) 11 D1
Pontelagoscuro (FE) 38 E1
Ponte Lambro (CO) 22 A2
Pontelandolfo (BN) 83 CD4
Pontelatone (CE) 83 D1
Ponte la Trave (MC) 63 D2
Ponte Liscia (SS) 127 B1
Pontelongo (PD) 38 A4
Ponte Lucano (ROMA) 73 C4
Pontelungo (PT) 53 B2
Pontelungo (PV) 22 F1
Pontemaglio (VB) 8 C3
Ponte Maira (CN) 40 A2
Ponte Marmora (CN) 40 A3
Pontemazzori (LU) 52 B2
Ponte Merchis, Cantoniera (OR) 129 F1
Pontemerlano (MN) 36 B4
Ponte Merlo (BG) 23 A1
Ponte Minchione, Colle (VT) 67 F4
Ponte Molinello (CT) 112 F1-2
Ponte Murello (PS) 56 C3-4
Ponte Naia, Stazione di (PG) 67 A4
Ponte nelle Alpi (BL) 14 D4
Ponte (VB) 8 B3-4
Ponte Nossa (BG) 23 A2
Ponte Nova (BZ) 13 B3
Pontenuovo (CR) 22 B2
Ponte Nuovo (MO) 46 B3
Ponte Nuovo (PG) 62 E2
Pontenuovo (PT) 53 B2-3
Ponte, Nuraghe (NU) 129 E2
Pontenure (PC) 35 C1
Ponte Organasco (PV) 34 F2
Pontepetri (PT) 53 A2
Ponte Páttoli (PG) 62 C2
Ponte (PG) 68 A4
Ponte Pia, Lago (TN) 12 E3
Pontepietra (TO) 31 B1
Pontepossero (VR) 37 A1
Ponteprimario (SA) 89 C2
Ponteranica, Monte (BG) 10 E3
Ponteránica (BG) 22 B4
Ponte Ribellasca [CH] 9 D1
Pontericcioli (PS) 56 F1-2
Ponte Riu Cortis (OR) 131 D4
Ponte Rizzoli (BO) 47 C4
Ponte Rodoni, Borgo (FE) 37 E3-4
Ponte Romano (OR) 132 A1
Ponteromito (AV) 90 A1
Ponterotto, Casa di (VT) 67 F3-4
Ponte Rotto, Fiume DE3
Ponterotto Giustizia (PD) 26 E2
Ponte Saetta (VE) 28 E1
Ponte San Giovanni (PG) 62 D2
Pontesano, Fiume 78 F2
Ponte San Pellegrino (MO) 37 E2
Ponte San Pietro (BG) 22 BC4
Pontes, Castello (NU) 130 D3
Pontesei, Lago di (BL) 14 C3-4
Ponte S. Paolo (ME) 112 E4
Ponte S. Stefano (ME) 113 D2
Pontestazzemese (LU) 52 A2
Pontestrambo (PR) 44 B3-4
Pontestura (AL) 32 A4
Ponte (SV) 42 C2
Ponte Taro (PR) 35 E4
Pontetetto (LU) 52 C3-4
Ponte Torre dei Denari (ROMA) 72 C4
Ponte, Torre del (FG) 79 D3-4
Ponte (TP) 116 A2
Ponte Travagli (FE) 38 E1
Ponte Trentaz (AO) 20 A1
Ponte Tresa (VA) 9 E2
Ponte Valleceppi (PG) 62 D2
Pontevecchio (RC) 114 B3
Pontevecchio (SV) 42 B3
Ponte (VI) 25 B4
Pontevico (BS) 35 A3
Pontey (AO) 19 A3
Ponte Zurlo, Torre di (CS) 102 E3-4
Ponti (CA) 134 DE3
Ponticelli (BO) 37 F4
Ponticelli (BO) 48 D1
Ponticelli (NA) 88 B4
Ponticelli (RI) 73 A4
Ponticelli (VI) 25 F4
Ponticello, Albergo (BZ) 4 D2-3
Ponticello, Fiume 26 A3
Ponticello, Torre di (FG) 79 C3
Ponticino (AR) 54 F3
Ponticino (Bundschen) (BZ) 3 E1-2
Pontida (BG) 22 B3
Ponti di Spagna (FE) 37 D3
Pontignano (SI) 60 A2-3
Ponti, I (AR) 61 A2
Ponti (IM) 41 E3-4
Pontile (MC) 63 C1
Pontinia (LT) 80 B4
Pontino, Agro (LT) 80 ABC2-3-4
Pontinvrea (SV) 42 B4
Ponti, Rifugio (SO) 10 C4
Ponti Rodi (CE) 83 F2
Pontirolo Capredoni (CR) 35 B4
Pontirolo Nuovo (BG) 22 B4
Pontirone [CH] 9 B3
Ponti sul Mincio (MN) 24 E3
Pontito (PT) 53 A1
Pontoglio (BS) 23 D2
Pontone (RE) 46 C1-2
Ponton (VR) 24 D4
Pontorme (FI) 53 D2
Pontoro (LU) 52 B4
Ponto Valentino [CH] 9 A2-3
Pontremoli (MS) 45 C1-2
Pontresina [CH] 11 A1
Pont Saint Martin (AO) 19 C4
Ponzagrande [YUI] (UD) 17 C2
Ponza, Isola di (LT) 80 F2
Ponzalla (FI) 54 A1
Ponza (LT) 80 F2
Ponzana (NO) 21 E1
Ponzanello (MS) 45 E2
Ponzano (BO) 47 C1
Ponzano Cave, Stazione (VT) 68 F1
Ponzano di Fermo (AP) 64 D2
Ponzano (PO) 53 B3
Ponzano Magra (SP) 45 E2
Ponzano Monferrato (AL) 32 B3
Ponzano (PI) 59 E4
Ponzano (PT) 53 B2-3
Ponzano Romano (ROMA) 68 F2
Ponzano Superiore (SP) 45 E2
Ponzano (TE) 70 A1
Ponzano Veneto (TV) 27 C1
Ponzano (VT) 67 C2
Ponzate (CO) 22 A1
Ponzema, Fiume 43 A2
Ponze (PG) 62 F4
Ponzolotti (VR) 25 C1
Ponzone (AL) 42 A4
Ponzone (BI) 20 B3
Popelli (RC) 115 A2
Popena, Piz (BL) 4 E3
Popera di Valgrande, Monte (BL) 5 F1
Popetra [YUI] 29 F3
Popiglio (PT) 46 F3
Popini, Monte (CS) 102 D3
Popolano (FI) 48 F1
Popola (PG) 63 E1
Pópoli (PE) 75 A3-4
Popoli (PG) 69 B1
Popolo (AL) 32 A4
Poponi, Monte (RI) 69 D1
Poppe, Monte (LI) 58 E2
Poppiano (FI) 53 D3
Poppi (AR) 54 D4
Poppino (VA) 9 E1
Populónia (LI) 59 E1
Populonia, Stazione (LI) 59 E1
Por (TN) 12 F2
Pora, Fiume 42 B3
Pora, Monte (BS) 11 F2
Porana (PV) 33 BC4
Porano (TR) 67 B2
Porassey (AO) 18 A3
Porcara (MN) 37 D2-3
Porcara, Monte (PA) 109 D3-4
Porcara (VR) 25 D1-2
Porcaria, Serro (ME) 111 F4
Porcari (LU) 52 C4
Porcari, Serra (SR) 124 BC2
Porcellengo (TV) 26 C4
Porcellino (AR) 54 E2
Porcen (BL) 14 F1-2
Porcentico (FO) 55 A1
Porcetti (VR) 25 F4
Porche, Monte (MC) 63 F3
Porcheria, Fattoria La (PA) 118 A4
Porcheria, Ponte (CL) 119 E3
Porchette, Foce delle (LU) 52 A3
Pórchia (AP) 64 E2
Porchiano del Monte (TR) 67 C4
Porchiano (PG) 67 A4
Porchiles, Nuraghe (NU) 129 E3
Porchino (AP) 64 E2
Porciano (FR) 74 E3
Porciano (PT) 53 C2
Porcia (PN) 15 F2
Porcigatone (PR) 44 B4
Porcile, Monte (GE) 44 C3
Porciorasco (SP) 44 C4
Porco, Isola (SS) 127 B2
Porco, Monte (CE) (CB) 83 B2
Porco Morto, Monte (RI) 68 E3
Porcos, Nuraghe (OR) 128 E3
PORDENONE 15 F2
Pordenone, Rifugio (PN) 15 B1
Pordoi, Passo (BZ) 3 F4
Poreta (PG) 68 A3
Porettina (SO) 10 C2
Porle (BS) 24 C1
Porlezza (CO) 9 E4
Porlo (GE) 44 B1
Pornassimo (CN) 41 E3
Pornassio (IM) 41 E4
Pornello (TR) 61 F4
Poro, Capo (LI) 58 F2
Poro, Monte (VV) 104 E2
Poro, Monte (TR) 68 C3
Porossan (AO) 19 A1
Porotto (FE) 37 E4
Porpetto (UD) 28 B3-4
Porponi (FI) 53 C3
Porporana (FE) 37 D4
Porporano (PR) 35 F4
Porrara, Monte (AV) 90 A2
Porrazzito (SR) 121 F1
Porrello, Casa (RG) 124 E1
Porrena (AR) 54 D4
Porreta (LU) 45 F4
Porretta, Monte (PG) 68 D4
Porretta Terme (BO) 46 EF4
Porri, Isola dei (RG) 124 E1
Porri, Monte dei (ME) 111 A2
Porrino (FR) 75 F1
Porri (SV) 42 B3
Porro, Forcella del (BZ) 3 B2
Porrona (GR) 60 EF3
Porro, Rifugio (BZ) 3 B4
Porro, Rifugio (SO) 10 C4
Porsena, Monte [YUI] 17 E4
Porta (BG) 10 C4
Porta Carlo, Rifugio (LC) 10 F1-2
Portacomaro (AT) 32 C3
Portálbera (PV) 34 B2
Portalet, Le [CH] 6 D2-3
Porta (LU) 52 A1-2
Porta Materna, Passo (PG) 61 D4
Portanuova (AL) 33 E1
Portaria (TR) 68 B2
Portatore, Fiume 81 C1
Porte, Col de la [F] 40 F4
Portedda, Passo sa (CA) 135 E1
Porte del Cavallino (VE) 27 E3
Porte di Ferro [YUI] 29 B3
Portegrandi (VE) 27 D2
Portella Bianca, Casa (CL-CT) 119 F4
Portella di Mare (PA) 109 D3-4
Portella (FR) 82 A2
Portella, Monte (AO) (TE) 69 D4
Portella, Monte (CZ) 105 B2
Portella, Torrione di (LT) 81 C2
Portelle (EN) 111 F2
Portelle, Torre (CT) 120 E2
Portese (BS) 24 D2
Portese, Cala (SS) 127 B2
Portesine (RO) 39 B1
Porte (TO) 30 C4
Portette, Lago di (CN) 40 D4
Porticato, Monte (TP) 116 A4
Porticciolo, Il (LI) 58 E3
Porticciolo, Torre del (SS) 128 A1
Porticelle, Soprano (CT) 112 E1-2
Porticelle sottano (CT) 112 F1-2
Porticello (ME) 111 A3
Porticello (PA) 109 D4
Porticello Santa Trada (RC) 114 C2
Portici (BG) 23 E1
Portici (NA) 88 B4
Portico (CR) 23 E1
Portico di Caserta (CE) 83 F1
Portico di Romagna (FO) 54 A4
Portiere Stella Stazione (CT) 120 D4
Portigliola, Fiumara 115 C1
Portigliola (RC) 115 C1
Portiglione (LI) 59 F2
Portile (MO) 46 B4
Portiolo (MN) 36 C4
Portio (SV) 42 D3
Portirone (BG) 23 B3
Portisco (SS) 127 C2-3
Pórtis (UD) 16 D3
Portixeddu (CA) 134 A3
Porto (AG) 122 F3
Porto Azzurro (LI) 58 E3
Portobello di Gallura (SS) 126 C3
Porto, Bonifica di (ROMA) 73 D1
Porto Botte (CA) 134 E4
Porto Botte, Stagno di (CA) 134 E4
Porto (BS) 24 CD2
Portobuffole (TV) 27 A2-3
Portocannone (CB) 77 C3-4
Porto Cerésio (VA) 9 F2
Porto Cervo (SS) 127 B3
Porto Cesare (LE) 95 F1
Porto Clementino (VT) 66 F4
Porto Corsini (RA) 49 B1
Porto d'Adda (MI) 22 C3
Porto d'Ascoli (AP) 64 F3-4
Porto di Mezzo (FI) 53 C3
Porto Empédocle (AG) 118 F2
Porto Ercole (GR) 65 E4
Portoferraio (LI) 58 E2
Portofino (GE) 44 D1
Portofino, Monte di (GE) 43 CD4
Portofino, Punta di (GE) 44 D1
Portofino, Vetta (GE) 43 C4
Porto, Fossa di (FE) 48 AB4
Porto Fuori (RA) 49 C1
Porto Garibaldi (FE) 39 F1
Portogreco, Torre di (FG) 79 D4
Portogruaro (VE) 28 C1
Portolano, Masseria (LE) 100 C1
Portole, Monte delle (PG) 62 B2
Portolo (TN) 12 C4
Portomaggiore (FE) 38 F2
Porto Mantovano (MN) 36 B3
Porto, Masseria del (TA) 93 C2
Porto Maurizio (IM) 51 C2
Porto (ME) 110 A2
Portone di Pizzo (PR) 35 D3-4
Portonovo (BO) 48 B2
Porto Nuovo (BA) 87 E3
Portonuovo, Lido di (FG) 79 D3-4
Portonuovo, Scoglio di (FG) 79 D3-4
Porto Paglia (CA) 134 C3
Portopaleddu (CA) 134 C2
Porto Palo (AG) 117 C1
Portopalo di Capo Passero (SR) 124 E2-3
Portopalo, Rada di (SR) 124 E2-3
Porto Palo, Stazione di (AG) 117 C2
Porto (PD) 26 F2
Porto Páglia (SS) 127 C2-3
Porto (PG) 61 D2
Porto Pino (CA) 134 E4
Porto Pitrosu (SS) 126 B4
Porto Potenza Picena (MC) 64 B2
Porto Pozzo (SS) 127 B1
Porto Recanati (MC) 64 A2
Porto (ROMA) 73 E1
Porto Rotondo (SS) 127 C3
Portorotta (FE) 38 F2
Portoroz, Portorose [YUI] 29 F2
Porto Salvo (LT) 81 D4
Portosalvo (ME) 112 C4
Porto Salvo (VV) 104 D3
Porto San Giorgio (AP) 64 C3
Porto Sant'Elpidio (AP) 64 C3
Porto Santo Stefano (GR) 65 D4
Portoscuso (CA) 134 C2-3
Porto (SI) 61 C2
Porto Tórres (SS) 125 E3
Porto Valtraváglia (VA) 9 E1
Porto Vecchio (LI) 59 E1
Portovecchio (MO) 37 D2
Portovecchio (VE) 28 C1
Portoverrana (FE) 38 F2
Portovesme (CA) 134 C3
Portovénere (SP) 45 F1
Portula, La (BG) 11 E1
Portula (BI) 20 B3
Portule, Cima (VI) 13 F2-3
Porza [CH] 9 E3
Porzano (BS) 23 E4
Porziano, Castel (ROMA) 73 E2
Porziano Castel, Tenuta di Caccia di (ROMA) 73 E1-2
Porziano (PG) 62 CD3
Posada, Fiume 130 A2
Posada, Lago di (NU) 130 A3
Posada (NU) 130 A4
Posasso, Monte (GE) 44 B1
Posatora (AN) 57 E3
Posa (TV) 26 B3
Poscante (BG) 22 B4
Poschiavo [CH] 11 BC2
Poschiavo, Lago di [CH] 11 C2
Poschiavo, Val di [CH] 11 BC2
Posillesi (TP) 108 F2
Posillipo, Capo di (NA) 88 B3-4
Posillipo (NA) 88 B3-4
Posina, Fiume 25 B3
Posina (VI) 25 B3
Positano (SA) 89 D1
Possagno (TV) 26 A2-3
Possâl (UD) 5 F2
Possessione Palazzo (FE) 38 D2
Posta Fibreno (FR) 75 E2-3
Posta Fissa (FG) 85 E2
Posta, La (FI) 47 E3
Postal (Burgstall) (BZ) 2 E4
Postalésio (SO) 10 D4
Posta Nova (FG) 78 E3
Posta Nuova delle Pècore (MT) 99 B1
Posta Nuova, Masseria (FG) 85 B4
Posta Piano, Masseria (BA) 92 A3
Posta (RI) 69 B1
Posta Rosa (FG) 79 F1
Posta (VI) 25 A3
Poste, Poggio alle (PI) 59 C2
Posticciola, Masseria (FG) 85 D2
Posticeddu (BR) 95 B1
Postiglione (SA) 90 D3
Postiglione (SA) 90 F2
Postignano (PG) 63 F1
Postino (CR) 22 E4
Postioma (TV) 26 C4
Postoncicco, Monte (UD) 16 D3-4
Postoncicco (PN) 15 F4
Posto Rácale (LE) 100 D1
Posto Rosso (LE) 100 E1
Póstua (VC) 20 B3
Postumia (MN) 36 A2
Postumia, Via (MN) 36 B2
POTENZA 91 D2
Potenza, Fiume 63 BC3
Potenza, Fiume 64 A2
Potenza Picena (MC) 64 B2
Potenzoni (VV) 104 D3
Poti, Alpe di (AR) 55 F1
Potocce [YUI] 29 B3
Potocchi di Creda [YUI] 17 D1
Pourriéres (TO) 30 B3
Pourri, Mont [F] 18 C2
Pourri, Mont Reguge [F] 18 C2
Po, Valle del (CN) 31 EF1
Pove del Grappa (VI) 26 B2
Povegliano (TV) 27 B1
Povegliano Veronese (VR) 24 F4
Poveglia (VE) 27 F1
Poverella (CS) 102 F3
Poverello, Monte (ME) 113 D1
Povici (UD) 16 C3
Poviglio (RE) 36 E2
Povolaro (VI) 25 C4
Povolaro (UD) 5 F3
Povoletto (UD) 16 F4
Poya (AO) 19 B1
Poza (CE) 82 D3
Pozza (AP) 69 B3
Pozza (AQ) 69 E2
Pozzacchera, Monte (LI) 59 B2
Pozzacchio (TN) 25 A1-2
Pozza di Fassa (TN) 13 B4
Pozzaglio (CR) 35 A2-3
Pozzale (BL) 14 B4
Pozzale (FI) 53 D2
Pozzális (UD) 16 F2
Pozzallo (RG) 123 E4
Pozzano, Bagni di (NA) 89 C1
Pozecco (UD) 28 A3
Pozze, Le (PT) 53 A2
Pozzella, Torre (BR) 94 AB3-4
Pozzelle, Serra delle (CE) 83 B1
Pozzello, Colle (AQ) 69 E4
Pozzello, Masseria (LE) 100 B3
Pozze (PD) 26 F3
Pozzette, Cima delle (VR) 24 B4
Pozzetto, Monte (EN) 119 E4
Pozzetto (PD) AB2
Pozzi dei monaci (FG) 78 E2
Pozzi, I (SA) 97 B2
Pozzilli (IS) 82 A4
Pozzillo (BA) 86 D1
Pozzillo (CE) 83 D1
Pozzillo (CT) 121 B2
Pozzillo, Lago di (EN) 120 B2
Pozzillo, Monte (AG) 118 F4
Pozzillo (TP) 108 F1
Pozzi (LU) 52 A2
Pozzi (RC) 114 D2
Pózzis (UD) 16 C4
Pozzi, Villa (RG) 123 C3
Pozzo Alto (PS) 56 B3
Pozzo (AR) 61 B1
Pozzobon (TV) 26 C3-4
Pozzo Catena (MN) 24 F2
Pozzo Colmo, Masseria (FG) 86 C1-2
Pozzo d' Adda (MI) 22 D3
Pozzo del Bagno, Monte (PT) 53 A3
Pozzolengo (BS) 24 E2-3
Pozzoleone (VI) 26 C1
Pozzol Groppo (AL) 33 D4
Pozzol Groppo, Castello (AL) 33 D4
Pozzolo Formigaro (AL) 33 E2
Pozzolo (MN) 24 F3
Pozzolo, Punta (VB) 8 D3
Pozzolo (PV) 34 C2
Pozzolo (VI) 25 E4
Pozzomaggiore (SS) 128 D4
Pozzo Maiore, Nuraghe (OR) 129 E1
Pozzo (MC) 63 A3
Pozzo, Monte (IM) 50 C3
Pozzo (MS) 45 D1
Pozzoni, Monte (PG) (RI) 69 B2
Pozzonovo (PD) 38 B2
Pozzo Nuovo (AR) 61 B2
Pozzo (PG) 62 F2
Pozzo, Piano del (CT) 120 F4
Pozzo, Pizzo del (EN) 120 D2
Pozzo (PN) 16 E4
Pozzo (PN) 27 AB3
Pozzo S. Nicola (Casteddu) (SS) 125 E1-2
Pozzo Tamba (RA) 48 B3
Pozzotello, Monte (FR) 74 D4
Pozzoterraneo (FG) 85 D4
Pozzo (UD) 16 F4
Pozzovétere (CE) 83 E2
Pozzo (VR) 37 A2
Pozzo Zingaro, Masseria (FG) 85 D2
Pozzàglia Sabina (RI) 74 A2
Pozzu, Ca (CA) 131 F4
Pozzuoli (NA) 88 B3
Pozzuolo del Friuli (UD) 28 A3
Pozzuolo (LU) 52 C3
Pozzuolo Martesana (MI) 22 D3
Pozzuolo (MC) 63 C2
Pozzuolo (PG) 61 D2-3

Pozzuolo (PS) 56 CD3
Pozzuolo (SI) 60 C4
Prabello, Monte (BL) 14 D2
Prabione (BS) 24 B3
Pracaban, Monte (GE) 43 A2
Prà Campo (SO) 11 C2-3
Pracchia (PT) 46 F4
Prácchia (TR) 68 B2
Pracchiola (MS) 45 C2
Praciadelan (BL) 4 F3-4
Pra (CN) 41 D4
Pra Combéra [CH] 7 B1
Pracupola (BZ) 2 F2-3
Prada [CH] 11 C2
Pradalunga (BG) 23 B1
Pradamano (UD) 16 F4
Prada (LO) 22 F4
Prada (PR) 45 B4
Prada (RA) 48 D3
Pradarena, Passo di (RE) 45 D4
Prà da Stua, Lago (TN) 24 B4
Prada (TN) 25 B1
Prada (VR) 24 C4
Pradazzo Pellegra (CR) 23 F1
Pradeboni (CN) 41 C2
Pradella (BG) 11 E2
Pradella, Monte (BG) 10 EF4
Pradellano (TN) 13 E3
Pradelle (VR) 36 A4
Pradelle (VR) 37 B1
Pradello (MN) 37 B1
Pradello (PC) 34 E3-4
Pradel, Rifugio (TN) 12 D3
Pradeltorno (TO) 30 C4
Prade (TN) 13 D4
Pra' di Botte (PD) 37 A4
Pradidali, Rifugio (TN) 14 C1
Pradiélis (UD) 16 D4
Pra di Levada (VE) 27 C4
Pradipozzo (VE) 27 B4
Pradis di sopra (PN) 15 D4
Pradis di sotto (PN) 15 D4
Prádis (UD) 16 C3
Pradléves (CN) 40 B4
Pradonego (VR) 24 C4
Pradone (MO) 46 C3
Pradovera (PC) EF3
Pradumbli (UD) 5 F2-3
Praesto, Croce di (IM) 41 F3
Pragatto (BO) 47 B1-2
Pra (GE) 43 B2
Pragelato (TO) 30 B2
Pragiglio, Monte (ROMA) 74 D3
Praglia (GE) 43 B2
Praia a Mare (CS) 97 E3
Praia a Mare (TA) 93 E4
Praiano (SA) 89 D2
Praie, Grotte delle (PE) 70 F4
Práie (TO) 19 D2
Prainito, I1 (SR) 124 CD1
Pralboino (BS) 35 A4
Pra, Le [F] 40 BC2
Prale, Passo di (CN) (IM) 41 E4
Prali (TO) 30 C3
Pralognan [F] 18 D1-2
Pralong [CH] 7 C1
Pralongià (BL) 4 F1
Pralongo (BL) 14 C3
Pralongo (TV) 27 C2
Pralormo (TO) 32 D1
Pralungo (BI) 20 C2
Pramaera, Fiume 133 AB3
Pramaggiore, Monte (PN) 15 B2
Pramaggiore, Stazione di (VE) 27 B4
Pramaggiore (VE) 27 B4
Pramagnon [CH] 7 B1
Pramalle (CN) 41 A1
Pramand, Monte (TO) 30 A2
Prammas, Punta (NU) 130 A2
Pramollo, Passo di (UD) 16 B4
Pramollo (TO) 30 C4
Prampa, Monte (RE) 46 D1
Pramper, Cima di (BL) 14 C
Prandaglio (BS) 24 C1-2
Prandoni, Fattoria (BS) 23 E4
Pranello (PR) 45 A3
Pranolz (BL) 14 E3-4
Prano, Monte (LU) 52 B3
Prantalladas, Nuraghe (NU) 129 E2-3
Pranu de Follas, Nuraghe (NU) 132 D3
Pranu, Lago di Monte (CA) 134 D4
Pranzaturo, Monte (CE) 83 B1
Pranzo (TN) 12 F2-3
Praole (VR) 25 D1
Pra (PD) 38 B1
Prapotnizza (UD) 17 E2
Prarayer (AO) 7 E1-2
Prariond (AO) 18 B4
Prà Riondò, Rifugio (SV) 43 B1
Prarola, Torre di (IM) 51 C2
Prarolo (GE) 33 F3
Prarolo (VC) 21 F1
Prarostino (TO) 30 CD4
Prasco (AL) 33 F1
Prasco Cremolino, Stazione (AL) 33 F1
Prascorsano (TO) 19 E3
Pra Sec (AO) 6 F2
Prasomaso (SO) 11 D1
Praso (TN) 12 F1-2
Prass [F] 40 D3
Prassolan, Monte (VI) (BL) 26 A2
Prataccio (PT) 53 A1-2
Práta d'Ansidonia (AQ) 70 F1
Prata di Pordenone (PN) 27 A2
Prata di Principato Ultra (AV) 84 F1
Prata di Sopra (PN) 27 A2
Prata di Sotto (PN) 27 A2
Prata (GR) 59 D4
Pratalborato (AL) 33 F2
Pratale (AR) 54 C4
Prata, Le (PG) 62 D4
Pratalútoli (AR) 54 D3
Prata (LI) 59 D2
Prata (VB) 8 E2
Pratantico (AR) 54 F4
Prata, Pizzo di (SO) 10 C2
Prata Sannita Superiore/Inferiore (CE) 83 B1
Prata (SO) 10 C2
Pratavecchia (CN) 41 B1
Pratella (CE) 82 B4
Pratello (BS) 24 D2
Pratello, Monte (AQ) 76 D1
Pratello, Monte (FO) 48 F2
Prateria (BZ) 4 C3
Prateria, Stabilimento (RC) 104 F4
Prati Alti, Monte (AR) 55 E2
Prática di Mare (ROMA) 73 F2
Praticello (RE) 36 E1-2
Prati di Tésidio (BZ) 4 C2
Prati di Tivo (TE) 69 D4
Pratieghi (AR) 55 D2
Pratiglione (TO) 19 E3
Prati, I (BS) 24 E1
Prati Nuovi (VE) 28 D2
Prati (RA) 48 C3
Pratissolo (RE) 46 A2-3
Prati (TR) 68 D3
Prati (VR) 25 D1
Prati (Wiesen) (BZ) 3 B2
Prato (TO) 18 F3
Prato alla Drava (Vinnebach) (BZ) 4 D3-4
Prato all'Isarco (Blumau) (BZ) 3 F2
Prato allo Stelvio (Prad a Stilfserjoch) (BZ) 1 E4
Prato (AR) 55 E2
Pratobello (NU) 130 F1
Prato Carnico (UD) 5 F2
Prato Caselli, Pizzo del (FR) 75 F3
Prato [CH] 9 A1-2
Prato Croce, Rifugio (BZ) 3 D4
Prato delle Femmine (PR) 44 B4
Prato di Strada (AR) 54 D3-4
Prato (EN) 120 D1
Pratoferro (TO) 20 E1
PRATO 53 B3
Pratofontana (RE) 36 F3
Prato (GE) 43 B3-4
Prato (GE) 44 BC2
Pratogiardino (PC) 34 F4
Prato, I1 (CS) 98 D4
Prátola Peligna (AQ) 75 B4
Pratola Serra (AV) 84 F1
Pratolino (FI) 53 C4
Pratolungo (AL) 33 F3
Pratolungo (CN) 30 F4
Pratolungo (CN) 40 C3
Pratolungo (GR) 66 B4
Pratolungo (NO) 20 A4
Pratolungo (PR) 45 B3
Pratolungo (PV) 34 F2
Pratomagno (AR) 54 DE3-4
Pratomagno (BZ) 4 A2-3
Pratomagno, Croce di (AR) 54 D3
Pratomedici (MS) 45 E2
Prato, Monte (FR) 75 D1
Prato, Monte (LU) (RE) 46 D1
Prato, Monte (RI) 69 C2
Pratomorone (AT) 32 D2
Pratone, I1 (FI) 54 C1
Pratone, Monte (FI) 47 F3
Prato (VB) 8 D2
Prato (PG) 55 F2
Pratopiano (PR) 45 C3
Prato piazza (Plätzwiesen) (BZ) 4 E3
Prato, Ponte (CB) 77 F2
Prato (PR) 44 B4
Prato (PR) 45 C3
Pratora (CZ) 105 B2
Prato Ranieri (LI) 59 E2
Prato (RE) 36 F3
Pratorosso, Rifugio (AQ) 75 D3-4
Pratorotondo (CN) 40 AB2-3
Pratorsi, Piani di (PT) 46 F4
Prato (SA) 91 F1
Prato San Pietro (LC) 10 E1-2
Prago Sardo, Stazione di (NU) 129 D4
Prato Selva (TE) 69 D4
Prato Sésia (NO) 20 B4
Pratotondo, Monte (BS) 11 F3
Prato (TR) 67 A3
Prato Valentino (SO) 11 D2
Pratovalle (AR) 54 E3
Pratovecchio (AR) 54 C4
Pratovigero (TO) 31 B1-2
Pratrivero (BI) 20 B3
Prats, Les [F] 30 D2
Praturlone (PN) 27 A4
Pravello, Monte (VA) 9 F2
Pra (VI) 25 B2
Pravisdomini (PN) 27 B4
Pray Basso (BI) 20 B3
Prayon [CH] 6 E3
Pray (BI) 20 B3
Praz (AO) 20 B1
Praz (AO) 7 F1
Praz de Fort [CH] 6 D3
Praz, Grand (AO) 20 B1
Praz Jean [CH] 7 C1
Praz, Les [F] 6 E1-2
Prazzo Superiore/Inferiore (CN) 40 A3
Prea (CE) 83 D1
Prea (CN) 41 C3
Preaola, Monte (CO) 9 F4
Preara (VI) 25 C4
Preare (PD) 38 A1
Preazzano (NA) 89 D1
Precariti, Fiumara 115 AB3
Precasaglio (BS) 12 C1
Precenicco (UD) 28 C2-3
Precenico (TS) 29 C2
Preci (PG) 63 F2
Precona (RO) 37 D4
Predáia (TN) 13 C2
Predappio Alta (FO) 48 F3
Predappio (FO) 48 F3
Preda Rossa (SO) 10 C4
Predazzo, Monte (BL) 14 B1
Predazzo (TN) 13 C3-4
Pré de la Joux [F] 6 B1
Predella, Monte (PR) 35 E2
Predel (Predil) [YUI] 17 C2
Prediera (RE) 46 B2
Predil, Lago del (UD) 17 C1
Predil, Passo di [YUI] 17 C2
Predmeia [YUI] 29 AB3-4
Predoi (Prettau) (BZ) 4 A2
Predonico (BZ) 2 F4
Predore (BG) 23 C2-3
Predosa (AL) 33 E1
Prägraten [A] 4 A4
Prefetti, Fiume 72 F4
Preganziol (TV) 27 D1
Pregasina (TN) 24 A4
Pregasio (BS) 24 B3
Pregassona [CH] 9 E3
Preggio (PG) 61 C4
Preghena (TN) 12 B4
Préglia (VB) 8 D3
Pregnana Milanese (MI) 21 D4
Pregno (BS) 23 C4
Pregola (PV) 34 E2
Prégonde [F] 40 B1
Pregossa [CH] 9 C2
Préia (NO) 8 E2
Preisi, Monte (FG) 84 D4
Preit (CN) 40 B3
Preitoni (VV) 104 F2
Preit, Vallone di (CN) 40 B3
Prelá (IM) 51 C2
Prelaz (AO) 19 A2
Prel, Colla di (CN) 41 D3
Prelerna (PR) 45 A2
Prelle (BI) 20 D2
Prelo (SV) 42 D3-4
Premadio (SO) 1 F3
Premana (LC) 10 E2
Premaore (VE) 26 F4
Premaor (TV) 14 F3
Premariacco (UD) 16 F4
Premeno (VB) 8 E4
Premenugo (MI) 22 D3
Prémia (VB) 8 C3
Premilcuore (FO) 54 B4
Premolo (BG) 23 A2
Premosello Chiovenda (VB) 8 E3
Prena, Monte (TE) 70 D1
Pré, N.D. du [F] 18 C1
Prendomino (PV) 33 D4
Prenestini, Monti (ROMA) 74 CD1
Prenè (BZ) 2 D4
Preola, Lago (TP) 116 BC3
Preone (UD) 15 B3-4
Preonzo [CH] 9 C3
Preore (TN) 12 E2
Prepezzano (SA) 89 C4
Prepo (PG) 62 D1
Prepotto (UD) 17 F1
Presa (CT) 112 F4
Presaie, Ponte (AR) 55 D2
Pre Saint Didiert (AO) 6 F2
Presa, Isola (SS) 127 A1-2
Presanella, Cima (TN) 12 D2
Presanella, Rifugio (TN) 12 D2
Presciano (SI) 60 B3
Preseglie (BS) 24 C1
Presegno (BS) 24 B1
Prese, Le [CH] 11 C2
Prese, Le (SO) 11 B3-4
Preselle (GR) 66 A1
Presena, Cima (TN) 12 D1
Presenaio (BL) 5 E1
Presenzano (CE) 82 C4
Prese (TO) 19 D1
Presezzo (BG) 22 B4
Presicce (LE) 100 E2-3
Presinaci (VV) 104 E3
Presina (PD) 26 D2
Presina (VR) 25 F3
Presinsainu (SS) 130 A1
Presnica [YUI] 29 E4
Presolana, Passo della (BG) 11 F2
Presolana, Pizzo di (BG) 11 F1-2
Pressana (VR) 37 A3
Pressano (TN) 12 D4
Presson (TN) 12 C3
Presta, Forca di (PG) (AP) 69 A2
Prestento (UD) 17 F1
Prestianni (CL) 119 D1-2
Prestieri (PZ) 97 D4
Prestine (BS) 11 F3
Prestone (SO) 10 B1-2
Preta (CE) 82 D3
Pretara (TE) 70 D1
Pretare (AP) 69 A2
Preta (RI) 69 C3
Pretato (CH) 71 D1
Prete, Bosco del (PZ) 91 A4
Prete, Casa (CT) 123 A2
Prete, Masseria (BA) 87 E2
Prete, Serra del (PZ) 98 D2
Preti, Cima dei (PN) (BL) 15 C2-3
Preti, Colle dei (CS) 102 E2
Preti, Masseria Posta dei (FG) 85 C4
Preti (PZ) 98 C1
Pre (TN) 24 A4
Pretoro (CH) 70 F4
Preturo (AQ) 69 E2-3
Preturo (AV) 89 B3
Prevala, Sella [YUI] 17 C1
Prevalle (BS) 24 D1
Prevallo [YUI] 29 C4
Prevalo, Passo del [YUI] 29 A3
Preval Virsic (Passo Maistrocca)[YU] 17 C2-3
Prezza (AQ) 75 B3
Prezza, Monte (AQ) 75 B3
Prezzo (TN) 12 F1
Priabona (VI) 25 C3
Priacco (TO) 19 D3
Priaforà, Monte (VI) 25 B3
Priato, Monte (MT) 92 E2
Priatu (SS) 127 D1
Priccio, Cocuzzo (RG) 123 B4
Priero (CN) 42 C2
Prignano Cilento (SA) 96 A2
Prignano sul Secchia (MO) 46 C3
Primaluna (LC) 10 E2
Primaluna (TN) 13 E3
Prima Porta Lábaro (ROMA) 73 C2
Primavalle (ROMA) 73 C2
Primaz (AO) 19 A2
Prime Case (RI) 68 F2-3
Primero, Bocca di (GO) 29 D1
Primicério, Masseria (TA) 94 B2
Primo Campo, Fiume 76 D1
Primolano (VI) 13 F4
Primolo (SO) 10 C4
Primosole (CT) 121 D1
Prinardo (CN) 40 B2
Principe, Bosco del (RC) 115 A2
Principe, Castello del (NA) 89 B1
Principe, Cozzo del (CS) 102 D3-4
Principina a Mare (GR) 65 B3
Prine (PG) 61 A4
Prinzera, Monte (PR) 35 F3
Priocca (CN) 32 E2
Priola (CN) 42 D1
Priola, Punta di (PA) 109 C3
Priola (UD) 5 F3-4
Priolo (CL) 123 B1
Priolo Gargallo (SR) 121 F2
Priolo Melilli, Stazione di (SR) 124 A3
Priora, Monte (AP) 63 E3
Priora (NA) 89 D1
Priorato, Monte (CL) 119 F2
Priorato (PR) 35 D3
Priore, Masseria (BA) 92 B4
Priosa (GE) 44 B2
Prisdarella (RC) 115 B2
Prisnig, Monte (UD) 17 B1-2
Prissiano (BZ) 2 E4
Prissiano, Fiume 2 E4
Prissiano, Selva di (BZ) 2 F4
Priula, Ponte (TV) 27 B1
Priuli, Ca' (PD) 38 B1
Priò di Ton (TN) 12 C4
Priuso (UD) 15 B3
Privano (UD) 28 B4
Priverno (LT) 81 B1
Priverno, Stazione di (LT) 81 B1-2
Privernum (LT) 81 B1-2
Privilasco [CH] 11 B2
Privoglia (CZ) 105 D1
Prizzi, Lago di (PA) 118 B1
Prizzi, (PA) 118 AB1-2
Procarzos, Nuraghe (OR) 129 F1
Procchio, Golfo di (LI) 58 E2
Prócchio (LI) 58 E2
Proceno (VT) 67 A1
Procária (TO) 19 E2
Prócida, Isola di (NA) 88 C2
Prócida (NA) 88 C2
Procida, Lido di (NA) 88 C2-3
Pròcida, Monte di (NA) 88 B2
Procoio (PZ) 97 C4
Prodains [F] 6 B1
Prodolone (PN) 16 F3
Prodo (TR) 67 A3
Produit [CH] 6 C3-4
Profeti (CE) 83 D1
Prófluo, Fiume 75 E4
Profóglio, Monte (MC) 63 D1
Progero [CH] 9 C2-3
Proh (NO) 21 D1
Promano (PG) 62 A1
Proman, Pizzo (NO) 8 E3
Promo (BS) 24 B1
Promontorio (BS) 24 C3
Promontorio del Gargano (FG) 79 DE1-2-3
Prómosio, Passo di (UD) 5 E4
Propata (GE) 44 A1
Propezzano (AP) 63 F4
Proratado, Monte (GE) 43 B2
Prosciutto, Punta (LE) 94 F4
Prosecco (TS) 29 D3
Prosérpio (CO) 22 A2
Prosito [CH] 9 C3
Prospiano (VA) 21 C3
Prossedi (LT) 81 A2
Prossenicco (UD) 16 E4
Prosto (SO) 10 A3
Protonotaro (ME) 112 C4
Protte (PG) 68 A3
Provaglio d'Iseo (BS) 23 C3
Provaglio Val Sabbia (BS) 24 C1
Provagna (BL) 14 D4
Prova (MN) 37 D3
Prova (VR) 25 E3
Provazzano (PR) 45 A4
Provesano (PN) 16 E3-4
Proves (Proveis) (BZ) 2 F3
Provezza (FO) 48 E4
Provonda (TO) 31 B1
Provvidenti (CB) 77 E2
Provvidenza, La (BR) 94 D3
Proz, Cantine de [CH] 6 E3-4
Prozzolo (VE) 26 F4
Prugiasco [CH] 9 A3
Prugna, La (ROMA) 74 C2
Prugnano (PI) 59 B3
Prugno (RA) 48 E1
Pruna, Fiume sa 129 E4
Pruna, Nuraghe sa (OR) 129 F1
Pruna, Punta sa (NU) 130 E2
Prunaro (BO) 47 BC4
Prunarolo (BO) 47 D1
Prunella (RC) 114 F3
Prunetta (PT) 53 A1
Prunetto (CN) 42 B2
Prunicce, Monte (PI) 52 F4
Pruno (Elzenbaum) (BZ) 3 C2
Pruno (LU) 52 A2
Pruno, Monte (SA) 90 F3-4
Pruno, Poggio al (PI) 59 C2
Prun (VR) 25 D1
Prutz [A] 2 A1
Prvacina, Prevacina [YUI] 29 B2
Publino, Lago (SO) 10 E4
Pubulena, Monte (SS) 129 A1
Pucciarelli (PG) 61 D3
Puccia, Serra di (PA) 119 A1
Pucci, Torre di Monte (FG) 79 C2
Pucci, Villa (PG) 62 D2
Puce, Puzzole [YUI] 29 F3
Puddu, Case (NU) 133 C3
Puddu, Porto (SS) 127 B1
Pudiano (BS) 23 E2-3
Púdio, Malga (BZ) 4 C3
Puechen (TN) 25 A2
Puegnago del Garda (BS) 24 D2
Puget Théniers [F] 40 F1
Puginate (CO) 21 B4
Púglia (AR) 55 F1
Puglia, Fiume 62 F2
Puglianella (LU) 45 F4
Puglianello (BN) 83 D2
Pugliano (CE) 82 D3
Pugliano (PS) 55 C4
Pugliano (SA) 89 C4
Puglia (PC) 34 BC4
Pugliese (BA) 92 B3
Puglietta (SA) 90 D2
Pugnello (VI) 25 D3
Pugnetto (TO) 19 E2
Pugnochiuso, Baia di (FG) 79 D4
Pugnochiuso (FG) 79 D4
Pugnolo (CR) 35 C3-4
Puianello (RE) 46 A2
Puia (PN) 27 A3
Puikogl [A] 2 A2
Pula (CA) 135 E3
Pula, Capo di (CA) 135 E3
Pula, Fiume 135 E3
Pulcherini (LT) 82 C1-2
Pulchiana, Monte (SS) 126 D4
Pulci, Le (PG) 62 C2
Pulcini (RI) 68 C4
Púlfero (UD) 17 E1
Pulica (MS) 45 E2
Pulicara, Monte (EN) 120 B3
Pulicciano (AR) 54 E3
Pulicciano (FI) 54 A2
Puliga, Nuraghe sa (NU) 133 C3
Pullir (BL) 14 E2
Pullo (ME) 112 D1
Pulo, Il (BA) 92 A4
Pulpasos, Case (SS) 128 A2
Pulsano (TA) 94 E2
Pumenengo (BG) 23 E2
Pumeri, Monte (ME) 111 E3
Puncichitti (CH) 71 F2-3
Puni, Fiume 1 D4
Punio, Monte (PG) 63 F2
Punta Ala (GR) 59 F2-3
Punta Alice (KR) 103 C3-4
Puntáccia, Monte (SS) 126 C3-4
Punta d'Oro, Rifugio (BZ) 3 F3
Punta Dura (CS) 102 C4
Punta Gennarta, Lago (CA) 134 B4
Punta, La (CA) 134 C2
Puntalazzo (CT) 121 A1-2
Punta Marina (RA) 49 C1
Punta, Monte (BL) 14 B3
Punta Secca (RG) 123 D2
Punta, Torre la (SA) 96 B2
Puntazza, Capo (TP) 108 D3
Puntigia, Fiume sa 128 D4
Punti, Li (SS) 125 F3
Puntoni (PT) 53 C1-2
Punzetti, Ponte (FE) 38 D3
Pòglina, Torre (SS) 128 C2
Puolo, Marina di (NA) 88 D4
Puos d'Alpago (BL) 14 D4
Pupaggi (PG) 63 F1
Pupelle, Le (LE) 95 E3
Pura [CH] 9 E2
Puranno, Monte (PG) 62 EF4
Purano (VR) 24 D4
Pura, Passo di (UD) 15 B3
Pürd [CH] 10 A3
Purello (PG) 62 B4
Purga, Monte (VR) 25 C1-2
Purgatório, Masseria (BA) 87 F4
Purgatório (TP) 108 D2
Purgatorio (FR) 74 F3
Purgatorio (VT) 67 B1
Purgéssimo (UD) 17 F1
Puria (CO) 9 E3
Puria, Monte (BS) 24 B3
Puro, Monte (AN) 63 B1
Puro, Monte (PG) 63 E1
Purtud (AO) 6 F2

Pusiano (CO) 22 A2
Pusiano, Lago di (CO) 22 A2
Pussa, La (PN) 15 C2
Pustalla [YU] 29 A3
Pusterle (CN) 30 F3
Pusterno (BL) 13 F4
Putia, Rifugio (BZ) 3 D4
Pútia, Sasso di (BZ) 3 D4
Puti Figári (SS) 128 B3
Putignano (BA) 93 AB4
Putignano (PI) 52 D3
Putignano (TE) 70 B1
Putschall [A] 5 AB3
Puttu, Torre su (OR) 128 F3
Putzu Idu (OR) 131 A2
Puèz, Ponte del (BZ) 3 E4
Puèz, Rifugio di (BZ) 3 E4
Puys (TO) 30 A1
Puzzarolo (SA) 89 C4
Puzillo, Fiume 69 F3
Puzzillo, Monte (AQ) 74 A4
Puzzittu, Nuraghe (NU) 130 CD2
Puzzu, Case (CA) 131 F4
Puzzu, Monte (SS) 127 D1
Pyrgi (ROMA) 72 B3

Q

Quaderna (BO) 47 C4
Quaderna, Fiume 47 B4
Quaderni (VR) 24 F3-4
Quadra (BZ) 4 A1-2
Quadra, Monte (BZ) 4 B2
Quadreggiana (MC) 63 C1
Quadrelle (AV) 89 A2
Quadrelli (PC) 34 E3
Quadrelli (TR) 68 B1
Quadri (CH) 76 C2-3
Quadrivio di Patria (NA) 88 A2-3
Quadrivio Ischitella, Lido (NA) 88 A2
Quadro, Monte (PR) 45 C2-3
Quadrone, Masseria (BA) 86 D3-4
Quadroni (ROMA) 72 A4
Quadro, Pizzo (SO) 10 B1
Quadrozzi, Casa (FR) 75 F1
Quaglieri (FR) 75 F2
Quaglietta (AV) 90 C2-3
Quaglio (RG) 123 B2-3
Quagliuzzo (TO) 19 D4
Quaira, Lago di (BZ) 2 E2
Quáira, Picco di (BZ) 3 D2-3
Quaira, Punta di (TN) 2 F2
Quaire, Cima di (BZ) 3 D2
Qualiano (NA) 88 A3
Qualso (UD) 16 E4
Qualto (BO) 47 E2
Quantin (BL) 14 E4
Quao, Porto (NU) 130 F4
Quaranta (FI) 53 B4
Quarantano Inferiore (RC) 114 B3
Quaranti (AT) 32 E4
Quarantoli (MO) 37 D1
Quarantotto, Lido (MT) 93 F1-2
Quara (RE) 46 D1-2
Quarata (AR) 54 F4
Quaregna (VC) 20 C3
Quarena (BS) 24 C1-2
Quare (VC) 20 A2
Quargnenta (VI) 25 D3
Quargnento (AL) 32 C4
Quaria, Pizzo (Kerlsspitze) (BZ) 4 C3
Quarna / Sopra / Sotto (VB) 8 F3
Quarona (VC) 20 A4
Quarrata (PT) 53 C2
Quartáccio, Monte (ROMA) 72 B2
Quartaccio (VT) 67 E4
Quartáia (SI) 60 A1
Quart (AO) 19 A2
Quartarella, Cocuzzo (RG) 123 D3-4
Quartesana (FE) 38 E2
Quarti (AL) 32 B4
Quarticciolo, Monte (ROMA) 72 B2
Quarticciolo (VT) 67 E1
Quartino (AT) 32 E3-4
Quartino [CH] 9 D2
Quartiano (LO) 22 E3
Quarti (RO) 38 D2
Quartirolo (MO) 36 F4
Quarto d'Altino (TV) 27 D2
Quarto dei Mille (GE) 43 C3
Quartodipalo, Masseria (BA) 87 F1
Quarto Inferiore (BO) 47 B3
Quarto Inferiore/Superiore (AT) 32 D3
Quarto (NA) 88 B3
Quarto (PC) 34 C4
Quártora, Le (AQ) 69 F3
Quarto, Tenuta il (FG) 85 C4
Quartu (CA) 135 C4
Quartucciu (CA) 135 C4
Quartu, Golfo di (CA) 135 C4
Quartu Sant' Elena (CA) 135 C4
Quartu, Stagno di (CA) 135 C4
Quarzano (CO) 9 F4
Quarzina (CN) 41 E4
Quasanna, Fiume 108 E1
Quasini (BA) 87 F1
Quassa (VA) 21 A2
Quassolo (TO) 19 C4
Quattervals, Piz [CH] 1 E1
Quattordio (AL) 32 D4
Quattrelle (MN) 37 D3
Quattro, Ca' dei (MO) 46 E2
Quattro Cascine (AL) 33 D2
Quattrocase (CR) 36 D2
Quattrocase (MN) 37 CD1
Quattro Castella (RE) 46 A1
Quattrocchio (PC) 34 E3
Quattro Finàite (CL) 118 B4
Quattrofinaite, Monte (ME) 112 D3
Quattro Fináite, Monte (PA) 119 A3
Quattropani (ME) 111 A3
Quattro Pini, I (VT) 66 E3
Quattro Strade (AG) 118 E3
Quattro Strade (FI) 53 E4
Quattro Strade (FR) 74 F3
Quattro Strade (GR) 66 D1
Quattro Strade (MN) 36 A1-2
Quattro Strade (PI) 52 D4
Querce (FI) 53 B3-4
Querce (FI) 53 C1
Quercegrossa (SI) 60 A2-3
Querce (LT) 81 C3
Querceto (AR) 54 D4
Querceto (LU) 52 A2
Querceto (PI) 59 B2
Querceto (SI) 60 B1
Quercia del Monaco, Passo della (LT) (FR) 81 BC3
Quercia, Masseria la (FG) 85 C2
Quercia, Monte (PZ) 85 E4
Quercia (MS) 45 E2
Quercianella (LI) 52 F2
Querci, Le (PT) 53 B3
Querciola (BO) 46 E4
Querciola (FI) 53 B4
Querciolaie, Terme (SI) 60 B4
Querciola, Monte (GR) 65 B4
Querciolano (FO) 54 A4
Quercione, Poggio del (GR) 59 E4
Quercoli (RE) 36 F2
Quero (BL) 14 F4
Questa, Rifugio (CN) 40 D4
Queyra, Parc Naturel du [F] 30 DE1-2
Quezzi (GE) 43 B3
Quiesa (LU) 52 BC2-3
Quiliano (SV) 42 CD3-4
Quinciano (SI) 60 C3
Quincinetto (TO) 19 C4
Quincod/Saint Anselme (AO) 19 B4
Quindici (AV) 89 B2-3
Quingentole (MN) 37 C1
Quiniis (UD) 15 B4
Quinséina, Punta (TO) 19 D3
Quintano (BG) 23 C2
Quintano (CR) 22 E4
Quintino Sella, Canale 21 EF2
Quintino Sella Cavaliere, Grotta (UD) 17 C1
Quintino Sella, Rifugio (TN) 12 D3
Quinto al Mare (GE) 43 C3
Quinto Bianco (CN) 31 E4
Quintodécimo (AP) 69 A3
Quinto di Treviso (TV) 26 C4
Quinto di Valpatena (VR) 25 E1
Quinto (FI) 53 C4
Quinto, Masseria (BA) 86 E4
Quinto Romano (MI) 21 D4
Quinto Vercellese (VC) 20 E4
Quinto Vicentino (VI) 26 D1
Quinzanello (BS) 23 E3
Quinzano (AP) 63 E4
Quinzano (BO) 47 E3
Quinzano d'Oglio (BS) 23 F2-3
Quinzano (PR) 45 A3
Quinzano San Pietro (VA) 21 B2-3
Quinzano Veronese (VR) 25 E1
Quirino, Fiume 83 B3
Quirra (CA) 133 F3
Quirra, Castello di (CA) 133 F3
Quirra, Fiume 133 D2-3
Quirra o scoglio di Murtas, Isola di (CA) 133 F3
Quirra, Salto di (CA) 133 E2
Quirra, Spiaggia di (CA) 135 C4
Quisca [YU] 29 A2
Quisisana, Villa (AG) 117 C2
Quistello (MN) 37 C1
Quistro (CR) 35 AB3
Quittengo (BI) 20 B2
Quoio, Monte (SI) 60 D1-2
Quorle (AR) 54 D3
Quota (AR) 54 D3

R

Rabatana (MT) 98 A4
Rabatta (FI) 54 B2
Rabbies, Fiume 12 B3
Rabbi, Fiume 48 F3 54 A4
Rabbi (TN) 12 B3
Rabbito, Casa (RG) 123 D2
Rabbi, Val di (TN) 12 B3
Rabioux (CN) 30 F3
Rablà (BZ) 2 D3
Rabuiese (TS) 29 E3
Rabuons, Lago du [F] 40 C2
Rácale (LE) 100 D1
Racalmuto (AG) 118 D3-4
Racanello, Fiume 98 B1
Raccano (RO) 38 D2
Racchio, Grotta (TP) 108 C2-3
Racchiuso (UD) 16 E4
Racciano (SI) 53 F3
Raccolana, Canale (UD) 16 C4
Raccolana (UD) 16 C4
Racconigi (CN) 31 E3
Raccuja (ME) 112 D2
Rachèrin [A] 5 A2
Raci, Monte (RG) 123 C3
Racines (Ratschings) (BZ) 3 B1
Racise, Villaggio (CZ) 102 F3
Racollo, Lago di (AQ) 70 E1
Radda in Chianti (SI) 54 F1
Raddusa-Agir, Stazione di (EN) 120 C1
Raddusa (CT) 120 D1-2
Radici, Foce delle (MO) 46 E1-2
Radicina, Monte (FR) 74 F4
Radicófani (SI) 61 F1
Radicondoli (SI) 59 B4
Radicosa (AN) 56 F3
Radicosa, Fiume 78 E2
Radi (SI) 60 C3
Radogna (FG) 85 D1
Rado, Santuario di (VC) 20 C4
Radurscheltal [A] 1 B4
Rafael, Porto (SS) 127 B1-2
Raffa (BS) 24 D2
Raffadali (AG) 118 D2
Raffi (PR) 44 A4
Raffo (PA) 119 A2
Ragada (TN) 12 D2
Ragalna (CT) 120 B4
Raga, Monte (CZ) 105 B4
Raganello, Fiume 98 E3
Ragattisi, Stazione di (TP) 107 F4
Ragazzola (PR) 35 C3
Raggiano (MC) 63 D2
Raggio (FO) 55 B1
Raggiolo (AR) 54 D3-4
Rággio (PG) 62 A2
Rággio (PG) 68 A1
Ragione (AL) 33 F4
Ragiura, Monte (PA) 110 F1
Ragnaie (SI) 60 D3
Ragnola (AP) 64 F4
Ragnola, Fiume 64 EF3
Ragno, Pizzo (VB) 8 D3
Ragogna, Monte (UD) 15 D4
Ragogna (UD) 15 D4
Ragola, Monte (PR) 44 A3
Ragoli (TN) 12 E2
Ragoná (VV) 115 A2
Ragone, Canale 98 C4
RAGUSA 123 C3
Ragusa Ibla (RG) 123 C4
Raia, Costa di (TP) 117 A2
Raia della Petina (SA) 90 F4
Raia del Pedale, La (SA) 96 B4
Raialunga, Monte (SA) 96 A4
Raiamagra, Monte (AV) 90 B1-2
Raia, Monte (SA) 90 C1
Raiano (AQ) 75 B3
Raiano Superiore, Ferm. di (AQ) 75 B3
Raignina, Nuraghe (NU) 129 B4
Raille, La [F] 30 E1
Rainale, Cima (SO) 11 C1
Raineri (AL) 33 F2
Raino, Fiume 111 F1
Rainuzzi (RE) 36 E1
Raisigerbi, Capo (PA) 110 D4
Raisi, Punta (PA) 109 C1
Rai, su (CA) 135 E1
Raitano, Monte (PA) 109 E1
Raito (SA) 89 C3
Rai (TV) 27 B2
Raiù (ME) 112 D4
Raldon (VR) 25 F1
Rallio (PC) 34 D4
Rallo (TN) 12 B4
Rama, Bric della (SV) 42 B4
Rama, Capo (PA) 108 C4
Ramacca (CT) 120 DE3
Ramaceto, Monte (GE) 44 C2
Rama, Monte (GE) 43 B1
Ramata, Bivio (EN) 119 D4
Ramata, Varco (EN) 119 CD4
Ramaz, Casa (UD) 5 E4
Ramazzano (PG) 62 C2
Rambert, Cab. [CH] 6 B3
Rambona (MC) 63 B3
Ramedello (RO) 38 C1
Ramen (BL) 14 E1
Ramera (TV) 27 A1
Ramezza, Monte (BL) 14 E1-2
Ramezzana (VC) 20 F3
Ram, Fiume 1 D4
Ramiano (PR) 45 A3
Ramiceto, Monte (RE) 45 C3-4
Ramière, Punta (TO) 30 C2
Ramilia (CL) 119 DE1
Rami (MO) 37 F1
Ramini (PT) 53 B2
Ramiola (PR) 35 F3
Ramione, Masseria (CT) 120 F2
Ramiseto (RE) 45 C4
Ramitelli, Torre (CB) 77 CD4
Ramo di Palo (RO) 37 C4
Ramolhaus [A] 2 C3
Ramolkogl [A] 2 C2-3
Ramon (TV) 26 C2-3
Ramoscello (PR) 36 E1
Ramosch [CH] 1 C3
Rampazzo, Cocuzzo (PA) 119 B2
Rampazzo (VI) 26 D1-2
Rampingallotto (TP) 116 A4
Ramponio (CO) 9 E3
Ramudla, Forcella (BZ) 2 D1
Ramundo (CS) 102 E3
Ramuscello (PN) 28 B1-2
Ramuscello Vecchio (PN) 28 B1-2
Ranas (SS) 129 C1-2
Rancale (PG) 62 C1
Rancate [CH] 9 F2-3
Ranchio (FO) 55 B2
Ranchi (PG) 61 B4
Rancia, Castello di (MC) 63 C4
Rancidili (AG) 118 E3
Rancio Valcuvia (VA) 9 F1-2
Rancitella (PS) 56 D1
Ranco (AR) 55 D2
Ranco (AR) 55 F1-2
Ranco (CH) 76 A4
Rancoi [CH] 9 C2
Rancolfo (PG) 62 C2
Ranco (VA) 21 A1
Randa [CH] 7 D3
Randazzo (CT) 112 F2
Randelino, Monte (PN) 15 D2
Randogne [CH] 7 B2
Raneburg [A] 5 A1
Rane (TV) 14 F4
Rangersdorf [A] 5 C3
Rangona (FE) 37 D3
Rango (TN) 12 E2-3
Ranica (BG) 23 B1
Ranno (CT) 120 B4
Ranuzzi, Villa (BO) 47 E2
Ranverso, S.Antonio di (TO) 31 B2
Ranzanico (BG) 23 B2
Ranzano (PN) 15 F1-2
Ranzano (PR) 45 C4
Ranzo, Borgo di (IM) 42 EF1
Ranzo [CH] 9 D2
Ranzo (IM) 41 E4
Ranzola (PR) 35 F3
Ranzo (TN) 12 E3
Rao, Rocche di (PA) 109 F2
Raossi (TN) 25 B2
Rapagnano (AP) 64 C2
Rápale (AR) 60 A4
Rapallo (GE) 44 C1
Raparello, Monte (PZ) 97 B4
Raparo, Croce di (PZ) 97 B4
Raparo, Monte (PZ) 97 B4
Rapattoni (PE) 70 E4
Rapegna (MC) 63 F2
Rápido, Fiume 82 A2-3
Rapino (CH) 76 A2
Rapino (TE) 70 C1
Rapiti, Rocca (ME-CT) 112 F1
Rapolano Terme (SI) 60 B4
Rapolla Lavello, Stazione di (PZ) 85 F3
Rapolla (PZ) 85 F3
Rapone (PZ) 90 B4
Raron [CH] 7 B3-4
Rasa di Varese (VA) 9 F2
Rasai (BL) 14 F1
Rasalgone, Monte (EN) 119 E4
Rasa (RO) 37 C4
Rasass, Passo di (BZ) 1 C4
Raschera, Fiume 41 D3
Raschiacco (UD) 16 E4
Rasciatano, Masseria (BA) 86 D2
Rascino, Lago di (RI) 69 E1
Rascino, Piano di (RI) 69 E1-2
Rasega, La (BS) 11 E4
Rasenna (MC) 63 E1
Rásia, Pizzo [CH] 9 B1
Rasiglia (PG) 63 E1
Rasiglio (BO) 47 C2
Rasignano (CE) 83 D1-2
Rasina, Fiume 62 C3
Rasis, Ponte de [F] 30 E1-2
Rasocollo, Cocuzzo (PA) 110 E2
Rasocòlmo, Capo (ME) 113 B2
Raso, Poggio (GR) 65 C4
Rasora (BO) 47 F1
Raspano (UD) 16 E3
Ras, Piz dal [CH] 1 D1
Raspollino, Palude di (GR) 59 F4
Rassa, Fiume 29 C4
Rasse, La [CH] 6 C2
Rássina (AR) 54 E4
Rassu, Monte (OR) 131 A3
Rastcias, Monte (CN) 30 F4
Rastellino (MO) 47 A1
Rastello (CN) 41 D3
Rastia (MC) 63 B3
Rastignano (BO) 47 C3
Rasu, Monte (NU) 133 E2
Rasu, Monte (SS) 129 C3
Rasun (Rasen) (BZ) 4 C2
Rasura (SO) 10 D2
Rata (FI) 54 C2
Ratece [YU] 17 B2-3
Raticosa, Passo di (FI) 47 E3
Ratino, Masseria (FG) 78 F2-3
Rattendorf [A] 16 A3-4
Rattieri, Póggio (TE) 69 B4
Ratti, Isola di (CA) 134 C2
Rattisio (Rateis) (BZ) 2 D2-3
Ratti, Val dei (SO) 10 D2
Rauchkofel [A] 5 E3
Rauhekopfhütte [A] 2 B1
Ráuna di Dresenza [YU] 17 D2
Ráune [YU] 17 F2
Rauscedo (PN) 15 E3
Raus, Col De [F] 41 EF1
Raut, Monte (PN) 15 D2
Rava (BG) 10 E3
Rava, Cimon (TN) 13 E3
Ravadese (PR) 36 E1
Rava, Fiume 82 A3
Ravagnese (RC) 114 DE1-2
Ravaldino in Monte (FO) 48 F3-4
Ravalle (FE) 37 D4
Ravanusa (AG) 119 F1
Ravanusa, Masseria (PA) 109 F1
Ravarano, Castello di (PR) 45 AB2-3
Ravarano (PR) 45 A2-3
Ravari, Bocca del (BO) 47 D1
Ravarino (MO) 37 F1
Ravascletto (UD) 5 F3
Ravecchia [CH] 9 D3
Ravellino (LC) 22 B3
Ravello (MI) 21 D3
Ravello (SA) 89 D2
RAVENNA 49 C1
Ravenna, Masseria (LE) 100 C1
Ravenna, Montagna di (CA) 134 D1
Ravenole, Laghi di (BS) 24 A1
Raveo (UD) 15 B3-4
Ravet (AO) 19 A4
Ravezza (PR) 44 B4
Ravi (GR) 59 E3-4
Ravina (TN) 12 E4
Ravindola, Taverna (IS) 82 A4
Ravinis (UD) 5 F4
Ravino, Monte (RE) 46 D1
Raviola, Casa (SR) 124 A1
Raviscanina (CE) 83 C1
Ravoledo (SO) 11 C3
Ravosa (UD) 16 E4
Raymond (TO) 30 D3
Razzano, Monte (ROMA) 73 A1-2
Razzá (RC) 115 E1
Razzo, Cantoniera (BL) 5 F1
Razzoli, Isola (SS) 127 A1
Razzuolo (FI) 54 A2
Reáglie (TO) 31 B3-4
Reala (CN) 32 E1
Realdo (IM) 41 F3
Reale, Canale 94 C4
Reale, Cappella (CE) 82 E4
Reale, La (SS) 125 C2
Reale (MN) 24 F3
Reale, Rada di (SS) 125 C2
Realizio (TO) 20 E1
Realmesi, Casa (EN) 119 B3
Realmonte (AG) 118 E1-2
Reana del Roiale (UD) 16 E3
Reane (BL) 4 E4
Reano (TO) 31 B2
Rea (PV) 34 B1
Reatini, Monti (RI) 68 CD4
Reatino, Agro (RI) 68 D3-4
Rebecco (MN) 24 F2
Rebeccu (SS) 129 C1
Rebuttone, Montagna di (PA) 109 D2-3
Recale (CE) 83 F1
Recanati (MC) 64 A1
Recastello, Pizzo (BG) 11 E2
Recattivo (PA) 119 B1-2
Recattivo, Portella (PA) 119 B1
Recchi, Fiume 35 E3
Recco (GE) 43 C4
Recenza (SI) 60 C2
Recetto (NO) 20 D4
Recésio (PC) 34 E4
Réechy [CH] 7 B1-2
Recino, Casa (FR) 81 A3
Reckingen [CH] 8 A2
Recoaro di Broni (PV) 34 B2
Recoaro Terme (VI) 25 C2
Re, Cocuzzo (PA) 119 A1
Recoleta (MT) 99 A1
Re, Colle del (ME) 113 D1
Recorfano (CR) 35 B4
Recovato (MO) 47 A1
Redabue, Castello di (AL) 32 D4
Redagno (BZ) 13 B2
Reda (RA) 48 D3
Redasco, Cime (SO) 11 B3
Redavalle (PV) 34 C1
Redebus, Passo del (TN) 13 D2
Redentore, Il (LT) 82 C1
Redentore, Monastero al [F] 41 E2
Redenzicco (UD) 15 E4
Re di Castello, Monte (TN) 11 E4
Redicesi (MS) 45 F3
Redinoce (LI) 58 E1-2
Redipiano (CS) 102 D1
Redipuglia (GO) 29 B1
Redona (PN) 15 CD3
Redondesco (CR) 35 B3
Redondesco (MN) 36 B2
Redorta, Corona di [CH] 9 D1-2
Redorta, Pizzo di (BG) 11 E1
Redù (MO) 47 A1
Refavaie (TN) 13 D4
Reforzate (PS) 56 D3
Refrancore (AT) 32 C3
Refrontolo (TV) 14 F3
Regalbuto (EN) 120 B2
Regaleale, Masseria (PA) 118 B4
Regaleale Nuova (PA) 118 B4
Regalgioffoli (PA) 110 F1
Regastili (CS) 101 F4
Regenstein [A] 4 C4
Regátola (CO) 9 E4
Reggello (FI) 54 D2
Reggello, Varco di (FI) 54 D3
REGGIO DI CALABRIA 114 D1
Reggiolo (RE) 36 D3-4
REGGIO NELL' EMILIA 36 F3
Reghinera (LO) 35 B1
Regi Lagni (CE) 82 F4
Regi Lagni (NA) 83 F1
Regina (CS) 101 C4
Regina Elena, Canale 21 CD2
Regina Margherita (TO) 31 B2
Regina, Pian della (CN) 30 E3
Regina, Pineta (TA) 93 E2
Regnana (TN) 13 D2
Regnano (MC) 63 C4
Regnano (MS) 45 E3
Regnano (RE) 46 B2
Regola Brusada (BZ) 4 D2
Regoledo (LC) 10 E1
Regoledo (SO) 10 D2-3
Regona (BS) 35 A4
Régona (CR) 35 A1
Reichenberger H. [A] 4 B3
Rei, Costa (CA) 136 BC3
Reina, Cocuzzo (CL) 118 C4
Reinero (CN) 40 A3
Reino, Bivio di (BN) 84 D1
Reino (BN) 84 C1
Reintal [A] 5 C3
Reisach [A] 16 A3
Réisa, Monte (GE) 43 B1
Reisoni (GE) 44 B1-2
Reisskofel [A] 5 D4
Reitana (CT) 121 C2
Reitano (CT) 121 D1

REITANO / RIZZI 225

Reitano (ME) 111 E2
Réit, Cresta di (SO) 1 F3
Reiterboden [A] 4 B4
Religione, Punta (RG) 123 E4
Remacinelli, Colle (PE) (CH) 76 A1
Remanzacco (UD) 16 F4
Remedello Sopra (BS) 35 A4
Remedello Sotto (BS) 35 A4
Remelli (VR) 24 F3
Remit, Dos (TN) 24 A4
Remmo, Lago (PZ) 97 BC3
Remolasco, Passo di [CH] 9 A3-4
Remondato (TO) 19 E3
Remondino, Rifugio (CN) 40 D4
Remondò (PV) 21 F3
Re, Monte (BZ) 2 C3
Remugnano (UD) 16 E4
Remule, Monti (NU) 130 BC3
Remulo, Fiume 11 D4
Renacci (AR) 54 E2
Renalt [A] 2 A4
Rena Maiore, Spiaggia di (SS) 126 B4
Renata, Rifugio (BI) 20 B1
Renate (MI) 22 B2
Renazzo (FE)37 F2-3
Ren (BL) 14 D2
Rence Ranziano [YUI] 29 B2
Réncine (SI) 60 A2
Rencio Superiore/Interiore (VB) 8 C3
Renda, Villa (PA) 109 D2
Rende (CS) 101 D4
Rendena, Val (TN) 12 DE2
Rendesi, Canale 98 C4
Rendinara (AQ) 75 D1
Réndola (AR) 54 F2
Rendole (VI) 13 F4
Renelli, Capo di (PA) 109 F1
Renga, Catena della (AQ) 74 C4
Renna, Monte (RG) 123 D3
Renna, Monte (SR) 124 C1
Renno (MO) 46 D3-4
Re (VB) 8 D4
Reno Centese (FE) 37 E3
Rénod, Ponte [F] 18 E1
Reno (FE) 37 F3
Reno Finalese (MO) 37 E3
Reno, Fiume 37 F3
Reno, Fiume 47 B3
Reno, Fiume 48 B3
Reno, Fiume 53 A2
Reno, Foce del (RA) 49 A1
Renon, Corno di (Rittner Horn) (BZ) 3 E2
Renon (Ritten) (BZ) 3 EF2
Reno (PR) 45 B3
Reno (VA) 8 F4
Renzana (BS) 24 C1
Renzetti (PG) 55 EF3
Renzi, Casa (MC) 64 C1
Reonis (PN) 15 C4
Reoso (PD) 38 A2
Repasto (RI) 68 D3
Repergo (AT) 32 D3
Re, Piano del (CN) 30 E3
Re, Ponte del (CE) 82 B4
Reposa, La (TO) 18 F4
Reppaz [CH] 6 D3
Réppia (GE) 44 C2-3
Requin, Refuge du [F] 6 E2
Rero (FE) 38 E3
Resana (TV) 26 C3
Rescalda (MI) 21 C4
Rescaldina (MI) 21 C4
Reschia, Fiume 105 D1
Reschigliano (PD) 26 E3
Réschio (PG) 61 B4
Réscia, Forca di (PG) 69 C1
Réscia, Grotte di (CO) 9 E3-4
Resciesa (Raschötz) (BZ) 3 E3
Resciesa, Rifugio (BZ) 3 E3
Rescieto (MS) 45 F3
Réscio, Masseria (TA) 94 F4
Resecata, Masseria (FG) 79 F1
Resegone (CO) 10 F2
Resera (TV) 14 F3-4
Re, Serra del (ME-CT) 112 E1
Resettùm, Monte (PN) 15 D2
Résia, Fiume (UD) 16 C4
Résia, Lago di (Reschensee) (BZ) 1 C4
Résia, Passo di (Reschenpass) (BZ) 1 C4
Résia, Prato (UD) 16 C4
Résia (Reschen) (BZ) 1 C4
Résia (UD) 16 C4
Resia, Valle di (UD) 16 CD3-4
Resicata, Masseria (FG) 78 E1
Resinego (BL) 4 F3
Resinelli, Piano dei (LC) 10 F1
Respiccio (PR) 35 F3
Resta, Fattoria (SI) 60 D4
Resta, Villaggio (LE) 99 B3
Restegassi (AL) 33 E4
Rest, Forcella di Monte (PN) 15 C3
Restinco, Masseria (BR) 95 C1
Rest, Monte (PN) 15 C3
Restone (FI) 54 E2
Resuttana (PA) 109 C2
Resuttano (CL) 119 B2
Retafani, Monte (FR) 74 D3
Retegno (LO) 34 B4
Retignano (LU) 52 A2
Retinella (RO) 38 C4
Retórbido (PV) 33 C4
Retorto (AL) 33 E1
Retorto (PC) 44 A3
Retour, Lago du [F] 18 B3
Retrosi (RI) 69 C3
Reusa (MS) 45 E3
Reusch [CH] 6 A4
Revecena, Monte (AQ) 75 A2
Revedoli (VE) 27 E4
Revello (CN) 31 E1
Reventino, Monte (CZ) 105 A1
Revere (MN) 37 C1-2
Revest [F] 50 C1
Revigliasco d'Asti (AT) 32 D2
Revigliasco (TO) 31 B3
Revine, Lago (TV) 14 F4
Revislate (NO) 21 B1
Révole, Monte (LT) 81 C4
Revò (TN) 12 B4
Rey, Rifugio (TO) 30 B1
Rezzago (CO) 9 F4
Rezzalasco, Fiume 11 B4
Rezzalo, Val di (SO) 11 B4
Rezzanello (PC) 34 D3
Rezzano (PC) 35 D1
Rezzardina (TV) 26 C4
Rezzato (BS) 23 D4
Rezzi (SV) 42 D4
Rezzoáglio (GE) 44 B2
Rezzo (IM) 41 F4
Rezzonico (CO) 9 E4
Rezzo (RO) 38 D1
Rezzo, Val (CO) 9 E3-4
Rheinwaldhorn [CH] 9 A3
Rhêmes, Col di (AO) 18 C4
Rhêmes Notre Dame (AO) 18 BC4
Rhêmes Saint Georges (AO) 18 B4
Rhêmes, Val di (AO) 18 BC4
Rhône, Fiume 8 B1
Rhône Rodano, Fiume 6 C3 7 B2
Rho (MI) 21 D4
Rhuilles (TO) 30 C2
Riabella (BI) 20 B2
Riace Marina (RC) 115 A4
Riace (RC) 115 A3
Riale (VB) 8 A3
Rialmosso (BI) 20 B2
Rialto (PD) 38 BC1
Rialto (SV) 42 D3
Rialto (VE) 26 D4
Rialzo [YUI] 29 A3
Riana (LU) 46 F1
Riana (PR) 45 C3
Riano (PR) 45 A3
Riano (ROMA) 73 D2
Riano, Stazione di (ROMA) 73 B2
Riardo (CE) 82 D4
Riassolo, Fiume 31 BC4
Riazzolo (MI) 21 E4
Ribba (TO) 30 C3
Ribera (AG) 117 C4
Ribo, Fiume 8 C4
Ribolla (GR) 59 E4
Ribordone (TO) 19 D2
Ribor, Fiume 12 F1
Ribotti, Serra (PZ) 91 B2-3
Ribottoli (AV) 89 B4
Ribusieri, Fiume 60 E3
Ricadi (VV) 104 E2
Ricadi, Stazione di (VV) 104 E1-2
Ricaldone (AL) 32 E4
Ricami, Grotta dei (SS) 128 B1
Ricavo (SI) 53 F4
Ricca (CN) 32 F1
Riccardiana (BO) 47 B4
Riccardi, Torre (PI) 52 C2
Riccardo, Masseria (TA) 93 C2
Ricchiardi (TO) 19 E1
Ricchiardo (CN) 31 D4
Riccia (CB) 84 B1
Ricciardi, Masseria (FG) 85 B2
Ricci, Masseria (FG) 77 E4
Riccio (AR) 61 C3
Riccione (RN) 56 A2
Ricco del Golfo di Spezia (SP) 44 E4
Ricco, Monte (FR) 75 F2
Ricco, Monte (PD) 38 A2
Riccovolto (MO) 46 D2
Riccò (PR) 35 F3
Riceci (PS) 56 C2
Ricengo (CR) 23 E1
Riceno (NO) 8 C2
Ricetto (RI) 74 A2
Ricásoli (AR) 54 F2
Richiáglio (TO) 19 F2
Riciano (SI) 60 A2
Ricifari, Casa (EN) 119 B4
Ricigliano (SA) 90 C4
Riclaretto (TO) 30 C4
Ricò (FO) 48 F3
Ridanna (Ridnaun) (BZ) 3 B1
Riddes [CH] 6 C4
Ridello (MN) 24 F2
Rid, Monte di (BZ) 4 D1
Ridracoli (FO) 54 B4
Ridracoli, Lago di (FO) 54 C4
Riebenkofel [A] 5 D2
Ried [A] 5 C1
Ried b. Brig [CH] 8 B1
Ried b. Mörel [CH] 8 B2
Ried [CH] 7 C3-4
Riederalp [CH] 8 A1
Ried Hoberinntal [A] 2 A1
Riefenhot [A] 2 A1
Riegersdorf [A] 17 B3
Riello (VI) 25 D4
Riena, Casa (PA) 118 A2
Riena, Valle (PA) 118 A2
Rienello, Fiume 84 C1
Rienza (Rienz), Fiume 3 C3-4
Rierna, Cima di [CH] 9 B2
Riese Pio X (TV) 26 C3
Riesi (CL) 119 E2
RIETI 68 E3-4
Riétine (SI) 54 F2
Rifesi, Santuario di (PA) 118 C1
Riffelalp [CH] 7 E3
Riffelberg [CH] 7 E3
Riffelboden [CH] 7 E3
Riffelsee [A] 2 AB2
Rifiano (Riffian) (BZ) 2 D4
Rfiglio (AR) 54 D3
Rifiglio, Fiume 54 CD3
Rforano (CN) 41 B2-3
Riformo (CN) 32 E2
Rifreddo (CN) 31 E1
Rifreddo (PZ) 91 D3
Rifredo (FI) 47 F3
Rigali (PG) 6 C4
Rigaud [F] 40 F2
Rigáini (IS) 76 E3
Righedo, Passo del (MS) 45 BC1
Righio, Fermata (CS) 102 D3
Righi (VI) 25 C2
Righi, Villaggio (CA) 131 F3-4
Rigiurfo Grande, Case (CL) 119 F4
Riglio, Fiume 34 E4
Riglio, Fiume 35 C1
Riglione (PI) 52 D3
Riglio (PC) 35 D1
Rignanese, Casa (FG) 79 E1
Rignano Faleria, Stazione (ROMA) 68 F1
Rignano (FI) 53 E4
Rignano Flaminio (ROMA) 68 F1
Rignáno Gargánico (FG) 78 EF3
Rignagno Garganico, Stazione di (FG) 78 F3
Rignano (RA) 48 E2
Rignano sull'Arno (FI) 54 D2
Rigo, Fiume 59 F4 61 F1
Rigolato (UD) 5 F3
Rigole (TV) 27 A3
Rigoli (PI) 52 C3
Rigolizia (SR) 124 B1
Rigomagno (SI) 61 B1
Rigons [F] 40 E3-4
Rigopiano (PE) 70 D2
Rigo, Ponte del (SI) 61 F1
Rigosa (BG) 23 A1
Rigosa (BO) 47 B2
Rigosa (PR) 35 C4
Rigoso (PR) 45 C3
Rigrasso (CN) 31 EF2-3
Rigutino (AR) 61 A2
Rilevo (SR) 121 F2
Rilievo (TP) 108 EF1
Rimagna (PR) 45 C3
Rimale (PR) 35 D2
Rimal, Ponte (BS) 24 A1-2
Rima San Giuseppe (VC) 8 F1
Rimasco (VC) 8 F1
Rima (VC) 7 F4
Rimbocchi (AR) 55 D1
Rimediello (PZ) 97 B4
Rimella (VC) 8 F2
Rimigliano (LI) 59 D1
RIMINI 49 F3
Rimininо, Case (VT) 66 D3
Rimonta, Fiume 14 F2
Rimpfischhorn [CH] 7 E4
Rimplas [F] 40 E3
Rina (BZ) 3 D4
Rinalda, Torre (LE) 95 D3
Rinaldi (AT) 32 E3
Rinaldi, Masseria (BA) 86 F2
Rinaldo, Colle (RI) 69 E1
Rinaldo, Monte (BL) 5 E1-2
Rinazzo (CT) 121 A1
Rincine (FI) 54 BC3
Rinco (AT) 32 B2
Rinderschinken [A] 4 B3-4
Rinna, Monte (BZ) 2 B4
Rino (BS) 11 D4
Rio (GE) 44 D4
Riobianco (Weissenbach) (BZ) 3 B4
Riobianco (Weissenbach) (BZ) 3 C1
Riobono, Fiume 63 B1
Rio Chiaro, Fiume 82 A4
Rioda, Forcella (UD) 5 F1
Rio dei Campi (FO) 54 A4
Rio del Lago, Val (UD) 17 C1
Rio di Fiume 72 B3
Rio di Pusteria (Mühlbach) (BZ) 3 C3
Rio Fanale, Punta (LI) 59 E1
Rio, Fiume 108 E1
Riofreddo (FO) 55 C2
Rio Freddo (GE) 44 A2-3
Riofreddo (ROMA) 74 B2
Riofreddo (SV) 42 D2
Riofreddo (UD) 17 D2
Riofreddo, Val di (UD) 17 C1
Rio Freddo, Vallone di (CN) 40 C3
Rio Grande, Fiume 56 D4
Riola (BO) 47 D1
Riola di Vergato (BO) 47 E1
Riola Sardo (OR) 131 B3
Riolo (BO) 47 C3
Riolo (LO) 22 F3
Riolo (MO) 47 A1
Riolo Terme (RA) 48 D1
Riolunato (MO) 46 E2-3
Riomaggiore (SP) 44 F4
Riomaio, Fiume 77 F2
Rio Marina (LI) 58 E3
Riomolino (Mühlbach) (BZ) 4 C-2
Riomurtas (CA) 135 C1
Riondo, Monte (GE) 43 B2
Rio nell'Elba (LI) 58 E3
Rionero (BZ) 13 B3
Rionero in Vulture (PZ) 91 A2
Rionero Sannitico (IS) 76 E2
Rione Trieste (NA) 89 B2
Rio (PD) 26 F3
Rio (PG) 62 E4
Rio, Ponte del (PS) 57 D1
Rio, Ponte (PG) 67 A4
Rio Saliceto (RE) 36 E3-4
Rio San Martino (VE) 26 D4
Rio Secco, Fiume 31 DE1
Rio Secco, Fiume 76 B3
Rio Secco (FO) 54 A3
Riosecco (PG) 55 F3
Rios, Sos (NU) 130 A3
Riosto (BO) 47 CD3
Riotorto, Forcella di (BZ) 4 A1
Riotorto (LI) 59 E2
Rio Torto, Spiaggia di (ROMA) 73 F2
Rioufenc [F] 30 E2
Rioveggio (BO) 47 D2
Rioverde, Fiume 31 D4
Ripa (AQ) 69 F4
Ripaberarda (AP) 64 F2
Ripa Bianca (BN) 83 EF4
Ripabianca (PG) 62 E2
Ripabottoni (CB) 77 E2
Ripabottoni Sant' Elia, Stazione di (CB) 77 F2-3
Ripacándida (PZ) 91 A2
Ripa d'Api, Fermata (PZ) 91 B4
Ripa, Fiume 30 C2
Ripafratta (PI) 52 C3
Ripaioli (PG) 62 F2
Ripa, La (FI) 53 D3
Ripaldina (PV) 34 B2
Ripalta (AN) 56 E4
Ripalta Arpina (CR) 22 F4
Ripalta (BA) 87 D1
Ripalta Cremasca (CR) 22 F4
Ripalta, Fattoria (LI) 58 F3
Ripalta (FG) 78 D1
Ripalta Guerina (CR) 22 F4
Ripalta, Monte (SA) 90 CD2
Ripalta Nuova (CR) 22 F4
Ripalta (PS) 56 C3
Ripalta, Stazione di (FG) 78 C1-2
Ripalta Vecchia (CR) 22 F4
Ripalti, Punta dei (LI) 58 F3
Ripa (LU) 52 A2
Ripalvella (TR) 62 F1
Ripamassana (PS) 56 C1
Ripa, Monte (BZ) 4 C3
Ripàlimosani (CB) 77 F1
Ripanno, Monte (BA) 86 E3-4
Ripapersico (FE) 38 F2
Ripa (PG) 62 D2
Riparbella (PI) 59 A1
Riparotonda (RE) 46 D1
Ripa Sottile, Lago di (RI) 68 D3
Ripa Teatina (CH) 71 E1
Ripatransone (AP) 64 E3
Ripattoni (TE) 70 B2
Ripa, Villa (TE) 70 C1
Ripe (AN) 57 D1
Ripe, Le (SI) 61 F2
Ripe (PS) 56 C2
Ripe San Ginesio (MC) 63 D4
Ripe (TE) 70 A1
Ripe, Varco delle (PZ) 91 D1
Ripiano (FR) 75 F1
Ripi (FR) 75 F1
Ripiti, Fiume 90 F3
Ripizzata, Masseria (TA) 94 E4
Ripóira (CN) 30 E4
Ripoli (AR) 55 F2
Ripoli (BO) 47 E2
Ripoli (FI) 53 D1
Ripoli (PI) 52 D3
Ripoli (PI) 52 E4
Ripollata, Serra (CS) 102 D3-4
Riposo, Masseria del (FG) 85 E2
Riposto (CT) 121 A2
Ripresena, Rocca (TR) 67 B2
Risàia, Masseria (FG) 85 B4
Risana, Masseria (TA) 94 B1
Risano (UD) 28 A4
Riscia, Cascina la (ROMA) 73 B1
Riscone (Reischach) (BZ) 4 C1
Riserva Naturale Bocche di Po (RO) 39 CDE2
Riserva Naturale del Bosco e Laghi di Palanfrè (CN) 41 D1
Riserva Naturale Lago di Vico (VT) 67 E3
Risigliano (NA) 83 F3
Riso (BG) 23 A1
Rispéscia (GR) 65 B4
Rissordo (CN) 41 A4
Ristola, Punta (LE) 100 F3
Ristolas [F] 30 D2
Ristonchi (AR) 54 CD3
Ristónchia (AR) 61 B3
Ristor (AQ) 76 D1
Rita, Casone (TA) 93 E1-2
Ritani, Torre (KR) 106 B2
Rite, Monte (BL) 14 B4
Ritiro (ME) 113 B2-3
Ritoio, Monte (FO) 54 B4
Ritornato (TO) 19 E2
Ritornella, Stazione (CT) 120 CD4
Ritorto, Fiume 59 D3
Ritorto, Fiume 61 F3
Ritorto, Lago (TN) 12 CD2
Ritortolo (RA) 48 E2
Ritorto, Monte (TN) 12 D2-3
Ritorto, Ponte (GR) 59 D4
Ritrovoli, Poggio (GR) 59 C4
Rittana (CN) 41 B1
Ritzingen [CH] 8 A2
Riu Gironi, Cantoniera (CA) 134 F2-3
Riu Murtas, Nuraghe (CA) 132 E3
Riu Piatu, Stazione (SS) 127 D1
Rivabella (BO) 47 A4
Rivabella (BO) 47 C2
Rivabella (LE) 100 C1
Rivabella (RN) 49 F3
Riva (CN) 31 E4
Riva (CO) 9 F4
Riva degli Etruschi (LI) 59 D1
Riva dei Tarquini (VT) 66 F3
Riva del Garda (TN) 24 A4
Riva del Sole (GR) 65 A2
Riva di Sotto (BG) 23 B3
Riva di Sotto (BZ) 2 F4
Riva di Túres (Rain in Taufers) (BZ) 4 B2
Rivago (VE) 28 C2
Riva (IM) 42 F1
Riva, La (RE) 46 B3
Rivalazzo (PR) 35 E3
Rivalba (AL) 33 B1
Rivalba (TO) 32 A1
Rivalbella (FO) 49 F3
Rivale (VE) 26 E3
Rivalgo (BL) 14 C4
Riva Ligure (IM) 51 D1
Rivalpo (UD) 5 F4
Rivalta Bormida (AL) 33 F1
Rivalta (CN) 31 F4
Rivalta di Torino (TO) 31 B2
Rivalta (PR) 45 A4
Rivalta (RA) 48 E2
Rivalta (RE) 36 F2
Rivalta Scrivia (AL) 33 D3
Rivalta sul Mincio (MN) 36 B3
Rivalta Trebbia (PC) 34 D3-4
Rivalta (BI) 20 D2
Rivalta (VI) 26 A1
Rivalta (VR) 24 C4
Rivalto (PI) 52 F4
Riva Lunga, Cà (GO) 29 C1
Rivalunga (VR) 25 F1-2
Riva (MN) 36 D3
Rivamonte Agordino (BL) 14 C2
Rivanazzano (PV) 33 D4
Riva (PC) 34 D4
Riva presso Ghieri (TO) 31 C4
Rivara (MO) 37 E2
Rivara (TO) 19 E3
Riva (RO) 39 D1
Rivarolo del Re ed Uniti (CR) 36 C1-2
Rivarolo Ligure (GE) 43 B3
Rivarolo Mantovano (MN) 36 C1
Rivarone (AL) 33 C2
Rivarossa (TO) 19 F4
Rivarotta (PN) 27 A3
Rivarotta (UD) 28 C2-3
Rivarotta (VI) 26 B1-2
Rivasacco (TO) 19 F2
Riva San Vitale [CH] 9 F2-3
Rivasco (VB) 8 B3
Rivasecca (TO) 31 C2
Riva (SO) 10 C2
Rivasso (PC) 34 C3
Riva (TN) 25 B1-2
Riva (TO) 31 C1
Riva Trigoso (GE) 44 D2
Riva Valdobbia (VC) 7 F4
Riva Verde (RA) 49 C1
Rivazzurra (RN) 56 A1-2
Rive, Canale 20 F3-4
Rive d'Arcano (UD) 16 F2
Rive Haute [CH] 6 D3
Rivella (PD) 38 A2
Rivello (PZ) 97 C3
Rivello, Stazione di (PZ) 97 C3
Riveo [CH] 9 B1
Rivera [CH] 9 D2
Rivera (VB) 8 D2
Rivera (TO) 31 A2
Rivere (AL) 32 F4
Rivergaro (PC) 34 D4
Rive (VC) 20 F4
Rive (VI) 26 C1-2
Riviera (BO) 47 D4
Riviera [CH] 9 BC3
Riviera (TO) 20 F1
Riviére, La [F] 30 D1
Rivignano (UD) 28 B2
Rivioni (BG) 10 E4
Rivisco, Cozzo (PZ) 91 C3
Rivisóndoli (AQ) 76 D1
Rivis (UD) 15 F4
Rivodora (TO) 31 B4
Rivodutri (RI) 68 D4
Rivo, Fiume 77 E1
Rivoira (CN) 41 C2
Rivoira (TO) 19 D3
Rivola (RA) 48 E1
Rivola, Valle di (VE) 27 F1
Rivoli, Lido di (FG) 85 AB4
Rivoli (TO) 31 B2
Rivoli (UD) 16 E2-3
Rivoli Veronese (VR) 24 D4
Rivolo Canavese (TO) 19 4
Rivolta d'Adda (CR) 22 D3
Rivoltella (BS) 24 E2
Rivoltella (PV) 21 F1
Rivolto (UD) 15 F4
Rivoschio Pieve (FO) 55 A2
Rivo Tella, Fiume 83 D1
Rivotorto (PG) 62 D3
Rivo (TR) 68 C2
Rivotta (UD) 15 E4
Rivo (UD) 5 F4
Rivo (BI) 20 B3
Rivulla, Pizzo (CT) 112 F2
Rizani, Risano [YUI] 29 E3
Rizio (BL) 4 4
Rizza, Case (RG) 123 B3
Rizzacorno (CH) 76 A3
Rizziconi (RC) 114 A4
Rizzios (BL) 4 F4
Rizzi (UD) 16 F3

Rizzolaga (TN) 13 D1
Rizzolo (PC) 34 D4
Rizzolo (SR) 120 F4
Rizzolo (UD) 16 F4
Rizzolu de sa Costa (SS) 129 A2
Rizzolu, Fiume 126 F4
Rizzo (MI) 22 F2
Rizzuti (CS) 102 F2
Rizzuto, Capo (KR) 106 B3
Rizzuto (CS) 101 E4
Roà Marenca (CN) 41 C4
Roana (VI) 25 A4
Roapiana (CN) 41 C4
Roaro (PD) 37 A4
Roaschia (CN) 41 C1
Roascio (CN) 42 B1
Roasco, Fiume 11 BC2-3
Roata Chiusani (CN) 41 B2
Roa (TN) 13 E4
Roatta (CN) 41 C4
Roatto (AT) 32 C1-2
Robarello (VC) 20 E3
Robasacco [CH] 9 D3
Robassomero (TO) 19 F2-3
Robbiate (LC) 22 B3
Róbbio (PV) 21 F1
Robecchetto con Induno (MI) 21 D3
Robecco d'Oglio (CR) 35 A3
Robecco (LO) 22 F4
Robecco Pavese (PV) 34 BC1
Robegano (VE) 26 D4
Robella (AT) 32 B2
Robella (CN) 30 E4
Robella (VC) 20 F4
Roberso (TO) 30 B3
Robert, Cima (CN) 41 D4
Roberti, Masseria (BA) 87 F4
Robilante (CN) 41 C1
Robini (AT) 32 E3
Roboaro (AL) 42 A4
Roburent (CN) 41 C4
Roca Nuova (LE) 100 A3
Roca Vécchia (LE) 100 A3-4
Rocca Altiera (FR) 75 E4
Rocca (AT) 32 B2
Roccabascerana (AV) 83 F4
Roccabernarda (KR) 103 F1
Roccabernarda, Stazione (CZ) 106 B1
Rocca Bernarda (UD) 17 F1
Roccabianca (PR) 35 C4
Rocca (BL) 13 F4
Roccabruna (CN) 41 A1
Rocca Bruna (GE) 44 B2
Rocca Canavese (TO) 19 E3
Rocca Canterano (ROMA) 74 C2
Roccacaramanico (PE) 75 B4
Roccacasale (AQ) 75 B4
Rocca Cerbaia (PO) 53 A3-4
Roccacerro (AQ) 74 B3
Rocca Cilento (SA) 96 A2
Roccacinquemiglia (AQ) 76 D1-2
Rocca Corneta (BO) 46 E4
Rocca Corvo, Portella di (AG) 118 F3-4
Rocca (CT) 120 B4
Rocca d'Aiello (MC) 63 C2
Rocca d'Arazzo (AT) 32 D3
Rocca d'Arce (FR) 81 A4
Rocca de Baldi (CN) 41 B2
Rocca de' Giorgi (PV) 34 C2
Rocca d'Elmici (FO) 48 F3
Rocca d'Evandro (CE) 82 C3
Roccadáspide (SA) 90 F2
Rocca d'Orcia (SI) 60 E4
Rocca di Botte (AQ) 74 B2
Rocca di Cambio (AQ) 69 F4
Rocca di Caminale (FO) 48 F3
Rocca di Fondi (RI) 69 E1
Rocca di Fondi, Stazione di (RI) 69 E1
Rocca di Mezzo (AQ) 75 A1
Rocca di Mezzo (ROMA) 74 C2
Rocca di Neto (KR) 103 E2
Rocca di Papa (ROMA) 73 E4
Rocca di Roffeno (BO) 47 D1
Rocca di San Silvestro (LI) 59 D1-2
Rocca di Verra (AO) 7 F3
Roccaferrara (PR) 45 B2
Roccafinadamo (PE) 70 D2
Roccafiorita (ME) 113 E1
Roccafluvione (AP) 64 F1
Roccaforte del Greco (RC) 114 E3
Roccaforte Ligure (AL) 33 F3-4
Roccaforte Mondovì (CN) 41 C3
Roccaforte, Planu (SS) 129 C1
Roccaforzita (TA) 94 E2
Roccafranca (BS) 23 E2
Roccagióvine (ROMA) 74 B1
Roccagloriosa (SA) 96 C4
Roccagorga (LT) 81 A1
Roccagrimalda (AL) 33 F1
Roccaguglielma (FR) 82 C1
Rocca Imperatore (CS) 99 C1
Rocca Imperiale Marina (CS) 99 C1
Rocca, La (BO) 47 D2
Rocca, La (CB) 77 F1
Rocca, La (CB) 83 B3
Rocca Lanzona (PR) 35 F2
Roccalanzona (PR) 35 F2-3
Rocca, La (PR) 36 E2
Rocca, La (SO) 1 F3
Rocca, La (VT) 67 E1
Roccalbegna (GR) 66 A3
Rocca Leonella (PS) 56 E1
Roccalumera (ME) 113 E2
Roccalvecce (VT) 67 C3
Rocca Malatina (MO) 46 C4
Roccamandolfi (IS) 83 B1
Rocca Massima (LT) 74 F1

Roccamena (PA) 109 F1
Roccamonfina (CE) 82 CD3
Rocca, Monte (CZ) 105 F2
Rocca, Monte della (PS) 55 D3-4
Rocca, Monte La (CH) 76 B3
Rocca, Monte la (FR) 75 E3
Roccamontepiano (CH) 70 F4
Rocca Monte Vármine (AP) 64 E2
Roccamorice (PE) 76 A1
Roccamurata (PR) 45 B1
Roccanolfi (PG) 63 F2
Roccanova (PZ) 98 B2
Roccantica (RI) 68 E3
Rocca Palumba-Alia, Stazione di (PA) 118 A3
Rocca Palumba (PA) 110 F1
Roccapassa (RI) 69 C2
Roccapelago (MO) 46 E2
Rocca Pia (AQ) 75 C4
Rocca, Piano della (LU) 52 A4
Roccapiemonte (SA) 89 C3
Rocca Pietore (BL) 14 B2
Roccapietra (VC) 20 A4
Roccapipirozzi (IS) 82 B3-4
Rocca Pitigliana (BO) 47 E1
Roccaporena (PG) 68 B4
Rocca (PR) 35 F1
Rocca (PR) 35 F3
Rocca Pratiffi (PS) 55 C3
Roccaprebalza (PR) 45 B2
Roccapreturo (AQ) 75 A3
Rocca Priora (AN) 57 E2
Rocca Priora (ROMA) 73 D4
Rocca (PV) 34 B2
Roccarainola (NA) 83 F3
Roccaraso (AQ) 76 D1
Roccareonile (AP) 63 F4
Rocca Ricciarda (AR) 54 DE3
Roccaromana (CE) 83 D1
Roccarossa, Toppa di (PZ) 97 B3
Roccasalegna (CH) 76 B3
Roccasalli (RI) 69 B2
Rocca San Casciano (FO) 48 F2
Rocca San Felice (AV) 90 A2
Rocca San Giovanni (CH) 71 F2-3
Rocca Santa Maria (TE) 69 B4
Rocca Santo Stefano (ROMA) 74 C2
Rocca San Zenone (TR) 68 C2
Roccasecca dei Volsci (LT) 81 B2
Roccasecca (FR) 82 A1
Roccasecca, Stazione di (FR) 82 A1
Rocca (SI) 61 F1
Roccasicura (IS) 76 E2
Rocca Sigillina (MS) 45 C2
Rocca Sinibalda (RI) 68 F4
Rocca S. Nicola (AG) 122 A1
Rocca Sorella (FR) 75 E2
Roccasparvera (CN) 41 C1
Roccaspinalveti (CH) 76 C2
Roccaspromonte (CB) 76 F4
Roccastrada (GR) 60 E1
Roccastrada, Stazione di (GR) 60 E1
Rocca Susella (PV) 33 D4
Roccatagliata (GE) 44 B1
Roccatagliata, Monte (PE) 70 F2-3
Roccatederighi (GR) 60 D1
Roccati (TO) 31 B4
Rocca (TO) 31 A1
Roccavaldina (ME) 113 C1
Roccaverano (AT) 32 F3
Rocca Vetralla (PG) 68 BC4
Roccavignale (SV) 42 C2
Rocca, Villa la (RG) 123 C3
Roccavindola (IS) 82 A4
Roccavione (CN) 41 C1-2
Roccavivara (CB) 77 D1
Roccavivi (AQ) 75 D1
Roccelito, Monte (PA) 110 F2
Roccella (CS) 105 C3
Roccella Jónica (RC) 115 B3
Roccella Valdémone (ME) 112 E3
Roccelletta del Vescovo di Squillace (CZ) 105 C2-3
Rocche, Cocuzzi delle (EN) 119 E3
Rocche di Civitella (TE) 70 AB1
Rocche, Monte delle (CL) 119 C1-2
Rocchenere (ME) 113 E1
Rocche, Serra delle (TP) 108 F2
Rocchetta (AL) 32 AB3
Rocchetta (AN) 63 B1
Rocchetta (AP) 64 F2-3
Rocchetta a Volturno (IS) 76 F1
Rocchetta Belbo (CN) 32 F2
Rocchetta Cairo (SV) 42 BC2
Rocchetta (CE) 82 D4
Rocchetta (CN) 31 E1
Rocchetta di Vara (SP) 44 D4
Rocchetta (FO) 55 B2
Rocchetta, La (BL) 4 F2
Rocchetta, La (VV) 104 D3
Rocchetta, La (LI) 59 E1
Rocchetta Ligure (AL) 33 F4
Rocchetta Mattei (BO) 47 E1
Rocchetta (MO) 46 C4
Rocchetta, Monte (BL) 14 C4
Rocchetta, Monte (BN) 84 E2
Rocchetta, Monte la (CB) 77 D1
Rocchetta, Monte (PC) 34 F3
Rocchetta Nervina (IM) 50 C3-4
Rocchetta Nuova (IS) 76 F1
Rocchetta Palatea (AT) 32 E3
Rocchetta (PC) 34 F4
Rocchetta (PG) 68 A4
Rocchetta Sandri (MO) 46 DE4
Rocchetta Sant'Antonio (FG) 85 E1
Rocchetta Tanaro (AT) 32 D3
Rocchetta (TN) 12 C4
Rocchetta (TP) 117 B1
Rocchette (GR) 66 A2-3

Rocchette, Le (GR) 65 A1-2
Rocchette (RI) 68 E1-2
Rocchette (VI) 25 B3-4
Roccheure, Vallone de la [F] 18 D2-3
Rocchicciola (MO) 46 E2
Rocchi (CS) 102 D1
Rocchino, Poggio (GR) 59 D2-3
Rocchione, Masseria (FG) 78 D1
Roccia, Fonte della (BZ) 4 A3
Rocciamelone (TO) 18 F3
Rocciano (TE) 70 C1
Rocciavré, Monte (TO) 30 B4
Roccile, Monte (CB) 77 D1
Roccoli (LC) 10 D1-2
Roccolo Cattagno (VI) 13 F3
Roccone, Poggio (SI) 66 A4
Rocco Sant'Angelo (PG) 62 D3
Roc de Budri [CH] 7 C2-3
Rochebrune, Pic de [F] 30 D1
Rochebrune, Pic de petit [F] 30 D2
Roche [CH] 6 A2
Rochefort (AO) 18 A4
Roche, La [F] 40 E3
Rochemolles (TO) 30 A1
Rochere (AO) 6 F2-3
Rocinj (Ronzina) [YUI] 17 F2
Rocino, Masseria (PZ) 98 B2
Roco di Sotto (FI) 47 E3
Röd, Pizzo di [CH] 9 A1
Roda di Scandola (BZ) 4 C2
Roda di Vael (TN) 13 B3-4
Rodáglio (LU) 52 B4
Rodallo (TO) 19 F4
Rodano (MI) 22 D2
Roda, Picco di (BL) 15 B1
Roda (TN) 13 C3
Rodda Quadda, Stazione (SS) 125 F4
Roddi (CN) 32 EF1
Roddino (CN) 32 F2
Rodeano (UD) 15 E4
Rodella, Cima (BZ) 3 D1-2
Rodella, Col (TN) 3 F4
Rodello (CN) 32 F2
Rodengo (BS) 23 D3
Rodengo (Rodeneck) (BZ) 3 C3-4
Rodero (CO) 21 A3-4
Rodes, Pizzo di (SO) 11 E1
Rodia (ME) 113 B3
Rodiano (MO) 46 C4
Rodica [YUI] 17 E3-4
Rodifiesso [CH] 9 A1
Rodi Gargánico (FG) 79 C1
Rodighieri (VI) 25 A4
Rodigo (MN) 36 B2
Rodik [YUI] 29 E4
Rodi (ME) 112 C4
Ródio (ME) 96 C3
Ro di Sotto /di Sopra (BS) 24 E1
Rodola Quadda, Stazione (SS) 125 F4
Rodondone, Monte (BS) 23 C3
Rodoretto (TO) 30 C3
Roe Alte (BL) 14 E3
Roen, Monte (TN) 13 B1
Roé (BS) 24 C2
Ro (FE) 38 D2
Rofenhöfe [A] 2 C2
Rofeno, Abbazia a (SI) 60 BC3-4
Rofental [A] 2 C2
Roffi (PC) 44 A3-4
Róffia (PI) 53 D2
Rofrano (SA) 96 B4
Rogadeo, Casino (BA) 87 F1
Rogatti (CH) 71 F2
Rógeno (LC) 22 B2
Roggera, Cascina (TO) 31 D2
Róggia (BL) 14 C4
Róggia (SO) 19 F4
Roggiano Gravina (CS) 101 B4
Roggiano (VA) 9 E1
Roggio (LU) 45 EF4
Roggione (CR) 35 B1
Roggione, Pizzo (SO) 10 C1
Roghudi (RC) 114 E3-4
Rogio, Canale 52 C4
Rogliano (CS) 102 F2
Roglio, Fiume 53 E1-2
Rognano (PV) 34 A1
Rogneux, Mont [CH] 6 D4
Rogno (BG) 23 A3
Rogolo (SO) 10 D2
Rogoredo (LC) 22 B2
Roiano (TE) 70 B1
Roiate (ROMA) 74 D2
Róio del Sangro (CH) 76 C3
Róio Piano (AQ) 69 E3
Roisan (AO) 6 F4
Roise, Grand (AO) 19 B2
Roite, Monte (TN) 25 B2
Roi (VC) 8 F2
Rojach [A] 5 A3
Rola (MO) 47 B1
Rolandi (CN) 32 D1
Rolasco (AL) 32 B4
Rolate (VC) 8 F2
Roletto (VR) 25 E1
Roletto (TO) 31 C1
Rolle, Passo di (TN) 14 C1
Rolle (TV) 14 F3
Rollini (AL) 32 B4
Rolo (RE) 36 DE4
ROMA 73 CD2-3
Roma, Borgo (PV) 27 C2
Roma, Borgo (VR) 25 E1
Romagnano al Monte (SA) 90 D4
Romagnano Sésia (NO) 20 BC4
Romagnano (TN) 12 E4
Romagnano (VR) 25 D1
Romagnese (PV) 34 E2
Romagnoli (CH) 76 A4

Romagnolo (PA) 109 D3
Romallo (TN) 12 B4
Roma (MO) 36 E4
Romana, La (IS) 76 F2
Romana, Monte Rocca (VT) 73 A1
Romana (SS) 128 C4
Romana, Villa (AQ) 118 EF2
Romana, Villa (GR) 65 F3
Romana, Villa (LI) 58 C1
Romana, Villa (SS) 125 E4
Romanella, Monte (AQ) 75 C1
Romanelli, Monte (TO) 30 B4
Romanengo (CR) 23 E1
Romani, Castelli (ROMA) 73 ED3-4
Romani (MC) 63 E3
Romani, Ponte dei (TV) 26 AB3-4
Romani, Ruderi (IS) 76 E3-4
Romano Alto (VI) 26 B2
Romano Banco (MI) 22 E1
Romano Brianza (CO) 22 B2
Romano Canale (TO) 20 E1
Romano, Casa (FG) 84 A3
Romano, Castello (ROMA) 73 E2
Romano d'Ezzelino (VI) 26 B2
Romano di Lombardia (BG) 23 D1
Romano, Emissario (LT) 80 D4
Romano, Monte (LT) 81 C2
Romano, Ponte (VT) 67 F2
Romanore (MN) 36 C3
Romanoro (MO) 46 D2
Romans d'Isonzo (GO) 29 B1
Romans (UD) 28 B2
Romanziol (VE) 27 C2-3
Roma (PR) 35 E4
Roma, Rifugio (BZ) 4 B2
Roma, Villaggio (UD) 28 BC4
Romazzano (PG) 67 B4
Rombiolo (VV) 104 E3
Rombon, Monte [YUI] 17 C1-2
Rombo, Passo di (Timmelsioch) (BZ) 2 B3-4
Romecchio, Passo (LU) (RE) 45 D4
Romena, Castello di (AR) 54 C3
Romeno (TN) 13 B1
Romentino (NO) 21 D2
Rometta Marea (ME) 113 B1
Rometta (ME) 113 C2
Rometta (MS) 42 E2
Romita (FI) 53 E4
Romitello, Santuario di (PA) 109 D1
Romitório (ROMA) 73 B3
Romito, Grotta di (PZ) 91 F3
Romito,Passo del (MS) 45 D3
Romito,Ponte del (AR) 54 F3
Romitorio (LU) 52 B4
Romitorio (SI) 60 D4
Romito (SP) 45 F1-2
Romito, Toppa (PZ) 91 C2
Romito, Villa del (LI) 52 F2
Romola (FI) 53 D4
Romprezzagno (CR) 36 B1
Ronago (CO) 21 A4
Roncaccio, Poggio (FI) 47 F3-4
Roncadella (RE) 136 F3
Roncadelle (BS) 23 D3
Roncadelle (TV) 27 B2
Roncadello (CR) 36 D1
Roncadello (FO) 48 E3-4
Roncade (TV) 27 C2
Roncagli (IM) 42 F1
Roncaglia (AL) 32 B4
Roncáglia (AR) 61 B2
Roncaglia (CN) 31 D2
Roncáglia (PC) 35 C1
Roncaglia (PD) 26 F3
Roncaglia (PS) 56 B3
Roncaglia (SO) 10 D3
Roncáglia (TO) 31 B2
Roncaglio (RE) 46 B1
Roncaiette (PD) 28 F3
Roncaiolo (PC) 34 E2
Roncalceci (RA) 48 D4
Roncan (BL) 14 D4
Roncanova (VR) 37 B1-2
Ronca, Ponte (BO) 47 B2
Roncarolo (PC) 35 C1
Roncaro (PV) 34 A2
Roncastaldo (BO) 47 E2-3
Roncegno (TN) 13 E2
Roncello (MI) 22 C3
Ronch [CH] 9 C4
Ronchelli (MN) 36 B2-3
Ronchena (BL) 14 EF2
Ronche (CR) 23 F1
Ronche (PN) 15 F1
Ronche (PN) 15 F2
Ronchetto (MI) 22 E1
Ronche (VE) 27 C2-3
Ronchi (AT) 32 D3
Ronchi (BO) 37 F2
Ronchi (BZ) 13 C1
Ronchi (CN) 41 B2
Ronchi (CS) 102 F2
Ronchi dei Legionari (GO) 29 C1
Ronchi di Campanile (PD) 26 E2
Ronchi, Fiume 62 A1
Ronchi, I (TV) 27 B1-2
Ronchi (MN) 36 C2-3
Ronchi, Monte (PR) 35 E2
Ronchi (PD) 26 D3
Ronchi (PD) 26 F3
Ronchi (PG) 55 F3
Ronchis (UD) 28 C2
Ronchi (SV) 42 C2
Ronchi (TO) 19 D3
Ronchi (UD) 28 A4
Ronchi, Valle dei (VI) 25 A4
Ronchi, Valle (TN) 25 B1
Ronchi Valsugani (TN) 13 E2

Ronchi (VC) 20 F2
Ronchi (VI) 26 A1
Ronchi (VR) 24 E3
Rónchis (UD) 16 F4
Ronci, Fiume 42 D3
Róncia, Punta [F] 18 E3
Ronciglione (VT) 67 F3
Roncino, Monte (PG) 62 A1-2
Roncitelli (AN) 57 D1
Ronco all'Adige (VR) 25 F2
Roncobello (BG) 10 F4
Ronco (BG) 11 E2
Ronco Biellese (BI) 20 C2
Roncobilaccio (BO) 47 F2
Ronco (BO) 47 D4
Ronco Briantino (MI) 22 C3
Ronco (BS) 11 D3
Ronco (BS) 24 D1
Ronco Campo Canneto (PR) 35 D4
Ronco Cavanese (TO) 19 C3
Roncocesi (RE) 36 F2
Ronco [CH] 9 D1
Roncodigà (FE) 38 E3
Roncoferraro (MN) 37 B1
Ronco, Fiume 48 D4
Ronco (FO) 48 E4
Roncofreddo (FO) 55 A3
Roncogennaro (AL) 32 F3-4
Roncoi (BL) 14 E2
Roncola (BG) 22 B4
Róncole (VC) 20 B3
Roncoleva (VR) 36 A4
Roncole Verdi (PR) 35 D3
Roncolin, Monte (PN) 15 B2
Roncolla (PI) 59 A3-4
Roncolongo (PR) 35 F3
Roncolo (RE) 46 A2
Roncone, Monte (BL) 14 F1
Roncone (TN) 12 F2
Ronconi (VR) 25 C1
Ronco (NO) 20 A4
Roncopascolo (PR) 35 E4
Ronco (PC) 34 D4
Ronco, Punta [YUI] 29 E2
Ronco (RA) 48 D3
Roncoscaglia (MO) 46 E3
Ronco Scrivia (GE) 33 F3
Ronco (TN) 13 D4
Ronco (BI) 20 C3
Roncà (VR) 25 E3
Rondelli (GR) 59 E2-3
Rondello (PS) 56 C3
Rondinaia (FO) 55 B1
Rondinaio, Monte (LU) 46 F2
Rondinara (RE) 46 B3
Róndine (AR) 54 F4
Rondinella, Punta (TA) 93 E4
Rondine, Pizzo di (AG) 118 C2
Rondissone (TO) 20 F1
Rondole (VI) 25 E4
Rondo (VC) 20 A3
Ronge [CH] 9 A3
Rongia [CH] 9 C2
Rongolise (CE) 82 D3
Ronsecco (VC) 20 F3
Ronta (FI) 54 A2
Rontagnano (FO) 55 B3
Rontana, Monte di (RA) 48 E1-2
Rontano (LU) 45 F4
Ronti (PG) 61 A4
Ron, Vetta di (SO) 11 C1
Ronzano (AR) 61 B2
Ronzano (PR) 45 A3
Ronzano (TE) 70 C2
Ronza, Stazione (EN) 119 D4
Ronzone (TN) 13 B1
Ronzo (TN) 25 A1
Ropola, Passo di (RC) 115 C1
Roppa (UD) 5 F1
Roppolo (BI) 20 D2
Roquebilliere [F] 40 EF4
Roquebrune [F] 50 D2-3
Roquette, La [F] 50 F1
Roraipiccolo (PN) 15 F2
Rore (CN) 30 F4
Roreto (CN) 31 F4
Rorà (TO) 30 D4
Rorzano [CH] 9 A2
Rosablanche [CH] 6 D4
Rosa, Cima (BZ) 2 D3
Rosa dei Banchi, Monte (AO) (TO) 19 C2-3
Rosa, Fiume 101 AB4
Rósa, La [CH] 11 B2
Rosalia, Case (RG) 123 D4
Rosali (RC) 114 C2
Rosa Marina (BR) 94 A3
Rosamarina, Monte (PA) 110 E1
Rosa, Monte (AO) (VB) 7 E3-4
Rosa, Monte La (CZ) 105 D2
Rosa, Monte (RI) 74 A3
Rosaneto, Tenuta (MT) 98 C3
Rosani, Ca (BA) 93 A1
Rosanisco (FR) 75 F3
Rosano (AL) 33 D3
Rosano (AL) 33 F4
Rosano (FI) 54 C1-2
Rosano (RE) 45 C4
Rosapineta (RO) 39 B1-2
Rosa (PN) 15 F4
Rosara (AP) 64 F1
Rosara (PD) 38 A4
Rosa, Rifugio (BS) 11 F4
Rosario, Santuario di (PA) 109 F2
Rosarno, Bosco di (RC) 114 A4
Rosarno (RC) 104 F2
Rosarolo (VB) 8 F2-3
Rosaro (TR) 68 B1
Rosasco (PV) 21 F1

Rosas, Monte (CA) 135 C1
Rosate (MI) 21 E4
Rosatsch, Piz [CH] 11 A1
Rosa (VI) 26 B2
Rosazza (BI) 20 B2
Rosazzo (UD) 29 A1
Rosce, Pian di (RI) 68 D4
Rosceto (PG) 68 B1
Roscetti, Fattoria dei (PG) 62 A1
Roscia (AQ) 75 D1
Rosciano (CE) 83 F2
Rosciano (PE) 70 E4
Rosciano (PS) 56 C4
Roscigno Vécchio / Nuovo (SA) 90 F3
Rosciolo dei Marsi (AQ) 74 B4
Rose, Bosco delle (PZ) 90 B4
Rose, Cima delle (CN) 40 B2
Rose, Colle delle (CS) 103 C1-2
Rose, Coppa di (FG) 78 D1
Rose (CS) 102 D1
Röseg, Val [CH] 11 A1
Rosegaferro (VR) 24 F4
Rosegg [A] 17 A4
Roseg, Pizzo (SO) 11 B1
Roselend [F] 18 A1
Roselend, Lac de [F] 18 A1
Roselette, Monte [F] 18 A1-2
Roselle Modica (RG) 124 E1
Roselle, Rovine di (GR) 60 F1
Roselle, Terme di (GR) 60 F1
Roselli (FR) 75 F3
Roselli (PG) 68 A2
Rosello (CH) 76 CD3
Rose, Monte (PA) 118 B1
Rosenbach [A] 17 B4
Rosennano (SI) 60 A3-4
Rose, Pieve delle (PG) 55 F3
Roseto Capo Spulico (CS) 99 D1
Roseto, Castello di (CS) 99 D1
Roseto degli Abruzzi (TE) 70 B3-4
Roseto Valforte (FG) 84 C3
Rosetta, Monte (SO) 10 D2
Rosia (SI) 60 B2
Rosier, Le [F] 30 B1
Rosiére, La [CH] 6 D3
Rosignano Marittimo (LI) 59 A1
Rosignano Monferrato (AL) 32 B4
Rosignano Solvay (LI) 58 A4
Rosingo (AL) 32 AB3
Rósio (MI) 21 E4
Rosmarino, Fiume 111 D4
Rosola, Fiume 46 D4
Rosola (MO) 46 D4
Rosolina Mare (RO) 39 B1-2
Rosolina (RO) 39 C1
Rosolini (SR) 124 D1
Rosora (AN) 56 F4
Rossa (BS) 23 E2
Rossa (CA) 134 CD2
Rossa, Casa (LI) 59 C1
Rossa [CH] 9 B4
Rossa, Colla [F] 41 E2
Rossa, Corna (VC) 20 A1
Rossa, Cresta (AO) (VC) 20 A1
Rossa, Croda (Hohe Gails) (BZ) 4 E2
Rossa, Isola (CA) 135 F1
Rossa, Isola (GR) 65 E3-4
Rossa, Isola (NU) 128 E3
Rossa, Isola (SS) 126 D2
Rossa, Lago della (TO) 18 E4
Rossa, Monte la (IS) 76 EF3
Rossana (CN) 31 F1
Rossano (CS) 102 B4
Rossano (MS) 45 D1
Rossano, Stazione (CS) 102 B4
Rossano Veneto (VI) 26 C2
Rossa, Punta (BZ) 3 B3
Rossa, Punta (BZ) 3 C2
Rossa, Punta (FG) 79 E3
Rossa, Punta (LI) 58 D1
Rossa, Punta (SS) 127 B2
Rossa (VC) 20 A2
Rossa (VC) 8 F1-2
Rossavino, Villa (AL) 33 E1
Rossella Dara, Masseria (PA) 109 E3
Rossello, Punta (AG) 118 E1-2
Rossena (RE) 46 A1
Rossetta (RA) 48 C3
Rossett, Lago (AO) 18 C4
Rossgrubenkofel [A] 3 A2-3
Rosshag [A] 3 A4
Rossiglione (GE) 43 A1-2
Rossignago (VE) 26 E4
Rossignoli (TO) 19 F3
Rossignolo (PD) 26 D1-2
Rossimanno, Monte (ME) 113 CD1
Rossi, Monte (CT) 121 B1
Rossino, Monte (CS) 97 D4
Rossi Nuovi, Cima dei [CH] 10 A2
Rossi, Pozzo (BO) 47 EC2-3
Rossi (SV) 42 D2
Rossi (SV) 42 F1
Rossi, Villa (CA) 135 A3
Rossi, Villa (TE) 70 D1-2
Rosso, Bric (TO) 30 B3
Rosso, Cima di (SO) 10 C4
Rosso, Corno (NO) 7 E4
Rosso, Corno (VC) 20 A2
Rosso di Ribbia [CH] 8 C4
Rosso, Giogo (BZ) 4 A3
Rossoia, Pizzo della (VB) 8 E3
Rosso, Masseria (FG) 77 F3
Rosso, Monte (AG) 119 F1
Rosso, Monte (AO) 6 F3
Rosso, Monte (BZ) 3 B3
Rosso, Monte (CT) 120 A4
Rosso, Monte (PG) 55 F4
Rosso, Monte (ROMA) 72 B2-3
Rosso, Monte (SO) 10 B4
Rosso, Monte (SS) 128 A2-3
Rosso, Monte (VB) 20 B2
Rosson, Col (BL) 5 E1
Rossone (PV) 34 D1
Rosso, Sasso [CH] 9 B2
Rosso, Sasso (TN) I2 C3
Rosso, Timpone (KR) 106 A3
Rossura [CH] 9 A2
Rosswald [CH] 8 B1
Rosswandspitze [A] 4 A1
Rostagni (TO) 30 AC4
Rosta, La (TN) 12 E4
Rosta (TO) 31 B2
Rosta (VR) 37 B3
Rosteinberg [A] 5 C1
Rostizkogl [A] 2 B2
Rostocker H. [A] 4 A3-4
Rostolena (FI) 54 B2
Rosà, Col (BL) 4 E2
Rota Dentro (BG) 22 A3
Rota d'Imagna (BG) 22 A3-4
Rota (FI) 54 D2
Rota Fuori (BG) 22 A3-4
Rota Greca (CS) 101 C4
Rotaldo, Fiume 33 B1
Rotale (PZ) 97 C2
Rota (ROMA) 72 A3
Rotaro, Monte (FG) 77 F4
Rotbühel/Sp. [A] 1 B1
Rotboden [CH] 7 E3
Rotecastello (TR) 62 F1
Roteglia (RE) 46 B3
Rote, Le (MC) 63 E1
Rotella (AP) 64 E1
Rotella, Monte (AQ) 76 C1
Rotelle, Le (SI) 61 C1
Rotello (CB) 77 E3
Rotenkogel [A] 5 B1
Roter Knopf [A] 5 B2
Roter Schrofen [A] 2 A1
Rote Wand [A] 1 B2
Röthenspitze [A] 2 A4
Rothorn [CH] 7 B2
Rothorn [CH] 7 C3
Rothornhütte [CH] 7 D2-3
Rothwald [CH] 8 B1
Roti (MC) 63 E2
Rotkofel [A] 5 B2
Rotolo, Torre del (PA) 109 C3
Rotonda di Monte Marmo, La (PZ) 91 D1
Rotonda, Lago di (PZ) 97 C4
Rotonda (PZ) 98 D1
Rotonda, Serra (PZ) 97 C3-4
Rotonda Viggianello, Stazione di (CS) 98 D1
Rotondella, La (CT) 120 D4
Rotondella, La (PZ) 98 D3
Rotondella, Monte (CS) 98 CD4
Rotondella (MT) 98 B4
Rotondella (PZ) 97 D2
Rotondi (AV) 83 F3
Rotondo (AN) 56 F3
Rotondo, Lago (BG) 11 E1
Rotondo, Lago (TN) 12 B3
Rotondo, Monte (AQ) 75 A1
Rotondo, Monte (AQ) 75 D4
Rotondo, Monte (BA) 93 B3
Rotondo, Monte (FR) 75 D1
Rotondo, Monte (FR) 81 B2
Rotondo, Monte (FR) 81 B3
Rotondo, Monte (GR) 60 D1-2
Rotondo, Monte (MC) 63 E3
Rotondo, Monte (PE) 75 A4
Rotondo, Monte (TR) 68 B2
Rotondo, Pizzo (LC) 10 E2
Rotpleiskopf [A] 1 A4
Rot/Sp.Gr. [A] 5 B2
Rotta (FO) 48 E4
Rotta, La (GR) 66 B4
Rotta, La (MN) 36 A3
Rotta, La (PI) 52 D4
Rottanova (VE) 38 B3-4
Rotta (VE) 27 C4
Rottofreno (PC) 34 C3
Rotundella, Grotta (LE) 100 D4
Rotzo (VI) 25 A3
Roubion [F] 40 E2
Rouge, Aigle [CH] 7 D1
Rouge, Aigle [F] 18 C2
Rouge, Aigle [F] 6 D1-2
Rouge, Terre [F] 30 C1
Rougnouse, Monte [F] 40 D1
Roure [F] 40 E3
Roure (TO) 30 B4
Roussa, Colle la (TO) 30 B4
Rousse, Grand (AO) 18 C4
Rousses, Aigle [F] (TO) 18 D4
Rouss, Monte di (CN) 40 C2
Roux, Le [F] 30 D2
Rovagnate (LC) 22 B3
Rovalel (CS) 102 E3
Rovana, Fiume 8 B4
Rovaré (TV) 27 C2
Rovasenda (VC) 20 C3-4
Rovasensa, Fiume 20 D4
Rovate (VA) 21 B3
Rovato (BS) 23 B2-3
Rovedaro (LO) 34 A4
Rovegliana (VI) 25 C3
Rovegno, Colonia di (GE) 44 A2
Rovegno (GE) 44 A1-2
Rovegno, Ponte di (GE) 44 A2
Rovegro (NO) 8 E4
Roveleto Landi (PC) 34 D4
Roveleto (PC) 34 F2
Roveleto (PC) 35 D1
Rovella (CS) 102 D1
Rovellasca (CO) 21 B4
Rovello, Fiume 78 E1-2
Rovello (MI) 21 C4
Rovello Porro (CO) 21 C4
Rovenaud (AO) 19 B1
Rovenna (CO) 21 A4
Roverazza (GE) 43 B2
Roverbasso (TV) 27 A2
Roverbella (MN) 36 A3
Roverchiara (VR) 37 A2
Roverchiaretta (VR) 37 A3
Roverdicré (RO) 38 C2
Rovere, Albergo M. (TN) 13 F2
Róvere (AQ) 75 A1
Rovere [CH] 9 D1
Rovere della Luna (TN) 13 C1
Roveredo [CH] 9 C4
Roveredo [CH] 9 D3
Roveredo di Guà (VR) 37 A4
Roveredo in Piano (PN) 15 F2
Roveredo (UD) 28 B2-3
Rovere, Monte di (AQ) 75 C3-4
Rovereto (CR) 22 F4
Rovereto (FE) 38 F2-3
Rovereto sulla Secchia (MO) 36 E4
Rovereto (TN) 25 A1
Rovere Veronese (VR) 25 D1
Roverino (IM) 50 D3
Roversano (FO) 49 F1
Roversella (MN) 37 D2-3
Rovescala (PV) 34 C2
Rovesca (VB) 8 D2
Roveta (FI) 53 D3
Rovetino (AP) 64 E1
Roveto-Bimmisca, Stazione (SR) 124 D2
Roveto Chisone (TO) 30 B4
Roveto, Pantano (SR) 124 D2-3
Roveto (SR) 124 D2
Roveto, Val (AQ) 75 D1-2
Rovetta (BG) 11 F1
Roviano (ROMA) 74 B2
Roviasca (SV) 42 CD3
Rovieto (SV) 42 C4
Rovigliano (PG) 55 F2
Rovigliano, Scoglio (NA) 89 C1
ROVIGO 38 C2
Rovigo (TV) 26 A3
Rovina, Lago della (CN) 40 D4
Rovina, Ponte di (CN) 41 D1
Rovina, Vallone della (CN) 40 D4
Roóvio [CH] 9 F3
Rovitello (CT) 112 F3-4
Rovitello, Monte (AV) 84 D3
Rovizza (BS) 24 E2-3
Rovolo (MO) 46 D2
Rovolon (PD) 26 F1
Roya [F] 41 F1-2
Royéres (TO) 30 A1
Rozzampia (VI) 25 C4
Rozzano (MI) 22 E1
Rua dei Rossi (CN) 41 B2
Rua, Eremo di (PD) 26 F1-2
Rua la Cama, Forca (PG) 68 B4
Rua, La [F] 30 D2
Rua, Monte (AR) 69 E2
Ruan, Mont [CH] 6 C2
Ruata (CN) 30 E4
Ruata Eandi (CN) 31 E2
Ruata (TO) 30 C4
Ruata Volpe (CN) 41 B1
Rua (TV) 27 A1
Ruazzo, Monte (LT) 81 C4
Rubano (PD) 26 E2
Rubbianello (AP) 64 D2
Rubbianetta (TO) 31 A2-3
Rubbiano (PR) 35 F2
Rubbiara (MO) 47 A1
Rubbia [YUI] 29 C3
Rubbio (VI) 26 B1
Rubiana (TO) 31 A1-2
Rubicone, Fiume 49 F2
Rubiera (RE) 46 A3
Rubina, Masseria (PA) 109 F2
Rubini, Ca (BR) 95 C2
Rubino, Casa (FG) 78 F1
Rubino, Lago (TP) 108 F2
Rubino (ME) 112 E4
Rubizzano (BO) 37 F3
Rucce (AN) 62 A4
Rúccolo, Cerro (CB) 77 E3
Rucconi, Masseria (CH) 76 B4
Rucorvo (BL) 14 B4
Rudalza, Stazione (SS) 127 D3
Rudas, Cantoniera (SS) 128 B2
Ruda (UD) 28 C4
Rudedu, Monte (SS) 128 B1
Ruderhof/Spitze [A] 2 A4
Ruderi (GR) 66 D1
Rudia (LE) 95 E3
Rudiano (BS) 23 D2
Rudnig [A] 5 B1
Rudo, Monte (BZ) 4 E3
Rueddos, Case sos (SS) 127 F2
Ruera (CN) 30 E4
Rue (TO) 30 C4
Ruetz, Fiume 2 A4
Ruéglio (TO) 19 D4
Rufeno, Monte (VT) 67 A1
Ruffano (LE) 100 D2
Ruffia (CN) 31 E2
Ruffignano (AR) 61 B3
Ruffi, Monti (ROMA) 74 C2
Ruffini, Borgo (AN) 57 F2
Ruffino, Cascina (TO) 19 F4
Ruffio (FO) 49 F1
Ruffrè (TN) 13 B1
Rufina (FI) 54 C2
Rufione, Molino di (PI) 59 B2
Ruga, La (LE) 100 C2
Rugarlo (PR) 35 F1
Ruggero, Colle (CB) 77 E4
Ruggiano (FG) 79 E1-2
Ruggiano (LE) 100 E3
Ruggiero, Monte (CS) 102 D4
Rughe, Monte (SS) 128 D4
Rugolo (TV) 15 F1
Rúia, Isola (NU) 130 B4
Ruina (FE) 38 D2
Ruinas (OR) 132 B2
Ruineri, Nuraghe (NU) 132 D3
Ruinette, La [CH] 7 E1
Ruino (PV) 34 D2
Ruioch, Monte (TN) 13 B2
Ruiu, Case (SS) 126 F2
Ruiu, Monte (SS) 126 E2
Ruiu, Monte (SS) 127 E3
Ruiu, Monte (SS) 128 C3
Ruiu, Nuraghe (NU) 129 E2
Rúiu (OR) 129 E3
Ruja, Punta (SS) 127 D3
Rúju, Nuraghe (NU) 130 E1
Rùju, Nuraghe (SS) 129 B4
Ruju, Monte (SS) 129 B1
Rullato (FO) 55 B2
Rúlu, Monte (SS) 127 C1
Rumasinu, Punta (SS) 125 E1-2
Rumianca (VB) 8 E2
Rumiod (AO) 19 A1
Rumo (TN) 2 F3
Runara, Nuraghe (SS) 128 B4
Runaz (AO) 18 A4
Runchia (UD) 5 F3
Runci (RC) 114 C2
Runco (FE) 38 F2
Runo (VA) 9 E1
Runzi (RO) 37 D4
Ruosina (LU) 52 A2
Ruoti (PZ) 91 C2
Rupafredda [YUI] 9 A4
Rupa (GO) 29 B2
Rupe Atenea (AG) 118 E3
Rupecanina (FI 54 B2
Rupestri, Chiese (MT) 92 C4
Rupingrande (TS) 29 C3
Rupoli (PS) 56 D3
Rupo (TE) 70 B1
Ruscada, Pizzo di [CH]8 C4
Ruscello (AR) 54 F4
Ruscello (FO) 55 B2
Ruscello, Monte (NA) 88 B2-
Rúcio (PG) 68 BC4
Ruscletto (UD) 16 F2-
Russa, Pizzo (ME) 112 D4
Russa (TO) 19 D3
Russenna, Piz (BZ) 1 C4
Russi, Masseria (CH) 77 AB1
Russi (RA) 48 D4
Russo, Casa (CL) 123 B1
Russo [CH] 9 C1
Russo,Masseria (FG) 78 E1
Russo,Masseria (FG) 79 F1
Russo, Monte (ME) 112 E3
Russo, Monte (SS) 126 B4
Rusta, Case (MN) 37 B1
Rustano (MC) 63 C2
Rustega (PD) 26 D3
Rusteghino (PC) 34 F4
Rustica, La (ROMA) 73 C3
Rustica, Poggio della (GR) 66 A1
Rútici (AP) 63 E4
Rustico (AN) 57 F2
Rustigazzo (PC) 35 E1
Rustigne (TV) 27 B2-3
Ruta (GE) 44 C1
Ruta (BI) 20 C2
Rutignano (BA) 87 F4
Rutino (SA) 96 A2
Ru (TO) 19 E1
Rutor, Lago del (AO) 18 B3
Rutor, Testa di (AO) 18 B3-4
Rutte (CN) 32 F2
Rutte Crac [YUI] 17 E4
Rutte (UD) 17 B2
Ruviano (CE) 83 D2
Ruvo del Monte (PZ) 91 B1
Ruvo di Puglia (BA) 86 E4
Ruvula, Monte (CT) 120 A4
Ruzza, La (FI) 53 A4
Ruzza, Monte (AQ) 69 E4
Ruzzano (PR) 45 B4
Rzelj [YUI] 17 F4

S

Saane, Fiume 6 A4
Saas/Almagell [CH] 7 D4
Saas/Balen [CH] 7 C4
Saaser Vispa, Fiume 7 C4
Saas Fee [CH] 7 D4
Saas/Grund [CH] 7 B4
Saas, Punta di (VB) 8 D1
Saastal [CH] 7 CD4
Sabadi (CA) 136 B2-3
Sabatina, La (GR) 60 F2
Sabatini, Monti (ROMA) 73 A1
Sabato, Fiume 89 B4
Sabáudia, Lago di (LT) 80 D4
Sabáudia (LT) 80 C4
Sabba Salida, Nuraghe (SS) 129 A3
Sabbatino, Punta (NU) 127 E4
Sabbia Silicea, Cava di (GR) 60 EF1-2
Sabbia, Val (BS) 24 C1-2
Sabbia (VC) 8 F2
Sabbie Bianche (VV) 104 D2
Sabbieta (MC) 63 C2
Sabbio Chiese (BS) 24 C1
Sabbionara (TN) 25 B1
Sabbioncello San Pietro (FE) 38 E2
Sabbioncello San Vittone (FE) 38 E2
Sabbione, Lago di (VB) 8 A3
Sabbione, Punta del (VB) 8 A3
Sabbione (RE) 46 A3
Sabbioneta (MN) 36 C2
Sabbioni (BO) 47 D3
Sabbioni, Ca' (VE) 26 E4
Sabbioni (FE) 38 D1-2
Sabbioni (MN) 36 C2
Sabbioni, Punta (VE) 27 E2
Sabbioni (RO) 38 CD4
Sabbioni (VI) 25 F4
Sabbioni (VR) 36 A4
Sabbion (VR) 25 F3
Sabbiuno (BO) 47 C2-3
Sabbucina, Monte (CL) 119 C2
Sabetta, Lago (SA) 97 B1
Sabina, Punta (SS) 125 C2
Sabina (RI) 68 EF2-3
Sabine, Villa le (LI) 59 C1
Sabini, Monti (RI) 68 EF3
Sabion, Monte (TN) 12 D3
Sable [YUI] 29 B3
Saboni, Cala de (CA) 134 E2-3
Sabotino, Monte [YUI] 29 A2
Sacca (BS) 11 F3
Sacca (MN) 36 A3
Sacca (MN) 36 C4
Sacca (PR) 36 D1
Saccarello, Monte [F] 41 E2-3
Sacca Sessola (VE) 27 EF1
Saccheddu, Case (SS) 125 F3
Saccheddu, Monte (SS) 126 BC4
Sacchet (BL) 14 B2
Saccione (AR) 61 A2
Saccione, Fiume 77 E4
Sacco (BL) 14 B4
Sacco (BZ) 3 C3
Sacco, Fiume 74 F4
Saccolongo (PD) 26 E2
Saccol (TV) 26 A3-4
Sacco, Monte (FO) 48 F2
Sacconago (VA) 21 C3
Saccone (TN) 25 B1
Sacco (SA) 90 F4
Sacco (SO) 10 D2-3
Saccovéscio (PG) 63 F2
Saccuti (RC) 115 E1
Sacerno (BO) 47 B2
Sacile (PN) 15 F1
Saciletto (UD) 28 B4
Sacra, Isola (ROMA) 73 E1
Sacri Cuori (AP) 64 D3
Sacro Eremo di Camaldoli (AR) 54 C4
Sacrofano (ROMA) 73 B2
Sacrofano, Stazione di (ROMA) 73 B2
Sacro, Monte (FG) 79 E2-3
Sacro, Monte (ROMA) 73 C3
Sacro, Monte (SA) 96 B4
Sacro Monte (VC) 8 F2
Sacudello (PN) 28 B1-2
Sadali, Fiume 132 C4
Sadali (NU) 132 C4
Saddi, Pieve di (PG) 62 A1
Sadnig [A] 5 B3-4
Sadove [YUI] 29 A2-3
Sadurano (FO) 48 F3
Saepinum (CB) 83 B3
Saetta, Colle (CZ) 105 A3
Saetta, Lago di (PZ) 90 B4
Safforze (BL) 14 D4
Saffischtal (CH) 8 B2
Sagama (NU) 128 E4
Sagana (PA) 109 D1
Sagana, Ponte (PA) 109 D2
Sage, La [CH] 7 D2
Saggese, Casa (FG) 78 D3
Sagginale (FI) 54 B2
Saginara (SA) 90 D2
Sagittário (AQ) 75 C3
Sagliano Micca (BI) 20 C2
Sagliano (PV) 34 D1
Sagliasco (NO) 20 B4
Sagnes, Lac des [F] 40 B1-2
Sagoda [YUI] 29 A4
Sagrado (GO) 29 B1
Sagran, Monte (UD) 17 B1
Sagrata (PS) 56 E1-2
Sagritz [A] 5 B3
Sagro, Monte (MS) 45 F3
Sagron (TN) 14 D2
Sagròn, Piz di (TN) 14 B2
Saguedo (RO) 38 C1
Saiaccio (FO) 55 B2
Saiano (BS) 23 C3
Saiano (FO) 49 F1
Saiano, Monte (LT) 81 B1
Saia Randeci, Fiume 124 D2
Sailetto (MN) 36 C3
Saillon [CH] 6 C3
Saint Agnes [F] 50 D3
Saint André (AO) 7 F2
Saint André [F] 18 F1
Saint André [F] 50 D1
Saint Antoine [F] 30 F1
Saint Barthelemy (AO) 7 F1
Saint Barthélemy, Fiume 7 F1
Saint Bernard [CH] 6 B4
Saint Blaise [F] 50 C1
Saint Bon [F] 18 D1
Saint Colomban [F] 40 F4
Saint Cristophe (AO) 19 A2
Saint Dalmas Le Selvage [F] 40 C1-2
Saint Dalmas Valdeblore [F] 40 E3
Saint Denis (AO) 19 A3
Sainte Anne [F] 40 A1
Sainte Anne [FI 41 F1
Sainte Claire [F] 41 F1
Sainte Claire [FI 50 C1
Sainte Madeleine [F] 50 C2-3
Sainte Marguerite [F] 50 C1

Sainte Marguerite, Rifugio Chalet [F] 18 E2
Sainte Marie [F] 30 F1
Sainte Marie, Monte [F] 41 E1
Sainte Thecle [F] 50 D2
Saint Etienne de Tinée [F] 40 C2
Saint Furggen (AO) 7 E2
Saint German [CH] 7 B4
Saint Gingolph [F] 6 A1
Saint Guérin [F] 18 B1
Saint Isidore [F] 50 D1
Saint Jacques (AO) 7 F2-3
Saint Jean/Cap/Ferrat [F] 50 E2
Saint Jean [CH] 7 C2
Saint Jean, Col de [F] 50 C2
Saint Jean La Rivière [F] 40 F4
Saint Jeannet [F] 50 D1
Saint Laurent du Var [F] 50 E1
Saint Léonard [CH] 7 B1
Saint Luc [CH] 7 C2
Saint Marcel (AO) 19 A2
Saint Marcel [F] 18 C1
Saint Martin, Capo [F] 40 E3-4
Saint/Martin [CH] 7 C1
Saint Martin d'Entraunes [F] 40 D1
Saint Martin du Var [F] 50 C1
Saint Martin Vésuble [F] 40 E4
Saint Maurice (AO) 19 A1
Saint Maurice, Bourg [F] 18 B1-2
Saint Maurice [CH] 6 B3
Saint Nicolas (AO) 18 A4
Saint Niklaus [CH] 7 C3
Saint Oswald [A] 5 D1
Saint Ours, Rochers de [F] 40 A1-2
Saint Pancrace [F] 50 D1
Saint Pau [F] 30 F1
Saint Pierre (AO) 19 A1
Saint Pierre de Glages [CH] 6 C4
Saint Roch, Col de [F] 50 C2
Saint Roch [F] 40 D1
Saint Romain [CH] 7 B1
Saint Roman [F] 50 D1
Saint Sauveur [F] 40 E3
Saint Triphon [CH] 6 B2
Saint Veran [F] 30 E2
Saint Victor (AO) 19 B4
Saint Vincent (AO) 19 A3-4
Saionçhè, Cima (VC) 8 F1
Saipins (CB) 83 B3
Sairano (PV) 33 B4
Sáisera, Malga (UD) 17 C1
Sala al Barco (LC) 22 A3
Sala (AR) 54 CD4
Sala (AV) 89 B4
Sala Baganza (PR) 35 F4
Sala Biellese (BI) 20 D1
Sala (BL) 14 D4
Sala Bolognese (BO) 47 A2-3
Salabue (AL) 32 B3
Sala [CH] 9 E3
Salacio, Masseria (AG) 118 D2
Sala Comacina (CO) 9 EF4
Sala Consilina (SA) 91 F1
Sala (FI) 53 E2
Sala (FI) 54 ED1
Sala (FO) 49 F2
Salaiola (GR) 60 F3
Salaioli (GR) 66 B2
Salamina (BR) 94 A2
Salamone, Casa (AG) 118 E3
Salamone, Masseria (EN) 111 F2-3
Sala Monferrato (AL) 32 B4
Salamu Bruncu (CA) 135 A4
Salancia, Monte (TO) 30 A4
Salandra Gròttole, Stazione di (MT) 92 D2-3
Salandra (MT) 92 E2
Salandrella, Fiume 92 E2
Salanfe, Lac de [CH] 6 C2
Salaparuta (TP) 117 A2
Sala (PC) 34 C2
Salapia (FG) 86 B1
Sala (PV) 34 E1
Salara (AP) 64 F1
Salara (RO) 37 D3
Sala (RI) 69 C1
Sala, Ritugio (BL) 4 E4
Salarno, Lago di (BS) 11 E4
Salarola (CH) 76 A3
Salars (UD) 5 F3
Salasco (V€) 20 E3
Salassa (TO) 19 E3
Sala (TR) 67 A2
Salattu, Monte (SS) 129 A2
Sala (TV) 26 C4
Salbertrand (TO) 30 A2
Salboro (PD) 26 F2-3
Salce (BL) 14 E3
Salcedo (VI) 25 B4
Salceta, Stazione di (SI) 60 D3
Salcheto (SI) 61 D2
Salcido (AL) 33 C1
Salci (PG) 61 F2-3
Salcito (CB) 76 E4
Salcle, Monte (PG) 62 B3
Salcra (NU) 130 B2
Saldano, Monte (EN) 119 E4
Saldoni, Masseria (FG) 78 F3
Saldura, Fiume 2 D1
Saldura, Punta (Salurn/Sp.) (BZ) 2 D1
Sale (AL) 33 C2
Sale (BS) 23 B3
Sálea (SV) 42 E2
Salécchia Monte (FG) 85 D1
Salecchio (FI) 47 F4
Sale delle Langhe (CN) 42 BC2-3
Saleina, Cab. de [CH] 6 E3
Sale Marasino (BS) 23 B3
Salemi, Stazione di (TP) 108 F3
Salemi (TP) 108 F3
Salentine Mùrge (LE) 100 CD1-2
Salento (SA) 96 B3
Sale Porcus, Stagno (OR) 131 AB2
Salera (LU) 46 E1
Salerano Canavese (TO) 19 D4
Salerano sul Lambro (LO) 22 F2
SALERNO 89 C3
Salerno, Golfo di (SA) 89 DE2-3
Salerno, Piana di (SA) 89 D4
Salerno, Pozzo (TA) 94 C2
Sales (TS) 29 C3
Saléses, Capo de [F] 40 D3-4
Saléses, Refuge de [F] 40 D4
Saléses, Val di [F] 40 DE4
Sale, Torre del (LI) 59 E1
Saletta (FE) 38 DE2
Saletta (RI) 69 B2
Saletta (VC) 20 F4
Saletta, Villa (PI) 53 E1
Salette (AP) 64 C2
Saletto (BO) 47 A4
Saletto di Piave (TV) 27 C2
Saletto (PD) 37 A4
Saletto (PN) 28 B2
Saletto (UD) 16 C4
Salgareda (TV) 27 C2-3
Salgesch [CH] 7 B2
Saliano (CS) 102 EF2
Salica (KR) 106 A3
Salice (BS) 11 E3-4
Salice Calabro (RC) 114 C2
Salice (ME) 113 B2
Sálice Salentino (LE) 95 E2
Salice Terme (PV) 33 D4
Saliceta, Bosco della (MO) 37 E1
Saliceto Buzzalino (MO) 36 F4
Saliceto (CN) 42 B2
Saliceto di Chiaravalle (PC) 35 D2
Saliceto (ME) 112 C2
Saliceto Panaro (MO) 47 A1
Salici, Monte (EN) 120 A2
Salici, Pizzo (ME) 113 C1
Sálici, Punta (SS) 126 E3
Salignano (LE) 100 F3
Salimbeni, Villa (SI) 61 C1
Salina (CA) 134 D2
Salina, Canale della (ME) 111 A2-3
Salina (CS) 98 F1
Salina Grande (TA) 94 E1
Salina Grande (TP) 107 E4
Salina, Isola (ME) 111 A2-3
Salina (ME) 112 C2
Salina (MN) 36 D2
Salina Piccola (TA) 94 E1
Salinas, Torre (CA) 136 AB3
Salinchiêt, Monte (UD) 16 B3
Saline (CA) 134 D2
Saline (CA) 134 D4
Saline (CA) 135 C4
Saline, Cala (OR) 131 A2
Saline di Volterra (PI) 59 A3
Saline, Fiume 63 D4
Saline, Golto (SS) 127 B2
Saline Jóniche (RC) 114 F2
Saline Jóniche, Stazione (RC) 114 F2
Salinella, Lago (TA) 93 F2
Salinello, Fiume 70 A1
Saline (MC) 63 D4
Saline, Passo delle (CN) 41 D3
Saline (RO) 38 B2-3
Saline (SO) 10 C2
Saline, Stagno delle (CA) 136 AB3
Saline (TP) 107 EF4
Saline (VI) 25 F4
Saline (VT) 66 F4
Salino (SP) 44 D3
Salino (UD) 5 F4
Salins [CH] 7 BC1
Salioni, Cocuzzo (EN) 120 E1
Salionze (VR) 24 E3
Salippi, Punta (SS) 125 D1
Salisano (RI) 68 F3
Salito, Fiume 118 C4 119 C1 120 B2
Salito, Vallone (EN) 120 BC1
Salitto (SA) 90 C1
Sali Vercellese (VC) 20 EF4
Salivoli (LI) 59 E1
Salizole (VR) 37 A1
Salle, La (AO) 18 A4
Salle Nuova (PE) 75 A4
Salleret (AO) 19 B2
Salle Vecchia (PE) 75 A4
Salmaregia (PG) 62 C4
Salmenega (BL) 14 E2
Salmenta, Masseria (LE) 95 F1
Salm/H. [A] 5 A2
Salmone [CH] 9 C1
Salmour (CN) 31 F4
Saló (BS) 24 C2
Salogni (AL) 34 F1
Salomino (VC) 20 E2
Salomp, Monte (BZ) 2 F4
Salonetto (BZ) 2 E4
Salorno (Salurn) (BZ) 13 CD1
Salpi, Posta di (FG) 86 B1
Salsasio (TO) 31 D3
Salsa, Torre (AG) 117 E4
Salse di Nirano (MO) 46 B3-4
Salse (IM) 41 E3
Salso, Fiume 119 A4 122 A2
Sálsola, Fiume 84 B4
Salsomaggiore Terme (PR) 35 E2
Salsominore (PC) 34 F2
Salso, Monte (PR) 35 F2
Salso o Imera Meridionale, Fiume 119 EF1-2
Salso (PR) 35 E3
Saltafabbro (SI) 60 C4
Saltara (PS) 56 D3
Salterana (SP) 44 D3
Salterana (VC) 20 A2
Sálter (TN) 12 B4
Saltina, Fiume 8 B1
Saltino (FI) 54 D2
Saltino (MO) 46 C2
Salti, Pieve a (SI) 60 CD4
Salto, Bagni di (BZ) 2 E2
Salto, Col del (BZ) 3 E1
Salto di Quirra (CA) 133 E2
Salto, Fiume 74 A3
Salto (GE) 43 C4
Salto, Lago del (RI) 69 F1
Salto, Masseria il (CT) 120 E2
Salto (MO) 46 D4
Saltore (TV) 27 BC1
Salto (TO) 19 D3
Salt (UD) 16 F4
Sáltrio (VA) 9 F2
Saltúsio (Saltaus) (BZ) 2 D4
Salubio, Monte (TN) 13 E3
Saluci (CT) 121 B1
Saludecio (RN) 56 C2
Saluggia (VC) 20 F2
Salussola (BI) 20 D2-3
Salutio (AR) 54 E4
Salutio (AR) 55 DE1
Salutio, Fiume 54 E4
Saluzzo (CN) 31 EF1-2
Salvagny [F] 6 D1
Salvan [CH] 6 C2-3
Salvarano (RE) 46 A2
Salvarola, Terme di (MO) 46 B3
Salvarolo (VE) 27 B4
Salvarosa (TV) 26 C3
Salvarotonda (TV) 15 F1
Salvaterra (RE) 46 A3
Salvaterra (RO) 37 C4
Salvatico (PC) 35 D2
Salvatonica (FE) 37 D3-4
Salvatore dei Greci (ME) 113 B3
Salvatore, Santuario del (AV) 90 B1
Salvatronda (TV) 26 C3
Salve (LE) 100 E3
Salve Regina (FG) 85 D4
Salvéria, Monte (CL) 119 E3
Salviano (LI) 52 E2
Salvirola (CR) 23 F1
Salvitelle (SA) 90 D4
Salza di Pinerolo (TO) 30 C3
Salza Irpina (AV) 89 A4
Salzano (VE) 26 D4
Salzano (VR) 24 C4
Salzen (BL) 14 E1
Salzetto (TO) 19 C3
Salzola, Fiume 78 F3-4
Samali, Masseria (LE) 95 F2
Samarate (VA) 21 C3
Samaria [YUI] 29 B3
Samassi (CA) 132 F2
Samatzai (CA) 132 F3
Sambatello (RC) 114 CD2
Sambiase (CZ) 105 B1
Sambo (UD) 16 D4
Sambro, Fiume 47 E2
Sambruson (VE) 26 E4
Sambuca, Cala (SS) 127 A1
Sambuca di Sicilia (AG) 117 B3
Sambuca (FI) 53 E4
Sambuca, Passo (FI) 47 F4
Sambuca Pistoiese (PT) 46 F4
Sambucaro, Monte (FR) 82 B3
Sambuceto (CH) 71 D1
Sambuceto (PR) 44 B4
Sambucheto (MC) 63 B4
Sambucheto (TR) 68 B3-4
Sambuchetti, Monte (EN) 111 F2
Sambuchi (PA) 110 F1
Sambucina, Abbazia di (CS) 102 C2
Sambuci (ROMA) 74 C1-2
Sambuco (CN) 40 B3
Sambuco, Lago (CH) 9 A1
Sambuco, Monte (EN) 119 D4
Sambuco, Osteria (AQ) 69 D2
Sambucètole (TR) 68 C1
Sambughetto (VB) 8 F3
Sambughe (TV) 27 D1
Samburo, Monte (FG) 84 A2-3
Samedan (Samaden) [CH] 11 A1
Samöens [F] 6 C1
Samele (BA) 86 E1
Sammardénchia (UD) 16 E3
Sammartini (BO) 37 F2
Sammezzano (FI) 54 B2
Sammichele di Bari (BA) 93 A2-3
Samminiatello (FI) 53 D3
Sammomme (PT) 53 A2
Samnaun [CH] 1 B3
Samnaungruppe [A] [CH] 1 A3-4 B3
Samoclevo (TN) 12 B3
Samoggia (BO) 47 C1
Samoggia, Fiume 47 A2
Samoggia, Ponte (BO) 47 B1-2
Samolaco (SO) 10 C1-2
Samone (MO) 46 D4
Samone (TN) 13 E3
Samone (TO) 19 D4
Samo (RC) 114 D4
Samperone (PV) 21 F4
Sampeyre (CN) 30 F4
Sampierdarena (GE) 43 C2-3
Sampieri, C. (PD) 26 F4
Sampieri, Pizzo (PA) 118 A4
Sampieri (RG) 123 E3-4
Sampieri, Stazione di (RG) 123 E4
Samprogno (BL) 14 E3
Samugheo (OR) 132 B2
Sanalvo (SS) 127 E3
Sana, Ponte de la [F] 18 D3
Sanatório (CL) 119 D2
Sanatorio (KR) 103 D1
Sanatorio (LI) 52 E2
Sanatorio (RC) 114 C4
Sanatório (SO) 11 B3
Sanatorio (TV) 14 F2
San Bachisio (NU) 129 D2
San Bachisio (SS) 126 E3
San Bainzu, Colle (SS) 128 B4
San Barnaba (AP) 64 E2
San Barnaba (CN) 41 A2
San Barolometo, Colle (IM) 41 F4
San Baronto (PT) 53 C2
San Bartolo, Casa (AG) 117 C2
San Bartolo D. Montagne (VR) 25 CD2
San Bartolomeo al Mare (IM) 51 C3
San Bartolomeo (AT) 32 C1
San Bartolomeo (AT) 32 E2
San Bartolomeo (BG) 10 F4
San Bartolomeo [CH] 9 C2
San Bartolomeo (CN) 31 F4
San Bartolomeo (CN) 41 B4
San Bartolomeo (CN) 41 C2
San Bartolomeo (CO) 21 B4
San Bartolomeo de' Fossi (PG) 61 C4
San Bartolomeo (GE) 43 A3
San Bartolomeo in Bosco (FE) 38 F1
San Bartolomeo in Gualdo (BN) 84 B2
San Bartolomeo (ME) 112 A4
San Bartolomeo (RA) 48 B4
San Bartolomeo (RE) 36 F2
San Bartolomeo (ROMA) 74 C2-3
San Bartolomeo (SI) 61 D1
San Bartolomeo (TO) 30 C4
San Bartolomeo, Torre di (BA) 87 D2-3
San Bartolomeo (TV) 27 C2
San Bartolomeo Val Cavargna (CO) 9 D4
San Bartolomeo, Valle (AL) 33 C1
San Bartolomeo Valmara (BI) 9 D1
San Bartolomeo [YUI] 29 E2
San Bartolo (PS) 56 D3-4
San Basile, Casa (RG) 124 E1-2
San Basile (CS) 98 F2
San Basile (MT) 99 B1
San Basilio (CA) 132 F4
San Basílio (CA) 136 B1
San Basilio (ME) 112 D3
San Basilio (NU) 129 F4
San Basilio (OR) 129 F2
San Basilio (RO) 38 D1
San Basilio (ROMA) 73 C3
San Basilio, Serra (KR) 103 DE3
San Basilio (TA) 93 C3
San Basillo (MT) 93 F1
San Bassano (CR) 35 A1
San Bavello (FI) 54 B2-3
San Bellino (RO) 38 C1
San Benedetto, Alpe di (FI) (FO) 54 AB 3-4
San Benedetto (AQ) 69 F3
San Benedetto Belbo (CN) 42 B1-2
San Denedetto (BO) 37 F3
San Benedetto (BO) 47 A1-2
San Benedetto (BZ) 3 C3-4
San Benedetto (CA) 134 B4
San Benedetto, Castel (RI) 68 E3-4
San Benedetto (CS) 102 D1
San Benedetto dei Marsi (AQ) 75 C2
San Benedetto del Tronto (AP) 64 E3
San Benedetto in Alpe (FO) 54 B3
San Benedetto in Perillis (AQ) 75 A3
San Benedetto, Masseria (AG) 118 E3
San Benedetto, Masseria (MT) 92 E2-3
San Benedetto (PG) 62 A2
San Benedetto (PG) 62 B1-2
San Benedetto Po (MN) 36 C4
San Benedetto Querceto (BO) 47 E3
San Benedetto (RI) 68 F3
San Benedetto (SP) 44 E4
San Benedetto Ullano (CS) 101 C4
San Benedetto Val di Sambro (BO) 47 E2
San Benedetto Val di Sambro, Stazione (BO) 47 E2
San Benedetto (VR) 24 E3
San Benetto, Grotta di (AQ) 74 A4
San Benigno Canavese (TO) 19 F4
San Benigno (CN) 41 B2
San Bernardino [CH] 9 A4
San Bernardino (CN) 42 C1
San Bernardino (CR) 23 E1
San Bernardino, Fiume 8 E4
San Bernardino in Selva (RA) 48 B3
San Bernardino (NO) 21 D1
San Bernardino, Passo di [CH] 9 A4
San Bernardino (PC) 34 E4
San Bernardino (PS) 56 D2
San Bernardino (RE) 36 E3
San Bernardino, Stazione (RE) 36 E3
San Bernardino (TO) 31 B1
San Bernardino Verbano (VB) 8 E4
San Bernardino (VR) 25 F1
San Bernardo, Ca (CS) 102 D3-4
San Bernardo [CH] 9 C2
San Bernardo (CN) 31 F1
San Bernardo (CN) 31 F3
San Bernardo (CN) 41 A4
San Bernardo (CN) 41 BC1-2
San Bernardo, Colle (CN) 42 D1
San Bernardo, Colle del Piccolo (AO) 18 B3
San Bernardo, Colle (IM) 41 E3
San Bernardo (CZ) 105 A1
San Bernardo di Conio (IM) 41 F4
San Bernardo (GE) 43 B3
San Bernardo (GE) 44 D2
San Bernardo (LO) 22 F3
San Bernardo, Monte (CN) 41 A1
San Bernardo (VB) 8 D2
San Bernardo (SO) 10 D4
San Bernardo, Timpone (CS) 102 DE3-4
San Bernardo (TN) 12 B3
San Bernardo (TO) 20 D1
San Bernardo (TO) 31 D3
San Bernardo (TO) 32 A2
San Berniero (SA) 90 E1
San Bernofio (CN) 40 C2-3
San Bárbara (PA) 109 F3
San Biagio (AG) 118 E3
San Biagio (AN) 57 F3
San Biagio (AN) 63 A4
San Biàgio (AV) 89 B4
San Biagio (BL) 4 E2
San Biágio, Casa (RG) 123 D3
San Biágio, Casa (SR) 120 F3-4
San Biagio, Casa (VT) 67 B2
San Biagio (CN) 41 A2
San Biagio (CN) 41 B3
San Biagio, Cocuzzo (PA-AG) 117 B3
San Biagio della Cima (IM) 50 CD4
San Biagio della Valle (PG) 62 E1
San Biagio di Callalta (TV) 27 C2
San Biagio (FE) 37 D3-4
San Biagio (FE) 48 B2-3
San Biagio in Caprile (AN) 63 C1
San Biagio, Isola (BS) 24 D2
San Biagio (ME) 112 C4
San Biagio (MN) 36 C4
San Biàgio (MO) 37 E1
San Biagio (MT) 93 F1
San Biagio (PA) 117 B3
San Biágio Platani (AG) 118 C2
San Biagio (PD) 26 F2
San Biagio (PV) 33 A3-4
San Biagio (PV) 34 C1
San Biagio (PZ) 97 D3
San Biagio (RA) 48 E3
San Biagio (RE) 36 F3-4
San Biagio (SA) 90 F1
San Biagio Saracinisco (FR) 75 F4
San Biagio, Serre (AG) 118 C2
San Biagio (SI) 61 D1
San Biagio, Torre (GR) 66 DE1
San Biagio (VE) 27 B4
San Biágiu (SS) 126 C3-4
San Biase (CB) 77 E1
San Biase (CS) 101 E4
San Boldo, Passo di (BL) 14 F3
San Bonico (PC) 34 C4
San Bonifacio (VR) 25 F3
San Bonónio (VC) 20 B3
San Bortolo (PD) 38 B2
San Boseto (PR) 35 D3
San Bovio (MI) 22 D2
San Briccio (VR) 25 E2
San Brizio (MN) 36 A3
San Brizio (PG) 68 A2-3
San Bruno (CH) 76 C4
San Bruno (RC) 114 E3
San Bruzio (GR) 66 C1
San Cataldo, Bagni (PZ) 91 C1-2
San Calógero (AG) 118 C2
San Calógero (VV) 104 E3
San Calogero (AG) 117 C3
San Calogero, Monte (PA) 110 E1-2
San Calogero, Terme di (ME) 111 B2-3
San Candido (Innichen) (BZ) 4 D3
San Canzian d'Isonzo (GO) 29 C1
San Carlo (AL) 33 D3
San Carlo (AT) 32 C4
San Carlo (AT) 32 E2-3
San Carlo Canavese (TO) 19 F3
San Carlo (CE) 82 C3
San Carlo [CH] 11 B2
San Carlo [CH] 8 A1
San Carlo [CH] 9 A1
San Carlo d'Ascoli (FG) 85 E3
San Carlo (FE) 37 E3
San Carlo (FO) 48 F4
San Carlo (GE) 43 B2
San Carlo (LI) 59 D1
San Carlo (NO) 21 A1
San Carlo (VB) 8 E1-2
San Carlo (PA) 117 B4
San Carlo (RC) 114 EF3
San Carlo (SO) 10 D3
San Carlo (SO) 1 F2
San Carlo, Terme (MS) 45 F3
San Casale (PA) 109 F3
San Casciano dei Bagni (SI) 61 F2
San Casciano in Val di Pesa (FI) 53 D4
San Casciano, Lago di (SI) 61 F2
San Casciano (CE) 63 D3
San Cassiano (AN) 62 B4
San Cassiano (AR) 55 D1
San Cassiano (AR) 61 A3
San Cassiano, Cima (Kassian/Sp.) (BZ) 3 D2
San Cassiano di Livenza (PN) 27 A3
San Cassiano, Fiume 4 E1
San Cassiano (LE) 100 CD3
San Cassiano (LU) 52 A4
San Cassiano (MC) 63 C1
San Cassiano (MN) 24 F2
San Cassiano (MN) 36 A2
San Cassiano (RA) 48 F1
San Cassiano (RO) 38 C3
San Cassiano (St. Kassian) (BZ) 4 E1
San Cassiano Valchiavenna (SO) 10 C2
San Castrese (CE) 82 D2
San Cataldo (CE) 82 B3
San Cataldo (CL) 119 D1
San Cataldo (CS) 103 B2
San Cataldo, Faro (BA) 87 DE3
San Cataldo (FR) 81 A4
San Cataldo (LE) 95 E4

San Cataldo, Masseria (EN) 119 C3
San Cataldo, Masseria (IS) 76 F2
San Cataldo (MN) 36 C3-4
San Cataldo (PA) 109 D1
San Cataldo, Stazione di (CL) 119 D1
San Catarinella, Pizzo (ME) 111 E2
San Caterina (CT) 121 B2
San Caterina, Monte (TP) 107 E3
San Caterina Villarmosa (CL) 119 C2
San Centignano (VT) 67 E4
San Cesárea Terme (LE) 100 D4
San Cesareo (ROMA) 73 D4
San Cesario di Lecce (LE) 95 F3
San Cesario sul Panaro (MO) 47 B1
San Chiaffredo (CN) 41 A2
San Chiaffredo, Santuario di (CN) 30 E4
San Chiara, Cocuzzo (EN) 120 C2
San Chiara (TP) 116 F1
San Chierlo (BO) 47 C2
San Chirico, Masseria (FG) 78 F4
San Chirico Nuovo (PZ) 91 C4
San Chirico Raparo (PZ) 98 B1
San Cipirello (PA) 109 E1
San Cipriano (BL) 14 C2
San Cipriano d'Aversa (CE) 82 F4
San Cipriano (GE) 43 B3
San Cipriano (PI) 53 F1
San Cipriano Picentino (SA) 89 C4
San Cipriano Po (PV) 34 B2
San Cipriano (PS) 56 D1
San Cipriano (TV) 27 D2
San Claudio al Chienti (MC) 64 B1
San Claudio (AP) 64 C2
San Clemente al Vomano (TE) 70 C3
San Clemente (BO) 47 D4
San Clemente (CE) 82 C3
San Clemente (CE) 83 F2
San Clemente (FI) 54 D2
San Clemente (RN) 56 B2
San Clemente in Valle (AR) 54 E3
San Clemente, Isola (FG) 78 D2
San Clemente (RI) 69 C1
San Clemente (VE) 27 E1
San Colombano al Lambro (LO) 34 A3
San Colombano Belmonte (TO) 19 E3
San Colombano (BS) 24 B1
San Colombano Certénoli (GE) 44 C2
San Colombano, Corno di (SO) 1 F2-3
San Colombano (FI) 53 C3-4
San Colombano (FO) 48 F3-4
San Colombano (LU) 52 B4
San Colombano (TO) 30 A2
San Colombo (AQ) 69 E4
San Cono (CT) 119 E4
San Cono (VV) 104 DE3
San Cono (ME) 113 C2
San Corrado di Fuori (SR) 124 C2
San Cosimo (BR) 94 D4
San Cósimo, Monte (AQ) 75 B4
San Cosimo (NU) 129 E4
San Cosma (AQ) 69 D2
San Cosma (PD) 38 A2
San Cosmo Albanese (CS) 102 B2
San Cosmo (CT) 121 B2
San Costantino Albanese (PZ) 98 C3
San Costantino (BZ) 3 F2-3
San Costantino Calabro (VV) 104 E3
San Costantino (ME) 112 C2
San Costantino (PZ) 97 C2
San Costanzo, Monte (NA) 88 D4
San Costanzo (PS) 56 D4
San Crescentino (PS) 56 F1
San Cresci (FI) 53 E4
San Cresci (FI) 54 B1
San Crispieri (TA) 94 E2
San Crispo, Fiume 132 B1
San Cristofero (NU) 129 F4
San Cristoforo (AL) 33 F2
San Cristoforo al Lago (TN) 13 E1
San Cristoforo (AR) 55 E1
San Cristoforo (CH) 76 C4
San Cristoforo de'Valli (PS) 56 D2
San Cristoforo di Carda (PS) 55 E4
San Cristoforo (FO) 48 F3
San Cristoforo (NU) 133 C1
San Cristoforo (TR) 61 F3
San Cristolu (CA) 133 F1
San Cusmano (SR) 121 F2
San Cusumano, Tonnara (TP) 108 D1
San Dalmazio (MO) 46 C4
San Dalmazio (SI) 60 B2
San Dalmázio (PI) 59 B3-4
Sandalo, Capo (CA) 134 D1
San Damaso (MO) 47 A1
San Damiano al Colle (PV) 34 C2
San Damiano d'Asti (AT) 32 D2
San Damiano (FO) 55 B2-3
San Damiano Macra (CN) 40 A4
San Damiano (PC) 34 D4
San Damiano (PG) 62 D3
San Damiano (PG) 68 A1
San Damiano (SV) 42 F1
San Dana (LE) 100 E3
San Daniele del Friuli (UD) 16 E2
San Daniele, Monte [YUI] 29 A2-3
San Daniele (NU) 132 C3
San Daniele Po (CR) 35 C3
Sanda (SV) 42 C4
San Demetrio, Monte (RC) 114 E2
San Demétrio Corone (CS) 102 B2
San Demétrio ne' Vestini (AQ) 69 F4
San Desiderio (AL) 33 D4
San Desiderio (AT) 32 C3
San Desiderio (GE) 43 C3
Sandetole (FI) 54 BC2-3
San Didero (TO) 30 A4
Sandigliano (BI) 20 CD2
Sandkopf [A] 5 A3
Sandolo (FE) 38 F2
San Doménica, Casa (CT) 120 F2
San Doménica Vittoria (ME) 112 E3
San Domenico (AN) 57 F3
San Doménico (AQ) 75 C3
San Domenico (BA) 86 D2
San Domenico (CH) 76 A2-3
San Domenico (CH) 76 C2
San Domenico [CH] 9 B4
San Domenico, Colle (CS) 102 F3
San Domenico (FR) 75 E1-2
San Domenico, Masseria (BA) 93 A2
San Domenico, Masseria (BR) 94 D4
San Doménico, Masseria (TA) 93 D2
San Domenico, Monte (AV) 84 E2
San Domenico (VB) 8 C3
San Doménico, Monte (CH) 76 C2
San Dómino, Isola (FG) 78 A3
San Dónaci (BR) 95 D1
San Donato a Livizzano (FI) 53 D3
San Donato (AN) 62 A4
San Donato (AQ) 74 B4
San Donato (AR) 54 C4
San Donato (AR) 55 D3
San Donato (BL) 13 E4
San Donato (BN) 84 E2
San Donato, Casa (SI) 59 B4
San Donato (CE) 82 D3
San Donato di Lecce (LE) 95 F3
San Donato di Ninea (CS) 98 F1
San Donato (FI) 53 E3
San Donato (FI) 53 E4
San Donato (FI) 54 D2
San Donato (GR) 66 C1
San Donato in Avane (FI) 54 E2
San Donato in Collina (FI) 54 D1
San Donato in Taviglione (PS) 56 C1
San Donato Milanese (MI) 22 E2
San Donato (PD) 26 C2
San Donato (PS) 55 B2-3
San Donato (PS) 56 D2
San Donato (PZ) 91 F2
San Donato (SA) 97 B2
San Donato (SI) 53 F2-3
San Donato (TA) 94 E1
San Donato Val di Comino (FR) 75 E3
San Donato Vécchio (GR) 65 C4
San Donino (BO) 47 A3
San Donnino a Maiano (AR) 61 A3
San Donnino (AN) 56 F3-4
San Donnino (BO) 47 B3
San Donnino di Liguria (RE) 46 A3
San Donnino (FI) 53 C3-4
San Donnino (FI) 53 E3
San Donnino (LU) 45 E4
San Donnino (MO) 47 B1
San Donnino (PI) 53 F1
San Dono (PD) 26 D3-4
San Donà di Piave (VE) 27 C3
Sandon (VE) 26 F4
San Dorligo della Valle (TS) 29 E3-4
Sandra (VR) 24 E3-4
Sandrigo (VI) 26 C1
Sanduti (RC) 114 AB3
Sanetschpass [CH] 6 A4
Sanetschsee [CH] 6 A4
Sanárica (LE) 100 C3
San Fabiano (AR) 55 F1
San Fabrizio, Monte (AQ) 74 B2
San Fantino (KR) 106 B2
Sanfatúcchio (PG) 61 D3
San Faustino (BS) 24 C1
San Faustino (PG) 62 AB2
San Faustino (RE) 36 F3
San Faustino (TR) 67 A3
San Faustino, Villaggio (PG) 68 B1
San Febbronia (CT) 120 E3
San Fedele Intelvi (CO) 9 E3
San Fedele (SI) 54 F1
San Fedele (SV) 42 F2
San Fedelino (CO) 10 C2
San Fede (TO) 32 A2
San Fele (PZ) 90 B4
San Felice a Cancello (CE) 83 F2
San Felice al Lago (BG) 23 B2
San Felice (AN) 62 A4
San Felice (AQ) 69 F3
San Felice (AV) 89 A3
San Felice, Borgo (VI) 25 D4
San Felice, Cala di (FG) 79 D4
San Felice (CE) 82 C4
San Felice Circeo (LT) 81 D1
San Felice (CR) 35 B3
San Felice del Benaco (BS) 24 D2
San Felice del Molise (CB) 77 D1-2
San Felice (PG) 61 D3
San Felice (PG) 62 F3
San Felice, Piano (BA) 92 B2
San Felice (PT) 53 A2
San Felice (SI) 60 A3
San Felice sul Panaro (MO) 37 E1-2
San Felice, Taverna (CE) 82 C3-4
San Felice (TN) 13 E2
San Felice (TO) 31 B4
San Felice, Valle (TN) 25 A1
San Feliciano (PG) 61 D4
San Ferdinando (CE) 83 D1-2
San Ferdinando di Puglia (FG) 86 C1-2
San Ferdinando (RC) 104 F2
San Fereolo (LO) 22 F3
San Fermo (AL) 43 A4
San Fermo (BL) 14 E3
San Fermo (BS) 24 D2
San Fermo, Corna di (BS) 11 F2-3
San Fermo della Battaglia (CO) 21 A4
San Fermo (MN) 36 B2
San Fermo (VA) 21 A3
San Fidenzio, Abbazia (PG) 68 A1
San Filastro (BG) 23 C2
San Fili (CS) 101 D4
San Filippo, Bagni (SI) 61 E1
San Filippo, Calvario (RG) 123 D4
San Filippo (CN) 31 E1
San Filippo, Cocuzzo (PA) 109 F2
San Filippo, Cocuzzo (PA) 118 A3
San Filippo (CS) 101 C3
San Filippo del Mela (ME) 113 C1
San Filippo e Giacomo (TP) 108 F1
San Filippo (FI) 53 F3-4
San Filippo (FR) 74 F4
San Filippo (LU) 52 C4
San Filippo (PS) 56 D4
San Filippo (RC) 114 E2
San Filippo (RI) 68 E3
San Filippo (ROMA) 74 E3
San Filippo (SS) 126 D3
San Filippo, Superiore/Inferiore (ME) 113 C2
San Filippo (SV) 42 B3
San Filippo (VE) 28 C2
San Filo (CZ) 105 B4
San Fiorano (LO) 35 B1
San Fiorano (PS) 56 E1
San Fior di Sopra/di Sotto (TV) 27 A2
San Firenze (AR) 55 F1
San Firmano, Abbazia di (MC) 64 B1
San Firmino (CN) 31 E1
San Flavia (PA) 109 D4
San Floreano (UD) 16 E3
San Floriano (BL) 14 EF4
San Floriano (BZ) 13 C1
San Floriano del Collio (GO) 29 A2
San Floriano (PN) 15 F3
San Floriano (TV) 26 C3
San Floriano (TV) 27 C1
San Floriano (VR) 24 D4
San Floritano, Lago (GR) 66 D1-2
San Floro (CZ) 105 C2
San Foca (LE) 100 A3
San Foca (PN) 15 E3
San Fortunato (AN) 63 A1
San Fortunato della Collina (PG) 62 D1
San Fortunato (RN) 56 A1
San Fortunato (PG) 61 EF4
San Fortunato (PG) 62 F3
San Fortunato (VI) 25 BC4
San Forzorio (CA) 136 C1
San Francesco al Campo (TO) 19 F3
San Francesco (AV) 84 E2-3
San Francesco (AV) 90 B1-2
San Francesco, Convento (SA) 90 F1
San Francesco del Deserto (VE) 27 E2
San Francesco (FI) 54 C1-2
San Francesco (GR) 66 B3-4
San Francesco (LE) 100 E3
San Francesco, Masseria (BA) 86 C3
San Francesco (NU) 129 E4
San Francesco (NU) 130 C2
San Francesco (PN) 15 C4
San Francesco (RI) 68 D3
San Francesco (ROMA) 74 C2
San Francesco (ROMA) 74 D2
San Francesco, Santuario di (CS) 101 D3-4
San Francesco (SI) 81 D1
San Francesco (SI) 81 E2
San Francesco (SS) 125 F4
San Francesco (TA) 93 C3
San Francesco (TA) 93 D2
San Francesco (TN) 13 E2
San Francesco (TP) 116 F1-2
San Francesco (BI) 20 C2-3
San Francesco (VR) 25 C1-2
San Franco, Monte (AQ) 69 D3
San Fratello, Fiume 111 E3-4
San Fratello (ME) 111 D3-4
San Fratello, Monte (ME) 111 D4
Sanfré (CN) 31 E4
Sanfront (CN) 31 E1
San Fruttuoso (GE) 43 D4
San Fruttuoso (MI) 22 C2
San Gabriele (BO) 47 A4
San Gabriele, Monte [YUI] 29 A2
San Gabriele (PC) 34 D3
San Gabriele, Santuario (TE) 70 D1
San Gabriele (VR) 37 A1
San Gaetano (CA) 136 C1
San Gaetano (TV) 26 B4
San Gaetano (VE) 28 D1
San Gaetano (VI) 26 Al
San Gaetano (VT) 67 D2
San Galgano (SI) 60 C1
San Gallenkirck [A] 1 A1
San Gallo (BG) 22 A4
San Gallo (BS) 23 D4
San Gallo, Masseria (EN) 119 E2
San Gallo, Monte (BS) 24 A1
Sangano (TO) 31 B2
San Gaudenzio a Campoli (FI) 53 E4
San Gaudenzio a Ruballa (FI) 53 E3
San Gaudenzio (VI) 25 E4
San Gaudénzio (PV) 33 BC4
San Gavino a Mare (SS) 125 E3
San Gavino (FI) 53 A4
San Gavino Monreale (CA) 132 F1
San Gavino (NU) 129 E1
San Gavino (SS) 125 F3
San Gavino (SS) 126 DE3
San Gemignano (LU) 52 A4
San Gemiliano (CA) 135 B3
San Gemiliano, Marina (NU) 133 B3
San Gemiliano, Torre (NU) 133 B3-4
San Gemini, Fonte (TR) 68 C2
San Gemini (TR) 68 C1-2
San Genesio Atesino (Jenesien) (BZ) 3 EF1
San Genesio (LC) 22 B3
San Genesio ed Uniti (PV) 34 A1
San Genesio (San Genesius) (BZ) 4 E1
San Genesio (TO) 32 A1
San Gennarello (NA) 89 B1
San Gennaro (BN) 84 D1
San Gennaro (FR) 75 F4
San Gennaro (LU) 52 B4
San Gennaro, Torre (BR) 95 D2-3
San Gennaro Vesuviano (NA) 89 B1-2
San Genuário (VC) 20 F2-3
San Germano (AL) 32 B4
San Germano (AQ) 76 B1
San Germano Chisone (TO) 30 C4
San Germano dei Berici (VI) 25 EF4
San Germano Vercellese (VC) 20 E3
San Gerolamo (AT) 32 F3
San Gerolamo, Fiume 135 D3
San Gerólamo (PG) 62 B3
San Gervasio Bresciano (BS) 23 F3
San Gervasio (PI) 53 E1
San Gervasio (PS) 56 E3
San Gervasio (UD) 28 C3
San Giacomo (AL) 33 F1
San Giacomo (CH) 77 B1
San Giacomo, Cima (BZ) 3 D2
San Giacomo (CN) 31 E3
San Giacomo (CN) 40 B4
San Giacomo (CN) 41 C2-3-4
San Giacomo (CN) 41 D1
San Giacomo, Convento (RI) 68 D4
San Giacomo (CS) 101 C4
San Giacomo (CS) 103 B1
San Giacomo d'Acri (CS) 102 B3
San Giacomo d'Asliasco (CN) 30 E4
San Giacomo degli Schiavoni (CB) 77 C3
San Giacomo delle Sesgate (MN) 37 B1
San Giacomo del Martignone (BO) 47 A2
San Giacomo di Fraele (SO) 1 E2
San Giacomo di Musestrelle (TV) 27 C1
San Giacomo (FI) 47 F2
San Giacomo (FO) 55 B1
San Giacomo, Lago di (SO) 1 E2-3
San Giacomo Lovara (CR) 35 B3
San Giacomo, Masseria (BR) 94 C3-4
San Giacomo (MI) 21 E4
San Giacomo (MN) 24 F2
San Giacomo, Monte (FR) 74 E4
San Giacomo (NU) 130 A3
San Giacomo, Passo di (VB) 8 A4
San Giacomo (PE) 76 B1
San Giacomo (PG) 68 A3
San Giacomo Po (MN) 36 C4
San Giacomo (PV) 34 B2
San Giacomo (RE) 36 D3
San Giacomo Roncole (MO) 37 E1
San Giacomo (SO) 10 B2
San Giacomo (SO) 11 D2
San Giacomo (SS) 126 E2
San Giacomo (SS) 127 D2
San Giacomo (SS) 129 B2
San Giacomo, Stazione (FG) 78 D4
San Giacomo (St. Jakob) (BZ) 3 B3
San Giacomo (St. Jakob) (BZ) 3 F1
San Giacomo (St. Jakob in Ahrn) (BZ) 4 A2
San Giacomo (SV) 42 E3
San Giacomo (TN) 12 B3-4
San Giacomo (TO) 19 D2
San Giacomo (TO) 19 F3
San Giacomo (TV) 14 F4
San Giacomo (TV) 27 D2
San Giacomo (UD) 15 D4
San Giacomo, Valle (SO) 10 AB1
San Giacomo (BI) 20 C2-3
San Giacomo (VC) 20 F2
San Giacomo Vercellese (VC) 20 D4
San Giacomo (VI) 26 B2
San Giacomo [YUI] 29 C4
Sangiaimo, Casa (EN) 119 AB4
San Gianni (AR) 55 D3
Sangiano (VA) 9 F1
Sangiatto, Monte (VB) 8 B3
San Gillio (TO) 31 A2
San Gimignanello (SI) 61 C1
San Gimignano (SI) 53 F2-3
San Ginese (LU) 52 C4
Sangineto (CS) 101 B2-3
Sangineto Lido (CS) 101 B2
San Ginésio (MC) 63 D1-2
San Giobbe (BO) 47 AB2
San Giogio di Livenza (VE) 27 C4
San Giorgi (CS) 102 C2
San Giorgio a Colonica (PO) 53 C3
San Giorgio a Gremano (NA) 88 B4
San Giorgio (AL) 33 E4
San Giorgio Albanese (CS) 102 B3
San Giórgio Aliri (FR) 82 B2
San Giorgio al Tagliamento (VE) 28 C2
San Giorgio a Molara (BN) 84 D2
San Giórgio (AT) 32 B2
San Giorgio (BA) 87 E1
San Giorgio (BA) 87 E3-4
San Giorgio, Bruncu (NU) 132 A3
San Giorgio (BS) 24 F1
San Giorgio (CA) 135 D3
San Giorgio Canavese (TO) 19 E4
San Giorgio, Cantoniera (CA) 133 E3
San Giorgio, Case (SS) 125 F2
San Giorgio, Castello (LI) 58 B1-2
San Giorgio (CE) 83 D1
San Giorgio (CH) 9 F2-3
San Giorgio (CN) 41 B1
San Giorgio (LC) 10 F1
San Giorgio (CT) 121 C1
San Giórgio, Cocuzzo (SR) 121 F1
San Giorgio delle Pertiche (PD) 26 D3
San Giorgio del Richinvelda (PN) 15 E3
San Giorgio del Sannio (BN) 84 EF1
San Giorgio di Lomellina (PV) 33 A2
San Giorgio di Mantova (MN) 36 B4
San Giorgio di Nogaro (UD) 28 C3-4
San Giorgio di Pésaro (PS) 56 D4
San Giorgio di Piano (BO) 47 A3
San Giorgio di Susa (TO) 30 A4
San Giorgio (EN) 120 B1
San Giorgio, Fattoria (SS) 128 A3
San Giorgio, Fiume 133 E2
San Giorsgio (FO) 48 E4
San Giorgio (FO) 49 E1
San Giorgio in Bosco (PD) 26 D2
San Giorgio in Brenta (PD) 26 D2
San Giorgio in Cepar (RA) 48 E2
San Giorgio in Salici (VR) 24 E4
San Giórgio Jónico (TA) 94 D2
San Giorgio Lucano (MT) 98 C3
San Giorgio (ME) 112 C2
San Giorgio (ME) 113 B2
San Giorgio Monferrato (AL) 32 B4
San Giorgio, Montagna di (BN) 84 C2
San Giórgio, Monte (AG) 118 D1
San Giorgio, Monte (EN) 120 B2
San Giorgio, Monte (SV) 42 C4
San Giorgio, Monte (TO) 31 B2
San Giórgio Morgeto (RC) 115 B1
San Giorgio (PG) 69 A1
San Giorgio Piacentino (PC) 35 D1
San Giorgio, Ponte (AL) 43 A2
San Giorgio (PS) 56 C2
San Giorgio (PT) 53 B2
San Giorgio (RE) 36 D3
San Giorgio (RI) 69 C2
San Giorgio Scarampi (AT) 32 F3
San Giorgio (St. Georgen) (BZ) 4 C1
San Giorgio su Legnano (MI) 21 C3
San Giorgio (SV) 42 D3
San Giorgio (TE) 69 C4
San Giórgio (TE) 70 D2
San Giórgio (TP) 118 B4
San Giorgio (UD) 16 C4
San Giorgio (VC) 20 C3
San Giórgio (VI) 25 B3
San Giórgio (VI) 26 B1-2
San Giórgio (VI) 26 BC1
San Giórgio (VR) 24 D4
San Giorgio, Villa (TR) 67 AB3
San Giovannello (CB) 83 A4
San Giovannello (EN) 119 C4
San Giovanni a Corazzano (PI) 53 E2
San Giovanni (AL) 33 C1
San Giovanni alla Vena (PI) 52 D4
San Giovanni al Natisone (UD) 29 A1
San Giovanni al Timavo (TS) 29 C2
San Giovanni (AN) 56 F3
San Giovanni (AN) 63 A2
San Giovanni (AP) 64 F1
San Giovanni (AP) 69 B3
San Giovanni a Piro (SA) 97 CD1
San Giovanni (AQ) 69 D2
San Giovanni (AQ) 69 F4
San Giovanni (AR) 61 B1-2
San Giovanni a Teduccio (NA) 88 B4
San Giovanni (BA) 92 A3
San Giovanni Battista (MO) 36 D4
San Giovanni Battista (SV) 42 C4
San Giovanni (BG) 10 E3
San Giovanni Bianco (BG) 10 F3
San Giovanni (BN) 83 F4
San Giovanni Bosco (CT) 121 B2
San Giovanni (BS) 23 C3
San Giovanni (BZ) 3 E1-2
San Giovanni (BZ) 3 E3-4
San Giovanni (CA) 134 B3
San Giovanni (CA) 135 B2
San Giovanni (CA) 136 A3
San Giovanni (CB) 77 DE1
San Giovanni (CN) 31 F4
San Giovanni (CN) 41 AB4
San Giovanni (CN) 41 D2
San Giovanni, Colle (CH) 76 BC4
San Giovanni, Col (TO) 19 F1
San Giovanni, Convento (CB) 83 A4
San Giovanni (VV) 104 E2-3
San Giovanni (VV) 104 E3
San Giovanni (CZ) 105 A3
San Giovanni d'Asso (SI) 60 C4
San Giovanni dei Prati (IM) 41 F3
San Giovanni del Dosso (MN) 37 D1
San Giovanni della Fossa (RE) 36 E3
San Giovanni della Valle (IM) 41 F3
San Giovanni delle Contee (GR) 66 A4
San Giovanni del Tempio (PN) 15 F1-2
San Giovanni di Baiano (PG) 68 B2
San Giovanni di Galermo (CT) 121 C1
San Giovanni di Gerace (RC) 115 B2
San Giovanni di Livenza (PN) 15 F1-2
San Giovanni di Querciola (RE) 46 B2
San Giovanni di Sarrala (NU) 133 D3
San Giovanni (FE) 38 F3-4
San Giovanni, Fiume 127 D2
San Giovanni, Fiume 8 E4
San Giovanni (FR) 74 E4
San Giovanni (FR) 75 F1
San Giovanni Gémini (AG) 118 B3
San Giovanni Govoni (CN) 41 B4
San Giovanni, Grotta (BR) 94 C4
San Giovanni, Grotta (PE) 76 A1
San Giovanni, Grotte di (CA) 134 B4
San Giovanni Ilarione (VR) 25 D2
San Giovanni in Argentella (ROMA) 73 B4
San Giovanni in Cárico (FR) 81 B4
San Giovanni in Croce (CR) 36 BC1
San Giovanni in Cárico, Lago di (FR) 81 A4
San Giovanni in Fiore (CS) 102 E4
San Giovanni in Fonte (FG) 85 D3-4
San Giovanni in Fonte (SA) 91 F1

San Giovanni In Galdo (CB) 77 F1-2
San Giovanni in Galilea (FO) 55 A4
San Giovanni in Ghiaiolo (PS) 56 D1
San Giovanni in Marignano (RN) 56 B2
San Giovanni in Monte (VI) 25 E4
San Giovanni in Offaga (PS) 56 E2
San Giovanni in Persiceto (BO) 47 A2
San Giovanni in Petra (PS) 55 D4
San Giovanni in Pozzuolo (PS) 56 D1
San Giovanni in Strada (AP) 64 E3
San Giovanni in Triario (BO) 47 A4
San Giovanni in Venere (CH) 71 F3
San Giovanni (IS) 76 F2
San Giovanni La Punta (CT) 121 C1
San Giovanni, Lido (LE) 100 D1
San Giovanni, Lido (SS) 128 B2
San Giovanni Lipioni (CH) 76 D4
San Giovanni Lupatoto (VR) 25 F1
San Giovanni Maggiore (FI) 54 AB1
San Giovanni (ME) 112 BC4
San Giovanni (ME) 113 B2
San Giovanni (MN) 36 B4
San Giovanni, Monte Arcu (NU) 133 D1
San Giovanni Montebello (CT) 121A2
San Giovanni, Monte (CA) 134 B4
San Giovanni, Monte (FG) 77 F3
San Giovanni, Monte Campano (FR) 75 F1
San Giovanni (MT) 92 B2
San Giovanni (NO) 21 C2
San Giovanni (NU) 130 A4
San Giovanni (NU) 130 C1
San Giovanni (NU) 130 D2
San Giovanni (NU) 130 D3
San Giovanni (NU) 133 E1
San Giovanni Nuovo (AQ) 75 D1-2
San Giovanni (OR) 129 F1-2
San Giovanni (OR) 132 B1
San Giovanni (PA) 110 EF1-2
San Giovanni Pagánica (AQ) 69 D2
San Giovanni (PC) 34 E4
San Giovanni (PE) 70 D4
San Giovanni (PG) 62 D3
San Giovanni (PG) 62 E3
San Giovanni, Pieve (AR) 54 F4
San Giovanni (PN) 15 E3
San Giovanni (PN) 15 F1
San Giovanni (PN) 15 F3
San Giovanni, Ponte (SR) 120 F4
San Giovanni (PS) 56 C1
San Giovanni (RC) 114 D2
San Giovanni (RE) 46 B1
San Giovanni Reatino (RI) 68 E3-4
San Giovanni (RI) 69 B2
San Giovanni (ROMA) 74 C3
San Giovanni Rotondo (FG) 79 E1
San Giovanni (SA) 89 C4
San Giovanni (SA) 96 B2
San Giovanni, Sale (CN) 42 B1
San Giovanni, Santuario di (BI) 20 B2
San Giovanni (SI) 60 AB3
San Giovanni, Sinis (OR) 131 C2
San Giovanni (SR) 124 C2
San Giovanni (SS) 125 F3
San Giovanni (SS) 126 C4
San Giovanni (SS) 126 E1
San Giovanni (SS) 127 C2
San Giovanni (SS) 127 E1
San Giovanni (SS) 129 B1
San Giovanni, Stagno di (OR) 131 D3
San Giovanni (St. Johann in Ahrn) (BZ) 4 B1
San Giovanni Suérgiu (CA) 134 D4
San Giovanni (SV) 42 F2
San Giovanni (TA) 94 B1
San Giovanni Teatino (CH) 71 E1
San Giovanni (TN) 12 F3
San Giovanni (TN) 13 B4
San Giovanni (TO) 18 F3
San Giovanni (TO) 19 D4
San Giovanni (TO) 30 D4
San Giovanni (TO) 31 B1
San Giovanni (TO) 31 D2
San Giovanni (TO) 31 D3
San Giovanni (TO) 32 B1
San Giovanni, Torre (LE) 100 E1
San Giovanni Tufariello (BN) 83 E4
San Giovanni (TV) 26 A4
San Giovanni (TV) 27 B3
San Giovanni Valdarno (AR) 54 E2
San Giovanni, Valle (TE) 70 C1
San Giovanni (VR) 25 C1
San Giovenale (PG) 62 D4
San Giovenale (RI) 69 C1
San Giovenale, Zona Archeologica (VT) 67 F1-2
San Girio (MC) 64 A2
San Girolamo (AP) 64 D2
San Girolamo, Fiume 133 CD1
San Girolamo (NU) 133 C1
San Giàcomo (TE) 70 C3
San Giuliano a Mare (RN) 49 F3
San Giuliano, Convento di (AQ) 69 E3
San Giuliano di Púglia (CB) 77 E3
San Giuliano (GO) 28 D4
San Giuliano, Lago di (MT) 92 D3-4
San Giuliano Milanese (MI) 22 E2
San Giuliano nel Sánnio (CB) 83 B3-4
San Giuliano Nuovo (AL) 33 D2
San Giuliano (PC) 35 C2
San Giuliano (SR) 121 F1-2
San Giuliano Terme (PI) 52 C3
San Giuliano (VE) 27 E1
San Giuliano Vecchio (AL) 33 D2
San Giuliano (VT) 66 E4
San Giuliano (VT) 67 F2
San Giulio (AT) 32 D2
San Giulio (NO) 20 A4
San Giuseppe (AG) 119 E1
San Giuseppe al Lago (BZ) 13 B1
San Giuseppe (AP) 64 E3
San Giuseppe (BS) 23 D2
San Giuseppe (CN) 41 B3-4
San Giuseppe della Chiusa (TS) 29 D3
San Giuseppe (FE) 39 F1
San Giuseppe (FR) 75 F1
San Giuseppe, Grotta di (SS) 129 B2-3
San Giuseppe Jato (PA) 109 E1-2
San Giuseppe (LI) 59 A1
San Giuseppe, Masseria (BR) 94 B4
San Giuseppe, Masseria (LE) 100 B2
San Giuseppe (MC) 63 C3
San Giuseppe (NU) 130 B3
San Giuseppe (PA) 110 F4
San Giuseppe (PI) 59 B2
San Giuseppe, Pizzo (CL) 119 E2
San Giuseppe, Ponte di (PA) 109 F4
San Giuseppe (RI) 68 C4
San Giuseppe (SI) 61 D2
San Giuseppe (SO) 10 C4
San Giuseppe (SV) 42 C3
San Giuseppe (TA) 94 E3-4
San Giuseppe (TP) 108 C2
San Giuseppe (TV) 27 C1
San Giuseppe Vesuviano (NA) 89 B1-2
San Giustino (PG) 55 EF2
San Giustino Valdarno (AR) 54 E3
San Giusto alle Monache (SI) 60 A3
San Giusto a Montalbino (FI) 53 E3
San Giusto, Borgo (FG) 85 B1
San Giusto Canavese (TO) 19 E4
San Giusto (PO) 53 B3
San Giusto in Salcio (SI) 54 F1
San Giusto (MC) 63 D2
San Giusto (OR) 131 B3
San Giusto (PI) 52 D3
San Giusto (RO) 39 C1
San Giusto (VE) 28 C1
San Giusto (VT) 67 B1
San Glisente (BS) 23 A4
San Godenzo (FI) 54 B3
Sangone, Fiume 31 B1
San Gottardo (LC) 22 B2
San Gottardo (BS) 23 D4
San Gottardo (SO) 1 F3-4
San Gottardo (UD) 16 F4
San Gottardo (VC) 8 F2
San Gottardo (VI) 25 E4
San Grado [YUI] 29 B2
San Gratignano (PG) 62 C1
San Grato (AO) 18 D3
San Grato (CN) 41 B3
San Grato (LO) 22 F3
San Grato (TO) 19 E4
San Grato (TO) 31 D3
San Grée (CN) 41 D4
San Gregorio (AQ) 69 E4
San Gregorio (BR) 94 D3
San Gregorio (CA) 136 B1-2
San Gregório (CO) 10 D1
San Gregorio da Sassola (ROMA) 74 C1
San Gregório di Catania (CT) 121 C2
San Gregorio d'Ippona (VV) 104 E3
San Gregorio Matese (CE) 83 C1-2
San Gregório Magno (SA) 90 CD4
San Gregorio (ME) 112 C1
San Gregorio nelle Alpi (BL) 14 E2-3
San Gregorio (PC) 34 F3
San Gregorio (PG) 62 D3
San Gregório (RC) 114 E1-2
San Gregorio, Torre (LE) 100 F3
San Gregorio (VR) 25 F3
San Grisante (VC) 20 F2
San Grisógono (MC) 64 C1
San Guglielmo, Abbazia (AV) 90 A2
San Guido (LI) 59 C1
Sangro, Fiume 75 E3
Sangro, Fiume 76 D2
Sangro, Lago di (CH) 76 C3
Sangro, Sorgente del (AQ) 75 D3
Sangro, Torre di (FG) 79 DE3
Sanguarzo (UD) 17 F1
Sanguignano (PV) 33 D4
Sanguigna (PR) 36 D1
Sanguinara, Cala (FG) 79 D4
Sanguinaro, Ponte (TR) 68 D1-2
Sanguinaro (PR) 35 E3
Sanguineto (PG) 61 C3
Sanguinetto (VR) 37 B2
Sanguini, Cantoniera Pranu (CA) 132 F4
San Gusmé (SI) 60 A4
Sanico (AL) 32 B3
San Isidoro (PA) 109 E4
Sanità, Madonna della (PG) 61 E3
Sankt Daniel [A] 5 DE4
Sankt Egiden [A] 17 A4
Sankt Jacob i. Lesachtal [A] 5 D3
Sankt Jakob [A] 17 B4
Sankt Johann, im Walde [A] 5 B1
Sankt Leonhard im Pitztal [A] A2
Sankt Lorenzen [A]5 D2
Sankt Moritz/Bad [CH]10 A4
Sankt Moritz [CH] 10 A4
Sankt Moritz, Lago di [CH] 11 A1
Sankt Nikolaus [A] 5 B1
Sankt Ruprecht [A] 17 A3
Sankt Stefan [A] 17 A1
San Larentu (SS) 129 C1
San Latino (CR) 23 F1
San Lauro (CS) 101 B4
San Lazzaro (AP) 64 F2
San Lazzaro, Casa (VT) 67 C1
San Lazzaro (CN) 31 F1-2
San Lazzaro di Savena (BO) 47 C3
San Lazzaro (FI) 53 E3
San Lazzaro (MC) 63 C3
San Lazzaro (MN) 36 A2
San Lazzaro (PC) 34 C4
San Lázzaro (PG) 63 F1
San Lazzaro (PR) 35 E4
San Lazzaro (PS) 56 D2-3
San Lazzaro Reale (IM) 41 F4
San Lazzaro (SA) 89 D2
San Lazzaro (TV) 27 C1
San Lazzaro (VI) 25 D4
San Leo (AR) 54 F4
San Leo (AR) 55 F2
San Leo Bastia (PG) 61 B4
San Leo, Case (SR) 120 F4
San Leolino (AR) 54 F2-3
San Leo, Monte (PS) 55 D4
San Leo, Monte (SA) 90 F2
San Leonard (AO) 6 F3
San Leonard (BZ) 4 E1
San Leonardello (CT) 121 B2
San Leonardo al Lago (SI) 60 B2
San Leonardo (BZ) 3 D3-4
San Leonardo (CB) 77 D3
San Leonardo, Cocuzzo (CL) 119 CD1-2
San Leonardo (CS) 98 F1
San Leonardo (KR) 106 A3
San Leonardo de siete Fuentes (OR) 128 F4
San Leonardo di Cutro (KR) 106 B2
San Leonardo di Siponto (FG) 79 F1
San Leonardo (FG) 85 E3
San Leonardo (PO) 53 B3-4
San Leonardo, Fiume 110 E1
San Leonardo (GR) 66 B4
San Leonardo in Passiria (St. Leonhard in Passeier) (BZ) 2 C4
San Leonardo in Schiova (FO) 48 E4
San Leonardo (ME) 112 C2
San Leonardo, Monte (CE) 82 C4
San Leonardo, Monte (SS) 127 C1
San Leonardo, Monte [YUI](TS) 29 C2-3
San Leonardo (MT) 92 F4
San Leonardo (NU) 130 E1
San Leonardo, Passo (AQ) 76 B1
San Leonardo (PV) 34 B1
San Leonardo (RC) 114 F2
San Leonardo (SA) 89 D3-4
San Leonardo (SS) 126 F4
San Leonardo, Stazione (SS) 127 D1
San Leonardo (TN) 25 C1
San Leonardo, Torre (BR) 94 A3
San Leonardo (TP) 107 F4
San Leonardo (UD) 17 F1
San Leonardo Valcellina (PN) 15 E2
San Leone Bagni (AG) 118 F3
San Leonino (SI) 60 A2
San Leopardo (MC) 64 A1
San Leopoldo (UD) 16 B4
San Leo (PS) 55 B3
San Leo (RC) 114 E2
San Leucio (CB) 77 D2
San Léucio (CE) 83 E1
San Leucio del Sannio (BN) 83 E4
San Liberale (VE) 27 D1-2
San Liberato, Lago di (TR) 68 D1
San Liberato (MC) 63 D3
San Liberato (RI) 68 D4
San Liberato (ROMA) 72 A4
San Liberato (TR) 68 D1
San Libório (AQ) 75 D4
San Ligório (LE) 95 E3
San Limato, Torre (CE) 82 E2
San Litardo (PG) 61 E3
San Loppina, Casa (SR) 124 D2
San Lorenzello (BN) 83 D3
San Lorenzo (AL) 33 D4
San Lorenzo al Lago (MC) 63 DE3
San Lorenzo al Lanzo, Abbazia (GR) 60 DE2
San Lorenzo alle Corti (PI) 52 D3
San Lorenzo al Mare (IM) 51 C2
San Lorenzo a Mare (SI) 60 C2
San Lorenzo a Montalbano (SI) 59 BC4
San Lorenzo (AN) 56 EF4
San Lorenzo (AN) 57 F4
San Lorenzo a Pagnatico (PI) 52 D3
San Lorenzo (AQ) 69 E3
San Lorenzo (AR) 55 F2
San Lorenzo (AR) 61 C3
San Lorenzo Aroldo (CR) 35 C4
San Lorenzo a Vaccoli (LU) 52 C3
San Lorenzo Bellizzi (CS) 98 E3
San Lorenzo (BG) 23 A2
San Lorenzo (BO) 47 C2
San Lorenzo (BO) 47 C4
San Lorenzo, Capo (CA) 133 F3
San Lorenzo, Casa (CA) 135 A3-4
San Lorenzo, Casa (PI) 59 A3
San Lorenzo, Cascine (ROMA) 80 A1
San Lorenzo, Certosa (SA) 97 A2
San Lorenzo (CH) 77 A1
San Lorenzo (CN) 30 E4
San Lorenzo (CN) 31 C3
San Lorenzo (CN) 31 D4
San Lorenzo (CN) 31 F3
San Lorenzo (CN) 41 B1
San Lorenzo (CN) 41 C1-2
San Lorenzo, Convento (FR) 74 D3
San Lorenzo, Convento (PZ) 90 B4
San Lorenzo, Cuile (SS) 125 D1
San Lorenzo del Vallo (CS) 102 A1
San Lorenzo de' Picenardi (CR) 35 B4
San Lorenzo di Rabatta (PG) 62 C1-2
San Lorenzo di Sebato (St. Lorenzen) (BZ) 4 C1
San Lorenzo, Fattoria (SR) 124 E2
San Lorenzo (FG) 79 C3
San Lorenzo (FG) 84 C4
San Lorenzo (FI) 53 E3
San Lorenzo (GE) 44 C1
San Lorenzo (GR) 60 F4
San Lorenzo Guazzone (CR) 36 B1
San Lorenzo (IM) 50 D3
San Lorenzo in Banale (TN) 12 E3
San Lorenzo in Campo (PS) 56 E3-4
San Lorenzo In Collina (BO) 47 C2
San Lorenzo In Colpolina (MC) 63 D2
San Lorenzo in Correggiano (FO) 56 A1
San Lorenzo Isontino (GO) 29 B1
San Lorenzo (LI) 59 D2
San Lorenzo Lo Vécchio, Stazione (SR) 124 D2
San Lorenzo (LT) 82 D2
San Lorenzo Maggiore (BN) 83 D3-4
San Lorenzo (MC) 63 B3
San Lorenzo (MC) 63 D4
San Lorenzo (MI) 21 C4
San Lorenzo (MN) 36 B3
San Lorenzo (MN) 36 D4
San Lorenzo (MO) 37 F1
San Lorenzo (MO) 46 B4
San Lorenzo, Monte (SS) 126 F1
San Lorenzo (VB) 8 D2
San Lorenzo (NU) 130 A3-4
San Lorenzo Nuovo (VT) 67 B2
San Lorenzo (PA) 109 C2
San Lorenzo (PC) 35 D1-2
San Lorenzo (PG) 62 D2
San Lorenzo (PG) 62 F4
San Lorenzo (PN) 15 B2
San Lorenzo (PN) 15 F3
San Lorenzo, Podere (GR) 65 A3
San Lorenzo, Ponte (VI) 26 A2
San Lorenzo (RA) 48 C3
San Lorenzo (RC) 114 E3
San Lorenzo (RI) 74 A2
San Lorenzo (SO) 11 D2
San Lorenzo (SS) 125 F4
San Lorenzo (SV) 42 C3
San Lorenzo (SV) 42 E2
San Lorenzo, Timpa (CS) 98 E2-3
San Lorenzo (TO) 19 D2
San Lorenzo (TR) 61 F3
San Lorenzo (TR) 68 E2
San Lorenzo (TV) 14 F4
San Lorenzo (UD) 15 F4
San Lorenzo (UD) 28 A4
San Lorenzo (UD) 29 C1
San Lorenzo Vécchio (PG) 62 E3-4
San Lorenzo (VI) 13 F3
San Luca (AL) 43 A1
San Luca (CH) 76 B3-4
San Luca, Fiume 63 D2
San Luca (MC) 63 D2
San Luca (MS) 45 F2
San Lucano, Monte (BL) 14 C2
San Lucano, Pale di (BL) 14 C2
San Lucano, Val di (BL) 14 C2
San Luca (PD) 38 B2-3
San Luca (PG) 62 F3
San Luca (RC) 114 D4
San Luca, Serra (PZ) 98 A1
San Luca (TO) 31 D1
San Luca (TV) 26 C4
San Luca (VI) 26 B1
San Lucchese (SI) 53 F3
San Luciano (AR) 61 AB1
San Lúcido (CS) 101 D3
San Lucido, Stazione (CS) 101 D4
San Lucio (BG) 23 A2
San Lugano (BZ) 13 C2
San Luigi, Costa (CN) 42 B1
San Luigi (IM) 41 E4
San Luigi, Ponte (IM) 50 D3
San Luigi (RI) 68 F2
San Lupo (BN) 83 D3
Sanluri (CA) 132 EF2
Sanluri (CA) 132 F1-2
Sanluri, Stazione (CA) 132 F2
San Lussorgiù (SS) 128 C3-4
San Lussorio (CA) 135 A3
San Lussorio (NU) 133 C2
San Lussorio (NU) 129 E1
San Lussurgeddu (OR) 131 A3-4
San Lussurgiu (NU) 132 B3
San Lussurgiu (OR) 132 B1
San Macario in Monte (LU) 52 B3
San Macario in Piano (LU) 52 B3
San Macario (VA) 21 C3
San Macário, Isola (CA) 135 E3
San Magno (CN) 41 C2
San Magno (LT) 81 C3
San Magno, Santuario di (CN) 40 B3
San Magnò (BA) 86 F3-4
San Mamante (RA) 48 E3
San Mamete (CO) 9 E3
San Mamiliano (LI) 58 E2
San Mango d'Aquino (CZ) 104 A4
San Mango Piemonte (SA) 89 C3-4
San Mango (SA) 96 AB2
San Mango sul Calore (AV) 84 F2
San Marcellino (CE) 82 F4
San Marcello (AN) 57 E1
San Marcello (MC) 63 D2
San Marcello Pistoiese (PT) 46 F3
San Marco (AP) 64 C3
San Marco (AQ) 69 E2
San Marco Argentano (CS) 101 B4
San Marco (BA) 94 A1
San Marco (BG) 10 E3
San Marco (BO) 47 B3
San Marco (CA) 134 B3
San Marco, Capo (AG) 117 D2
San Marco, Capo (OR) 131 C2
San Marco, Case (AG) 117 D2
San Marco (CE) 82 D3
San Marco (CE) 83 D1
San Marco (CE) 83 F2
San Marco (CH) 76 B3-4
San Marco (CT) 113 F1
San Marco (VV) 104 E3
San Marco d'Alúnzio (ME) 111 D4
San Marco dei Cavoti (BN) 84 C1
San Marco Evangelista (CE) 83 F1-2
San Marco, Fiume 102 A3
San Marco in Lamis, Stazione di (FG) 78 E3
San Marco in Lámis (FG) 78 E4
San Marco la Cátola (FG) 84 A2
San Marco, Masseria (FG) 85 D2
San Marco (MC) 63 D2
San Marco (ME) 112 D4
San Marco, Monte (AG) 118 D2-3
San Marco, Monte (BN) 84 C1-2
San Marco, Monte [YUI]29 B2
San Marco (VB) 8 D2
San Marco (OR) 128 E3
San Marco, Passo di (BG) 10 E3
San Marco (PD) 26 E2
San Marco (PG) 62 B3
San Marco (PG) 62 D1
San Marco, Ponte (BS) 24 E1
San Marco (RA) 48 D4
San Marco, Rifugio (BL) 4 F3
San Marco-Roggiano, Stazione di (CS) 102 B1
San Marco (SA) 90 F4
San Marco (SA) 96 A1
San Marco (SS) 128 A2
San Marco (TP) 108 D2
San Marco (TV) 26 C3
San Marco (UD) 16 F3
San Marco (VC) 20 D4
San Marco (VI) 25 D4
San Mariano (PG) 62 D1
SAN MARINO 55 B4
San Marino (BO) 47 A3
San Marino (MO) 36 E4
San Marino, Monte (ROMA) 74 F3
San Marino (PS) 56 D2
San Marino (TR) 61 F4
San Marino (VI) 26 A1
San Martino (AL) 32 B4
San Martino (AL) 33 E3
San Martino al Cimino, Stazione (VT) 67 E2-3
San Martino al Cimino (VT) 67 E3
San Martino al Faggio (AP) 63 E4
San Martino Alfieri (AT) 32 D2
San Martino alla Palma (FI) 53 D3-4
San Martino al Monte (BZ) 2 E2
San Martino al Tagliamento (PN) 15 F3
San Martino al Vento (SI) 54 F2
San Martino a Maiano (FI) 53 E3
San Martino (AP) 63 E4
San Martino (AP) 64 E2
San Martino (AP) 69 B3
San Martino (AQ) 69 E4
San Martino (AQ) 69 F4
San Martino (AR) 54 E2
San Martino (AR) 60 A4
San Martino a Scopeto (FI) 54 B2
San Martino a Toreggi (FI) 54 E1-2
San Martino a Ulmiano (PI) 52 C3
San Martino (AV) 84 F4
San Martino, Bagni di (SS) 128 A4
San Martino (BO) 48 C1
San Martino (BS) 24 C2
San Martino Buon Albergo (VR) 25 E1-2
San Martino Canavese (TO) 19 DE4
San Martino, Capo (GE) 43 C1-2
San Martino Carano (MO) 37 DE1
San Martino, Casino (BA) 87 E1
San Martino, Castello (LT) 81 B1
San Martino (CE) 82 CD3
San Martino (CH) 71 F1
San Martino (CN) 31 E1
San Martino (CN) 32 E2-3
San Martino (CO) 21 B4
San Martino, Colle (BN) 83 C4
San Martino, Colle (CB) 77 E1
San Martino d'Agri (PZ) 98 B1
San Martino dall' Argine (MN) 36 C2
San Martino dei Colli (PG) 61 D4
San Martino dei Mulini (FO) 55 A4
San Martino dei Muri (PS) 56 E2-3
San Martino del Carso (GO) 29 B1-2
San Martino Delfico (PG) 62 D1
San Martino della Battaglia (BS) 24 E2-3
San Martino del Lago (CR) 35 C4
San Martino delle Scale (PA) 109 D2
San Martino del Piano (PS) 55 E4
San Martino del Piano (PS) 56 D3
San Martino di Campagna (PN) 15 E2
San Martiino di Castrozza (TN) 14 C1
San Martiino di Finita (CS) 101 C4
San Martino di Lupari (PD) 26 C3
San Martino di Mugnano (MO) 46 AB4
San Martino di Pedriolo (BO) 47 D4
San Martiino di Terzo (UD) 28 C4
San Martino di Venezze (RO) 38 B2
San Martino di Villafranca (FO) 48DE3
San Martino (FE) 38 F1
San Martino (FG) 85 D3
San Martino (FO) 55 B2
San Martino (GE) 43 B2
San Martino (GE) 43 B4
San Martino Gusnago (MN) 36 A2
San Martino in Argine (BO) 468 B1
San Martino in Badia (St. Martin I. Thurn) (BZ) 3 D4
San Martino in Betiseto (CR) 35 A1-2
San Martino in Campo (PO) 53 C3
San Martino in Campo (PG) 62 DE1
San Martino in Casola (BO) 47 B1-2
San Martino in Colle (LU) 52 B4
San Martino in Colle (PG) 62 B2
San Martino in Colle (PG) 62 E1
San Martino in Converseto (FO) 55 A3-4
San Martino in Fiume (FO) 49 E1

San Martino in Freddana (LU) 52 B3
San Martino in Gattara (RA) 48 F1
San Martino in Gránia (SI) 60 B3
San Martino in Olza (PC) 35 C2
San Martino in Passiria (St. Martin in Pass.) (BZ) 2 C4
San Martino in Pénsilis (CB) 77 D4
San Martino in Poggio (AR) 54 F3-4
San Martino in Rio (RE) 36 F3
San Martino in Selvanera (PS) 55 D4
San Martino in Soverzano (BO) 47 A4
San Martino in Strada (FO) 48 E3
San Martino in Strada (LO) 22 F3
San Martino in Tremoleto (AR) 54 D3-4
San Martino in Trignano (PG) 68 B3
San Martino (LI) 58 E2
San Martino (LT) 81 C1-2
San Martino (LT) 81 C3
San Martino, Masseria (BA) 86 F1
San Martino (MC) 63 D4
San Martino (MC) 63 E1
San Martino (ME) 113 C1
San Martino (LO) 34 B4
San Martino (MO) 46 C3
San Martino (MO) 46 D4
San Martino Monte l'Abate (RN) 56 A1
San Martino, Monte (LT) 81 C4
San Martino, Monte (MO) 46 C3
San Martino, Monte (MT) 98 B4
San Martino Monteneve (BZ) 2 B4
San Martino (NO) 21 D2-3
San Martino Olearo (MI) 22 E2
San Martino, Pala di (TN) 14 C1
San Martino, Pale di (TN) 14 C1 D2
San Martino (PI) 59 AI
San Martino Piana, Stazione (CT) 121 D1
San Martino, Pizzo (VB) 8 E1
San Martino (PN) 15 C1
San Martino, Ponte (PC) 34 E2
San Martino, Portella (EN) 111 F2
San Martino (PR) 35 E4
San Martino (PR) 45 AB1
San Martino (PS) 56 D1-2
San Martino (PV) 33 BC2
San Martino (RC) 114 B4
San Martino (RE) 36 D3
San Martino (RE) 36 EF3
San Martino (Reinswald) (BZ) 3 D2
San Martino (RI) 69 E1
San Martino (SA) 90 C1
San Martino Sannita (BN) 84 EF1
San Martino Secchia (MO) 37 E1
San Martino (SI) 53 F4
San Martino Siccomario (PV) 34 B1
San Martino (SO) 10 C2
San Martino Sopr'Arno (AR) 54 E4
San Martino Spino (MO) 37 D2
San Martino, Stazione di (CB) 77 D3
San Martino (St. Martin) (BZ) 4 C3
San Martino sul Fiora (GR) 66 B3
San Martino (SV) 42 C4
San Martino (TN) 12 F3
San Martino (TO) 30 C4
San Martino (TO) 31 AB4
San Martino (TO) 31 D1
San Martino (TR) 68 B1
San Martino (TV) 26 B3
San Martino (UD) 15 F4
San Martino (VA) 9 F1
San Martino Valle Caudina (AV) 83 F4
San Martino (BI) 20 C3
San Martino [YUI] 29 A1-2
San Marzano di San Giuseppe (TA) 94 E2
San Marzano, Monte (BA) 86 E3
San Marzano Oliveto (AT) 32 E3
San Marzano (PC) 34 C2-3
San Marzano sul Sarno (SA) 89 B2
San Marzanotto (AT) 32 D3
San Marziale (SI) 60 A1
San Marzio (BZ) 2 D3
San Massimo all'Adige (VR) 24 E4
San Massimo (CB) 83 B2
San Massimo (CN) 31 E1
San Massimo (GE) 44 C1
San Massimo, Stazione di (CB) 83 A2
San Massimo (SV) 42 AB3
San Massimo (TE) 70 D1
San Matteo, Casa (FG) 78 D1
San Matteo, Case (FG) 78 E3
San Matteo (CN) 31 E4
San Matteo (CN) 41 B1
San Matteo, Colle (CH) 76 C3
San Matteo, Convento (FG) 78 E4
San Matteo delle Chiaviche (MN) 36 C2
San Matteo (FO) 55 A2
San Matteo (NU) 130 C1
San Matteo, Punta (TN) 12 B1
San Mattia (SA) 89 D4
San Maurizio al Lambro (MI) 22 D2
San Maurizio (BZ) 3 E2
San Maurizio Canavese (TO) 19 F3
San Maurizio (CN) 40 C4
San Maurizio (CO) 22 A1
San Maurizio di Monti (GE) 44 C1
San Maurizio d' Opaglio (NO) 20 A4
San Maurizio (NO) 8 E4
San Maurizio (RE) 36 F2-3
San Maurizio (BI) 20 C3-4
San Mauro a Mare (FO) 49 F2
San Mauro a Signa (FI) 53 C3
San Mauro (AV) 85 E1
San Máuro, Borgo (UD) 16 F4
San Mauro Castelverde (PA) 111 E1
San Máuro (CE) 83 D1
San Mauro Cilento (SA) 96 B2
San Mauro (CN) 41 BC1
San Mauro (CN) 41 C2

San Mauro di Saline (VR) 25 D2
San Mauro Forte (MT) 92 E2
San Mauro la Bruca, Stazione (SA) 96 C4
San Máuro la Bruca (SA) 96 C3
San Mauro (LE) 100 C1
San Máuro Marchesato (KR) 103 F2
San Mauro (MC) 63 B3
San Mauro, Monte (BL) 14 E2
San Mauro, Monte (CA) 132 E3
San Mauro (NU) 132 A3
San Mauro Pascoli (FO) 49 F2
San Mauro (SA) 89 C2
San Mauro (TE) 70 B2
San Mauro (TN) 13 D1
San Mauro Torinese (TO) 31 B4
San Mauro, Varco (SA) 102 C2
San Mauro (VE) 28 C2
San Menáio (FG) 79 C2
San Miai, Monte (CA) 134 C4
San Miali, Punta (CA) 135 A1
San Miceli (CS) 101 D3
San Michele, Abbazia (PZ) 91 A1
San Michele (AG) 118 E3
San Michele (AL) 33 C1
San Michele all'Adige (TN) 13 D1
San Michele al Tagliamento (VE) 28 C2
San Michele (AN) 57 F1
San Michele (AN) 63 B1
San Michele a Polvereto (FI) 53 E3-4
San Michele (AQ) 76 CD1
San Michele Arenas, Monte (CA) 134 D4
San Michele a Torri (FI) 53 D3
San Michele, Badia (BA) 93 B3-4
San Michele (BL) 13 F4
San Michele (BR) 94 C3
San Michele (BZ) 2 F4
San Michele (CA) 133 F2-3
San Michele Case (CA) 132 F1
San Michele (CB) 77 F2
San Michele (CE) 83 C1
San Michele (CH) 77 C1
San Michele (CL) 119 D1
San Michele (CN) 40 A3
San Michele (CN) 41 B1
San Michele (CZ) 105 B2
San Michele d'Asti (AT) 32 C1
San Michele de' Gatti (PR) 35 F3-4
San Michele dei Mucchietti (MO) 46 B3
San Michele delle Badesse (PD) 26 D3
San Michele delle Vigne (FG) 85 C4
San Michele di Basso (SA) 89 B3-4
San Michele di Ganzaria (CT) 120 E1
San Michele di Moriano (LU) 52 B3-4
San Michele di Pagana (GE) 44 C1
San Michele di Piave (TV) 27 B1
San Michele di Plaianu (SS) 125 F4
San Michele di Salvenero (SS) 129 A1
San Michele di Serino (AV) 89 B4
San Michele di Tiorre (PR) 35 F4
San Michele (FG) 79 C2
San Michele (FG) 86 C2
San Michele, Grotta (AV) 83 F3
San Michele (IM) 50 C3
San Michele in Bosco (MN) 36 B2
San Michele in Quarneto (RA) 4E1-2
San Michele in Teverina (VT) 67 C3
San Michele (IS) 76 A1
San Michele (LT) 80 B4
San Michele (LT) 81 C4
San Michele Mondovi (CN) 41 BC4
San Michele, Monte (BA) 87 A2
San Michele, Monte (FI) 54 E1
San Michele, Monte (GO) 29 B1-2
San Michele, Monte (PA) 109 E4
San Michele (NA) 89 D1-2
San Michele (RE) 36 F3
San Michele (VB) 8 B4
San Michele (OR) 129 F2
San Michele (PC) 34 E4
San Michele, Pizzo (SA) 89 B4
San Michele, Podere (BA) 92 A4
San Michele, Ponte (PA) 109 D4
San Michele (PS) 56 DE4
San Michele, Punta (CA) 134 B4
San Michele (RA) 48 C4
San Michele (RE) 36 E3
San Michele (RI) 68 F2
San Michele (ROMA) 73 B4
San Michele (SA) 89 D2
San Michele, Sacra di (TO) 31 A1
San Michele Salentino (BR) 94 C3
San Michele, Serra (FR) 74 C4
San Michele (SR) 124 B3
San Michele (SS) 127 B1
San Michele (SS) 127 C2
San Michele (SV) 42 B2-3
San Michele, Terme di (PI) 59 B3
San Michele (TO) 31 D3
San Michele (TP) 116 F1
San Michele (TS) 29 E3
San Michele (VA) 9 F1
San Michele (VE) 27 E2
San Michele, Villa (IS) 76 E2
San Michele (VR) 25 D2
San Michele [YUI] 29 E3
San Milanu, Fiume 134 D3
San Milanu, Nuraghe (OR) 132 CD3
San Miniato Basso (PI) 53 D2
San Miniato in Alpe (FI) 54 CD2-3
San Miniato (PI) 53 D2
San Miro al Monte (CO) 22 A2
San Moderanno, Fonte (PR) 45 B2
San Montano, Baia di (NA) 88 C1
San Morello (SA) 102 C2
San Morello (CS) 103 C1
San More, Monte (BO) 47 C3
Sannace, Monte (BA) 93 B2-3
San Nazario [CH] 9 D2
San Nazario (CN) 31 F4

San Nazário (SA) 89 B3
San Nazario (VI) 26 A1-2
San Nazaro (AL) 33 F4
San Nazzário, Masseria (FG) 78 D3
San Nazzário (SA) 96 C3-4
San Nazzario (SI) 60 C4
Sannazzaro de' Burgondi (PV) 33 B3
San Nazzaro (PC) 34 D3
San Nazzaro (PC) 35 C2
San Nazzaro (PR) 35 D4
San Nazzaro Sésia (NO) 20 D4
San Nazzaro Val Cavargna (CO) 9 D4
San Nicandro (AQ) 69 F4
Sannicandro di Bari (BA) 87 F2
Sannicandro di Bari, Stazione (BA) 87 F2
Sannicandro Gargánico (FG) 78 D3
San Nicándro (IS) 82 B4
San Niccolò (BO) 47 D2
San Niccolò di Celle (PG) 62 E1
San Niccolò (PC) 34 C4
San Niccolò, Val di (TN) 13 B4
San Nicola (AG) 118 E4
San Nicola (AQ) 69 E3
San Nicola (AQ) 69 F3
San Nicola Arcella (CS) 97 E3
San Nicola Atore, Casa (EN) 120 B3
San Nicola Baronia (AV) 84 E3
San Nicola, Borgo (LE) 95 E3
San Nicola (BZ) 3 B4
San Nicola, Casa (PA) 110 E3-4
San Nicola, Case (TP) 108 F2
San Nicola (CB) 83 B3
San Nicola (CH) 71 E2
San Nicola (CL) 119 D1
San Nicola (CS) 101 C4
San Nicola (CT) 112 F1
San Nicola (VV) 104 E2
San Nicola da Crissa (VV) 105 E1
San Nicola d'Arpi, Masseria (FG) 85 A2
San Nicola de Legistis (VV) 104 F3
San Nicola dell'Alto (KR) 103 DE2
San Nicola di Mazara, Stazione (TP) 116 C4
San Nicola, Fermata (PZ) 91 C2-3
San Nicola, Fiume 98 BC4
San Nicola, Grotta (FG) 79 C2-3
San Nicola, Isola (FG) 78 A3
San Nicola, L'Arena (PA) 110 D1
Sannicola (LE) 100 C1
San Nicola (LT) 81 C4
San Nicola Manfredi (BN) 84 E1
San Nicola, Masseria (BA) 92 A2
San Nicola, Masseria (BA) 85 A2
San Nicola, Masseria (BA) 85 C1
San Nicola, Masseria (TA) 94 D1
San Nicola (ME) 112 D2
San Nicola (ME) 113 B2
San Nicola, Monte (AQ) 75 B2
San Nicola, Monte (BA) 87 B3
San Nicola, Monte (CL) 122 A4
San Nicola, Monte (CT) 120 D3
San Nicola, Monte (CZ) 105 E2
San Nicola, Monte (EN) 119 E4
San Nicola, Monte (FR) 75 B3
San Nicola, Monte (PA) 118 C1
San Nicola, Monte (PZ) 91 F2
San Nicola (NA) 89 C2
San Nicolao (CA) 134 A3
San Nicolao (PE) 76 A1
San Nicolao (TO) 31 D2
San Nicola, Podere (FG) 78 CD1
San Nicola, Ponte (PD) 26 F3
San Nicola, Punta (LE) 100 BC4
San Nicola (RC) 114 C2
San Nicola (RC) 115 A3
San Nicola (RC) 115 C1
San Nicola (RI) 68 D3-4
San Nicola (ROMA) 73 C1
San Nicola, Ruderi (ROMA) 72 C4
San Nicola (SA) 96 C3
San Nicola-Silvana Mansio, Stazione di (CS) 102 D3
San Nicola (SS) 129 D1
San Nicola, Tempa (PZ) 98 C2-3
San Nicola (TO) 31 D2
San Nicola (TP) 116 B4
San Nicola (TV) 27 C2-3
San Nicola, Valle di (PA) 110 F3
San Nicola Varano (FG) 78 D4
San Nicola Varco, Stazione (SA) 90 D1
San Nicolella (ME) 112 CD2-3
San Nicoló (BO) 47 C4
San Nicoló (BZ) 13 B3
San Nicoló d'Arcidano (OR) 131 D4
San Nicoló Gerrei (CA) 133 F1
San Nicoló (ME) 113 B2-3
San Nicoló (UD) 29 C1
San Nicolo (SI) 53 F4
San Nicolò al Tordino (TE) 70 B2
San Nicolò (AN) 62 A4
San Nicolò (CA) 133 F2-3
San Nicolò d'Ega (St. Nikolaus)(BZ) 13 B3
San Nicolò di Comelico (BL) 5 E1
San Nicolò di Trullas (SS) 128 D4
San Nicolò Ferrarese (FE) 38 F1
San Nicoló (OR) 129 F2
San Nicoló (PG) 68 A3
San Nicolò Po (MN) 36 C4
San Nicolò (St. Nikolaus) (BZ) 2 F2
Sannio (CB) (BN) 83 BC3-4
Sánnio, Monti del (CB) 83 B4
Sannoro, Fiume 84 C4
San Novo (MI) 21 E4
San Pacifico (MC) 63 C3
San Pancrazio (AR) 61 A1
San Pancrazio (BS) 23 C2
San Pancrázio (FI) 53 E3-4

San Pancrazio (FR) 75 E2
San Pancrazio (IM) 50 C3
San Pancrazio, Lago (BZ) 3 B1
San Pancrazio, Monte (TN) 68 D2
San Pancrazio (PR) 35 E4
San Pancrázio, Punta (NA) 88 C2
San Pancrazio (RA) 48 D4
San Pancrazio Salentino (BR) 95 E1
San Pancrazio (SS) 126 E2
San Pancrazio (St. Pankraz) (BZ) 2 E3
San Pancrazio (TO) 31 A2
San Pancrazio (VA) 21 B2
San Pánfilo d'Ocre (AQ) 69 F4
San Pantaleo (CA) 135 A4
San Pantaleo (FI) 53 C2
San Pantaleo Isola (TP) 107 F4
San Pantaleone (RC) 114 E3
San Pantaleo (SS) 127 C2
San Paolino, Monte (CL) 118 C3-4
San Páolo a Mosciano (FI) 53 D4
San Paolo (AP) 69 B3-4
San Paolo (AT) 32 C1
San Paolo Albanese (PZ) 98 C3
San Paolo Bel Sito (NA) 89 A2
San Paolo (BS) 23 F2
San Paolo (BZ) 2 F4
San Paolo, Ca (BA) 92 A2-3
San Paolo, Capo (PA) 109 A2
San Paolo Cervo (BI) 20 B2
San Paolo (CN) 41 C4
San Paolo d'Argon (BG) 23 BC1
San Paolo di Civitate (FG) 78 E1
San Paolo di Jesi (AN) 57 F1
San Paolo di Peltuino (AQ) 70 F1
San Paolo, Fiume 66 C4
San Paolo in Alpe (FO) 54 B4
San Paolo in Chianti (FI) 54 D1
San Paolo, Isola (TA) 93 E4
San Paolo, Masseria (TA) 94 E1
San Paolo (ME) 112 C4
San Paolo (ME) 113 D2
San Paolo, Monte (PS) 55 C4
San Paolo (NU) 129 E4
San Paolo (PG) 61 B4
San Paolo (PI) 59 A2
San Paolo in Alpe (FO) 54 B4
San Paolo, Poggio (SI) 54 F1
San Paolo, Porto (SS) 127 E3
San Paolo (PV) 33 A1
San Paolo (RI) 69 C1
San Paolo (SR) 124 D2
San Paolo (TA) 94 C1
San Paolo, Torre (FO) 55 A1-2
San Pasquale (FR) 82 B2
San Pasquale (PZ) 98 D1
San Pasquale (SS) 125 F4
San Pasquale (SS) 127 B1
San Pasquale, Val Aspra (CH) 76 B3
San Paterniano (AN) 57 F3
San Patrizio (RA) 48 B2
San Pedrino (MI) 22 D3
San Pelagio (PD) 26 F2
San Pelagio (TS) 29 C2
San Pelagio (TV) 27 C1
San Pelino (AQ) 69 D2
San Pelino (AQ) 75 B1
San Pelino (AQ) 75 B3
San Pellegrinetto (LU) 52 A3
San Pellegrinetto (MO) 46 C3
San Pellegrino, Alpe (MO) 46 E1-2
San Pellegrino (FI) 47 F3-4
San Pellegrino in Alpe (LU) 46 E1-2
San Pellegrino (MO) 47 B1
San Pellegrino, Passo (TN) 14 B1
San Pellegrino (PG) 62 BC4
San Pellegrino (RG) 69 A1
San Pellegrino (PR) 35 E4
San Pellegrino (PR) 46 F4
San Pellegrino Terme (BG) 22 A4
San Pellegrino, Val di (TN) 13 B4
San Peretto (VR) 25 D1
San Peri (RC) 114 C2
Sanpéyre, Colle (CN) 30 F3
San Pier di Canne (GE) 44 C2
San Pier d'Isonzo (GO) 29 B1
San Pierino (FI) 53 D1
San Pier Niceto (ME) 112 D2-3
San Piero a Piano (PL) 52 DE4
San Piero a Ponti (FI) 53 C3-4
San Piero a Sieve (FI) 54 AB1
San Piero (CA) 135 A1
San Piero in Bagno (FO) 55 C1
San Piero in Campo (LI) 58 E12
San Piero in Campo (LU) 53 B1
San Piero in Frassino (AR) 54 D4
San Piero in Villa (AR) 55 E2
San Piero Patti (ME) 112 D2-3
San Pietro Acquaeortus (TR) 81 F2
San Pietro a Dame (AR) 61 B3
San Pietro ad Oratorium (AQ) 70 F2
San Pietro a Ema (FI) 54 D1
San Pietro a´Grado (PI) 52 D2
San Pietro all'Olmo (MI) 21 D4
San Pietro al Natisone (UD) 17 F1
San Pietro al Tanagro (SA) 90 E3
San Pietro a Magisano (CZ) 105 A3
San Pietro a Maida Scalo (CZ) 105 C1
San Pietro a Mare (SS) 126 A1
San Pietro a Marmi (SA) 90 D1
San Pietro a Máida (CZ) 105 C1
San Pietro a Monte (PG) 61 B4
San Pietro (AN) 56 E3-4
San Pietro (AN) 57 F2
San Pietro a Pilli (SI) 60 B3
San Pietro Apostolo (CZ) 105 AB2
San Pietro (AQ) 69 D4
San Pietro (AQ) 74 C4
San Pietro (AT) 32 D2

San Pietro (AV) 89 B3
San Pietro Avellana (IS) 76 E2
San Pietro, Badia di (AN) 57 F4
San Pietro Belvedere (PI) 52 E4
San Pietro (BN) 83 D3-4
San Pietro (BO) 47 C4
San Pietro, Borgo (RI) 68 D4
San Pietro, Bosco di (CT) 123 A2
San Pietro (BS) 23 D2
San Pietro (BZ) 3 E3
San Pietro, Ca (CL) 119 F2
San Pietro Campiano (RA) 48 D4
San Pietro, Canale di (UD) 5 F4
San Pietro, Capanna (CO) 22 A1
San Pietro, Casa (SA) 96 A1
San Pietro Casasco (PV) 34 E1
San Pietro, Cascina (CN) 31 E2-3
San Pietro, Cascine (FG) 22 D4
San Pietro, Casino (BA) 93 B2
San Pietro (CB) 77 F2-3
San Pietro (CH) 71 F1
San Pietro Chiazzacco (UD) 17 F1
San Pietro, Cima (PZ) 91 F4
San Pietro Clarenza (CT) 121 C1
San Pietro (CN) 32 E2
San Pietro (LC) 10 E1
San Pietro (LC) 22 A2
San Pietro, Cocuzzo di (PA) 119 A3
San Pietro, Colle (CB) 84 B1
San Pietro, Colle (TE) 70 C1-2
San Pietro, Coppa (FG) 84 A3
San Pietro (CR) 35 B3
San Pietro Crode (BL) 4 F3
San Pietro (CS) 101 D3
San Pietro (CS) 98 E2
San Pietro, Culmine (LC) 10 F2
San Pietro (KR) 106 B2
San Pietro D'Amata [YUI] 29 F2
San Pietro d'Assarti (CN) 31 E1
San Pietro del Samari (LE) 100 D1
San Pietro di Cadore (BL) 5 E1
San Pietro di Carida (RC) 104 F4
San Pietro di Feletto (TV) 14 F4
San Pietro di Morubio (VR) 37 A2
San Pietro di Novella (GE) 44 C1
San Pietro di Ruda (SS) 126 D3
San Pietro di Sorres (SS) 129 BC1
San Pietro d'Olba (SV) 43 B1
San Pietro d'Orzio (BG) 10 F3
San Pietro Extramuros (NU) 128 E3
San Pietro (PO) 53 B3
San Pietro (FR) 75 F2
San Pietro (FR) 75 F4
San Pietro (FR) 82 C1
San Pietro Frascati (GE) 44 D3
San Pietro (GE) 44 C1
San Pietro in Amantea (CS) 101 F4
San Pietro in Bevagna (TA) 94 F4
San Pietro in Campo (SI) 81 E1
San Pietro in Cariano (VR) 24 D4
San Pietro in Casaglia (FI) 53 B4
San Pietro in Casale (BO) 37 F3
San Pietro in Cerro (PC) 35 C2
San Pietro in Corte (PC) 35 C2
San Pietro in Fine (CE) 82 B3
San Pietro in Guarano (CS) 102 D2
San Pietro in Guardia (FO) 48 E4
San Pietro in Gu (PD) 26 C1
San Pietro in Laguna (RA) 48 D2-3
San Pietro in Lama (LE) 95 F3
San Pietro in Mavino (BS) 24 DE2
San Pietro in Mercato (FI) 53 E3
San Pietro in Palazzi (LI) 59 B1
San Pietro in Trento (RA) 48 D4
San Pietro Intrigogna (VI) 26 E1
San Pietro in Valle (IS) 76 F4
San Pietro in Valle (TR) 68 B3
San Pietro in Vincoli (RA) 48 D4
San Pietro in Volta (VE) 27 F1
San Pietro, Isola di (CA) 134 C1-2
San Pietro, Isola (TA) 93 E4
San Pietro, Lago di (AV) 85 F1
San Pietro Marcigliano (LU) 52 B4
San Pietro Martire (SS) 126 D2
San Pietro, Masseria (BA) 87 B2
San Pietro, Masseria (FG) 84 A2
San Pietro, Masseria (TA) 94 D1
San Pietro (ME) 112 AB3
San Pietro (ME) 112 C4
San Pietro (ME) 113 C2
San Pietro (MN) 36 A1
San Pietro (MO) 37 E1
San Pietro, Monte (AN) 57 F3
San Pietro, Monte (CA) 134 B3
San Pietro, Monte (EN) 120 A1
San Pietro, Monte (ME) 112 D2
San Pietro, Monte (SS) 126 D4
San Pietro Mosezzo (NO) 21 D1
San Pietro (MT) 99 B1
San Pietro Mussolino (VI) 25 D2-3
San Pietro (NA) 89 D1
San Pietro (VB) 8 D2
San Pietro (NU) 127 F3
San Pietro (NU) 129 E2
San Pietro (NU) 129 E2
San Pietro (NU) 130 F3
San Pietro (PA) 110 F1
San Pietro Polesine (RO) 37 C3
San Pietro Poligosu (SS) 126 F2
San Pietro, Ponte (FI) 76 F1
San Pietro, Ponte (VT) 66 C3
San Pietro (PR) 45 B1
San Pietro (PV) 34 A1
San Pietro (RI) 69 C1
San Pietro (ROMA) 74 EF2
San Pietro (SA) 89 C2
San Pietro, Settimo (CA) 135 B4
San Pietro (SO) 10 C1-2

San Pietro (SS) 125 F4
San Pietro (SS) 126 F3
San Pietro (SS) 128 D4
San Pietro, Stazione di (IS) 76 E2
San Pietro (St. Peter) (BZ) 4 A2
San Pietro (SV) 42 F2
San Pietro (TE) 70 B1
San Pietro (TE) 70 D1
San Pietro, Tempa (PZ) 98 A1
San Pietro (TO) 19 E2
San Pietro (TO) 31 B4
San Pietro (TV) 26 A3-4
San Pietro (UD) 15 D4
San Pietro (UD) 15 F3
San Pietro Valdastico (VI) 25 A3
San Pietro Val Lemina (TO) 31 C1
San Pietro Vara (SP) 44 D4
San Pietro (VE) 26 EF3-4
San Pietro (VE) 39 B1
San Pietro Vecchio (VI) 25 D2-3
San Pietro Vernótico (BR) 95 D2
San Pietro, Villa (CA) 135 E3
San Pietro, Villa (CN) 40 B4
San Pietro, Ville (IM) 41 F4
San Pietro Viminario (PD) 38 A2
San Pietro (VR) 25 E2
San Pietro (VR) 37 A2
San Pietro (VR) 37 B2
San Pio (AQ) 70 F1
San Pio delle Cámere (AQ) 70 F1
San Pio (ROMA) 74 D2
San Polito (RA) 48 C3
San Polo (AR) 55 F1
San Polo (BS) 23 D4
San Polo dei Cavalieri (ROMA) 74 C1
San Polo d' Enza (RE) 46 A1
San Polo, Fermata (ROMA) 73 C4
San Polomatese (CB) 83 B2-3
San Polo (PC) 35 C1
San Polo (PR) 35 D4
San Polo (RI) 68 E2
San Polo (SI) 61 D2
San Ponso (TO) 19 E3
San Ponzo Semola (PV) 33 E4
San Portolu (NU) 129 E2
San Possidonio (MO) 37 D1
San Potito (AQ) 75 B1
San Potito (SA) 89 C2-3
San Potito Sannitico (CE) 83 C2
San Potito Ultra (AV) 89 A4
San Presto (PG) 62 D3
San Priamo (CA) 136 B3
San Primo (CO) 9 F4
San Primo, Monte (CO) 9 F4
San Prisco (CE) 83 E1
San Procolo (AP) 64 D2
San Procopio, Cantiere (PZ) 91 B3-4
San Procopio (RC) 114 C3
San Prospero (BO) 47 CD1
San Prospero (BO) 48 D2
San Prospero (FE) 37 F4
San Prospero (MN) 36 C3-4
San Prospero (MO) 37 E1
San Prospero (PR) 35 E4
San Prospero (PR) 36 E1
San Prospero (RE) 36 F3
San Protaso (PC) 35 D1
San Puoto, Lago di (LT) 81 C3
San Quintino (CN) 41 B4
San Quirico (AL) 33 D2
San Quirico (AL) 33 F1
San Quirico (CN) 41 A2
San Quirico di Moriano (LU) 52 B3-4
San Quirico d'Orcia (SI) 60 D4
San Quirico (FI) 47 F2
San Quirico (PO) 53 D3
San Quirico (GR) 66 B4
San Quirico in Val Polcevera (GE) 43 B3
San Quirico (LU) 52 C4
San Quirico, Pieve (PG) 62 C1-2
San Quirico (PR) 44 B4
San Quirico (PT) 53 A1
San Quirico (RI) 69 D1
San Quirico (TR) 67 B2
San Quirino (PN) 15 E2
San Rabano (GR) 65 B4
San Raffaele Cimena (TO) 31 A4
San Rania (KR) 103 E1
San Régolo (PI) 52 E3
San Régolo (SI) 60 A3
San Regolo (SI) 61 D1
Sanremo (IM) 51 D1
Sanremo, Rifugio (IM) 41 E3
San Rhémy (AO) 6 F3
San Roberto (RC) 114 C2
San Rocchetto (AN) 57 F3-4
San Rocchino (PC) 35 D2
San Rocco (AL) 32 E4
San Rocco al Porto (LO) 34 B4
San Rocco a Pilli (SI) 60 B2
San Rocco (AT) 32 D1
San Rocco (AT) 32 D2
San Rocco (AT) 32 E3
San Rocco (BS) 24 E1
San Rocco Castagnaretta (CN) 41 B2
San Rocco (CH) 70 F4
San Rocco (CH) 71 E1
San Rocco Cherasca (CN) 32 F2
San Rocco (CN) 41 A2
San Rocco (CN) 42 A1
San Rocco di Bernardo (CN) 41 B1
San Rocco di Piegara (VR) 25 D1
San Rocco (GE) 43 C4
San Rocco (LE) 100 D3
San Rocco (LU) 52 A3
San Rocco, Monte (AQ) 69 F3
San Rocco (VB) 8 B3
San Rocco (PR) 35 D2
San Rocco (PT) 53 C2
San Rocco (PV) 34 C1
San Rocco (RA) 48 D2-3
San Rocco (RE) 36 D2
San Rocco (RE) 36 E2-3
San Rocco (SO) 11 B4
San Rocco (SO) 11 D2
San Rocco (SO) 1 F1
San Rocco (TO) 31 D2
San Rocco (TS) 29 E3
San Rocco (VI) 25 B3
San Rocco (VR) 24 D4
San Rocco (VR) 24 E4
San Rocco (VT) 67 E3
San Romano (FO) 55 A2
San Romano in Garfagnana (LU) 45 E4
San Romano (LU) 52 A3-4
San Romano (PI) 53 D1
San Romano (RE) 46 B2-3
San Romano, Villa (NA) 88 D4
San Romedio (TN) 13 B1
San Romolo (FI) 54 E1-2
San Romolo (IM) 50 C4
San Rossore Tenuta di (PI) 52 D2
San Ruffillo (BO) 47 C3
San Ruffillo (FO) 48 F2-3
San Ruffillo (RA) 48 E2
San Ruffino (PI) 52 E4
San Ruffino (PR) 35 F4
San Ruffino (RE) 46 B3
San Rufo (SA) 90 F4
San Rustico (MC) 64 C1
San Saba (ME) 113 B2
San Sabino (AN) 57 F3
San Sabino, Masseria (FG) 78 D2-3
San Salvaro (PD) 37 B3-4
San Salvatore a Pilli (SI) 60 ABC2
San Salvatore (AV) 89 B4
San Salvatore (CN) 31 F2
San Salvatore (CO) 22 A2
San Salvatore (CR) 35 B3
San Salvatore (CS) 102 A1
San Salvatore di Fitália (ME) 112 D1
San Salvatore di Nulvara (SS) 127 E1
San Salvatore (FG) 79 D3
San Salvatore (FG) 79 E1
San Salvatore (LU) 53 B1
San Salvatore, Masseria (MT) 93 E1
San Salvatore Monferrato (AL) 33 C1
San Salvatore, Monte (PA) 110 F4
San Salvatore (MT) 92 C3
San Salvatore (NU) 132 D3
San Salvatore (NU) 133 D1
San Salvatore (OR) 131 B2
San Salvatore (PC) 34 E2
San Salvatore, Sorgente (CA) 134 A3
San Salvatore Telesino (BN) 83 D2-3
San Salvo (CH) 77 B1-2
San Salvo Marina (CH) 77 B2
San Samuele di Cafiero (FG) 86 CD1
San Sano (SI) 60 A3
San Saturnino (GE) 44 D3
San Saturnino (SS) 129 C3
San Sauveur, Monte [F] 40 D3
San Savino (CR) 35 B3
San Savino (FO) 48 F2-3
San Savino (RN) 56 B1
San Savino (PG) 61 D4
San Savino (PG) 62 F3
San Savino (PS) 56 F2
San Savino (RA) 48 C3
San Savino (RE) 36 E2
San Savino (SI) 61 D2
San Scalone, Masseria (BR) 94 B3
San Sebastiano al Vesuvio (NA) 89 B1
San Sebastiano (AQ) 75 C3
San Sebastiano (BS) 23 C4
San Sebastiano, Cime (BL) 14 C3
San Sebastiano (CN) 41 A3
San Sebastiano (CN) 42 B2
San Sebastiano Curone (AL) 33 E4
San Sebastiano da Po (TO) 32 A1
San Sebastiano, Monte (NU) 129 E4
San Sebastiano (NU) 129 F4
San Sebastiano (NU) 133 C1
San Sebastiano (PS) 57 D1
San Sebastiano (RI) 68 E3
San Sebastiano (TN) 13 F1
San Sebastiano, Ville (IM) 41 F4
San Secondo (AT) 32 C2
San Secondo di Pinerolo (TO) 31 C1
San Secondo Parmense (PR) 35 D4
San Secondo (PG) 61 A4
San Secondo (BI) 20 D2
Sansepolcro (AR) 55 E2
San Serafino (OR) 132 A1
San Sergio, Masseria (TA) 93 D4
San Servolo (VE) 27 E2
San Servolo [YUI] 29 E3-4
San Severino Lucano (PZ) 98 D2
San Severino Marche (MC) 63 C2-3
San Severino (SA) 96 C4
San Severo (AR) 55 F1
San Severo (FG) 78 E2
San Severo (RA) 48 D3
San Severo, Torre (TR) 67 B2
San Sicário (TO) 30 B2
San Sigismondo (St. Sigmund) (BZ) 3 C4
San Silvestro (AN) 57 E1
San Silvestro (AP) 64 E3
San Silvestro (BO) 47 D2
San Silvestro (BZ) 4 D3
San Silvestro, Colle (CH) 76 D4
San Silvestro (FO) 55 B1
San Silvestro (LT) 80 E1
San Silvestro, Masseria (EN) 119 A3-4
San Silvestro (ME) 112 D2
San Silvestro (MN) 36 B3
San Silvestro (PE) 71 D1
San Silvestro (PG) 68 A2-3
San Silvestro (RI) 68 E4
San Silvestro (TE) 70 C4
San Silvestro, Val (BZ) 4 D3
San Silvestro (BI) 20 D3
San Silvestro (VC) 20 F2-3
San Silviano (LT) 81 C2
San Simeone, Monte (UD) 16 D3
San Simeone (SS) 129 CD1
San Simone (CA) 135 C3
San Simone (LE) 100 C1
San Simone (NU) 132 E3
San Simone (TA) 94 C1
San Siro (CN) 42 C1
San Siro Foce (GE) 44 C2
San Siro (GE) 43 B3
San Siro (MN) 37 C1
San Siro (PD) 38 B3
San Siro (PR) 45 AB1
San Sisinio (BZ) 2 E1
San Sisinnio (CA) 135 A1
San Sisto Corciano (PG) 62 D1
San Sisto di Valdesi (CS) 101 D4
San Sisto (IS) 83 A2
San Sisto (PG) 67 A4
San Sisto (PS) 55 D3
San Sisto (RE) 36 E2
San Sisto (RG) 123 C4
Sansóbbia, Fiume 42 B4
Sansonetti, Casino (TA) 93 C3
San Sósio (FR) 81 A4
San Sòssio (AV) 89 B4
San Sossio Baronia (AV) 84 E3-4
San Sóssio (CE) 82 F3
San Sossio, Masseria (BR) 94 B3
San Sostene (CZ) 105 E2
San Sóstene, Stazione di (CZ) 105 E3
San Sosti (CS) 101 A3
San Sózio (FR) 81 A3
San Sperate (CA) 135 B3
San Sperato (RC) 114 D1-2
San Spina, Quadrivio (AG) 118 E2-3
San Spirito (CL) 119 C2
Santa Barbara (AR) 54 E2
Santa Barbara (CA) 136 C2
Santa Barbara Cantoniera (CA) 133 F2-3
Santa Barbara, Casa (ME) 112 F1
Santa Barbara, Colle (MC) 63 D2
Santa Barbara in Campitelli (PS) 56 C1
Santa Barbara (LE) 95 F2
Santa Barbara (ME) 112 D3
Santa Barbara (NU) 133 B2
Santa Barbara (NU) 133 C1-2
Santa Barbara, Nuraghe (NU) 129 E1
Santa Barbara (OR) 129 F2
Santa Barbara (SA) 96 B3
Santa Barbara, Toppa (BN) 84 D1
Santa Barbara (TS) 29 E3
Santa Bianca (FE) 37 E3
Santa Brigida (BG) 10 EF3
Santa Brigida (BO) 47 B4
Santa Brigida, Colle (TO) 31 C1
Santa Brigida (FI) 54 C1-2
Santa Brigida (TV) 26 C3
Santa Candida, Masseria (MT) 92 C4
Santa Caodida, Masseria (BA) 93 B3
Santa Caterina Albanese (CS) 101 B4
Santa Caterina (AR) 61 B2
Santa Caterina (AT) 32 D3
Santa Caterina (Aufhofen) (BZ) 4 C1
Santa Caterina (BL) 4 F4
Santa Caterina (BZ) 2 DE4
Santa Caterina dello Jónio (CZ) 105 F2
Santa Caterina dello Jonio Marina (CZ) 105 F3
Santa Caterina di Pittunuri (OR) 128 F3
Santa Caterina (GR) 66 A2
Santa Caterina (Katharinabg.) (BZ) 2 D2-3
Santa Caterina, Lago di (BL) 4 F4
Santa Caterina (LE) 99 C3-4
Santa Caterina (LI) 58 E3
Santa Caterina, Múrge (CS) 98 C4
Santa Caterina (MO) 37 D1
Santa Caterina, Passo (VI) 25 CD3
Santa Caterina (PR) 35 D3
Santa Caterina (RC) 114 D1-2
Santa Caterina, Stagno di (CA) 134 D3-4
Santa Caterina, Torre (CA) 136 D2-3
Santa Caterina Valfurva (SO) 11 B4
Santa Caterina (VI) 25 B3
Santa Caterina (VT) 67 C2-3
Santa Caterina (VT) 67 DE2
Santa Cecilia, Macchia (TE) 69 B4
Santa Cecilia, Posta (FG) 85 B1
Santa Cecilia (SA) 90 E1
Santa Chiara (LE) 95 F1
Santa Chiara, Masseria (BA) 92 A3
Santa Chiara, Masseria (BA) 92 B3
Santa Chiara (OR) 132 A1-2
Santa Colomba (SI) 60 B2
Santa Cristina a Mezzana (PO) 53 C3
Santa Cristina (AR) 61 AB3
Santa Cristina, Castello (TO) 31 A3
Santa Cristina d'Aspromonte (RC) 114 C4
Santa Cristina Gela (PA) 109 E2-3
Santa Cristina, Monte (CL) 119 C2
Santa Cristina (NO) 21 B1
Santa Cristina (OR) 128 F4
Santa Cristina (OR) 132 A1
Santa Cristina (PG) 62 B2
Santa Cristina (PV) 34 B2-3
Santa Cristina (PV) 34 E1
Santa Cristina (SO) 11 D2
Santa Cristina (TV) 26 C4
Santa Cristina Valgardena (St. Christina in G.) (BZ) 3 E3-4
Santa Croce (AG) 118 C3
Santa Croce (AN) 63 A1
Santa Croce (AP) 64 C1
Santa Croce (AQ) 69 F2
Santa Croce (AQ) 75 C1
Santa Croce (AR) 55 E2
Santa Croce (BG) 23 A1
Santa Croce Bigolina (PD) 26 C2
Santa Croce (BL) 14 E4
Santa Croce (BN) 83 F4
Santa Croce (BZ) 4 E1
Santa Croce, Cala (SV) 42 F2
Santa Croce Camerina (RG) 123 D2
Santa Croce, Capo (SR) 121 F3
Santa Croce (CE) 82 DE3
Santa Croce (CE) 83 D1
Santa Croce (CN) 41 A4
Santa Croce (CN) 41 B1-2
Santa Croce di Aidussina [YUI] 29 B3
Santa Croce di Magliano (CB) 77 E3-4
Santa Croce di Marmorta (BO) 48 E2
Santa Croce di Mistretta (ME) 111 E2
Santa Croce di San Stefano (ME) 111 E2
Santa Croce (ME) 112 D1
Santa Croce, Monte (EN) 120 E1
Santa Croce (PA) 109 D4
Santa Crocefisso Convento (MC) 63 C4
Santa Croce, Forca (PG) 69 A1
Santa Croce, Lago di (BL) 14 E4
Santa Croceila, Passo (CB) 83 C3
Santa Croce (LT) 82 D1
Santa Croce, Masseria (FG) 85 D2
Santa Croce (MC) 63 C4
Santa Croce (MC) 64 A1
Santa Croce (MN) 37 D2
Santa Croce (MO) 36 F4
Santa Croce, Monte (CE) 82 C3
Santa Croce, Monte (FR) 82 A2-3
Santa Croce, Monte (GR) 59 C3-4
Santa Croce, Monte (PG) 62 C2
Santa Croce, Monte (PZ) 91 B1
Santa Croce, Monte (SP) 45 F1
Santa Croce nel Sannio (BN) 83 C4
Santa Croce (NO) 20 B4
Santa Croce (PD) 37 A4
Santa Croce (PE) 76 A1
Santa Croce (PG) 68 A2-3
Santa Croce (RI) 69 C1
Santa Croce, Serra (FG) 84 B3-4
Santa Croce (SO) 10 B2
Santa Croce, Stazione (BN) 83 C4
Santa Croce sull'Arno (PI) 53 D1
Santa Croce (TN) 12 F3
Santa Croce (TS) 29 CD2
Santa Croce (TV) 26 A4
Santa Croce, Villa (CE) 83 D1
Santadi Basso (CA) 135 D1
Santadi (CA) 135 D1
Santadi, Fiume 135 D1
Santadi, Piana di (CA) 131 D3
Santa Domenica, Abbazia di (CS) 101 E4
Santa Domenica, Bosco di (MT) 92 D1
Santa Domenica (VV) 104 E2
Santa Domenica (VV) 105 E2
Santa Domenica Talao (CS) 97 E3
Santa Donna, Monte (PR) 44 B4
Santa Elisabetta (BR) 95 D2
Santa Filomena (PE) 71 D1
Santa Filomena (TE) 70 B3
Santa Fiora (AR) 55 E2
Santa Fiora (AR) 55 F1
Santa Fiora (GR) 60 F4
Santa Firmina (AR) 55 F1
Santa Fosca (BL) 14 B2-3
Santa Fosca (TV) 27 D2
Santa Franca, Monte (PC) 34 F4
Santa Francesca (FR) 75 E1
Sant'Abbondio [CH] 9 D2
Sant'Abbondio (CO) 9 E4
Sant'Adéle (SI) 61 D2
Sant'Adriano (CS) 102 B2
Sant'Adriano (FI) 48 F1
Sant'Agápito (IS) 83 A1
Sant'Agápito Longano, Stazione di (IS) 83 A1
Sant'Agata (AR) 61 B2
Sant'Agata Bolognese (BO) 47 A1-2
Sant'Agata, Campi di (RC) 114 D2-3
Sant'Agata (CH) 76 B2
Sant'Agata (CS) 102 A2
Sant'Agata de Goti (BN) 83 E2
Sant'Agata del Bianco (RC) 115 D1
Sant'Agata delle Terrine (AR) 61 A3
Sant'Agata di Ésaro (CS) 101 B3
Sant'Agata di Militello (ME) 111 D4
Sant'Agata di Puglia (FG) 85 E1
Sant'Agata Feltria (PS) 55 C2-3
Sant'Agata (FG) 78 D1
Sant'Agata (FI) 54 A1
Sant'Agata (FI) 54 D2
Sant'Agata, Fiumara 114 D2-3
Sant'Agata (FO) 54 B1
Sant'Agata Fossili (AL) 33 E3
Sant'Agata Irpina (AV) 89 B3-4
Sant'Agata li Battiati (CT) 121 C1
Sant'Agata, Masseria (PA) 109 E2-3
Sant'Agata, Monte (EN) 120 B1
Sant'Agata (VB) 9 D1
Sant'Agata (PA) 110 E3
Sant'Agata (PC) 35 C1-2
Sant'Agata (RE) 36 F3
Sant'Agata sui due Golfi (NA) 89 D1
Sant'Agata sul Santerno (RA) 48 CD2-3
Sant'Agata (VR) 37 B1
Santa Geltrude (BZ) 1 F4
Santa Gertrude (St. Gertraud) (BZ) 2 F2
San Agápito (ROMA) 74 D1
Santa Giúlia, Ponte (SI) 60 A1
Santa Gilla, saline di (CA) 135 C3
Santa Giorgia (RC) 114 C3-4
Santa Giulia di Centaura (GE) 44 D2
Santa Giulia, Monte (MO) 46 C2-3
Santa Giulia, Monte (SS) 129 A1
Santa Giuliana, Cantoniera (CA) 135 A3
Santa Giuliana (PG) 62 C1
Santa Giulia (SV) 42 B2
Santa Giulietta (PV) 34 C1
Santa Giusta (CB) 77 D2
Santa Giusta (CH) 76 C4
Santa Giusta, Masseria (FG) 78 F2
Santa Giusta, Monte (SS) 125 F2
Santa Giusta (NU) 129 F4
Santa Giusta (OR) 131 C3-4
Santa Giusta, Ponte (FG) 78 F2
Santa Giusta, Punta di (CA) 136 C4
Santa Giusta (RI) 69 C2
Santa Giusta (SS) 127 E3
Santa Giusta, Stagno di (OR) 131 C3
Santa Giustina (BL) 14 E2-3
Santa Giustina (BS) 23 E4
Santa Giustina (RN) 49 F2
Santa Giustina in Colle (PD) 26 D3
Santa Giustina, Lago di (TN) 12 B4
Santa Giustina (PC) 34 D3
Santa Giustina (PR) 44 A3
Santa Giustina (SV) 42 BC4
Santa Giustina Vigona (MO) 37 D1
Sant'Agnello (NA) 89 D1
Sant'Agnese (SI) 53 F4
Sant'Agnese (TN) 13 E1
Sant'Agostino (CS) 102 D1
Sant'Agostino (FE) 37 E3
Sant'Agostino, Masseria (BA) 86 D3
Sant'Agostino, Masseria (MT) 93 C1
Sant'Agostino (OR) 129 F1
Sant'Agostino (TE) 70 C2
Sant'Agostino, Torre (LT) 81 D3
Sant'Agostino, Torre (ROMA) 72 A1
Sant'Agostino Vecchio (SS) 128 B2
Santa Greca (OR) 129 F2
Santa, La (MN) 36 B3
Sant'Albano di Bobbio (PV) 34 D1
Sant'Albano Stura (CN) 41 A3
Sant'Alberto, Abbazia (PV) 34 D1
Sant'Alberto (BO) 37 F3
Sant'Alberto (GE) 43 C4
Sant'Alberto (RA) 48 B4
Sant'Alberto (TV) 26 D4
Sant'Albino (SI) 61 D1-2
Santalena, Cocuzzo (CL) 119 C1
Sant'Alessadro (BG) 23 C2
Sant'Alessandro, Catacombe (ROMA) 73 C3
Sant'Alessandro (PV) 33 A2
Sant'Alessio, Capo (ME) 113 E1
Sant'Alessio in Aspromonte (RC) 114 CD2
Sant'Aléssio Siculo (ME) 113 E1
Sant'Alfano, Casa (SR) 124 B2
Sant'Alfio (CT) 121 A2
Sant'Alfio (CT) 121 B1
Sant'Alosio (AL) 33 E3
Santa Liberata (GR) 65 D4
Santa Liberata (MC) 64 B1
Santa Liberata (RII) 74 A4
Santa Luce (AR) 61 B1-2
Santa Luce (PI) 52 F4
Santa Luce, Stazione (PI) 52 F3
Santa Lucerna, Monte (CS) 102 F1
Santa Lucia (AN) 57 E2
Santa Lucia (AN) 57 F2
Santa Lucia (AQ) 69 C2
Santa Lucia (AQ) 76 E1
Santa Lucia (AV) 90 A3
Santa Lucia (BA) 94 A1
Santa Lucia (BN) 83 C3-4
Santa Lucia (CA) 132 F1
Santa Lucia (CA) 132 F4
Santa Lucia (CA) 133 F1
Santa Lucia (CA) 134 A3
Santa Lucia, Case (ROMA) 72 A2
Santa Lucia (CE) 82 C3-4
Santa Lucia (CH) 76 C4
Santa Lucia (CN) 40 B4
Santa Lucia (CN) 41 D1
Santa Lucia, Convento (CA) 135 C2-3
Santa Lucia (CS) 97 E4
Santa Lucia dello Spian (RA) 48 E3
Santa Lucia del Mela (ME) 113 C1
Santa Lucia del Serino (AV) 89 B4
Santa Lucia di Budoia (PN) 15 E1
Santa Lucia di Piave (TV) 27 AB1
Santa Lucia, Fermata (MT) 92 D4
Santa Lucia (FI) 47 F2
Santa Lucia (PO) 53 B3
Santa Lucia, Fiume 135 C3
Santa Lucia (FO) 48 F3
Santa Lucia (FO) 49 F1
Santa Lucia (IS) 76 E3
Santa Lucia Marina (ME) 111 C4
Santa Lucia, Masseria (BR) 95 C2
Santa Lucia (MC) 64 B1
Santa Lucia (MC) 64 C1
Santa Lucia (ME) 111 F2
Santa Lucia (ME) 113 B3
Santa Lucia (ME) 113 C2
Santa Lucia (MN) 36 A4
Santa Lucia (MN) 37 C1
Santa Lucia, Monte (AP) 64 E1
Santa Lucia, Monte (IS) 76 D2-3
Santa Lucia, Monte (SI) 59 C4
Santa Lucia (MT) 92 D4

Santa Lucia (MT) 93 D1
Santa Lucia (NA) 88 B4
Santa Lucia (NU) 130 B4
Santa Lucia (NU) 133 D2
Santa Lucia (OR) 132 C2
Santa Lucia (PA) 110 F4
Santa Lucia (PE) 70 D4
Santa Lucia (PG) 61 A4
Santa Lucia (PG) 62 D1
Santa Lucia (PI) 52 D4
Santa Lucia, Posta (FG) 85 B1
Santa Lucia (PS) 55 B4
Santa Lucia (RI) 69 F1-2
Santa Lucia (RI) 74 A2-3
Santa Lucia (SA) 89 C3
Santa Lucia (SA) 89 D4
Santa Lucia (SA) 96 A2
Santa Lucia (SI) 53 F3
Santa Lucia (SI) 53 F4
Santa Lucia (SI) 60 C4
Santa Lucia (SO) 1 F3
Santa Lucia (SR) 124 AB4
Santa Lucia (SS) 129 C1-2
Santa Lucia (TE) 70 B2
Santa Lucia, Terme di (RE) 45 C4
Santa Lucia, Terme di (SS) 129 C1-2
Santa Lucia, Terme (MC) 63 C3
Santa Lucia, Torre (AP) 69 A3-4
Santa Lucia, Torre (PA) 110 D3
Santa Lucia (VR) 25 F3
Santa Lucia [YU] 17 E2-3
Santa Maddalena (BZ) 3 E4
Santa Maddalena (St. Magdalena) (BZ) 4 C3
Santa Madonna delle Grazie, Convento (CB) 83 A4
Santa Mama (AR) 54 E4
Santa Margherita (AT) 32 D2
Santa Margherita (BO) 47 E4
Santa Margherita (CA) 135 E3
Santa Margherita (CN) 41 C2
Santa Margherita (CO) 9 E3
Santa Margherita, Colla (CZ) 105 A1-2
Santa Margherita d'Adige (PD) 37 B4
Santa Margherita di Belice (AG) 117 B2
Santa Margherita di Staffora (PV) 34 E1-2
Santa Margherita (FE) 38 EF3
Santa Margherita, Fermata (CZ) 105 A1
Santa Margherita (FI) 47 F3
Santa Margherita Ligure (GE) 44 CD1
Santa Margherita (ME) 113 D2
Santa Margherita (PD) 38 A4
Santa Margherita, Ponte (SP) 44 D4
Santa Margherita, Porto (VE) 28 E1
Santa Margherita (PR) 35 E3
Santa Margherita (PZ) 85 F2
Santa Margherita (TE) 70 C3
Santa Margherita (TN) 25 B1
Santa Margherita (TO) 31 B3-4
Santa Margherita (VE) 28 C1-2
Santa Margherita, Villaggio (EN) 20 AB2
Santa Maria a Carbonara (SA) 89 BC4
Santa Maria a Colonica (PO) 53 C3
Santa Maria a Dofana (SI) 60 B2
Santa Maria a Favore (SA) 89 B3
Santa Maria a Fiume (FR) 81 A3
Santa Maria al Bagno (LE) 99 C3-4
Santa Maria a Mare (AP) 64 C3
Santa Maria a Mare (TE) 70 B3
Santa Maria Amaseno (FR) 75 E1
Santa Maria Ammalati (CT) 121 B2
Santa Maria a Monte (CB) 83 B4
Santa Maria a Monte (PI) 52 D4
Santa Maria (AN) 63 B1
Santa Maria (AP) 64 E1
Santa Maria (AP) 69 A3
Santa Maria a Pantáno (NA) 88 A2-3
Santa Maria a Piè di Chienti (MC) 64 B2
Santa Maria Apparente (MC) 64 B2
Santa Maria (AT) 32 B3
Santa Maria a Vezzano (FI) 54 A2
Santa Maria a Vico (CE) 83 F2
Santa Maria a Vologno (CE) 82 C2-3
Santa Maria, Bosco (VV) 105 F1
Santa Maria (CA) 135 B2
Santa Maria Candelora (MC) 63 B3
Santa Maria, Capo (LE) 100 F3
Santa Maria, Cappella (PZ) 98 C1-2
Santa Maria Capua Vetere (CE) 83 E1
Santa Maria, Cascina (NU) 132 D4
Santa Maria, Cascina (VT) 67 F1
Santa Maria, Case (SS) 128 D3
Santa Maria (CN) 32 F1
Santa Maria (CO) 10 E1
Santa Maria Codifiume (BO) 48 A1
Santa Maria Coghinas (SS) 126 E2
Santa Maria, Colle (CZ) 102 F2
Santa Maria, Colle (TE) 70 B2
Santa Maria, Convento di (SI) 54 F1
Santa Maria (CR) 35 B3
Santa Maria (CS) 101 B3
Santa Maria (CZ) 105 C3
Santa Maria d'Adige (PD) 38 BC2
Santa Maria d'Alto Cielo (MC) 63 CD3-4
Santa Maria d'Alto, Monte (CL) 119 F3
Santa Maria d'Anglona, Pandosia (MT) 98 AB4
Santa Maria d'Arabona (PE) 70 F4
Santa Maria d'Armi (CS) 98 E3
Santa Maria d'Arzilla (PS) 56 C3
Santa Maria d'Attoli (TA) 93 D1
Santa Maria de Flumentepido (CA) 134 C3
Santa Maria degli Angeli (BA) 93 A1
Santa Maria degli Angeli (BS) 35 A4
Santa Maria degli Angeli (PG) 62 D3
Santa Maria dei Cordici (SA) 97 C2
Santa Maria dei Manzi (FG) 85 C4
Santa Maria dei Martiri (SA) 97 B2
Santa Maria dei Miracoli (BA) 86 D3
Santa Maria dei Sabbioni (CR) 35 A1
Santa Maria de is Acquas (CA) 132 E1
Santa Maria del Belvedere (PZ) 91 C4
Santa Maria del Bosco (PA) 117 B4
Santa Maria del Campo (GE) 44 C1
Santa Maria del Carmine (PA) 110 E1
Santa Maria del Castello (NA) 89 D1
Santa Maria del Cedro (CS) 97 F3
Santa Maria del Colle (AN) 57 F2
Santa Maria del Fiume (ME) 112 C2
Santa Maria del Giudice (LU) 52 C3
Santa Maria della Croce (CR) 22 E4
Santa Maria della Fede (AP) 64 D2
Santa Maria della Foce (SA) 89 B2
Santa Maria della Fossa (RE) 36 E3
Santa Maria del Lago (PE) 70 D4
Santa Maria della Neve (SS) 126 C4
Santa Maria della Piana (CE) 62 D2-3
Santa Maria della Pieve (MC) 63 C3
Santa Maria della Portella (AQ) 76 D1
Santa Maria della Scala (KR) 103 E2
Santa Maria della Scala (SR) 124 C2
Santa Maria della Strada (CB) 77 F1-2
Santa Maria della Valle (PS) 56 D3
Santa Maria della Vittoria (AQ) 74 B4
Santa Maria delle Corti (PG) 61 BC3-4
Santa Maria delle Grazie (AQ) 75 C1
Santa Maria delle Grazie (AR) 54 C3
Santa Maria delle Grazie (AR) 55 F1
Santa Maria delle Grazie (CS) 99 C1
Santa Maria delle Grazie (ME) 112 C4
Santa Maria delle Grazie (PT) 53 A2
Santa Maria delle Grazie (RI) 73 A4
Santa Maria delle Grazie (SS) 126 D4
Santa Maria delle Grotte (AQ) 69 F4
Santa Maria delle Grotte (BA) 87 E3
Santa Maria delle Mole (ROMA) 73 E3
Santa Maria delle Vergini (MC) 64 B1
Santa Maria delle Vertighe (AR) 61 B1
Santa Maria dell'Idria (CT) 123 A2
Santa Maria dell'Udienza (KR) 103 DE2-3
Santa Maria del Mare (NU) 128 E3
Santa Maria del Mare (NU) 130 D4
Santa Maria del Molise (IS) 83 A2
Santa Maria del Monte (CS) 98 F1
Santa Maria del Monte (RN) 56 B2
Santa Maria del Monte, Passo (CH) 76 D3
Santa Maria del Monte (PC) 34 D2
Santa Maria del Monte (VA) 9 F2
Santa Maria del Piano (BA) 87 F2-3
Santa Maria del Piano (RN) 56 B1
Santa Maria del Piano (PR) 35 F4
Santa Maria del Ponte (AQ) 70 F1
Santa Maria del Pozzo (NA) 89 A1
Santa Maria del Regno (SS) 129 AB1
Santa Maria del Rivo (PC) 34 E4
Santa Maria del Rosario (TP) 107 F4
Santa Maria del Soccorso (ROMA) 73 C3
Santa Maria del Tempio (AL) 33 B1
Santa Maria de Ossolo (OR) 129 F2
Santa Maria de Saucci (NU) 129 D1-2
Santa Maria de Sea (SS) 128 B4
Santa Maria de Torrano (OR) 129 F2
Santa Maria di Antico (PS) 55 C3
Santa Maria di Barbana (GO) 29 D1
Santa Maria di Bressanoro (CR) 23 F1
Santa Maria di Campagna (TV) 27 C3
Santa Maria di Carpignano (AV) 84 C3
Santa Maria di Casale (BR) 95 C1
Santa Maria di Casale (LE) 95 F2
Santa Maria di Castellabbate (SA) 96 A1
Santa Maria di Cavamonte (ROMA) 73 D4
Santa Maria di Cerrate (LE) 95 D3
Santa Maria di Cintorelli (AQ) 70 F1
Santa Maria di Colonna, Abbadia (BA) 86 C4
Santa Maria di Colonnata (PG) 62 B3
Santa Maria di Corte (NU) 128 E4
Santa Maria di Corva (AP) 64 BC2-3
Santa Maria di Cotrino, Convento (BR) 94 D4
Santa Maria di Fogliano (CN) 32 F3
Santa Maria di Galeria (ROMA) 73 B1
Santa Maria di Gesù (CT) 120 F1
Santa Maria di Gesù (PA) 109 D3
Santa Maria di Giano (BA) 86 D4
Santa Maria di Leuca, Santuario (LE) 100 F3-4
Santa Maria di Licodia (CT) 120 B4
Santa Maria di Lignano (PG) 62 D3
Santa Maria di Lugana (BS) 24 E3
Santa Maria di lu Macchiettu (SS) 127 C1
Santa Maria di Merino (FG) 79 C3
Santa Maria di Monte Leucio, Santuario di (FR) 81 B4
Santa Maria di Mortola (CE) 82 C2-3
Santa Maria di Mugnano (MO) 46 A4
Santa Maria di Neapoli (CA) 131 D3
Santa Maria di Non (PD) 26 DE2-3
Santa Maria di Palati (ME) 111 E1
Santa Maria di Paterno (MC) 63 B3
Santa Maria di Patire (CS) 102 B3
Santa Maria di Penna (CH) 77 A1-2
Santa Maria di Piave (TV) 27 B1
Santa Maria di Pieca (MC) 63 D3
Santa Maria di Pierno, Santuario (PZ) 91 B1
Santa Maria di Porto Nuovo (AN) 57 E4
Santa Maria di Potenza (MC) 64 A2
Santa Maria di Pugliano (FR) 74 E2
Santa Maria di Pulsano (FG) 79 EF2
Santa Maria di Ronzano (TE) 70 C2
Santa Maria d'Irsi (MT) 92 C2
Santa Maria di Sala (VE) DE4
Santa Maria di Sala (VT) 66 C4
Santa Maria di Scorpano (CS) 97 E4
Santa Maria di Sesana [YU] 29 D3-4
Santa Maria di Sette (PG) 62 B1
Santa Maria di Siponto (FG) 79 F2
Santa Maria di Sturla (GE) 44 C2
Santa Maria di Taro (PR) 44 C3
Santa Maria di Tridetti (RC) 114 E4
Santa Maria di Veggiano (PD) 26 E1-2
Santa Maria di Versa (PV) 34 C2
Santa Maria di Zena (BO) 47 D3
Santa Maria d'Oriente (AQ) 74 B4
Santa Maria e Giosso (OR) 132 AB3
Santa Maria e Susu (NU) 132 B3
Santa Maria Fabbrécce (PS) 56 B3
Santa Maria (FG) 78 A3
Santa Maria, Fiume 130 C3
Santa Maria, Fiume 78 F1-2
Santa Maria (FO) 54 B4
Santa Maria (FR) 81 A3
Santa Maria, Giogo di (SO) 1 E3
Santa Maria Hoé (LC) 22 B3
Santa Maria Imbaro (CH) 71 F2-3
Santa Maria im Münsteral (CH) 1 E3
Santa Maria in Acone (FI) 54 C2
Santa Maria in Calafria (PS) 56 CD2
Santa Maria in Castello (FO) 48 F2
Santa Maria in Cerreto (RN) 56 A1
Santa Maria in Duno (BO) 47 A3
Santa Maria in Fabriago (RA) 48 B2
Santa Maria Infante (LT) 82 D1-2
Santa Maria in Neve (TR) 68 E2
Santa Maria in Pantano (PG) 68 A2
Santa Maria in Piana (MC) 63 B3
Santa Maria in Piano (PE) 70 DE3
Santa Maria in Punta (RO) 38 D4
Santa Maria in Selva, Abbazia di (MC) 63 B4
Santa Maria in Stelle (VR) 25 D1
Santa Maria in Strada (BO) 47 B2
Santa Maria in Valle (AR) 54 F3
Santa Maria in Valle (PG) 62 F4
Santa Maria in Valle Porclaneta (AQ) 74 A4
Santa Maria in Vulgano, Masseria (CB) 84 B4
Santa Maria Iscala (SS) 128 C4
Santa Maria, Isola (SS) 127 A2
Santa Maria, Isola (TP) 107 F4
Santa Maria la Bruna (NA) 89 C1
Santa Maria la Carità (NA) 89 C1
Santa Maria la Castagna (CS) 101 D4
Santa Maria la Fossa (CE) 82 E4
Santa Maria, Lago di (BO) 47 E1-2
Santa Maria la Longa (UD) 28 B4
Santa Maria la Nova (BR) 94 B3
Santa Maria, La Palma (SS)128 A1-2
Santa Maria La Scala (CT) 121 B2
Santa Maria la Scala (NA) 89 B1
Santa Maria le Grotte (CS) 101 C4
Santa Maria (LT) 80 F2
Santa Maria Macerata (FI) 53 E4
Santa Maria Maddalena (PG) 62 D3
Santa Maria Maddalena (RO) 37 D4
Santa Maria Maddalena (SO) 11 B3
Santa Maria Maddalena (SO) 11 C3
Santa Maria Maddalena (SS) 126 DE2
Santa Maria Maddalena (SS) 126 F2
Santa Maria Maddalena (TR) 68 E2
Santa Maria Maggiore (VB) 8 D4
Santa Maria, Monte (CZ) 105 B1
Santa Maria, Monte (LI) 59 E1
Santa Maria (ME) 112 D3
Santa Maria (MT) 92 F2
Santa Maria Navarrese (NU) 133 AB3
Santa Maria Novella, Castello di (FI) 53 E3-4
Santa Maria (NU) 128 D3
Santa Maria Nuova (AN) 57 F2
Santa Maria nuova (FO) 48 E4
Santa Maria, Nuraghe (OR) 132 B1
Santa Maria Oliveto (IS) 82 A4
Santa Maria Orsoleto (PZ) 98 B2
Santa Maria, Palazzone (MT) 92 F2
Santa Maria (PC) 34 E2
Santa Maria Petrella (AP) 64 E3
Santa Maria (PG) 62 C2
Santa Maria Pietrafitta (RN) 56 B2
Santa Maria Pietrarossa (PG) 62 F3-4
Santa Maria Ponte Cornuto (PZ) 98 D1
Santa Maria, Ponte (FG) 78 F2
Santa Maria, Prati di (AQ) 75 B2
Santa Maria (PS) 55 C4
Santa Maria (PZ) 91 D2-3
Santa Maria (PZ) 98 C1
Santa Maria Rassinata (AR) 61 A3
Santa Maria, Rifugio (TO) 18 F3-4
Santa Maria Riopetra (FO) 55 A
Santa Maria (SI) 60 B2
Santa Maria (SO) 1 F2
Santa Maria (SP) 44 D4
Santa Maria (SP) 45 D1
Santa Maria (SS) 125 D2
Santa Maria (SS) 126 C3
Santa Maria (SS) 129 B1
Santa Maria Stella (CT) 121 B1-2
Santa Maria (TE) 70 C2
Santa Maria (TO) 19 E4
Santa Maria (TR) 61 F3
Santa Maria (TV) 14 F4
Santa Maria (TV) 27 A1
Santa Maria (UD) 28 A3
Santa Maria Val di Loto (PS) 55 CD4
Santa Maria (BI) 20 B3
Santa Maria (BI) 20 D3
Santa Maria (VC) 32 A3
Santa Maria (VC) 8 F2
Santa Maria (VI) 25 C4
Santa Maria (VI) 26 D1
Santa Maria Villiana (BO) 47 E1
Santa Maria (VR) 25 F1-2
Santa Maria (VT) 67 C3
Santa Maria Zuarba (OR) 131 C4
Santa Marina (FO) 48 F3
Santa Marina (ME) 112 C4
Santa Marina (PS) 56 B3
Santa Marina (SA) 97 C1
Santa Marina Salina (ME) 111 A2-3
Santa Marinella (ROMA) 72 B2
Santa Marta (GE) 43 B3
Santa Maruccina (CH) 71 F1
Santa Massenza (TN) 12 E3-4
Santa Massenzia, Lago di (TN) 12 E3-4
Santa Maura, Borgo (RO) 38 D2
Sant'Ambrogio di Torino (TO) 31 A1
Sant'Ambrogio (MO) 47 A1
Sant'Ambrogio (PA) 110 D4
Sant'Ambrogio (PD) 26 D4
Sant'Ambrogio (SI) 61 D1
Sant'Ambrogio sul Garigliano (FR) 82 C2
Sant'Ambrogio Valpolicella (VR) 24 D4
Sant'Amico (AN) 57 E1
Sant'Ampélio, Capo (IM) 50 D4
Sant'Anania (NU) 130 E1
Sant'Anastasia (LE) 100 D1
Sant'Anastasia (NA) 89 B1
Sant'Anastasia, Torre (LT) 81 D2
Sant'Anastasio (LU) 45 E4
Sant'Anastasio (PI) 59 A4
Sant'Anastásia (KR) 103 D3
Sant'Anastásio (MC) 63 A3
Sant'Anatólia di Narco (PG) 68 B3-4
Sant'Anatólia (RI) 74 A4
Sant'Andrat (UD) 29 A1
Sant'Andrea (AL) 32 E4
Sant'Andrea a Morgiano (FI) 54 D1
Sant'Andrea Apostolo (AV) 89 B3-4
Sant'Andrea Apostolo dello Jónio (CZ) 105 E2
Sant'Andrea Apostolo dello Jonio Marina (CZ) 105 E3
Sant'Andrea (AR) 55 D3
Sant'Andrea (BA) 86 D4
Sant'Andrea Bagni (PR) 35 F3
Sant'Andrea (BL) 14 D2
Sant'Andrea (BL) 14 D4
Sant'Andrea (BO) 47 C4
Sant'Andrea Bonagia (TP) 108 D1-2
Sant'Andrea (BS) 23 C4
Sant'Andrea (BS) 23 D2
Sant'Andrea (CA) 136 C1
Sant'Andrea, Capo (LI) 58 E1
Sant'Andrea, Capo (ME) 113 F1
Sant'Andrea (CE) 82 E3
Sant'Andrea d'Agliano (PG) 62 D2
Sant'Andrea del Garigliano (FR) 82 C2
Sant'Andrea delle Fratte (PG) 62 D1
Sant'Andrea di Barbarana (VT) 27 C2
Sant'Andrea di Cómpito (LU) 52 C4
Sant'Andrea di Conza (AV) 90 B3-4
Sant'Andrea di Foggia (GE) 44 C1
Sant'Andrea di Sorbello (AR) 61 B4
Sant'Andrea di Suasa (PS) 56 E3-4
Sant'Andrea (EN) 119 D4
Sant'Andrea, Faro (LE) 99 D3
Sant'Andrea (PO) 53 C3
Sant'Andrea (FI) 53 D2
Sant'Andrea (FI) 53 D4
Sant'Andrea (FO) 48 E4
Sant'Andrea (FR) 75 F3
Sant'Andrea Frius (CA) 132 F4
Sant'Andrea (GO) 29 B2
Sant'Andrea in Bagnolo (FO) 48 E4
Sant'Andrea in Monte (BZ) 3 D3
Sant'Andrea in Pescaiola (PI) 52 C3
Sant'Andrea in Proverso (PS) 55 E4
Sant'Andrea, Isola (BR) 95 B1-2
Sant'Andrea, Isola di (UD) 28 D3
Sant'Andrea, Isola (LE) 99 D3
Sant'Andrea Lagno (CE) 83 F1
Sant'Andrea (LE) 100 B4
Sant'Andrea (LI) 58 E1
Sant'Andrea, Masseria (FG) 85 D4
Sant'Andrea (MC) 63 CD3
Sant'Andrea (ME) 113 B2
Sant'Andrea, Monte (FG) 85 C1
Sant'Andrea, Monte (MO) 46 C3
Sant'Andrea, Monte (RC) 115 B2
Sant'Andrea, Monte (SA) 90 F2
Sant'Andrea (PD) 26 E3
Sant'Andrea Pelago (MO) 46 E2
Sant'Andrea (PN) 27 A3-4
Sant'Andrea, Porto di (UD) 28 D3
Sant'Andrea (PR) 35 D2
Sant'Andrea (PR) 35 D4
Sant'Andrea (PS) 56 C3-4
Sant'Andrea (PZ) 91 A1
Sant'Andrea (RA) 46 D3
Sant'Andrea (RI) 68 E2
Sant'Andrea (SI) 53 F3
Sant'Andrea (SI) 60 A1
Sant'Andrea (SO) 10 C1-2
Sant'Andrea (SS) 126 F4
Sant'Andrea (TE) 70 A1
Sant'Andrea (TV) 26 C3
Sant'Andrea (VE) 27 E2
Sant'Andrea (VR) 25 D2
Sant'Andrea (VR) 25 F3
Sant'Andrât (UD) 28 B3
Santandrá (TV) 27 B1
Sant'Angeli (TV) 26 B4
Sant'Angelo, Abbazia di (PZ) 98 B1
Sant'Angelo a Cupolo (BN) 84 E1
Sant'Angelo a Fasanello (SA) 90 E3
Sant'Angelo all'Esca (AV) 84 F2
Sant'Angelo (AN) 57 D1
Sant'Angelo a Scala (AV) 83 F4
Sant'Angelo (CA) 134 B3-4
Sant'Angelo (CE) 83 F2
Sant'Angelo (CH) 76 B3
Sant'Angelo Cinigiano, Stazione (SI) 60 E3
Sant'Angelo, Col (BL) 4 E3
Sant'Angelo, Convento (VT) 67 E2-3
Sant'Angelo, Cozzo (CS) 102 B2
Sant'Angelo (CS) 101 B3
Sant'Angelo (CZ) 104 E4
Sant'Angelo D'Alife (CE) 83 C1
Sant'Angelo dei Lombardi (AV) 90 A2
Sant'Angelo dei Lombardi, Stazione (AV) 90 A2
Sant'Angelo del Pesco (IS) 76 D2-3
Sant'Angelo di Brolo (ME) 112 C2
Sant'Angelo di Celle (PG) 62 E1
Sant'Angelo di Chieti (PG) 62 C2
Sant'Angelo di Piove di Sacco (PD) 26 F3
Sant'Angelo (FI) 53 E4 Sant'Angelo (FO) 49 F2
Sant'Angelo (GR) 66 B4
Sant'Angelo, Grotta di (TE) 70 A1
Sant'Angelo in Colle (SI) 60 E3
Sant'Angelo in Formis (CE) 83 E1
Sant'Angelo in Grotta (IS) 83 A2
Sant'Angelo in Lizzola (PS) 56 C3
Sant'Angelo in Maiano (PS) 56 EF2
Sant'Angelo in Mercole (PG) 68 A3
Sant'Angelo in Pontano (MC) 63 D4
Sant'Angelo in Theodice (FR) 82 B2
Sant'Angelo in Vado (PS) 55 D4
Sant'Angelo in Villa (FR) 75 F1
Sant'Angelo (IS) 76 D3
Sant'Angelo, Lago di (CH) 76 B2-3
Sant'Angelo le Fratte (PZ) 91 E1
Sant'Angelo Limosano (CB) 77 E1
Sant'Angelo Lodigiano (LO) 34 A2-3
Sant'Angelo Lomellina (PV) 21 F1
Sant'Angelo, Masseria (BR) 94 A2
Sant'Angelo, Masseria (PZ) 91 A3
Sant'Angelo (MC) 63 BC1
Sant'Angelo (MC) 63 C1
Sant'Angelo (MC) 63 C4
Sant'Angelo, Monte (CE) 83 D1
Sant'Angelo, Monte (CS) 101 F4
Sant'Angelo, Monte (LT) 81 AB1
Sant'Angelo, Monte (LT) 82 C1
Sant'Angelo, Monte (ME) 111 B3
Sant'Angelo, Monte (MT) 92 C2
Sant'Angelo, Monte (NA) 89 D1-2
Sant'Angelo, Monte (PA) 109 F4
Sant'Angelo, Monte (ROMA) 73 A1
Sant'Angelo, Muxaro (AG) 118 D2
Sant'Angelo (NA) 88 C1
Sant'Angelo (NU) 129 E3
Sant'Angelo, Punta (NA) 88 C1
Sant'Angelo, Pizzo (PA) 110 E4
Sant'Angelo, Pizzo (PA) 110 F3
Sant'Angelo (RI) 69 B3
Sant'Angelo (RI) 69 C1
Sant'Angelo Romano (ROMA) 73 B4
Sant'Angelo (SA) 89 B3
Sant'Angelo (VE) 26 D3-4
Sant'Angelo Vecchio (CE) 83 C1
Sant'Angelo (VT) 67 C3
Sant'Angiolo, Masseria (PZ) 98 A1
Sant'Anna (AG) 117 C4
Sant'Anna (AG) 118 D4
Sant'Anna Arresi (CA) 134 E4
Sant'Anna (AT) 32 E2
Sant'Anna (BL) 4 E4
Sant'Anna (BN) 83 C3
Sant'Anna (BO) 47 A4
Sant'Anna, Borgo (I) 26 C2
Sant'Anna (BS) 23 D2
Sant'Anna (BZ) 4 C3
Sant'Anna, Cantoniera (NU) 130 B3
Sant'Anna, Cantoniera (OR) 131 C34
Sant'Anna, Casa (EN) 119 C4
Sant'Anna (CB) 77 E1
Sant'Anna (CN) 30 F2
Sant'Anna (CN) 30 F4
Sant'Anna (CN) 40 B4
Sant'Anna (CN) 41 B1
Sant'Anna (CN) 41 C2
Sant'Anna (CN) 41 C4
Sant'Anna, Colle (PE) 70 D3
Sant'Anna (KR) 106 A2
Sant'Anna d'Alfaedo (VR) 25 C1
Sant'Anna di Boccafossa (VE) 27 C4
Sant'Anna di Valdieri (CN) 40 C4
Sant'Anna (FG) 79 D1
Sant'Anna (GE) 44 C1
Sant'Anna (MC) 63 B2
Sant'Anna (ME) 111 D3-4
Sant'Anna (MN) 24 F2
Sant'Anna Morosina (PD) 26 D2
Sant'Anna (OR) 131 C4
Sant'Anna Pelago (MO) 46 E2
Sant'Anna (RC) 114 B3
Sant'Anna (RC) 115 D1
Sant'Anna (ROMA) 74 E1-2
Sant'Anna, Santuario di (CN) 40 C3
Sant'Anna (SI) 60 D4
Sant'Anna (SP) 45 F1
Sant'Anna (SS) 128 B2

234 SANT'ANNA / SAN VIGILIO

Sant'Anna (TO) 18 F3
Sant'Anna (TO) 19 E3-4
Sant'Anna (TO) 19 F3
Sant'Anna, Torre (CT) 121 C2
Sant'Anna (VA) 21 B2
Sant'Anna, Vallone di (CN) 40 C3
Sant'Anna (VE) 39 B1
Santanni (TO) 19 F3
Sant'Ansano (FI) 53 C2
Sant'Ansano (FI) 54 B1-2
Sant'Ansovino (RN) 56 B2
Sant'Antimo (NA) 88 A3-4
Sant'Antimo (SI) 60 E4
Sant'Antine, Monte (NU) 132 C2-3
Sant'Antine, Nuraghe (SS) 129 C1
Sant'Antine (OR) 129 F2
Sant'Antioco (CA) 134 D3
Sant'Antioco di Bisárcio (SS) 129 A2
Sant Antioco, Isola di (CA) 134 E2
Sant'Antioco (NU) 130 F1
Sant'Antioco (OR) 128 E4
Sant'Antonino, Cala di (ME) 112 B4
Sant'Antonino [CH] 9 D3
Sant'Antonino (CN) 31 F4
Sant'Antonino di Susa (TO) 31 A1
Sant'Antonino (PV) 33 C4
Sant'Antonino (VA) 21 C2
Sant'Antonino (VC) 20 F2
Sant'Antonio Abate (NA) 89 C2
Sant'Antonio al Bosco (SI) 60 A1
Sant'Antonio a Picenzia (SA) 89 D4
Sant'Antonio (AQ) 75 C1-2
Sant'Antonio (AQ) 75 D2
Sant'Antonio (AQ) 76 D2
Sant'Antonio (AT) 32 E3
Sant'Antonio, Baite (SO) 11 D1
Sant'Antonio (BG) 22 A4
Sant'Antonio (BG) 23 B2
Sant'Antonio (BL) 14 E3
Sant'Antonio (BL) 4 E4
Sant'Antonio, Bocchetta di (VB) 8 CD4
Sant'Antonio, Borgata (MT) 92 F3
Sant'Antonio, Borgo (MC) 63 E2
Sant'Antonio (BS) 24 B2
Sant'António (BZ) 13 B1
Sant'Antonio Casalini (PZ) 91 C1
Sant'Antonio [CH] 11 C2
Sant'Antonio (CH) 76 B3
Sant'Antonio (CH) 76 C1-2
Sant'Antonio (CH) 76 C4
Sant'Antonio (CH) 77 B1
Sant'Antonio [CH] 9 D3
Sant'Antonio (CN) 31 E2
Sant'Antonio (CN) 31 E4
Sant'Antonio (CN) 31 F1
Sant'Antonio (CN) 31 F3
Sant'Antonio (CN) 32 E2
Sant'Antonio (CN) 41 B4
Sant'Antonio (KR) 103 DE2
Sant'Antonio d'Adda (BG) 22 B4
Sant'Antonio de li Colti (SS) 126 D3
Sant'Antonio della Bassa Quaderna (BO) 48 B1-2
Sant'Antonio de Santadi (CA) 131 D3
Sant'Antonio di Gallura (SS) 127 D1
Sant'Antonio di Mavignola (TN) 12 D2-3
Sant'Antonio, Eremo di (AQ) 76 C1
Sant'Antonio (FR) 74 E3
Sant'Antonio (FR) 75 F1
Sant'Antonio (GR) 60 F2
Sant'Antonio (IM) 50 CD3
Sant'Antonio in Bosco (TS) 29 DE3-4
Sant'Antonio in Gualdo (FO) 48 F3
Sant'Antonio in Mercadello (MO) 36 E4
Sant'Antonio (IS) 76 E1
Sant'Antonio, Lago di (LT) 80 B3
Sant'Antonio (LT) 82 C1
Sant'Antonio (ME) 112 D1
Sant'Antonio (MN) 36 B3-4
Sant'Antonio, Monte (NU) 128 E4
Sant'Antonio, Monte (PR) 35 F2
Sant'Antonio, Monte (SA) 96 D4
Sant'Antonio Morignone (SO) 11 B4
Sant'Antonio, Mura (SS) 129 C1
Sant'Antonio Negri (CR) 35 B4
Sant'Antonio (NO) 21 C1
Sant'Antonio (NU) 132 D4
Sant'Antonio (NU) 133 A3
Sant'Antonio (NU) 133 D2
Sant'Antonio (PA) 108 E4
Sant'Antonio, Pizzo (AG) 117 E4
Sant'Antonio (PN) 15 C4
Sant'Antonio (PN) 15 F4
Sant'Antonio, Ponte (CE) 83 F1
Sant'Antonio (PZ) 97 B4
Sant'Antonio (ROMA) 72 A2-3
Sant'Antonio Ruinas (OR) 132 C2
Sant'Antonio, Santuario (FO) 48 F2-3
Sant'Antonio, Serra (AQ) 74 C4
Sant'António (SO) 1 F1
Sant'António (SO) 1 F3
Sant'Antonio (SS) 126 C4
Sant'Antonio (SS) 129 A1
Sant'Antonio (TO) 31 D1
Sant'Antonio Trebbia (PC) 34 C4
Sant'Antonio (TV) 27 C1
Sant'Antonio (UD) 29 C1
Sant'Antonio (VE) 39 A1
Sant'Antonio (VI) 25 A4
Sant'Antonio (VI) 25 B2
Sant'Antonio (VI) 25 B4
Sant'Antonio (VI) 25 E3-4
Sant'Antonio (VR) 37 A3
Sant'Antonio (VT) 67 C2
Sant'Antonio [YUI] 29 E3
Sant'Antono, Bocchetta di (NO) 8 CD4
Sant'Antuono, Case (MT) 98 B3
Sant'Antuono (SA) 91 E1
Sant'Antuono - San Michele Campagnano (NA) 88 C2
Santa Paloma (ROMA) 73 E3
Santa Paola (FO) 55 A3
Santa Paolina (AV) 84 F1
Sant'Apollinare (BO) 47 C1
Sant'Apollinare (BO) 47 DE4
Sant'Apollinare (CH) 71 F2
Sant'Apollinare (FR) 82 B2
Sant'Apollinare in Classe (RA) 49 CD1
Sant'Apollinare in Girfalco (PS) 56 D1
Sant'Apollinare (TV) 26 B3
Sant'Apollinare, Villa (PG) 62 B2
Sant'Apollonia (BS) 11 C4
Sant'Appiano (FI) 53 F3
Santa Ninfa (TP) 117 A1
Santa Prócula Maggiore (ROMA) 73 F3
Sant'Aquilina (RN) 56 A1
Sant'Arania (CZ) 103 E1
Santarcangelo di Romagna (RN) 49 F2
Sant'Arcangelo (PG) 61 D3-4
Sant'Arcángelo (SA) 89 C2
Sant'Arcángelo (SA) 89 C2-3
Sant'Arcángelo Trimonte (AV) 84 E2
Sant'Archittu (OR) 128 F3
Sant'Arcàngelo, Monte (MT) 98 B3
Sant'Arcàngelo (PZ) 98 AB2
Santarello, Case (GR) 66 B3
Santa Reparata, Baia di (SS) 126 A4
Santa Reparata (FO) 48 F2
Santa Reparata (SS) 129 B4
Santa Restituta (SS) 129 D3
Santa Restituta (TR) 67 B4
Santa Rita (CL) 119 D2
Santa Rita (PS) 55 C4
Santa Rita, Rifugio (LC) 10 E2
Santa Rosalia (AG) 117 B3
Santa Rosalia alla Quisquinia, Santuario (AG) 118 BC2
Santa Rosalia (CN) 31 E3
Santa Rosalia (RG) 123 C4
Santa Rosalia, Santuario di (PA) 109 C2-3
Santa Rosa (TV) 27 A1
Sant'Arpino (NA) 88 A4
Sant'Arsénio (SA) 90 E4
Santa Rufina (RI) 68 E4
anta Rufina (RI) 69 C1
Sant'Arvara (SS) 129 C4
Santa Sabina, Nuraghe (NU) 129 E2
Santa Sabina, Torre (BR) 94 B4
Santa Salva, Castello (TO) 31 C4
Santa Scolastica (PG) 69 A1
Santa, Serra (AN) (PG) 62 C4
Santa Severa (ROMA) 72 C3
Santa Severina (KR) 103 F2
Santa Sofia (CA) 132 EF3
Santa Sofia d' Epiro (CS) 102 B2
Santa Sofia (FO) 55 B1
Santa Spina, Convento (KR) 103 F1
Santa Spina (CS) 101 A3
Santa Stroga, ponte (CA) 135 E1
Santa Susanna (OR) 132 AB2
Santa Tocchia, Masseria (FG) 85 A3
Santa Tecla, Coppa (FG) 79 E3
Santa Tecla (SA) 89 C4
Santa Teresa di Gallura (SS) 126 AB4
Santa Teresa di Gravina, Stazione di (BA) 92 B2
Santa Teresa di Logarini, Stazione (SR) 124 B3
Santa Teresa di Riva (ME) 113 E1-2
Santa Teresa, Masseria (BR) 95 D1
Santa Teresa, Masseria (TA) 93 D4
Santa Varignana (BO) 47 C4
Sant'Avendrace (CA) 135 C3
Santa Veneranda (PS) 56 BC3
Santa Venere (PZ) 97 D2
Santa Vénia, Masseria (LE) 95 E1
Santa Vittoria (AQ) 69 C2
Santa Vittoria (AR) 61 B1-2
Santa Vittoria d'Alba (CN) 31 E4
Santa Vittoria di Libiola (GE) 44 D2
Santa Vittoria in Matenano (AP) 64 E1
Santa Vittoria, Monte (NU) 133 D1
Santa Vittoria, Monte (OR) 129 F3
Santa Vittoria (NU) 132 D3
Santa Vittoria (OR) 128 E3
Santa Vittoria (PC) 34 B3
Santa Vittoria (RE) 36 E2-3
Santa Vittoria (SS) 125 F4
San Tecla (CT) 121 B2
Sant'Efisio (CA) 135 E3
Sant'Efisio, Cantoniera (NU) 130 C1
Sant'Efisio (NU) 130 C1
Sant'Egidio alla Vibrata (TE) 70 A2
Sant'Egidio (CH) 76 A4
Sant'Egidio del Monte Albino (SA) 89 C2
Sant'Egidio, Eremo di (AR) 61 B3
Sant'Egidio (FE) 38 F1
Sant'Egidio (FO) 49 F1
Sant'Egidio (MC) 63 B4
Sant'Egidio (PG) 61 E3
Sant'Egidio (PG) 62 D2
Sant'Egidio (TR) 67 B3
Sant'Egidio (VT) 67 E3
Sant'Elena (AV) 84 F1
Sant'Elena, Casa (BA) 86 D4
Sant'Elena (MC) 63 B2
Sant'Elena, Monte (NU) 130 E3
Sant'Elena (PD) 38 B2
Sant'Elena (PG) 62 E1
Sant'Elena, Punta (CA) 136 C2
Sant'Elena Sannita (IS) 83 A2
Sant'Elena (TV) 27 C1-2
Sant'Elena (VE) 27 C4
Sant'Eleutério, Serra (LE) 100 D2
Sant'Elia (AN) 63 A2
Sant'Elia a Pianesi (CB) 77 F3
Sant'Elia (AQ) 69 E3
Sant'Elia (BR) 95 C1
Sant'Elia (CA) 135 C4
Sant'Elia, Capo (CA) 135 C4
Sant'Elia, Casati (CT) 112 F2
Sant'Elia, Casa (TP) 116 B4
Sant'Elia, Colle (CS) 103 B1
Sant'Elia (CZ) 105 B3
Sant'Elia Fiume Rapido (FR) 82 A2
Sant'Elia, Grotta (SA) 90 D3
Sant'Elia, Monte (CA) 135 C4
Sant'Elia, Monte (ME) 113 E1
Sant'Elia, Monte (RC) 114 B3
Sant'Elia, Monte (RC) 115 B1
Sant'Elia, Monte (ROMA) 74 B2
Sant'Elia, Monte (TA) 93 C3-4
Sant'Eliano (SA) 97 B1
Sant'Elia (NU) 132 D3
Sant'Elia (OR) 131 C3
Sant'Elia (PA) 109 D4
Sant'Elias, Bruncu (NU) 132 B3
Sant'Elia, Villa (LE) 95 E2
Sant'Eli (RC) 114 F2
Sant'Elisabetta (AG) 118 D2
Sant'Elisabetta (SO) 11 C1
Sant'Elisabetta (TO) 19 D3
Sant'Eliseo (UD) 16 E3
Sant'Ellero (FI) 54 D2
Sant'Ellero (FO) 55 A1
Sant'Elpidio a Mare (AP) 64 C2
Sant'Elpidio Mório (AP) 64 D1
Sant'Elpidio (RI) 69 F2
Santel (TN) 12 D4
Sante Marie (AQ) 74 B3
Sántena (TO) 31 C4
Sant'Enea (PG) 62 E1
Sant'Enoc, Monte (PZ) 91 F3
San Tammaro (CE) 83 E1
San Teodoro (CT) 112 E3
San Teodoro (ME) 111 F4
San Teodoro (NU) 127 F4
San Teodoro, Stagno di (NU) 127 E4
San Teodoro, Torre (TP) 107 F4
San Teodoro Vécchio (MT) 93 F1
Sant'Erasmo, Litorale (VE) 27 E2
Sant'Erasmo (MC) 63 D1
Sant'Erasmo (PA) 109 D3
Sant'Erasmo (SA) 89 C2
Sant'Erasmo (TR) 68 C2
Sant'Erasmo (VE) 27 E2
Sant'Ercolano, Póggio (PG) 62 C4
San Terenziano (PG) 62 F2
San Terenzo (MS) 45 E2
Sant'Eráclio (PG) 62 F3-4
Sant'Ermete (RN) 56 A1
Sant'Ermete (FR) 82 B1
Sant'Ermete (SV) 42 D3-4
Sant'Ermo (PI) 52 E4
Santerno, Fiume 47 F3
Santerno, Fiume 48 D1
Santerno (RA) 48 C4
Sant'Eufemia a Maiella (PE) 76 B1
Sant'Eufemia (CZ) 104 B4
Sant'Eufemia d'Aspromonte (RC) 114 C3
Sant'Eufemia della Fonte (BS) 23 D4
Sant'Eufemia (FO) 54 A4
Sant'Eufemia, Golfo di (CZ) 104 CD3
Sant'Eufemia Lamezia (CZ) 104 B4
Sant'Eufemia (LE) 100 E3
Sant'Eufemia (PD) 26 D3
Sant'Eufemia, Piana di (CZ) 104 C4
Sant'Eufemia Vetere (CZ) 104 B4
Sant'Eufémia, Faro di (FG) 79 CD4
Sant'Eufémia (RA) 48 E1
Sant'Eulalia (TV) 26 B2
Sant'Eusanio, La Croce di (CH) 76 A3
Sant'Eusebio (BS) 24 C1
Sant'Eusebio (GE) 43 B3
Sant'Eusebio (MO) 47 B1
Sant'Eusebio (PS) 55 D4
Sant Eusebio (PV) 34 D1
Sant'Eusánio del Sàngro (CH) 76 A3
Sant'Eusánio Forconese (AQ) 69 F4
Sant'Eutizio, Abbazia di (PG) 63 F2
Sant'Ágata (ME) 113 B3
Santéramo in Colle (BA) 93 B1
Santhià (VC) 20 E3
Sant'Iacopo (PI) 52 D4
Sant'Ianni (CB) 76 F4
Sant'Ianni, Fermata (CS) 102 D2
Sant'Ianni, Isola (PZ) 97 D2
Santi (AQ) 69 E2
Santicolo (BS) 11 D3
Santicolo, Passo del (BZ) 3 B2
Santi Cosma e Damiano (LT) 82 C2
Santi, Eremo dei (MC) 63 DE1-2
Sant'Ignazio (AN) 63 A3
Sant'Ignazio (MC) 64 B1-2
Sant'Ignazio (OR) 129 F1
Sant'Ignazio (TO) 19 E2
Sant'Igne (PS) 55 B3-4
Sant'Ilario dello Jónio (RC) 115 C1
Sant'Ilario di Baganza (PR) 35 F3
Sant'Ilario (FI) 47 F4
Sant'Ilario in Campo (LI) 58 E1-2
Sant'Ilario (MC) 63 DE2
Sant'Ilario (MI) 21 C4
Sant'Ilario (PZ) 91 B1
Sant'Ilario (RE) 36 EF1
Sant'Ilario (TN) 12 F4
Sant'Ilário (GE) 43 C4
Sant'Ilário, Stazione (AQ) 76 E1
Santilli, Colle (CH) 76 B4
Sant'Imento (PC) 34 B4
Santina, La (PC) 35 C2
Santina, Villa (UD) 15 B4
Santins, Zuc di (PN) 15 C3-4
Sant'Iona (AQ) 75 B1
Sant'Iorio (CE) 83 E1
Sant'Iorio, Passo di (CO) 9 D4
Sant'Ippolito (CS) 102 E1-2
Sant'Ippolito (FI) 53 D3
Sant'Ippolito (PI) 59 B3
Sant'Ippolito (PS) 56 D3
Sant'Ippolito (RI) 69 F1
Sant'Irene (CS) 102 AB3
Sant'Isidoro (AT) 32 C1
Sant'Isidoro (CA) 135 E1
Sant'Isidoro (CA) 136 C1
Sant'Isidoro (LE) 99 B3
Santissima Annunziata, Convento (TR) 67 C4
Santissima Annunziata (NU) 130 B2
Santissima Trinità di Saccargia (SS) 128 A4
Santissima Trinità, Monte (TA) 93 D2
Santissimi Giovanni e Paolo (CE) 83 DE2
Santissimi Lorenzo e Flaviano (RI) 69 B2-3
Sant'Iùnio, Monte (RC) 115 B1-2
Santo Aló (VE) 27 C4
Santo, Coal (VR) 24 C4
Santo, Col (TN) 25 A2
Santo di Lussari, Monte (UD) 17 B1
Sant'Odorico (UD) 15 E4
Santo, Fiume 125 F2
Santo, Forcella del (BZ) 2 C1
Santo, Fossa del (LT) 81 B3
Santo, Lago (MO) 46 F2
Santo, Lago (PR) 45 C2
Santo, Lago (TN) 12 D4
Santo, Lago (TN) 13 D1
Sant'Olcese (GE) 43 B3
Sant'Oliva (FR) 81 BC4
Sant'Oliva, Stazione (AG) 122 A2
San Tomaso Agordino (BL) 14 B2
San Tomaso (BS) 24 D1
San Tomaso (LO) 34 A3
Santomato (PT) 53 B3
San Toma (VI) 25 F3
Santo (ME) 113 C2
Santomenna (SA) 90 B3
Sant'Omero (TE) 70 A2
Sant'Omobono Imagna (BG) 22 A3-4
San Tomé (FO) 48 E3
San Tomè (PN) 15 E1
San Tomio (VI) 25 C3
San Tomio (VR) 37 A2
San Tommaso (CH) 71 E2
San Tommaso (CZ) 102 F2
San Tommaso (PE) 75 A4
San Tommaso (RE) 36 E3
San Tommaso (UD) 15 D4
San Tommé (AR) 54 F2
Santo, Monte (CZ) 104 D4
Santo, Monte (PC) 34 E4
Santo, Monte (PG) 62 F4
Santo, Monte (PG) 67 A4
Santo, Monte (ROMA) 72 B3
Santo, Monte (SS) 129 B1
Santo, Monte (TP) 116 C4
Santo, Monte [YUI] 29 A2
Santo Moro (PT) 53 A3
Santona, La (MO) 46 D2-3
Sant'Onófrio (LT) 81 B4
Sant'Onófrio, Monte (IS) 76 D3
Sant'Onófrio (ROMA) 73 C2
Sant'Onófrio (TE) 70 A2
Sant'Onofrio (CH) 76 A3
Sant'Onofrio (CS) 97 D4
Sant'Onofrio (VV) 104 D4
Sant'Onofrio (FR) 75 E3
Sant'Onofrio (IS) 76 F3
Sant'Onofrio, Convento di (CB) 77 E2-3
Sant'Onofrio, Monte (PA) 109 E4
Sant'Onofrio (PA) 109 E4
Santopadre (FR) 75 F2
Santo Padre delle Perriere (TP) 116 A3
Santo Padre, Monte (NU) 129 D1-2
Santo Panágia, Capo (SR) 124 A4
Santo Panágia (SR) 124 A3-4
Santo Pastore, Abbazia del (RI) 68 D3
Santo Pietro (CT) 123 A2
Santo Placido (MC) 63 F2
Santo, Ponte (BO) 48 D1-2
Sant'Oreste (ROMA) 68 F1
Sant'Oreste, Stazione (ROMA) 68 F1
Santoria, Masseria (BR) 95 D1
Santoro, Masseria (BR) 94 D4
Santoro, Masseria (TA) 94 B2
Sant'Oronzo (BR) 94 B3
Sant'Oronzo, Monte di (BA) 94 A1
Sant'Oronzo, Monte (PZ) 98 B3
Sant'Orsola (TN) 13 E1-2
Santorso (VI) 25 B3
Santoru, Porto (NU) 133 E3
Santo (SI) 60 D2
Santo Simone, Fiume 127 E2
Santo Spirito (BA) 87 D2
Santo Spirito (CN) 42 C1
Santo Spirito, Masseria (FG) 78 D2
Santo Spirito, Masseria (FG) 79 F1
Santo Stefano a Cornetole (FI) 54 B1
Santo Stefano al Mare (IM) 51 D1-2
Santo Stefano (AN) 56 F3
Santo Stefano (AP) 64 E1
Santo Stefano (AQ) 74 B3
Santo Stefano Arcu (NU) 133 E1
Santo Stefano (AT) 32 C3
Santo Stefano a Tizzano (FI) 54 D1
Santo Stefano Belbo (CN) 32 E3
Santo Stefano (BN) 83 D3
Santo Stefano (BZ) 4 D1
Santo Stefano, Castello di (BA) 87 B3-4
Santo Stefano (CB) 77 F1
Santo Stefano (CN) 41 A4
Santo Stefano (CN) 41 B1
Santo Stefano d'Aveto (GE) 44 B3
Santo Stefano del Sole (AV) 89 A4
Santo Stefano di Briga (ME) 113 CD2
Santo Stefano di Cadore (BL) 5 EF1
Santo Stéfano di Camastra (ME) 111 E2
Santo Stefano di Magra (SP) 45 E1-2
Santo Stefano di Rogliano (CS) 102 E2
Santo Stefano di Sessano (AQ) 70 E1
Santo Stefano (FG) 85 D4
Santo Stéfano, Fiume 111 E2
Santo Stefano in Aspromonte (RC) 114 D3
Santo Stefano in Bosco (FO) 48 F2
Santo Stefano, Isola (LT) 81 F2
Santo Stefano, Isola (SS) 127 B2
Santo Stefano (LI) 58 B1
Santo Stefano Lodigiano (LO) 34 B4
Santo Stefano (MC) 63 B2-3
Santo Stefano, Monte (LT) 81 C2
Santo Stefano, Palazzo (CS) 98 CD4
Santo Stefano (PS) 56 B3
Santo Stefano, Punta (CA) 136 D2-3
Santo Stefano, Punta (SO) 11 D1
Santo Stefano Quisquina (AG) 118 B2
Santo Stefano (RA) 48 D4
Santo Stefano (RO) 37 C2
Santo Stefano Roero (CN) 32 D1
Santo Stefano (SO) 11 D1
Santo Stefano (TE) 69 B4
Santo Stefano Ticinese (MI) 21 D3-4
Santo Stefano (TN) 12 D2
Santo Stefano, Torre (LE) 100 B4
Santo Stefano (TV) 26 A4
Santo Stefano (UD) 16 E3
Santo Stefano Udinese (UD) 28 A4
Santo Stefano (VA) 21 B3
Santo Stefano (VR) 25 F3
Santo Stefano (VR) 37 A3
Santo Stéfano (AN) 57 F3
Santo Stèfano (FI) 53 E2
Santo Stèfano (LU) 52 B3
Santo Stino di Livenza (VE) 27 B4
Sant'Osvaldo (BZ) 3 E2
Sant'Osvaldo, Passo di (PN) 15 C1
Sant'Osvaldo (UD) 16 F4
Sant'Ottaviano (PI) 53 F2
Sant'Oyen (AO) 6 F3
San Trovaso (TV) 27 C1
Santuario, I1 (SI) 61 C1
Santuario (ME) 112 C1
Santuario (ME) 112 C3
Santuario (SV) 42 C4
Sant'Ubaldo (AN) 57 E2
Sant'Ubaldo (PG) 62 B3
Sant'Ubaldo [YUI] 29 E3
Sant'Uberto, Castello di (BL) 4 E2
Santu, Capo di Monte (NU) 130 F4
Santuedi, Monte (OR) 132 D1
Sant'Ulderico (VI) 25 B3
Santu Lussurgiú (OR) 128 F4
Santu Miali, Cantoniera (SS) 128 C3
Santu Perdu, Case (CA) 136 C3
Santu, Ponte su (NU) 133 E3
Sant'Urbano (PD) 38 B1
Sant'Urbano (TR) 68 D2
Sant'Urbano (VI) 25 D3
Santuzza (AG) 119 E1
San Valburga (St. Walburg) (BZ) 2 E3
San Valentino alla Muta (St.Valentin A. D Haide) (BZ) 1 C4
San Valentino (BZ) 3 E3
San Valentino, Castello di (RE) 46 B3
San Valentino di Fiumetto (UD) 29 C1
San Valentino (FR) 74 E4
San Valentino (GR) 66 B4
San Valentino in Abruzzo-Citeriore (PE) 70 F3
San Valentino in Campo (BZ) 3 F2
San Valentino (PG) 62 E1
San Valentino (RE) 46 B3
San Valentino (RI) 68 F3
San Valentino (SI) 61 CD1
San Valentino Tório (SA) 89 B2
San Valentino (TN) 24 B4
San Valentino (TO) 32 A2
San Valentino (TR) 68 C2
San Valeriano (TO) 31 A1
San Varano (FO) 48 E3
San Varese (PV) 21 F4
Sanvarezzo (SV) 42 B3
San Venanzio (BO) 37 F3
San Venanzio (MO) 46 B4
San Venanzio, Valle (AQ) 75 B3
San Venanzo (AP) 64 E2
San Venanzo (MC) 63 B1
San Venanzo (TR) 61 F4
San Vendemiano (TV) 27 A1-2
San Venera (CT) 121 A2
San Venera, Fiume 112 D4
San Venere, Monte (SR) 120 F4
San Venerina (CT) 121 B2
San Vero Congius (OR) 131 B4
San Vero Milis (OR) 131 A4
San Vettore (VI) 25 E3
San Vettore (VR) 24 CD3
San Vénera (TP) 116 A2
San Vénere, Masseria (PA) 117 B4
San Véran, Colle di (CN) 30 E2
San Vicino, Monte (MC) 63 B2
San Vidotto (UD) 16 F4
San Vigilio, Abbazia di (BS) 24 E2
San Vigilio (BS) 23 C4
San Vigilio (BZ) 2 E3
San Vigilio (BZ) 3 F2
San Vigilio, Fiume 4 E2

San Vigilio (MN) 24 F2
San Vigilio (St. Vigil) (BZ) 4 D1
San Vigilio (TN) 12 E2
San Vigilio (VR) 24 D3
San Vincenti (SI) 60 A4
San Vincenzo al Furlo (PS) 56 E2
San Vincenzo al Volturno, Abbazia (IS) 76 F1
San Vincenzo (AN) 56 E4
San Vincenzo (AQ) 69 D3
San Vincenzo a Torri (FI) 53 D3
San Vincenzo (BO) 37 F4
San Vincenzo, Ca (BA) 93 B4
San Vincenzo (FR) 75 E2
San Vincenzo la Costa (CS) 101 D4
San Vincenzo (LI) 59 D1
San Vincenzo, Masseria (BA) 86 C2
San Vincenzo (ME) 112 A4
San Vincenzo, Monte (FG) 85 B1
San Vincenzo Nuovo (FR) 75 D1
San Vincenzo (PE) 70 E3
San Vincenzo (PG) 61 B4
San Vincenzo (PN) 16 C4
San Vincenzo (PR) 45 B1
San Vincenzo Valle Roveto (AQ) 75 D1-2
San Vincenzo Valle Roveto Superiore (AQ) 75 D1-2
San Vitale (BO) 47 B2-3
San Vitale (CR) 23 F1
San Vitale di Baganza (PR) 35 F3
San Vitale (PG) 62 D3
San Vitale, Pineta (RA) 49 BC1
San Vitale (RE) 46 C2
San Vitale (TV) 26 CD4
San Vitale (VR) 25 D1
San Vitaliano (NA) 89 A1
San Vito al Torre (UD) 28 B4
San Vito (AN) 57 E1
San Vito (AV) 84 D3
San Vito (BA) 87 B2
San Vito, Bivio (SA) 90 E3
San Vito (BN) 84 E1
San Vito (BS) 24 E1
San Vito (CA) 133 F2
San Vito, Capo (TA) 93 EF4
San Vito, Capo (TP) 108 C2
San Vito (CE) 82 D2
San Vito ,Chietino (CH) 71 F2-3
San Vito (CN) 32 D1
San Vito (CO) 10 D1
San Vito (CT) 112 F2-3
San Vito dei Normanni (BR) 94 C4
San Vito dei Normanni, Stazione (BR) 95 C1
San Vito di Cadore (BL) 4 F3
San Vito di Fagagna (UD) 16 F3
San Vito di Leguzzano (VI) 25 C3
San Vito di Negrar (VR) 25 D1
San Vito di Rimini (RM) 49 F2
San Vito e Modesto (CR) 35 A2
San Vito (FE) 38 F2
San Vito (FG) 78 D1
San Vito (FI) 53 C3
San Vito (FI) 53 EF3
San Vito in Monte (TR) 61 F4
San Vito Lo Capo (TP) 108 C2
San Vito (LT) 81 C1
San Vito (LT) 81 C3
San Vito, Masseria (FG) 85 B4
San Vito, Masseria (MT) 92 E2
San Vito, Masseria (PZ) 91 A1
San Vito, Masseria (PZ) 98 A3
San Vito (MI) 21 E4
San Vito (MN) 36 A1
San Vito (MO) 47 B1
San Vito, Monte (CL) 118 C4
San Vito, Monte (MT) 92 D3
San Vito, Monte (PE) 70 E2
San Vito, Monte (ROMA) 72 B4
San Vito (MT) 92 E4
San Vito (PD) 26 E3
San Vito (PG) 61 C4
San Vito, Ponte (PA) 109 E3
San Vito (RI) 69 C1
San Vito Romano (ROMA) 74 D2
San Vito (SA) 90 E1
San Vito, Serralta di (CZ) 105 D1
San Vito (SI) 60 A3
San Vito (St.Veit) (BZ) 4 D2
San Vito sul Cesano (PS) 56 E3
San Vito sullo Jonio (CZ) 102 D1
San Vito Tagliamento (PN) 28 B1
San Vito (TE) 69 A4
San Vito (TN) 13 E1
San Vito (TO) 31 B3
San Vito (TP) 116 F1
San Vito (TR) 68 D1
San Vito (TV) 26 A3
San Vito (TV) 26 B3
San Vito, Val di (BL) 4 F3
San Vito (VR) 37 A3
San Vito (VR) 37 B2
San Vito (VT) 67 E3
San Vittore [CH] 9 C4
San Vittore (CN) 32 E2
San Vittore (CN) 41 A2-3
San Vittore del Lazio (FR) 82 B3
San Vittore delle Chiuse (AN) 63 A1
San Vittore, Masseria (BA) 86 E3
San Vittore (MC) 63 A3
San Vittore Olona (MI) 21 C3-4
San Vittore (PR) 35 E2
San Vittore (PV) 21 F3
San Vittore (VR) 25 E2
San Vittorino (AQ) 69 E3
San Vittorino (IS) 76 F1
San Vittorino (PE) 75 A4
San Vittorino (PG) 62 B3
San Vittorino (ROMA) 73 CD4
San Vittorio, Torre (CA) 134 D2
San Vivaldo (FI) 53 EF2
San Zaccaria (PZ) 91 B3
San Zaccaria (RA) 48 E4
Sanzan (BL) 14 F2
Sanzanelli, Masseria (BA) 86 E3-4
Sanza (SA) 97 B1
San Zavedro (CR) 36 C1
San Zeno (AR) 61 A2
San Zeno (BS) 24 E2
San Zeno di Montagna (VR) 24 C3
San Zeno (FO) 54 A4
San Zeno in Volpinara (FO) 48 F3
San Zeno Naviglio (BS) 23 D4
San Zeno (TN) 12 B4
San Zeno (VI) 26 B2
San Zeno (VR) 25 E2
San Zeno (VR) 25 E3
San Zenon (BL) 14 E2-3
San Zenone al Lambro (MI) 22 F2
San Zenone al Po (PV) 34 B2
San Zenone (BS) 23 C3
San Zenone degli Ezzelini (TV) 26 B2
San Zenone in Mozzo (VR) 24 F4
San Zenone (VR) 37 A3
Saonara (PD) 26 F3
Saonda, Fiume 62 B3
Saone (TN) 12 E2
Saorge, Saorgio [F] 41 F2
Saoseo, Cima (SO) 11 B2-3
Sapestra, Fiume 77 D4
Sapé (CN) 40 C4
Sapé, Monte (CN) 41 D1
Sapienza, Masseria (CT) 121 D1
Sapienza, Rifúgio (CT) 121 AB1
Sapigno (PS) 55 B2
Saponara (ME) 113 C2
Saporito, Masseria (TP) 116 B4
Sappada (BL) 5 E2
Sappade (BL) 14 B1
Sappanico (AN) 57 E3
Sapri, Golfo di (SA) 97 C2
Sapri (SA) 97 C2
Saps (UD) 16 B3
Saputelli (TE) 70 C2
Saracchi (AT) 32 D2
Saracena, Costa (SR) 121 E2
Saracena (CS) 98 F2
Saracena, Fiume 112 E2
Saracena, Necropoli (CL) 119 D2
Saracena, Torre (CB) 77 B3
Saraceni, Monte dei (ME) 112 D2
Saraceno, Monte (AG) 119 F1
Saraceno, Monte (CB) 83 B4
Saraceno, Monte (PA) 109 D1-2
Saraceno, Ponte (PA) 110 E1
Saraceno, Punta del (TP) 108 D2
Saraceno, Torre (CS) 98 E4
Saracinesco (ROMA) 74 C2
Saracino, Monte (SA) 90 C3-4
Saragano (PG) 62 F2
Saraghinu, Cantoniera (SS) 127 C2
Saragiolo (SI) 60 F4
Saragnano (SA) 89 C3
Sarais (CA) 135 A1
Saraloi, Monti (NU) 130 C1-2
Sara, Monte (AG) 118 D1
Sarano (TV) 27 A1
Sarbene Genna (NU) 130 F3
Sárbia (SP) 45 F1
Sarca, Fiume 12 D2
Sarca, Val del (TN) 12 EF3
Sarcedo (VI) 25 C4
Sarcerei, Cantoniera (NU) 133 C2
Sarche (TN) 12 E3-4
Sarcidano (NU) 132 C3-4
Sarcidano (NU) 132 C4
Sarcidano, Stazione di (NU) 132 D3-4
Sarconi (PZ) 97 B4
Sardagna (TN) 12 E4
Sardara (CA) 132 E1
Sardara, Cantoniera di (CA) 132 E2
Sardara, Terme di (CA) 132 E1
Sardasca [CH] 1 B1
Sardegnana, Lago di (BG) 10 E4
Sardegna, Punta (SS) 127 B1
Sardiéres [F] 18 E2
Sardigliano (AL) 33 E3
Sardinia, Baia (SS) 127 B2
Sareceno, Fiume 98 E4
Sareggio, Pizzo [CH] 11 C2
Sarego (VI) 25 E3
Sarentino, Castello (BZ) 3 F1
Sarentino (Sarnthein) (BZ) 3 E1
Sáres (Saalen) (BZ) 3 D4
Saretto (CN) 40 A2
Saretto (CN) 40 B4
Sarezzano (AL) 33 D3
Sarezzo (BS) 23 C4
Sargano, Ponte (PG) 63 F1
Sarginesco (MN) 36 B2-3
Sariano (PC) 35 DE1
Sariano (RO) 37 C3
Sarignana (PR) 45 B4
Sarissola (GE) 43 A3
Sarizzola (AL) 33 F3
Sarmara, Monte (EN) 120 C1
Sarmata (PC) 34 E4
Sarmato (PC) 34 C3
Sarmede (TV) 15 F1
Sarmego (VI) 26 E1
Sarmenio, Fiume 98 C3
Sarmeola (PD) 26 E1
Sarmo, Monte (CL) 119 C1
Sarna (AR) 54 D4
Sarnano (MC) 63 E3-4
Sarna (RA) 48 E2
Sarnelli (PZ) 91 B2
Sarnes (BZ) 3 D3
Sarnico (BG) 23 C2
Salnonico (TN) 13 B1
Sarno (SA) 89 B2
Sarola (IM) 41 F4
Sarone (PN) 15 F1
Saronno (VA) 21 C4
Sarrabus (CA) 136 A1-2
Sarraina, Cala (SS) 126 C3
Sarre (AO) 19 A1
Sarresso, Monte (TA) 93 C4
Sarreyere [CH] 6 D4
Sarripoli (PT) 53 AB2
Sarroch (CA) 135 D3
Sarro (CT) 121 B1
Sarsina (FO) 55 B2
Sartagine, Coppa (FG) 79 C2
Sartagine, Monte (BA) 92 AB4
Sartano (CS) 101 C4
Sarteano (SI) 61 E2
Sartiano (PS) 55 B3
Sartirana Lomellina (PV) 33 B1-2
Sart, Monte (UD) 17 C1
Sartu, Planu (CA) 134 A2-3
Sarule (NU) 129 E4
Sarzana (SP) 45 F2
Sarzano (RO) 38 C2
sa Scrocca Manna (CA) 134 D3
Sas Ladas, Nuraghe (SS) 126 E2
Sassa (AQ) 69 E2-3
Sassai, Castello (CA) 133 F1
Sassalbo (MS) 45 D3
Sassalbo, Pizzo (SO) 11 C2
Sassano (SA) 91 F1
Sassa (PI) 59 B2
Sassara, Cima (TN) 12 C3
SASSARI 125 F4
Sassari, Cala (SS) 127 D3
Sassatella (MO) 46 D2
Sassatelli (BO) 48 B2
Sass da Mur (BL) 14 D2
Sass di Roi (BL) 4 F1
Sassello, Cima [CH] 9 C2
Sassello (SV) 42 B4
Sasseneire [CH] 7 C2
Sasseta (PO) 47 F2
Sassetta (LI) 59 C2
Sassetta (SP) 44 D4
Sassóngher (BZ) 3 E4
Sassicari, Monte (ROMA) 72 A2-3
Sassi (LU) 45 F4
Sassinoro (BN) 83 C4
Sassinoro, Fiume 83 C3
Sassitti, Molino di (CB) 77 D1
Sassiére, Lago de la [F] 18 C3
Sass Maór (TN) 14 D1
Sasso (AN) 63 A2
Sasso (BS) 24 C3
Sasso Canale, Pizzo (CO) 10 C1-2
Sasso (CE) 83 D1
Sassocorvaro (PS) 56 C1
Sasso di Castalda (PZ) 91 E1-2
Sasso di San Zanobi (FI) 47 E3
Sasso d'Italia (MC) 63 B4
Sasso d'Ombrone (GR) 60 E2-3
Sassofeltrio (PS) 55 B4
Sassoferrato (AN) 62 A4
Sassoforte (GR) 60 D1
Sassofortino (GR) 60 D1
Sasso Gorgona (CO) 9 F3
Sasso Grande (CO) 9 E3
Sasso, Il (BZ) 2 E3
Sassoleone (BO) 47 E4
Sasso Lungo di Collalto (Gr. Lenkstein) (BZ) 4 B2-3
Sasso Lungo (BZ) 3 F3-4
Sassolungo, Monte (BL) 14 B4
Sasso Piatto, Monte (TR) 3 F4
Sasso Marconi (BO) 47 C2
Sasso (MC) 63 E2
Sassomolare (BO) 46 D4
Sasso Morelli (BO) 48 C2
Sasso (NA) 83 F3
Sassone, Cima del (VB) 8 C4
Sassonero (BO) 47 DE3-4
Sasso (PG) 62 D4
Sasso Piatto, Rifugio (TN) 3 F3-4
Sasso Pisano (PI) 59 C3
Sasso (PR) 45 B4
Sasso (ROMA) 72 B3
Sasso Stefani (Vi) 26 A1
Sasso (Stein) (BZ) 3 AB3
Sassostorno (MO) 46 D3
Sasso Tetto (MC) 63 E3
Sasso Tondo (BZ) 3 B4
Sasso (VI) 26 A1
Sassovivo, Abbazia di (PG) 62 E4
Sassu Bonifica di (OR) 131 C4
Sassu, Monte (SS) 126 F2-3
Sassuolo (MO) 46 B3
Sassu (OR) 131 C3-4
Satanasso, Fiume 98 E4
Satarma [CH] 7 D1
Satriano (CZ) 105 E2
Satriano di Lucánia (PZ) 91 DE1
Satriano (PZ) 91 D1
Sattoa (SS) 129 B2
Saturnia (GR) 66 B2
Saturnia, Terme di (GR) 66 B3
Sauc, Casera (PN) 15 E1
Sáucolo, Monte (BN) 83 F2-3
Sauli, Masseria (LE) 100 D1
Sáuris di Sopra (UD) 5 F2
Sáuris di Sotto (UD) 5 F2
Sáuris, Lago di (UD) 5 F2
Sauro, Fiume 91 F4 92 F2
Saurru, Monte (SS) 127 DE1
Saut, Le [F] 18 C3
Sautron, Monte (CN) 40 A2
Sáuze di Cesana (TO) 30 C2
Sauze d'Oulx (TO) 30 B2
Sava Bahinjka, Fiume 17 D4
Sava Dolinka, Fiume 17 D3
Sava, Fiume 82 B4
Savagnasco (BI) 20 C2
Savalóns (UD) 16 F2
Sava, Masseria (BA) 93 B1
Savare, Fiume 19 B1
Savarna (RA) 48 B4
Savassa Bassa (TV) 14 F4
Sava, Stazione di (TA) 94 E3
Sava (TA) 94 E3
Savazza (BO) 47 D3
Savelletri (BR) 94 A2
Savelli, Castello (ROMA) 73 E3
Savelli (KR) 103 D1
Savelli (PG) 69 B1
Savena, Fiume 47 E2
Savenca, Fiume 19 D4
Saviano (NA) 89 A1-2
Savi (AT) 32 C1
Saviése [CH] 7 B1
Savigliano (CN) 31 F3
Savigliano, Rifugio (CN) 30 E2-3
Savignano a Mare (FO) 49 F2
Savignano (CE) 83 D1
Savignano di Rigo (FO) 55 B3
Savignano Irpino (AV) 84 D3
Savignano, Masseria (BA) 86 F3
Savignano (PS) 55 C4
Savignano sul Rubicone (FO) 49 F2
Savignano sul Rubicone (MO) 47 C1
Savignano (TN) 12 F4
Savigno (BO) 47 C1
Savignone (GE) 43 A3-4
Savinaro (VR) 37 B3
Savine, Lac de [F] 18 F2
Saviner di Laste (BL) 14 B2
Savini (CH) 71 E2
Savino, Colle (CB) 77 C4
Savio, Fiume 49 F1 55 B2
Savio, Monte (CA) 131 F4
Savio (RA) 49 D1
Saviore dell'Adamello (BS) 11 E4
Saviore, Val di (BS) 11 E4
Savoca (ME) 113 E1
Savogna d'Isonzo (GO) 29 B1-2
Savognatica (RE) 46 C2
Savogna (UD) 17 E1
Savoia di Lucánia (PZ) 91 D1
Savoia, Masseria (TA) 93 E2
Savola, Castello (AO) 19 A4
SAVONA 42 CD4
Savone, Fiume 82 E3
Savonera (TO) 31 A3
Savoniero (MO) 46 D2-3
Savorgnano del Torre (UD) 16 E4
Savorgnano (PN) 28 B1
Savoulx (TO) 30 AB1-2
Savuci (CZ) 105 A3
Savuco, Ca (BA) 92 A1
Savudrija, Rtic (Punta Salvore) [YUI] 29 F1
Savudrija, Salvore [YUI] 29 F1
Savuto (CS) 104 A4
Savuto, Fiume 104 A4 102 F2
Savuto, Lago del (CS) 102 E3
Saxe, La (AO) 6 F2
Saxon [CH] 6 C3-4
Sazzo (SO) 11 D1
Sbanduto, Cocuzzo dello (PA) 109 E2-3
Sbenta, Cocuzzo (EN) 119 D2
Sbirro, Poggio di (AR) 61 A3
Sbornina, Fiume 41 D3
Sbridi, Masseria (BR) 95 B1
Scabbiatella (GE) 43 B4
Scabro, Colle (BZ) 2 E3
Scacciano (RN) 56 B2
Scafali (PG) 62 EF3
Scafa (PE) 70 F3
Scafa, Ponte alla (SA) 90 E1
Scafa ponti di (CA) 135 C3
Scafati (SA) 89 C2
Scaffaiolo, Lago (MO) 46 F3
Scafi, Monte (RC) 114 E3
Scafò, Punta di (VV) 104 D3
Scáglia, La (ROMA) 72 A1
Scaglieri (LI) 58 E2
Scagnello (CN) 42 C1
Scagno, Masseria (TA) 94 C1-2
Scaiano [CH] 9 D2
Scai (RI) 69 C2
Scais, Case di (SO) 11 E1
Scais, Lago di (SO) 11 E1
Scais, Pizzo di (SO) 11 E1
Scala Cavalli, Cantoniera (SS) 128 B3
Scala Coeli (CS) 103 C2
Scala, Colle della [F] 30 B1
Scala di Giocca, Stazione di (SS) 128 A4
Scala di Magnano, la (PZ) 98 C2
Scala Erre (SS) 125 E2
Scala e Sale, Torre (OR) 131 A2-3
Scala Greca (SR) 124 A3-4
Scala, la (SI) 60 E4
Scala Manna, Punta (NU) 130 E2-3
Scalambra, Monte (FR) 74 D3
Scala (ME) 112 C3
Scala (ME) 113 B1
Scala, Monte della (CT) 120 F1
Scala Nuova (CL) 119 C1
Scala, Nuraghe (OR) 128 F4
Scala, Ospedale (OR) 128 F4
Scala (PI) 53 D2
Scala Piccada, Cantoniera (SS) 128 C2
Scala Rúia (SS) 126 E3
Scala (SA) 89 D2
Scala s'Ebba (OR) 132 B2
Scalate [CH] 9 C2
Scala (TP) 116 B3
Scaldasole (PV) 33 B3
Scalea, Capo (CS) 97 E3
Scalea (CS) 97 EF3
Scalella, Masseria (BA) 92 A3
Scalella, Masseria la (TA) 94 F4
Scalelle (AP) 63 F4
Scalenghe (TO) 31 C2
Scalera (PZ) 91 B2
Scaleres (BZ) 3 D3
Scaletta, La (GE) 44 B3
Scaletta Marina (ME) 113 D2
Scaletta Superiore (ME) 113 D2
Scaletta Uzzone (CN) 42 B2
Scaletta Zanclea (ME) 113 D2
Scalette, Cima di (PC) 34 EF2
Scaletti, Portella (PA) 109 C1
Scalilli, Fermata (CT) 120 BC4
Scalino, Pizzo (SO) 11 C1
Scali, Poggio (FO) 54 C4
Scalitta, La (SS) 126 D2
Scalittas (CA) 134 B3
Scalo (LI) 58 A1
Scalon (BL) 14 F2
Scalone, Passo dello (CS) 101 AB2-3
Scalorbi, Rifugio (VI) 25 C2
Scalpello, Monte (EN-CT) 120 C2
Scaltenigo (VE) 26 E4
Scalvaia (SI) 60 D1
Scalve, Valle di (BS) (BG) 11 F2
Scampamorte, Torre (FG) 78 C3
Scampata (FI) 54 E2
Scampitella (AV) 84 E4
Scanaiòl, Cima (TN) 13 D4
Scanarello (RO) 39 C2
Scancio Saletto (TN) 13 D1
Scandale (KR) 103 F2
Scandarella, Lago di (RI) 69 C2
Scandeluzza (AT) 32 B2
Scandiano (RE) 46 A3
Scandicci (FI) 53 C4
Scandolara Ravara (CR) 35 C4
Scandolara Ripa d'Oglio (CR) 35 A3
Scandolara (TV) 26 D4
Scandolaro (PG) 62 E4
Scandole (VR) 25 C1
Scandriglia (RI) 74 A1
Scandósio (TO) 19 C3
Scanello (BO) 47 D3
Scannabue (CR) 22 E4
Scannata, Portella (PA) 118 B3
Scanno (AQ) 75 D4
Scanno del Tesoro, Monte (SA) 96 A4
Scanno, Lago di (AQ) 75 C3
Scanno, Lo (TA) 93 E4
Scanno (SA) 90 E2
Scano al Brembo (BG) 22 B4
Scano di Montiferro (OR) 128 E4
Scansano (GR) 66 B1
Scanu Case (CA) 131 E4
Scanzano (AQ) 74 B4
Scanzano, Lago dello (PA) 109 E3
Scanzano (MT) 99 A1
Scanzano (PG) 62 E4
Scanza (PR) 45 AB2
Scanzo (BG) 23 B1
Scanzorosciate (BG) 23 B1
Scaparoni (CN) 32 E1
Scapati, Masseria (TA) 93 D2
Scapezzano (AN) 57 D1
Scapoli (IS) 76 F1
Scapoli, Villa (TE) 70 B3
Scapparone, Monte (RC) 114 E4
Scarabello, Monte (PR) 45 B2-3
Scarace, Timpa (MT) 92 E3
Scarámia o Scalambri, Capo (RG) 123 D2
Scarampi (PR) 35 F2
Scarborato, Monte (CS) 102 CB4
Scarcelli (CS) 101 D3
Scardevara (VR) 25 F2-3
Scardilla, Monte (PA) 110 F1-2
Scardilli, Masseria (EN) 120 B2
Scardina, Monte (TP) 108 D3
Scardino, Casa (PA) 109 F1
Scardovari (RO) 39 D2
Scardovari, Sacca degli (RO) 39 E2
Scareno (VB) 8 E4
Scarfiotti, Rifugio (TO) 18 F2
Scaria (CO) 9 E3
Scario (SA) 97 C1
Scarlino (GR) 59 F3
Scarlino, Stazione di (GR) 59 E3
Scarmagno (TO) 19 E4
Scarnafigi (CN) 31 E2
Scarna (SI) 60 A1
Scarpaleggia (PZ) 98 D1
Scarpelli, Masseria (FG) 78 D2
Scarperia (FI) 54 A1
Scarperia, Giogo di (FI) 54 A1
Scarpignano, Corno di (VB) 8 E2
Scarpizzolo (BS) 23 E3
Scárria, Monte (PR) 44 A4
Scarrone, Monte (RC) 114 E2-3
Scarzana (FO) 54 A3-4
Scarzara (PR) 35 E4
Scarzito, Fiume 63 C1
Scassella, Monte (SP) (PR) 44 C4
Scattas, Is (CA) 135 E1
Scáuri (LT) 82 D1
Scáuri (TP) 116 F1
Scavarda, Bonne Rifugio (AO) 18 B3-4
Scavignano (RA) 48 E2
Scavioli, Fiume 112 E1
Scavolino (PS) 55 C3
Scavo, Portella dello (PA) 118 A3-4
Scazzolino (PV) 34 C2
Scena (Schönna) (BZ) 2 D4
Scerne (TE) 70 B4

Scerni (CH) 77 B1
Schaatzbühel [A] 5 D3
S/Chalambert, Piz [CH] 1 C3
Schalberg (CH) 8 B2
Schalfkogl [A] 2 C3
Schalihorn [CH] 7 D3
S/Chanf [CH] 1 E1
S/Charl [CH] 1 D3
S-Charl, Val [CH] 1 CD3
Schartlkogl [A] 1 B4
Schaufelspitze [A] 2 AB4
Scheggianico (FI) 47 F3-4
Scheggia, Pizzo la (VB) 8 C3
Scheggino (PG) 68 B3
Schegli (SV) 42 B4
Schembari, Casa (RG) 123 C3
Schenone, Monte (UD) 16 B4
Schera, Munt la [CH] 1 D2
Scherbina [YUI] 29 BC3
Schettino, Stazione di (CT) 120 C4
Schéggia (PG) 62 A3
Schiagni (PG) 62 D4
Schianchetta, Masseria (PZ) 97 C4
Schianna (VA) 21 A3
Schiapparo, Foce (FG) 78 C3
Schiara, Monte (BL) 14 D3
Schiara (SP) 45 F1
Schia, Rifugio (PR) 45 B3
Schiarigna [CH] 10 A4
Schiava (NA) 89 A2
Schiavi d'Abruzzo (CH) 76 D4
Schiavi (VI) 25 D3
Schiavoi (PN) 15 F1
Schiavonia (PD) 38 B2
Schiavoni, Masseria (TA) 94 E3
Schavon (VI) 26 C1
Schiavo, Ponte (ME) 113 D2
Schiavo (RC) 115 C1
Schiazzano (FO) 55 AB2
Schiena Cavallo (AQ) 75 D3
Schieranco (VB) 8 D2
Schierano (AT) 32 B1
Schierano, Monte (LT) 81 B3-4
Schieti (PS) 56 C1-2
Schiette, Le (CL) 119 F2
Schievenin (BL) 14 F1-2
Schifafónia (TR) 68 D1
Schifanoia (PG) 62 C3
Schignano (CO) 9 F3
Schignano (PO) 53 B3
Schigno (PS) 55 C2
Schilla, Scolo 38 A4
Schilpario (BG) 11 E2
Schilthonr [CH] 7 AB4
Schino della Croce (EN) 120 A1
Schinosa, Masseria (BA) 86 D4
Schinoso, Monte (CL) 119 E3
Schio (VI) 25 C3
Schisò, Capo (ME) 113 F1
Schivenoglia (MN) 37 C1
Schlaiten [A] 5 C1
Schlegeissphercher [A] 3 A3-4
Schleinitz [A] 5 B2
Schmirn [A] 3 A3
Schmirner, Fiume 3 A2-3
Schmirnertal [A] 3 A2-3
Schniedeck [A] 5 C1
Schobergruppe [A] 5 B2
Schonbichler Horn Gr. [A] 3 A4
Schonbielnütte [CH] 7 E2
Schönleiten/Sp. [A] 5 B2
Schrankogl [A] 2 A3-4
Schwarzach, Fiume 4 B3
Schwarzenstein Sassonero [A] 3 A4
Schwarzes Törl [A] 4 A3
Schwarzhorn [CH] 7 C3
Schwarzsee [CH] 7 E2-3
Schwerteck [A] 5 A2
Sciabani (AG) 119 E1
Sciacca (AG) 117 D3
Sciacca (TP) 116 A3
Sciaguana, Vallone (EN) 120 BC2
Scialacche, Ponte (TP) 108 E2
Scialandro, Scoglio (TP) 108 D2
Sciale Bòrgla (FG) 85 A4
Sciale Mozzillo (FG) 85 A4
Scialmarino, Spiaggia (FG) 79 C3
Scianica (BS) 11 E4
Scianna, Monte (TA) 94 D2
Sciano (BS) 11 F2
Sciano (FI) 53 E3
Sciara Aliminusa, Stazione di (PA) 110 F2
Sciara, Bivio (PA) 110 E1
Sciara (PA) 110 E2
Sciara, Rocca di (PA) 110 F3
Sciarborasca (GE) 43 C1
Sciaráffia (PZ) 91 B4
Sciaves (Schabs) (BZ) 3 CD3
Sciciano (NA) 89 A1
Scicli (RG) 123 D3
Sciconi (VV) 104 D3
Scido (RC) 114 C4
Sciedi (PG) 69 B1
Sciesa, Monte (SO) 10 D2
Scifa, Monte (RC) 115 B2
Scifelli (FR) 75 EF1
Scifo (KR) 106 A3
Scigliano (CS) 102 F1-2
Sciliar, Fiume 3 F2
Sciliar (Schlern), Monte (BZ) 3 F3
Scilla (RC) 114 C2
Scillato (PA) 110 F3
Scille (AR) 55 E1
Scillichenti (CT) 121 B2
Scimmia, Tomba della (SI) 61 E2
Scindarella, Monte della (AQ) 70 D1
Scintilia (AG) 118 E3
Scinto, Masseria (CT) 120 D3
Sciollas, Bruncu (CA) 133 F2
Sciolze (TO) 31 B4
Sciora, Cap. di [CH] 10 B3
Sciorino, Monte (EN) 119 E2-3
Scipione (PR) 35 E2
Scirca (PG) 62 B4
Scirocco, Cala (LI) 58 D1-2
Scisciano (AN) 57 F1
Scit (NO) 21 C1
Sciudri, Monte (PG) 68 B4
Sciusciau, Porto (CA) 134 E2-3
Sclafani Bagni (PA) 110 F2
Sclamoris, Case (NU) 133 E1
Sclaunicco (UD) 28 A3
Sclavons (PN) 15 F3
Scodella, Poggio (GR) 59 F3
Scoffera, Passo della (GE) 43 B4
Scoffi [YUI] 29 C3
Scoglietti, Punta (SS) 125 D1
Scóglio Rosso (BZ) 3 B4
Scoglio Rosso (LT) 80 E2-3
Scoglitti (RG) 123 C1
Scoine, Monte (NU) 133 A3
Scolaticci (ME) 111 C3
Scolca, Nuraghe (SS) 129 D1
Scolette, Aigle de [F] 18 F1-2
Scoltenna, Fiume 46 D4
Scoltenna (MO) 46 E3
Scombro di Dentro, Cala (SS) 125 CD2
Scombro di Fuori, Cala (SS) 125 D1
Scomigo (TV) 14 F4
Scomunica, Punta della (SS) 125 C2
Scontrone (AQ) 76 E1
Scopaggiu (SS) 126 E2
Scopa, Monte (BA) 93 B4
Scopa (VC) 20 A2-3
Scopelle (VC) 8 F2
Scopello, Tonnara di (TP) 108 D3
Scopello (TP) 108 D3
Scopello (VC) 20 A2-3
Scopeti (FI) 54 C2
Scopetone, Foce di (AR) 61 A2
Scopetta (VC) 20 A3
Scópoli (PG) 62 E4
Scopolo (PR) 44 A4
Scoppieto (TR) 67 B4
Scóppio (TR) 68 B2
Scoppito (AQ) 69 E2
Scoppo [YUI] 29 C3
Scorace, Monte (TP) 108 E2-3
Scorano (AR) 55 F2
Scorano (ROMA) 73 A3
Scorcetoli (MS) 45 C1-2
Scorciabove, Masseria (FG) 85 A1
Scorciabuoi, Masseria (MT) 92 F1
Scorciavacche, Portella (PA) 117 A4
Scorciavuoi, Monte (CZ) 102 F4
Scorda, Monte (RC) 114 C4
Scordia (CT) 120 E4
Scorgiano (SI) 60 A1-2
Scorgnano (VR) 25 D2
Scornari, Fiume 104 E4
Scorra, Monte (CA) 135 C1
Scorrano (LE) 100 C2-3
Scorrano (TE) 70 C2
Scorsonara (BR) 95 D1-2
Scortichino (FE) 37 E3
Scorzarolo (MN) 36 C3
Scorzatello, Poggio (MO) 46 E2
Scorzento (UD) 17 E1
Scorzé (VE) 26 D4
Scorzone, Monte (BA) 86 E2
Scorzo (SA) 90 D3
Scossicci (MC) 57 F4
Scotano, Monte (TA) 94 C2
Scoto, Masseria (LE) 95 E4
Scottini (TN) 25 A2
Scotto, Case (SS) 129 C2
Scova, Monte sa (NU) 132 B3-4
Scovetta (RO) 39 D1
Scozia, Villa (BA) 93 B3
Scraio, Terme di (NA) 88 D4
Scravaion, Colle (SV) 42 E2
Scrilla [YUI] 29 B3
Scrisá (RC) 114 E4
Scritto (PG) 62 C2-3
Scrivia, Fiume 33 E3
Scrivia, Fiume 43 B4
Scrocca, Monte (CA) 134 B3
Scrofório (RC) 114 B4
Scrofiano (SI) 61 C1
Scròfola, La (FG) 85 B3
Scrutto (UD) 17 F1
Scubiago [CH] 9 C3
Scudelatte [CH] 9 F3
Scuderi, Monte (ME) 113 D1-2
Scudiero, Monte (CS) 102 F1
Scudo, Porto (CA) 135 F1
Scuole Tinchi, Le (MT) 92 F4
Scuol/Schuls [CH] 1 C3
Scupeto, Cantoniera (SS) 126 D4
Scura, Monte della (AR) 55 D3
Scurano (PR) 45 B4
Scurati (TP) 108 D2
Scúrcula Marsicana (AQ) 74 B4
Scurelle (TN) 13 E3
Scurigogu, Cantoniera (SS) 129 C2
Scuro, Lago (MS) 45 C2
Scuro, Monte (CS) 102 D2
Scuro, Monte (SA) 96 B4
Scurtabò (SP) 44 C3
Scurzolengo (AT) 32 C3
Sdobba, Punta (GO) 29 D1-2
Sdriscia, la (LI) 59 E1
Sealza (IM) 50 D3
Seano (PO) 53 C3
Sebastiano, Rifugio (AQ) 74 A4
Sébera, Punta (CA) 135 DE2
Seblas [A] 5 B1
Seborga (IM) 50 CD4
Sebrélje [YUI] 17 F4
Seccada [CH] 9 B2
Secca, Fiume 45 F4
Seccagrande (AG) 117 D4
Secca, La (BL) 14 E4
Seccante, Poggio (VT) 66 C4
Secca, Punta (AG) 118 E1
Secca, Punta (GR) 65 F4
Secca, Punta (LI) 58 C1-2
Seccata (CN) 41 D3-4
Secche di Vada (LI) 58 B4
Seccheto (LI) 58 E1
Secchia, Fiume 46 C3 45 C4 37 E1 36 D4
Secchiano (PS) 55 B3
Secchiano (PS) 56 EF1
Secchia (RE) 46 A3
Secchieta, Monte (FII) 54 D3
Secciano (FI) 53 B4
Secco, Capo (ME) 111 C3
Secco, Fiume 74 B2
Secco, Monte (BG) 11 F1
Secco, Tonnara del (TP) 108 C3
Secinaro (AQ) 75 A2
Sécine, Monte (AQ) 76 D2
Secli (LE) 100 C1
Secli Neviano Aradeo, Stazione di (LE) 100 C1
Secondigliano (NA) 88 A4
Secovlje, Sicciole [YUI] 29 F2
Secugnago (LO) 34 A4
Secula (VI) 26 E1
Seddanus, Fiume 132 F1
Seddas Moddizzis (CA) 134 BC3-4
Seddusai, Monte (NU) 129 F4
Sedegliano (UD) 15 F4
Sedena (BS) 24 E1-2
Sedico (BL) 14 E3
Sedilis (UD) 16 E4
Sedilo (OR) 129 F2
Sedime (TO) 19 F3
Sédini (SS) 126 E2
Sedita, Monte (AG) 118 E1
Sedrano (PN) 15 E2
Sedriano (MI) 21 D4
Sedrina (BG) 22 B4
Sedrio (RE) 46 A1
Sédula [YUI] 17 D1
Seduto, Monte (RC) 115 A1-2
Seebach [A] 4 B3
Seehutte [A] 4 B3
Seespitze [A] 4 B3
Seezoller [A] 3 A2
Sefro (MC) 63 CD1
Sega, Albergo La (TN) 25 C1
Segabiello (BS) 23 D3
Sega del Digon (BL) 5 E1
Segadizzi, Monte [YUI] 29 E2
Segagliate (AL) 33 D3-4
Segalare (FE) 39 D1
Segalari Torre (LI) 59 C2
Sega, La (VI) 26 B2
Segantini, Baita (TN) 14 C1
Segariu (CA) 132 E2-3
Sega (VE) 27 B4
Sega (VE) 28 C1
Sega Vecchia, Rifugio (BO) 46 F4
Segesta, Fermata di (TP) 108 E3
Segestane, Terme (TP) 108 E3
Segesta (TP) 108 E3
Segezia, Borgo (FG) 85 C1-2
Seggiano (GR) 60 E4
Seggiano (PG) 62 F4
Séggio, Toppa (FG) 84 B3
Seggio (TP) 117 B1
Seghe (VI) 25 B3
Séglia (IM) 50 D3
Segnacco (UD) 16 E3
Segnale, Torre del (FG) 79 E3
Segni, Croce dei (PC) 35 E1
Segni (ROMA) 74 E2
Segno (SV) 42 D3
Segno (TN) 12 C4
Segonda (MN) 37 D2
Segonzano (TN) 13 D1-2
Segrate (MI) 22 D2
Segrino, Lago di (CO) 22 A2
Segromigno in Piano (LU) 52 B4
Séguret, Monte (TO) 30 A2
Seguro (MI) 21 D4
Segusino (TV) 14 F2
Seiano (NA) 89 D1
Seigne, Col de la [F] 6 F1
Seilo, La [CH] 6 E3
Seilspitze [A] 5 A1
Selaca (VB) 8 F4
Selape, Cima della (BS) 24 B3
Selargius (CA) 135 C4
Selassa, Punta (CN) 30 E4
Selbagnone (FO) 48 F4
Selcella, Fiume 81 B1
Selci (PG) 55 F2
Selci (RI) 68 E2
Selden [CH] 7 A3
Sele, Fiume 90 E1
Sele, Foce del (SA) 89 E4
Selegas (CA) 132 E3
Sele, Piana del (SA) 90 DE1
Sele, Ponte (SA) 90 D2
Selia, Monte (CE) 83 F1
Selice, Ponte (CE) 83 F1
Selino Alto/Basso (BG) 22 A4
Selinunte (TP) 117 C1
Selkingen [CH] 8 A2
Sella Boera, Cima di (VC) 20 A3
Sella (BZ) 13 B1
Sella Chiampon (UD) 16 C4
Sella, Cima (BL) 15 B1
Sella del Bivio [YUI] 29 B3
Sella delle Trincee [YUI] 29 C2
Sella di Sénnés, Monte (BZ) 4 D1-2
Sella di Volzana [YUI] 17 E2
Sella, Gruppo di (TN) 3 F4
Sella, Laghi di (CN) 40 C4
Sella, Monte (RE) 46 A1
Sellano (PG) 63 F1
Sella, Passo di (Sella Joch) (TN) 3 F4
Sella, Pizzo di (TP) 108 C2
Sella, Rifugio (AO) 19 C1
Sella, Rifugio (AO) 6 F1
Sella, Rifugio (AO) 7 F3
Sella, Rifugio (CN) 30 E3
Sella, Rifugio (VB) 7 E4
Sellaro, Monte (CS) 98 E3
Sellate, Fiume 59 B4
Sella (TN) 13 F2
Sella (UD) 28 B2
Sellere (BG) 23 A3
Sellero (BS) 11 E3
Sellero, Monte (BS) 11 E2-3
Sellécchia (RI) 68 D3
Sellia (CZ) 105 B3
Sellia Marina (CZ) 105 B4
Sellia Marina, Stazione di (CZ) 105 B4
Sellita, Cocuzzo (PA) 110 E3
Sellustra, Fiume 47 D4
Selma [CH] 9 B4
Seltschach [A] 17 B2
Selva a Mare, Pizzo (PA) 109 E4
Selva (BG) 23 C2
Selva (BO) 48 B1
Selva, Bocca di (CE) 83 C2-3
Selva (BZ) 3 D3
Selvacava (FR) 82 C1
Selva, Convento della (GR) 66 A3
Selva dei Molini (Mühlwald) (BZ) 3 B4
Selva dei Molini, Valle (Mühlwaldert) (BZ) 3 B4
Selva del Montello (TV) 26 B4
Selva di Cadore (BL) 4 F2
Selva di Fasano (BR) 94 A1
Selva di Progno (VR) 25 C2
Selva di Trissino (VI) 25 D3
Selva di Val Gardena (Wolkenstein in G.) (BZ) 3 E4
Selva (FI) 47 F2-3
Selvaggi, Masseria (TA) 94 C1
Selvaggio, Bosco (RC) 114 A4
Selvaggio, Lago (BZ) 3 B3
Selvággio (TO) 31 B1
Selva (GR) 66 A3
Selva Grossa (PR) 45 A2
Selva, La (AR) 60 A4
Selva, La (FR) 75 E2
Selva, La (FR) 75 F4
Selva, Lago della (BZ) 4 A2
Selva, Masseria la (BR) 94 C2
Selva (MO) 46 C3
Selva, Monte della (AQ) 69 E4
Selva, Monte della (AQ) 75 D3
Selvanizza (RE) 45 C4
Selva (PC) 34 F2
Selva (PC) 34 F4
Selva (PC) 44 A3
Selvapiana, Cona di (ROMA) 81 A1
Selvapiana (FO) 55 B2
Selvapiana (PV) 34 E1
Selvapiana (RE) 46 B1
Selva (PN) 15 E2
Selva, Poggio (VT) 67 C2
Selvarizzo (MN) 24 F2
Selva (RO) 38 CD2
Selvatelle (PI) 53 E1
Selva (TN) 13 EF2
Selvatorta (AN) 57 E2
Selvavecchia (VR) 25 C1
Selva (VI) 25 E3
Selvazzano Dentro (PD) 26 F2
Selvazzano (MC) 63 D1
Selvella, Masseria la (BA) 92 A4
Selvena (GR) 66 A3
Selvetta (SO) 10 D3
Selve (VC) 20 C2
Selve (BI) 20 E3-4
Selvino (BG) 23 B1
Sélvis (UD) 16 F4
Selvole (MN) 24 F1-2
Selvone (IS) 82 A3-4
Selvotta (FR) 82 B2
Sembrancher [CH] 6 D3
Semedela, Semedella [YUI] 29 E2-3
Sementina [CH] 9 C3
Semestene (SS) 129 D1
Semiana (PV) 33 B2
Seminara (RC) 114 B3
Seminenga (AL) 32 A2
Seminó (PC) 34 C3
Seminiato, Canale 38 D4
Semino (GE) 43 A3
Seminte (FI) 53 E3
Semione [CH] 9 A3
Semivicoli (CH) 71 F1
Semogo (SO) 1 F2-3
Semonte (PG) 62 AB2
Semonte (VT) 66 C4
Semonzetto (TV) 26 B2
Semonzo (TV) 26 B2
Semorile (GE) 44 C1
Sémpio, Monte (SS) 130 A2-3
Sempione, Galleria del (VB) 8 BC1-2
Sempione Passo del (Simplonpass) [CH] 8 C1
Semprevisa, Monte (ROMA) 81 A1
Semproniano (GR) 66 B3
S.E.M., Rifugio (LC) 10 F2
Semurano (CO) 10 DE1
Senaglio, Colle (CB) 77 E1
Senago (MI) 22 C1
Senaiga, Fiume 13 E4
Senale (BZ) 2 F3
Senale San Felice (Unsere Liebe Frau in Walde Sankt Felix) (BZ) 2 F3-4
Senales Val di (Schnalsertal) (BZ) 2 D2
Senalonga, Punta di (SS) 127 F1
Senarica (TE) 69 C4
Senatello, Fiume 55 C2
Senatello (PS) 55 C2
Seneghe (OR) 131 A4
Sénerchia (AV) 90 C2
Senes, Monte (NU) 130 C3
Senáles (Schnals) (BZ) 2 D2
Seniga (BS) 35 A3
Senigallia (AN) 57 D1-2
Senio, Fiume 47 F4 48 E1
Senise (PZ) 98 B3
Sénis (OR) 132 C2
Senna Comasco (CO) 21 AB4
Senna, Fiume 61 F1
Senna Lodigiana (LO) 34 B4
Sennariolo (OR) 128 E3-4
Sennes, Rifugio (BZ) 4 E2
Senni (CA) 132 E3
Senni (FI) 54 A1
Sennori (SS) 125 F4
Senntum [CH] 7 C3
Senodole [YUI] 29 D4
Senorbi (CA) 132 F3
Senore, Fiume 117 B2
Senozece, Senusecchia [YUI] 29 D4
Sensine [CH] 6 B4
Sent [CH] 1 C3
Sente, Fiume 76 E4
Sente, Fiume 77 F4
Senter (TN) 25 A2
Sentinella (CS) 99 C1
Sentinella, Monte (LT) 81 A1
Sentino, Fiume 63 A1
Sentino (MC) 63 D2
Sentinum (AN) 63 A1
Seo (TN) 12 E3
Separone, Masseria (FG) 85 B2
Sépey, Le [CH] 6 A3
Sepino (CB) 83 B3
Seppado (GE) 44 B1
Seppiana (VB) 8 D2
Séppio (MC) 63 C1-2
Septimepass [CH] 10 B3
Septumian (AO) 19 A3
Sequals (PN) 15 D3
Sera, Cima (TN) 12 E2
Serano, Monte (PG) 62 F4
Sérapo (LT) 81 D4
Serauta, Pizzo (BL) 14 B1
Seravezza (LU) 52 A2
Serbariu (CA) 134 D4
Serchio, Fiume 52 B4 45 E4
Sércia, Valle (PA) 109 E4
Sérdes (BL) 4 F3
Serdiana (CA) 135 AB4
Serdiana, Stagno (CA) 135 B4
Sere, Bric del (SV) 42 B3
Seregnano (TN) 13 E1
Seregno (MI) 22 C1-2
Seren del Grappa (BL) 14 F1
Serfaus [A] 2 A1
Sergassi [YUI] 29 F2
Sergnano (CR) 22 E4
Seriana, Val (BG) 23 AB1
Seriana, Valle (BG) 23 A2
Seriate (BG) 23 B1
Séerico, Monte (PZ) 92 B1
Serignana (FI) 54 B3
Serina (BG) 23 A1
Serino Ferrari (AV) 89 B4
Serino, Masseria (BA) 93 B3
Serino, Monte (CS) 102 C4
Serio, Fiume 22 E4 23 A2
Seriola (BS) 35 A4
Serio, Masseria (BA) 93 A3
Sério, Monte (BA) 93 B4
Serio Morto, Fiume 35 A1
Serlate, Fiume 60 D4
Serle (BS) 24 D1
Sermenza, Fiume 8 F1
Sermerio (BS) 24 B3
Sermezzana (LU) 45 E3-4
Sermide (MN) 37 C3
Sermoneta (LT) 80 A4
Sermória (AL) 33 F2-3
Sermugnano (VT) 67 B3
Sernaglia della Battaglia (TN) 26 A4
Sernio, Monte (UD) 16 B3
Sernio (SO) 11 C3
Seró (SP) 44 D4
Serole (AT) 42 A3
Serone (SO) 10 D3
Serottini, Monte (BS) 11 C3-4
Serpeddi, Punta (CA) 136 B1
Serpenizza [YUI] 17 D1
Serpentara, Isola (CA) 136 D3-4
Serpe, Torre di (LE) 100 C4
Serpiano [CH] 9 F2
Serpiano (MO) 46 E2
Serra (AL) 32 B3
Serra (AL) 32 D4
Serra (AL) 33 F2
Serra, Alpe di (AR) 55 C1
Serra (AR) 55 C1
Serra (AT) 32 C1
Serra (AV) 84 F1
Serrabasca (PT) 46 E3
Serra Brunamonti (PG) 62 B3
Serra Buongiorno (KR) 103 E2
Serracapriola (FG) 78 C1
Serracapriola (FG) 78 D1

Serra Cavallo, Cozzo (MT) 92 EF4
Serra (CN) 41 C4
Serra d'Aiello (CS) 104 A3
Serra d'Angeli, Masseria (LE) 95 F1
Serradarce (SA) 90 D2
Serrada (TN) 25 A2
Serra de' Conti (AN) 56 F4
Serra di Bisi, Masseria (FG) 84 C4
Serràdica (AN) 63 B1
Serra di Corvo, Lago di (BA) 92 B2
Serra di Croce, Borgata (MT) 92 F2
Serra di Falco, Casa (EN) 111 F3
Serra di Frea (KR) 103 E1-2
Serradifalco (CL) 119 D1
Serradifalco, Stazione di (CL) 119 D1
Serra di Genga (PS) 56 C2
Serra di Monte (PV) 33 E4
Serra di Piro (CS) 102 F2-3
Serra di Sotto di Sopra (RN) 56 B2
Serrafiori, Casa (RG) 123 DE4
Serra, Fiume 68 C2
Serra, Fiume (SS) 128 B2
Serra (FO) 55 B3
Serra (GE) 43 B2
Serra (GE) 44 B1
Serraglio (BO) 47 F2
Serraia, Lago di (TN) 13 D1-2
Serraia (TN) 13 D1
Serra, La (AQ) 75 B2
Serra, La (CS) 101 B3
Serra, La (CS) 98 E1
Serra, La (PO) 53 D3
Serra, La (MT) 92 F1-2
Serra, La (PI) 53 D1
Serra, La (PZ) 97 B4
Serralonga (TP) 117 C1
Serralta (MC) 63 B3
Serralunga (AL) 33 F1
Serralunga d'Alba (CN) 32 F1
Serralunga di Crea (AL) 32 B3
Serra Lunga, La (PA) 117 B3
Serralunga, Monte (AG) 117 D4
Serralunga, Monte (CA) 134 C4
Serralunga, Monte (CL) 119 F2
Serramale, Monte (CS) 97 D3
Serramanna (CA) 135 A3
Serramanno, Masseria (CB) 77 C2-3
Serra Marina, Masseria (MT) 93 E1-2
Serramazzoni (MO) 46 C3
Serramezzana (SA) 96 B2
Serramonacesca (PE) 70 F4
Serra, Monte [CH] 1 E1
Serra, Monte del (FO) 54 A4
Serra, Monte la (AQ) 70 E2
Serra, Monte la (AV) 90 B3
Serra, Monte la (FG) 84 D4
Serra, Monte (LI) 58 E3
Serra, Monte (PG) 62 D3
Serra, Monte (PG) 69 B2
Serra, Monte (PI) 52 C4
Serra, Monte (PZ) 98 D1
Serranetta (PZ) 91 D2-3
Serrano (LE) 100 B3
Serranova, Castello di (BR) 94 B4
Serra Orrios (NU) 130 D2-3
Serra Orroli (NU) 133 C2
Serra Pedace (CS) 102 E2
Serra Petrona (MC) 63 C2-3
Serra (PI) 59 B3
Serra, Pian di (PS) 56 F1
Serra Pistoiese (PT) 53 A1
Serrapolla (AV) 84 F4
Serrapótamo, Fiume 98 BC2
Serra (RA) 48 D2
Serrara (NA) 88 C1
Serra Riccò (GE) 43 B3
Serra San Bruno (VV) 105 E1
Serra San Marcello (AN) 57 E1-2
Serra San Quirico (AN) 56 F4
Serra Sant'Abbondio (PS) 56 F2
Serra, Sa Nuraghe (NU) 132 D4
Serra, Sa (SS) 129 B4
Serra (SP) 45 F1
Serraspinosa (PS) 56 E3
Serrastretta Carlopoli, Stazione (CZ) 105 A2
Serrastretta (CZ) 105 A1-2
Serrata (RC) 104 F3-4
Serratore, Monte (CS) 102 E1
Serra Traversa, Masseria (FG) 84 B4
Serrau, Monte (CA) 134 A4
Serravalle all'Adige (TN) 25 B1
Serravalle a Po (MN) 37 C1
Serravalle (AR) 54 C4
Serravalle, Case (CT) 112 F1
Serravalle, Castello di (MC) 63 D1
Serravalle, Castello di (NU) 128 DE3
Serravalle d'Asti (AT) 32 C2
Serravalle di Carda (PS) 55 F4
Serravalle di Chienti (MC) 63 D1
Serravalle (FE) 38 D4
Serravalle Langhe (CN) 42 A1-2
Serravalle, Monte (SR) 120 E4
Serravalle (PG) 69 A1
Serravalle Pistoiese (PT) 53 B1-2
Serravalle, Ponte di (PT) 53 B2
Serravalle (PR) 35 F2
Serravalle, Rocca di (SO) 11 B4
Serravalle [R.S.M.] 55 B4
Serravalle Scrivia (AL) 33 E2-3
Serravalle Sésia (VC) 20 B4
Serravalle (SI) 60 C3
Serravalle (SR) 120 E4
Serrazasilla, Monte (CB) 77 F2
Serrazzano (PI) 59 C3
Serre (CH) 76 C4
Serre (CN) 30 E4
Serre (CN) 30 F3
Serre (CN) 41 C1
Serre di Rapolano (SI) 60 B4
Serreglio (MN) 36 BC3
Serre, Le (CB) 77 F1
Serre, Le [F] 30 B1
Serre, Le [F] 30 D2
Serre, Le (LT) 81 B2
Serre, Le (MT) 98 A2
Serre Moretto (TO) 31 B1
Serrenti (CA) 132 F2-3
Serrenti, Cantoniera di (CA) 132 F2
Serre (PA) 109 F4
Serre Persano, Stazione (SA) 90 D2
Serre (SA) 90 D2
Serrese, Nuraghe (NU) 128 E4
Sérres, Fiume 1 D4
Serreta (IM) 51 C2-3
Serre (TO) 30 CD4
Serri (NU) 132 D3-4
Serriola, Bocca (PG) 55 F4
Serristori, Rifugio (BZ) 2 E1
Serro (CN) 31 EF1
Serro Dannunzio (AV) 84 EF4
Serro, Lo (EN) 120 A1
Serro Lo Greco, Masseria (TA) 93 D1
Serro (ME) 113 B2
Serro, Monte (TP) 108 E1
Serrònchia (MC) 63 A2
Serrone (CS) 101 E4
Serrone (FR) 74 D2
Serrone II (AG) 118 D3-4
Serrone (MC) 63 C2
Serrone (MC) 63 D3
Serrone, Monte (AV) 90 A3
Serrú, Lago (TO) 18 D4
Serrungarina (PS) 56 D3
Sersale (CZ) 105 AB4
Seruci, Nuraghe (CA) 134 C3
Serva, Monte (BL) 14 D4
Service, Monte di (AQ) 74 A4
Servigliano (AP) 63 D4
Servillo (TE) 69 C4
Servo (BL) 14 E1
Servoz [F] 6 E1
Sesano (PI) 53 F2
Sésia, Fiume 20 E4
Sésia, Fiume 33 A1
Sesia, Fiume 7 F4
Sesia, Val (VC) 20 AB3
Sesilis, Monte (UD) 15 B3
Sesi (TP) 116 F1
Sesona (VA) 21 B2
Sessa Aurunca (CE) 82 D3
Sessa [CH] 9 E2
Sessa Cilento (SA) 96 AB2
Sessaglia (PS) 55 E4
Sessame (AT) 32 F3
Sessana (AL) 32 A3
Sessano del Molise (IS) 76 F3
Sessant (AT) 32 C2
Sessa, Pineta di (CE) 82 D2
Sessa Roccamonfina, Stazione di (CE) 82 D2
Séssera Bocchetta di (BI) 20 B2
Séssera, Fiume 20 B2
Sesso (RE) 36 F3
Sesta Godano (SP) 44 D4
Sestaione, Fiume 46 F3
Sestaione, Ponte (PT) 46 F3
Sesta La (SI) 60 E3
Sestano (SI) 60 B4
Sestantarile, Punta (NU) 130 B1-2
Sesta (PR) 45 C2
Sesta, Villa a (SI) 60 A3
Sestier, Monte (PN) 15 D1
Sestino (AR) 55 D3
Sesto al Reghena (PN) 28 B1
Sesto Calende (VA) 21 B2
Sesto Campano (IS) 82 B4
Sesto Cremonese (CR) 35 B2
Sesto Fiorentino (FI) 53 C4
Sesto Imolese (BO) 48 C2
Sestola (MO) 46 E3
Sesto (LO) 22 F3
Sesto San Giovanni (MI) 22 D2
Sesto (Sexten) (BZ) 4 D4
Sesto Ulteriano (MI) 22 E2
Sestriere, Colle al (TO) 30 B2
Sestriere, Punta Rognosa di (TO) 30 C2
Sestrière, Refuge de [F] 40 C1
Sestriere (TO) 30 B2
Sestriere Vécchio (TO) 30 B2
Sestri Levante (GE) 44 D2
Sestri Ponente (GE) 43 C2
Sestrières Inferiore [F] 40 C1
Sestu (CA) 135 B3
Sestu, Cantoniera di (CA) 135 B3
Sesvenna, Piz [CH] 1 D3
Seta (RE) 36 E2
Setta, Fiume 47 E2
Settala (MI) 22 E2-3
Setta (SP) 44 E3
Sette Alpini, Rifugio (BL) 14 D3
Sette Bagni Castel Giubileo (ROMA) 73 C2-3
Settecamini (ROMA) 73 C3
Sette Casoni (VE) 27 D4
Settecomuni (VI) 25 AB4
Sette Féudi (CT) 120 E2
Settefonti (BO) 47 C3-4
Sette Fratelli, Monte (CA) 136 B2
Settefrati (FR) 75 F3
Settefrati (PA) 110 D3
Sette Galli (FO) 54 B4
Settepani, Monte (SV) 42 D2
Settepolesine (FE) 37 D4
Setteporte (KR) 103 F2
Sette Poste (FG) 85 B4
Settequerce (Siebeneich) (BZ) 3 F1
Sette Selle, Cima di (TN) 13 DE2
Sette Soldi, Monte (TP) 108 F3
Sette Sorelle Bonifica delle (VE) 27 C4
Sette Torri (BA) 87 E1
Sette Vene (VT) 73 A1
Setti, Fiume 132 E1
Settignano (FI) 54 C1
Settignano (FR) 75 F3
Settimana, Fiume 15 C1-2
Settimana Val (PN) 15 C1-2
Séttima (PC) 34 C4
Settime (AT) 32 C2
Settimello (FI) 53 C4
Settimo di Gallese (VR) 25 F1
Settimo Milanese (MI) 21 D4
Settimo (PV) 22 F1
Séttimo Rottaro (TO) 20 E2
Séttimo Torinese (TO) 31 A4
Settimo (TV) 26 C4
Settimo (VE) 27 A4
Séttimo Vittone (TO) 19 C4
Settimo (VR) 24 E4
Settingiano (CZ) 105 B2
Settsass (BL) 4 F1
Setzenhorn [CH] 8 A2
Setzu (CA) 132 D2
Seui (NU) 133 C1
Seulo (NU) 132 C4
Sevegliano (UD) 28 B4
Severino, Poggio (CT) 120 F2
Seveso, Fiume 22 B1
Séveso (MI) 22 C1
Sevignano (TN) 13 D1
Sevina, Fiume 114 C3
Sevizzano (PC) 34 D2-3
Sevo, Pizzo di (RI) (TE) 69 B3
Sex Rouge [CH] 7 AB1
Sezana (Sesana) [YUI] 29 D3
Sezzádio (AL) 33 E1
Sezza (UD) 5 F4
Sezze (LT) 81 B1
Sezze, Stazione di (LT) 80 B4
Sfercia (MC) 63 D2
Sferracavallo, C. (NU) 133 D3
Sferra Cavallo (PA) 109 C2
Sferro (CT) 120 C3
Sfilzi, Bosco (FG) 79 D2
Sfinale, Torre di (FG) 79 C3
Sfondo, Lago (PE) 70 E2
Sfornioi, Monte (BL) 14 C4
Sforzacosta (MC) 63 C4
Sforzatica (BG) 22 C4
Sforzesca (PV) 21 F3
Sfrizzo, Monte lo (FG) 78 D4
Sfruz (TN) 13 C1
Sgarbina (PV) 33 C4
Sgarratore, Casa (ME) 111 E3
Sgarrone, Lo (BA) 92 B4
Sgolgore, Múrgia (BA(93 B1
Sgombro di dentro, Cala (SS) 125 CD2
Sgombro di fuori, Cala (SS) 125 D1
Sgonico (TS) 29 C3
Sgorea, Fiume 50 C3
Sgrilla (GR) 66 C2
Sgrillozzo (GR) 66 C2
Sgúmes, Bagni di (BZ) 2 E1
Sgúrgola (FR) 74 F3
Sgúrgola, Stazione di (FR) 74 F3
Siacco (UD) 16 EF4
Siamaggiore (OR) 131 B4
Siamanna (OR) 132 B1
Siano, Collegio di (PZ) 92 B1
Siano (CZ) 105 B3
Siano (SA) 89 B3
Siapiccia (OR) 132 B1
Sibano (BO) 47 D2
Sibari (CS) 98 F4
Sibari, Piana di (CS) 98 F3
Sibeglia [YUI] 29 B3
Siberia (PI) 52 E4
Sibilla, Monte (AP) 63 F3
Sibilla, Ruderi di (LT) 81 C2
Sibillini, Monti (MC) (PG) 63 F3
Sicamino (ME) 113 C1
Sicani, Monti (PA-AG) 117 BC4 118 BC1
Sicciole, Saline di [YUI] 29 F2
Sicciole, Vallone di [YUI] 29 F1-2
Sicci San Biagio (CA) 135 B4
Sicelle (FI) 53 E4
Sicignano degli Albumi, Stazione di (SA) 90 D3
Sicignano degli Alburni (SA) 90 D3
Sicilia (PZ) 91 C2
Sicili (SA) 97 C1
Sicille (SI) 61 C1
Sicina (TN) 13 D2
Sicària, Masseria (FG) 78 F3
Siculiana (AG) 118 E1-2
Siculiana Marina (AG) 118 E1
Siddi (CA) 132 DE2
Siddu, Monte (NU) 133 D3
Siderno (RC) 115 C2
Siderno Superiore (RC) 115 B2
Sidolo (PR) 44 A4
Sieci (FI) 54 C1
Siedi, Canale il 95 D2
Siegerland/H. [A] 2 B4
Siele, Fiume 66 A4
SIENA 60 B2
Siera, Passo di (UD) 5 F2
Sierre (BR) 94 B2
Sierre [CH] 7 B2
Sieti (SA) 89 C4
Sieve, Fiume 54 C2
Siggiare, Monte (TP) 108 EF1-2
Sighignola [CH] 9 E3
Sigilletto (UD) 5 E2-3
Sigillo (PG) 62 B4
Sigillo (RI) 69 D1
Sigirino [CH] 9 D2
Sigliano (AR) 55 E2
Siglioli Cartari (IM) 41 F4
Signa (FI) 53 C3
Signatico (PR) 45 B3
Signayes (AO) 19 A1
Signet (AO) 19 C1
Signols (TO) 30 AB2
Signora (CH) 9 D3
Signora, Monte della [F] 40 AB2
Signora, Monte (PA) 109 E1
Signora Pulita, Monte (BR) 94 A2
Signoressa (TV) 26 B4
Signorino, Il (PT) 53 A2
Sigona Grande (SR) 120 E4
Sila Grande (CS) 102 D3-4
Sila Greca (CS) 102 C3-4
Sila, La (CS) 102 E3-4
Silana Genna (NU) 130 F2
Silandro, Fiume 2 D1
Silandro (Schlanders) (BZ) 2 E1-2
Silandro, Val di (BZ) 2 D1-2
Silanus (NU) 129 E2
Sila Piccola (CZ) 105 A2-3
Silbanis, Nuraghe (OR) 128 F3
Silea (TV) 27 C1
Sile, Fiume 27 D1
Sile (TV) 26 C4
Siliqua (CA) 135 B2
Siligata, La (PS) 56 B3
Siligo (SS) 129 B1
Sili (OR) 131 B4
Silis, Fiume 126 EF1
Silisia, Fiume 15 C2-3
Silius (CA) 133 F1
Silla, Fiume 46 E4
Sillano (LU) 45 E4
Sillano, Monte (RE) 45 D4
Sillano, Rocca di (PI) 59 B4
Sillara, Monte (MS) (PR) 45 C2
Sillaro, Fiume 47 D4
Sillaro, Fiume 48 C1
Silla (SA) 91 F1
Sillavengo (NO) 20 D4
Sill, Fiume 3 A2
Sillian [A] 4 D4
Sillianer H. [A] 4 C4
Sillicagnana (LU) 45 E4
Sillicano (LU) 45 F4
Sillico (LU) 46 E1
Sillitti, Casa (AG) 122 A1
Sils, Lago di [CH] 10 B4
Sils/Segl [CH] 10 A4
Silvana Mansio (CS) 102 D3
Silvano d'Orba (AL) 33 F1-2
Silvano Pietra (PV) 33 C3-4
Silvaplana [CH] 10 A4
Silvaplana, Lago di [CH] 10 A4
Silva (TO) 19 E4
Silvella, Casa di (BL) 5 D1
Silvella (TV) 14 F4
Silvella (UD) 16 F2
Silvelle (PD) 26 D3-4
Silviane (BS) 23 C3
Silvi Marina (TE) 70 C4
Silvi Paese (TE) 70 C4
Silvo Piano, Monte (FR) 75 E1
Silvrettagruppe [A] 1 B1-2
Silvretta/H. [CH] 1 B1
Silvretta/Stausee [A] 1 B1
Simala (OR) 132 D1
Simano [CH] 9 A3
Simbario (VV) 105 E1
Simbirizzi, Stagno (CA) 135 BC4
Simbruini, Monti (ROMA) (FR) 74 C3-4
Simeone Casa (BA) 86 C2
Simeone, Masseria (FG) 78 F2
Simeone, Masseria (TA) 93 D3
Simeri /Crichi, Stazione (CZ) 105 C4
Simeri (CZ) 105 B3
Simeri, Fiume 105 A3
Simeto, Fiume 120 C4 121 D1
Simeto, Foce di (CT) 121 D1-2
Simeto, Stazione (CT) 120 D4
Simáxis (OR) 131 B4
Simignano (SI) 60 B1
Similáun (BZ) 2 CD2
Similáun, Rifugio di (BZ) 2 C2
Simius, Spiaggia del (CA) 136 D3
Simoncello (PS) 55 C3
Simonelli (LT) 82 D1
Simone, Masseria (BR) 94 C4
Simplon (Sempione) (CH) 8 C1
Sinablana (BZ) 2 F3
Sinagra (ME) 112 D2
Sinalunga (SI) 61 C1
Sinasi, Cantoniera (NU) 129 F4
Sinauz, Monte (UD) 16 B4
Sincore [YUI] 29 A3
Sindacale (VE) 28 D1
Sindaro Marina (ME) 113 B2
Sindia (NU) 128 DE3-4
Sinello, Fiume 76 C4
Sinello, Masseria (CH) 76 CD4
Sinópoli Vecchio (RC) BC3
Sinfarosa, Masseria (TA) 94 E4
Singerna, Fiume 55 E1
Singlin (AO) 7 F2
Sinigo (BZ) 2 E4
Sinigo, Fiume 2 E4
Sinio (CN) 32 F1
Sini (OR) 132 D2
Siniscóla, Fiume 130 B4
Siniscola (NU) 130 B3-4
Sinis (OR) 131 B2
Sinna (BZ) 4 D2-3
Sinnai (CA) 135 B4
Sinni, Fiume 97 C3 98 B4
Sinopoli Superiore (RC) 114 C3
Sintigliano (AR) 55 D2
Sintra, Fiume 48 E1
Sinuessa (CE) 82 E2
Sinzias, Cala di (CA) 136 C3
Sion [CH] 7 B1
Sionne, Fiume 7 B1
Sipari, Masseria (FG) 85 B1-2
Sipari, Masseria (FG) 85 B4
Sipiu, Fiume 132 E3
Siponto, Lido di (FG) 79 F2
SIRACUSA 124 B4
Sirai (CA) 134 C3
Sirena, La (BO) 47 D1
Sirente, Monte (AQ) 75 A2
Sirgole (LE) 100 C2
Siribanda, La (BR) 95 C1
Siriculi, Nuraghe (NU) 130 C2 -3
Siriddi (CA) 135 D1
Sirignano (AV) 89 A2
Sirignano, Fiume 108 F4
Sirignano (PA) 108 F4
Sirilo, Nuraghe (NU) 130 EF1
Sirino, Lago (PZ) 97 C3
Sirino, Monte (PZ) 97 C3
Siris (OR) 132 D1
Sirmione (BS) 24 D2-3
Sirmione, Punta di (BS) 24 D2
Sirolo (AN) 57 F4
Sirone (LC) 22 B2
Siror (TN) 14 D1
Sirri (CA) 134 C4
Sirta (SO) 10 D3
Sirtori (LC) 10 F2
Siserno, Monte (FR) 81 A2
Sises, Monte (TO) 30 BC2
Sisine, Cala (NU) 130 F3
Sisine, Codula de (NU) 130 F3
Sisini (CA) 132 E4
Sismano (TR) 68 B1
Sisma, Villaggio (VB) 8 D2
Sisola (AL) 33 F4
Sissa (PR) 35 B4
Sissone, Monte (SO) 10 C4
Sista (VE) 38 B4
Sistiana (TS) 29 C2
Sisto, Fiume 81 C1
Sisto, Masseria (EN) 120 B3
Sitacciano, Monte (IS) 76 E1
Sitizano (RC) 114 BC3-4
Sitran (BL) 14 D4
Sitzerri, Fiume 131 E4
Sitziddiri, Nuraghe (CA) 132 E3
Siúrgus (CA) 132 E4
Siusi, Alpe di (Seiser Alm) (BZ) 3 F3
Siusi (Seis) (BZ) 3 F3
Siviano (BS) 23 B3
Sivigliano (UD) 28 B2
Sivignano (AQ) 69 C2-3
Sivizzano (PR) 45 A3
Sivizzo (PR) 45 C2-3
Six Blanc [CH] 6 D3
Six des Eaux Froides [CH] 7 A1
Sixt [F] 6 D1
Siziano (PV) 22 F1
Sizzano (NO) 20 C4
Skofije, Albaro Vescovà[YUI]29 E3
Slap [YUI] 17 F3
Slatenico, Fiume 17 D2
Slavnik [YUI] 29 E4
Slingia (Schlinig) (BZ) 1 D4
Slingia, Val (BZ) 1 D3-4
Slocari [YUI] 29 B3-4
Sluderno (Schluderns) (BZ) 1 D4
Sluder, Punta (PZ) 2 F1
Slusnica [YUI] 29 F3
Smarano (TN) 12 B4
Smarje, Monte di Capodistria [YUI] 29 F2-3
Smasti [YUI] 17 E2
Smeglio (VB) 8 C3
Smeralda, Costa (SS) 127 C2-3
Smeralda, Grotta (FG) 79 E3
Smeraldo, Grotta di (SA) 89 D2
Smergoncino (RO) 38 C4
Smerillo (AP) 63 E4
Smirra (PS) 56 E2
Smokvica [YUI] 29 F4
Smucarski Dom [YUI] 17 B2-3
Snia, Villaggio (MI) 22 C4
Snia, Villaggio (TO) 31 A3-4
Soana, Fiume 19 D3
Soanne (PS) 55 C3
Soarza (PC) 35 C2
Soave (MN) 36 B3
Soave (VR) 25 E2
Soazza [CH] 9 B4
Sobiate Arno (VA) 21 B3
Sobretta, Monte (SO) 11 B4
Sobrio [CH] 9 A2
Socana, Pieve (AR) 54 D4
Soca (Sónzia) [YUI] 17 D2
Soccavo (NA) 88 B3
Soccher (BL) 14 D4
Socchieve (UD) 15 B3
Socco (CN) 32 E1
Soccorso, Convento del (CT) 120 F1
Socerga [YUI] 29 F4
Soci (AR) 54 D4
Socol (BL) 4 F2
Socraggio (VB) 9 D1
Sodano, Monte (MT) 98 C3
Soddi (OR) 129 F2
Sodo, I1 (AR) 61 B3
Sodolungo, Monte (PG) 55 F4
Soffiano (FI) 53 D4
Soffi, Isola (SS) 127 C3
Soffranco (BL) 14 C4
Soffratta (TV) 27 A2

Sogáies, Bruncu (OR) 132 B1-2
Sogliano al Rubicone (FO) 55 A3
Sogliano Cavour (LE) 100 C2
Soglio (AT) 32 C2
Soglio [CH] 10 B3
Soglio (CN) 40 A4
Sóglio, Monte (TO) 19 E2
Sogni, Grotta dei (FG) 79 E4
Sogno (LC) 22 AB3
Sogno, Isola del (VR) 24 B4
Soiana (PI) 52 E4
Soianella (PI) 52 E4
Soiano del Lago (BS) 24 D2
Sois (BL) 14 E3
Sola (BG) 23 D1
Solagna (VI) 26 B2
Solaia (SI) 60 D2
Solaio (SI) 59 C4
Solalex [CH] 6 B3
Solanas (CA) 136 D2
Solanas, Fiume 136 C2
Solanas (OR) 131 B3
Solano Inferiore/Superiore (RC) 114 C3
Solanto (PA) 109 D4
Solanto, Punta di (TP) 108 C2-3
Solara, Fiume 54 D3
Solara (MO) 37 F1
Solare, Monte (PG) 61 D4
Solarino (SR) 124 A2
Solaro (BS) 23 F4
Solaro (GE) 44 C2
Solarolo (CR) 35 C3-4
Solarolo (MN) 36 A2
Solarolo, Monte (BL) 14 F1
Solarolo (NO) 21 C1
Solarolo (RA) 48 D2
Solarolo Rainerio (CR) 35 C4
Solaro (MI) 21 C4
Solaro, Monte (NA) 88 E3-4
Solaro (PC) 34 F3
Solarussa (OR) 131 B4
Solata (AR) 54 F2
Solbiate (CO) 21 A4
Solbiate Olona (VA) 21 C3
Solbrito (AT) 32 C1
Solchiaro, Punta (NA) 88 C2
Solcio (NO) 21 A1
Solda di Fuori (Aussersulden) (BZ) 1 E4
Solda (Innersulden) (BZ) 1 F4
Soldai, Nuraghe (NU) 129 E4
Soldano (IM) 50 C4
Sölden [A] 2 B2
Sole, Lido del (FG) 79 C1
Sole, Lido del (SS) 127 D3
Sole, Monte (AG) 122 A1-2
Sole, Monte (BO) 47 D2
Sole, Monte (RI) 68 F4
Sole, Monte (TN) 12 B2
Sole (RE) 45 B4
Sóleo, Fiume 103 F1
Solere (CN) 31 F2-3
Solero (AL) 32 D4
Soleschiano (GO) 29 C1
Solesino (PD) 38 B2
Soleto (LE) 100 B2
Soletta Balza (PA) 119 B2-3
Sole, Val di (TN) 12 B4 C3
Soléminis (CA) 135 B4
Solfagnano (PG) 62 C2
Solferino (MN) 24 F2
Solforata (ROMA) 73 E2-3
Solgia (VB) 8 D4
Soliano, Nuraghe su (OR) 132 A1
Soli, Broncu de su (CA) 136 C1-2
Solicchiata (CT) 112 F3
Soliera (MO) 36 F4
Soliera (MS) 45 E2
Soliera, Stazione di (MO) 36 F4
Solighetto (TV) 26 A4
Solignano Nuovo (MO) 46 B4
Solignano (PR) 45 A2
Soligo, Fiume 14 F3
Soligo (TV) 26 A4
Solimbergo (PN) 15 D3
Solina, Casa (TP) 108 E1
Solinas (CA) 134 E4
Solita (NU) 130 A3-4
Solitta, Punta (NU) 130 E2
Soliva, Cima (SO) 11 E1
Soliva (VC) 20 B4
Solivo, al (BS) 11 CD3-4
Solivo, Monte (BI) 20 B3
Solivo (VC) 20 A3
Solkan, Salcano [YUI] 29 A2
Sollazzetto (VE) 28 C2
Soller (TV) 14 F3
Sollima, Casa (EN) 120 A2
Sollières Sardières [F] 18 E2
Solofra (AV) 89 B4
Solofrone, Fiume 90 F2
Sologno (NO) 21 D1
Sologno (RE) 45 D4
Solomeo (PG) 61 D4
Solonghello (AL) 32 B3
Solopaca (BN) 83 D3
Soltarico (LO) 22 F4
Solto Collina (BG) 23 B3
Solunto (PA) 109 D4
Solva (SV) 42 F2
Solza (BG) 22 C3
Solzago (CO) 22 A1
Somadino (LC) 10 E1-2
Somaggia (SO) 10 C2
Somana (LC) 10 F1
Somano (CN) 42 A1
Somazzo [CH] 9 F3
Someda (TN) 13 B4
Someo [CH] 9 B1
Someraro (VB) 8 F4
Somáglia (LO) 34 B4
Somitiolo (SO) 11 C3
Som-la-Proz [CH] 6 D3
Sommacampagna (VR) 24 E4
Somma Lombardo, Rifugio (VB) 8 A3
Somma Lombardo (VA) 21 B2
Somma, Monte (NA) 89 B1
Sommana (CE) 83 E2
Sommaprada (BS) 11 F3
Sommardenchia (UD) 28 A3-4
Sommariva del Bosco (CN) 31 E4
Sommariva Perno (CN) 31 E4
Sommatino (CL) 119 E1-2
Sommati (RI) 69 B3
Somma, Valico della (PG) 68 B3
Somma Vesuviana (NA) 89 B1
Sommeiller, Punta (TO) 30 A2
Sommocolonia (LU) 46 F1-2
Sommo (CR) 35 C3
Sommo, Passo del (TN) 13 F1
Sommo (PV) 33 B4
Sommo (Sambock), Monte (BZ) 4 C1
Sompdogna, Sella di (UD) 17 BC1
Sompiano (PS) 55 E3
Somplago (UD) 16 D2
Somprade (BL) 4 E3-4
Sompunt (BZ) 4 E1
Somrabbi (TN) 12 B3
Somvile (UD) 16 D3
Sonadon, Monte (AO) 6 E4
Sona (VR) 24 E4
Sonbreno (BG) 22 B4
Soncino (CR) 23 E1
Soncino (PV) 21 F4
Sonclivo, Corno di (BS) 23 C4
Sóndalo (SO) 11 BC3
SONDRIO 11 D1
Sonego (TV) 14 F4
Sonórcolos, sos (SS) 130 A1
Songavazzo (BG) 23 A2-3
Sónico (BS) 11 D4
Sonico (BS) 23 C4
Sonino, Rifugio (BL) 14 B2-3
Sonlerto [CH] 8 A4
Sonnblick [A] 5 A3
Sonnino (LT) 81 B2
Sonnino, Stazione di (LT) 81 B2
Sonnstein [A]5 A2
Sonogno [CH] 9 B2
Sonvico [CH] 9 E3
Sonvigo (BZ) 3 D1
Soprabolzano (Oberbozen) (BZ) 3 F1-2
Sopra, Capo di (TV) 27 A2
Sopra Conella (TN) 13 E2
Sopralacroce (GE) 44 B2-3
Sopramonte (NU) 130 E2
Sopramonte (TN) 12 E4
Soprana, Borgata (CN) 41 C4
Soprana, Masseria Sterpara (PZ) 85 F4
Soprana (PA) 110 F4
Soprana (BI) 20 B3
Sopranico (BS) 24 C1
Soprano, Monte (CS) 98 C4
Soprano, Monte (MT) 92 F4
Soprano, Monte (SA) 90 F2
Soprano (PR) 44 A4
Soprapiana (PV) 26 A4
Sopraponte (BS) 24 D1
Sopra Tierra, Monte (BL) 4 F2-3
Sopra, Valle di (CN) 31 E3
Sopravia (AV) 89 A2
Sora (FR) 75 E2
Soraga (TN) 13 B4
Soragna (PR) 35 D3
Soragno [CH] 9 E3
Sorana (CN) 32 F1
Sorana (PT) 53 A1
Sorano (GR) 66 B4
Soranzen (BL) 14 E2
Sorapis, Punta (BL) 4 F3
Soras (BL) 13 F4
Soratte, Monte (ROMA) 68 F1
Sorba, Fiume 20 A2
Sorbano (FO) 55 B2
Sorbara (MN) 36 B1
Sorbara (MO) 37 F1
Sorbello (CE) 82 D3
Sorbello, Monte (CS) 102 E2
Sorbetto, Castello (AR) 61 B4
Sorbétolo (PS) 55 D4
Sorbo (AQ) 74 C4
Sorbo (AV) 90 B1
Sorbo Fossato, Stazione (CZ) 105 AB2
Sorbolongo (PS) 56 D3
Sorbolo (PR) 36 E1
Sorbo (MC) 63 E2
Sorbo, Monte (CH) 76 C4
Sorbo (PI) 52 E3
Sorbo San Basile (CZ) 105 A2
Sorbo Serpico (AV) 89 A4
Sorcio, Monte (AG) 118 D1
Sorci, Punta dei (TP) 107 E3
Sordanu, Punta (SS) 129 C2
Sordevolo (BI) 20 C1-2
Sordi, Ca (FO) 48 F3
Sordiglio (RE) 46 B1-2
Sordillo, Monte (CS) 102 CD4
Sordina (SA) 89 C4
Sordio (LO) 22 F2
Sordo, Fiume 69 A1
Sorebois, Corne de [CH] 7 C2
Soresina [CH] 9 D2
Soresina (CR) 23 F1
Sorgente (FI) 53 D3
Sorgnano (MS) 45 F2
Sorgono (NU) 132 A3
Sorgà (VR) 37 A1
Sorianello (VV) 104 E4
Soriano Cálabro (VV) 104 E4
Soriano (MI) 21 D4
Soriano nel Cimino (VT) 67 D3
Soria, Rifugio (CN) 41 D1
Sorica [YUI] 17 E4
Sorico (CO) 10 D2
Sorifa (MC) 63 D1
Sorifa (PG) 62 D4
Sori (GE) 43 C4
Sorio (VI) 25 E3
Sorisole (BG) 22 B4
Soriso (NO) 20 B4
Sormano (CO) 9 F4
Sormazzana (CO) 9 F4
Sornadello, Monte (BG) 22 A4
Sorna, Fiume 25 B1
Sornico [CH] 9 A1
Soro, Monte (ME) 111 E4
Sorradile (OR) 129 F2
Sorra, Fiume 60 BC3
Sorreley (AO) 19 A2
Sorrentini (ME) 112 C2
Sorrento (NA) 89 D1
Sorres, Pian de (SS) 125 F3
Sorrezzana (PI) 53 D1-2
Sorricchio (PE) 70 C3-4
Sorriva (BL) 14 E1
Sorrivi (GE) 43 A4
Sorrivoli (FO) 49 F1
Sorso (SS) 125 F4
Sorte [CH] 9 C4
Sortei, Nuraghe de (NU) 130 D3
Sortei, Ponte di (NU) 130 D3
Sorti (MC) 63 D1
Sorti (MC) 63 E2
Sortino (SR) 124 A2
Sosio, Fiume 117 B4
Sospel [F] 50 C3
Sospiro (CR) 35 B3
Sospirolo (BL) 14 D2-3
Sossai (BL) 14 E4
Sossano (VI) 25 F4
Sossasso (AP) 63 EF3
Sostasio (UD) 5 F3
Sostegno (PV) 34 B2
Sostegno (BI) 20 B3
Sostino (PG) 62 E4
Sotarolo (BS) 24 D2
Sotta, Monte (CN) 42 D1
Sottana, Borgata (CN) 41 C4
Sottana (PA) 110 F4
Sottana (PZ) 85 F4
Sottano, Pra (SV) 42 C3
Sottile, Capo (SA) 89 D2
Sottile, Punta (AG) 122 F3
Sottile, Punta (TP) 107 E3
Sottile, Punta [YUI] 29 E2-3
Sottili (PI) 52 D4
Sotto, Albergo di (BZ) 1 F4
Sottocastello (BL) 15 B1
Sotto Castello (BS) 24 C1
Sottochiesa (BG) 10 F3
Sotto di Tróina, Fiume 120 A2
Sottoguda (BL) 14 B2
Sotto il Monte Giovanni XXIII (BG) 22 B3-4
Sottolmino [YUI] 17 E3
Sottomarina (VE) 39 AB1
Sottomonte (PN) 16 D3
Sottoselva (UD) 28 B4
Sottru (BZ) 4 E1
Souchéres Hautes (TO) 30 B2-3
Souchéres Basses (TO) 30 B3
Souliers [F] 30 D1
Soussillon [CH] 7 B2
Soustra, Rifugio (CN) 30 E3
Sovana (GR) 66 B3
Sovara (AR) 55 F1
Sovara, Fiume 55 F2
Sovata, Fiume 59 F4
Sovaza (NO) 21 A1
Soverato Marina (CZ) 105 D3
Soverato Superiore (CZ) 105 D2
Sovere (BG) 23 A2-3
Sovereto (BA) 87 E1
Soveria Mannelli (CZ) 102 F2
Soveria Simeri (CZ) 105 B3-4
Sovernigo (TV) 26 C4
Sover (TN) 13 D2
Sovérzene (BL) 14 D4
Sovicille (SI) 60 B2
Sovico (MI) 22 C2
Sovigliana/Spicchio (FI) 53 D2
Sovilla (TV) 27 B1
Sovizzo (VI) 25 D4
Sovramonte (BL) 14 E1
Sovvieco (SA) 89 C4
Sozzago (NO) 21 E2
Sozza, Monte (SS) 126 D3
Sozza (SS) 127 F2
Sozzigalli (MO) 37 F1
Sozzi (PR) 45 A1
Spaccabellezze, Monte (GR) 65 D4
Spaccarelli (CH) 71 F2
Spaccato, Colle (CH) 71 F1
Spaccato, Poggio (TR) 61 F4
Spadacenta (VE) 27 B4
Spadafora (ME) 113 B1
Spada, Masseria lo (BR) 95 C1
Spada, Masseria L. (PZ) 92 A1
Spada, Monte (NU) 133 A1
Spada, Poggio (GR) 59 F3
Spadarolo (RN) 56 A1
Spadillo, Punta (TP) 116 E2
Spádola (VV) 105 E1
Spagnola, Masseria (MT) 93 C1
Spagnoletti, Masseria (BA) 86 E1
Spagnolo, Masseria (BA) 87 F2
Spagnolo, Timpone (CS) 98 D4
Spagnuola, Stazione di (TP) 107 F4
Spalavera, Monte (VB) 9 E1
Spalla, Forcella della (PN) 15 C1
Spalmatore, Cala (TP) 107 E1
Spalmatore, Punta dello (PA) 109 A1
Spalmatore punta di Fuori (CA) 134 D1-2
Spalmatore (SS) 127 A2
Spannagelhaus [A] 3 A3
Spanna, Rifugio (VC) 20 A3
Spano, Castello di (CT) 120 A3
Spano (TP) 116 B3
Sparácia, Casa (PA) 109 F1
Sparácia, Ponte (PA) 109 F1
Sparacollo, Stazione di (EN) 120 B2
Spáragio, Monte (TP) 108 D2-3
Sparanise (CE) 82 D4
Sparavieri, Monte (TN) (VR) 25 C1
Sparciata, Casa (AG) 118 B4
Spargi, Isola (SS) 127 A1
Spargiotto, Isola (SS) 127 A1
Sparone (TO) 19 D2
Sparrhorn (CH) 8 A1
Spartà (ME) 113 B2
Spartivento, Capo (CA) 135 F2
Spartivento, Capo (RC) 115 F1
Sparvera, Serra (AQ) 75 D4
Sparviere, Monte (CS) 98 D3
Sparviero, Scoglio dello (GR) 59 F2
Sparvo (BO) 47 E2
Spaventa, Masseria (CH) 76 A4
Spaviento, Masseria (BA) 93 A3
Spazzate (BO) 48 B2
Spazzavento (PT) 53 B2
Spazzona (AL) 32 E4
Speccheri, Lago agli (TN) 25 B2
Specchia dell'Alto (LE) 95 E4
Specchiagallone (LE) 100 C3
Spécchia, La (BR) 94 B2
Spécchia, La (BR) 94 C4
Specchia (LE) 100 D3
Specchia, Masseria (BR) 94 C4
Spécchia, Masseria (TA) 93 D2
Specchiarica (TA) 94 F4
Specchia Ruggeri, Torre (LE) 100 A3
Specchi, Monte li (LE) 100 D1
Specchiolla, Lido (BR) 94 B4
Specchiolla, Torre (LE) 95 D3
Specchio (PR) 35 F2
Specchiulla, Masseria (LE) 100 B4
Speclosa, Villa (CA) 135 B2
Speco, Convento di (TR) 68 D3
Spedaletto (PI) 53 F1
Spedaletto (PT) 46 F4
Spedino (RI) 74 A4
Spello (PG) 62 E3
Spelonga (AP) 69 A3
Spera, La (RI) 68 D3
Speranza, Cappella (SS) 128 C2
Speranza, Nuraghe (SS) 125 F3
Spera (TN) 13 E3
Spercenigo (TV) 27 C2
Sperella, Vetta (SO) 11 B2
Spergolaia (GR) 65 B4
Sperina (CN) 31 E3
Sperlinga, Bosco di (EN) 119 A3-4
Sperlinga (EN) 119 A4
Sperlonga (LT) 81 D3
Sperlongara, Torre (RC) 115 E1
Sperone (AQ) 75 C3
Sperone (AV) 89 A2
Sperone, Capo (CA) 134 E3
Sperone (TP) 108 D2
Sperongia (PC) 35 F1
Speron (VI) 26 B1
Spert (BL) 15 E1
Spescia (FO) 54 B4
Spessa, Cima (TN) 24 A2-3
Spessa, Forcella (PN) 15 C3
Spessa (PD) 26 C1
Spessa (PV) 34 B2
Spessa (UD) 17 F1
Spessa, Val di (BZ) 4 E1
Spessa (VR) 25 F3-4
Spettoleria (BO) 47 A4
Speziale, Monte (TP) 108 D2-3
Spezzano Albanese (CS) 102 A2
Spezzano Albanese-Terme, Stazione di (CS) 98 F3
Spezzano della Sila (CS) 102 DE2
Spezzano (MO) 46 B4
Spezzano Piccolo (CS) 102 E2
Spezzapignate, Monte (PA) 109 F1
Spiaggi, Monte (MS) 45 C1
Spianate (LU) 53 C1
Spiano (SA) 89 C3
Spiano (TE) 70 C1
Spiazzi, Piano della (BG) 11 F1
Spiazzi (VR) 24 C4
Spiazzo (TN) 12 E2
Spicchiaiola (PI) 59 A4
Spicchio, Monte (PS) 55 E3
Spicchio (PT) 53 C2
Spicciano (CE) 82 C3
Spicciano (FI) 53 E4
Spicciano (MS) 45 E3
Spicciano (VT) 67 C3
Spico (Speikboden), Monte (BZ) 3 B4
Spiegelspitze [A] 3 A4
Spielbichl [A] 5 C1
Spigarolo (PR) 35 D3
Spigno Monferrato (AL) 42 A3
Spigno, Monte (FG) 79 E2
Spignon (UD) 17 E1
Spigno Saturnia Inferiore-Superiore (LT) 82 C1
Spigno, Stazione di (AL) 42 A3
Spigolizzi, Masseria (LE) 100 E2
Spigone (RE) 45 B4
Spilamberto (MO) 47 B1
Spilimbergo (PN) 16 E4
Spilinga (VV) 104 E2
Spillo, Poggio allo (FO) 54 C4
Spina, Bruncu (NU) 133 A1
Spina (BS) 23 C2
Spinacceto (RI) 68 D3
Spinaceto (ROMA) 73 E2
Spina dell'Ausino, Monte (SA) 90 E4
Spinadesco (CR) 35 B2
Spina, Fiume 68 A3
Spina, Genna (OR) 132 C1
Spináia, Poggio (GR) 66 B1
Spinale, Monte (TN) 12 D3
Spina, Monte (BL) 5 E1
Spina, Monte (CA) 134 C4
Spina, Monte (CS) 102 D4
Spina, Monte la (PZ) 97 C4
Spina Nuova (PG) 62 F4
Spina (PG) 62 E1
Spina (PG) 62 F4
Spina Pulci, Bosco di (FG) 78 D4
Spinarda, Monte (SV) 42 D1
Spina Santa (ROMA) 74 C1
Spinazza, Masseria (RG) 123 D3
Spinazzino (FE) 38 F1
Spinazzola (BA) 86 F1-2
Spinazzo (SA) 90 F1
Spin, Borgo (RO) 38 C3
Spindoli (MC) 63 C1
Spinea (VE) 26 E4
Spineda (CR) 36 C2
Spineda (TV) 26 B3
Spinella, Masseria (BR) 94 D4
Spinelli (BG) 11 F1
Spinelli (CT) 120 B4
Spinelli (PI) 52 E4
Spinello (KR) 103 E2
Spinello (FO) 55 B1
Spineta Nuova (SA) 89 D4
Spineta (SI) 61 E2
Spinete (CB) 83 A2
Spinetoli (AP) 64 F3
Spineto Scrivia (AL) 33 D3
Spineto (TO) 19 E3
Spineto, Torre dello (CS) 102 F3
Spinetta (AL) 33 D1-2
Spinetta (CN) 41 B2
Spinga (Spinges) (BZ) 3 C3
Spinimbecco (VR) 37 B3
Spino [CH] 10 B3
Spino d'Adda (CR) 22 E3
Spinola, Castello (AL) 33 F4
Spinola, Fattoria (PG) 62 DE2
Spino (MO) 46 C4
Spino, Monte (BS) 24 C2
Spinone al Lago (BG) 23 B2
Spinosa, Punta (CA) 135 E2
Spinoso (PZ) 97 A4
Spinti, Fiume 33 F3
Spirago (PV) 22 F2
Spirano (BG) 22 C4
Spirito Santo (NU) 130 D3
Spisone, Lido (ME) 113 F1
Spiss [A] 1 B3-4
Spitalieri, Villa (CT) 120 B4
Spitzegel [A] 17 A1
Spitzhorn [CH] 6 A4
Spitzhörnli [CH] 7 B4
Spitzkofel [A] 5 C2
Spitz, Monte (VI) 25 C2
Spizom, Monte (TN) 13 F1
Spluga, Monte (SO) 10 C3
Spluga, Passo dello [CH] 10 A1
Spoccia (VB) 8 D4
Spolastica (ROMA) 74 C3
Spoleto (PG) 68 B3
Spöl, Fiume 1 D2
Spoltore (PE) 70 D4
Spondigna (Spondinig) (BZ) 2 DE1
Sponga, Colle della (RI) 69 F1
Spongano (LE) 100 D3
Spora (PR) 44 B3
Spormaggiore (TN) 12 D4
Sporminore (TN) 12 C4
Sporno, Monte (PR) 45 A3
Sportelle, Forcelle di (RI) (TR) 68 C4
Sportinia (TO) 30 B2
Spoto, Masseria (AG) 118 D2
Spotorno (SV) 42 D4
Spöttling Taurer [A] 5 A1-2
Sprea (VR) 25 D2
Spré (TN) 13 E1
Spresiano (TV) 27 B1
Spriana (SO) 11 C1
Sprópolo, Punta di (RC) 114 F4
Sprópolo (RC) 114 F4
Spruga [CH] 8 C4
Spugna, Passo della (AR) (PS) 55 D3
Spúlico, Capo (CS) 99 D1
Spulico, Torre (CS) 99 D1
Squadretto (BS) 23 F4
Squadro, Costa (PZ) 91 B1
Squaneto (AL) 42 B3
Squaranto, Valle di (VR) 25 CD1
Squarciarelli, Ponte (ROMA) 73 E3-4
Squarci (PR) 44 C4
Squarzanella (MN) 36 C2
Squillace (CZ) 105 D2
Squillace, Golfo di (CZ) 105 CD3-4
Squillace, Torre (LE) 95 F1
Squillani (AV) 83 F4
Squille (CE) 83 E2
Squinzano (LE) 95 E2
Srednja Vas [YUI] 17 D4
SS. Annunziata (ME) 113 B2-3
SS. Trinità di Delia, Chiesa della (TP) 116 B4
Stabbia (FI) 53 C1-2
Stabbio, Monte (BZ) 3 F1

Stabét, Monte (UD) 17 B1
Stabiata, Monte (AQ) 69 D3
Stabiazzoni (PT) 46 F4
Stabie (BL) 5 F1
Stábie (BL) 14 F2
Stábile (TA) 94 B1
Stabina, Fiume 10 F3
Stabio [CH] 9 F2
Stabiuzzo (TV) 27 B2
Stabiziane (BL) 4 F3
Staccata, Cozzo (PZ) 91 C3
Stacciola (PS) 56 D4
Stadirano (PR) 45 A4
Stadolina (BS) 11 C4
Staffa (VB) 7 E4
Staffarda (CN) 31 E1
Staffelalp [CH] 7 E2-3
Stafflach [A] 3 A2
Staffola (RE) 36 D4
Staffoli (PI) 53 C1
Stáffoli (RI) 69 E1
Stáffolo (AN) 63 A3
Staffolo (CR) 36 D1
Stáffolo (VE) 27 C4
Staffora, Casal (PV) 34 F1
Staffora, Fiume 33 C4
Staffora, Fiume 34 E1
Staggia, Fiume 54 C4
Staggia (MO) 37 E1
Staggiano (AR) 55 F1
Staggia (SI) 53 F4
Staglieno (GE) 43 B3
Staglio, Chiesa dello (TP) 117 B1
Stagnali (SS) 127 B2
Stagnataro, Cocuzzo (PA) 118 B2
Stagnedo (SP) 44 E4
Stagnetto, Case (CA) 132 F2
Stagno (BR) 35 C4
Stagno Lombarolo (CR) 35 C3
Stagnone, Isole dello (TP) 107 F4
Stagno (PI) 52 E2
Stagno Torto (SS) 127 A2
Staina, Fiume 78 E1
Staiti (RC) 114 E4
Stalden [CH] 7 BC4
Staletti (CZ) 105 C2
Staletti, Punta (CZ) 105 D3
Stális (UD) 5 E3
Stall [A] 5 B4
Stallaini, Case (SR) 124 B2
Stallavena (VR) 25 D1
Stalle, Passo delle (Staller Satter) (BZ) 4 BC3
Stallerberg [CH] 10 A3
Stallone, Masseria (CB) 77 E4
Stallone, Masseria (PA) 109 E3
Stammerspitz [CH] 1 B3
Stampa [CH] 10 B3
Stampfles K. [A] 4 B3-4
Stanco, Monte (BO) 47 E1-2
Stanga, Colle della (TN) 13 F2
Stanga, La (BL) 14 D3
Stanga, La (VI) 25 D4
Stanga, Monte (BZ) 2 F2
Stanga (PD) 26 E3
Stanghella (PD) 38 B2
Stanghe (Stange) (BZ) 3 B1
Stangioni, su (CA) 134 C3
Stangone, Monte (PZ) 85 F3
Stanjel, San Daniele del Carso [YU] 29 C3-4
Stanovischis [YU] 17 D1
Stanziwurten [A] 5 A3
Stara Fuzina [YU] 17 D3-4
Staranzano (GO) 29 C1
Starda (SI) 54 F2
Starleggia (SO) 10 A1
Starlex, Piz (BZ) 1 D3
Staro Selo (Sella di Cap.) [YU] 17 D1
Staro (VI) 25 B2
Stasulli, Masseria (BA) 92 B4
Statale (GE) 44 C3
Statigliano (CE) 83 D1
Statte (MC) 63 D2
Statte (TA) 93 D4
Statto (PC) 34 D3-4
Statua (ROMA) 72 C4
Staulanza, Forcella (BL) 14 B3
Stausee/Gepatsch [A] 2 B1
Stava (TN) 13 C3
Stavel (TN) 12 C2
Stazzano (AL) 33 E3
Stazzano Nuovo (ROMA) 73 B4
Stazzano (ROMA) 73 B4
Stazzema (LU) 52 A2
Stazzo (CT) 121 B2
Stazzona (CO) 10 D1
Stazzona (SO) 11 D2
Steccato (KR) 106 B1
Stecche, Ponte di (AQ) 69 D3
Stecchi, Borgo (FO) 55 A3
Stecori, Nuraghe (NU) 129 F3
Stedro Sabion (TN) 13 D1-2
Stefanáconi (VV) 104 E4
Steg [CH] 7 B3
Steghorn [CH] 7 A2
Stein [A] 1 A4
Steinach [A] 3 A2
Steinbock, W.H. [A] 3 A4
Steinbrücken [A] 2 A1
Steinhaus [CH] 8 A2
Steinteg Fiume 5 A1
Stele Virgliana (TP) 108 D1
Stella Alpina, Rifugio (TN) 12 D1-2
Stella (AP) 64 F3
Stella, Capo della (LI) 58 F2
Stella Cilento (SA) 96 B2
Stella d'Italia, Rifugio (TN) 25 A2
Stella, Fiume 28 C2-3
Stella, Fiume 53 B2
Stella, Golfo (LI) 58 E2
Stella, Masseria (FG) 85 A1
Stella, Monte della (GR) 59 F3
Stella, Monte (EN) 119 B4
Stella, Monte (SA) 89 C3
Stella, Monti della (SA) 96 B2
Stellanello (SV) 42 F1
Stella, Pizzo (SO) 10 B2
Stella, Serra (CS) 102 D2
Stella, Serra della (BA) 92 B3
Stella (SV) 42 C4
Stellata (FE) 37 D3
Stella (TO) 31 D1-2
Stella (UD) 16 D3
Stelle, Baita delle (CN) 41 C3
Stelletanone (RC) 104 F3-4
Stellfopf [A] 5 AB3
Stellone, Fiume 31 C4
Stellune, Lago di (TN) 13 D3
Stelvio, Parco Nazionale dello (SO) 11-12 A1-2 B1
Stelvio, Passo (Stilfser Joch) (BZ) 1 F3-4
Stélvio (Stilfs) (BZ) 1 E4
Stenico (TN) 12 E3
Stentino, Monte (SS) 127 B2
Steria, Punta rocca (CA) 135 CD2
Sternai, Cime (TN) 2 F1-2
Sternatia (LE) 95 F3
Sterpaia (PI) 52 C2
Sterpate, Le (FR) 74 F4
Sterpete (PG) 62 E3-4
Sterpeti (VT) 67 C2
Sterpeto (GR) 65 A4
Sterpeto (PG) 62 D3
Sterpeto (PG) 68 B2
Sterpeto (PZ) 91 B2
Sterpo (UD) 28 B2-3
Sterza, Fiume 53 F1
Sterza, Fiume 59 C2
Sterza, La (PI) 53 F1
Stevani (AL) 32 B4
Stevenà (PN) 15 F3
Stezzano (BG) 22 C4
Stia (AR) 54 C3-4
Stia, Cimon di (BL) 14 C1-2
Stiago (VE) 28 C1
Stiappa (PT) 53 A1
Stiatico (BO) 47 A3
Stiava (LU) 52 B2
Stibbio (PI) 53 D1
Sticciano (GR) 60 E1
Sticciano Scalo (GR) 60 E1
Sticozze, Masseria (CB) 84 B1
Stien, Fiume 14 E2
Stienta (RO) 37 D4
Stifone (TR) 68 D1
Stigliano (MC) 63 BC2
Stigliano (MT) 92 F1-2
Stigliano (SI) 60 C2
Stigliano, Terme di (ROMA) 72 B3
Stigliano (VE) 26 D4
Stignano (RC) 115 A3
Stigolo, Monte (TN) 24 A2-3
Stilaro, Fiume 105 F2
Stilla, Masseria (FG) 78 F1
Stillo, Monte (FG) 84 C3
Stilo, Bosco di (RC) 105 F1
Stilo de' Mariani (CR) 35 B4
Stilo, Punta (RC) 115 A4
Stilo (RC) 105 F2
Stilupper H. [A] 4 A1
Stilves, Cima di (BZ) 3 C2
Stilves (Stilfes) (BZ) 3 C2
Stimigliano (RI) 68 F2
Stimpagnato, Punta (ME) 110 A3
Stimpato, Masseria (CT) 120 D3
Stinco (MC) 63 E3
Stingeto, Masseria (TA) 93 C2
Stino, Monte (BS) 24 B2
Stintino (SS) 125 D1-2
Stiolo (BO) 47 E2-3
Stiolo (RE) 36 F3
Stio (SA) 96 A3
Stipes (RI) 68 F4
Stirone, Fiume 35 E2
Stivo, Monte (TN) 12 F3-4
Stizzon, Fiume 14 F1
St. Jakob [A] 4 B3-4
St. Jodok [A] 3 A2
Stoccareddo (VI) 26 A1
Stockhorn [CH] 7 A4
Stockhorn [CH] 7 E3-4
Stoffanell [A] 5 D2
Stolli, Ponte agli (FI) 54 A1
Stol, Monte [YU] 17 D1
Stolvizza (UD) 16 C4
Stombi, Bivio (CS) 98 F4
Stoner (VI) 26 A1
Stoppiaro (MN) 37 D2
Stoppino, Ponte (BO) 48 AB2
Stóraco (AN) 57 F2
Storile, Monte (SO) 11 B3
Storje [YU] 29 CD4
Storlo (RE) 45 C3
Stornade, Monte (BL) 14 D3
Stornara (FG) 85 C3
Stornarella (FG) 85 D3
Stornello, Monte (CL) 119 F2
Storo (TN) 24 A2
Storta, La (ROMA) 73 C1
Storti, Rifugio (VI) 25 C2
Strabatenza (FO) 54 B4
Straboria (TP) 107 F4
Strabût, Monte (UD) 16 C2
Stra, Cascina di (VC) 20 E4
Straccis (UD) 28 B2
Straciugo, Monte (VB) 8 D1-2
Straconcolo (CR) 35 C3
Strada (AR) 54 D3-4
Strada [CH] 1 BC3-4
Strada (FI) 53 D4
Strada, La (CE) 83 F1
Strada, La (RA) 48 E1-2
Strada (MC) 63 A3
Strada (MC) 63 D2
Strada (PI) 52 E4
Strada, Podere (FI) 53 E1-2
Strada Romea (RA) 49 BC1
Strada Romea (VE) 39 B1
Strada Santo Zeno (FO) 55 A1
Strada (SV) 42 C2
Strada (SV) 42 D2
Strada (TN) 12 F2
Strada Vecchia, Masseria (CB) 83 A2-3
Stradella (MN) 36 B4
Stradella (PR) 35 EF4
Stradella (PR) 45 A1
Stradella (PV) 21 F3
Stradella (PV) 34 B2
Stradelle (PD) 26 D3
Stradola (AV) 84 E3
Stradone (VR) 37 B3
Strahlhorn [CH] 8 A1
Straling, Punta (VC) 7 F3-4
Stramare (TV) 14 F2
Strambinello (TO) 19 D4
Strambino (TO) 20 E1
Strambone, Masseria (BA) 93 A3
Stramentizzo, Lago di (TN) 13 C2
Stramentizzo (TN) 13 C2
Strangolagalli (CE) 83 D1
Strangolagalli (FR) 75 F1
Straniger Alpe [A] 5 E4
Strano (RC) 115 B2
Straorino (RC) 114 D2
Stra (PC) 34 CD3
Strasatti (TP) 116 B3
Strassen [A] 5 D1
Strassera (GE) 43 A4
Strassoldo (UD) 28 B4
Straulas (NU) 127 F3
Stra (VE) 26 E3
Stravignano (BS) 23 B4
Stravignano (PG) 62 D4
Stravino (TN) 12 F4
Straza [YU] 17 F4
Strazzavertole, Monte (EN) 119 C3
Strega, Grotta della (SV) 42 E2
Stregna (UD) 17 F2
Strela (PR) 44 B4
Strella (VC) 20 E3-4
Strembo (TN) 12 D2
Strémiz (UD) 16 E4
Streppenosa, Cocuzzo (RG) 123 D3
Stresa (VB) 8 F4
Stretta, Valle (RI) 69 E2
Stretti (UD) 17 C1
Stretti (VE) 27 C4
Strettoia (LU) 52 A2
Strettura (PG) 68 B3
Strevi (AL) 32 F4
Striano (FI) 54 A2
Striano (NA) 89 B2
Stribugliano (GR) 60 F3
Stricchio, Masseria (BA) 86 E2
Stridone, Fiume 66 A4
Strigara (FO) 55 A3
Strigno (TN) 13 E3
Strognano (PR) 45 A4
Stromboli, Isola (ME) 112 A4
Stronachkógel [A] 5 C3
Strona, Fiume 8 F3
Strona (VB) 8 F3
Strona (BI) 20 B2-3
Strona (BI) 20 C3
Stroncone, Stazione di (TR) 68 D3
Stroncone (TR) 68 D3
Stróngoli (KR) 103 E3
Stroppare (PD) 38 B2
Stroppari (VI) 26 C2
Stroppiana (VC) 20 F4
Stroppia, Rifugio (CN) 30 F2
Stroppo (CN) 40 A3
Strove (SI) 60 A1
Strovina (CA) 132 F1-2
Strozza (BG) 22 B4
Strozzavolpe, Castello (SI) 53 F4
Strozzavolpe, Fiume 66 B4
Strped [YU] 29 F4
Strudá (LE) 95 F4
Strugas (NU) 127 F3-4
Strunjan, Strugnano [YU] 29 E2
Stua (BL) 4 E2
Stua, La (BL) 14 E2
Stua, Lago della (BL) 14 E2
Stúdena Alta Bassa (UD) 16 B4
Stüdlhütte [A] 5 A2
Stuerda (TO) 31 C4
Stuetta (SO) 10 E1
Stuffione (MO) 37 F1
Stülles (BZ) 2 C4
Stulperrast [A] 4 C4
Stumiaga (TN) 12 EF3
Stumio, Villaggio dello (CZ) 106 B3
Stuparich, Bivacco (UD) 17 C1
Stupinigi, Parco Castello (TO) 31 B2-3
Stupinigi (TO) 31 B2-3
Stupizza (UD) 17 E1
Stura del Lanzo, Fiume 19 F3
Stura di Ala, Fiume 19 E1
Stura di Ala (TO) 19 E1
Stura di Demonte, Fiume 31 F4 40 BC3 41 B2
Stura di Sea, Fiume 18 E4
Stura di Vallegrande, Fiume 19 E1
Stura di Viù (TO) 19 F1
Stura, Fiume 32 B3
Stura, Fiume 43 A1
Stura, Fiume 47 F2
Sturaggia, Capo sa (OR) 131 B2
Stura (TO) 18 F4
Sturla, Fiume 44 C2
Sturla (GE) 43 C3
Sturno (AV) 84 F3
St. Veit I Def [A] 4 B4
Sualdin (PN) 15 C3-4
Suardi (PV) 33 C2
Suaredda (NU) 127 F3
Subasio, Monte (PG) 62 D3
Subbiano (AR) 54 E4
Subiaco (ROMA) 74 C2-3
Subit (UD) 16 E4
S.U.C.A.I., Rifugio (CT) 112 F3
Succhivo (NA) 88 C1
Succiano (AQ) 75 A2
Succinto (TO) 19 C4
Succisa (MS) 45 C1
Succiso, Alpe di (RE) 45 D3
Succiso (RE) 45 C3
Succivo (CE) 83 F1
Suchello, Monte (BG) 23 A1
Sucinva (BS) 11 F3
Suda, Torre (LE) 100 E1
Sud, Costa del (CA) 135 F1-2
Suéglio (LC) 10 D1
Suelli (CA) 132 E3-4
Suello (LC) 22 A2
Suello Monte, Ossario di (BS) 24 B2
Suen [CH] 7 C1
Suessa, Becca di [F] (AO) 18 C3
Suessola (NA) 83 F2
Sugame, Poggio del (FI) 54 E1
Sugana, Val (TN) 13 E3 F2-3
Sugano (TR) 67 B2
Sugello, Poggio (GR) 60 F2
Súghera (FI) 53 E2
Sughero, Pizzo di (ME) 112 D4
Sughero Torto (RG) 123 C2
Súio (LT) 82 C2
Suisio (BG) 22 C3
Sulbiate Inferiore/Superiore (MI) 22 C3
Sulcis (CA) 134 D4
Sulianu, Monte Lu (SS) 127 B1
Sulmona (AQ) 75 B4
Sulpiano (TO) 32 A2
Sulzano (BS) 23 C3
Sulztal [A] 2 A3
Sumbráida, Monte (SO) 1 E3
Sumbra, Monte (LU) 45 F4
Sumirago (VA) 21 B3
Summaga (VE) 27 B4
Summonte (AV) 89 A3
Suna (NO) 8 F4
Suniglia (CN) 31 F2-3
Suni (NU) 128 E3-4
Suno (NO) 21 C1
Sóro, Nuraghe (CA) 136 A3
Superga (TO) 31 B4
Superiore, Lago (AO) 19 B2
Superiore, Lago (MN) 36 B3
Supersano (LE) 100 D2
Supino (FR) 74 F3
Surano (LE) 100 D3
Surbo (LE) 95 E3
Surdo, Casa (FG) 78 E4
Sur En [CH] 1 C3
Surier (AO) 18 B3
Surigheddu (SS) 128 B2
Suringar, Bivacco (UD) 17 C1
Sur la Fontaine [F] 6 B1
Surrau, Fiume 127 B1
Surrettahorn [CH] 10 A2
Susano (BO) 47 D1
Susano (MN) 36 B4
Susano (MO) 46 D3
Susans (UD) 16 E2
Susa (TN) 13 E1
Susa (TO) 18 F3-4
Susa, Valle di (TO) 30 A2-3-4
Susch [CH] 1 C1
Susegana (TV) 27 A1
Susella (PV) 33 D4
Suseneo (IM) 50 C4
Susida [YU] 17 E1
Susin (BL) 14 DE3
Susinna (PA) 109 C2
Susino (CO) 9 E4
Suso, Terme di (LT) 82 C3
Suso (LT) 81 A1
Susten [CH] 7 B2
Sustinente (MN) 37 C1
Sustinenza (VR) 37 B2
Sutera (CL) 118 C4
Sutera, Stazione di (CL) 118 C3
Sutri (VT) 67 F3
Sútrio (UD) 5 F3-4
Sutta [YU] 29 C2-3
Suvari, Lago di (PA) 110 F3
Suvaro, Monte (KR) 103 D2
Suvereto (LI) 59 D2
Suvergiu, Monte su (NU) 129 E4
Suvero, Capo (CZ) 104 B4
Suvero (SP) 45 D1
Suviana (BO) 47 F1
Suviana, Lago di (BO) 47 F1
Suvignano (SI) 60 C3
Suvretta, Corn [CH] 10 A4
Suzza, Monte (AG) 118 E2
Suzzano (PC) 34 D4
Suzzara (MN) 36 CD3
Suzzi (PC) 34 F1
Suzzolins (PN) 28 C1
Svarchi (AN) 57 F4
Svino [YU] 29 B3
Sybaris, Copia (CS) 98 F4
Sybaris (CS) 102 A2
Symaethus (CT) 121 D1
Szigmondy/Sp. [A] 3 A4

T

Tabaccaro (TP) 107 F4
Tabanaro, Masseria (FG) 78 F1
Tabano (AN) 57 F1
Tabellano (MN) 36 C3
Tabernacolo, Colle (PE) 70 E3
Tabiago (LC) 22 B2
Tabiano (PR) 35 E2
Tabiano Terme (PR) 35 E2
Tabla (Tabland) (BZ) 2 E3
Tabonecco (MS) 45 D2-3
Taborba, Fiume 32 F3
Tabor, Monte (CO) 9 D4
Tabor [YU] 29 B3
Taburno, Monte (BN) 83 E3
Taburri, I (MO) 46 E3
Tacca (CA) 134 C2
Tacco, Monte (GE) 43 B2
Taccone, Stazione (MT) 92 B1
Taccu Elino (NU) 133 D1
Taccu, Nuraghe (OR) 132 B2
Taceno (LC) 10 E1
Tache (AO) 18 B4
Tache [CH] 7 D3
Tácina, Fiume 102 F4
Tàcina, Fiume 106 A1
Tacquara, Nuraghe (NU) 132 D4
Tadasuni (OR) 129 F2
Tádega, Passo (BZ) 4 E2
Taena (AR) 54 D4
Tafele, Casa (TP) 108 F2-3
Taffuri, Monte (ME) 112 D3
Tafone, Fiume 66 D3
Tafuri, Masseria (TA) 93 C2
Taggia (IM) 51 C1
Taggi di Sopra (PD) 26 E2
Taggi di Sotto (PD) 26 E2
Tagliacozzo (AQ) 74 B3
Tagliaferro (FI) 53 B4
Tagliaferro, Monte (VC) 7 F4
Tagliaferro (TO) 31 C3
Tagliamento, Fiume 15 F4 28 D2
Tagliamento, Foce del (UD) 28 D3
Taglianaso, Monte (BN) 84 D2-3
Tagliaorecchio, Timpa (FG) 84 B4
Tagliaretto (TO) 30 C4
Tagliata (CN) 31 EF3
Tagliata (MO) 46 C4
Tagliata, Monte la (PR) 45 AB1
Tagliata (RE) 36 D3
Tagliata (ROMA) 73 C1
Tagliate, Le (SV) 42 D3
Tagliente, Cascina (ROMA) 74 E1
Taglieto (SP) 44 C4
Taglio Corelli (RA) 48 B3
Taglio della Falce (FE) 39 E1
Taglio di Brenta, Fiume 26 F4
Taglio di Po (RO) 39 C1
Tagliolo Monferrato (AL) 33 F1
Taglio (PD) 38 B2-3
Taglio (VE) 26 E4
Tagli (RC) 114 C2
Tagliuno (BG) 23 C2
Tagnole, Le (MO) 46 E2
Taibo (FO) 55 A2
Taibon Agordino (BL) 14 C2
Tai di Cadore (BL) 14 B4
Taiedo (PN) 27 A4
Taiêt, Monte (PN) 15 C4
Tainate (MI) 21 E4
Taino (VA) 21 A2
Táio (TN) 12 C4
Taioli (VR) 25 D2
Taion (RO) 38 C3
Taipana (UD) 16 D4
Tairano, Monte (BN) 83 F3
Tairano (VC) 20 B4
Taizzano (TR) 68 D1
Talacchio (PS) 56 C2
Talamello (PS) 55 B3
Talamona (SO) 10 D3
Talamone (GR) 65 C4
Talamone, Stazione di (GR) 65 C4
Talána (NU) 133 A2
Talanico (CE) 83 F3
Talarico all'Ubac, Rifugio (CN) 40 BC2
Talasai, Nuraghe (OR) 129 F2
Talavorno (MS) 45 D1
Talavà (NU) 130 A3
Talbignano (MO) 46 C3
Talciona (SI) 53 F4
Taléfre [F] 6 E2
Taleggio (BG) 10 F3
Taleggio, Val (BG) 10 F2-3
Talente (FI) 53 D3
Talere, Fiume 129 B2
Talino (PZ) 91 D4
Talinos Nuraghe (NU) 129 E3
Talla (AR) 54 E4
Tallacano (AP) 69 A3
Tallone, Monte (BZ) 2 B4
Tallorno (TO) 19 C3
Talmassons (UD) 28 B3
Talocci (RI) 73 A4
Talonno (NO) 21 B1
Taloro (OR) 129 F3
Talósio (TO) 19 D2
Talponada (TV) 27 C2-3
Talponedo (PN) 15 F2
Talsano (TA) 94 E1
Talucco (TO) 31 C1
Talvacchia (AP) 69 A4
Talvena, Monte (BL) 14 C3
Tálvera, Fiume 3 C1-2

Tamagnone (TO) 31 C4
Tamai (PN) 15 F2
Tamara (FE) 38 E2
Tamaricciola, Masseria (FG) 85 B3
Tamarispa (NU) 130 A3
Tamaro, Monte [CH] 9 D2
Tamaroz (UD) 16 C3
Tamar [YUI] 17 C2
Tamatten [CH] 7 CD4
Tambone, Monte (LI) 58 E2
Tambre (BL) 15 E1
Tambruz (BL) 15 E1
Tambulano, Pizzo (ME) 111 E4
Tambò, Pizzo [CH] 10 A1
Tambura, Monte (LU) 45 F3-4
Tamburino (FI) 54 B2
Tamburo, Casa (VT) 67 B1
Tamburroni, Masseria (BR) 94 B3
Tamer, Monte (BL) 14 C3
Tammarécchia, Fiume 83 C4
Tammaro, Fiume 83 C4 84 D1
Tamone, Monte (CN) 41 B1
Támores (BZ) 4 E1-2
Tampone, Masseria (MT) 92 E1
Tana (AT) 32 D3
Tanabuto, Portella (AG) 118 C2
Tanai (Thanai) (BZ) 2 D1
Tanamea, Passo di (UD) 16 D4
Tanarello, Fiume 41 E3
Tanarello, Passo di [F] (CN) 41 E2-3
Tanaro, Borgo (AT) 32 D3
Tanaro, Fiume
42 B141 E4 33 D1 32 D2-3
Tanaro, Fiume 65 A3
Tanas (BZ) 2 D1
Tanaunella (NU) 127 F4
Tanca Marchese (OR) 131 D3-4
Tanca Noa (SS) 129 CD3
Tanca Regia (OR) 129 F1
Táncia, Monte (RI) 68 E3
Tane, Monte di (PC) 34 F2
Taneto (RE) 36 E1
Tanga, Masseria (AV) 84 F4
Tangarelli, Masseria (BA) 87 B2
Tangia, Monte (PZ) 91 F3
Tangone, Porto (SS) 128 CD2
Tannara, Nuraghe (NU) 132 D4
Tannoia (FG) 86 D1
Tannure, Punta (TP) 108 C3
Tantane, Monte (AO) 7 F2
Tanze (TO) 30 A4
Tanzonia, Pizzo (VB) 8 B3
Taormina, Capo (ME) 113 F1
Taormina (ME) 113 F1
Tapigliano (NO) 21 A1
Tapogliano (UD) 29 B1
Tappe del Tesoro (AQ) 76 DE1
Táppia (VB) 8 D2
Tappino, Fiume 84 A1
Tappi Rosa (VC) 20 E3
Taramelli, Rifugio (TN) 13 B4
Tarano, Fiume 31 EF4
Tarano (RI) 68 E2
Taranta Peligna (CH) 76 D2
Tarantasca (CN) 41 A2
Tarantine, Múrge (TA) 94 EF2-3-4
Tarantini, Masseria (TA) 94 E3
TARANTO 93 E4
Taranto Galesi, Stazione di (TA)
93 E4
Tarasp/Fontana [CH] 1 C2-3
Tarcento (UD) 16 E3-4
Tárces (BZ) 1 D4
Tarcetta (UD) 17 E1
Tardara, Monte (PA) 111 E1
Tarderia (CT) 121 B1
Tare, Monte (NU) 133 BC2-3
Targia (SR) 124 A3
Targia, Villa (SR) 124 B3
Tarifi (CS) 101 F4
Tarignano (AQ) 69 D2
Tarino, Monte (ROMA) 74 C4
Tarlapini (CH) 31 E4
Tarlisse, Fienili (BL) 4 F4
Tarmassia (VR) 37 A1
Tarnova, Selva di [YUI] 29 A3-4
Taro, Fiume 44 B3 45 B1 35 E3-4
Taro (MC) 63 E2
Taródine, Fiume 44 C4
Taroni, Cantoniera (SS) 127 E1
Taroni, Fiume (SS) 127 E1
Tarquinia Lido (VT) 66 F4
Tarquinia, Stazione di (VT) 66 F4
Tarquinia (VT) 66 F4
Tárres (BZ) 2 E2
Tárres, Passo di (BZ) 2 E2
Társia (CS) 102 B1
Társia, Masseria (BA) 87 B2
Tarsia, Stazione (CS) 102 A1
Tarsignano (AR) 55 F2
Tarsogno (PR) 44 B3-4
Tartago (PC) 34 F1-2
Tartano, Passo di (SO) 10 E3-4
Tártano (SO) 10 D3
Tartaro, Fiume 37 B2
Tartaro, Scolo 39 C1
Tartavalle, Terme di (LC) 10 E1
Tartiglia (AR) 54 C3
Tarugo (PS) 56 E2-3
Tarvisio, Foresta di (UD) 17 BC1-2
Tarvisio (UD) 17 B1-2
Tarzo (TV) 14 F4
Täschhorn [CH] 7 D3-4
Taschhütte [CH] 7 D3-4
Tascione, Timpone di (CS) 98 C4
Tashachbach, Fiume 2 B2
Tasna, Piz [CH] 1 B2
Tassaia (I) 54 B1
Tassani (GE) 44 D3
Tassara (PC) 34 C2
Tassarolo (AL) 33 E2
Tassè (TN) 12 B3
Tassei (BL) 14 E4
Tassenbach [A] 4 D4
Tasso (AR) 54 E3
Tasso, Fiume 75 D4
Tasso (GE) 43 B4
Tassullo (TN) 12 C4
Tassu, Serra di lu (SS) 126 D4
Tasua, Monte (CA) 134 C4
Tatareso, Ponte (SS) 128 B3
Tateo, Masseria (BA) 93 A3
Tatti (GR) 59 D4
Taubenbühe [A] 17
Taugine, Monte (BG) 11 F2
Taurano (AV) 89 A2
Taurasi (AV) 84 F2
Taureana (RC) 114 B3
Taurella, Monte Serra (AV) 84 E2
Tauriano (PN) 15 E3
Taurianova (RC) 114 B4
Taurine, Terme (ROMA) 72 A2
Tauri, Passo dei (BZ) 4 A3
Taurisano (LE) 100 D2
Tauro, Monte (PZ) 91 B3
Táusia (UD) 5 F4
Tauro, Monte (SR) 121 E2
Tavagnacco (UD) 16 F3-4
Tavagnasco (TO) 19 C4
Tavaiano, Fiume 54 A1
Tavarnelle (AR) 55 F1-2
Tavarnelle Val di Pesa (FI) 53 E3-4
Tavarnuzze (FI) 53 D4
Tavarone (SP) 44 D3
Tavazzano (LO) 22 F3
Tavenna (CB) 77 C2
Taverna (CZ) 105 A3
Taverna (RN) 56 B1
Tavernago (PC) 34 C3
Taverna, La (IS) 83 A1-2
Taverna, La (LT) 81 C3-4
Tavernanova (NA) 88 A4
Taverna Nuova, Masseria (CE) 82 CD4
Taverna, Pizzo (ME) 111 E1
Taverna, Porto della (SS) 127 E3-4
Taverna (SR) 124 A3
Tavernazza (FG) 84 C4
Taverne (AT) 32 C1
Taverne, Borgo le (AV) 84 F3-4
Taverne [CH] 9 D2
Taverne d'Arbia (SI) 60 B3
Taverne, Le (FG) 79 D1
Tavernelle (AN) 57 E3
Tavernelle d'Emilia (BO) 47 B2
Tavernelle (MO) 46 C4
Tavernelle (MS) 45 D2
Tavernelle (PG) 61 E4
Tavernelle (PS) 56 D3
Tavernelle (SI) 60 DE3
Taverne, Masseria (BR) 94 AB3
Taverne (MC) 63 E1
Taverne (PC) 35 E1
Tavernerio (CO) 22 B1
Tavernette (TO) 31 C1
Tavern, Fiume 5 A1
Tavernola Bergamasca (BG) 23 B3
Tavernola, Borgo (FG) 85 B3
Tavernola (CO) 22 B1
Tavernola (FR) 81 A3-4
Tavernole (CE) 82 C4
Tavernole Santa Mella (BS) 23 B4
Tavernole (VR) 25 D2
Taverone, Fiume 45 D2
Tavérnole (AV) 89 A4
Taviano (LE) 100 D1
Taviano (PT) 47 F1
Tavigliano (BI) 20 BC2
Tavignano (AN) 57 F1-2
Tavodo (TN) 12 E3
Tavo, Fiume 70 D2
Tavola, Cima la (RI) 68 D4
Tavola, Colle (RI) 68 D3
Tavola (PO) 53 C3
Tavoláia (PI) 52 D4
Tavolara, Isola (SS) 127 E4
Tavola Rotonda (AQ) 76 B1
Tavole (IM) 51 C1-2
Tavole Palatine (MT) 93 F1
Tavole, Ponte (CL) 119 F4
Tavoleto (PS) 56 C1
Tavoletta-Pavoncelli, Masseria (FG)
86 D1
Tavolici (FO) 55 C2
Tavoliere (FG) 85 A1-2-3-4
Tavon (TN) 12 B4
Tavo (PD) 26 E2-3
Tavrü, Piz [CH] 1 D2-3
Tavu de Mare, Grotta (SS) 128 D4
Tavullia (PS) 56 B2
Taxacher Alm [A] 4 A1
Tazzetti, Rifugio (TO) 18 F4
Teano (CE) 82 D4
Teano (PZ) 98 C2
Teatro (SR) 124 B3
Tebaldi (VR) 25 C2
Tebano (RA) 48 D2
Tècchia Rossa (MS) 45 C1
Tecchiena, Convento di (FR) 74 F4
Tecchio, Fiume 77 C2
Tedesco, Masseria (TA) 93 D4
Tega, Cantoniera (OR) 128 F3
Teggiano (SA) 91 F1
Teggiate, Cantoniera (SO) 10 A1
Téglia (AP) 63 EF4
Teglia, Fiume 45 D1
Teglia (GE) 43 B3
Tegli (AL) 43 A3
Téglia, Monte (AP) 69 A3-4
Teglia (MS) 45 D1
Teglia, Passo di (IM) 41 F3
Teglie (BS) 24 C2
Teglieto (RI) 69 F1
Téglio (SO) 11 D2
Teglio Veneto (VE) 28 C1
Tegna [CH] 9 C1
Tegnas, Fiume 14 C2
Tegóia (SI) 60 B1-2
Tegoleto (AR) 61 A1
Tegorzo, Fiume 14 F2
Teialone, Monte (SS) 127 B2
Teia, Punta di (LI) 58 B1
Tei, Becca di (AO) 18 B4
Teiolo, Bric di (GE) 43 B2-3
Tela Niedda Case (NU) 133 E1
Tel (BZ) 2 D3
Telegrafo, Cala del (LI) 58 DE3
Telegrafo, Colle del (CZ) 102 F3-4
Telegrafo, I1 (GR) 65 E4
Telegrafo, Pizzo (AG) 117 C3
Telegrafo, Torre del (SA) 96 C3
Telesia (BN) 83 D2
Telése (BN) 83 D3
Telgate (BG) 23 C1
Teliseri (NU) 132 A4
Tellaro, Fiume 124 D2
Tellaro (SP) 45 F1
Tellenae (ROMA) 73 E3
Telles, Fiume 2 D3
Tellesino, Fiume 124 C1
Telliers, Mont [CH] 6 E3
Telti, Monte (SS) 127 D2
Telti (SS) 127 E1
Telése, Lago di (BN) 83 D3
Telugno (FR) 75 E3
Telve di Sopra (TN) 13 E3
Telves (BZ) 3 B1
Telve (TN) 13 E3
Temenizza [YUI] 29 BC2
Temi (NU) 130 B2
Temo, Fiume 128 C4
Temo, Fiume 128 DE3
Temossi (GE) 44 B2
Tempa del Prato (SA) 90 E3
Tempalta (SA) 90 E2
Tempera (AQ) 69 E3-4
Tempio d'Ercole (LT) 74 F1
Tempio, Fiume 119 E4
Tempio Italico (CH) 76 DE4
Tempio Pausania (SS) 126 E4
Tempio (TV) 27 B2
Templi (AG) 118 EF2
Tempone (SA) 97 C1
Temù (BS) 11 C4
Tenáglie (TR) 67 B4
Tenca (BN8 E4
Tencarola (PD) 26 F2
Tenchia, Monte (UD) 5 F3-4
Tencione, Bric (SV) 42 DE1-2
Tenda, Colle (AQ) 69 D3
Tenda, Colle di (CN) 41 D2
Tende [F] 41 E2
Tenerano (MS) 45 E2-3
Tenese, Campo (CS) 98 E1
Tenese, Timpone (CZ) 106 B1
Tenibres, Monte [F] 40 C2
Tennácola, Fiume 63 D4
Tenna, Fiume 63 F3 64 C2
Tenna (TN) 13 EF1
Tenneverge, Pic de [CH] 6 C2
Tenno (TN) 12 F3
Tenuta Grande di sotto (CT) 120 E3
Tenutella, Masseria (CT) 120 D3
Tenza, Valle (SA) 90 D2
Teodone (BZ) 4 C1
Teodorano (FO) 48 F4
Teodulo, Colle di (AO) 7 E2-3
Teodulo, Corno del (AO) 7 E2-3
Teolo (PD) 26 F1
Teonghio (VI) 25 F4
Teôr (UD) 28 B2-3
Téora (AQ) 69 D2
Teora (AV) 90 B3
Tepilora, Punta (NU) 130 A2
Teppia, Fiume 74 F1
Teppio (PT) 47 F1
TERAMO 70 B1
Tercesi (GE) 43 B4
Terdóppio, Fiume 21 F3
Terdobbiate (NO) 21 E2
Tereglio (LU) 46 F2
Terelle, Colle (FR) 75 E3
Terelle (FR) 82 A2
Terento (Terenten) (BZ) 3 C4
Terenzano (UD) 28 A3
Terenza (PC) 35 E1
Terenzone, Fiume 44 A1
Terenzo (PR) 45 A3
Teresa, Case (MT) 93 F2
Tergola, Fiume 26 D3
Tergu (SS) 126 E1
Teria, Nuraghe de sa (CA) 133 E2
Tério, Fiume 43 C1
Terlago, Lago di (TN) 12 E4
Terlago (TN) 12 E4
Terlano (Terlan) (BZ) 2 F4
Terlizi (BA) 87 E1
Termali, Bagni (SI) 61 F2
Terme (AG) 117 D3
Terme Caronte (CZ) 104 B4
Terme Comano (TN) 12 E3
Terme dei Gracchi (VT) 67 F4
Terme del Bagnolo (GR) 59 C3
Terme di Lurisia (CN) 41 C3
Terme (LI) 59 D1
Termenago (TN) 12 C2
Termen [CH] 8 B1
Terme Neroniane (PD) 26 F2
Termeno Sulla Strada del Vino
(Tramin) (BZ) 13 BC1
Terme (PS) 56 C3-4
Terme San Giovanni Battista (SI)
60 B4
Termignon [F] 18 E2
Termignon, Fiume 18 E2
Termine, Chiesa di (CZ) 105 B3
Termine, Colle del (SV) 42 D3
Termine Grosso (KR) 106 A1
Termine, Osteria del (VI) 13 F2
Termine, Passo di (PG) 62 C4
Termine, Punta del (VB) 8 A4
Termine (SP) 44 E4
Termineto, Masseria (BA) 93 A4
Termine (VE) 28 E1
Termini (AQ) 69 D2
Termini, Colla di (CN) 41 D4
Termini Imerese, Golfo di (PA) 110 D1-2
Termini Imerese (PA) 110 E1
Terminillo, Monte (RI) 68 D4
Terminillo (RI) 68 D4
Termini (NA) 88 D4
Terminio, Monte (AV) 89 B4
Termoli (CB) 77 BC3-4
Termo Minerali, Bagni (ME) 115 C1
Termon (TN) 12 C4
Termo (SP) 45 F1
Ternate (VA) 21 A2
Ternavasso (TO) 31 D4
Ternengo (BI) 20 C2
TERNI 68 C2
Terno d'Isola (BG) 22 BC3-4
Ternova Piccola (TS) 29 C2
Ter, P. [YUI] 29 C4
Terontola (AR) 61 C3
Terracina (LT) 81 D2
Terracina (RI) 69 B2
Terra del Sole (FO) 48 E3
Terra di Casso (CR) 23 F1
Terradura (PD) 26 F2
Terradura (SA) 96 B3
Terragnolo (TN) 25 A2
Terráia (PG) 68 A2-3
Terralba (GE) 43 C1
Terralba, Monte (NU) 133 B1
Terralba (OR) 131 D4
Terralva, Cantoniera sa (SS) 128 C4
Terramaistus (CA) 131 F3
Terra mala (CA) 136 C1-2
Terramala, Canale (SS) 127 E1
Terrana, Poggio (CT) 123 B1-2
Terranegra (VR) 37 B2-3
Terranera (AQ) 69 F4
Terranova (AL) 33 A1
Terranova (BN) 83 F4
Terranova (CH) 70 F4
Terranova (KR) 103 D3
Terranova da Sibari (CS) 102 A2
Terranova dei Passerini (LO) 34 A4
Terranova di Pollino (PZ) 98 D2-3
Terranova (LE) 100 C1-2
Terranova (SA) 90 D3
Terranova Sappo Minulio (RC) 114 B4
Terranuova Bracciolini (AR) 54 E2-3
Terra Padedda (NU) 127 F3
Terra (RI) 69 D1
Terrarossa (BZ) 3 F3
Terrarossa, Foce di (LU) 46 E1
Terrarossa (GE) 44 C2
Terrarossa (MS) 45 E2
Terrasa (PV) 33 A1
Terraseo (CA) 134 C4
Terrasini (PA) 109 C1
Terrassa Padovana (PD) 38 A3
Terrati (CS) 101 F4
Terrata, Serra di (AQ) 75 D3
Terrauzza (SR) 124 B4
Terravecchia (CS) 103 C2
Terraverde (LO) 22 F3-4
Terravécchia (SA) 89 C4
Terrazzano (MI) 21 D4
Terrazze (AT) 32 C1
Terrazzo (VR) 37 B3
Terrenove, Stazione (TP) 116 A2
Terrenove (TP) 116 A3
Tèrres (TN) 12 C4
Terreti (RC) 114 D2
Térria (RI) 68 D2
Térria (TR) 68 B3-4
Terricciola (PI) 52 F4
Terriccio (PI) 59 A1
Terricoli (MC) 63 C1
Terrinca (LU) 52 A2
Terro (MC) 63 E3
Terrossa (VR) 25 E3
Terróssola (AR) 54 D4
Terrubia (CA) 135 C1
Terruggia (AL) 32 B4
Tersadia, Monte (UD) 5 F4
Tersiva, Punta (AO) 19 B2
Tersteli, Monte [YUI] 29 B3
Tertenia (NU) 133 D2-3
Tertilo, Nuraghe (NU) 130 D1
Tertiveri (FG) 84 B3-4
Terza Grande, Monte (BL) 5 F1-2
Terzano (FI) 54 D1
Terza, Piz [CH] 1 D1-2
Terza, Piz [CH] 1 D3
Terzerie (SA) 90 E2
Terzigno (NA) 89 B1
Terzo (AL) 32 F4
Terzo, Case (PZ) 98 B2
Terzo d'Aquileia (UD) 28 C4
Terzo di Luso, Masseria (PA) 118 A3
Terzóglio (BI) 20 C3
Terzo (GR) 60 E1
Terzo la Pieve (PG) 68 A2
Terzolás (TN) 12 B3
Terzo Marzoccolo, Masseria (MT)
99 A1
Terzone San Pietro (RI) 69 C1
Terzorio (IM) 51 C1-2
Terzo San Severo (PG) 68 A2
Terzo (UD) 15 B4
Terzo (UD) 5 E3
Terzo (VE) 27 E1-2
Tesa, Monte (RE) 46 B1
Téscio, Fiume 62 D3
Tesero (TN) 13 C3
Tese (TO) 19 F2
Tesido (Taisten) (BZ) 4 CD2
Tesimo (Tisens) (BZ) 2 E4
Tesina, Fiume 26 D1
Tesino, Fiume 64 E2-3
Tesis (PN) 15 E3
Tesoro, Bric del (SV) 42 C3
Téssali, Riva dei (TA) 93 E2
Tessano (CS) 102 E1
Tessano (VT) 66 D4
Tessello (FO) 48 F4
Tessemberg [A] 4 D4
Tessens [F] 18 B1
Tessera (VE) 27 E1
Tesserete (CH) 9 DE3
Testa, Capo (SS) 126 B4
Testáccio, Il (TR) 68 D1-2
Testáccio (NA) 88 C2
Testa d'Arp (AO) 6 F2
Testa del Gargano (FG) 79 D4
Testa dell'Acqua (SR) 124 C1-2
Testa di Serena (AO) 6 F3
Testa (RE) 36 D3
Testa, Serra di (ME) 111 E3
Testa, Torre (BR) 95 B1
Testene, Fiume 96 A2
Téstico (SV) 42 F1
Testo, Monte (TN) 25 B2
Tête Blanche [CH] 7 E2
Téte d'Apry (AO) 16 A3
Tete de Bossetan [F] 6 C1
Tete de Ferret [CH] 6 E2-3
Tete de l'Empeloutier [F] 40 B1
Tete de Siguret [F] 40 A1
Tete Pelouse [F] 6 D1
Teti (NU) 129 F3
Tetti Cavalloni (TO) 31 C2
Tetti Chiaramelli (CN) 31 F3-4
Tetti (CN) 40 A4
Tetti (CN) 41 A4
Tetti (CN) 42 C2
Tetti Giro (TO) 31 C3-4
Tettile (SS) 126 F2-3
Tetti Mauriti (TO) 31 C3
Tetti Pesio (CN) 41 B2
Tetti Sapini (TO) 31 C3
Tetti (TO) 19 D3
Tetti (TO) 31 C3
Tetti (VC) 20 A2
Tettorosso (CN) 41 A1
Teula Broncu (CA) 134 D3
Teulada (CA) 135 E1
Teulada, Capo (CA) 134 F4
Teulada, Porto di (CA) 135 F1
Teveno (BG) 11 E2
Tevere, Fiume 55 E2 61 AB4 67 C4
68 EF1 62 F1
Tevere, Fiume 73 B3
Teverina (AR) 61 B3
Teverina, Scalo (VT) 68 E1
Teverola (CE) 83 F1
Teverone, Fiume 62 F3
Tézio, Monte (PG) 62 C1
Tezze (BS) 24 D1
Tezze (BS) 24 F1
Tezze sul Brenta (VI) 26 C1
Tezze (TN) 13 F4
Tezze (TV) 27 B1-2
Tezze (VE) 27 C4
Tezze (VI) 25 D3
Tezzo (FO) 55 B2
Tezzoli (MN) 36 A3
Tezzon (VE) 28 E1
Thápsos (SR) 124 A3
Tharros (OR) 131 C2-3
Thiene (VI) 25 C4
Thiery [F] 40 F2
Thiesi (SS) 129 B1
Thollon [F] 6 A1
Tho, Pieve di (RA) 48 E2
Thörl [A] 17 B2
Thoules (AO) 6 F4
Thovex (AO) 18 A3
Thuile, La (AO) 18 A3
Thuile, La [F] 18 B2-3
Thulnkogel [A] 5 C1
Thuras, Colle di [F] 30 C2
Thuras, Fiume 30 C2
Thuras (TO) 30 C2
Thures Gorlier (TO) 30 C2
Thures (TO) 30 C2
Thurio (CS) 102 A3
Thurn [A] 5 C2
Thurntaler [A] 4 CD4
Thyon [CH] 7 C1
Tiago (BL) 14 E3
Tiana (NU) 132 A3
Tiarfin, Monte (UD) 5 F1
Tiarno di Sopra (TN) 24 A3
Tiarno di Sotto (TN) 12 F2
Tiberina, Val (AR) (PG) 55 EF2-3
Tibério, Masseria (BR) 94 D3
Tiberio, Villa di (LT) 81 D3
Tibert, Monte (CN) 40 B3
Tiburtini, Monti (ROMA) 74 C1
Ticciano (NA) 89 D1
Ticengo (CR) 23 E1
Ticerza,Monte [YUI] 17 C2-3

TICINETO / TORRI 241

Ticineto (AL) 33 B1
Ticino, Fiume 21 E3
Ticino, Fiume 8 A4
Ticino, Fiume 9 D2-3
Tidolo (CR) 35 B3
Tidoncetto, Fiume 34 D2
Tidone, Fiume 34 C3
Tiédoli (PR) 45 B1
Tieni (FE) 38 E4
Tiepido (MO) 46 B4
Tiera, Ponte (PZ) 91 C3
Tierno (TN) 25 A1
Tiezzo (PN) 27 A3
Tifia, Monte (RC) 114 F3
Tiggiano (LE) 100 E3
Tighet, Torre del (AO) 18 A4
Tigliano (FI) 53 C2
Tigliano (FI) 54 C2
Tiglieto (GE) 43 A1
Tiglio, Alpe del [CH] 9 D3
Tigliole (AT) 32 D2
Tigliolo (GE) 44 BC2
Tiglio (LU) 46 F1-2
Tiglione (AT) 32 D3
Tiglione, Fiume 32 D4
Tiglio, Ponte di (PI) 52 C4
Tiglio (PR) 44 A4
Tiglio (UD) 17 E1
Tignaga, Pizzo (VB) 8 E1
Tignai (TO) 30 A4
Tignale (BS) 24 B3
Tignamica (PO) 53 B3
Tignano (BO) 47 C2
Tignano (FI) 53 E4
Tignes (BL) 14 D4
Tignes les Boisses [F] 18 C3
Tignolino, Pizzo (VB) 8 D3
Tignoso, Monte (TE) 69 A4
Tignoso, Sasso (MO) 46 E2
Tigres, Lac de [F] 18 D2-3
Tilia, Monte (RI) 68 C4
Tilipera, Cantoniera (SS) 129 D1
Timarrano, Valle (AG) 118 B3-4
Timau, Pizzo di (UD) 5 E3-4
Timau (UD) 5 E4
Timavo (GO) 29 C2
Timeto, Fiume 112 C3
Timidone, Monte (SS) 128 B1
Timmari (MT) 92 C3
Timogno, Cima di (BG) 11 F1
Timoline (BS) 23 C3
Timoncello, Monte (TN) 13 E4
Timonchio (VI) 25 B3
Timone, Fiume 66 E3
Timone, Punta (SS) 127 D4
Timparossa, Casa (SR) 124 B2
Timpone Garramillo (CS) 97 E4
Timpone (SA) 97 C2
Timpone (TP) 108 C2
Tina, Fiume 3 D2
Tina (TO) 20 E1
Tindari, Capo (ME) 112 C3
Tindari (ME) 112 C3
Tinée, Fiume 40 D3
Tines, Les [F] 6 E1-2
Tinisa, Monte (PN) 15 B3
Tinnari, Monte (SS) 126 C2
Tinniri, Cantoniera (NU) 128 D3
Tinnura (NU) 128 E3-4
Tino, Isola del (SP) 45 F1
Tino (RI) 69 B2
Tinterosse, Monte (AQ) 74 C3
Tinti dei Mori (FI) 53 E2
Tintillònis, Punta (CA) 131 F3
Tintioni, Fiume su 135 E3
Tintoria (BO) 47 A4
Tiola (BO) 47 C1
Tiolo (SO) 11 C3
Tione degli Abruzzi (AQ) 75 A2
Tione di Trento (TN) 12 E2
Tione, Fiume 37 B1
Tiorre (PR) 35 F4
Tirano (SO) 11 D3
Tires (Tiers) (BZ) 3 F2
Tiria, Monte (NU) 129 D4
Tiriccu, Monte (CA) 135 D1-2
Tirino, Fiume 70 F2
Tiriolo (CZ) 105 B2
Tirivolo (CZ) 102 F4
Tirli (FI) 47 EF4
Tirli (GR) 59 F3
Tiro, Fiume 98 F2
Tiroier K. [A] 1 B2
Tirolle, Fiume 67 A1
Tirolo (MN) 24 F3
Tirolo (Tirol) (BZ) 2 D4
Tirrenia (PI) 52 DE2
Tirso, Fiume 129 C3
Tirso, Foce del (OR) 131 C3
Tirso, Sorgente del (NU) 130 B1
Tirso, Stazione di (SS) 129 D3
Tisana (BZ) 3 E2
Tiscali, Monte (NU) 130 E2
Tisdel, Punta (BS) 23 B3
Tiser (BL) 14 D2
Tisoi (BL) 14 D3
Tissano (UD) 28 AB4
Tissino, Fiume 68 A4
Tissi, Rifugio (BL) 14 B2
Tissi (SS) 128 A4
Titelle (BL) 14 D2
Titiano (UD) 28 C2
Titignano (TR) 67 A3-4
Tito, Fiumara di 91 D1-2
Titolo, Cantiere del (PZ) 98 B1-2
Tito, Monte (PG) 63 F1
Tito (PZ) 91 D1
Tivo (FO) 55 B2
Tivoli, Bagni di (ROMA) 73 C4
Tivoli (BO) 47 A1-2
Tivoli (ROMA) 73 C4
Tiziano, Rifugio (BL) 4 F3
Tizzana (PT) 53 C3
Tizzano (AR) 55 E2
Tizzano, Eremo di (BO) 47 C2
Tizzano (PR) 45 B3
Toano (RE) 46 C2
Toara (VI) 25 F4
Tobbiana (PO) 53 B3
Tobbiana (PT) 53 B3
Tobbiano (PR) 45 A3-4
Tobbio, Monte (AL) 43 A2
Tobia (VT) 67 E2
Toblin, Forcella di (BZ) 4 E3-4
Toblino, Lago di (TN) 12 E4
Toccalmatto (PR) 35 D3
Toccanisi (BN) 84 F1
Tocchi, Castello di (SI) 60 D2
Tocchi (SI) 60 D2
Tocco (AT) 32 D3
Tocco (BL) 14 C2
Tocco Cáudio (BN) 83 E3
Tocco da Casáuria (PE) 70 F3
Tocco, Monte (AQ) 76 D1-2
Toce, Fiume 8 B3 D3
Toceno (VB) 8 D4
Toc, Monte (PN) 14 D4
Todaro, Serra (CS) 102 C2
Todiano (PG) 63 F2
Todi (PG) 67 A4
Toesca, Rifugio (TO) 30 A4
Tofane, Le (BL) 4 EF2
Tofe (AP) 63 F3
Toff, Monte (TN) 12 E2-3
Tóffia (RI) 68 F3
Toffol (BL) 14 B2
Toffol (BL) 4 F2
Toffoz (AO) 19 B4
Tofino (TN) 12 F2
Tógano, Monte (VB) 8 D3
Toggia, Lago di (VB) 8 A4
Togliano (UD) 16 F4
Tóglie (TO) 19 F2
Tognana (PD) 38 A4
Tognola (TN) 13 C4
Toiano (FI) 53 C2
Toiano (PI) 53 E1
Toiano (SI) 60 B2
Toirano, Giogo di (SV) 42 E2
Toirano (SV) 42 E2
Tolagna, Monte (MC) 63 E1
Tolcinasco (MI) 22 E1
Tolè (BO) 47 D1
Tole (MO) 46 D3
Tolentino (MC) 63 C3
Tolentino, Monte (RI) 69 C1
Toleto (AL) 42 A4
Tolfaccia, Monte (ROMA) 72 A2-3
Tolfa, Monti della (ROMA) 72 A2-3
Tolfa (ROMA) 72 A3
Tolfe (SI) 60 B2-3
Tolidda, Monte (SS) 129 C4
Toline (BS) 23 B3
Tollara (PC) 34 D4
Tollegno (BI) 20 C2
Tolle (RO) 39 D2
Tolli, Villa a (SI) 60 E3-4
Tollo Canosa Sannita, Stazione (CH) 71 E2
Tollo (CH) 71 E1
Tolmezzo (UD) 15 B4
Tolminca, Fiume 17 E3
Tolmino, Lom di [YUI] 17 F3
Tolmin (Tolmino) [YUI] 17 E3
Toltu, Fiume 126 E1
Tolu, Fiume 133 F1
Tolva, Monte (TN) 13 D4
Tolve, Masseria (MT) 91 D4
Tolve (PZ) 91 C4
Tomacella (FR) 74 F4
Tomaiolo (FG) 79 E2
Tomaj, Tomadio [YUI] 29 C3
Tomarchio, Case (CT) 121 B1
Tomarlo, Monte (GE) 44 B3
Tomasevizza [YUI] 29 C3
Tomaso, Becco (CA) 134 D2
Tomasucci (MC) 63 D4
Tomatico, Monte (BL) 14 F1-2
Tombaccia (RN) 56 B2
Tomba di Nerone (ROMA) 73 C2
Tomba di Sotto (VR) 25 F2
Tomba, Fiume 66 D4
Tomba, Monte (TV) 26 A2
Tomba, Monte (VR) 25 C1
Tomba (UD) 16 E2-3
Tomba (UD) 16 F2-3
Tombazosana (VR) 25 F2
Tombe (BO) 48 CD1
Tombe (FE) 38 F4
Tombelle (VE) 26 F3
Tombe Sassatello (BO) 47 D4
Tombolino (VE) 27 D3-4
Tombolo (PD) 26 C2
Tombolo, Pineta del (GR) 65 AB1-2
Tombolo, Tenuta di (PI) 52 DE2
Tommaselle (RO) 37 D4
Tommaso Natale (PA) 109 C2
Tomo (BL) 14 F2
Tonadico (TN) 14 D1
Tona, Fiume 77 E4
Tonale, Cima (SO) 10 E4
Tonale, Monte (TN) 12 C1
Tonale, Passo del (TN) 12 C1
Tona, Monte di (CB) 77 E3
Tonara (NU) 132 A4
Tonco Alfiano, Stazione di (AL) 32 C3
Tonco (AT) 32 B3
Tonda (FI) 53 E2
Tondi di Falória (BL) 4 F3
Tondi Gorghi (TP) 116 C4
Tondo, Monte (LU) 45 D4
Tondo, Poggio (FI) 54 E1
Tonengo (AT) 32 A1-2
Tonengo (TO) 20 F1
Toneri (NU) 132 A4
Tonezza del Cimone (VI) 25 A3
Tonfano (LU) 52 B1-2
Tonini (BL) 13 F4
Tonnara (CA) 134 C3
Tonnara (CA) 134 D2
Tonnara di Bonagia (TP) 108 D1
Tonnara (ME) 112 B4
Tonnara, Saline (SS) 125 E2
Tonnare (CA) 134 C2
Tonnarella (ME) 112 C3
Tonneri, Monte (NU) 133 BC1
Tonnicelli, Masseria (MT) 99 B1
Tonnicoda (RI) 74 A2
Tonni (SI) 60 B2
Tonno (GE) 43 A4
Tonolini, Rifugio (BS) 11 D4
Tono, Punta del (ME) 112 B4
Ton, Pizzo de (VB) 8 E1
Ton (TN) 12 C4
Tontola (FO) 48 F3
Tonzánico (LC) 10 F1
Tonzina, Fiume 44 A4
Topalihütte [CH] 7 C3
Topi, Isola dei (LI) 58 D3
Topino, Fiume 62 E3
Toplitsch [A] 17 A2-3
Toppa, La (AV) 84 F4
Toppale, Serra (CS) 102 D4
Tóppole (AR) 55 F1
Toppolo in Belvedere [YUI] 29 F3
Toppo (PN) 15 D3
Topporusso, Masseria (FG) 85 E3-4
Tora (CE) 82 C3
Tora, Monte di (RI) 74 A2
Toranello (RA) 48 D1
Torano Castello (CS) 101 C4
Torano (CE) 82 D3
Torano Lattarico, Staz. di (CS) 101 C4
Torano Nuovo (TE) 70 A2
Torano (RI) 74 A4
Toraro, Monte (VI) 25 A2-3
Torate (PN) 28 B1
Torassi (TO) 20 F1
Törbel [CH] 7 C4
Torbiato (BS) 23 C2
Tórbido, Fiumara 115 B2
Torbido, Fiume 67 C3
Torbo, Lago di (BZ) 2 B4
Torbole (BS) 23 D3
Torbole (TN) 24 A4
Torca (NA) 89 D1
Torcegno (TN) 13 E2
Torch (BL) 14 D4
Torchiagina (PG) 62 C2
Torchiara (SA) 96 A2
Torchiaro (AP) 64 D2
Torchiarolo (BR) 95 D2
Torchiati (AV) 89 B3
Torchiera (BS) 23 F3
Torchio (NO) 20 B4
Torcigliano (LU) 52 B3
Torcino (CE) 82 B4
Tor d'Andrea (PG) 62 DE2-3
Tordenaso (PR) 45 A3
Tordibetto (PG) 62 D3
Tordimonte (TR) 67 B3
Tordinia (TE) 70 C1
Tordino, Fiume 70 B2
Tor di Valle, Ippodromo (ROMA) 73 D2
Torella dei Lombardi (AV) 90 A2
Torella del Sánnio (CB) 76 F4
Torelli (CN) 42 B2
Torello (SA) 89 B3
Torello (SA) 89 C4
Torena, Monte (SO) 11 E2
Torgiano (PG) 62 E2
Torgnon (AO) 7 F1-2
Torgon [CH] 6 A2
TORINO 31 AB3
Torino di Sangro Marina (CH) 71 F3
Torino di Sángro (CH) 77 A1
Torino, Rifugio (AO) 6 F2
Toritto (BA) 87 F2
Torlano (UD) 16 E4
Törl, Hohes [A] 5 A1
Torlino Vimercati (CR) 22 E4
Tormeno (VI) 25 DE4
Tormine (VR) 24 F4
Tornaco (NO) 21 E2
Tornamillo, Capo (PA) 109 E1
Tornaréccio (CH) 76 B3
Tornasano (AN) 57 F2
Tornata (CR) 36 B1
Tornello, Pizzo (BG) 11 E2
Tornello (PV) 34 B1-2
Tornette, La [CH] 6 A3
Tornetti (TO) 19 F1
Tornia (AR) 61 B3
Torniella (GR) 60 D1
Tornimparte (AQ) 69 F2
Tornitore, Poggio (ME) 111 F4
Torno (CO) 22 A1
Torno, Pizzo (ME) 112 D4
Torno (PZ) 98 D1-2
Tórnolo (PR) 44 B4
Tornova (RO) 39 C1
Tornovo, Tarnova [YUI] 29 A3
Toro (CB) 83 A4
Toro, Isola il (CA) 134 F3
Toro, Masseria I1 (FG) 85 C4
Torone (AV) 84 F3
Torone (CE) 83 E2
Toro, Punta del (CL) 119 D1
Tor Paterno (ROMA) 73 E2
Torpé (NU) 130 A3
Torraca (SA) 97 C2
Torraccia, La (LI) 59 D1
Torraccia, Monte della (MO) 46 E4
Torralba (SS) 129 BC1
Torralba, Stazione di (SS) 129 C1
Torrano (MS) 45 C1
Torrata, Masseria (TA) 93 D3
Torrazza (CN) 31 E2
Torrazza Coste (PV) 33 C4
Torrazza (IM) 51 C2
Torrazza Piemonte (TO) 20 F1-2
Torrazza (PV) 21 F3
Torrazzo (AT) 32 D1
Torrazo [CH] 9 C3
Torrazzo (TP) 108 C2
Torrazzo (BI) 20 D1-2
Torre a Castello (SI) 60 B4
Torre a Cona (FI) 54 D1
Torre Alfina (VT) 67 A1
Torre a Mare (BA) 87 E4
Torre (AN) 56 F4
Torre Annunziata (NA) 89 C1
Torreano (UD) 16 F3
Torreano (UD) 17 E1
Torre (AQ) 69 D2
Torre (AR) 54 F2-3
Torre Balfredo (TO) 20 D1
Torrebelvicino (VI) 25 C3
Torre Beretti (PV) 33 B2
Torre (BG) 11 E1
Torre Bianca, Masseria (TA) 94 D1
Torre Bianca, Masseria (TA) 94 E3
Torre Boldone (BG) 23 B1
Torre Bormida (CN) 42 A2
Torrebruna (CH) 76 D4
Torre Cajetani (FR) 74 E4
Torre Calderai (AL) 33 D3
Torre Canavese (TO) 19 D4
Torrecandele (ME) 111 D4
Torrecane, Monte (RI) 69 E1
Torre Canne Terme (BR) 94 A2
Torre, Casa la (FG) 78 F4
Torre, Casa la (SR) 120 F4
Torre Cavallo, Capo di (BR) 95 C2
Torre Cervia, Faro di (LT) 81 D1
Torre [CH] 9 A3
Torrechiara (PR) 35 F4
Torre Ciana, Punta di (GR) 65 E4
Torre, Cima la (LT) 81 A2
Torre Corsi (BA) 86 E1
Torrecuso (BN) 83 D4
Torre d'Arese (PV) 34 A2
Torre de Busi (LC) 22 B3
Torre degli Amoretti (RE) 46 D1
Torre dei Giunchi, Masseria (FG) 78 E2-3
Torre dei Guardiani (BA) 86 E4
Torre dei Passèri (PE) 70 F3
Torre del Bosco (TP) 107 F4
Torre del Faro (ME) 113 B3
Torre del ferro (CS) 98 F4
Torre del Greco (NA) 88 B4
Torre del Lago, Marina di (LU) 52 C2
Torre del Lago Puccini (LU) 52 C2
Torre del Moro (FO) 48 F4
Torre del Padiglione (LT) 80 A2
Torre de' Negri (PV) 34 B2
Torre de' Picenardi (CR) 35 B4
Torre de' Roveri (BG) 23 B1
Torre di Fine (VE) 27 D4
Torre di Kernot (SA) 89 E4
Torre di Masino (VR) 37 B1
Torre di Mosto (VE) 27 C4
Torre di Palme (AP) 64 D3
Torre di Patria (NA) 88 A2
Torre di Pettine (BA) 87 D1
Torre di Ruggiero (CZ) 105 E1-2
Torre d'Isola (PV) 33 A4
Torre di Táglio (RI) 69 F2
Torre d'Ofanto (BA) 86 C2-3
Torre Egnazia (BR) 87 B4
Torre (FI) 53 C1
Torre, Fiume 16 D4
Torre, Fiume 55 A2
Torre Garofoli (AL) 33 D2
Torre (GE) 43 A4
Torre Gáia (ROMA) 73 D3
Torregáveta (NA) 88 B2
Torre Giuffrida (CS) 102 F1
Torreglia (PD) 26 F2
Torre Grande, Marina di (OR) 131 BC3
Torregrotta (ME) 113 C1
Torrei, Fiume 132 A4
Torre Incine (BA) 87 B3
Torre, La (MO) 46 C4
Torre Lano (BO) 47 CD2
Torre, La (PS) 56 D2
Torre, La (PV) 21 F1-2
Torre, La (SR) 124 D1
Torre, La (VE) 28 D2
Torre Lazzarelli (BA) 86 D3
Torre (LU) 52 B3
Torre Lupara (ROMA) 73 C3
Torremaggiore (FG) 78 E2
Torre Maggiore, Monte (TR) 68 C2
Torre Maina (MO) 46 B4
Torre Mandelli (NO) 21 E2-3
Torre Mariedda (KR) 106 A3
Torre, Masseria la (BA) 93 B2
Torre, Masseria (TA) 94 E3
Torre (MC) 63 A3
Torre (ME) 112 E3
Torre Melissa (KR) 103 D3
Torremenapace (PV) 33 C3-4
Torremezzo di Falconara (CS) 101 E3
Torre (MN) 36 A3
Torre Mondovi (CN) 41 C4
Torre Montanara (CH) 71 E1
Torre, Monte (EN) 119 DE3
Torremorte, Stazione di (CT) 112 F4
Torre Mozza (FG) 78 C1
Torremuzza (ME) 111 D2
Torrenieri (SI) 60 D4
Torre Nocciola (MS) 45 D2-3
Torrenova (ME) 111 D4
Torre Nova (ROMA) 73 D3
Torrent (AO) 18 A3
Torrenthorn [CH] 7 A3
Torrenuova (AG) 117 C2
Torre Nuova (LI) 58 A1
Torre Nuova (SS) 128 B1
Torreone (AR) 61 B3
Torre Orsaia (SA) 97 C1
Torre Orsaia, Stazione di (SA) 97 C1
Torreorsina (TR) 68 C3
Torre Pacciano (BA) 86 D4
Torrepaduli (LE) 100 D2-3
Torre Pali (LE) 100 F2
Torre Pallavicina (BS) 23 E2
Torre Pedrera (RN) 49 F3
Torre Pellice (TO) 30 D4
Torre, Podere (PG) 62 F1
Torre (PR) 45 A4
Torre Ratti (AL) 33 EF3
Torre Ruffo (VV) 104 E2
Torrerossa (GE) 43 B1
Torresana, Fattoria di (SR) 124 C1
Torre San Giorgio (CN) 31 E2
Torre San Marco (PS) 56 E3-4
Torre San Patrizio (AP) 64 C2
Torre Santa Maria (SO) 10 C4
Torre Santa Susanna (BR) 94 D4
Tórres (BL) 14 D4
Torresella (VE) 28 C1
Torresella (VI) 25 D4
Torreselle (PD) 26 C3-4
Torresina (CN) 42 B1
Torre Spada (FE) 37 EF3
Torre Tertiveri (FG) 84 B3-4
Torretta (CN) 30 F3
Torretta (CT) 123 A4
Torretta (GR) 66 D1
Torretta Granitola (TP) 116 C4
Torretta, La (CH) 77 C1
Torretta, La (FG) 84 A3
Torretta, La (RO) 37 C3
Torretta (LI) 52 E3
Torretta, Masseria (BA) 93 BC1
Torretta, Masseria (FG) 85 B3
Torretta, Masseria (FG) 85 D3
Torretta (LO) 22 F3
Torretta, Monte (PZ) 91 B2-3
Torretta (PA) 109 CD2
Torretta, Pizzo (PA) 110 E4
Torretta, Poggio la (SI) 60 C2
Torretta, Portella (PA) 109 D2
Torretta (SA) 96 A1
Torretta (TA) 94 F2
Torrette (AN) 57 E3
Torrette di Fano, Le (PS) 57 C1
Torre, Val della (TO) 31 A2
Torre Valgorrera (TO) 31 C4
Torre Vecchia (LI) 58 A1
Torrevecchia (OR) 131 D3
Torrevecchia Pia (PV) 22 F2
Torrevécchia (ROMA) 73 C2
Torrevécchia Teatina (CH) 71 E1
Torre, Villa (SI) 60 D3
Torre Vosa, Fermata (PZ) 91 B4
Torrevècchia (CS) 101 B2
Torrezzo, Monte (BG) 23 B2
Torria (IM) 41 F4
Torriana (RN) 55 AB4
Torriana (MN) 37 C1
Torriano (PV) 22 F1
Torricchio (CH) 76 B4
Torricciola, Masseria (BA) 86 CD3
Torrice (FR) 75 F1
Torricella (BN) 83 E2
Torricella, Casino (BA) 86 D4
Torricella [CH] 9 D2
Torricella (CS) 102 A3
Torricella di Pizzo (CR) 35 C4
Torricella in Sabina (RI) 68 F4
Torricella, La (PG) 62 D1
Torricella (ME) 111 A2
Torricella (MN) 36 C3
Torricella, Monte (TR) 68 C2
Torricella Peligna (CH) 76 BC2
Torricella (PG) 61 C4
Torricella (PN) 15 F4
Torricella (PR) 35 C4
Torricella (PS) 55 C3
Torricella (PS) 56 E3
Torricella (PV) 34 C1
Torricella (RO) 37 C3
Torricella Sicura (TE) 70 B1
Torricella (TA) 90 E3
Torricella, Taverna di (CE) 82 D4
Torricelli, Masseria (FG) 85 D4
Torri del Benaco (VR) 24 C3
Torri di Confine (VI) 25 E3
Torri di Quartesolo (VI) 26 D1
Torri (FI) 54 D2
Torriggia (CO) 9 F4
Torriggia, Monte (VB) 8 D4
Torriglia (GE) 43 B4
Torri, Grotte di (RI) 73 A4
Torri (IM) 50 C3
Torri in Sabina (RI) 68 E2
Torri, Le (FG) 86 D1

Torrile (PR) 35 B4
Torrimpietra (ROMA) 72 C4
Torrinara, Monte (TR) 68 C3-4
Torrini, Monte dei (PS) 56 E1
Torrino (PV) 21 F4
Torriola (PS) 55 D4
Torrione (AL) 32 A4
Torrione (FG) 78 E1
Torrione, Il (SI) 61 C2
Torrione, Monte (VB) 8 D4
Torrione (NO) 21 E1
Torrione (SA) 89 C3
Torrioni (AV) 84 F1
Torrion Quartara (NO) 21 E1-2
Torri (PG) 62 F2
Torri (PT) 47 F1
Torri (RA) 48 C4
Torri (SI) 60 C2
Torrita di Siena (SI) 61 C1
Torrita (RI) 69 C2
Torrita Tiberina (ROMA) 68 F2
Torrite (LU) 45 F4
Torri (VI) 25 E4
Torron Alto [CH] 9 B3
Torrone, Monte (AP) 63 F3
Torrone, Poggio del (TR) 67 B2
Torrone, Poggio (TR) 67 A3-4
Torsana (MS) 45 D3
Tor Sapienza (ROMA) 73 D3
Torsa (UD) 28 D3
Torsolazzo, Palone del (BS) 11 E3
Torsoleto, Monte (BS) 11 E3
Torsoli (FI) 54 E1
Torta, Dosso della (TN) 12 F2
Tortiano (PR) 36 F1
Tortigliano (AR) 55 F2
Tortima (VI) 26 B1
Totin [CH] 6 C4
Torto, Fiume 110 E2 118 AB3
Torto, Fiume 31 C2
Torto, Fiume 81 C4
Tortogni (GE) 44 B1
Tortolì (NU) 133 B3
Tortolì, Stagno di (NU) 133 B3
Tortona (AL) 33 D3
Torto, Pizzo (SO) 10 B1
Tortora (CS) 97 D3
Tortorella, Fermata di (FG) 85 A2
Tortorella (SA) 97 C2
Tortorelle (TP) 116 A3
Tortoresi, Fattoria (PA) 118 A3
Tortoreto, Lido (TE) 70 A3
Tortoreto (TE) 70 A3
Tortorici (ME) 112 D2
Tortorici (PA) 117 B4
Tortorolo (PV) 33 B2
Tortu, Monte (NU) 133 D3
Tor Vaianica (ROMA) 73 F2
Torviscosa (UD) 28 C4
Torza (SP) 44 D3
Tosa, Cima (TN) 12 D3
Tosca, La (RA) 48 B3-4
Toscanella (BO) 48 CD1
Toscano, Masseria (EN) 120 E1
Toscano (SI) 60 D4
Tosca (PR) 45 A1
Toschian (BL) 14 E2
Toscolano (BS) 24 C3
Toscolano, Valle (BS) 24 BC2
Tosc [YUI] 17 C3-4
Tösens/Steinach [A] 2 A1
Tosi (FI) 54 D2
Toss, Becca di (AO) 18 B4
Tosse (SV) 42 D3
Tossicia (TE) 70 C1
Tossignano (BO) 47 E4
Tossilo (NU) 129 E1
Tossino (FO) 48 E2
Toss (TN) 12 C4
Totenkar/Sp. [A] 4 A3
Tótila, Monte (IS) 76 F3
Tottea (TE) 69 C3-4
Tottubella (SS) 128 A2
Toudon [F] 40 F3
Touét de L'Escarène [F] 50 C2
Touet sur Var [F] 40 F2
Toules, Lago di [CH] 6 E3
Tour, Aigle du [CH] 6 D2
Tour de Don [CH] 6 B2
Tourette du Châeau [F] 50 C1
Tour Héréraz (AO) 19 C4
Tour, La [F] 40 F3
Tour, Le [F] 6 D2
Tournairet, Mont [F] 40 E3-4
Tournalin, Grande (AO) 7 F2-3
Tournefort [F] 40 F3
Tournelon Blanc [CH] 6 E4
Tourrette Levens [F] 50 D1-2
Tour Sallière [CH] 6 C2
Tout Blanc, Monte (AO) 18 C4
Tovale, Croda del (BZ) 2 D3
Tovazza (PV) 34 D2
Tovel, Lago di (TN) 12 C3-4
Tovena (TV) 14 F3
Tovere (SA) 89 D2
Tovio (BL) 13 F4
Tovo d' Sant'Agata (SO) 11 C3
Tovo, Monte (TO) 19 D1
Tovo, Monte (BI) 20 A3
Tovo, Monte (BI) 20 B2
Tovo (SV) 42 E3
Tozzo, Colle del (CS) 102 F2
Trabaria, Bocca (PS) 55 E3
Trabia Miniere (CL) 119 E2
Trabia (PA) 110 E1
Trabona, Monte (CL) 119 C1
Trabuccato, Punta (SS) 125 C2
Trabuccato (SS) 125 C2
Trabucco, Monte (BS) 11 F4
Trabuchello (BG) 10 F4
Tracasci (LE) 95 C3
Tracciora di Cervatto, Cima (VC) 8 F1-2
Traccóccia (ME) 113 C1
Trácino, Punta (TP) 116 F2
Trácino (TP) 116 F2
Tradate (VA) 21 B3
Tradori, Nuraghe (OR) 131 A3
Traessa, La (SS) 126 C4
Traessu, Monte (SS) 128 C4
Trafficanti (BG) 23 A1
Traffiume (VB) 9 D1
Trafoi (BZ) 1 E4
Trafoi, Cima di (BZ) 1 F4
Trafoi, Val di (BZ) 1 E4
Traforo de Gran San Bernardo [CH] (AO) 6 EF3
Traforo del Monte Bianco [F] (AO) 6 E1 F2
Traghetto (FE) 48 A1-2
Tragliatella (ROMA) 72 B4
Tragonia, Casera (UD) 5 F1
Traiana (AR) 54 E3
Trainito, Cocuzzo (AG) 118 F4
Traino, Fiume 46 C4
Trainu Moltu (SS) 127 F2
Tra le serre, Monte (RI) 69 E1-2
Tralia (NA) 89 C1
Tramacere, Masseria (LE) 95 F3
Tramaglio, Porto (SS) 128 B1
Tramariglio (SS) 128 B1
Tramatza (OR) 131 B4
Tramazzo, Fiume 48 F2
Trambacche (PD) 26 E2
Trambileno (TN) 25 A1-2
Tramezzo, Masseria (FG) 85 C4
Tramin, Corno di (BZ) 3 C2
Tramontana (AL) 33 F2
Tramontana, Cocuzzo (AG) 122 A1
Tramontana, Punta di (BZ) 3 C1
Tramontana, Punta (SS) 125 E4
Tramonte (PD) 26 F2
Tramonti di Mezzo (PN) 15 C3
Tramonti di Sopra (PN) 15 C3
Tramonti di Sotto (PN) 15 C3
Tramonti, Lago di (PN) 15 C3
Tramontina, Cima (IM) 50 C3-4
Tramont (SA) 89 C2
Tramuschio (MO) 37 D1
Tramutola (PZ) 97 A3
Trana (TO) 31 B2
Trani (BA) 86 C4
Tranquillo, Monte (FR) 75 E3
Transacqua (BZ) 2 E2
Transacqua (TN) 14 D1
Tranzi (CE) 82 D3
Traona (SO) 10 D2
Traora, Rocca (ME) 111 D4
TRAPANI 107 DE4
Trapani-Birgi, Aeroporto Internazionale di (TP) 107 E4
Trappa (CN) 41 D4
Trappeto Bambino (RC) 114 B4
Trappeto (CT) 121 C1
Trappeto del principe (BA) 87 E2
Trappeto (PA) 108 D4
Trappola (AR) 54 E3
Trappola, Casa (GR) 65 B3
Trappola, La (MO) 47 D1
Trárego (VB) 9 E1
Trarivi (RN) 56 B1
Trasacco (AQ) 75 C1-2
Trasanni (PS) 56 D2
Trasasso (BO) 47 E2
Tráschio (PC) 34 F2
Trasimeno, Lago (PG) 61 CD3-4
Traso (GE) 43 BC4
Trasquera (NO) 8 C2
Trasserra (BO) 47 E1-2
Trassilico (LU) 46 F1
Trastulli (CH) 76 A3
Trasàghis (UD) 16 D3
Trasubbie, Fiume 66 A2
Tratalias (CA) 134 D4
Trattasu, Monte (NU) 130 F4
Trattoio (LI) 58 B1
Tratzalis (CA) 136 B1
Trausella (TO) 19 D4
Trauzzolo, Poggio (GR) 60 F4
Travacó Siccomario (PV) 34 B1
Travagliato (BS) 23 D3
Travale (GR) 59 C4
Travalle (FI) 53 B4
Trava (UD) 15 B4
Travazzano (PC) 35 D1
Travedona (VA) 21 A2
Travenanzes, Fiume 4 E2
Traversa [CH] 9 A3
Traversa, Croda (BZ) 3 B1
Traversa (FI) 47 F2-3
Traversara (RA) 48 C4
Traversella (TO) 19 C4
Traverses, Les [F] 50 C1
Traverses (TO) 30 B2-3
Traversetolo (PR) 45 A4
Traversette, Col de la (CN) 30 E3
Traversière, Grande (AO) 18 C3-4
Traversole, Monte (BS) 24 AB3-4
Trave, Scoglio del (AN) 57 E4
Tráves (TO) 19 F2
Travettore (VI) 26 BC2
Travetto, Serra (ME) 111 E3
Travésio (PN) 15 D3
Travignolo, Fiume 14 C1
Travignolo, Val (TN) 13 C4
Travo (PC) 34 D3
Trazzonara, Monte (TA) 94 C2
Tre Abati, Monte (PC) 34 E3
Tre Archi (AP) 64 C3
Tre Archirafi (CT) 121 A2
Treárie (CS) 102 F2
Treárie (CT) 112 E2
Treárie, Monte di (ME-CT) 112 E2
Trebaseleghe (PD) 26 D4
Trebbia, Fiume 44 B1 34 E3
Trebbiantico (PS) 56 C4
Trebbio (AR) 55 E2
Trebbio (BS) 24 B1-2
Trebbio di Reno (BO) 47 B3
Trébbio (FI) 53 B4
Trebbio (FO) 48 F2
Trebbio (RN) 55 A4
Trebbio (RN) 56 C2
Trebbio, Foce del (LU) 52 A4
Trebbio (MC) 63 C4
Trebbio (MC) 63 E2
Trebbio (PV) 33 D4
Trebecco (PC) 34 D2
Trebese [YUI] 29 F3
Trebiano (SP) 45 F1
Trebiciano (TS) 29 D3
Trebina Longa, Punta (OR) 132 D1
Trebisacce (CS) 98 E4
Trebucchi, Piano di (SA) 89 B2
Tre Cancelli (ROMA) 80 B2
Tre Cancelli, Valico (MT) 91 D4
Trecarri, Masseria (BA) 93 B2
Trecasali (PR) 35 D4
Trecase (NA) 89 B1
Tre Case (SI) 60 F4
Trecastagni (CT) 121 B1
Trecate (NO) 21 E2
Trécchina (PZ) 97 D3
Treccione (CO) 9 E4
Trecella (MI) 22 D3
Trecenta (RO) 37 C4
Tre Cerri (GR) 65 C4
Tre Cime di Lavaredo (Drei Zinnen) (BL) 4 E3
Tre Colli (PI) 52 C4
Tre Confini (AQ) 75 D2
Tre Confini, Monte (CB) 83 C3
Tre Confini, Monte (FR) 74 E4
Tre Croci (BO) 46 F4
Tre Croci, Cappella (GE) 44 A1
Trecroci (VV) 105 D1
Tre Croci, Madonna delle (TE) 69 B4
Tre Croci, Monte (TP) 108 E3
Tre Croci, Passo (BL) 4 E3
Tre Croci (VT) 67 E2
Tre Denti, Monte (TO) 31 C1
Tredenus, Fiume 11 E4
Tredozio (FO) 48 F2
Treffen [A] 17 A3
Treffner [A] 17 A3
Trefinaidi, Monte (ME) 111 E2
Trefiumi (PR) 45 C3
Tre Fontane, Case (EN) 120 B1
Tre Fontane, Le (BZ) 1 E4
Tre Fontane, Pizzo (CL) 118 C4
Tre Fontane, Taverna (AV) 84 D3
Tre Fontane (TP) 116 C4
Tregasio (MI) 22 C2
Treggiaia (PI) 52 E4
Tregiovo (TN) 2 F3
Treglia (CE) 83 D1
Tréglio (CH) 71 F2
Tregnago (VR) 25 D2
Trégole (SI) 54 F1
Tregozzano (AR) 55 F1
Treia, Fiume 68 F1
Tréia (MC) 63 B3
Treicol [F] 18 B1
Treiso (CN) 32 E2
Tre la Téte, Aigle de [F] 6 F1
Trélechamp [F] 6 D2
Trelli (UD) 5 F4
Tre Luci, Ponte a (KR) 106 A1-2
Tremalzo, Monte (TN) 24 A3
Tremalzo, Passo (BS) 24 A3
Trematerra, Monte (CZ) 105 E2
Tremea (BL) 14 E3
Tremeacque, Ponti di (TV) 27 B3
Tremenesca, Cima (TN) 12 B2-3
Tremenico (LC) 10 DE1
Tremensuoli (LT) 82 D1
Tremestieri Etneo (CT) 121 C1
Tremestieri (ME) 113 C2
Tremezzo (CO) 9 E4
Tremezzo, Monte di (CO) 9 E4
Tremignon (PD) 26 D2
Tre Mogge, Pizzo del (SO) 10 B4
Trémoli (CS) 97 E3
Tremona (CH) 9 F3
Tre Monaci, Cocuzzo (AG) 118 C3
Tremonti (AQ) 74 B3
Tre Montis, Genna (CA) 132 F4
Tremorgio, Lago [CH] 9 A1
Tremosine (BS) 24 B3
Trempu, Punta (NU) 132 D3
Trenkwald [A] 2 A2
Trens, Gioco di (BZ) 3 B2
Trenta (CS) 102 E3
Trenta d'Isonzo [YUI] 17 C3
Trenta Miglia, Cantoniera (VT) 67 F4
Trentángeli, Masseria (PZ) 85 F4
Trentapassi, Corna (BS) 23 B3
Trentinara (SA) 90 F4
TRENTO 13 E1
Trento (RO) 37 D4
Trentola (BO) 48 C1
Tréntola (CE) 82 F4
Trenzanesia (MI) 22 D2
Trenzano (BS) 23 E2-3
Trepalade (VE) 27 D2
Trepalle (SO) 1 F2
Tre, Passo dei (ME) 111 E4
Tre Perazzi, I (FG) 85 D3
Trepéllice (TO) 31 D2
Trepido Sottano (CZ) 102 EF4
Tre Piere (TV) 27 B2
Tre Pietre, Monte (BL) 14 E2
Tre Pietre, Punta (TP) 116 F1
Tre Pigni, Masseria i (LE) 100 BC2
Tre Pini, Rifugio (IM) 41 E3
Tre Pizzi (MC) 63 C1
Tre Ponti (NA) 83 F2
Treponti (PD) 26 F1-2
Tre Ponti (PD) 38 B2
Treponti (PD) 38 B4
Tre Ponti (RO) 37 C4
Tre Ponti, Torre (LT) 80 AB4
Treporte, Grotta (LE) 100 F3
Tre Porti (VE) 27 E2
Tre Potenze, Alpe (LU) 46 F2
Treppo Cárnico (UD) 5 F4
Treppo Grande Piccolo (UD) 16 E3
Trepunti (CT) 121 A2
Trepuzzi (LE) 95 E2
Trequanda (SI) 60 C4
Tre re (PV) 34 B1
Trerio (RA) 47 E4
Tresa, Fiume 61 D1
Tresa, Fiume 9 E1-2
Tresana (MS) 45 D1
Tresanti (FI) 53 E3
Tre Santi (SA) 97 B1
Tresauro (RG) 123 C3
Tresca, Monte (BO) 46 F4
Tre Scarperi (Dreischusterpitze) (Cima) (BZ) 4 D3-4
Tresché (VI) 25 B3-4
Treschietto (MS) 45 D2
Tresciano, Fiume 68 C3
Trescine (AV) 83 F3
Trescolmen, Pizzo di (CH) 9 AB4
Trescore Balneario (BG) 23 B2
Trescore Cremonasco (CR) 22 E4
Tres, Corno di (BZ) 13 C1
Tresenda, Fiume 1 F2
Tresenda (SO) 11 B2
Tresenda (SO) 1 F1-2
Tresenta, La (AO) (TO) 19 C1
Tresigallo (FE) 38 E3
Tre Signori, Corno dei (TN) 12 B1
Tre signori, Picco D. (Dreiherrnspitze) [A] 4 A3
Tre Signori, Pizzo dei (BG) 10 E2
Tresilico (RC) 114 B4
Tresinaro, Fiume 46 B2
Tresino, Monte (SA) 96 A1
Tresino, Punta (SA) 96 A1
Tresivio (SO) 11 D1
Tresnuraghes (OR) 128 E3
Tres Nuraghes (SS) 129 C1
Trespiano (FI) 53 C4
Tressano (RE) 46 B3
Tressanti (FG) 85 B4
Tressi, Punta (TO) 19 C2
Tressi (TO) 19 C2
Treste, Fiume 76 CD4 77 B1
Trestina (PG) 61 AB4
Tres (TN) 12 C4
Tresto (PD) 38 B1
Tre Strade, Le (RI) 68 D3-4
Tre Termini, Passo (BS) 23 C3
Trétien, Le [CH] 6 C2
Tre Titoli, Monte (FG) 84 D4
Tre Titoli, Masseria (FG) 85 D3
Tret (TN) 2 F4
Trettu, Punta (CA) 134 D3
Trevane (AR) 54 E3
Trévano (CO) 21 A4
Trevenzuolo (VR) 36 A4
Tre Vescovi, Monte (AO) (VC) 20 B1
Tre Vescovi, Poggio (AR) 55 D1
Trevico (AV) 84 F4
Tréviglio (BG) 22 D4
Trevignano (PR) 45 C3
Trevignano Romano (ROMA) 72 A4
Trevignano (TV) 26 B4
Treville (AL) 32 B4
Treville (TV) 26 C3
Trevi, Monte (LT) 81 B1
Trevinano (VT) 61 F2
Trevi nel Lazio (FR) 74 D3
Treviolo (BG) 22 C4
Trevi (PG) 62 F4
Trevisago (VA) 9 F1
Trevisani [YUI] 29 C4
TREVISO 27 C1
Treviso Bresciano (BS) 24 C2
Treviso, Rifugio (TN) 14 C2
Trevi (TR) 68 C1
Trevozzo (PC) 34 D2
Trexenta (CA) 132 F3-4
Trezzano Rosa (MI) 22 C3
Trezzano sul Naviglio (MI) 21 E4
Trezzolano (VR) 25 D1
Trezzone (CO) 10 D1
Trezzo sull' Adda (MI) 22 C3
Trezzo Tinella (CN) 32 F2
Triana (GR) 66 A3
Triangia (SO) 10 D4
Triangolo, Corno (BS) 11 D4
Triangolo di Riva (Dreieckspitze) (BZ) 4 B2
Triatel (AO) 7 F2
Tribano (PD) 38 B2
Tribiano (LO) 22 E2-3
Tribil Inferiore (UD) 17 F2
Tribil Superiore (UD) 17 E2
Tribogna (GE) 44 C1
Tribola (FO) 55 A4
Tribulaun (BZ) 3 AB1
Tribuna, Monte la (FG) 79 D2
Tribussa Inferiore [YUI] 17 F3
Tricarai, Ponte (NU) 133 B2-3
Tricarico, Bivio (PZ) 91 C3-4
Tricase (LE) 100 E3
Tricase Porto (LE) 100 DE3-4
Tricella, Monte (AQ) 75 C3
Tri Cerro (VC) 20 F4
Tricésimo (UD) 16 E3
Triches (BL) 14 E3
Trichiana (BL) 14 E3
Tricine (PG) 61 C4
Tricoli, Punta (NU) 133 C2
Tricàrico (MT) 92 D1
Triei (NU) 133 A3
Trient Châtelard, Le [CH] 6 D2
Trient, Fiume 6 C2
TRIESTE 29 D3
Trieste, Golfo di (TS) 29 DE2
Triflisco (CE) 83 E1
Trifoglio, Masseria (MT) 92 E3
Trifoglione, Masseria (MT) 92 F2
Triggianello (BA) 87 B2
Triggiano (BA) 87 E3
Triglau [YUI] 17 C3
Triglio (SA) 96 B4
Trignano (TE) 70 D1
Trigna, Pizzo del (PA) 109 E4
Trignete (IS) 83 A1
Trigno, Fiume 76 E4 77 D1
Trigolo (CR) 23 F1
Trigória Alta (ROMA) 73 E2
Trigus, Serra (CA) 134 A3
Trimelone, Isola (VR) 24 B3-4
Trimezzo (RI) 69 B1
Trimoletto, Fiume 82 DE2
Trina, Monte (LT) 81 C4
Trincello, Monte (CS) 97 F4
Trinitá, Lago (TP) 116 B4
Trinitápoli (FG) 86 C2
Trinité, La [F] 50 D2
Trinità, Abbazia della (PZ) 85 F4
Trinità, Abbazia della (SA) 89 C3
Trinità, Baia (SS) 126 D2
Trinità (BO) 47 D1
Trinità (CN) 40 BC4
Trinità (CN) 41 A3
Trinità (CN) 41 D1
Trinità, Convento della (TR) 67 E2
Trinità d'Agultu (SS) 126 D2
Trinità, La (PG) 62 D1
Trinità, Monte (FG) 84 C4
Trinità (RE) 46 B1
Trinità (SA) 91 F1
Trinità, Santuario della (LT) 81 D4
Trinità (TO) 18 F3
Trino (VC) 32 A3
Trins [A] 3 A2
Triolet, Aigle de [F] 6 E2
Triolo, Fiume 78 F3 84 A4
Triona, Monte (PA) 117 B4
Trionfo, Masseria (FG) 86 B1
Trionfo, Masseria il (FG) 85 C3
Trionto, Capo (CS) 103 A1
Trionto, Fiume 102 C4 103 B1
Triora (IM) 41 F3
Tripalle (PI) 52 E3-4
Triparni (VV) 104 E3
Tripi (ME) 112 D3
Tri Piz (BS) 11 D3
Triplez, Monte (TO) 30 B2
Triponzo (PG) 63 F1
Trippaturi, Monte (ME) 111 F2-3
Trisanna, Fiume 1A3
Trisobbio (AL) 33 F1
Trisolla, Fiume 60 E3
Trissino (VI) 25 D3
Tristach [A] 5 C2
Tristkopf [A] 2 A2
Trisulti, Certosa di (FR) 74 E4
Trisungo (AP) 69 A2-3
Tritanti (RC) 115 A1
Triúggio (MI) 22 C2
Triulza (LO) 34 B4
Triulzo (MI) 22 E2
Trivegna (SP) 45 E1
Trivella, Forcella (AQ) 75 D2
Trivellano (MN) 36 D4
Trivento (CB) 76 E4
Trivero (BI) 20 B3
Triversa, Fiume 32 C1
Trivigliano (FR) 74 E4
Trivignano Udinese (UD) 28 B4
Trivignano (VE) 26 D4
Trivigno (PZ) 91 D4
Trivigno (SO) 11 D3
Trivio (AN) 56 F4
Trivio, Il (AN) 56 F4
Trivio (LT) 81 D4
Trivio (ME) 113 B3
Trivio (PG) 68 B4
Trivolzio (PV) 21 F4
Trizzino (RC) 114 D2
Trnovo (Ternova d'Isonzo) [YUI]17 D1
Trobaso (VB) 8 E4
Trócchia (NA) 89 B1
Tródena (Truden) (BZ) 13 C2
Tródica (MC) 64 B1-2
Trofarello (TO) 31 BC3-4
Troghi (FI) 54 D1-2
Trognano (PG) 69 C1
Trognano (PV) 22 F2
Trogne [CH] 7 C1
Troia (FG) 84 C4
Tróia, Punta (TP) 107 E1
Troianelli (BA) 86 D3
Troiano (TE) 70 C2
Tróili (MT) 99 B1
Tróina (EN) 120 A2
Troina, Fiume 111 F4 112 F1
Troistorrents [CH] 6 B2

Trojer Almbac, Fiume 4 B3-4
Tromello (PV) 33 A3
Trompia, Val (BS) 23 ABC3-4
Trona, Bocchetta di (LC) 10 E2
Trona di Sopra (RO) 38 B3
Trona di Sotto (RO) 38 B3
Tronco (FG) 77 E4
Troncone, Fiume 8 E1
Tronco Reale (SS) 125 F3
Trontano (VB) 8 D3
Tronto, Fiume 64 F2 69 A3
Tronu, Monte (CA) 136 A1
Tronzano Lago Maggiore (VA) 9 D1
Tronzano Vercellese (VC) 20 E3
Tropea (VV) 104 E2
Tröpolach [A] 16 A4
Troppola (PG) 62 A3
Trosa, Pizzo [CH] 9 C2
Troscia (PG) 62 E2
Trosino, Castel (AP) 69 A4
Trossa, Fiume 59 B3
Trossiere (TO) 30 C4
Trotu, Fiume 131 EF4
Trovasta (IM) 41 E4
Troviggiano (MC) 63 A3
Trovo (PV) 21 F3
Trubelnstock [CH] 7 A2
Trubinasca, Passo [CH] 10 C3
Truccazzano (MI) 22 D3
Trucchi (CN) 41 B2-3
Trucco (IM) 50 C3-4
Trudda, Case (SS) 127 E3
Trúia (UD) 5 F2
Trullo di Mezo di Sopra-di Sotto (BA) 86 F3
Trullo, Masseria (BR) 95 C2
Truscolo [YUI] 29 F2
Trúsnia [YUI] 17 F2-3
Trutturis, Nuraghe (NU) 133 D1
Truzzo, Lago di (SO) 10 B1
Tsa, Aigle de la [CH] 7 D1-2
Tsaat à l'etsena (AO) 7 F1
Tsanfleuron [CH] 6 A4
Tsavre, La [CH] 6 E3
Tscheischhorn [CH] 10 A2-3
Tschierva/H. [CH] 11 B1
Tschierv [CH] 1 E3
Tschlin [CH] 1 B3
Tseuzier, Lac de [CH] 7 A1
Tualis (UD) 5 F3
Tuaredda (CA) 135 F2
Tuble [YUI] 29 C3
Tublje [YUI] 29 E4
Tubre (Taufers im Münstertaz) (BZ) 1 D4
Tucci (PT) 53 B2
Tucconi, Cantoniera (SS) 27 F1
Tudaio, Monte (BL) 5 F1
Tudderi, Monte (SS) 126 E1
Tudia (PA) 119 B1
Tudurighe, Monte (SS) 125 F4
Tuenno (TN) 12 C4
Tufano (FR) 74 E3
Tufara (AV) 83 F4
Tufara (CB) 84 B2
Tufarelli, Masseria (PZ) 98 B3
Tufaroli, Masseria (PZ) 91 A3
Tufaro, Monte (BN) 84 C3
Tufello (ROMA) 73 C2
Tuffbad [A] 5 D2
Tuffo (AT) 32 B2
Tufillo (CH) 77 C1
Tufino (NA) 89 A2
Tufo Alto-Basso (AQ) 74 A3
Tufo (AP) 69 B2
Tufo (AV) 84 F1
Tufo (LT) 82 D2
Tufo, Masseria (LE) 100 E1
Tufone, Monte (AR) 54 C4
Túglia, Casera (UD) 5 E2
Túglie (LE) 100 C1
Tuili (CA) 132 D2
Tula (SS) 126 F3
Tulinu, Nuraghe (OR) 129 E1
Tulliano (AR) 54 E4
Tullo, Monte (BZ) 3 E4
Tului, Monte (NU) 130 E3
Tumbarino (SS) 125 C2
Tüminen [CH] 7 B3
Tummino, Casa (RG) 123 C3
Tundu, Cuccuru (NU) 133 E3
Tundu, Monti (NU) 130 B3
Tunes (BZ) 3 B2
Tungoni (SS) 126 E3
Tuoi/H. [CH] 1 C2
Tuoi, Val [CH] 1 C2
Tuoma, Fiume 60 D4
Tuoómaz (UD) 17 E1
Tuono, Serra (PZ) 97 C2
Tuori (AR) 61 A1
Tuori, Masseria (FG) 79 F1
Tuorlo (SI) 60 B3
Tuoro Alto (BN) 83 E3
Tuoro (AV) 83 F4
Tuoro (CE) 82 C3
Tuoro (CE) 82 D3
Tuoro (CE) 83 E2
Tuoro di Massellal, Masseria (FG) 85 B1-2
Tuoro sul Trasimeno (PG) 61 C3
Tuperi (CA) 134 D3
Turago Bordone (PV) 22 F1
Turania (RI) 74 A2
Turano (BS) 24 B2-3
Turano, Lago del (RI 74 A2
Turano Ludigiano (LO) 22 F4
Turano (VR) 25 E2
Turas (NU) 128 E3
Turate (CO) 21 C4
Turbie, La [F] 50 D2
Turbigo (MI) 21 D2
Turbigo, Ponte di (NO) 21 D2
Turbone (FI) 53 D3
Turchia, La (RA) 48 B3
Turchi, Casa dei (LE) 100 B4
Turchina, Ca della (VT) 67 F1
Turchino, Passo del (GE) 43 B2
Túrchio, Monte (AQ) 75 D3
Turchio, Monte (CT) 120 A4
Turchi, Passo dei [YUI] 29 A3
Turcio (VI) 25 A4
Turco, Cala (SS) 128 A1
Turco, Monte (ROMA) 72 A2
Turcu, Cala su (CA) 134 E4
Túres (Taufers) (BZ) 4 B1
Turettas, Piz [CH] 1 E3
Turi (BA) 93 A3
Turiggia, Punta (VB) 8 D1
Turini, Colle de [F] 41 F1
Turistico, Villaggio (GR) 65 F3
Turlon, Monte (PN) 15 C1
Turlo, Passo del (VC) (BI) 7 F4
Turpino (AL) 42 A3-4
Turrali, Fiume 126 D3-4
Turriaco (GO) 29 C1
Turria, Nuraghe (NU) 129 F3
Turri (CA) 132 D2
Turri, Cuccuru (CA) 132 F4
Turrida (UD) 15 F4
Turril [CH] 8 B4
Turri, Monte (CA) 132 E4
Turrina, Cantoniera (SS) 126 F3-4
Turripiano (SO) 1 F3
Turrita (PG) 62 F3
Turrite Cava, Fiume 52 A3-4
Turrite di Galicano, Fiume 46 F1
Turrite, Fiume 45 F4
Turritta, Monte sa (SS) 129 C3
Turritta, Punta sa (SS) 127 D3
Turrivalignani (PE) 70 F4
Turro (PC) 34 C4
Tursi (MT) 98 B4
Tursi Policoro, Stazione di (MT) 99 B1-2
Turtig [CH] 7 B3
Turtmanhütte [CH] 7 C3
Turtmann [CH] 7 B3
Turtmanntal [CH] 7 BC3
Turtmänna, Fiume 7 BC3
Turuddò, Monte (NU) 130 C2
Turusele (NU) 130 F3
Turvoli, Fiume 118 C2
Tusa, Castello (ME) 111 D1
Tusa, Fiume 111 E1
Tusa (ME) 111 E1
Tuscánia (VT) 67 D1
Tusciano, Fiume 89 D4 90 C1
Tuscolo (ROMA) 73 D4
Tussillo (AQ) 69 F4
Tússio (AQ) 70 F1
Tussui (BL) 14 E2
Tutino (LE) 100 E3
Tuttavista, Monte (NU) 130 D3
Tuttobene, Masseria (EN) 120 C1
Tutto il Mondo, Poggio (GR) 66 C2
Tuttusoni, Nuraghe (SS) 126 C3
Tuturano (BR) 95 D1
Tuturano, Stazione di (BR) 95 CD2
Tutusino, Cocuzzo (PA) 119 B1
Tuvonari, Monte (OR) 128 F4
Tuvu d. Giorzi, Ponte (SS) 128 B3
Tuxer Hauptkamm [A] 3 A3
Tuzzi di Monte Piano (SA) 96 B4

U

Uana, Nuraghe (NU) 129 E2
Ubaye, Fiume 30 F1
Ubayette, Fiume 40 A1
Ubiale Clanezzo (BG) 22 D4
Uboldo (VA) 21 C4
Ubriacone, Toppa (PZ) 98 B1
Uccea, Fiume 17 D1
Uccea (UD) 16 D4
Uccellastra, Coppa l' (FG) 79 D1-2
Uccelliera, L' (LU) 46 F1-2
Uccellina, Monti dell' (GR) 65 BC3-4
Uccellina, Torre dell' (GR) 65 B3
Uccello, Pizzo d' (MS) 45 E3
Uccello, Posta (FG) 86 C1
Ucerano (AR) 54 F2
Ucia, Monte (BS) 24 CD1
Ucina, Pizzo di (ME) 112 D1
Ucria (ME) 112 D2
Uda, Monte (CA) 132 F3-4
Uddè, Monte (NU) 130 E2
UDINE 16 F3
Uditore (PA) 109 C2
Udulia, Cantoniera (SS) 129 B2
Uffogliano (PS) 55 B3
Ufita, Fiume 84 F3
Ugento (LE) 100 E2
Ugento Taurisano, Stazione di (LE) 100 E2
Uggiano, Castello di (MT) 92 E3
Uggiano la Chiesa (LE) 100 C4
Uggiano Montefusco (TA) 94 E3
Uggiate (CO) 21 A4
Uggio, Masseria (BR) 95 D1
Ugliano (MC) 63 B2
Ugnano (FI) 53 C4
Ugolino, Campo del (FI) 54 D1
Ugovizza (UD) 17 B1
Ugovizza, Valle (UD) 17 B1
Ugrigno (PS) 55 B3
Uia, Cima dell' (TO) 19 E2
Uia, Monte (TO) 18 F4
Uina, Val d' [CH] 1 C3
Ula, Ponte dell' (CN) 30 E4
Ulassai, Fiume 133 C2
Ulássai (NU) 133 C2
Ula Tirso (OR) 132 A2
Ulfas (BZ) 2 C4
Ulia, Nuraghe s' (SS) 128 D4
Ulica, Ponte (ROMA) 73 F4
Ulignano (PI) 53 F2
Ulignano (SI) 53 F3
Uliveto Terme (PI) 52 D3-4
Ulmich [A] 1 A3
Ulmi (TP) 108 F3
Ultana, Monte (SS) 126 E2
Ultana, Monti (SS) 127 DE1
Ultia, Punta (NU) 127 F4
Ultimo (Ulten) (BZ) 2 E3
Ultrino, Monte (FG) 85 DE1
Umago, P.to d' [YUI] 29 F1
Umag [YUI] 29 F1
Umana, Casa (CT) 120 F2
Umbaltal [A] 4 A3
Umbertide (PG) 62 B1
Umbra, Cantiere d' (FG) 79 D2
Umbra, Foresta (FG) 79 D2
Umbrail, Piz [CH] 1 E3
Umbriana, Monte (LU) 45 F4
Umbriático (KR) 103 D2
Umbro, Appennino (PG) 62 BCD3
Umes (BZ) 3 F2
Umin (BL) 14 E2
Umito (AP) 69 B3
Unchio (VB) 8 E4
Uncinano (PG) 68 A2
Undici, Cima (BL) 4 E4
Undici, Cima (BZ) 1 C4
Unghiasse, Monte (TO) 19 D1
Ungiasca (VB) 8 E4
Ungroni, s' (OR) 131 C3
Unmari (TP) 108 E2
Unnichedda, Punta (NU) 130 B4
Unnoro, Monte (NU) 130 F2
Unterbäch [CH] 7 B3
Unterbergtal [A] 2 A4
Unterems [CH] 7 B3
Untere Ottavan [CH] 7 D3
Untergailtal [A] 17 A1-2
Unter/Längefeld [A] 2 A3
Unterleibnig [A] 5 B1-2
Unternnssdorf [A] 5 C2-3
Unterrothorn [CH] 7 D3
Unter-Studeli [CH] 6 A4
Untertilliach [A] 5 D2
Untruxu (CA) 136 C1
Untulzu, Punta de s' (SS) 127 F1
Uomo, Capo d' (GR) 65 E3
Uomo di Sasso, Poggio (AR) 54 D3
Uópini (SI) 60 A2
Upachi (AR) 55 F1
Upega (CN) 41 E3
Uppiano (PG) 55 F2-3
Uraghi, Nuraghe s' (OR) 131 A3
Urago (BS) 23 D4
Urago D'Oglio (BS) 23 D2
Uras, Case (CA) 132 F1
Uras, Nuraghe (OR) 129 F2
Uras (OR) 131 D4
Urbana (PD) 37 B3-4
Urbania (PS) 56 D1
Urbano, Monte (AQ) 75 B3
Urbano, Monte (CE) 83 C2
Urbe, Areoporto di (ROMA) 73 C2
Urbe (SV) 43 B1
Urbiano (RA) 48 E2-3
Urbignacco (UD) 18 E3
Urbino, Monte (PG) 62 B2
Urbino (PS) 56 D2
Urbisaglia, Stazione di (MC) 63 BC4
Urbiságlia (MC) 63 C4
Urbs Salvia (MC) 63 C4
Urda, Monte (RC) 114 E3
Urgnano (BG) 22 C4
Uria (CZ) 105 B4
Urigus, is (CA) 134 D3
Urio Quattrocchi, Lago (ME) 111 E2
Uri (SS) 128 A3
Ursig [YUI]17 D2
Ursina [YUI] 17 E2
Ursinins (UD) 16 E3
Ursini (RC) 115 A3
Ursitto, Monte (CT) 119 F4
Urso, Casa (AG) 122 A1-2
Urtigu, Monti (OR) 128 F4
Ururi (CB) 77 D3
Urzano (PR) 45 B4
Urzulei (NU) 130 F2
Usago (PN) 15 D4
Usanis, Nuraghe (NU) 129 B4
Uscerno (AP) 63 F4
Uscio (GE) 43 C4
Usella (PO) 53 A4
Uselle (PG) 55 E3
Userna (PG) 55 F3
Uséllus (OR) 132 C1
Usigliano (PI) 52 E4
Usigliano (PI) 53 DE1
Usigni (PG) 68 B4
Usi (GR) 6 B2
Usini (SS) 128 A3
Usmai, Torre (FG) 79 C3
Usmate (MI) 22 C2
Uso, Fiume 55 A4
Uso, Ponte d' (FO) 55 B3
Ussana (CA) 135 A3
Ussaramanna (CA) 132 D2
Usseaux (TO) 30 B3
Ussássai (NU) 133 C1
Ussássai, Stazione di (NU) 133 C1-2
Ussin (AO) 7 F2
Ussita (MC) 63 E2
Ussolo (CN) 40 A3
Usséglio (TO) 18 F4
Ustica, Isola di (PA) 109 A1
Ustica (PA) 109 A2
Uta (CA) 135 B3
Uta, Fontana di (CA) 135 B2
Utelle, Brec d' [F] 40 F4
Utelle [F] 40 F4
Utelle, Le Gros d' [F] 50 C1
Utero, Monte (PG) 69 B2
Uttoglie [YUI] 29 C4
Uzzano (FI) 54 E1
Uzzano (PT) 53 B1
Uzzo, Tonnarella dell' (TP) 108 D3

V

Vacalizza, Monte (PN) 15 C1
Vacallo [CH] 21 A4
Vaccaggi, Li (SS) 126 C3
Vacca, Isole la (CA) 134 F3
Vacca, Lago della (BS) 11 F4
Vaccara (PG) 62 C4
Vaccareccia, La (CB) 77 C4
Vaccaréccia, La (FR) 75 F3
Vaccaregio, Monte (BG) 10 F3-4
Vaccari della Contessa (BA) 93 B4
Vaccarile (AN) 57 E1
Vaccarino (PD) 26 DE2
Vaccarizza (PV) 34 B2
Vaccarizzo Albanese (CS) 102 B2
Vaccarizzo (CS) 101 D4
Vaccarolo (BS) 24 E2
Vaccarone, Rifugio (TO) 18 F2-3
Vaccaro, Torre del (CS) 98 E1
Vaccarra, Monte (EN) 111 F2
Vaccherecce, Poggio (GR) 60 E2
Vaccheria (CE) 83 E1
Vacchetta, Casa (VI) 25 C4
Vaccia, Monte (CN) 40 C3
Vaccileddi (SS) 127 E3
Vacci (TO) 31 D1
Vaccolino (FE) 38 E4
Vaccos, Cantoniera sos (NU) 130 B1
Vaccuta, La (SA) 96 D4
Vachette, La [F] 30 C1
Vaciglio (MO) 46 A4
Vacile (PN) 15 E4
Vacone (RI) 68 E2
Vacri (CH) 71 F1
Vada (LI) 58 A4
Vadá, Monte (VB) 8 E4
Vadarengo (AL) 32 B2
Vaddelonna, Serra (PZ) 97 D3-4
Vaddi del Fico, Pizzo (PA) 109 D2-3
Vadena (Pfatten) (BZ) 13 B2
Vadiglione, Monte (FI) 54 C3
Vado (BO) 47 D2
Vado, Capo di (SV) 42 D4
Vado Lúcoli (AQ) 69 F3
Vado Ligure (SV) 42 D4
Vado (LU) 52 B2
Vadopiano, Casa (GR) 60 D1-2
Vadossi (SI) 60 D3
Vado, Torre (LE) 100 F3
Vado (VE) 28 C2
Vadret, Piz [CH] 11 A1
Vaestano (RE) 45 C3-4
Vagandina, Abbazia di (VR) 37 C3
Vaggimal (VR) 25 CD1
Vággio (FI) 54 E2
Vaghe (AR) 61 B3
Vaglia (FI) 53 B4
Váglia, Monte (FR) 81 B4
Vagliagli (SI) 54 F1
Vagliano Biellese (VC) 20 C2-3
Vagliano (FI) 54 AB2
Vaglie (CE) 82 C3
Vaglierano (AT) 32 D2
Vagli, Lago di (LU) 45 F4
Váglio Basilicata (PZ) 91 C3
Váglio Basilicata, Staz. (PZ) 91 D3
Vaglio [CH] 9 E3
Váglio (MO) 46 D3
Váglio, Serra (AT) 32 E3
Vagli Sopra (LU) 45 F4
Vagli Sotto (LU) 45 F4
Vagli (TR) 67 B4
Vagliumina (BI) 20 C2
Vagna (VB) 8 D2
Vagnole, Le (CE) 82 E2
Vago, Alpe (SO) 1 F1
Vago, Monte (SO) 1 F1
Vaia, Fiume 24 A1
Vaiale (BS) 24 E1
Vaiana, Monte (SA) 97 A3
Vaiano Cremasco (CR) 22 E4
Vaiano (PO) 53 AB3-4
Vaiano (LO) 22 E3
Vaiano (PG) 61 D3
Vaiano (VT) 67 BC3
Vaie (TO) 31 A1
Vailate (CR) 22 E4
Váio (PC) 34 F3
Vaiont (PN) 15 D2
Vaiont, Lago (PN) 15 C1
Vairano [CH] 9 D2
Vairano, Lago di (CE) 82 C4
Vairano Patenora (CE) 82 C4
Vairano (PV) 22 F2
Vairano Scalo (CE) 82 C4
Vairo (PR) 45 C3
Valaisan, Monte [F] (AO) 18 B3
Valanidi, Fiumara di 114 E2
Valas (Flaas) (BZ) 3 E1
Valassina (CO) 9 F4
Vallatscha [CH] 1 C2
Valazzo (FG) 79 C2
Val Badia (Gaderta) (BZ) 4 DE1
Valbella [CH] 9 B4
Valbella, Cima (BZ) 2 C1
Valbella (VC) 8 F2
Val Benair, Punta di (BZ) 2 C1
Valberg [F] 40 DE2
Valbiano (FO) 55 B2
Valbione (BS) 11 C4
Val (BL) 4 F1
Valbona, Cima di (TN) 12 E1
Valbona (PD) 38 A1
Valbona (PN) 15 D1
Valbona/Pontesecco (BG) 22 B4
Valbona (PR) 45 B2
Valbona (SO) 11 D1
Valbondione (BG) 11 E1-2
Valbrembo (BG) 22 B4
Valbrevenna (GE) 43 A4
Valbrona (CO) 10 F1
Valbruna (UD) 17 B1
Valbrutta (SO) 11 C1
Valbuona (PS) 55 E3
Val Calanca [CH] 9 BC4
Valcalda, Bric (GE) 43 A1-2
Valcalda, Monte (PN) 15 C3
Valcaldara (MC) 63 E1
Valcaldara (PG) 69 B1
Valcalda, Sella (UD) 5 F3
Val Campelle (TN) 13 D3
Valcanale (BG) 10 F4
Val Canale (UD) [A] 17 B1-2
Valcarecce (MC) 63 A2-3
Valcasotto (CN) 41 D4
Valcava (LC) 22 B3
Valcava (TN) 13 D2
Valcerere Dolfina (VE) 38 B4
Val Cervia (SO) 10 D4
Valcesura (FE) 38 F3
Val Chamuera [CH] 1 EF1
Valchava [CH] 1 E3
Valchiusella (TO) 19 C3-4
Val Cia (TN) 13 D3
Valcieca (PR) 45 C3
Valcimarra (MC) 63 D2-3
Valconasso (PC) 35 C1
Valcorrente, Stazione (CT) 120 C4
Valcovera, Colle (CN) 40 B3
Valdagno (VI) 25 C3
Valdaier, Castello di (UD) 5 EF4
Valdalena (AR) 54 C3
Val d'Ambra [CH] 9 B2
Valdamonte (PV) 34 C2
Váldaora (Olang) (BZ) 4 D1-2
Valdarena (PG) 68 B3
Valdarmella (CN) 41 D4
Valdarno (FI) (AR) 54 DEF2-3
Valdastico (VI) 25 A3
Valda (TN) 13 D1-2
Vald [CH] 9 B1
Val dei Frati, Lago (BG) 10 E4
Val dell'Ultimo (Ultental) (BZ) 2 EF 2-3
Valdengo (BI) 20 C3
Valdenogher (PL) 15 E1
Valdepa (PR) 45 C1
Valdérice (TP) 108 DE1-2
Val des Dix [F] 30 B1
Valdeserta, Cima di (VB) 8 B2-3
Valdibrana (PT) 53 AB2
Valdicastello (LU) 52 AB2
Val di Chiesa (ME) 110 A3-4
Valdichiesa (ME) 111 A2
Valdichiesa (TO) 31 C4
Valdidentro (SO) 1 F2-3
Val di Dosso (CO) 9 CD4
Val di Duron (TN) 3 F3
Valdiea (MC) 62 D2
Valdieri (CN) 41 C1
Valdieri, Terme di (CN) 40 D4
Val di Funes (BZ) 3 E3
Val di Isorno (VB) 8 CD3
Val di Landro (BZ) 4 DE3
Val di Lasa (BZ) 2 E1
Val di Lei, Lago di (SO) 10 A2
Val di Lei (SO) 10 A2
Val D'Illiez [CH] 6 B1-2
Val di Longian (BZ) 3 E4
Val di Marebbe (BZ) 4 D1
Val di Martello (Martelltal) (BZ) 2 EF1
Val di Mela (SS) 126 B4
Val di Mezzo, Monte (BZ) 3 C3
Valdimolino (VI) 25 D3-4
Valdimonte (PG) 55 E3
Valdina (ME) 113 C1
Valdinferno (CN) 41 D1
Val di Nizza (PV) 34 D1
Valdinoce (FO) 48 F4
Valdiperga (PI) 52 F3
Val di Pénnés (Pensertal) (BZ) 3 CD1-2
Valdipino (SP) 44 E4
Valdiporro (VR) 25 C1
Val di Quaira (BZ) 4 C2-3
Val di Racines (BZ) 3 C1
Val di Ridanna (Ridnauntal) (BZ) 3 B1
Val di Riva (Raintal) (BZ) 4 B1-2
Val di Rosa (PG) 61 C4
Val di Rua (VR) 37 B2
Val di Sasso, Ex convento (AN) 63 B1
Val di Sesto (Sextental) (BZ) 4 D3-4
Val di Sogno (VR) 24 B4
Val di Solda (Suldental) (BZ) 1 EF4
Valdisotto (SO) 1 F3
Valditacca (PR) 45 C2-3
Val di Vizze (Rfitsch) (BZ) 3 B2
Valdóbbia (AO) 19 A4
Valdóbbia, Colle (VC) 20 A1
Valdobbiadene (TV) 26 A3
Val Dolce, Sella di [A] 16 B3
Valdolmo (AN) 62 A4
Valdo (VB) 8 B3
Valdorbia (PG) 62 A4
Valdottavo (LU) 52 B3

Valdragone [R.S.M.] 55 B4
Valdritta, Cima (VR) 24 B4
Valduga (TN) 25 A2
Valduggia (VC) 20 B4
Val Durna (BZ) 3 D1-2
Valdurna (Durnholz) (BZ) 3 D2
Valécchio (PG) 62 A2
Valéggio (PV) 33 AB3
Valeggio sul Mincio (VR) 24 F3
Valentano (VT) 66 C4
Valente (BA) 87 E1
Valente, Casa (FG) 79 C1
Valente, Masseria (FG) 79 F2
Valentina, Casa (GR) 65 C4
Valentina, Masseria (FG) 85 B2
Valentinbach,Fiume 5 E3-4
Valenti, Ponte (SS) 129 C1
Valenza (AL) 33 C1-2
Valenzan [F] 18 B1
Valenzani (AT) 32 C3
Valenzano (AR) 55 D3
Valenzano (AR) 55 E1
Valenzano (BA) 87 F3
Valera Fratta (LO) 22 F2
Valera (MI) 21 C4
Valeriano (PN) 15 D4
Valeriano (SP) 45 E1
Valesio (BR) 95 D2
Valestra (RE) 46 C2
Valettes, Les [CH] 6 D3
Valfábbrica (PG) 62 C3
Valfenera (AT) 32 C1
Valfloriana (TN) 13 D2
Val Fontana (SO) 11 CD1
Valfortore, Macchia (CB) 77 F3
Val Fredda, Fiume 30 A1-2
Valfredda, Punta (TO) 30 A2
Valfredda, Sasso di (BL) 14 B1
Valfurva (SO) 1 F3-4
Valganna (VA) 9 F2
Val Gardena (Grödnertal) (BZ) 3 EF3
Valgarola, Fiume 1 D3
Valgiano (LU) 52 B4
Valgiarai (BZ) 4 E1
Valgioie (TO) 31 B1
Valgiovo (Jaufental) (BZ) 3 C1-2
Valgoglio (BG) 11 F1
Valgrana (CN) 41 B1
Valgrande, Bagni di (BL) 4 E4
Valgrande, Cima di (VB) 8 C2
Valgrande, Rio di 8 E3
Valgreghentino (LC) 22 B3
Valgrisenche (AO) 18 B4
Valgrisenche (AO) 18 BC3-4
Valguarnera Caropepe (EN) 119 CD4
Valguarnera (PA) 119 DE1
Valiano (SI) 61 C2
Valico del Lupo (FG) 79 E3
Valico di Chiunzi (SA) 89 C2
Val in Pozzo, Casone (VE) 27 F1
Valla, Bric (AT) 32 F3
Vallá (TV) 26 C3
Vallaccia (TN) 13 B4
Vallada Agordina (BL) 14 B1-2
Valla Fiume 42 B3
Vallaga Fiume 3 C2-3
Vallaga Forcella di (BZ) 3 CD2
Vall' Alta, Cala (SS) 126 B4
Vallalta (BL) 14 D2
Vallalta (MO) 37 D1
Vallancon (PD) 37 AB4
Vallanzengo (BI) 20 C3
Vallare (AL) 32 B4
Vallarena (CB) 83 A4
Vallarga (Weitental) (BZ) 3 C3-4
Vallarino, Pra (SV) 42 B4
Vallarsa (TN) 25 B1-2
Vallascia [CH] 8 C4
Vallascia (SO) 10 C4
Vallata (AV) 84 F4
Vallata (MC) 63 D3
Vallatrone, Monte (AV) 83 F4
Vallazza (MC) 63 E2-3
Vallazza, Monte (BL) 14 E1
Valle Adige (Etschtal) (BZ) 13 B2 C1
Valle Agordine, La (BL) 14 C3
Valle Agricola (CE) 83 B1
Valleandona (AT) 32 C2
Valle Aurina (Ahrntal) (BZ) 4 A2-B1
Valle (AV) 83 F3
Valle (AV) 89 A3
Valle Avellana (PS) 56 C1
Valle Baroni (PE) 70 F3
Valle Benedetta (LI) 52 EF3
Valle Bertuzzi (FE) 39 EF1
Valle (BL) 5 E1
Valle (BO) 47 E2
Vallebona (IM) 50 D4
Vallebona (VT) 67 C3
Valle (BS) 11 E4
Vallebuono (RI) 74 A1
Vallecalda (AR) 55 EF1
Valle Canzano (TE) 70 B2
Valle Castellana (TE) 69 B4
Vallecchia (LU) 52 A2
Vallecchio (FI) 53 DE2-3
Vallecchio (RN) 56 B1
Vallecetta, Monte (SO) 11 B4
Valle (CN) 41 A4
Valle (CN) 42 A2
Valle (CN) 42 B2
Valle Cornuta di Mezzo (FG) 85 F4
Vallecorsa (LT) 81 B3
Vallecrósia (IM) 50 D4
Vallecrosia Alta (IM) 50 D4
Vallecupa (AQ) 69 F4
Vallecupa (CH) 76 B3
Vallecupa (IS) 82 B3
Vallecupola (RI) 68 F4
Valle Dame (AR) 61 B3
Valle d'Ega (Eggental) (BZ) 3 F2
Valle dei Dossi (Knuttendal) (BZ) 4 B2
Valle dei Sette Morti (VE) 27 F1
Valle d' Eliero (CN) 41 B4
Valle dello Zebru (SO) 1 F3-4
Valle di Anterselva (Antholzertal) (BZ) 4 BC2
Valle di Cadore (BL) 14 B4
Valle di Cadore, Lago di (BL) 14 B4
Valle di Casies (BZ) 4 C3
Valle di Fündres (Pfundderstal) (BZ) 3 B3 C4
Valle di Maddaloni (CE) 83 E2
Valle di Teva (PS) 56 C1
Valle di Túres (Tauferertal) (BZ) 4 BC1
Valle di Tires (BZ) 3 F2
Valle di Vizze (Pfitschertal) (BZ) 3 B2-3
Valle d' Ocre (AQ) 69 F4
Valledolmo (PA) 118 A4
Valledolmo, Stazione di (PA) 118 B4
Valledória (SS) 126 DE2
Vallée de la Miniére [F] 41 E1-2
Valle Fame, Casa (SR) 124 A1
Valle (FI) 53 CD2
Valle (FI) 54 C1
Vallefiorita (CZ) 105 D2
Valle, Fiume 48 F2
Valle, Fiume 74 D2
Valle Fondi, Cocuzzo (PA) 110 F2
Valle, Forca di (TE) 70 D1
Vallefredda (FR) 75 F2
Valléggia (SV) 42 D3-4
Vallegrande (FR) 75 F4
Vallegrande [YUI] 29 C3
Valle (IS) 82 A4
Valle, La (PC) 35 E1
Valle, La (PV) 33 C4
Valle la Spina, Punta (ME) 111 A2
Valle, La (Wengen) (BZ) 4 D1
Vallell, La (Tal) (BZ) 2 E1
Valle Lomellina (PV) 33 A1-2
Vallelonga (VV) 105 E1
Valle (LU) 52 C4
Valleluce (FR) 82 A2
Vallelunga-Autodromo di (ROMA) 73 A1-2
Vallelunga (CE) 82 B4
Vallelunga, Cima (MC) (AP) 63 F3
Valle Lunga (Langtaufers) (BZ) 1 C4
Vallelunga Pratameno (CL) 118 B4
Valle Maggiore (GR) 65 B4
Vallemara (GE) 43 A3-4
Vallemare (PE) 70 E4
Vallemare (RI) 69 D1
Valle (MC) 63 DE2
Vallemaio (FR) 82 C2
Vallemontagna (AN) 63 A1
Vallemontana (UD) 16 E4
Vallemora (AQ) 75 C2
Valle Mosso (BI) 20 C3
Valle (MS) 45 C1
Valle (MS) 45 D2
Vallene (BG) 10 E4
Vallene (VR) 25 C1
Vallenoncello (PN) 15 F2
Vallenza, Masseria (TA) 93 C4
Vallenzona (GE) 43 A4
Valle Orsara (AP) 63 F4
Vallepiccola (CS) 102 D4
Vallepiccola [YUI] 29 C3
Vallepietra (ROMA) 74 C3
Valle (PN) 15 F2
Valle, Punta di (BZ) 4 A1
Valle Pusteria (BZ) 3 C4-4 D1-2
Vallerana (PD) 37 B4
Valleranello (ROMA) 73 E2
Vallerano (PR) 45 A3
Vallerano (SI) 60 CD2
Vallerano (VT) 67 E3
Vallera (PC) 34 C4
Valleremita (AN) 63 B1
Vallerenzo (PC) 34 D2
Vallermosa (CA) 135 B1
Vallerona (GR) 66 A2
Vallerotonda (FR) 82 A3
Valle (SA) 90 C1
Vallesaccarda (AV) 84 E4
Valle Salimbene (PV) 34 A1-2
Vallesana (VR) 24 D3
Valle San Floriano (VI) 26 B1
Valle San Giorgio (PD) 38 A1
Valle San Giovanni (AT) 32 E3
Valle San Martino (MC) 63 CD2
Valle San Martino (MN) 36 D4
Valle San Martino (PG) 68 C3
Valle San Nicolao (BI) 20 C3
Valle di San Valentino (TN)12 E2
Valle Sauglio (TO) 31 C4
Valle Scodella, Masseria (FG) 85 D2
Valle Scura, Cima di (PV) 34 E1-2
Valle Scuropasso (PV) 34 C1-2
Vallesella (BL) 4 F3-4
Valle Senzana (AP) 64 F2
Vallese (VR) 25 F1
Vallesina (BL) 14 B4
Valle (SO) 10 D3-4
Valle (SO) 10 E3
Valles, Passo di (BL) 14 C1
Vallestretta (MC) 63 E2-3
Vallestura (AL) 32 B2-3
Valle (SV) 42 C2
Valles, Val di (BZ) 3 C3
Valles (Vals) (BZ) 3 D3
Valle, Taverna della (IS) 76 E2
Valle (TN) 13 D2
Valletta, Colle della [F] 40 D3
Valletta, La (BO) 48 B1
Valletta, Punta (AO) 19 B1
Valletta, Punta della (AO) 19 B1-2
Valletta, Vallone della (CN) 40 C4
Vallette, Cime de la [F] 40 E4
Valletti (SP) 44 C3
Valle (UD) 16 E4
Valle (UD) 17 E1
Valle Vegenana (MC) 63 C2
Valleversa (AT) 32 C3
Valle (VI) 25 A3
Valle (VI) 25 E4
Vallevona, Colle di (AQ) 74 C3
Vallevona, Masseria (FG) 77 F4
Valli (AP) 64 F2
Vallibbia (MC) 63 C1
Vallicchio (MC) 63 D2
Vallicciola, Albergo (SS) 126 E4
Vallicella (RO) 37 D4
Valli Comuni, Le (MO) 37 D2
Vallico sopra - sotto (LU) 52 A3
Valliera (RO) 38 C3-4
Valli, Le (CR) 23 F1
Valli (MN) 36 B1-2
Valli Mocenighe (PD) 37 B4
Vallina (AN) 62 B4
Vallina (FI) 54 C1
Vallinfante (MC) 63 F3
Vallinfredda (ROMA) 74 B2
Vallingegno (PG) 62 C2-3
Vallinotto, Santuario di (TO) 31 C3
Vallio Terme (BS) 24 C1
Vallio (TV) 27 C2
Valli, Pian de (RI) 68 D4
Valli (SI) 60 B3
Vallisnera (RE) 45 C4
Vallócchia (PG) 68 B3
Vallocci, Cima (SO) 10 E4
Vallo della Lucania (SA) 96 B3-4
Vallo di Nera (PG) 68 A4
Vallombrosa (FI) 54 D2-3
Vallona, La (BO) 48 B1
Vallona, La (FE) 38 D2
Vallona, La (RO) 39 C2
Vallonara (VI) 26 B1
Vallon, Cima (TN) 12 D3
Vallone (AN) 57 D1
Vallone (BZ) 4 D2
Vallone (CN) 40 A3
Vallonetto, Cima (TO) 30 A2
Vallonga (PD) 38 A4
Vallonga (TN) 13 B4
Vallongo (TO) 31 C3-4
Valloni (CB) 76 F4
Valloni (IS) 76 F1-2
Vallonina, Bosco (RI) 68 D4
Vallonto (TV) 27 A2
Vallorano (AP) 64 F1
Vallorch (TV) 14 E4
Vallorcine [F] 6 D2
Valloria (IM) 51 C1-2
Valloria (LO) 34 B4
Valloriate (CN) 40 C4
Vallósio (AL) 32 F4
Vallo (TO) 20 F1
Vallo Torinese (TO) 19 F2
Vallucciole (AR) 54 C3
Vallugana (VI) 25 C3
Vallüla [A] 1 B1-2
Vallumida (AT) 32 D2-3
Vallurbana (PG) 55 F3
Valmacca (AL) 33 B1
Valmadonna (AL) 33 C1
Valmadrera (LC) 22 A2
Valmadre (SO) 10 D4
Valmaggia (VC) 8 F2
Valmairone (AT) 32 C2-3
Valmala, Cima di (CN) 41 A1
Valmala (CN) 31 F1
Valmala, Colle della (BZ) 3 B3
Valmala, Santuario di (CN) 41 A1
Valmarana (VI) 26 E4
Valmarana (VI) 25 DE4
Valmara (VB) 9 D1
Valmareno (TV) 14 F3
Val Martello, Albergo (BZ) 2 F1
Valmasque [F] 41 E1
Valmasque, Refuge [F] 41 E1
Valmeronte, Monte (PG) 55 E3
Valmesta (TN) 14 D1
Valmiana, Punta di (AO) 19 C1-2
Valmigna (BZ) 3 B2
Valmontone (ROMA) 74 E1
Valmorbia (TN) 25 B2
Valmorea (CO) 21 A4
Valmorel (BL) 14 E4
Valmoresca (BG) 10 E3
Valmózzola (PR) 45 B1
Valnegra (CO) 10 F3
Val Nera, Monte (SO) 1 F1-2
Valnerina (PG) 68 AB3-4
Val Noana, Lago di (TN) 14 D1
Val Noci, Lago di (GE) 43 B4
Valnogaredo (PD) 26 F1
Valnontey (AO) 19 C1-2
Val Nuvolà, Case (BL) 13 E4
Valogno (CE) 82 D3
Valparola, Malghe di (BL) 4 F1
Val Parma (PR) 45 B3-4
Valparola, Passo di (BL) 4 F1-2
Valpegara (VI) 25 A3
Valpelina (VE) 28 D2
Valpelline (AO) 6 F4
Valpelline (AO) 7 F1
Valpelline, Torrente di 7 F1
Valperga (TO) 19 E3
Valperosa (AT) 32 D2
Valpiana (BG) 10 F4
Valpiana (GR) 59 E3
Valpiana (TN) 13 D3
Valpiana (VC) 20 A4
Valpicetto (UD) 5 F3
Valpolicella (VR) 24 D4
Val Prato [CH] 9 A1-2
Valprato Soana (TO) 19 C3
Valpreveyre [F] 30 D2-3
Valpromaro (LU) 52 B3
Valrossa, Punta di (VB) 8 A3-4
Valrovina (VI) 26 B1-2
Valsalva (BO) 47 E4
Val Sambuco [CH] 9 A1
Valsanzibio (PD) 38 A2
Val Sarentina (Sarntal)(BZ) 3 EF1
Valsássina (LC) 10 EF2
Valsavaranche (AO) 19 BC1
Valsavarenche (AO) 19 B1
Valsavignone (AR) 55 D1
Valsavóia, Stazione di (SR) 121 E1
Val Scura, Cima di (TN) 12 D3-4
Valsecca (BG) 22 A3
Valsenio (RA) 48 E1
Valseresino (CR) 23 F1
Valsertal [A] 3 A2-3
Valsesia, Rifugio (VC) 7 E4
Valsesia (VC) 20 A2-3
Valsigiara (PC) 34 F2
Val Sinestra [CH] 1 C3
Valsinni (MT) 98 B4
Valsolda (CO) 9 E3
Valsorda, Cima (TN) 13 B3
Valsorda,Fiume 13 D4
Valsorda, Rifugio (PG) 62 C4
Valsorda (TN) 13 D3
Valsorda (TN) 13 F1
Valstagna (VI) 26 A1
Valstrona (VB) 8 EF2-3
Valstrona (VB) 8 F3
Valsura, Fiume 2 EF2-3
Vals Valser, Fiume 3 A2-3
Valtellina (SO)10 D2-3-4
Valtellina (SO)11 D1-2
Valtero, Monte (BG) 23 A3
Valtieri, Casa (VT) 67 A1
Valtina (BZ) 3 C1
Valtopina (PG) 62 D4
Valtorta (BG) 10 E2
Valtorta (BG) 10 F3
Valtournenche (AO) 7 F2
Valtreara (AN) 63 A1
Val Trela, Passo di (SO) 1 E2
Valtriano (PI) 52 E3-4
Val Troncea, Parco Naturale (TO) 30 BC3
Valva (SA) 90 C3
Valvasone (PN) 15 F4
Val Venosta (BZ) 1 E4 2 E1-2-3
Valverde (CT) 121 C2
Valverde (FO) 49 E2
Vallverde (PV) 34 D1
Valverde, Santuario di (SS) 128 B2-3
Valvestino (BS) 24 B2-3
Valvestino,Lago di (BS) 24 B2
Val Vigezzo (NO) 8 D3-4
Val Viola, Casa (SO) 1 F2
Val Viola, Lago di (SO) 1 F2
Val Viola, Passo di [CH] 1 F1-2
Val Viola (SO) 1 F2
Valvisciolo,Abbazia (LT) 80 A4
Válvori (FR) 82 A2
Valzanca, Fiume 13 D4
Valzangona (PS) 56 D2
Valzemola (SV) 42 C2
Valzurio (BG) 11 F1
Vamiana (AO) 19 C1
Vancimuglio (VI) 26 E1
Vancori, I (ME) 112 A4
Vandelli, Rifugio (BL) 4 F3
Van den Haut [CH] 6 C2
Vandóies (Vintil) (BZ) 3 C3-4
Vandra, Fiume 76 F2
Vandra (IS) 76 F2
Vandra, Ponte della (IS) 76 F2
Vanelle, Grotte delle (CT) 112 F3
Vanette, Grotta delle (CT) 112 F2-3
Vancze (TN) 12 E4
Vanga (BZ) 3 E1-2
Vangadizza (VR) 37 B3
Vannino, Lago (VB) 8 B3
Vanoi, Fiume 13 D4
Vanoise, Massif de la [F] 18 E1
Vanoise, Parc National de la, [F] 18 DE2-3
Vanoni (VR) 24 F3
Vanscuro (Pfannspitze), Cima [A] 5 D1
Vantaggiani, Masseria (LE) 95 EF1
Vanzaghello (MI) 21 C3
Vanzago (MI) 21 D4
Vanza (TN) 25 A1-2
Vanze (LE) 95 E4
Vanzone con San Carlo (NO) 8 E1
Vanzone (VB) 8 E1
Vanzone (VC) 20 B4
Vanzo (PD) 38 A2
Vaprio d'Adda (MI) 22 C3
Váprio d'Agogna (NO) 21 C1
Vara (BL) 14 B2
Varadega, Passo di (BS) 11 C3-4
Vara, Fiume 44 C3
Varago (TV) 27 B1
Vara Inferiore/Superiore (SV) 43 B1
Varaita, Fiume 31 F2 30 F4
Varaita, Valle (CN) 30 F2-3-4
Varallo Pombia (NO) 21 B2
Varallo (VC) 20 A3
Varano (AN) 57 E3-4
Varano (AN) 62 B4
Varano Borghi (VA) 21 A2
Varano de' Melegari (PR) 35 F2
Varano, Foce di (FG) 79 C1
Varano, Lago di (FG) 79 CD1
Varano Marchesi (PR) 35 EF2
Varano (MS) 45 D2
Varano, Rocca di (MC) 63 D2
Varano (TE) 70 B1-2
Varano (TN) 25 A1
Varapodio (RC) 114 B4
Vararo (VA) 9 F1
Varazze (SV) 43 C1
Varcaro, Masseria torre (FG) 79 F2
Varcaturo, Marina di (NA) 88 A2
Varco (MC) 63 C4
Varco (PZ) 98 D2
Varco Sabino (RI) 69 F1
Varda (BZ) 3 E4
Varda (PN) 27 A3
Vardella, Punta (LT) 80 F1
Varedo (MI) 22 C1
Varella, La (BZ) 4 E1
Varella, Rifugio La (BZ) 4 E1-2
Varena (TN) 13 C2-3
Varen [CH] 7 B2
Varengo (AL) 32 A3
Varenna (LC) 10 E1
Varenna, Fiume 43 B2
VARESE 21 A3
Varese, Lago di (VA) 21 A2-3
Varese Ligure (SP) 44 C3
Var, Fiume 40 D1
Var, Fiume 50 C1
Vargo (AL) 33 E3
Variana (AL) 33 F3
Variano (AL) 33 F3
Variano Superiore (AL) 33 F3
Variano (UD) 28 A3
Variata (AT) 32 D3
Variglie (AT) 32 D2
Varignana (BO) 47 C4
Varignano (TN) 12 F3
Varigotti (SV) 42 E3
Vari (MC) 63 E2
Varinella (AL) 33 F3
Variney (AO) 19 A1
Varisella (TO) 19 F2
Varise, Monte La (AO) 6 F2-3
Varivértola (SA) 97 B1
Varliano (LU) 45 E4
Varmo (UD) 28 B2
Varna (BZ) 3 D3
Varna (FI) 53 E2-3
Varone (TN) 12 F3
Varoni (BN) 83 E3
Varoni (RI) 69 C2
Var, Plan du [F] 50 C1
Varre, Val di (RI) 74 A3
Varrone, Fiume 10 E2
Varrone, Serra (CS) 101 C3
Varrone (TA) 94 C2
Varrone, Val (LC) 10 E2
Vars, Col de [F] 30 F1
Vars [F] 30 EF1
Varsi (PR) 35 F1
Varzi (PV) 34 E1
Varzo (VB) 8 C2
Vasanello (VT) 67 D4
Vasari (AN) 57 E2
Vas (BL) 14 F2
Vascagliana (AT) 32 D1-2
Vascello, Poggio (CT) 123 A3
Vasche (RI) 69 E1
Vasciano (PG) 68 B1
Vasciano (TR) 68 D2
Vasco (CN) 41 C4
Vasconi (MC) 63 C1
Vascon (TV) 27 C1
Vásia (IM) 51 C2
Vas, Monte (UD) 5 F3
Vaso, Monte (PI) 52 F4
Vasquez, Casa (SR) 124 C2
Vassalli (GE) 43 C4
Vassallo, Casa (CT) 123 A3
Vassena (LC) 10 F1
Vaste (LE) 100 D3
Vasto (CH) 77 B2
Vastogirardi (IS) 76 E2-3
Vastogirardi, Stazione di (IS) 76 E2
Vasto (MN) 36 A2
Vaticano, Capo (VV) 104 E1
Vátles (BZ) 1 D4
Vatolla (SA) 96 A2
Vattaro (TN) 13 F1
Vauda Inferiore (TO) 19 E3
Vaudala, Cima Grande (AO) 18 C4
Vaud (AO) 6 E4
Váudá Canavese (TO) 19 E3
Vaudet, Col di (AO) 18 C3
Vaüglia, Piz [CH] 1 E1
Vauro, Santuario di (AO) 20 B1
Vaux, Lac de [CH] 6 C4
Vazia (RI) 68 D4
Vazzano (VV) 104 E4
Vazzola (TV) 27 B2
Vazzoler, Rifugio (BL) 14 B2
Vecchia, Colle della (VC) (BI) 20 B1
Vecchia, Montagna (PA) 117 A4
Vecchiano (PI) 52 C3
Vecchia, Torre (LE) 100 A3-4
Vecchia, Valle (VE) 28 DE2
Vecchie, Cascine (PI) 52 D2
Vecchierelli (AN) 57 F1
Vecchierello, Case (CS) 103 B1
Vecchietto (MS) 45 E2
Vecchi, Masseria (LE) 95 D2
Vecchio Molino (CE) 83 F2
Vecchio, Monte (CH) 76 C3
Vécchio, Monte (RE) (LU) 46 E1
Vecchio, Ponte (MI) 21 D3
Vecchio, Timpone (CZ) 102 F4

Vecciano (RN) 56 B1
Vecciatica (PR) 45 C3
Vecciola (MC) 63 D3
Vecersio (SV) 42 E2
Vedano al Lambro (MI) 22 C2
Vedano Olona (VA) AB3
Veddasca (VA) 9 D2
Vedeggio, Fiume 9 B3
Vedegheto (BO) 47 D1
Vedelago (TV) 26 C3
Vedeseta (BG) 10 F2
Vedetta Alta (BZ) 2 F3
Vedice (SA) 89 CD2
Vedole (PR) 35 D4
Vedrana (BO) 47 B4
Vedretta, Lago (TN) 12 C2
Vedretta, Punta della (BZ) 2 C1-2
Vedrette di Ries (BZ) 4 B2-3
Vedriano (BO) 47 D4
Vedriano (MS) 45 E3
Vedriano (RE) 46 B1
Vedronza (UD) 16 D4
Vedúggio (MI) 22 B2
Veduro (BO) 47 B4
Vedute, Le (FI) 53 C1
Vegaia, Cima (TN) 12 B2
Veggiano (PD) 26 E2
Veggia (RE) 46 B3
Veggio (BO) 47 D2
Veghereto (PO) 53 C2
Veglia [CH] 9 A1
Véglia (CN) 31 E4
Vegliasco (SV) 42 F2
Véglie (LE) 95 EF2
Veglio (CO) 9 F3
Veglio (BI) 20 B2
Vegli (UD) 16 D3
Vegni (AL) 44 A1
Vegno (LC) 10 E1-2
Vegno (VB) 8 C3
Vegri (RO) 37 D4
Veio (ROMA) 73 B2
Veirera (SV) 43 B1
Vejano (VT) 67 F2
Vela, Becco di (SS) 127 AB2
Vélan, Cab. du [CH] 6 E4
Vélan M. [CH] 6 E4
Velate (MI) 22 C3
Velate (VA) 9 F1
Velatro, Monte (CS) 97 E4
Vela, Villa (SR) 124 C2
Velden [A] 17 A4
Véleso (CO) 9 F4
Velez, Villa (PA) 108 D4
Velezzo Lombardo (PV) 33 A2
Vélia (SA) 96 B3
Velino, Fiume 69 C1 68 D3
Velino, Monte (AQ) 74 A4
Vella, Fiume 75 B4
Vellai (BL) 14 E2
Vellano (PT) 53 B1
Vella, Ponte di (MT) 92 E3
Vellego (SV) 41 F4
Velleia (PC) 34 E4
Velletri (ROMA) 73 F4
Vellezzo Bellini (PV) 21 F4
Vello (BS) 23 B3
Velloi (BZ) 2 D4
Véllora, Fiume 60 E4
Velmaio (VA) 21 A3
Velo d'Astico (VI) 25 B3
Velo Veronese (VR) 25 D2
Velturno (Feldthurns) (BZ) 3 D3
Velucciana (RE) 46 C1-2
Velva, Colle di (SP) 44 B3
Velva (GE) 44 D3
Velzur [A] 1 A2
Vé, Monte (SP) 44 E4
Vena, Canale di (CE) 82 F3
Vena (CT) 112 F4
Vena di Maida (CZ) 105 C1-2
Vena, Fiume 3 C4
Venafro (IS) 82 B3
Venagrande (AP) 64 F1
Venal, Monte (PN) 15 D1
Vena Media / Inferiore / Superiore (VV) 104 E3
Venanson [F] 40 E4
Venaria, Castello (AG) 117 AB2
Venaria (TO) 31 A3
Venarotta (AP) 64 F1
Venasca (CN) 31 F1
Venas di Cadore (BL) 14 B4
Vena (TO) 19 D3
Venatura (AN) 56 F3
Venaus (TO) 18 F3
Vencò (GO) 29 A1
Venda, Monte (PD) 26 F1
Vendaso, Giogo di (MS) 45 D3
Vendaso (MS) 45 D3
Vendersi (AL) 33 F4
Vendicari, Isola (SR) 124 D2-3
Vendicari, Torre (SR) 124 D2
Vendicio (LT) 81 D4
Venditti, Masseria (FG) 78 F1
Vendóglio (UD) 16 E3
Vendone (SV) 42 E1
Vendri (VR) 25 E1
Vendrogno (LC) 10 E1
Vene del Tevere, Le (FO) (PS) 55 C2
Venegazzu (TV) 26 B4
Veneggiotta, Malga (TN) 14 C1
Venegono superiore/inferiore (VA) 21 B3 4
Venenta (BO) 47 A3
Vénere (AQ) 75 C2
Venere, Monte (BO) 47 D2
Venere, Monte (VT) 67 E3
Veneretta, Monte (ME) 113 F1
Veneria (VC) 20 F3
Veneri, Ponte dei (CE) 83 F1
Venerocolo, Lago (BS) 11 D4
Venerocolo, Monte (BS) 11 E2-3
Venerocolo, Punta di (BS) 12 D1
Vene (SV) 42 D3
Venetico Marina (ME) 113 B1
Veneto, Scolo 38 CD4
Venético (ME) 113 C1
VENEZIA 27 E1
Venezia Borgo (VR) 25 E1
Venezia, Cima (BZ) 2 F1
Venezia, Masseria (MT) 93 E1
Venezia, Rifugio (BL) 14 B3
Venezzano (BO) 37 F3
Vengore (AT) 32 F3
Veniano (CO) 21 B4
Veniata, Ca. (RG) 123 C3
Venina, Lago di (SO) 11 E1
Venina, Passo (SO) 10 E4
Venina, Torrente di 11 D1
Venini, Rifugio (CO) 9 E4
Venna, Fiume 71 E1
Vennari, Casa (LE) 100 E1
Venosa, Fiumara di 85 F3
Venosa Moschito, Stazione di (PZ) 85 F4
Venosa (PZ) 85 F4
Vens [F] 40 C2
Vens, Refuge de [F] 40 C2
Vent [A] 2 C2
Ventarola (GE) 44 B2
Ventarola, La (SP) 44 C3
Ventaroli (CE) 82 D3
Ventasso, Monte (RE) 45 C4
Ventena (AR) 54 F2
Venter Ache, Fiume 2 B2-3
Ventertal [A] 2 B2-3
Venthóne [CH] 7 B2
Venticano (AV) 84 F2
Ventimiglia di Sicilia (PA) 109 E4
Ventimiglia (IM) 50 D3
Venti, Poggio dei (GR) 66 D1
Vento, Aria del (RC) 114 C4
Vento, Casa (AG) 117 C3
Vento, Cima del (BZ) 4 B2
Vento di Fuori, Bocchetta di (BZ) 4 A3
Ventolaro, Monte (VB) 8 E2
Ventolone, Monte (PD) 38 A1-2
Vento, Portella del (CL) 119 C2
Ventosa (LT) 82 C2
Vento, Serra del (PA) 119 B3
Vento, Serra del (SR) 124 C2
Ventosola, Monte (PG) 69 A2
Ventoso (RE) 46 AB3
Ventoténe, Isola (LT) 81 F1-2
Ventoténe (LT) 81 F2
Ventrella, Casa di (FG) 79 CD1-2
Ventrino, Monte (AQ) 75 B2
Venturi, Case (SS) 128 A2-3
Venturina (LI) 59 D1-2
Venturina, Ponte (BO) 47 F1
Venturi, Palazzo (SI) 60 C4
Venturosa, Monte (BG) 10 F3
Venusio, Stazione di (MT) 92 C4
Veny, Val (AO) 6 F1-2
Venzi, Ca (FO) 55 A2
Venzonassa, Fiume 16 D3
Venzone (UD) 16 D3
Veppo (SP) 45 D1
Verampio (VB) 8 C3
Veran (BL) 14 C2-3
Verano Brianza (MI) 22 B1-2
Verano, Monte di (BZ) 3 E1
Verano (PC) 34 D4
Verano, Vöran (BZ) 2 E4
Veratica (RO) 37 D4
Verazzano (AR) 55 F1
VERBANIA 8 F4
Verbicaro (CS) 97 F4
Verbier [CH] 6 C4
Vercana (CO) 10 D1
VERCELLI 20 F4
Vercéia (SO) 10 C2
Verchiano (PG) 63 E1
Verciano (LU) 52 C4
Vercoche, Lago (AO) 19 C3
Vercogliano del Monr. [YUI] 29 D3
Vercorin [CH] 7 B2
Verco [YUI] 17 F2
Vercurago (LC) 22 A3
Verdabbio [CH] 9 C4
Verdásio [CH] 9 CD1
Verde,Capo/Punta d'Arma (IM) 51 D1
Verde, Costa (CA) 131 EF2
Verde, Fiumara 115 DE1
Verde, Fiume 45 C1
Verde, Fiume 76 B2
Verdeggia (IM) 41 F3
Verde, Grotta (LE) 100 D3-4
Verde, Grotta (NA) 88 E4
Verde, Grotta (SS) 128 B1
Verde, Lago (BZ) 2 F2
Verde, Lago (PR) 45 C2-3
Verdeilino (BG) 22 C4
Verdello (BG) 22 C4
Verderio Sup./Inf. (LC) 22 C3
Verdesina (TN) 12 E2
Verdeto (PC) 34 D3
Verdi (PA) 119 A2-3
Verdin (BZ) 2 D4
Verdonda (MN) 37 D1-2
Verdone, Monte (CB) 84 A1
Verduno (CN) 32 F1
Verdura, Fiume 117 C4
Verdura, Stazione di (AG) 117 D3
Verdura, Torre (AG) 117 D3
Verena, Monte (VI) 13 F2
Verezzi (SV) 42 E3
Verezzo (IM) 51 C1
Vergagni (AL) 33 F4
Vergano Novarese (NO) 20 B4
Vergante (NO) 21 AB1
Vergatello, Fiume 47 D1
Vergato (BO) 47 D1
Vergein [A] 5 C1
Vergeletto [CH] 8 C4
Vergelle (SI) 60 D4
Vergemoli (LU) 45 F4
Verghera (VA) 21 C3
Verghereto (FO) 55 C1
Vergiano (RN) 55 A4
Vergia, Punta (TO) 30 D4
Vergiate (VA) 21 B2
Vergine, La (PT) 53 B2
Vergine, Monte (AV) 89 A3
Vergineto (PS) 56 D3-4
Vergin, Maria (PA) 109 C3
Vergnacco (UD) 16 E4
Vergnasco (BI) 20 D2
Vergne (CN) 31 F4
Vergobbio (VA) 9 F1
Vergötschen [A] 2 A1-2
Verica (MO) 46 D4
Verigo (VB) 8 D3
Veri, Monte (PC) 44 A2
Verino, Fiume 76 E3
Verla (TN) 13 D1
Verlucca (TO) 19 D2
Vermegliano (GO) 29 C1
Vermenagna (CN) 41 C2
Vermenone, Monte (MC) 63 CD1
Vermezzo (MI) 21 E4
Vérmica (KR) 106 B2-3
Vermiglio (TN) 12 C2
Vermiglio, Val (TN) 12 C2
Vermogno (BI) 20 D2
Vermongoi (TN) 12 F1
Vermunt/Stausee [A] 1 B1
Vernacchi, Casa (GR) 65 B4
Verna (CO) 9 E3
Vernago, Lago di (BZ) 2 D2
Vernago (Vernagt) (BZ) 2 D2
Vernagt H. [A] 2 C2
Verna, La (AR) 55 D1
Vernamiège [CH] 7 C1
Vernante (CN) 41 D2
Vernasca (PC) 35 E1
Vernasso (UD) 17 F1
Vernate (MI) 21 F4
Verna (TO) 31 A2
Verna (TO) 31 B1
Vernayaz [CH] 6 C2-3
Vernazzano (PG) 61 C3
Vernazza (SP) 44 E4
Vernéa [F] 50 D2
Vernetti (CN) 40 A3
Vernetto (CN) 31 E2
Verney (AO) 16 A3
Verney, Le [F] 18 F2
Verniana (AR) 61 A1
Verni (LU) 46 F1
Vernine (SI) 60 C4
Vernio (PO) 47 F2
Vernita, Monte (CS) 97 E4
Vérnole (LE) 95 F4
Vernone, Monte (FG) 79 D1
Vernone (TO) 31 B4
Vernà, Pizzo di (ME) 112 D4
Vernuga (SO) 11 C3
Verola, Monte (PR) 45 B4
Verolanuova (BS) 23 F3
Verolavecchia (BS) 23 F3
Verolengo (TO) 32 A1
Véroli (FR) 74 E4
VERONA 25 E1
Verona, Pizzo [CH] 11 B1
Veronella (VR) 25 F3
Verossaz [CH] 6 B2
Verosso, Cima (NO) 8 D2
Verpeilspitze [A] 2 A2
Verrand (AO) 6 F2
Verratti (CH) 76 A3
Verrayes (AO) 19 A3
Verrécchie (AQ) 74 B3
Verrés (AO) 19 B4
Verretto (PV) 33 C4
Verrico (AQ) 69 C2
Verrone (BN) 83 E3
Verrone (BI) 20 D2
Verrua Po (PV) 34 B1
Verrua Savoia (TO) 32 A2
Verrucchiella, Monte (LU) 46 E1
Verrucola (MS) 45 D3
Verrucolette (LU) 45 E4
Verrutoli, Monte (MT) 92 C1
Versa, Fiume 32 C3 29 A1 28 B1
Versa (GO) 29 B1
Versano (CE) 82 D4
Versciaco di Sopra (BZ) 4 D4
Vérscio [CH] 9 B3
Verscio [CH] 9 C1
Versegéres [CH] 6 D4
Versilia (LU) 52 AB2
Versilia, Riviera della (LU) 52 AB1
Versino (TO) 19 F1
Vers l'Eglise [CH] 6 A3
Versola (MS) 45 C2
Verstanklahorn [CH] 1 C1
Versutta (PN) 15 F3-4
Verta, Cima (CO) 9 D4
Vertana (Vertain/Spitze), Cima (BZ) 2 F1
Vertazzi [YUI] 29 B3
Vertemate (CO) 21 B4
Vert, Lac [F] 6
Vertoiba Superiore Inferiore [YUI] 29 B2
Vertosan Comba di (AO) 18 A4
Verucchio (RN) 55 B4
Veruno (NO) 21 B1
Vervio (SO) 11 C3
Vervò (TN) 13 C1
Verwallgruppe [A] 1 A1-2
Verzaglia (FO) 49 F2
Verzago (CO) 22 B1
Verzale, Monte (AV) 84 E3
Verza (PC) 34 C4
Verzasca [CH] 9 B2
Verzasca, Fiume 9 B2
Verzasca, Val [CH] 9 BC2
Verzate (PV) 34 C1
Verzedo (SO) 11 B3-4
Verzegnis, Lago di (UD) 15 B4
Verzegnis (UD) 15 B4
Verzégnis, Monte (UD) 15 B4
Verziano (BS) 23 D4
Verzi (GE) 44 C1
Verzi, Monte (CS) 101 F4
Verzino (KR) 103 D1
Verzi (SV) 42 DE3
Verzi (SV) 42 E2
Verzolo [CH] 9 C2
Verzuno (BO) 47 E1
Verzuno, Ponte di (BO) 47 E1
Verzuolo (CN) 31 F1
Vesale (MO) 46 D3
Vésalo (SA) 96 A3
Véscia (PG) 62 E4
Vescigli, Serra (BN) 84 D2
Vescona (SI) 60 B3-4
Vescovado (PR) 35 D4
Vescovado (SI) 60 C3
Vescovana (PD) 38 B2
Vescovato (CR) 35 B3
Vescovo, Ca' del (UD) 28 C4
Vescovo, Lago del (LT) 81 B1
Vescovo, Pieve di (PG) 62 D1
Vesetto (CO) 9 E4
Vesignano (TO) 19 E3-4
Vesilspitze [CH] 1 B3
Vesime (AT) 32 F3
Vesina, Alpe (LC) 10 E2
Vesio (BS) 24 B3
Vésole Monte (SA) 90 F2
Vespolate (NO) 21 E2
Vespolo, Monte (SO) 10 D4
Vessa (FO) 55 B1
Vessálico (IM) 41 F4
Vesta (BS) 24 B2
Vesta, Val di (BS) 24 BC2
Vestea (PE) 70 E3
Vestenavona (VR) 25 D2
Vestigia di Montiano Vecchio (GR) 66 B1
Vestignano (MC) 63 D3
Vestigne (TO) 20 E1
Vestola (PR) 45 B3
Vestone (BS) 24 C1
Vestreno (LC) 10 DE1
Vesubie, Fiume 40 E4
Vesubie, Fiume 50 C1
Vesuvio (NA) 89 B1
Vetan (AO) 19 A1
Vétere Fontana (PZ) 92 B2
Veternigo (VE) 26 D4
Vetralla, Stazione di (VT) 67 E2
Vetralla (VT) 67 E2
Vetrana, Serra (SR) 124 B1
Vetrego (VE) 26 E4
Vetriano (LU) 52 A3
Vetria (SV) 42 D1-2
Vetrici, Timpone (CS) 98 D4
Vetriera, La (AV) 89 A3
Vetriolo Terme (TN) 13 E2
Vétriolo (VT) 67 C2
Vétroz [CH] 6 B4
Vetta d'Italia (Glochenkarfopf) [A] 4 A3
Vetta (PD) 38 A2
Vette, Le (TN) 14 E1
Vettia, Val (FR) 81 B2
Véttica Maggiore (SA) 89 D1-2
Vettica Minore (SA) 89 D2
Vettigné (VC) 20 E3
Vettola, La (PI) 52 D2-3
Vetto (RE) 45 B4
Vettore, Monte (AP) 69 A2
Vetto (SO) 11 C1
Vetulónia (GR) 59 F4
Véveri (NO) 21 D2
Vex [CH] 7 C1
Veyer, Le [F] 30 D1
Veyras [CH] 7 B2
Veysonnaz [CH] 7 C1
Vézia [CH] 9 E2-3
Vézimo (PC) 34 F1
Vézio [CH] 9 E2
Vezza (AR) 54 E4
Vezza, Col di (BL) 4 F3-4
Vezza d'Alba (CN) 32 E1
Vezza d'Oglio (BS) 11 C4
Vezza, Fiume 67 D3
Vezzanello (MS) 45 E3
Vezzani (CH) 71 E2
Vezzano (AP) 69 A2
Vezzano (BL) 14 D3
Vezzano (BZ) 2 E2
Vezzano Ligure (SP) 45 E1
Vezzano (PR) 45 B4
Vezzano (RI) 69 C2
Vezzano sul Crostolo (RE) 46 A2
Vezzano (TN) 12 E4
Vezzara (CE) 82 C3
Vezzena, Cima di (TN) 13 F2
Vezzena, Passo di (TN) 13 F2
Vezzi (SV) 42 D3
Vezzolacca (PC) 35 EF1
Vezzolano, Abbazia di (AT) 32 B1
Vezzo (VB) 8 F4
Vho (AL) 33 D3
Vho (CR) 36 B1
Viacce (AN) 62 B4
Viadagola (BO) 47 B3
Viadana Bresciana (BS) 24 F1
Viadana (MN) 36 D2
Viadanica (BG) 23 C2
Via dei Romani (CN) 31 E2
Via Emilia (RA) 48 DE3
Viagrande (CT) 121 B1
Viáio (AR) 55 E2
Via, La (BZ) 3 B1
Vialarda (AL) 32 A4
Via Larga (MO) 37 F1
Viale (AT) 32 C2
Vialfré (TO) 19 E4
Vialone (PV) 34 A2
Viamaggio (AR) 55 D2
Viamaggio, Passo di (AR) 55 D2
Viancino (VC) 20 E3
Vianino (PR) 35 F2
Vianoce (AT) 32 E3
Viano (CH) 71 F1
Viano (PS) 55 D4
Viano (RE) 46 B2
Via Nuova, Casa (AQ) 75 B1
Via Piana (PS) 56 D2
Via, Posta della (FG) 85 A3
Viarago (TN) 13 E1
Viareggio (LU) 52 B2
Viarelle, Masseria (FG) 78 D1
Viarigi (AT) 32 C4
Viarolo (PR) 35 D4
Viarovere (MO) 37 E2
Viarovere (MO) 37 E2-3
Via Vécchia (TO) 31 D2
Viazza (FE) 38 D2
Viazzano (PR) 35 F2
Vibaro Romano (ROMA) 74 B2
Viberti, Rifugio (TO) 30 A2
Vibo Marina (VV) 104 D3
Vibonati (SA) 97 C2
VIBO VALENTIA 104 DE3
Vibrara, Fiume 70 A2
Vicalvi (FR) 75 F2
Vicanino (PC) 35 E1
Vicarello, Bagni di (ROMA) 72 A4
Vicarello (LI) 52 E3
Vicarello (PI) 53 F2
Vicarello (ROMA) 72 A4
Vicaretto, Valle (PA) 119 B1
Vicari (PA) 109 F4
Vicchio (FI) 54 B2
Vicenna (CB) 77 F1
Viceno (VB) 8 C3
Viceno (TR) 67 AB2
VICENZA 25 D4
Vicenza, Rifugio (BZ) 3 F4
Vicenza, Timpa (MT) 92 E2
Vich (BL) 14 D4
Vicino, Monte (PS) 55 E4
Viciomággio (AR) 54 F4
Vicobarone (PC) 34 C2
Vicoboneghisio (CR) 36 C1
Vico (BS) 24 B2
Vico Canavese (TO) 19 D4
Vico (CS) 102 E2
Vico d'Arbia (SI) 60 B3
Vico d'Elsa (FI) 53 F3
Vico di Gargano (FG) 79 C2
Vico Equense (NA) 89 C1
Vicoferaldi (FI) 54 B2
Vicofertile (PR) 35 E4
Vicoforte (CN) 41 BC4
Vicoforte, Santuario di (CN) 41 C4
Vico, Lago di (VT) 67 E3
Vicoli (PE) 70 E3
Vicoli Vecchio (PE) 70 E3
Vico (LU) 46 F3
Vicolungo (NO) 21 D1
Vicomarino (PC) 34 C2-3
Vico Martino, Stazione di (VT) 67 F2
Vicomero (PR) 35 D4
Vico Morcote [CH] 9 F2
Vicomoscano (CR) 36 D1
Vicomune (PV) 34 C1
Vico (NA) 89 B2
Viconago (VA) 9 E2
Vico nel Lazio (FR) 74 E4
Vicopellignano (CR) 36 C1
Vicopisano (PI) 52 D4
Vico (PN) 15 B2
Vico (RE) 46 A1
Vicosoprano (CH) 10 B3
Vicosoprano (GE) 44 A2
Vicovaro (ROMA) 74 B1
Vico (VC) 20 A4
Vidal, Col (BL) 4 F4
Vidalengo (BG) 22 D4
Vidalenzo (PR) 35 C3
Vidali (UD) 16 C4
Vidardo (MI) 22 F3
Viddalba (SS)126 E2
Vidiana (PR) 45 A4
Vidiano (PC) 34 D3
Vidiceto (CR) 35 C4
Vidiciatico (BO) 46 E4
Vidigulfo (PV) 22 F2
Vidiuno (BO) 48 CD1-2
Vidolasco (CR) 23 E1
Vidoni (AP) 63 E4
Vidor (TV) 26 A4
Vidracco (TO) 19 D4
Vidulis (UD) 15 E4
Viè (BS) 24 B2
Viepri (PG) 62 F2
Viering (AO) 19 B3

Vierle (FI) 54 C3
Vierze, Fiume 6 BC2
Viesci (RI) 69 C1
Vieste (FG) 79 D3-4
Vietri di Potenza (PZ) 90 D4
Vietri sul Mare (SA) 89 CD3
Vieux Emosson, Lago du [CH] 6 D2
Vievola [F] 41 E2
Vieyes (AO) 19 B1
Vièzzena (TN) 13 C4
Vigalfo (PV) 34 A2
Vigalzano (TN) 13 E1
Viganego (GE) 43 C4
Viganella (VB) 8 D2
Vigano Certosino (MI) 21 E4
Vigano San Martino (BG) 23 B2
Vigarano Mainardo (FE) 37 E4
Vigarolo (LO) 34 A3
Vigasio (VR) 24 F4
Vigatto (PR) 35 F4
Vigese, Monte (BO) 47 E1
Vigevano (PV) 21 F3
Vigevano, Rifugio (VC) 7 F3-4
Vigéllio (BI) 20 D2
Vigezz, Valle (VB) 8 D3-4
Vigezzo, Piana di (VB) 8 C8
Viggianello (PZ) 98 D1
Viggiani, Masseria (FG) 85 E4
Viggiano (PZ) 91 F3
Viggiano (PZ) 92 B1
Viggiona (VB) 9 E1
Viggiú (VA) 9 F2
Vighignolo (MI) 21 D4
Vighizzolo (BS) 23 E4
Vighizzolo (CO) 22 B1
Vighizzolo (CR) 35 B4
Vighizzolo d'Este (PD) 38 B1
Vigi, Fiume 63 F1
Vigilatore, Terme (ME) 112 C4
Vigliano (AO) 69 E2
Vigliano Biellese (BI) 20 C2
Vigliano d'Asti (AT) 32 D3
Viglierchi (CN) 42 D2
Viglio, Colle (FR) 74 D4
Viglio, Monte (FR) 74 D4
Viglione, Masseria (BA) 93 C1
Vigna Balsamo (FG) 85 A4
Vignacastrisi (LE) 100 D3
Vignaccia, Poggio (GR) 66 A3
Vigna (CN) 41 C3
Vigna d'Ascari, Cocuzzo (EN) 119 E2
Vigna di Valle (ROMA) 73 B1
Vigna Grande (ROMA) 72 A4
Vignai (IM) 51 C1
Vignale (LI) 59 E2
Vignale Monferrato (AL) 32 C4
Vignale (NO) 21 D1
Vignale (PR) 46 A1
Vignale/Riotorto, Stazione (LI) 59 E2
Vignale (SA) 89 C4
Vignale (TP) 116 B4
Vignana (SP) 44 E4
Vignanello (VT) 67 E4
Vigna Nocelli (FG) 85 B1
Vignano (LC) 22 B2
Vignano (SI) 60 B3
Vignano, Villa (FI) 53 E4
Vignarca, Casa (LI) 59 E1-2
Vignarello (PV) 21 E2
Vignaretto (AT) 32 B2
Vigna Soliva, Monte (BG) 11 E1-2
Vignate (MI) 22 D2
Vignati, Casa (VE) 28 D2
Vigna (TN) 12 F3
Vigne (AN) 63 A2
Vigne (CT) 112 F1
Vigne, Le (CS) 98 F2
Vigne, Le (GR) 60 E3-4
Vigne, Le (IS) 76 E2
Vigneta (MS) 45 E3
Vigne (TR) 68 D1
Vignettes, Cab. de [CH] 7 E1
Vigne Vanasco, Bivio (CL) 119 F3
Vignola (BO) 47 C1
Vignola, Fiume 126 C3
Vignola Mare (SS)126 C3
Vignola, Monte (BO) 47 D1-2
Vignola, Monte (RE) 46 C1-2
Vignola, Monte (TN) 25 B1
Vignola (MS) 45 C1
Vignola (PC) 35 D1
Vignola, Porto di (SS)126 BC3
Vignola (TN) 13 E1-2
Vignola Torre (SS)126 C3
Vignole (BL) 14 D3
Vignole Borbera (AL) 33 EF3
Vignole (PT) 53 B3
Vignole (TN) 12 F3
Vignoli, Monte (SS)126 E2
Vignolo (CN) 41 B1
Vignolo (SV) 42 E1
Vignone (VB) 8 E4
Vignui (BL) 14 E2
Vigo Anáunia (TN) 12 C4
Vigo (BO) 47 E1
Vigo Lomaso (TN) 12 E3
Vigodarzere (PD) 26 E2-3
Vigo di Cadore (BL) 4 F4
Vigo di Fassa (TN) 13 B4
Vigogna (GE) 43 A4
Vigolante (PR) 35 E4
Vigoleno (PC) 35 E1
Vigolo Baselga (TN) 12 E4
Vigolo (BG) 23 B2-3
Vigolo Marchese (PC) 35 D1
Vigolone (PR) 45 A3
Vigolo (PC) 34 E4
Vigolo Vattaro (TN) 13 EF1
Vigolzone (PC) 34 D4
Vigo Meano (TN) 13 D1
Vigo, Monte (TN) 12 C3
Vigone (TO) 31 D2
Vigonovo (PN) 15 F2
Vigonovo (VE) 26 F3
Vigonza (PD) 26 E3
Vigonzone (PV) 22 F2
Vigoponzo (AL) 33 E4
Vigo Rendena (TN) 12 E2
Vigoreto (MN) 36 C1
Vigoroso (BO) 47 B4
Vigorovea (PD) 26 F3
Vigostano (PC) 35 D1
Vigo (TN) 12 F4
Vigo (VI) 25 D3
Vigo (VR) 25 D1
Vigo (VR) 37 B3
Viguzzolo (AL) 33 D3
Viktor/Hinterberger/H. [A] 4 D4
Vila di Sopra (BZ) 4 C2
Vila di Sotto (BZ) 4 C1
Vilerhorn [CH] 7 A3-4
Villa Andreoli (CH) 71 E2
Villa (AT) 32 C2
Villa Azaro (GE) 44 D2
Villa Badessa (PE) 70 E3-4
Villabalzana (VI) 25 E4
Villa Bartolomea (VR) 37 B3
Villa Barone (PO) 53 B3
Villa Basilica (LU) 52 B4
Villabassa (Niederdorf) (BZ) 4 D3
Villabate (PA) 109 D3
Villabella (AL) 33 B1
Villabella (VR) 25 EF2
Villa Bentivoglio (MC) 63 E3
Villaberza (RE) 46 BC1
Villa Bibone (MO) 46 D4
Villa Biscossi (PV) 33 B2
Villa (BL) 14 B3
Villa (BL) 14 E3
Villabona (MN) 36 A3
Villabruna (BL) 14 E2
Villa (BS) 11 EF3
Villa (BS) 23 B1
Villa (BS) 23 C4
Villa (BS) 23 D3
Villa (BS) 24 D1
Villa (BS) 24 D2
Villabuona (BS) 23 F2
Villabuona (LU) 52 AB3
Villa (BZ) 13 B3
Villa (BZ) 13 C2
Villa (BZ) 3 D1
Villa (BZ) 4 C1
Villa (BZ) 4 C3
Villacaccia (UD) 28 A2
Villa Caldari (CH) 71 F2
Villacampagna (CR) 23 E1-2
Villa Canale (IS) 76 DE3-4
Villa Cappella (MN) 36 A2
Villa Cargna [YUI] 29 C3
Villa Castelli (BR) 94 C2
Villa Castelli, Staz. di (BR) 94 D2
Villa (CE) 83 D1
Villa Celiera (PE) 70 E2
Villa [CH] 7 B2
Villa [CH] 7 D2
Villa [CH] 9 C1-2
Villach [A] 17 A3
Villachiara (BS) 23 F2
Villacidro (CA) 135 A1
Villa (CN) 31 E4
Villa (CN) 42 B2
Villa (CN) 42 C1
Villa (CN) 42 C2
Villa (LC) 22 A3
Villa col de' Canali (PG) 62 A3
Villa Collemandina (LU) 45 E4
Villa Cortese (MI) 21 C3
Villacriccola (PN) 27 A3-4
Villa d'Adda (BG) 22 B3
Villa d'Adige (RO) 37 B3-4
Villa d'Agri (PZ) 91 F3
Villa d'Aiano (BO) 46 D4
Villa d'Allegno (BS) 11 C4
Villa d'Almé (BG) 22 B4
Villadeati (AL) 32 B2-3
Villa del Bosco (PD) 38 A3-4
Villa del Conte (PD) 26 D2-3
Villa del Ferro (VI) 25 F4
Villa del Foro (AL) 33 D1
Villa del Monte (PS) 56 D3
Villa del Poggio (LI) 59 C2
Villadósia (VA) 21 B2
Villa di Briano (CE) 82 F4
Villa di Chiavenna (SO)10 B2
Villa di Postignano (PG) 62 D4
Villa di Sério (BG) 23 B1
Villa di Sù (RE) 36 D3
Villa di Tirano (SO) 11 D2
Villa di Villa (TV) 15 F1
Villa d'Ogna (BG) 11 F1
Villadolt (PN) 15 F2
Villadoro (EN) 119 B3
Villadose (RO) 38 C3
Villadossola (VB) 8 D2
Villa d'Ovidio (AQ) 75 B4
Villa Estense (PD) 38 B2
Villafalletto (CN) 31 F2
Villa Fastiggi (PS) 56 BC3
Villafelice (FR) 81 A4
Villa Fontana (BO) 48 B1
Villafontana (VR) 25 F1-2
Villafora (RO) 37 C4
Villa Fornace (PV) 34 C1-2
Villa Fornaci (MI) 22 D3
Villafranca d'Asti (AT) 32 C1
Villafranca di Verona (VR) 24 F4
Villafranca (FO) 48 D3-4
Villafranca in Lunigiana (MS) 45 D2
Villafranca (MO) 37 E1
Villafranca Padovana (PD) 26 E2
Villafranca Piemonte (TO) 31 D2
Villafranca Sicula (AG) 117 C4
Villafranca Tirrena (ME) 113 B2
Villafrati (PA) 109 F4
Villagana (BS) 23 F2
Villaganzerla (VI) 26 E1
Villa Garibaldi (MN) 36 B1
Villaga (VI) 25 EF4
Villa (GE) 44 B3
Villaggio Arcangelo (FG) 79 EF2-3
Villaggio del Fanciullo (ROMA)72 B1-2
Villaggio Ente Riforma (FG) (CB)77 C4
Villaggio Pino Grande (KR) 103 D1
Villaggio S. A.T. (TN) 13 E4
Villaggio Turistico (EN) 119 C4
Villaggio Turistico (PA) 110 D4
Villaggio Turistico (KR) 106 B3
Villa Grande (AQ) 75 A2
Villagrande (BL) 14 CD2
Villa Grande (CH) 71 E2
Villagrande (PS) 55 C4
Villagrande (PS) 56 C3
Villagrande, Stazione di (NU) 133 B2
Villagrande Strisáili (NU) 133 B2
Villagrappa (FO) 48 E3
Villa Grazia (PA) 109 C1
Villagrazia (PA) 109 D2-3
Villagreca (CA) 132 F3
Villagrossa (MN) 37 B1
Villagrossa (SP) 45 D1
Villa Guardia (CO) 21 B4
Villair (AO) 18 A4
Villa, La (AN) 57 F3
Villa, La (AR) 55 E2-3
Villa, La (BO) 47 B2
Villa Lagarina (TN) 12 F4
Villa Lago (AQ) 75 C3
Villa, La (LI) 58 D1
Villa, La (MC) 63 D3
Villa, La (PR) 45 B4
Villa La (SI) 60 E3
Villa La (SR) 124 A2
Villa, La (Stern) (BZ) 4 E1
Villa, La (SV) 42 B3
Villa Latina (FR) 75 F3
Villalba (AR) 55 E2
Villalba, Casa (RG) 123 C2
Villalba (CL) 118 B4
Villalba, Stazione di (PA) 119 B1
Vill'Albese (CO) 22 A1-2
Villalfolsina (CH) 77 A1
Villa Literno (CE) 82 F3-4
Villa Littório (SA) 90 F3
Villalta di Sotto (FO) 49 E1-2
Villalta (PD) 26 D1
Villalta (PN) 27 A4
Villa (LU) 45 E4
Villalunga (PV) 34 A1
Villalunga (SV) 42 F1
Villalvernia (AL) 33 E3
Villamagina (PG) 63 F1
Villamagna (CH) 71 E1
Villamagna (FI) 54 C1
Villamagna (FR) 74 F3
Villamagna (PG) 62 AB3
Villamagna (PI) 53 F1-2
Villa Malvezzi (MC) 63 E3
Villamar (CA) 132 E2
Villamánia (AV) 84 F3
Villa Marescalchi (BO) 47 C2
Villamarina (FO) 49 E2
Villa Martelli (CH) 71 F2
Villamarzana (RO) 38 C1-2
Villamassargia (CA) 134 B4
Villa Mesa (RC) 114 C2
Villamezzo (UD) 5 F4
Villa Minozzo (RE) 46 C1
Villamiroglio (AL) 32 A2-3
Villammare (SA) 97 C1
Villa Molvena (VI) 26 B1
Villa Morsca [YUI] 17 F2
Villandro, Monte (BZ) 3 D2
Villandro, Picco di (BZ) 4 D3
Villandro (Villanders) (BZ) 3 E2
Villaneto (PZ) 98 C2
Villanoce (GE) 44 B2
Villano, Masseria (FG) 85 A1
Villanova Biellese (BI) 20 D3
Villanova (BL) 14 B3
Villanova (BL) 14 E3
Villanova (BO) 47 B3
Villanova Canavese (TO) 19 F2
Villanova (CR) 36 C1
Villanova d'Albenga (SV) 42 F1-2
Villanova d'Ardenghi (PV) 33 A4
Villanova d'Asti (AT) 32 C1
Villanova de' Bellis (MN) 36 B4
Villanova del Battista (AV) 84 E3
Villanova del Judrio (UD) 29 AB1
Villanova di Camposampiero (PD) 26 E3
Villanova di Ghebbo (RO) 38 C1
Villanova di Sillaro (LO) 34 A3
Villanova (FE) 38 E2
Villanova (FI) 53 D2-3
Villanova (FO) 48 E3
Villanovaforru (CA) 132 E2
Villanovafranca (CA) 132 E2-3
Villanova Marchesana (RO) 38 CD3
Villanova Mariardina (MN) 36 B4
Villanova, Masseria (BR) 95 C2
Villanova (MC) 63 B2
Villanova (MO) 36 F4
Villanova Mondovì (CN) 41 C3
Villanova Monferrato (AL) 32 A4
Villanova Monteleone (SS) 128 C3
Villanova (PC) 34 E3
Villanova (PE) 70 E4
Villanova (PG) 62 E1
Villanova (PN) 15 F2-3
Villanova (PN) 27 A3
Villanova (PS) 55 B4
Villanova (PS) 56 D4
Villanova (PV) 21 E2
Villanova (RA) 48 C3-4
Villanova (RA) 48 CD4
Villanova (RE) 36 D4
Villanova (RI) 69 B2
Villanova Sant'Arda (PC) 35 C2
Villanova Solara (CN) 31 E2
Villanova Strisaili (NU) 133 B2
Villanova (TO) 19 D3
Villanova (TO) 30 D3
Villanova Truschedu (OR) 132 B1
Villanovatulo (NU) 132 C4
Villanovatulo, Stazione di (NU) 132 D4
Villanova (TV) 26 A3
Villanova (TV) 26 A4
Villanova (TV) 26 C4
Villanova (TV) 27 B3
Villanova (UD) 15 E4
Villanova (UD) 16 C4
Villanova (UD) 16 D4
Villanova (VE) 28 C1-2
Villanova (VE) 28 C2
Villanova (VR) 24 C3
Villanova [YUI] 29 F2
Villanovetta (CN) 31 F1-2
Villantério (PV) 34 A2-3
Villanuova (BG) 23 E1-2
Villanuova (BR) 94 A3
Villanuova (BS) 23 DE2
Villanuova (BS) 23 F2-3
Villanuova, Masseria (AG) 118 D4
Villanuova sul Clisi (BS) 24 D2
Villa Opicina (TS) 29 D3
Villaorba (UD) 28 A2
Villa Ottone (Uttenheim) (BZ) 4 C1
Villapaiera (BL) 14 F2
Villa Pasquali (MN) 36 C2
Villa (PC) 34 E4
Villa (PD) 26 F1
Villa Penna (TE) 70 A2
Villaperuccio (CA) 135 D1
Villapetrosa (TP) 116 A3
Villa Pépoli (MC) 63 E3
Villa (PG) 61 C4
Villa (PG) 62 D1
Villa (PG) 62 F3
Villapia (MI) 21 D4
Villapiana (BL) 14 E2
Villapiana (CS) 98 E4
Villapiana Lido (CS) 98 E4
Villapiana Scalo (CS) 98 F4
Villapiccola (BL) 4 F4
Villapinta (SO) 10 B3
Villa Pitignano (PG) 62 CD2
Villa Poma (MN) 37 C1
Villa Potenza (MC) 63 B4
Villaprara (RE) 46 C1-2
Villapriolo (EN) 119 B3
Villaputzu (CA) 133 F2-3
Villa Q. Varo (ROMA) 73 C4
Villa Rangoni (FE) 37 E3
Villarasca (PV) 21 F4
Villaraspa (VI) 26 C1
Villa Raverio (MI) 22 B2
Villarazzo (TV) 26 C3
Villarbasse (TO) 31 B2
Villarboit (VC) 20 D4
Villarchiosso (CN) 42 DE1
Villar (CN) 30 F3
Villard Dessus [F] 18 B2
Villard [F] 18 F1
Villard, Le [F] 18 E2
Villard, Le [F] 30 D2
Villar Dora (TO) 31 A1
Villareale (PV) 21 E3
Villa Reale (TO) 31 B3
Villareggia (VC) 20 E1-2
Villaregia (RO) 39 D1
Villareia (PE) 70 E4
Villa Rendena (TN) 12 E2
Villaret (AO) 18 A4
Villaretto (CN) 30 F3
Villaretto (CN) 31 D1
Villaretto Superiore (TO) 30 B4
Villaretto (TO) 18 F3
Villaretto (TO) 18 F4
Villaretto (TO) 30 B3-4
Villaretto (TO) 31 A3
Villaréggio (PV) 22 F1
Villar Focchiardo (TO) 30 A4
Villargaudin [F] 30 D1
Villaricca (NA) 88 A3
Villarios (CA) 134 DE4
Villarocca (CR) 35 B4
Villaro (CN) 30 E4
Villaro (CN) 42 C1
Villarodin Bourget [F] 18 F1
Villaroger [F] 18 B2
Villaromagnano (AL) 33 D3
Villa Romana (AQ) 74 B3
Villaron [F] 18 E3
Villarosa (EN) 119 C3
Villarosa, Lago di (EN) 119 C3
Villa Rosa (TE) 64 F4
Villarotta (RE) 36 D3
Villa Rovere (FO) 48 E3
Villar Perosa (TO) 30 C4
Villar Péllice (TO) 30 D4
Villar San Costanzo (CN) 41 A1
Villars [F] 40 F3
Villars/S.Ollon [CH] 6 B3
Villa (SA) 89 B3
Villasalto (CA) 133 F1
Villa San Filippo (MC) 64 BC2
Villa San Giorgio in Vezzano (RA)48 E2
Villa San Giovanni (CH) 71 F1
Villa San Giovanni in Tuscia (VT) 67 F2
Villa San Giovanni (PE) 70 E3-4
Villa San Giovanni (RC) 114 C1
Villa San Giuseppe (RC) 114 C2
Villa San Leonardo (CH) 71 E2
Villa San Martino (RA) 48 C2-3
Villa San Romualdo (TE) 70 C3
Villa San Sebastiano (AQ) 74 B4
Villa San Sebastiano, Stazione di (AQ) 74 B4
Villasanta (CA) 132 F1
Villa Santa Lucia degli Abruzzi (AQ) 70 E2
Villa Santa Lucia (FR) 82 A2
Villa Santa Maria (AQ) 75 C3
Villa Santa Maria (CH) 76 C3
Villa Santa Maria (PE) 70 D4
Villasanta (MI) 22 C2
Villa Sant'Angelo (AQ) 69 F4
Villa Sant'Antonio (AP) 64 F2
Villa Sant'Atto (TE) 70 B2
Villa Santi (AP) 64 E3
Villa Santo Stéfano (FR) 81 A2
Villa Saviola (MN) 36 C3-4
Villasco (CR) 35 B3
Villa scontrone (AQ) 76 E1
Villa Scorciosa (CH) 71 F2
Villa Serraglio (RA) 48 B2
Villaseta (AG) 118 E2
Villa (SI) 54 F1
Villasimius (CA) 136 CD3
Villasmundo (SR) 121 F1
Villasor (CA) 135 A2-3
Villa Spada (MC) 63 B4
Villa Speciosa (CA) 135 B2
Villa Spinola (AL) 33 E2
Villa Stanazzo (CH) 71 F2
Villastanza (MI) 21 D3-4
Villastellone (TO) 31 C4
Villastrada (MN) 36 D2-3
Villastrada (PG) 61 D3
Villa (SV) 42 B3
Villa (SV) 42 C1-2
Villa Svina [YUI] 17 E1-2
Villata (AT) 32 D1
Villata (CN) 41 B1-2
Villatalla (IM) 51 C1-2
Villata (VC) 20 E4
Villatella (IM) 50 C3
Villate (TO) 19 E4
Villatico (LC) 10 D2
Villa (TN) 13 E3
Villa (TO) 19 D1
Villa (TO) 19 D4
Villa (TO) 19 F1
Villa (TO) 31 B1
Villatora (PD) 26 F3
Villa Torre (CH) 71 EF2
Villa Tucci (CH) 71 F1-2
Villa (UD) 15 B4
Villaurbana (OR) 132 C1
Villaurea (PA) 110 E2
Villa, Val di (CN) 32 E2
Villavallelonga (AQ) 75 D2
Villa Vallucci (TE) 70 C1
Villa Vecchia (MS) 45 C1
Villaverde (OR) 132 C1
Villaverla (VI) 25 C4
Villa Verucchio (RN) 55 A4
Villavesco (LO) 22 F3
Villa (VI) 26 B2
Villa Viani (IM) 51 C2
Villa Vicentina (UD) 28 C4
Villaviera (VE) 28 D2
Villa Vomano (TE) 70 C2
Villa (VR) 25 D1
Villaz (AO) 19 B4
Villazzano (TN) 13 E1
Ville (AL) 33 D4
Ville (AO) 19 B4
Ville (BS) 23 B1
Villécchia (MS) 45 D1
Ville di Fano (AQ) 69 C2
Ville di Roti (AR) 55 D2
Ville di Sasso (AN) 56 F4
Villefranche (AO) 19 A2
Ville Franche [F] 50 DE1-2
Ville, Le (AR) 55 F2
Ville, Le (FO) 55 C1
Ville, Le (RE) 46 B3
Ville, Monte (TN) 12 F3
Villeneuve (AO) 19 A1
Villeneuve [CH] 6 A2
Villeplane [F] 40 E1
Villerose (RI) 74 A3
Ville Santa Lucia (PG) 62 C4
Villes Plan d'Introd (AO) 18 B4
Villesse (GO) 29 B1
Ville Sur Sarre (AO) 19 A1
Ville (SV) 42 B3
Ville (TN) 13 D1
Villetta Barrea (AQ) 75 E4
Villetta (CN) 40 BC3
Villette (VB) 8 D4
Villettoz [CH] 7 C1
Ville Vieille [F] 30 D2
Villgratental [A] 4 C4
Villico, Monte (SS) 127 C2
Villimpenta (MN) 37 B1
Villongo (BG) 23 C2
Villo (PC) 34 D4
Villorba (TV) 27 B1
Villore (FI) 54 B2-3
Villoresi, Canale 21 D3 22 D3
Villotta (PN) 15 E2

VILLOTTA / ZIGNAGO 247

Villotta (PN) 27 A3
Villotta (PN) 27 A4
Villula (PR) 45 B3
Villutta (PN) 27 A4
Villuzza (UD) 15 D4
Villy [CH] 6 B2
Villy [CH] 6 C4
Vilmaggiore (BG) 11 E2
Vilmezzano (VR) 24 C4
Vilminore di Scalve (BG) 11 E2
Vilpiano (BZ) 2 E4
Vimanone (PV) 34 A2
Vimercate (MI) 22 C2-3
Vimodrone (MI) 22 D2
Vimogno (CO) 10 E2
Vinacciano (PT) 53 B2
Vinaders [A] 3 A2
Vinádio (CN) 40 C3
Vinago (VA) 21 B2
Vinagra, Cala (CA) 134 C1-2
Vináio (UD) 15 B4
Vinardi (TO) 19 E2
Vinca (MS) 45 EF3
Vincendiéres [F] 18 E3
Vinchiana (LU) 52 D4
Vinchiaturo (CB) 83 B3
Vinchio (AT) 32 D3
Vinciarello (CZ) 105 F3
Vinci (FI) 53 C2
Vincio, Fiume 53 B2
Vincolise (CZ) 105 A3
Vinco (RC) 114 D2
Vindola (AP) 63 F4
Vindoli (RI) 69 C1
Vinigo (BL) 14 B4
Vinovo (TO) 31 C3
Vintebbio (VC) 20 B4
Vinzaglio (NO) 21 EF1
Viola, Cala (SS) 128 A1
Viola, Cima (SO) 11 B3
Viola (CN) 41 C4
Viola, Costa (RC) 114 BC 2-3
Viola, Masseria (PZ) 92 F1
Viola, Torre (LT) 81 D4
Violettes, Cab. des [CH] 7 A1
Violla (FI) 47 F3
Viona, Fiume 20 C2
Vione (BS) 11 C4
Vione (SO) 11 C3
Vionnaz [CH] 6 A2
Viorano, Piano (PZ) 92 B1
Viosa Val (TN)13 D4
Viotte, Rifugio alle (TN) 12 E4
Viotto (TO) 31 C2
Vioz, Col (SO) 12 B1
Viozene (CN) 41 E3
Vioz, Monte (SO) 12 B1
Vioz, Rifugio (TN)12 B2
Vipacco, Fiume 29 B3
Vipava [YUI] 29 B4
Viperella, Monte (ROMA)74 C4
Vipiteno (Sterzing) (BZ) 3 B2
Vipulzano (GO) 29 A1
Vira [CH] 9 D2
Virago (TV) 26 A3
Virani (TO) 31 D4
Virano (FO) 48 EF3
Virco (UD) 28 B3
Virgen [A] 4 A4
Virgental [A] 4 AB4
Virgentörl [A] 4 B4
Virgiliana (MN) 36 B4
Virgilio (AG) 119 E1
Virgilio (MN) 36 B3-4
Virgini (FI) 53 E3
Virgolo (BZ) 3 F1
Viribianc, Colle (CN) 40 B3-4
Viridio, Monte (CN) 40 B3
Virle (BS) 23 D4
Virle Piemonte (TO) 31 D2
Virti (TN) 13 F1
Virtù, Masseria (CH) 76 A4
Visaille, La (AO) 6 F1
Visano (BS) 24 F1
Visanti (BN) 83 D2
Viscano (TO) 20 E1
Viscarda (AL) 33 C2-3
Vische (TO) 20 E1
Visciano (CE) 82 D4
Visciano (NA) 89 A2
Visciano (TR) 68 D1
Visciglie, Masseria (BR) 94 D3
Visciglieto, Colle (CZ) 106 A1
Visciglieto, Masseria (FG) 78 F2
Viscigli, Masseria (BR) 95 D1
Viscone (UD) 28 B4
Visco (UD) 28 B4
Visdende, Val (BL) 5 E1
Visentin, Col (TV) 14 E4
Visentium (VT) 67 C1
Viserano, Monte (PC) 34 E3
Viserba (FO) 49 F3
Viserbella (RN) 49 F3
Visgnola (CO) 9 F4
Visiano (PR) 35 F2
Visicari (TP) 108 D3
Visido di Dentro (SO) 10 C3
Visignano (PI) 52 D3
Visinale di Sopra (PN) 27 A3
Visinale (PN) 27 A3
Visino (CO) 10 F1
Viska Gora [YUI] 17 F3-4
Visletto [CH] 9 B1
Visnadello (TV) 27 B1
Visnà (TV) 27 AB2
Viso, Case di (BS) 12 C1
Visome (BL) 14 E3-4
Viso Mozzo (CN) 30 E3
Visone (AL) 32 F4
Visone, Fiume 32 F4
Visp [CH] 7 B4
Vispertal [CH] 7 BC4
Visperterminen [CH] 7 B4
Vissandone (UD) 28 A3
Vissani (MC) 63 A4
Visse [CH] 7 B1
Vissignano (PN) 28 B1
Vissoie [CH] 7 C2
Visso (MC) 63 EF2
Vissone (BS) 23 A4
Vistarino (PV) 34 A2
Vistorta (PN) 15 F1
Vistrório (TO) 19 D4
Vita, Capo della (LI) 58 D3
Vita, Casa di (TP) 107 E3
Vitalba, Podere (PI) 52 F4
Vitale (MT) 92 F2
Vitale, Villaggio (CT) 120 B3
Vitarolo (VI) 25 B4
Vita (TP) 108 F3
Vite, Bric della (AL) 42 A4
Vitelli, Masseria (MT) 92 F2
Vitello, Corno (AO) 7 F3
Vitello, Monte (PR) 45 B3
VITERBO 67 D2-3
Vitereta (AR) 54 F3
Vitiana (FI) 53 D2
Vitiano (AR) 61 A2
Vitiano Vecchio (AR) 61 A2
Viticcio (LI) 58 E2
Viticuso (FR) 82 A3
Vitigliano, Alpe di (FI) 54 A2-3
Vitigliano (FI) 53 E4
Vitigliano (LE) 100 D3-4
Vitignano (FO) 48 F3
Vitinia (ROMA) 73 E2
Vito D'Asio (PN) 15 D4
Vitoio (LU) 45 E4
Vitolini (FI) 53 C2
Vito o di Caginia, Serra di (EN) (CT) 120 A3
Vito (RC) 114 D2
Vitorchiano (VT) 67 D3
Vitravo, Fiume 103 E3
Vitriola (MO) 46 D2
Vittadone (LO) 34 A4
Vittore, Cascina (VB) 20 D3
Vittoria Apuana (LU) 52 A1
Vittoria, Bonifica della (GO) 29 CD1
Vittoria (GE) 43 AB3
Vittoria, La (SI) 61 E1
Vittòria (RG) 123 C2
Vittoria, Torre (LT) 81 D1
Vittorio, Masseria (LE) 95 F3
Vittorio Veneto, Rifugio (BZ) 4 A1
Vittorio Veneto (TV) 14 F4
Vittorito (AQ) 75 AB3
Vittuone (MI) 21 D4
Vittùglia [YUI] 29 B3
Vit (UD) 5 F4
Vitulano (BN) 83 DE4
Vitulano, Stazione di (BN) 83 E4
Vitulazio (CE) 83 E1
Vituro, Cocuzzo (PA) 110 F3
Viù, Val di (TO) 19 F1
Viú (TO) 19 F1
Vivagna, Stagno di (CA) 134 D2
Vivaio, Fiume 66 B2
Vivara, Isola (NA) 88 C2
Vivaro (PN) 15 E3
Vivaro (BI) 20 B3
Vivaro (VC) 25 C4
Vivário (TO) 19 D4
Vivente (PV) 34 A2
Viverone, Lago di (BI) 20 D2
Viverone (BI) 20 D2
Viviere (CN) 40 AB2
Vivione, Passo del (BG) 11 E3
Vivo d'Orcia (SI) 60 E4
Vivo, Fiume 60 E4
Vivo, Lago (AQ) 75 E4
Vizzaneta (PT) 46 F3
Vizze, Passo di (Pfitscher) [A] 3 A3
Vizzini (CT) 123 A4
Vizzini-Licodia, Stazione (CT) 120 F3
Vizzola Ticinese (VA) 21 C2
Vizzolo Predabissi (MI) 22 EF2
Vizzo, Masseria (BR) 94 C3
Vlou, Becca di (AO) 19 B4
Vnà [CH] 1 C3
Vobarno (BS) 24 C2
Vóbbia, Fiume 33 F3
Vobbia (GE) 43 A4
Vobbietta (GE) 33 F3
Vocca (VC) 8 F2
Vocáglia [CH] 8 C4
Vocémola (AL) 33 F3
Vocino, Casa (FG) 78 D4
Vocogno (VB) 8 D4
Vódice M. [YUI] 29 A2
Vodo di Cadore (BL) 14 B3-4
Vodo, Lago di (BL) 14 B4
Vogealle, Chalets de la [F] 6 C1
Vogelberg [CH] 9 A3-4
Vogel, Monte [YUI] 17 D3
Voggiardi (AL) 32 B2
Voghenza (FE) 38 F2
Voghera (PV) 33 C4
Voghiera (FE) 38 F2
Vogliano [YUI] 29 C3
Vóglia, Villa (MC) 63 B3
Vogna, Val (VC) 20 A1
Vogno (RE) 46 C2
Vogogna (VB) 8 E3
Vogognano (AR) 55 E1
Vogorno (CH) 9 C2
Vogorno, Lago di [CH] 9 C2
Vogorno, Pizzo di [CH] 9 C2
Vogrsko, Ville Montevecchio [YUI] 29 B2-3
Vogu, Monte (UD) 17 E1
Voissizza [YUI] 29 C2
Vojsko [YUI] 17 F4
Volacra, Monte (MS) 45 C1
Volania (FE) 38 F4
Volano (FE) 39 E1
Volano (TN) 12 F4
Volargne (VR) 24 D4
Volarje (Vollária) [YUI] 17 E2
Volce (Volzana) [YUI] 17 E2
Volciano (BS) 24 C2
Volci [YUI] 29 C3
Voldomino (VA) 9 E1
Volegno (LU) 52 A2
Volla (NA) 88 AB4
Vollandspitze [A] 1 A2
Vollèges [CH] 6 D3
Volmiano (FI) 53 B4
Volni, Monte [YUI] 17 F3
Volo di Notte, Cala (GR) 65 F3-4
Volognano (FI) 54 CD2
Vologno (RE) 46 C1
Volon (AO) 19 A4
Volongo (CR) 35 A4
Volongo (MN) 36 A1-2
Volon (VR) 25 F2
Volovron [CH] 7 C1
Volpago del Montello (TV) 26 B4
Volpaia (SI) 54 F1
Volpara (AL) 33 F4
Volpara (PV) 34 C2
Volparo (PD) 26 F3
Volparo (SA) 90 EF2
Volpe, Cala di (SS) 127 C3
Volpedo (AL) 33 D4
Volpeglino (AL) 33 D3
Volpe, Punta della (SS) 127 C3
Volperino (PG) 62 E4
Volpiano (TO) 19 F4
Volpino (VR) 25 F3
Volpintesta, Monte (CS) 102 D3
Volpreto (AL) 33 F2
Volsci, Monti (LU) 45 F4
Volsini, Monti (VT) 67 B1-2
Volta Barozzo (PD) 26 F3
Volta Brusegana (PD) 26 F2
Volta (BS) 23 D4
Voltaggio (AL) 33 F3
Voltago Agordino (BL) 14 C2
Volta Mantovana (MN) 24 F3
Voltana (RA) 48 B3
Volte, Le (CN) 42 D1
Volterraio (LI) 58 E3
Volterrano (PG) 61 A3
Volterra (PI) 59 A3
Voltido (CR) 35 B4
Voltigiano (FI) 53 E3
Voltino (BS) 24 B3-4
Voltóis (UD) 15 B3
Vóltole (PG) 62 C4
Voltoncino (GR) 65 C4
Volto (RO) 39 C1
Volto Santo, Santuario di (TE) 70 F4
Voltraio, Monte (PI) 59 A3-4
Voltre, Badia di (FO) 55 A2
Voltre, Fiume 55 A2
Voltre (FO) 55 A2
Voltri (GE) 43 B2
Volturara Appula (FG) 84 A2
Volturara Irpina (AV) 89 B4
Volturino (FG) 84 B3
Volturino, Monte (CZ) 105 C3
Volturino, Monte (PZ) 91 F2-3
Volturno, Bonifica del (CE) 82 F3
Volturno, Fiume 76 F1 82 B4
Volturno, Fiume 83 C1
Volturno, Fiume 83 E2
Volturno, Foce del (CE) 82 F2-3
Volvera (TO) 31 C2
Vomano, Fiume 69 D3
Vomero (NA) 88 B3-4
Vonchia, Ponte (PZ) 91 B1
Vonnes [F] 6 B1
Vo (PD) 26 F1
Vo, Punta del (BS) 24 E2
Voragno (TO) 19 E1
Vormes, Selva di (BZ) 3 E1
Vorno (LU) 52 C4
Vorsaas [CH] 7 B3
Voscari (PZ) 98 D2
Vo Sinistro (TN) 25 B1
Vosizze [YUI] 29 B3
Vota, Lago la (CZ) 104 B4
Vottero (CN) 31 E1
Vottignasco (CN) 31 F2
Votturino, Lago (CS) 102 E3
Voturo, Pizzo (PA) 111 E1
Vouvry [CH] 6 A2
Vo vecchio (PD) 26 F1
Vo (VI) 25 E4
Vo (VR) 25 F1
Vozca [YUI] 17 B3
Voze (SV) 42 D3-4
Vrabce [YUI] 29 C4
Vrata, Monte [YUI] 17 D2
Vremski Britof [YUI] 29 D4
Vrhpolje [YUI] 29 B4
Vulcanello, Monte (ME) 111 B3
Vulcano, Bocche di (ME) 111 B3
Vulcano, Isola (ME) 111 BC3-4
Vulcano, Monte (AG) 122 F4
Vulca, Serra La (CS) 102 C3
Vulci (VT) 66 DE3
Vulgano, Fiume 84 B3
Vulgano, Fiume 85 B1
Vulgano, Masseria (FG) 85 A1
Vulpera [CH] 1 C3
Vulture, Monte (PZ) 85 F2
Vurrània, Cocuzzo (PA) 119 A1

W

Wabenriegel (Riserva Naturale) [A] 17 A2-3
Wallegghörnii [CH] 6 A4
Wallhorn [A] 4 A4
Wängenhorn [CH] 10 A3
Wangenitzbach, Fiume 5 B3
Wangenitzsee [A] 5 B2
Wannenkogl [A] 2 B3
Watzespitze [A] 2 A2
Weidenburg [A] 5 E4
Weissberg [CH] 10 A3
Weissbriach [A] 16 A4
Weissenstein, Schl [A] 5 A4
Weisses Beil [A] 4 B3
Weiss Fluh [CH].7 A2-3
Weissgrat [CH] 7 C4
Weisshorn [CH] 7 D3
Weisshornhütte [CH] 7 D3
Weisshorn, Hôtel [CH] 7 C2
Weisskamm [A] 2 C1-2
Weissmatten (AO) 19 A4
Weissmies [CH] 8 D1
Weissmieshütte [CH] 7 CD4
Weiss/Sp. [A] 4 A4
Weiss/Sp. [A] 4 C4
Welzelach [A] 4 A4
Wernberg [A] 17 A4
Wertschach [A] 17 A2
Wetzsteinhorn [CH] 7 A1
Wiesbadner H. [A] 1 B1-2
Wiesen [A] 5 C1
Wiesen [A] 5 D2
Wildbach, Fiume 17 A1
Wilder Freiger [A] 2 B4
Wildhorn [A] 5 C4
Wildhorn [CH] 7 A1
Wildi [CH] 7 D3
Wildnörderkogl [A] 2 B1
Wildspitze [A] 2 A2
Wildstrubel [CH] 7 A2
Wiler [CH] 7 A3-4
Willfernertal [A] 5 C1
Windacher Daunkogl [A] 2 A3-4
Windachtal [A] 2 B3
Winkeltal [A] 4 C4
Winklern [A] 5 C3
Winterstall [A] 2 B3
Wiwannihorn [CH] 7 B4
Wodmaier [A] 5 D3
Wolayer Bach [A] 5 E3
Wolf [A] 3 A2
Wolfkehr [A] 2 A1
Würmlach [A] 5 E4
Wurzen, Pass [A] 17 B3

X

Xifonio, Porto (SR) 121 F2
Xirbi (CL) 119 C2
Xireni, Masseria (PA) 119 A1
Xitta (TP) 108 E1
Xomo, Passo dello (VI) 25 B2-3
Xon, Passo dello (VI) 25 BC2

Z

Zabaino, Monte (CT) 120 F1
Zaberdò [YUI] 29 A2
Zábus, Monte (UD) 17 C1
Zaccana, Monte (PZ) 97 C4
Zaccanesca (BO) 47 E2
Zaccanópoli (VV) 104 E2
Zaccaria (NA) 88 A3
Zaccaria (SI) 61 F1
Zaccheo (TE) 70 B2
Zadina Pineta (RA) 49 E2
Zadla, Fiume 17 E3
Zadlog [YUI] 29 AB4
Zadnjica [YUI] 17 C3
Zafaglione, Punta di (RG) 123 C1
Zaffaraneddu, Porto (CA) 134 F4
Zaffarano, Capo (PA) 109 D4
Zafferana Etnea (CT) 121 B1-2
Zafferano, Porto (CA) 134 F4
Zafferia (ME) 113 C2
Zaffignano (PC) 34 D4
Zagaci, Masseria (EN) 120 C1
Zagare, Baia delle (FG) 79 E3
Zagarella, Masseria di (MT) 92 D4
Zagarise (CZ) 105 B3
Zagarolo (ROMA) 73 D4
Zagarolo, Stazione di (ROMA) 73 D4
Zaga (Saga) [YUI]17 D1
Zagonara (RA) 48 C2-3
Zagraie [YUI] 29 C2
Zaiama (UD) 16 D4
Zaiaur, Monte (UD) 16 D4
Zambana (TN) 12 D4
Zamberlini (VR) 25 C1
Zambia (BG) 10 F4
Zambia, Colle di (BG) 10 F4
Zambone (MN) 37 D1
Zamboni, Rifugio (VB) 7 E4
Zamboni, Rifugio (RE) 46 D1
Zambratjia [YUI] 29 F1
Zambrone (VV) 104 D2-3
Zambrone, Punta (VV) 104 D2
Zammaro (VV) 104 E3-4
Zampine (RO) 37 D4
Zamser, Fiume 3 A3
Zamser, Tal [A] 3 A3
Zanano (BS) 23 C4
Zanano, Ponte (BS) 23 C4
Zanca (LI) 58 E1
Zancan (PN) 15 D4
Zanco (AL) 32 B2
Zancona (GR) 60 F4
Zandobbio (BG) 23 C2
Zanengo (CR) 35 A1
Zanetta (MN) 36 C3
Zane (VI) 25 C4
Zangarona (CZ) 105 B1
Zanga (BI) 20 D2
Zanghi, Colle dei (BL) 14 F1
Zánica (BG) 22 C4
Zannone, Isola (LT) 80 E3
Zanon (TN) 13 C3
Zanon (VR) 37 A1
Zanotti al Piz, Rifugio (CN) 40 C2
Zanotti, Masseria (FG) 78 F3
Zanotti (VI) 25 D4
Zapalli (SS) 127 E2
Zappardino (ME) 112 C2
Zapparola (PC) 35 D2
Zapparottu, Monte (SS) 127 D2-3
Zappello (CR) 22 F4
Zappi, Monte (ROMA) 73 B4
Zappino, Casa (FG) 78 CD2
Zappolino (BO) 47 C1
Zapponeta (FG) 86 B1
Zapponi, Casa (CB) 77 E3
Zapporthütte [CH] 9 A4
Zapporthorn [CH] 9 A4
Zappulla, Case (RG) 123 D4
Zappulla, Stazione di (ME) 111 C4
Zappullo, Fiume 112 D1
Zattaglia (RA) 48 E1
Zatta, Monte (GE) (SP) 44 C3
Zavattarello (PV) 34 D2
Zavianni, Fiume 112 E4
Zavorra, Torre (CA) 135 D3
Zazza (BS) 11 D3-4
Zebedassi (AL) 33 E4
Zebedo (PV) 34 D1
Zebio, Monte (VI) 13 F3
Zebrù, Baite del (SO) 1 F4
Zecchini (MN) 24 F1-2
Zeccone (PV) 22 F1
Zeda, Monte (VB) 8 E4
Zeddiani (OR) 131 B3-4
Zeinisjoch/Hot. [A] 1 A2
Zelarino (VE) 27 E1
Zelata (PV) 21 F4
Zelbio (CO) 9 F4
Zella (BA) 87 F3
Zellina, Fiume 28 C3
Zellina (UD) 28 C3
Zello (BO) 48 D2
Zello (MN) 37 C2
Zelo Buon Pérsico (LO) 22 E3
Zelo (RO) 37 C2
Zelo Surrigone (MI) 21 E4
Zelo (VE) 27 DE1
Zeme (PV) 33 A2
Zeminiana (PD) 26 D3-4
Zemm, Fiume 3 A4
Zemmtal [A] 3 A4
Zena (BO) 47 D3
Zena, Fiume 47 C3
Zendri (TN) 25 B2
Zeneggen [CH] 7 B4
Zenerigolo (BO) 47 A2
Zenevredo (PV) 34 C2
Zenich (BL) 14 C2
Zenna (AR) 54 E4
Zenobito, Punta dello (LI) 58 B1
Zeno, Corna (BS) 24 B1-2
Zenódis (UD) 5 F4
Zenone, Monte (GE) 44 D3
Zenson di Piave (TV) 27 C2
Zenzalino (FE) 38 DE3
Zeparedda, Monte (CA) 132 D2
Zépara Manna (NU) 132 C2
Zeppa (RA) 48 C2
Zéppara (OR) 132 D1-2
Zéppera Case (OR) 131 E4
Zepponami (VT) 67 C2
Zerba (PC) 34 F2
Zerbé (AL) 33 E2
Zerbinate (FE) 37 B3
Zerbion, Monte (AO) 19 A3-4
Zerbio (PC) 35 C1
Zerbolò (PV) 33 A4
Zerbo (PV) 34 B2
Zerfaliu (OR) 131 B4
Zerman (TV) 27 D1
Zermatt [CH] 7 D3
Zermeghedo (VI) 25 E3
Zermen (BL) 14 F2
Zermettjen [CH] 7 D3
Zermini, Monte (BZ) 2 D2
Zermula, Monte (UD) 16 B3
Zernez [CH] 1 D1
Zero Branco (TV) 26 D4
Zero, Fiume 27 D1
Zervó, Piani di (RC) 114 C4
Zettersfeld [A] 5 B2
Zevenciedo (VI) 25 E4
Zevio (VR) 25 F2
Zevola, Monte (VR) 25 C2
Zgor Radovna [YUI] 17 C4
Zianigo (VE) 26 E4
Ziano di Fiemme (TN) 13 C3
Ziano Piacentino (PC) 34 C2
Zibana, Passo di (PR) 45 C3
Zibello (PR) 35 C3
Zibido al Lambro (PV) 22 F2
Zibido (MI) 22 E2
Zibido San Giacomo (MI) 21 E4
Ziethenkopf [A] 5 C3
Zighino, Monte (SS) 126 D4
Zignago (SP) 44 D4
Zignago, Valle (VE) 28 D1

Zigone [YUI] 29 B2
Zillastro, Piano (RC) 114 C4
Zillertaller [A] 3 A1-4 A4
Zimardo (RG) 123 E4
Zimbalio, Monte (EN) 120 B1
Zimella (VR) 25 F3
Zimmara, Monte (PA) 119 A3
Zimone (BI) 20 D2
Zinal [CH] 7 C2
Zinalrothorn [CH] D2-3
Zinal, Val del [CH] 7 C2
Zinasco Nuovo (PV) 33 B4
Zinasco (PV) 33 B4
Zinasco Vecchio (PV) 33 B4
Zinga (KR) 103 E2
Zingara, Masseria della (BA) 87 B2
Zingarella, Casera (VI) 13 F3
Zingarello, Lo (CE) 82 E4
Zingarini (ROMA) 73 F2
Zingaro, Passo (CT) 120 A4
Zinghera (GR) 59 F3
Zingla, Monte (BS) 24 C2
Zingomarro, Monte (CS) 102 E4
Zingone, Quartiere (MI) 21 E4
Zingonia (BG) 22 C4
Zinkelzkemp [A] 5 A2
Zinnigas (CA) 135 C1
Zinola (SV) 42 D4
Zinzulusa, Grotta (LE) 100 D4
Ziolera, Monte (TN) 13 D3
Ziona (SP) 44 D3-4
Ziracco (UD) 16 F4
Zirago, Malga (BZ) 3 B2
Zirje [YUI] 29 D4
Zirra, Monte (SS) 128 A1-2
Zita, Passo della (ME) 112 D1
Zititto, Masseria (FG) 85 D2
Zittola, Ponte (AQ) 76 A1
Ziu Garolu, Punta (SS) 129 D4
Zlatorog [YUI] 17 D3
Zmutt [CH] 7 E3
Zoagli (GE) 44 C1
Zocca (FE) 38 D2
Zocca (MN) 36 D4
Zocca (MO) 47 D1
Zocchetta (MO) 47 D1
Zocco (BS) 23 C2
Zoccolanti (PG) 55 F3
Zoccolaro, Monte (CT) 121 A1
Zoccolo, Cima (TN) 12 B3
Zoccolo, Lago di (BZ) 2 EF2-3
Zocco (PG) 61 D4
Zoccorino (MI) 22 B2
Zogno (BG) 22 AB4
Zoia, Cá (VE) 27 E2-3
Zola Predosa (BO) 47 B2
Zola, Rifugio (SO) 11 C1
Zoldo Alto (BL) 14 B3
Zoldo, Ospitale di (BL) 14 C4
Zolla (TS) 29 D3
Zollino (LE) 100 B2
Zollner Höhe [A] 5 E4
Zollspitze [A] 5 A1-2
Zómaro, Villaggio (RC) 115 B1
Zomeais (UD) 16 E3
Zompicchia (UD) 15 F4
Zompitta (UD) 16 E4
Zoncolan, Monte (UD) 5 F3
Zone (BS) 23 B3
Zone (LU) 52 BC4
Zonzo, Monte (SA) 90 D2
Zoppe di Cadore (BL) 14 B3
Zoppi (SA) 96 B1
Zoppola (PN) 15 F3
Zoppo, Portella dello (ME) 112 E2
Zoppé (TV) 27 A2
Zoppu, Monte (SS) 127 C3
Zoreri (TN) 25 A2
Zorlesco (LO) 34 A4
Zornasco (VB) 8 D4
Zorzoi (BL) 14 E1
Zorzone (BG) 10 F4
Zotten [A] 4 B4
Zottier (BL) 14 E3
Zotto, Masseria (CT) 120 E2
Zoufplan (UD) 5 E3
Zovello (UD) 5 F3
Zovo, Forcella (BL) 5 E1
Zovo (MN) 36 C4
Zovo, Monte (BL) 5 E1
Zovon (PD) 26 F1
Zovo, Passo del (BL) 4 E4
Zovo (VI) 25 C3
Zovo (VR) 25 D2
Zózzoli, Torre (TA) 94 F2
Zuane (VR) 24 D4
Zu (BG) 23 B3
Zubiena (BI) 20 D2
Zucca, Monte della (AR) 55 D2
Zuccarello (SV) 42 E2
Zuccaro, Monte (AL) 33 F3
Zuccaro, Monte (VB) 9 D1
Zuccarone, Cocuzzo (PA) 109 F3
Zucchea (TO) 31 D1-2
Zucche, Le (TO) 31 C2
Zucchero, Monte [CH] 9 B1
Zucco di Montelepre, Stazione di (PA) 109 D1
Zucco, Monte (BG) 22 A4
Zuccone Campelli (LC) 10 F2
Zuccone, Monte (BG) 10 F2-3
Zuccone, Monte (PR) 44 C3-4
Zucco (PA) 109 D1
Zuc Dal Bôr (UD) 16 C3-4
Zuc di Santis (PN) 15 C3-4
Zuchello, Monte (GE) 44 A1
Zuchero, Monte (NO) 8 F3-4
Zucis, Monte (UD) 16 C3
Zuckerhült, Pan di Zucchero (BZ) 2 B4
Zuclo (TN) 12 E2
Zuel (BL) 4 F3
Zugliano (UD) 28 A3
Zugliano (VI) 25 B4
Zúglio (UD) 5 F4
Zugna, Monte (TN) 25 B1
Zugna Torta (TN) 25 A1
Zuighe, Cantoniera (SS) 127 F2
Zuighe, Monte (SS) 129 B2
Zuino (BS) 24 C3
Zula (BO) 47 D3
Zumaglia (BI) 20 C2
Zumié (BS) 24 B2
Zumpano (CS) 102 D1
Zunchinu, Ponte (SS) 125 F3
Zúngoli (AV) 84 E4
Zungri (VV) 104 E2-3
Zuni (CE) 82 D4
Zunig Gr. [A] 5 B1
Zuort [CH] 1 B3
Zupo, Pizzo (SO) 11 B1
Zuppino (SA) 90 D3
Zurco (RE) 36 E2
Zurini (UD) 16 E3
Zuri (OR) 129 F2
Zurlengo (BS) 23 E2
Zurru, Monte su (CA) 135 A4
Zwieselstein [A] 2 B3
Zwischbergen [CH] 8 C1
Zwischbergental [CH] 8 C2 D1
Zwölferspitz [A] 5 DE2

Controllato ai sensi della legge 2-2-1960 n° 68. Nullaosta alla diffusione n° 395 del 24/10/1996

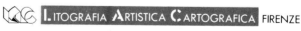